ISBN 978-0-428-95879-4
PIBN 11210186

Amtsblatt

der

Königlichen Regierung zu Potsdam

und der

Stadt Berlin.

Jahrgang 1888.

Potsdam, 1888.
Zu haben bei den Kaiserlichen Postanstalten der Provinz und in Berlin.
Preis 1 Mark 50 Pfennige.
(Der Preis des Alphabetischen Sach- und Namen-Registers vom ganzen Jahrgange beträgt 38 Pfennige.)

Datum	Nummer der Verordnungen und Bekanntmachungen.	Inhalt der Verordnungen und Bekanntmachungen.	Stück des Amtsblatts.	Seitenzahl des Amtsblatts.
Dez. 16.	2. M.	Vorschriften zur Ausführung des Reichsgesetzes, betr. die Unfall-Versicherung der bei Bauten beschäftigten Personen, vom 11. Juli 1887.	1	1/2
- 20.	1. K. A.	Genehmigung zu Kommunalbezirks-Veränderungen im Kreise Niederbarnim.	2	18
- 22.	3. M.	Ausdehnung der Vorschriften wegen der Radfelgenbreite der Frachtfuhrwerke beim Verkehr auf den Kunststraßen auf mehrere Chausseen des Kreises Teltow.	1	2
- 22.	1. E. B. D. B.	Neue Tarifhefte für den Galizisch-Norddeutschen Getreideverkehr ...	1	6
- 23.	1. O. Pr.	Mitglieder und Stellvertreter der Aerztekammer für die Provinz Brandenburg und den Stadtkreis Berlin.	1	2/3
- 23.	1. St. S.	Beitritt des Schutzgebiets der Neu-Guinea-Kompagnie zum Weltpostverein.	1	6
- 24.	4. M.	Verordnung, betr. den Gebrauch von Sprengstoffen	3	21
- 24.	14. M.	Regulativ für die in Ausführung des Gesetzes, betr. die Unfall-Versicherung der bei Bauten beschäftigten Personen, vom 11. Juli 1887 vorzunehmenden Wahlen.	18	163/165
- 24.	1. O. P. D.	Errichtung einer Postagentur mit Telegraphenbetrieb in Liebenberg ..	1	6
- 24.	1. E. B. D. Br.	Die Haltestelle Glietzig betr.	1	6
- 28.	— —	Allerhöchster Erlaß, betr. die der Aktien-Gesellschaft Imperial-Continental-Gas-Association ertheilte landesherrliche Genehmigung zum Erwerbe von Grundstücken.	4	27
- 28.	2. O. Pr.	Normalgewichte für den Verkehr auf den Kunststraßen	1	3/4
- 28.	3. O. Pr.	Verzeichniß der Kunststraßen im Regierungsbezirk Potsdam	2	11/13
- 28.	5. R. Pr.	Maul- und Klauenseuche in Wustermark und Flatow im Kreise Osthavelland und in Nieder-Schönhausen im Kreise Niederbarnim.	1	5
- 28.	6. R. Pr.	Desgl. in Tarmow, Kreis Osthavelland, Lichtenberg bei Berlin und Gollmitz, Kreis Prenzlau.	1	5
- 28.	1. P. Pr.	Eröffnung einer Apotheke	1	5
- 29.	7. R. Pr.	Rotzkrankheit zu Amt Mildenberg im Kreise Templin	1	5
- 30.	1. R. Pr.	Schußfreie Tage auf dem Schießplatze bei Cummersdorf für das Jahr 1888.	1	4
- 30.	3. R. Pr. u. P. Pr.	Abhaltung einer Hauskollekte für die Heil- und Pflegeanstalt für Epileptische zu Potsdam.	1	5
- 30.	2. P. Pr.	Eröffnung einer Apotheke	1	5
- 30.	— —	Königl. Amtsgericht zu Kyritz. — Führung des Handels- 2c. Registers.	1	8
- 31.	4. R. Pr. u. P. Pr.	Arznei-Taxe für 1888	1	5
- 31.	8. R. Pr.	Rotzkrankheit in Weißensee bei Berlin	1	5
- 31.	16. R. Pr.	Bedingungen für die Verleihung der Wohlthaten des Potsdamschen Großen Militair-Waisenhauses.	2	16/17
1888.				
Jan. 1.	2. E. B. D. Br.	Reexpeditionstarif für die Beförderung von Hanf 2c.	2	17
- 1.	3. E. B. D. Br.	Deutsch-Polnischer Verband	2	18
- 2.	M.	Eröffnung beider Häuser des Landtages	Extrablatt S. 9.	
- 2.	9. R. Pr.	Maul- und Klauenseuche auf dem Gute Klein-Beeren im Kreise Teltow.	1	5

Datum	Nummer der Verordnungen und Bekanntmachungen.	Inhalt der Verordnungen und Bekanntmachungen.	Stück des Amtsblatts.	Seitenzahl des Amtsblatts.
Jan. 3.	2. R. Pr.	Recherchen nach einer Geistesschwachen	1	4/5
- 3.	R. Pr.	Oeffentliche Belobigung für Rettung aus Lebensgefahr	2	19
- 4.	15. R. Pr. u. P. Pr.	Form der ärztlichen Atteste der Medizinalbeamten	2	14/16
- 4.	3. P. Pr.	Auswanderung betr.	2	17
- 5.	10. R. Pr.	Errichtung einer Chausseegeldhebestelle im Kreise Teltow	2	13
- 5.	11. R. Pr.	Maul- und Klauenseuche in Markee und Herzberg im Kreise Osthavelland.	2	13
- 5.	4. E. B. D. Br.	Staatsbahn-Gütertarif Bromberg-Breslau	2	18
- 5.	— —	Direktion der Städte-Feuer-Sozietät der Provinz Brandenburg zu Berlin. — Ausschreiben der von den Mitgliedern für das II. Halbjahr 1887 zu entrichtenden Feuer-Sozietäts-Beiträge.	3	25/26
- 6.	— —	Königl. Amtsgericht zu Rathenow. — Führung des Handels- 2c. Registers.	2	19
—	— —	Verzeichniß über die Ausweisung von Ausländern aus dem Reichsgebiete nach Nr. 51. des Centralblatts pro 1887.	1	8
Jan. 9.	12. R. Pr.	Maul- und Klauenseuche auf den Rittergütern Möthlow, Kreis Westhavelland, Klosterhof, Kreis Ostprignitz und Hohen-Schönhausen, und Reinickendorf, Kreis Niederbarnim, sowie Maulseuche auf dem Dominium Prädikow, Kreis Oberbarnim.	2	13
- 9.	13. R. Pr.	Nachweisung der Markt- 2c. Preise im Monat Dezember 1887.	2	14/15
- 9.	14. R. Pr.	Desgl. des Monatsdurchschnitts der gezahlten höchsten Tagespreise in den Hauptmarktorten (einschließlich 5 Prozent Aufschlag) im Monat Dezember 1887.	2	14/15
- 9.	6. P. Pr.	Berliner und Charlottenburger Preise pro Dezember 1887.	3	22/23
- 9.	76. R. Pr.	Polizei-Verordnung, betr. das Verbot des Anpreisens von Geheimmitteln.	9	73
- 9.	— —	Königl. Aichungs-Inspektion zu Berlin. — Unzulässigkeit älterer Gewichte im öffentlichen Verkehre.	4	32/33
- 10.	18. R. Pr.	Verbot eines Flugblattes	3	21
- 10.	19. R. Pr. u. P. Pr.	Abhaltung einer Hauskollekte	3	21
- 10.	20. R. Pr.	Maulseuche auf dem Gute Beerbaum im Kreise Oberbarnim	3	21
- 10.	1. R.	Wahl der Kuratoren und deren Stellvertreter für die Elementarlehrer-Wittwen- und Waisenkasse des Regierungsbezirks Potsdam.	3	22
- 11.	21. R. Pr.	Lungenseuche in Berlitt im Kreise Ostprignitz	3	21
- 11.	— —	Königl. Regierung zu Bromberg. — Erledigte Kreisphysikatsstellen	3	26
- 11.	2. St. S.	Postpacketverkehr mit Bathurst (Gambia), Sierra Leone und Lagos (Westküste von Afrika).	4	31
- 11.	— —	Königl. Eisenbahn-Kommissariat zu Berlin. — Kommunalsteuerpflichtiges Reineinkommen der Dahme-Uckro'er Eisenbahn.	4	32
- 12.	4. O. Pr.	Die pro 1888/93 gewählten Abgeordneten zum Provinzial-Landtage betr.	4	27/29
- 12.	22. R. Pr.	Maul- und Klauenseuche in Weißensee bei Berlin	3	21
- 12.	4. P. Pr.	Verbot einer Druckschrift	3	22
- 12.	4. St. S.	Einführung des Postauftrags-Verkehrs mit Norwegen	5	42
- 12.	1. K. d. S. P.	Aufgebot von Schuldverschreibungen	3	23
- 12.	5. E. B. D. Br.	Verausgabung von 60tägigen Retourbilletts	4	31/32

Datum	Nummer der Verordnungen und Bekanntmachungen.	Inhalt der Verordnungen und Bekanntmachungen.	Stück des Amtsblatts.	Seitenzahl des Amtsblatts.
—	— —	Inhalts-Verzeichniß von Stück 46 bis einschließlich 50 des Reichsgesetzblatts pro 1887.	2	11
—	— —	Desgl. von Stück 38 und 39 der Gesetz-Sammlung pro 1887	2	11
Jan. 13.	R. Pr.	Erledigte Kreiswundarztstelle	3	26
- 13.	— —	Landstallmeister zu Friedrich-Wilhelms-Gestüt. — Stationirung der Landbeschäler pro 1888.	4	32
—	2. E. B. D. B.	Eröffnung der Eisenbahnstrecke Grunow-Beeskow	2	17
—	— —	Verzeichniß über die Ausweisung von Ausländern aus dem Reichsgebiete nach Nr. 51 des Centralblatts pro 1887.	2	19/20
Jan. 14.	17. R. Pr.	Krankenversicherung im Amtsbezirk Malchow, Kreis Niederbarnim	3	21
- 14.	5. P. Pr.	Ergänzung der Bestimmungen über die Verladung und Beförderung von lebenden Thieren auf Eisenbahnen.	3	22
- 14.	3. St. S.	Postpacketverkehr nach Ostasien und Australien	4	31
- 14.	2. K. d. S. P.	Aufgebot von Schuldverschreibungen	4	31
- 16.	25. R. Pr.	Schußfreie Tage auf dem Schießplatze bei Cummersdorf für das Jahr 1888.	4	29
- 16.	— —	Ständische General-Direktion der Land-Feuer-Sozietät der Kurmark und der Niederlausitz zu Berlin. — Feuerkassengelder-Ausschreiben für das II. Semester 1887.	3	24/25
- 17.	23. R. Pr.	Rotzkrankheit in Reinickendorf und Maul- und Klauenseuche auf dem Rittergute Siethen, Kreis Teltow, und Tarmow, Kreis Osthavelland.	3	22
- 17.	24. R. Pr.	Maul- und Klauenseuche auf dem Rieselgute Malchow, in Weißensee, Kreis Niederbarnim, und auf der Domaine Dreetz, Kreis Ruppin.	3	22
- 17.	7. P. Pr.	Verbot eines Flugblatts	4	31
- 18.	26. R. Pr.	Errichtung einer Chausseegeldhebestelle im Kreise Teltow	4	29
- 18.	2. K. A.	Kommunalbezirks-Veränderungen im Kreise Beeskow-Storkow im II. Halbjahr 1887.	5	43
- 19.	5. O. Pr.	Einberufung des 14. Provinzial-Landtages der Provinz Brandenburg	4	29
- 19.	27. R. Pr.	Erhöhung der Mitglieder-Beiträge der Potsdamer Ortskasse der Schuhmachergesellen.	4	29
- 19.	2. O. P. D. 8. O. P. D. 10. O. P. D.	Anträge auf Fernsprech-Anschluß	4 6 8	31 51 71
- 19.	1. H. V.	Verloosung der Staats-Prämien-Anleihe vom Jahre 1855	5	42/43
- 19.	3. E. B. D. B.	Gewährung von Frachtkrediten für Kohlentransporte	4	31
- 19.	6. E. B. D. Br.	Nachtrag I. zum Verbandgütertarif zwischen Stationen des Bezirks Bromberg und den Stationen der Marienburg-Mlawkaer Bahn.	5	43
- 20.	28. R. Pr.	Verladung und Beförderung von Wiederkäuern und Schweinen nach den Nordseehäfen.	4	29
- 20.	30. R. Pr.	Rotzkrankheit in Rixdorf bei Berlin	4	30
- 20.	33. R. Pr.	Maul- und Klauenseuche in Teltow und auf dem Rittergut Hohen-Schönhausen und in Lichtenberg im Kreise Niederbarnim.	4	30
- 20.	R. Pr.	Ortsbenennung	4	36
—	— —	Verzeichniß über die Ausweisung von Ausländern aus dem Reichsgebiete nach Nr. 1 des Centralblatts pro 1888.	3	26

Datum	Nummer der Verordnungen und Bekanntmachungen.	Inhalt der Verordnungen und Bekanntmachungen.	Stück des Amtsblatts.	Seitenzahl des Amtsblatts.
Jan. 21.	29. R. Pr.	Nachweisung der an den Pegeln der Spree und Havel im Monat November 1887 beobachteten Wasserstände.	4	30
- 21.	32. R. Pr.	Maul- und Klauenseuche auf der Domaine Kienberg und in Tarmow im Kreise Osthavelland.	4	30
- 21.	7. E. B. D. Br.	Frachtbegünstigung für Ausstellungs-Gegenstände	5	43/44
- 21.	— —	Königl. Amtsgericht zu Trebbin. — Stellvertreter des Amtsrichters	5	44
- 21.	— —	Königl. Amtsgericht zu Trebbin. Aufnahme von Akten der freiwilligen Gerichtsbarkeit.	5	44
- 21.	— —	Verzeichniß der Vorlesungen an der Königlichen landwirthschaftlichen Hochschule zu Berlin im Sommer-Semester 1888.	6	52/53
- 22.	9. P. Pr.	Polizei-Verordnung, betr. die Verhütung von Bleivergiftungen der Arbeiter in den Ofen-Fabriken.	5	42
- 23.	31. R. Pr.	Maulseuche auf dem Rittergut Retzow, Kreis Westhavelland, und Maul- und Klauenseuche in Rathenow.	4	30
- 23.	39. R. Pr.	Bewilligung von Wittwen- und Waisengeld auf Grund der rückwirkenden Kraft des Militär-Relikten-Gesetzes vom 17. Juni 1887.	5	39/40
- 23.	8. E. B. D. Br.	Güterverkehr auf der Haltestelle Lindenbusch	5	44
- 24.	3. R.	Uebersicht des Zustandes der Elementarlehrer-Wittwenkasse für das Rechnungsjahr 1. April 1886/87.	5	41
- 24.	2. H. V.	Aufruf noch nicht eingelöster Stammaktien und Prioritäts-Obligationen der Münster-Hammer Eisenbahn.	6	51
- 25.	34. R. Pr.	Festsetzung des ortsüblichen Tagelohnes der zum Kassenbezirke der Orts-Krankenkasse für Dyrotz und Umgegend gehörigen forst- und landwirthschaftlichen Arbeiter.	5	39
- 25.	38. R. Pr.	Maler-Innung zu Spandau	5	39
- 25.	40. R. Pr.	Milzbrand in Schöpfurth im Kreise Oberbarnim	5	40
- 25.	4. R.	Allerhöchster Erlaß vom 4. November 1887, betr. die Ueberweisung der Feld-(Land-)messer-Angelegenheiten von der allgemeinen Bauverwaltung an den Finanz-Minister.	5	41
- 26.	35. R. Pr.	Schifffahrtssperre..	5	39
- 26.	37. R. Pr.	Kommunal-Verhältnisse des Etablissements Elsthal bei Luckenwalde	5	39
- 26.	3. O. P. D.	Umwandlung einer Post- und Telegraphenhülfsstelle in eine Postagentur mit Telegraphenbetrieb.	5	42
- 26.	4. E. B. D. B.	Nachträge zu den Tarifheften des Galizisch-Norddeutschen Getreideverkehrs.	5	43
- 27.	41. R. Pr.	Maul- und Klauenseuche auf Rittergut Biesdorf, Kreis Niederbarnim, und auf Gut Klein-Beeren, Kreis Teltow.	5	40
- 27	8. P. Pr.	Entziehung eines Hebammen-Prüfungs-Zeugnisses	5	42
—	— —	Verzeichniß über die Ausweisung von Ausländern aus dem Reichsgebiete nach Nr. 1 und 2 des Centralblatts pro 1888.	4	36/38
Jan. 28.	4. K. A.	Genehmigung von Kommunalbezirks-Veränderungen im Kreise Niederbarnim.	8	71
- 30.	6. O. Pr.	Wahl der Mitglieder rc. der Direktion der Hülfskasse für den kommunalständischen Verband der Kurmark.	6	45
- 30.	36. R. Pr.	Berichtigung der Marktpreisverzeichnisse pro Oktober, November und Dezember 1887.	5	39
- 30.	42. R. Pr.	Rotzkrankheit in Amt Mildenberg im Kreise Templin	5	40
- 30.	47. R. Pr.	Schiedsgericht für die staatliche Unfall-Versicherung der bei Bauten beschäftigten Personen.	6	48

Datum	Nummer der Verordnungen und Bekanntmachungen.	Inhalt der Verordnungen und Bekanntmachungen.	Stück des Amtsblatts.	Seitenzahl des Amtsblatts.
Jan. 30.	2. R.	Eröffnung der Präparanden-Anstalt zu Joachimsthal	5	40
- 31.	7. M.	Notirung von Terminpreisen	8	67
- 31.	49. R. Pr.	Maulseuche auf den Gütern Beerbaum und Sydow im Kreise Oberbarnim.	6	48
- 31.	50. R. Pr.	Maul- und Klauenseuche in Gohlitz im Kreise Westhavelland	6	48
- 31.	15. P. Pr.	Gesellschaftsvertrag der allgemeinen Renten-, Kapital- und Lebens-Versicherungs-Bank „Teutonia“ in Leipzig.	9	79
- 31.	4. O. P. D.	Unbestellbare Einschreibbriefe	6	49
- 31.	9. E. B. D. Br.	Staatsbahn-Gütertarif Bromberg-Breslau und Oberschlesischer Kohlenverkehr.	6	51
Febr. 1.	3. K. A.	Kommunalbezirks-Veränderung im Kreise Jüterbog-Luckenwalde	6	51
- 2.	6. M.	Zusätzliche Bestimmung zu der unterm 20. März 1885 genehmigten „Revidirten Börsenordnung für Berlin“.	7	57
- 2.	44. R. Pr.	Apothekergehülfen-Prüfung	6	46/47
- 2.	51. R. Pr.	Maul- und Klauenseuche in Wustermark im Kreise Osthavelland	6	48
- 2.	R. Pr.	Oeffentliche Belobigung für Rettung aus Lebensgefahr	6	52
- 2.	61. R. Pr.	Schneider-Innung zu Wittenberge	7	62/63
- 2.	86. R. Pr.	Beförderung der Schiffsgefäße und Floßhölzer durch die Unter-Lindower Schleuse des Friedrich-Wilhelms-Kanals.	10	87/88
- 2.	3. K. d. S. P.	Aufgebot von Schuldverschreibungen	6	51
- 3.	5. M.	Verhängung des kleinen Belagerungszustandes über den die Städte Stettin, Grabow a. O. und Alt-Damm, sowie die Amtsbezirke Bredow, Warsow, Scheune und Finkenwalde umfassenden Bezirk.	6	45
- 3.	43. R. Pr.	Aichungsamt zu Angermünde	6	45/46
- 3.	52. R. Pr.	Maul- und Klauenseuche in Tarmow im Kreise Osthavelland	6	48
- 3.	10. P. Pr.	Deutscher Tischlerverband in Stuttgart	6	49
- 4.	48. R. Pr.	Veröffentlichungen des Deutschen Handelsarchives	6	48
- 4.	53. R. Pr.	Maul- und Klauenseuche auf den Gütern Rosenthal und Blankenfelde im Kreise Niederbarnim.	6	48
- 4.	11. P. Pr.	Freilegung der Südseite der Yorkstraße von der Bellealliancestraße bis zur Großbeerenstraße, der Dresdenerstraße von der Prinzenstraße bis zur Buckowerstraße und der Warschauerstraße von der Frankfurter Allee bis zur Einmündung der Memelerstraße.	7	63
- 5.	5. O. P. D.	Unanbringliche Postanweisungen	6	49/50
- 5.	6. O. P. D	Unanbringliche Postsendungen	6	50
- 5.	7. O. P. D.	Unanbringliche Briefe mit Werthinhalt	6	50
- 6.	— —	Allerhöchstes Privilegium wegen Ausfertigung auf den Inhaber lautender Anleihescheine des Nuthe-Schau-Verbandes im Betrage von 700 000 Mark Reichswährung.	10	85/86
- 6.	54. R. Pr.	Maul- und Klauenseuche in Klosterhof im Kreise Ostprignitz	6	48
- 7.	45. R. Pr.	Nachweisung der Markt- ꝛc. Preise im Monat Januar 1888	6	46/47
- 7.	46. R. Pr.	Nachweisung des Monatsdurchschnitts der gezahlten höchsten Tagespreise für Fourage in den Hauptmarktorten (einschließlich 5 Prozent Aufschlag) im Monat Januar 1888.	6	46/47
- 7.	55. R. Pr.	Maul- und Klauenseuche auf Gut Dalldorf, auf den Rittergütern Stolpe und Friedrichsfelde (Kreis Niederbarnim), in Wachow (Kreis Westhavelland), in Tietzow (Kreis Osthavelland) und auf Rittergut Siethen (Kreis Teltow).	6	48

Datum	Nummer der Verordnungen und Bekanntmachungen.	Inhalt der Verordnungen und Bekanntmachungen.	Stück des Amtsblatts.	Seitenzahl des Amtsblatts.
Febr. 16.	— — — —	Königl. Kredit-Institut für Schlesien zu Breslau. — Aufruf verlooster Pfandbriefe Littr. B.	9 27	81/82 271
- 17.	1. L. D.	Hauptetat der Verwaltung des Provinzial-Verbandes von Brandenburg für das Jahr vom 1. April 1888—1889.	11	99/101
—	— —	Verzeichniß über die Ausweisung von Ausländern aus dem Deutschen Reichsgebiete nach Nr. 5 des Centralblatts pro 1888.	7	66
Febr. 18.	65. R. Pr.	Nachweisung der an den Pegeln der Spree und Havel im Monat Dezember 1887 beobachteten Wasserstände.	8	68
- 18.	66. R. Pr.	Artikel des Deutschen Handels-Archivs	8	69
- 18.	72. R. Pr.	Maul- und Klauenseuche auf der zum Gute Obergreifenberg im Kreise Angermünde gehörigen Schäferei.	8	70
- 18.	73. R. Pr.	Maul- und Klauenseuche auf der Domaine Dreetz bei Neustadt a. D.	8	70
- 18.	77. R. Pr.	Unfallversicherung bei kleinen Regiebauten	9	73
- 18	14. P. Pr.	Verbot eines Flugblatts	8	70
- 19.	75. R. Pr.	Privat-Irrenanstalten	Extrabeilage zum 8ten Stück.	
- 20.	— —	Allerhöchster Erlaß, betr. einen Nachtrag zu den reglementarischen Bestimmungen des Kur- und Neumärkischen Ritterschaftlichen Kredit-Instituts.	13	113
- 20.	74. R. Pr.	Maul- und Klauenseuche in Biesdorf und Rosenthal (Kreis Niederbarnim) und Milzbrand in Radinkendorf (Kreis Beeskow-Storkow).	8	70
- 20.	17. P. Pr.	Verbot einer Broschüre	9	79
- 20.	3. D. d. R. B.	Einlösung von Rentenbriefen	9	80
- 20.	7. E. B. D. B.	Nachträge zu Tarifen des Ostdeutsch-Oesterreichischen Verband-Verkehrs.	9	80
- 20.	12. E. B. D. Br.	Eröffnung des Eisenbahn-Haltepunktes Thorn-Stadt für den unbeschränkten Personen- und Gepäckverkehr.	9	80/81
- 20.	13. E. B. D. Br.	Erlöschen von Tarifen zwischen Deutschland und Italien	9	81
- 20.	14. E. B. D. Br.	Frachtbegünstigung für Ausstellungs-Gegenstände	9	81
- 21.	67. R. Pr.	Tarif, nach welchem die Abgabe für die Benutzung des städtischen Bohlwerks zu Schwedt a. O. bis zum 31. Dezember 1895 zu erheben ist.	8	69/70
- 21.	80. R. Pr.	Maul- und Klauenseuche auf dem Rittergut Priort im Kreise Osthavelland.	9	79
- 21.	16. P. Pr.	Verbot einer Druckschrift	9	79
- 21.	5. St. S.	Aufnahme der Deutschen Postagenturen in Apia (Samoa-Inseln) und in Shanghai (China) in den Weltpostverein.	9	73
- 22.	6. St. S.	Werthbriefverkehr mit der Republik Salvador	10	89
- 23.	7. R.	Konservirung der Kunstdenkmäler im Königreich Preußen	10	88/89
- 23.	5. K. d. S. P.	Aufgebot von Schuldverschreibungen	9	79
- 24.	81. R. Pr.	Maul- und Klauenseuche auf dem Rittergut Roskow im Kreise Westhavelland.	9	79
- 24.	5. K. A.	Kommunalbezirks-Veränderungen im Kreise Jüterbog-Luckenwalde	10	90
- 25.	8. M.	Unfallversicherung der bei Bauten beschäftigten Personen	12	105
- 25.	82. R. Pr.	Maul- und Klauenseuche auf dem Rittergut Dahlwitz im Kreise Teltow.	9	79

Datum	Nummer der Verordnungen und Bekanntmachungen.	Inhalt der Verordnungen und Bekanntmachungen.	Stück des Amts-Blatts.	Seitenzahl des Amts-Blatts.
Febr. 25.	85. R. Pr.	Tarif zur Erhebung des Bohlwerks-Ein- und Auslade- und Stättegeldes bei Benutzung der von der Stadtgemeinde Rathenow vor dem Havelthore ober- und unterhalb der langen Brücke errichteten öffentlichen Ablage.	10	87
- 25.	87. R. Pr.	Maul- und Klauenseuche in Gohlitz im Kreise Westhavelland	10	88
- 25.	15. E. B. D. Br.	Eisenbahn-Gütertarife	10	89
- 25.	16. E. B. D. Br.	Neue Ausgabe des Ostdeutschen Eisenbahn-Kursbuchs	10	89/90
- 25.	6. K. A.	Kommunalbezirksveränderungen im Kreise Jüterbog-Luckenwalde ...	10	90
- 27.	17. E. B. D. Br.	Nachtrag zum Tarif für die Beförderung von Personen und Reisegepäck, Theil II.	10	90
- 28.	88. R. Pr.	Maul- und Klauenseuche in Fahrland, Flatow und Tietzow im Kreise Osthavelland.	10	88
- 28.	— —	Königl. Eisenbahn-Kommissariat zu Berlin. — Kommunalabgabenpflichtiges Reineinkommen der Wittenberge-Perleberger-Eisenbahn.	10	90
- 29.	79. R. Pr.	Verlängerung einer Schiffahrtssperre	9	79
- 29.	83. R. Pr.	Verloosung von Equipagen, Reit- und Wagenpferden rc. in Inowrazlaw.	10	86
- 29.	84. R. Pr.	Desgl. in Kassel	10	86
- 29.	89. R. Pr.	Maul- und Klauenseuche in Weißensee bei Berlin	10	88
- 29.	6. R.	Aufnahme in die Lehrerinnen-Bildungs-Anstalten zu Droyßig	10	88
- 29.	— —	Königl. Amtsgericht zu Brandenburg. — Lehniner Gerichtstage ...	10	92
März 1.	10. M.	Ankauf von Remonten pro 1888	13	114/115
	11. M.		15	128
	13. M.		17	152
	15. M.		19	175/176
	19. M.		20	189
	22. M.		21	205/206
	23. M.		22	217
	25. M.		29	289
	26. M.		30	299
	27. M.		31	303
- 1.	90. R. Pr.	Rotzkrankheit in Hohen-Schönhausen und Dalldorf im Kreise Niederbarnim und Maul- und Klauenseuche in Marzahn und Neu-Hohen-Schönhausen im Kreise Niederbarnim und in der Stadt Teltow.	10	88
- 1.	1. E. B. D. M.	Fahrplan-Aenderung	10	89
	2. E. B. D. M.		11	98
- 1.	7. K. A.	Kommunalbezirksveränderung im Kreise Zauch-Belzig	14	124
- 1.	8. K. A.	Desgl. im Kreise Zauch-Belzig	14	124
- 2.	8. O. Pr.	Bestätigung von Wahlen zum Kommunallandtage der Kurmark ...	11	93
- 2.	91. R. Pr.	Maul- und Klauenseuche auf dem Rittergut Klein-Machnow im Kreise Teltow.	10	88
- 2.	4. H. V.	Verloosung von 3½% Staatsschuldscheinen von 1842	12	106
- 2.	2. P. St. D.	Ausführungsbestimmungen zum Zuckersteuergesetz	11	101/102
—	— —	Verzeichniß über die Ausweisung von Ausländern aus dem Reichsgebiet nach Nr. 5, 6 und 7 des Centralblatts pro 1888.	9	82/84

Datum	Nummer der Verordnungen und Bekanntmachungen.	Inhalt der Verordnungen und Bekanntmachungen.	Stück des Amtsblatts.	Seitenzahl des Amtsblatts.
März 3.	94. R. Pr.	Erledigte Kreiswundarztstelle	11	93
- 3.	103. R. Pr.	Unfalluntersuchungen gemäß § 54 des Unfallversicherungsgesetzes	12	105
- 3.	5. H. V.	Verloosung von Schuldverschreibungen der Staatsanleihen von 1850, 1852, 1853 und 1862.	13	116
- 3.	3. P. St. D.	Stempeldistributionsstelle in Lichtenberg bei Berlin	11	102
- 5.	92. R. Pr.	Maul- und Klauenseuche auf den Rittergütern Wilmersdorf (Kreis Angermünde) und Klein-Machnow (Kreis Teltow) und auf den Gütern Rosenthal und Blankenfelde (Kreis Niederbarnim).	10	88
- 5.	19. P. Pr.	Einleitung des Liquidationsverfahrens über die Lohnkommission der Berliner Zimmerer.	11	97
- 5.	3. H. V.	Einlösung der am 1. April 1888 fälligen Zinsscheine Preußischer Staatsschulden ꝛc.	11	97/98
- 5.	6. K. d. S. P.	Aufgebot einer Schuldverschreibung	11	98
- 6.	18. P. Pr.	Berliner und Charlottenburger Preise pro Februar 1888	11	96/97
- 6.	4. P. St. D.	Ausführungsbestimmung zum Branntweinsteuergesetz	11	102/103
- 6.	9. E. B. D. B.	Vorausbestellung von Tarifen	11	98
- 8.	93. R. Pr.	Verbot eines Flugblatts	11	93
- 8.	95. R. Pr.	Verloosung von Equipagen, Pferden ꝛc. in Frankfurt a. M.	11	93
- 8.	101. R. Pr.	Maul- und Klauenseuche in Lichtenberg-Friedrichsberg bei Berlin	11	95
- 8.	8. E. B. D. B.	Nachtrag zum Gütertarife für den Norddeutsch-Galizisch-Südwestrussischen Grenzverkehr.	11	98
- 8.	18. E. B. D. Br.	Nachtrag zum Staatsbahn-Gütertarif Bromberg-Breslau	12	106/107
—	— —	Inhalts-Verzeichniß von Stück 1 bis einschließlich 6 des Reichs-Gesetz-Blatts.	10	85
—	— —	Desgl. von Stück 1 bis einschließlich 3 der Gesetz-Sammlung	10	85
März 9.	97. R. Pr.	Nachweisung der Markt- ꝛc. Preise im Monat Februar 1888	11	94/95
- 9.	98. R. Pr.	Desgl. des Monatsdurchschnitts der gezahlten höchsten Tagespreise (incl. 5% Aufschlag) im Monat Februar 1888.	11	94/95
- 9.	102. R. Pr.	Nachweisung der an den Pegeln der Spree und Havel im Monat Januar 1888 beobachteten Wasserstände.	11	96
- 9.	23. P. Pr.	Abänderungen der Statuten der Transport-Versicherungs-Gesellschaft „Neuer Schweizerischer Lloyd“ in Winterthur.	14	123
- 9.	3. E. B. D. M.	Lokal-Güter- und Vieh-Verkehr	12	109
—	— —	Vorlesungen an der Königl. thierärztlichen Hochschule zu Hannover für das Sommersemester 1888.	10	92
März 10.	96. R. Pr.	Verlegung der 5. Kompagnie des Bezirkskommandos Bernau von Liebenwalde nach Oranienburg.	11	93
- 10.	100. R. Pr.	Maul- und Klauenseuche auf dem Rittergut Eichstädt im Kreise Osthavelland.	11	95
- 10.	8. R.	Turnlehrerinnen-Prüfung in Berlin	12	106
- 10.	11. O. P. D.	Einrichtung einer Telegraphenhülfsstelle in Motzenmühle	11	93
- 13.	99. R. Pr.	Vorläufige Ausführungsbestimmungen zu dem neuen Gesetze, die Aenderungen der Wehrpflicht betr.	11	94
- 13.	— —	Chef der Elbstrombauverwaltung, Oberpräsident der Provinz Sachsen zu Magdeburg. — Polizei-Verordnung, betr. die Befugnisse der Stromaufsichtsbeamten der Elbe und Saale.	13	117/118

Datum	Nummer der Verordnungen und Bekanntmachungen.	Inhalt der Verordnungen und Bekanntmachungen.	Stück des Amtsblatts.	Seitenzahl des Amtsblatts.
März 14.	— —	Allerhöchster Erlaß, betr. anderweite Abgrenzung mehrerer Eisenbahn-Betriebsamtsbezirke ꝛc.	14	119/122
- 14.	9. M.	Polizei-Verordnung, betr. die Eisenbahn von Löwenberg nach Templin.	13	113/114
- 14.	104. R. Pr.	Schußfreie Tage auf dem Schießplatze bei Cummersdorf für das Jahr 1888.	12	105
- 14.	106. R. Pr.	Veranstaltung einer Verloosung zum Besten der Diakonissen-Anstalt zu Kaiserswerth.	12	106
- 14.	107. R. Pr.	Rotzkrankheit in Sommerfeld und Linum im Kreise Osthavelland.	12	106
- 14.	19. E.B.D. Br.	Fahrplan-Aenderung	12	107
- 14.	— —	Königl. Regierung zu Bromberg. — Erledigte Kreisphysikatsstelle .	13	118
- 15.	12. M.	Verwaltungszwangsverfahren wegen Beitreibung von Geldbeträgen	16	143
- 15.	9. O. Pr.	Ergänzung des Verzeichnisses der Kunststraßen im Regierungsbezirk Potsdam.	13	115
- 15.	108. R. Pr.	Maul- und Klauenseuche auf dem Rittergut Priort im Kreise Osthavelland.	12	106
—	— —	Verzeichniß über die Ausweisung von Ausländern aus dem Reichsgebiete nach Nr. 8 des Centralblatts pro 1888.	11	103/104
März 17.	105. R. Pr.	Berichtigung	12	105
- 17.	32. P. Pr.	Neue Statuten der Eidgenössischen Transport-Versicherungs-Gesellschaft in Zürich.	16	148
- 17.	6. H. V. 9. H. V. 14. H. V.	Aufgebot einer Schuldverschreibung	13 21 30	116 207/208 301/302
- 17.	2. E. B. D. E.	Ausloosung von Prioritäts-Obligationen der früheren Berlin-Anhaltischen Eisenbahn.	12	107/109
- 17.	2. L. D.	Büreau-Verlegung	12	109
- 19.	109. R. Pr.	Maul- und Klauenseuche auf dem Rittergut Jühnsdorf und in Schönow im Kreise Teltow und auf dem Rittergut Friedrichsfelde im Kreise Niederbarnim.	12	106
- 19.	7. K. d. S. P.	Aufgebot von Schuldverschreibungen	13	116/117
- 19.	1. O. B. A.	Verlegung des Wohnsitzes eines Markscheiders	13	117
- 19.	20. E.B.D. Br.	Nachtrag I. zum Kilometerzeiger	13	117
- 20.	110. R. Pr.	Veröffentlichungen des Deutschen Handels-Archivs	13	115
- 20.	111. R. Pr.	Maul- und Klauenseuche in Carow, Schönfließ, auf Gut Dalldorf, in Biesdorf und Rosenthal (Kreis Niederbarnim).	13	115
- 20.	20. P. Pr.	Schließung der Berliner Zahlstelle des Unterstützungsvereins Deutscher Tabaksarbeiter in Bremen.	13	115/116
- 21.	21. E.B.D. Br.	Nachtrag zum Verband-Gütertarif zwischen Stationen des Bezirks Bromberg und den Stationen der Marienburg-Mlawkaer Eisenbahn.	13	117
- 22.	21. P. Pr.	Jahresarbeitsverdienst land- und forstwirthschaftlicher Arbeiter in Berlin.	13	116
- 22.	24. P. Pr.	Desgl.	14	123
- 22.	22. E.B.D. Br.	Güterverkehr zwischen Stationen des Eisenbahn-Direktions-Bezirks Bromberg und den Stationen der Ostpreußischen Südbahn.	13	117
- 22.	— —	Königl. Hofkammer zu Berlin. — Personal-Veränderungen	13	118

Datum	Nummer der Verordnungen und Bekanntmachungen.	Inhalt der Verordnungen und Bekanntmachungen.	Stück des Amtsblatts.	Seitenzahl des Amtsblatts.
März 23.	112. R. Pr.	Maul- und Klauenseuche auf den Gütern Bärwalde, Weißen und Wiepersdorf im Kreise Jüterbog-Luckenwalde und auf den Rittergütern Ober-Greiffenberg und Wilmersdorf (Kreis Angermünde), Klein-Machnow (Kreis Teltow) und in Tarmow (Kreis Osthavelland), sowie Milzbrand auf dem Rittergut Carwesee und in Börnicke (Kreis Osthavelland).	13	115
- 23.	22. P. Pr.	Verbot einer Druckschrift	13	116
- 23.	23. E. B. D. Br.	Haltestellen Järshagen und Arnshagen	14	124
—	— —	Vorlesungen für das Studium der Landwirthschaft an der Universität Halle a. S. im Sommersemester 1888.	12	109/110
—	— —	Verzeichniß über die Ausweisung von Ausländern aus dem Reichsgebiete nach Nr. 8 und 9 des Centralblatts pro 1888.	12	110/112
März 24.	113. R. Pr.	Maul- und Klauenseuche in Lichtenberg bei Berlin	13	115
- 24.	9. K. A.	Kommunalbezirksveränderungen im Kreise Oberbarnim	15	137
- 24.	10. K. A.	Desgl.	15	137
- 25.	24. E. B. D. Br.	Einführung der neuen Deutsch-Italienischen Tarife	14	124
- 26.	9. R.	Zahlungen für die Stadt Charlottenburg	13	115
- 27.	116. R. Pr.	Maul- und Klauenseuche auf dem Gute Großbeeren im Kreise Teltow.	14	123
- 27.	7. H. V.	Kündigung von Eisenbahn-Prioritäts-Aktien bezw. Obligationen	15	128/129
- 27.	8. H. V.	Desgl. von Eisenbahn-Prioritäts-Obligationen	15	129
- 28.	117. R. Pr.	Räude in Hohen-Schönhausen und Maul- und Klauenseuche in Plötzensee, Kreis Niederbarnim.	14	123
- 28.	118. R. Pr.	Schornsteinfeger-Innung des Kreises Teltow	15	129
- 28.	25. P. Pr.	Anlegung neuer Apotheken in der Stadt Berlin	14	123
- 28.	26. P. Pr.	Zulassung von Hebammen in Berlin	14	123
- 28.	12. O. P. D.	Verlegung des Postamts in Friedenau	14	123
- 29.	114. R. Pr.	Frühjahrsschonzeit der Fische	14	122
- 29.	27. P. Pr. 30. P. Pr. 33. P. Pr.	Trigonometrische Vermessungsarbeiten im Stadtkreise Berlin	15 16 17	133/134 147/148 155/156
- 30.	7. St. S.	Postpacketverkehr mit Viktoria (Australien)	15	136
—	10. E. B. D. B.	Beförderung von Privatkesselwagen auf Eisenbahnen	14	123/124
April 1.	27. E. B. D. Br.	Frachtbegünstigung für Ausstellungs-Gegenstände	16	146/147
- 3.	124. R. Pr.	Maul- und Klauenseuche in Dallgow, Kreis Osthavelland, auf Dominium Beerbaum, Kreis Oberbarnim, auf den Rittergütern Stolpe, Kreis Niederbarnim und Klein-Machnow und in Sputendorf, Kreis Teltow, sowie Rotzkrankheit in Plötzensee bei Berlin.	15	130/131
- 4.	115. R. Pr.	Fischerei-Polizei-Ordnung für den Regierungsbezirk Potsdam vom 16. März 1867.	14	122
- 5.	119. R. Pr.	Oeffnungszeit der Eisenbahn Drehbrücke über die Havel bei Potsdam	15	129
- 5.	121. R. Pr. u. P. Pr.	Ausspielung von Pferden ꝛc. in Neu-Brandenburg	15	129
- 5.	29. P. Pr.	Entziehung eines Hebammen-Prüfungs-Zeugnisses	15	134
- 5.	8. St. S.	Packetverkehr mit Aden und Zanzibar	16	144
- 5.	25. E. B. D. Br.	Fahrplan-Aenderungen	15	135/136

Datum	Nummer der Verordnungen und Bekanntmachungen.	Inhalt der Verordnungen und Bekanntmachungen.	Stück des Amtsblatts.	Seitenzahl des Amtsblatts.
April 5.	12. K. A.	Kommunalbezirksveränderungen im Kreise Angermünde im I. Quartal 1888.	16	145
- 6.	R. Pr.	Verleihung des Verdienst-Ehrenzeichens für Rettung aus Gefahr ..	15	138
- 6.	28. P. Pr.	Berliner und Charlottenburger Preise pro März 1888	15	134
- 6.	13. O. P. D.	Landbriefbestellbezirks-Aenderung	15	136/137
- 6.	26. E. B. D. Br.	Ausdehnung der Gültigkeit von Fahr- und Rückfahrkarten und Gepäck-Frachtsätzen.	15	136
—	— —	Verzeichniß über die Ausweisung von Ausländern aus dem Reichsgebiet nach Nr. 9 des Centralblatts pro 1888.	14	125/126
April 7.	10. O. Pr.	Wahl eines Mitgliedes des Brandenburgischen Provinziallandtages	16	143/144
- 7.	120. R. Pr.	Stationirung des Bezirksfeldwebels der 3. Kompagnie des Bezirkskommandos Bernau von Alt-Landsberg nach Lichtenberg und Errichtung eines Central-Meldepüreaus daselbst.	15	129
- 7.	126. R. Pr.	Durchschnittlicher Jahresarbeitsverdienst land- und forstwirthschaftlicher Arbeiter für den Regierungsbezirk Potsdam.	15	132/133
- 7.	11. K. A.	Kommunalbezirksveränderungen im Kreise Teltow im I. Quartal 1888	16	145
- 8.	16. M.	Nachrichten für diejenigen jungen Leute, welche in die Unteroffizier-Vorschulen zu Weilburg, Annaburg und Neu-Breisach einzutreten wünschen.	20	183/184
- 8.	17. M.	Nachrichten für diejenigen Freiwilligen, welche in die Unteroffizierschulen zu Potsdam, Biebrich, Ettlingen und Marienwerder eingestellt zu werden wünschen.	20	184/185
- 8.	18. M.	Bestimmungen für die Anmeldungen zu den Unteroffizier-Vorschulen und Unteroffizierschulen.	20	185/188
- 9.	— —	Reichsversicherungsamt zu Berlin. — Die von den Gemeindebehörden innerhalb des Königreichs Preußen, des Fürstenthums Waldeck und Pyrmont, sowie des Gebietes der freien und Hansastadt Lübeck aufzustellenden Verzeichnisse der Unternehmer unfallversicherungspflichtiger land- und forstwirthschaftlicher Betriebe.	16	143
- 9.	122. R. Pr.	Nachweisung der Markt- ꝛc. Preise im Monat März 1888	15	130/131
- 9.	123. R. Pr.	Nachweisung des Monatsdurchschnitts der gezahlten höchsten Tagespreise (incl. 5% Aufschlag) im Monat März 1888.	15	130/131
- 9.	125. R. Pr.	Maul- und Klauenseuche auf Dominium Grünthal, Kreis Oberbarnim	15	131
- 9.	75. P. Pr.	Mineralwasser-Fabrikation	32	318
- 9.	76. P. Pr.	Polizei-Verordnung, betr. den Betrieb von Mineralwasser-Fabriken	32	318
- 10.	11. O. Pr.	Ergänzung des Verzeichnisses der Kunststraßen im Regierungsbezirk Potsdam.	17	152
- 10.	127. R. Pr.	Anstellung eines Fischerei-Aufsehers	16	144
- 10.	10. R.	Prüfung für Vorsteher von Taubstummen-Anstalten	16	144
- 10.	14. O. P. D.	Verlegung des Postamts Nr. 58 (Schönhauser Allee) in Berlin ...	16	144
- 10.	31. P. Pr.	Verbot einer Druckschrift	16	148
- 11.	137. R. Pr.	Schuhmacher-Innung zu Schwedt a. O.	17	154/155
- 11.	138. R. Pr.	Innung „Bund der Zimmermeister zu Neu-Ruppin und Ruppiner Kreises".	17	155
- 11.	R. Pr.	Belobigung für Rettung aus Lebensgefahr	17	162
- 12.	128. R. Pr.	Verloosung von Equipagen, Pferden ꝛc. in Quedlinburg	16	144
- 12.	136. R. Pr.	Tischler- und Glaser-Innung zu Oranienburg	17	154
- 12.	15. O. P. D.	Errichtung vou Postagenturen	16	144
—	— —	Inhaltsverzeichniß von Stück 7 bis einschließlich 16 des Reichs-Gesetz-Blatts pro 1888	15	127
—	— —	Desgl. von Stück 4 bis einschließlich 8 der Gesetz-Sammlung pro 1888	15	127/128

Datum	Nummer der Verordnungen und Bekanntmachungen.	Inhalt der Verordnungen und Bekanntmachungen.	Stück des Amtsblatts.	Seitenzahl des Amtsblatts.
April 13.	130. R. Pr.	Maul- und Klauenseuche auf den Rittergütern Dahlwitz und Jähnsdorf, Kreis Teltow.	16	144
- 13.	131. R. Pr.	Desgl. auf dem Rittergut Schulzendorf (Kreis Oberbarnim)......	16	144
- 13.	4. E. B. D. M.	Lokal-Güter-Verkehr	17	161
- 13.	3. L. D.	Ausschreiben der Beiträge zu den Entschädigungen für getödtete Pferde und Rinder.	19	181
—	— —	Verzeichniß über die Ausweisung von Ausländern aus dem Reichsgebiete nach Nr. 10 des Centralblatts pro 1888.	15	138/142
April 14.	129. R. Pr.	Aufhebung von Laichschonrevieren im Kreise Beeskow-Storkow ...	16	144
- 14.	144. R. Pr.	Bäcker- und Pfefferküchler-Innung zu Prenzlau	18	166
- 14.	46. P. Pr.	Konzession and Statut der Nürnberger Lebens-Versicherungsbank zu Nürnberg.	19	177
- 15.	28. E. B. D. Br.	Nachtrag zum Verband-Gütertarif zwischen Stationen des Eisenbahn-Direktionsbezirks Bromberg und den Stationen der Ostpreußischen Südbahn.	17	161
- 15.	— —	Königl. Regierungspräsident zu Merseburg. — Die noch nicht zur Einlösung präsentirten Steuer-Kredit-Kassenscheine und unverzinslichen Kammer-Kredit-Kassenscheine betr.	18	172/173
- 16.	35. P. Pr.	Verwendung schädlicher Farben zum Färben von Spielsachen ꝛc...	17	156/157
- 17.	139. R. Pr.	Eröffnung einer Apotheke	17	155
- 17.	38. P. Pr.	Prüfung für Heilgehülfen	17	157/158
- 18.	133. R. Pr.	Verloosung von Pferden, Equipagen ꝛc. zu Marienburg	17	152/153
- 18.	34. P. Pr.	Verbot einer Druckschrift	17	156
- 18.	37. P. Pr.	Entziehung eines Hebammen-Prüfungszeugnisses	17	157
- 18.	16. O. P. D.	Einrichtung von Postagenturen in Johannisthal bei Berlin und Marzahn bei Berlin.	17	158
- 18.	19. O. P. D.	Errichtung von Postagenturen	17	159
- 18.	29. E. B. D. Br.	Nachtrag zum Kilometerzeiger	17	161
- 19.	132. R. Pr.	Verloosung von Equipagen, Pferden ꝛc. in Königsberg in Preußen	17	152
- 19.	17. O. P. D.	Verlegung der Postagentur in Tegeler Landstraße und Umwandlung derselben in ein Postamt III. Klasse.	17	158
- 19.	20. O. P. D.	Einrichtung einer Postagentur in Cammer	17	159
- 19.	4. D. d. R. B.	Verloosung von Rentenbriefen	17	159
- 20.	134. R. Pr.	Bestimmungen über die Beförderung von Leichen auf Eisenbahnen .	17	153
- 20.	141. R. Pr.	Rotzkrankheit in Reinickendorf, Milzbrand auf dem Rittergut Carwesee (Kreis Osthavelland), Maul- und Klauenseuche in Tremmen (Kreis Westhavelland), auf dem Vorwerk Neu-Ahrensfelde des Gutes Falkenberg und in Weißensee (Kreis Niederbarnim) auf den Gütern Bärwalde, Weißen und Wiepersdorf (Kreis Jüterbog-Luckenwalde), in Dallgow (Kreis Osthavelland), zu Biesdorf und Schönfließ (Kreis Niederbarnim).	17	155
- 20.	36. P. Pr.	Allerhöchster Erlaß, betr. Freilegung der Perlebergerstraße von der Lübeckerstraße bis zur Stromstraße.	17	157
- 20.	39. P. Pr.	Eröffnung einer Apotheke	18	167
- 20.	9. St. S.	Postpacketverkehr mit Chile	17	158
- 20.	8. K. d. S. P.	Aufgebot einer Schuldverschreibung	17	159
- 20.	5. P. St. D.	Errichtung eines Steueramts in Driesen	17	159

Datum	Nummer der Verordnungen und Bekanntmachungen.	Inhalt der Verordnungen und Bekanntmachungen.	Stück des Amtsblatts.	Seitenzahl des Amtsblatts.
April 20.	31. E. B. D. Br.	Hauptverzeichniß der Koupons für kombinirbare Rundreisebillets ..	18	172
—	— —	Verzeichniß über die Ausweisung von Ausländern aus dem Reichsgebiete nach Nr. 11, 12 und 13 des Centralblatts pro 1888.	16	149/150
April 21.	24. M.	Unfall- und Kranken-Versicherung der in land- und forstwirthschaftlichen Betrieben beschäftigten Personen.	23	225
- 21.	142. R. Pr.	Maul- und Klauenseuche in Plötzensee	17	155
- 21.	18. O. P. D. 22. O. P. D.	Postbetriebsänderung in Folge Betriebseröffnung auf der Eisenbahnstrecke Löwenberg (Mark)-Templin.	17 18	158/159 169
- 21.	30. E. B. D. Br.	Ausgabe von Rückfahrkarten mit Gutscheinen nach Berlin	18	171
- 22.	135. R. Pr.	Nachweisung der an den Pegeln der Spree und Havel im Monat Februar 1888 beobachteten Wasserstände.	17	154
- 22.	140. R. Pr.	Errichtung eines Gemeinde-Aichungsamtes in Charlottenburg	17	155
- 22	21. O. P. D.	Unbestellbare Einschreibbriefe	18	168/169
- 23.	— —	Allerhöchster Erlaß, betr. die Dampfstraßenbahn zwischen Groß-Lichterfelde (Anhalter Bahnhof) und Seehof-Teltow.	20	183
- 23.	11. R. 13. R.	Sequestration der Domaine Hammer mit den Vorwerken Liebenthal und Prötze.	17 18	155 166
- 23.	40. P. Pr.	Warnung	18	167
- 23.	13. E. B. D. B.	Ungarisch-Deutscher Viehverkehr	18	170
- 23.	32. E. B. D. Br.	Nachtrag zum Lokal-Gütertarif	18	172
- 23.	34. E. B. D. Br.	Frachtbegünstigung für Ausstellungsgegenstände	18	172
- 24.	12. O. Pr.	Schutzpockenimpfung mit thierischem Impfstoff	19	176/177
- 24.	145. R. Pr.	Jahresarbeitsverdienst der land- und forstwirthschaftlichen Arbeiter	18	166
- 24.	147. R. Pr.	Milzbrand in Schlamau (Kreis Zauch-Belzig) und Maul- und Klauenseuche in Teetz (Kreis Ostprignitz).	18	167
- 24.	41. P. Pr.	Zulassung von Hebammen	18	167
- 24.	42. P. Pr.	Bestimmung, die Drechsler-Innung zu Berlin betr.	18	167
- 24.	44. P. Pr.	Polizei Verordnung, betr. das Fahren auf Drei- und Vierrädern..	18	168
- 24.	45. P. Pr.	Rückgabe der Kaution eines Auswanderungsunternehmers	18	168
- 24.	10. St. S.	Postanweisungen im Verkehr mit Chile	18	168
- 24.	14. E. B. D. B.	Nachträge zu den Tarifheften des Galizisch-Norddeutschen Getreideverkehrs.	18	170
- 24.	15. E. B. D. B.	Be- und Entladefrist für bedeckte Wagen	18	170
- 25.	23. O. P. D.	Einrichtung einer Postagentur mit Telegraphenbetrieb in Reetz (Prignitz).	18	169/170
- 26.	146. R. Pr.	Maurer- und Zimmermeister-Innung zu Angermünde	18	166/167
- 26.	24. O. P. D.	Einrichtung einer Postagentur in Oehna	18	170
- 27.	148. R. Pr.	Maul- und Klauenseuche in Schwerin, Kreis Beeskow-Storkow, auf Vorwerk Birkholz des Gutes Diedersdorf, Kreis Teltow, und auf Gut Malchow, Kreis Niederbarnim.	18	167
- 27.	43. P. Pr.	Verbot eines Flugblatts	18	167/168
- 27.	25. O. P. D	Errichtung einer Postagentur in Bechlin bei Neu-Ruppin	18	170
- 27.	33. E. B. D. Br.	Nachtrag zum Verband-Gütertarif zwischen Stationen des Eisenbahn-Direktionsbezirks Bromberg und den Stationen der Marienburg-Mlawkaer Bahn.	18	172

Datum	Nummer der Verordnungen und Bekanntmachungen.	Inhalt der Verordnungen und Bekanntmachungen.	Stück des Amtsblatts.	Seitenzahl des Amtsblatts.
—	11. E.B.D.B.	Fahrplan-Aenderung	17	161
—	12. E.B.D.B.	Betriebseröffnung der Eisenbahnstrecke Löwenberg-Templin	17	161
—	— —	Verzeichniß über die Ausweisung von Ausländern aus dem Reichsgebiet nach Nr. 14 des Centralblatts pro 1888.	17	160
April 28.	21. M	Nothwendigkeit von Uebergangsscheinen bei Sendungen von Bier nach dem Großherzogthum Baden.	21	205
- 28.	149. R. Pr.	Maul- und Klauenseuche in Franz.-Buchholz und Karow im Kreise Niederbarnim.	18	167
- 28.	12. R. 16. R. 20. R.	Ausreichung der Zinsscheine Reihe IV. zu den Schuldverschreibungen der kons. 4% Staatsanleihe von 1876 bis 1879.	18 24 30	165/166 241 299/300
- 28.	49. P. Pr.	Bestimmung, die Glaser-Innung zu Berlin betr.	19	177
- 28.	50. P. Pr.	Desgl., die Korbmacher-Innung zu Berlin betr.	19	177/178
- 28.	26. O.P.D.	Errichtung eines Postamts III. in Schlachtensee bei Zehlendorf	18	170
- 28.	16. E.B.D.B.	Nachträge zum Gütertarif und Getreidetarif im Norddeutsch-Galizisch-Südwestrussischen Grenzverkehr.	18	170/171
- 28.	19. E.B.D.B.	Tarif für den Rumänisch- bezw. Galizisch- und Südwestrussisch-Norddeutschen Maisverkehr.	19	181
- 29.	20. M.	Streitigkeiten über Unterstützungsansprüche nicht gegen Krankheit versicherter Regiebauarbeiter.	21	205
—	17. E.B.D.B.	Eisenbahn-Gütertarifbuch für Berlin	18	171
—	18. E.B.D.B.	Fahrplan-Aenderung	19	181
Mai 1.	143. R. Pr.	Ermittelung eines Mörders	18	166
- 1.	150. R. Pr.	Maul- und Klauenseuche auf den Dominien Beerbaum und Grünthal und auf Gut Schulzendorf.	18	167
- 1.	48. P. Pr.	Untersuchung von Farben, Gespinnsten und Geweben auf Arsen und Zinn.	19	177
1.	27. O.P.D.	Einrichtung einer Postagentur mit Telegraphenbetrieb in Fohrde	19	180
- 1.	28. O.P.D.	Unbestellbare Postsendungen	19	180
- 2.	29. O.P.D.	Die Windmühle bei Belzig betr.	19	180
- 3.	1. G. K.	Wahl von Kreisverordneten	20	192
- 4.	151. R. Pr.	General-Konsulat für Salvador	19	178/179
- 4.	1. B. A.	Eröffnung der Jagd auf wilde Enten	19	177
- 4.	47. P. Pr.	Transport-Versicherungs-Gesellschaft The Underwriting and Agency Association Limited in London.	19	177
- 4.	2. O. B. A.	Berliner Kohlenwerke betr.	19	180/181
- 4.	36. E.B.D.Br.	Verkauf von Rückfahrkarten nach Badeorten	20	193/194
—	— —	Verzeichniß über die Ausweisung von Ausländern aus dem Reichsgebiete nach Nr. 14 und 15 des Centralblatts pro 1888.	18	173/174
Mai 5.	152. R. Pr.	Maul- und Klauenseuche in Schönow im Kreise Teltow	19	179
- 5.	14. R.	Liste der im Laufe des Etatsjahres 1887/88 der Kontrolle der Staatspapiere als aufgerufen und gerichtlich für kraftlos erklärt nachgewiesenen Staatsschuldurkunden.	19	180
- 5.	21. E.B.D.B.	Fahrplan-Aenderung	20	193
- 5.	35. E.B.D.Br.	Verzeichniß der Koupons kombinirbarer Rundreisebillets auf den Bahnstrecken der Schweizerischen Transportanstalten.	20	193

Datum	Nummer der Verordnungen und Bekanntmachungen.	Inhalt der Verordnungen und Bekanntmachungen.	Stück des Amtsblatts.	Seitenzahl des Amtsblatts.
Mai 5.	37. F. B. D. Br.	Frachtbegünstigung für Ausstellungs-Gegenstände	20	194
- 5.	— —	Königl. Regierung zu Bromberg. — Erledigte Kreisphysikatsstellen	20	194
- 7.	156. R. Pr.	Milzbrand in Schlamau, Kreis Zauch-Belzig	20	189
- 7.	51. P. Pr.	Ausbildung von Hebammen	20	190
- 7.	53. P. Pr.	Berliner und Charlottenburger Preise pro April 1888	20	190
- 7.	32. O. P. D.	Die Villenkolonie „Friedrichshagen-Westend" betr.	20	191
- 7.	6. P. St. D.	Einfuhr von Schweinedärmen	20	192/193
- 8.	153. R. Pr.	Nachweisung der Markt- 2c. Preise im Monat April 1888	19	178/179
- 8.	154. R. Pr.	Nachweisung des Monatsdurchschnitts der gezahlten höchsten Tagespreise (incl. 5% Aufschlag) im Monat April 1888.	19	178/179
- 8.	155. R. Pr.	Schifffahrtssperre auf der Elde	20	189
- 8.	52. P. Pr.	Entziehung eines Hebammen-Prüfungszeugnisses	20	190
- 8.	— —	Königl. Intendantur des Garde-Korps zu Berlin. — Allgemeine Vertragsbestimmungen für die Ausführung von Garnisonbauten.	20	195/200
	— —		21	210/215
- 9.	30. O. P. D.	Unanbringliche Postanweisungen	20	191
- 9.	31. O. P. D.	Unanbringliche Briefe mit Werthinhalt	20	191
- 10.	1. S.	Entlassungsprüfung im Königl. Schullehrer-Seminar zu Oranienburg	20	191/192
- 10.	2. S.	Zweite Lehrerprüfung ebendaselbst	20	192
- 10.	3. S.	Schulvorsteherinnen-Prüfung in Berlin	21	206
- 10.	4. S.	Lehrerinnenprüfung in Berlin	21	206/207
—	— —	Inhaltsverzeichniß von Stück 17 bis einschließlich 22 des Reichsgesetzblatts von 1888.	19	175
—	— —	Desgl. von Stück 9 bis einschließlich 10 der Gesetzsammlung von 1888.	19	175
Mai 11.	P. Pr.	Prämie für Lebensrettung	21	209
- 11.	6. S.	Prüfung von Handarbeitslehrerinnen in Berlin	21	207
- 11.	7. S.	Prüfung für Sprachlehrerinnen an mittleren und höheren Mädchenschulen.	23	228
- 11.	13. K. A.	Genehmigung einer Kommunalbezirks-Veränderung im Kreise Niederbarnim.	22	224
—	— —	Verzeichniß über die Ausweisung von Ausländern aus dem Reichsgebiete nach Nr. 16 des Centralblatts pro 1888.	19	182
Mai 12.	157. R. Pr.	Rotzkrankheit in Schöneberg und Dt. Wilmersdorf bei Berlin	20	189
- 12.	33. O. P. D.	Einrichtung einer Postagentur in Hammer (Mark)	20	191
- 12.	5. S.	Aufnahmeprüfung am Königl. Schullehrer-Seminar zu Oranienburg	21	207
- 14.	158. R. Pr.	Rotzkrankheit in Pankow	20	189
- 14.	159. R. Pr.	Maul- und Klauenseuche in Teetz (Kreis Ostprignitz), auf dem Rieselgut Falkenberg und dem Vorwerk Neu-Ahrensfelde, Kreis Niederbarnim.	20	189
- 14.	9. K. d. S. P.	Aufgebot einer Schuldverschreibung	20	192
- 14.	5. D. d. R. B.	Verloosung von Rentenbriefen	21	208/209
	7. D. d. R. B.		26	258/260
	12. D. d. R. B.		36	349/351
- 15.	160. R. Pr.	Schußfreie Tage auf dem Schießplatze bei Cummersdorf für das Jahr 1888.	21	206
- 15.	164. R. Pr.	Ausspielung von Pferden 2c. in Zerbst	22	217/218

Datum	Nummer der Verordnungen und Bekanntmachungen.	Inhalt der Verordnungen und Bekanntmachungen.	Stück des Amts-Blatts.	Seitenzahl des Amts-Blatts.
Mai 16.	15. R.	General-Kirchen-Visitation	21	206
- 16.	38. E. B. D. Br.	Ausnahmetarif für Sprit und Spiritus zum Seeexport	22	223
- 17.	P. Pr.	Prämie für Lebensrettung	21	209
- 17.	54. P. Pr.	Unfall- und Krankenversicherung der in land- und forstwirthschaftlichen Betrieben beschäftigten Personen.	22	218/219
- 17.	6. D. d. R. B.	Vernichtung ausgelooster Rentenbriefe	23	228
—	20. E. B. D. B.	Eisenbahnstrecke Grunow-Beeskow	20	193
—	— —	Verzeichniß über die Ausweisung von Ausländern aus dem Reichsgebiete nach Nr. 16, 17 und 18 des Centralblatts pro 1888.	20	202/204
Mai 18.	13. O. Pr	Wahl eines Mitgliedes des Brandenburgischen Provinzial-Landtages	22	217
- 19.	161. R. Pr. u. P. Pr.	Ausspielung von Kunstwerken ꝛc. in München	21	206
- 19.	162. R. Pr.	Maul- und Klauenseuche auf den Rieselgütern Malchow und Falkenberg, dem Vorwerk Neu-Ahrensfelde, in Marzahn und Neu-Hohen-Schönhausen im Kreise Niederbarnim.	21	206
- 19.	56. P. Pr.	Polizei-Verordnung, betr. Desinfektion bei ansteckenden Krankheiten	22	219/222
- 19.	35. O. P. D. 43. O. P. D. 47. O. P. D.	Erweiterung der Stadtfernsprechanlagen	22 25 26	222 247 258
- 19.	22. E. B. D. B.	Abfertigung von Reisegepäck zwischen Heringsdorf und Berlin ꝛc.	22	223
- 19.	39. E. B. D. Br.	Frachtbegünstigung für Ausstellungsgegenstände	22	223
- 20.	215. R. Pr.	Polizei-Verordnung, betr. das Befahren der Havel und Spree mit Dampfschleppzügen.	31	304/305
- 21.	11. St. S.	Postaufträge im Verkehr mit San Salvador	22	222
- 24.	163. R. Pr.	Die Oberpräsidenten betr.	22	217
- 24.	34. O. P. D.	Verlegung der Postagentur in Plötzensee und Umwandlung derselben in ein Postamt III. Klasse.	22	222
- 24.	23. E. B. D. B.	Beförderung der Wollsendungen nach dem Berliner Wollmarkt	23	228/229
- 25.	57. P. Pr.	Geheimmittel	23	226
- 25.	37. O. P. D.	Annahme von Postsendungen durch die Landbriefträger	23	227
- 25.	8. S.	Mittelschullehrer-Prüfung in Berlin	23	228
- 25.	9. S.	Rektoratsprüfung in Berlin	23	228
—	— —	Verzeichniß über die Ausweisung von Ausländern aus dem Reichsgebiete nach Nr. 18 des Centralblatts pro 1888.	21	216
Mai 26.	166. R. Pr.	Milzbrand in Buckow (Kreis Jüterbog-Luckenwalde) und Maul- und Klauenseuche in Schwerin (Kreis Beeskow-Storkow).	22	218
- 26.	55. P. Pr.	Verbot einer Druckschrift	22	219
- 27.	12. St. S.	Postverkehr mit Togo	23	226
- 27.	36. O. P. D.	Unanbringliche Packete	23	226/227
- 27.	40. E. B. D. Br.	Neue Ausgabe des Ostdeutschen Eisenbahn-Kursbuchs	22	224
- 28.	38. O. P. D.	Einrichtung eines Postamts mit Telegraphenbetrieb in Groß-Lichterfelde.	23	227
- 29	— —	Allerhöchstes Privilegium, betr. Ausfertigung auf den Inhaber lautender Spandauer Stadtanleihescheine.	29	287/289

Datum	Nummer der Verordnungen und Bekanntmachungen.	Inhalt der Verordnungen und Bekanntmachungen.	Stück des Amtsblatts.	Seitenzahl des Amtsblatts.
Mai 29.	165. R. Pr.	Oeffnungszeiten der Eisenbahndrehbrücken der Berlin-Lehrter und der Berlin-Hamburger Eisenbahn über die Havel bei Spandau und derjenigen der Berlin-Potsdam-Magdeburger Eisenbahn über die Havel bei Potsdam und Werder.	22	218
- 29.	167. R. Pr.	Errichtung einer Hufbeschlaglehrschmiede in Charlottenburg	23	225
- 29.	8. D. d. R. B.	Ausreichung von Entlastungsquittungen über abgelöste Renten	29	291
- 29.	41. E. B. D Br.	Die neuen Deutsch-Italienischen Tarife betr.	23	229
- 29.	3. E. B. D. E.	Einlösung Berlin-Anhaltischer und Oberlausitzer Zinskoupons	23	229/230
- 29.	14. K. A.	Kommunalbezirksveränderungen im Kreise Ruppin	23	230
- 30.	169. R. Pr. u. P. Pr.	Ausspielung von Gegenständen der Kunst und des Kunstgewerbes in Weimar.	23	226
- 31.	168. R. Pr	Beaufsichtigung der im Kreise Ruppin belegenen Laichschonreviere ..	23	225/226
- 31.	59. P. Pr.	Beendigung der Liquidation der Lohnkommission der Zimmerer	24	242
- 31.	13. St. S.	Post- und Eisenbahnkarte des Deutschen Reichs	24	242
- 31.	24. E. B. D. B.	Nachtrag zum Eisenbahn-Güter-Tarifbuch für Berlin	23	229
- 31.	42. E. B. D. Br.	Berliner Wollmarkt	23	229
Juni 1.	178. R. Pr.	Maul- und Klauenseuche auf dem Rittergut Eichstädt und in Markee im Kreise Osthavelland.	24	241
- 1.	11. H. V.	15. Verloosung von Schuldverschreibungen der 4% Staats-Anleihe von 1868 A.	25	247
- 1.	15. K. A.	Kommunalbezirksveränderungen im Kreise Westprignitz	24	243/244
- 1.	17. K. A.	Desgl. im Kreise Niederbarnim	25	249
- 2.	171. R. Pr.	Rotzkrankheit in Flecken Zechlin, in Babitz und in Grabitz-Ausbau im Kreise Ostprignitz.	23	226
- 4.	12. H. V.	Kündigung der Prioritäts-Obligationen der Taunus-Eisenbahn von 1844.	25	247/248
- 4.	10. K. d. S. P.	Aufgebot einer Schuldverschreibung	24	243
- 5.	170. R. Pr.	Verbot eines Flugblatts	23	226
- 5.	175. R. Pr.	Nachweisung der an den Pegeln der Spree und Havel im Monat März 1888 beobachteten Wasserstände.	24	236
- 5.	60. P. Pr.	Berliner Wollmarkt	24	242
- 5.	41. O. P. D.	Einrichtung einer Telegraphenanstalt in Wansdorf	24	243
- 5.	42. O. P. D.	Errichtung von Telegraphenstellen	24	243
- 5.	10. H. V.	Einlösung der am 1sten Juli 1888 fälligen Zinsscheine Preußischer Staatsschulden 2c.	24	243
- 5.	— —	Königl. Amtsgericht II. Berlin. — Handels- 2c. Register.	26	261
- 6.	58. P. Pr.	Berliner und Charlottenburger Preise pro Mai 1888	24	241/242
- 6.	39. O. P. D.	Einrichtung des Telegraphenbetriebes bei der Post-Hülfsstelle in Schildow.	24	243
- 7.	181. R. Pr.	Einrichtung und Betrieb der zur Anfertigung von Cigarren bestimmten Anlagen.	25	245/246
- 8.	176. R. Pr.	Beförderung von lebenden und frischen Fischen im Eisenbahndirektions-Bezirk Erfurt.	24	236/237
- 8.	177. R. Pr.	Polizei-Verordnung für den Plauer-Kanal	24	237/240

Datum	Nummer der Verordnungen und Bekanntmachungen.	Inhalt der Verordnungen und Bekanntmachungen.	Stück des Amtsblatts.	Seitenzahl des Amtsblatts.
Juni 8.	179. R. Pr.	Milzbrand auf dem Vorwerk Vernitzow, in Rathenow (Kreis Westhavelland), in Rheinsberg, Neu-Ruppin, Maul- und Klauenseuche auf dem Rieselgut Wartenberg (Kreis Niederbarnim) und Räude in Hohen-Schönhausen (Kreis Niederbarnim).	24	241
- 8.	61. P. Pr.	Verkauf sog. „getrockneter Morcheln" rc.	25	246
- 8.	40. O.P.D.	Einrichtung des Telegraphenbetriebes beim Postamt Nr. 84 (Krausenstraße Nr. 6/7) in Berlin.	24	243
- 8.	4. L. D.	Ueberficht von dem Zustande der Brandenburgischen Wittwen- und Waisen-Versorgungs-Anstalt für 1887/88.	25	248
- 8.	— —	Königl. Kredit-Institut für Schlesien zu Breslau. — 41. Verloosung von Schlesischen Pfandbriefen Lit. B.	25	249
—	— —	Verzeichniß über die Ausweisung von Ausländern aus dem Reichsgebiete nach Nr. 20 und 21 des Centralblatts pro 1888.	23	231/232
Juni 9.	14. O. Pr.	Wahl eines Mitgliedes des Brandenburgischen Provinziallandtages	25	245
- 9.	16. K. A	Kommunalbezirksveränderung des Kreises Oberbarnim	25	249
- 10.	172. R. Pr.	Nachweisung der Markt- rc. Preise im Monat Mai 1888	24	234/235
- 10.	173. R. Pr.	Nachweisung des Monatsdurchschnitts der gezahlten höchsten Tagespreise incl. 5% Aufschlag im Monat Mai 1888.	24	234/235
- 10.	174. R. Pr.	Schifffahrtssperre auf der Elde	24	234/235
- 10.	2. B. A.	Einverleibung Damelacker Waldparzellen in den Gemeindeverband der Stadt Havelberg.	26	255
- 10.	43. E.B.D Br.	Frachtbegünstigung für Ausstellungs-Gegenstände	25	248/249
- 11.	R. Pr.	Belobigung für Rettung aus Lebensgefahr	24	244
- 12.	182. R. Pr.	Maul- und Klauenseuche auf dem Vorwerk Birkholz des Gutes Diedersdorf im Kreise Teltow.	25	246
- 13.	183. R. Pr.	Rotzkrankheit in Reinickendorf	25	246
- 14.	17. R.	Nachweisung der im Regierungsbezirk Bromberg zur Zeit vakanten Lehrerstellen.	26	256/257
- 14.	44. O.P.D.	Einrichtung einer Telegraphen-Anstalt in Zechlinerhütte	25	247
—	— —	Inhalts-Verzeichniß von Stück 23 bis 25 des Reichsgesetzblatts pro 1888.	24	233
—	— —	Desgl. von Stück 11 bis einschließlich 18 der Gesetz-Sammlung pro 1888.	24	233
Juni 15.	180. R Pr.	Auflösung des Gutsbezirks Schulzendorf, Kreis Niederbarnim	25	245
- 15.	45. O.P.D.	Einrichtung einer Telegraphenhülfstelle in Carwe	25	247
- 15.	46. O.P.D.	Postbestellbezirksänderung	25	247
- 15.	7. P. St. D.	Neues amtliches Waarenverzeichniß	25	248
- 16.	184. R. Pr.	Milzbrand in Bukow, im Kreise Jüterbog-Luckenwalde	25	246
- 16.	R.	Belobung	25	252
- 16.	62. P. Pr.	Enteignung der Grundstücke „An der Fischerbrücke 1 bis 5" zu Berlin.	25	246/247
- 16.	3. O. B. A	Bergwerkseigenthum „Admiralsgartenbad" in Berlin	26	260
- 16.	44. E.B.D Br.	Neuer Tarif für die Beförderung von Leichen, Fahrzeugen und lebenden Thieren.	26	260
- 16.	6. L. D.	Unfall-Versicherung der Bauarbeiter des Brandenburgischen Provinzialverbandes.	27	270
- 16.	20. K. A.	Kommunalbezirksveränderungen des Kreises Beeskow-Storkow im I. Halbjahr 1888.	31	308
- 17.	14. St. S.	Austausch von Postpacketen mit der Republik Salvador	26	258
17.	15. St. S.	Beitritt der Regentschaft Tunis zum Weltpostverein	26	258

Datum	Nummer der Verordnungen und Bekanntmachungen.	Inhalt der Verordnungen und Bekanntmachungen.	Stück des Amtsblatts.	Seitenzahl des Amtsblatts.
Juni 18.	70. P. Pr.	Polizei-Verordnung, betr. Abänderung des Straßen-Polizei-Reglements.	31	305
- 19.	185. R. Pr.	Ausspielung von Kunstwerken ꝛc.	26	255
- 19.	77. P. Pr.	Polizei-Verordnung über die Einrichtung und den Betrieb von Dampffässern.	32	318/320
- 20.	18. R.	Verloosung der vormals Hannoverschen 4% Staatsschuldverschreibungen Lit. S. für das Jahr 1888/89.	26	257/258
- 20.	48. O. P. D.	Einrichtung einer Telegraphenanstalt in Wutike	26	258
- 20.	7. L. D.	Pflegegelder für Geisteskranke in der Landirrenanstalt zu Landsberg a. W.	27	270
- 21.	— —	Reichskanzler. — Besteuerung des Zuckers	27	263/266
- 21.	3. B. A.	Ferien des Bezirks-Ausschusses zu Berlin	26	255
- 21.	16. St. S.	Postverkehr mit Deutsch-Südwest-Afrika	27	267
- 21.	25. E. B. D. B.	Nachträge zum Ostdeutsch-Oesterreichischen Verbande	26	260
- 22.	— —	Allerhöchster Erlaß, betr. die Aktiengesellschaft Imperial-Continental-Gas-Association zu London.	32	311
- 22.	63. P. Pr.	Freilegung von Strecken des Halleschen Ufers und der Königsbergerstraße in Berlin.	27	267
- 22.	— —	Königl. Oberpräsident der Provinz Sachsen zu Magdeburg. — Anderweite Besetzung der Regierungs- und Baurathsstelle bei dem Königl. Oberpräsidium in Magdeburg.	27	271
—	— —	Verzeichniß über die Ausweisung von Ausländern aus dem Reichsgebiete nach Nr. 21 des Centralblatts pro 1888.	25	251/252
Juni 23.	M.	Einberufung der beiden Häuser des Landtages	Extrablatt vom 25. 6. 88.	
- 23.	188. R. Pr.	Barbier-, Friseur- und Perrückenmacher-Innung zu Cöpenick	27	266
- 23.	1. Ko.	Parochial-Verhältniß der in Berlin neu anziehenden evangelischen Einwohner.	27	268
- 23.	45. E. B. D. Br.	Nachtrag zum Staatsbahn-Gütertarif Bromberg-Breslau	27	269
- 23.	5. E. B. D. M.	Lokal-Vieh- ꝛc. Verkehr	27	269
- 24.	64. P. Pr.	Die Aktiengesellschaft The Bradstreet Company zu New-Haven betr.	28	282
- 24.	26. E. B. D. B.	Böhmisch-Norddeutscher Braunkohlen-Verkehr	27	269
- 25.	186. R. Pr.	Sperre der alten Schleuse zu Coffenblatt	26	255
- 25.	187. R. Pr.	Festsetzung eines Laichschonreviers im Kreise Ruppin	26	255
- 25.	190. R. Pr.	Maul- und Klauenseuche auf Gut Diedersdorf im Kreise Teltow	27	266
- 26.	28. M.	Aufforderung zur Bewerbung um ein Stipendium der Jacob Saling'schen Stiftung.	31	303
- 26.	189. R. Pr.	Veranstaltung einer Geldlotterie von dem Verein zur Pflege im Felde verwundeter und erkrankter Krieger.	27	266
- 26.	193. R. Pr.	Verloosung von Singvögeln ꝛc. in Potsdam	28	279
- 26.	51. O. P. D.	Einrichtung einer Telegraphenhülfsstelle in Hirschfelde (Mark)	27	267
- 27.	19. R.	Kursus zur Ausbildung von Turnlehrern	27	266/267
- 27.	49. O. P. D.	Verlegung des Postamts Nr. 20 in Berlin	27	267
- 27.	27. E. B. D. B.	Ausgabe von Sommerkarten II. und III. Klasse	27	269
- 27.	46. E. B. D. Br.	Einbeziehung der Stationen Strausberg und Rüdersdorf in den Vorort-Stadtverkehr.	27	269

Datum	Nummer der Verordnungen und Bekanntmachungen.	Inhalt der Verordnungen und Bekanntmachungen.	Stück des Amtsblatts.	Seitenzahl des Amtsblatts.
Juni 28.	53. O. P. D.	Einrichtung eines Zweigpostamts auf dem Gesundbrunnen bei Freienwalde (Oder).	27	267/268
- 28.	5. L. D.	Provinzial-Abgaben für 1888/89	27	269/270
- 29.	50. O. P. D.	Einrichtung des Telegraphenbetriebes beim Postamt Nr. 60 (Junkerstraße 11) in Berlin.	27	267
- 29.	4. O. B. A.	Bergwerkseigenthum „Kreuzbruch I" in Kreuzbruch, Königl. Liebenwalder Forst und Klosterfelde im Kreise Niederbarnim.	27	268
- 29.	5. O. B. A.	Bergwerkseigenthum „Kreuzbruch II" in Kreuzbruch, Königl. Liebenwalder Forst und Klosterfelde im Kreise Niederbarnim.	27	268/269
—	— —	Verzeichniß über die Ausweisung von Ausländern aus dem Reichsgebiete nach Nr. 22, 23 und 24 des Centralblatts pro 1888.	26	261/262
Juni 30.	65. P. Pr.	Nachtrag zu dem Statut der Transatlantischen Feuer-Versicherungs-Aktien-Gesellschaft in Hamburg.	28	282
- 30.	67. P. Pr.	Desinfektion von Wäsche und Polizei-Verordnung, betr. Verpacken ꝛc. von Gebrauchsgegenständen von Ortschaften außerhalb Berlins an die Berliner städtischen Desinfektions-Anstalten.	28	283
- 30.	68. P. Pr.	Leipziger Feuer-Versicherungs-Anstalt	29	290
- 30.	28. E. B. D. B.	Neuer Ungarisch Oesterreichisch-Deutscher Holz- und Borke-Ausnahme-Tarif.	28	284/285
- 30.	47. E. B. D. Br.	Frachtbegünstigung für Kunst- und kunstgewerbliche Gegenstände ...	28	285
Juli 2.	52. O. P. D.	Einrichtung einer Telegraphenhülfstelle in Wilkendorf	27	267
- 2.	13. H. V.	Verloosung von Kurmärkischen Schuldverschreibungen	29	290/291
- 3.	R. Pr.	Ortsbenennung „Neu-Kamerun"	27	278
- 3.	9. P. St. D.	Denaturirung von Branntwein	29	291/294
- 4.	199. R. Pr.	Milzbrand in Kleptow im Kreise Prenzlau	28	281
- 4.	17. St. S.	Postpacketverkehr mit Neu-Süd-Wales	28	283
- 4.	8. P. St. D.	Erhebung von Reichsstempelabgaben seitens des Steueramts zu Lenzen.	28	284
- 5.	191. R. Pr.	Sperre des Friedrich-Wilhelms-Kanals in der Haltung Kaisermühler Brücke bis Schlaubehammer.	28	279
- 5	192. R. Pr.	Erledigte Kreiswundarztstelle	28	279
- 5.	198. R. Pr.	Die Anleitung für die Geschäftsführung der Amtsvorsteher vom Jahre 1887 betr.	28	280/281
- 5.	200. R. Pr.	Nachträgliche Untersuchung bewurzelter, nicht zur Kategorie der Rebe gehörigen Gewächse, welche aus den der internationalen Reblauskonvention nicht beigetretenen Staaten eingeführt sind.	29	289/290
- 5.	10. P. St. D.	Besteuerung des Zuckers	29	294
—	— —	Inhalts-Verzeichniß von Stück 26 und 27 des Reichsgesetzblatts pro 1888.	27	263
—	— —	Desgl. von Stück 19 bis einschließlich 22 der Gesetzsammlung pro 1888.	27	263
Juli 6.	11. K. d. S. P.	Aufgebot von Schuldverschreibungen	28	283/284
- 6.	6. O. B. A.	Bergwerkseigenthum „Hammer I" in Hammer, Zerpenschleuse und Königl. Forst Liebenwalde im Kreise Niederbarnim.	28	284
- 6.	7. O. B. A.	Bergwerkseigenthum „Liebenwalde I" in Liebenwalde und Hammer, im Kreise Niederbarnim.	28	284
- 6.	48. E. B. D. Br.	Frachtbegünstigung für Ausstellungs-Gegenstände	28	285
- 6.	— —	Königl. Haupt-Steueramt zu Potsdam. — Fähranstalt betr.	28	285

Datum	Nummer der Verordnungen und Bekanntmachungen.	Inhalt der Verordnungen und Bekanntmachungen.	Stück des Amtsblatts.	Seitenzahl des Amtsblatts.
Juli 6.	— —	Direktion der Städte-Feuer-Sozietät der Provinz Brandenburg zu Berlin. — Ausschreiben der von den Mitgliedern für das I. Halbjahr 1888 zu entrichtenden Beiträge.	29	295/296
—	— —	Geschenke an Kirchen ꝛc.	27	272/274
—	— —	Verzeichniß über die Ausweisung von Ausländern aus dem Reichsgebiete nach Nr. 25 und 26 des Centralblatts pro 1888.	27	275/278
Juli 7.	194. R. Pr. u. P. Pr.	Verloosung von Ausstellungs-Gegenständen	28	279
- 7.	195. R. Pr. u. P. Pr.	Desgl.	28	279
- 7.	205. R. Pr.	Schuhmacher-Innung zu Pritzwalk	30	300
- 7.	67. P. Pr.	Berliner und Charlottenburger Preise pro Monat Juni 1888	28	282/283
- 9.	196. R. Pr.	Nachweisung der Markt- ꝛc. Preise im Monat Juni 1888	28	280/281
- 9.	197. R. Pr.	Nachweisung des Monatsdurchschnitts der gezahlten höchsten Tagespreise incl. 5% Aufschlag im Monat Juni 1888.	28	280/281
- 10.	201. R. Pr.	Staatsstipendium zum Besuche der Königl. technischen Hochschule	29	290
- 10.	4. B. A. 5. B. A. 6. B. A.	Ferien des Bezirks-Ausschusses zu Potsdam	28 29 30	282 290 301
- 10.	29. E. B. D. B.	Gewährung von Frachtkrediten	29	294
- 11.	12. K. d. S. P.	Aufgebot von Schuldverschreibungen	29	291
- 11.	13. K. d. S. P.	Desgl.	29	291
- 12.	203. R. Pr.	Maul- und Klauenseuche auf Gut Wartenberg und in Französisch-Buchholz im Kreise Niederbarnim.	29	290
—	— —	Inhalts-Verzeichniß von Stück 28 und 29 des Reichsgesetzblatts pro 1888.	28	279
—	— —	Desgl. von Stück 23 und 24 der Gesetz-Sammlung pro 1888	28	279
Juli 13.	18. K. A.	Gutsbezirks-Veränderung im Kreise Niederbarnim	30	302
- 14.	54. P. Pr.	Eröffnung von Reichs-Telegraphen-Anstalten	29	290
- 14.	30. E. B. D. B.	Be- und Entladefristen für offene Wagen	29	294
- 15	202. R. Pr.	Schifffahrtssperrungen auf der Havel zwischen Spandau und Cladow in Folge von Pontonir-Uebungen.	29	290
- 16.	206. R. Pr.	Schuhmacher-Innung zu Brandenburg a. H.	30	300
- 16.	212. R. Pr.	Schlosser-, Uhrmacher-, Goldarbeiter-, Klempner-, Nadler-, Gelbgießer-, Kupferschmiede-, Nagelschmiede- und Büchsenmacher-Innung zu Jüterbog.	31	304
- 16.	20. K. A.	Kommunalbezirksveränderungen im Kreise Beeskow-Storkow im I. Halbjahr 1888.	31	308
- 16.	— —	Ständische Generaldirektion der Land-Feuer-Sozietät der Kurmark und der Niederlausitz zu Berlin. — Feuerkassengelder-Ausschreiben für das I. Halbjahr 1888.	29	296
- 17.	204. R. Pr.	Nachtragsbestimmungen zur Ausführung des Gesetzes vom 17ten Juni 1887, betreffend die Fürsorge für die Wittwen und Waisen von Angehörigen des Reichsheeres und der Kaiserlichen Marine.	Extra-Beilage zum 30sten Stück.	
- 18.	49. E. B. D. Br.	Frachtsätze für getrocknete Malztreber	30	302

Datum	Nummer der Verordnungen und Bekanntmachungen.	Inhalt der Verordnungen und Bekanntmachungen.	Stück des Amtsblatts.	Seitenzahl des Amtsblatts.
Juli 19.	209. R. Pr.	Schußfreie Tage auf dem Schießplatze bei Kummersdorf für das Jahr 1888.	30	301
- 19.	211. R. Pr. u. P. Pr.	Veranstaltung einer Lotterie in Köln	30	301
- 19.	69. P. Pr.	Schuhmacher-Innung zu Berlin	30	301
- 19.	9. D. d. R. B.	Versicherung rentenpflichtiger Grundstücke gegen Feuersgefahr	31	306/307
- 20.	207. R. Pr.	Aufhebung von Laichschonrevieren im Kreise Osthavelland	30	300
- 20.	50. E. B. D. Br.	Nachtrag zum Kilometerzeiger	31	307
—	— —	Verzeichniß über die Ausweisung von Ausländern aus dem Reichsgebiete nach Nr. 27 und 28 des Centralblatts pro 1888.	29	297/298
Juli 21.	15. O. Pr.	Reichstags-Ersatzwahl	30	299
- 21.	208. R. Pr.	Beaufsichtigung der im Kreise Ruppin belegenen Laichschonreviere	30	300/301
- 21.	210. R. Pr.	Vereinigung des selbstständigen Gutsbezirks Joachimsthal mit dem Gemeindebezirke der Stadt Joachimsthal im Kreise Angermünde.	30	301
- 21.	213. R. Pr.	Artikel des Deutschen Handels-Archivs	31	304
- 21.	74. P. Pr.	Bestimmung, betr. die Kupferschmiede-Innung zu Berlin	32	317/318
- 21.	55. O. P. D.	Errichtung einer Telegraphenanstalt in Hohenofen	30	301
- 21.	19. K. A.	Kommunalbezirksveränderung im Kreise Jüterbog-Luckenwalde	31	308
- 22.	224. R. Pr.	Auflösung des Gutsbezirks Groß-Gottschow im Kreise Westprignitz	32	313
- 22.	51. E. B. D. Br.	Neuer Deutsch-Italienischer Gütertarif	31	307
- 23.	223. R. Pr.	Schuhmacher-Innung zu Wittstock	32	312/313
- 23.	12. P. St. D.	Erhebung des Brückenaufzuggeldes für Benutzung der Havelbrücke am Berliner Thore zu Spandau.	31	307
- 23.	52. E. B. D. Br.	Frachtbegünstigung für Ausstellungs-Gegenstände	31	308
- 24.	16. O. Pr.	Ueberweisung eines Betrages aus landwirthschaftlichen Zöllen an die Stadt Berlin pro 1887/88.	31	304
- 24.	216. R. Pr.	Milzbrand auf den Rittergütern Karwesee im Kreise Osthavelland und Kleptow im Kreise Prenzlau.	31	305
- 24.	— —	Verzeichniß der Vorlesungen an der Königl. Landwirthschaftlichen Hochschule zu Berlin im Wintersemester 1888/89.	32	325
- 25.	54. E. B. D. Br.	Güterverkehr im Herbst	32	323/324
- 26.	15. H. V. 20. H. V. 25. H. V.	Aufgebot einer Schuldverschreibung	32 40 49	321 387/388 455
- 26.	11. P. St. D.	Anderweite Uebertragung einer Stempeldistribution	31	307
- 27.	73. P. Pr.	Verlegung von Verkaufsstellen	32	317
- 27.	56. O. P. D.	Unbestellbare Einschreibbriefe	31	305/306
- 27.	14. K. d. S. P.	Aufgebot einer Schuldverschreibung	31	306
- 28.	72. P. Pr.	Omnibus-Fahrplan	32	316/317
- 28.	57. O. P. D.	Unanbringliche Postanweisungen	31	306
- 28.	31. E. B. D. B.	Be- und Entladung offener Wagen	31	307
- 30.	222. R. Pr.	Schneider-Innung zu Prenzlau	32	312
- 31.	214. R. Pr.	Abänderungen der Postordnung vom 8. März 1879	31	304
- 31.	217. R. Pr.	Einrichtung einer Chausseegeld-Hebestelle bei dem Dorfe Hönow im Kreise Niederbarnim.	32	311

Datum	Nummer der Verordnungen und Bekanntmachungen.	Inhalt der Verordnungen und Bekanntmachungen.	Stück des Amtsblatts.	Seitenzahl des Amtsblatts.
Juli 31.	218. R. Pr.	Chausseegelderhebung auf einigen Chausseen des Kreises Westprignitz	32	311
- 31.	21. R.	Ausreichung neuer Zinsscheine zu den Schuldverschreibungen der Reichsanleihen vom Jahre 1880 und 1884.	32	314/316
—	1. E. B. D. F.	Güterverkehr im Herbst	32	324
—	— —	Vorlesungen für das Studium der Landwirthschaft an der Universität Halle im Wintersemester 1888/89.	33	331
August 1.	53. E. B. D. Br.	Neue Ausgabe des Ostdeutschen Eisenbahn-Kursbuchs	32	323
- 2.	22. R.	Nachweisung der vakanten Lehrerstellen im Regierungsbezirk Posen	34	334/340
- 2.	78. P. Pr.	Verbot von Druckschriften	32	320
- 2.	79. P. Pr.	Bestrafung des Milchhändlers Panwitz	33	327
- 3.	219. R. Pr	Herabsetzung des Zinsfußes der Rixdorfer Gemeinde-Anleihescheine	32	311
- 3.	226. R. Pr.	Rotzkrankheit in Rixdorf	32	313
- 3.	229. R. Pr.	Ermittelung eines Mörders	33	327
- 3.	7. B. A.	Eröffnung der kleinen Jagd	32	316
- 3.	83. P. Pr.	Einrichtung und Betrieb der zur Anfertigung von Cigarren bestimmten Anlagen.	34	333
- 3.	13. P. St. D.	Ausführungsbestimmungen zum Branntweinsteuergesetze	32.	321/322
- 3.	2. E. B. D. F.	Hohenebra-Ebelebener und Kerkerbachbahn	33	329/330
—	— —	Verzeichniß über die Ausweisung von Ausländern aus dem Reichsgebiete nach Nr. 28 und 29 des Centralblatts pro 1888.	31	309/310
Aug. 4.	17. O. Pr.	Eröffnung der Jagd auf Rebhühner	32	311
- 4.	220. R. Pr.	Nachweisung der an den Pegeln der Spree und Havel im Monat April 1887 beobachteten Wasserstände.	32	312
- 4.	71. P. Pr.	Verbot einer Druckschrift	32	316
- 4.	58. O. P. D.	Unanbringliche Postsendungen	32	320/321
- 4.	14. P. St. D.	Vergütung der Verbrauchsabgabe bei der Ausfuhr von Branntweinfabrikaten.	32	322/323
- 6.	225. R. Pr.	Aenderung der Statuten der Union Marine Insurance Company Limited.	32	313
- 7.	221. R. Pr.	Consulat für Mexiko	32	312
- 7.	227. R. Pr.	Nachweisung der Markt- rc. Preise im Monat Juli 1888	32	314/315
- 7.	228. R. Pr.	Nachweisung des Monatsdurchschnitts der gezahlten höchsten Tagespreise (incl. 5% Aufschlag) im Monat Juli 1888.	32	314/315
- 7.	80. P. Pr.	Berliner und Charlottenburger Preise pro Monat Juli 1887	33	327/328
- 7.	60. O. P. D.	Unanbringliche Briefe mit Werthinhalt	33	329
- 8.	81. P. Pr.	Polizei-Verordnung, betr. die Abänderung des Straßen-Polizei-Reglements.	33	328
- 10.	57. E. B. D. Br.	Nachtrag zum Kilometerzeiger	34	341
—	— —	Verzeichniß über die Ausweisung von Ausländern aus dem Reichsgebiete nach Nr. 30 des Centralblatts pro 1888.	32	326
Aug. 11.	55. E. B. D. Br.	Nachtrag zum Verband-Gütertarif zwischen Stationen des Bezirks Bromberg und den Stationen der Marienburg-Mlawkaer Bahn.	34	341
- 12.	230. R. Pr.	Anlegung einer Apotheke in Rummelsburg, Kreis Niederbarnim	34	333
- 12.	82. P. Pr.	Anlage des 3. und 4. Geleises auf der Berliner Ringbahn zwischen der Landsberger Allee und Bahnhof Wedding.	33	328/329
- 12.	59. O. P. D.	Einrichtung einer Postagentur in Schönfließ	33	329

Datum	Nummer der Verordnungen und Bekanntmachungen.	Inhalt der Verordnungen und Bekanntmachungen.	Stück des Amtsblatts.	Seitenzahl des Amtsblatts.
Aug. 12.	— —	Direktion der Städte-Feuer-Sozietät der Provinz Brandenburg zu Berlin. — Uebersicht von den Ergebnissen der Verwaltung im Jahre 1887.	35	344/346
- 13.	— —	Chef der Elbstrom-Bauverwaltung, Oberpräsident der Provinz Sachsen zu Magdeburg. — Schifffahrtspolizeiliche Vorschriften für die Elbe.	34	341/342
- 14.	8. O. B. A.	Bergwerkseigenthum „Birkenwerder" in Hohen-Neuendorf, Stolpe und Königl. Forst Mühlenbeck im Kreise Niederbarnim.	34	340/341
- 14.	9. O. B. A.	Desgl. „Stolpe" in Hohen-Neuendorf und Stolpe im Kreise Niederbarnim.	34	341
- 14.	56. E. B. D. Br.	Preisermäßigung für Arbeiter-Wochenkarten	34	341
- 15.	84. P. Pr.	Entziehung eines Hebammen-Prüfungszeugnisses	34	333
- 15.	— —	Stadtausschuß zu Berlin. — Unfallversicherung land- und forstwirthschaftlicher Arbeiter.	34	342
- 16.	231. R. Pr.	Hebammenlehrkurse des Jahres 1888/89	34	333
—	— —	Inhalts-Verzeichniß von Stück 30 bis einschl. 33 des Reichs-Gesetzblatts pro 1888.	33	327
—	— —	Desgl. von Stück 25 der Gesetz-Sammlung pro 1888	33	327
Aug. 17.	94. P. Pr.	Abgeänderter Gesellschaftsvertrag der Oldenburger Versicherungs-Gesellschaft.	39	373/374
—	— —	Vorlesungen an der Königl. thierärztlichen Hochschule zu Hannover im Wintersemester 1888/89.	33	330/331
—	— —	Verzeichniß über die Ausweisung von Ausländern aus dem Reichsgebiete nach Nr. 30 und 31 des Centralblatts pro 1888.	33	332
Aug. 18.	232. R. Pr.	Erledigte Kreisthierarztstelle	34	333
- 20.	— —	Allerhöchster Erlaß, betr. die Erwerbung von Grundstücken seitens der zu London domicilirten Aktiengesellschaft Imperial-Continental-Gas-Association in Nieder-Schönweide.	41	393
- 20.	21. K. A.	Kommunalbezirks-Veränderung im Kreise Jüterbog-Luckenwalde	35	346
- 20.	— —	Königl. Hofkammer zu Berlin. — Personalien	35	347
- 20.	— —	Königl. Regierung zu Bromberg. — Erledigte Kreisphysikatsstellen	35	347
- 20.	— —	Desgl. — Erledigte Kreiswundarztstelle	35	347
- 21.	233. R. Pr.	Veröffentlichungen des Deutschen Handelsarchivs	35	343
- 21.	61. O. P. D.	Unbestellbare Postsendungen	35	343
- 21.	11. D. d. R. B.	Berichtigung	35	346
- 22.	10. D. d. R. B.	Einlösung von Rentenbriefen und Zinskoupons	35	346
- 23.	33. E. B. D. B.	Galizisch-Norddeutscher Eisenbahnverband	36	351/352
- 23.	— —	Königl. Amtsgericht zu Kyritz. — Führung des Handelsregisters	36	353
- 25.	235. R. Pr.	Bäcker-Innung zu Kyritz	36	349
- 25.	15. P. St. D.	Vergütung der Verbrauchsabgabe bei der Ausfuhr von Branntweinfabrikaten.	36	351
- 25.	10. O. B. A.	Verlegung des Wohnsitzes eines Markscheiders	36	351
- 25.	32. E. B. D. B.	Nachtrag zum Eisenbahn-Gütertarifbuch für Berlin	35	346
- 27.	268. R. Pr.	Polizei-Verordnung, betr. die Flößerei zwischen den Hohensaatener und den Lieper Schleusen, sowie die Rangordnung, welche das unterhalb der Lieper Schleusen ankommende Floßholz beim Durchschleusen einzunehmen hat.	43	409

Datum	Nummer der Verordnungen und Bekanntmachungen.	Inhalt der Verordnungen und Bekanntmachungen.	Stück des Amtsblatts.	Seitenzahl des Amtsblatts.
Aug. 27.	— —	Chef der Elbstrom-Bauverwaltung, Oberpräsident der Provinz Sachsen zu Magdeburg. — Ausübung der Strompolizei durch die Bagger-, Taucher-, Schleusen- und Krahnmeister.	36	352
- 28.	234. R. Pr.	Sperrung der Aufzugsöffnung an der Oderbrücke bei Glogau	35	343
- 28.	237. R. Pr.	Milzbrand auf dem Rittergut Krügersdorf bei Beeskow	36	349
- 29.	85. P. Pr.	Bau des Hauptsammlers für das Radial-System der allgemeinen Kanalisation von Berlin.	36	349
- 29.	— —	Königl. Regierungspräsident zu Magdeburg. — Betrieb einer Kahnfähre über den Plauer Kanal oberhalb der Plauer Schleuse.	36	352
- 30.	238. R. Pr.	Milzbrand in Dyrotz im Kreise Osthavelland	36	349
- 31.	236. R. Pr.	Abänderung des Tarifs für die Fähre über den Rhinsee zwischen Neu-Ruppin-Wuthenow und Nietwerder.	36	349
- 31.	239. R. Pr.	Milzbrand in Wernsdorf, Kreis Beeskow-Storkow	36	349
- 31.	63. O.P.D.	Landbriefbestellbezirksänderung	37	357
—	— —	Verzeichniß über die Ausweisung von Ausländern aus dem Reichsgebiete nach Nr. 31 und 33 des Centralblatts pro 1888.	35	347/348
Sept. 1.	86. P. Pr.	Verbot einer Druckschrift	36	349
- 1.	89. P. Pr.	Eröffnung einer Apotheke in Berlin..........................	37	360
- 3.	16. H. V.	Einlösung der am 1. Oktober 1888. fälligen Zinsscheine der Preußischen Staatsschulden.	37	355
- 3.	16. P. St. D.	Errichtung einer Stempeldistributionsstelle in Pankow bei Berlin ..	37	361
- 3.	34. E. B. D. B.	Transittarif nach den unteren Donauländern..................	37	361
- 4.	243. R. Pr.	Maler-Innung zu Schwedt a. O.	37	358/359
- 4.	91. P. Pr.	Zweiter Nachtrag zum Statut der Preußischen Hypotheken-Versicherungs-Aktien-Gesellschaft.	Extra-Beilage zum 38sten Stück.	
- 4.	19. H. V.	Verloosung von 3½% Staatsschuldscheinen von 1842.	39	377
- 5.	29. M.	Zwangsweise Versetzung von Lehrern und Lehrerinnen an Volksschulen in den Ruhestand.	41	393/394
- 5.	18. O. Pr.	Anbringung von Blechtafeln mit aufgedruckter Anweisung zur Wiederbelebung Ertrunkener.	37	355
- 5.	88. P. Pr.	Bestimmungen zur Ausführung der am 9ten September 1886 zu Bern abgeschlossenen Uebereinkunft wegen Bildung eines internationalen Verbandes zum Schutze von Werken der Litteratur und Kunst.	37	359/360
- 5.	17. H. V.	Restkündigung der Staatsschuldverschreibungen von 1850, sowie Verloosung von Schuldverschreibungen der Staatsanleihen von 1852, 1853 und 1862.	38	365
- 5.	55. E. B. D. Br.	Reisekarten für bestimmte Rundfahrten rc.	37	361
- 6.	242. R. Pr.	Nachweisung der an den Pegeln der Spree und Havel im Monat Mai 1888 beobachteten Wasserstände.	37	358
- 6.	87. P. Pr.	Verbot einer Druckschrift	37	359
- 6.	62. O. P. D.	Einrichtung des Telegraphenbetriebes bei dem Postamt No. 52 (Alt-Moabit 11/12).	37	355/356
- 7.	93. P. Pr.	Eröffnung einer Apotheke in Berlin..........................	38	364
—	— —	Verzeichniß über die Ausweisung von Ausländern aus dem Reichsgebiete nach Nr. 34 und 35 des Centralblatts pro 1888.	36	352/353
Sept. 8.	24. R.	Turnlehrerinnen-Prüfungen in Berlin........................	38	363
- 8.	90. P. Pr.	Berliner und Charlottenburger Preise pro Monat August 1888	37	360/361
- 10.	240. R. Pr.	Nachweisung der Markt- rc. Preise im Monat August 1888	37	356/357

Datum	Nummer der Verordnungen und Bekanntmachungen.	Inhalt der Verordnungen und Bekanntmachungen.	Stück des Amtsblatts.	Seitenzahl des Amtsblatts.
Sept. 10.	241. R. Pr.	Nachweisung des Monatsdurchschnitts der gezahlten höchsten Tagespreise (incl. 5% Aufschlag) im Monat August 1888.	37	356/357
- 10.	18. St. S.	Postverkehr mit dem Deutschen Schutzgebiet der Marschall-Inseln ..	38	364/365
- 10.	— —	Ständische General-Direktion der Land-Feuer-Sozietät der Kurmark und der Niederlausitz zu Berlin. — Verwaltungsresultate der Sozietät pro 1887.	39	377/379
- 12.	92. P. Pr.	Beschaffenheit von Geschirren und Flüssigkeitsmaßen	38	363/364
- 12.	15. K. d. S. P.	Aufgebot von Staatschuldscheinen	38	365
- 13.	23. R.	Zahlungen aus Domainen- und Forst-Veräußerungen und Ablösungen.	38	363
- 13.	56. E. B. D. Br.	Fracht-Begünstigung für Ausstellungs-Gegenstände..............	38	365/366
- 14.	11. O. B. A.	Wohnsitz eines Markscheiders	38	365
- 14.	35. E. B. D. B.	Ungarisch-Deutscher Viehverkehr	38	365/366
- 14.	57. E. B. D. Br.	Neuer Lokal-Güter-Tarif	39	377
—	— —	Verzeichniß über die Ausweisung von Ausländern aus dem Reichsgebiete nach Nr. 35 und 36 des Centralblatts pro 1888.	37	362
Sept. 15.	64. O. P. D.	Landbriefbestellbezirksänderung	39	375
- 15.	18. H. V.	Verloosung der Staatsprämienanleihe vom Jahre 1855	39	376
- 17.	— —	Allerhöchster Erlaß, betreffend die zur Verbesserung des Spreelaufs innerhalb der Stadt Berlin und bis zur Einmündung der Spree in die Havel auszuführenden Bauten.	45	417
- 17.	— —	Allerhöchster Erlaß, betreffend die Einlegung eines Druckrohres der allgemeinen Kanalisation von Berlin in Berliner Grundstücksflächen.	47	439
- 17.	244. R. Pr.	Schußfreie Tage auf dem Schießplatze bei Cummersdorf für das Jahr 1888.	38	363
- 17.	101. P. Pr.	Zweiter Nachtrag zum Statut des „Nordstern", Arbeiter-Versicherungs-Aktien-Gesellschaft.	40	386/387
- 17.	22. K. A.	Kommunalbezirksveränderung im Kreise Osthavelland............	39	377
- 18.	245. R. Pr.	Ausbruch der Rotzkrankheit in Freienwalde a. O.	38	363
- 18.	248. R. Pr.	Verloosung von christlichen Büchern und Schriften in Berlin	39	372
- 18.	251. R. Pr.	Nachweisung der den Kommunalverbänden aus den landwirthschaftlichen Zöllen des Etatsjahres 1887/1888 überwiesenen Beträge.	39	373
- 18.	252. R. Pr.	Anweisung für das Verfahren bei Revisionen der Droguen-, Material- und Farbwaaren-Handlungen.	39	373
- 18.	95. P. Pr.	Verbot eines Flugblatts	39	374
- 18.	99. P. Pr.	Sechster Nachtrag zu dem Statut des „Nordstern", Lebens-Versicherungs-Aktien-Gesellschaft zu Berlin.	39	374/375
- 19.	O. Pr.	Allerhöchster Erlaß, betr. die Aufnahme der Manövertruppen in Müncheberg und Umgegend.	Extrablatt vom 21./9. 88.	
- 19.	247. R. Pr.	Verkündigung ortspolizeilicher Verordnungen im Kreise Niederbarnim.	39	371/372
- 19.	253. R. Pr.	Erlöschen des Milzbrandes auf dem Rittergut Krügersdorf bei Beeskow.	39	373
- 19.	65. O. P. D.	Aenderung in der Geldbestellung	39	375

Datum	Nummer der Verordnungen und Bekanntmachungen.	Inhalt der Verordnungen und Bekanntmachungen.	Stück des Amtsblatts.	Seitenzahl des Amtsblatts.
Sept. 19.	12. O. B. A.	Bergwerkseigenthum „Zehlendorf I." in Zehlendorf, Kreuzbruch, Königl. Liebenwalder Forst, Bernöwe, Klosterfelde, Stolzenhagen und auswärtige Wiesen am Malzer Kanal im Kreise Niederbarnim.	40	388
- 19.	13. O. B. A.	Bergwerkseigenthum „Kreuzbruch III." im Kreuzbruch, Klosterfelde und Königl. Forst Liebenwalde im Kreise Niederbarnim.	40	388
- 19.	14. O. B. A.	Bergwerkseigenthum „Kreuzbruch IV." im Kreuzbruch und Königl. Forst Liebenwalde im Kreise Niederbarnim.	40	388/389
- 19.	15. O. B. A.	Bergwerkseigenthum „Kreuzbruch V." im Kreuzbruch, Liebenwalde, Königl. Forst Liebenwalde und Auswärtige Wiesen am Malzer Kanal im Kreise Niederbarnim.	40	389
- 19.	16. O. B. A.	Bergwerkseigenthum „Kreuzbruch VI." im Kreuzbruch, Zehlendorf, Stolzenhagen und Königl. Forst Liebenwalde im Kreise Niederbarnim.	40	389
- 19.	17. O. B. A.	Bergwerkseigenthum „Kreuzbruch VII." im Kreuzbruch, Zehlendorf, und Stolzenhagen im Kreise Niederbarnim.	40	389
- 20.	250. R. Pr.	Abgabenerhebung für die Benutzung der von der Stadtgemeinde Eberswalde am rechten Ufer des Finow-Kanals unterhalb der Eberswalder Schleusen errichteten öffentlichen Ablage.	39	372/373
- 20.	97. P. Pr.	Betrieb von Mineralwasserfabriken	39	374
- 20.	2. Ko.	Generalkirchenvisitation in der Diözese Belzig	39	376
- 20.	16. K. d. S. P.	Aufgebot einer Schuldverschreibung	39	377
- 20.	— —	Polizei-Direktion zu Charlottenburg. — Polizei-Verordnung, betr. den Betrieb von Mineralwasserfabriken.	42	404/405
- 21.	246. R. Pr.	Nachweisung der an den Pegeln der Spree und Havel im Monat Juni 1888 beobachteten Wasserstände.	39	371
- 21.	96. P. Pr.	Verbot eines Flugblatts	39	374
- 21.	66. O. P. D.	Vereinigung und Verlegung von Postämtern	39	376
- 21.	58. E. B. D. Br.	Nachtrag zum Verbands-Güter-Tarif zwischen Stationen des Bezirks Bromberg und den Stationen der Marienburg-Mlawkaer Eisenbahn.	39	377
—	6. E. B. D M.	Extrazug zur Magdeburger Messe	38	366
—	— —	Verzeichniß über die Ausweisung von Ausländern aus dem Reichsgebiete nach Nr. 36 und 37 des Centralblatts pro 1888.	38	366/368
Sept. 22.	30. M.	Regulativ, betr. die Gewährung der Zoll- und Steuer-Vergütung für Tabak und Tabakfabrikate.	42	401
- 22.	36. E. B. D. B.	Tarif für den direkten Güter-Verkehr	40	389
- 24.	249. R. Pr.	Oeffnungszeiten der Eisenbahn-Drehbrücken der Berlin-Lehrter und der Berlin-Hamburger Eisenbahn über die Havel bei Spandau und derjenigen der Berlin-Potsdam-Magdeburger Eisenbahn über die Havel bei Potsdam und Werder.	39	372
- 24.	98. P. Pr.	Enteignung mehrerer Grundstücks-Parzellen in der Bellermannstraße in Berlin.	39	374
- 24.	59. E. B. D. Br.	Frachtbegünstigung für Ausstellungsgegenstände	40	390
- 24.	— —	Polizei-Direktion zu Charlottenburg. — Betrieb der Fabriken für künstliche Mineralwasser ꝛc.	42	404
- 25.	20. O. Pr.	Wahl eines Mitgliedes des Brandenburgischen Provinziallandtages	40	386

Datum	Nummer der Verordnungen und Bekanntmachungen.	Inhalt der Verordnungen und Bekanntmachungen.	Stück des Amtsblatts.	Seitenzahl des Amtsblatts.
Sept. 25.	254. R. Pr. u. P. Pr.	Verloosung von Kanarienhähnen ꝛc. in Berlin	40	386
- 25.	17. K. d. S. P.	Aufgebot einer Schuldverschreibung	40	388
- 25.	18. K. d. S. P.	Desgl.	40	388
- 26.	M.	Anordnung auf Grund des § 28 des Gesetzes gegen die gemeingefährlichen Bestrebungen der Sozialdemokratie für die Stadtkreise Berlin, Potsdam, Charlottenburg, Spandau und Umgegend.	Extrablatt vom 29./9. 88. S. 387	
- 26.	M.	Desgl. für den Stadtkreis Altona und Umgegend	Extrablatt vom 29./9. 88. S. 382	
- 26.	M.	Desgl. für die Städte Stettin, Grabow a. O. und Alt-Damm und Umgegend.	Extrablatt vom 29./9. 88. S. 383	
- 26.	25. R.	Notirung forstversorgungsberechtigter Jäger	40	386
- 26.	100. P. Pr.	Prüfung für Heilgehülfen	40	386
- 26.	18. P. St. D.	Regulativ zur Ausführung der Reichs-Zoll- und Steuergesetze aus Anlaß des Zollanschlusses von Hamburg.	42	403
- 26.	37. E. B. D. B.	Galizisch-Norddeutscher Getreide-Verkehr	40	389/390
- 26.	60. E. B. D. Br.	Neue Ausgabe des Ostdeutschen Eisenbahn-Kursbuchs	40	390
- 27.	255. R. Pr.	Erlöschen des Milzbrandes in Wernsdorf, Kreis Beeskow-Storkow	40	386
- 27.	P. Pr. u. R. Pr.	Ertheilung von Waffenscheinen	Extrablatt vom 29./9. 88. S. 381	
- 27.	P. Pr. u. R. Pr.	Versagung des Aufenthalts in Berlin ꝛc.	Extrablatt vom 29./9. 88. S. 381/382	
- 27.	P. Pr.	Verbreitung von Druckschriften in Berlin	Extrablatt vom 29./9. 88. S. 382	
- 27.	38. E. B. D. B.	Be- und Entladung der Güterwagen	40	390
- 28.	257. R. Pr.	Fleischer-Innung zu Nowawes	41	394/395
- 28.	21. H. V. 23. H. V.	Aufgebot einer Schuldverschreibung	41 49	399 456
- 28.	19. K. d. S P.	Aufgebot von Schuldverschreibungen	41	399
—	— —	Verzeichniß über die Ausweisung von Ausländern aus dem Reichsgebiete nach Nr. 38 des Centralblatts pro 1888.	39	380
Sept. 29.	19. O. Pr.	Wahlen zur 17. Legislaturperiode des Hauses der Abgeordneten	40	385
- 29.	102. P. Pr.	Eröffnung einer Apotheke in Berlin	41	398
- 29.	104. P. Pr.	Schmiede-Innung zu Berlin	41	398/399
- 30.	258. R. Pr.	Schlosser-, Sporer-, Büchsenmacher-, Feilenhauer- und Windenmacher-Innung zu Potsdam.	41	395
Oktb. 1.	R. Pr.	Wahlen zur 17. Legislaturperiode des Hauses der Abgeordneten und Reglement zur Ausführung der Abgeordnetenwahlen.	Extra-Beilage zum 40sten Stück.	
- 2.	262. R. Pr.	Schuhmacher-Innung zu Alt-Landsberg	41	396/397

Datum der Verordnungen und Bekanntmachungen.	Nummer der Verordnungen und Bekanntmachungen.	Inhalt der Verordnungen und Bekanntmachungen.	Stück des Amtsblatts.	Seitenzahl des Amtsblatts.
Oktb. 13.	269. R. Pr.	Oeffentliche Belobigung für Rettung aus Lebensgefahr	43	409
- 13.	270. R. Pr.	Anlegung einer zweiten Apotheke in der Stadt Luckenwalde.......	43	409/410
- 13.	271. R. Pr.	Schuhmacher-Innung zu Rathenow	43	410
- 16.	275. R. Pr.	Erlöschen des Milzbrandes in Dyrotz im Kreise Osthavelland.....	43	411
- 16.	107. P. Pr.	Eröffnung einer Apotheke in Berlin	43	411
- 16.	40. E. B. D. B.	Nachtrag zum Eisenbahn-Güter-Tarifbuch für Berlin............	43	411
- 17.	272. R. Pr.	Krankenversicherung der Arbeiter im Kreise Teltow	43	410
- 17.	108. P. Pr.	Eröffnung einer Apotheke in Berlin..	43	411
- 17.	41. E. B. D. B.	Be- und Entladefristen für offene Wagen	43	411
- 18.	273. R. Pr.	Verlegung von Märkten............................	43	410
- 18.	R.	Verwaltung der Forstkasse zu Storkow......................	44	416
- 19.	8. B. A.	Schluß der Jagd auf Rebhühner.........................	44	414
- 19.	110. P. Pr.	Warnung vor Benutzung der Karbon-Natron-Oefen............	44	414
- 19.	13. D. d. R. B.	Ausloosung und Vernichtung von Rentenbriefen	44	415
- 19.	— —	Königl. Amtsgericht zu Pritzwalk. — Abhaltung von Gerichtstagen in Putlitz.	44	416
—	— —	Verzeichniß über die Ausweisung von Ausländern aus dem Deutschen Reichsgebiet nach Nr. 40 und 41 des Centralblatts pro 1888.	42	406/408
Oktb. 20.	31. M.	Kommunalsteuerpflichtiges Reineinkommen der gesammten Preußischen Staats- und für Rechnung des Staats verwalteten Eisenbahnen für das Etatsjahr 1887/88.	44	413
- 20.	274. R. Pr.	Die Winterschonzeit, das Verbot des Lachsfanges mit Zug- und Treibnetzen, sowie das Verbot des Krebsfanges betreffend.	43	410/411
20.	109. P. Pr.	Verbot eines Flugblatts..............................	43	411
- 20.	42. E. B. D. B.	Be- und Entladefristen für bedeckte Wagen	43	411
- 21.	43. E. B. D. B.	Nachtrag zum Galizisch-Norddeutschen Verbandtarif	44	415
- 22.	283. R. Pr.	Erlöschen der Maul- und Klauenseuche in Jüterbog............	44	414
- 23.	281. R. Pr. u. P. Pr.	Veranstaltung einer Gold- und Silberlotterie in Berlin	44	414
- 23.	10. S.	Aufnahme-Prüfung am Königl. Schullehrer-Seminar zu Neu-Ruppin.	45	420
- 23.	11. S.	Entlassungs-Prüfung ebendaselbst........................	45	420
- 23.	12. S.	Zweite Lehrer-Prüfung ebendaselbst	45	420
- 23.	17. S.	Aufnahme-Prüfung am Königl. Schullehrer-Seminar zu Berlin....	46	425
- 23.	18. S.	Entlassungs-Prüfung ebendaselbst.........................	46	425
- 23.	62. E. B. D. Br.	Frachtbegünstigung für Geflügel und Geräthe zur Geflügelzucht....	44	415
- 24.	20. St. S.	Australische Reichspostdampferlinie	44	414
- 24.	— —	Königl. Regierungspräsident zu Frankfurt a. O., betr. den Deichhauptmann rc. des Ober- und Nieder-Oderbruchs.	45	423
- 24.	— —	Königl. Amtsgericht zu Perleberg. — Abhaltung der Gerichtstage in Warnow.	45	424
- 25.	282. R. Pr.	Berichtigung....................................	44	414
- 25.	21. St. S.	Einrichtung einer Postagentur in Viktoria (Kamerun)	45	419
- 25.	70. O. P. D.	Landbriefbestellbezirksänderung........................	44	414/415
—	— —	Inhalts-Verzeichniß von Stück 37 des Reichsgesetz-Blatts pro 1888	43	409

Datum	Nummer der Verordnungen und Bekanntmachungen.	Inhalt der Verordnungen und Bekanntmachungen.	Stück des Amts-Blatts.	Seitenzahl des Amts-blatts.
—	— —	Inhalts-Verzeichniß von Stück 28 bis einschließlich 30 der Gesetz-Sammlung pro 1888.	43	409
Oktb. 26.	287. R. Pr.	Gefährlichkeit der sogenannten Karbon-Natron-Oefen	45	417
- 26.	111. P. Pr.	Commercial Union Assurance Company Limited zu London...	45	417
- 26.	112. P. Pr.	Anlegung von Apotheken in Berlin	45	417/418
- 26.	13. S.	Aufnahme-Prüfung am Königl. Schullehrer-Seminar zu Köpenick ..	45	420
- 26.	14. S.	Entlassungs-Prüfung ebendaselbst	45	420
- 26.	15. S.	Zweite Lehrer-Prüfung ebendaselbst	45	420/421
- 26.	16. S.	Lehrerinnen-Prüfung zu Potsdam	45	421
- 26.	19. S.	Mittelschul-Lehrer-Prüfung zu Berlin	46	425
- 26.	20. S.	Rektorats-Prüfung zu Berlin	46	425/426
- 26.	21. S.	Aufnahme-Prüfung im Königl. Lehrerinnen-Seminar zu Berlin ..	46	426
- 27.	277. R. Pr.	General-Konsulat für Belgien zu Berlin	44	414
- 27.	284. R. Pr.	Ausbruch der Maul- und Klauenseuche zu Nieder-Schönhausen im Kreise Niederbarnim.	44	414
- 27.	63. E. B. D. Br.	Nachtrag zum Lokal-Tarif für die Beförderung von Leichen, Fahrzeugen und lebenden Thieren.	44	415
- 28.	278. R. Pr.	Allgemeine Versorgungs-Anstalt im Großherzogthum Baden zu Karlsruhe.	44	414
- 28.	279. R. Pr.	Marktverlegung	44	414
- 28.	286. R. Pr.	Schuhmacher-Innung zu Werder a. H.	45	417
- 28.	R. Pr.	Oeffentliche Belobigung für Rettung aus Lebensgefahr	45	423
- 28.	113. P. Pr.	Geheimmittel	45	418
- 28.	116. P. Pr.	Anlegung einer Apotheke in Berlin	45	418/419
- 29.	285. R. Pr.	Rotzkrankheit in Pankow bei Berlin	44	414
- 29.	115. P. Pr.	Polizei-Verordnung, betr den Verkehr von Personen-Dampfbooten auf der Unterspree in Berlin.	45	418
- 29.	72. O. P. D.	Unanbringliche Briefe mit Werth-Inhalt	45	419/420
- 29.	— —	Königl. Regierungs-Präsident zu Magdeburg. — Kanalsperre ...	45	421
- 30.	276. R. Pr.	Nachweisung der an den Pegeln der Spree und Havel im Monat August 1888 beobachteten Wasserstände.	44	413
- 30.	280. R. Pr.	Marktverlegung	44	414
- 30.	64. E. B. D. Br.	Haltestelle „Alt-Jablonken"	45	421
- 31.	114. P. Pr.	Verbot einer Broschüre	45	418
- 31.	71. O. P. D.	Unbestellbare Einschreibbriefe	45	419
Nov. 1.	117. P. Pr.	Ausbruch der Maul- und Klauenseuche im städtischen Centralviehhof zu Berlin.	45	419
- 2.	120. P. Pr.	Eröffnung einer Apotheke in Berlin	46	433
- 2.	21. K. d. S. P.	Aufgebot einer Schuldverschreibung	46	433
- 2.	28. K. A.	Genehmigung einer Kommunalbezirksveränderung im Kreise Niederbarnim.	48	451
- 2.	— —	Königl. Amtsgericht zu Spandau. — Abhaltung der Gerichtstage in Velten.	45	424
—	— —	Verzeichniß über die Ausweisung von Ausländern aus dem Deutschen Reichsgebiete nach Nr. 42 des Centralblatts pro 1888.	44	416
Nov. 3.	27. K. A.	Kommunalbezirksveränderung im Kreise Oberbarnim	46	434/435
- 4.	21. O. Pr.	Ergänzung des Verzeichnisses der Kunststraßen im Regierungsbezirk Potsdam.	46	425

Datum	Nummer der Verordnungen und Bekanntmachungen.	Inhalt der Verordnungen und Bekanntmachungen.	Stück des Amtsblatts.	Seitenzahl des Amtsblatts.
Nov. 5.	32. M.	Polizei-Verordnung, betr. die Versendung von Sprengstoffen und Munitionsgegenständen der Militär- und Marine-Verwaltung auf Landwegen und auf Schiffen.	50	459/461
- 5.	288. R. Pr.	Rotzkrankheit in Pankow	45	417
- 5.	118. P. Pr.	Polizei-Verordnung, betr. die Zulassung von Treibestraßen für Schafvieh.	46	432
- 5.	22. S.	Prüfung von Handarbeitslehrerinnen in Berlin	46	426
- 5.	23. S.	Schulvorsteherinnen-Prüfung in Berlin	46	426/427
- 5.	24. S.	Prüfung von Lehrerinnen für den Unterricht in fremden Sprachen	46	427
- 5.	25. S.	Lehrerinnen-Prüfung in Berlin	46	427
- 5.	22. K. d. S. P.	Aufgebot von Schuldverschreibungen	46	433
- 5.	— —	Oberpräsident von Schlesien, Chef der Oderstrombau-Verwaltung. — Schifffahrtssperre.	46	438
- 6.	R. Pr.	1000 Mark Belohnung für die Ergreifung eines Bank-Diebes	45	424
- 6.	121. P. Pr.	Entziehung eines Hebammen-Prüfungs-Zeugnisses	46	433
- 6.	18. O. B. A.	Bergwerkseigenthum „Schönfließ"	46	434
- 6.	19. O. B. A.	Desgl. „Zerpenschleuse I."	46	434
- 7.	290. R. Pr.	Tarif zur Erhebung von Ufer-, Anlage-, Lager-, Krahn- und Wiegegeld für die Benutzung des von der Stadtgemeinde Potsdam an der Havel errichteten öffentlichen Abladeplatzes.	46	427
- 7.	294. R. Pr.	Ausbruch der Maul- und Klauenseuche in der Landirrenanstalt zu Eberswalde.	46	429
- 7.	73. O. P. D.	Unanbringliche Postanweisungen	46	433
- 7.	65. E. B. D. Br.	Nachtrag 5 zum Kilometerzeiger	46	434
- 7.	66. E. B. D. Br.	Ausgabe kombinirbarer Rundreisebillets	47	445
- 7.	— —	Königl. Landstallmeister zu Friedrich-Wilhelms-Gestüt. — Nachweisung der im Jahre 1887 durch Königliche Landbeschäler gedeckten Stuten und der im Jahre 1888 nachgewiesenen Fohlen im Regierungsbezirk Potsdam.	46	437
- 7.	— —	Königl. Prüfungs-Kommission für Einjährig-Freiwillige zu Berlin. — Meldung zur Erlangung der Berechtigung für den einjährig-freiwilligen Militärdienst.	47	445
- 7.	— —	Königl. Amtsgericht zu Belzig. — Abhaltung der Gerichtstage in Niemegk.	46	438
- 7.	— —	Königl. Amtsgericht zu Brandenburg a. H. — Abhaltung der Gerichtstage in Lehnin.	47	448
- 8.	23. K. d. S. P.	Aufgebot einer Schuldverschreibung	46	433/434
- 8.	44. E. B. D. B.	Ablauf der Gültigkeit von Fahrkarten für Erwachsene und Kinder	46	434
- 9.	293. R. Pr.	Verloosung von Kunstgegenständen ꝛc. in Berlin	46	428/429
- 9.	296. R. Pr.	Standesamtsbezirksveränderung	47	439
- 9.	119. P. Pr.	Berliner und Charlottenburger Preise pro Monat Oktober 1888	46	432
- 9.	122. P. Pr.	Kupferschmiede-Innung zu Berlin	47	440
- 9.	8. E. B. D. M.	Fahrplan-Aenderung	46	434
- 9.	— —	Königl. Direktion für die Verwaltung der direkten Steuern zu Berlin. — Anmeldung von Neubauten.	47	446

Datum	Nummer der Verordnungen und Bekanntmachungen.	Inhalt der Verordnungen und Bekanntmachungen.	Stück des Amtsblatts	Seitenzahl des Amtsblatts.
—	— —	Verzeichniß über die Ausweisung von Ausländern aus dem Deutschen Reichsgebiete nach Nr. 43 und 44 des Centralblatts pro 1888.	45	422/423
Nov. 10.	22. O. Pr.	Wahl eines Mitgliedes des Brandenburgischen Provinzial-Landtages	47	439
- 10.	289. R. Pr.	Schifffahrtssperre der Alt-Friesacker Schleuse am Rhin	46	427
- 10.	126. P. Pr.	Absperrung des Centralviehhofs in Berlin gegen den Abtrieb von Schweinen.	47	443
- 10.	67. E. B. D. Br.	Frachtbegünstigung für Ausstellungs-Gegenstände	47	445
- 10.	— —	Königl. Landwirthschaftliche Hochschule zu Berlin. — Unterrichtskurse für praktische Landwirthe im Jahre 1889.	46	435/436
- 12.	— —	Allerhöchstes Privilegium wegen eventueller Ausfertigung auf den Inhaber lautender Anleihescheine der Gemeinde Neu-Weißensee bis zum Betrage von 125000 Mark.	46	430/432
- 12.	291. R. Pr.	Nachweisung der Markt- ꝛc. Preise im Monat Oktober 1888.....	46	428/429
- 12.	292. R. Pr.	Nachweisung des Monatsdurchschnitts der gezahlten höchsten Tagespreise incl. 5% Aufschlag im Monat Oktober 1888.	46	428/429
- 12.	27. R.	Turnlehrerprüfung in Berlin	46	427
- 12.	14. D. d. R. B. 16. D. d. R. B.	Verloosung von Rentenbriefen	47 52	443/444 478/479
- 13.	123. P. Pr.	Eröffnung einer Apotheke in Berlin	47	440
- 13.	29. K. A.	Kommunalbezirksveränderungen im Kreise Niederbarnim	48	451
- 13.	30. K. A.	Desgleichen	48	451
- 14.	— —	Königl. Direktion für die Verwaltung der direkten Steuern in Berlin. — Neuwahl von 11 Abgeordneten und 11 Stellvertretern.	47	446
- 15.	299. R. Pr.	Berichtigung	47	440
- 15.	124. P. Pr.	Verbot von Druckschriften	47	440/441
- 15.	— —	Kommunalabgabenpflichtiges Reineinkommen der Paulinenaue-Neu-Ruppiner, der Prignitzer und der Wittenberge-Perleberger Eisenbahn.	48	451
- 16.	28. R.	Kursus zur Ausbildung von Turnlehrerinnen in Berlin	47	440
- 16.	125. P. Pr.	Regulativ für den Betrieb des Schornsteinfeger-Gewerbes im Stadtbezirk Berlin.	47	441/443
- 16.	24. K. d. S. P.	Aufgebot einer Schuldverschreibung	47	443
- 16.	— —	Königl. Amtsgericht zu Wittstock. — Führung der Handels- ꝛc. Register.	47	448
—	— —	Verzeichniß über die Ausweisung von Ausländern aus dem Deutschen Reichsgebiete nach Nr. 45 des Centralblatts pro 1888.	46	436
Nov. 17.	297. R. Pr.	Schußfreie Tage auf dem Schießplatze bei Kummersdorf für das Jahr 1888.	47	439
- 17.	298. R. Pr.	Ortsüblicher Tagelohn gewöhnlicher Tagearbeiter im Stadtkreise Potsdam.	47	439/440
- 17.	74. O. P. D.	Unanbringliche Postsendungen	47	443
- 17.	75. O. P. D.	Unbestellbare Postsendungen	48	450
- 17.	46. E. B. D. B.	Preistafel im Verkehr mit der Station Grunewald	48	450
- 18.	15. D. d. R. B.	Vernichtung ausgelooster Rentenbriefe	50	461

Datum	Nummer der Verordnungen und Bekanntmachungen.	Inhalt der Verordnungen und Bekanntmachungen.	Stück des Amtsblatts.	Seitenzahl des Amtsblatts.
Nov. 19.	300. R. Pr.	Ausbruch der Lungenseuche auf Rittergut Groß-Pankow, Vorwerk Dannhof (Gutsbezirk Wolfshagen) und in Gühlsdorf im Kreise Westprignitz.	47	448
- 19.	68. E. B. D. Br.	Ausnahme-Frachtsätze für Getreidesendungen	48	450/451
- 21.	301. R. Pr.	Oeffnen der Zugbrücke über die Dahme bei Schmöckwitz für Dampfboote während der Nachtzeit.	48	449
- 21.	303. R. Pr.	Nachweisung derjenigen ländlichen Polizeibezirke, in welchen öffentliche Fleischbeschauer zur Untersuchung des Fleisches auf Trichinen bisher noch nicht angestellt worden sind.	48	449/450
- 21.	22. St. S.	Postpacket-Verkehr mit Süd-Australien	48	450
- 21.	25. K. d. S. P.	Aufgebot einer Schuldverschreibung	48	450
- 22.	127. P. Pr	Abänderungen des revidirten Statuts der Preußischen Boden-Kredit-Aktien-Bank.	49	455
- 23.	304. R. Pr.	General-Konsulat für die Süd-Afrikanische Republik	48	450
- 23.	31. K. A.	Kommunalbezirksveränderungen im Kreise Osthavelland	49	457
- 23.	— —	Königl. Amtsgericht zu Templin. — Abhaltung der Gerichtstage in Boitzenburg und Gerswalde.	50	468
—	45. E. B. D. B.	Fahrplan-Aenderungen	47	444/445
—	— —	Verzeichniß über die Ausweisung von Ausländern aus dem Deutschen Reichsgebiete nach Nr. 46 des Centralblatts pro 1888.	47	447/448
Nov. 24.	R. Pr.	Rechtzeitige Erneuerung der Bestellung auf das Amtsblatt für das Jahr 1889.	48	449
	— —		49	453
	— —		50	459
- 24.	302. R. Pr.	Vereidigung der Apotheker	48	449
- 24.	305. R. Pr.	Standesamtsbezirksveränderung	48	450
- 25.	306. R. Pr.	Chausseegelderhebung auf den Hebestellen Damm-Horst und Vogelsang der Templin-Zehdenicker Kreischaussee.	49	453
- 26.	— —	Königl. Amtsgericht zu Eberswalde. — Abhaltung der Gerichtstage in Joachimsthal.	51	474
- 27.	308. R. Pr.	Nachweisung der an den Pegeln der Spree und Havel im Monat September 1888 beobachteten Wasserstände.	49	454
- 27.	310. R. Pr.	Verloosung von Pferden, Equipagen rc. in Frankfurt a. M.	49	455
- 27.	— —	Königl. Amtsgericht zu Angermünde. — Abhaltung der Gerichtstage in Gramzow.	51	474/475
- 27.	— —	Königl. Amtsgericht zu Oderberg i./M. — Führung des Handels- rc. Registers.	52	482
- 28.	307. R. Pr.	Schneider-Innung zu Brandenburg a. H.	49	453/454
- 29.	128. P. Pr.	Ausspielung von Goldbarren rc.	49	456
- 29.	4. E. B. D. E.	Einlösung Berlin-Anhaltischer Zinskupons	50	465/466
- 30.	132. P. Pr.	Wiederbesetzung erledigter Apothekerstellen	50	465
- 30.	76. O. P. D.	Landbriefbestellbezirksänderung	49	456
- 30.	77. O. P. D.	Einrichtung einer Reichstelegraphenanstalt auf dem Bahnhofe in Gransee.	49	456
- 30.	78. O. P. D.	Landbriefbestellbezirksänderung	49	456
- 30.	26. K. d. S. P.	Aufgebot von Schuldverschreibungen	49	457

Datum	Nummer der Verordnungen und Bekanntmachungen.	Inhalt der Verordnungen und Bekanntmachungen.	Stück des Amtsblatts.	Seitenzahl des Amtsblatts.
Dez. 8.	133. P. Pr.	Aufhebung der Absperrung des Centralviehhofs in Berlin gegen den Abtrieb von Schweinen.	50	465
- 8.	49. E. B. D. B.	Ablauf der Gültigkeit von Fahrkarten	50	465
- 9.	— —	Königl. Amtsgericht zu Brandenburg a. H. — Führung des Handels- rc. Registers.	52	482
- 10.	313. R. Pr.	Ausbruch der Maul- und Klauenseuche auf dem Rieselgute Malchow	50	461
- 10.	314. R. Pr.	Nachweisung der Markt- rc. Preise im Monat November 1888	50	462/463
- 10.	315. R. Pr.	Nachweisung des Monatsdurchschnitts der gezahlten höchsten Tagespreise incl. 5 % Aufschlag im Monat November 1888.	50	462/463
- 10.	317. R. Pr.	Ausbruch des Milzbrandes in Tremmen bei Ketzin	51	473
- 10.	318. R. Pr.	Ausbruch der Maul- und Klauenseuche auf Dominium Gütergotz	51	473
- 10.	28. K. d. S. P.	Aufgebot von Schuldverschreibungen	51	473
- 10.	32. K. A.	Kommunalbezirksveränderung im Kreise Ostprignitz	52	481
- 11.	24. St. S.	Postpacket-Verkehr mit Neu-Seeland	51	471
- 11.	26. S.	Prüfung der Lehrer an Taubstummen-Anstalten	51	473
- 11.	— —	Königl. Amtsgericht zu Baruth. — Führung des Handels- rc. Registers	51	475
- 11.	— —	Königl. Amtsgericht zu Kyritz. — Desgl.	51	475
- 12.	319. R. Pr.	Ausbruch der Maul- und Klauenseuche auf Rittergut Bagow	51	473
- 12.	9. E. B. D. M.	Lokal-Güter-Verkehr	52	480
- 13.	3. Ko.	Uebersicht der Martini-Marktpreise des Roggens, wie solche in den Jahren 1875—1888, einschließlich in den Kreisstädten des Regierungsbezirks Potsdam im Durchschnitte zu stehen gekommen sind.	51	472
- 13.	— —	Königl. Regierung zu Bromberg. — Schifffahrtssperre	51	476
- 14.	9. B. A.	Schluß der kleinen Jagd	52	478
- 14.	— —	Königl. Eisenbahn-Kommissariat zu Berlin. — Kommunalabgabenpflichtiges Reineinkommen der Dahme-Uckroer Eisenbahn.	52	481
- 14.	— —	Königl. Amtsgericht zu Angermünde. — Führung des Handels- rc. Registers für den Amtsgerichtsbezirk Oderberg i./M.	52	482
—	— —	Verzeichniß über die Ausweisung von Ausländern aus dem Deutschen Reichsgebiete nach Nr. 48 und 49 des Centralblatts pro 1888	50	468/470
Dez. 15.	— —	Königl. Amtsgericht zu Templin. — Führung des Handels- rc. Registers.	52	481/482
- 15.	— —	Königl. Amtsgericht zu Meyenburg. — Desgl.	52	482
- 16.	134. P. Pr.	Verlegung und Errichtung einer Apotheke	52	478
- 17.	— —	Königl. Polizei-Direktion zu Charlottenburg. — Polizei-Verordnung	52	481
- 18.	50. E. B. D. B.	Gültigkeitsdauer der Rückfahrkarten in der Weihnachtszeit	52	480
- 19.	321. R. Pr.	Ausbruch der Maul- und Klauenseuche in Zepernick und Erlöschen derselben in Nieder-Schönhausen.	52	477
- 19.	322. R. Pr.	Ausbruch des Milzbrandes in Werneuchen	52	477
- 19.	323. R. Pr.	Erlöschen der Maul- und Klauenseuche in der Landirrenanstalt zu Eberswalde.	52	477
- 19.	324. R. Pr.	Erlöschen der Rotzkrankheit in Grabow bei Herzsprung	52	478
- 19.	135. P. Pr.	Entziehung eines Hebammen-Prüfungszeugnisses	52	478
- 19.	83. O. P. D.	Einrichtung einer Postagentur in Stüdenitz	52	478
- 19.	51. E. B. D. B.	Güter-Verkehr mit Bulgarien und der Türkei	52	480

Potsdam, gedruckt bei A. W. Hayn's Erben (C. Hayn, Hof-Buchdrucker).

Amtsblatt
der Königlichen Regierung zu Potsdam und der Stadt Berlin.

Stück 1. Den 6. Januar **1888.**

Allerhöchster Erlaß,

betr. die Verleihung der Berechtigung der Chausseegelderhebung für die Chausseestrecke von Templin über Stegelitz bis zur Boitzenburg-Greiffenberger Kreischaussee mit Abzweigung nach Ringenwalde.

Auf Ihren Bericht vom 7. Dezember 1887 will Ich dem Kreise Templin im Regierungsbezirke Potsdam, welcher den Bau einer Chaussee von Templin über Stegelitz bis zur Boitzenburg-Greiffenberger Kreischaussee mit Abzweigung nach Ringenwalde beschlossen hat, das Enteignungsrecht für die zu dieser Chaussee erforderlichen Grundstücke, sowie gegen Uebernahme der künftigen chausseemäßigen Unterhaltung der Straße das Recht zur Erhebung des Chausseegeldes auf derselben nach den Bestimmungen des Chausseegeld-Tarifs vom 29. Februar 1840 (G.-S. S. 94 ff.) einschließlich der in demselben enthaltenen Bestimmungen über die Befreiungen, sowie der sonstigen, die Erhebung betreffenden zusätzlichen Vorschriften — vorbehaltlich der Abänderung der sämmtlichen voraufgeführten Bestimmungen — verleihen. Auch sollen die dem Chausseegeld-Tarife vom 29. Februar 1840 angehängten Bestimmungen wegen der Chaussee-Polizei-Vergehen auf die gedachte Straße zur Anwendung kommen. Die eingereichte Karte erfolgt anbei zurück.

Berlin, den 14. Dezember 1887.

gez. **Wilhelm.**

gegengez. Maybach.

An den Minister der öffentlichen Arbeiten.

Bekanntmachungen der Königlichen Ministerien.

Nothwendigkeit von Uebergangsscheinen bei Sendungen von Wein nach dem Großherzogthum Baden.

1. Jede nicht unter Zollkontrole stattfindende Sendung von Wein aus Preußen nach dem Großherzogthum Baden, gleichviel ob der Transport auf der Eisenbahn oder auf andere Weise geschieht, muß von einem Uebergangsschein begleitet sein, ausgenommen:

1) der Transport von Wein in Mengen von nicht mehr als 5 Liter (wobei jede Flasche von geringerem Inhalt als 1 Liter wie eine Literflasche behandelt wird),
2) der Transport von Weinproben in Flaschen von nicht mehr als je 1/4 Liter Gehalt,
3) der Transport von Wein in Mengen unter 20 Liter, welchen Reisende zu ihrem eigenen Gebrauch mit sich führen,
4) die mit der Post erfolgenden Weinsendungen.

Diese Bestimmungen finden auch auf die Durchfuhr von Wein durch das Großherzogthum Baden Anwendung; jedoch bedarf es eines Uebergangsscheins nicht, wenn die Durchfuhr unmittelbar mittelst Eisenbahn oder Dampfschiff, d. h. in der Weise stattfindet, daß der Transport die Eisenbahn oder das Schiff im Großherzogthum nicht verläßt.

Wenn bei verzollten oder aus einer unter zollamtlicher Aufsicht stehenden Niederlage für verzollte Waaren bezogenen Sendungen im Großherzogthum Baden die steuerfreie Einfuhr oder Einlage verlangt werden soll, so muß dies auf dem Uebergangsschein bemerkt und die zollamtliche Bestätigung über die vollzogene Verzollung der Waare, sowie über deren unmittelbaren Bezug aus dem Zollauslande beziehungsweise aus der Niederlage beigefügt sein.

Berlin, den 16. Dezember 1887.

Der Finanz-Minister.

Im Auftrage gez. Hasselbach.

2. **Vorschriften**
zur Ausführung des Reichsgesetzes, betreffend die Unfallversicherung der bei Bauten beschäftigten Personen, vom 11. Juli 1887 (Reichs-Gesetzbl. S. 287).
Vom 16. Dezember 1887.

Zur Ausführung des Reichsgesetzes, betreffend die Unfallversicherung der bei Bauten beschäftigten Personen, vom 11. Juli 1887 (Reichs-Gesetzbl. S. 287) wird Folgendes bestimmt:

I.

Die Nachweisungen der in §§ 4 Ziffer 4, 21 Buchstabe a. des Reichsgesetzes bezeichneten Bauarbeiten sind der Gemeindebehörde desjenigen Orts, in deren Bezirk die Bauarbeiten ausgeführt werden, vorzulegen (§ 22 Abs. 1 a. a. O.).

Vor Ausstellung der in § 22 Abs. 3 a. a. O. bezeichneten Bescheinigung hat die Gemeindebehörde mit der die Baupolizei innerhalb der betreffenden Gemeinde führenden Behörde sich in's Benehmen zu setzen. Letztere ist verpflichtet, der Gemeindebehörde auf deren Antrag bei der Ermittelung derjenigen Bauarbeiten, für welche nach den Vorschriften des § 22 des Reichsgesetzes Nachweisungen vorzulegen wären, und erforderlichenfalls bei der Aufstellung oder Ergänzung dieser Nachweisungen (§ 22 Abs. 2 a. a. O.) behülflich zu sein.

II.

Die Vergütung, welche den Gemeindebehörden für die Einziehung und Abführung der von Unternehmern der bezeichneten Bauarbeiten zu entrichtenden Prämien von der Berufsgenossenschaft zu gewähren ist (§ 25 a. a. O.) wird im Einvernehmen mit dem Reichs-Versicherungsamt auf vier vom Hundert des abzuführenden Betrages, soweit derselbe nicht für die von der Gemeinde selbst für eigene Rechnung ausgeführten Bauarbeiten entfällt, festgesetzt. Die Gemeindebehörde ist berechtigt, diesen Betrag unter Einsendung einer Berechnung desselben, von der abzuführenden Prämie zu kürzen.

III.

Die Unfallversicherung bezüglich der in §§ 4 Ziffer 4, 21 Buchstabe b. bezeichneten Bauarbeiten erfolgt auf Kosten der Kreise (Stadtkreise, Oberamtsbezirke). Bezüglich der Enklave Gefell behält es jedoch bei der Bestimmung des Reichsgesetzes, nach welcher die Unfallversicherung der bezeichneten Bauarbeiten auf Kosten der Gemeinden erfolgt, mit der Maßgabe sein Bewenden (§ 30 Abs. 1 und 2 a. a. O.), daß der Rest des Kreises Ziegenrück zur gemeinschaftlichen Uebernahme der bezeichneten Unfallast vereinigt und zu diesem Zweck durch die Kreiscorporation vertreten und verwaltet wird. Die Untervertheilung der auf diese Vereinigung entfallenden Unfallast auf die einzelnen Gemeinden erfolgt vorbehaltlich abweichender Beschlüsse der Kreiscorporation nach dem Verhältniß, in welchem diese Gemeinden zu den Kreisabgaben beitragen.

Berlin, den 16. Dezember 1887.

Der Minister für Landwirthschaft, Domänen u. Forsten. Lucius.

Der Minister für Handel und Gewerbe.
In Vertretung: Magdeburg.

Der Minister des Innern.
In Vertretung: Herrfurth.

Der Minister der öffentlichen Arbeiten.
Im Auftrage: Schultz.

15099. M. f. H. I. 18907. M. f. L.
IA. 9728. M. d. J. III. 21064. M. d. ö. A.

Die Ausdehnung der Vorschriften der Verordnung vom 17. März 1839 wegen der Radfelgenbreite der Frachtfuhrwerke beim Verkehr auf den Kunststraßen auf mehrere Chausseen des Kreises Teltow.

3. Auf den in dem gefälligen Bericht vom 2. d. M. befürworteten Antrag der Vertretung des Kreises Teltow sind die Kreischausseen:

1) vom Bahnhofe Groß-Beeren über Sputendorf und Schenkendorf bis zum Anschluß an die Trebbin-Drewitzer Kreischaussee bei Rudow,
2) von der Potsdam-Tempelhofer Straße in Giesensdorf über Osdorf und Heinersdorf bis zum Anschluß an die Kreischaussee Mariendorf-Groß-Beeren,
3) von Zossen über Schöneiche und Callinchen nach Motzen im Anschluß an die Mittenwalde-Teupitzer Chaussee,
4) von Marienfelde über Buckow nach Rudow

in das Verzeichniß derjenigen Straßen aufgenommen worden, auf welche das Verbot des Gebrauchs von Radfelgen unter 10,5 cm Breite auf Grund des § 1 der Verordnung vom 17. März 1839 (Ges.-Samml. S. 80) und der Allerhöchsten Ordre vom 12. April 1840 (Ges.-Samml. S. 108) für alles gewerbsmäßig betriebene Frachtfuhrwerk Anwendung findet.

Zugleich erkläre ich, dem ebenfalls befürworteten weiteren Antrage der Vertretung des Kreises Teltow entsprechend, die in der Verordnung vom 17. März 1839 (Ges.-Samml. S. 80) und der Allerhöchsten Ordre vom 12. April 1840 (Ges.-Samml. S. 108) enthaltenen Vorschriften über die Breite der Radfelgen bei dem Verkehr auf den Kunststraßen, sowie die darauf bezüglichen Bestimmungen des Regulativs, betreffend das Verfahren bei Chausseegeld- und Chaussee-Polizei-Contraventionen, vom 7. Juni 1844 (Ges.-Samml. S. 167) nebst den späteren abändernden gesetzlichen Vorschriften auf Grund des Gesetzes vom 12. März 1853 (Ges.-Samml. S. 87) auf die Kreischausseen:

1) vom Königs-Wusterhausener Bahnhofswege nach Senzig,
2) von der Königs-Wusterhausen-Senziger Chaussee nach Neue Mühle

für anwendbar.

Berlin, den 22. Dezember 1887.

Der Minister der öffentlichen Arbeiten.
Im Auftrage Schultz.

Bekanntmachungen des Königlichen Ober-Präsidenten.

Mitglieder und Stellvertreter der Aerzte-Kammer für die Provinz Brandenburg und den Stadtkreis Berlin.

1. In Gemäßheit des § 7 Abs. 5 der Allerhöchsten Verordnung vom 25. Mai d. J., betreffend die Einrichtung einer ärztlichen Standesvertretung (G.-S. S. 169), wird hiermit zur öffentlichen Kenntniß gebracht, daß in die Aerztekammer für die Provinz Brandenburg und den Stadtkreis Berlin gewählt sind:

A. Mitglieder.

I. Im Stadtkreise Berlin:

1) der Geheime Sanitätsrath Dr. Körte zu Berlin, Hafenplatz 7,
2) der Sanitätsrath Dr. R. Ruge zu Berlin, Kochstraße 73,
3) der Dr. C. Küster zu Berlin, Tempelhofer Ufer 21,
4) der Sanitätsrath Dr. Solger zu Berlin, Reinickendorferstraße 1,
5) der Sanitätsrath Dr. Becher zu Berlin, Münzstraße 4,
6) der Dr. Selberg zu Berlin, Invalidenstraße 11,
7) der Sanitätsrath Dr. Schöneberg zu Berlin, Kaiser Franz Grenadier-Platz 5,
8) der Geheime Sanitätsrath Dr. Abarbanell zu Berlin, Victoriastraße 3,
9) der Sanitätsrath Dr. Elsner zu Berlin, Stralauerstraße 33,
10) der Sanitätsrath Dr. Brähmer zu Berlin, Friedrichstraße 122,
11) der Dr. Martin zu Berlin, Moltkestraße 2,
12) der Professor Dr. Mendel zu Berlin, Schiffbauerdamm 20,

13) der Geheime Sanitätsrath Dr. Rintel zu Berlin, Wallstraße 87,
14) der Geheime Sanitätsrath Dr. Abraham zu Berlin, Bendlerstraße 31,
15) der Stabsarzt a. D. Sanitätsrath Dr. Rabuske zu Berlin, Lindenstraße 22,
16) der Professor Dr. Guttstadt zu Berlin, Alexandrinenstraße 118,
17) der Sanitätsrath Dr. Beuster zu Berlin, Königgrätzerstraße 6,
18) der Sanitätsrath Dr. Oldendorff zu Berlin, Charlottenstraße 82,
19) der Sanitätsrath Dr. S. Guttmann zu Berlin, Matthäikirchstraße 16,
20) der Sanitätsrath, Professor Dr. B. Fränkel zu Berlin, Neustädter Kirchstraße 12.

II. Im Regierungsbezirk Potsdam:

21) der Dr. Großer zu Prenzlau,
22) der Dr. Ipscher zu Wusterhausen a. D.,
23) der Direktor der Landirrenanstalt Geheime Sanitätsrath Dr. Zinn zu Eberswalde,
24) der Geheime Sanitätsrath Dr. Liebert zu Charlottenburg,
25) der Kreisphysikus Dr. Wiedemann zu Neu-Ruppin,
26) der Kreisphysikus Dr. Gleitsmann zu Belzig,
27) der Dr. Hadlich zu Pankow,
28) der Dr. Greve zu Tempelhof.

III. Im Regierungsbezirk Frankfurt a. O.:

29) der Kreiswundarzt, Sanitätsrath Dr. Liersch zu Cottbus,
30) der Sanitätsrath Dr. Wehmer zu Frankfurt a. O.,
31) der Regierungs- und Medizinalrath Dr. Wiebecke zu Frankfurt a. O.,
32) der Generalarzt Dr. Roland zu Frankfurt a. O.

B. Stellvertreter.

I. Im Stadtkreise Berlin:

1) der Dr. Paprosch zu Berlin, Neue Königstraße 47,
2) der Sanitätsrath Dr. Möllendorf zu Berlin, Kurfürstenstraße 43,
3) der Dr. Wallmüller zu Berlin, Louisenstraße 18,
4) der Geheime Sanitätsrath Dr. E. Hahn zu Berlin, Städtische Krankenhaus, Friedrichshain,
5) der Dr. Jastrowitz zu Berlin, Louisenstraße 29,
6) der Dr. Thielen zu Berlin, Kurfürstenstraße 46,
7) der Professor Dr. Busch zu Berlin, Schiffbauerdamm 29a,
8) der Dr. E. Ruge zu Berlin, Jägerstraße 61,
9) der Geheime Sanitätsrath Dr. Siegismund zu Berlin, Leipzigerplatz 5,
10) der Dr. A. Kalischer zu Berlin, Schmidstraße 5,
11) der Dr. P. Ruge zu Berlin, Ritterstraße 50,
12) der Sanitätsrath Dr. Heinrich zu Berlin, Königgrätzerstraße 89,
13) der Sanitätsrath Dr. David zu Berlin, Rosenthalerstraße 44,
14) der Dr. Eberty zu Berlin, Potsdamerstraße 26a.,
15) der Dr. Henius zu Berlin, Kurfürstenstraße 155,
16) der Geheime Sanitätsrath Dr. Marcuse zu Berlin, Bendlerstraße 18,
17) der Kreisphysikus Professor Dr. Falk zu Berlin, Schützenstraße 5,
18) der Professor Dr. Ewald zu Berlin, Steglitzerstraße 68,
19) der Dr. Ulrich zu Berlin, Koppenstraße 28,
20) der Professor Dr. Fürbringer zu Berlin, Krankenhaus Friedrichshain.

II. Im Regierungsbezirk Potsdam:

21) der Dr. Päprer zu Pritzwalk,
22) der Sanitätsrath Dr. Bollert zu Rummelsburg,
23) der Dr. Reuter zu Wittstock,
24) der Dr. Köppel zu Brandenburg a. H.,
25) der Sanitätsrath Dr. Mylius zu Rathenow,
26) der Kreiswundarzt Sanitätsrath Dr. Gutkind zu Mittenwalde,
27) der Professor Dr. Liebreich zu Charlottenburg,
28) der Kreiswundarzt Dr. Stüler zu Belzig.

III. Im Regierungsbezirk Frankfurt a. O.:

29) der Kreisphysikus, Sanitätsrath Dr. Klamroth zu Guben,
30) der Dr. Kade zu Sorau,
31) der Kreisphysikus, Sanitätsrath Dr. Tietze zu Frankfurt a. O.,
32) der Kreiswundarzt Dr. Peyser zu Königsberg N.-M.

Potsdam, den 23. Dezember 1887.

Der Oberpräsident der Provinz Brandenburg und von Berlin, Staatsminister Achenbach.

Normalgewichte für den Verkehr auf den Kunststraßen betreffend.

2. Den nachstehenden Beschluß des Provinzialraths der Provinz Brandenburg vom 14. Dezember 1887:

In Ausführung des § 8 des Gesetzes vom 20. Juni 1887 (Ges.-S. S. 301), betreffend die Abänderung der Verordnung vom 17. März 1839, betreffend den Verkehr auf den Kunststraßen, und der Kabinetsordre vom 12. April 1840, betreffend die Modifikation des § 1 der Verordnung vom 17. März 1839 wegen des Verkehrs auf den Kunststraßen, werden für den Umfang der Provinz Brandenburg als **Normalgewichte** die nachstehenden Gewichtssätze mit der Wirkung festgesetzt, daß dieselben bei der Ermittelung des nach § 2 ff. des Gesetzes zulässigen Ladungsgewichts vorbehaltlich des Gegenbeweises zu Grunde zu legen sind:

I. Wagen.

a. Vierrädrige:

1) bei einer Radfelgen-Breite bis zu 5 cm einschließlich 500 kg,
2) bei einer Radfelgen-Breite bis zu 6½ cm einschließlich 650 -
3) bei einer Radfelgen-Breite bis zu 8 cm einschließlich 900 -
4) bei einer Radfelgen-Breite bis zu 10 cm einschließlich 1200 -

5) bei einer Radfelgen-Breite bis zu 13 cm einschließlich 1700 kg,
6) bei einer Radfelgen-Breite bis zu 15 cm einschließlich 2100 -
7) bei einer Radfelgen-Breite über 15 cm einschließlich 2500 -

b. Zweirädrige:

1) bei einer Radfelgen-Breite bis zu 5 cm einschließlich 250 -
2) bei einer Radfelgen-Breite bis zu 6½ cm einschließlich 325 -
3) bei einer Radfelgen-Breite bis zu 8 cm einschließlich 450 -
4) bei einer Radfelgen-Breite bis zu 10 cm einschließlich 600 -
5) bei einer Radfelgen-Breite bis zu 13 cm einschließlich 850 -
6) bei einer Radfelgen-Breite bis zu 15 cm einschließlich 1050 -
7) bei einer Radfelgen-Breite über 15 cm einschließlich 1250 -

II. Frachtgüter.

a. Baumaterialien:

1) Mauersteine für 100 Stück 350 kg,
2) Luftziegel für 100 Stück 400 -
3) Dachziegel " " " 140 -
4) Feldsteine für 1 cbm 1800 -
5) Pflastersteine (geschlagene und runde) für 1 cbm 1900 -
6) Pflastersteine (rechteckig bearbeitete) für 1 cbm 2400 -
7) Granitwerksteine für 1 cbm 2750 -
8) Sandsteinwerksteine " 1 - 2250 -
9) Mörtel " 1 - 1700 -
10) Kies " 1 - 1700 -
11) Sand " 1 - 1500 -
12) Kalksteine " 1 - 1600 -
13) gebrannter Kalk,
a. für 1 hl 85 -
b. für 1 Tonne à 220 l mit Verpackung 200 -
14) Cement, a. für 1 großes Faß mit Verpackung 180 -
b. für 1 kleines Faß mit Verpackung 90 -
15) Eichen- und Buchenbauholz für 1 Festmeter 900 -
16) Kiefern- und Tannenbauholz für 1 Festmeter 750 -

b. Brennmaterialien:

1) Eichen- und Buchenbrennholz für 1 Raummeter 600 -
2) Kiefern- u. Tannenbrennholz für 1 Raummeter 450 -
3) Steinkohlen für 1 hl 95 -
4) Braunkohlen " 1 - 70 -

c. Landwirthschaftliche Gegenstände:

1) Kartoffeln für 1 hl 90 kg,
2) Erbsen " 1 - 83 -
3) Gerste " 1 - 70 -
4) Hafer " 1 - 50 -
5) Roggen " 1 - 75 -
6) Weizen " 1 - 82 -
7) Heu (gepackt) für 1 cbm 110 -
8) Strohmist " 1 - 950 -
9) Latrinendünger " 1 - 1200 -
10) Spiritus für 1 hl mit Gebinde 120 -

Der Provinzialrath der Provinz Brandenburg.

bringe ich hiermit zur öffentlichen Kenntniß.

Potsdam, den 28. Dezember 1887.

Der Ober-Präsident der Provinz Brandenburg,
Staatsminister Achenbach.

Bekanntmachungen des Königlichen Regierungs-Präsidenten.

Betrifft die schußfreien Tage auf dem Schießplatze bei Cummersdorf für das Jahr 1888.

1. Unter Hinweis auf die Polizei-Verordnung vom 2. November 1875 — Amtsblatt Seite 366 — bringe ich hierdurch zur öffentlichen Kenntniß, daß die **schußfreien** Tage auf dem Schießplatze der Königlichen Artillerie-Prüfungs-Kommission bei Cummersdorf für das Jahr 1888 wie folgt festgesetzt worden sind:

Januar: 1., 2., 3., 4., 8., 9., 10., 11., 15., 16., 17., 18., 22., 23., 24., 25., 29., 30., 31.
Februar: 1., 5., 7., 8., 9., 12., 13., 14., 15., 19., 20., 21., 22., 26., 27., 28., 29.
März: 4., 5., 7., 11., 12., 14., 18., 21., 22., 23., 25., 28., 29., 30.
April: 1., 2., 3., 4., 6., 8., 9., 11., 12., 15., 16., 17., 18., 22., 23., 25., 26., 27., 29., 30.
Mai: 2., 3., 6., 7., 9., 10., 11., 13., 14., 16., 17., 20., 21., 22., 23., 24., 27., 28., 30., 31.
Juni: 3., 6., 10., 13., 17., 18., 19., 24., 27.
Juli: 1., 5., 8., 11., 15., 18., 22., 25., 29.
August: 1., 5., 8., 12., 15., 19., 22., 26., 29.
September: 2., 5., 9., 12., 16., 17., 18., 23., 26., 30.
Oktober: 3., 4., 7., 8., 10., 14., 15., 17., 21., 22., 24., 28., 29., 31.
November: 4., 5., 6., 11., 14., 15., 18., 19., 21., 25., 26., 28.
Dezember: 2., 3., 4., 5., 9., 10., 11., 12., 13., 16., 17., 18., 19., 23., 25., 26., 27., 28., 29., 30.

Potsdam, den 30. Dezember 1887.

Der Regierungs-Präsident.

Recherchen nach einer Geistesschwachen.

2. Die geistesschwache unverehelichte **Pauline Schneider** aus Bomst hat sich am 27. November d. J. von ihrem Wohnorte heimlich entfernt und ist dorthin bisher nicht zurückgekehrt. Die ꝛc. Schneider ist 31 Jahre alt, 1,55 M. groß, hat dunkelblonde Haare und Augenbrauen, gewöhnliche Nase, Stirn und Mund, rundes Kinn, blaue Augen, vollständige Zähne, ein ovales Gesicht, gesunde Gesichtsfarbe, kräftige Gestalt und spricht deutsch. Besondere Kennzeichen sind: etwas krummer Rücken, an der rechten Hand ist der Zeigefinger krumm. Die Sprache ist fast unverständlich. Die Polizeibehörden des Bezirks werden angewiesen, nach dem Aufenthaltsort der rc. Schneider Recherchen anzustellen und von einem etwaigen Ergebniß der Polizei-Verwaltung in Bomst schleunigst Mittheilung zu machen.

Potsdam, den 3. Januar 1887.

Der Regierungs-Präsident.

Abhaltung einer Hauscollecte für die Heil- und Pflege-Anstalt für Epileptische zu Potsdam

3. Der Herr Oberpräsident hat dem Kuratorium der Heil- und Pflege-Anstalt für Epileptische zu Potsdam die Genehmigung zur Abhaltung einer Hauscollecte in der Provinz Brandenburg und der Stadt Berlin in der Zeit vom 1. Januar bis 30. September 1888 ertheilt.

Die betreffenden Collectanten werden mit entsprechenden Legitimationspapieren, sowie mit paginirten und beglaubigten Sammelbüchern versehen sein und sich vor Beginn ihrer Thätigkeit unter Vorlegung dieser Ausweise bei den betreffenden Ortspolizeibehörden melden. Die letzteren werden angewiesen, der Abhaltung der Collecte nicht entgegenzutreten.

Potsdam und Berlin, den 30. Dezember 1887.

Der Regierungs-Präsident. Der Polizei-Präsident.

Arzneitaxe für 1888.

4. Unter Berücksichtigung der in den Einkaufspreisen mehrerer Drogen und Chemikalien eingetretenen Veränderungen und der hierdurch nothwendig gewordenen Aenderung in den Taxpreisen der betreffenden Arzneimittel habe ich eine Prüfung der Arznei-Taxe angeordnet und hiernach eine neue Auflage derselben ausarbeiten lassen.

Die demnach abgeänderte Taxe tritt mit dem 1. Januar 1888 in Kraft und enthält wiederum im Anhange Vorschriften zur Bereitung einer Anzahl gebräuchlicher in die Pharmacopoea Germanica nicht aufgenommener Arzneimittel, wie solche bei Festsetzung der für diese Arzneimittel ausgeworfenen Preise maßgebend gewesen sind.

Berlin, den 13. Dezember 1887.

Der Minister
der geistlichen, Unterrichts- u. Medicinal-Angelegenheiten.
In Vertretung:
Lucanus.

* * *

Vorstehende Bekanntmachung wird hierdurch mit dem Bemerken zur öffentlichen Kenntniß gebracht, daß die Arzneitaxe in der R. Gaertner'schen Verlags-Buchhandlung (Hermann Heyfelder) in Berlin erschienen und in allen inländischen Buchhandlungen zum Preise von 1 Mark 20 Pf. zu beziehen ist.

Potsdam und Berlin, den 31. Dezember 1887.

Der Königl. Regierungs-Präsident. | Der Königl. Polizei-Präsident.

Viehseuchen.

5. Die Maul- und Klauenseuche ist unter dem Rindvieh der Bauergutsbesitzer Hecht zu Wustermark und Carl Ebel zu Flatow, im Kreise Osthavelland, ausgebrochen.

Dieselbe Seuche unter dem Vieh des Hauseigenthümers Jaretzki zu Niederschönhausen, im Kreise Niederbarnim, ist erloschen.

Potsdam, den 28. Dezember 1887.

Der Regierungs-Präsident.

6. Die Maul- und Klauenseuche ist unter dem Rindvieh des Bauergutsbesitzers Schubert zu Tarmow im Kreise Osthavelland und des Molkereibesitzers Albert Schulze zu Lichtenberg bei Berlin ausgebrochen.

Dieselbe Seuche ist in dem Viehstande zu Gollmitz im Kreise Prenzlau erloschen.

Potsdam, den 28. Dezember 1887.

Der Regierungs-Präsident.

7. Wegen rotzverdächtiger Krankheitserscheinungen und des Verdachts der Ansteckung mit der Rotzkrankheit sind vier Pferde des Gutsbesitzers Freisleben zu Amt Mildenberg im Kreise Templin unter Stallsperre gestellt worden.

Potsdam, den 29. Dezember 1887.

Der Regierungspräsident.

8. Das wegen Rotzverdachts im November d. J. unter polizeiliche Observation gestellte Pferd des Händlers Schade zu Weißensee bei Berlin ist getödtet worden und hat sich bei der Obduction ergeben, daß dasselbe nicht rotzkrank gewesen ist.

Potsdam, den 31. Dezember 1887.

Der Regierungs-Präsident.

9. Die Maul- und Klauenseuche ist unter dem Rindvieh des Gutes Klein-Beeren, im Kreise Teltow, ausgebrochen.

Potsdam, den 2. Januar 1888.

Der Regierungs-Präsident.

Bekanntmachungen des Königl. Polizei-Präsidiums zu Berlin.

Eröffnung einer Apotheke.

1. Die von dem Apotheker Herrmann Jantzen in dem Hause Grimmstraße Nr. 9 an der Ecke der Dieffenbachstraße auf Grund der von dem Herrn Ober-Präsidenten unter dem 14. Mai d. J. verliehenen Konzession eingerichtete Apotheke ist heute nach vorschriftsmäßiger Revision eröffnet worden.

Berlin, den 28. Dezember 1887.

Der Polizei-Präsident.

Eröffnung einer Apotheke.

2. Die auf Grund der Konzession des Herrn Ober-Präsidenten der Provinz Brandenburg vom 14. Mai d. J. von dem Apotheker Wilhelm Franken in dem Hause Frankfurter Allee Nr. 74, an der Ecke der Thärstraße eingerichtete Apotheke ist heute nach vorschriftsmäßiger Revision eröffnet worden.

Berlin, den 30. Dezember 1887.

Der Polizei-Präsident.

Bekanntmachungen des Staatssekretairs des Reichs-Postamts.

Beitritt des Schutzgebiets der Neu-Guinea-Compagnie zum Weltpostverein.

1. Das Schutzgebiet der Neu-Guinea-Compagnie, in welchem zunächst an den Stationsorten Finschhafen, Constantinhafen, Hatzfeldthafen und Kerawara Postagenturen eingerichtet worden sind, tritt zum 1. Januar 1888 dem Weltpostverein bei. Demgemäß beträgt das Porto für frankirte Sendungen aus Deutschland nach dem Schutzgebiet: für Briefe 20 Pf. für je 15 g, für Postkarten 10 Pf., für Drucksachen, Waarenproben und Geschäftspapiere 5 Pf. für je 50 g, mindestens jedoch 10 Pf. für die einzelne Sendung bei Waarenproben, 20 Pf. bei Geschäftspapieren. Die Einschreibgebühr beträgt 20 Pf.

Berlin W., 23. Dezember 1887.

Der Staatssekretair des Reichs-Postamts.

Bekanntmachungen der Kaiserlichen Ober-Post-Direktion zu Potsdam.

Errichtung einer Postagentur mit Telegraphenbetrieb in Liebenberg.

1. Am 1. Januar 1888 wird die bisherige Post- und Telegraphenhülfstelle in Liebenberg bei Falkenthal in eine **Postagentur mit Telegraphenbetrieb** umgewandelt.

Die neue Agentur erhält die Bezeichnung

Liebenberg (Mark).

Den Landbestellbezirk bilden die Wohnstätten Liebenberg Forsthaus und Louisenhof, Schäferei.

Postverbindung erhält die Verkehrsanstalt durch die schon jetzt bestehende Landpostfahrt Löwenberg (Mark)—Falkenthal, wie folgt:

8·00	12	↓ Löwenberg (Bahnhof)	↑	11·30	8·45
9·20	1·30	Liebenberg		10·30	7·25
9·40	1·50	Falkenthal		10·00	7·00

Potsdam, den 24. Dezember 1887.

Der Kaiserl. Ober-Postdirektor.

Bekanntmachungen der Königlichen Eisenbahn-Direktion zu Berlin.

Neue Tarifhefte für den Galizisch-Norddeutschen Getreideverkehr.

1. Am 1. Januar 1888 treten für den Galizisch-Norddeutschen Getreideverkehr neue Tarifhefte 1, 2 und 3 an Stelle der bisherigen Tarife vom 1. November 1885 nebst Nachträgen in Kraft. Insoweit die neuen Tarifhefte für einzelne Stationsverbindungen direkte Frachtsätze nicht mehr enthalten bezw. insoweit Tariferhöhungen vorliegen, bleiben die bisherigen Frachtsätze noch bis zum 1. Februar 1888 in Kraft. Druckexemplare der Tarifhefte 1 bis 3 sind bei dem hiesigen Auskunfts-Bureau Bahnhof Alexanderplatz und solche des Tarifheftes 1 außerdem bei der Güter-Kasse Stettin (Centralgüterbahnhof) käuflich zu haben.

Berlin, den 22. Dezember 1887.

Königl. Eisenbahn-Direktion.

Bekanntmachungen der Königlichen Eisenbahn-Direktion zu Bromberg.

Die Haltestelle Gliezig betreffend.

1. Vom 1. Januar 1888 ab wird die bisher nur für den Personenverkehr eingerichtete Haltestelle Gliezig für den beschränkten Wagenladungs-Güterverkehr eröffnet. Sendungen nach Gliezig werden nur frankirt, von Gliezig nur unfrankirt, und in beiden Richtungen nur ohne Nachnahme-Belastung angenommen; auch können Fahrzeuge daselbst nicht verladen werden.

Bromberg, den 24. Dezember 1887.

Königl. Eisenbahn-Direktion.

Bekanntmachungen anderer Behörden.

Umtausch gekündigter Pfandbriefe lit. B.

Die Inhaber nachbezeichneter, von dem Königlichen Kredit-Institut für Schlesien ausgefertigten **4% Pfandbriefe lit. B.** haftend

1) auf den im Lublinitz'er und Tost'er Kreise belegenen Gütern Koschentin und Tworog c. p.

№ 459 und 468 à . . . . 1000 Thlr.
№ 1895 1900 1903 1904 1905 1907
1909 1911 1914 1936 und 1949 à 500 Thlr.
№ 4617 4618 4620 4621 4626 4627
4633 4634 4643 4644 4659 4665
4668 4672 à . . . . 200 Thlr.
№ 8061 8068 8084 8102 8110 8112
8117 8118 8127 8134 8137 8145
8148 8149 8153 8155 8156 8157
8158 8168 8174 8179 8189 8191
8203 8206 à . . . . 100 Thlr.
№ 11621 11622 11624 11630 11635
11639 11641 11644 11646 11648 à 50 Thlr.
№ 22664 22668 22677 22678 22679
22684 22687 22689 22690 22699
22700 22701 22703 22706 22709
22711 22712 22714 22718 22720 à 25 Thlr.

2) auf dem im Strehlen'er Kreise belegenen Gute Nieder-Schreibendorf.

№ 63581 à . . . . 100 Thlr.
№ 79291 à . . . . 50 Thlr.

werden hierdurch wiederholt aufgefordert, diese Pfandbriefe in coursfähigem Zustande mit laufenden Zinscoupons an die Königliche Institutenkasse hierselbst zum Umtausche gegen andere Pfandbriefe lit. B. von gleichem Betrage und mit gleichen Coupons versehen einzureichen. Sollte die Präsentation nicht **bis zum 15. Februar 1888** erfolgen, so werden die Inhaber dieser Pfandbriefe nach § 50 der Verordnung vom 8. Juni 1835 mit ihrem Realrechte auf die in den Pfandbriefen ausgedrückte Special-Hypothek präkludirt, die Pfandbriefe für vernichtet erklärt, in unserem Register, sowie im Grundbuche gelöscht und die Inhaber mit ihren Ansprüchen lediglich an die in unserem Gewahrsam befindlichen Umtausch-Pfandbriefe verwiesen werden.

Breslau, den 16. August 1887.

Königl. Kredit-Institut für Schlesien.

Personal-Chronik.

Die commissarische Verwaltung des erledigten Landraths-Amtes im Kreise Ruppin ist dem Kreis-Deputirten Frhrn. von dem Knesebeck-Mylendonck vom 1. Januar 1888 ab übertragen.

Seine Majestät der König haben Allergnädigst geruht, dem Katasterkontroleur Steuer-Inspektor Schüpp in Prenzlau den Charakter als Rechnungsrath zu verleihen.

Im Kreise Niederbarnim sind an Stelle des verstorbenen Gutsbesitzers d'Heureuse zu Schmetzdorf der Gemeindevorsteher Otzdorff zu Schönow zum Amtsvorsteher des Amtsbezirks Schönow und an Stelle des Letzteren der Bauergutsbesitzer Schültzke zu Schönow zum Stellvertreter des Amtsvorstehers desselben Bezirks ernannt worden.

Die durch den Tod des Buhnenmeisters Lenkeit erledigte Buhnenmeisterstelle zu Prieros ist dem Buhnenmeisteraspiranten Kunde vom 1. Januar 1888 ab verliehen worden.

Dem Fräulein Eva Lempp aus Berlin, jetzt in Clausdorf, Kreis Teltow, ist die Erlaubniß zur Annahme von Stellen als Hauslehrerin im Regierungsbezirk Potsdam ertheilt worden.

Mit Allerhöchster Genehmigung wird nach Anordnung des Evangelischen Ober-Kirchenraths und des Herrn Ministers der geistlichen u. s. w. Angelegenheiten die Hülfspredigerstelle an der Friedenskirche zu Potsdam, Diözese Potsdam I., in ein Diakonat umgewandelt. Der Zeitpunkt, an welchem die Veränderung ins Leben tritt, wird hierdurch auf den 1. Januar 1888 festgesetzt.

Die unter Königlichem Patronat stehende dritte Predigerstelle an der Sophienkirche zu Berlin, Diözese Berlin II., ist durch die Versetzung ihres bisherigen Inhabers, des Superintendenten a. D. Wilke, zum 1. Dezember d. J. zur Erledigung gekommen. Die Wiederbesetzung dieser Stelle erfolgt durch Gemeindewahl nach Maßgabe des Kirchengesetzes, betreffend das im § 32 № 2 der Kirchengemeinde- und Synodal-Ordnung vom 10. September 1873 ꝛc. vorgesehene Pfarrwahlrecht, vom 15. März 1886 — Kirchliches Gesetz- und Verordnungs-Blatt de 1886 S. 39. — Bewerbungen um diese Stelle sind schriftlich bei dem Königlichen Konsistorium der Provinz Brandenburg einzureichen. § 6 a. a. O.

Der bisherige Predigtamts-Kandidat Hermann Karl Schulz ist zum Pfarrer der Parochie Neuhausen, Diözese Putlitz, bestellt worden.

Personalveränderungen im Bezirke des Kammergerichts im Monat November 1887.

I. Richterliche Beamte.

Ernannt sind der Landgerichtsrath Grünhagen bei dem Landgericht I. in Berlin zum Direktor bei dem Landgericht II. daselbst; die Gerichtsassessoren Otto Müller, Boeters, Havenstein, Dr. Schleußner zu Amtsrichtern bei den Amtsgerichten in Kirchhain N.-L. bezw. Treuenbrietzen, Arnswalde und Oranienburg; der Landgerichtsrath Rauer bei dem Landgericht I. zu Berlin zum Landgerichtsdirektor in Bartenstein. Versetzt ist der Oberlandesgerichtsrath Wichert in Königsberg i. Pr. an das Kammergericht. Pensionirt ist der Kammergerichtsrath Pohlandt. Der Landgerichtsrath von Schenck in Potsdam ist in Folge seiner Ernennung zum Oberrechnungsrath und vortragenden Rath bei dem Rechnungshofe des Deutschen Reichs aus dem Justizdienste geschieden.

II. Assessoren.

Zu Gerichtsassessoren sind ernannt: die Referendare Dr. Heilfron, von Seydlitz und Kurzbach, von Krosigk, Dr. Hartogensis. Entlassen ist von Eisenhart-Rothe Behufs Uebertritts zur allgemeinen Staatsverwaltung.

III. Rechtsanwälte und Notare.

Gelöscht ist in der Liste der Rechtsanwälte der Rechtsanwalt Dr. Gaedeke bei dem Landgericht I. zu Berlin. Eingetragen sind in die Liste der Rechtsanwälte: die Gerichtsassessoren Mosse, Berg, Dr. Max Rosenthal, Heilborn, Runge bei dem Landgericht I zu Berlin, der Amtsrichter Wollheim aus Jarotschin bei dem Amtsgericht zu Crossen, der Gerichtsassessor Dr. Kessel bei dem Amtsgericht zu Luckau. Zu Notaren im Bezirk des Kammergerichts sind ernannt: die Rechtsanwälte Bölling und Schmilinsky zin Charlottenbnrg.

IV. Referendare.

Zu Referendaren sind ernannt: die bisherigen Rechtskandidaten von Zastrow-Küssow, Wolffenstein, Boethke, von Kries, Saling, Richter, Simon, Graf von Mülinen, Bunsen, Bötticher, Böhmer, von Doetinchem, de Rande, von Bentivegni, Jaroczynski, Steinbach. Uebernommen sind: Dr. Stanislaus Graf von Doenhoff, Michalowsky II., Seligo, von Schöning aus den Oberlandesgerichtsbezirken zu Königsberg bezw. Marienwerder, Posen, Stettin. Entlassen sind: Freiherr von der Reck auf seinen Antrag, Hammer, Hahn, Dr. Schumann, Lohmann Behufs Uebertritts in den Verwaltungsdienst.

V. Subalternbeamte.

Ernannt sind der Gerichtsschreiber Wetzel bei dem Amtsgericht zu Potsdam zum Gerichtsschreiber beim Kammergericht; zu Gerichtsschreibern: die etatsmäßigen Gerichtsschreibergehülfen Guthknecht in Nauen, Dammann in Havelberg, Baeck in Seelow, Schulze in Potsdam, Galle in Landsberg a. W., Krüger in Oderberg bei den Amtsgerichten in Perleberg bezw. Oranienburg, Arnswalde, Potsdam, Neudamm, Trebbin; der etatsmäßige Assistent Krüger bei der Staatsanwaltschaft des Landgerichts II. zu Berlin bei dem Amtsgericht in Liebenwalde. Zu etatsmäßigen Gerichtsschreibergehülfen: der Militäranwärter Schiller bei dem Amtsgericht zu Oderberg; der Aktuar Borchardt bei dem Amtsgericht zu Trebbin, zum etatsmäßigen Assistenten bei der Staatsanwaltschaft des Landgerichts II. zu Berlin der Militäranwärter Muhme. Versetzt ist: der Gerichtsschreiber Stein von Oranienburg nach Spandau. Pensionirt sind: die Gerichtsschreiber Skronn in Perleberg, Rietsch in Spandau; der Gerichtsvollzieher Jansen in Potsdam. Verstorben ist: der Gerichtsschreiber Damm in Liebenwalde. Entlassen ist: der Gerichtsschreibergehülfe Schumann in Mittenwalde auf seinen Antrag.

Vermischte Nachrichten.

Führung des Handels- rc. Registers.

Die Eintragungen in das hiesige Handels-, Genossenschafts-, Zeichen- und Muster-Register werden im Jahre 1888 durch 1) den Deutschen Reichs- und Königlich Preußischen Staats-Anzeiger, 2) das Amtsblatt der Königlichen Regierung zu Potsdam, 3) das Kreisblatt für die Ost-Prignitz, 4) den Kyritzer Stadt- und Landboten, 5) die Berliner Börsen-Zeitung bekannt gemacht werden. Die Register-Geschäfte werden von dem Amtsrichter Arndt unter Mitwirkung des Sekretärs Büllgraf erledigt.

Kyritz, den 30. Dezember 1887.

Königl. Amtsgericht.

Ausweisung von Ausländern aus dem Reichsgebiete.

Lauf. Nr.	Name und Stand des Ausgewiesenen.	Alter und Heimath des Ausgewiesenen.	Grund der Bestrafung.	Behörde, welche die Ausweisung beschlossen hat.	Datum des Ausweisungs-Beschlusses.
1.	2.	3.	4.	5.	6.
		a. Auf Grund des § 39 des Strafgesetzbuchs:			
1	Ernst Wilhelm Böhm, Dienstknecht,	geboren am 1. Juli 1851 zu Hermsdorf, Bezirk Friedland, Böhmen, ortsangehörig ebendaselbst, wohnhaft zuletzt zu Strehlen, Bezirk Dresden, Sachsen,	schwerer Diebstahl (1¼ Jahre Zuchthaus laut Erkenntniß vom 20. September 1886),	Königlich Sächsische Kreishauptmannschaft Bautzen,	1. Novemb. 1887.
		b. Auf Grund des § 362 des Strafgesetzbuchs:			
1	Franz Klein, ehemaliger Schulamts-Kandidat,	geboren am 4. Mai 1859 zu Ober-Rotschof, Böhmen, ortsangehörig ebendaselbst,	Betrug, Störung des öffentlichen Friedens, Landstreichen u. Betteln,	Königlich Preußischer Regierungspräsident zu Breslau,	4. Dezemb. 1887.
2	Florian Hiebsch, Dachdeckergeselle,	geboren am 25. Februar 1843 zu Tyssa, Bezirk Tetschen, Böhmen, ortsangehörig ebendaselbst,	Betteln im wiederholten Rückfall,	Königlich Preußischer Regierungspräsident zu Frankfurt a. O.	22. Oktober 1887.
3	Agathe Hermann (Horman), ledige Musikerin,	22 Jahre, geboren zu Holedic, Bezirk Saaz, Böhmen, ortsangehörig zu Smichow, ebendaselbst,	Landstreichen,	Stadtmagistrat Passau, Bayern,	14. Juni 1887.
4	Eduard Hermann, lediger Musiker,	geboren 1859 zu Holedic, Bezirk Saaz, Böhmen, ortsangehörig zu Smichow, ebendaselbst,	desgleichen,	derselbe,	18. Juni 1887.

(Hierzu eine Beilage, enthaltend eine Bekanntmachung des Reichsversicherungsamts, betreffend die Nachweisungen von Regie-Bauarbeiten, sowie Drei Oeffentliche Anzeiger.)

(Die Insertionsgebühren betragen für eine einspaltige Druckzeile 20 Pf. Belagsblätter werden der Bogen mit 10 Pf. berechnet.)

Redigirt von der Königlichen Regierung zu Potsdam.

Potsdam, Buchdruckerei der A. W. Hayn'schen Erben (E. Hayn, Hof-Buchdrucker).

Extra=Beilage

zum 1sten Stück des Amtsblatts
der Königlichen Regierung zu Potsdam und der Stadt Berlin.

Ausgegeben den 6ten Januar 1888.

Bekanntmachung,
betreffend die Nachweisungen von Regie=Bauarbeiten.

Vom 12ten Dezember 1887.

Nach § 22 Absatz 1 des Bauunfallversicherungsgesetzes vom 11ten Juli 1887 (Reichs=Gesetzblatt Seite 287) haben Unternehmer, welche Regie=Bauarbeiten ausführen, zu deren Ausführung, einzeln genommen, mehr als sechs Arbeitstage thatsächlich verwendet worden sind, von einem von dem Reichs=Versicherungsamt zu bestimmenden und öffentlich bekannt zu machenden Zeitpunkte ab der von der Landes=Zentralbehörde bestimmten Behörde nach einem von dem Reichs=Versicherungsamt vorzuschreibenden Formular längstens binnen drei Tagen nach Ablauf eines jeden Monats eine Nachweisung der in diesem Monate bei Ausführung der Bauarbeiten verwendeten Arbeitstage und der von den Versicherten dabei verdienten Löhne und Gehälter vorzulegen.

Als Zeitpunkt, von welchem ab die Nachweisungen vorzulegen sind, wird hiermit der 1ste Januar 1888 bestimmt.

Für die einzureichenden Nachweisungen wird das unten abgedruckte Formular vorgeschrieben.

Im Uebrigen wird wegen der Anmeldung auf die beigefügte Anleitung hingewiesen.

Berlin, den 12ten Dezember 1887.

Das Reichs=Versicherungsamt.
Bödiker.

Formular für die Nachweisung.

Staat.....................
Bezirk der höheren Verwaltungsbehörde.......................
Bezirk der unteren Verwaltungsbehörde.......................
Gemeinde= (Stadt=) (Guts=) Bezirk.......................

Nachweisung

der im Monat .... 18.. ausgeführten Regie=Bauarbeiten, zu deren Ausführung mehr als sechs Arbeitstage thatsächlich verwendet worden sind.
(§ 22 des Bauunfallversicherungsgesetzes.)

a) Vor= und Zuname, Stand und Wohnung des Unternehmers ....
b) Ort der Bauarbeit (Baustelle)..............................
c) Gegenstand der Bauarbeit[1]).................................
d) Art des Betriebes[2])...............................
e) Ist die Arbeit schon im vorvergangenen Monat begonnen worden? (Ja oder Nein.)[3]) ...
f) Ist für den vorvergangenen Monat schon eine Nachweisung vorgelegt worden? (Ja oder Nein.)[3])[4])....
g) Ist die Bauarbeit beendigt? (Ja oder Nein.)....
h) Wenn die Bauarbeit noch nicht beendigt ist, wird sie im laufenden Monat fortgesetzt werden? (Ja oder Nein.)....

---

[1]) Z. B. Neubau eines Schuppens durch Maurer=, Zimmer= und Dachdeckerarbeit. Bei mehreren Arbeitszweigen ist der Hauptarbeitszweig zu unterstreichen.
[2]) Z. B. Handbetrieb, Betrieb mit Motoren ꝛc.
[3]) Bei Einreichung der Nachweisung für den Monat Januar 1888 sind die Fragen e und f nicht zu beantworten.
[4]) Die Frage f ist nur dann zu beantworten, wenn die Frage e bejaht worden ist.

Fortlaufende Nummer.	Name jeder bei der Bauarbeit beschäftigten Person.*)	Geschlecht: männlich (m.) oder weiblich (w.).	Art der Beschäftigung jeder Person. (z. B. Maurerarbeit, Dachdecken, Brunnengraben ꝛc.)	Zahl der Arbeitstage (Arbeitsschichten, Tagewerke), welche jede Person geleistet hat.**)	Lohn und Gehalt, welchen jede Person in Geld und Naturalbezügen täglich erhalten hat.		Gesammtlohn, welcher von jeder Person verdient worden ist.		Etwaige Bemerkungen.	Vom Unternehmer nicht auszufüllen! Wird von der Versicherungsanstalt ausgefüllt.				
										Zur Berechnung zu ziehender Gesammtlohn (§ 25 Absatz 2 des B.U.V.G.)		Laut Prämientarif ist zu erheben für jede angefangene halbe Mark	Zu entrichtende Prämie.	
					Mark	Pf.	Mark	Pf.		Mark	Pf.	Pf.	Mark	Pf.
1.	2.	3.	4.	5.	6.		7.		8.	9.		10.	11.	
	I. Im vergangenen Monat.													
1.	*Schulze.*	*m.*	*Maurerarbeit.*	*8*	*4*	*—*	*32*	*—*						
2.	*Müller.*	*m.*	*Zimmerarbeit.*	*6¼*	*3*	*60*	*22*	*50*						
	II. Im vorvergangenen Monat.***)													

*) Die Personen, welche mit derselben Art von Bauarbeit beschäftigt waren, sind thunlichst unmittelbar nach einander vorzutragen, z. B. zuerst alle, welche mit Maurerarbeit beschäftigt waren, dann diejenigen, welche Zimmerarbeiten ausgeführt haben ꝛc.

**) Auch halbe und Viertels-Arbeitstage sind anzugeben.

***) Hier ist nur dann etwas einzutragen, wenn die Arbeit schon im vergangenen Monat begonnen, aber für denselben eine Nachweisung nicht vorgelegt worden ist.

Bei Einreichung der Nachweisung für den Monat Januar 1888 ist unter II. nichts einzutragen.

(Datum.) (Unterschrift des zur Vorlegung der Nachweisung Verpflichteten.)

Anleitung in Betreff der Nachweisungen von Regie-Bauarbeiten.

1. Zur Einreichung von Nachweisungen sind gemäß § 22 Absatz 1 in Verbindung mit § 4 Ziffer 4 Absatz 1 des Bauunfallversicherungsgesetzes verpflichtet:

a) alle Privatpersonen, welche Bauarbeiten nicht gewerbsmäßig als Unternehmer d. h. für ihre Rechnung ausführen, bezüglich dieser Bauarbeiten,

b) Kommunalverbände (Provinzen, Kreise, Stadt- und Landgemeinden, selbständige Gutsbezirke, Distriktsgemeinden in Bayern, Amtskorporationen in Württemberg, Aemter in der Provinz Westfalen ꝛc.) und andere öffentliche Korporationen (z. B. Deich- oder Meliorationsverbände, Kirchengemeinden oder Stiftungen), welche Bauarbeiten als Unternehmer in eigener Regie ausführen, bezüglich dieser Bauarbeiten.

2. Nachweisungen sind einzureichen für diejenigen Bauarbeiten, zu deren Ausführung, einzeln genommen, mehr als sechs Arbeitstage thatsächlich verwendet worden sind. Letzteres ist sowohl dann der Fall, wenn ein Arbeiter mehr als sechs Arbeitstage thätig gewesen ist, als auch dann, wenn mehr als sechs Arbeiter einen Arbeitstag thätig waren, als auch dann, wenn überhaupt Arbeiter zusammen mehr als sechs Arbeitstage (Arbeitsschichten, Tagewerke) aufgewendet haben.

3. Bezüglich der Verpflichtung zur Einreichung einer Nachweisung macht es keinen Unterschied, ob es sich um einen Neubau oder um die Unterhaltung und Wiederherstellung bestehender Baulichkeiten handelt.

4. Nicht verpflichtet zur Einreichung von Nachweisungen sind:

a) das Reich und die Bundesstaaten bezüglich derjenigen Bauarbeiten, welche von ihnen als Unternehmer ausgeführt werden;

b) alle Eisenbahnverwaltungen, einschließlich der Verwaltungen von Pferdebahnen, Arbeitsbahnen oder ähnlichen Unternehmungen, bezüglich derjenigen Bauten, welche von ihnen für eigene Rechnung (in eigener Regie, ohne Uebertragung an einen anderen Unternehmer, durch direkt angenommene und gelohnte Arbeiter und Betriebsbeamte) ausgeführt werden;

c) Personen, welche gewerbsmäßig Bauarbeiten (Hoch- oder Tiefbauarbeiten) ausführen, bezüglich dieser Arbeiten;

d) Unternehmer, welche Bauarbeiten ausführen, die als Nebenbetriebe oder Theile eines anderen Betriebes anderweit versicherungspflichtig sind.

Die laufenden Reparaturen an den zum Betriebe der Land- und Forstwirthschaft dienenden Gebäuden und die zum Wirthschaftsbetriebe gehörenden Bodenkultur- und sonstigen Bauarbeiten, insbesondere die diesem Zweck dienende Herstellung oder Unterhaltung von Wegen, Dämmen, Kanälen und Wasserläufen, gelten als Theile des land- und forstwirthschaftlichen Betriebes, wenn sie von Unternehmern land- und forstwirthschaftlicher Betriebe ohne Uebertragung an andere Unternehmer auf ihren Grundstücken ausgeführt werden. Wenn aber solche Bauarbeiten nicht von dem Unternehmer desjenigen land- oder forstwirthschaftlichen Betriebes, zu dessen Gunsten sie vorgenommen werden, für eigene Rechnung ausgeführt werden, so gelten sie nicht als Theile dieses Betriebes.

Die laufenden Reparaturen an den Gebäuden, welche zu den im § 1 des Unfallversicherungsgesetzes vom 6. Juli 1884 gedachten Betrieben dienen, und die zum laufenden Betriebe gehörenden Bauarbeiten gelten als Theile des Fabrik- ꝛc. Betriebes, wenn sie von dem Unternehmer des Fabrik- ꝛc. Betriebes ohne Uebertragung an andere Unternehmer auf seinem Grundstücke ausgeführt werden.

5. Die Verpflichtung zur Einreichung von Nachweisungen fällt weg:

a) für Kommunalverbände oder andere öffentliche Korporationen, wenn dieselben bezüglich aller oder einzelner Arten der von ihnen als Unternehmer ausgeführten Bauarbeiten derjenigen Berufsgenossenschaft, welche in dem betreffenden Bezirke für die Gewerbetreibenden der betreffenden Art errichtet ist (Tiefbau-Berufsgenossenschaft oder die betreffende Baugewerks-Berufsgenossenschaft), durch eine von ihrem Vorstande abgegebene entsprechende Erklärung als Mitglied beigetreten sind, bezüglich derjenigen Arten von Bauarbeiten, betreffs deren die Erklärung abgegeben worden ist;

b) für Kommunalverbände oder andere öffentliche Korporationen, sofern die Landes-Zentralbehörde auf deren Antrag erklärt hat, daß sie zur Uebernahme der durch die Versicherung entstehenden Lasten für leistungsfähig zu erachten sind;

c) für Kommunalverbände, öffentliche Korporationen und andere Bauherren, welche regelmäßig ohne Uebertragung an andere Unternehmer Bauarbeiten ausführen, wenn auf ihren Antrag von der Verwaltung der mit der Berufsgenossenschaft verbundenen Versicherungsanstalt der Betrag der der Berechnung der Prämien zu Grunde zu legenden Arbeitslöhne und Gehälter in Pausch und Bogen festgesetzt worden ist (§ 29 des Bauunfallversicherungsgesetzes).

6. Nachweisungen sind vorzulegen für Bauarbeiten jeder Art, also für Maurer-, Zimmer-, Dachdecker-, Steinhauer-, Brunnenarbeiten, Tüncher-, Verputzer- (Weißbinder-), Gypser-, Stuckateur-, Maler- (Anstreicher-), Glaser-, Klempner- und Lackirerarbeiten bei Bauten, für die Anbringung, Abnahme, Verlegung und Reparatur von Blitzableitern, für Schreiner- (Tischler-), Einsetzer-, Schlosser- und Anschlägerarbeiten bei Bauten, für Eisenbahn-, Kanal-, Wege-, Strom-, Deich-, Meliorations-, Entwässerungs-, Bewässerungs-, Drainirungs- und andere Erd-Bauarbeiten, für Ofensetzen,

Tapezieren (Tapetenankleben), Stubenbohnen, Anbringung, Abnahme und Reparatur von Wetterrouleaus (Marquisen, Jalousien) 2c.

7. Wenn ein Baugewerbetreibender eine Bauarbeit ausführt, welche zu seinem gewerbsmäßigen Betriebe nicht gehört, auch nicht zu demselben in dem Verhältnisse eines Nebenbetriebes (§ 9 Absatz 3 des Unfallversicherungsgesetzes beziehungsweise § 9 Absatz 2 des Bauunfallversicherungsgesetzes) steht, so ist bezüglich dieser Bauarbeit eine Nachweisung ebenso einzureichen, als wenn ein Nichtgewerbetreibender eine Bauarbeit ausführt. Es ist also z. B. eine Nachweisung vorzulegen, wenn ein Bauschlosser im Regiebetriebe für sich ein Wohnhaus errichtet.

8. Eine Nachweisung ist nicht einzureichen bezüglich solcher Bauarbeiten, welche eine Privatperson für ihre Rechnung (als Unternehmer) allein und ohne Gehülfen und sonstige Arbeiter ausgeführt hat. Dagegen ist eine Nachweisung einzureichen, wenn bei der Ausführung einer Bauarbeit ein Familienangehöriger des Unternehmers als Gehülfe oder sonstiger Arbeiter beschäftigt war, mit Ausnahme der Ehefrau, welche niemals als eine von ihrem Ehemanne beschäftigte Arbeiterin gilt. Im Uebrigen ist die Pflicht zur Einreichung der Nachweisungen weder von der Zahl der bei der Ausführung der Bauarbeit beschäftigten Arbeiter, noch von der Art der Ausführung (Handbetrieb, Motorenbetrieb 2c.) abhängig.

9. Zur Einreichung der Nachweisung verpflichtet ist der Unternehmer der Bauarbeit oder sein gesetzlicher Vertreter.

Als Unternehmer im Sinne des Bauunfallversicherungsgesetzes gilt bei Bauarbeiten, welche nicht in einem gewerbsmäßigen Baubetriebe ausgeführt werden, derjenige, für dessen Rechnung dieselben ausgeführt werden.

Für die Verpflichtung zur Einreichung der Nachweisungen ist es an sich ohne Bedeutung, ob der Unternehmer eine physische oder eine juristische Person, ein Kommunalverband oder eine Privatperson ist.

10. Die Einreichung der Nachweisungen hat vom 1sten Januar 1888 ab zu erfolgen, d. h. es sind erstmalig für die im Monat Januar 1888 ausgeführten Bauarbeiten Nachweisungen einzureichen. Die Einreichung muß längstens binnen drei Tagen nach Ablauf des Monats, also für die im Monat Januar ausgeführten Bauarbeiten längstens bis zum 3ten Februar einschließlich, geschehen.

11. Wenn der dritte Tag eines Monats ein Sonntag oder allgemeiner Feiertag ist, so endigt die Frist zur Vorlegung der Nachweisung für die im vorhergehenden Monat ausgeführten Bauarbeiten mit Ablauf des nächstfolgenden Werktages.

12. Wenn eine einzelne Bauarbeit, zu deren Ausführung mehr als sechs Arbeitstage thatsächlich verwendet werden, sich über zwei Monate erstreckt, und auf den ersten Monat nur sechs oder weniger als sechs Arbeitstage entfallen, so ist für den ersten Monat keine Nachweisung vorzulegen. Dagegen sind in die Nachweisung für den zweiten Monat die sämmtlichen auf die Ausführung der Bauarbeit bis dahin verwendeten Arbeitstage, sowie die sämmtlichen von den Versicherten dabei verdienten Löhne und Gehälter aufzunehmen.

Zum Beispiel: ein Privatmann läßt durch einen Dachdeckergesellen, welcher gerade außer Arbeit steht, das Dach seines Hauses umdecken. Die Arbeit, welche acht Arbeitstage in Anspruch nimmt, wird am 30sten Januar 1888 begonnen und — da der 5te Februar 1888 ein Sonntag ist — am 7ten Februar beendigt. In diesem Falle ist für den Monat Januar keine Nachweisung vorzulegen; dagegen ist eine solche für den Monat Februar einzureichen und sind in derselben die sechs Arbeitstage, welche im Monat Februar auf die Ausführung des Dachumdeckens verwendet worden sind, und die zwei Arbeitstage des Monats Januar nebst allen von den Versicherten hierbei verdienten Löhnen und Gehältern aufzuführen.

Wenn dagegen eine Bauarbeit sich über zwei Monate erstreckt, in jedem Monat aber mehr als sechs Arbeitstage zu ihrer Ausführung verwendet worden sind, so ist für jeden dieser Monate eine besondere Nachweisung rechtzeitig einzureichen. Gesetzt z. B., die oben aufgeführte Arbeit des Dachumdeckens hätte vierzehn Arbeitstage erfordert und vom 24sten Januar bis 8ten Februar 1888 gewährt, so müßte für die im Monat Januar auf die Ausführung verwendeten sieben Arbeitstage spätestens am 3ten Februar eine Nachweisung eingereicht werden, desgleichen für die im Monat Februar verwendeten sieben Arbeitstage spätestens am 3ten März. In der Nachweisung für den Monat Januar wäre auf Seite 1 des Formulars die Frage g mit „Nein" zu beantworten; dagegen wären in der Nachweisung für den Monat Februar auf Seite 1 des Formulars die Fragen e, f und g mit „Ja" zu beantworten.

Gleiches gilt, wenn eine Bauarbeit sich über zwei Monate erstreckt und im ersten Monat mehr als sechs, im zweiten Monat nur sechs oder weniger als sechs Arbeitstage zu ihrer Ausführung verwendet werden. In diesem Falle ist nicht nur für den ersten Monat, sondern auch für den zweiten, obgleich in diesem, für sich allein genommen, nicht mehr als sechs Arbeitstage verwendet worden sind, eine Nachweisung vorzulegen. In der Nachweisung für den zweiten Monat ist hierbei durch Bejahung der auf Seite 1 des Formulars unter lit. e gestellten Frage ersichtlich zu machen, daß die Bauarbeit, auf deren Ausführung im zweiten Monat Arbeitstage verwendet wurden, eine schon im vorvergangenen Monat begonnene, im Ganzen mehr als sechs Arbeitstage erfordernde Bauarbeit war. Wenn z. B. die mehrerwähnte Arbeit des Dachumdeckens am 20sten Januar 1888 begonnen und am 4ten Februar geendigt hätte, so wäre der Unternehmer verpflichtet, für die im Monat Januar auf die Ausführung verwendeten zehn Arbeitstage (und den hierauf treffenden Lohn) spätestens am 3ten Februar eine Nachweisung einzureichen und für die im Monat Februar hierauf verwendeten vier Arbeitstage spätestens am 3ten März eine weitere Nachweisung vorzulegen.

13. Für die einzureichenden Nachweisungen ist das oben abgedruckte Formular zu benutzen.

Eine Nachweisung ist nur vorzulegen für diejenigen Monate, in welchen Bauarbeiten stattgefunden haben.

14. In der Nachweisung sind die in dem betreffenden Monat bei Ausführung der Bauarbeit verwendeten Arbeitstage (einschließlich der halben und Viertels-Arbeitstage) anzugeben, desgleichen die von den Versicherten hierbei verdienten Löhne und Gehälter.

Wenn die Arbeiter nicht nach Tagelöhnen, sondern nach einer Akkordsumme bezahlt wurden, so ist der verdiente Lohn nach Maßgabe der in jedem Monat auf die Ausführung verwendeten Arbeitszeit zu berechnen und in die Nachweisung des betreffenden Monats einzustellen.

In die Nachweisungen sind die von den Versicherten verdienten Löhne und Gehälter voll einzusetzen, auch wenn sie den Betrag von vier Mark für den Arbeitstag übersteigen.

Als Gehalt oder Lohn gelten auch Tantiemen und Naturalbezüge, letztere nach Ortsdurchschnittspreisen berechnet.

Die Arbeitstage, Löhne und Gehälter der bei den Bauarbeiten beschäftigten Betriebsbeamten, deren Jahresarbeitsverdienst an Lohn oder Gehalt 2000 Mark übersteigt, sind in die Nachweisungen nicht aufzunehmen.

15. In den Nachweisungen sind der Gegenstand der Bauarbeit und die Art des Betriebes genau zu bezeichnen, insbesondere ob derselbe lediglich ein Handbetrieb ist oder unter Benutzung elementarer Kräfte (Wind, Wasser, Dampf, Gas, heiße Luft ꝛc.) erfolgt.

Wenn bei der Ausführung einer Bauarbeit mehrere Arten (Kategorien) von Bauarbeiten vertreten waren — z. B. bei der Ausführung eines Schuppens fanden Maurer-, Zimmer- und Dachdeckerarbeiten statt —, so sind die sämmtlichen Arten anzugeben, und, wenn möglich, für jede Art die verwendeten Arbeitstage und die verdienten Löhne getrennt aufzuführen. Ist letzteres nicht angängig, so ist die Hauptkategorie besonders hervorzuheben.

16. Die Nachweisung ist der von der Zentralbehörde bestimmten zuständigen Behörde vorzulegen, in deren Bezirk die Bauarbeit ausgeführt wurde.

Für jedes einzelne Bauobjekt ist eine besondere Nachweisung einzureichen.

17. Ist der Unternehmer einer Bauarbeit zweifelhaft, ob er eine Nachweisung vorzulegen habe, so wird derselbe gut thun, die Einreichungsfrist nicht unbenutzt verstreichen zu lassen, wenn er sicher sein will, den aus der Nichteinreichung einer vorzulegenden Nachweisung sich ergebenden Nachtheilen zu entgehen. Hierbei bleibt ihm unbenommen, in der Spalte „Bemerkungen“ die Gründe anzugeben, aus denen er seine Verpflichtung zur Einreichung einer Nachweisung bezweifelt.

18. Schließlich werden die betheiligten Unternehmer noch besonders darauf aufmerksam gemacht, daß, wenn sie die vorgeschriebene Nachweisung nicht rechtzeitig oder nicht vollständig einreichen, die von der Landes-Zentralbehörde bestimmte Behörde die Nachweisungen nach ihrer Kenntniß der Verhältnisse selbst aufzustellen oder zu ergänzen hat. Sie kann zu diesem Zweck die Verpflichteten zu einer Auskunft innerhalb einer zu bestimmenden Frist durch Geldstrafen bis zu einhundert Mark anhalten.

Ferner können Unternehmer, welche den ihnen obliegenden Verpflichtungen in Betreff der Einreichung der Nachweisungen nicht rechtzeitig nachkommen, mit einer Ordnungsstrafe bis zu dreihundert Mark belegt werden, und endlich können gegen Unternehmer Ordnungsstrafen bis zu fünfhundert Mark verhängt werden, wenn die von ihnen eingereichten Nachweisungen unrichtige thatsächliche Angaben enthalten.

Potsdam, gedruckt in der Buchdruckerei von A. W. Hayn's Erben (C. Hayn, Hof-Buchdrucker).

Extrablatt zum Amtsblatt

der Königlichen Regierung zu Potsdam und der Stadt Berlin.

Ausgegeben den 6. Januar 1888.

Bekanntmachung,

betreffend die Eröffnung beider Häuser des Landtages.

Mit Bezug auf die Allerhöchste Verordnung vom 2. d. M., durch welche die beiden Häuser des Landtages der Monarchie, das Herrenhaus und das Haus der Abgeordneten, **auf den 14. d. M.**, in die Haupt- und Residenzstadt Berlin zusammenberufen worden sind, mache ich hierdurch bekannt, daß die besondere Benachrichtigung über den Ort und die Zeit der Eröffnungs-Sitzung in dem Büreau des Herrenhauses und in dem Büreau des Hauses der Abgeordneten **am 13. d. M. in den Stunden von 8 Uhr früh bis 8 Uhr Abends und am 14. d. M. in den Morgenstunden von 8 Uhr ab** offen liegen wird.

In diesen Büreaus werden auch die Legitimationskarten zu der Eröffnungs-Sitzung ausgegeben und alle sonst erforderlichen Mittheilungen in Bezug auf dieselbe gemacht werden.

Berlin, den 2. Januar 1888.

Der Minister des Innern.
Puttkamer.

Redigirt von der Königlichen Regierung zu Potsdam.

Potsdam, Buchdruckerei der A. W. Hayn'schen Erben (C. Hayn, Hof-Buchdrucker).

Amtsblatt

der Königlichen Regierung zu Potsdam und der Stadt Berlin.

Stück 2. Den 13. Januar **1888.**

Reichs-Gesetzblatt.

(Stück. 46.) № 1757. Verordnung, betreffend das Verbot der Einfuhr von Schweinen,- Schweinefleisch und Würsten. Dänischen, Schwedischen oder Norwegischen Ursprungs. Vom 29. November 1887.

(Stück 47.) № 1758. Bekanntmachung, betreffend die Einfuhr von Pflanzen und sonstigen Gegenständen des Gartenbaues. Vom 11. Dezember 1887.

(Stück 48.) № 1759. Gesetz, betreffend die Abänderung des Zolltarifs. Vom 21. Dezember 1887.

(Stück 49.) № 1760. Verordnung, betreffend die Rechtsverhältnisse in dem Südwestafrikanischen Schutzgebiet. Vom 21. Dezember 1887.

№ 1761. Abkommen zwischen dem Deutschen Reich und Oesterreich-Ungarn, betreffend die Verlängerung des Handelsvertrages vom 23. Mai 1881. Vom 8. Dezember 1887.

(Stück 50.) № 1762. Verordnung über die Inkraftsetzung des Gesetzes, betreffend die Unfallversicherung der bei Bauten beschäftigten Personen, vom 11. Juli 1887, und des Gesetzes, betreffend die Unfallversicherung der Seeleute und anderer bei der Seeschifffahrt betheiligter Personen, vom 13. Juli 1887. Vom 26. Dezember 1887.

Gesetz-Sammlung für die Königlichen Preußischen Staaten.

(Stück 38.) № 9249. Verordnung wegen Einführung des vierten und fünften Abschnitts des zweiten Titels der Provinzialordnung vom 8. Juni 1885 (Gesetz-Samml. S. 247) für den Provinzialverband der Provinz Hessen-Nassau. Vom 16. Dezember 1887.

(Stück 39.) № 9250. Kirchengesetz, betreffend die Abänderung der Bestimmung im § 18 Nr. 7 des Edikts vom 8. April 1818 bezüglich der Feststellung der äußeren Verhältnisse der evangelischen Kirche im vormaligen Herzogthum Nassau. Vom 30. November 1887.

№ 9251. Verfügung des Justizministers, betreffend die Anlegung des Grundbuchs für einen Theil der Bezirke der Amtsgerichte Liebenburg, Ilfeld, Moringen und Duderstadt. Vom 5. Dezember 1887.

Bekanntmachungen des Königlichen Ober-Präsidenten.

Verzeichniß der Kunststraßen im Regierungsbezirk Potsdam.

3. In Gemäßheit des § 12 des Gesetzes vom 20. Juni 1887 (Ges.-S. S. 301), betreffend: die Abänderung der Verordnung vom 17. März 1839, betreffend: den Verkehr auf den Kunststraßen, und der Kabinetsordre vom 12. April 1840, betreffend: die Modifikation des § 1 der Verordnung vom 17. März 1839 wegen des Verkehrs auf den Kunststraßen,

bringe ich Nachstehend unter

A. alle Kunststraßen im Regierungsbezirk Potsdam, auf welche die Verordnung vom 17. März 1839, betreffend den Verkehr auf den Kunststraßen (Ges.-S. 1839 S. 80) Anwendung findet

und unter

B. alle Kunststraßen im Regierungsbezirk Potsdam, für welche das Recht zur Erhebung von Chausseegeld verliehen ist oder die zusätzlichen Bestimmungen zu dem Chausseegeldtarif vom 29. Februar 1840 (Ges.-S. 1840 S. 97) für anwendbar erklärt worden sind,

zur öffentlichen Kenntniß:

A.

1) Berlin—Schwedt,
2) Berlin—Stralsund,
3) Berlin—Strelitz,
4) Chaussee am Berlin-Spandauer Schifffahrtskanal,
5) Berlin—Frankfurt a. O.,
6) Berlin—Hamburg,
7) Berlin—Magdeburg,
8) Berlin—Dresden,
9) Berlin—Cottbus,
10) Berlin—Ruppin (bis Hennigsdorf),
11) Potsdam—Großbeeren,
12) Potsdam—Spandau—Haselhorst,
13) Potsdam—Nauen,
14) Behlertstraße in Potsdam,
15) Schulstraße " "
16) Alleestraße " "
17) Verbindungsstraße zwischen Jäger-Allee und Alleestraße in Potsdam,
18) Eisenhartstraße in Potsdam,
19) Bertinistraße " "
20) Jäger-Allee " "
21) Mauerstraße " "
22) Augustastraße " "
23) Zimmerstraße " "
24) Sanssouci-Allee " "
25) Victoriastraße—Alt-Geltow,

26) Sanssouci—Neues Palais,
27) Potsdam—Eiche,
28) Lindstedt—Bornim,
29) Potsdam—Saarmund,
30) Potsdam—Drewitz,
31) Nowawes—Kl. Glienicke (Babelsberger Chaussee),
32) Babelsberger Parkstraße,
33) Klein-Glienicke—Pfaueninsel,
34) Von der Großbeerener Chaussee nach Jagdschloß Stern,
35) Potsdam—Wittenberg,
36) Tornow—Templin,
37) Angermünde—Prenzlau,
38) Werneuchen—Freienwalde,
39) Müncheberg—Eberswalde,
40) Von der Müncheberg—Eberswalder Chaussee in der Richtung auf Werneuchen,
41) Prötzel—Wriezen,
42) Perleberg—Wittenberge,
43) Neu-Schrepkow—Havelberg,
44) Havelberg—Rarbel,
45) Templin—Caputh,
46) Stettin—Anklam,
47) Berlin—Prötzel,
48) Berlin—Ruppin (von Hennigsdorf ab),
49) Berlin—Zehdenick,
50) Börnicke—Wilmersdorf—Leuenberg (soweit dieselbe im Kreise Niederbarnim liegt),
51) Neu-Ruppin—Prenzlau,
52) Brandenburg—Nauen,
53) Neu-Ruppin—Fehrbellin,
54) Rathenow—Neustadt a. D. (soweit dieselbe im Kreise Ruppin liegt),
55) Neuschrepkow—Meyenburg,
56) Putlitz—Meyenburg,
57) Kyritz—Putlitz,
58) Triglitz—Laske,
59) Wittstock—Rheinsberg,
60) Neu-Ruppin—Neustadt a. D.,
61) Kampehl—Wusterhausen a. D.,
62) Herzberg—Schöneberg,
63) Herzberg—Löwenberg (Bahnhof),
64) Lindow—Rheinsberg,
65) Köpernitz—Schönermark,
66) Brandenburg—Rathenow,
67) Marzahn—Paulinenaue,
68) Rathenow—Friesack (bis Kreisgrenze),
69) Nauen—Ketzin,
70) Ketzin—Falkenrehde,
71) Nauen—Fehrbellin,
72) Börnicke—Cremmen,
73) Cremmen—Fehrbellin,
74) Spandau—Börnicke,
75) Lychen—Boitzenburg,
76) Lychen—Fürstenberg i. M.,
77) Pasewalk—Straßburg (bis Landesgrenze),
78) Prenzlau—Löckenitz,
79) Prenzlau—Schmöllen,
80) Prenzlau—Fürstenwerder,
81) Straußberg—Reichenberg,
82) Biesenthal—Schulzendorf,
83) Letschin—Wriezen (Ober-Oderbruch-Straße),
84) Eberswalde—Schöpfurth,
85) Eberswalde—Freienwalde,
86) Eberswalde—Oderberg,
87) Biesenthal—Bernau (soweit dieselbe im Kreise Niederbarnim liegt),
88) Bernau—Lanke,
89) Lanke—Zerpenschleuse,
90) Weißensee—Bernau,
91) Bernau—Alt-Landsberg,
92) Von Alt-Landsberg zur Berlin—Frankfurter Chaussee,
93) Rummelsburg—Friedrichshagen,
94) Kanne—Coepenick,
95) Rixdorf—Kanne,
96) Berlin—Königs-Wusterhausen,
97) Königs-Wusterhausen—Wendisch-Buchholz,
98) Berlin—Glasow,
99) Mariendorf—Großbeeren (Bahnhof),
100) Von der Potsdam—Großbeerener Chaussee bei Gütergotz bis Tempelhof,
101) Groß-Machnow—Mittenwalde,
102) Mittenwalde—Königs-Wusterhausen,
103) Wendisch-Buchholz—Halbe,
104) Teupitz—Halbe,
105) Mittenwalde—Teupitz,
106) Adlergestell—Chaussee,
107) Coepenick—Rudow,
108) Schöneberg—Charlottenburg,
109) Deutsch-Wilmersdorf—Schmargendorf,
110) Trebbin—Mahlow,
111) Zossen-Cummersdorf—Gadsdorf,
112) Mittenwalde—Klein-Ziethen,
113) Zossen—Ludwigsfelde—Siethen,
114) Trebbin—Drewitz (Bahnhof),
115) Beeskow—Königs-Wusterhausen,
116) Beeskow—Fürstenwalde,
117) Storkow—Fürstenwalde,
118) Beeskow—Peitz,
119) Frankfurt a. O.—Beeskow—Alt-Trebatsch (Kreisgrenze),
120) Wendisch-Buchholz—Birkenhainchen,
121) Jüterbog—Luckenwalde,
122) Jüterbog—Baruth,
123) Jüterbog—Luckau,
124) Dahme—Herzberg,
125) Luckenwalde—Dahme,
126) Belzig—Brandenburg,
127) Golzow—Plessow,
128) Belzig—Treuenbrietzen,
129) Belzig—Reuden,
130) Wiesenburg—Görzke,
131) Brück—Beelitz,
132) Friedrichshagen—Erkner,
133) Erkner—Rüdersdorf (Alte Grund),

134) Beelitzhof—Wannsee,
135) Trebbin—Neuendorf—Luckenwalde,
136) Oranienburg—Arendsee,
137) Straßburg U.-M. (Bahnhof) bis zur Bezirksgrenze bei Burgwall,
138) Oranienburg—Schwante,
139) Ruhlsdorfer Brücke—Schöpfurth,
140) Niederfinow—Torgelow,
141) Bahnhof Dammkrug—Langen—Wustrau—Alt-Friesack,
142) Großbeeren—Löwenbruch bis zur Zossen—Siethener Chaussee,
143) Berlin—Frankfurter Chaussee—Schöneiche—Friedrichshagen (Bahnhof)—Colonie Hirschgarten,
144) Neuenhagen—Hönow—Mehrow,
145) Greiffenberg—Boitzenburg,
146) Schönfeld—Tempelfelde—Sydow,
147) Brusendorf—Klein-Kienitz—Rangsdorf,
148) Gramzow—Passow,
149) Zernitz—Lohm—Vogtsbrügge,
150) Strausberg — Gielsdorf — Heidekrug — Eichenbrand,
151) Steinfurt—Holländsche Papiermühle (soweit dieselbe im Kreise Oberbarnim liegt),
152) Bahnhof Zernitz—Wittstock,
153) Wilsnack—Gnewsdorf,
154) Perleberg (Kreisgrenze)—Pritzwalk,
155) Prötzel—Harnekop,
156) Heckelberg—Hohenfinow,
157) Alt-Friesack—Herzberg,
158) Erkner—Neu-Zittau,
159) Lenzen-Karstädt,
160) Ottiliengrube—Putlitz,
161) Putlitz—Kreisgrenze (Suckow),
162) Wittstock—Röbel,
163) Wittstock—Meyenburg,
164) Prenzlau—Wolfshagen,
165) Wittstock—Pritzwalk,
166) Joachimsthal—Eberswalde,
167) Putlitz (Kreisgrenze)—Suckow,
168) Berlin—Kannebrück,
169) Wriezen—Freienwalde,
170) Wriezen—Oderbruch,
171) Prenzlau—Boitzenburg,
172) Karstädt—Ottiliengrube,
173) Wiesenburg—Coswig,
174) Gransee—Groß-Woltersdorf—Menz,
175) Dammkrug—Garz—Nakel—Damm,
176) Joachimsthal—Ringenwalde,
177) Perleberg (Kreisgrenze)—Pritzwalk,
178) Elbhafen—Lenzen.

B.

1) Wriezen—Jäckerick Zollbrücke,
2) Lehnin—Groß-Kreutz,
3) Arendsee—Lanke (Kreisgrenze),
4) Zossen—Motzen,
5) Marienfelde—Buckow—Rudow,
6) Teltow—Zehlendorf,
7) Berlin—Dalldorf,
8) Bahnhof Biesenthal—Biesenthal,
9) Neu-Ruppin—Gentzrode,
10) Velten—Hennigsdorf,
11) Brandenburg—Ziesar,
12) Moabit—Charlottenburg,
13) Zossen—Telz—Mittenwalde.

Ferner finden die vorstehend unter B. aufgeführten Bestimmungen auf die unter A. laufende № 1 2 3 4 5 6 7 8 9 10 11 12 13 14 15 16 17 18 19 20 21 22 23 24 25 26 27 28 29 30 31 32 33 34 35 36 37 38 39 40 41 42 43 44 45 46 47 48 49 50 51 53 54 55 56 57 59 60 61 63 64 65 69 70 71 72 74 75 76 81 82 83 84 85 86 87 88 89 90 91 92 93 94 96 97 98 99 100 101 102 105 110 111 113 114 115 116 117 119 120 121 122 123 125 126 127 128 129 130 131 132 133 135 136 138 140 141 144 145 148 149 150 152 154 155 157 158 159 160 162 163 165 166 169 170 171 172 173 174 175 176 177 aufgeführten Kunststraßen Anwendung. Potsdam, den 28. Dezember 1887.

Der Ober-Präsident der Provinz Brandenburg,
Staatsminister Achenbach.

Bekanntmachungen des Königlichen Regierungs-Präsidenten.

Errichtung einer Chausseegeldhebestelle im Kreise Teltow.

10. Es wird hierdurch zur öffentlichen Kenntniß gebracht, daß mit Genehmigung des Herrn Ministers der öffentlichen Arbeiten an der im Kreise Teltow neu erbauten Chaussee vom Bahnhofe Grünau nach Schmöckwitz im Treffpunkte derselben mit der vom Bahnhofe nach dem Dorfe Grünau führenden Chaussee eine Chausseegeldhebestelle errichtet und an derselben das tarifmäßige Chausseegeld für eine Meile mit der Maßgabe erhoben werde, daß die Einwohner von Grünau und der Kolonie Falkenberg auch dann Chausseegeld zu entrichten haben, wenn sie mit ihren Fuhrwerken und Thieren die Chaussee in der Richtung auf Schmöckwitz über den Bahnhof Grünau hinaus und umgekehrt benutzen.

Potsdam, den 5. Januar 1888.

Der Regierungs-Präsident.

Viehseuchen.

11. Die Maul- und Klauenseuche ist unter dem Rindvieh des Büdners Gericke zu Markee im Kreise Osthavelland ausgebrochen, und unter dem Rindvieh des Bauergutsbesitzers Hermann Herzberg zu Feldberg in demselben Kreise erloschen. Potsdam, den 5. Januar 1888.

Der Regierungs-Präsident.

12. Die Maul- und Klauenseuche ist unter dem Rindvieh der Rittergüter Möthlow im Kreise Westhavelland, Klosterhof im Kreise Ostprignitz und Hohen-Schönhausen im Kreise Niederbarnim ausgebrochen.

Dieselbe Seuche unter den Kühen des Molkereibesitzers Müller zu Reinickendorf, Residenzstraße 83, ist erloschen; ebenso die Maulseuche unter den Ochsen des Dominiums Präedikow im Kreise Oberbarnim.

Potsdam, den 9. Januar 1888.

Der Regierungs-Präsident.

13. **Nachweisung der Markt- ꝛc.**

Laufende №	Namen der Städte	Getreide								Uebrige Markt-																	
		Es kosten je 100 Kilogramm																						Es			
																								Rindfleisch			
		Weizen		Roggen		Gerste		Hafer		Erbsen		Speisebohnen		Linsen		Kartoffeln		Richtstroh		Krummstroh		Heu		von der Keule		Bauchfleisch	
		M.	Pf.	M.	Pf.	M.	Pf.	M.	Pf.	M.	Pf.	M.	Pf.	M.	Pf.	M.	Pf.	M.	Pf.	M.	Pf.	M.	Pf.	M.	Pf.	M.	Pf.
1	Angermünde	15	75	11	20	11	44	10	39	25	—	27	10	38	—	4	—	3	75	3	—	4	50	1	40	1	1[illegible]
2	Beeskow	—	—	11	80	—	—	11	97	22	50	50	—	50	—	3	50	3	50	—	—	5	60	1	20	1	—
3	Bernau	16	30	11	88	14	05	11	40	25	—	32	—	45	—	4	50	3	47	—	—	5	46	1	20	1	1[illegible]
4	Brandenburg	15	92	12	—	11	30	11	99	27	50	35	—	55	—	3	81	2	84	—	—	5	26	1	30	1	1[illegible]
5	Dahme	15	88	11	61	11	43	12	—	35	—	45	—	50	—	3	—	3	50	2	50	6	—	1	—	1	—
6	Eberswalde	16	40	11	75	16	—	10	78	23	—	23	—	26	—	3	89	3	85	—	—	5	—	1	20	1	—
7	Havelberg	15	36	11	62	11	42	11	14	25	—	35	—	27	—	2	98	3	36	2	81	5	11	1	10	—	92
8	Jüterbog	15	75	11	87	11	75	12	50	25	—	30	—	40	—	4	—	3	20	—	—	6	—	1	20	1	1[illegible]
9	Luckenwalde	15	—	11	41	10	71	10	58	32	50	32	50	37	50	4	20	3	—	—	—	—	—	1	20	1	20
10	Perleberg	15	34	11	83	13	37	11	76	20	—	35	—	45	—	3	75	5	39	—	—	7	79	1	40	1	1[illegible]
11	Potsdam	16	60	11	76	15	17	12	36	25	—	30	—	44	50	3	86	3	51	—	—	5	17	1	35	1	1[illegible]
12	Prenzlau	15	60	10	81	11	41	10	15	20	—	24	—	34	—	3	50	3	75	3	—	4	50	1	20	—	9[illegible]
13	Pritzwalk	15	46	10	99	12	34	10	52	14	25	23	60	34	40	2	60	3	25	2	63	5	60	1	30	1	05
14	Rathenow	15	94	11	86	11	60	11	85	30	—	30	—	40	—	2	90	2	75	—	—	4	20	1	40	1	20
15	Neu-Ruppin	17	—	11	39	11	77	11	41	20	—	32	—	50	—	3	22	4	25	—	—	5	75	1	30	1	05
16	Schwedt	16	40	12	30	12	—	11	70	33	33	37	04	40	—	5	—	3	30	—	—	5	—	1	20	1	—
17	Spandau	14	75	12	50	14	50	12	37	26	50	28	50	36	—	4	50	3	42	—	—	5	95	1	35	1	2[illegible]
18	Strausberg	16	56	11	94	14	64	13	—	25	—	30	50	35	—	3	50	4	—	—	—	6	50	1	20	1	1[illegible]
19	Teltow	16	27	11	98	14	—	13	—	40	—	40	—	50	—	4	25	3	50	—	—	6	—	1	30	1	05
20	Templin	16	—	10	75	11	—	10	25	15	40	40	—	40	—	3	—	3	50	—	—	5	50	1	20	1	—
21	Treuenbrietzen	15	60	11	32	10	71	11	20	24	—	26	—	30	—	2	75	1	50	—	—	2	50	1	20	1	—
22	Wittstock	15	83	10	89	10	63	10	31	12	25	30	—	40	—	2	63	3	33	2	50	5	83	1	—	—	69
23	Wriezen a. O.	15	62	11	02	10	70	10	40	17	50	28	—	35	—	3	25	2	59	1	75	4	85	1	30	1	—
	Durchschnitt	15	88	11	63	12	36	11	44	—	—	—	—	—	—	3	59	3	41	—	—	5	37	—	—	—	—

Potsdam, den 9. Januar 1888.

Nachweisung des Monatsdurchschnitts der gezahlten höchsten Tagespreise für Fourage
14. **schlag) im Monat**

Laufende Nummer.	Es kosteten je 50 Kilogramm.	Angermünde.		Beeskow.		Bernau.		Brandenburg.		Dahme.		Eberswalde.		Havelberg.		Jüterbog.		Luckenwalde.		Perleberg.	
		M.	₰	M.	₰	M.	₰	M.	₰	M.	₰	M.	₰	M.	₰	M.	₰	M.	₰	M.	₰
1	Hafer	5	60,5	6	72	6	87	6	76	6	30	6	82,5	6	30	6	56	6	46	6	30
2	Heu	2	62,5	3	15	3	43	3	29	3	15	2	89	2	82	3	15	—	—	4	20
3	Richtstroh	2	10	1	88	1	96	1	72	1	84	2	10	1	85	1	68	1	75,5	3	03

Potsdam, den 9. Januar 1888.

Betrifft die Form der ärztlichen Atteste der Medizinal-Beamten.
15. Durch das Circular-Reskript vom 20. Januar 1853 hat der Herr Minister der geistlichen, Unterrichts- und Medizinal-Angelegenheiten von Raumer, Excellenz, für die ärztlichen Atteste der Medizinal-Beamten vorgeschrieben, daß die amtlichen Atteste und Gutachten der Medizinal-Beamten jedesmal enthalten sollen:

1) die bestimmte Angabe der Veranlassung zur Ausstellung des Attestes, des Zweckes, zu welchem

Preise im Monat Dezember 1887.

Artikel kostet je 1 Kilogramm: Schweinefleisch M. Pf.	Kalbfleisch M. Pf.	Hammelfleisch M. Pf.	Speck M. Pf.	Butter M. Pf.	Ein Schock Eier M. Pf.	Ladenpreise in den letzten Tagen des Monats — Es kostet je 1 Kilogramm: Mehl Weizen Nr. 1 M. Pf.	Mehl Roggen Nr. 1 M. Pf.	Gerste Graupe M. Pf.	Gerste Grütze M. Pf.	Buchweizengrütze M. Pf.	Hafergrütze M. Pf.	Hirse M. Pf.	Reis, Java M. Pf.	Java-Kaffee mittler in gebr. Bohnen M. Pf.	Java-Kaffee gelber in gebr. Bohnen M. Pf.	Speisesalz M. Pf.	Schweineschmalz, hiesig. M. Pf.
1 10	— 90	1 05	1 60	2 06	4 18	— 25	— 20	— 50	— 30	— 50	— 50	— 60	— 60	3 20	3 80	— 20	1 60
1 20	1 —	1 —	1 80	2 10	3 70	— 40	— 30	— 60	— 60	— 65	— 80	— 60	— 65	3 20	3 80	— 20	2 —
1 20	1 25	1 15	1 70	2 30	3 09	— 40	— 25	— 45	— 50	— 50	— 40	— 60	— 25	2 40	3 —	— 20	1 60
1 15	— 95	1 10	1 80	2 30	3 60	— 30	— 25	— 50	— 40	— 45	— 40	— 50	— 50	3 60	3 80	— 20	1 60
1 20	— 80	1 —	1 60	2 —	2 80	— 32	— 26	— 60	— —	— 40		— 50	— 50	3 20	3 60	— 20	1 40
1 20	1 —	1 —	1 60	2 40	4 36	— 28	— 26	— 60	— 60	— 50		— 60	— 60	3 20	3 60	— 20	1 60
1 —	1 —	1 —	1 50	2 30	3 36	— 25	— 18	— 60	— 60	— 60		— 60	— 60	2 60	3 20	— 20	1 60
1 20	— 95	1 20	1 30	2 40	4 —	— 30	— 20	— 40	— 50	— 40	— 60	— 40	— 40	3 20	3 60	— 20	1 40
1 20	— 90	1 20	1 60	2 40	4 —	— 32	— 21	— 50	— 40	— 40	— 60	— 36	— 60	3 20	3 60	— 20	1 40
1 30	1 15	1 15	1 95	1 89	3 50	— 50	— 36	— 60	— 60	— 50	— 60	— 55	— 50	3 60	3 60	— 20	2 —
1 24	1 03	1 17	1 60	2 13	4 —	— 31	— 18	— 45	— 45	— 45	— 45	— 45	— 55	3 30	3 80	— 20	1 60
1 15	— 90	1 10	1 50	1 96	3 80	— 22	— 18	— 50	— 30	— 40	— 40	— 50	— 50	3 20	3 80	— 20	1 60
1 05	— 90	1 —	1 50	1 91	2 92	— 20	— 16	— 40	— 40	— 40	— 50	— 40	— 50	3 20	3 60	— 20	1 50
1 40	1 —	1 20	1 80	2 60	3 75	— 28	— 19	— 40	— 40	— 45	— 40	— 30	— 60	3 30	3 80	— 20	2 —
1 10	— 95	1 10	1 60	2 30	4 05	— 36	— 24	— 50	— 50	— 50	— 50	— 50	— 60	3 —	3 30	— 20	1 40
1 20	— 95	1 20	2 —	2 —	4 —	— 30	— 25	— 60	— 40	— 40	— 60	— 50	— 70	3 60	3 80	— 20	2 —
1 22	1 20	1 22	1 40	2 20	3 70	— 40	— 30	— 50	— 50	— 55	— 50	— 55	— 65	3 40	3 80	— 20	1 40
1 20	1 —	1 20	1 60	2 40	4 —	— 35	— 20	— 55	— 50	— 45	— 55	— 50	— 60	3 —	3 80	— 20	1 40
1 20	1 25	1 15	1 50	2 40	4 75	— 40	— 30	— 60	— 50	— 50	— 60	— 50	— 50	3 —	3 80	— 20	1 20
1 —	— 60	1 —	1 60	2 40	4 80	— 30	— 20	— 60	— 50	— 50	— 60	— 40	— 50	3 20	3 60	— 20	1 60
1 20	— 90	1 20	1 60	2 10	3 52	— 28	— 18	— 50	— —	— 40	— 55	— 30	— 50	3 20	— —	— 20	1 80
— 94	— 60	— 91	1 60	2 01	3 19	— 26	— 18	— 50	— 50	— 40	— 40	— 50	— 50	3 20	3 60	— 20	1 60
1 10	1 05	1 05	1 40	2 10	4 —	— 20	— 19	— 50	— 30	— 35	— 50	— 40	— 50	3 60	3 80	— 20	1 20
— —	— —	— —	— —	— —	— —	— —	— —	— —	— —	— —	— —	— —	— —	— —	— —	— —	— —

Der Regierungs-Präsident.

in den Hauptmarktorten des Regierungsbezirks Potsdam (einschließlich 5 pCt. Auf- Dezember 1887.

Potsdam. M. ₰	Prenzlau. M. ₰	Pritzwalk. M. ₰	Rathenow. M. ₰	Neu-Ruppin. M. ₰	Schwedt. M. ₰	Spandau. M. ₰	Strausberg. M. ₰	Teltow. M. ₰	Templin. M. ₰	Treuenbrietzen. M. ₰	Wittstock. M. ₰	Briezen a. O. M. ₰
6 96	5 51	5 52	6 55	6 22	6 14	7 21,5	6 93	6 82,5	6 04	5 88	5 60,5	5 77,5
3 35	2 63	2 94	2 31	3 02	2 62,5	3 36	3 67,5	3 15	3 15	2 62,5	2 97	2 89
2 08	2 16	1 70	1 51	2 24	1 73	1 92,5	2 20,5	1 83,5	2 10	1 57,5	3 49,5	1 40

Der Regierungs-Präsident.

dasselbe gebraucht, und der Behörde, welcher es vorgelegt werden soll;

2) die etwanigen Angaben des Kranken oder der Angehörigen desselben über seinen Zustand;

3) bestimmt gesondert von den Angaben zu 2, die **eigenen** thatsächlichen Wahrnehmungen des Beamten über den Zustand des Kranken;

4) die aufgefündenen wirklichen Krankheits-Erscheinungen;

5) das thatsächlich und wissenschaftlich motivirte

Urtheil über die Krankheit, über die Zulässigkeit eines Transports oder einer Haft, oder über die sonst gestellten Fragen;

6) die diensteidliche Versicherung, daß die Mittheilungen des Kranken oder seiner Angehörigen (ad 2) richtig in das Attest aufgenommen sind, daß die eigenen Wahrnehmungen des Ausstellers (ad 3. und 4) überall der Wahrheit gemäß sind und daß das Gutachten auf Grund der eigenen Wahrnehmungen des Ausstellers nach dessen bestem Wissen abgegeben ist.

Außerdem müssen die Atteste mit vollständigem Datum, vollständiger Namens-Unterschrift, insbesondere mit dem Amts-Charakter des Ausstellers und mit einem Abdruck des Dienstsiegels versehen sein.

Mittelst Reskripts vom 11. Februar 1856 ist überdies noch angeordnet, daß die gedachten Atteste in Zukunft jedesmal, außer dem vollständigen Datum der Ausstellung, auch den Ort und den Tag der stattgefundenen ärztlichen Untersuchungen enthalten müssen, und daß obige Bestimmungen auch auf diejenigen Atteste der Medizinal-Beamten Anwendung finden, welche von ihnen in ihrer Eigenschaft als praktische Aerzte zum Gebrauch vor Gerichts-Behörden ausgestellt werden.

Indem wir Vorstehendes hiermit zur Kenntniß bringen, machen wir den Herren Medizinal-Beamten die genaue Befolgung dieser Vorschriften zur Pflicht, indem wir dieselben darauf aufmerksam machen, daß bei Ausstellung von Zeugnissen in Haft-Angelegenheiten die Wahrscheinlichkeit einer Verschlimmerung des Zustandes eines Arrestanten bei sofortiger Freiheits-Entziehung kein genügender Grund ist, die einstweilige Aussetzung der Strafvollstreckung oder Schuldhaft als nothwendig zu bezeichnen.

Es müssen vielmehr die Medizinal-Beamten selbst überzeugt sein und nach den Grundsätzen der Wissenschaft durch die selbst wahrgenommenen Krankheits-Erscheinungen motiviren können, daß von der Haft-Vollstreckung eine nahe, bedeutende und nicht wieder gut zu machende Gefahr für Leben und Gesundheit zu besorgen ist.

Potsdam und Berlin, den 26. März 1856.

Königl. Regierung. Abtheilung des Innern.	Königl. Polizei-Präsidium.

* * *

Vorstehende Verordnung wird hiermit zur Beachtung wiederholt in Erinnerung gebracht.

Potsdam und Berlin, den 4. Januar 1888.

Der Königl. Regierungs-Präsident.	Der Königl. Polizei-Präsident.

Die Bedingungen für die Verleihung der Wohlthaten des Potsdamschen großen Militär-Waisenhauses betreffend.

16. Es ist eine Aenderung der Bedingungen, unter welchen die Wohlthaten des Potsdamschen großen Militär-Waisenhauses verliehen werden, erforderlich geworden.

Die für die Folge maßgebenden Bedingungen werden nachstehend zur Kenntniß der Armee gebracht.

Berlin, den 27. November 1887.

Der Kriegsminister
und Chef des Direktoriums des Potsdamschen großen Militair-Waisenhauses.
Bronsart von Schellendorff.

№ 2821/87. P. W.

* * *

Bedingungen,

unter welchen die Wohlthaten des Potsdamschen großen Militär-Waisenhauses im Allgemeinen verliehen werden.

Die Wohlthaten, welche die obige Stiftung bedürftigen, elternlosen und vaterlosen Soldatenwaisen, die während des aktiven Militärdienstes des Vaters bei Preußischen oder unter Preußischer Militär-Verwaltung stehenden Truppentheilen ehelich geboren sind, oder deren Vater als Soldat bei diesen Truppentheilen gestorben ist, gewährt, bestehen:

A. in der Aufnahme in eine Erziehungs-Anstalt;

B. in der Bewilligung eines Pflegegeldes.

A. Aufnahme.

1) Kinder im Alter vom zurückgelegten 6. bis zum 12. Lebensjahre können, wenn sie ganz gesund sind, im Militair-Knaben-Waisenhause zu Potsdam, im Militär-Mädchen-Waisenhause zu Pretzsch, — Kinder katholischer Konfession in der katholischen Erziehungsanstalt „Haus Nazareth“ in Hörter — untergebracht werden, soweit der Raum und die Mittel es gestatten.

2) Die Knaben finden zu Ostern und zu Michaelis, die Mädchen nur zu Ostern jedes Jahres Aufnahme.

3) Die Kinder, deren Aufnahme genehmigt worden ist, werden zunächst in die Anwärterliste eingetragen. Die Auswahl der zu dem nächsten Termine Aufzunehmenden aus der Zahl der als berechtigt und berücksichtigungswerth zu dieser Wohlthat aufgezeichneten Kinder erfolgt nach Maßgabe der militärischen Verdienstlichkeit der Väter und der Bedürftigkeit der Familien, unter Berücksichtigung des Alters der Kinder und thunlicher Beachtung der Zeit ihrer Aufzeichnung.

4) Soldatenwaisen, für welche das gesetzliche Waisengeld aus Staats- oder Reichsfonds zahlbar ist, finden nur unter der Bedingung Aufnahme, daß der Betrag dieses Waisengeldes für die Dauer des Aufenthalts in der Anstalt von dem auf den Monat der Aufnahme folgenden Monat (in der Regel 1. Mai oder 1. November) ab als Erziehungsbeitrag an die Haupt-Militär-Waisenhauskasse in Berlin abgeführt wird.

5) Wenn solche Kinder Aufnahme finden, für welche Erziehungsgelder aus dem Reichsinvaliden- oder Kaiserlichen Dispositionsfonds gezahlt werden, so hört diese Zahlung an die Mütter bz. Vormünder

ebenfalls mit dem Monat der Aufnahme auf und erfolgt von da ab an die Haupt-Militair-Waisenhauskasse.

B. Pflegegeld.

1) Das Pflegegeld wird auf jedes dazu angemeldete Kind — wenn die Etatsmittel es gestatten — von dem Monat ab bewilligt, in welchem das mit den nöthigen Beweisstücken eingegangene Gesuch als berücksichtigungswerth anerkannt ist und bis zum vollendeten 14. Lebensjahre der Kinder oder bis zu ihrer etwaigen Aufnahme in eine Erziehungsanstalt gezahlt.

2) Das Pflegegeld erfolgt in bestimmten Sätzen mit Rücksicht darauf, ob die Kinder elternlos oder vaterlos sind, als ein Beitrag zu den laufenden Kosten für die Ernährung und Bekleidung der Kinder und daher niemals für eine rückliegende Zeit.

3) Sobald für die Kinder das gesetzliche Waisengeld oder ein anderweites Erziehungsgeld aus Staats- oder Reichsfonds bewilligt wird, hört die Zahlung des etwa bereits angewiesenen Pflegegeldes für Rechnung des Militair-Waisenhauses von dem Monate der Zahlbarkeit jenes Erziehungsgeldes auf.

Mit der Entlassung der Waisen aus den Anstalten oder mit dem zurückgelegten 14. Lebensjahre der Kinder hört die Fürsorge des Waisenhauses für dieselben auf und fällt wieder den Angehörigen oder der gesetzlich dazu verpflichteten Gemeinde allein zu.

Anmerkung: Die Anträge auf Unterbringung der Militärwaisen in den Erziehungsanstalten, oder auf Bewilligung eines Pflegegeldes sind an das Direktorium des Potsdamschen großen Militär-Waisenhauses in Berlin zu richten und dazu in der Regel folgende Schriftstücke beizubringen:

1) Die Militärpapiere des Vaters, aus welchen hervorgehen muß, wann und wie lange derselbe im stehenden Heere gedient hat, ob derselbe Feldzüge mitgemacht, sich dabei ausgezeichnet hat, bez. verwundet ist, oder ob derselbe als Invalide anerkannt worden ist;
2) die Sterbeurkunde des Vaters, und wenn auch die Mutter todt ist, die Sterbeurkunde der Mutter;
3) die Geburtsscheine der betreffenden Kinder unter 14 Jahren;
4) ein amtliches Dürftigkeitsattest und, wenn für Kinder verstorbener Kriegsinvaliden, Gensdarmen, Wallmeister, Zeugfeldwebel rc. oder für solche Soldatenwaisen, deren Väter als versorgungsberechtigte Militärs eine Anstellung im Civildienste gefunden hatten, ein Pflegegeld nachgesucht wird:
5) ein amtlicher Ausweis, daß für die Kinder noch kein fortlaufendes Erziehungsgeld bz. gesetzliches Waisengeld aus Reichs- oder Staatsfonds gezahlt wird, die Bewilligung eines solchen auch nicht in Aussicht steht.

* *

Vorstehende Bedingungen werden hierdurch zur öffentlichen Kenntniß gebracht.

Potsdam, den 31. Dezember 1887.

Der Regierungs-Präsident.

Bekanntmachungen des Königl. Polizei-Präsidiums zu Berlin.

Auswanderung betreffend.

3. Dem Auswanderungs-Agenten Karl Stangen, Mohrenstraße 10 hierselbst, ist **für das Kalenderjahr 1888** die Genehmigung ertheilt worden, als Generalagent des Auswanderer-Beförderungs-Unternehmers, Schiffsmaklers Theodor Ichon zu Bremen, innerhalb des Preußischen Staates — mit Ausnahme der Provinz Hannover — Verträge mit Auswanderern behufs deren Beförderung von Bremen oder Hamburg aus nach den Vereinigten Staaten von Nord-Amerika, nach Canada, Australien und Süd-Amerika — mit Ausschluß von Brasilien und Venezuela — abzuschließen, sowie Unter-Agenten zu bestellen.

Berlin, den 4. Januar 1888.

Der Polizei-Präsident.

Bekanntmachungen der Königlichen Eisenbahn-Direktion zu Berlin.

Eröffnung der Eisenbahnstrecke Grunow-Beeskow.

2. Am 17. Januar 1888 wird die im Bau befindliche Strecke Grunow-Beeskow mit den Stationen Grunow, Schneeberg und Beeskow zunächst für den Güter-Verkehr in Wagenladungen nach Maßgabe der Bahnordnung für Deutsche Eisenbahnen untergeordneter Bedeutung vom 12. Juni 1878 in Betrieb genommen werden. Bis auf Weiteres werden Sendungen nach den genannten Stationen nur frankirt, von denselben nur unfrankirt, in beiden Fällen ohne Nachnahme angenommen werden.

Berlin, im Januar 1888.

Königl. Eisenbahn-Direktion.

Bekanntmachungen der Königlichen Eisenbahn-Direktion zu Bromberg.

Reerpeditionstarif für die Beförderung von Hanf rc.

2. Am 15. Januar 1888 gelangt ein Reerpeditionstarif für die Beförderung von Hanf, Hanfgarn (sogenanntes Seilergarn) und Hanfheede zwischen Elbing, Station des Eisenbahn-Direktionsbezirks Bromberg einerseits und Deutschen und Niederländischen Stationen andererseits in fast demselben Umfange und unter denselben Bedingungen des Königsberger Reerpeditionstarifs zur Einführung. Exemplare dieses Tarifs sind durch Vermittelung der Billet-Expeditionen unentgeltlich zu beziehen.

Bromberg, den 1. Januar 1888.

Königl. Eisenbahn-Direktion.

Deutsch-Polnischer Verband.

3. Unsere Bekanntmachung vom 6. November 1887 wird dahin ergänzt, daß die im **Deutsch-Polnischen Verbande** vom 1. Januar 1888 an im Verkehr von und nach den Stationen der Warschau-Wiener und Warschau-Bromberger Eisenbahn für Güter sämmtlicher Tarifklassen und Ausnahme-Tarife in Wagenladungen eingeführte Stationsgebühr von 1,22 Kopeken für 100 kg der Tragkraftziffer des verwendeten Wagens zu Gunsten der Warschau-Wiener und Warschau-Bromberger Eisenbahn dann zu erheben ist, wenn das Aufladen **oder** Abladen derselben auf den Stationen der Warschau-Wiener und Warschau-Bromberger Eisenbahn durch die Parteien selbst bewirkt wird.

Bromberg, den 1. Januar 1888.

Königl. Eisenbahn-Direktion,
als geschäftsführende Verwaltung.

Staatsbahn-Güter-Tarif Bromberg—Breslau.

4. Nach Mittheilung der Königlichen Eisenbahn-Direktion in Breslau ist das in Herminenweiche abzweigende Nebengeleis, welches bisher ausschließlich den Verkehr zwischen der Herminenhütte und der Hauptbahn vermittelt hat, abgebrochen. Die Beförderung der Sendungen nach und von der genannten Hütte findet nunmehr auf einer zwischen dieser und dem Bahnhofe Laband hergestellten Verbindung statt.

Die in obigem Tarif für die Haltestelle Herminenweiche vorgesehenen Entfernungen und Frachtsätze sind daher gestrichen worden.

Bromberg, den 5. Januar 1888.

Königl. Eisenbahn-Direktion.
Namens der betheiligten Verwaltungen.

Bekanntmachungen der Kreis-Ausschüsse.

Genehmigung.

1. Auf Grund des § 25 des Zuständigkeitsgesetzes vom 1. August 1883 in Verbindung mit § 1 Abschnitt 4 des Gesetzes vom 14. April 1856 genehmigen wir hiermit, daß von dem im Gemeindebezirk Rosenthal, Kreis Niederbarnim, belegenen, im Grundbuche von Rosenthal Band I. Blatt № 1 auf die Namen des Bauergutsbesitzers Karl Friedrich August Horning sen. und des Landwirthes Friedrich Wilhelm Horning jun. eingetragenen Bauerngute die in der Gemarkung Rosenthal № 129 belegene, im Kartenblatt 1 als Flächenabschnitt $\frac{349}{137\ \text{II.}}$ bezeichnete Gartenparzelle von 856 qm nach der grundbuchlichen Zuschreibung derselben zu dem der Stadtgemeinde Berlin gehörigen Gute Rosenthal aus dem Gemeindebezirke Rosenthal entlassen und mit dem Gutsbezirke Rosenthal vereinigt wird, und daß ferner die der Stadtgemeinde Berlin gehörige Fläche $\frac{347}{137\ \text{I.}}$ des Kartenblatts 1 von 103 qm des Band II. Blatt 507 des Grundbuchs von den Rittergütern im Kreise Niederbarnim verzeichneten Rittergutes Rosenthal, auf welchem sich zur Zeit das alte Guts-Tagelöhnerhaus befindet, nachdem die Fläche Kartenblatt 1 № $\frac{347}{137\ \text{I.}}$ grundbuchamtlich auf die Eigenthümer des Eingangs bezeichneten Bauergutes umgeschrieben ist, aus dem Gutsbezirke Rosenthal ausscheidet und in den Gemeindebezirk Rosenthal übergeht.

Berlin, den 20. Dezember 1887.

Der Kreis-Ausschuß des Kreises Niederbarnim.

Personal-Chronik.

Des Königs Majestät haben den bei der Königlichen Regierung in Potsdam beschäftigten Regierungs-Assessor Reich zum „Regierungs-Rath" zu ernennen geruht.

Seine Majestät der Kaiser und König haben Allergnädigst geruht, den Regierungs-Rath Reich hierselbst zum 2. Mitgliede bei dem Bezirks-Ausschuß in Potsdam auf Lebenszeit zu ernennen.

Der Oberförster Staubesand in Hohenbucko ist zum Forst-Amts-Anwalt bei dem Königl. Amtsgericht in Dahme für den zu diesem Gericht gehörigen Schutzbezirk Sieb des Königl. Forstbezirks Hohenbucko ernannt worden.

Im Kreise Angermünde ist in Folge Ablaufs der Dienstperiode der Rittergutsbesitzer Kühn zu Frauenhagen zum Amtsvorsteher des Amtsbezirks Görlsdorf ernannt worden.

Im Kreise Prenzlau sind in Folge Ablaufs der Dienstzeit der Rittmeister a. D. Flügge zu Woddow zum Amtsvorsteher für den Amtsbezirk Battin und der Rittergutsbesitzer von Stülpnagel zu Lindhorst zum Amtsvorsteher-Stellvertreter des Amtsbezirks Lübbenow ernannt worden.

Im Kreise Westprignitz ist in Folge abgelaufener Dienstzeit der Rittergutsbesitzer und Rittmeister der Reserve von Jagow zu Quitzoebel zum Amtsvorsteher des Amtsbezirks Quitzoebel ernannt worden.

Die Besorgung der domainenfiskalischen und der fiskalischen Patronats-Geschäfte in den Ortschaften Menz mit Roofen, Dollgow mit Steinfurth, Alt- und Neu-Globsow mit Kolonie Dagow ist dem Königlichen Oberförster Happe zu Menz übertragen worden.

Der Besitzer des Gutes Neue Mühle, Paul Müller (Wasserbauinspektion Fürstenwalde), ist als Schleusenmeister für die Schleuse zu Neue Mühle, sowie der Pächter dieses Gutes, C. Selau, als stellvertretender Schleusenmeister vereidet worden.

Dem cand. theol. Carl Walter zu Landsberg ist die Erlaubniß ertheilt worden, im Regierungsbezirk Potsdam Stellen als Hauslehrer anzunehmen.

Dem Fräulein Klara Henseler zu Alt-Landsberg ist die Erlaubniß ertheilt worden, im Regierungsbezirk Potsdam Stellen als Hauslehrerin anzunehmen.

Die Lehrer Dietze, Kaselow, Gersonde, Wangleben, Krüger, Loerzer, Schroeder, Barth, Schmidt, Giesel, Birr und Schmock sind als Gemeindeschullehrer in Berlin angestellt worden.

Bei der Königlichen Direktion für die Verwaltung der direkten Steuern in Berlin ist a. dem Militair-

Supernumerar Fritze die etatsmäßige Stelle des Rentmeisters in Cölleda zunächst widerruflich verliehen, ferner sind b. die Militair-Anwärter Sakritz, Schwiters, Burchardt, Hohmann und Liewig als Militair-Supernumerare angenommen, c. der Gymnasiast Zilcke als Civil-Supernumerar eingetreten, d. der Kanzlei-Diener Kaegel als Steuererheber und die Militair-Anwärter Schlicher und Brandt als Kanzlei-Diener angestellt.

Personalveränderungen im Bezirke der Kaiserlichen Ober-Postdirektion in Berlin.

Im Laufe des Monats Dezember sind:

Ernannt: zum Ober-Postsekretair der Postsekretair Claußen.

Angestellt: als Postsekretaire die Postpraktikanten Berkenbusch, Fick, Fuhrmann, Martin, Prietzel, Schramm, Sönksen, Stein, Steinhagen und Weise, als Postassistenten die Postassistenten Hartmann und Wöltge.

Versetzt von Berlin der Telegraphenamtskassirer von Albedyhll nach Darmstadt, der Postsekretair Mayer nach Magdeburg, der Postassistent Woiciechowski nach Elbing, nach Berlin der Ober-Postdirektionssekretair Hanßen von Trier.

In den Ruhestand versetzt: der Postsekretair Leopold.

Gestorben: Ober-Postsekretair Remer.

Personalveränderungen im Bezirke der Kaiserlichen Ober-Postdirektion zu Potsdam.

Ernannt sind: der Ober-Postdirektionssekretair Damköhler in Brandenburg (Havel) zum Postkassirer; der Ober-Postsekretair Fritsche in Potsdam zum Ober-Postdirektionssekretair; der Postsekretair Benke in Dahme zum Postmeister;

Versetzt sind: der Postkassirer Kürbis als com. Postinspektor von Bremen nach Potsdam; der Postsekretair Sporberg von Arnswalde nach Prenzlau;

Gestorben sind: der Postsekretair That in Potsdam und der Ober-Postassistent Wust in Cöpenick.

In den Ruhestand versetzt ist: der Postverwalter Kriedemann in Seehausen (Uckermark).

Vermischte Nachrichten.

Oeffentliche Belobigung für Rettung aus Lebensgefahr.

Der Oeconom Otto Kienast zu Schlachtensee hat am 2. März v. J. den Gymnasiasten Ernst Troschel aus Berlin, welcher beim Schlittschuhlaufen auf dem Schlachtensee im Eise eingebrochen war, nicht ohne eigene Lebensgefahr vom Tode des Ertrinkens retten helfen.

Diese muthige und hochherzige That wird hiermit belobigend zur öffentlichen Kenntniß gebracht und die derselben gebührende Anerkennung hierdurch öffentlich ausgesprochen.

Potsdam, den 3. Januar 1888.

Der Regierungs-Präsident.

Führung des Handels- rc. Registers.

Die die Führung des Handels- und Genossenschaftsregisters betreffenden Bekanntmachungen erfolgen im Jahre 1888 durch den Reichsanzeiger, durch die Berliner Börsenzeitung und das Kreisblatt für das Westhavelland, dagegen werden die Eintragungen in das Zeichen- und Musterregister lediglich durch den Deutschen Reichsanzeiger veröffentlicht.

Rathenow, den 6. Januar 1888.

Königl. Amtsgericht.

Ausweisung von Ausländern aus dem Reichsgebiete.

Lauf. Nr.	Name und Stand	Alter und Heimath	Grund der Bestrafung.	Behörde, welche die Ausweisung beschlossen hat.	Datum des Ausweisungs-Beschlusses.
	des Ausgewiesenen.				
1.	2.	3.	4.	5.	6.
		Auf Grund des § 362 des Strafgesetzbuchs:			
1	Anna Baranki, Kellnerin,	geboren am 17. Juli 1849 zu Grün, Bezirk Karlsbad, Böhmen, ortsangehörig ebendaselbst, wohnhaft zuletzt in Schwarzenberg, Bezirk Zwickau, Sachsen,	gewerbsmäßige Unzucht,	Königlich Sächsische Kreishauptmannschaft Zwickau,	5. Novemb. 1887.
2	Hermann von der Linde, Arbeiter,	geboren am 21. März 1856 zu Ortmarsum, Niederlande, ortsangehörig ebendaselbst, wohnhaft zuletzt in Oldenburg,	Betteln im wiederholten Rückfall und grober Unfug,	Polizeikommission des Senats in Bremen,	desgleichen.

3	Johann Kunz, Schlosser,	geboren am 17. Juli 1858 zu Brussa bei Constantinopel, Türkei, ortsangehörig zu Zürich, Schweiz,	Landstreichen u. Gebrauch eines gefälschten Arbeitsscheines,	Kaiserlicher Bezirks-Präsident zu Colmar,	26. Okt 1887.
4	Anna Marie Karoline Irminger, geschiedene Ehefrau Huber, Hausirerin,	geboren am 18. August 1850 zu Kilchberg, Kant. Zürich, Schweiz, ortsangehörig ebendaselbst,	Betrug, Unterschlagung und Landstreichen,	derselbe,	desgleichen.
5	Carl Deville, Gärtner,	geboren am 25. Februar 1836 zu Evry-les-Châteaux, Frankreich,	Landstreichen,	derselbe,	25. Nov 1887
6	Alois Monney, ohne Stand,	19 Jahre, geboren zu Montreux, Kanton Waadt, Schweiz,	desgleichen,	Kaiserlicher Bezirks-Präsident zu Metz,	13. Dez 1887

Hierzu Vier Oeffentliche Anzeiger.

(Die Insertionsgebühren betragen für eine einspaltige Druckzeile 20 Pf. Belagsblätter werden der Bogen mit 10 Pf. berechnet.)

Redigirt von der Königlichen Regierung zu Potsdam.

Potsdam, Buchdruckerei der A. W. Hayn'schen Erben (E. Hayn, Hof-Buchdrucker).

Amtsblatt
der Königlichen Regierung zu Potsdam und der Stadt Berlin.

Stück 3. Den 20. Januar **1888.**

Bekanntmachungen der Königlichen Ministerien.

Verordnung,
betreffend den Gebrauch von Sprengstoffen.

4. Auf Grund des § 2 des Gesetzes gegen den verbrecherischen und gemeingefährlichen Gebrauch von Sprengstoffen vom 9. Juni 1884 (R.-G.-Bl. S. 61) wird in Abänderung bezw. Ergänzung der Verordnung vom 11. September 1884 (M. Bl. f. d. i. V. S. 237) Nachstehendes bestimmt:

Die zuständige Behörde kann die Genehmigung zur Herstellung, zum Vertriebe, zum Besitze, sowie zur Einführung von Sprengstoffen aus dem Auslande dem Nachsuchenden nicht nur für seine Person, sondern auch für seine Vertreter, oder Gehülfen (Betriebs-Beamte, Geschäfts-Angestellte, Arbeiter rc.) ertheilen. Derartige Erlaubnißscheine sind nur unter Beschränkung auf bestimmt zu bezeichnende Zwecke und Oertlichkeiten auszustellen. Der namentlichen Aufführung der Vertreter oder Gehülfen bedarf es nicht.

Berlin, den 24. Dezember 1887.

Der Minister für Handel und Gewerbe.
In Vertretung: Magdeburg.
Der Minister des Innern.
In Vertretung: Herrfurth.
Der Minister der öffentlichen Arbeiten. Maybach.
Der Finanzminister.
In Vertretung: Meinecke.

15271 I. M. f. H. u. G. — II. 13859 II. M. d. J. I. 6505 I. IIb T. 6520 III. 21408 I. M. d. ö. A. I. 16714 F.-M.

Bekanntmachungen des Königlichen Regierungs-Präsidenten.

Krankenversicherung im Amtsbezirk Malchow, Kreis Niederbarnim.

17. In theilweiser Abänderung meiner Amtsblattbekanntmachung vom 18. Februar 1884 (Amtsbl. f. 1884 St. 8 S. 62 № 66) setze ich auf Grund des Reichsgesetzes vom 15. Juni 1883 und № 6 der Ausführungs-Anweisung vom 26. November ebend. J. den ortsüblichen Tagelohn gewöhnlicher Tagearbeiter **für den Amtsbezirk Malchow, Kreis Niederbarnim,** bis auf Weiteres wie folgt fest:

1) für erwachsene, d. h. mehr als 16 Jahre alte männliche Arbeiter auf 1,50 M.,
2) für dergleichen weibliche auf 1,00 M.,
3) für jugendliche männliche, d. h. weniger als 16 Jahre alte Arbeiter 0,80 M.,
4) für dergleichen weibliche auf 0,65 M.

Im Uebrigen verbleibt es bei meiner oben erwähnten Amtsblattbekanntmachung vom 18. Februar 1884. Potsdam, den 14. Januar 1888.

Der Regierungs-Präsident.

Verbot eines Flugblatts.

18. Auf Grund der §§ 11 und 12 des Reichs-Gesetzes gegen die gemeingefährlichen Bestrebungen der Social-Demokratie vom 21. Oktober 1878 wird das im Druck von „Schoenfeld u. Harnisch, Dresden", und im Verlage von „Otto Stage, Brandenburg, Kleine Gartenstraße 22," erschienene Flugblatt mit der Ueberschrift „Neujahrsgruß an die Arbeiter Brandenburgs—Westhavelland" und mit dem Schlußsatz „Hoch die Socialdemokratie!" verboten.

Potsdam, den 10. Januar 1888.

Der Regierungs-Präsident.

Abhaltung einer Hauscollecte.

19. Der Herr Oberpräsident hat dem Vorstande des Vereins zur Beförderung der wirthschaftlichen Selbstständigkeit der Blinden zu Berlin die Genehmigung zur Abhaltung einer einmaligen Hauscollecte in der Provinz Brandenburg und der Stadt Berlin in der Zeit **vom 1. April bis 30. September d. J.** ertheilt. Die betreffenden Collectanten werden mit entsprechenden Legitimationspapieren sowie mit paginirten und beglaubigten Sammelbüchern versehen sein und sich vor Beginn ihrer Thätigkeit unter Vorlegung dieser Ausweise bei den betreffenden Ortspolizeibehörden melden. Die Letzteren werden angewiesen, der Abhaltung der Collecte nicht entgegenzutreten.

Potsdam und Berlin, den 10. Januar 1888.

Der Regierungs-Präsident. Der Polizei-Präsident.

Viehseuchen.

20. Die Maulseuche ist unter den Kühen des Gutes Beerbaum im Kreise Oberbarnim ausgebrochen.

Potsdam, den 10. Januar 1888.

Der Regierungs-Präsident.

21. Die Lungenseuche ist unter dem Rindvieh des Bauern Seidenschnur zu Berlitt im Kreise Ostprignitz ausgebrochen.

Potsdam, den 11. Januar 1888.

Der Regierungs-Präsident.

22. Die Maul- und Klauenseuche ist unter dem Rindvieh der Wittwe Möser, Gartenstraße Nr. 1 zu Weißensee bei Berlin, ausgebrochen.

Potsdam, den 12. Januar 1888.

Der Regierungs-Präsident.

23. Als der Rotzkrankheit verdächtig ist ein Pferd des Handelsmanns Lorenz in Reinickendorf, Amendestraße 1, unter Stallsperre und ein zweites Pferd desselben als der Ansteckung durch Rotz verdächtig unter Observation gestellt worden.

Die Maul- und Klauenseuche ist unter dem Rindvieh des Ritterguts Siethen im Kreise Teltow und des Bauern Wilhelm Rönnefarth zu Tarmow im Kreise Osthavelland ausgebrochen.

Potsdam, den 17. Januar 1888.

Der Regierungs-Präsident.

24. Die Maul- und Klauenseuche ist unter dem Rindvieh des Berliner Rieselguts Malchow und der Wittwe Möser zu Weißensee im Kreise Niederbarnim, auch auf der Domäne Dreetz im Kreise Ruppin ausgebrochen. Potsdam, den 17. Januar 1888.

Der Regierungs-Präsident.

Bekanntmachungen der Königlichen Regierung.

Wahl der Kuratoren und deren Stellvertreter für die Elementarlehrer-Wittwen- und Waisenkasse des Regierungsbezirks Potsdam.

1. Wir bringen hierdurch zur öffentlichen Kenntniß, daß zu Kuratoren der Elementarlehrer-Wittwen- und Waisenkasse für den Regierungsbezirk Potsdam auf die drei Etatsjahre vom 1. April 1888 bis Ende März 1891 in Gemäßheit des § 14 der revidirten Statuten dieser Kasse

1) der Hauptlehrer Eckert in Potsdam,
2) der Lehrer Zemlin in Friedrichsfelde bei Berlin,
3) der Lehrer Knape in Potsdam,

und zu Stellvertretern der Kuratoren auf die gleiche Zeitperiode

1) der Hauptlehrer Hennig in Potsdam,
2) der Lehrer Leppin in Spandau,
3) der Hauptlehrer Hohenstein in Brandenburg a. H.

gewählt bezw. wiedergewählt worden sind.

Potsdam, den 10. Januar 1888.

Königl. Regierung.
Abtheilung für Kirchen- und Schulwesen.

Bekanntmachungen des Königlichen Polizei-Präsidiums zu Berlin.

Verbot einer Druckschrift.

4. Auf Grund des § 12 des Reichsgesetzes gegen die gemeingefährlichen Bestrebungen der Sozialdemokratie vom 21. Oktober 1878 wird hierdurch zur öffentlichen Kenntniß gebracht, daß die Nummer 58, II. Jahrgang vom 31. Dezember 1887 der in London erscheinenden periodischen Druckschrift „Londoner Freie Presse. Deutsches unabhängiges Organ für die Interessen der werkthätigen Klassen." Herausgegeben von der Londoner Verlags-Genossenschaft. nach § 11 des gedachten Gesetzes durch den Unterzeichneten von Landespolizeiwegen verboten worden ist.

Berlin, den 12. Januar 1888.

Der Königl. Polizei-Präsident.

Ergänzung der Bestimmungen über die Verladung und Beförderung von lebenden Thieren auf Eisenbahnen.

5. Der Bundesrath hat beschlossen:

1) Den Absatz 3 im § 3 der Bekanntmachung vom 13. Juli 1879 (Central-Blatt für das Deutsche Reich Seite 479) folgendermaßen zu fassen:

Die Verladung von Wiederkäuern verschiedener Gattung oder von Wiederkäuern und Schweinen in demselben Wagen ist bei Transporten von Deutschen Schlachtviehmärkten nach den Nordseehäfen verboten. Im Uebrigen ist die Verladung von Großvieh und Kleinvieh, sowie von Thieren verschiedener Gattung in demselben Wagen nur dann gestattet, wenn die Einstellung in durch Barrieren, Bretter- oder Lattenverschläge von einander getrennte Abtheilungen erfolgt.

2) Hinter dem Absatz 3 a. a. O. folgende Bestimmung als Absatz 4 einzuschalten:

Zur Beförderung nach den Nordseehäfen bestimmte Wiederkäuer und Schweine dürfen nur dann verladen werden, wenn eine Bescheinigung darüber vorgelegt wird, daß die Thiere unmittelbar vorher von einem beamteten Thierarzt untersucht und gesund befunden worden sind.

Berlin, den 28. November 1887.

Der Reichskanzler.
In Vertretung: v. Boetticher.

* * *

Vorstehende Bekanntmachung wird hierdurch im Auftrage des Herrn Ministers für Landwirthschaft, Domainen und Forsten mit dem Bemerken publizirt, daß die beamteten Thierärzte angewiesen sind, bei Vornahme der Untersuchungen und bei Ausstellung der Atteste mit größter Vorsicht zu verfahren und diejenigen Thiere, namentlich auch Schafe, bei denen Quetschungen und hierdurch bedingte Eiterungen, sowie Lahmheit u. dgl. beobachtet werden, vom Transporte auszuschließen, selbst wenn der Verdacht der Klauenseuche nicht begründet sein sollte.

Berlin, den 14. Januar 1888.

Der Polizei-Präsident.

Berliner und Charlottenburger Preise pro Dezember 1887.

6. A. Engros-Marktpreise im Monatsdurchschnitt.

In Berlin:

für	100	Klgr.	Weizen	(gut)	17	Mark	28	Pf.,
=	=	=	do.	(mittel)	16	=	29	=
=	=	=	do.	(gering)	15	=	30	=
=	=	=	Roggen	(gut)	12	=	14	=
=	=	=	do.	(mittel)	11	=	89	=
=	=	=	do.	(gering)	11	=	63	=
=	=	=	Gerste	(gut)	16	=	82	=
=	=	=	do.	(mittel)	14	=	02	=
=	=	=	do.	(gering)	11	=	23	=
=	=	=	Hafer	(gut)	12	=	73	=
=	=	=	do.	(mittel)	11	=	47	=
=	=	=	do.	(gering)	10	=	16	=
=	=	=	Erbsen	(gut)	19	=	10	=
=	=	=	do.	(mittel)	17	=	—	=
=	=	=	do.	(gering)	14	=	90	=

für 100 Klgr. Richtstroh	3 Mark	46	Pf.,
„ „ „ Heu	5 „	41	„

Monats-Durchschnitt der höchsten Berliner Tagespreise **einschließlich 5 % Aufschlag** für 50 kg

	Hafer	Stroh	Heu
im Monat Dezember	6,85 Mk.,	1,93 Mk.,	3,38 Mk.

B. Detail-Marktpreise im Monatsdurchschnitt.

1) In Berlin.

für 100 Klgr. Erbsen (gelbe) z. Kochen	25	Mark	—	Pf.,
„ „ „ Speisebohnen (weiße)	32	„	—	„
„ „ „ Linsen	45	„	—	„
„ „ „ Kartoffeln	4	„	50	„
„ 1 Klgr. Rindfleisch v. d. Keule	1	„	24	„
„ 1 „ „ (Bauchfleisch)	1	„	—	„
„ 1 „ Schweinefleisch	1	„	20	„
„ 1 „ Kalbfleisch	1	„	25	„
„ 1 „ Hammelfleisch	1	„	05	„
„ 1 „ Speck (geräuchert)	1	„	40	„
„ 1 „ Eßbutter	2	„	30	„
„ 60 Stück Eier	3	„	21	„

2) In Charlottenburg.

für 100 Klgr. Erbsen (gelbe z. Kochen)	25	Mark	—	Pf.,
„ „ „ Speisebohnen (weiße)	25	„	—	„
„ „ „ Linsen	37	„	50	„
„ „ „ Kartoffeln	4	„	—	„
„ 1 Klgr. Rindfleisch v. d. Keule	1	„	13	„
„ 1 „ „ (Bauchfleisch)	1	„	—	„
„ 1 „ Schweinefleisch	1	„	20	„
„ 1 „ Kalbfleisch	1	„	11	„
„ 1 „ Hammelfleisch	1	„	10	„
„ 1 „ Speck (geräuchert)	1	„	38	„
„ 1 „ Eßbutter	2	„	35	„
„ 60 Stück Eier	3	„	73	„

C. Ladenpreise in den letzten Tagen des Monats Dezember 1887:

1) In Berlin:

für 1 Klgr. Weizenmehl № 1			35	Pf.,
„ 1 „ Roggenmehl № 1			28	„
„ 1 „ Gerstengraupe			48	„
„ 1 „ Gerstengrütze			44	„
„ 1 „ Buchweizengrütze			45	„
„ 1 „ Hirse			44	„
„ 1 „ Reis (Java)			75	„
„ 1 „ Java-Kaffee (mittler)	2	Mark	45	„
„ 1 „ „ (gelb in gebr. Bohnen)	3	„	38	„
„ 1 „ Speisesalz			20	„
„ 1 „ Schweineschmalz (hiesiges)	1	„	30	„

2) In Charlottenburg:

für 1 Klgr. Weizenmehl № 1			50	Pf.,
„ 1 „ Roggenmehl № 1			30	„
„ 1 „ Gerstengraupe			50	„
„ 1 „ Gerstengrütze			40	„
„ 1 „ Buchweizengrütze			40	„
„ 1 „ Hirse			40	„
„ 1 „ Reis (Java)			70	„
für 1 Klgr. Java-Kaffee (mittler)	2	Mark	80	Pf.,
„ 1 „ „ (gelb in gebr. Bohnen)	3	„	20	„
„ 1 „ Speisesalz			20	„
„ 1 „ Schweineschmalz (hiesiges)	1	„	20	„

Berlin, den 9. Januar 1888.

Königl. Polizei-Präsidium. Erste Abtheilung.

Bekanntmachungen der Königl. Kontrolle der Staatspapiere.

Aufgebot von Schuldverschreibungen.

1. In Gemäßheit des § 20 des Ausführungsgesetzes zur Civilprozeßordnung vom 24. März 1879 (G.-S. S. 281) und des § 6 der Verordnung vom 16. Juni 1819 (G.-S. S. 157) wird bekannt gemacht, daß aus der Sakristei der katholischen Kirche zu Tolksdorf, Kreis Braunsberg, im Monat August 1884 die beiden Staatsschuldscheine lit. F. № 62282 und 215709 über je 100 Thlr. angeblich gestohlen worden sind. Es werden Diejenigen, welche sich im Besitze dieser Urkunden befinden, aufgefordert, dies der unterzeichneten Kontrolle der Staatspapiere oder dem katholischen Kirchenvorstande zu Tolksdorf anzuzeigen, widrigenfalls das gerichtliche Aufgebotsverfahren behufs Kraftloserklärung der Urkunden beantragt werden wird.

Berlin, den 12. Januar 1888.

Königl. Kontrolle der Staatspapiere.

Bekanntmachungen der Kgl. Direktion der Rentenbank für die Provinz Brandenburg.

Ausreichung von Entlastungsquittungen über abgelöste Renten.

1. Denjenigen Grundbesitzern, welche die an die Rentenbank zu entrichtenden Renten am 30. September d. J. durch Kapitalzahlung abgelöst haben, wird hierdurch bekannt gemacht, daß wir die gemäß § 27 des Rentenbank-Gesetzes vom 2. März 1850 ausgefertigten Entlastungsquittungen den betreffenden Kreis-Kassen zugesandt haben, um sie, soweit die Renten vollständig abgelöst sind, den zuständigen Amtsgerichten Behufs der kostenfreien Löschung des Vermerks der Rentepflicht im Grundbuche zuzustellen, in Fällen der Ablösung von Theilrenten dagegen denjenigen unmittelbar auszureichen, welche die Kapitalzahlung geleistet haben.

Berlin, den 25. November 1887.

Königl. Direktion der Rentenbank für die Provinz Brandenburg.

Personal-Chronik.

Der bisherige Predigtamts-Kandidat Karl Gustav Emil Schöppenthau ist zum Pfarrer der Parochie Alt-Trebbin, Diözese Wriezen, bestellt worden.

Zu Kreisboniteuren sind bestellt: 1) für den Kreis Angermünde der Rathsherr Barderow zu Schwedt a. O., 2) für den Kreis Nieder-Barnim der Rentier Martin zu Oranienburg, 3) für den Kreis Ober-Barnim der Amtsvorsteher Fuhrmann—Beiersdorf, der Gemeindevorsteher Ruschke—Klein-Barnim, der Amtsvorsteher Krug—Closterdorf, 4) für den Kreis Beeskow-Storkow der Oberamtmann Redlich—Amt Beeskow, der Rittergutsbesitzer Osterroht—Hartmannsdorf, der Lehngutsbesitzer Lehmann, Schneeberg,

5) für den Kreis West-Havelland der Gemeindevorsteher Schmid—Stoelln, der Bauergutsbesitzer Meier—Stechow, der Gutsbesitzer Wichert—Rathenow, 6) für den Kreis Jüterbog-Luckenwalde der Gemeindevorsteher Rügen zu Berkenbrück, der Lehnschulzengutsbesitzer Schulze zu Grüna, der Gemeindevorsteher Steinhaus zu Holbeck, der Gemeindevorsteher Serno zu Bochow, 7) für den Kreis Ost-Prignitz der Amtsvorsteher Rentier Pfister zu Gramzow, der Schulzengutsbesitzer und Gemeindevorsteher Lindenberg zu Zootzen, der Bauergutsbesitzer und Standesbeamte Schmidt in Rohlsdorf, 8) für den Kreis Templin der Lehnschulzengutsbesitzer Lamprecht zu Klein-Mutz, der frühere Lehnschulzengutsbesitzer, Amtsvorsteher Dahms zu Storkow, 9) für den Kreis Zauch-Belzig der Lehnschulzengutsbesitzer Mahlow zu Raehnsdorf, der Amtsvorsteher Spiesecke zu Ragoesen.

Der Vermessungs-Revisor Gadow zu Potsdam ist auf seinen Antrag zum 1. April 1888 in den Ruhestand versetzt.

Bei der Königlichen Ministerial-Militair- und Bau-Kommission zu Berlin sind

Allerhöchst verliehen: dem Bauinspektor Haesecke der Charakter als Baurath und dem Registrator Boneß der Charakter als Kanzleirath;

überwiesen: der Landbauinspektor Oehmcke von der Königlichen Regierung zu Oppeln als technischer Hülfsarbeiter;

angestellt: der Wasserbauinspektor Germelmann definitiv als Wasserbauinspektor, die Büreau-Diätare Vogt und Brandt als Secretariats-Assistenten, der Bote Hanisch als Botenmeister und Kastellan, der Hülfsbote Granlee als Bote und Aktenhefter, der Gensdarm Belling, der Gensdarm Bergmann und der Invalide Goers als Schleusengehülfe, der Forstaufseher Bünger als Thiergartenförster;

ernannt: die Secretariats-Assistenten Eplert und Dehmel zu expedirenden Secretairen und Kalkulatoren;

angenommen: die Militairanwärter Rosenfeld und Reck als Büreau-Diätarien, der Militair-Anwärter Heide als Hauswächter, der Militair-Anwärter Karl Haack als Hülfsbote, der Invalide Geitner als interimistischer Brückenaufzieher;

ausgeschieden: der Landbauinspektor Saal in Folge seiner Versetzung in die Kreisbauinspektorstelle zu Potsdam, der Büreau-Diätar Streithorst in Folge seiner Anstellung als Rendant der Lehrerinnen-Erziehungs- und Bildungs-Anstalt zu Dropssig;

pensionirt: der Regierungs-Secretair Kosbahn;

entlassen: der Civil-Supernumerar Theodor Schmidt auf seinen Antrag.

Personal-Veränderungen im Bezirke der Königl. Eisenbahn-Direktion Erfurt.

Abgang: Stations-Vorsteher 1. Klasse von Mayer in Berlin in den Ruhestand versetzt.

Versetzungen: Stations-Vorsteher 2. Klasse Wocht von Berlin nach Calau, Stations-Vorsteher 1. Klasse Wenige von Dessau nach Berlin committirt und mit der Wahrnehmung der Geschäfte des ersten Vorstehers daselbst beauftragt, Stations-Vorsteher 2. Klasse Kauer von Stadtsulza nach Berlin.

Vermischte Nachrichten.

Feuerkassengelder-Ausschreiben

für die Land-Feuer-Societät der Kurmark Brandenburg, des Markgrafthums Niederlausitz und der Distrikte Jüterbog und Belzig für das II. Semester 1887.

Für das Jahr 1887 sind von den Societäts-Mitgliedern überhaupt aufzubringen:

a.	Vergütigungsgelder für Immobiliar-Brandschäden inkl. Abschätzungskosten	1 253 547	M.	81	Pf.,
b.	desgl. = Mobiliar- = = =	66 197	=	25	=
c.	Spritzen-Prämien	17 052	=	—	=
d.	Wasserwagen-Prämien	5 525	=	76	=
e.	Pertinenzschäden-Vergütigungen	17 220	=	14	=
f.	Verwaltungskosten	105 167	=	40	=
g.	Extraordinarien	42 764	=	37	=
h.	Reisekosten	4 688	=	—	=
	Summa	1 512 162	M.	73	Pf.

Hiervon kommen in Abzug:

a.	das nach dem Ausschreiben pro II. Semester 1886 verbliebene Guthaben von	61 602	M.	06	Pf.,
b.	die bereits pro I. Semester 1887 aufgebrachten	410 821	=	18	=
c.	die Beiträge der Mobiliar-Versicherten pro 1887 von	76 061	=	80	=
d.	an Zinsen	22 605	=	49	=
e.	an extraordinairen Einnahmen	7 575	=	80	=
f.	zu erstattende Vorschüsse	700	=	—	=

Zusammen 579 366 = 33 =

so daß aufzubringen bleiben 932 796 M. 40 Pf.

Zur Deckung dieser Summe werden für Gebäude der

I. Klasse	10 Pf.	für 100 M. Versicherung
II. =	20 =	
III. =	70 =	
IV. =	120 =	

ausgeschrieben und sind demnach aufzubringen für Gebäude der

I. Klasse von	262 934 425 M.	Versicherungskapital	262 934 M.	43 Pf.,
II. = =	125 966 650 =	=	251 933 =	30 =
III. = =	72 947 850 =	=	510 634 =	95 =
IV. = =	297 375 =	=	3 568 =	50 =
Zusammen von	462 146 300 M.	Versicherungskapital	1 029 071 M.	18 Pf.,
also gegen obige Bedarfssumme von			932 796 =	40 =
mehr			96 274 M.	78 Pf.,

welcher Betrag den Societäts-Genossen bei Erlaß des Feuerkassengelder-Ausschreibens pro I. Semester 1888 zu Gute gerechnet werden wird.

Die Societäts-Mitglieder werden hierdurch veranlaßt, die von ihnen zu leistenden Beiträge nach Maßgabe der besonderen Aufforderungen der betreffenden Kreis-Feuer-Societäts-Direktionen beziehungsweise Ortserheber ungesäumt zu entrichten.

Berlin, den 16. Januar 1888.

Ständische General-Direktion der Land-Feuer-Societät der Kurmark und der Niederlausitz.

Ausschreiben

der von den Mitgliedern der Städte-Feuer-Societät der Provinz Brandenburg für das II. Halbjahr 1887 zu entrichtenden Feuer-Societäts-Beiträge.

Der Direktorialrath der Städte-Feuer-Societät der Provinz Brandenburg hat die Beiträge der Mitglieder der Societät für das II. Halbjahr 1887 für 100 M. Versicherungssumme festgesetzt:

in Klasse	I A.	auf	2,8 Pf.	(0,28 pro mille),
= =	I.	=	4 =	(0,4 - -),
= =	I B.	=	5,2 =	(0,52 - -),
= =	II A.	=	8 =	(0,8 - -),
= =	II.	=	12 =	(1,2 - -),
= =	II B.	=	16 =	(1,6 - -),
= =	III.	=	28 =	(2,8 - -),
= =	III B.	=	40 =	(4,0 - -),
= =	IV.	=	56 =	(5,6 - -),
= =	IV B.	=	88 =	(8,8 - -).

Demzufolge werden nunmehr ausgeschrieben:

von	35 768 475 M.	Versicherungssumme	in Klasse	I A.	10 015 M.	17 Pf.
=	319 006 950 =	=	= =	I.	127 602 =	78 =
=	20 605 175 =	=	= =	I B.	10 714 =	69 =
=	4 339 800 =	=	= =	II A.	3 471 =	84 =
=	148 841 300 =	=	= =	II.	178 609 =	56 =
=	17 655 675 =		= =	II B.	28 249 =	08 =
=	20 770 350 =		= =	III.	58 156 =	98 =
=	6 653 875 =	=	= =	III B.	26 615 =	50 =
=	2 068 050 =	=	= =	IV.	11 581 =	08 =
=	1 393 575 =	=	= =	IV B.	12 263 =	46 =
überhaupt von	577 103 225 M.	beitragspflichtiger Versicherungs-Summe			467 280 M.	14 Pf.
Dazu von	385 825 M.	Explosionsversicherungssumme	à 1 Pf.		38 =	58 =
und =	103 700 =	desgl.	à 2 =		20 =	74 =
					46[illegible] 339 M.	46 Pf.

Den Associirten in 23 Städten sind wegen der guten Löscheinrichtungen der letzteren auf Grund des § 65 des Reglements 20, bezw. 15, 12 und 10 % ihrer Beiträge erlassen mit	20 017 =	82 =
bleiben	447 321 M.	64 Pf.
Hiervon stehen den Magisträten 5 % mit	22 366 =	08 =
zu, so daß zur Deckung des Bedarfs verfügbar sind	424 955 M.	56 Pf.

Dieser Bedarf beläuft sich für die in den Monaten Juli bis Dezember 1887 stattgehabten, von der Societät zu vergütenden 162 Brand- und 24 Blitzschäden, einschließlich der Spritzen- rc. Prämien und Abschätzungskosten auf 353 273 M. 70 Pf.

und außerdem sind für Schäden an unversicherten Gegenständen, Postporto, Zuschüsse an die Feuerwehren rc. erforderlich 12 567. = 01 =

zusammen also 365 840 M. 71 Pf.

Das vorseitige Ausschreiben ergiebt 424 955 = 56 =

Es verbleiben mithin zur Wiederergänzung des Betriebsfonds 59 114 M. 85 Pf.

Die Magisträte der associirten Städte wollen hiernach die von den Mitgliedern der Societät zu entrichtenden Beiträge ungesäumt einziehen und binnen vier Wochen — § 70 Abs. 3 des Reglements — an die Brandenburgische Landeshauptkasse hierselbst abführen lassen.

Berlin, den 5. Januar 1888.

Der Direktor der Städte-Feuer-Societät der Provinz Brandenburg.

Erledigte Kreiswundarztstelle.

Die Kreiswundarztstelle des Kreises Templin ist erledigt. Aerzte, welche das zur Verwaltung einer Kreisphysikatsstelle erforderliche Fähigkeitszeugniß besitzen und sich um diese Stelle, bei deren Besetzung hinsichtlich der Bestimmung des Wohnsitzes in einer der Ortschaften des Kreises auf die Wünsche der Bewerber möglichst Rücksicht genommen werden wird, zu bewerben beabsichtigen, wollen sich unter Vorlegung ihrer Zeugnisse und eines kurz gefaßten Lebenslaufes bis zum 1. März d. J. bei mir melden. Potsdam, den 13. Januar 1887.

Der Regierungs-Präsident.

Erledigte Kreisphysikatsstellen.

Die mit einem jährlichen Gehalte von je 900 Mark verbundenen Kreisphysikatsstellen in den drei neu gebildeten Kreisen Znin, Filehne und Witkowo, überall mit dem Wohnsitze in der Kreisstadt, sind zum 1. April 1888 zu besetzen. Geeignete Bewerber wollen sich unter Einreichung ihrer Zeugnisse und eines Lebenslaufes binnen 4 Wochen bei uns melden.

Bromberg, den 11. Januar 1888.

Königl. Regierung, Abtheilung des Innern.

Ausweisung von Ausländern aus dem Reichsgebiete.

Lauf. Nr.	Name und Stand des Ausgewiesenen.	Alter und Heimath des Ausgewiesenen.	Grund der Bestrafung.	Behörde, welche die Ausweisung beschlossen hat.	Datum des Ausweisungs-Beschlusses.
1.	2.	3.	4.	5.	6.
		a. Auf Grund des § 39 des Strafgesetzbuchs:			
1	Cleophas Horn, Metalldreher,	geboren am 7. März 1851 zu Sangerberg, Bezirk Karlsbad, Böhmen, ortsangehörig ebendaselbst,	schwerer Diebstahl (ein Jahr Zuchthaus laut Erkenntniß vom 19. November 1886), und Betteln,	Königlich Bayerisches Bezirksamt Ansbach,	31. Oktober 1887.
2	Philipp Georg Ferdinand Kettner, Zimmergeselle,	geboren am 15. Dezember 1847 zu Röskilde, Dänemark, ortsangehörig ebendaselbst, wohnhaft zuletzt in Bremerhaven,	Diebstahl und versuchter schwerer Diebstahl ($2^1/_2$ Jahre Zuchthaus laut Erkenntnisse vom 5. März und 23. Juni 1885),	Polizeikommission des Senats zu Bremen,	16. Novemb. 1887.
		b. Auf Grund des § 362 des Strafgesetzbuchs:			
1	Hermann Stern, Stepper,	21 Jahre, geboren und ortsangehörig in Kowno, Rußland,	Landstreichen,	Königlich Preußischer Regierungspräsident zu Potsdam,	15. Dezemb. 1887.
2	Karl Wyrwiecz, Schneiderlehrling,	geboren 1870 zu Neu-Wisnitz, Bezirk Bochnia, Galizien, ortsangehörig ebendaselbst,	Landstreichen und Betteln,	Königlich Preußischer Regierungspräsident zu Oppeln,	23. Novemb. 1887.

Hierzu Fünf Oeffentliche Anzeiger.

(Die Insertionsgebühren betragen für eine einspaltige Druckzeile 20 Pf. Belagsblätter werden der Bogen mit 10 Pf. berechnet.)

Redigirt von der Königlichen Regierung zu Potsdam.

Potsdam, Buchdruckerei der A. W. Hayn'schen Erben (E. Hayn, Hof-Buchdrucker).

Amtsblatt
der Königlichen Regierung zu Potsdam und der Stadt Berlin.

Stück 4. Den 27. Januar **1888.**

Allerhöchster Erlaß,

betreffend die der Aktiengesellschaft Imperial-Continental-Gas-Association ertheilte landesherrliche Genehmigung zum Erwerbe von Grundstücken.

Auf Ihren Bericht vom 21. Dezember d. J. will Ich auf Grund des Gesetzes vom 4. Mai 1846 der zu London domicilirten Aktiengesellschaft Imperial-Continental-Gas-Association die Genehmigung zum Erwerbe folgender Grundstücke:

1) der im Grundbuche von Alt-Schöneberg Band IV. № 429 Blatt 97 verzeichneten, im Alt-Schöneberger Oberlande belegenen Parzellen von 1098 □R. und 373 □R.,
2) der im Grundbuche von Alt-Schöneberg Band IV. Blatt № 429 unter d. des Titelblatts verzeichneten, in Alt-Schöneberg belegenen Parzelle von 72 ar 71 qm,
3) der im Grundbuche von Schöneberg Band IV. Blatt № 429 unter 5 des Titelblatts verzeichneten, in Schöneberg belegenen Parzelle von 58 ar 6 qm,
4) der im Grundbuche des Amtsgerichts Berlin I. von den Umgebungen Band 14 № 945 und Band 37 № 2246 verzeichneten hierselbst belegenen Grundstücke und
5) derjenigen Parzelle des hierselbst belegenen, im Grundbuche des Amtsgerichts Berlin I. von den Umgebungen Band 132 № 6172 verzeichneten Grundstücks, welche über die Grenzlinie F. G. H. des der zurückfolgenden Ausfertigung des notariellen Vertrages vom 8. Oktober d. J. angehefteten Situationsplans vom 28. April 1886 nach der Seite des Grundstücks Umgebungen Band 14 № 945 hin belegen und unbebaut geblieben ist,

hiermit ertheilen.

Berlin, den 28. Dezember 1887.

gez. **Wilhelm.**

Für den Minister für Handel und Gewerbe
ggez. von Boetticher.
ggez. von Puttkamer.

An den Minister für Handel und Gewerbe und den Minister des Innern.

Bekanntmachungen des Königlichen Ober-Präsidenten.

Die pro 1888/93 gewählten Abgeordneten zum Provinziallandtage betreffend.

4. In Gemäßheit des § 21 der Provinzial-Ordnung vom 29. Juni 1875 wird die folgende Nachweisung der in der Provinz Brandenburg auf die Wahlperiode 1888/93 gewählten Abgeordneten zum Provinzial-Landtage hiermit zur öffentlichen Kenntniß gebracht.

Nachweisung

der in der Provinz Brandenburg auf die Wahlperiode 1888/93 gewählten Abgeordneten zum Provinziallandtage.

A. Regierungsbezirk Potsdam.

1) Kreis **Prenzlau.**

von Winterfeldt, Geheimer Regierungs- und Landrath zu Prenzlau,
Mertens, Bürgermeister zu Prenzlau,
Bettac, Gemeinde-Vorsteher zu Rossow.

2) Kreis **Templin.**

Graf von Arnim, Königlicher Oberpräsident a. D., Wirklicher Geheimer Rath zu Boitzenburg U.-M.,
von Arnim, Landrath zu Templin.

3) Kreis **Angermünde.**

von Arnim-Densen, Kreis-Deputirter zu Schwedt a. O.,
Dr. von Richter, Bürgermeister zu Schwedt a. O.,
A. Koosch, Zimmermeister zu Gramzow.

4) Kreis **Oberbarnim.**

von Bethmann-Hollweg, Landrath zu Freienwalde,
Koller, Kaufmann zu Wriezen a. O.,
Orth, Eigenthümer zu Neu-Trebbin.

5) Kreis **Niederbarnim.**

Scharnweber, Geheimer Regierungs- und Landrath zu Berlin,
Baron von Veltheim, Kreisdeputirter und Ceremonienmeister auf Schönfließ,
Witte, Amtsvorsteher und Gutsbesitzer zu Dalldorf,
Wernicke, Stadtverordneten-Vorsteher zu Bernau.

6) Kreis **Charlottenburg** (Stadtkreis.)

Fritsche, Oberbürgermeister zu Charlottenburg,
Munkel, Rechtsanwalt und Stadtverordneten-Vorsteher zu Charlottenburg.

7) Kreis **Teltow.**

Stubenrauch, Landrath zu Berlin,
von Benda, Rittergutsbesitzer zu Rudow,
Dr. Lazarus, Justizrath zu Berlin,
Zimmermann, Amtsvorsteher zu Steglitz,
Borgmann, Bürgermeister zu Coepenick.

8) Kreis **Beeskow-Storkow.**

Osterroht, Rittergutsbesitzer zu Hartmannsdorf,
Lehmann, Gutsbesitzer zu Schneeberg.

9) Kreis **Jüterbog-Luckenwalde.**

Graf zu Solms-Baruth,

Emisch, Beigeordneter zu Luckenwalde,
Siebecke, Gemeinde-Vorsteher zu Ahrensdorf.

10) Kreis **Zauch-Belzig.**

von Rochow, Major a. D. auf Plessow,
Geimecke, Bürgermeister zu Treuenbrietzen,
Stackebrandt, Lehnschulzengutsbesitzer zu Schmerzke.

11) Kreis **Potsdam** (Stadtkreis.)

Parlasca, Stadtverordneter zu Potsdam.
Nürrenbach, Stadtrath zu Potsdam.

12) Kreis **Spandau** (Stadtkreis.)

Koeltze, Bürgermeister zu Spandau,
Vogeler, Stadtrath zu Spandau.

13) Kreis **Osthavelland.**

von Bredow, Rittergutsbesitzer und Rittmeister a. D. auf Buchow-Carpzow,
Ullrich, Bürgermeister zu Cremmen,
Kraatz, Gemeinde-Vorsteher zu Markee.

14) Kreis **Brandenburg** (Stadtkreis.)

Hammer, Bürgermeister zu Brandenburg a. H.,
Reuscher, Oberbürgermeister zu Brandenburg a. H.

15) Kreis **Westhavelland.**

von der Hagen, Landrath zu Rathenow,
Lüdike, Bürgermeister zu Friesack,
Hübner, Gemeinde-Vorsteher zu Weseram.

16) Kreis **Ruppin.**

Graf zu Eulenburg, Rittergutsbesitzer auf Liebenberg,
von Schulz, Bürgermeister zu Neu-Ruppin,
Beerbaum, Gemeinde-Vorsteher zu Laesickow.

17) Kreis **Ostpriegnitz.**

Freiherr Gans Edler Herr zu Putlitz, auf Laaske,
Dörfel, Bürgermeister zu Pritzwalk,
Kähler, Gemeinde-Vorsteher zu Silmersdorf.

18) Kreis **Westpriegnitz.**

von Jagow, Rittergutsbesitzer, Erbjägermeister der Kurmark zu Rühstädt,
Keil, Rentier zu Havelberg,
Jaap, Wilhelm, Bauergutsbesitzer zu Müggendorf.

B. Regierungsbezirk Frankfurt a. O.

1) Kreis **Königsberg N.-M.**

von Levetzow, Landesdirektor der Provinz Brandenburg auf Gossow,
von Gerlach, Landrath auf Rohrbeck,
Stirins, Bürgermeister zu Königsberg N.-M.

2) Kreis **Soldin.**

Dr. Weiß, Landrath auf Rostin,
Held, Rittergutsbesitzer auf Pitzerwitz.

3) Kreis **Arnswalde.**

von Meyer, Landrath a. D. auf Helpe.
von Meyer, Landrath zu Arnswalde.

4) Kreis **Friedeberg N.-M.**

von Bornstedt, Geheimer Regierungs- und Landrath zu Friedeberg N.-M.,
Menger, Bürgermeister zu Woldenberg,
Berch, Brauereibesitzer und Amtsvorsteher zu Vordamm.

5) Kreis **Landsberg a. W.**

Meydam, Oberbürgermeister zu Landsberg a. W.
Treichel, Rittergutsbesitzer zu Stennewitz,
cobs, Landrath zu Landsberg a. W.

6) Kreis **Lebus.**

Schulz, Oeconomierath zu Petershagen i. M.
von Rosenstiel, Amtsrath zu Gorgast,
Horn, Gutsbesitzer und Amtsvorsteher zu Gr.-Neuendorf.

7) Kreis **Frankfurt a. O.** (Stadtkreis.)

von Kemnitz, Oberbürgermeister zu Frankfurt a. O.,
Lampe, Direktor zu Frankfurt a. O.

8) Kreis **West-Sternberg.**

Bohtz, Landrath zu Schmagorei,
Richter, Amtsrath zu Frauendorf.

9) Kreis **Ost-Sternberg.**

Karney, Landrath zu Reichen,
Sonnenburg, Bürgermeister zu Zielenzig,
von Waldow, Kammerherr und Rittergutsbesitzer zu Königswalde.

10) Kreis **Züllichau-Schwiebus.**

Student, Rittergutsbesitzer zu Graeditz,
von Zimmermann, Rittergutsbesitzer zu Langmeil.

11) Kreis **Crossen.**

Karbe, Oeconomierath und Rittergutsbesitzer zu Kurtschow,
Lehmann, Karl, Maurermeister zu Crossen,
Winkler, Hauptmann a. D. und Rittergutsbesitzer zu Siebenbeuthen.

12) Kreis **Guben** (Stadtkreis.)

Strauch, zweiter Bürgermeister zu Guben,
Schulz, Stadtverordneten-Vorsteher zu Guben.

13) Kreis **Guben** (Landkreis.)

Meister, Rittergutsbesitzer und Kreisdeputirter auf Jeßnitz i. L.,
Schneider, Gemeinde-Vorsteher zu Wellmitz.

14) Kreis **Lübben.**

Koberstein, Bürgermeister zu Lübben,
Graf von der Schulenburg, Landrath zu Lieberose.

15) Kreis **Luckau.**

Freiherr von Manteuffel, Landrath zu Luckau,
Schleiier, Bürgermeister zu Luckau,
Haschke, Amtsvorsteher zu Cahnsdorf.

16) Kreis **Calau.**

Freiherr von Patow, Landrath zu Calau,
Klepsch, Bürgermeister zu Lübbenau,
Peth, Gemeinde-Vorsteher zu Raddusch.

17) Kreis **Cottbus** (Stadtkreis.)

Dr. Mayer, erster Bürgermeister zu Cottbus,
Frommer, Justizrath, Stadtverordneten-Vorsteher zu Cottbus.

18) Kreis **Cottbus** (Landkreis.)

von Funcke, Landrath zu Cottbus,
Krüger, Amtsvorsteher zu Kolkwitz,
Molle, Rittergutsbesitzer und Hauptmann d. L. zu Hänchen.

19) Kreis **Sorau.**

Graf von Brühl, Standesherr auf Pförten,
Lehmann, Gutsbesitzer und Amtsvorsteher zu Laubnitz,
Rausch, Bürgermeister zu Sorau,
von Bescherer, Kreisdeputirter und Rittergutsbesitzer zu Simmersdorf.

20) Kreis **Spremberg.**

von dem Knesebeck, Rittergutsbesitzer zu Carwe, Kreis Ruppin,

Hoffmann, Landrath zu Spremberg.

Potsdam, den 12. Januar 1888.

Der Ober-Präsident der Provinz Brandenburg,
Staatsminister Achenbach.

Einberufung des 14. Provinzial-Landtages der Provinz Brandenburg.

5. Des Königs Majestät haben mittelst Allerhöchster Ordre vom 5. Januar d. J. die Einberufung des 14. Provinzial-Landtages der Provinz Brandenburg **zum 5. Februar d. J.** zu bestimmen geruht. Die Mitglieder desselben sind in Folge dessen eingeladen worden, sich an dem gedachten Tage, **Mittags 12 Uhr,** im Provinzial-Landtagshause zu Berlin zur Eröffnungs-Sitzung zu versammeln. Den Herren Abgeordneten wird, wie früher, Gelegenheit geboten sein, gemeinsam an dem Sonntags-Gottesdienst im Dom Theil zu nehmen.

Potsdam, den 19. Januar 1888.

Der Oberpräsident der Provinz Brandenburg,
Staatsminister Achenbach.

Bekanntmachungen des Königlichen Regierungs-Präsidenten.

Betrifft die schußfreien Tage auf dem Schießplatze bei Cummersdorf für das Jahr 1888.

25. Unter Hinweis auf die Polizei-Verordnung vom 2. November 1875 — Amtsblatt Seite 366 — bringe ich hierdurch zur öffentlichen Kenntniß, daß die **schußfreien** Tage auf dem Schießplatze der Königlichen Artillerie-Prüfungs-Kommission bei Cummersdorf für das Jahr 1888 wie folgt festgesetzt worden sind:

Januar: 29., 30., 31.
Februar: 1., 5., 7., 8., 9., 12., 13., 14., 15., 19., 20., 21., 22., 26., 27., 28., 29.
März: 4., 5., 7., 11., 12., 14., 18., 21., 22., 23., 25., 28., 29., 30.
April: 1., 2., 3., 4., 6., 8., 9., 11., 12., 15., 16., 17., 18., 22., 23., 25., 26., 27., 29., 30.
Mai: 2., 3., 6., 7., 9., 10., 11., 13., 14., 16., 17., 20., 21., 22., 23., 24., 27., 28., 30., 31.
Juni: 3., 6., 10., 13., 17., 18., 19., 24., 27.
Juli: 1., 5., 8., 11., 15., 18., 22., 25., 29.
August: 1., 5., 8., 12., 15., 19., 22., 26., 29.
September: 2., 5., 9., 12., 16., 17., 18., 23., 26., 30.
Oktober: 3., 4., 7., 8., 10., 14., 15., 17., 21., 22., 24., 28., 29., 31.
November: 4., 5., 6., 11., 14., 15., 18., 19., 21., 25., 26., 28.
Dezember: 2., 3., 4., 5., 9., 10., 11., 12., 13., 16., 17., 18., 19., 23., 25., 26., 27., 28., 29., 30.

Potsdam, den 16. Januar 1888.

Der Regierungs-Präsident.

Errichtung einer Chausseegeld-Hebestelle im Kreise Teltow.

26. In Berichtigung der Bekanntmachung vom 5. Januar d. J. in Stück 2 des Amtsblattes de 1888 wird hierdurch zur öffentlichen Kenntniß gebracht, daß mit Genehmigung des Herrn Ministers der öffentlichen Arbeiten an der im Kreise Teltow neu erbauten Chaussee vom Bahnhofe Grünau nach Schmöckwitz im Treffpunkte derselben mit der vom Bahnhofe nach dem Dorfe Grünau führenden Chaussee eine Chausseegeldhebestelle errichtet und an derselben das tarifmäßige Chausseegeld für eine Meile mit der Maßgabe erhoben werde, daß die Einwohner von Grünau und der Kolonie Falkenberg nur dann Chausseegeld zu entrichten haben, wenn sie mit ihren Fuhrwerken und Thieren die Chaussee in der Richtung auf Schmöckwitz über den Bahnhof Grünau hinaus und umgekehrt benutzen.

Potsdam, den 18. Januar 1888.

Der Regierungs-Präsident.

Erhöhung der Mitglieder-Beiträge der Potsdamer Orts-Kasse der Schuhmachergesellen.

27. Nachdem die hiesige Orts-Kasse der Schuhgesellen innerhalb der diesseits gestellten Präclusiv-Frist die gemäß § 33 des Reichs-Gesetzes vom 15. Juni 1883 unerläßliche Erhöhung der Mitglieder-Beiträge nicht bewirkt hat, wird diese Erhöhung gemäß dem letzten Absatze a. a. O. und № 39 der Ausführungs-Anweisung vom 26. November 1883 hiermit in der Weise ausgeführt, daß der § 26 des Kassen-Statutes aufgehoben und an seine Stelle folgende Abänderung gesetzt wird.

§ 26.

Die vierwöchentlichen Kassenbeiträge betragen 2½ vom Hundert des im § 12 dieses Statutes festgesetzten durchschnittlichen Tageslohnes.

Dies wird mit dem Bemerken ausgefertigt, daß das so abgeänderte Statut nach § 33 Absatz 3 des Reichsgesetzes vom 15. Juni 1883 an die Stelle des bisherigen Kassenstatutes tritt.

Potsdam, den 19. Januar 1888.

(L. S.) Der Regierungs-Präsident.

Polizei-Verordnung,

betreffend die Verladung und Beförderung von Wiederkäuern und Schweinen nach den Nordseehäfen.

28. Auf Grund der §§ 6, 12 und 15 des Gesetzes über die Polizei-Verwaltung vom 11. März 1850 — Ges.-S. S. 265 — und des § 137 des Gesetzes über die allgemeine Landesverwaltung vom 30. Juli 1883. — Ges.-S. S. 195 ff. — wird hiermit mit Bezug auf § 139 l. c. unter Vorbehalt der Zustimmung des Bezirksausschusses für den Umfang des Regierungsbezirks Potsdam folgende Polizei-Verordnung erlassen:

Wiederkäuer und Schweine dürfen nach den Nordseehäfen erst dann auf Eisenbahnen verladen werden, wenn dieselben von einem beamteten Thierarzt untersucht und gesund befunden worden sind.

Uebertretungen dieser Vorschrift werden, soweit nicht sonstige weitergehende Strafbestimmungen Platz greifen, mit einer Geldstrafe bis zu 60 Mark, im Unvermögensfalle mit entsprechender Haft geahndet.

Potsdam, den 20. Januar 1888.

Der Regierungs-Präsident.

Bekanntmachungen des Königlichen Regierungspräsidenten.

29. Nachweisung der an den Pegeln der Spree und Havel im Monat November 1887 beobachteten Wasserstände.

Datum.	Berlin. Ober-Wasser N. N.	Berlin. Unter-Wasser N. N.	Spandau. Ober-Wasser.	Spandau. Unter-Wasser.	Potsdam.	Baumgartenbrück.	Brandenburg. Ober-Wasser.	Brandenburg. Unter-Wasser.	Rathenow. Ober-Wasser.	Rathenow. Unter-Wasser.	Havelberg.	Plauer Brücke.
	Meter.	Meter.	Meter.	Meter.	Meter.	Meter.	Meter.	Meter.	Meter.	Meter.	Meter.	Meter.
1	32,34	30,68	2,16	0,36	0,74	0,30	1,84	0,72	1,44	0,38	0,94	1,14
2	32,36	30,68	2,14	0,36	0,74	0,30	1,86	0,72	1,44	0,38	0,98	1,16
3	32,38	30,72	2,14	0,38	0,74	0,30	1,84	0,72	1,46	0,40	0,98	1,16
4	32,38	30,72	2,16	0,38	0,74	0,30	1,86	0,74	1,46	0,40	0,98	1,18
5	32,38	30,74	2,18	0,38	0,74	0,31	1,84	0,74	1,46	0,40	0,98	1,18
6	32,36	30,76	2,18	0,34	0,75	0,31	1,84	0,74	1,46	0,40	0,98	1,20
7	32,36	30,76	2,20	0,40	0,76	0,32	1,88	0,74	1,46	0,40	0,98	1,20
8	32,38	30,74	2,20	0,40	0,78	0,32	1,90	0,74	1,48	0,42	1,00	1,22
9	32,38	30,76	2,22	0,38	0,77	0,34	1,94	0,76	1,48	0,42	1,00	1,22
10	32,38	30,76	2,22	0,40	0,78	0,35	1,90	0,76	1,48	0,46	1,00	1,24
11	32,38	30,76	2,24	0,40	0,80	0,35	1,90	0,74	1,48	0,46	1,02	1,24
12	32,38	30,74	2,22	0,44	0,80	0,35	1,92	0,72	1,48	0,46	1,02	1,24
13	32,38	30,76	2,22	0,44	0,81	0,36	1,94	0,74	1,50	0,46	1,02	1,24
14	32,38	30,74	2,22	0,46	0,82	0,37	1,92	0,72	1,50	0,46	1,02	1,24
15	32,34	30,74	2,24	0,44	0,82	0,37	1,90	0,76	1,50	0,46	1,04	1,24
16	32,34	30,74	2,22	0,44	0,82	0,37	1,88	0,78	1,50	0,46	1,06	1,26
17	32,39	30,76	2,20	0,48	0,81	0,37	1,92	0,80	1,54	0,48	1,08	1,26
18	32,39	30,74	2,20	0,46	0,81	0,38	1,94	0,82	1,54	0,48	1,08	1,26
19	32,39	30,74	2,20	0,44	0,81	0,39	1,94	0,84	1,54	0,48	1,14	1,28
20	32,39	30,76	2,20	0,40	0,82	0,39	1,94	0,86	1,56	0,48	1,18	1,28
21	32,40	30,76	2,22	0,46	0,83	0,40	1,94	0,88	1,56	0,48	1,20	1,30
22	32,40	30,76	2,20	0,46	0,85	0,40	1,92	0,88	1,58	0,50	1,20	1,30
23	32,40	30,74	2,20	0,50	0,85	0,40	1,94	0,88	1,58	0,50	1,20	1,32
24	32,42	30,74	2,20	0,50	0,86	0,41	1,96	0,90	1,60	0,52	1,20	1,32
25	32,44	30,74	2,20	0,52	0,86	0,42	1,94	0,90	1,60	0,52	1,20	1,32
26	32,44	30,74	2,20	0,54	0,87	0,43	1,90	0,90	1,60	0,54	1,20	1,34
27	32,42	30,86	2,22	0,54	0,88	0,43	1,94	0,90	1,60	0,56	1,20	1,36
28	32,42	30,86	2,24	0,58	0,88	0,44	1,96	0,90	1,60	0,60	1,22	1,38
29	32,44	30,86	2,22	0,56	0,89	0,45	1,98	0,92	1,60	0,60	1,22	1,38
30	32,40	30,84	2,22	0,56	0,89	0,45	1,92	0,92	1,60	0,60	1,22	1,38

Potsdam, den 21. Januar 1887. Der Regierungs-Präsident.

Viehseuchen.

30. Die Rotzkrankheit ist an einem Pferde des Fuhrherrn Neye zu Rixdorf bei Berlin festgestellt und ist dieses Pferd getödtet worden. Vierzehn Pferde, welche der Ansteckung durch das vorerwähnte ausgesetzt waren, sind auf die Dauer von sechs Monaten unter polizeiliche Beobachtung gestellt worden.

Potsdam, den 20. Januar 1888.

Der Regierungs-Präsident.

31. Unter dem Rindvieh des Ritterguts Retzow im Kreise Westhavelland ist die Maulseuche ausgebrochen und eine dem Arbeiter Friedrich Dalge in der Curlandstraße Nr. 12 zu Rathenow gehörige Kuh ist von der Maul- und Klauenseuche befallen worden.

Potsdam, den 23. Januar 1888.

Der Regierungs-Präsident.

32. Die Maul- und Klauenseuche unter dem Rindvieh der Domäne Kienberg im Kreise Osthavelland ist erloschen. Dieselbe Seuche ist unter dem Rindvieh der Bauergutsbesitzer Stein und Schwampe zu Tarmow im Kreise Osthavelland ausgebrochen. Da dieselbe auch bereits in zwei anderen Gehöften desselben Ortes herrscht, so ist zur Verhütung der weiteren Verschleppung nach anderen Ortschaften der Durchtrieb von Wiederkäuern und Schweinen durch das Dorf und die Feldmark Tarmow bis auf Weiteres untersagt.

Potsdam, den 21. Januar 1888.

Der Regierungs-Präsident.

33. Die Maul- und Klauenseuche ist unter den Kühen der Wittwe Grunenthal in der Stadt Teltow ausgebrochen.

Unter den Kühen des Ritterguts Hohenschönhausen und des Molkereibesitzers Albert Schulze zu Lichtenberg, Dorfstraße 16, im Kreise Niederbarnim, ist dieselbe Seuche erloschen. Potsdam, den 20. Januar 1888.

Der Regierungs-Präsident.

Bekanntmachungen des Königlichen Polizei-Präsidiums zu Berlin.

Verbot eines Flugblatts.

7. Auf Grund des § 12 des Reichsgesetzes gegen die gemeingefährlichen Bestrebungen der Sozialdemokratie vom 21. Oktober 1878 wird hierdurch zur öffentlichen Kenntniß gebracht, daß das Flugblatt „Neujahrsgruß an die Genossen Berlins. Genossenschafts-Druckerei Hottingen-Zürich" nach § 11 des gedachten Gesetzes durch den Unterzeichneten von Landespolizeiwegen verboten worden ist.

Berlin, den 17. Januar 1888.

Der Königl. Polizei-Präsident.

Bekanntmachungen des Staatssekretairs des Reichs-Postamts.

Postpacketverkehr mit Bathurst (Gambia), Sierra Leone und Lagos (Westküste von Afrika).

2. Von jetzt ab können Postpackete ohne Werthangabe im Gewicht bis 3 kg nach Bathurst (Gambia), Sierra Leone und Lagos versandt werden. Ueber die Taxen und Versendungsbedingungen ertheilen die Postanstalten auf Verlangen Auskunft.

Berlin W., den 11. Januar 1888.

Der Staatssecretair des Reichs-Postamts.

Postpacketverkehr nach Ostasien und Australien.

3. Vom 20. d. M. ab kann für die mittels der Deutschen Postdampfer zu befördernden Postpackete nach Ceylon, den Straits-Settlements, Hongkong, Shanghai (Deutsche Postagentur) und den anderen Chinesischen Plätzen, sowie nach Apia (Samoa-Inseln) und Tongatabu (Tonga-Inseln) auch der Weg über Italien (Brindisi) benutzt werden. Wegen des Landtransits durch Oesterreich und Italien stellt sich zum Theil die Taxe etwas höher, als bei directer Verschiffung über Bremen. Das Porto beträgt für ein Postpacket im Gewicht von 3 kg: nach Ceylon und den Straits-Settlements 3 ℳ 80 ₰, nach Hongkong 4 ℳ 40 ₰, nach Shanghai 4 ℳ, nach den anderen Chinesischen Plätzen 4 ℳ 60 ₰, nach Apia und Tongatabu 4 ℳ. Ueber das Weitere ertheilen die Postanstalten auf Verlangen Auskunft.

Berlin W., den 14. Januar 1888.

Der Staatssekretair des Reichs-Postamts.

Bekanntmachungen der Kaiserlichen Ober-Post-Direktion zu Potsdam.

Anträge auf Fernsprechanschluß.

2. Für die im nächsten Bauabschnitte vom 1. April d. J. ab auszuführende **Erweiterung der Stadt-Fernsprechanlagen** in Potsdam, Spandau, Cöpenick, Steglitz, Groß-Lichterfelde, Oranienburg, Wannsee, Grünau (Mark) und Ludwigsfelde, welche sämmtlich mit dem **Berlin'er Fernsprechnetz** verbunden sind, ist es nothwendig, die Anzahl der neuen Anschlüsse, sowie die Lage der Gebäude, in welchen Fernsprechstellen eingerichtet werden sollen, im Voraus zu kennen.

Diejenigen Personen, welche den Anschluß an eine der genannten Stadt-Fernspreheinrichtungen wünschen, wollen ihre **schriftlichen Anmeldungen** spätestens bis znm 1. März mir zugehen lassen. Die einschlägigen Bedingungen werden auf Wunsch von den Postanstalten in den bezeichneten Orten mitgetheilt.

Potsdam, den 19. Januar 1888.

Der Kaiserl. Ober-Postdirektor.

Bekanntmachungen der Königl. Kontrolle der Staatspapiere.

Aufgebot von Schuldverschreibungen.

2. In Gemäßheit des § 20 des Ausführungsgesetzes zur Civilprozeßordnung vom 24. März 1879 (G.-S. S. 281) und des § 6 der Verordnung vom 16. Juni 1819 (G.-S. S. 157) wird bekannt gemacht, daß dem Kaufmann Louis Vater hierselbst — Jägerstraße 37 bei Werner — die Schuldverschreibungen der konsolidirten 4 %igen Staatsanleihe von 1880 lit. E. Nr. 361057 und 368087 über je 300 M. angeblich abhanden gekommen sind. Es werden Diejenigen, welche sich im Besitze dieser Urkunden befinden, aufgefordert, dies der unterzeichneten Kontrolle der Staatspapiere oder dem Kaufmann Vater anzuzeigen, widrigenfalls das gerichtliche Aufgebotsverfahren behufs Kraftloserklärung der Urkunden beantragt werden wird.

Berlin, den 14. Januar 1888.

Königl. Kontrolle der Staatspapiere.

Bekanntmachungen der Königlichen Eisenbahn-Direktion zu Berlin.

Gewährung von Frachtcrediten für Kohlentransporte.

3. In unserem Bezirke werden Frachtcredite mit einmonatlicher Zahlungsfrist für alle entstandenen Frachten Frachtcredite mit längerer als einmonatlicher Zahlungsfrist nur für die Frachten der nach Oesterreich-Ungarn und Rußland, sowie der nach Berlin und nach Stationen der Linie Berlin-Kreuz-Alexandrowo und nördlich davon bestimmten Kohlentransporte nach Maßgabe der bisher gültigen allgemeinen Bedingungen bis auf Weiteres gewährt. Diese Bedingungen können unentgeltlich von den diesseitigen Königlichen Eisenbahn-Betriebsämtern bezogen werden, an welche auch etwaige Anträge auf Gewährung von Frachtcrediten zu richten sind.

Berlin, den 19. Januar 1888.

Königl. Eisenbahn-Direktion.

Bekanntmachungen der Königlichen Eisenbahn-Direktion zu Bromberg.

Verausgabung von sechzigtägigen Retourbillets.

5. Vom 1. Februar 1888 werden die in dem diesseits herausgegebenen Prospekte für die Verausgabung von sechzigtägigen Retourbillets bezw. im Nachtrage 1 zu diesem Prospekte unter

Serie H. Luino—Ala (oder umgekehrt),
" HH. Chiasso—Ala do.
" J. Luino—Pontebba oder Cormons (oder umgekehrt),
" JJ. Chiasso—Pontebba oder Cormons (oder umgekehrt),
" K. Ala—Pontebba oder Cormons (oder umgekehrt)

näher bezeichneten Theilbillets des italienischen Rundreise-Verkehrs im Anschlusse an kombinirbare Rundreisebillete des Vereins deutscher Eisenbahn-Verwaltungen bezw. der schweizerischen Transport-Anstalten ausgegeben.

Näheres ist bei den Bahnhofs-Vorständen zu erfahren. Bromberg, den 12. Januar 1888.

Königl. Eisenbahn-Direktion.

Bekanntmachungen anderer Behörden.

Stationirung der Landbeschäler pro 1888.

Im Regierungs-Bezirk Potsdam werden auf den nachstehend genannten Stationen im Jahre 1888 von Anfang Februar bis Ende Juni Beschäler des Brandenburgischen Landgestüts aufgestellt werden und kann die Bedeckung der Stuten an den bezeichneten Terminen ihren Anfang nehmen.

Stationsort.	Kreis.	Anzahl der Beschäler.	Tag des Eintreffens auf der Station.	Tag des Beginns der Stutenbedeckung.
Friedr.-Wilh.-Gestüt	Ruppin	6	—	1. Febr.
Lindow	=	3	3. Febr.	6. =
Blandikow	Ost-Prignitz	3	8. =	10. =
Frehne	=	2	9. =	11. =
Friedheim	=	2	8. =	10. =
Barenthin	=	3	8. =	10. =
Lenzen	West-Prignitz	3	10. =	13. =
Premslin	=	2	10. =	13. =
Wilsnack	=	2	9. =	11. =
Cumlosen	=	3	10. =	13. =
Rohlsdorf	=	2	9. =	11. =
Kotzen	West-Havelland	2	8. =	10. =
Fehrbellin	=	2	1. =	3. =
Michendorf	Zauch-Belzig	2	3. =	6. =
Metzdorf	Ober-Barnim	3	5. =	7. =
Eberswalde	=	2	4. =	6. =
Bernau	Nieder-Barnim	2	4. =	6. =
Gr. Schönebeck	=	2	3. =	6. =
Falkenthal	Templin	3	3. =	6. =
Boitzenburg	=	3	5. =	7. =
Templin	=	2	4. =	6. =
Angermünde	Angermünde	3	5. =	7. =
Gramzow	=	3	6. =	8. =
Zützen	=	1	6. =	8. =
Prenzlau	Prenzlau	3	6. =	8. =
Rossow	=	3	7. =	9. =
Neuensund	=	1	6. =	8. =
Malchow	=	1	6. =	8. =
Wallmow	=	2	7. =	9. =
Kl. Luckow	=	1	6. =	8. =
Kohlsdorf	Beeskow-Storkow	3	6. =	8. =
Storkow	=	2	5. =	7. =
Zossen	Teltow	2	4. =	6. =
Dahme	Jüterbog-Luckenwalde	2	6. =	8. =
Baruth	=	2	5. =	7. =

Hinsichtlich der Bedingungen, unter welchen die Stutenbedeckung stattfinden kann, wird Seitens der Herren Stationshalter die nöthige Auskunft ertheilt werden, im Uebrigen aber noch Folgendes bemerkt:

1) Die Nationale der Beschäler unter Angabe der Deckpreise werden im Stationsstall zur Einsicht aushängen.

2) Stuten, welche alt, schwach, mit Erbfehlern behaftet, an Druse oder sonstigen Krankheiten leiden, oder aus Orten sind, in denen ansteckende Krankheiten unter den Pferden herrschen oder unlängst geherrscht haben, dürfen den Beschälern nicht zugeführt werden.

3) Falls eine Stute bei Gelegenheit der Bedeckung durch den Hengst verletzt werden sollte, kann Seitens der Gestüt-Verwaltung in keiner Weise irgend eine Entschädigung gewährt werden, da die Zuführung von Stuten zu den Königlichen Landbeschälern auf einem Act der freien Uebereinkunft beruht und die Stutenbesitzer selbst bei eigener Verantwortlichkeit darauf zu achten haben, daß vor, während und nach dem Deckact etwaige Unglücksfälle vermieden werden.

4) Im Friedrich-Wilhelms-Gestüt selbst werden außer einigen Halbbluthengsten die Vollblutbeschäler

1) **Botschafter I.**, Fuchs, vom Chamant oder Dreadnought aus der Miss-Bosswell vom Stockwell, geb. 1880, und

2) **Mango**, braun, vom Mandrake aus der Fortress, geb. 1874,

aufgestellt werden. Die hier zu deckenden Stuten können während der Deckzeit hier in Stallverpflegung Aufnahme finden. Die Futterkosten werden nach den Einkaufspreisen, sowie für Wartung 40 Pfg. pro Tag und Pferd berechnet.

Für jede solche hier aufzustellende Stute sind **vor deren Aufnahme** „150 Mark" bei der Gestüt-Kasse zu deponiren.

Friedrich-Wilhelms-Gestüt bei Neustadt a. Dosse, den 13. Januar 1888.

Der Königl. Landstallmeister Wettich.

Kommunalsteuerpflichtiges Reineinkommen der Dahme-Uckroer Eisenbahn.

In Gemäßheit des § 4 des Gesetzes vom 27. Juli 1885, betreffend Ergänzung und Abänderung einiger Bestimmungen über Erhebung der auf das Einkommen gelegten direkten Kommunalabgaben (Gesetz-Samml. S. 327), wird hiermit zur öffentlichen Kenntniß gebracht, daß das im laufenden Steuerjahre kommunalsteuerpflichtige Reineinkommen aus dem Betriebsjahre 1886/87 bei der Dahme-Uckroer Eisenbahn auf 14000 M. festgestellt worden ist.

Berlin, den 11. Januar 1888.

Königl. Eisenbahn-Commissariat.

Unzulässigkeit älterer Gewichte im öffentlichen Verkehre.

Das betheiligte Publikum wird hierdurch darauf aufmerksam gemacht, daß die im Artikel 5 der Bekanntmachung vom 30. Dezember 1884 (Besondere Beilage zu № 5 des Reichsgesetzblatts pro 1885) aufgeführten älteren Gewichtsstücke **nach** dem 31. Dezember dieses Jahres im öffentlichen Verkehr nicht mehr zulässig sind:

Es betrifft dies:

a. Eiserne Gewichtsstücke zu 20 Pfund in Bombenform.

b. Eiserne Gewichtsstücke unter 10 Kilogramm mit fester Handhabe (Griff) statt des vorgeschriebenen Knopfes.

c. Eiserne Gewichtsstücke mit beweglichen Handhaben, Ringen und dergleichen.

d. Eiserne Gewichtsstücke in Cylinderform mit Justirhöhlung an der Bodenfläche oder mit einer sonstigen Justireinrichtung, welche der Vorschrift des § 39 № 3 der Aichordnung vom 27. Dezember 1884 nicht entspricht.

e. Gewichtsstücke in Gestalt vier- oder achtseitiger Prismen.

f. Gewichtsstücke in Gestalt abgestumpfter sechsseitiger Pyramiden.

g. Gewichtsstücke aus Messing und verwandten Legirungen in cylindrischer Form ohne Knopf, sowie solche von 200 Gramm abwärts in cylindrischer Form mit Knopf, bei denen aber die Höhe des Cylinders gleich dem Durchmesser oder größer als der letztere ist.

h. Gewichtsstücke aus Messing und dergleichen von würfelförmiger Gestalt, sowie in Gestalt von ebenen oder gebogenen Platten.

i. Cylindrische Gewichtsstücke zu 4 Pfund, bei denen die Höhe des Cylinders gleich dem Durchmesser oder größer als letzterer ist, falls bei diesen Stücken die Dimensionsbestimmungen des § 37 der Aichordnung vom 27. Dezember 1884 (zulässige größte Höhe 78 Millimeter, zulässige kleinste Höhe 65 Millimeter) nicht eingehalten sind, ferner cylindrische Gewichtsstücke zu ½ Pfund, bei denen die Höhe des Cylinders kleiner ist als der Durchmesser desselben.

k. Alle Gewichtsstücke zu 5 Pfund und alle solche Gewichtsstücke unter 10 Pfund, welche nach Centner bezeichnet sind, sowie alle Gewichtsstücke unter ½ Pfund, welche nach Pfund bezeichnet sind.

Berlin, den 9. Januar 1888.

Königl. Aichungs-Inspektion
für die Provinz Brandenburg.

Bekanntmachung der General-Direktion der Königlichen allgemeinen Wittwen-Verpflegungs-Anstalt zu Berlin.

I. Nachdem in Folge des Gesetzes vom 20. April v. J., betreffend die Fürsorge für die Wittwen und Waisen der Reichsbeamten der Civil-Verwaltung (Reichs-Gesetzbl. Nr. 9 S. 85), und des Gesetzes vom 20. Mai d. J., betreffend die Fürsorge für die Wittwen und Waisen der unmittelbaren Staatsbeamten (Gesetz-Sammlung S. 298), der Beitritt zur Königlichen allgemeinen Wittwen-Verpflegungs-Anstalt wesentlich eingeschränkt ist und insbesondere die zu einer Pension aus der Reichs- oder Staatskasse berechtigten unmittelbaren Staatsbeamten von dem Eintritt in diese Anstalt ausgeschlossen sind, kommen, von einzelnen Beamtenklassen und Hofdienern abgesehen, als aufnahmefähig hauptsächlich noch in Betracht:

1) Die im eigentlichen Seelsorger-Amte sowohl unter Königlichem als unter Privat-Patronaten angestellten Geistlichen, sowie die ordinirten und zu einem Seelsorger-Amte berufenen Hülfsgeistlichen;

2) die Professoren bei den Universitäten, wenn sie mit einer fixirten Besoldung angestellt sind;

3) wirkliche Lehrer an städtischen (nicht staatlichen) Gymnasien und diesen gleichzuachtenden Anstalten, an höheren und an allgemeinen Stadtschulen, mit Ausschluß der Hülfslehrer und der Lehrer an solchen Klassen derselben, welche als eigentliche Elementarklassen nur die Stelle einer mit jenen Anstalten verbundenen Elementarschule ersetzen.

II. Wer der Königlichen allgemeinen Wittwen-Verpflegungs-Anstalt beitreten will, hat vorzulegen:

a. ein Attest seiner vorgesetzten Behörde, daß er zu einer der genannten Klassen gehöre, auch kein nach dem Gesetze vom 27. März 1872 (Gesetz-Sammlung S. 268), beziehungsweise 31. März 1882 (Gesetz-Sammlung S. 133) zur Pension berechtigendes Dienst-Einkommen aus der Staatskasse beziehe, und außerdem wegen der Lehrer, daß er zur Kategorie der nach der Allerhöchsten Kabinets-Ordre vom 17. April 1820 rezeptionsfähigen Lehrern gehört.

Die Atteste für Lehrer müssen aber von den Königlichen Regierungen oder von den Königlichen Provinzial-Schul-Collegien ausgestellt sein.

Heiraths-Consense können nur dann die Stelle solcher Atteste vertreten, wenn in denselben das Verhältniß, welches nach den obigen Bestimmungen zur Aufnahme in unsere Anstalt berechtigt, besonders und bestimmt ausgedrückt ist. Versicherungen, welche die Rezipienden selbst über ihre Stellung abgeben oder einfache Bescheinigungen einzelner Behörden: „daß N. N. berechtigt oder verpflichtet sei, der Königlichen allgemeinen Wittwen-Verpflegungs-Anstalt beizutreten", genügen nicht.

b. Förmliche Geburts-Atteste beider Gatten und einen Copulationsschein, beziehungsweise eine Heiraths-Urkunde, die als mit dem Heirathsregister gleichlautend von dem Standesbeamten bestätigt und mit dem Standesamtssiegel versehen ist. Die in den Geburtsattesten vorkommenden Zahlen müssen mit Buchstaben ausgeschrieben sein und die Vor- und Zunamen beider Eheleute in den Geburtsscheinen müssen mit den Angaben des Copulationsscheins oder der Heiraths-Urkunde genau übereinstimmen.

Da die unserer Anstalt beitretenden Ehepaare nicht jünger als 21 beziehungsweise 16 Jahre alt sein können, und da viele eintretende Mitglieder sich schon vor dem Inkrafttreten des Gesetzes über die Beurkundung des Personenstandes und die Eheschließung vom 6. Februar 1875 (R. G. Bl. S. 23) verheirathet haben, so wird noch eine geraume Zeit vergehen, ehe Tauf- und kirchliche Copulationsscheine von uns ausgeschlossen und durchweg nur Geburts- und Heiraths-Urkunden auf Grund jenes Gesetzes gefordert werden dürfen. Es wird daher Folgendes bemerkt:

Bloße Taufscheine ohne bestimmte Angabe der Geburtszeit sind ungenügend; sind solche Angaben im Copulationsscheine vorhanden, so können sie als Ersatz etwa fehlender besonderer Geburtsatteste nur dann gelten, wenn die Trauung in derselben Kirche erfolgt ist, in welcher die Taufe vollzogen wurde, und wenn die Copulations- und Geburts-Angaben ausdrücklich auf Grund der Kirchenbücher einer und derselben Kirche gemacht werden.

Der Unterschrift und der Charakterbezeichnung des Ausstellers der Kirchenzeugnisse muß das Kirchensiegel deutlich beigedruckt sein. Wenn die Aussteller die Rezipienden selbst sind oder zu dem Rezipienden in verwandtschaftlichen Beziehungen stehen, so muß das betreffende Attest von der Ortsobrigkeit unter Beidruckung des Dienstsiegels beglaubigt oder von einem anderen Geistlichen unter Beidruckung des demselben zustehenden Kirchensiegels mit vollzogen sein. Auch sind diese Dokumente stempelfrei, den Predigern aber ist es nachgelassen, für Ausfertigung eines jeden solcher Zeugnisse kirchliche Gebühren, jedoch höchstens im Betrage von 75 Pfennigen, zu fordern.

c. Ein ärztliches, von einem approbirten praktischen Arzt ausgestelltes, ebenfalls stempelfreies Attest in folgender Fassung:

„Ich (der Arzt) versichere hierdurch auf meine Pflicht und an Eidesstatt, daß nach meiner besten Wissenschaft Herr N. N. weder mit der Schwindsucht, Wassersucht, noch einer anderen chronischen Krankheit, die ein baldiges Absterben befürchten ließe, behaftet, auch überhaupt nicht krank, noch bettlägerig, sondern gesund, nach Verhältniß seines Alters bei Kräften und fähig ist, seine Geschäfte zu verrichten."

Dieses Attest des Arztes muß von vier Mitgliedern unserer Anstalt, oder, wenn solche nicht vorhanden sind, von vier anderen bekannten redlichen Männern dahin bekräftigt werden:

„daß ihnen der Aufzunehmende bekannt sei und sie das Gegentheil von dem, was der Arzt attestirt habe, nicht wissen."

Wohnt der Rezipiend außerhalb Berlin, so ist noch außerdem ein Certifikat hinzuzufügen, dahin lautend:

„daß sowohl der Arzt als die vier Zeugen das Attest eigenhändig unterschrieben haben, auch keiner von ihnen ein Vater, Bruder, Sohn, Schwiegersohn oder Schwager des Aufzunehmenden oder der Frau desselben sei."

Dieses Certifikat darf nur von Notar und Zeugen, von einem Gerichte oder von der Ortspolizei-Behörde ertheilt werden.

Das Attest, die Zeugen-Aussagen und das Certifikat dürfen nie vor dem 16. Januar oder 16. Juli datirt sein, je nachdem die Aufnahme zum 1. April oder 1. Oktober erfolgen soll, und die oben vorgeschriebene Form muß in allen Theilen Wort für Wort genau beobachtet werden.

III. Die Aufnahme-Termine sind der 1. April und 1. Oktober eines jeden Jahres.

Wer also nach I. zur Reception berechtigt ist und diese durch eine Königliche Regierungs- resp. Bezirks-Haupt- oder Instituten-Kasse, oder durch einen unserer Kommissarien bewirken will, hat an dieselben seinen Antrag und die zu II. genannten Dokumente vor dem 1. April oder 1. Oktober so zeitig einzureichen, daß sie spätestens bis zum 15. März oder 15. September von dort aus bei uns eingehen können. Anträge, welche nicht bis zu diesem Zeitpunkte gemacht und bis dahin nicht vollständig belegt worden sind, werden von den Königlichen Kassen und Kommissarien zurückgewiesen und können nur noch bis zum Ablaufe der Monate März und September in portofreien Briefen unmittelbar an uns selbst eingesandt werden, dergestalt, daß sie spätestens am 31. März oder 30. September hier eingehen.

In der Zwischenzeit der vorgeschriebenen Termine werden keine Rezeptions-Anträge angenommen und keine Aufnahmen vollzogen.

IV. Den zu II. genannten Attesten sind womöglich gleich die ersten praenumerando zu zahlenden halbjährlichen Beiträge beizufügen, die nach dem Tarife zu dem Gesetze vom 17. Mai 1856 sehr leicht berechnet werden können. Dieser Tarif ist in der Gesetz-Sammlung für 1856 S. 479 ff. abgedruckt und Jedermann zugänglich. Derselbe, in die Reichswährung umgerechnet, ist auch im Verlage der ehemals Decker'schen Geheimen Ober-Hofbuchdruckerei erschienen und durch den Buchhandel zu beziehen. Bei Berechnung der Alter ist jedoch der § 5 des Reglements zu beachten, wonach einzelne Monate unter Sechs gar nicht, vollendete Sechs Monate aber und darüber als ein ganzes Jahr gerechnet werden.

Stundungen der ersten Beiträge oder einzelne Theilzahlungen zur Tilgung derselben sind unstatthaft, und vor vollständiger Einsendung der tarifmäßigen Gelder und der vorgeschriebenen Atteste kann unter keinen Umständen eine Rezeption bewirkt werden.

V. Was die Festsetzung des Betrages der zu versichernden Pensionen betrifft, so haben hierüber nicht wir, sondern die den Rezipienden vorgesetzten Dienstbehörden zu bestimmen. Es kann daher hier nur im Allgemeinen bemerkt werden, daß nach den höheren Orts erlassenen Verordnungen die Pension mindestens dem fünften Theile des Diensteinkommens gleich sein muß, wobei jedoch zu berücksichtigen ist, daß die Versicherungen nur von 75 Mark bis 1500 Mark inkl., immer mit 75 Mark steigend, stattfinden können.

VI. Bei späteren Pensions-Erhöhungen, die in Beziehung auf die Beiträge, Probejahre u. s. w. als neue, von den älteren unabhängige Versicherungen und nur in sofern mit diesen gemeinschaftlich betrachtet werden, als ihr Gesammtbetrag die Summe von 1500 Mark nicht übersteigen darf, ist die abermalige Beibringung der Kirchenzeugnisse, beziehungsweise der Geburts- und Heiraths-Urkunden nicht erforderlich, sondern nur die Anzeige der älteren Rezeptions-Nummer und ein neues vorschriftsmäßiges Gesundheitsattest.

Auch die Beträge der Erhöhungen müssen wie die ersten Versicherungen durch 75 ohne Bruch theilbar sein.

VII. Da wir im Schlußsatze der Rezeptions-Dokumente stets förmlich und rechtsgültig über die ersten halbjährlichen Beiträge quittiren, so werden besondere Quittungen über dieselben, wie sie sehr häufig von uns verlangt werden, unter keinen Umständen ertheilt.

Berlin, den 13. Juli 1882.

General-Direktion der Königl. allgemeinen Wittwen-Verpflegungs-Anstalt.

Personal-Chronik.

Der der Königl. Regierung Potsdam als Dirigent der Finanz-Abtheilung überwiesene Ober-Regierungsrath Eggert ist in das Regierungs-Collegium eingeführt worden.

Im Kreise Westhavelland sind an Stelle des verstorbenen Gemeinde-Vorstehers Buge zu Lietzow der Rittergutsbesitzer von Ribbeck zu Ribbeck, an Stelle des zum Amtsvorsteher ernannten Rittergutspächters Friedrich zu Quermathen der Gemeindevorsteher Wegener zu Groß-Behnitz und an Stelle des aus dem Bezirk verzogenen Rittergutsbesitzers Röbbelen zu Gutenpaaren der Gemeindevorsteher Liere zu Zachow zu Amtsvorsteher-Stellvertretern der Amtsbezirke Berge, Gr.-Behnitz und Roskow ernannt worden.

Im Kreise Templin sind der Gutsbesitzer Schön zu Potzlow zum Amtsvorsteher-Stellvertreter des Amtsbezirks Strehlow und der Amtmann Schönermark zu Boßberg zum Amtsvorsteher-Stellvertreter des Amtsbezirks „Suckow" ernannt worden.

Im Kreise Ruppin ist an Stelle des aus dem Bezirk verzogenen Mühlenbesitzers A. Just zu Grundmühle der Rentier H. Fehlow sen zu Teschendorf zum Amtsvorsteher-Stellvertreter des Amtsbezirks Löwenberg ernannt worden.

Im Kreise Ostprignitz ist nach Ablauf seiner bisherigen Dienstzeit der Gutspächter Wollesen zu Bölzke zum Amtsvorsteher des Amtsbezirks „Heiligengrabe" wieder ernannt worden.

Dem Kreisthierarzt Drewien zu Brandenburg ist auf sein Ansuchen die Entlassung aus dem Staatsdienst zum 1. Februar d. J. ertheilt worden. Die Geschäfte des Kreisthierarztes für den Kreis Zauch-Belzig mit der Verpflichtung, auch bezüglichen Requisitionen der Polizeiverwaltung zu Brandenburg Folge zu geben, sind dem Thierarzt I. Classe Rahneberg zu Belzig bis auf Weiteres interimistisch übertragen worden.

Die Försterstelle Groß-Ziethen in der Oberförsterei Grimnitz ist vom 1. März d. J. ab dem Förster Gerloff zu Joachimsthaler Mühle, Oberförsterei Grimnitz, übertragen worden.

Der versorgungsberechtigte Jäger, Forstaufseher Lange zu Grenzhaus Liepe, in der Oberförsterei Chorin ist zum Königlichen Förster ernannt und demselben die Försterstelle Dünamünde in der Oberförsterei Neuendorf vom 1. März d. J. ab übertragen worden.

Der bisherige Archidiakonus zu Kyritz, Dr. Franz Wilhelm Otto Dieben ist zum Oberpfarrer der Parochie Baruth, Diözese gleichen Namens, bestellt worden.

Die unter Königlichem Patronat stehende Oberpredigerstelle zu Oranienburg, Diözese Bernau, ist durch das am 24. November 1887 erfolgte Ableben ihres bisherigen Inhabers, des Oberpredigers Zeller, zur Erledigung gekommen. Die Wiederbesetzung dieser Stelle erfolgt durch Gemeindewahl nach Maßgabe des Kirchengesetzes, betreffend das im § 32 № 2 der Kirchengemeinde- und Synodal-Ordnung vom 10. September 1873 2c. vorgesehene Pfarrwahlrecht, vom 15. März 1886 — Kirchliches Gesetz- und Verordnungs-Blatt de 1886 Seite 39. — Bewerbungen um diese Stelle sind schriftlich bei dem Königlichen Konsistorium der Provinz Brandenburg einzureichen. § 6 a. a. O.

Die unter magistratualischem Patronat stehende Oberpfarrstelle an der St. Gotthardt-Kirche zu Brandenburg a. H., Diözese Altstadt-Brandenburg, ist durch das am 17. Oktober 1887 erfolgte Ableben des Oberpfarrers und Superintendenten a. D. Kollberg zur Erledigung gekommen.

Am Leibniz-Gymnasium zu Berlin ist der ordentliche Lehrer Koch zum Oberlehrer befördert worden.

Die Lehrer Mack, Gebhard, Balkan, Moschütz, Neubauer, Fütterer, Forche, Langer, Wiedenberg und Nesemann sind als Gemeindeschullehrer in Berlin angestellt worden.

Vermischte Nachrichten.

Ortsbenennung.

Dem auf der Feldmark des zur Kur- und Neumärkischen Ritterschaftsbank gehörigen Rittergutes Mehrow, Kreis Nieder-Barnim, ca. 3,00 km östlich von Mehrow, 4,50 km nordwestlich von Alt-Landsberg, 2,95 km südwestlich von Krummensee, 3,55 km südöstlich von Blumberg und 1,00 km nördlich an der Landstraße zwischen Mehrow und Alt-Landsberg bezw. südlich hart an der Landstraße von Blumberg und Alt-Landsberg belegenen, fast neu erbauten Vorwerke ist der Name „Trappenfelde" beigelegt worden.

Potsdam, den 20. Januar 1888.

Der Regierungs-Präsident.

Ausweisung von Ausländern aus dem Reichsgebiete.

Lauf. Nr.	Name und Stand des Ausgewiesenen.	Alter und Heimath des Ausgewiesenen.	Grund der Bestrafung.	Behörde, welche die Ausweisung beschlossen hat.	Datum des Ausweisungs-Beschlusses.
1.	2.	3.	4.	5.	6.
		a. Auf Grund des § 39 des Strafgesetzbuchs:			
1	Eduard Kohn, Kaufmann,	geboren am 15. September 1864 zu Pschoblick, Kreis Jechnitz, Böhmen, ortsangehörig zu Padensen, ebendaselbst, wohnhaft zuletzt in Magdeburg, Preußen,	Beihülfe zum schweren Diebstahl (3 Jahre Zuchthaus laut Erkenntniß vom 6. Januar 1885),	Königlich Preußischer Regierungspräsident zu Hannover,	27. Dezemb. 1887.
		b. Auf Grund des § 362 des Strafgesetzbuchs:			
1	Heinrich Janeck, Wachszieher,	geboren am 2. Februar 1863 zu Markt-Werfen, Salzburg, ortsangehörig ebendaselbst,	Betteln im wiederholten Rückfall,	Königlich Preußischer Regierungspräsident zu Hildesheim.	16. Dezemb. 1887.
2	Jean Louis Delforge, Seiltänzer,	geboren am 14. Mai 1866 zu La Bouverie, Belgien, ortsangehörig zu Seraing, Provinz Lüttich, ebendaselbst,	Landstreichen,	Königlich Preußische Regierung zu Düsseldorf,	desgleichen.
3	Georg Holub, Metzgergeselle,	geboren am 24. Juli 1859 zu Milawetsch, Bezirk Taus, Böhmen, ortsangehörig ebendaselbst,	Diebstahl und Betteln im wiederholten Rückfall,	Stadtmagistrat Passau, Bayern,	30. Juli 1887.
4	Margarethe Rehrl, ledige Dienstmagd,	geboren am 15. November 1850 zu Werfen, Bezirk St. Johann, Salzburg, ortsangehörig ebendaselbst,	Landstreichen u. gewerbsmäßige Unzucht,	derselbe,	3. Septemb. 1887.
5	a. Franz Potesil, Schmiedegeselle,	geboren 1848 zu Branschau, Bezirk Pilgram, Böhmen, ortsangehörig ebendaselbst,	Landstreichen u. Betteln,	derselbe,	3. Dezemb. 1887.
	b. dessen Ehefrau Barbara Potesil,	geboren 1853 zu Pichlberg, Bezirk Falkenau, Böhmen, ortsangehörig zu Branschau,			

Lauf. Nr.	Name und Stand	Alter und Heimath	Grund der Bestrafung.	Behörde, welche die Ausweisung beschlossen hat.	Datum des Ausweisungs-Beschlusses.
	des Ausgewiesenen.				
1.	2.	3.	4.	5.	6.
6	Anton Mottl, Schmiedegeselle,	geboren 1864 zu Hostomitz, Bezirk Horovic, Böhmen, ortsangehörig ebendaselbst,	Landstreichen und Betteln,	Stadtmagistrat Passau, Bayern,	3. Dezemb. 1887.
7	Jakob Kaltseis, Müller,	37 Jahre, geboren zu Weidring, Bezirk Feldkirch, Vorarlberg (Oesterreich), ortsangehörig zu Koblach, ebendaselbst,	Landstreichen und grober Unfug,	Königlich Bayerisches Bezirksamt Schongau,	21. Novemb. 1887.
8	Michael Jordan, Maurer,	geboren am 8. Mai 1852 zu Innsbruck, Tirol, ortsangehörig ebendaselbst,	Landstreichen und Betteln,	Königlich Bayerisches Bezirksamt Vilsbiburg,	16. Dezemb. 1887.
9	Peter Johann Ursin, Handschuhmacher,	geboren am 8. Januar 1853 zu Kopenhagen, Dänemark, ortsangehörig ebendaselbst, wohnhaft zuletzt in Altenburg, Sachsen-Altenburg,	Betteln im wiederholten Rückfall,	Königlich Sächsische Kreishauptmannschaft Leipzig,	30. Novemb. 1887.
10	Arnold Schenkel, Schriftsetzer,	geboren am 19. Juli 1851 zu Wettsweil, Kant. Zürich, Schweiz, ortsangehörig ebendaselbst,	Betrug u. Landstreichen,	Großherzoglich Badischer Landeskommissär zu Freiburg,	23. Dezemb. 1887.
11	Richard Heinz, Schlachter,	33 Jahre, geboren und ortsangehörig zu Birkenhammer, Oesterreich,	Betteln im wiederholten Rückfall,	Großherzogl. Oldenburgisches Staatsministerium, Departement des Innern zu Oldenburg,	26. Novemb. 1887.
12	Julius Schiller, Seidenweber,	20 Jahre, geboren und ortsangehörig zu Prag, Böhmen,	desgleichen,	derselbe,	29. Novemb. 1887.
13	Hanne Kornfeld, lediges Dienstmädchen,	geb. 1863 zu Ostruszy, Bezirk Grybonzkiega, Oesterreich, wohnhaft zuletzt in Hamburg,	gewerbsmäßige Unzucht,	Chef der Polizei zu Hamburg,	14. Dezemb. 1887.
14	Vincenz Kreienbühl, Metzgergeselle,	geboren 1856 zu Willisau, Kanton Luzern, Schweiz, ortsangehörig ebendaselbst,	Betteln im wiederholten Rückfall,	Kaiserlicher Bezirks-Präsident zu Colmar,	24. Novemb. 1887.
15	Johann Znamne, Erdarbeiter,	38 Jahre, geboren zu Philippopel, Rumelien,	Landstreichen,	derselbe,	30. Novemb. 1887.
16	Theodor Doeni, Mechaniker,	geboren am 15. Oktober 1862 zu Wolfenschießen, Schweiz, ortsangehörig ebendaselbst,	Landstreichen und Betteln,	Kaiserlicher Bezirks-Präsident zu Straßburg,	7. Dezemb. 1887.
17	Abraham Mendel, Vorbeter und Prediger,	geboren am 3. Mai 1821 zu Warschau, Russisch-Polen, ortsangehörig ebendaselbst,	Landstreichen,	derselbe,	20. Dezemb. 1887.

Lauf. Nr.	Name und Stand des Ausgewiesenen.	Alter und Heimath des Ausgewiesenen.	Grund der Bestrafung.	Behörde, welche die Ausweisung beschlossen hat.	Datum des Ausweisungs-Beschlusses.
1.	2.	3	4.	5.	6.
18	Friedrich Rudin, Gärtner,	geboren am 5. Juni 1839 zu Basel, Schweiz, ortsangehörig zu Arbolswyl, ebendaselbst,	Landstreichen und Betteln,	Kaiserlicher Bezirks-Präsident zu Colmar,	15. Dezemb. 1887.
19	Josef Gambarini, Erdarbeiter,	geboren am 29. Oktober 1862 zu Fara-Oliviano, Italien, ortsangehörig ebendaselbst,	Landstreichen,	derselbe,	21. Dezemb. 1887.
20	Camille Janku, Arbeiter,	18. Jahre, geboren zu Votrerein, Böhmen,	desgleichen,	Kaiserlicher Bezirks-Präsident zu Metz,	27. Dezemb. 1887.
21	Ludwig Thomas Potier, Arbeiter,	geboren am 25. Dezember 1867 zu Paris, Frankreich,	desgleichen,	derselbe,	31. Dezemb. 1887.
22	Eduard Emil Roy, Ackerer,	geboren am 31. August 1857 zu Nancy, Departement Meurthe & Moselle, Frankreich,	desgleichen,	derselbe,	3. Januar 1888.
23	Johann Dumas, Schlosser,	geboren am 20. Juni 1859 zu St. Etienne, Departement Loire, Frankreich,	Landstreichen und Betteln,	derselbe,	4. Januar 1888.

Die durch Beschluß des Königlich Preußischen Regierungspräsidenten zu Hildesheim vom 30. Juli v. J. verfügte Ausweisung des Schuhmachergesellen Josef Jansen aus dem Reichsgebiet ist zurückgenommen worden, nachdem sich herausgestellt hat, daß der Ausgewiesene identisch ist mit dem Bergmann Gerhard Diedenhofen, welcher die Preußische Staatsangehörigkeit besitzt.

Die durch Beschluß des Kaiserlichen Bezirks-Präsidenten zu Metz vom 3. Dezember v. J. verfügte Ausweisung des gewerblosen Georg Decker aus dem Reichsgebiet ist zurückgenommen worden, nachdem sich herausgestellt hat, daß Decker die Deutsche Reichsangehörigkeit besitzt.

Hierzu Vier Oeffentliche Anzeiger.

(Die Insertionsgebühren betragen für eine einspaltige Druckzeile 20 Pf. Belagsblätter werden der Bogen mit 10 Pf. berechnet.)

Redigirt von der Königlichen Regierung zu Potsdam.

Potsdam. Buchdruckerei der A. W. Hayn'schen Erben (E. Hayn, Hof-Buchdrucker).

Amtsblatt

der Königlichen Regierung zu Potsdam und der Stadt Berlin.

Stück 5. Den 3. Februar **1888.**

Bekanntmachungen des Königlichen Regierungs-Präsidenten.

Festsetzung des ortsüblichen Tagelohnes der zum Kassenbezirke der Ortskrankenkasse für Dyrotz und Umgegend gehörigen forst- und landwirthschaftlichen Arbeiter.

34. Es wird hierdurch bekannt gemacht, daß ich den durchschnittlichen Tagelohn für die nachstehenden Kategorien der zum Kassenbezirke der Ortskrankenkasse für Dyrotz und Umgegend gehörigen auf Grund von № 6 § 2 des Reichsgesetzes vom 15. Juni 1883 und des § 133 ff. des Reichsgesetzes vom 5. Mai 1886 versicherungspflichtigen land- und forstwirthschaftlichen Arbeiter, welche neben baarem Lohne Naturalien beziehen, wie folgt festgesetzt habe:

1) Für die Deputanten, Tagelöhner, Knechte auf 1 M.
2) Für die Frauen derselben und Mägde auf 0,50 M.
3) Für die männlichen Arbeiter unter 16 Jahren (sogenannten Hofjungen) 0,50 M.

Potsdam, den 25. Januar 1888.

Der Regierungs-Präsident.

Schifffahrtssperre betreffend.

35. Die Drehbrücke der über die Havel bei Spandau führenden Eisenbahnbrücke der Berlin-Lehrter Bahn wird in der Zeit bis zum 20. Februar d. J. einer genauen Untersuchung hinsichtlich aller ihrer einzelnen Theile unterzogen und zu diesem Zwecke für die Schifffahrt mit stehenden Masten gesperrt werden.

Potsdam, den 26. Januar 1888.

Der Regierungs-Präsident.

Berichtigung

des Marktpreisverzeichnisses pro Oktober, November und Dezember 1887

36. Das Marktpreis-Verzeichniß pro Oktober und November 1887 wird dahin berichtigt, daß

a. der monatliche Durchschnitt der gezahlten höchsten Tagespreise mit 5 % Aufschlag für

	50 kg Heu	50 kg Stroh
pro Oktober 1887 in		
Prenzlau	2 M. 62,5 Pf.,	2 M. 10 Pf.
Neu-Ruppin	3 = 15 =	2 = 05 =
Treuenbrietzen	2 = 62,5 =	1 = 57,5 =
Wriezen	2 = 62,5 =	1 = 42 =
b. pro November 1887 in		
Bernau	3 = 68 =	1 = 96 =
c. pro November und Dezember 1887 in		
Wittstock		1 = 75 =

beträgt. Potsdam, den 30. Januar 1888.

Der Regierungs-Präsident.

Die Communalverhältnisse des Etablissements Elsthal bei Luckenwalde betreffend.

37. Der Herr Minister des Innern hat durch Erlaß vom 21. November 1887 — I. B. 7726 — die durch den Ministerial-Erlaß vom 30. April 1852 ausgesprochene Bestätigung des Beschlusses der Bezirkscommission, durch welchen das Etablissement Elsthal zu einer selbstständigen Gemeinde erklärt worden ist, zurückgenommen und die Zubehörigkeit des Etablissements Elsthal zum Stadtbezirke Luckenwalde anerkannt, was hierdurch zur öffentlichen Kenntniß gebracht wird.

Potsdam, den 26. Januar 1888.

Der Regierungs-Präsident.

Maler-Innung zu Spandau.

38. Auf Grund des § 100e. № 3 der Reichsgewerbe-Ordnung vom 18. Juli 1881 und der Ausführungs-Anweisung hierzu vom 9. März 1882 I. 1 a. 2. bestimme ich hierdurch für den Bezirk der Maler-Innung zu Spandau,

daß diejenigen Arbeitgeber, welche das Maler-Gewerbe betreiben und selbst zur Aufnahme in die Innung fähig sein würden, gleichwohl aber der Innung nicht angehören, vom 1. August 1888 ab Lehrlinge nicht mehr annehmen dürfen.

Ich bringe dies mit dem Bemerken hierdurch zur Kenntniß, daß der Bezirk der gedachten Innung den Stadtbezirk Spandau umfaßt.

Potsdam, den 25. Januar 1888.

Der Regierungs-Präsident.

Bewilligung von Wittwen- und Waisengeld auf Grund der rückwirkenden Kraft des Militair-Relikten-Gesetzes vom 17. Juni 1887.

39. Diejenigen Wittwen von Offizieren, Aerzten im Offiziersrange und Beamten des Reichsheeres und der Kaiserlichen Marine, deren Ehemänner nach dem 1. April 1882 im aktiven Dienste oder als Pensionaire bezw. Wartegeld-Empfänger verstorben sind und zur Zeit ihres Todes zur Entrichtung von Wittwen- und Waisengeldbeiträgen nach Maßgabe der Bestimmungen des Reichsgesetzes vom 17. Juni 1887, betreffend die Fürsorge für die Wittwen und Waisen von Angehörigen des Reichsheeres und der Kaiserlichen Marine, verpflichtet gewesen wären, haben vom 1. Juli 1887 ab Anspruch auf Gewährung von Wittwengeld.

Ebenso haben die Waisen der vorstehend näher bezeichneten Militair-Personen, soweit sie am 1. Juli

1887 das 18. Lebensjahr noch nicht überschritten hatten, von diesem Zeitpunkte ab Anspruch auf Gewährung von Waisengeld.

Die Anträge auf Anweisung des Wittwen- und Waisengeldes sind baldigst an die Unterstützungs-Abtheilung des Königlichen Kriegs-Ministeriums zu Berlin zu richten unter Beifügung der standesamtlichen oder pfarramtlichen Urkunden

a. über die Geburt der Eheleute und der Kinder unter 18 Jahren,
b. über die Eheschließung und
c. über das Ableben des Ehemannes oder Vaters und zutreffendenfalls der Ehefrau.

Soweit die Geburtstage des verstorbenen Ehemannes oder der Ehefrau aus der standesamtlichen oder pfarramtlichen Heirathsurkunde ersichtlich sind, bedarf es besonderer Geburtsurkunden nicht.

Werden Waisengelder für Mädchen von mehr als 16 Jahren beansprucht, so ist der Nachweis zu führen, daß diese unverehelicht sind.

Im Uebrigen mache ich auf die in der Extra-Beilage zu № 32 des Amtsblatts vom 12. August 1887 abgedruckte Bekanntmachung des Königl. Kriegsministeriums vom 16. Juli 1887 besonders aufmerksam.

Die nach Vorstehendem betheiligten Wittwen und Waisen werden hiermit nochmals aufgefordert, ihre Ansprüche auf Gewährung von Wittwen- und Waisengeld nunmehr baldigst geltend zu machen.

Potsdam, den 23. Januar 1888.

Der Regierungs-Präsident.

Berichtigung. In der Polizei-Verordnung zu № 28 des vorigen Stücks Seite 29 muß es auf Zeile 6 statt § 1391 l. c. heißen **§ 139 l. c.**

Viehseuchen.

40. Am Milzbrand ist eine Kuh des Gemeindevorstehers Kulicke zu Schöpfurth im Kreise Oberbarnim erkrankt. Dieselbe ist getödtet und sind die gegen Verbreitung der Seuche erforderlichen Maßnahmen durchgeführt worden.

Potsdam, den 25. Januar 1888.

Der Regierungs-Präsident.

41. Die Maul- und Klauenseuche ist unter den Kühen des Ritterguts Biesdorf, im Kreise Niederbarnim, ausgebrochen.

Dieselbe Seuche unter dem Rindvieh des Gutes Klein-Beeren, im Kreise Teltow, ist erloschen.

Potsdam, den 27. Januar 1888.

Der Regierungs-Präsident.

42. Die beiden wegen Rotzverdachts unter Observation gestellten Pferde des Gutsbesitzers **Freisleben** zu Amt Mildenberg im Kreise Templin sind bei der am 18. d. M. durch den Kreisthierarzt ausgeführten Untersuchung völlig gesund und unverdächtig befunden und demgemäß die angeordneten Sperrmaßregeln aufgehoben worden.

Potsdam, den 30. Januar 1888.

Der Regierungs-Präsident.

Bekanntmachungen der Königl. Regierung.

Eröffnung der Präparanden-Anstalt zu Joachimsthal.

2. Am 1. April d. J. wird zu Joachimsthal im Kreise Angermünde eine Seitens der Stadtgemeinde errichtete, unter der Aufsicht und Leitung der unterzeichneten Königlichen Regierung stehende Anstalt für die Vorbildung von Jünglingen zum Eintritt in die evangelischen Schullehrer-Seminare des Staats, insbesondere in die des Regierungsbezirks Potsdam, in zwei aufsteigenden Jahresklassen mit je 30 Schülern eröffnet.

Die Anstalt setzt diejenigen Kenntnisse und Fertigkeiten voraus, deren Aneignung die Allgemeinen Bestimmungen vom 15. Oktober 1872 als Aufgabe und Ziel der Preußischen Volksschule bezeichnen, und nimmt die Zöglinge erst nach erfolgter Confirmation auf.

Die Aufnahme von Zöglingen geschieht nur einmal im Jahre, und zwar zu Ostern. Doch ist der Eintritt Einzelner unter besonderen Verhältnissen außer der Zeit gestattet, sobald sich aus den eingereichten Attesten kein Bedenken ergiebt und die Aufnahmeprüfung befriedigend ausfällt.

Der Meldungstermin wird jedesmal öffentlich bekannt gemacht. Das Aufnahmegesuch ist für diesmal **bis zum 20. März d. J.** an den Magistrat zu Joachimsthal zu richten. Demselben sind folgende Atteste beizufügen:

1) ein Taufzeugniß;
2) ein Impfschein, ein Revaccinationsschein und ein Gesundheits-Attest von einem zur Führung eines Dienstsiegels berechtigten Arzte;
3) ein Zeugniß über die bisher genossene Schulbildung, sowie über die Führung;
4) die Erklärung des Vaters oder an dessen Stelle des Nächstverpflichteten, daß er die Mittel zum Unterhalte des Präparanden während der Dauer seines Anstaltskursus gewähren werde, mit der Bescheinigung der Ortsbehörde, daß er über die dazu erforderlichen Mittel verfüge.

Die angemeldeten Aspiranten haben vor ihrer Aufnahme eine Prüfung zu bestehen. Ueber die definitive Aufnahme entscheidet die unterzeichnete Behörde.

Für den Unterricht haben die Zöglinge ein jährliches Schulgeld von 36 Mark pränumerando in vierteljährlichen Renten an die Kasse der Stadtgemeinde Joachimsthal zahlbar, zu entrichten; doch hat die unterzeichnete Behörde sich das Recht zu einer Aenderung dieses Schulgeldsatzes vorbehalten. Die Einnahme aus dem Schulgelde wird ohne Abzug zur Unterstützung bedürftiger und würdiger Zöglinge verwandt.

Die Anstalt ist ein Externat. Für Wohnung, Kost, Bekleidung, Bücher u. s. w. haben die Zöglinge selbst zu sorgen; sie werden bei Bürgern der Stadt wohnen, in ihrer Führung aber auch außerhalb der Schulstunden beaufsichtigt werden.

Potsdam, den 30. Januar 1888.

Königl. Regierung,
Abtheilung für Kirchen- und Schulwesen.

Uebersicht des Zustandes der Elementarlehrer-Wittwenkasse für das Rechnungsjahr 1. April 1886/87.

3. Im Verfolg der früheren Bekanntmachungen, insbesondere vom 19. September v. J. — II. E. 3864 — Amtsblatt Stück 39 Seite 364 — wird in Betreff der Verwaltung der Elementarlehrer-Wittwen- und Waisenkasse für das Rechnungsjahr 1. April 1886/87 gemäß § 19 der revidirten Statuten vom 9. September / 7. Dezember 1871 hierdurch nachstehende Uebersicht, welche auch durch die Kreisblätter zu veröffentlichen ist, zur allgemeinen Kenntniß gebracht:

Lfd. №	Näherer Nachweis.	Kapitalvermögen einschließlich der Werthpapiere. M.	Pf.	Baar. M.	Pf.
	I. Einnahme.				
	A. Bestand aus dem Jahre 1885/86:	1 061 908	90	9 538	98
	B. An laufenden Einnahmen:				
1	Antrittsgelder	—	—	4 056	—
2	Gehaltsverbesserungsgelder	—	—	13 514	93
3	Kapitalzinsen	—	—	47 882	46
4	Beiträge der Kassenmitglieder	—	—	47 524	72
5	Gemeindebeiträge	—	—	35 913	—
6	Neubelegungen bezw. zurückgezahlte Kapitalien	159 500	—	159 300	—
7	Sonstige Einnahmen der Kasse	—	—	6	—
	Summa der Einnahmen:	1 221 408	90	317 736	09
	II. Ausgabe.				
1	Verwaltungskosten	—	—	67	60
2	Pensionen à 250 Mark jährlich	—	—	137 387	48
3	Neubelegungen bezw. zurückgezahlte Kapitalien	159 300	—	166 064	23
4	Sonstige Ausgaben	—	—	78	—
	Summa der Ausgabe:	159 300	—	303 597	31
	Wiederholung:				
	Die Einnahme für das Rechnungsjahr 1886/87 beträgt:	1 221 408	90	317 736	09
	Die Ausgabe für das Rechnungsjahr 1886/87 beträgt:	159 300	—	303 597	31
	Bestand am 1. April 1887:	1 062 108	90	14 138	78

Potsdam, den 24. Januar 1888. Königl. Regierung. Abtheilung für Kirchen und Schulwesen.

4. **Allerhöchster Erlaß**

vom 4. November 1887, betreffend die Ueberweisung der Feld-(Land)messerangelegenheiten, soweit dieselben zur Zeit bei der Allgemeinen Bauverwaltung bearbeitet werden, an den Finanzminister.

Auf den Bericht des Staatsministeriums vom 28. Oktober d. J. genehmige Ich hierdurch die Ueberweisung der Feld(Land)messerangelegenheiten, soweit dieselben zur Zeit bei der Allgemeinen Bauverwaltung bearbeitet werden, an den Finanzminister. Mit der Ausführung dieses durch die Gesetz-Sammlung bekannt zu machenden Erlasses sind der Minister der öffentlichen Arbeiten und der Finanzminister beauftragt.

Berlin, den 4. November 1887.

gez. **Wilhelm.**

gez. v. Puttkamer, Maybach, Lucius, Friedberg, v. Boetticher, v. Goßler, v. Scholz, Bronsart v. Schellendorf.

An das Staatsministerium.

*

Abänderung des Reglements für die öffentlich anzustellenden Land(Feld)messer vom 2. März 1871 (Gesetz-Samml. 1871 S. 101|112) / 26. August 1885 (Gesetz-Samml. 1885 S. 319|323).

Vom 22. Dezember 1887.

Nachdem durch Allerhöchsten Erlaß vom 4. November 1887 die Ueberweisung der Feld(Land)messerangelegenheiten, soweit dieselben zur Zeit bei der Allgemeinen Bauverwaltung bearbeitet werden, an den Finanzminister genehmigt worden ist, werden die nach den §§ 3, 34, 35 und 49 des Feldmesserreglements vom 2. März 1871 / 26. August 1885 bisher von dem Minister der öffentlichen Arbeiten ausgeübten Funktionen in Zukunft von dem Finanzminister wahrgenommen.

Berlin, den 22. Dezember 1887.

Der Minister der öffentlichen Arbeiten.
Maybach.

Der Minister für Landwirthschaft, Domainen und Forsten.
Lucius.

Der Finanzminister v. Scholz.

* *

Vorstehenden Allerhöchsten Erlaß Seiner Majestät des Kaisers und Königs vom 4. November 1887, sowie die ministerielle Abänderung des Reglements für die öffentlich anzustellenden Land(Feld)messer vom 22. Dezember 1887 werden hiermit zur öffentlichen Kenntniß gebracht.

Potsdam, den 25. Januar 1888.

Königl. Regierung,
Abtheilung für direkte Steuern, Domainen und Forsten.

Bekanntmachungen des Königlichen Polizei-Präsidiums zu Berlin.

Entziehung eines Hebammen-Prüfungszeugnisses

8. Durch rechtskräftiges Erkenntniß des Königlichen Bezirksausschusses vom 13. Dezember 1887 ist der bisherigen Hebamme Bertha Marie Luise Krause, geborenen Knispel, auf Grund des § 53 Absatz 2 der Reichs-Gewerbe-Ordnung das Prüfungs-Zeugniß entzogen worden. Die rc. Krause ist daher als Hebamme **nicht** mehr anzusehen. Dies wird hierdurch zur öffentlichen Kenntniß gebracht.

Berlin, den 27. Januar 1888.

Der Polizei-Präsident.

Polizei-Verordnung,

betreffend die Verhütung von Blei-Vergiftungen der Arbeiter in den Ofenfabriken.

9. Auf Grund der §§ 143 und 144 des Gesetzes über die allgemeine Landesverwaltung vom 30. Juli 1883 (Gesetz-Sammlung Seite 195 ff.), der §§ 5 und ff. des Gesetzes über die Polizei-Verwaltung vom 11. März 1850 (Gesetz-Sammlung Seite 265 ff.) und des § 120 Absatz 3 der Gewerbe-Ordnung in ihrer gegenwärtigen Fassung wird mit Zustimmung des Gemeinde-Vorstandes für den Stadtkreis Berlin zur Sicherung der Arbeiter in den Töpfereien gegen Bleivergiftungen das Folgende verordnet:

1) Es dürfen nur sogenannte verkuchte Glasuren, in denen das Bleioxyd an Kieselsäure gebunden ist und mit dieser kieselsaures Bleioxyd bildet, dargestellt und verwendet werden.
2) Aeschermuffeln und Frittöfen müssen so eingerichtet sein, daß die sich darin entwickelnden bleihaltigen Dämpfe nicht in den vor denselben befindlichen Arbeitsraum entweichen können, sondern entweder mit den Feuergasen unmittelbar in den Rauchfang oder durch einen besonderen vor oder über der Muffel anzubringenden Dämpfefang in denselben abgezogen werden.
3) Das Feinmalen bleihaltiger Glasuren darf zur vollständigen Vermeidung von Staub nur unter Anfeuchtung der Masse vorgenommen werden.
4) Alle mit dem Zerkleinern, Sieben und Mischen bleihaltiger Glasuren, namentlich auch die mit dem Abputzen der angetrockneten Glasuren beschäftigten Arbeiter müssen Nase und Mund mit einem eigens zurecht geschnittenen Schwamm bedecken. Dieser Schwamm ist mindestens drei Mal täglich in zur Hälfte mit Essig gemischtem reinen Wasser auszuwaschen und immer rein zu erhalten.

   Für die Durchführung dieser Maßregel ist der Arbeitgeber mit verantwortlich.
5) Die Räume, in denen die Glasur hergestellt wird, und die Räume, in welchen die trockene Glasur abgeputzt wird, müssen gut gelüftet gehalten werden und so liegen, beziehungsweise eingerichtet sein, daß frische Luft im reichlichen Maaße eintreten und die schlechte Luft abgeführt werden kann. Kellerräume sind ungeeignet.
6) Es ist Seitens der Arbeitgeber für Vorkehrungen zu sorgen, welche das häufige Waschen der Arbeiter unter Anwendung von Seife, ebenso das Mundausspülen und Reinigen der Zähne wie das Reinigen der Kleider ermöglichen.
7) In den Arbeitsräumen dürfen feste und flüssige Nahrungs- oder Genußmittel, einschließlich des Wassers weder aufbewahrt noch verzehrt werden.
8) Zuwiderhandlungen werden auf Grund des § 147 zu 4 der Gewerbe-Ordnung mit Geldstrafe bis zu dreihundert Mark und im Unvermögensfalle mi Haft bestraft.

Berlin, den 22. Januar 1888.

Der Polizei-Präsident.

Bekanntmachungen des Staatssekretairs des Reichs-Postamts.

Einführung des Postauftrags-Verkehrs mit Norwegen.

4. Vom 1. Februar ab können im Verkehr mi Norwegen Gelder bis zum Meistbetrage vo 730 Kronen im Wege des Postauftrages unter de für den Vereinsverkehr geltenden Bestimmungen un Gebühren eingezogen werden. Wechselproteste werd durch die Norwegischen Postanstalten nicht vermittelt.

Berlin W., 12. Januar 1888.

Der Staatssekretair des Reichs-Postamts.

Bekanntmachungen der Kaiserlichen Ober-Post-Direktion zu Potsdam.

Umwandlung einer Post- und Telegraphenhülfsstelle in eine Post- agentur mit Telegraphenbetrieb.

8. Am 1. Februar wird die bisherige Post- un Telegraphenhülfsstelle in **Dallmin** bei Karstädt in ein **Postagentur mit Telegraphenbetrieb** umge wandelt.

Den Landbestellbezirk der neuen Agentur bilden d Wohnstätten:

Carve nebst Mühle, Dependahl, **Großberge** nebst Mühle, **Kleeste, Kleinberge, Kribbe** nebst Ziegelei, Mühlenkamp, **Neuhausen** nebst Mühle, Neuhof, Neuhof-Mollnitz und Wiesmoor

Postverbindungen erhält die neue Verkehrsanstal durch eine Landpostfahrt und eine Botenpost, wie folgt

L.	B.		B.	L.
6·00,	12·00	ab Karstaedt an	9·30,	5·10,
7·00,	1·30	an Dallmin ab	8·00,	4·20.

Sonntags findet nur **eine** Verbindung durch Landbriefträger statt.

Potsdam, den 26. Januar 1888.

Der Kaiserl. Ober-Postdirektor.

Bekanntmachungen der Königlichen Hauptverwaltung der Staatsschulden.

33. Verloosung der Staats-Prämien-Anleihe vom Jahre 185

1. In der vom 16. d. M. bis heute in Gegenwart eines Notars öffentlich bewirkten 33. Verloosu der Staats-Prämien-Anleihe vom Jahre 1855 sind a diejenigen 4300 Schuldverschreibungen, welche zu d am 15. September v. J. gezogenen 43 Serien gehören die in der beiliegenden Liste aufgeführten Prämi gefallen.

Die Besitzer dieser Schuldverschreibungen werden aufgefordert, den Betrag der Prämien vom 1. April d. J. ab bei der Staatsschulden-Tilgungskasse, Taubenstraße Nr. 29 hierselbst, gegen Quittung und Rückgabe der Schuldverschreibungen und der dazu gehörigen Zinsscheine Reihe V. Nr. 1 bis 7 über die Zinsen vom 1. April 1887 ab, welche nach dem Inhalte der Schuldverschreibungen unentgeltlich abzuliefern sind, zu erheben.

Die Zahlung erfolgt von 9 Uhr Vormittags bis 1 Uhr Nachmittags, mit Ausschluß der Sonn- und Festtage und der letzten drei Geschäftstage jeden Monats.

Die Prämien können auch bei den Regierungs-Hauptkassen und in Frankfurt a. M. bei der Kreiskasse in Empfang genommen werden.

Zu diesem Zwecke sind die Schuldverschreibungen nebst Zinsscheinen einer dieser Kassen schon vom 1. März d. J. ab einzureichen, welche sie der Staatsschulden-Tilgungskasse zur Prüfung vorzulegen hat und nach erfolgter Feststellung die Auszahlung vom 1. April d. J. ab bewirkt.

Der Geldbetrag der etwa fehlenden unentgeltlich mit abzuliefernden Zinsscheine wird vom Prämienbetrage zurückbehalten.

Formulare zu den Quittungen werden von den obengedachten Kassen unentgeltlich verabfolgt.

Die Staatsschulden-Tilgungskasse kann sich in einen Schriftwechsel mit den Inhabern der Schuldverschreibungen über die Prämien-Zahlungen nicht einlassen.

Zugleich werden die Besitzer noch rückständiger Schuldverschreibungen aus bereits früher verloosten und gekündigten, auf der beiliegenden Liste bezeichneten Serien, zur Vermeidung weiteren Zinsverlustes an die baldige Erhebung ihrer Kapitalien erinnert.

Berlin, den 19. Januar 1888.

Hauptverwaltung der Staatsschulden.

Bekanntmachungen der Kreis-Ausschüsse.

2.

Nachweisung

der vom Kreis-Ausschusse des Kreises Beeskow-Storkow im II. Halbjahr 1887 genehmigten Communal-Bezirks-Veränderungen.

Datum der Genehmigung.	Bezeichnung des Grundstücks	Bezeichnung des Besitzers	Bezeichnung des jetzigen Gemeinde-Verbandes	Bezeichnung des künftigen Gemeinde-Verbandes	Bemerkungen. Größe des Grundstücks: ha	a	qm
21. Juli 1887.	Ketschendorf'er Dorfstraßen-Parzelle.	Kgl. Domainen-Fiscus.	Kgl. Domainen-Fiscus.	Gemeinde Ketschendorf.	—	4	61
15. September 1887.	Görzig'er Dorfauen-Parzelle.	do.	do.	Gemeinde Görzig.	—	6	22

Beeskow, den 18. Januar 1888.

Der Vorsitzende des Kreis-Ausschusses.

Bekanntmachungen der Königlichen Eisenbahn-Direktion zu Berlin.

Nachträge zu den Tarifheften des Galizisch-Norddeutschen Getreide-Verkehrs.

4. Am 1. Februar d. J. treten zu den Tarifheften 1, 2 und 3 des Galizisch-Norddeutschen Getreide-Verkehrs die Nachträge I. in Kraft. Dieselben enthalten außer tarifarischen Aenderungen und Ergänzungen Frachtsätze für Bromberg und Thorn, sowie eine Bestimmung über die Anwendung der Getreidefrachtsätze für Myslowitz auch auf Kleintransporte. Druckexemplare der Nachträge zu den Heften 1 bis 3 sind bei dem hiesigen Auskunftsbüreau, Bahnhof Alexanderplatz, und solche zu Heft 1 außerdem bei der Güter-Kasse Stettin (Central-Güterbahnhof) unentgeltlich zu haben.

Berlin, den 26. Januar 1888.

Königl. Eisenbahn-Direktion.

Bekanntmachungen der Königlichen Eisenbahn-Direktion zu Bromberg.

Nachtrag I. zum Verband-Gütertarif zwischen Stationen des Bezirks Bromberg und den Stationen der Marienburg-Mlawkaer-Bahn.

6. Mit dem 1. Februar 1888 tritt zum Verband-Gütertarif zwischen Stationen des Bezirks Bromberg einerseits und den Stationen der Marienburg-Mlawkaer Bahn andererseits vom 1. Oktober 1887 der Nachtrag I. in Kraft.

Derselbe enthält:

1) ermäßigte Ausnahme-Frachtsätze für Getreide rc. und Holz des Spezial-Tarifs II. im Verkehr mit Illowo und Mlawa;
2) erhöhte Ausnahmefrachtsätze für Salz aller Art ab Inowrazlaw und Klausaschacht; letztere treten erst mit dem 15. März 1888 in Kraft;
3) früher bereits veröffentlichte Tarifänderungen und Berichtigungen.

Der vorbezeichnete Nachtrag kann durch die Billetexpeditionen der Verband-Stationen beider Verwaltungen bezogen werden.

Bromberg, den 19. Januar 1888.

Königl. Eisenbahn-Direktion.

Frachtbegünstigung für Ausstellungsgegenstände.

7. Für diejenigen Gegenstände, welche auf der vom 1. März bis 31. Mai d. J. in Wien stattfindenden internationalen Jubiläums-Kunst-Ausstellung ausgestellt werden und unverkauft bleiben, wird auf den Strecken der Preußischen Staatseisenbahnen und der Eisenbahnen in Elsaß-Lothringen eine Frachtbegünstigung in der Art gewährt, daß für die Hinbeförderung die volle tarif-

mäßige Fracht berechnet wird, die Rückbeförderung an die Versandstation und den Aussteller aber frachtfrei erfolgt, wenn durch Vorlage des ursprünglichen Frachtbriefes für den Hinweg, sowie durch eine Bescheinigung des Ausstellungs-Vorstandes nachgewiesen wird, daß die Gegenstände ausgestellt gewesen und unverkauft geblieben sind, und wenn die Rückbeförderung innerhalb vier Wochen nach Schluß der Ausstellung stattfindet. In den ursprünglichen Frachtbriefen über die Hinsendung ist ausdrücklich zu vermerken, daß die mit denselben aufgegebenen Sendungen durchweg aus Ausstellungsgut bestehen. Bromberg, den 21. Januar 1888.

Königl. Eisenbahn-Direktion.

Güter-Verkehr auf der Haltestelle Lindenbusch.

8. Vom 1. Februar 1888 ab wird der Güter-Verkehr auf der Haltestelle Lindenbusch (Strecke Konitz-Laskowitz) insofern eingeschränkt, als Sendungen von Lindenbusch nur in Frachtüberweisung, nach dort nur frankirt befördert werden, auch bleibt die Belastung der Güter mit Nachnahme in beiden Richtungen unzulässig.

Bromberg, den 23. Januar 1888.

Königl. Eisenbahn-Direktion.

Personal-Chronik.

Der bisherige Gerichts-Referendar Harry von Köppen ist zum Regierungs-Referendar ernannt worden.

Der versorgungsberechtigte Jäger, Forstaufseher Fricke zu Joachimsthal ist zum Königl. Förster ernannt und ist demselben die neu errichtete Försterstelle Wilhelms-Eichen in der Oberförsterei Grimnitz vom 1. März d. J. ab übertragen worden.

Der Buhnenmeister Marggraf zu Bredereiche ist zum 1. Februar d. J. als Schleusenmeister nach Zaarenschleuse versetzt und der Buhnenmeisteraspirant Suhr als Buhnenmeister in Bredereiche angestellt worden.

Der bisherige Oberpfarrer, Superintendent a. D. zu Freienwalde a. O. Carl Wilhelm Eugen Witte, ist zum Oberpfarrer der Parochie Niemegk, Diözese Belzig, bestellt worden.

Der bisherige Pfarrer Hermann Karl von Hoff in Friedersdorf, Diözese Storkow, ist zum Pfarrer der evangelischen Gemeinde in Lenzerwische, Diözese Lenzen, bestellt worden.

Der bisherige Prediger an der Sophien-Kirche zu Berlin, Superintendent a. D. Emanuel Gustav Wilke ist zum Oberpfarrer der Parochie Freienwalde a. O., Diözese Wriezen, bestellt und zum Superintendent dieser Diözese ernannt worden.

Der bisherige Diakonus zu Gramzow Ehrenfried Gotthold Simon ist zum Pfarrer der Parochie Fröhden, Diözese Jüterbog, bestellt worden.

Der bisherige Diakonus Ernst Immanuel Geß zu Oppeln ist zum dritten Prediger an der Dreifaltigkeits-Kirche zu Berlin, Diözese Friedrichs-Werder, bestellt worden.

Der bisherige Predigtamts-Kandidat Hermann Eduard Paul Kawel ist zum Pfarrer der Parochie Rohlsdorf, Diözese Pritzwalk, bestellt worden.

Die unter privatem Patronat stehende Pfarrstelle zu Schönhagen, Diözese Pritzwalk, ist durch das Ableben des Pfarrers Todt am 28. Dezember v. J. zur Erledigung gekommen.

Beim Dorotheenstädtischen Realgymnasium in Berlin ist der bisherige Titular-Oberlehrer Dr. Peters zum etatsmäßigen Oberlehrer ernannt worden.

Vermischte Nachrichten.

Stellvertreter des Amtsrichters bei dem Amtsgerichte zu Trebbin.

In Gemäßheit des § 24 Absatz 2 des Gesetzes vom 24. April 1878 ist von der Justizverwaltung angeordnet, daß dem Amtsrichter bei dem Amtsgerichte zu Trebbin, Kreis Teltow, der dem Dienstalter nach drittjüngste Amtsrichter des Amtsgerichtes II. zu Berlin im Voraus zum Stellvertreter bestellt ist.

Dies wird mit dem Bemerken bekannt gemacht, daß sich diese Vertretung nicht auf den Fall der rechtlichen Verhinderung des Amtsrichters in Angelegenheiten, auf welche der § 36 der Deutschen Civilprozeßordnung oder der § 15 der Deutschen Strafprozeßordnung Anwendung findet, erstreckt.

Der Name und die Wohnung des stellvertretenden Herrn Amtsrichters in Berlin ist durch Aushang an der Gerichtstafel bekannt gegeben.

Trebbin, den 21. Januar 1888.

Königl. Amtsgericht.

Aufnahme von Akten der freiwilligen Gerichtsbarkeit.

Es wird zur Kenntniß der Gerichtseingesessenen gebracht, daß die Aufnahme von Akten der freiwilligen Gerichtsbarkeit an jedem Montag von 10 bis 12 Uhr Vormittags stattfindet.

Trebbin, den 21. Januar 1888.

Königl. Amtsgericht.

Hierzu:

eine Beilage, enthaltend ein Preis-Verzeichniß der in der Königlichen Hofbuchdruckerei Trowitzsch & Sohn zu Frankfurt a. O. vorräthigen Formulare,

eine Beilage, enthaltend die Liste der Prämien, welche in der 33. Verloosung auf die am 15. September 1887 gezogenen 43 Serien der Schuldverschreibungen der Staats-Prämien-Anleihe vom Jahre 1855 gefallen sind, sowie Vier Oeffentliche Anzeiger.

(Die Insertionsgebühren betragen für eine einspaltige Druckzeile 20 Pf. Belagsblätter werden der Bogen mit 10 Pf. berechnet.)

Redigirt von der Königlichen Regierung zu Potsdam.

Potsdam, Buchdruckerei der A. W. Hayn'schen Erben (E. Hayn, Hof-Buchdrucker).

Amtsblatt
der Königlichen Regierung zu Potsdam und der Stadt Berlin.

Stück 6. Den 10. Februar **1888.**

Bekanntmachungen der Königlichen Ministerien.

Bekanntmachung.

5. Auf Grund des § 28 des Gesetzes gegen die gemeingefährlichen Bestrebungen der Sozialdemokratie vom 21. Oktober 1878 (Reichs-Ges.-Bl. S. 351 ff.) wird mit Zustimmung des Bundesraths für den die Städte Stettin, Grabow a. O. und Alt-Damm, sowie die Amtsbezirke Bredow, Warsow, Scheune und Finkenwalde umfassenden Bezirk für die Zeit vom 16. Februar bis 30. September d. J. angeordnet, was folgt:

§ 1. Versammlungen, in welchen öffentliche Angelegenheiten erörtert oder berathen werden sollen, bedürfen der vorgängigen schriftlichen Genehmigung der Ortspolizeibehörde.

Die Genehmigung ist von dem Unternehmer mindestens achtundvierzig Stunden vor dem Beginn der Versammlung nachzusuchen. Auf Versammlungen zum Zwecke einer ausgeschriebenen Wahl zum Reichstag oder zur Landesvertretung erstreckt sich diese Beschränkung nicht.

§ 2. Die Verbreitung von Druckschriften auf öffentlichen Wegen, Straßen, Plätzen oder an anderen öffentlichen Orten ohne besondere polizeiliche Genehmigung ist verboten.

§ 3. Personen, von denen eine Gefährdung der öffentlichen Sicherheit oder Ordnung zu besorgen ist, kann der Aufenthalt für den ganzen Bezirk von der Landespolizeibehörde versagt werden.

§ 4. Das Tragen von Stoß-, Hieb- oder Schußwaffen, sowie der Besitz, das Tragen, die Einführung und der Verkauf von Sprengstoffen ist, soweit es sich nicht um Munition des Reichsheeres und der Kaiserlichen Marine handelt, verboten.

Von letzterem Verbote werden Gewehrpatronen nicht betroffen. Ausnahmen von dem Verbote des Waffentragens finden statt:

1) für Personen, welche kraft ihres Amtes oder Berufes zur Führung von Waffen berechtigt sind, in Betreff der letzteren;
2) für die Mitglieder von Vereinen, welchen die Befugniß, Waffen zu tragen, beiwohnt, in dem Umfange dieser Befugniß;
3) für Personen, welche sich im Besitze eines Jagdscheines befinden, in Betreff der zur Ausübung der Jagd dienenden Waffen;
4) für Personen, welche einen für sie ausgestellten Waffenschein bei sich führen, in Betreff der in demselben bezeichneten Waffen.

Ueber die Ertheilung des Waffenscheines befindet die Landespolizeibehörde. Er wird von derselben kosten- und stempelfrei ausgestellt und kann zu jeder Zeit wieder entzogen werden.

Berlin, den 3. Februar 1888.

Königl. Staatsministerium.

gez. von Puttkamer. Maybach. Lucius.
gez. Friedberg. von Boetticher. von Goßler.
gez. von Scholz. Bronsart von Schellendorf.

Bekanntmachungen des Königlichen Ober-Präsidenten.

Wahl der Mitglieder 2c. der Direktion der Hülfskasse für den communalständischen Verband der Kurmark.

6. Von dem diesjährigen Communallandtage der Kurmark sind für die nächste mit dem 1. Juli d. J. beginnende fünfjährige Wahlperiode zu Mitgliedern der Direktion der Hülfskasse für den communalständischen Verband der Kurmark

der General-Landfeuersocietäts- und Haupt-Ritterschafts-Direktor von Tettenborn auf Reichenberg,
der Stadtrath Ehrenberg zu Frankfurt a. O. und
der Amtsvorsteher Schulze zu Götz,

und zu Stellvertretern der Direktionsmitglieder:

der Königliche Major a. D. Herr von Rochow auf Plessow,
der Stadtverordnete von Jacobs zu Potsdam,
der Amtsvorsteher Wölle zu Warnitz

gewählt worden.

Für denselben Zeitraum habe ich den Königlichen Ober-Präsidialrath Schultze zu Potsdam der Direktion der Hülfskasse als Mitglied und zur Besorgung der Syndicatgeschäfte zugeordnet.

Potsdam, den 30. Januar 1888.

Der Oberpräsident der Provinz Brandenburg,
Staatsminister Achenbach.

Bekanntmachungen des Königlichen Regierungs-Präsidenten.

Aichungsamt zu Angermünde.

43. Der Herr Minister für Handel und Gewerbe hat durch Erlaß vom 31. Januar 1888 die Errichtung eines Gemeinde-Aichungsamtes zu Angermünde mit der Ordnungsnummer 2/43 genehmigt und demselben die Befugniß ertheilt, Aichungen von Längenmaßen (mit Ausschluß der Bandmaße), von Flüssigkeitsmaßen, Meßwerkzeugen für Flüssigkeiten und Meßflaschen, Fässern

(mit Einschluß der Taraermittelung), von Gewichten, sowie von Wagen mit einer Tragfähigkeit von nicht mehr als 2000 kg vorzunehmen.

Potsdam, den 3. Februar 1888.

Der Regierungs-Präsident.

Betreffend die Apothekergehülfen-Prüfung.

44. Auf Grund des § 1 der Bekanntmac
Herrn Reichskanzlers, betreffend die Prüfung
thekergehülfen vom 13. November 1875, habe
gende Herren: den Geheimen Medicinalrath Dr.

45. **Nachweisung der Ma**

Laufende №	Namen der Städte	Getreide: Es kosten je 100 Kilogramm: Weizen	Roggen	Gerste	Hafer	Uebrige M…: Erbsen	Speisebohnen	Linsen	Kartoffeln	Richtstroh	Krummstroh	Heu	… von der …
		M. Pf.	M. Pf.	M. Pf.	M. Pf.	M. Pf.	M. Pf.	M. Pf.	M. Pf.	M. Pf.	M. Pf.	M. Pf.	M.
1	Angermünde	15 77	11 12	11 17	10 55	28 —	28 —	38 —	4 —	3 75	3 —	4 50	1
2	Beeskow	— —	11 80	— —	11 90	22 50	50 —	50 —	3 50	3 10	— —	5 70	1
3	Bernau	16 42	11 78	13 87	11 80	25 —	32 —	45 —	4 66	3 62	— —	5 55	1
4	Brandenburg	15 93	11 95	11 30	12 32	27 50	35 —	55 —	3 93	2 91	— —	5 35	1
5	Dahme	15 86	11 62	11 43	12 —	35 —	45 —	50 —	3 —	3 50	2 50	6 —	1
6	Eberswalde	16 56	11 75	15 97	11 15	23 —	23 —	26 —	4 —	3 85	— —	5 —	1
7	Havelberg	15 36	11 44	11 38	11 47	22 —	27 —	33 50	3 25	3 39	3 —	5 22	1
8	Jüterbog	15 67	11 80	11 75	12 50	25 —	30 —	40 —	4 —	3 20	— —	6 —	1
9	Luckenwalde	15 —	11 41	10 71	10 58	32 50	32 50	37 50	4 25	3 16	— —	5 50	1
10	Perleberg	16 04	11 77	13 38	11 78	18 —	30 —	40 —	3 75	5 41	— —	7 78	1
11	Potsdam	16 41	11 90	15 50	12 44	24 —	31 —	43 —	3 86	3 45	— —	5 31	1
12	Prenzlau	16 01	11 —	11 02	10 30	20 —	26 —	35 —	4 25	3 75	3 —	4 50	1
13	Pritzwalk	15 63	11 09	12 34	10 70	14 75	25 75	36 56	3 16	3 25	2 63	5 60	1
14	Rathenow	16 —	11 35	11 75	12 —	30 —	30 —	40 —	2 90	2 49	— —	4 20	1
15	Neu-Ruppin	17 —	11 25	12 13	11 50	30 —	32 —	50 —	3 25	4 —	— —	5 80	1
16	Schwedt	17 —	12 40	12 40	11 80	33 33	34 16	40 —	4 50	3 30	— —	5 —	1
17	Spandau	14 75	12 50	14 50	12 38	26 50	28 50	36 —	4 51	3 42	— —	5 95	1
18	Strausberg	16 70	11 92	14 64	13 —	25 —	30 50	35 —	3 50	3 97	— —	6 61	1
19	Teltow	16 47	11 93	13 83	13 —	40 —	40 —	50 —	5 —	4 —	— —	6 90	1
20	Templin	16 —	10 75	11 —	11 —	14 —	40 —	40 —	4 —	4 —	— —	5 —	1
21	Treuenbrietzen	15 60	11 25	10 71	11 20	24 —	26 —	30 —	2 75	3 —	— —	5 —	1
22	Wittstock	16 08	10 91	10 75	10 49	13 —	32 —	44 —	2 95	3 —	2 50	5 43	1
23	Wriezen a. O.	15 95	11 08	10 78	10 50	18 —	26 50	35 88	3 33	2 61	1 75	5 —	1
	Durchschnitt	16 01	11 56	12 38	11 58	— —	— —	— —	3 75	3 48	— —	5,52	—

Potsdam, den 7. Februar 1888.

Nachweisung des Monatsdurchschnitts der gezahlten höchsten Tagespreise für F
46. **schlag) im**

Laufende Nummer.	Es kosteten je 50 Kilogramm.	Angermünde.	Beeskow.	Bernau.	Brandenburg.	Dahme.	Eberswalde.	Havelberg.	Jüterbog.	
		M. ₰	M. ₰	M. ₰	M. ₰	M. ₰	M. ₰	M. ₰	M. ₰	M. ₰

zum Vorsitzenden, die Apotheker Bensel und Scheinert hierselbst zu Mitgliedern, sowie den Apotheker von Glasenapp hierselbst zum stellvertretenden Mitgliede der Apothekergehülfenprüfungs-Commission im diesseitigen Regierungsbezirk für die Jahre 1888 bis 1890 ernannt.

Die Anträge um Zulassung zur Prüfung sind an den Vorsitzenden der Commission zu richten.

Potsdam, den 2. Februar 1888.

Der Regierungs-Präsident.

Preise im Monat Januar 1888.

Artikel						Ladenpreise in den letzten Tagen des Monats											
kostet je 1 Kilogramm						Es kostet je 1 Kilogramm											
						Mehl		Gerste						Java-Kaffee			
Schweinefleisch	Kalbfleisch	Hammelfleisch	Speck	Butter	Ein Schock Eier	Weizen Nr. 1	Roggen Nr. 1	Graupe	Grütze	Buchweizengrütze	Hafergrütze	Hirse	Reis, Java	mittler in gebr. Bohnen	gelber in gebr. Bohnen	Speisesalz	Schweineschmalz, hiesig.
M. Pf.	M. Pf.	M. Pf.	M. Pf.	M. Pf.	M. Pf.	M. Pf.	M. Pf.	M. Pf.	M. Pf.	M. Pf.	M. Pf.	M. Pf.	M. Pf.	M. Pf.	M. Pf.	M. Pf.	M. Pf.
1 10	— 90	1 05	1 60	2 05	4 20	— 25	— 20	— 50	— 30	— 50	— 50	— 60	— 60	3 20	3 80	— 20	1 60
1 20	1 —	1 —	1 80	2 12	3 67	— 40	— 30	— 60	— 60	— 65	— 80	— 60	— 65	3 20	3 60	— 20	2 —
1 20	1 25	1 15	2 30	1 70	3 50	— 40	— 25	— 45	— 50	— 50	— 40	— 60	— 25	2 40	3 —	— 20	1 60
1 15	— 95	1 10	1 80	2 30	3 90	— 30	— 20	— 50	— 40	— 50	— 40	— 50	— 50	3 60	4 —	— 20	1 60
1 20	— 80	1 —	1 60	2 —	2 80	— 32	— 26	— 60	— 40	— 50	— —	— 50	— 50	2 80	3 10	— 20	1 40
1 20	1 —	1 —	1 60	2 40	4 —	— 28	— 26	— 60	— 60	— 50	— —	— 60	— 60	3 20	3 60	— 20	1 60
1 —	1 01	1 —	1 50	1 88	3 13	— 36	— 20	— 60	— 60	— 60	— —	— 60	— 60	2 80	3 20	— 20	1 20
1 20	— 95	1 20	1 30	2 —	4 —	— 30	— 20	— 40	— 50	— 40	— 60	— 40	— 40	3 20	3 60	— 20	1 40
1 20	— 90	1 20	1 60	2 40	4 —	— 30	— 20	— 50	— 40	— 40	— 60	— 36	— 60	3 20	3 60	— 20	1 40
1 30	1 15	1 15	1 95	1 65	3 50	— 50	— 36	— 60	— 60	— 50	— 60	— 55	— 50	3 60	3 60	— 20	2 —
1 21	1 05	1 19	1 60	2 05	4 16	— 31	— 18	— 45	— 45	— 45	— 45	— 45	— 55	3 30	3 80	— 20	1 60
1 15	— 85	1 10	1 50	2 —	3 90	— 22	— 18	— 50	— 30	— 40	— 40	— 50	— 50	3 20	3 80	— 20	1 60
1 05	— 90	1 —	1 50	1 58	2 91	— 26	— 18	— 45	— 40	— 45	— 50	— 50	— 50	3 20	3 60	— 20	1 50
1 40	1 —	1 20	1 80	2 60	3 75	— 28	— 18	— 40	— 40	— 45	— 40	— 30	— 60	3 30	3 80	— 20	2 —
1 10	— 95	1 10	1 60	2 10	3,76	— 36	— 24	— 50	— 50	— 50	— 50	— 50	— 60	3 25	3 58	— 20	1 40
1 20	— 95	1 10	2 —	1 80	3 60	— 30	— 25	— 60	— 40	— 40	— 60	— 50	— 70	3 60	3 80	— 20	2 —
1 20	1 20	1 20	1 60	2 10	3 70	— 40	— 30	— 50	— 50	— 55	— 50	— 55	— 65	3 40	3 80	— 20	1 40
1 20	1 —	1 20	1 60	2 40	4 —	— 35	— 20	— 55	— 50	— 45	— 55	— 50	— 60	3 —	3 80	— 20	1 40
1 20	1 25	1 15	1 50	2 40	4 75	— 40	— 30	— 60	— 50	— 50	— 60	— 50	— 50	3 40	4 —	— 20	1 20
1 —	— 60	1 —	1 60	2 40	4 80	— 30	— 20	— 60	— 50	— 50	— 60	— 40	— 50	3 20	3 60	— 20	1 60
1 20	— 90	1 20	1 60	1 84	3 80	— 28	— 18	— 50	— —	— 40	— 55	— 30	— 50	3 20	3 40	— 20	1 80
— 94	— 59	— 90	1 60	1 72	3 12	— 26	— 18	— 50	— 50	— 40	— 40	— 50	— 60	3 20	3 60	— 20	1 60
1 10	1 05	1 05	1 40	2 10	3 68	— 20	— 19	— 40	— 30	— 40	— 50	— 40	— 50	3 50	3 75	— 20	1 20
— —	— —	— —	— —	— —	— —	— —	— —	— —	— —	— —	— —	— —	— —	— —	— —	— —	— —

Der Regierungs-Präsident.

in den Hauptmarktorten des Regierungsbezirks Potsdam (einschließlich 5 pCt. Auf- Januar 1888.

Potsdam.	Prenzlau.	Pritzwalk.	Rathenow.	Neu-Ruppin.	Schwedt.	Spandau.	Strausberg.	Teltow.	Templin.	Treuenbrietzen.	Wittstock.	Wriezen a. O.
M. ₰	M. ₰	M. ₰	M. ₰	M. ₰	M. ₰	M. ₰	M. ₰	M. ₰	M. ₰	M. ₰	M. ₰	M. ₰
6 93	5 54,5	5 62	6 56	6 15	6 19	7 22	6 93	6 83	6 04	5 88	5 60	5 77,5
3 44	2 62,5	2 94	2 31	3 05	2 63	3 36	3 69	3 62	3 15	2 63	2 94	2 89
2 08	2 10	1 71	1 43	2 10	1 74	1 93	2 19	2 10	2 36	1 58	1 58	1 40

Der Regierungs-Präsident.

Das Schiedsgericht für die staatliche Unfallversicherung der bei Bauten beschäftigten Personen betreffend.

47. Auf Grund des § 36 des Reichsgesetzes, betreffend die Unfallversicherung der bei Bauten beschäftigten Personen vom 11. Juli 1887 (R.-G.-Bl. S 287) in Verbindung mit § 47 Abs. 2 des Unfallversicherungsgesetzes vom 6. Juli 1884 (R.-G.-Bl. S. 69), haben die Herren Minister für Handel und Gewerbe, der öffentlichen Arbeiten, der Finanzen und des Innern zum Vorsitzenden des hiesigen Schiedsgerichts für die staatliche Unfallversicherung im Geltungsbereich des erstern Gesetzes für die Dauer ihres Hauptamts am Sitze des Schiedsgerichts,

den Regierungs-Rath Heidfeld

und zu dessen Stellvertreter

den Regierungs-Rath, Freiherrn von Speßhardt hierselbst,

ernannt.

Dies wird hiermit zur öffentlichen Kenntniß gebracht. Potsdam, den 30. Januar 1888.

Der Regierungs-Präsident.

Veröffentlichungen des Deutschen Handelsarchives betreffend.

48. Die betheiligten Interessenkreise des Regierungs-Bezirkes mache ich auf folgende Veröffentlichungen des Deutschen Handelsarchives, Januarheft 1888, aufmerksam:

1) Konten-Regulativ, S. 3 ff.,
2) Rußland, Aenderung des Zolltarifes, S. 29 ff.,
3) Congostaat, Zollreglement, S. 40 ff.,
4) Schweiz, Abänderung des Zolltarifes, S. 46 ff.,
5) Deutsches Reich, Ergänzung der Ausführungsbestimmungen zum Branntweinsteuer-Gesetz vom 24. Juni 1887, S. 103,
6) Internationale Jubiläums-Ausstellung in Melbourne 1888/89, S. 103.

Potsdam, den 4. Februar 1888.

Der Regierungspräsident.

Viehseuchen.

49. Die Maulseuche unter den Kühen der Güter Beerbaum und Sydow im Kreise Oberbarnim ist erloschen. Potsdam, den 31. Januar 1888.

Der Regierungs-Präsident.

50. Die Maul- und Klauenseuche ist unter dem Rindvieh des Lehngutsbesitzers Friedrich zu Gohlitz im Kreise Westhavelland ausgebrochen.

Potsdam, den 31. Januar 1888.

Der Regierungs-Präsident.

51. Die Maul- und Klauenseuche unter dem Rindvieh der Bauergutsbesitzer Hecht'schen Erben und des Bauern Marzahn zu Wustermark im Kreise Osthavelland ist erloschen.

Potsdam, den 2. Februar 1888.

Der Regierungs-Präsident.

52. Die Maul- und Klauenseuche ist unter dem Rindvieh der Bauergutsbesitzer Franz Schrobsdorf und Christian Heise zu Tarmow im Kreise Osthavelland ausgebrochen. Potsdam, den 3. Februar 1888.

Der Regierungs-Präsident.

53. Die Maul- und Klauenseuche ist unter dem Rindvieh der Güter Rosenthal und Blankenfelde im Kreise Niederbarnim ausgebrochen.

Potsdam, den 4. Februar 1888.

Der Regierungs-Präsident.

54. Die Maul- und Klauenseuche unter dem Vieh in Klosterhof, Kreis Ostprignitz, ist erloschen.

Potsdam, den 6. Februar 1888.

Der Regierungs-Präsident.

55. Die Maul- und Klauenseuche ist ausgebrochen unter dem Rindvieh des der Stadt Berlin gehörigen Gutes in Dalldorf, der Rittergüter Stolpe und Friedrichsfelde im Kreise Niederbarnim, des Bauern Böttcher zu Wachow im Kreise Westhavelland und unter dem Rindvieh und den Schweinen des Bauergutsbesitzers Wilhelm Radensleben zu Tietzow im Kreise Osthavelland. Unter den Rindern des Ritterguts Siethen im Kreise Teltow ist dieselbe Seuche erloschen.

Potsdam, den 7. Februar 1888.

Der Regierungs-Präsident.

Bekanntmachungen der Königlichen Regierung.

Ausreichung der Zinsscheine Reihe X. zu den Stammaktien der Niederschlesisch-Märkischen Eisenbahn, sowie der Reihe VI. zu den Schuldverschreibungen der Staatsanleihe von 1868A.

5. Die Zinsscheine zu den Stammaktien der Niederschlesisch-Märkischen Eisenbahn Reihe X. № 1 bis 20 über die Zinsen für die Zeit vom 1. Januar 1888 bis 31. Dezember 1897, sowie die Zinsscheine Reihe VI. № 1 bis 8 zu den Schuldverschreibungen der Staatsanleihe von 1868A. über die Zinsen für die Zeit vom 1. Januar 1888 bis 31. Dezember 1891 werden vom 5. Dezember d. J. ab von der Kontrolle der Staatspapiere hierselbst, Oranienstraße Nr. 92, Vormittags von 9 bis 1 Uhr, mit Ausnahme der Sonn- und Festtage und der letzten drei Geschäftstage jeden Monats, ausgereicht werden.

Die Zinsscheine können bei der Kontrolle selbst in Empfang genommen oder durch die Regierungs-Hauptkassen, sowie in Frankfurt a. M. durch die Kreiskasse bezogen werden. Wer die Empfangnahme bei der Kontrolle selbst wünscht, hat derselben persönlich oder durch einen Beauftragten die zur Abhebung der neuen Reihe berechtigenden Zinsscheinanweisungen mit einem Verzeichnisse zu übergeben, zu welchem Formulare ebenda und in Hamburg bei dem Kaiserlichen Postamte Nr. 1 unentgeltlich zu haben sind. Genügt dem Einreicher eine numerirte Marke als Empfangsbescheinigung, so ist das Verzeichniß einfach, wünscht er eine ausdrückliche Bescheinigung, so ist es doppelt vorzulegen. Im letzteren Falle erhalten die Einreicher das eine Exemplar, mit einer Empfangsbescheinigung versehen, sofort zurück. Die Marke oder Empfangsbescheinigung ist bei der Ausreichung der neuen Zinsscheine zurückzugeben.

In Schriftwechsel kann die Kontrolle der Staatspapiere sich mit den Inhabern der Zinsscheinanweisungen nicht einlassen.

Wer die Zinsscheine durch eine der oben genannten

Provinzialkassen beziehen will, hat derselben die Anweisungen mit einem doppelten Verzeichnisse einzureichen.

Das eine Verzeichniß wird, mit einer Empfangsbescheinigung versehen, sogleich zurückgegeben und ist bei Aushändigung der Zinsscheine wieder abzuliefern.

Formulare zu diesen Verzeichnissen sind bei den gedachten Provinzialkassen und den von den Königlichen Regierungen in den Amtsblättern zu bezeichnenden sonstigen Kassen unentgeltlich zu haben.

Der Einreichung der Aktien oder Schuldverschreibungen bedarf es zur Erlangung der neuen Zinsscheine nur dann, wenn die Zinsscheinanweisungen abhanden gekommen sind; in diesem Falle sind die Aktien oder Schuldverschreibungen an die Kontrolle der Staatspapiere oder an eine der genannten Provinzialkassen mittels besonderer Eingabe einzureichen. Berlin, den 3. November 1887.

Hauptverwaltung der Staatsschulden.

* * *

Vorstehende Bekanntmachung wird mit dem Bemerken zur öffentlichen Kenntniß gebracht, daß Formulare zu den Verzeichnissen von unserer Hauptkasse, den Königl. Kreis- und Forstkassen und den Königl. Hauptsteuerämtern bezogen werden können.

Pötsdam, den 14. November 1887.

Königl. Regierung.

Bekanntmachungen des Königlichen Polizei-Präsidiums zu Berlin.

Den Deutschen Tischlerverband in Stuttgart betreffend.

10. Nachdem die von mir unterm 11. Dezember 1887 von Aufsichtswegen angeordnete Schließung der hiesigen Zahlstelle des zum Betriebe von Versicherungsgeschäften in Preußen bisher nicht zugelassenen Deutschen Tischlerverbandes in Stuttgart endgültig geworden ist, wird jede weitere, dieser Maßnahme zuwiderlaufende Betheiligung an dem gedachten Verbande, zur Vermeidung einer Strafe von 30 Mark event. 3 Tagen Haft hiermit ausdrücklich untersagt.

Berlin, den 3. Februar 1888.

Der Polizei-Präsident.

Bekanntmachungen der Kaiserlichen Ober-Postdirektion zu Berlin.

Unbestellbare Einschreibbriefe.

4. Bei der Ober-Postdirektion in Berlin lagern folgende, an den angegebenen Tagen in dem Jahre 1887 in Berlin zur Post gegebene Einschriebbriefe:

A. mit dem Bestimmungsorte Berlin:

an Bur 16. Juli, an v. d. Osten 6. September, an Tietz 17. September, an Krause 22. September, an Bartel 1. Oktober, an Schäfer 4. October, an Krause 5. Oktober, an Spieler 7. Oktober, an Jonas 7. Oktober, an Ziebail 10. Oktober, an Schumann 14. Oktober, an Jenerowski 15. Oktober, an Fracke 20. Oktober, an Horsfall 21. Oktober, an Simon (Advocat) 25. Oktober, an Gieße 25. Oktober, an Carola 25. Oktober, an Fischer (Gormannstr.) 27. Oktober, an Krüger 2. November, an Keppler 8. November, an Prag 11. November, an Se. Durchlaucht, den Fürsten Herrn v. Bismarck 16. November.

B. mit anderen Bestimmungsorten:

an Osuldo Luxisa in Eppendorf 13. Juni, an Souchard in Washington 21. Juni, an Bur in Wiesbaden 16. Juli, an Gramzow in Strenitz 24. August, an Brosig in Hamburg 25. August, an Ziborow in Petersburg 26. August, an Stolzinsky in Urbanowo 1. September, an Wolff in Petersburg 13. September, an Wall in Naumburg (Saale) 20. September, an Scherer in Spandau 23. September, an Braatz in Leipzig 28. September, an Rath in Heidelberg 29. September, an Göring in Düsseldorf 29. September, an Oppermann in Berent 1. Oktober, an Peters in Beauvais 11. Oktober, an Hensch in Charlottenburg 15. Oktober, an Näser in Magdeburg 24. Oktober, an Pühler in Frankfurt (Oder) 25. Oktober, an Dahlen in Eberswalde 26. Oktober, an Haese in Charlottenburg 27. Oktober, an Schiele in Wesow bei Bernau 3. November, an Spiem in Dresden 4. November, an Kraatz in Rixdorf 5. November, an Spiem in Dresden 9. November, an Arnaut in Brüssel 9. November, an Potocki in Kamionka Strunnlowo (Oesterreich) 9. November, an Haesse in Charlottenburg 13. November, an v. d. Rega in Treptow (Rega) 18. November.

Die unbekannten Absender der vorbezeichneten Sendungen werden ersucht, zur Empfangnahme derselben spätestens innerhalb vier Wochen — vom Tage des Erscheinens gegenwärtiger Bekanntmachung an gerechnet — bei der hiesigen Ober-Postdirektion sich zu melden, widrigenfalls mit den Sendungen nach den gesetzlichen Vorschriften verfahren werden wird.

Berlin C., den 31. Januar 1888.

Der Kaiserl. Ober-Postdirektor.

Unanbringliche Postanweisungen.

5. Bei der Ober-Postdirektion in Berlin lagern als unanbringlich die nachstehend verzeichneten, in Berlin an den angegebenen Tagen in dem Jahre 1887 aufgelieferten Postanweisungen bez. auf solche eingezahlten Beträge:

An Weiß in Kissingen über 10 M., 15. Juli, an Friesecke in Berlin über 2 M., 6. September, an Giese in Berlin über 10 M., 15. September, an Hildebrandt in Westend über 3 M., 26. September, an Bettweiler in Berlin über 4 M., 30. September, an Amtsgericht II. in Berlin über 7 M., 10. Oktober (aufgeliefert in Rummelsburg bei Berlin), an Siegfried in Berlin über 2 M., 11. Oktober, an Alperstedt in Berlin über 30 Pf., 18. Oktober, an Krause in Berlin über 2 M., 24. Oktober, an Lewandowski in Berlin über 2 M. 15 Pf., 27. Oktober, an Hahn in Elberfeld über 10 M., 30. Oktober, an Schiemann in Düben über 10 M., 3. November, an Vogel in Berlin über 5 Pf., 4. November, an Faust in Berlin über 5 M., 7. November, an Burschenschaft Germania in Berlin über 10 M., 8. November, ferner 1 Nachnahme-Postanweisung an

Neubeck in Rohrbach über 40 Pf., 10. August, eine Nachnahme-Postanweisung an Koch in Berlin über 7 M. 50 Pf., aus Anlaß einer Sendung an Wendt in Sagan, 3. Oktober, sowie der Betrag einer in Verlust gerathenen Postanweisung an das Amtsgericht in Berlin von 40 Pf., 11. Juli, und der Betrag einer in Verlust gerathenen Postanweisung an Marck in Sack Tarnow (Galizien) über 6 M., 25. Januar.

Die unbekannten Absender der vorbezeichneten Postanweisungen werden ersucht, spätestens innerhalb vier Wochen — vom Tage des Erscheinens gegenwärtiger Bekanntmachung an gerechnet — bei der Ober-Postdirektion hierselbst sich zu melden, widrigenfalls die Beträge dem Post-Armenfonds überwiesen werden.

Berlin C., den 5. Februar 1888.

Der Kaiserl. Ober-Postdirektor.

Unanbringliche Postsendungen.

6. Bei der Ober-Postdirektion in Berlin lagern: A. Packete in Berlin zur Post gegeben: an Bauß in Berlin, 1½ kg, 15. September 1887, an Hoffmann in Berlin, 1 kg, 23. September 1887, an Westphal in Hamburg, ½ kg, 3. Oktober 1887, an Reinicke in Potsdam, ½ kg, 23. Oktober 1887, an Noack in Luckau, 1 kg, 18. November 1887, an Reck in Berlin, ½ kg, 25. November 1887;

B. Gegenstände, welche in Packeten ohne Aufschrift enthalten gewesen bez. Postsendungen entfallen oder bei hiesigen Postanstalten herrenlos aufgefunden worden sind: 2 kleine Nadelbüchsen aus Knochen, Bierhähne, 1 Beutelportemonnaie, 1 Scheere, 3 baumwollene Strümpfe, 1 Krücke zum Stock, 1 Cliché, eine Taille darstellend, 2 Dutzend Küchenmesser, Mundstück zu einer Trompete, 1 Brochüre „Feier der Grundsteinlegung des Logenhauses der Loge Teutonia", 1 Dreieck, 1 Signalpfeife, 2 Blechbüchsen, Thee und Kaffee enthaltend, 1 Bohrer, 1 Schloß, roth lackirt, nebst Schlüssel, 18 Papptäfelchen, 1 Paar baumwollene Strümpfe, 1 Schloß mit Messingkette, 4 alte Taschenmesser, 1 Fingerhut, anscheinend von Silber, 1 kleine Büchse mit schwarzer Farbe, 6 Portemonnaie-Almanachs, 1 Scheere, 2 Päckchen Goldfäden zu Stickereien, 24 Schraubenstifte, 1 Messingschloß, 1 halbes Pincenez, 1 Päckchen mit gestickten Buchstaben, 1 Packet kleine Eisenschienen, 1 Vorhängeschloß mit 2 Schlüsseln, 1 leere Geldbörse, Staniol, 23 eiserne Schrauben zum Befestigen von Rouleauxstangen, 2 Röcke, 1 Jaquet, 1 Mütze, 1 Notizbuch, 12 Päckchen weißes Band, 1 Cigarrenspitze, 1 Fingerhut, 2 Beschläge von Neusilber, 1 Paar grauwollene Strümpfe, 1 Gabel, 1 Stück Chocolade, 1 Paar Lederhandschuhe, 1 Leinwandstuhl, 1 Büchse corned Beef, 1 Messer, 2 Schächtelchen mit Brief-Umschlägen und Briefbogen, 1 Dutzend Notizbücher und Plüschproben, 4 Päckchen fein lackirte Haken, 1 Bund Borsten, 1 Päckchen Hosenschnallen, 3 Stückchen Glycerinseife, 1 Rolle schwarzes Garn, 6 Nickelplatten, 2 Blechbüchsen mit Stangenspargel, 1 Bund Metallperlen, 1 Päckchen mit Siegelabdruck: „Dr. L. Z." (1 Schlüssel enthaltend), 36 bemalte Blechschilder, 1 Päckchen grüne und braune Wolle, 1 Dutzend Schuhmachermesser, 3 Stearinkerzen, Hefte „Der Einsiedler am Starenberger See", 5 Spitzkugeln, 10 Felle mit Stempel D. R. Patent 38972, 1 Päckchen Rosenseife, 1 Paar Schraubenschlittschuhe, 1 messingenes Buchstabenschloß auf „Pour" zu öffnen, 1 Schuhknöpfer, 1 Petschaft, 1 Haarnadel von Horn, 2 Päckchen Titelschilder, 1 Viertellos № 19021 (Lüneburger Lotterie), 2 Ketten zu Hängelampen, 1 Päckchen Typen, 1 Taschentuch, 1 Pappkästchen mit 5 Cigarrenspitzen, 1 Paar Handschuhe, 1 Notenheft, 1 Sendung Bücher in englischer Sprache, 1 Buch „David Copperfield", 1 Heft „Beiträge zur Geschichte Palaestinas", 1 Päckchen Eisenstifte, 1 Buch „Tanz und Theaterbesuch von Walther in St. Louis", 2 Messinghähne, 2 Rollen roher Schafwolle, 2 Messer, Papierbuchstaben (versilbert), 1 Albuminimeter, 2 Musikstücke (Noten), 1 Packet mit 2 Fellen, 6 Münzen, 1 Fingerring.

Die unbekannten Absender bz. Eigenthümer der vorbezeichneten Sendungen werden ersucht, spätestens innerhalb vier Wochen — vom Tage des Erscheinens gegenwärtiger Bekanntmachung an gerechnet — bei der Ober-Postdirektion sich zu melden, widrigenfalls die Gegenstände zum Besten des Post-Armenfonds versteigert werden. Berlin C., 5. Februar 1888.

Der Kaiserl. Ober-Postdirektor.

Unanbringliche Briefe mit Werthinhalt.

7. Bei der Ober-Postdirektion hierselbst lagern folgende, bei hiesigen Postanstalten an den bezeichneten Tagen im Jahre 1887 aufgelieferten Briefe, in welchen bei der Eröffnung die dabei vermerkten Beträge vorgefunden worden sind: an Fricke in Berlin, Brandenburgstraße 71, 1 M., 9. September, an Rieß in Berlin, 10 M., 15. September, an Richter in Hamburg, 5 M., 24. September, an Kobin in Berlin, 1 M., 29. September, an Ilgenstein in Moabit, 10 M., 29. September, an Rödenbeck in Berlin, 20 M., 3. Oktober, an Leihamt in Berlin, 3 M., 10. Oktober, an Schulz in Weißensee, 2 M., 13. Oktober, an Henning an Bord Sr. M. S. „Sophie", 60 Pf., 24. Oktober, an Krüger in Ahlbeck, 40 Pf., 27. Oktober, an Heller in Berlin, 20 M., 5. November, an Ziarks in Berlin, 3 M., 10. November, an Pflug, Königsberger Vorstadt, 6 M., 15. November, an Schmidt in Coepenick, 10 M., 27. November, an Classen in Cöln (Rhein) 100 M., 3. Dezember, an Zeitungs-Expedition, 30 Pf., 3. Dezember, an Henkel in Berlin, 1 M., 5. Dezember, an Schmidt in Stettin, 50 Pf., 5. Dezember.

Die unbekannten Absender der vorbezeichneten Briefe werden ersucht, spätestens innerhalb vier Wochen — vom Tage des Erscheinens gegenwärtiger Bekanntmachung an gerechnet — bei der Ober-Postdirektion sich zu melden, widrigenfalls die in den Sendungen aufgefundenen Beträge dem Post-Armenfonds überwiesen werden. Berlin C., den 5. Februar 1888.

Der Kaiserl. Ober-Postdirektor.

Bekanntmachungen der Kaiserlichen Ober-Post-Direktion zu Potsdam.

Anträge auf Fernsprechanschluß.

8. Für die im nächsten Bauabschnitte vom 1. April d. J. ab auszuführende **Erweiterung der Stadt-Fernsprechanlagen** in Potsdam, Spandau, Cöpenick, Steglitz, Groß-Lichterfelde, Oranienburg, Wannsee, Grünau (Mark) und Ludwigsfelde, welche sämmtlich mit dem **Berlin'er Fernsprechnetz** verbunden sind, ist es nothwendig, die Anzahl der neuen Anschlüsse, sowie die Lage der Gebäude, in welchen Fernsprechstellen eingerichtet werden sollen, im Voraus zu kennen.

Diejenigen Personen, welche den Anschluß an eine der genannten Stadt-Fernsprecheinrichtungen wünschen, wollen ihre **schriftlichen Anmeldungen** spätestens bis znm 1. März mir zugehen lassen. Die einschlägigen Bedingungen werden auf Wunsch von den Postanstalten in den bezeichneten Orten mitgetheilt.

Potsdam, den 19. Januar 1888.

Der Kaiserl. Ober-Postdirektor.

Bekanntmachungen der Königlichen Hauptverwaltung der Staatsschulden.

Aufruf noch nicht eingelöster Stammaktien und Prioritäts-Obligationen der Münster-Hammer Eisenbahn.

2. Die nachstehend verzeichneten, zur baaren Rückzahlung gekündigten Stammaktien und Prioritäts-Obligationen der Münster-Hammer Eisenbahn, welche zur Einlösung noch nicht eingereicht sind, werden hierdurch wiederholt mit dem Bemerken aufgerufen, daß ihre Verzinsung mit dem betreffenden Kündigungstermin aufgehört hat.

A. Stammaktien.

11. Verloosung.

Gekündigt zum 1. Januar 1881.

Abzuliefern mit Zinsscheinen Reihe VII. Nr. 5—8 und Anweisung zur Reihe VIII.

Nr. 3906.

14. Verloosung.

Gekündigt zum 1. Januar 1884.

Abzuliefern mit Zinsscheinen Reihe VIII. Nr. 3—8 und Anweisungen zur Reihe IX.

Nr. 787 788 6886.

Restkündigung zum 1. Januar 1885.

Abzuliefern mit Zinsscheinen Reihe VIII. Nr. 5—8 und Anweisungen zur Reihe IX.

Nr. 5 106 107.

B. Prioritätsobligationen.

Restkündigung zum 1. Januar 1887.

Abzuliefern mit Zinsscheinen Reihe VII. Nr. 3—8 und Anweisungen zur Reihe VIII.

Nr. 64 1008 331 436 478 480 569 627.

Berlin, den 24. Januar 1888.

Hauptverwaltung der Staatsschulden.

Bekanntmachungen der Königl. Kontrolle der Staatspapiere.

Aufgebot von Schuldverschreibungen.

3. In Gemäßheit des §. 20 des Ausführungsgesetzes zur Civilprozeßordnung vom 24. März 1879 (G.-S. S. 281) und des § 6 der Verordnung vom 16. Juni 1819 (G.-S. S. 157) wird bekannt gemacht, daß dem Fuhrwerksbesitzer Adolf Spohr in Cassel, Untere Königstraße 103, die Schuldverschreibungen der konsolidirten 4%igen Staatsanleihe von 1880 lit. E. Nr. 354072 und 366015 über je 300 M. angeblich abhanden gekommen sind. Es werden Diejenigen, welche sich im Besitze dieser Urkunden befinden, aufgefordert, dies der unterzeichneten Kontrolle der Staatspapiere oder dem rc. Spohr anzuzeigen, widrigenfalls das gerichtliche Aufgebotsverfahren behufs Kraftloserklärung der Urkunden beantragt werden wird.

Berlin, den 2. Februar 1888.

Königl. Kontrolle der Staatspapiere.

Bekanntmachungen der Königlichen Eisenbahn-Direktion zu Bromberg.

Staatsbahn-Güter-Tarif Bromberg Breslau und Oberschlesischer Kohlenverkehr.

9. Am 1. Februar 1888 wird die Station Mehlsack des Direktionsbezirks Bromberg in den Ausnahme-Tarif 7 für Flachs (gebrecht) und Hanf, für den Verkehr mit den darin bezeichneten Stationen des Direktionsbezirks Breslau aufgenommen. Die Frachtsätze werden durch die betreffenden Güter-Expeditionen und die Tarif-Büreaus in Bromberg und Breslau auf Verlangen mitgetheilt und werden in dem nächsten Nachtrage XIV. zu obigem Tarif enthalten sein.

Im Nachtrag IX. zum Ausnahme-Tarif für Steinkohlen von Oberschlesien nach den Stationen des Bezirks Bromberg ist auf Seite 5 der Frachtsatz Wildensteinsegengr. (Kronprinzschacht)-Erin von 0,737 auf 0,937 und Kunigundenweiche-Gutowo von 5,785 auf 0,785 M. zu berichtigen.

Bromberg, den 31. Januar 1888.

Königl. Eisenbahn-Direktion,
Namens der betheiligten Verwaltung.

Bekanntmachungen der Kreis-Ausschüsse.

Communalbezirks-Veränderung.

3. Auf Grund des § 25 des Zuständigkeitsgesetzes vom 1. August 1883 in Verbindung mit § 1 Abschnitt 4 des Gesetzes vom 14. April 1856 genehmigen wir hiermit, daß die in dem Grundbuche von Dahme Band I. Blatt 43 Fol. 325 verzeichnete fiskalische Parzelle von 0,13 ha Größe aus dem Gemeindebezirke Dahme A. J. entlassen und dem Gutsbezirke Dahme Domaine einverleibt wird.

Jüterbog, den 1. Februar 1888.

Der Kreis-Ausschuß Jüterbog-Luckenwalde'schen Kreises.

Personal-Chronik.

Der Haupt-Ritterschaftsdirektor von Tettenborn auf Reichenberg ist für die 6 Jahre vom 1. Juli 1888 bis dahin 1894 zum General-Direktor der Land-Feuer-Societät der Kurmark und der Niederlausitz wieder gewählt worden.

Des Kaisers und Königs Majestät haben Allergnädigst geruht, den Specialkommissar Regierungs-Assessor Dr. Jesse zu Berlin zum Regierungsrath zu ernennen.

Der bisherige Gerichts-Referendar Dehne ist zum Regierungs-Referendar ernannt worden.

Der bisherige Gerichts-Referandar Conrad Hahn ist zum Regierungs-Referendar ernannt worden.

Der bisherige Gerichts-Referendar Frhr. von Richthofen ist zum Regierungs-Referendar ernannt worden.

Der Kämmerer Prochnow zu Wendisch-Buchholz ist zum Stellvertreter des Amtsanwalts bei dem Kgl. Amtsgericht daselbst ernannt worden.

Die Försterstelle Tegelsee in der Oberförsterei Tegel ist vom 1. April d. J. ab dem Förster Grußdorf zu Niederschönhausen in derselben Oberförsterei übertragen worden.

Der versorgungsberechtigte Jäger, Forstaufseher Türcke zu Forsthaus Saugarten in der Oberförsterei Cunersdorf ist zum Königl. Förster ernannt und demselben die Försterstelle Buchhorst in der Oberförsterei Rüdersdorf vom 1. April d. J. ab übertragen worden.

Bei der Königlichen Ministerial-Bau-Kommission zu Berlin sind im Laufe des 4. Kalender-Quartals v. J. die Königlichen Regierungs-Bauführer Ernst Friedrich Müller, Daniel Eduard August Senz und Julius Wilhelm Boethke vereidigt worden.

Die unter Königlichem Patronat stehende Predigerstelle an der Französischen Hospitalkirche zu Berlin ist durch das Ableben des Predigers Barthélemy am 5. Juni 1887 zur Erledigung gekommen.

Der Gemeindeschullehrer Karl Schneck in Potsdam ist als Elementar- und Zeichenlehrer an der dortigen Realschule angestellt worden.

Der Zeichenlehrer Ernst Schneck an der Realschule in Potsdam ist als Elementar- und Zeichenlehrer an dem dortigen Realgymnasium angestellt worden.

Personalveränderungen im Bezirke der Kaiserlichen Ober-Postdirektion zu Potsdam.

Etatsmäßig angestellt sind: der Postanwärter Schröter in Nauen als Postassistent, der Telegraphenanwärter B. F. Müller in Eberswalde als Telegraphenassistent.

Versetzt ist: der Postsecretair Gerig in Neu-Ruppin als Postamtsvorsteher nach Finsterwalde.

Personalveränderungen im Bezirke der Kaiserlichen Ober-Postdirektion in Berlin.

Im Laufe des Monats Januar sind:

ernannt: zum Ober-Telegraphensekretair der Telegraphensekretair Dyhrr,

versetzt: von Berlin: der Telegrapheninspektor Pinkert nach Chemnitz (Sachsen), der Postkassirer Palm nach Gumbinnen, die Postsekretaire W. Ebel nach Straßburg (Els.), Preisigke nach Hamburg, Tschiersky nach Filehne, der Telegraphenassistent Braach nach Trier, nach Berlin: der Telegrapheninspektor Conradt von Braunschweig, der Ober-Postdirektionssekretair Seidelmann von Frankfurt (Oder), der Ober-Postsekretair Pankonin von Metz, der Postsekretair Jüngling von Karlsruhe (Baden), der Telegraphensekretair Glatzel von Beuthen (Ober-Schlesien),

in den Ruhestand versetzt: die Postsekretaire Hartung, Homeyer, Rakow und Schondorff, der Ober-Telegraphenassistent Herms, der Postassistent Petzke,

gestorben: der Ober-Telegraphenassistent Steinweg.

Vermischte Nachrichten.

Oeffentliche Belobigung für Rettung aus Lebensgefahr.

Am 6. Juli v. J. wurden der Tischler Seelin aus Berlin und die unverehelichte Ottilie Leicht, ebendaher, welche bei einer Kahnfahrt auf dem Müggelsee mit dem Boote gekentert waren, durch die Bemühungen des Herrn von der Gröben, früher zu Friedrichshagen, sowie einiger anderer Personen nicht ohne eigene Lebensgefahr der Betreffenden vom Tode des Ertrinkens gerettet.

Diese muthige und entschlossene That wird hiermit belobigend zur öffentlichen Kenntniß gebracht und die derselben gebührende Anerkennung hierdurch ausgesprochen.

Potsdam, den 2. Februar 1888.

Der Regierungs-Präsident.

Verzeichniß der Vorlesungen

an der Königlichen Landwirthschaftlichen Hochschule zu Berlin, Invalidenstraße Nr. 42, im Sommer-Semester 1888.

1. Landwirthschaft, Forstwirthschaft und Gartenbau.

Geheimer Regierungs-Rath, Professor Dr. Settegast: Pferdezucht. Grundzüge der landwirthschaftlichen Betriebslehre. — Professor Dr. Orth: Specieller Acker- und Pflanzenbau. Allgemeine Ackerbaulehre, Theil II. Die chemischen Grundlagen des Feldbaues. Bonitirung des Bodens. Ueber Boden und Wasser. Praktische Uebungen im agronomisch-pedologischen Laboratorium. Leitung agronomischer und agricultur-chemischer Untersuchungen. Landwirthschaftliche Excursionen. — Oekonomierath Dr. Freiherr von Canstein: Ausgewählte Capitel der landwirthschaftlichen Meliorationslehre. Fischzucht und Teichwirthschaft. — Professor Dr. Gratz: Allgemeiner Acker- und Pflanzenbau. Wiesenbau. — Dr. Hartmann: Zucht des Merinoschafes und Wollkunde. — Professor Dr. Lehmann: Landwirthschaftliche Fütterungslehre, Theil II. (Die specielle Ernährung der einzelnen Nutzthierklassen: Entwicklung und Anwendung der Fütterungsnormen.) Ueber Zeugung, Fortpflanzung und Vererbung. Molkereiwesen, Theil I (Production, Beschaffenheit und Verwerthung der Milch). Cursus im Untersuchen von Milch und Molkereiprodukten. — Ingenieur Schotte: Landwirthschaftliche Maschinenkunde. Maschinen und bauliche Anlagen landwirthschaftlicher Nebengewerbe (Zuckerfabriken, Brennereien etc.). Zeichen-Uebungen. Feldmessen und Nivelliren für Landwirthe. — Forstmeister Krieger: Specielle Holzkenntniß. Forstbenutzung (Hauptnutzung) und zwar Gewinnung und Verwerthung des Holzes. Forstliche Excursionen. — Garteninspector Lindemuth: Gemüsebau.

2. Naturwissenschaften.

a. Botanik und Pflanzenphysiologie. Professor Dr. Kny: Grundzüge der Morphologie der Pflanzen. Botanisch-mikroskopischer Cursus. Arbeiten für Fortgeschrittenere im botanischen Institut. — Professor Dr. Frank: Experimental-Physiologie der Pflanzen. Anleitung zu pflanzenphysiologischen Untersuchungen im Gebiete der Landwirthschaft. Arbeiten für Fortgeschrittenere im pflanzenphysiologischen Institut. — Professor Dr. Wittmack: Land- und forstwirthschaftliche Botanik. Samenkunde. Uebungen im Bestimmen der Pflanzen. Botanische Excursionen. — Privatdocent Dr. Tschirch: Botanisch-mikroskopische Uebungen mit specieller Berücksichtigung praktischer Fragen. Angewandte Pflanzenanatomie.

b. Chemie und Technologie. Geheimer Regierungs-Rath, Professor Dr. Landolt: Organische Experimentalchemie. Großes chemisches Prakticum. Kleines chemisches Prakticum. — Dr. Degener: Grundzüge der anorganischen Chemie. Ausgewählte Kapitel aus der Rübenzucker-Fabrication, mit besonderer Berücksichtigung von Kosten- und Rentabilitätsberechnung. Darstellung, Eigenschaften und Untersuchung der künstlichen Düngemittel. — Dr. Herzfeld: Fabrication des Zuckers. — Professor Dr. Delbrück: Spiritusfabrication. Uebungen für die Controle des Brennereibetriebes. — Privatdocent Dr. Hayduck: Gährungschemie.

c. Mineralogie, Geologie und Geognosie. Prof. Dr. Gruner: Mineralogie und Gesteinslehre. Einleitung in die Bodenkunde. Geognosie Norddeutschlands, mit Demonstrationen im Museum. Praktische Uebungen zur Bodenkunde. Geologische Excursionen.

d. Physik. Professor Dr. Börnstein: Ausgewählte Kapitel der mathematischen Physik. Experimental-Physik, II. Theil. Physikalische Uebungen.

e. Zoologie und Thierphysiologie. Professor Dr. Nehring: Zoologie und Geschichte der Hausthiere. Die jagdbaren Säugethiere und Vögel Deutschlands. Zoologisches Colloquium. — Dr. Karsch: Ueber die der Landwirthschaft schädlichen und nützlichen Insecten, mit besonderer Berücksichtigung der Bienenzucht und des Seidenbaues. — Professor Dr. Zuntz: Ueberblick der gesammten Thierphysiologie. Arbeiten im thierphysiologischen Laboratorium (in Gemeinschaft mit Prof. Dr. Lehmann).

3. Veterinärkunde.

Professor Dieckerhoff: Die inneren Krankheiten der Hausthiere. — Professor Dr. Möller: Die äußeren Krankheiten der Hausthiere. — Professor Müller: Anatomie der Hausthiere (Knochen, Muskeln, Nerven, Sinnesorgane), verbunden mit Demonstrationen. — Oberroßarzt Küttner: Hufbeschlagslehre.

4. Rechts- und Staatswissenschaft.

Professor Dr. Schmoller: Allgemeine oder theoretische National-Oekonomie. Ueber ausgewählte Fragen der Agrarpolitik (hauptsächlich über die landwirthschaftliche Krisis). — Kammergerichtsrath Keyßner: Reichs- und preußisches Recht, mit besonderer Rücksicht auf die für den Landwirth und Culturtechniker wichtigen Rechtsverhältnisse.

5. Culturtechnik und Baukunde.

Meliorations-Bauinspector Koehler: Culturtechnik. Entwerfen von Ent- und Bewässerungs-Anlagen. — Professor Schlichting: Bauconstructionslehre. Erdbau. Wasserbau. Entwerfen von Bauwerken des Wasser-, Wege- und Brückenbaues.

6. Geodäsie und Mathematik.

Professor Dr. Vogler: Traciren. Praktische Geometrie. Zeichen und Rechen-Uebungen. Meß-Uebungen im Freien. — Professor Dr. Börnstein: Algebra. Mathematische Uebungen. — Professor Dr. Reichel: Analytische Geometrie der Ebene und Differentialrechnung. Geometrie. Mathematische Uebungen.

Das Sommer-Semester beginnt am 16. April 1888. — Programme sind durch das Secretriat zu erhalten.

Berlin, den 21. Januar 1888.

Der Rector der Königl. Landwirthschaftlichen Hochschule.

Ausweisung von Ausländern aus dem Reichsgebiete.

Lauf. Nr.	Name und Stand des Ausgewiesenen	Alter und Heimath des Ausgewiesenen	Grund der Bestrafung.	Behörde, welche die Ausweisung beschlossen hat.	Datum des Ausweisungs-Beschlusses.
1.	2.	3.	4.	5.	6.
			a. Auf Grund des § 39 des Strafgesetzbuchs:		
1	Ludwig Czelusniak, Drechsler,	geboren am 25. August 1859 zu Wygoda bei Krakau, Galizien, ortsangehörig zu Krakau,	vollendeter und versuchter Diebstahl im wiederholten Rückfall (4 Jahre Zuchthaus laut Erkenntniß vom 16. Januar 1884),	Königlich Preußischer Regierungspräsident zu Marienwerder,	13. Januar 1888.
2	Leontius Andreas Kretz, Schlossergeselle,	21 Jahre, geboren und ortsangehörig zu Sulz, Gemeinde Künten, Kanton Aargau, Schweiz,	Verbrechen und Vergehen des Diebstahls (1 Jahr 1 Woche Zuchthaus laut Erkenntniß vom 4. Dezember 1886),	Königlich Bayerisches Bezirksamt Bamberg II.,	2. Dezemb. 1887.

Lauf. Nr.	Name und Stand des Ausgewiesenen.	Alter und Heimath des Ausgewiesenen.	Grund der Bestrafung.	Behörde, welche die Ausweisung beschlossen hat.	Datum des Ausweisungs-Beschlusses.
1.	2.	3	4.	5.	6.
3	Mads Christensen, Malergehülfe,	geboren am 11. August 1856 zu Loewilt, Jütland, ortsangehörig ebendaselbst, wohnhaft zuletzt in Altona, Preußen,	Diebstahl im wiederholten Rückfall (1½ Jahre Zuchthaus laut Erkenntniß vom 6. Juli 1886),	Chef der Polizei in Hamburg,	6. Januar 1888.
	b. Auf Grund des § 362 des Strafgesetzbuchs:				
1	a. Jakob Wrana, Zigeuner, b. und dessen Ehefrau Barbara, geborene Wetkaz,	a. 42 Jahre, b. 48 Jahre, beide geboren zu Polanka, Bezirk Troppau, Oesterreich.-Schlesien,	Landstreichen, Diebstahl und Widerstand gegen die Staatsgewalt,	Königlich Preußischer Regierungspräsident zu Oppeln,	17. Dezemb. 1887.
2	Anna Juna, geborene Hacker,	geboren am 26. Juli 1857 zu Camnitz, Bezirk Tetschen-Leipa, Böhmen, ortsangehörig ebendaselbst,	Landstreichen,	Königlich Preußischer Regierungspräsident zu Liegnitz,	22. Dezemb. 1887.
3	Jan Hubert Rütten, Zimmergeselle,	geboren am 27. Mai 1852 zu Roermond, Niederlande, ortsangehörig ebendaselbst,	desgleichen,	Königlich Preußische Regierung zu Düsseldorf,	5. Januar 1888.
4	Thomas Hazuka, Metzger,	geboren 1858 zu Wien, Oesterreich, ortsangehörig zu Vitesic, Bezirk Prachatitz, Böhmen,	Landstreichen und Betteln,	Stadtmagistrat Passau, Bayern,	17. Dezemb. 1887.
5	Ferdinand Hajek, Drechsler,	geboren am 28. August 1856 zu Drosau, Bezirk Klattau, Böhmen, ortsangehörig ebendas.,	Landstreichen,	Königlich Bayerisches Bezirksamt Erding, Bayern,	19. Dezemb. 1887.
6	Leopold Simunek (Schimonek, Simonek), Färber u. Malergehülfe,	geboren im Juni oder Juli 1858 zu Steyer, Ober-Oesterreich, ortsangehörig zu Münchengrätz, Böhmen,	Betteln im wiederholten Rückfall,	Königlich Sächsische Kreishauptmannschaft Zwickau,	8. Novemb. 1887.
7	Matthias Wopalezky (Wopalezky), Schuhmacher und Handarbeiter,	geboren am 17. Februar 1851 zu Klein-Bor, Bezirk Strakonitz, Böhmen, ortsangehörig ebendaselbst,	Diebstahl, Landstreichen und Betteln,	Königlich Sächsische Kreishauptmannschaft Bautzen,	15. Dezemb. 1887.
8	Karl Waldemar Gerber, Bäckergeselle,	geboren am 8. März 1858 zu Kopenhagen, Dänemark, wohnhaft zuletzt in Hamburg,	Betteln im wiederholten Rückfall, verbotswidrige Rückkehr,	Chef der Polizei in Hamburg,	9. Dezemb. 1887.
9	Leo David, Buchdrucker,	59 Jahre, geboren zu Straßburg, Elsaß, Französischer Staatsangehöriger,	Landstreichen und Betteln,	Kaiserlicher Bezirks-Präsident zu Straßburg,	31. Dezemb. 1887.
10	Friedrich Plüß, Weber,	geboren am 27. November 1845 zu Niederwyl, Kanton Aargau, Schweiz, ortsangehörig ebendaselbst,	Hausfriedensbruch, Landstreichen, Betteln und Entwendung von Genußmitteln,	Kaiserlicher Bezirks-Präsident zu Colmar,	19. August 1887.

Lauf. Nr.	Name und Stand	Alter und Heimath	Grund der Bestrafung	Behörde, welche die Ausweisung beschlossen hat.	Datum des Ausweisungs-Beschlusses
	des Ausgewiesenen.				
1.	2	3.	4.	5.	6
11	Heinrich Scheibli, Schlosser,	geboren am 9. Januar 1859 zu Niederweningen, Kanton Zürich, Schweiz, ortsangehörig ebendaselbst,	Landstreichen und Betteln,	Kaiserlicher Bezirks-Präsident zu Colmar,	13. Dezemb. 1887.
12	Ferdinand Keller, Arbeiter,	geboren am 17. Mai 1863 zu Marthalm, Schweiz,	desgleichen,	Kaiserlicher Bezirks-Präsident zu Metz,	7. Januar 1888.
13	Albert Springer, Arbeiter,	geboren am 6. Januar 1866 zu Wasserbillig, Luxemburg,	desgleichen,	derselbe,	desgleichen.
14	Johann Nikolaus Jambon, Winzer,	geboren am 11. März 1854 zu Biville-sur-le-Cotes, Departement Meuse, Frankreich,	Landstreichen,	derselbe,	desgleichen.
15	Johann Baptist Chanol, Tagelöhner,	geboren am 16. April 1866 zu Sarcey bei Lyon, Departement Rhône, Frankreich,	Landstreichen und Betteln,	derselbe,	10. Januar 1888.
16	Adolf Emil Georg Schickhmeyer (Schnickhmeyer) von Steindlbach, Kellner,	geboren am 11. Juni 1866 zu Rauenstein bei Wien, Oesterreich, ortsangehörig zu Wien,	Betteln im wiederholten Rückfall,	Königlicher Polizei-Präsident zu Berlin,	12. Dezemb. 1887.
17	Josef Werner, Schuhmacher und Arbeiter,	geboren am 8. März 1866 zu Nieder-Rzebirze, Bezirk Leitmeritz, Böhmen, ortsangehörig ebendaselbst,	Landstreichen,	Königlich Preußischer Regierungspräsident zu Potsdam,	11. Januar 1888.
18	Theodor Thum, Arbeiter,	geboren am 7. Februar 1861 zu Reichenberg, Böhmen, ortsangehörig ebendaselbst,	Landstreichen und Betteln,	derselbe,	desgleichen.
19	Bernhard Pilz, Färber und Arbeiter,	geboren am 1. Dezember 1857 zu Röchlitz, Bezirk Reichenberg, Böhmen, ortsangehörig zu Proschwitz, Bezirk Gablenz, ebendaselbst,	Betteln im wiederholten Rückfall,	Königlich Preußischer Regierungspräsident zu Frankfurt a. O.,	20. Dezemb. 1887.
20	Johann Sopart (al. Stephan Bupscho (richtig Tupso), Arbeiter,	geboren am 4. Juni 1857 zu Mackow, Komitat Trencsin, Ungarn, ortsangehörig ebendaselbst,	desgleichen,	Königlich Preußischer Regierungspräsident zu Breslau,	13. Januar 1888.
21	Emil Braun, Cigarrenmacher und Bäcker,	geboren am 25. Juli 1869 zu Nieder-Rochlitz, Bezirk Starkenbach, Böhmen, ortsangehörig zu Rochlitz, ebendaselbst,	Landstreichen und Betteln,	Königlich Preußischer Regierungspräsident zu Hildesheim,	10. Januar 1888.

Lauf. Nr.	Name und Stand des Ausgewiesenen.	Alter und Heimath des Ausgewiesenen.	Grund der Bestrafung.	Behörde, welche die Ausweisung beschlossen hat.	Datum des Ausweisungs-Beschlusses.
1.	2.	3.	4.	5.	6.
22	Salomon Kuhon, Uhrmacher,	23 Jahre, geboren zu Plock, Kreis Petersburg, Rußland, wohnhaft zuletzt in Stuttgart,	Landstreichen, Betteln, Nichtbeschaffung eines Unterkommens,	Großherzoglich Badischer Landeskommissär zu Mannheim,	26. Dezemb. 1887.
23	Vincenz Heidler, Metzger,	15 Jahre, geboren und ortsangehörig zu Schindelwald, Bezirk Graslitz, Böhmen,	Landstreichen, Betteln, Angabe eines falsch. Namens und Gebrauch eines gefälschten Zeugnisses,	derselbe,	11. Januar 1888.
24	Hermann Polensky, Töpfergeselle,	32 Jahre, ortsangehörig zu Krenowic, Bezirk Ledec, Böhmen,	Betteln im wiederholten Rückfall u. Beleidigung,	Fürstlich Schwarzburgisches Ministerium zu Rudolstadt,	12. Dezemb. 1887.
25	Eduard Huning, Schneider,	geboren am 18. Dezember 1856 zu Metelon, Schweiz,	Landstreichen und Betteln,	Kaiserlicher Bezirks-Präsident zu Metz,	14. Januar 1888.
26	Karl Trucco, Bergarbeiter,	geboren 1841 zu Frasinetto, Bezirk Ivrea-Evrina, Italien,	Betteln im wiederholten Rückfall,	derselbe,	17. Januar 1888.

Hierzu Drei Oeffentliche Anzeiger.

(Die Insertionsgebühren betragen für eine einspaltige Druckzeile 20 Pf.
Belagsblätter werden der Bogen mit 10 Pf. berechnet.)

Redigirt von der Königlichen Regierung zu Potsdam.

Potsdam, Buchdruckerei der A. W. Hayn'schen Erben (C. Hayn, Hof-Buchdrucker).

Amtsblatt
der Königlichen Regierung zu Potsdam und der Stadt Berlin.

Stück 7. Den 17. Februar 1888.

Bekanntmachungen der Königlichen Ministerien.

Zusätzliche Bestimmung zu der unter dem 20. März 1885 genehmigten „Revidirten Börsenordnung für Berlin".

6. Die in der revidirten Börsenordnung für Berlin enthaltenen Bestimmungen über die besondere Abtheilung „Waarenbörse", über das Lokal für die Versammlungen der Waarenbörse und über die besondere Sektion des Börsen-Kommissariats für die Abtheilung „Waarenbörse", sind mit dem 1. Januar 1888 außer Kraft gesetzt.

Berlin, den 16. Januar 1888.

Die Aeltesten der Kaufmannschaft von Berlin.
Frentzel. G. Dietrich. B. Liebermann.

* * *

Vorstehende zusätzliche Bestimmung zu der unter dem 20. März 1885 genehmigten revidirten Börsenordnung für Berlin wird hierdurch genehmigt.

Berlin, den 2. Februar 1888.

(L. S.)

Für den Minister für Handel und Gewerbe.
B. 423. gez. von Boetticher.

Bekanntmachungen des Königlichen Regierungs-Präsidenten.

Festsetzung von Laichschonrevieren im Kreise Ruppin.

56. Nach Anhörung der betheiligten Fischereiberechtigten hat der Herr Minister für Landwirthschaft, Domänen und Forsten mittels der Erlasse vom 8. Oktober 1887 und 16. Januar 1888 in Gemäßheit des § 29 des Fischerei-Gesetzes vom 30. Mai 1874 mich ermächtigt, die nachfolgend näher bezeichneten Gewässerstrecken in See'n des Ruppiner Kreises für die Zeit **vom 1. März bis zum 1. August** jeden Jahres — wie hiermit geschieht — zu **Laichschonrevieren** zu erklären:

1) den nordöstlichen Winkel des Zermützel-See's,
2) die nördliche Spitze des Ruppin'er See's, begrenzt durch die Stadtlage von Alt-Ruppin und die Insel Roggenwerder einerseits, andererseits durch eine Linie, welche durch den auf der Ostseite belegenen Kalkofen und die Insel Roggenwerder geht,
3) die der Karwer Forst gegenüber liegende östliche Bucht des Ruppin'er See's,
4) die südwestlich vom Schloßberge in die Alt-Frisack'er Feldmark einspringende Bucht des Bütz-See's,
5) den fiskalischen Theil des Cremmen'er See's,
6) die nordöstlich des Forsthauses Stechlin belegene Bucht des Gr.-Stechlin-See's,
7) die östlich der vorigen belegene kleinere Bucht desselben See's,
8) die dem Wulwitz-See gegenüber belegene nördliche Bucht des Nehmitz-See's,
9) den Breutzen-See,
10) den an der Mündung des Bielitz- und des Wutz-Fließes belegenen südöstlichen Theil des Gudelack-See's,
11) den westlich der Seebecker Abbauten belegenen mittleren Theil des Bielitz-See's,
12) den nördlich des kleinen Struben-See's belegenen mittleren Theil des Wutz-See's.

Die hiernach zu Laichschonrevieren ausgesonderten Gewässerstrecken sind auf besonderen zu diesem Behufe angefertigten, im Königlichen Landrathsamte zu Neu-Ruppin zur Einsicht offen liegenden Karten genau bezeichnet und werden durch Tafeln als „Laichschonrevier" kenntlich gemacht werden.

Indem ich dies zur allgemeinen Kenntniß bringe, mache ich zugleich auf die Vorschrift des § 30 des Fischerei-Gesetzes aufmerksam, nach welcher in Schonrevieren jede Art des Fischfanges untersagt ist, sowie auf die Vorschrift des § 31 a. a. O., nach welcher in Laichschonrevieren die Räumung, das Mähen von Schilf und Gras, die Ausführung von Sand, Steinen, Schlamm u. s. w. und jede anderweite, die Fortpflanzung der Fische gefährdende Störung während der Sperrung des Reviers unterbleiben muß, soweit dies die Interessen der Vorfluth und der Landeskultur gestatten.

Endlich verweise ich auf die Strafbestimmung des § 50 zu 5 des Fischerei-Gesetzes, nach welcher mit Geldstrafe bis zu 150 Mark oder mit Haft Derjenige bestraft wird, welcher in Schonrevieren verbotswidrig die Fischerei ausübt oder den zum Schutze derselben erlassenen reglementarischen Vorschriften zuwiderhandelt.

Potsdam, den 13. Februar 1888.

Der Regierungs-Präsident.

Verbot eines Flugblatts.

57. Auf Grund der §§ 11 und 12 des Reichs-Gesetzes gegen die gemeingefährlichen Bestrebungen der Socialdemokratie vom 21. Oktober 1878 wird das in der „Genossenschafts-Druckerei Hottingen-Zürich" gedruckte, am 6. Februar 1888 im Kreise Niederbarnim

verbreitete Flugblatt mit der Ueberschrift: „An die Reichstagswähler des Niederbarnim" und mit dem Schlußsatz: „Hoch lebe das international-revolutionäre Proletariat!" verboten.

Potsdam, den 8. Februar 1888.

Der Regierungs-Präsident.

Ausspielung von Gegenständen der bildenden Kunst rc.

58. Der Herr Minister des Innern hat der Genossenschaft deutscher Bühnenangehöriger die Erlaubniß ertheilt, im Laufe dieses Jahres eine öffentliche Ausspielung von Gegenständen der bildenden Künste und des Kunstgewerbes, von literarischen Erzeugnissen rc. zu veranstalten und die betreffenden Loose im ganzen Bereiche der Monarchie zu vertreiben. Zu dieser Lotterie dürfen 300 000 Loose zu 1 Mark ausgegeben werden, der Gesammtwerth der Gewinne muß 150 000 Mark betragen.

Potsdam und Berlin, den 7. Februar 1888.

Der Regierungs-Präsident. Der Polizei-Präsident.

Zweiter Nachtrag zu dem revidirten Statut für die Deutsche Lebens-, Pensions- und Rentenversicherungs-Gesellschaft auf Gegenseitigkeit in Potsdam.

59. Mittelst Allerhöchsten Erlasses vom 23. Januar 1888 ist dem auf Grund der Beschlüsse der Generalversammlung vom 4. Juni 1887 aufgestellten unter dem 15. Oktober 1887 vollzogenen zweiten Nachtrage zu dem revidirten Statut für die Deutsche Lebens-, Pensions- und Rentenversicherungs-Gesellschaft auf Gegenseitigkeit in Potsdam die Genehmigung ertheilt worden.

Diesen Nachtrag und den Eingangs erwähnten Allerhöchsten Erlaß bringe ich nachstehend mit dem Bemerken zur öffentlichen Kenntniß, daß ich auf Grund der in letzterem ausgesprochenen Ermächtigung den Termin für das Inkrafttreten dieses Nachtrages auf den 1. April 1888 festsetze.

Potsdam, den 7. Februar 1888.

Der Regierungspräsident.

* * *

Zweiter Nachtrag zu dem revidirten Statut für die Deutsche Lebens-, Pensions- und Rentenversicherungs-Gesellschaft auf Gegenseitigkeit zu Potsdam

de conf. 3. Februar 1877.

Die §§ 1, 2, 5, 6, 10, 12, 14, 15, 18, 19, 20, 21, 24, 26, 27, 28, 30, 31, 34, 36, 37, 43, 44, 46, 47, 48, 49, 50, 51, 52, 53 und der neu geschaffene § 54a. lauten zufolge Generalversammlungsbeschlusses vom 4. Juni 1887 fortan wie folgt:

§ 1. Die mit landesherrlicher Genehmigung vom 23. August 1868 errichtete Deutsche Lebens-, Pensions- und Renten-Versicherungs-Gesellschaft in Potsdam führt fortan den Namen

Deutsche Lebensversicherung Potsdam.

Sie beruht auf Gegenseitigkeit und hat die Rechte einer juristischen Person.

Die Gesellschaft hat ihren Sitz und Gerichtsstand in Potsdam, ist jedoch befugt und verpflichtet, bei etwaigen Streitigkeiten mit ihren Versicherten in außerpreußischen Staaten auch vor den Gerichten dieser letzteren Recht zu nehmen, wenn solches als Bedingung bei Ertheilung der Conzession zum Geschäftsbetrieb von der betreffenden Staatsregierung verlangt wird.

§ 2. Die Gesellschaft schließt nach Maßgabe ihres Geschäftsplans Kapital-Versicherungen auf den Todesfall und auf den Erlebensfall, Renten- und Unfall-Versicherungen ab, letztere soweit sie Unfälle von Personen betreffen, die noch nicht in den Bereich der staatlichen Unfallversicherung gezogen sind.

§ 5. Theilhaber an dem Vermögen der Gesellschaft sind diejenigen Personen, welche eine Kapital-Versicherung von 1000 Reichsmark oder mehr auf den eigenen Todesfall oder auf den Todesfall eines Anderen mit Anspruch auf Dividende bei der Gesellschaft genommen haben.

Dagegen steht allen Versicherten, welche eine Kapital-Versicherung auf den Todesfall unter Verzichtleistung auf Dividende oder eine Kapital-Versicherung auf den Erlebensfall abgeschlossen haben, oder welche mit Summen unter 1000 Reichsmark versichert sind, ebenso wie den mit einer Rente oder gegen Unfall versicherten Personen ein Antheil an dem Gesellschafts-Vermögen nicht zu.

Die Gesammtsumme der unter Verzichtleistung auf Dividende abgeschlossenen Versicherungen auf den Todesfall darf den fünften Theil des Gesammtbetrages der Versicherungssumme nicht übersteigen.

Diejenigen Personen jedoch, welche auf Grund des Statuts von 1868 (§ 8) als Theilhaber des Verbandsvermögens besondere Rechte und Pflichten erworben haben, behalten solche auch fernerhin ohne Rücksicht auf die Art ihrer Versicherung.

§ 6. Das Vermögen der Gesellschaft haftet für alle Verbindlichkeiten derselben.

Der Gewinn wird an die Theilhaber des Gesellschafts-Vermögens (§ 5 Abs. 1) nach Verhältniß der für ihre Versicherung angesammelten Prämien-Reserve vertheilt (§ 47).

§ 10. Alle von den Gesellschafts-Organen ausgehenden öffentlichen Bekanntmachungen haben rechtsverbindliche Wirkung, wenn sie im Deutschen Reichs- und Preußischen Staats-Anzeiger erlassen sind.

§ 12. Die Direction besteht aus zwei Mitgliedern, welche vom Curatorium mit einem festen, in vierteljährlichen Raten im Voraus zahlbaren Gehalte und einer Tantieme vom jährlichen Reingewinn (§ 46) vertragsmäßig aber nicht lebenslänglich angestellt werden.

Im Falle der Behinderung eines oder der beiden Directoren ist vom Curatorium für die entsprechende Vertretung zu sorgen.

Die Namen der Directoren und der mit der etwaigen Vertretung Beauftragten sind durch den Reichsanzeiger (§ 10) bekannt zu machen.

Jeder Director hat eine Kaution von mindestens 6000 Mark in Deutschen Staatspapieren oder pupillarisch sicheren Hypotheken oder in Garantiescheinen der Gesellschaft zu bestellen.

§ 14. Der Direction liegt die unmittelbare Leitung und Besorgung aller die Gesellschaft betreffenden Geschäfte nach Maßgabe dieses Statuts, des Geschäftsplans, der Beschlüsse der General-Versammlung, sowie des Curatoriums und der ihr ertheilten Instructionen ob.

Für alle dem zuwiderlaufenden Handlungen, sowie für solche Versehen, welche bei Anwendung gewöhnlicher Vorsicht hätten vermieden werden können, ist jeder der betreffenden Directoren für sich verantwortlich.

Dritten gegenüber darf jedoch niemals der Einwand, die Direction habe gegen die Instruction gehandelt, geltend gemacht werden.

§ 15. Die Direction vertritt die Gesellschaft in allen gerichtlichen und außergerichtlichen Angelegenheiten, und zwar den Behörden und Privatpersonen, insbesondere auch den Versicherten gegenüber mit der Befugniß, für einzelne Rechtsgeschäfte sich vor Gericht durch Bevollmächtigte vertreten zu lassen.

Alle Schriftstücke und urkundliche Erklärungen müssen mit der Firma der Gesellschaft und der Unterschrift der beiden Directoren oder ihrer Stellvertreter (§ 12 Absatz 1 bis 3) versehen sein.

Prämien- und Zinsquittungen können mit der facsimilirten Unterschrift der Directoren ausgestellt werden, bedürfen aber, wenn daraus rechtliche Folgen gegen die Gesellschaft hergeleitet werden sollen, der Zahlungsbescheinigung des mit dem Empfange des Geldes beauftragten Agenten oder Beamten der Gesellschaft.

Beim Abschluß von Verträgen, mit Ausschluß der Policen, sowie in allen Rechtsangelegenheiten hat die Direction den Syndicus der Gesellschaft zuzuziehen, desgleichen den Gesellschaftsarzt in allen medizinisch-technischen Angelegenheiten, namentlich bevor neue Versicherungen abgeschlossen oder Versicherungssummen ausgezahlt werden.

§ 18. Das Curatorium besteht aus sieben Mitgliedern, welche aus der Zahl der Gesellschafts-Theilhaber (§ 5) oder der Inhaber von Garantiescheinen der Gesellschaft (§ 51 Abs. 2) durch die General-Versammlung auf die Dauer von je 6 Jahren gewählt werden.

Die gewählten Mitglieder treten jedesmal mit dem ersten Juli des betreffenden Jahres ihr Amt an. Ausscheidende Mitglieder sind wieder wählbar.

§ 19. Von den Mitgliedern des Curatoriums müssen mindestens vier am Sitze der Gesellschaft oder in der Entfernung von höchstens 50 Kilometern wohnen.

Mitglieder des Curatoriums können nicht sein Beamte und Agenten der Gesellschaft, sowie Personen, welche bei der Verwaltung einer anderen Lebens-Versicherungs-Gesellschaft betheiligt sind oder Geschäfte für eine solche betreiben.

§ 20. Zur zeitweisen Vertretung eines Directors kann ein Mitglied des Curatoriums bestellt werden, jedoch ruht während derselben sein Amt als Curator. Seine Wahl und Legitimation erfolgt in gleicher Weise, wie die der Directoren (§ 13).

§ 21. Die Mitglieder des Curatoriums sind zur Niederlegung ihres Amtes jederzeit berechtigt, den Fall der Auflösung oder Liquidation der Gesellschaft ausgenommen, in welchem sie bis zur beendigten Liquidation in Function bleiben müssen, sofern nicht die Generalversammlung etwas Anderes beschließt.

Verpflichtet zur Niederlegung seines Amtes ist jedes Curatorial-Mitglied:

a. wenn seine Versicherung erlischt (§ 5),
b. wenn es nicht mehr Inhaber eines Garantiescheines ist (§ 51),
c. wenn es sechs Monate lang ununterbrochen an den Verhandlungen des Curatoriums nicht Theil nimmt,
d. wenn es als Beamter oder Agent in die Dienste der Gesellschaft tritt,
e. wenn es Mitglied der Verwaltung einer concurrirenden Anstalt wird oder Geschäfte für eine solche betreibt,
f. wenn die Verlegung seines Wohnsitzes solches erfordert, unbeschadet der Bestimmung im § 19,
g. wenn es in Concurs geräth und
h. wenn es die bürgerlichen Ehrenrechte verliert.

§ 24. Die Einladungen zu den Sitzungen des Curatoriums erfolgen schriftlich durch den Vorsitzenden oder dessen Stellvertreter und zwar gegen Empfangsschein oder vermittelst eingeschriebener Briefe durch die Post.

In der Einladung müssen die zur Berathung kommenden Gegenstände kurz angeführt sein.

§ 26. Das Curatorium ist beschlußfähig, wenn alle Mitglieder gemäß § 24 eingeladen und mindestens vier davon versammelt sind. Gehören der Vorsitzende und dessen Stellvertreter zu den Ausgebliebenen, so übernimmt das an Lebensjahren älteste Mitglied den Vorsitz.

Die Beschlüsse werden mit absoluter Stimmenmehrheit gefaßt. Bei Stimmengleichheit giebt die Stimme des Vorsitzenden den Ausschlag.

Ueber die Verhandlungen werden Protokolle aufgenommen, von den Anwesenden vollzogen und demnächst bei den Curatorial-Acten aufbewahrt.

Alle Beschlüsse und Ausfertigungen werden Namens des Curatoriums von dem Vorsitzenden oder dessen Stellvertreter rechtsverbindlich unterzeichnet.

§ 27. Die Directoren sind berechtigt und verpflichtet, den Curatorial-Sitzungen mit berathender Stimme beizuwohnen, sofern die Berathung nicht ihre eigene Person betrifft.

§ 28. Das Curatorium hat die geschäftlichen Angelegenheiten für die General-Versammlung vorzubereiten und darüber zu wachen, daß die Beschlüsse derselben zur Ausführung gebracht werden. Dasselbe hat ferner die zur Geschäftsführung der Direction erforderlichen Instructionen und sonstigen Anordnungen nach Maßgabe dieses Statuts zu erlassen und fortgesetzt die gesammte Geschäftsverwaltung der Direction zu beaufsichtigen.

Insbesondere liegen dem Curatorium folgende Geschäfte ob:

a. die Wahl und Anstellung der Directoren (§ 12), die Feststellung des Einkommens derselben an Gehalt und Tantieme und nöthigenfalls die im § 13 vorgesehene vorläufige Amtsenthebung;
b. die Controlle darüber, daß die Geschäfts-Verwaltung nach Maßgabe dieses Statuts, des Geschäftsplans, der Beschlüsse der General-Versammlung und des Curatoriums und der der Direction ertheilten Instruktionen erfolgt; zu diesem Zweck steht den vom Curatorium dazu deputirten Mitgliedern jederzeit die Einsicht und Prüfung der Acten, Bücher, Rechnungen und Kassenbestände der Gesellschaft zu;
c. die Bestimmung über die Belegung verfügbarer Gelder und die Beschlußfassung über die Ausleihung der Gelder der Gesellschaft (§ 44). Hierzu können aus Mitgliedern des Curatoriums und der Direction Commissionen bestellt werden, welche vom Curatorium mit der erforderlichen Instruktion versehen werden;
d. der Mitverschluß des Depositorii der Gesellschaft und die Revision der Kasse regelmäßig in jedem Monat, außerdem alljährlich mindestens einmal unvermuthet.

   Das Curatorium hat hierzu ein Mitglied und einen Stellvertreter zu bestimmen;
e. die Wahl und Anstellung des Syndicus der Gesellschaft und der erforderlichen Gesellschaftsärzte, sowie erforderlichen Falles deren Vertreter;
f. die Abnahme und Prüfung der von der Direction aufgestellten Jahresrechnung (§ 40), Feststellung der Dividende (§ 47) oder des Prämien-Nachschusses (§ 49) und ebenso die Entscheidung über etwaige Erinnerungen der Revisions-Commission und die Prüfung ihrer Erledigung;
g. die Vorberathung etwaiger Anträge auf Aenderung des Statuts;
h. die Feststellung und Abänderung des Geschäftsplans, der Versicherungsbedingungen und Tarife, sowie der Grundsätze, nach welchen die Annahme von Versicherungen stattfindet;
i. die Festsetzung desjenigen Betrages der Versicherungssumme, über welchen hinaus die Gesellschaft in einzelnen Fällen Rückversicherung zu nehmen hat, und die Wahl der betreffenden Rückversicherungs-Gesellschaften, sowie die Zustimmung zu den desfallsigen Rückversicherungs-Verträgen;
k. die Entscheidung über Beschwerden von Versicherten gegen die Direction in Versicherungs-Angelegenheiten, wobei jedoch den Versicherten außer dem Rechtswege die Berufung auf Entscheidung der General-Versammlung vorbehalten bleibt (§ 38i);
l. die Einberufung und Leitung der General-Versammlung;
m. die Feststellung der Gehälter der Gesellschaftsbeamten in den im § 16 vorgesehenen Fällen, und Ertheilung der Genehmigung zu den diesfälligen Anstellungen, sowie die Festsetzung der Maximalsätze der Provisionen oder sonstigen Vergütungen;
n. die Festsetzung der von dem Kassirer der Gesellschaft zu bestellenden Kaution und
o. die Feststellung und Bestätigung des von der Direction aufzustellenden Etats.

§ 30. Die General-Versammlungen werden am Sitze der Gesellschaft abgehalten.

Alljährlich in der Zeit von Mitte Mai bis Mitte Juni findet die ordentliche General-Versammlung statt. Außerordentliche General-Versammlungen hat das Curatorium zu berufen, so oft wichtige oder dringende Angelegenheiten es erfordern.

Verpflichtet dazu ist das Curatorium, wenn mindestens 100 stimmberechtigte Gesellschafts-Theilhaber mit zusammen 600000 Mark Versicherungssumme unter Angabe des zu berathenden Gegenstandes darauf antragen.

In diesem Falle muß die Berufung der General-Versammlung innerhalb 4 Wochen nach Eingang des Antrages erfolgen.

§ 31. Die Einladungen zu den General-Versammlungen erfolgen unter Angabe der Berathungs-Gegenstände durch zweimalige Bekanntmachung im Deutschen Reichs-Anzeiger (§ 10) und zwar dergestalt, daß die erste Bekanntmachung etwa 4 Wochen und die zweite mindestens 14 Tage vor dem Termin der General-Versammlung erlassen wird.

Außerdem ist möglichst allen stimmberechtigten Mitgliedern unter Mittheilung der Tages-Ordnung, der Bilanz, des Gewinn- und Verlust-Contos und eines Auszuges aus dem Geschäftsbericht von dem Termin der General-Versammlung Kenntniß zu geben.

§ 34. Die Prüfung der Legitimation erfolgt vor Beginn der General-Versammlung an dem in der Einladung zu der letzteren bekannt zu machenden Orte durch eine von dem Curatorium ernannte Deputation.

Anmeldungen sind bis 6 Uhr Nachmittags des der General-Versammlung vorangehenden Tages zuläßig.

Ueber die Legitimationsprüfung ist ein Protokoll aufzunehmen und der General-Versammlung vorzulegen.

In zweifelhaften Fällen hat diese über die Zulassung zu entscheiden.

Jeder Stimmberechtigte erhält eine Eintrittskarte in welcher die Anzahl der demselben zustehenden Stimmen anzugeben ist.

§ 36. Den Vorsitz in der General-Versammlung führt der Vorsitzende des Curatoriums, beziehungsweise dessen Stellvertreter, oder ein anderes, von dem Curatorium damit beauftragtes Curatorial-Mitglied.

Der Vorsitzende ernennt aus der Mitte der Anwesenden zwei Stimmzähler, welche in vorkommenden Fällen auch die Loose anzufertigen haben, sowie zwei Stimmberechtigte zur Mitvollziehung der Verhandlung (§ 37).

Die General-Versammlung beschließt mit einfacher Stimmenmehrheit der Anwesenden. Bei Stimmengleichheit giebt die Stimme des Vorsitzenden den Ausschlag.

Beschlüsse über Aenderungen des Statuts (§ 55) über Auflösung der Gesellschaft (§ 8), oder über die Entlassung eines Directors (§ 13) erfordern zu ihrer Gültigkeit eine Mehrheit von $^2/_3$ der anwesenden Stimmen.

Ueber die Form der Abstimmung entscheidet der Vorsitzende. Wahlen erfolgen durch verdeckte Stimmzettel, wobei absolute Stimmenmehrheit entscheidet, oder durch Acclamation, wenn ein dahin zielender Antrag keinen Widerspruch findet.

Wird im ersten Wahlgange absolute Stimmenmehrheit nicht erreicht, so kommen Diejenigen, welche die meisten Stimmen erhalten haben, in doppelter Anzahl der zu Wählenden zur engeren Wahl.

Bei dieser letzteren entscheidet einfache Stimmenmehrheit und im Fall der Stimmengleichheit das vom Vorsitzenden gezogene Loos.

§ 37. Ueber die Verhandlung in der General-Versammlung ist ein gerichtliches oder notarielles Protokoll aufzunehmen. Dasselbe ist vom Vorsitzenden, den beiden Stimmzählern und mindestens von zwei der anwesenden Stimmberechtigten, sowie von einem der Directoren oder deren Stellvertreter zu vollziehen.

Der Aufführung anderer, als der hiernach zur Vollziehung des Protokolls verpflichteten Personen bedarf es im Protokolle nicht; auch genügt es, in das Protokoll die Beschlüsse der Generalversammlung und die Resultate der Wahlen aufzunehmen.

Die in der General-Versammlung gefaßten Beschlüsse sind für alle Versicherten rechtsverbindlich.

§ 43. Der gemeinschaftlich von dem Curatorium und der Direction vollzogene Jahresbericht wird in gedruckten Exemplaren mindestens 14 Tage vor der ordentlichen General-Versammlung bei den Agenten zur Einsicht der Versicherten ausgelegt.

Die Bilanz und die Uebersicht der Einnahmen und Ausgaben (Gewinn- und Verlust-Conto) sind spätestens 4 Wochen nach ihrer Genehmigung durch die General-Versammlung im Deutschen Reichsanzeiger (§ 10) zu veröffentlichen.

§ 44. Die für den laufenden Geschäftsbetrieb nicht erforderlichen Gelder sind zinstragend anzulegen. (§ 28c.)

Die Anlegung darf nur erfolgen:

a. in pupillarisch sicheren Hypotheken;
b. in Deutschen Staats- und Kommunalpapieren, Pfandbriefen oder vom Staate garantirten Eisenbahn-Prioritäts-Obligationen;
c. in Wechseln und Lombard-Geschäften, wie solche den Grundsätzen der Deutschen Reichsbank entsprechen;
d. in Darlehen auf Policen der Gesellschaft bis zu $^3/_4$ des Zeitwerthes;
e. in Darlehen an die engeren Versicherungs-Vereine (§ 45) und
f. in Darlehen an Versicherte Behufs Bestellung als Dienst-Kaution, nach den vom Curatorium zu treffenden näheren Bestimmungen.

Der Erwerb von Grundstücken ist der Gesellschaft nur insoweit gestattet, als es sich um Abwendung von Verlusten oder um Beschaffung von Geschäftslokalitäten handelt. Im letzteren Fall ist die Zustimmung der General-Versammlung erforderlich.

§ 46. Von dem nach der Bilanz sich ergebenden Ueberschuß eines Jahres werden entnommen:

a. zehn Procent zur Bildung eines besonderen Sicherheitsfonds.

Sodann werden aus dem verbleibenden Ueberschuß-Betrage gewährt:

b. fünf Procent Tantieme für das Curatorium (§ 22),
c. fünf Procent zur Vertheilung als Tantieme an die Directoren (§ 12) und als Gratification an Beamte nach Festsetzung des Curatoriums,
d. zwei Procent für die Inhaber der Garantiescheine (§ 52),

Außerdem können zurückgestellt werden:

e. bis zu 15 Procent zur Extrareserve für zweifelhafte Forderungen.

§ 47. Der demnächst verbleibende Ueberschuß (§ 46) wird im zweitfolgenden Jahre an diejenigen Gesellschafts-Theilhaber, welche beim Schlusse des betreffenden Gewinnjahres mit Anspruch auf Dividende versichert waren, oder an deren Rechtsnachfolger, falls nicht die Versicherung inzwischen erloschen ist, nach Verhältniß der für jede Versicherung angesammelten Prämien-Reserve als Dividende vertheilt.

Mehr als die Hälfte des zur Zeit der Auszahlung vorhandenen Gewinnes darf nicht zur Vertheilung gelangen.

§ 48. Die Gewährung der Dividende erfolgt nach der Wahl des Versicherten entweder durch Zurechnung derselben nebst $3^1/_2$ % Verzinsung der Versicherungssumme, oder durch Anrechnung auf die im Vertheilungsjahre vom Versicherten zu entrichtende Jahresprämie; wenn jedoch eine solche nicht mehr zu entrichten ist, durch baare Zahlung. Dividenden der letzteren Art verfallen zu Gunsten der Gesellschaft, wenn sie nicht innerhalb vier Jahren nach dem letzten Dezember des Fälligkeitsjahres vom Berechtigten erhoben worden sind. Der Dividenden-Antheil der mit Anspruch auf Alters-Versorgung Versicherten wird dem Dividenden-Conto derselben gutgeschrieben.

§ 49. Sollten die Ausgaben die Einnahmen übersteigen, so ist das Mehrerforderniß zunächst aus dem Ueberschuß des Vorjahres (§ 47), und wenn dieser nicht ausreicht, aus dem Sicherheitsfond (§ 46a.) zu decken. Ist dieser erschöpft, so wird nach § 51 auf das Begründungs-Kapital zurückgegriffen, auch kann alsdann ein Prämien-Nachschuß der Gesellschafts-Theilhaber (§ 5 Abs. 1) nach Verhältniß der Jahresprämie erhoben werden.

Von denjenigen Versicherten, welche die Prämien durch einmalige Einzahlung oder in einem festgesetzten Zeitraum entrichtet haben, beziehungsweise noch entrichten, wird der Prämien-Nachschuß ebenfalls nach Verhältniß der Jahresprämie ihres Eintrittsalters eingezogen.

Beträgt das Mehrerforderniß nicht über 5 % der Prämien-Einnahme, so kann dasselbe, bevor ein Nachschuß eingefordert wird, auf das nächstfolgende Jahr übertragen werden.

§ 50. Zur Ausschreibung etwaiger Prämien-Nachschüsse ist eine öffentliche Bekanntmachung im Reichsanzeiger (§ 10) erforderlich, welche mindestens 4 Wochen vor dem Fälligkeitstermine zu erlassen ist.

§ 51. Zur Begründung der Gesellschaft ist ein Kapital von 600000 Mark aufgebracht, von welchem ⅕ baar eingezahlt ist, während ⅘ durch a Vista-Wechsel nach dem anbei befindlichen Formular belegt sind.

Ueber den baar eingezahlten Betrag von 120000 Mark sind Garantiescheine, auf den Namen der Inhaber lautend, ausgestellt.

Diese Garantiescheine können Seitens der Inhaber rechtsgültig an andere Personen übertragen werden, wenn diese gleichzeitig die entsprechende Wechselverpflichtung übernehmen, und wenn das Curatorium und die Direction, sowie von den Wechselschuldnern diejenigen, welche mindestens die Hälfte des noch nicht getilgten Wechselbetrages vertreten, damit einverstanden sind, auch die Generalversammlung die Genehmigung ertheilt.

§ 52. Der baar eingezahlte Theil des Begründungs-Kapitals wird mit jährlich fünf Procent in dreimonatlichen Beträgen, am Schlusse jedes Vierteljahres fällig, verzinst. Außerdem beziehen die Inhaber der Garantiescheine so lange, bis deren Garantiescheine getilgt sind, zusammen eine Tantieme von jährlich zwei Procent des Reinüberschusses (§ 46d).

§ 53. Die Tilgung des zum Begründungs-Kapital baar eingezahlten Betrages von 120000 Mark erfolgt in Höhe der Mehrzinseinnahmen der Gewinnüberschüsse der Erlebensfall-Versicherungen (§ 8 des Statuts von 1868) und der Zinsen des Sicherheitsfonds (§ 46a).

Die Rückzahlung geschieht — jedoch nicht unter 12000 Mark Gesammtsumme — gleichzeitig an sämmtliche Inhaber der Garantiescheine, nach Verhältniß ihrer Forderungen. Zugleich erlischt die zugehörige Wechselverpflichtung in entsprechender Höhe.

§ 54a. Der gegenwärtige zweite Nachtrag tritt mit dem 1. Januar 1888 für alle von da ab eintretenden Rechtsverhältnisse der Gesellschaft in Kraft. Der § 54 Abs. 2 findet entsprechende Anwendung.

Wechsel-Formular.

Für . . . . . . Reichsmark.

. . . . den . . . . . 18 . .

A vista zahle ich gegen diesen meinen Solawechsel in Potsdam an die Ordre der

Deutschen Lebens-Versicherung Potsdam

die Summe von . . . . . . Reichsmark und hafte für diesen Betrag nach Wechselrecht.

Auf mich selbst. N. N.

Vollzogen Potsdam, am 15. Oktober 1887.

Das Curatorium. Die Direction.

Zehrmann. Matthiolius. Dr. Ott

* * *

Auf den Bericht vom 14. Januar d. J. will Ich dem wieder beiliegenden, auf Grund der Beschlüsse der Generalversammlung vom 4. Juni v. J. aufgestellten, unter dem 15 Oktober v. J. vollzogenen Zweiten Nachtrage zu dem revidirten Statut für die Deutsche Lebens-, Pensions- und Renten-Versicherungs-Gesellschaft auf Gegenseitigkeit zu Potsdam de conf. 3. Februar 1877 hierdurch die Genehmigung ertheilen mit der Maßgabe, daß dem Regierungspräsidenten zu Potsdam die Festsetzung eines anderweiten Termins für das Inkrafttreten dieses Nachtrages (cfr. § 54a.) vorbehalten bleibt.

Das vorgelegte Statut-Druckexemplar erfolgt gleichfalls zurück.

Berlin, den 23. Januar 1888.

(gez.) **Wilhelm.**

(ggez.) von Puttkamer. Friedberg.

An den Minister des Innern und der Justiz.

Die Rückerstattung der von den Militair-Verwaltungen im Bereich des III. Armee-Korps überhobenen bezw. zuviel gezahlten Gebeträge betreffend.

60. Es wird hiermit zur öffentlichen Kenntniß gebracht, daß von Magisträten und Gemeinde-Vorstehern diejenigen Geldbeträge, welche durch die Kgl. Intendantur bei Gelegenheit der Rechnungsrevision als überhoben bezw. zuviel gezahlt ermittelt worden sind, **nicht direkt** an die Intendantur des III. Armee-Korps zu zahlen sind, da dieselbe keine Kasse hat. Es ist derselben vielmehr nur eine Mittheilung zu machen, daß die Beträge zur Einziehuug bereit liegen.

Die General-Militairkasse wird alsdann Seiten der Intendantur Anweisung zur Einziehung, und die Gemeinden ꝛc. werden Nachricht erhalten, wohin die Zahlung zu erfolgen hat.

Potsdam, den 9. Februar 1888.

Der Regierungs-Präsident.

Schneider-Innung zu Wittenberge.

61. Auf Grund des § 100e. № 3 der Reichs-Gewerbe-Ordnung vom 18. Juli 1881 und der Ausführungs-Anweisung hierzu vom 9. März 1882 — I. 1a. 2 — bestimme ich hierdurch für den Bezirk der Schneider-Innung zu Wittenberge, daß diejenigen Arbeitgeber, welche das Schneider-Gewerbe betreiben und selbst zur Aufnahme in die Innung fähig sein würden, gleichwohl aber der Innung nicht angehören, vom 1. August 1888 ab Lehrlinge nicht mehr annehmen dürfen.

Ich bringe dies mit dem Bemerken hierdurch zur Kenntniß, daß der Bezirk der gedachten Innung den Stadtbezirk Wittenberge, sowie die Gemeinden Bernheide, Bendwisch, Groß-, Mittel- und Klein-Breese, Enmlosen, Garsedow, Hinzdorf, Jargel Gut, Lindenberg Gut, Lütkenheide, Motrich, Müggendorf, Mittelhorst, Schadebeuster, Wentdorf, Weisen und Zwischendeich umfaßt. Potsdam, den 2. Februar 1888.

Der Regierungs-Präsident.

Viehseuchen.

62. Die Maul- und Klauenseuche ist unter dem Rindvieh des Bauern Schneider zu Biesdorf, im Kreise Niederbarnim, ausgebrochen.

Potsdam, den 9. Februar 1888.

Der Regierungs-Präsident.

63. Die Maul- und Klauenseuche ist unter den Rindern des Gutsbesitzers Schulze zu Sputendorf im Kreise Teltow ausgebrochen.

Potsdam, den 11. Februar 1888.

Der Regierungs-Präsident.

64. Die Maul- und Klauenseuche ist unter dem Rindvieh des Amtsvorstehers Roennefarth und des Büdners Gottfried Roennefarth zu Tarmow, sowie des Kossäthen Gartenschlaeger zu Fahrland, im Kreise Osthavelland, ausgebrochen.

Potsdam, den 13. Februar 1888.

Der Regierungs-Präsident.

Bekanntmachungen des Königlichen Polizei-Präsidiums zu Berlin.

Allerhöchster Erlaß.

11. Auf Ihren Bericht vom 13. Januar d. J. verleihe Ich der Stadtgemeinde Berlin Behufs Erwerbung der zur Freilegung der Südseite der Yorkstraße auf der Strecke von der Belleallianceſtraße bis zur Großbeerenstraße, der Dresdenerstraße auf der Strecke von der Prinzenstraße bis zur Buckowerstraße und der Warschauerstraße auf der Strecke von der Frankfurter Allee bis zur Einmündung der Memelerstraße in einer Breite von 26 m von der westlichen Baufluchtlinie ab gemessen, erforderlichen, auf den nebst den Uebersichtsplänen zurückerfolgenden drei Lageplänen mit rother Farbe angelegten Grundstücksflächen das Enteignungsrecht.

Berlin, den 18. Januar 1888.

gez. **Wilhelm.**

ggez. Maybach.

An den Minister der öffentlichen Arbeiten.

* * *

Vorstehender Allerhöchster Erlaß wird in Gemäßheit des § 2 des Enteignungsgesetzes vom 11. Juni 1874 hierdurch zur öffentlichen Kenntniß gebracht.

Berlin, den 4. Februar 1888.

Der Polizei-Präsident.

Berliner und Charlottenburger Preise pro Januar 1888.

12. A. Engros-Marktpreise im Monatsdurchschnitt.

In Berlin:

für 100 Klgr.	Weizen (gut)	17 Mark	30 Pf.,
= = =	do. (mittel)	16 =	42 =
= = =	do. (gering)	15 =	54 =
= = =	Roggen (gut)	12 =	06 =
= = =	do. (mittel)	11 =	80 =
= = =	do. (gering)	11 =	53 =
= = =	Gerste (gut)	16 =	66 =
= = =	do. (mittel)	13 =	85 =
= = =	do. (gering)	11 =	04 =
= = =	Hafer (gut)	12 =	76 =
= = =	do. (mittel)	11 =	81 =
= = =	do. (gering)	10 =	85 =
= = =	Erbsen (gut)	18 =	90 =
= = =	do. (mittel)	16 =	81 =
= = =	do. (gering)	14 =	71 =
für 100 Klgr.	Richtstroh	3 Mark	72 Pf.,
= = =	Heu	5 =	64 =

Monats-Durchschnitt der höchsten Berliner Tagespreise **einschließlich 5% Aufschlag** für 50 kg

	Hafer	Stroh	Heu
im Monat Januar	6,82 Mk.,	2,08 Mk.,	3,50 Mk.

B. Detail-Marktpreise im Monatsdurchschnitt.

1) In Berlin.

für 100 Klgr.	Erbsen (gelbe) z. Kochen	25 Mark	— Pf.,
= = =	Speisebohnen (weiße)	32 =	— =
= = =	Linsen	45 =	— =
= = =	Kartoffeln	4 =	67 =
= 1 Klgr.	Rindfleisch v d. Keule	1 =	25 =
= 1 =	= (Bauchfleisch)	1 =	— =
= 1 =	Schweinefleisch	1 =	20 =
= 1 =	Kalbfleisch	1 =	25 =
= 1 =	Hammelfleisch	1 =	05 =
= 1 =	Speck (geräuchert)	1 =	38 =
= 1 =	Eßbutter	2 =	30 =
= 60 Stück	Eier	3 =	42 =

2) In Charlottenburg.

für 100 Klgr.	Erbsen (gelbe z. Kochen)	25 Mark	— Pf.,
= = =	Speisebohnen (weiße)	25 =	— =
= = =	Linsen	37 =	50 =
= = =	Kartoffeln	4 =	17 =
= 1 Klgr.	Rindfleisch v. d. Keule	1 =	12 =
= 1 =	= (Bauchfleisch)	1 =	— =
= 1 =	Schweinefleisch	1 =	20 =
= 1 =	Kalbfleisch	1 =	10 =
= 1 =	Hammelfleisch	1 =	10 =
= 1 =	Speck (geräuchert)	1 =	30 =
= 1 =	Eßbutter	2 =	31 =
= 60 Stück	Eier	3 =	54 =

C. Ladenpreise in den letzten Tagen des Monats Januar 1888:

1) In Berlin:

für 1 Klgr.	Weizenmehl № 1	35 Pf.,

für 1	Klgr.	Roggenmehl № 1		28 Pf.,
= 1	=	Gerstengraupe		48 =
= 1	=	Gerstengrütze		44 =
= 1	=	Buchweizengrütze		45 =
= 1	=	Hirse		44 =
= 1	=	Reis (Java)		75 =
= 1	=	Java-Kaffee (mittler)	2 Mark	45 =
= 1	=	= (gelb in gebr. Bohnen)	3 =	38 =
= 1	=	Speisesalz		20 =
= 1	=	Schweineschmalz (hiesiges)	1 =	30 =

2) In Charlottenburg:

für 1	Klgr.	Weizenmehl № 1		50 Pf.,
= 1	=	Roggenmehl № 1		30 =
= 1	=	Gerstengraupe		50 =
= 1	=	Gerstengrütze		50 =
= 1	=	Buchweizengrütze		50 =
= 1	=	Hirse		50 =
= 1	=	Reis (Java)		70 =
= 1	=	Java-Kaffee (mittler)	2 =	60 =
= 1	=	= (gelb in gebr. Bohnen)	3 =	20 =
= 1	=	Speisesalz		20 =
= 1	=	Schweineschmalz (hiesiges)	1 =	20 =

Berlin, den 7. Februar 1888.

Königl. Polizei-Präsidium. Erste Abtheilung.

Bekanntmachungen der Kaiserlichen Ober-Post-Direktion zu Potsdam.

Einrichtung einer Telegraphenhülfstelle in Garz.

9. In **Garz (Prignitz)** bei Großwelle (Prignitz) wird am 9. Februar eine mit der Posthülfstelle daselbst vereinigte **Telegraphenhülfstelle** in Wirksamkeit treten.

Potsdam, den 7. Februar 1888.

Der Kaiserl. Ober-Postdirektor.

Bekanntmachungen der Königl. Kontrolle der Staatspapiere.

Aufgebot von Schuldverschreibungen.

4. In Gemäßheit des § 20 des Ausführungsgesetzes zur Civilprozeßordnung vom 24. März 1879 (G.-S. S. 281) und des § 6 der Verordnung vom 16. Juni 1819 (G.-S. S. 157) wird bekannt gemacht, daß die dem Bibliothekar E. Kumsch in Dresden, Beuststraße Nr. 7, gehörigen Schuldverschreibungen der konsolidirten 4 %igen Staatsanleihe lit. E. № 121 874, 771 501, 794 562, 844 399, 893 142 und 893 143 über je 300 M. aus der in der Elsasserstraße Nr. 16 hierselbst belegenen Wohnung der inzwischen verstorbenen Frau Ch. Krück angeblich gestohlen worden sind. Es werden Diejenigen, welche sich im Besitze dieser Urkunden befinden, aufgefordert, dies der unterzeichneten Kontrolle der Staatspapiere oder dem Herrn Kumsch anzuzeigen, widrigenfalls das gerichtliche Aufgebotsverfahren behufs Kraftloserklärung der Urkunden beantragt werden wird.

Berlin, den 11. Februar 1888.

Königl. Kontrolle der Staatspapiere.

Bekanntmachungen des Provinzial-Steuer-Direktors.

Zusammensetzung des allgemeinen Branntwein-Denaturirungsmittels

1. Es wird hierdurch zur öffentlichen Kenntniß gebracht, daß Seitens des Herrn Finanz-Ministers bis auf Weiteres der Besitzer der chemischen Fabrik in Oranienburg, Dr. Byk, zur Zusammensetzung des allgemeinen Branntwein-Denaturirungsmittels, gemäß § des Regulativs, betriffend die Steuerfreiheit des Branntweins zu gewerblichen rc. Zwecken, ermächtigt worden ist, und daß schon jetzt das allgemeine Denaturirungsmittel, sowie vorschriftlich geprüfte unvermischte Pyridinbasen als besonderes Denaturirungsmittel **gemäß § 10 des gedachten Regulativs** aus der genannten Fabrik bezogen werden können.

Berlin, den 9. Februar 1888.

Der Provinzial-Steuerdirektor.

Bekanntmachungen der Königlichen Eisenbahn-Direktion zu Berlin.

Ausnahmetarif für Mais.

5. Am 1. April 1888 tritt der im Ostdeutsch-Ungarischen Verband Theil II. Heft 3 nebst Nachträgen enthaltene Ausnahmetarif für Mais außer Kraft. Die Maissendungen werden von diesem Tage ab zu den Frachtsätzen des im vorgenannten Verbande Theil II. Heft 2 nebst Nachträgen bestehenden Ausnahmetarif für Getreide abgefertigt.

Berlin, den 7. Februar 1888.

Königl. Eisenbahn-Direktion.

Bekanntmachungen der Königlichen Eisenbahn-Direktion zu Bromberg.

Tarifnachträge rc.

10. In Folge Uebergangs der Bahnstrecke Gnesen-Jarotschin aus dem Bezirk der Königl. Eisenbahn-Direktion Breslau in den der Königl. Eisenbahn-Direktion Bromberg treten vom 1. April 1888 ab für den Eisenbahn-Direktions-Bezirk Bromberg:

1) der Nachtrag 7 zum Lokaltarif, Theil II., für die Beförderung von Personen- und Reisegepäck vom 1. Januar 1886,
2) der Nachtrag VI. zum Lokaltarif für die Beförderung von Leichen, Fahrzeugen und lebenden Thieren vom 1. Januar 1880, II. Auflage,
3) der Nachtrag IV. zum Lokal-Gütertarif, Theil II., vom 1. April 1887,
4) ein neuer Kilometerzeiger zur Berechnung der Preise für die Beförderung von:
   a. Personen und Reisegepäck,
   b. Leichen, Fahrzeugen und lebenden Thieren,
   c. Eil- und Frachtgütern

in Kraft; dieselben können durch die Billet-Expeditionen unseres Verwaltungsbezirks bezogen werden und enthalten:

1) Die Einbeziehung der Stationen der Bahnstrecke Gnesen-Jarotschin sowohl für den Verkehr unter sich als auch mit sämmtlichen übrigen Stationen des Bezirks Bromberg,

2) Ergänzung der Tarifvorschriften für die Beförderung von Leichen, Fahrzeugen und lebenden Thieren,

3) Ermäßigte Ausnahmetarife für Getreide ꝛc. und Holz des Spezial-Tarifs II. im Verkehr zwischen den Stationen der Strecken Posen-Thorn, Posen-Stralkowo und Gnesen-Janowitz i. P. einerseits und sämmtlichen Berliner Bahnhöfen und Ringbahnstationen andererseits.

Durch die vorbezeichneten Nachträge und durch den neuen Kilometerzeiger treten gegen die bestehenden Tarifsätze geringfügige Ermäßigungen bezw. Erhöhungen in Kraft.

In Folge Einführung vorstehender Nachträge werden folgende Tarife aufgehoben:

a. der Lokaltarif für die Beförderung von Personen und Reisegepäck des Bezirks Breslau vom 1. April 1885,
b. der Tarif für die Beförderung von Personen, Reisegepäck und Hunden zwischen Stationen des Bezirks Bromberg einerseits und des Bezirks Breslau andererseits vom 1. April 1886,
c. der Lokaltarif für die Beförderung von Leichen, Fahrzeugen und lebenden Thieren des Bezirks Breslau, vom 1. April 1885,
d. der Tarif für die Beförderung von Leichen, Fahrzeugen und lebenden Thieren für den Verkehr zwischen den Stationen des Bezirks Bromberg einschließlich der Marienburg-Mlawkaer Eisenbahn einerseits und den Stationen des Bezirks Breslau andererseits vom 15. Oktober 1884,
e. der Lokal-Gütertarif für den Eisenbahn-Direktions-Bezirk Breslau vom 1. April 1885,
f. der Gütertarif für den Verkehr zwischen den Stationen des Eisenbahn-Direktions-Bezirks Bromberg einschließlich der Marien-Mlawkaer Eisenbahn und der Ostpreußischen Südbahn einerseits und Stationen des Bezirks Breslau andererseits vom 1. April 1885,
g. der Kilometerzeiger zur Berechnung der Preise für die Beförderung von:
    a. Personen und Reisegepäck,
    b. Leichen, Fahrzeugen und lebenden Thieren,
    c. Eil- und Frachtgütern

für den Eisenbahn-Direktions-Bezirk Bromberg vom 1. Juli 1885 nebst sämmtlichen zu diesen Tarifen erschienenen Nachträgen, soweit sie sich (zu a—f) auf den Verkehr der Stationen der Strecke Gnesen-Jarotschin unter sich, sowie mit den übrigen Stationen des Direktions-Bezirks Bromberg beziehen.

Ueber die Höhe der neuen Tarifsätze geben sämmtliche Expeditionen unseres Verwaltungsbezirks Auskunft.

Bromberg und Breslau, den 9. Februar 1888.

Königl. Eisenbahn-Direktionen.

Personal-Chronik.

Der bisherige Gerichts-Referendar Graf von Westarp ist zum Regierungs-Referendar ernannt worden.

Im Kreise Ostprignitz sind nach Ablauf ihrer bisherigen Dienstzeit der Rittergutsbesitzer Roloff zu Bantikow und der Lieutenant von Rohr zu Dannenwalde zu Amtsvorstehern für die Amtsbezirke Bantikow bezw. Dannenwalde, sowie die Standesbeamten Bettin zu Schönhagen und Schmidt zu Rohlsdorf zu Amtsvorsteher-Stellvertretern für die Amtsbezirke Dölln bezw. Rapshagen von Neuem ernannt worden.

Im Kreise Westhavelland ist der Bauerngutsbesitzer Gottlieb Frensche zu Tremmen zum Stellvertreter des Amtsvorstehers des Amtsbezirks Tremmen ernannt worden.

Dem Superintendenten Oberprediger Thiemann zu Biesenthal ist vom 8. Februar d. J. ab die Kreisschulinspektion über die Schulen des Inspektionskreises Bernau übertragen worden.

Dem cand. theol. Felix Grunwald in Beetz ist die Erlaubniß ertheilt worden, im Regierungsbezirke Potsdam Stellen als Hauslehrer anzunehmen.

Dem Fräulein Bertha Hinz zu Teupitz ist die Erlaubniß ertheilt worden, im Regierungsbezirk Potsdam Stellen als Hauslehrerin anzunehmen.

Der bisherige Pfarrer Maximilian Franz Ferdinand Copien zu Ritteburg in der Provinz Sachsen ist zum Pfarrer der Parochie Dallmin, Diözese Putlitz, bestellt worden.

Der bisherige Hülfsprediger Franz August Ernst Ritter ist zum Pfarrer der Parochie Zinndorf, Diözese Strausberg, bestellt worden.

Die unter Königlichem Patronat stehende Pfarrstelle zu Illmersdorf, Diözese Dahme, kommt durch die nach neuem Rechte erfolgende Emeritirung ihres bisherigen Inhabers, des Pfarrers Ideler, zum 1. Oktober 1888 zur Erledigung.

Die Wiederbesetzung dieser Stelle erfolgt durch Gemeindewahl nach Maßgabe des Kirchengesetzes, betreffend das im § 32 № 2 der Kirchengemeinde- und Synodal-Ordnung vom 10. September 1873 vorgesehene Pfarrwahlrecht, vom 15. März 1886 — Kirchl. Ges.- u. Verordn.-Bl. de 1886 S. 39. —

Bewerbungen um diese Stelle sind schriftlich bei dem Königlichen Konsistorium der Provinz Brandenburg einzureichen. §. 6 a. a. O.

Die Lehrerin Elfriede Engel ist als Gemeindeschullehrerin in Berlin angestellt worden.

Dem Küster und Lehrer August Düring zu Hennigsdorf, Diözese Luckenwalde, ist der Titel „Kantor“ verliehen worden.

Ausweisung von Ausländern aus dem Reichsgebiete.

Lauf. Nr.	Name und Stand des Ausgewiesenen.	Alter und Heimath des Ausgewiesenen.	Grund der Bestrafung.	Behörde, welche die Ausweisung beschlossen hat.	Datum des Ausweisungs-Beschlusses.
1.	2.	3.	4.	5.	6.
		Auf Grund des § 362 des Strafgesetzbuchs:			
1	Friedrich Wilhelm Emil **Wickberg**, Maler und Uhrmacher,	geboren am 6. Januar 1853 zu St. Petersburg, Rußland, ortsangeh. ebendas., wohnhaft zuletzt in Berlin,	Betteln im wiederholten Rückfall, intell. Urkundenfälschung und Führung eines falschen Namens,	Königlicher Polizei-Präsident zu Berlin,	24. Dezem 1887.
2	Franz **Koditek**, Weber und Arbeiter,	geboren am 23. Juli 1837 zu Kloesterle, Bezirk Senftenberg, Böhmen, ortsangehörig ebendaselbst,	Landstreichen,	Königlich Preußischer Regierungspräsident zu Breslau,	16. Janu 1888.
3	Franz **Koval** (**Kowal**), Schneidergeselle,	geboren am 6. August 1866 zu Braunsberg, Bezirk Mistek, Mähren, ortsangehörig ebendaselbst,	Landstreichen und Betteln,	Königlich Preußischer Regierungspräsident zu Oppeln,	22. Dezem 1887.
4	Otto **Kittel**, ohne Stand,	13 Jahre, geboren und ortsangehörig zu Jaegerndorf, Oesterreichisch-Schlesien,	desgleichen,	derselbe,	28. Dezemb 1887.
5	Rudolf **Rotter**, ohne Stand,	desgleichen,	desgleichen,	derselbe,	desgleichen.
6	Simon **Kahn** (fälschlich Cheim Hiller **Markus Beermann**), Schuhmacher,	38 Jahre alt, geboren zu Ponnewesch, Gouvernement Kowno, Rußland,	Landstreichen,	Königlich Preußische Regierung zu Bromberg,	6. Juni 1887.
7	**Anna Debus**, unverehel. Schneiderin,	geboren am 29. Januar 1867 zu Lauenstein, Königreich Sachsen, ortsangehörig zu Eger, Böhmen, wohnhaft zuletzt in Halle a. Saale, Preußen,	gewerbsmäßige Unzucht,	Königlich Preußischer Regierungspräsident zu Merseburg,	12. Janu 1888.
8	Wilhelm **Wagner**, Schneider,	geboren am 27. Juli 1854 zu Luxemburg, ortsangehörig ebendaselbst, wohnhaft zuletzt in Neuhofen, Rheinpfalz,	Vornahme unzüchtiger Handlungen mit einer Person unter 14 Jahren in 2 Fällen u. Betteln im wiederholten Rückfall,	Königlich Preußische Regierung zu Düsseldorf,	19. Janu 1888
9	Josef **Stingl**, Metzger und Brauer,	41 Jahre, geboren und ortsangehörig zu Schüttenhofen, Böhmen,	Landstreichen, Betteln und Gebrauch eines falschen Zeugnisses,	Königlich Bayerisches Bezirksamt Eggenfelden,	11. Januar 1888.
10	**Alois Amort**, Bäcker,	geboren am 4. Mai 1862 zu Schwaz, Tirol, ortsangehörig ebendaselbst,	Landstreichen,	Königlich Württembergische Regierung des Neckarkreises zu Ludwigsburg,	12. Janua 1888.

Hierzu Vier Oeffentliche Anzeiger.

(Die Insertionsgebühren betragen für eine einspaltige Druckzeile 20 Pf. Belagsblätter werden der Bogen mit 10 Pf. berechnet.)

Redigirt von der Königlichen Regierung zu Potsdam.

Potsdam, Buchdruckerei der A. W. Hayn'schen Erben (E. Hayn, Hof-Buchdrucker).

Amtsblatt

der Königlichen Regierung zu Potsdam und der Stadt Berlin.

Stück 8. Den 24. Februar **1888.**

Bekanntmachungen der Königlichen Ministerien.

Notirung von Terminpreisen.

7. In Verfolg unserer Bekanntmachung vom 5. Oktober 1885 bringen wir zur öffentlichen Kenntniß, daß

an der Börse zu Hamburg für Rüben-Rohzucker, Erstes Produkt,

seit dem 3. Januar d. Js. Terminpreise notirt werden. Berlin, den 31. Januar 1888.

Der Minister für Handel und Gewerbe.
In Vertretung: gez. Magdeburg.

Der Finanz-Minister.
Im Auftrage: (Unterschrift.)

M. f. H. ꝛc. C. 571.
F. M. III. 1235.

Bekanntmachungen des Königl. Ober-Präsidenten der Provinz Brandenburg.

Nachweisung
der Durchschnitts-Marktpreise in den Normal-Marktorten des Regierungsbezirks Potsdam und der Stadt Berlin, nach welchen die Vergütung für Weizen, Roggen, Hafer, Heu, Stroh und Weizen- und Roggenmehl für das Jahr vom 1. April 1888/89 zu gewähren ist.

7. Mit Bezug auf die Bekanntmachung vom 9. Februar v. J. (Amtsblatt der Königlichen Regierung zu Potsdam und der Stadt Berlin für 1887 Seite 67) bringe ich hierdurch in Gemäßheit des § 19 des Gesetzes über die Kriegsleistungen vom 13. Juni 1873 (Reichsgesetzblatt Seite 129 und flgd.) die Nachweisung der Durchschnitts-Marktpreise in den Normal-Marktorten des Regierungs-Bezirks Potsdam und der Stadt Berlin, nach welchen die Vergütung für Weizen, Roggen, Hafer, Heu, Stroh und Weizen- und Roggenmehl für das Jahr vom 1. April 1888/89 zu gewähren ist, zur öffentlichen Kenntniß. In den Vergütungspreisen für das etwa zu liefernde Weizen- und Roggenmehl ist bei den Normal-Marktorten Berlin, Prenzlau, Schwedt, Beeskow, Luckenwalde, Potsdam, Brandenburg a. H., Neu-Ruppin und Perleberg das ortsübliche Mahllohn mitenthalten, während dasselbe bei dem Normal-Marktorte Wittstock nicht mitberechnet ist, da dort bei den jetzt bestehenden Verhältnissen kein Mahllohn mehr erhoben wird.

Potsdam, den 13. Februar 1888. Der Oberpräsident der Provinz Brandenburg, Staatsminister Achenbach.

Nachweisung
der Jahres-Durchschnitts-Marktpreise für Weizen, Roggen, Hafer, Heu, Stroh und Weizen- und Roggenmehl in den Normal-Marktorten des Regierungsbezirks Potsdam für die Jahre 1878 bis 1887 mit der Gültigkeitsdauer vom 1. April 1888 bis dahin 1889.

Preise für 100 kg.

Weizen		Roggen		Hafer		Heu		Stroh		Weizenmehl		Roggenmehl	
M.	Pf.	M.	Pf.	M.	Pf.	M.	Pf.	M.	Pf.	M.	Pf.	M.	Pf.
Stadt Berlin. Normalort für die Kreise Ober-Barnim, Nieder-Barnim, Teltow und Ost-Havelland.													
18	43	14	54	14	26	5	80	4	96	22	15	18	73
Stadt Prenzlau. Normalort für die Kreise Prenzlau und Templin.													
17	88	14	25	13	45	4	56	5	06	21	38	18	60
Stadt Schwedt. Normalort für den Kreis Angermünde.													
19	03	15	23	14	63	6	—	4	58	22	71	19	72
Stadt Beeskow. Normalort für den Kreis Beeskow-Storkow.													
15	80	14	80	15	06	6	41	4	92	19	84	19	51
Stadt Luckenwalde. Normalort für den Kreis Jüterbog-Luckenwalde.													
17	99	15	36	14	33	4	98	4	05	21	45	19	62

Weizen M.	Weizen Pf.	Roggen M.	Roggen Pf.	Hafer M.	Hafer Pf.	Heu M.	Heu Pf.	Stroh M.	Stroh Pf.	Weizenmehl M.	Weizenmehl Pf.	Roggenmehl M.	Roggenmehl Pf.
Stadt Potsdam. Normalort für den Kreis Zauch-Belzig und den Stadtbezirk Potsdam.													
18	51	14	90	15	12	5	18	4	59	22	15	19	20
Stadt Brandenburg. Normalort für den Kreis West-Havelland und den Stadtkreis Brandenburg.													
18	52	15	17	14	97	5	33	4	15	22	11	19	65
Stadt Neu-Ruppin. Normalort für den Kreis Ruppin.													
18	35	14	53	14	40	5	27	4	59	21	91	18	79
Stadt Wittstock. Normalort für den Kreis Ost-Prignitz.													
18	36	14	20	13	83	3	99	3	76	20	42	17	04
Stadt Perleberg. Normalort für den Kreis West-Prignitz.											ohne Mahllohn.		
18	46	14	69	14	38	5	99	4	84	22	13	18	93

Bekanntmachungen des Königlichen Regierungspräsidenten.

65. Nachweisung der an den Pegeln der Spree und Havel im Monat Dezember 1887 beobachteten Wasserstände.

Datum	Berlin. Ober-N. N. Wasser. Meter.	Berlin. Unter-N. N. Wasser. Meter.	Spandau. Ober-Wasser. Meter.	Spandau. Unter-Wasser. Meter.	Potsdam. Meter.	Baumgartenbrück. Meter.	Brandenburg. Ober-Wasser. Meter.	Brandenburg. Unter-Wasser. Meter.	Rathenow. Ober-Wasser. Meter.	Rathenow. Unter-Wasser. Meter.	Havelberg. Meter.	Plaue. Brücke. Meter.
1	32,42	30,84	2,20	0,56	0,91	0,45	1,94	0,96	1,60	0,60	1,24	1,38
2	32,42	30,84	2,20	0,60	0,92	0,45	1,96	0,98	1,60	0,60	1,26	1,38
3	32,42	30,84	2,18	0,62	0,93	0,47	1,96	0,94	1,60	0,60	1,26	1,38
4	32,42	30,84	2,20	0,54	0,93	0,48	1,98	0,96	1,60	0,60	1,26	1,38
5	32,42	30,84	2,20	0,56	0,92	0,48	1,96	0,98	1,60	0,60	1,26	1,38
6	32,44	30,84	2,20	0,54	0,92	0,48	2,00	0,98	1,60	0,60	1,26	1,38
7	32,44	30,82	2,20	0,58	0,93	0,49	2,00	1,00	1,62	0,62	1,26	1,40
8	32,45	30,84	2,20	0,58	0,94	0,49	2,00	0,98	1,62	0,64	1,26	1,40
9	32,42	30,84	2,20	0,62	0,94	0,50	2,00	0,98	1,62	0,68	1,26	1,42
10	32,41	30,86	2,22	0,60	0,96	0,50	2,02	1,00	1,62	0,68	1,26	1,42
11	32,42	30,86	2,22	0,56	0,97	0,50	2,02	1,02	1,62	0,68	1,26	1,44
12	32,44	30,86	2,26	0,58	0,97	0,50	2,00	1,02	1,62	0,70	1,26	1,44
13	32,44	30,86	2,26	0,60	0,96	0,49	2,04	1,04	1,62	0,70	1,28	1,44
14	32,45	30,84	2,30	0,62	0,96	0,49	2,04	1,06	1,62	0,70	1,28	1,46
15	32,46	30,84	2,30	0,62	0,96	0,49	2,02	1,06	1,62	0,72	1,28	1,46
16	32,46	30,84	2,32	0,60	0,96	0,50	2,02	1,08	1,62	0,72	1,30	1,48
17	32,48	30,86	2,34	0,62	0,97	0,50	2,00	1,08	1,62	0,72	1,30	1,48
18	32,48	30,86	2,38	0,60	0,99	0,51	2,04	1,10	1,62	0,72	1,32	1,50
19	32,52	30,86	2,42	0,64	0,99	0,52	2,04	1,10	1,62	0,74	1,34	1,50
20	32,52	30,86	2,44	0,64	1,00	0,53	2,02	1,10	1,62	0,74	1,38	1,52
21	32,52	30,86	2,46	0,64	1,00	0,54	2,06	1,12	1,62	0,76	1,38	1,52
22	32,52	30,86	2,48	0,64	1,00	0,55	2,08	1,12	1,62	0,80	1,40	1,54
23	32,52	30,86	2,50	0,66	1,01	0,57	2,06	1,12	1,62	0,80	1,42	1,54
24	32,52	30,86	2,52	0,64	1,02	0,58	2,08	1,12	1,62	0,80	1,46	1,54
25	32,50	30,86	2,56	0,58	1,03	0,58	2,10	1,12	1,58	0,72	1,48	1,56
26	32,46	30,86	2,56	0,64	1,04	0,58	2,12	1,12	1,50	0,70	1,42	1,56
27	32,46	30,84	2,60	0,86	1,04	0,58	2,14	1,12	1,40	0,56	1,00	1,56
28	32,40	30,84	2,50	0,82	1,06	0,57	2,14	1,14	1,40	0,56	1,26	1,58
29	32,40	30,84	2,42	0,78	1,08	0,57	2,16	1,20	1,58	0,94	1,36	1,58
30	32,40	30,84	2,36	0,76	1,09	0,57	2,16	1,24	1,60	0,94	1,36	1,58
31	32,38	30,84	2,32	0,72	1,09	0,57	2,12	1,20	1,60	0,94	1,34	1,58

Potsdam, den 18. Februar 1888.

Der Regierungs-Präsident.

Artikel des Deutschen Handels-Archivs betreffend.

66. Ich mache die betheiligten Kreise des Regierungs-Bezirkes auf folgende Veröffentlichungen im Februarhefte für 1888 des Deutschen Handels-Archives aufmerksam:

1) Ergänzung der Ausführungsbestimmungen zum Branntweinsteuergesetze vom 24. Juni 1887 (S. 141 ff.),
2) Vorschriften für den Transport der Ausstellungs-Gegenstände nach der internationalen Jubiläumsausstellung in Melbourne (S. 144 ff.),
3) Brasilien: Vorschriften für die Eintragung der Fabrik- und Handelsmarken (S. 157 ff.),
4) Argentinische Republik: Zollgesetz für 1888 (S. 160 ff.),
5) Belgien: Gesetz, betreffend die Verfälschung von Dünger (S. 163 ff.),
6) Rußland: Zulassung ausländischer Aktien-Gesellschaften und Vorschriften für die Waarensendungen nach Rußland (S. 167),
7) Spanien: Errichtung von Laboratorien zur Untersuchung von Most, Wein, Alkohol und sonstigen Spirituosen, sowie: Abfassungsform und Visirung der Ladungsmanifeste und: Untersuchung von Alkohol (S. 169 bis 171).

Potsdam, den 18. Februar 1888.

Der Regierungs-Präsident.

Tarif, nach welchem die Abgabe für die Benutzung des städtischen Bohlwerks zu Schwedt a. O. bis zum 31. Dezember 1895 zu erheben ist.

67. Im Einverständnisse mit dem Herrn Provinzial-Steuerdirector habe ich nachstehenden Tarif, nach welchem die Abgabe für die Benutzung des städtischen Bohlwerks zu Schwedt a./O. bis zum 31. Dezember 1895 zu erheben ist, genehmigt:

I. Von allen Fahrzeugen, welche an das Bohlwerk oder die Ladebrücke anlegen, ohne zu löschen beziehungsweise zu laden, ist ein Anlegegeld zu entrichten und zwar für jedes Anlegen und sofern sie länger als 24 Stunden liegen, für jeden Liegetag

A. von Dampfschiffen, welche vorwiegend zur Personen-Beförderung bestimmt sind, 50 Pf.
B. von anderen Fahrzeugen,
   a. bis 10000 Kilogramm (200 Centner) Tragfähigkeit 30 Pf.,
   b. über 10000 bis 20000 Kilogramm (400 Centner) Tragfähigkeit 50 Pf.,
   c. über 20000 Kilogramm Tragfähigkeit 60 Pf.

Dieselben Sätze kommen zur Anwendung bei solchen Fahrzeugen, die, nachdem sie entlöscht haben, am Bohlwerk oder an der Ladebrücke länger als 24 Stunden liegen bleiben.

Für regelmäßig anlaufende, sowie für solche Schiffe, die hier überwintern, kann eine ermäßigte Pauschalsumme vereinbart werden.

II. Von Gütern, Waaren und anderen Gegenständen, welche in Fahrzeugen oder auf Flößen zu Wasser eingehen und über die städtischen Bohlwerke zu Lande gebracht, beziehungsweise welche über dieselben im Fahrzeuge oder auf Flöße zu Wasser verladen werden, wird an Bohlwerksgeld entrichtet

A. wenn die Güter, Waaren ꝛc. nach Gewicht gelöscht beziehungsweise verladen und durch Frachtbriefe in Gewicht nachgewiesen werden, für je 100 Kilogramm 4 Pf.,
B. wenn die Güter, Waaren ꝛc. nach Hektoliter gelöscht beziehungsweise verladen werden, pro Hektoliter (2 Neuscheffel) 2 Pf.

Ausnahmsweise wird entrichtet:

1) Für je 100 Kilogramm und zwar:
   a. für Steinkohlen, Coaks und Braunkohlen 1 Pf.,
   b. für Stangen-, Schnitt und Roheisen, Dachschiefer, Raps- und Oelkuchen, Guano, Düngergyps, Farbehölzer, Knochen, Glasbrocken, Roggenmehl, Taback, Heu, Stroh, Rüben, Theer und Kalk, sowie für Kartoffeln und alle Getreidearten, auch Erbsen, Wicken, Leinsamen, Raps und Rübsen, Linsen, Bohnen, Buchwaizen 2 Pf.,
2) Für Gebinde:
   a. mit Wein, Bier, Essig, Rum und Spiritus für je 20 Liter 1 Pf.,
   b. mit Spiritus in größeren Gebinden als 20 Liter pro 20 Liter $1/2$ Pf.
3) Für je einen Kubikmeter Holz, mag dasselbe in Flößen verbunden oder auf Flößen oder in Fahrzeugen eingehen:
   a. für Brennholz $2\,1/2$ Pf.,
   b. für Bau- und Nutzholz 5 Pf.
4) Für je 1000 Stück:
   a. von Torf 2 Pf.,
   b. von Mauer-, Dach-, Hohl- und Chamottesteinen, sowie von Drainröhren 10 Pf.,
5) Für je 100 Stück Flaschen oder Krüge mit Wein, Bier, Essig, Rum, beziehungsweise mit anderen Spirituosen, sowie mit Mineralwasser 5 Pf.
6) Für je 100 Stück:
   a. Stabholz 2 Pf.,
   b. für Oxhoft-, Tonnen-, Eimer- und Ankerbänder 1 Pf.
7) Für 60 Stück (1 Schock):
   a. von Speichen 2 Pf.,
   b. von Felgenholz 4 Pf.,
   c. von Latten, Stangen und Brettern 20 Pf.
8) Für 15 Stück ($1/4$ Schock) Bohlen von 5 cm Stärke und mehr 10 Pf.
9) Für das Stück:
   a. von Fässern mit Theer, Petroleum, Kalk, Cement, Schlemmkreide resp. Heringen, Heringslake 2 Pf.,
   b. von Mühlsteinen pro Stück 30 Pf.,
   c. von Schleifsteinen pro Stück 10 Pf.,
   d. von Granitplatten und Stufen 2 Pf.,
   e. von Pferden und Hornvieh 5 Pf.,
   f. von Schweinen, Schafen, Füllen, Kälbern, Ziegen 2 Pf.

10) Für den Quadratmeter Raum von Töpfergeschirr, Oefen, Möbeln, Böttcherzeug, leeren Kisten, Fastagen, sowie von allen in dem Tarif nicht besonders genannten Sachen, welche weder nach Maaß noch Gewicht verladen sind 2 Pf.

Anmerkung: 1) Für alle Gegenstände, bei denen die Stückzahl den Maßstab bildet, ist für einen Bruchtheil bis zur Hälfte der halbe Tarifsatz, für einen Bruchtheil über die Hälfte der volle Tarifsatz zu entrichten.

2) Bruchtheile eines Pfennigs von weniger als ein halb sind nicht, Bruchtheile von ein halb und mehr sind voll zu rechnen.

3) Die gelöschten oder zu verladenden Güter, Waaren rc., dürfen höchstens 3 Tage = 72 Stunden auf dem Bohlwerk lagern, bei einer längeren Lagerung ist für den längeren Zeitraum auf je weitere 3 Tage = 72 Stunden die Hälfte des Tarifsatzes zu berechnen. Der angefangene dreitägige Zeitraum gilt als voll.

III. Befreit von der Entrichtung des Bohlwerks- oder Anlegegeldes sind:

1) Fahrzeuge, welche den städtischen Wochenmarktverkehr vermitteln, sowie deren zum Wochenmarkt bestimmte Ladung.
2) Fahrzeuge, welche für die hiesigen Einwohner frisches Gras und selbst gewonnenes Heu, soweit mit letzterem nicht Handel getrieben wird, heranfahren.
3) Fahrzeuge, welche dem Deutschen Reich oder dem Preußischen Staate angehören, beziehungsweise dem Deutschen Reich oder Preußischen Staate gehörigen Gegenstände, welche an dem Bohlwerk gelöscht oder geladen werden.

Potsdam, den 21. Februar 1888.

Der Regierungs-Präsident.

Viehseuchen.

68. Nachdem unter den Pferden des Ritterguts Biesdorf im Kreise Niederbarnim während des verflossenen Jahres wiederholt Erkrankungen an Rotz vorgekommen waren, sind die sämmtlichen durch Berührung mit den rotzkranken der Ansteckung verdächtig gewordenen fünfzehn Pferde des genannten Ritterguts am 24., 25. und 26. Januar d. J. getödtet worden und ist damit die Rotzkrankheit in Biesdorf erloschen.

Potsdam, den 7. Februar 1888.

Der Regierungs-Präsident.

69. Die Rotzkrankheit und der Verdacht der Ansteckung mit dieser Seuche bei den Pferden mehrerer Besitzer in den Ortschaften Dorf Zechlin, Berlinchen, Dranse, Schweinrich und Stadt Wittstock im Kreise Ostprignitz ist erloschen.

Potsdam, den 14. Februar 1888.

Der Regierungs-Präsident.

70. Die Maul- und Klauenseuche unter dem Rindvieh des Berliner Rieselgutes Malchow im Kreise Niederbarnim ist erloschen.

Potsdam, den 14. Februar 1888.

Der Regierungs-Präsident.

71. An Milzbrand hat eine von dem Bauergutsbesitzer Wennemede zu Götz, im Kreise Zauch-Belzig, am 7. d. M. geschlachtete Kuh gelitten; nachdem dieses festgestellt war, ist das Cadaver vorschriftsmäßig beseitigt worden.

Potsdam, den 16. Februar 1888.

Der Regierungs-Präsident.

72. Die Maul- und Klauenseuche ist unter dem Rindviehbestande der zum Gute Obergreifenberg gehörigen Schäferei im Kreise Angermünde ausgebrochen.

Potsdam, den 18. Februar 1888.

Der Regierungs-Präsident.

73. Die Maul- und Klauenseuche unter den Kühen der Domaine Dreetz bei Neustadt a. D. ist erloschen.

Potsdam, den 18. Februar 1888.

Der Regierungs-Präsident.

74. Die Maul- und Klauenseuche ist unter den Kühen des Bauergutsbesitzers Zimmermann zu Busdorf und des Molkereibesitzers Keinert zu Rosenth. im Kreise Niederbarnim ausgebrochen.

Der Milzbrand unter dem Rindvieh in Radinkendorf im Kreise Beeskow-Storkow ist erloschen.

Potsdam, den 20. Februar 1888.

Der Regierungs-Präsident.

Bekanntmachungen des Königl. Polizei-Präsidiums zu Berlin.

Geheimmittel.

13. Der ehemalige Bildhauer Franz Otto hierselbst, Kurfürstenstraße Nr. 5, früher Bülowstraße Nr. 6 wohnhaft, verkauft mit seinem sogenannten Lebenswecker, einem von einem gewissen Baunscheidt vor Jahrzehnten schon marktschreierisch zur Beseitigung aller denkbaren Krankheiten angepriesenen Schnepper-Geräth, sogenanntes Lebensöl.

Letzteres besteht nach amtlich veranlaßter chemischer Untersuchung aus einem fetten Oel, welchem Krotonöl beigemischt ist. Die zum Preise von 3 Mark abgegebene Flasche Oel hat einen reellen Werth von etwa 30 Pfennig.

Der Gebrauch des Lebensweckers und des zugehörigen Oeles haben wiederholt üble Folgen gehabt.

Das Publikum wird daher vor den genannten Mitteln gewarnt.

Berlin, den 15. Februar 1888.

Der Polizei-Präsident.

Verbot eines Flugblatts.

14. Auf Grund des § 12 des Reichsgesetzes gegen die gemeingefährlichen Bestrebungen der Sozialdemokratie vom 21. Oktober 1878 wird hierdurch zur öffentlichen Kenntniß gebracht, daß das Flugblatt mit der Ueberschrift: „Arbeiter! Brüder!", den Eingangsworten „Wohin auch Euer Auge schweifen mag rc." und dem Schluß: „wird es immer Ge- Lieb- knechtet werden." Ohne Angabe des Druckers und Verlegers, nach § 11 des gedachten Gesetzes durch den Unterzeichneten von Landespolizeiwegen verboten worden ist.

Berlin, den 18. Februar 1888.

Der Königl. Polizei-Präsident.

Bekanntmachungen der Kaiserlichen Ober-Post-Direktion zu Potsdam.

Anträge auf Fernsprechanschluß.

10. Für die im nächsten Bauabschnitte vom 1. April d. J. ab auszuführende **Erweiterung der Stadt-Fernsprechanlagen** in Potsdam, Spandau, Cöpenick, Steglitz, Groß-Lichterfelde, Oranienburg, Wannsee, Grünau (Mark) und Ludwigsfelde, welche sämmtlich mit dem **Berlin'er Fernsprechnetz** verbunden sind, ist es nothwendig, die Anzahl der neuen Anschlüsse, sowie die Lage der Gebäude, in welchen Fernsprechstellen eingerichtet werden sollen, im Voraus zu kennen.

Diejenigen Personen, welche den Anschluß an eine der genannten Stadt-Fernsprecheinrichtungen wünschen, wollen ihre **schriftlichen Anmeldungen** spätestens bis znm 1. März mir zugehen lassen. Die einschlägigen Bedingungen werden auf Wunsch von den Postanstalten in den bezeichneten Orten mitgetheilt.

Potsdam, den 19. Januar 1888.

Der Kaiserl. Ober-Postdirektor.

Bekanntmachungen der Königlichen Eisenbahn-Direktion zu Berlin.

Nachtrag zum Rumänisch-Deutschen Tarif.

6. Am 1. April 1888 gelangt zum Rumänisch-Deutschen Tarif Theil I. der IV. Nachtrag zur Einführung. Derselbe enthält anderweite Vorschriften bezüglich der Bedeckung der Güter. Exemplare sind bei der Güter-Kasse Stettin und im hiesigen Auskunftsbüreau auf dem Stadtbahnhofe Alexanderplatz unentgeltlich zu haben. Berlin, den 13. Februar 1888.

Königl. Eisenbahn-Direktion.

Bekanntmachungen der Königlichen Eisenbahn-Direktion zu Bromberg.

Staatsbahn-Güter-Tarif Bromberg—Breslau.

11. 1) Am 1. April 1888 treten im Verkehr zwischen Böhmischdorf—Gumbinnen, Böhmischdorf—Judtschen, Neiße—Zantoch, Hundsfeld—Hohenstein in Ostpr., Kunigundenweiche—Elsenau, Pleß—Melschin, Stolzmütz—Melschin und Nieder-Hermsdorf—Zantoch Erhöhungen von Entfernungen um 10,50 bezw. 100 km in Kraft. 2) An demselben Tage werden die im Nachtrage XIII. enthaltenen Frachtsätze des Ausnahme-Tarifs 1 für Getreide u. s. w. von Vossowska nach Ganglau, Grieslienen, Heinrichsdorf-Ruttkowitz, Hohenstein i. Ostpr., Klonowo, Konojad, Lautenburg i. Westpr., Najmowo, Neustadt i. Westpr., Radosk, Soldau, Stabigotten und Strasburg i. Westpr. durchweg um 0,01 M. für 100 kg und die Sätze für Neustadt i. Westpr.—Lissa i. P., Rawitsch und Schildberg—Schlawe erhöht. Nähere Auskunft ertheilen auf Verlangen die Güter-Expeditionen.

Bromberg, den 13. Februar 1888.

Königl. Eisenbahn-Direktion,
Namens der betheiligten Verwaltungen.

Bekanntmachungen der Königlichen Eisenbahn-Direktion zu Erfurt.

Auslosung von Prioritäts-Obligationen der Berlin-Anhaltischen Eisenbahn.

1. Die Auslosung der in diesem Jahre zu amortisirenden Prioritäts-Obligationen der Berlin-Anhaltischen Eisenbahn II. Emission (Allerh. Privilegium vom 25. Juni 1856) und Lit. C. (Allerh. Privilegium vom 25. August 1875) findet **am 12. März d. J., Vormittags 9 Uhr,** in unserem Sitzungssaale hierselbst statt.

Erfurt, den 16. Februar 1888.

Königl. Eisenbahn-Direktion.

Bekanntmachungen der Kreis-Ausschüsse.

Genehmigung.

4. Auf Grund des § 25 des Zuständigkeits-Gesetzes vom 1. August 1883 in Verbindung mit § 1 Abschnitt 4 des Gesetzes vom 14. April 1856 genehmigen wir hiermit, daß

1) die von dem Kaufmann Carl Perling hierselbst erworbene Parzelle: Gemarkung Falkenberg № 40 Kartenblatt 2, Flächenabschnitt $\frac{39}{24}$ Hofraum im Dorfe, von 1 ar 64 qm Größe, im Grundbuche der Rittergüter des Kreises Niederbarnim Band I. № 10 Seite 217 verzeichnet, von dem Gutsbezirk Falkenberg abgetrennt und in den Gemeindebezirk Falkenberg einverleibt,
2) die von der Stadtgemeinde Berlin erworbene Parzelle: Gemarkung Falkenberg № 39, Kartenblatt 2, Flächenabschnitt $\frac{101}{63}$ Garten im Dorfe, von 5 ar 06 qm Größe, im Grundbuche von Falkenberg Band I. Blatt № 18 verzeichnet, von dem Gemeindebezirke Falkenberg abgezweigt und in den Gutsbezirk Falkenberg einverleibt werden.

Berlin, den 28. Januar 1888.

Der Kreis-Ausschuß.

Bekanntmachungen anderer Behörden.

Umtausch von Pfandbriefen Lit. B.

Die Inhaber der nachbezeichneten, von dem Königlichen Kredit-Institut für Schlesien ausgefertigten **4 % Pfandbriefe Lit. B.,** haftend

1) auf den im Neiße'r Kreise belegenen Gütern Giesmannsdorf c. pert. und Jentsch:

№ 45502 à 500 Thaler,
№ 52643 52644 52655 à 200 Thaler,
№ 65554 65555 65582 65583 à 100 Thaler,
№ 79505 à 50 Thaler,
№ 82500 82501 82502 à 25 Thaler,

2) auf den im Brieg'schen Kreise belegenen Gütern Cantersdorf und Klein-Neudorf:

№ 43670 à 500 Thaler,
№ 50093 50103 50107 50111 50121 50122 50140 à 200 Thaler,
№ 62460 62461 62469 62470 62475 62476 62481 62482 à 100 Thaler,

werden hierdurch wiederholt aufgefordert, diese Pfandbriefe in kursfähigem Zustande mit den Zinsscheinen Ser. XI. № 5 bis incl. 10 an die Königliche Instituten-Kasse hierselbst — im Regierungsgebäude am Lessingplatz — zum Umtausch gegen andere Pfandbriefe

Lit. B. von gleichem Betrage und mit gleichen Zinsscheinen versehen einzureichen.

Sollte die Präsentation nicht

bis zum 15. August d. J.

erfolgen, so werden die Inhaber dieser Pfandbriefe nach § 50 der Verordnung vom 8. Juni 1835 mit ihrem Realrechte auf die in den Pfandbriefen ausgedrückte Spezial-Hypothek präkludirt, die Pfandbriefe für vernichtet erklärt, in unserem Register, sowie im Grundbuche gelöscht und die Inhaber mit ihren Ansprüchen lediglich an die in unserem Gewahrsam befindlichen Umtausch-Pfandbriefe verwiesen werden.

Breslau, den 15. Februar 1888.

Königl. Kredit-Institut für Schlesien.

Personal-Chronik.

Seine Majestät der Kaiser und König haben Allergnädigst geruht, den Regierungs-Assessor Dr. Steinmeister zum Landrathe zu ernennen. In dieser Eigenschaft ist demselben das bisher commissarisch verwaltete Landraths-Amt im Kreise Ost-Havelland zu Nauen definitiv übertragen worden.

Im Kreise Prenzlau sind nach Ablauf ihrer Dienstzeit der Gutspächter Wendhausen zu Bietikow und der Gutspächter Lieutenant a. D. Rohrbeck zu Ziemkendorf zu Amtsvorstehern für die Amtsbezirke Seelübbe bezw. Eickstedt, sowie der Gutspächter Passow zu Dreesch und der Oberinspektor Schmidt zu Menkin zu Amtsvorsteher-Stellvertretern für die Amtsbezirke Seelübbe bezw. Menkin von Neuem ernannt worden.

Im Kreise Ostprignitz sind der Rittergutsbesitzer Rosenow zu Koenigsberg und der Rittergutsbesitzer von Jena zu Nettelbeck zu Amtsvorstehern für die Amtsbezirke Grabow bezw. Nettelbeck, sowie der Gemeinde-Vorsteher Bick zu Stüdenitz, der Mühlenbesitzer Scherz zu Fretzdorf, der Rittergutsbesitzer Gruner zu Grabow, der Gutspächter Jäger zu Krumbeck zu Amtsvorsteher-Stellvertretern für die Amtsbezirke Schoenermark, Fretzdorf, Grabow bezw. Nettelbeck ernannt worden. Ferner ist die einstweilige Verwaltung des Amtsbezirks Marienfließ dem Amts-Vorsteher des Amtsbezirks Meyenburg übertragen worden.

Die Försterstelle Beutel in der Oberförsterei Himmelpfort ist vom 1. April d. J. ab dem Förster Brüsch zu Dusterlake, Oberförsterei Reiersdorf, übertragen worden.

Der versorgungsberechtigte Oberjäger Forstaufseher Dalchow zu Sachsenhausen in der Oberförsterei Neuholland ist zum Königl. Förster ernannt und demselben die Försterstelle Dusterlake in der Oberförsterei Reiersdorf vom 1. April d. Js. ab übertragen worden.

Der versorgungsberechtigte Jäger Forstaufseher Runge zu Forsthaus Spring in der Oberförsterei Grimnitz ist zum Königl. Förster ernannt und demselben die Försterstelle Friedrichsgüte in der Oberförsterei Neuendorf vom 1. Mai d. Js. ab übertragen worden.

Dem Fräulein Emmy Stahnke zu Forsthaus Zehdenick wird die Erlaubniß ertheilt, Stellen als Hauslehrerin im Regierungsbezirke Potsdam anzunehmen.

Der bisherige Predigtamts-Kandidat Ewald Gustav Wilhelm Theile ist zum Diakonus von Zossen und Pfarrer zu Motzen, Diözese Zossen, bestellt worden.

Der bisherige Predigtamts-Kandidat Ferdinand Leopold Paul Victor Heinrich ist zum Pfarrer der Parochie Bresch, Diözese Putlitz, bestellt worden.

Das unter magistratualischem Patronat stehende Diakonat zu Belzig, Diözese gleichen Namens, kommt durch die Versetzung des Diakonus Neumeister zum 15. Februar d. J. zur Erledigung.

Die unter privatem Patronat stehende, aber gegenwärtig durch das Kirchenregiment zu besetzende Pfarrstelle zu Vietmannsdorf, Diözese Templin, kommt durch die Versetzung des Pfarrers Thiede zum 1. April d. J. zur Erledigung.

Die Lehrerinnen Frau Dr. Wiß, Charlotte Esser, Elsbeth Wolff und Rosalie Limar sind als Gemeindeschullehrerinnen in Berlin angestellt worden.

(Hierzu eine Extra-Beilage, enthaltend zwei Ministerialerlasse, betreffend Privat-Irrenanstalten, sowie Vier Oeffentliche Anzeiger.)

(Die Insertionsgebühren betragen für eine einspaltige Druckzeile 20 Pf. Belagsblätter werden der Bogen mit 10 Pf. berechnet.)

Redigirt von der Königlichen Regierung zu Potsdam.

Potsdam, Buchdruckerei der A. W. Hayn'schen Erben (E. Hayn, Hof-Buchdrucker).

Extra-Beilage

zum 8ten Stück des Amtsblatts

der Königlichen Regierung zu Potsdam und der Stadt Berlin.

Den 24. Februar 1888.

Bekanntmachungen des Königlichen Regierungs-Präsidenten.

Privat-Irrenanstalten betreffend.

75. Da die Bestimmungen, welche über die Aufnahme von Geisteskranken in Privat-Irrenanstalten, über die Entlassung derselben, sowie über die staatliche Beaufsichtigung solcher Anstalten zu verschiedenen Zeiten ergangen sind, nicht überall gleichmäßig ausgelegt und gehandhabt werden, auch zum Theil einer Ergänzung bedürfen, sehen wir uns bewogen, hierüber das Nachfolgende anzuordnen und ersuchen Ew. Excellenz ergebenst, deswegen das Weitere zu veranlassen.

I. Aufnahme von Geisteskranken in Privat-Irrenanstalten. Entlassung derselben.

Wenn es einerseits verhindert werden muß, daß Personen als geisteskrank in Irrenanstalten gebracht und darin behalten werden, welche nicht geisteskrank sind, so ist es andererseits von Wichtigkeit, daß solche Geisteskranke, deren Zustand es zu ihrem eignen Wohl oder mit Rücksicht auf die öffentliche Sicherheit nothwendig oder wünschenswerth macht, mit thunlicher Beschleunigung und ohne Schwierigkeit in derartige Anstalten übergeführt werden können.

1) Aerztliche Aufnahme-Atteste.

Die Aufnahme eines Menschen in eine Privat-Irrenanstalt darf selbst unter dringenden Umständen nicht erfolgen, ohne daß die Nothwendigkeit derselben durch ein zuverlässiges ärztliches Attest bescheinigt wird.

Des Näheren ist für diese ärztlichen Aufnahme-Atteste Folgendes maßgebend:

a) In der Regel ist für die Aufnahme ein auf Grund eigener Untersuchung des Kranken ausgestelltes Attest des Physikus oder des pro physicatu geprüften Kreiswundarztes desjenigen Kreises, in welchem der Kranke seinen Wohnsitz hat, darüber erforderlich, daß der Aufzunehmende geisteskrank ist, an welcher Form geistiger Krankheit er leidet und daß er der Aufnahme in eine Irren-Anstalt bedarf. Ist der Kranke bereits von einem andern Arzte wegen der gegenwärtigen Krankheit behandelt oder beobachtet worden, so ist wenn möglich ein Bericht des Letzteren über die Entstehung und den Verlauf der Krankheit dem Physikus (oder Kreiswundarzt) vorzulegen und von diesem seinem Atteste beizufügen.

b. Hat der Kranke keinen festen Wohnsitz oder macht sein Zustand, während er von seinem Wohnsitz abwesend ist, seine Ueberführung in eine Irrenanstalt nothwendig, so ist dem Atteste des zuständigen Physikus (oder Kreiswundarztes) das eines anderen Physikus oder pro physicatu geprüften Kreiswundarztes gleichzustellen, jedoch bedarf dasselbe alsdann einer ausführlichen Bedründung.

Wird ein solches Attest zu a. oder b. von einem Kreiswundarzte ausgestellt, so hat derselbe seiner Unterschrift und dem Amtscharacter hinzuzufügen, daß er pro physicatu geprüft ist.

c) In dringenden Fällen, insbesondere bei Gemeingefährlichkeit des Kranken darf die Aufnahme desselben vorläufig auch auf Grund eines ausführlichen und wohlbegründeten Attestes eines jeden approbirten Arztes erfolgen, jedoch ist alsdann der Kranke innerhalb der ersten 24 Stunden nach erfolgter Aufnahme durch denjenigen Physikus, oder wenn dieser der Arzt der betreffenden Irrenanstalt sein sollte, durch den pro physicatu geprüften Kreiswundarzt zu untersuchen, in dessen Amtsbezirk sich die Anstalt befindet. Sollte der zuständige Kreiswundarzt nicht pro physicatu geprüft sein, oder ein Kreiswundarzt in dem betreffenden Kreise nicht vorhanden sein, so ist der Physikus eines benachbarten Kreises heranzuziehen.

Die Untersuchung ist in zweifelhaften Fällen in kurzen Fristen wiederholt vorzunehmen und dann ein Attest wie zu b. auszustellen, welches für das Verbleiben des vorläufig Aufgenommenen in der Anstalt oder für seine sofortige Entlassung maßgebend ist.

Die amtlichen Atteste zu a. und b., sowie das privatärztliche Attest zu c. geben die Berechtigung zur Aufnahme eines Kranken in eine Privat-Irrenanstalt nur dann, wenn diese innerhalb einer Frist von 14 Tagen nach der Untersuchung (oder wenn mehrere Untersuchungen stattgefunden haben, nach der letzten Untersuchung) erfolgt. Es ist daher in den Attesten der Zeitpunkt der (letzten) Untersuchung jedesmal anzugeben.

d. Schon wegen Geisteskrankheit entmündigte Kranke können auf Antrag ihres rechtlichen Vertreters ohne weitere Nachweise als den der erfolgten Entmündigung aufgenommen werden.

e. Werden Kranke, welche in eine von einem Kommunalverbande unterhaltene Irrenanstalt ordnungsmäßig aufgenommen sind, von dem Vorstande einer solchen Anstalt einer Privat-Irrenanstalt zur Pflege übergeben, so ist für jeden Kranken ein Uebergabeschein und eine beglaubigte Abschrift der Aufnahme-Atteste bezw. des Nachweises der erfolgten Entmündigung zu den Akten der Privat-Irrenanstalt zu bringen.

f. Für die Aufnahme von nicht entschieden Geisteskranken als sog. „freiwilligen Pensionären" in Privat-Irrenanstalten sind die Bestimmungen des in einem Abdruck beifolgenden, unter dem 17. Juni 1874 — M. 2493 — an die Regierungen der Rheinprovinz und von Westfalen gerichteten Erlasses zu 1, 2, 3, 4 maßgebend.

2) Anzeige der erfolgten Aufnahme.

a. Ist die Aufnahme eines Geisteskranken in eine Privat-Irrenanstalt nicht auf Antrag einer Gerichtsbehörde oder der Polizeibehörde des Wohnortes des Kranken, oder unter Genehmigung der letzteren Behörde erfolgt, so ist — jedoch mit Ausnahme der Fälle zu 1 e. und f. — der vorbezeichneten Polizeibehörde binnen 24 Stunden nach erfolgter Aufnahme von Letzterer unter Beifügung einer beglaubigten Abschrift der Aufnahme-Atteste **secrete** Mittheilung zu machen, desgleichen ist innerhalb derselben Frist dem Staatsanwalt derjenigen Gerichtsbehörde, bei welcher der Kranke seinen Gerichtsstand hat, Anzeige von der Aufnahme zu erstatten.

b. Ist der Aufgenommene ein Ausländer oder ist seine Wohnung und sein Gerichtsstand unbekannt, so ist dem Staatsanwalt des Gerichtes Anzeige zu machen, welches für den Ort der Irrenanstalt zuständig ist und bei Ausländern außerdem der zuständigen Landespolizeibehörde Behufs des von dieser gemäß dem Erlaß vom 5. August 1881 an den Herrn Minister der auswärtigen Angelegenheiten zu erstattenden Berichts.

c. In jedem Falle ist die Aufnahme binnen 24 Stunden bei der Polizeibehörde desjenigen Ortes anzuzeigen, in welchem die Anstalt gelegen ist. Bei sämmtlichen diesen Anzeigen sind die betreffenden Behörden um eine Empfangsbestätigung zu ersuchen.

3. Die Entlassung der in eine Privat-Irren-Anstalt Aufgenommenen (mit Ausnahme der sog. „freiwilligen Pensionaire", für welche der Erlaß vom 17ten Juni 1876 ad 4 maßgebend ist) muß erfolgen

a. wenn dieselben geheilt sind oder

b. obgleich dies nicht der Fall ist, sobald der rechtliche Vertreter derselben die Entlassung fordert.

c. In beiden Fällen jedoch hat sie, wenn der Kranke auf Antrag einer Gerichts- oder Polizei-Behörde in die Anstalt aufgenommen worden ist, nicht eher zu erfolgen, als bis die betreffende Behörde ihre Zustimmung dazu ertheilt hat.

d. Gemeingefährliche Irre dürfen nur entlassen werden, wenn ihre unmittelbare Ueberführung in eine andere Irrenanstalt sicher gestellt ist und nach vorgängiger Benachrichtigung der Polizeibehörde desjenigen Ortes, in welchem die entlassende Irren-Anstalt sich befindet.

e. Von der erfolgten Entlassung eines Geisteskranken aus einer Privat-Irrenanstalt ist — soweit dies nicht durch die Anzeigen zu 3c. und d. überflüssig wird — denselben Behörden Anzeige zu machen, welchen die Aufnahme nach I. 2 angezeigt war.

Desgleichen ist diesen Behörden anzuzeigen wenn ein Kranker sich durch die Flucht der Anstal[t] entzogen hat oder gestorben ist. Auch betreff dieser Anzeigen (zu c.) sind die betreffenden Be-hörden um Empfangsbestätigung zu ersuchen.

II. Beaufsichtigung der Privat-Irrenanstalten.

1) Behufs der Beaufsichtigung der Privat-Irren-Anstalten sind dieselben fortlaufenden **Revisionen** z[u] unterwerfen.

a. Die Revisionen erfolgen in der Regel **durch** de[n] zuständigen Physikus oder statt desselben (z. B. wenn er selbst Arzt der Irrenanstalt ist) **durch** einen von der Landespolizeibehörde zu bestimmenden psychiatrisch vorgebildeten ärztlichen **Kommissar**.

b. Alljährlich ist jede Anstalt zwei Mal — einmal im Sommer und einmal im Winter — einer ordentlichen und zwar unvermutheten **Revision** zu unterziehen. Eines besonderen Auftrages bedarf der Physikus bezw. der Kommissar zu der einzelnen Revision nicht.

Außerordentliche Revisionen können **von** der Landespolizeibehörde angeordnet werden, so oft dieselben für erforderlich erachtet.

2) Ueber jede Revision ist der Landespolizeibehörde ein ausführlicher Bericht zu erstatten, bei welchem ins besondere folgende Punkte zu berücksichtigen sind:

a. Zustand und Veränderungen der baulichen Einrichtung der Anstalt, soweit sie sanitäre Bedeutung haben. Art der Entwässerung und Entfernung der unreinen Abgänge.

b. Zustand der Krankenräume (Schlafräume, Aufenthaltsräume, Isolirräume) — Reinlichkeit derselben — Beschaffenheit der Luft (Reinheit Temperatur) — Erleuchtung — Zustand der Zimmer-Einrichtung (Lagerstätte) — der Sicherheits-Vorrichtungen an Fenstern, Thüren — Art und Beschaffenheit der Badeeinrichtungen — Plätze zum Aufenthalt der Kranken im Freien.

c. Die Kranken. — Derzeitige Bestand, Belegung der Räume (Ueberfüllung), Trennung der Geschlechter — Zustand der Kranken (Reinlichkeit, Ernährungszustand, Kleidung), etwaige Spuren von Verletzungen und deren muthmaßliche Entstehung (Anwendung von Zwangsmitteln, Mißhandlungen) — geistiger Zustand — Beschwerden der Kranken — Geistliche Versorgung — besondere Vorgänge während der Berichtszeit (Unglücksfälle, T[od], Selbstmord, Flucht). —

d. Personal der Anstalt: Aerzte (im Hause o[der] außerhalb wohnend) — Wärter — Wärterin[nen] Wirthschaftspersonal. —

e. Registratur: Das Hauptjournal (Zugang, Abgang u. s. w.) — Personal-Akten für jeden einzelnen Kranken (Aufnahme-Antrag, Aufnahme-Atteste, Bescheinigung der Aufnahme- und Abgangs-Anzeigen (I., 2 Schlußsatz, I., 3 Schlußsatz), Nachweis [der] etwa erfolgten Entmündigung, Krankenjournal).

3) Die Revision derjenigen Privat-Irrenanstalten, welche auch sog. „freiwillige Pensionäre" aufnehmen (Erlaß vom 17. Juni 1874), erfolgt von jetzt an auch in der vorstehend angeordneten Weise, jedoch mit besonderer Berücksichtigung der Bestimmungen des genannten Erlasses. Die Kosten der Revisionen sind fortan von diesen Anstalten nicht mehr zu tragen.

III. Konzessionirung von Privat-Irrenanstalten.

Bei der Konzessionirung von Privat-Irrenanstalten ist auf dem durch das hierfür vorgeschriebene Verfahren gebotenen Wege dahin zu wirken, daß von vornherein in Lage, Bau und Einrichtung der Anstalten den allgemeinen sanitären, sowie denjenigen besonderen Forderungen Genüge geschieht, welche zur Erreichung des Zweckes solcher Anstalten gestellt werden müssen.

1) Insbesondere ist festzustellen, welches die Maximalzahl der gleichzeitig zu verpflegenden Kranken mit Rücksicht auf die Zahl und Größe der einzelnen Räume, welche zum Aufenthalt der Kranken dienen sollen, sein darf. In der Regel sind mindestens 25 cbm Luftraum auf jeden Kranken zu rechnen.
2) Ferner ist zu verlangen, daß die für die Geschlechter gesonderten Badeeinrichtungen einen der Zahl der Kranken entsprechenden Umfang haben.
3) Daß in Krankenanstalten, welche heilbare Irre aufnehmen, mindestens ein Arzt wohnen muß.

Berlin, den 19. Januar 1888.

Der Minister des Innern.
Puttkamer.
Der Justiz-Minister.
Friedberg.
Der Minister der geistlichen, Unterrichts- und Medizinal-Angelegenheiten.
von Goßler.

M. d. J. II. № 14771.
J. M. I. № 66.
M. d. g. A. M. № 274 II.

An den Königlichen Ober-Präsidenten Staatsminister Herrn Dr. Achenbach Excellenz zu Potsdam.

* * *

Der Königlichen Regierung eröffne ich auf den Bericht vom 6. v. Mts. — I. Sect. II. № 2064 — die Beaufsichtigung der Privat-Irren-Anstalten betreffend, Folgendes:

Wenngleich ich damit einverstanden bin, daß jedem Mißbrauch bei Aufnahme sogenannter „freiwilliger Pensionäre" in Privat-Irrenanstalten thunlichst vorgebeugt werde, so erachte ich es doch im Anschluß an die mitgetheilte Aeußerung des Ober-Procurators von Guerard vom 4. April d. Js. für bedenklich, die ganze Einrichtung durch sofortige Entlassung der Pensionäre und unbedingte Inhibirung weiterer derartigen Aufnahmen zu beseitigen. Für solche unglücklichen Personen, die zwar nicht zu den eigentlich „Geisteskranken" gehören, aber doch mit mehr oder weniger erheblichen geistigen Defekten behaftet, oder in Folge früher überstandener Krankheit noch geschwächt und daher zum Eintritt in gewöhnliche Lebensverhältnisse unfähig sind, sowie für deren Angehörige kann der zeitweise Aufenthalt in einer gut eingerichteten und mit Sachkenntniß geleiteten Irren-Anstalt von wesentlichem Nutzen sein. Die Nöthigung derartig defekter Individuen entweder in ihren häuslichen Verhältnissen zu belassen, oder, wo dies nicht ausführbar ist, anderen Pensionen zu übergeben, würde nur zu leicht dahin führen, daß die in ihnen vorhandene Prädisposition zum Irrsinn sich zu wirklichen Krankheitsfällen steigert oder gar in unheilbare Geistesstörung übergeht.

Dagegen muß zum Schutze der persönlichen Freiheit und zur Vermeidung jedes Mißbrauchs insbesondere in der Richtung, daß es nicht lediglich dem Ermessen der Anstalts-Vorsteher überlassen bleibt, zu bestimmen, ob eine in der Anstalt befindliche Person zu den Geisteskranken gehöre oder nicht, mit aller zulässigen Strenge im Wege der medizinalpolizeilichen Aufsicht darauf Bedacht genommen werden, bestimmte, zweckmäßige Kontrollmaßregeln einzuführen und ihre Befolgung in angemessener Weise zu sichern.

Zu diesen Kontrollmaßregeln werden zu rechnen sein:

1) Von dem Unternehmer einer jeden Privat-Irren-Heil- oder Pflege-Anstalt, welche in derselben Pensionäre aufnehmen oder halten will, die mit ihrem freien Willen sich daselbst befinden, ist zu einer solchen Erweiterung des eigentlichen Zwecks der Anstalt eine besondere Erlaubniß der Königlichen Regierung nothwendig, welche nur mit dem Vorbehalt des jederzeitigen Widerrufs ertheilt wird.
2) Die Erlaubniß darf nur dann gewährt werden, wenn die ganze Einrichtung der Anstalt von vorn herein durch ihre Organisation und durch rationelle Krankenbehandlung Gewähr gegen Mißbrauch bietet und der Unternehmer sich schriftlich verpflichtet, die nachstehenden Voraussetzungen in Betreff der Aufnahme und des Verbleibens der Pensionäre und der anzuordnenden Kontrollen (№ 3—5) pünktlich und unweigerlich zu erfüllen.
3) Die Aufnahme eines jeden solchen Pensionärs setzt voraus:
   a. eine ärztliche Bescheinigung der **Zweckmäßigkeit** der Aufnahme vom medizinischen Standpunkt,
   b. die schriftliche Einwilligung der Pensionäre selbst oder ihrer gesetzlichen Vertreter,
   c. die binnen 24 Stunden nach der Aufnahme zu bewirkende Anmeldung jedes Aufgenommenen bei der Ortspolizeibehörde.
4) Das Verbleiben in der Anstalt darf durch keine, über die Grenzen einer geregelten Hausordnung hinausgehende Mittel erzwungen werden. Anträge auf Entlassung dürfen, wenn sie von den gesetzlichen Vertretern der Pensionaire ausgehen, gar nicht, wenn sie von den Pensionären selbst aus-

gehen, nur in dem Fall abgelehnt werden, daß die Voraussetzungen nachgewiesen werden, welche für die Aufnahme von **Geisteskranken** vorgeschrieben sind, d. h. ärztliche Bescheinigung der **Nothwendigkeit** ihrer Aufnahme in einer Irrenanstalt und die hiervon gemachte Anzeige bei der zuständigen Gerichtsbehörde.

5) Die Anstalten, welche freiwillige Pensionäre halten, unterliegen in Rücksicht hierauf einer monatlichen, „auf ihre Kosten abzuhaltenden Revision durch den Kreis-Physikus“ und wenn dieser selbst Anstalts-Arzt ist, eines anderen von der Königlichen Regierung zu bezeichnenden medizinischen Kommissarius, welcher sich mit den Pensionären in persönliche Beziehung zu setzen und die Beobachtung der gegebenen Vorschriften streng zu kontrolliren hat.

Auf diesem Wege wird es voraussichtlich möglich werden, die mannigfachen Interessen, welche bei derartigen Einrichtungen zu wahren sind, in richtigem Einklang zu erhalten, insbesondere jeden Mißbrauch leicht zur Kenntniß der Regierung zu bringen, an welche selbstredend die zu 5 bezeichneten Berichte des Kreisphysikus ꝛc. pünktlich gelangen müssen.

Indem ich die Königliche Regierung veranlasse, hiernach für die Zukunft zu verfahren und auch in Betreff der Anstalten, in welchen schon jetzt solche Pensionäre sind, den Verbleib derselben von der Befolgung der obigen Bestimmungen in entsprechender Weise abhängig zu machen, muß ich schließlich noch bemerken, daß der Privat-Irren-Anstalt der barmherzigen Schwestern zum heiligen Joseph zu Neuß, nach dem darüber erstatteten Revisionsberichte vom 5. Dezember v. J. die Voraussetzungen überhaupt zu fehlen scheinen, unter welchen die Konzession zur Führung der Anstalt an die Vorsteherin Catharina Grell unter dem 30. Juni 1871 ertheilt worden ist. Die darin vorgefundene Ueberfüllung mit Pensionärinnen und Kranken und die sehr schlechte Beschaffenheit des Flügels für die unruhigen und unreinlichen Kranken entspricht keineswegs den Erfordernissen einer geregelten Einrichtung und Verwaltung und darf ebensowenig ferner geduldet werden, wie die dort übliche, zu den erheblichsten Uebelständen führende Anwendung von mechanischen Zwangsmitteln. Die Königliche Regierung hat hiergegen unter Androhung der Zurücknahme der Konzession, nach Maßgabe des 2. Alineas des § 53 der Gewerbeordnung, ernstlich einzuschreiten und durch wiederholte in kurzen Zwischenräumen **unvermuthet** vorzunehmende Revisionen, von der Abstellung auch dieser Mißstände sich Ueberzeugung zu verschaffen.

Darüber, welchen Erfolg die oben angeordneten Kontroll-Maßregeln in Betreff der freiwilligen Pensionaire gehabt haben, erwarte ich am Schluß des nächsten Jahres eingehenden Bericht.

Berlin, den 17. Juni 1874.

Ministerium der geistlichen ꝛc. Angelegenheiten.

J. V.: gez. Sydow.

J. № M. 2493.

An die Königliche Regierung zu Düsseldorf.

* * *

Vorstehende Erlasse werden hiermit zur allgemeinen Kenntniß gebracht.

Potsdam, den 19. Februar 1888.

Der Regierungs-Präsident.

Potsdam, Buchdruckerei der A. W. Hayn'schen Erben (C. Hayn, Hof-Buchdrucker).

Amtsblatt
der Königlichen Regierung zu Potsdam und der Stadt Berlin.

Stück 9. Den 2. März **1888.**

Bekanntmachungen des Staatssekretairs des Reichs-Postamts.

Aufnahme der Deutschen Postagenturen in Apia (Samoa-Inseln) und in Shanghai (China) in den Weltpostverein.

5. Die Deutschen Postagenturen in Apia (Samoa-Inseln) und in Shanghai (China) sind bezüglich ihres Briefverkehrs in den Weltpostverein aufgenommen worden. Demgemäß kommen im Briefverkehr dieser Postanstalten mit Deutschland und den übrigen Vereinsländern fortan durchweg die Vereinstaxen zur Anwendung: 20 Pf. für je 15 g der Briefe, 10 Pf. für Postkarten, 5 Pf. für je 50 g der übrigen Sendungen.

Berlin W., den 21. Februar 1888.

Der Staatssekretair des Reichs-Postamts.

Bekanntmachungen des Königlichen Regierungs-Präsidenten.

Polizei-Verordnung,

betreffend das Verbot des Anpreisens von Geheimmitteln rc.

76. Auf Grund der §§ 6, 12 und 15 des Gesetzes über die Polizei-Verwaltung vom 11. März 1850 und der §§ 137 und 139 des Gesetzes über die allgemeine Landesverwaltung vom 30. Juli 1883 wird hierdurch für den Umfang des Regierungsbezirks Potsdam mit Zustimmung des Bezirksausschusses nachfolgende Polizei-Verordnung erlassen:

Einziger Paragraph.

Arzneimittel, deren Verkauf gesetzlich untersagt oder beschränkt ist (vergleiche Kaiserliche Verordnung vom 4. Januar 1875), desgleichen Geheimmittel dürfen zum Verkaufe weder öffentlich angekündigt noch angepriesen werden.

Zuwiderhandlungen gegen dieses Verbot werden mit einer Geldstrafe bis zu 30 Mark oder im Unvermögensfalle mit verhältnißmäßiger Haft bestraft, sofern nach den Landesgesetzen keine höhere Strafe verwirkt ist.

Potsdam, den 9. Januar 1888.

Der Regierungs-Präsident von Neefe.

Unfallversicherung bei kleinen Regiebauten.

77. In dem Circular-Erlaß vom 16. Dezember v. J. (15099 H. M., I. 18907 M. f. L., I. A. 9728 M. d. J., III. 21064 M. d. ö. A.) über die Ausführung des Bauunfallversicherungsgesetzes vom 11. Juli 1887 ist auf Seite 2 oben angegeben, daß die Umlegung derjenigen Beträge, welche für die Unfallversicherung bei kleinen Regiebauten im Bezirk der Versicherungsanstalten der einzelnen Baugewerks-Berufsgenossenschaften entstehen, auf die **Kreise** nach dem Maßstabe der Bevölkerung, die **Untervertheilung** dieser Beträge auf die einzelnen Gemeinden — vorbehaltlich abweichender Beschlüsse der Kreiscorporation — nach dem Maßstabe der Kreiscommunalabgaben, die Aufbringung dieser Beträge in den einzelnen Gemeinden aber wie die Aufbringung anderer Gemeindeabgaben erfolge. Diese Darlegung entspricht lediglich dem Wortlaut der betreffenden §§ 30 Abs. 1 und 32 Abs. 1 des Gesetzes vom 11. Juli 1887. Die Fassung dieser Vorschriften schließt indessen nicht aus, daß da, wo nach dem für die Berechnung des Kreisabgabensolls der Gemeinden in Anwendung kommenden Vertheilungsmaßstabe auch die Untervertheilung in der Gemeinde erfolgt, in gleicher Weise auch die obenerwähnten Versicherungskosten aufgebracht werden können. Da Zweifel in dieser Beziehung entstanden sind, ermächtigen wir Ew. Hochwohlgeboren, die unterstellten Behörden hierauf ausdrücklich hinzuweisen.

Berlin, den 6. Februar 1888.

Der Minister des Innern.
gez. Puttkamer.
Der Minister der öffentlichen Arbeiten.
Maybach.
Der Minister für Landwirthschaft, Domainen und Forsten.
Lucius.
Der Minister für Handel und Gewerbe.
In Vertretung Magdeburg.

An den Königlichen Regierungs-Präsidenten Herrn von Neefe Hochwohlgeboren zu Potsdam.

B. 60 M. f. H. III. 2282 M. d. ö. A.
I. A. 10417 M. d. J. I. 1741 M. f. L.

* *

Vorstehender Erlaß wird mit Bezug auf die Amtsblatt-Bekanntmachung vom 3. Januar d. J. — Amtsblatt für 1888 Stück 1 Seite 1 und 2 — hiermit zur öffentlichen Kenntniß gebracht.

Potsdam, den 18. Februar 1888.

Der Regierungs-Präsident.

Nachweisungen über den Geschäftsbetrieb und die Resultate der Städtischen Sparkassen und der Kreis-Sparkassen im Regierungsbezirk Potsdam für 1886 bezw. 1886/87.

78. Nachstehende Nachweisungen werden hiermit zur öffentlichen Kenntniß gebracht.

Potsdam, den 16. Februar 1888. Der Regierungs-Präsident.

Laufende №	1. Domicil der Sparkasse.	2. Zeit der Errichtung der Kasse.	3. Zahl ihrer Filial- oder Nebenkassen.	3. Zahl ihrer Sammel- oder Annahmestellen.	4. Einlagen: niedrigste auf ein Buch, bei Beginn eines Kontos M.	4. Einlagen: höchste auf ein Buch, bei Abschluß eines Kontos M.	5. Betrag der Einlagen am Schlusse des Rechnungs-Vorjahres. M.	Pf.	6. Zuwachs während des abgelaufenen Rechnungsjahres durch Zuschreibung von Zinsen M.	Pf.	7. durch neue Einlagen M.	Pf.
	Städtische Sparkassen.											
1	Angermünde	1886	—	—	1,00	3000	—	—	5	6		
2	Belzig	1885	1	—	1,00	unbeschr.	—	—	991	9		
3	Biesenthal	1859	—	—	1,00	desgl.	414714	65	14341	3		
4	Brandenburg	1830	—	—	1,00	3000	2782847	59	104000	9	1393356	[illegible]
5	Dahme	1877	—	—	0,50	unbeschr.	783356	44	31029	23	209648	[illegible]
6	Eberswalde	1877	—	—	0,50	desgl.	1510270	90	43100	90	871971	[illegible]
7	Fehrbellin	1857	—	—	1,00	1200	296112	61	9153	63	92993	[illegible]
8	Havelberg	1848	—	—	1,00	1500-3000	3060880	51	96969	96	1148500	[illegible]
9	Jüterbog	1878	—	—	1,00	1500	260227	58	9222	46	56427	[illegible]
10	Ketzin	1880	—	—	1,00	1200	61221	62	2093	25	52963	[illegible]
11	Kyritz	1886	—	—	1,00	3000	—	—	392	63	35156	[illegible]
12	Lenzen	1854	—	—	0,50	900	498322	17	18064	28	159876	[illegible]
13	Luckenwalde	1884	—	—	1,00	3000	387585	54	12367	31	185865	[illegible]
14	Nauen	1857	—	—	1,00	900	1365212	75	44774	3	332426	[illegible]
15	Niemegk	1883	—	—	1,00	3000	37935	11	2282	92	25686	[illegible]
16	Perleberg	1854	—	—	1,00	3000	1369193	50	45708	63	373005	[illegible]
17	Plaue	1883	—	—	1,00	1500	83849	55	3206	52	49546	[illegible]
18	Potsdam	1840	—	—	1,00	900	2801376	18	97940	11	1155409	[illegible]
19	Pritzwalk	1882	—	—	0,50	3000	82878	63	1870	73	104315	[illegible]
20	Putlitz	1885	—	—	1,00	3000	20354	40	784	23	21846	[illegible]
21	Rathenow	1852	—	2	1,00	3000	376249	17	14226	57	198467	[illegible]
22	Schwedt	1830	—	—	1,00	unbeschr.	1457210	70	36368	73	389821	[illegible]
23	Spandau	1852	—	—	1,00	1500	2332829	72	79022	99	730482	[illegible]
24	Strasburg	1857	—	—	0,50	1500	365104	80	11519	40	104391	[illegible]
25	Strausberg	1872	—	—	1,00	unbeschr.	701367	14	22250	71	276967	[illegible]
26	Treuenbrietzen	1851	—	—	1,00	1500	516753	50	17140	62	135892	[illegible]
27	Werder	1886	—	—	1,00	3000	—	—	—	—	7515	[illegible]
28	Wilsnack	1874	—	—	1,00	1000	355691	10	12907	5	118888	[illegible]
29	Wittenberge	1862	—	—	0,50	3000	412199	48	14028	3	164300	[illegible]
30	Wittstock	1849	—	—	1,00	unbeschr.	814210	03	26321	5	345933	[illegible]
31	Wriezen	1878	—	—	0,50	1800	241054	33	7810	4	78900	[illegible]
32	Wusterhausen	1886	—	—	1,00	3000	—	—	544	4	52590	[illegible]
33	ehdenick	1883	—	—	1,00	unbeschr.	220554	92	5350	7	185072	[illegible]
	Kreis-Sparkassen.											
1	Angermünde								62607	38	6460[illegible]	[illegible]
2	Nieder-Barnim								124161	60	1047066	[illegible]
3	Ober-Barnim								871966	54	120486	[illegible]
4	Beeskow-Storkow								60068	10	455810	[illegible]
5	West-Havelland								28122	64	387840	[illegible]
6	Jüterbog-Luckenw.								253031	89	1284790	[illegible]
7	Prenzlau								86029	53	721112	[illegible]
8	Ost-Prignitz								35692	28	454107	[illegible]
9	Ruppin								97515	69	1442492	[illegible]
10	Teltow								157752	62	1878824	[illegible]
11	Templin								20519	45	166466	[illegible]
12	[illegible]								179629	29	33315	[illegible]
	Summa	—	22	7	—	—						
	Summarum	—	23	7	—	—						

8. Ausgabe während des abgelaufenen Rechnungsjahres für zurückgezogene Einlagen M.	Pf.	9. Betrag der Einlagen nach dem Abschlusse des abgelaufenen Rechnungsjahres M.	Pf.	10. Betrag des Separat- oder Sparfonds. (§ 12 des Reglements v. 12. Dezbr 1838.) M.	Pf.	11. Betrag des Reservefonds, wie er am Schlusse des abgelaufenen Rechnungsjahres zu Buche stand. M.	Pf.	12. Betrag der Zinsüberschüsse des abgelaufenen Rechnungsjahres. M.	Pf.	13. Betrag des eigenen Vermögens der Kasse. M.	Pf.	14. Aus dem Reservefonds sind zu öffentlichen Zwecken verwendet: seit dem Bestehen der Kassen. M.	Pf.	15. im abgelaufenen Rechnungsjahre. M.	Pf.	16. Zinsen, welche die Kassen für Einlagen gewähren. %	für ausgeliehene Kapitalien erhalten. %
530	—	4867	74	—	—	--	—	—	—	—	—	—	—	—	—	3 1/3	4—5
10040	20	51921	61	—	—	24	69	—	—	—	—	—	—	—	—	3 1/3	4—5
97537	63	426072	37	—	—	29481	61	4934	15	—	—	—	—	—	—	3,6	4—5
901678	33	3378527	—	—	—	293596	18	36033	94	—	—	241977	18	6000	—	3,5	3,91
149554	11	874479	97	—	—	17383	86	4871	33	—	—	—	—	—	—	4	4 1/2—5
643033	57	1782309	36	—	—	82024	17	11776	99	—	—	—	—	—	—	3,6	3 1/2—5
60693	26	337566	88	—	—	18858	24	5420	—	—	—	—	—	—	—	3 1/3	3 1/2—5
992968	87	3313681	92	—	—	338930	88	34473	29	—	—	200391	—	—	—	3 1/3	4,03
52872	44	273005	08	—	—	6825	22	1987	—	—	—	—	—	—	—	3,6	4 1/2—6
17712	05	98565	97	—	—	2178	40	1045	03	—	—	—	—	—	—	3 1/3	4—4 1/2
9036	97	26512	41	—	—	—	—	—	—	—	—	—	—	—	—	3 1/3	4—5
138264	75	537998	06	—	—	51190	03	7194	19	—	—	59075	50	13397	19	3 1/3	4—5 1/2
112306	90	473511	61	—	—	392	58	3193	79	—	—	—	—	—	—	3 3/5	4 1/2
214566	23	1527847	50	—	—	156873	68	21651	07	—	—	35903	23	—	—	3 1/3	3 1/2—5
9211	57	56692	49	—	—	760	87	541	68	—	—	—	—	—	—	3 1/3	4—5
283966	17	1503941	82	—	—	156686	56	16049	37	—	—	99632	—	13900	—	3 1/3	3 1/2—4 1/2
28026	78	108576	10	—	—	1997	91	2196	36	—	—	—	—	—	—	3,6	4—6
748647	55	3306077	99	—	—	310944	16	43399	07	—	—	139059	50	—	—	3 1/3	4 1/2
73393	79	115670	64	—	—	1591	18	1563	85	—	—	—	—	—	—	3 1/3	4—5
13213	07	29771	83	—	—	21	76	180	19	—	—	—	—	—	—	3 1/2	4 1/2—5 1/2
115576	47	473366	42	—	—	57356	55	5383	28	—	—	11051	21	—	—	3 1/2	4—4 1/2
255870	83	1627530	16	—	—	172142	42	24324	54	—	—	260063	05	17500	—	3 1/3	3 1/2—4 1/2
395059	92	2747275	15	—	—	271572	94	45151	22	—	—	210082	—	30000	—	3 1/3	4—5
94744	59	386271	23	—	—	23929	20	4909	47	—	—	—	—	—	—	3 1/3	4 1/2
209338	13	791247	12	—	—	59678	93	10328	21	—	—	—	—	—	—	3,6	4—6
103769	04	566017	14	—	—	69667	14	3505	68	—	—	17943	20	3000	—	3 1/3	4—4 1/2
10 16	25	6499	29	—	—	--	—	12	49	—	—	—	—	—	—	3 1/3	4
869 52	50	400534	67	—	—	26802	41	2607	80	—	—	—	—	—	—	3,6	3 3/4—4 1/2
107913	51	482615	30	—	—	34311	84	6404	32	—	—	22862	65	1417	71	3 1/3	4—5
280950	57	905514	38	—	—	93011	58	12131	75	—	—	39000	—	6000	—	3 1/3	4—4 1/2
60616	62	267148	61	—	—	12267	58	3827	26	—	—	—	—	—	—	3 1/3	3 1/2—5
12214	30	40920	56	—	—	—	—	97	38	—	—	—	—	—	—	3 1/3	4 1/2
97921	15	313056	55	—	—	337	93	2170	45	—	—	—	—	—	—	3 1/3	4—5
6370108	12	27235594	93	—	—	2290840	50	317365	15	—	—	1337040	52	91214	90		
306615	97	2118856	17	—	—	160297	03	19384	30	—	—	—	—	—	—	3 1/3	3 1/2—5
613050	66	4252874	07	—	—	368111	67	52267	72	—	—	—	—	—	—	3 1/3	4,14
519458	81	3715609	23	—	—	335792	54	28809	84	—	—	40000	—	5000	—	3,6	4,29
302175	37	2024738	98	—	—	264231	19	33750	12	—	—	—	—	—	—	3 1/3	3 1/2—5
217362	78	987900	29	—	—	56114	30	10677	53	—	—	—	—	—	—	3 1/2	3 1/2—4 1/2
1236949	02	7656343	06	—	—	846338	69	80395	28	—	—	97929	—	36150	—	3 3/5	3—6
428852	25	2970614	44	—	—	230331	84	30923	05	—	—	135790	17	—	—	3 1/3	4 1/2—5
304534	47	1327331	62	—	—	50201	68	18591	66	—	—	—	—	—	—	3 1/3	3 1/2—5
1292470	81	3125810	—	—	—	275446	35	39543	02	—	—	42083	93	—	—	3 1/3	4 1/2—5
1149900	77	5584262	93	—	—	275150	93	56794	93	—	—	49183	81	1219	—	3 1/3	4,15
90892	67	702389	77	8100	—	65454	15	10390	93	—	—	—	—	—	—	3 1/3	4 1/2
136978	33	1068938	88	—	—	82535	18	8392	82	—	—	—	—	—	—	3 1/3	3 1/2—5
6599241	91	35535759	44	8100	—	3010005	55	389921	20	—	—	364986	91	42369	—		
12978440	03	62771354	37	8100	—	5300846	05	707286	35	—	—	1702027	43	133583	90		

Laufende №	1. Domicil der Sparkasse.	17. An Sparkassen-Büchern (oder Obligationen ꝛc.) wurden im Laufe des Jahres aus-ge-geben. Stück.	17. zurück-ge-nommen. Stück	18. befanden sich am Jahresschlusse im Umlaufe mit Einlagen bis 60 M. einschl. Stück.	19. von über 60 bis 150 M. einschl. Stück.	20. von über 150 bis 300 M. einschl. Stück.	21. von über 300 bis 600 M. einschl. Stück.	22. von über 600 M. Stück.	23. überhaupt. Stück.	24. Von den … in Hypotheken: auf städtische Grundstücke. M.	24. Pf.	25. auf ländliche Grundstücke. M.	25. Pf.
	Städtische Sparkassen.												
1	Angermünde	155	—	143	4	5	—	3	155	—	—	—	—
2	Belzig	416	15	268	53	24	30	26	401	5096	02	25150	—
3	Biesenthal	121	79	214	159	174	174	231	952	265849	01	33400	—
4	Brandenburg	3379	2181	3778	2511	2275	2180	1749	12493	1146425	—	249710	—
5	Dahme	258	98	456	243	204	190	387	1480	446132	—	133611	[illegible]
6	Eberswalde	754	396	1118	606	465	533	775	3497	510105	78	77624	[illegible]
7	Fehrbellin	295	177	578	443	311	227	102	1661	133750	—	13996[illegible]	[illegible]
8	Havelberg	778	577	1953	1420	1169	1196	1510	7248	365700	—	485529	[illegible]
9	Jüterbog	78	32	148	117	86	91	139	581	147757	58	31500	—
10	Ketzin	162	49	131	114	108	64	36	453	59300	—	3000	—
11	Kyritz	86	6	17	13	23	13	20	86	17110	—	—	—
12	Lenzen	169	131	428	295	281	323	325	1652	102665	20	323019	[illegible]
13	Luckenwalde	313	86	369	253	200	206	216	1244	382815	—	38350	[illegible]
14	Nauen	718	529	2560	1461	998	715	490	6224	716308	99	222505	—
15	Niemegk	96	33	220	127	85	35	9	476	28562	44	12155	—
16	Perleberg	624	478	1585	1030	990	1050	602	5257	720525	—	137630	—
17	Plaue	143	37	251	135	78	76	47	587	52275	—	4200	—
18	Potsdam	3048	1459	5258	2914	2302	2179	1664	14317	1377925	—	—	—
19	Pritzwalk	225	33	243	76	77	69	47	512	27100	—	22550	—
20	Putlitz	57	17	28	21	15	27	13	104	900	—	6100	—
21	Rathenow	313	187	1038	488	351	311	211	2399	239700	—	31500	—
22	Schwedt	640	278	709	598	504	578	928	3317	1136133	59	79775	—
23	Spandau	1903	768	3020	1779	1498	1562	1508	9367	1644487	60	79325	—
24	Strasburg	166	99	482	311	241	217	213	1464	102690	—	41500	—
25	Strausberg	364	205	504	378	333	335	414	1964	328350	32	116191	—
26	Treuenbrietzen	315	194	531	564	483	378	231	2187	382875	—	75800	—
27	Werder	76	1	50	9	10	5	1	75	—	—	—	—
28	Wilsnack	257	125	417	326	332	247	203	1525	144980	—	185330	—
29	Wittenberge	342	157	999	392	306	299	184	2180	334775	—	—	—
30	Wittstock	471	190	1334	693	598	522	442	3589	523150	—	109805	—
31	Wriezen	170	86	330	208	175	114	132	959	87500	—	41500	—
32	Wusterhausen	201	9	90	41	26	21	14	192	10997	—	10500	—
33	Zehdenick	285	71	270	204	132	126	154	886	127390	—	13600	—
	Summa	17378	8783	29520	17986	14859	14093	13026	89484	11569330	53	273082[illegible]	[illegible]
	Kreis-Sparkassen.												
1	Angermünde	945	394	1468	1067	885	1031	1065	5516	815000	—	643300	—
2	Nieder-Barnim	1961	853	3756	3038	2418	2195	1836	13243	714050	—	1307633	31
3	Ober-Barnim	1680	664	3382	1762	1425	1563	2051	10183	1435150	—	978250	—
4	Beeskow-Storkow	684	326	1672	1077	886	881	1042	5558	469637	50	296084	—
5	West-Havelland	679	245	1594	947	780	671	384	4376	223950	—	56850	—
6	Jüterbog-Luckenw.	1617	1250	4837	3185	3030	3137	3991	18180	2876484	80	1771839	[illegible]
7	Prenzlau	1088	582	2393	1854	1523	1552	1465	8787	250390	—	87900	—
8	Ost-Prignitz	588	346	1304	1013	871	620	542	4350	180030	—	369337	—
9	Ruppin	2061	1186	3744	2816	2282	1935	1450	12227	357100	—	601475	—
10	Teltow	4044	1704	5938	4246	3180	2847	2588	18799	2100	—	110877	[illegible]
11	Templin	305	135	644	472	436	373	318	2243	6900	—	—	—
12	Zauch-Belzig	387	293	873	897	764	644	469	3647	227721	02	526174	[illegible]
	Summa	16039	7978	31605	22374	18480	17449	17201	107109	7558513	32	6749721	[illegible]
	Summa Summarum	33417	16761	61125	40360	33339	31542	30227	196593	19127843	85	9480550	36

26.			27.		28.		29		30		31		32.	
Vermögen der Sparkassen (Spalten 9 bis 13) sind zinsbar angelegt:														
in auf den Inhaber lautenden Papieren:			auf Schuldscheine:				gegen Wechsel.		gegen Faustpfand.		bei öffentlichen Instituten und Korporationen		überhaupt. (Inhaberpapiere zum Kurswerthe eingestellt.)	
Nominalwerth.	Kurswerth am Schlusse des abgelaufenen Rechnungsjahres.		ohne Bürgschaft		gegen Bürgschaft									
M.	M.	Pf.	M.	Pf.	M.	Pf.	M.	Pf.	M.	Pf.	M	Pf.	M.	Pf.
3300	3357	75	—	—	—	—	450	—	—	—	—	—	3807	75
—	—	—	—	—	—	—	—	—	1950	—	12000	—	44196	02
84100	86202	50	—	—	56280	—	—	—	—	—	—	—	441731	51
2183750	2228743	98	—	—	—	—	—	—	—	—	—	—	3624878	98
47500	47607	50	—	—	—	—	99082	—	143239	—	—	—	869672	40
959550	979028	63	—	—	101183	95	72831	13	11230	—	47845	86	1799849	51
26500	27165	90	—	—	3118	50	3000	—	6425	—	15500	—	328928	04
2205700	2289653	25	154498	—	—	—	—	—	—	—	230500	—	3525880	33
59300	61772	90	—	—	—	—	39373	—	—	—	—	—	280403	48
18000	19092	35	—	—	—	—	150	—	450	—	13300	—	95292	35
6500	6794	—	—	—	—	—	—	—	1800	—	—	—	25704	—
87000	91356	—	—	—	14150	20	—	—	11100	—	27356	28	569646	68
33500	35510	—	—	—	—	—	1700	—	2000	—	—	—	460375	—
675850	676269	56	—	—	6517	—	—	—	3000	—	39066	—	1663666	55
4000	4211	—	—	—	8390	—	—	—	—	—	—	—	53318	44
530200	535697	10	—	—	—	—	—	—	—	—	245800	—	1639652	10
48400	50320	—	700	—	375	—	—	—	600	—	—	—	108470	—
2062538	2118745	90	—	—	—	—	—	—	—	—	100000	—	3596670	90
18700	19237	20	10387	—	25675	—	—	—	5650	—	—	—	110599	20
19000	19645	20	—	—	—	—	2760	—	—	—	—	—	29405	20
134200	140127	70	—	—	30000	—	—	—	—	—	78000	—	519327	70
527400	553197	—	—	—	—	—	—	—	—	—	—	—	1769105	59
1067700	1124044	10	—	—	20790	—	—	—	98575	—	—	—	2967221	70
236850	248072	40	—	—	2200	—	—	—	—	—	17100	—	411562	40
218300	222182	80	—	—	—	—	51495	—	6600	—	110600	—	835419	12
162000	166489	50	—	—	—	—	—	—	—	—	—	—	625164	50
5800	6148	—	—	—	—	—	—	—	—	—	—	—	6148	—
56900	59250	60	—	—	6250	—	—	—	300	—	15000	—	411110	60
108100	114286	90	—	—	—	—	—	—	—	—	57200	—	506261	90
311100	324724	35	—	—	810	—	—	—	36580	—	—	—	995069	35
141100	143203	50	—	—	600	—	—	—	—	—	—	—	272803	50
9000	9360	—	—	—	—	—	875	—	—	—	—	—	31732	—
158600	162668	70	—	—	—	—	—	—	—	—	—	—	303658	70
12210438	12574166	27	165585	—	276339	65	271716	13	329499	—	1009268	14	28926733	50
728300	738428	40	—	—	1350	—	—	—	2200	—	48000	—	2248278	40
2288000	2416202	—	—	—	—	—	—	—	—	—	105925	—	4543810	31
1069500	1091582	—	—	—	—	—	—	—	12000	—	543800	—	4060782	—
971100	974011	60	—	—	83204	—	—	—	22250	—	431392	66	2276579	76
440300	450099	—	—	—	—	—	—	—	—	—	293050	—	1023949	—
2441500	2467876	55	—	—	—	—	58959	—	—	—	1187357	54	8362517	37
2426075	2469611	24	—	—	—	—	—	—	600	—	389432	80	3197934	04
143000	144292	—	—	—	299052	50	—	—	37650	—	313000	—	1343361	50
1537000	1484057	—	—	—	209114	44	—	—	51259	50	721639	92	3424645	86
3748875	3826522	30	—	—	—	—	2800	—	—	—	1847786	73	5790086	84
605700	605829	40	—	—	—	—	—	—	—	—	93200	—	705929	40
128100	130000	23	—	—	18000	—	—	—	104666	80	10679	—	1017242	03
16527450	16798511	72	—	—	610720	94	61759	—	230626	30	5985263	65	37995116	51
28737888	29372677	99	165585	—	887060	59	333475	13	560125	30	6994531	79	66921850	01

Laufende №	1. Domicil der Sparkasse.	33. Im abgelaufenen Rechnungsjahre im Wege der Zwangsversteigerung erworbene Immobilien: Erwerbspreis. M	Pf.	34. Hypothekarisch darauf haftende Sparkassengelder. M.	Pf.	35. Werth sämmtlicher bisher erworbenen Mobilien am Schlusse des Rechnungsjahres M.	Pf.	36. Betrag des baaren Kassenbestandes am Schlusse des Rechnungsjahres: im allgemeinen Sparkassenfonds. M.	Pf.	37. im Reservefonds. M.	Pf.	38. Betrag der Verwaltungskosten im abgelaufenen Rechnungsjahre. M.	Pf.
	Städtische Sparkassen.												
1	Angermünde	—	—	—	—	—	—	996	17	—	—	18	52
2	Belzig	—	—	—	—	—	—	7750	28	—	—	842	70
3	Biesenthal	—	—	—	—	—	—	4204	70	—	—	820	—
4	Brandenburg	—	—	—	—	—	—	50149	20	—	—	6024	85
5	Dahme	—	—	—	—	1000	—	22298	93	—	—	1537	50
6	Eberswalde	—	—	—	—	1399	40	59104	53	—	—	2272	20
7	Fehrbellin	—	—	—	—	665	—	9304	74	—	—	531	—
8	Havelberg	—	—	—	—	2105	50	92256	49	—	—	4195	80
9	Jüterbog	—	—	—	—	—	—	5058	32	3815	82	514	10
10	Ketzin	—	—	—	—	—	—	5452	02	—	—	66	[illegible]
11	Kyritz	—	—	—	—	—	—	83	71	—	—	27	[illegible]
12	Lenzen	—	—	—	—	945	—	16608	54	—	—	900	—
13	Luckenwalde	—	—	—	—	—	—	16192	60	—	—	1370	[illegible]
14	Nauen	—	—	—	—	1055	—	21054	63	—	—	2990	99
15	Niemegk	—	—	—	—	—	—	3256	87	—	—	337	26
16	Perleberg	—	—	—	—	—	—	20976	28	—	—	3554	38
17	Plaue	—	—	—	—	—	—	—	—	921	32	198	45
18	Potsdam	—	—	—	—	—	—	20351	25	—	—	11456	54
19	Pritzwalk	—	—	—	—	—	—	9007	65	—	—	496	68
20	Putlitz	—	—	—	—	—	—	619	51	201	95	100	—
21	Rathenow	—	—	—	—	38	—	66	42	11328	85	960	02
22	Schwedt	—	—	—	—	—	—	30177	50	—	—	2647	44
23	Spandau	—	—	—	—	400	—	105893	35	—	—	4880	20
24	Strasburg	—	—	—	—	—	—	9494	43	—	—	1347	19
25	Strausberg	—	—	—	—	—	—	12299	03	—	—	3790	47
26	Treuenbrietzen	—	—	—	—	—	—	—	—	1524	73	987	82
27	Werder	—	—	—	—	—	—	364	06	—	—	—	—
28	Wilsnack	—	—	—	—	300	50	9300	33	—	—	489	90
29	Wittenberge	—	—	—	—	610	50	10072	74	—	—	808	80
30	Wittstock	—	—	—	—	500	—	17080	96	—	—	1577	90
31	Wriezen	—	—	—	—	—	—	6764	49	—	—	764	45
32	Wusterhausen	—	—	—	—	—	—	7840	26	—	—	281	20
33	Zehdenick	—	—	—	—	200	—	—	—	2434	38	1153	60
	Summa	—	—	—	—	9218	90	574079	99	20227	05	58744	34
	Kreis-Sparkassen.												
1	Angermünde	—	—	—	—	—	—	37964	20	—	—	3271	19
2	Nieder-Barnim	—	—	—	—	2316	—	73265	76	3909	67	21453	70
3	Ober-Barnim	—	—	—	—	—	—	3183	48	3792	54	6809	09
4	Beeskow-Storkow	—	—	—	—	500	—	12798	88	—	—	4324	31
5	West-Havelland	—	—	—	—	—	—	18840	29	1315	30	4918	90
6	Jüterbog-Luckenw.	—	—	—	—	2030	—	129368	29	—	—	13972	08
7	Prenzlau	—	—	—	—	—	—	46548	48	—	—	10679	21
8	Ost-Prignitz	—	—	—	—	473	—	38463	80	—	—	4606	78
9	Ruppin	—	—	—	—	—	—	21183	18	—	—	7127	28
10	Teltow	—	—	—	—	6500	—	42835	09	14352	18	19839	64
11	Templin	—	—	—	—	530	—	31883	54	9640	93	1699	25
12	Zauch-Belzig	—	—	—	—	695	65	137632	26	—	—	3046	63
	Summa	—	—	—	—	13044	65	593967	25	33010	62	101748	06
	Summa Summarum	—	—	—	—	22263	55	1168047	24	53237	67	160492	40

Verlängerung einer Schifffahrtssperre.

79. Die in meiner Bekanntmachung vom 7. November 1887 (A.-Bl. S. 407 de 1887) unter 1. angeordnete Schifffahrts- und Flössereisperre der Spandauer Schleuse wird hierdurch **bis einschliesslich den 15. März 1888** verlängert.

Potsdam, den 29. Februar 1888.

Der Regierungs-Präsident.

Viehseuchen.

80. Die Maul- und Klauenseuche ist unter dem Rindvieh des Ritterguts Priort im Kreise Osthavelland ausgebrochen. Potsdam, den 21. Februar 1888.

Der Regierungs-Präsident.

81. Die Maul- und Klauenseuche ist unter dem Rindvieh des Ritterguts Roskow, im Kreise Westhavelland, ausgebrochen.

Potsdam, den 24. Februar 1888.

Der Regierungs-Präsident.

82. Die Maul- und Klauenseuche ist unter dem Rindvieh des Ritterguts Dahlwitz im Kreise Teltow ausgebrochen.

Potsdam, den 25. Februar 1888.

Der Regierungs-Präsident.

Bekanntmachungen des Königl. Polizei-Präsidiums zu Berlin.

Gesellschafts-Vertrag der „Allgemeinen Renten-, Kapital- und Lebensversicherungsbank Teutonia in Leipzig".

15. Diesem Stück des Amtsblattes ist eine Beilage beigefügt, enthaltend den in der General-Versammlung vom 27. Mai 1887 beschlossenen neuen Gesellschafts-Vertrag der „Allgemeinen Renten-, Kapital- und Lebensversicherungsbank Teutonia in Leipzig" nebst der staatlichen Genehmigungs-Urkunde vom 19. November 1887, worauf hierdurch mit dem Bemerken hingewiesen wird, daß die Concession der genannten Bank vom 24. Juni 1861 im Stück 34 des Amtsblattes der Königlichen Regierung zu Potsdam und der Stadt Berlin vom 23. August 1861, und das revidirte Statut vom 18. September / 4. Dezember 1885 im Stück 9 desselben Amtsblattes vom 26. Februar 1886 veröffentlicht worden ist.

Berlin, den 31. Januar 1888.

Der Polizei-Präsident.

Verbot einer Druckschrift.

16. Auf Grund des § 12 des Reichsgesetzes gegen die gemeingefährlichen Bestrebungen der Sozialdemokratie vom 21. Oktober 1878 wird hierdurch zur öffentlichen Kenntniß gebracht, daß die nichtperiodische Druckschrift: „Sturmvögel. Revolutionäre Lieder und Gedichte." Gesammelt von Johann Most. Heft 1. New-York 1888, nach § 11 des gedachten Gesetzes durch den Unterzeichneten von Landespolizeiwegen verboten worden ist. Berlin, den 21. Februar 1888.

Der Königl. Polizei-Präsident.

Verbot einer Broschüre.

17. Auf Grund des § 12 des Reichsgesetzes gegen die gemeingefährlichen Bestrebungen der Sozialdemokratie vom 21. Oktober 1878 wird hierdurch zur öffentlichen Kenntniß gebracht, daß die Broschüre: Anarchistisch-kommunistische Bibliothek. Heft I. Revolutionaire Regierungen von Peter Krapotkine, übersetzt aus dem Französischen und herausgegeben von der Gruppe „Autonomie". London. Druck von R. Gundersen, 96 Wardour Street, Soho Square, W. nach § 11 des gedachten Gesetzes durch den Unterzeichneten von Landespolizeiwegen verboten worden ist.

Berlin, den 20. Februar 1888.

Der Königl. Polizei-Präsident.

Bekanntmachungen der Königl. Kontrolle der Staatspapiere.

Aufgebot von Schuldverschreibungen.

5. In Gemäßheit des § 20 des Ausführungsgesetzes zur Civilprozeßordnung vom 24. März 1879 (G.-S. S. 281) und des § 6 der Verordnung vom 16. Juni 1819 (G.-S. S. 157) wird bekannt gemacht, daß die dem Fräulein Louise von Thaden zu Braunschweig, Kleiner Exercierplatz Nr. 12 (vom 1. März 1888 ab zu Baden-Baden, Langestraße Nr. 120), gehörigen Schuldverschreibungen der Staatsanleihe von 1868 A. lit. D. № 1340 und 1341 über je 100 Thlr. angeblich im Jahre 1884 oder 1885 zu Altona oder Kiel abhanden gekommen sind. Es werden Diejenigen, welche sich im Besitze dieser Urkunden befinden, hiermit aufgefordert, solches der unterzeichneten Kontrolle der Staatspapiere oder dem Fräulein von Thaden anzuzeigen, widrigenfalls das gerichtliche Aufgebotsverfahren behufs Kraftloserklärung der Urkunden beantragt werden wird.

Berlin, den 23. Februar 1888.

Königl. Kontrolle der Staatspapiere.

Bekanntmachungen der Kgl. Direktion der Rentenbank für die Provinz Brandenburg.

Verloosung von Rentenbriefen.

2. Bei der in Folge unsrer Bekanntmachung vom 22. v. M. heute geschehenen öffentlichen Verloosung von **Rentenbriefen der Provinz Brandenburg** sind folgende Apoints gezogen worden:

Litt. A. zu 3000 M. (1000 Thlr.) 131 Stück
und zwar die Nummern:

61 162 216 314 560 576 747 851 863 1051 1650
1689 2636 2673 2750 3441 3464 3652 3772 3941
4099 4262 4488 4911 5313 5413 5562 5568 5840
5982 6003 6080 6126 6149 6288 6298 6393 6637
6776 6845 7009 7388 7543 7551 7718 7819 8294
8385 8442 8607 8655 8840 9086 9216 9589 9747
9748 9767 9791 9807 9853 10071 10271 10306
10503 10735 10791 10805 10994 11107 11149
11308 11323 11481 11697 11722 11765 11824
12092 12332 12333 12383 12591 12706 12900
13127 13314 13606 13613 13709 13953 14150
14597 14739 15137 15288 15300 15320 15554
15594 15723 15944 16088 16115 16138 16210
16250 16418 16763 16890 16917 16929 17080
17591 17814 17826 17853 17989 18139 18203
18348 18368 18441 18452 18536 18781 18792
18795 18854 18903 18908.

Litt. B. zu 1500 M. (500 Thlr.) 45 Stück
und zwar die Nummern:
204 224 252 394 516 666 668 776 820 900 1227 1716 1955 2161 2594 2601 2860 3106 3284 3696 3865 3878 3961 4012 4014 4094 4247 4255 4285 4294 4595 4650 4805 4909 5491 5590 5675 5729 5781 5803 5963 6259 6294 6553 6693.

Litt. C. zu 300 M. (100 Thlr.) 171 Stück
und zwar die Nummern:
386 416 474 550 952 958 1247 1427 1491 2213 2331 2343 2344 2697 2820 3360 3431 3442 3497 3616 3973 4114 4417 4609 4924 5173 5345 5778 6078 6429 6546 6588 6748 6913 6974 7511 7668 8169 8301 8347 8408 8530 8546 8559 8795 8952 9120 9130 9165 9264 9335 9418 9549 9710 9713 9776 9781 9798 9933 9956 10018 10022 10148 10491 10575 10821 10912 11131 11135 11163 11390 11477 11881 12175 12176 12188 12500 12679 12883 13031 13188 13242 13280 13406 13446 13457 13849 13865 14137 14289 14322 14474 14769 14816 14941 15141 15181 15188 15776 15995 16062 16123 16134 16259 16321 16403 16560 16693 16758 16759 16795 16813 16856 16872 16943 16998 17123 17140 17166 17173 17212 17246 17349 17462 17640 17801 18138 18150 18190 18252 18408 18538 18630 18644 18665 18760 18898 19204 19444 19618 19635 20243 20364 20548 20648 20658 21001 21014 21075 21415 21668 22000 22225 22226 22294 22343 22350 22379 22398 22936 23147 23421 23823 23914 23943 23962 23964 24085 24140 24215 24220.

Litt. D. zu 75 M. (25 Thlr.) 139 Stück
und zwar die Nummern:
1 136 350 931 1084 1232 1413 1490 1786 1830 2056 2821 2972 3001 3343 3347 3598 3605 3918 4096 4443 4462 4473 4689 4704 4784 4847 5003 5005 5198 5816 5865 6060 6138 6195 6256 6538 6757 7017 7492 7510 8248 8289 8298 8310 8373 8405 8826 8900 8948 8959 9136 9240 9482 9588 9716 9784 10137 10266 10319 10373 10378 10486 10756 10915 11047 11072 11194 11286 11469 11897 11918 12074 12158 12533 12571 12860 12911 13004 13098 13226 13264 13274 13396 13397 13435 13506 13537 13677 13979 14033 14048 14362 14507 14813 14939 14957 15039 15088 15237 15339 15426 15551 15622 15970 16043 16344 16370 16389 16520 16752 16821 17009 17011 17312 17450 17461 17502 17551 17562 17612 17675 17703 17721 17767 18237 18336 18478 18512 18515 18519 18754 19075 20073 20076 20140 20148 20173 20198.

Die Inhaber dieser Rentenbriefe werden aufgefordert, dieselben in coursfähigem Zustande, mit den dazu gehörigen Coupons Ser. V. № 12—16 nebst Talons bei der hiesigen Rentenbank-Kasse, Klosterstraße 76, vom 3. April k. J. ab an den Wochentagen von 9—1 Uhr einzuliefern, um hiergegen und gegen Quittung den Nennwerth der Rentenbriefe in Empfang zu nehmen. Vom 1. April k. J. ab hört die Verzinsung der ausgelooften Rentenbriefe auf, diese selbst verjähren mit dem Schlusse des Jahres 1898 zum Vortheil der Rentenbank. Die Einlieferung ausgelooster Rentenbriefe an die Rentenbank-Kasse kann auch durch die Post, portofrei und mit dem Antrage erfolgen, daß der Geldbetrag auf gleichem Wege übermittelt werde. Die Zusendung des Geldes geschieht dann auf Gefahr und Kosten des Empfängers und zwar bei Summen bis zu 400 M. durch Postanweisung. Sofern es sich um Summen über 400 M. handelt, ist einem solchen Antrage eine ordnungsmäßige Quittung beizufügen.

Berlin, den 14. November 1887.

Königl. Direktion
der Rentenbank für die Provinz Brandenburg.

Einlösung von Rentenbriefen 2c.

3. Die Rentenbank-Kasse, Klosterstraße 76 hierselbst, wird a. die am 1. April d. J. fälligen Zinscoupons der Rentenbriefe **aller** Provinzen schon vom 17. bis einschließlich den 24. März d. J., b. die ausgelooften und am 1. April d. J. fälligen Rentenbriefe der **Provinz Brandenburg** vom 21. bis einschließlich den 24. März d. J. einlösen und demnächst vom 3. April d. J. ab mit der Einlösung fortfahren.

Berlin, den 20. Februar 1888.

Königl. Direktion
der Rentenbank für die Provinz Brandenburg.

Bekanntmachungen der Königlichen Eisenbahn-Direktion zu Berlin.

Nachträge zu Tarifen des Ostdeutsch-Oesterreichischen Verbands-Verkehrs.

7. Im Ostdeutsch-Oesterreichischen Verbands-Verkehr kommen am 10. März d. J. die Nachträge VIII. und VII. zum Theil II., Heft 1, 2 und 3, sowie zum Theil III. der Nachtrag II. zur Einführung. Dieselben enthalten Ergänzungen der Bestimmungen über zeitweilige Kürzung der Frachtsätze, eine besondere Bestimmung betreffs Ueberführung zollpflichtiger Güter in Breslau vom Freiburger nach dem Märkischen Bahnhof, sowie Aenderungen und Erweiterungen der Klassen- und Ausnahmetarife durch Aufnahme neuer Stationen. Durch einige im Ausnahmetarif 18 für Möbel von gebogenem Holze des Theil II. Heft 2 eingetretene Aenderungen und einige Berichtigungen im Theil III. werden Frachterhöhungen herbeigeführt, welche erst am 10. April d. J. in Kraft treten. Druckexemplare der Nachträge sind im hiesigen Auskunftsbüreau, Stadtbahnhof Alexanderplatz, unentgeltlich zu haben.

Berlin, den 20. Februar 1888.

Königl. Eisenbahn-Direktion.

Bekanntmachungen der Königlichen Eisenbahn-Direktion zu Bromberg.

Eröffnung des Eisenbahn-Haltepunkts Thorn Stadt für den beschränkten Personen- und Gepäckverkehr.

12. Am 24. Februar 1888 wird der auf dem rechten Weichselufer gelegene, bisher nur für den beschränkten Personen- und Gepäck-Verkehr eingerichtete

Haltepunkt Thorn Stadt für den unbeschränkten Personen- und Gepäckverkehr eröffnet. Die Berechnung der Beförderungspreise erfolgt auf Grund der Entfernungen des Kilometerzeigers und der Kilometer-Tariftabelle des Lokal-Personengeld-Tarifs für den Eisenbahn-Direktions-Bezirk Bromberg. Näheres ist bei sämmtlichen Stationen zu erfahren.

Bromberg, den 20. Februar 1888.

Königl. Eisenbahn-Direktion.

Erlöschen von Tarifen zwischen Deutschland und Italien.

13. Mit Ende März d. J. treten sämmtliche direkten Tarife mit Italien, und zwar:

Deutsch-Italienischer Gütertarif,

Theil I. Reglementarische Bestimmungen und Tarifvorschriften vom $\frac{\text{1. Juni}}{\text{1. September}}$ 1882,

Theil II. Tariftabellen via Brenner und Pontebba vom 1. Oktober 1882,

Theil III. Tariftabellen via Chiasso vom $\frac{\text{1. Juni}}{\text{1. September}}$ 1882,

Theil IV. Tariftabellen via Pino vom November 1882,

Ausnahmetarif für Kohlen via Gotthard vom 15. April 1884,

Ausnahmetarif für Kohlen via Brenner vom 1. Mai 1884,

Ausnahmetarif für Rohzucker via Gotthard vom 15ten August 1886,

Ausnahmetarif für Rohzucker via Brenner vom 15ten August 1886, nebst sämmtlichen dazu erschienenen Nachträgen und Anhängen

außer Kraft; ebenso der

Ausnahmetarif für Lebensmittel in vollen Wagenladungen aus Italien nach England, Belgien, den Niederlanden und Deutschland vom $\frac{\text{1. Januar}}{\text{1. März}}$ 1887.

Wegen Einführung neuer direkter Tarife vom 1. April d. J. wird seiner Zeit Bekanntmachung erfolgen. Bromberg, den 20. Februar 1888.

Königl. Eisenbahn-Direktion.

Frachtbegünstigung für Ausstellungsgegenstände.

14. Für Geflügel, sowie Geräthe und sonstige Gegenstände zur Geflügelzucht, welche auf der vom 3. bis 5. März d. J. in Guhrau stattfindenden Provinzial-Geflügel-Ausstellung ausgestellt werden und unverkauft bleiben, wird auf den Strecken der Königlichen Eisenbahn-Direktionen zu Breslau, Berlin und Bromberg eine Frachtbegünstigung in der Art gewährt, daß für die Hinbeförderung die volle tarifmäßige Fracht berechnet wird, die Rückbeförderung an die Versandstation und den Aussteller aber frachtfrei erfolgt, wenn durch Vorlage des ursprünglichen Frachtbriefes bezw. Duplicat-Transportscheines für den Hinweg, sowie durch eine Bescheinigung der Ausstellungs-Kommission nachgewiesen wird, daß die Thiere und sonstigen Gegenstände ausgestellt gewesen und unverkauft geblieben sind, und wenn die Rückbeförderung innerhalb vierzehn Tagen nach Schluß der Ausstellung stattfindet. In den ursprünglichen Frachtbriefen bezw. Duplicat-Transportscheinen über die Hinsendung ist ausdrücklich zu vermerken, daß die mit denselben aufgegebenen Sendungen **durchweg** aus Ausstellungsgut bestehen.

Bromberg, den 20. Februar 1888.

Königl. Eisenbahn-Direktion.

Bekanntmachungen anderer Behörden.

Aufruf verlooster Pfandbriefe Lit B.

Die Inhaber der nachbezeichneten, in der 40. Verloosung gezogenen und in Folge dessen durch die öffentliche Bekanntmachung vom 6. Juni v. J. zur Baarzahlung gekündigten 4 % Schlesischen Pfandbriefe Lit. B. und zwar:

à 200 Thaler:

№ 49173 Elend,
№ 50349 Herrsch. Gr. Stein ꝛc.,
№ 50376 do.
№ 50452 do.
№ 50904 do.
№ 51581 Ob. und Ndr. Miechowitz,
№ 51976 Poln. Krawarn und Mackau,
№ 52032 do.
№ 52034 do.
№ 52221 Mediat-Herz. Ratibor,

à 100 Thaler:

№ 62777 Herrsch. Gr. Stein ꝛc.,
№ 63515 do.
№ 64342 Ob. und Ndr. Miechowitz,
№ 64370 do.
№ 64842 Poln. Krawarn und Mackau,
№ 64949 Med. Herz. Ratibor,
№ 64967 do.
№ 65098 do.

werden hierdurch wiederholt aufgefordert, diese Pfandbriefe bei der Königl. Instituten-Kasse hierselbst (im Regierungs-Gebäude am Lessingplatz) zu präsentiren und dagegen die Valuta derselben in Empfang zu nehmen.

Sollte die Präsentation nicht bis zum **15. August d. J.** erfolgen, so werden die Inhaber der fraglichen Pfandbriefe nach § 50 der Allgemeinen Verordnung vom 8. Juni 1835 mit ihrem Realrechte auf die in den Pfandbriefen ausgedrückte Special-Hypothek präkludirt und mit ihren Ansprüchen lediglich an die bei der Königlichen Instituten-Kasse hierselbst deponirte Kapitals-Valuta verwiesen werden.

Aus früheren Verloosungen sind Pfandbriefe Lit. B. nach rückständig und bereits präkludirt:

à 3½ %

aus der 20. Verloosung:

№ 18581 Hausdorf à 100 Thlr.,

à 4 %

aus der 35. Verloosung:

№ 79467 Med. Herz. Ratibor à 50 Thlr.,
№ 82257 Herrsch. Fürstenstein à 25 Thlr.,

aus der 37. Verloosung:

№ 22674 Koschentin und Tworog à 25 Thlr.,
№ 82256 Herrsch. Fürstenstein à 25 Thlr.,

aus der 38. Verloosung:

№ 82226 Herrsch. Gr. Stein ꝛc. à 25 Thlr.,

aus der 39. Verloosung:

№ 45102 Poln. Krawarn und Mackau à 500 Thlr.,
№ 62933 Herrsch. Gr. Stein ꝛc. à 100 Thlr.,
№ 50104 Cantersdorf und Kl. Neudorf à 200 Thlr.

Breslau, den 16. Februar 1888.

Königl. Kredit-Institut für Schlesien.

Personal-Chronik.

Der Stadtsekretair Treichel zu Luckenwalde ist zum Stellvertreter des Amtsanwalts bei dem Königl. Amtsgericht daselbst ernannt worden.

Der Beigeordnete und zweite Bürgermeister Burghardt in Neu-Ruppin ist zum Stellvertreter des Amtsanwalts bei dem Königl. Amtsgericht daselbst ernannt worden.

Der Beigeordnete, Hauptmann a. D. Burchart zu Havelberg ist zum Stellvertreter des Amtsanwalts bei dem Königl. Amtsgericht in Havelberg ernannt worden.

Der zum Amtsvorsteher des Amtsbezirks Dannenwalde, im Kreise Ostprignitz, ernannte Herr von Rohr ist nicht, wie im Amtsblatt Stück 7 angegeben, Lieutenant, sondern Rittmeister, was hierdurch berichtigt wird.

Im Kreise Westprignitz ist in Folge abgelaufener Dienstzeit der Gemeinde-Vorsteher Henning zu Cumlosen von Neuem zum Amtsvorsteher-Stellvertreter für den Amtsbezirk Cumlosen ernannt worden.

Dem Küster und Lehrer Joachim Karl August Lüdemann zu Stepenitz, Diözese Putlitz, ist der Titel „Kantor“ verliehen worden.

Ausweisung von Ausländern aus dem Reichsgebiete.

Lauf. Nr.	Name und Stand des Ausgewiesenen.	Alter und Heimath des Ausgewiesenen.	Grund der Bestrafung.	Behörde, welche die Ausweisung beschlossen hat.	Datum des Ausweisungs-Beschlusses.
1.	2.	3.	4.	5.	6.
		Auf Grund des § 362 des Strafgesetzbuchs:			
1	Mathias Hager, Färber,	geboren am 14. März 1853 zu Wildenhag, Gemeinde St. Georgen, Bez. Vöcklabruck, Ober-Oesterreich, ortsangehörig ebendaselbst,	Landstreichen und Betteln,	Großherzoglich Badischer Landeskommissär zu Konstanz,	21. Dezember 1887.
2	Abraham Malin, Goldarbeiter,	geboren am 17. September 1853 zu Pabroisk, Gouvernement Riga, Rußland, ortsangehörig ebendaselbst,	desgleichen,	Großherzoglich Badischer Landeskommissär zu Freiburg,	17. Januar 1888.
3	Paul Humbert, Handlungsgehülfe,	geboren am 17. Februar 1855 zu Orléans, Frankreich,	Landstreichen,	Kaiserlicher Bezirks-Präsident zu Metz,	18. Januar 1888.
4	Heinrich Krause, Fischer,	geboren am 24. Januar 1847 zu New-York, Nordamerika, ortsangehörig ebendaselbst,	Landstreichen und Betteln,	Königlich Preußischer Regierungspräsident zu Königsberg,	23. Dezember 1887.
5	Wilhelm Bock, Buchdrucker,	geboren am 20. Oktober 1862 zu Bielitz, Oesterreichisch-Schlesien, ortsangehörig ebendaselbst,	desgleichen,	Königlich Preußischer Regierungspräsident zu Oppeln,	21. Dezember 1887.
6	Jonas Führer, Tagelöhner,	geboren 1861 zu Krynica, Bezirk Neu-Sandec, Galizien, ortsangehörig ebendaselbst,	versuchter Betrug, Landstreichen und Beilegung eines falschen Namens,	derselbe,	6. Januar 1888.
7	Thomas Kozeluh, Arbeiter,	geboren am 28. Februar 1861 zu Budweis, Böhmen, ortsangehörig zu Wodnan, ebendaselbst,	Betteln unter Drohungen, Sachbeschädigung, Bedrohung mit einem Verbrechen, Widerstand gegen die Staatsgewalt,	Königlich Preußische Regierung zu Schleswig,	28. Januar 1888.

Lauf. Nr.	Name und Stand	Alter und Heimath	Grund der Bestrafung.	Behörde, welche die Ausweisung beschlossen hat.	Datum des Ausweisungs-Beschlusses.
	des Ausgewiesenen.				
1.	2.	3.	4.	5.	6.
8	Heinrich Falkenstein, Schneider,	48 Jahre, geboren und ortsangehörig zu Warschau, Russisch-Polen,	Landstreichen und Betteln,	Königlich Preußischer Regierungspräsident zu Wiesbaden,	28. Januar 1888.
9	Gerhard Heidtbrink, Schmiedegeselle,	geboren am 14. Juni 1835 zu Zütphen, Niederlande, ortsangehörig ebendaselbst, wohnhaft zuletzt in Kray, Kreis Essen, Preußen,	Landstreichen,	Königlich Preußische Regierung zu Düsseldorf,	24. Januar 1888.
10	Viktor Rodd, Tagelöhner,	geboren am 7. Februar 1863 zu Riga, Rußland, ortsangehörig ebendaselbst, wohnhaft zuletzt in Wilhelmshaven, Preußen,	Landstreichen und Betteln,	dieselbe,	27. Januar 1888.
11	Ferdinand Allemann, Tagelöhner,	geboren am 8. August 1839 zu Welschenrohr, Schweiz, ortsangehörig ebendaselbst,	desgleichen,	Kaiserlicher Bezirks-Präsident zu Colmar,	16. Januar 1888.
12	Nikolaus Allemann, Tagelöhner,	geboren am 25. April 1850 zu Welschenrohr, Schweiz, ortsangehörig ebendaselbst,	desgleichen,	derselbe,	desgleichen.
13	Julius Mery, Schneider,	geboren am 26. Oktober 1847 zu Liège, Belgien, ortsangehörig ebendaselbst,	Landstreichen,	Kaiserlicher Bezirks-Präsident zu Straßburg,	26. Januar 1888.
14	Josef Boditzka, Schuhmachergeselle,	geboren am 24. April 1852 zu Josefstadt, Kreis Königgrätz, Böhmen, ortsangehörig ebendaselbst,	Landstreichen und Betteln,	Königlich Preußischer Regierungspräsident zu Breslau,	2. Februar 1888.
15	Anton Swoboda, Schuhmachergeselle,	geboren am 6. Januar 1857 zu Rouchowan, Bezirk Kromau, Mähren, ortsangehörig ebendaselbst,	desgleichen,	derselbe,	desgleichen.
16	Franz Armann, Nagelschmied,	geboren am 16. (26.) Oktober 1853 zu Groß-Ullersdorf, Bezirk Schoenberg, Mähren, ortsangehörig ebendaselbst,	desgleichen,	derselbe,	desgleichen.
17	Johann Hocke, Weber,	geboren am 26. Dezember 1851 zu Harrachsdorf bei Roemerstadt, Bezirk Sternberg, Mähren, ortsangehörig ebendaselbst,	desgleichen,	derselbe,	desgleichen.

Lauf. Nr.	Name und Stand des Ausgewiesenen.	Alter und Heimath des Ausgewiesenen.	Grund der Bestrafung.	Behörde, welche die Ausweisung beschlossen hat.	Datum des Ausweisungs-Beschlusses.
1.	2.	3	4.	5.	6.
18	Josef Wajnar, Schlossergeselle,	geboren am 15. März 1859 zu Trzynietz, Bezirk Teschen, Oesterreichisch-Schlesien,	Landstreichen,	Königlich Preußischer Regierungspräsident zu Oppeln,	25. Januar 1888.
19	Paul Rusch, Eisengießer,	geboren am 16. (6.) Dezember 1851 zu Ustron, Bezirk Bielitz, Oesterreichisch-Schlesien,	Landstreichen und Betteln,	derselbe,	desgleichen.
20	Markus Zeimer, Kürschner,	32½ Jahre, aus Jaroslau, Galizien,	desgleichen,	Königlich Preußische Regierung zu Posen,	1. Februar 1888.
21	Franz Matura, Baumwollenspinner,	geboren am 2. Februar 1859 zu Unter-Hammer, Bezirk Eisenbrod, Böhmen, ortsangehörig ebendaselbst,	Betteln im wiederholten Rückfall,	Königlich Preußischer Regierungspräsident zu Merseburg,	2. Februar 1888.
22	Wilhelm Adolf Seeck, Kaufmann,	geboren am 6. Oktober 1862 zu Riga, Rußland, ortsangehörig ebendaselbst,	Landstreichen, Betteln und unerlaubte Rückkehr,	Königlich Preußischer Regierungspräsident zu Osnabrück,	23. Januar 1888.
23	Markus Neugewürtz, Händler,	geboren am 24. Dezember 1862 zu Krakau, Galizien, ortsangehörig ebendaselbst,	Landstreichen und Betteln,	Königlich Preußische Regierung zu Düsseldorf,	2. Februar 1888.
24	Rudolf Meglitsch, Schlosser,	geboren am 10. Mai 1869 zu Marburg, Steiermark, ortsangehörig zu Rothwein, Bezirk Marburg,	Landstreichen,	Stadtmagistrat Passau, Bayern,	24. Dezember 1887.
25	Franz Spiegel, Metallgießer,	geboren am 27. November 1867 zu Gottsdorf, Bezirk St. Pölten, Nieder-Oesterreich, ortsangehörig zu Hernals,	desgleichen,	derselbe,	desgleichen.
26	Johann Pöhlmann, Weber,	geboren am 23. Dezember 1861 zu Asch, Böhmen, ortsangehörig ebendaselbst,	Betteln im wiederholten Rückfall,	Stadtmagistrat Kempten, Bayern,	19. Januar 1888.
27	Wilhelm Hoppler, Glaser,	geboren am 21. Oktober 1839 zu Dägerlen, Kant. Zürich, Schweiz, ortsangehörig ebendaselbst,	Landstreichen und Betteln,	Königlich Bayerisches Bezirksamt Sonthofen,	24. Januar 1888.

Hierzu
eine Extra-Beilage, enthaltend den Gesellschafts-Vertrag der Allgemeinen Renten- Capital- und Lebens-Versicherungsbank Teutonia in Leipzig,
sowie Vier Oeffentliche Anzeiger.

(Die Insertionsgebühren betragen für eine einspaltige Druckzeile 20 Pf.
Belagsblätter werden der Bogen mit 10 Pf. berechnet.)

Redigirt von der Königlichen Regierung zu Potsdam.

Potsdam, Buchdruckerei der A. W. Hayn'schen Erben (E. Hayn, Hof-Buchdrucker).

Extra-Beilage zum Königlichen Regierungs-Amtsblatt.

Dem, dem angehefteten notariellen Protocolle beigefügten, in der Generalversammlung vom 27. Mai d. J. beschlossenen und unter dem 18. Juni d. J.
as Handelsregister eingetragenen, an die Stelle des revidirten Statuts vom 18. September / 4. December 1885 tretenden neuen Gesellschaftsvertrage der im Jahre
: gegründeten Allgemeinen Renten- Capital- und Lebensversicherungsbank Teutonia in Leipzig wird die in der Concession zum Geschäftsbetriebe in
ußen vom 24. Juni 1861 vorbehaltene Genehmigung hierdurch ertheilt. — Berlin, den 19. November 1887.

Der Minister des Innern.
(L. S.) Im Auftrage: gez. v. Zastrow.

Genehmigungs-Urkunde. I. A. 9201.

Gesellschafts-Vertrag der Allgemeinen Renten- Capital- und Lebensversicherungsbank TEUTONIA in Leipzig.

(Eingetragen in das Handelsregister des Königl. Amtsgerichtes zu Leipzig am 18. Juni 1887.)

I. Allgemeine Bestimmungen.

§. 1. Die unter der Firma: „Allgemeine Renten- Capital- und Lebens-
ſicherungsbank Teutonia" begründete Actiengesellschaft hat ihren Sitz
Leipzig. §. 2. Gegenstand des Gesellschaftsunternehmens ist: Ver-
erungen auf Renten und Capitale für Vorfälle des menschlichen Lebens,
lche der Wahrscheinlichkeitsrechnung unterworfen werden können, zu
ernehmen. §. 3. Das Grundcapital beträgt 600 000 Thaler gleich
300 000 Mark in Actien zu je 1000 Thaler gleich 3000 Mark. Auf
rlangen kann jede Actie in zwei Actienantheile zu 500 Thaler gleich
00 Mark getheilt werden. Die Actien sind in fortlaufender Nummer
sgefertigt, je zwei Actienantheile unter derselben Nummer mit der Be-
chnung a und b. Durch Beschluß der Generalversammlung kann das
rundcapital vergrößert werden. §. 4. Die Actien lauten auf den Namen
id können nur mit Bewilligung des Vorstandes im Einvernehmen mit
m Aufsichtsrathe auf Andere übertragen werden. Sie werden in Raten,
Gemäßheit der deshalb zu erlassenden öffentlichen Bekanntmachungen,
ngezahlt. Zu Zahlung des auf die Actie noch nicht eingezahlten Be-
ages hat sich der Actionär durch Vollziehung eines ihm vom Vorstande
rzulegenden Schuldscheines zu verpflichten. Wenn eine Einzahlung zur
eckung der von der Bank übernommenen, aus Versicherungsverträgen
rvorgegangenen Verbindlichkeiten erforderlich ist, hat der Vorstand im
inverne[h]men mit dem Aufsichtsrathe dieselbe bis zur erforderlichen Höhe
iszuschreiben. Außerdem können Einzahlungen nur durch Beschluß der
eneralversammlung angeordnet werden. §. 5. Die Einzahlungen sind
s zum Ablaufe der in der Bekanntmachung gestellten Frist, bei Vermei-
ing des Verlustes aller Rechte aus der Actie, einschließlich der Ansprüche
if die bereits geleisteten Zahlungen, baar und kostenfrei, gegen Quittung
n die Gesellschaft zu bewirken. §. 6. Wenn ein Actionär seinen Wohn-
rt verändert, so hat er solches dem Vorstande der Gesellschaft mit be-
immter Angabe seiner neuen Adresse anzuzeigen. Unterläßt er dies, so
t die an ihn nach seinem bisherigen Wohnorte adressirte und auf die
oſt gegebene Zufertigung der Gesellschaft als insinuirt anzusehen.
. 7. a) Unter Lebenden wird das Eigenthum einer Actie durch schrift-
che, auf der Rückseite derselben abgegebene Erklärung des zeitigen Eigen-
ümers auf den neuen Erwerber übertragen. b) Nach dem Tode eines
ctionärs ist von dessen Erben binnen sechs Monaten von Zeit des Ab-
bens ab, bei Vermeidung des Verlustes aller Rechte aus der Actie, ein-
hließlich des Anspruches auf die bereits geleisteten Einzahlungen, schrift-
ch diejenige Person, auf welche die Rechte eines Actionärs der Teutonia
bergehen sollen, dem Vorstande zu benennen. c) Im Falle des gericht-
chen Concurses zu dem Vermögen oder zu dem Nachlasse eines Actionärs
at der Concursvertreter binnen 6 Monaten von dem Tage der Eröffnung
es Concurses ab bei Vermeidung des oben ad b) angedrohten Rechts-
achtheiles die Person zu bezeichnen, welche fortan als Actionär der Teu-
onia gelten soll. Alle Uebertragungen von Actien sind jedoch nicht eher
iltig, als bis die Genehmigung des Vorstandes zur Uebertragung auf der
Actie vermerkt und vom neuen Erwerber der ihm wegen des noch rück-
ändigen Betrages vorgelegte Schuldschein vollzogen worden ist. In den
ällen sub b) und c) ist der Vorstand berechtigt, den Nichteintritt des an-
edrohten Rechtsverlustes und ebenso eine Verlängerung der geordneten
risten auszusprechen. §. 8. Der Vorstand darf die Actien, bezüglich
lcher der Rechtsverlust (§. 5 und §. 7, b. c.) eingetreten ist, beziehentlich
e an deren Stelle neu ausgefertigten Actien für Rechnung der Gesell-
aft verkaufen lassen. Zur Abwendung des §. 5 und §. 7, b. c. ange-
ohten Rechtsverlustes steht dem Betroffenen frei, Berufung an die Ge-
ralversammlung anzumelden. Diese Berufung muß aber binnen drei Mo-
ten nach Ablauf der Präclusivfrist oder nach Zufertigung des Bescheides
s Vorstandes bei diesem angezeigt werden. §. 9. Cassenvorräthe sind
dmöglichst werbend anzulegen, im Allgemeinen so, daß mindestens die
ſte des Zeitwerthcapitals innerhalb eines Halbjahres flüssig gemacht
hen kann, und in solcher Weise, wie nach den Landesgesetzen Mündel-

der Zeitwerthe der noch bestehenden Versicherungsverträge — Prämienreserve oder Zeitwerthreserve — eingestellt werden. Die Berechnung der Zeitwerthe erfolgt alljährlich durch einen von dem Aufsichtsrathe hierzu besonders verpflichteten Rechnungsverständigen. Die calculatorische Prüfung der Bücher der Gesellschaft nebst den Rechnungsbelegen ist von einem vom Aufsichtsrathe bestellten kaufmännischen Revisor vorzunehmen. Der in der Bilanz sich ergebende Ueberschuß der Activen über die Passiven bildet den Jahresgewinn der Bank. §. 11. Von dem nach §. 10 ermittelten Jahresgewinne werden so lange mindestens fünf Procent abgesetzt und dem gesetzlich (Art. 239 b und Art. 185 b des H.G.B.) vorgeschriebenen Reservefonds zugeführt, als der letztere nicht die Höhe von zehn Procent des Grundcapitals erreicht. Hat der Reservefonds die Höhe von zehn Procent des Grundcapitals erreicht, so werden ihm weitere Beträge nur dann überwiesen, wenn die Generalversammlung dies auf Antrag des Aufsichtsrathes beschließt. Soweit der Reservefonds den Betrag von zehn Procent des Grundcapitals übersteigt, kann derselbe auf Grund eines vom Aufsichtsrathe zu beantragenden Beschlusses der Generalversammlung zur Deckung von Verlusten oder zur Erhöhung einer nicht einmal fünf Procent des auf die Actien eingezahlten Betrags erreichenden Jahresdividende bis auf diesen Procentsatz verwendet werden. Sinkt der Reservefonds in Folge der aus seinen Mitteln bewirkten Deckung eines aus der Bilanz sich ergebenden Verlustes unter den Betrag von zehn Procent des Grundcapitals, so ist derselbe aus dem Reingewinne der Bank in der durch den Gesellschaftsvertrag vorgeschriebenen Weise wieder zu ergänzen. §. 12. Von dem nach Vornahme der in §. 11 gedachten Verwendungen verbleibenden Jahresgewinne wird zunächst den Actionären eine Dividende bis zur Höhe von fünf Procent des eingezahlten Actiencapitals gewährt. Von dem hiernach übrig bleibenden Reingewinn werden a) fünf Procent als Tantième an den Aufsichtsrath; b) fünf Procent als Tantième an den Vorstand, zu Gratificationen an Angestellte und als Beitrag zur Bildung eines Pensionsfonds für die im Dienste der Bank stehenden pensionsberechtigten Personen gekürzt. Die Art der Vertheilung der unter a und b gedachten Beträge an die Berechtigten bestimmt der Aufsichtsrath. Der Rest wird, soweit die Generalversammlung wegen seiner Verwendung im Interesse der Bank nicht anderweit Beschluß faßt, als Dividende mit mindestens sieben Zehntheilen an die durch Vorstand und Aufsichtsrath bezeichneten Versicherten unter den von diesen Organen festgestellten Bedingungen, und mit höchstens drei Zehntheilen an die Actionäre vertheilt. Dividenden, welche innerhalb dreier Jahre von dem Tage der Fälligkeit ab nicht erhoben sind, verfallen in das Eigenthum der Gesellschaft. §. 13. In allen Fällen, in denen das Gesetz oder der Gesellschaftsvertrag eine Bekanntmachung vorschreibt, ist hierunter eine öffentliche Bekanntmachung zu verstehen. Die öffentlichen Bekanntmachungen gehen vom Aufsichtsrathe aus. Berechtigt oder verpflichtet das Gesetz oder der Gesellschaftsvertrag ausschließlich andere Personen zum Erlasse von Bekanntmachungen, so hat es hierbei sein Bewenden. Die öffentlichen Bekanntmachungen sind mindestens zwei Mal in den Deutschen Reichsanzeiger einzurücken. Schreibt das Gesetz oder der Gesellschaftsvertrag für einzelne Fälle eine öftere Bekanntmachung vor, so hat es hierbei sein Bewenden. Der Nachweis des frist- und ordnungsgemäß bewirkten Erlasses einer Bekanntmachung wird durch den Abdruck derselben im Deutschen Reichsanzeiger geführt. Im Interesse der Actionäre soll der Aufsichtsrath die die Gesellschaft betreffenden öffentlichen Bekanntmachungen auch noch im Leipziger Tageblatte mindestens zwei Mal abdrucken lassen. An die Einhaltung besonderer Fristen ist der Aufsichtsrath bei dem Abdrucke der Bekanntmachungen in diesem Blatte nicht gebunden. Auch soll die Nichteinhaltung dieser Vorschrift keinerlei Rechtsverwirkung zur Folge haben. An Stelle des Leipziger Tageblattes ist der Aufsichtsrath berechtigt, ein anderes Blatt zu wählen. Diese Wahl ist bekannt zu machen. Wird durch das Gesetz oder durch den Gesellschaftsvertrag die Rechtsgültigkeit einer Handlung von der Einhaltung einer bestimmten, zwischen der Bekanntmachung der Handlung und der letzteren selbst liegenden Frist abhängig

2. März 1871 (Gesetz-Samml. 1871 S. 101|112)
26. August 1885 (Gesetz-Samml. 1885 S. 319|323). Vom
22. Dezember 1887.

(Stück 3.) № 9256. Verfügung des Justizministers,

schrift und beigedrucktem Königlichen Insiegel.

Gegeben Berlin, den 6. Februar 1888.

gez. Wilhelm.
ggez. Lucius. von Scholz.

Provinz Brandenburg. **Regierungsbezirk Potsdam.**

Buchstabe . . . . № . . . . .

Anleiheschein

des Nuthe-Schau-Verbandes
über
. . . . Mark
Reichswährung.

Ausgefertigt in Gemäßheit des landesherrlichen Privilegiums vom . . . . (Amtsblatt der Königlichen Regierung zu Potsdam vom . . . . № . . . . Seite . . . . . und Gesetz-Sammlung für 188 . . . № . . . . Seite . . . . .).

Auf Grund des nebst der Genehmigung des Kreis-Ausschusses des Kreises Teltow vom . . . . umstehend abgedruckten Beschlusses des Vorstandes des Nuthe-Schau-Verbandes vom . . . . wegen Aufnahme einer Anleihe von 700 000 Mark, in Buchstaben Siebenhundert Tausend Mark Reichswährung bekennt sich der Vorsitzende des Vorstandes des Nuthe-Schau Verbandes, Namens des Nuthe-Schau-Verbandes, durch diese für jeden Inhaber gültige, Seitens des Gläubigers unkündbare Verschreibung unter den in dem erwähnten Beschlusse des Vorstandes des Nuthe-Schau-Verbandes angegebenen Bedingungen zu einer Darlehnsschuld von . . . . Mark, in Buchstaben . . . . Mark Reichswährung, welche an den Verband baar gezahlt worden ist.

Die Verzinsung erfolgt mit vier Procent jährlich und die Tilgung der Anleihe vom 2. Januar 1889 ab mit jährlich Einem Procent unter Zuwachs der Zinsen von den getilgten Schuldverschreibungen.

Zur Sicherheit der hierdurch eingegangenen Verpflichtung haftet der Nuthe-Schau-Verband mit seinem gegenwärtigen und zukünftigen Vermögen und seinen in Gemäßheit der Bestimmungen des Verbandsstatuts vom 8. Oktober 1873 aufzubringenden Beiträgen.

Berlin, den . . . . 188 . . .

Der Vorsitzende
des Vorstandes des Nuth-Schau-Verbandes.
. . . .

Fällig am . . . . 18 . . . .

Provinz Brandenburg. **Regierungsbezirk Potsdam.**

Zinsschein № . . . . .
zum Anleiheschein des Nuthe-Schau-Verbandes Buchstabe . . . . . . № . . . . . . über . . . . . . Mark Reichswährung zu vier Procent über . . . . . . Mark.

Der Inhaber dieses Zinsscheins empfängt gegen dessen Rückgabe am . . . . und späterhin die Zinsen des vorbenannten Anleihescheines für das Halbjahr vom . . . . bis . . . . mit . . . . . Mark bei der Kasse des Nuthe-Schau-Verbandes zu Berlin.

Berlin, den . . . . 18 . . .

Der Vorsitzende
des Vorstandes des Nuthe-Schau-Verbandes.
. . . .

Dieser Zinsschein ist ungültig, wenn dessen Geldbetrag nicht innerhalb vier Jahren nach der Fälligkeit vom Schlusse des betreffenden Kalenderjahres an gerechnet, erhoben wird.

Provinz Brandenburg. **Regierungsbezirk Potsdam.**

Anweisung

zum Anleiheschein des Nuthe-Schau-Verbandes Buchstabe . . . . . . № . . . . . . über . . . . . . Mark
Reichswährung.

Der Inhaber dieser Anweisung empfängt gegen deren Rückgabe zu dem Anleihescheine des Nuthe-Schau-Verbandes, Buchstabe . . . . № . . . . . . , ... Mark Reichswährung à 4 Procent die . . . . Reihe von Zinsscheinen für die Jahre vom . . . . bis . . . . bei der Kasse des Nuthe-Schau-Verbandes zu Berlin, sofern nicht rechtzeitig von dem als solchen sich ausweisenden Inhaber der Schuldverschreibung dagegen Widerspruch erhoben wird.

Berlin, den . . . . 18 . . .

Der Vorsitzende
des Vorstandes des Nuthe-Schau-Verbandes.
. . . .

Bekanntmachungen des Königlichen Regierungs-Präsidenten.

Verloosung von Equipagen, Reit- und Wagenpferden 2c. in Inowrazlaw.

83. Der Herr Minister des Innern hat dem Comité für den Pferdemarkt zu Inowrazlaw die Genehmigung ertheilt, bei Gelegenheit des in diesem Jahre daselbst abzuhaltenden Pferdemarktes eine öffentliche Verloosung von Equipagen, Reit- und Wagenpferden 2c., zu welcher 90 000 Loose à 1 M. ausgegeben werden dürfen, zu veranstalten und die betreffenden Loose im ganzen Bereiche der Monarchie abzusetzen.

Potsdam, den 29. Februar 1888.

Der Regierungs-Präsident.

Verloosung von Equipagen, Reit- und Wagenpferden 2c. in Cassel.

84. Der Herr Minister des Innern hat dem Comité für den Casseler Pferdemarkt die Genehmigung ertheilt, bei Gelegenheit des in diesem Jahre daselbst abzuhaltenden Pferdemarktes eine öffentliche Verloosung von Equipagen, Reit- und Wagenpferden 2c., zu welcher 50000 Loose à 3 M. ausgegeben werden dürfen, zu veranstalten und die betreffenden Loose im ganzen Bereiche der Monarchie abzusetzen.

Potsdam, den 29. Februar 1888.

Der Regierungs-Präsident.

85. Tarif

zur Erhebung des Bohlwerks-Ein- und Auslade- und Stättegeldes bei Benutzung der von der Stadtgemeinde Rathenow vor dem Havelthore, ober- und unterhalb der langen Brücke errichteten öffentlichen Ablage.

I. Bohlwerksgeld.

§ 1.

Für jedes an der vorbezeichneten Ablage anlegende Fahrzeug ist ein Bohlwerksgeld zu entrichten. Dasselbe beträgt:

a. für Dampfer . . . . 1 M.
b. für andere Fahrzeuge . . . . 50 Pf.

Vorbehalten bleibt, für Dampfer, welche einem regelmäßigen Personenverkehr dienen, einen Jahresbeitrag durch freiwillige Vereinbarung zwischen dem Besitzer und den städtischen Behörden festzusetzen.

§ 2.

Liegt das Fahrzeug länger als drei Tage an der Ablage, so sind für jeden weiteren auch nur angefangenen Zeitraum von drei Tagen 50 Pf. zu zahlen.

II. Ein- und Ausladegeld.

§ 3.

Für das Ein- und Ausladen von Gegenständen ist eine Abgabe nach Maßgabe der vermessenen Tragfähigkeit des Fahrzeuges zu entrichten, und zwar:

a. wenn die Ladung in Buhnenbusch, Rohr, Heu und Stroh besteht,
   für ein Fahrzeug bis zu 25 Tonnen . . 1 M.
   für ein Fahrzeug von über 25 Tonnen und bis zu 50 Tonnen . . . . . . 2 M.
   für ein Fahrzeug von über 50 Tonnen . 3 M.
b. wenn die Ladung in anderen als den unter a. genannten Gegenständen besteht
   für ein Fahrzeug bis zu 25 Tonnen . . 75 Pf.
   für ein Fahrzeug von über 25 und bis zu 50 Tonnen . . . . 1,50 M.
   für ein Fahrzeug von über 50 Tonnen 2,00 M.

Für die Erhebung dieser Abgabe ist der Meßbrief maßgebend.

III. Stättegeld.

§ 4.

Für Schiffs-Frachtgut und Floßholz beträgt die Abgabe, bei einer Lagerung von über 24 Stunden:

1) für jedes Stück Bauholz
   a. sofern es nicht länger als 48 Stunden lagert . . . . 5 Pf.
   b. bei längerer Lagerung pro Woche . . 20 Pf.
2) für ein Schock (60 Stück) Bretter oder Bohlen pro Woche . . . . 20 Pf.
3) für ein Schock (60 Stück) Latten und Stangen . . . . 15 Pf.
4) für je Tausend Mauersteine pro Woche . 15 Pf.
5) für je Tausend Dachsteine pro Woche . 10 Pf.
6) für alle vorstehend nicht genannten Gegenstände pro Quadratmeter der Lagerfläche für jede Woche . . . . 5 Pf.

Die Lagerung von Bauholz darf nur auf dem Stätteplatz oberhalb der langen Brücke stattfinden.

§ 5.

a. Bruchtheile der Erhebungs-Einheit oder der für die Abgaben-Berechnung maßgebenden Zeitabschnitte werden vollgerechnet.
b. Der Tag der Lagerung der Güter gelangt zur Anrechnung, nicht aber der Tag der Entnahme derselben.
c. Das Stättegeld ist vor der Abfahrt der Güter zu entrichten.
d. Wer die Ablage länger als zwei Wochen benutzen will, bedarf dazu der besonders nachzusuchenden Erlaubniß des Magistrats.
e. Den Anweisungen der mit der Aufsicht über den städtischen Ablageplatz betrauten Beamten ist unbedingt Folge zu leisten.

Etwaige Streitigkeiten über die Höhe der Gebühren entscheidet der Magistrat.

IV. Befreiungen.

1) Befreit von der Abgabe zu I. und II. sind:
   a. die dem Deutschen Reiche oder dem Preußischen Staate gehörigen oder den Interessen der Königlichen Wasserbau-Verwaltung dienenden Fahrzeuge, welche die Ablage lediglich zum Ein- und Ausladen solcher Gegenstände benutzen, welche für unmittelbare Rechnung des Deutschen Reiches, des Preußischen Staates oder der Hofhaltung des Königlichen Hauses befördert werden,
   b. die dem Marktverkehr der Stadt Rathenow dienenden Fahrzeuge.
2) Befreit von der Abgabe zu II. sind:
   die Personen-Dampfer.
3) Befreit von der Abgabe zu III. sind:
   die dem Deutschen Reiche, dem Preußischen Staat oder der Hofhaltung des Königlichen Hauses gehörigen oder für unmittelbare Rechnung derselben lagernden Gegenstände.

Rathenow, den 6. Februar 1888.

Der Magistrat.
(L. S.) Unterschrift.
Die Stadtverordneten-Versammlung.
(L. S.) Unterschrift.

* * *

Vorstehender Tarif wird im Einverständnisse mit dem Königlichen Herrn Provinzial-Steuer-Direktor unter dem Vorbehalt des Widerrufs hierdurch genehmigt.

Potsdam, den 25. Februar 1888.

(L. S.) Der Regierungs-Präsident.
Genehmigung.
I. 6. 4. 16. № 1641. 2.

Beförderung der Schiffsgefäße und Floßhölzer durch die Unter-Lindower Schleuse des Friedrich-Wilhelms-Kanals.

86. Die Seitens der Königlichen Regierung, Abtheilung des Innern, zu Frankfurt a. O. erlassene und im Amtsblatte der Frankfurter Regierungsbezirkes unterm 9., 16. und 23. März 1870 publicirte Bekanntmachung, betreffend die Beförderung der Schiffsgefäße und Floßhölzer durch die Unter-Lindower Schleuse des

Friedrich-Wilhelms-Kanals, vom 23. Februar 1870 wird hierdurch aufgehoben.

Potsdam, den 2. Februar 1888.

Der Regierungs-Präsident.

Viehseuchen.

87. Die Maul- und Klauenseuche unter dem Rindvieh in Gohlitz, Kreis Westhavelland, ist erloschen.

Potsdam, den 25. Februar 1888.

Der Regierungs-Präsident.

88. Die Maul- und Klauenseuche unter dem Rindvieh des Kossäthen Gartenschläger zu Fahrland, des Bauergutsbesitzers Carl Ebel zu Flatow und unter dem Rindvieh und den Schweinen des Bauern Wilhelm Radensleben zu Tietzow, im Kreise Osthavelland, ist erloschen.

Potsdam, den 28. Februar 1888.

Der Regierungs-Präsident.

89. Die Maul- und Klauenseuche unter dem Rindvieh der Wittwe Möser zu Weißensee bei Berlin ist erloschen.

Potsdam, den 29. Februar 1888.

Der Regierungs-Präsident.

90. Die rotzverdächtigen Pferde des Schachtmeisters Kaselitz zu Hohen-Schönhausen und des Milchpächters Hille zu Dalldorf im Kreise Niederbarnim sind nach längerer Beobachtungszeit gesund befunden und für den Verkehr frei gegeben worden.

Die Maul- und Klauenseuche ist unter den Kühen des Bauergutsbesitzers W. Lenz zu Marzahn und des Colonisten Liebenhagen zu Neu-Hohen-Schönhausen im Kreise Niederbarnim ausgebrochen. Dieselbe Seuche unter den Kühen der Wittwe Grunenthal in der Stadt Teltow ist erloschen.

Potsdam, den 1. März 1888.

Der Regierungs-Präsident.

91. Die Maul- und Klauenseuche ist unter dem Rindvieh des Ritterguts Klein-Machnow, im Kreise Teltow, ausgebrochen.

Potsdam, den 2. März 1888.

Der Regierungs-Präsident.

92. Die Maul- und Klauenseuche ist unter dem Rindvieh des Ritterguts Willmersdorf im Kreise Angermünde und des Ritterguts Klein-Machnow im Kreise Teltow ausgebrochen, dagegen unter dem Rindvieh der Güter Rosenthal und Blankenfelde im Kreise Niederbarnim erloschen.

Potsdam, den 5. März 1888.

Der Regierungs-Präsident.

Bekanntmachungen der Königlichen Regierung.

Aufnahme in die Lehrerinnen-Bildungsanstalten zu Droyßig.

6. Nachstehende Bekanntmachung:

Die diesjährige Aufnahme von Zöglingen in die evangelischen Lehrerinnen-Bildungsanstalten zu Droyßig bei Zeitz wird in der ersten Hälfte des Monats August stattfinden.

Die Meldungen für das **Gouvernanten-Institut** sind bis zum 1. Juni d. J. unmittelbar bei mir, diejenigen für das **Lehrerinnen-Seminar** bis zum 1. Mai d. J. bei den Königlichen Regierungen, bezw. zu Berlin bei dem Königlichen Provinzial-Schulkollegium anzubringen.

Der Eintritt in die **Erziehungsanstalt** für evangelische Mädchen (Pensionat) daselbst soll in der Regel zu Ostern oder zu Anfang August erfolgen. Die Meldungen sind an den Seminar-Director Schulrath Kritzinger zu Droyßig zu richten.

Die Aufnahme-Bedingungen ergeben sich aus den in dem Centralblatte für die Unterrichts-Verwaltung pro 1885 Seite 723 veröffentlichten Nachrichten über die Anstalten zu Droyßig, von welchen besondere Abdrucke Seitens der Seminar-Direktion auf portofreie Anfragen mitgetheilt werden.

Berlin, den 22. Februar 1888.

Der Minister der geistlichen, Unterrichts- und Medizinal-Angelegenheiten.

Im Auftrage: gez. de la Croix.

wird hierdurch mit dem Bemerken zur öffentlichen Kenntniß gebracht, daß etwaige Aufnahmegesuche an die zuständigen Kreisschulinspectoren an uns einzureichen sind. Wegen der miteinzureichenden Atteste ꝛc. wird auf Seite 104 des Amtsblatts von 1882 verwiesen.

Potsdam, den 29. Februar 1888.

Königl. Regierung, Abtheilung für Kirchen- und Schulwesen.

Konservirung der Kunstdenkmäler im Königreich Preußen.

7. Des Königs Majestät haben durch die Allerhöchste Ordre vom 1. Juli v. Js. in der Person des Bauraths von Quast einen Konservator der Kunstdenkmäler in der ganzen Monarchie zu ernennen geruht. Derselbe wird bei seinen Umreisen von allen, sich im öffentlichen Besitz befindlichen Denkmälern, sowohl Baugegenständen, als Bildwerken, Gemälden, Kunstgeräthen ꝛc. und ihrer Beschaffenheit Kenntniß nehmen.

Sämmtliche Lokalbehörden, insbesondere die Baubeamten unseres Verwaltungsbezirks, werden beauftragt, dem ꝛc. von Quast, sei es mündlich an Ort und Stelle, oder schriftlich, auf sein Verlangen die erforderliche Auskunft und Mittheilung zu gewähren, auch dessen Anweisungen, wo derselbe sich etwa veranlaßt finden möchte, eine schon angeordnete, nicht angemessen erscheinende Restauration zu sistiren, unweigerlich Folge zu leisten.

Ingleichen haben alle Behörden und Korporationen unseres Verwaltungs-Bezirks von jeder etwa beabsichtigten oder vorfallenden Veränderung, oder Translocirung eines dergleichen Kunstdenkmals, sowie von jedem neu aufgefundenen Gegenstande dieser Art uns unverzüglich in Kenntniß zu setzen und unsere desfallsige Bestimmung zu erwarten, und werden dieselben endlich auch hierdurch verpflichtet, der Königl. General-Direction der Museen zu Berlin jede von dieser etwa verlangte Auskunft über das Bestehen und die Beschaffenheit solcher Kunstdenkmäler unweigerlich zu ertheilen.

Diese Vorschriften gelten übrigens für alle der-
eichen Kunstdenkmäler, ausschließlich derjenigen, welche
ch in völlig freiem Privatbesitz befinden.

Potsdam, den 14. März 1844.

Königl. Regierung. Abtheilung des Innern.

* * *

Vorstehende Bekanntmachung wird hierdurch mit em Bemerken in Erinnerung gebracht, daß als Konservator der Kunstdenkmäler in der Monarchie **gegenwärtig** der Königl. Geheime Ober-Baurath Persius u Berlin fungirt.

Potsdam, den 23. Februar 1888.

Königl. Regierung.
Abtheilung für Kirchen- und Schulwesen.

Bekanntmachungen des Staatssekretairs des Reichs-Postamts.

Werthbrief-Verkehr mit der Republik Salvador.

6. Vom 1. März ab tritt die Republik Salvador dem Pariser Uebereinkommen vom 1. Juni 1878, betreffend den Austausch von Briefen mit Werthangabe im internationalen Verkehr, bei. Der Meistbetrag der Werthangabe bei Werthbriefen nach Salvador beträgt 8000 ℳ. Die Taxe setzt sich zusammen aus dem Porto und der festen Gebühr für einen Einschreibbrief von gleichem Gewicht, sowie aus einer Versicherungsgebühr von 28 ₰ für je 160 ℳ.

Berlin W., den 22. Februar 1888.

Der Staatssecretair des Reichs-Postamts.

Bekanntmachungen der Königlichen Eisenbahn-Direktion zu Magdeburg.

Fahrplan-Aenderung.

1. Vom 1. April d. J. ab treten im Fahrplan der Localpersonenzüge zwischen Berlin und Potsdam bezw. Brandenburg die nachstehend aufgeführten Aenderungen ein.

Zug P. 10 1—4.	Zug P. 18 1—4.	Zug P. 48 1—4.	Zug P. 58 1—4.	Zug P. 64 1—4.	Zug P. 66 1—4.	Zug P. 72 1—4.	Zug P. 76 1—4.	Stationen.	Zug P. 5 1—4.	Zug P. 15 1—4.	Zug P. 37 1—4.	Zug P. 55 1—4.	Zug P. 63 1—4.	Zug P. 67 1—4.	Zug P. 69 1—4.	Zug P. 75 1—4.
6 27	9 15	4 0	5 10	7 30	7 45	9 18	10 27	Abf. Berlin P. Bhf. Ank.	6 45	8 56	2 53	7 57	9 22	10 17	10 32	12 50
—	—	—	5 17	7 37	7 52	—	10 33	Schöneberg	6 39	—	—	7 51	—	—	10 26	—
—	—	—	5 22	7 42	7 57	9 27	10 39	Friedenau	6 34	—	2 45	7 46	—	—	10 21	12 42
—	—	—	5 27	7 47	8 2	9 32	10 44	Steglitz	6 29	—	2 40	7 41	9 10	—	10 16	12 37
	—	—	5 32	7 52	8 7	9 37	10 49	Lichterfelde	6 24	—	2 35	7 36	—	—	10 11	12 32
6 43	—	—	5 38	7 58	8 13	9 43	10 55	Zehlendorf	6 18	—	2 29	7 30	—	9 57	10 5	12 26
6 49	—	—	5 44	—	8 19	9 48	11 1	Schlachtensee	6 10	—	—	7 19	—	—	9 57	—
6 55	—	—	5 50	—	8 25	an	11 7	Wannsee	6 4	—	—	7 10	—	—	—	—
7 3	—	—	5 58	—	8 33	—	11 15	Neubabelsberg	5 56	—	—	6 59	—	—	—	
7 9	—	—	6 4	8 15	8 39	—	11 21	Neuendorf	5 50		2 12	6 52	—	9 39	—	12 9
7 13	9 46	4 34	6 8	8 19	8 43	—	11 25	Ank. Potsdam Abf.	5 45	8 24	2 7	6 47	8 39	9 34	—	12 4
7 15	—	—	6 9	8 22	8 45	—	11 26	Abf. Potsdam Ank.	5 41	—	2 6	6 46	—	9 31	—	12 3
7 22	—	—	6 16	8 29	8 52	—	11 33	Charlottenhof	5 35	—	2 0	6 40	—	9 25	—	11 57
7 26	—	—	6 20	8 34	8 58	—	11 37	Wildpark	5 30	—	1 55	6 35	—	9 20	—	11 52
an	—	—	an	8 45	an	—	an	Werder	5 20	—	—	—	—	—	—	—
—	—	—	—	8 59	—	—	—	Gr. Kreutz	—	—	—	—	—	—	—	—
—	—	—	—	9 14	—	—	—	Ank. Brandenburg Abf.	—	—	—	—	—	—	—	—

Die Zeiten von 6 0 Uhr Abends bis 5 59 früh sind durch Unterstreichung der Minuten gekennzeichnet.

Berlin, den 1. März 1888.

Königl. Eisenbahn-Betriebsamt.
(Berlin—Magdeburg.)

Bekanntmachungen der Königlichen Eisenbahn-Direktion zu Bromberg.

Eisenbahn-Güter-Tarife betreffend.

15. Fortan werden Vorausbestellungen auf regelmäßige Zusendung aller im Bereiche der preußischen Staats- und deutschen Reichs-Eisenbahnen in Kraft tretenden Gütertarife und deren Nachträge oder einer bestimmten Gattung derselben angenommen und findet in diesem Falle die Uebermittelung ohne jedesmaligen Antrag auf Kosten der Besteller statt.

Schriftliche Anträge, welche die gewünschten Tarife nach Verkehrsgebieten oder bestimmten Artikeln genau zu bezeichnen haben, sind an das Verkehrsbüreau der Königl. Direktion der preußischen Staatsbahnen bezw. an die Drucksachenkontrole der Kaiserlichen Generaldirektion der Eisenbahnen in Elsaß-Lothringen oder an die bestehenden Auskunftsbüreaus und Auskunftsstellen der deutschen Reichs- und Königl. preußischen Staatseisenbahn-Verwaltung zu richten.

Auszüge von Frachtsätzen für einzelne Artikel aus allgemeinen Tarifen werden nicht gefertigt, sondern gegebenen Falls die Letzteren Mangels besonders aufgelegter Artikeltarife verabfolgt.

Bromberg, den 25. Februar 1888.

Königl. Eisenbahn-Direktion.

Neue Ausgabe des Ostdeutschen Eisenbahn-Kursbuchs betreffend.

16. Am 1. März d. J. erscheint eine neue Ausgabe des Ostdeutschen Eisenbahn-Kursbuchs, enthaltend die neuesten Fahrpläne der Eisenbahnstrecken östlich der Linie Stralsund—Berlin—Dresden, sowie Auszüge der

Fahrpläne der anschließenden Bahnen von Mitteldeutschland, Oesterreich, Ungarn und Rußland, auch Post- und Dampfschiffs-Verbindungen, Angaben über Rundreise- und Saison-Billets u. s. w.

Das Kursbuch ist bei allen Stationen des vorbezeichneten Bezirks an der Billet-Ausgabestelle, bei den Bahnhofsbuchhändlern, sowie im Buchhandel zum Preise von 50 Pfennig zu beziehen.

Bromberg, den 25. Februar 1888.

Königl. Eisenbahn-Direktion.

Nachtrag zum Tarif für die Beförderung von Personen und Reisegepäck, Theil II.

17. Am 1. April 1888 tritt zum Tarif für die Beförderung von Personen und Reisegepäck, Theil II., für den Verkehr von Stationen des Eisenbahn-Direktions-Bezirks Bromberg nach Stationen der übrigen Königlich Preußischen Staats-Eisenbahnen vom 1. Januar 1888 der Nachtrag 1 in Kraft.

Durch diesen Nachtrag werden aufgehoben:

a. Sämmtliche in dem Tarif für die Beförderung von Personen, Reisegepäck und Hunden im Lokalverkehr des Eisenbahn-Direktions-Bezirks Breslau vom 1. April 1885 und in dessen Nachträgen enthaltenen Tarifsätze, soweit dieselben den Verkehr von den Stationen Gnesen, Miloslaw, Orzechowo, Radlin, Schwarzenau, Wreschen und Zerkow nach den Stationen des Eisenbahn-Direktions-Bezirks Breslau betreffen.

b. Sämmtliche in dem Tarif für die Beförderung von Personen, Reisegepäck und Hunden zwischen Stationen des Eisenbahn-Direktions-Bezirks Berlin einerseits, und des Eisenbahn-Direktions-Bezirks Breslau andererseits vom 1. Dezember 1885 und in dessen Nachträgen enthaltenen Tarifsätze, soweit dieselben den Verkehr von den Stationen Miloslaw und Wreschen nach Stationen des Eisenbahn-Direktions-Bezirks Berlin betreffen.

Näheres ist bei den Stationen zu erfahren.

Bromberg, den 27. Februar 1888.

Königl. Eisenbahn-Direktion.

Bekanntmachungen der Kreis-Ausschüsse.

Communalbezirks-Veränderungen.

5. Auf Grund des § 25 № 1 des Zuständigkeitsgesetzes vom 1. August 1883 in Verbindung mit § 1 Abschnitt 4 des Gesetzes über die Landgemeinde-Verfassungen vom 14. April 1856 haben wir genehmigt, daß die resp. 53 qm, 40 qm und 1 ar großen Parzellen der domainen-fiskalischen Dorfstraße zu Mehlsdorf b. L. — Blatt 1 $\frac{\text{№ } 251\ 253\ 255}{109}$ der Grundsteuer-Mutterrolle — aus dem domainen-fiskalischen Gutsverbande Mehlsdorf b. L. abgezweigt und dem dortigen Gemeindebezirke einverleibt werden.

Jüterbog, den 24. Februar 1888.

Der Kreis-Ausschuß Jüterbog-Luckenwalde'schen Kreises.

6. Auf Antrag des Kreisausschusses Teltow'schen Kreises genehmigen wir, nachdem wir in Gemäßheit des § 59 № 2 des Gesetzes über die allgemeine Landes-Verwaltung vom 30. Juli 1883 von dem Herrn Regierungs-Präsidenten mit der Beschlußfassung beauftra[gt] worden sind, auf Grund des § 25 des Zuständigkeitsgesetzes vom 1. August 1883 in Verbindung mit § [1] Absatz 4 des Gesetzes über die Landgemeinde-Verfassung vom 14. April 1856, daß die zum Gutsbezirke Großbeeren gehörige, 13 ar 04 qm große Parzelle, welche im Grundbuche von Großbeeren Band VI. № 1. verzeichnet ist, von dem Gutsbezirke Großbeeren abgetrennt und dem Gemeindebezirke Großbeeren einverleibt wird.

Jüterbog, den 25. Februar 1888.

Der Kreis-Ausschuß Jüterbog-Luckenwalde'schen Krei[ses].

Bekanntmachungen anderer Behörden.

Kommunalabgabenpflichtiges Reineinkommen der Wittenberge-Perleberg'er Eisenbahn.

In Gemäßheit des § 4 des Gesetzes vom 27. Juli 1885, betreffend Ergänzung und Abänderung einiger Bestimmungen über Erhebung der auf das Einkommen gelegten direkten Kommunalabgaben (Ges.-Samml. S. 327), wird hiermit zur öffentlichen Kenntniß gebracht, daß das im laufenden Steuerjahre kommunalabgabepflichtige Reineinkommen aus dem Betriebsjahre 1886/87 bei der Wittenberge-Perleberg'er Eisenbahn auf 25530,02 M. festgestellt worden ist.

Berlin, den 28. Februar 1888.

Königl. Eisenbahn-Commissariat.

Personal-Chronik.

Der Beigeordnete Rud. **Fischer** in Cremmen [ist] zum Stellvertreter des Amts-Anwalts bei dem König[lichen] Amts-Gericht daselbst ernannt worden.

Im Kreise Nieder-Barnim ist an Stelle des Administrators **Segnitz** zu Blankenfelde, welcher den Amtsbezirk verläßt, der Mühlenbesitzer August **Gottschalk** zu Schildow zum Amtsvorsteher des Amtsbezirks Blankenfelde ernannt worden.

Dem Kandidaten der Theologie Paul **Topp** [zu] Wittmor bei Karstädt ist die Erlaubniß ertheilt worden, im Regierungsbezirk Potsdam Stellen als Hauslehrer anzunehmen.

Der Pfarrer August **Jacobi** zu Gehren im Großherzogthum Mecklenburg-Strelitz ist zum Pfarrer auch bei der evangelischen Tochtergemeinde zu Neuensund, Diözese Strasburg U.-M., bestellt worden.

Der bisherige 2. Prediger an der St. Thomas-Kirche zu Berlin, Diözese Cöln-Stadt, Lic. Dr. [Paul] Friedrich **Kirmß**, ist zum Pfarrer an der Neuen Kirche zu Berlin, Diözese Friedrichs-Werder, bestellt worden.

Der bisherige Hülfsprediger zu Angermünde, August Paul Albrecht Bernhard **Schalm**, ist zum Diakonus bei der ev. Gemeinde zu Nauen, Diözese gleichen Namens, bestellt worden.

Die unter Königlichem Patronat stehende Pfarrstelle zu Wallmow, Diözese Prenzlau II., kommt durch die nach neuem Rechte erfolgende Emeritirung ihres bisherigen Inhabers, des Pfarrers **Wagner**, zum 1. Oktober d. J. zur Erledigung. Die Wiederbesetzung dieser Stelle erfolgt durch Gemeindewahl nach Maßgabe de[s]

Kirchengesetzes, betr. das im § 32 № 2 der Kirchengemeinde- und Synodal-Ordnung vom 10. September 1873 ꝛc. vorgesehene Pfarrwahlrecht, vom 15. März 1886 — Kirchliches Gesetz- und Verordnungs-Blatt de 1886 Seite 39. — Bewerbungen um diese Stelle sind schriftlich bei dem Königlichen Konsistorium der Provinz Brandenburg einzureichen. § 6 a. a. O.

Dem Oberlehrer Dr. Richard Müller am Friedrichs-Gymnasium in Berlin ist das Prädikat „Professor" verliehen worden.

Der Schulamtskandidat Dreger, bisher in Frankfurt a. O., ist als Hülfslehrer am Königl. Schullehrer-Seminar zu Coepenick angestellt worden.

Personalveränderungen im Bezirke der Kaiserlichen Ober-Postdirektion in Berlin.

Im Laufe des Movats Februar sind:

Ernannt: zum Büreauassistenten der Telegraphenassistent Goerschner, zu Ober-Postassistenten die Postassistenten Fischer, Herrmann, Konrad und Rohde.

Angestellt: als Postsecretaire die Postpraktikanten Brandes, Funck und Zech, als Postassistenten die Postassistenten Gegenward, Hänseler, Richter und Zimmermann, die Postanwärter H. Müller und Beuve, als Telegraphenassistenten die Telegraphenanwärter Altmann, Hinske, Kallies, Keddig, Kirschke, Krause, G. Müller, Petersen, von Przbylski, Richter, Schlepping, Seeger und Stirius.

In den Ruhestand versetzt: der Postsecretair Friedemann.

Personalveränderungen im Bezirke der Kaiserlichen Ober-Postdirektion zu Potsdam.

Etatsmäßig angestellt ist: der Postassistent Treskau in Joachimsthal (Uckermark) als Postverwalter.

Versetzt sind: der Postkassirer Hiltermann in Spandau als com. Amtsvorsteher nach Rendsburg, der Ober-Postdirektionssecretair Wichert in Bremen als com. Postkassirer nach Spandau, der Postsecretair Pigulla von Jüterbog nach Wittenberge (Bz. Potsdam) Stadt, die Postverwalter Glasewald in Gelenau nach Seehausen (Uckermark), Grabo von Liepe (Oder) nach Neuenhagen, Jacobi von Sperenberg nach Liepe (Oder), Leutz von Friesack (Mark) nach Sperenberg, Rechenberg von Wiesenburg (Mark) nach Friesack (Mark), Schielin von Neuenhagen nach Wiesenburg (Mark).

Gestorben ist: der Postverwalter Schwenzführer in Chorin (Mark).

Personalveränderungen im Bezirke des Kammergerichts in den Monaten Dezember 1887 und Januar 1888.

I. Richterliche Beamte.

Ernannt sind: die Gerichts-Assessoren Dr. Paul Loewy, Dr. Holtze, von Normann zu Amtsrichtern bei den Amtsgerichten in Alt-Landsberg bezw. Arnswalde und Potsdam, der Gerichtsassessor Stachow zum Staatsanwalt bei dem Landgericht in Potsdam; der Landrichter Dr. Jaeckel in Berlin zum Oberlandesgerichtsrath bei dem Oberlandesgericht in Posen. Versetzt sind: die Amtsrichter Dr. Fritzschen und Dr. Jungk beim Amtsgericht I. zu Berlin, Collmann in Prenzlau als Landrichter an das Landgericht I. zu Berlin, der Amtsrichter Harmuth in Zielenzig an das Amtsgericht I. zu Berlin, der Amtsrichter Delbrück in Kyritz als Landrichter an das Landgericht zu Lüneburg, der Amtsrichter Loock in Potsdam als Landrichter an das Landgericht daselbst, der Senatspräsident Graefe bei dem Oberlandesgericht zu Naumburg a. S. an das Kammergericht. Verstorben sind: der Senatspräsident bei dem Kammergericht, Geheime Ober-Justizrath von Mühler, der Landgerichtsrath Schultz in Berlin.

II. Assessoren.

Zu Gerichts-Assessoren sind ernannt: die Referendare Dr. Springer, Biefel, Kagermann, Schlockermann, Meißner, Dr. Heymann, Dr. Polenz, Dr. Gieppner, Claus, Rickse, Liersch, Lahn, Poppe, Elteste, Dr. Grelling, Langerhans, Flatow, Langhoff, John, Dr. Kristeller, Kühl, Fähndrich, Dr. Schwartz, Rönnekamp, Dr. Munk, Prüschenk von Lindenhofen, Bach. Versetzt sind: Wachtel und Matting in den Bezirk des Oberlandesgerichts zu Marienwerder. Entlassen sind: Greiff Behufs Uebertritts zur Staatseisenbahn-Verwaltung, Baron von Ascheberg und Schartow Behufs Uebertritts zur allgemeinen Staatsverwaltung, Dr. Naudé. Verstorben ist: Wortmann.

III. Rechtsanwälte und Notare.

Eingetragen sind in die Liste der Rechtsanwälte: der Rechtsanwalt Bense aus Gröningen bei dem Landgericht II. zu Berlin, der Gerichts-Assessor a. D. Wulff bei dem Kammergericht, die Gerichts-Assessoren Dr. Brock, Hugo Levy, Dr. Guttsmann, Born, Galland, Georg Pincus, Dr. Albert Heymann, der Amtsrichter a. D. Hirsekorn und der Bürgermeister a. D. Feichtmayer bei dem Landgericht I. zu Berlin, der Gerichts-Assessor Reinecke bei dem Amtsgericht zu Neudamm, der Gerichts-Assessor Guder bei dem Amtsgericht zu Fürstenberg a. Oder, der Rechtsanwalt Lenz aus Insterburg bei dem Amtsgericht zu Dahme, der Gerichts-Assessor Ebstein bei dem Landgericht zu Guben. Zu Notaren im Bezirk des Kammergerichts sind ernannt: die Rechtsanwälte Neümann in Lübben, Hering, von Kraynicki, Dr. Hugo Alexander-Katz in Berlin. Dem Notar, Justizrath Torno in Mittenwalde ist die nachgesuchte Dienstentlassung ertheilt. Gestorben ist: der Rechtsanwalt Herrnstadt in Berlin.

IV. Referendare.

Zu Referendaren sind ernannt: die bisherigen Rechtskandidaten Krause, Staegemann, Parey, Deutschländer, Bechly, Carl Herzfeld, Grünberg, Becker, Pottien, Schleuß, Graf von Schwerin, Kratzenberg, Baethcke, Marcuse, von Uhden, Frengel, Riege, Marggraff, Kasack, Homeyer, Piest, Wolf, Fabienke, von Treskow,

Dietert, Roeder. Uebernommen sind: von Katzler aus dem Oberlandesgerichtsbezirke Marienwerder, Liebegott und Paul Rosenthal aus dem Oberlandesgerichtsbezirke Königsberg, Rudolphi aus dem Oberlandesgerichtsbezirke Naumburg, Schnieber, Dr. Maßmann und Maßmann aus dem Oberlandesgerichtsbezirke Breslau. Versetzt sind: Noah und Blüher in die Oberlandesgerichtsbezirke Posen bezw. Breslau. Entlassen sind: von Heineccius, von Meyern, von Uechtritz und Steinkirch, von Köppen, Freiherr von Houwald, von der Osten-Warnitz, Dr. Breithaupt, Trautwein, Holtz, Graf von Westarp, Singelmann Behufs Uebertritts in den Verwaltungsdienst.

V. Subalternbeamte.

Ernannt sind zu etatsmäßigen Gerichtsschreibergehülfen: die Aktuare Altmann bei dem Landgericht in Potsdam, Nieße bei dem Amtsgericht in Nauen, Balke bei dem Amtsgericht in Havelberg, die Militairanwärter Carl Friedrich Buchholz bei dem Amtsgericht zu Landsberg a. W. und Carl August Buchholz bei dem Amtsgericht zu Lippehne, zu Gerichtsvollziehern: der Gerichtsdiener Gutke in Berlin und der Militairanwärter Frielinghaus bei dem Amtsgericht I. zu Berlin, der Büreau-Assistent Krüger am Strafgefängniß bei Berlin zum Inspektor bei dem Strafgefängniß in Prenngesheim bei Frankfurt a. M., der Kanzleidiätar Behrendt zum Kanzlisten beim Kammergericht. Versetzt sind: der etatsmäßige Gerichtsschreibergehülfe Dabow in Soldin an das Landgericht zu Landsberg a. W., der Gerichtsvollzieher Lange in Jüterbog nach Perleberg, der Gerichtsvollzieher Hildebrandt in Meyenburg nach Jüterbog. Pensionirt sind: die Gerichtsschreiber Brasch bei dem Amtsgericht I. zu Berlin und Voelcker in Lychen, die Gerichtsvollzieher Wienkoop in Perleberg, Hahn in Zielenzig, Jansen in Potsdam, der Kanzlist Piastack bei der Staatsanwaltschaft zu Guben. Verstorben sind: der Gerichtsschreiber, Kanzleirath Berger in Zielenzig, der Gerichtsschreiber Ziemann bei dem Amtsgericht I. zu Berlin, der Kanzlist Bütow bei dem Kammergericht. Entlassen ist: der Gerichtsvollzieher Rose bei dem Amtsgericht II. zu Berlin im Disciplinarwege.

Vermischte Nachrichten.

Lehniner Gerichtstage.

Die Lehniner Gerichtstage für den nächsten Monat werden **auf den 15. und 16. März d. J.** verlegt.

Brandenburg, den 29. Februar 1888.

Königl. Amtsgericht.

Vorlesungen

an der Königlichen thierärztlichen Hochschule zu Hannover.

Sommersemester 1888.

Beginn 5. April.

Direktor, Geheimer Regierungsrath, Medicinalrat Professor Dr. Dammann: Seuchenlehre und Veterinair-Polizei, Diätetik. — Professor Dr. Lustig: Allgemeine Chirurgie, Untersuchungsmethoden, Allgemeine Therapie, Spitalklinik für große Hausthiere. — Professor Dr. Rabe: Allgemeine Pathologie und allgemeine pathologische Anatomie, Spitalklinik für kleine Hausthiere, Obduktionen und pathologisch-anatomische Demonstrationen, thierische und pflanzliche Parasiten. — Professor Dr. Kaiser: Operationslehre, Geburtshülfe n Uebungen am Phantom, Geschichte der Thierheilkunde, Ambulatorische Klinik. — Lehrer Tereg: Physiologie, Arzneimittellehre und Toxikologie. — Lehrer Arnold: Organische Chemie, Receptirkunde, Pharmaceutische Uebungen, Uebungen im chemischem Laboratorium. — Lehrer Boether: Allgemeine Anatomie, Osteologie und Syndesmologie, Histologie und Embryologie, Histologische Uebungen. — Professor Dr. Hef Botanik. — Lehrer Geist: Uebungen am Huf. — Dr. med. Esberg: Ophthalmoskopischer Kursus.

Zur Aufnahme als Studirender ist der Nachweis der Reife für die Prima eines Gymnasiums oder eines Realgymnasiums, bei welchem das Latein obligatorischer Unterrichtsgegenstand ist, oder einer durch die zuständige Centralbehörde als gleichstehend anerkannten höheren Lehranstalt erforderlich.

Ausländer und Hospitanten können auch mit geringeren Vorkenntnissen aufgenommen werden, sofern sie die Zulassung zu den thierärztlichen Prüfungen in Deutschland nicht beanspruchen.

Nähere Auskunft ertheilt unter Zusendung des Programms die Direktion der thierärztlichen Hochschule.

Hierzu Vier Oeffentliche Anzeiger.

(Die Insertionsgebühren betragen für eine einspaltige Druckzeile 20 Pf. Belagsblätter werden der Bogen mit 10 Pf. berechnet.)

Redigirt von der Königlichen Regierung zu Potsdam.

Potsdam, Buchdruckerei der A. W. Hayn'schen Erben (E. Hayn, Hof-Buchdrucker).

Amtsblatt

der Königlichen Regierung zu Potsdam und der Stadt Berlin.

Stück 11. Den 16. März 1888.

lerhöchster Erlaß, betreffend die Herabsetzung des Zinsfußes der eitens der Stadt Zossen im Kreise Teltow ausgegebenen, auf den Inhaber lautenden Anleihescheine.

Auf den Bericht vom 4. Februar d. Js. genehmige ch hierdurch, daß der Zinsfuß der Seitens der Stadt ossen, im Kreise Teltow, auf Grund des Privelegiums om 23. Mai 1885 ausgegebenen, auf den Inhaber utenden Anleihescheine, soweit dieselben noch nicht ge- lgt sind, von vier auf drei und ein halb Procent erabgesetzt werde, vorbehaltlich aller sonstigen Be- immungen des gedachten Privelegiums und mit der Raßgabe, daß die noch nicht getilgten Anleihescheine en Inhabern, unter Innehaltung der in den Anleihe- heinen vorgeschriebenen Fristen, für den Fall zu ündigen sind, daß die betreffenden Anleihescheine dem Magistrat Zossen nicht bis zu einem von demselben fest- usetzenden Termine zur Abstempelung auf drei und ein- alb Procent eingereicht werden.

Berlin, den 13. Februar 1888.

(gez.) **Wilhelm.**

(ggez.) von Puttkamer. von Scholz.

An die Minister des Innern und der Finanzen.

Bekanntmachungen des Königlichen Ober-Präsidenten der Provinz Brandenburg.

Bestätigung von Wahlen zum Kommunal-Landtage der Kurmark.

8. Des Königs Majestät haben mittelst Allerhöchsten Erlasses vom 20. Februar d. J. die von dem Kommunal-Landtage der Kurmark vollzogenen Wahlen des Majors a. D. von Rochow auf Plessow zum Vorsitzenden und des Landraths Geheimen Regierungs-Raths von Winterfeld zu Prenzlau zum Stellvertreter des Vorsitzenden des Kommunallandtages für den Zeitraum vom 3. Oktober 1887 bis dahin 1890 zu bestätigen geruht.

Potsdam, den 2. März 1888.

Der Oberpräsident der Provinz Brandenburg, Staatsminister Achenbach.

Bekanntmachungen der Kaiserlichen Ober-Post-Direktion zu Potsdam.

Einrichtung einer Telegraphenhülfstelle in Motzenmühle.

11. In Motzenmühle bei Töpchin (an der Kunststraße zwischen Zossen und Töpchin) wird am 12. März eine mit der Posthülfstelle daselbst vereinigte **Telegraphenhülfstelle** in Wirksamkeit treten.

Potsdam, den 10. März 1888.

Der Kaiserl. Ober-Postdirektor.

Bekanntmachungen des Königlichen Regierungs-Präsidenten.

Verbot eines Flugblatts.

93. Auf Grund der §§ 11 und 12 des Reichsgesetzes gegen die gemeingefährlichen Bestrebungen der Sozialdemokratie vom 21. Oktober 1878 wird das eine Angabe des Druckers und Verlegers nicht enthaltende am 4. d. M. in Velten, Kreis Osthavelland, vorgefundene Flugblatt mit der Ueberschrift „Mitbürger, Arbeiter, Handwerker Veltens" und mit dem Schlußsatz „Vorwärts für das arbeitende Volk. Hoch lebe die Sozialdemokratie" hierdurch verboten.

Potsdam, den 8. März 1888.

Der Regierungs-Präsident.

Erledigte Kreiswundarztstelle.

94. Die Kreiswundarztstelle des Kreises Templin ist erledigt. Aerzte, welche das zur Verwaltung einer Kreisphysikatsstelle erforderliche Fähigkeitszeugniß besitzen und sich um diese Stelle, bei deren Besetzung hinsichtlich der Bestimmung des Wohnsitzes in einer der Ortschaften des Kreises auf die Wünsche der Bewerber möglichst Rücksicht genommen werden wird, zu bewerben beabsichtigen, wollen sich unter Vorlegung ihrer Zeugnisse und eines kurz gefaßten Lebenslaufes bis zum 1. Juli d. J. bei mir melden.

Potsdam, den 3. März 1888.

Der Regierungs-Präsident.

Verloosung von Equipagen, Pferden rc. in Frankfurt a. M.

95. Der Herr Minister des Innern hat dem landwirthschaftlichen Vereine zu Frankfurt a. M. die Genehmigung ertheilt, bei Gelegenheit der im April und Oktober d. J. daselbst stattfindenden beiden Pferdemärkte je eine öffentliche Verloosung von Equipagen, Pferden, Pferdegeschirren rc., zu welcher je 40000 Loose à 3 Mark ausgegeben werden dürfen, zu veranstalten und die betreffenden Loose im ganzen Bereiche der Monarchie zu vertreiben.

Potsdam, den 8. März 1888.

Der Regierungs-Präsident.

Verlegung der 5. Compagnie des Bezirks-Commandos Bernau von Liebenwalde nach Oranienburg.

96. Hiermit bringe ich zur öffentlichen Kenntniß, daß die 5. Compagnie des Bezirks-Commandos Bernau mit dem 1. April 1888 von Liebenwalde nach Oranienburg verlegt wird.

Potsdam, den 10. März 1888.

Der Regierungs-Präsident.

97. **Nachweisung der Markt- rc.**

Laufende №	Namen der Städte	Getreide: Es kosten je 100 Kilogramm: Weizen M.	Pf.	Roggen M.	Pf.	Gerste M.	Pf.	Hafer M.	Pf.	Uebrige Markt-: Erbsen M.	Pf.	Speisebohnen M.	Pf.	Linsen M.	Pf.	Kartoffeln M.	Pf.	Richtstroh M.	Pf.	Krummstroh M.	Pf.	Heu M.	Pf.	Es …: Rindfleisch von der Keule M.	Pf.	Bauchfleisch M.	Pf.
1	Angermünde	15	77	11	02	11	15	10	50	27	—	28	80	38	—	4	25	3	75	3	—	4	50	1	35	1	—
2	Beeskow	—	—	12	—	—	—	11	90	22	50	50	—	50	—	3	65	3	10	—	—	5	75	1	20	1	—
3	Bernau	16	50	11	31	13	75	11	65	25	—	32	—	45	—	4	81	3	81	—	—	5	71	1	25	1	10
4	Brandenburg	15	93	11	83	11	30	12	32	27	50	35	—	35	—	3	60	2	73	—	—	4	57	1	30	1	10
5	Dahme	15	86	11	62	11	43	12	—	35	—	45	—	50	—	3	—	3	50	2	50	6	—	1	—	1	—
6	Eberswalde	16	50	11	50	15	88	11	70	23	—	23	—	26	—	4	—	3	85	—	—	5	—	1	20	1	—
7	Havelberg	15	78	10	84	11	50	11	23	22	—	30	—	35	—	2	75	3	—	2	50	4	75	1	30	1	—
8	Jüterbog	15	67	11	80	11	75	12	50	25	—	30	—	40	—	4	—	3	20	—	—	6	—	1	20	1	[illegible]
9	Luckenwalde	15	—	11	41	10	71	10	58	32	50	32	50	37	50	4	25	3	—	—	—	5	—	1	20	1	[illegible]
10	Perleberg	16	—	11	44	12	50	11	40	18	—	32	—	43	—	3	60	5	49	—	—	7	73	1	40	1	[illegible]
11	Potsdam	16	29	11	49	15	66	12	43	27	—	31	—	44	—	3	96	3	42	—	—	5	42	1	35	1	[illegible]
12	Prenzlau	15	44	10	76	11	23	10	42	20	—	26	—	35	—	4	25	3	75	3	—	4	50	1	20	—	[illegible]
13	Pritzwalk	15	94	10	86	12	34	10	70	16	63	27	63	38	25	3	25	3	25	2	63	5	68	1	36	1	[illegible]
14	Rathenow	16	—	11	35	11	75	11	94	30	—	30	—	40	—	2	90	2	41	—	—	4	20	1	40	1	20
15	Neu-Ruppin	17	—	11	05	11	84	11	70	30	—	32	—	50	—	3	60	4	—	—	—	5	63	1	30	1	16
16	Schwedt	16	80	12	31	12	—	11	81	26	67	33	33	40	—	4	50	3	26	—	—	4	96	1	20	1	—
17	Spandau	14	75	12	50	14	75	13	—	26	50	28	50	36	—	4	50	3	42	—	—	5	95	1	40	1	20
18	Strausberg	16	75	11	49	14	60	12	91	25	—	30	50	35	—	3	50	4	50	—	—	7	37	1	20	1	10
19	Teltow	16	50	11	18	13	83	12	—	40	—	40	—	50	—	5	—	4	—	—	—	6	—	1	30	1	05
20	Templin	16	—	10	50	10	50	11	50	15	—	40	—	40	—	4	—	4	—	—	—	5	—	1	20	1	—
21	Treuenbrietzen	15	60	11	15	10	71	11	20	24	—	26	—	30	—	2	75	3	—	—	—	5	—	1	20	1	—
22	Wittstock	16	08	10	93	10	75	10	72	13	—	32	—	44	—	3	07	3	—	2	50	6	17	1	—	—	84
23	Wriezen a. O.	15	94	11	10	10	60	10	63	18	50	25	—	37	50	3	50	2	64	1	75	5	—	1	30	1	—
	Durchschnitt	16	—	11	37	12	30	11	60	—	—	—	—	—	—	3	77	3	48	—	—	5	47	—	—	—	—

Potsdam, den 9. März 1888.

98. **Nachweisung des Monatsdurchschnitts der gezahlten höchsten**

Laufende Nummer.	Es kosteten je 50 Kilogramm.	Angermünde. M.	₰	Beeskow. M.	₰	Bernau. M.	₰	Brandenburg. M.	₰	Dahme. M.	₰	Eberswalde. M.	₰	Havelberg. M.	₰	Jüterbog. M.	₰	Luckenwalde. M.	₰	Perleberg. M.	₰
1	Hafer	5	65	6	51	6	77	6	87	6	30	6	83	6	30	6	56	6	56	6	20
2	Heu	2	63	3	15	3	60	2	73	3	15	2	89	2	63	3	15	2	89	4	19
3	Richtstroh	2	10	1	68	2	13	1	57	1	84	2	10	1	58	1	68	1	76	3	10

Potsdam, den 9. März 1888.

Die vorläufigen Ausführungsbestimmungen zu dem neuen Gesetze, die Aenderungen der Wehrpflicht betreffend.

99. Diesem Stück des Amtsblattes liegen die in № 6 des Central-Blattes für das Deutsche Reich publicirten vorläufigen Ausführungsbestimmungen zu dem neuen Gesetze, betreffend die Aenderungen der Wehrpflicht, in einem Exemplare bei, worauf ich hierdurch noch besonders aufmerksam mache.

Potsdam, den 13. März 1888.

Der Regierungs-Präsident.

Preise im Monat Februar 1888.

Artikel kostet je 1 Kilogramm: Schweinefleisch M. Pf.	Kalbfleisch M. Pf.	Hammelfleisch M. Pf.	Speck M. Pf.	Butter M. Pf.	Ein Schock Eier M. Pf.	Ladenpreise in den letzten Tagen des Monats. Es kostet je 1 Kilogramm: Mehl Weizen Nr. 1. M. Pf.	Mehl Roggen Nr. 1. M. Pf.	Gerste Graupe M. Pf.	Gerste Grütze M. Pf.	Buchweizengrütze M. Pf.	Hafergrütze M. Pf.	Hirse M. Pf.	Reis, Java M. Pf.	Java-Kaffee mittler in gebr. Bohnen M. Pf.	Java-Kaffee gelber in gebr. Bohnen M. Pf.	Speisesalz M. Pf.	Schweineschmalz, hiesig. M. Pf.
1 05	— 90	— 95	1 55	1 90	4 10	— 25	— 20	— 50	— 30	— 40	— 50	— 60	— 60	3 20	3 80	— 20	1 40
1 20	1 —	1 —	— —	2 17	3 50	— 40	— 30	— 60	— 60	— 65	— 80	— 60	— 65	3 20	3 60	— 20	2 —
1 20	1 25	1 15	1 70	2 35	4 42	— 40	— 25	— 45	— 50	— 50	— 40	— 60	— 25	2 40	3 —	— 20	1 60
1 15	— 95	1 10	1 80	2 30	4 —	— 30	— 25	— 50	— 40	— 50	— 50	— 50	— 50	3 20	3 60	— 20	1 60
1 20	— 80	1 —	1 60	2 —	2 80	— 32	— 26	— 60	— —	— 40	— —	— 50	— 50	2 80	3 60	— 20	1 80
1 20	1 —	1 —	1 60	2 40	4 —	— 28	— 26	— 60	— 60	— 50	— —	— 60	— 60	3 20	3 60	— 20	1 60
1 05	1 20	1 10	1 50	1 90	2 88	— 20	— 18	— 30	— 30	— 30	— —	— 40	— 50	2 40	3 —	— 20	1 60
1 20	— 95	1 20	1 30	2 —	3 60	— 30	— 20	— 40	— 50	— 40	— 60	— 40	— 40	3 20	3 60	— 20	1 40
1 20	— 90	1 20	1 60	2 20	4 —	— 32	— 22	— 50	— 40	— 40	— 60	— 36	— 60	3 20	3 60	— 20	1 40
1 30	1 15	1 15	1 95	1 74	3 50	— 50	— 36	— 60	— 60	— 50	— 50	— 55	— 50	3 40	3 40	— 20	2 —
1 22	1 03	1 16	1 60	2 03	4 34	— 35	— 18	— 43	— 43	— 43	— 43	— 45	— 45	3 30	3 80	— 20	1 60
1 20	— 85	1 10	1 50	2 —	3 80	— 22	— 18	— 50	— 30	— 40	— 40	— 50	— 50	3 20	3 80	— 20	1 60
1 05	— 90	1 —	1 50	1 75	2 70	— 26	— 20	— 45	— 40	— 45	— 50	— 50	— 50	3 20	3 60	— 20	1 50
1 40	1 —	1 20	1 80	2 60	3 18	— 27	— 19	— 40	— 40	— 45	— 40	— 30	— 60	3 30	3 80	— 20	2 —
1 10	— 95	1 10	1 60	2 10	3 60	— 36	— 24	— 50	— 50	— 50	— 50	— 50	— 60	3 25	3 58	— 20	1 40
1 20	— 95	1 —	2 —	1 60	3 20	— 30	— 25	— 60	— 40	— 40	— 60	— 50	— 70	3 60	3 80	— 20	2 —
1 20	1 20	1 20	1 40	2 20	4 40	— 40	— 30	— 40	— 40	— 50	— 50	— 50	— 50	3 40	3 80	— 20	1 40
1 20	1 —	1 20	1 60	2 40	4 —	— 35	— 20	— 55	— 50	— 45	— 55	— 50	— 60	3 —	3 80	— 20	1 40
1 20	1 25	1 15	1 50	2 40	4 75	— 40	— 30	— 60	— 50	— 50	— 60	— 50	— 50	3 20	4 —	— 20	1 20
1 —	— 60	1 —	1 60	2 40	4 —	— 30	— 20	— 60	— 50	— 50	— 60	— 40	— 50	3 20	3 60	— 20	1 60
1 20	— 90	1 20	1 60	1 77	3 73	— 28	— 18	— 50	— —	— 40	— 55	— 30	— 50	3 20	3 40	— 20	1 80
— 87	— 61	— 90	1 60	1 71	3 01	— 26	— 18	— 50	— 50	— 40	— 40	— 50	— 60	3 20	3 60	— 20	1 60
1 10	1 05	1 05	1 40	2 10	3 33	— 20	— 19	— 40	— 30	— 40	— 50	— 40	— 50	3 25	3 50	— 20	1 20
— —	— —	— —	— —	— —	— —	— —	— —	— —	— —	— —	— —	— —	— —	— —	— —	— —	— —

Der Regierungs-Präsident.

Tagespreise incl. 5 % Aufschlag im Monat Februar 1888.

Potsdam. M. ₰	Prenzlau. M. ₰	Pritzwalk. M. ₰	Rathenow. M. ₰	Neu-Ruppin. M. ₰	Schwedt. M. ₰	Spandau. M. ₰	Strausberg. M. ₰	Teltow. M. ₰	Templin. M. ₰	Treuenbrietzen. M. ₰	Wittstock. M. ₰	Wriezen a. O. M. ₰
6 93	5 62	5 91	6 50	6 18	6 21	7 35	6 89	6 72	6 56	5 88	5 69	5 83
3 51	2 63	3 49	2 31	2 95	2 60	3 36	4 08	3 89	3 15	2 63	3 24	2 89
2 06	2 10	1 84	1 34	2 10	1 71	1 93	2 63	2 26	2 36	1 58	1 58	1 40

Der Regierungs-Präsident.

Viehseuchen.

100. Die Maul- und Klauenseuche ist unter dem Rindvieh des Ritterguts Eichstädt im Kreise Osthavelland ausgebrochen. Potsdam, den 10. März 1888.

Der Regierungs-Präsident.

101. Die Maul- und Klauenseuche ist unter den Kühen des Molkereibesitzers Bräuer in Lichtenberg-Friedrichsberg bei Berlin ausgebrochen.

Potsdam, den 8. März 1888.

Der Regierungs-Präsident.

102. Nachweisung der an den Pegeln der Spree und Havel im Monat Januar 1888 beobachteten Wasserstände.

Datum.	Berlin. Ober- N. N. Wasser.	Berlin. Unter- N. N. Wasser.	Spandau. Ober- Wasser.	Spandau. Unter- Wasser.	Potsdam.	Baumgartenbrück.	Brandenburg. Ober- Wasser.	Brandenburg. Unter- Wasser.	Rathenow. Ober- Wasser.	Rathenow. Unter- Wasser.	Havelberg.	Plauer Brück.
	Meter.	Meter.	Meter.	Meter.	Meter.	Meter.	Meter.	Meter.	Meter.	Meter.	Meter.	Meter.
1	32,40	30,74	2,36	0,68	1,08	0,57	2,12	1,22	1,58	1,00	1,34	1,60
2	32,38	30,74	2,38	0,72	1,06	0,57	2,12	1,24	1,58	1,14	1,34	1,62
3	32,38	30,72	2,32	0,70	1,05	0,57	2,12	1,22	1,58	1,20	1,38	1,64
4	32,38	30,72	2,28	0,68	1,05	0,58	2,12	1,22	1,56	1,18	1,40	1,66
5	32,38	30,72	2,26	0,68	1,04	0,58	2,08	1,34	1,58	1,18	1,40	1,68
6	32,38	30,72	2,24	0,66	1,04	0,58	2,08	1,34	1,58	1,16	1,46	1,70
7	32,40	30,72	2,22	0,64	1,03	0,58	2,08	1,32	1,62	1,12	1,48	1,70
8	32,42	30,74	2,26	0,60	1,03	0,58	2,06	1,30	1,62	1,06	1,80	1,72
9	32,44	30,74	2,30	0,62	1,04	0,58	2,06	1,32	1,62	1,10	2,30	1,72
10	32,46	30,74	2,32	0,62	1,03	0,58	2,06	1,30	1,62	1,20	2,50	1,74
11	32,48	30,74	2,36	0,62	1,04	0,58	2,06	1,30	1,62	1,14	2,02	1,74
12	32,50	30,74	2,38	0,60	1,04	0,58	2,08	1,30	1,62	1,10	1,92	1,76
13	32,52	30,74	2,40	0,66	1,04	0,58	2,08	1,28	1,62	1,08	1,92	1,7[illegible]
14	32,54	30,74	2,40	0,66	1,03	0,59	2,08	1,28	1,62	1,08	2,10	1,7[illegible]
15	32,55	30,74	2,42	0,64	1,03	0,59	2,08	1,30	1,62	1,00	2,12	1,[illegible]
16	32,55	30,74	2,44	0,66	1,03	0,60	2,10	1,30	1,62	1,00	2,08	1[illegible]
17	32,54	30,74	2,44	0,62	1,03	0,60	2,10	1,30	1,62	1,00	2,08	1,[illegible]
18	32,52	30,74	2,44	0,62	1,03	0,60	2,08	1,34	1,62	1,02	2,04	1,7[illegible]
19	32,52	30,72	2,46	0,62	1,03	0,61	2,08	1,32	1,62	1,02	2,00	1,76
20	32,52	30,72	2,46	0,62	1,03	0,61	2,08	1,30	1,62	1,04	1,90	1,74
21	32,54	30,74	2,48	0,62	1,03	0,61	2,06	1,28	1,62	1,04	1,72	1,74
22	32,54	30,74	2,50	0,60	1,03	0,63	2,06	1,26	1,62	1,08	1,70	1,74
23	32,54	30,74	2,54	0,60	1,03	0,63	2,08	1,26	1,62	1,10	1,74	1,74
24	32,56	30,74	2,56	0,60	1,03	0,63	2,04	1,24	1,62	1,10	1,94	1,74
25	32,59	30,74	2,58	0,66	1,05	0,64	2,02	1,24	1,62	1,08	1,98	1,74
26	32,62	30,76	2,60	0,68	1,04	0,64	2,04	1,26	1,62	1,08	1,98	1,74
27	32,68	30,78	2,60	0,70	1,08	0,64	2,06	1,28	1,62	1,06	1,98	1,74
28	32,75	30,92	2,60	0,78	1,10	0,64	2,10	1,28	1,62	1,06	1,98	1,74
29	32,76	30,92	2,60	0,76	1,12	0,64	2,12	1,28	1,62	1,08	1,98	1,74
30	32,78	30,94	2,62	0,80	1,14	0,65	2,10	1,28	1,62	0,88	1,98	1,74
31	32,76	31,00	2,60	0,82	1,15	0,65	2,14	1,32	1,62	0,82	1,94	1,74

Potsdam, den 9. März 1888. Der Regierungs-Präsident.

Bekanntmachungen des Königl. Polizei-Präsidiums zu Berlin.

Berliner und Charlottenburger Preise pro Februar 1888.

18. A. Engros-Marktpreise im Monatsdurchschnitt.

In Berlin:

für 100 Klgr.	Weizen	(gut)	17	Mark	23	Pf.,
" " "	do.	(mittel)	16	"	49	"
" " "	do.	(gering)	15	"	75	"
" " "	Roggen	(gut)	11	"	72	"
" " "	do.	(mittel)	11	"	30	"
" " "	do.	(gering)	10	"	88	"
" " "	Gerste	(gut)	16	"	60	"
" " "	do.	(mittel)	13	"	75	"
" " "	do.	(gering)	10	"	90	"
" " "	Hafer	(gut)	12	"	58	"
" " "	do.	(mittel)	11	"	65	"
" " "	do.	(gering)	10	"	74	"
" " "	Erbsen	(gut)	17	"	83	"
für 100 Klgr.	do.	(mittel)	15	Mark	64	Pf.,
" " "	do.	(gering)	13	"	45	"
" " "	Richtstroh		3	"	79	"
" " "	Heu		5	"	75	"

Monats-Durchschnitt der höchsten Berliner Tagespreise **einschließlich 5 % Aufschlag** für 50 kg

	Hafer	Stroh	Heu
im Monat Februar	6,76 Mk.,	2,13 Mk.,	3,63 Mk.

B. Detail-Marktpreise im Monatsdurchschnitt.

1) In Berlin.

für 100 Klgr. Erbsen (gelbe) z. Kochen	25	Mark	—	Pf.,
" " " Speisebohnen (weiße)	31	"	48	
" " " Linsen	43	"	40	
" " " Kartoffeln	4	"	86	
" 1 Klgr. Rindfleisch v. d. Keule	1	"	22	
" 1 " " (Bauchfleisch)	1	"	—	
" 1 " Schweinefleisch	1	"	20	

für	1	Klgr.	Kalbfleisch	1	=	22	Pf.,
=	1	=	Hammelfleisch	1	=	06	=
=	1	=	Speck (geräuchert)	1	=	38	=
=	1	=	Eßbutter	2	=	35	=
=	60	Stück	Eier	4	=	35	=

2) In Charlottenburg.

für	100	Klgr.	Erbsen (gelbe z. Kochen)	25	Mark	—	Pf.,
=	=	=	Speisebohnen (weiße)	25	=	—	=
=	=	=	Linsen	37	=	50	=
=	=	=	Kartoffeln	4	=	29	=
=	1	Klgr.	Rindfleisch v. d. Keule	1	=	15	=
=	1	=	= (Bauchfleisch)	1	=	—	=
=	1	=	Schweinefleisch	1	=	20	=
=	1	=	Kalbfleisch	1	=	10	=
=	1	=	Hammelfleisch	1	=	10	=
=	1	=	Speck (geräuchert)	1	=	30	=
=	1	=	Eßbutter	2	=	30	=
=	60	Stück	Eier	4	=	17	=

C. Ladenpreise in den letzten Tagen des Monats Februar 1888:

1) In Berlin:

für	1	Klgr.	Weizenmehl № 1			35	Pf.,
=	1	=	Roggenmehl № 1			28	=
=	1	=	Gerstengraupe			48	=
=	1	=	Gerstengrütze			44	=
=	1	=	Buchweizengrütze			45	=
=	1	=	Hirse			44	=
=	1	=	Reis (Java)			75	=
=	1	=	Java-Kaffee (mittler)	2	Mark	33	=
=	1	=	= (gelb in gebr. Bohnen)	3	=	20	=
=	1	=	Speisesalz			20	=
=	1	=	Schweineschmalz (hiesiges)	1	=	30	=

2) In Charlottenburg:

für	1	Klgr.	Weizenmehl № 1			60	Pf.,
=	1	=	Roggenmehl № 1			40	=
=	1	=	Gerstengraupe			60	=
=	1	=	Gerstengrütze			50	=
=	1	=	Buchweizengrütze			50	=
=	1	=	Hirse			60	=
=	1	=	Reis (Java)			80	=
=	1	=	Java-Kaffee (mittler)	2	=	60	=
=	1	=	= (gelb in gebr. Bohnen)	3	=	20	=
=	1	=	Speisesalz			20	=
=	1	=	Schweineschmalz (hiesiges)	1	=	20	=

Berlin, den 6. März 1888.

Königl. Polizei-Präsidium. Erste Abtheilung.

Einleitung des Liquidationsverfahrens über die Lohnkommission der Berliner Zimmerer.

19. Nachdem das unterm 22. Juni v. J. auf Grund des § 1 des Reichsgesetzes gegen die gemeingefährlichen Bestrebungen der Sozialdemokratie vom 21. Oktober 1878 erlassene Verbot der „Lohnkommission der Berliner Zimmerer" endgültig geworden ist, wird das Liquidationsverfahren über die genannte Kommission eröffnet und in Gemäßheit des § 7 des genannten Reichsgesetzes zur öffentlichen Kenntniß gebracht, daß zum Liquidator der Königliche Kriminal-Kommissarius von Kracht, Molkenmarkt 1, Zimmer 17, hierselbst, bestellt worden ist.

Hierauf Bezug nehmend werden Diejenigen, welche der Kommission gegenüber Verbindlichkeiten zu erfüllen, oder Vermögensobjekte derselben in Gewahrsam haben oder Forderungen an dieselbe zu haben vermeinen, hierdurch aufgefordert, ihre Verpflichtungen bezw. Ansprüche binnen 14 Tagen bei dem genannten Liquidator anzumelden.

Die innerhalb obiger Frist sich nicht meldenden Gläubiger werden aller etwaigen Anrechte verlustig erklärt und mit ihren Forderungen nur an Dasjenige, was nach Befriedigung der sich meldenden Gläubiger von der Masse noch übrig bleiben sollte, verwiesen werden.

Berlin, den 5. März 1888.

Der Polizei-Präsident.

Bekanntmachungen der Königlichen Hauptverwaltung der Staatsschulden.

Einlösung der am 1. April 1888 fälligen Zinsscheine Preußischer Staatsschulden 2c. betreffend.

3. Die am 1. April 1888 fälligen **Zinsscheine der Preußischen Staatsschulden** werden bei der Staatsschulden-Tilgungskasse. — W. Taubenstraße 29 hierselbst —, bei der Reichsbank-Hauptkasse, sowie bei den früher zur Einlösung benutzten Königlichen Kassen und Reichsbankanstalten **vom 24. d. M. ab** eingelöst.

Die Zinsscheine sind, nach den einzelnen Schuldgattungen und Werthabschnitten geordnet, den Einlösungsstellen mit einem Verzeichniß vorzulegen, welches die **Stückzahl** und den **Betrag** für jeden Werthabschnitt angiebt, aufgerechnet ist und des Einliefernden Namen und Wohnung ersichtlich macht.

Wegen Zahlung der am 1. April fälligen Zinsen für die in das **Staatsschuldbuch** eingetragenen Forderungen bemerken wir, daß die **Zusendung** dieser Zinsen mittels der **Post** sowie ihre Gutschrift auf den Reichsbank-Girokonten der Empfangsberechtigten zwischen dem **19. März und 8. April** erfolgt; die **Baarzahlung** aber bei der **Staatsschulden-Tilgungskasse am 19. März, bei den Regierungs-Hauptkassen am 24. März** und bei den mit der Annahme direkter Staatssteuern außerhalb Berlins betrauten Kassen **am 3. April** beginnt.

Die Staatsschulden-Tilgungskasse ist **für die Zinszahlungen** werktäglich von 9 bis 1 Uhr mit Ausschluß des vorletzten Werktages in jedem Monat, am letzten Monatstage aber von 11 bis 1 Uhr geöffnet.

Die Inhaber Preußischer 4prozentiger und 3½prozentiger Konsols machen wir wiederholt auf die durch uns veröffentlichten „Amtlichen Nachrichten über das Preußische Staatsschuldbuch, Zweite Ausgabe" aufmerksam, welche durch jede Buchhandlung für 40 Pfennig oder von dem Verleger J. Guttentag (D. Collin) in

Berlin durch die Post für 45 Pfennig franko zu beziehen sind.

Berlin, den 5. März 1888.

Hauptverwaltung der Staatsschulden.

Bekanntmachungen der Königl. Kontrolle der Staatspapiere.

Aufgebot einer Schuldverschreibung.

6. In Gemäßheit des § 20 des Ausführungsgesetzes zur Civilprozeßordnung vom 24. März 1879 (G.-S. S. 281) und des § 6 der Verordnung vom 16. Juni 1819 (G.-S. S. 157) wird bekannt gemacht, daß dem zu Heiligenstadt verstorbenen Rentier Selmar Cartheuser bei seinen Lebzeiten die Schuldverschreibung der konsolidirten 4%igen Staatsanleihe von 1882 lit. E. № 514031 über 300 M. angeblich gestohlen worden ist. Es wird Derjenige, welcher sich im Besitze dieser Urkunde befindet, hiermit aufgefordert, solches der unterzeichneten Kontrolle der Staatspapiere oder dem Rechtsanwalt E. Walter zu Heiligenstadt anzuzeigen, widrigenfalls das gerichtliche Aufgebotsverfahren behufs Kraftloserklärung der Urkunde beantragt werden wird.

Berlin, den 5. März 1888.

Königl. Kontrolle der Staatspapiere.

Bekanntmachungen der Königlichen Eisenbahn-Direktion zu Berlin.

Nachtrag zum Gütertarife für den Norddeutsch-Galizisch-Südwestrussischen Grenzverkehr.

8. Am 13. d. M. tritt zum Gütertarife für den Norddeutsch-Galizisch-Südwestrussischen Grenzverkehr ein Nachtrag III. in Kraft. Derselbe enthält eine neue Uebersicht der von den Agenturen der Russischen Südwestbahnen in den Grenzstationen für erledigte Zollformalitäten zu erhebenden Gebühren. Exemplare dieses Nachtrags sind von der Güter-Kasse Stettin (Central-güterbahnhof), sowie vom hiesigen Auskunftsbüreau, Bahnhof Alexanderplatz, unentgeltlich zu beziehen.

Berlin, den 8. März 1888.

Königl. Eisenbahn-Direktion.

Vorausbestellung von Tarifen.

9. Fortan werden Vorausbestellungen auf regelmäßige Zusendung aller im Bereiche der Preußischen Staats- und Deutschen Reichs-Eisenbahnen in Kraft tretenden Gütertarife und deren Nachträge oder einer bestimmten Gattung derselben angenommen, und findet in diesem Falle die Uebermittelung ohne jedesmaligen besonderen Antrag auf Kosten der Besteller statt.

Schriftliche Anträge, welche die gewünschten Tarife nach Verkehrsgebieten oder bestimmten Artikeln genau zu bezeichneu haben, sind an die Verkehrs-Büreaus der Königlichen Direktionen der Preußischen Staatsbahnen bezw. an die Drucksachen-Controle der Kaiserlichen General-Direktion der Eisenbahnen in Elsaß-Lothringen oder an die bestehenden Auskunfts-Büreaus und Auskunftsstellen der Deutschen Reichs- und Königlich Preußischen Staats-Eisenbahn-Verwaltung zu richten. Auszüge von Frachtsätzen für einzelne Artikel aus allgemeinen Tarifen werden nicht gefertigt, sondern gegebenen Falls die Letzteren Mangels besonders aufgelegter Artikeltarife verabfolgt.

Berlin, den 6. März 1888.

Königl. Eisenbahn-Direktion,
zugleich Namens der übrigen Königlichen Eisenbahn-Direktionen und der Kaiserlichen General-Direktion der Eisenbahnen in Elsaß-Lothringen.

Bekanntmachungen der Königlichen Eisenbahn-Direktion zu Magdeburg.

Fahrplan-Aenderung.

2. Vom 1. April d. J. ab treten im Fahrplan der Localpersonenzüge zwischen Berlin und Potsdam bezw. Brandenburg die nachstehend aufgeführten Aenderungen ein.

Zug P. 10 1–4.	Zug P. 18 1–4.	Zug P. 48 1–4.	Zug P. 58 1–4.	Zug P. 64 1–4.	Zug P. 66 1–4.	Zug P. 72 1–4.	Zug P. 70 1–4.		Stationen.		Zug P. 5 1–4.	Zug P. 15 1–4.	Zug P. 37 1–4.	Zug P. 55 1–4.	Zug P. 63 1–4.	Zug P. 67 1–4.	Zug P. 69 1–4.	Zug P. 7[illegible] 1–4.
6 27	9 15	4 0	5 10	7 30	7 45	9 18	10 27	Abf.	Berlin P. Bhf.	Ank.	6 45	8 56	2 53	7 57	9 22	10 17	10 32	12 [illegible]
—	—	—	5 17	7 37	7 52	—	10 34		Schöneberg		6 39	—	—	7 51	—	—	10 26	—
—	—	—	5 22	7 42	7 57	9 27	10 39		Friedenau		6 34	—	2 45	7 46	—	—	10 21	12 [illegible]
—	—	—	5 27	7 47	8 2	9 32	10 44		Steglitz		6 29	—	2 40	7 41	9 10	—	10 16	12 [illegible]
—	—	—	5 32	7 52	8 7	9 37	10 49		Lichterfelde		6 24	—	2 35	7 36	—	—	10 11	12 [illegible]
6 43	—	—	5 38	7 58	8 13	9 43	10 55		Zehlendorf		6 18	—	2 29	7 30	—	9 57	10 5	12 [illegible]
6 49	—	—	5 44	—	8 19	9 48	11 1		Schlachtensee		6 10	—	—	7 19	—	—	9 57	—
6 55	—	—	5 50	—	8 25	an	11 7		Wannsee		6 4	—	—	7 10	—	—	—	—
7 3	—	—	5 58	—	8 33	—	11 13		Neubabelsberg		5 56	—	—	6 59	—	—	—	—
7 9	—	—	6 4	8 15	8 39	—	11 21		Neuendorf		5 50	—	2 12	6 52	—	9 39	—	12 [illegible]
7 13	9 46	4 34	6 8	8 19	8 43	—	11 25	Ank.	Potsdam	Abf.	5 45	8 24	2 7	6 47	8 39	9 34	—	12 [illegible]
7 15	—	—	6 9	8 22	8 45	—	11 26	Abf.	Potsdam	Ank.	5 41	—	2 6	6 46	—	9 31	—	12 [illegible]
7 22	—	—	6 16	8 29	8 52	—	11 33		Charlottenhof		5 35	—	2 0	6 40	—	9 25	—	11 [illegible]
7 26	—	—	6 20	8 34	8 56	—	11 37		Wildpark		5 30	—	1 55	6 35	—	9 20	—	11 [illegible]
an	—	—	an	8 45	an	—	an		Werder		5 20	—	—	—	—	—	—	—
—	—	—	—	8 59	—	—	—		Gr. Kreutz		—	—	—	—	—	—	—	—
—	—	—	—	9 14	—	—	—	Ank.	Brandenburg	Abf.	—	—	—	—	—	—	—	—

Die Zeiten von 6 0 Uhr Abends bis 5 59 früh sind durch Unterstreichung der Minuten gekennzeichnet.

Berlin, den 1. März 1888.

Königl. Eisenbahn-Betriebsamt. (Berlin—Magdeburg.)

Bekanntmachungen des Landesdirektors der Provinz Brandenburg.

I. Haupt-Etat der Verwaltung des Provinzial-Verbandes von Brandenburg für das Jahr vom 1. April 1888—89.

Kapitel.	Titel.	Einnahme.	Betrag für das Etatsjahr 1. April 1888—89. M.	Pf.
		A. Laufende Einnahmen.		
I.		Aus der Staatskasse:		
	1.	Dotationsrente (§ 2 des Gesetzes vom 8. Juli 1875 und Allerhöchste Verordnung vom 12. September 1877)	1 549 077	—
	2.	Für die Verwaltung und Unterhaltung der früheren Staatschausseen (§ 20 dess. Gesetzes und dies. Verordn.)	1 335 047	—
	3.	Zuschuß für die Hebammenlehranstalt zu Frankfurt a. O. (§ 13 dess. Ges.)	7 548	—
	4.	Zuschuß zur Unterstützung niederer landwirthschaftlicher Lehranstalten (§ 14 das.)	5 400	—
		Summa I.	2 897 072	—
II.		Aus den Kapitalien und Beständen der Provinz:		
	1. 2.	Zinsen	114 600	—
III.		Aus den Nebenfonds der Provinz:		
	1—3.	Zinsen	61 125	—
IV.		Vom Landeshause, Miethen:	480	—
V.		Aus der Chausseeverwaltung:		
	1—8.	Beiträge von Kreisen zu den Besoldungen der Provinzialbaubeamten, Renten, Miethen, Pächte, Erträge aus den Baumpflanzungen und sonstige Einnahmen	56 000	—
VI.		Aus der Verwaltung des Landarmen-, Korrigenden- und Irrenwesens:		
	1.	Erstattete Kur-, Verpflegungs- und Detentionskosten	300 600	—
	2.	Provinzialsteuern für die Zwecke des Landarmen- &c. Wesens (6 % der Staatssteuern)	783 000	—
	3.	Sonstige Einnahmen	30	—
		Summa VI.	1 083 630	—
VII.		Aus der Verwaltung des Taubstummen-, Blinden- und Idiotenwesens:		
	1. 2.	Erstattete Ausbildungs- und Unterhaltungskosten, sowie sonstige Einnahmen	27 400	—
VIII.		Aus der Zwangserziehung verwahrloster Kinder:		
	1. 2.	Erstattete Erziehungs- und Unterhaltungskosten, sowie sonstige Einnahmen	54 810	—
IX.		Aus der Verwaltung des Viehversicherungswesens (Ges. vom 25. Juni 1875):	1 700	—
X.		Für die Verwaltung von Institutenkassen:	7 034	—
XI.		Insgemeine:	1 149	—
		Summa der laufenden Einnahmen	4 305 000	—
		B. Außerordentliche Einnahmen.		
	1.	Aus dem Verkauf von Exemplaren des Inventars der Bau- und Kunstdenkmäler	1 000	—
	2.	Aus dem Kapitalfonds der Provinz (Abtheilung 5) zur Deckung der Restkosten des neuen Landeshauses	371 000	—
		Summa der Einnahmen	4 677 000	—

Kapitel.	Titel.	Ausgabe	Betrag für das Etatsjahr 1. April 1888—89 M.	Pf
		A. Laufende Ausgaben.		
I.		Kosten des Provinziallandtags und seiner Organe:		
	1. 2.	Reisekosten und Tagegelder, sowie Büreaukosten	27 200	—
II.		Kosten anderer Verwaltungsorgane:		
	1.	Reisekosten und Tagegelder der gewählten Mitglieder des Provinzialraths	400	—
	2.	Kosten der Gewerbekammer der Provinz	8 000	—
		Summa II.	8 400	—
III.		Kosten der Landesdirektion:		
	1.	Gehälter der Provinzialbeamten nebst Miethsentschädigungen bezw. Wohnungsgeldzuschüssen	132 955	—
	2—9.	Andere persönliche und sächliche Ausgaben	48 235	—
		Summa III.	181 190	—
IV.		Beihülfe zur Durchführung der Kreisordnung vom 13. Dezember 1872 (§ 5 № 1 des Ges. vom 8. Juli 1875)	289 337	—
V.		Für den Neubau chaussirter Wege (§ 4 № 1 das.) . . .	620 000	—
VI.		Für die Verwaltung und Unterhaltung der Provinzial-Chausseen (§ 18 ff. das.):		
	1—13. und 16.	Gehälter der Baubeamten und Chausseeaufseher, sowie andere persönliche und sächliche Ausgaben	173 030	—
	14.	Für die Unterhaltung der Berlin—Frankfurter Chaussee von Station 3,9 + 83,2 bis 5,4 + 26, der Schloßstraße in Charlottenburg und der Brückenstraße in Spandau von Station 14,4 + 84 bis 14,5 + 84 der Berlin—Hamburger Chaussee	4 570	—
	15.	Kosten der materiellen Unterhaltung der circa 1400 km Provinzial-Chausseen	826 000	—
		Summa VI.	1 003 600	—
VII.		Unterstützungen für den Gemeindewegebau (§ 4 № 1 das.)	180 000	—
VIII.	1—3.	Zur Beförderung von Landesmeliorationen (§ 4 № 2 das.)	99 225	—
IX.		Zur Förderung des Baues von Sekundäreisenbahnen . . .	38 600	—
X.		Für die Verwaltung des Landarmen-, Korrigenden- und Irrenwesens (§ 4 № 3/4 das. und Verordnung vom 23. Februar 1878):		
	1.	Zuschüsse zur Unterhaltung der 9 Provinzialanstalten	1 169 500	—
	3.	Aufwendungen für Landarmen außerhalb der Provinzialanstalten . . .	192 000	—
	4.	Beihülfen an Ortsarmenverbände	9 000	—
	5.	Beihülfen für die Arbeiterkolonie Friedrichswille	6 000	—
	2. 6.	Unterstützungen an Anstaltsbeamte und deren Hinterbliebene, sowie sonstige Ausgaben	4 800	—
		Summa X.	1 381 300	—
XI.		Zur Fürsorge für Taubstumme, Blinde, Idiote und Epileptische (§ 4 № 4 das.):		
	1—3.	Für Ausbildung und Verpflegung der Taubstummen, Blinden, Idioten und Epileptischen, sowie für die Ausbildung von Taubstummen-Lehrern und sonstige Ausgaben	163 200	—
XII.		Für die Zwangserziehung verwahrloster Kinder (§ 12 des Ges. v. 13. März 1878):		
	1—3.	Erziehungs- und Verpflegungskosten, sowie Kosten der Fürsorge bei Beendigung der Zwangserziehung und sonstige Ausgaben . . .	109 000	—

Kapitel.	Titel.	Ausgabe.	Betrag für das Etatsjahr 1. April 1888—89. M.	Pf.
XIII.		Zur Unterstützung milder Stiftungen 2c. (§ 4 № 5 des Ges. v. 8. Juli 1875)	15 000	—
XIV.		Zuschüsse für Kunst- und wissenschaftliche Vereine, für Landesbibliotheken und Unterhaltung von Denkmälern (§ 4 № 6 das.)	6 000	—
XV.	1—4.	Für das Hebammenwesen (§ 4 des Ges. v. 28. Mai 1875 und § 13 des Ges. v. 8. Juli 1875)	17 500	—
XVI.		Zur Unterstützung niederer landwirthschaftlicher Lehr-Anstalten (§ 14 d. Ges. v. 8. Juli 1875), nämlich der Ackerbauschulen in Schöllnitz, Oranienburg und Dahme, sowie der Acker- und Obstbauschule in Wittstock . . .	14 600	—
XVII.		Fortdauernde Zahlungen:		
	1—6.	A. Bisher vom Staate geleistete	31 923	44
	7—8.	B. Von der Provinz übernommene	3 825	—
		Summa XVII.	35 748	44
XVIII.		Für die Verwaltung und Unterhaltung des Landeshauses	1 000	—
XIX.		Insgemein	599	48
XX.		Zur Disposition des Provinzialausschusses zur Bestreitung nicht vorgesehener unvermeidlicher Ausgaben	22 500	—
		Summa der laufenden Ausgaben	4 214 000	—
		B. Außerordentliche Ausgaben.		
	1.	Zur Nachpflanzung auf den Aurither Sandschollen	1 000	—
	2.	Zur Errichtung der neuen Landirrenanstalt zu Landsberg a. W. (5. und letzte Rate)	32 000	—
	3.	Zur Deckung der Restkosten des neuen Landeshauses	430 000	—
		Summa der Ausgaben	4 677 000	—
		Die Einnahmen betragen	4 677 000	—
			Balancirt.	

Vorstehender Etat ist von dem Brandenburgschen Provinziallandtage in den Sitzungen vom 10ten und 11ten d. M. festgestellt worden und wird hierdurch in Gemäßheit des § 101 der Provinzialordnung vom 29. Juni 1875 zur öffentlichen Kenntniß gebracht.

Berlin, den 17. Februar 1888.

Der Landesdirektor der Provinz Brandenburg.
v. Levetzow.

Bekanntmachungen des Provinzial-Steuer-Direktors.

Ausführungs-Bestimmungen zum Zuckersteuer-Gesetz.

2. Zur Ausführung der §§ 12 und 13 des Zuckersteuer-Gesetzes vom 9. Juli 1887 hat der Bundesrath beschlossen:

I. Bezüglich bereits bestehender Zuckerfabriken.

A. Für die Anforderungen, welche an die Fabrikinhaber in Bezug auf die bauliche Einrichtung der Fabriken zur Sicherung gegen heimliches Wegbringen von Zucker zu stellen sind, dienen die folgenden Bestimmungen als Grundlage:

1) Die sichernde Einrichtung besteht entweder

a. in der geeigneten Abschließung derjenigen Fabrikräume, in welchen die Herstellung und weitere Bearbeitung von krystallisirtem Zucker sowie dessen Aufbewahrung außerhalb des Fabriklagers stattfindet, desgleichen, soweit nicht Ausnahmen gestattet werden, derjenigen Räume, in welchen zuckerhaltige Abläufe (Syrup, Melasse) sich befinden, gegen die übrigen Fabrikräume und nach außen,

oder

b. in der geeigneten Umfriedigung der Fabrikanlage.

2) In der Regel soll die erstere Einrichtung (unter 1 a) Platz greifen. Dieselbe kann insbesondere auch für solche Fabriken in Anwendung gesetzt werden, welche schon mit einer genügenden oder

leicht gehörig einzurichtenden Umfriedigung versehen sind.

B. In Bezug auf die sichernde Abschließung der unter A 1 a bezeichneten Fabrikräume ist zu beachten:

1) Der Abschluß der Räume, in welchen krystallisirter Zucker hergestellt, weiter bearbeitet und außerhalb des Fabriklagers aufbewahrt wird, gegen die in demselben Gebäude befindlichen Vorräume der Fabrikation, soll in der Regel bei dem Koch-(Vacuum-)raum, oder doch bei dem Raum, in welchen die Füllmasse zunächst vom Kochraum zwecks der Verarbeitung gelangt, in der Art stattfinden, daß der bezeichnete Raum mit eingeschlossen wird. Vorzugsweise soll der Abschluß durch eine Mauerwand oder ein Gitter von Eisendraht bewerkstelligt werden.

2) Die Zahl der inneren und äußeren Zugänge (Thüren, Ladeluken und dergleichen) zu den abzuschließenden Fabrikräumen ist soweit zu beschränken, als es mit den Bedürfnissen des Fabrikbetriebes und Verkehrs vereinbar erscheint.

3) Die Fenster und ähnliche äußeren Maueröffnungen sind in geeigneter Weise (durch Gitter von Eisenstäben, Eisendraht und dergleichen) zu versichern. Vorbehaltlich der bei bereits vorhandenen Gittern zu gestattenden Ausnahmen dürfen die Gitterstäbe nicht weiter als 5 Centimeter von einander entfernt sein, die Maschen der Drahtgitter keine größere Weite als 5 Centimeter haben. Es kann eine Einrichtung der Versicherung, welche im Nothfall das leichte Oeffnen der Fenster u. s. w. ermöglicht, zugelassen und für die oberen Stockwerke, sowie für die Bedachung der Gebäude von der Versicherung Abstand genommen werden.

C. Bezüglich der Umfriedigung der Fabrikanlage ist zu beachten:

1) Neue Umfriedigungen sind in der Regel so anzulegen, daß kein eingeschlossenes Gebäude weniger als fünf Meter von der Umfriedigung entfernt liegt. Dasselbe Maß der Entfernung ist in der Regel bei der späteren Errichtung von Gebäuden innerhalb neuer oder jetzt bereits vorhandener Umfriedigungen einzuhalten.

2) In der Regel sollen die Umfriedigungen mindestens 2½ Meter hoch sein und aus Steinmauern oder eisernen Gittern (Stäbe, Draht) bestehen. Bei den Gittern dürfen, vorbehaltlich der bei bereits vorhandenen zu gestattenden Ausnahmen, die Stäbe höchstens 7 Centimeter von einander entfernt sein, die Drahtmaschen höchstens eine Weite von 7 Centimeter haben.

3) Ueberführungen über die Umfriedigungen sind in der Regel unzulässig.

4) In Bezug auf die Zahl der Eingänge in der Umfriedigung findet die Bestimmung unter B 2 entsprechende Anwendung.

5) Wird die Umfriedigung zum Theil durch zur Fabrik gehörige Gebäude gebildet, so sind die entweder nach dem Fabrikhofe zu oder nach außen in der Art sichernd einzurichten, daß die betreffenden Thüren und dergleichen beseitigt oder unter Steuerverschluß genommen und die betreffenden Fenster und dergleichen vergittert werden. In letzterer Beziehung ist gemäß den Bestimmungen unter B 3 zu verfahren.

D. Die näheren Anordnungen bezüglich der an die einzelnen Fabrikinhaber zu stellenden Anforderungen sind nach Maßgabe der Bestimmungen unter A bis C. von den obersten Landesfinanzbehörden oder auf deren Ermächtigung von den Direktivbehörden zu erlassen.

Die bezeichneten Behörden haben insbesondere auch darüber zu entscheiden:

1) welche Veränderungen in der baulichen Einrichtung der Fabrikräume etwa zur Erleichterung der Uebersicht über den Gang der Fabrikation (vgl. § 12 Abs. 1 des Gesetzes) zu treffen sein möchten,

2) welche Thüren, Ladeluken u. s. w. der Fabrikgebäude verschlußfähig einzurichten und die Gefäße etwa mit einer gegen heimliche Entfernung der darin befindlichen Zuckers, Füllmasse u. s. w. sichernden Vorrichtung zu versehen sind,

3) an welchen Stellen innerhalb oder außerhalb der Fabrikräume Wachtlokale für Aufsichtsbeamte herzustellen sind,

4) welche zur Fabrikanlage gehörigen Gebäude, Gärten u. s. w. in die Umfriedigung einzuschließen sind.

II. Bezüglich künftig zu errichtender Zuckerfabriken.

Auf diese Fabriken finden die obigen Bestimmungen unter I. entsprechende Anwendung.

* * *

Vorstehende Ausführungsbestimmungen des Bundesraths vom 23. Februar 1888 zu den §§ 12 und 13 des Zuckersteuer-Gesetzes vom 9. Juli 1887 werden hierdurch bekannt gemacht.

Berlin, den 2. März 1888.

Der Provinzial-Steuer-Direktor.

Stempel-Distributionsstelle in Lichtenberg bei Berlin

3. Für den Gemeindebezirk Lichtenberg-Friedrichsberg bei Berlin ist eine Stempel-Distributionsstelle errichtet; dieselbe ist dem Eisenwaarenhändler Friedrich Huß zu Lichtenberg, Frankfurter Chaussee 42, widerruflich übertragen worden, was hiermit zur öffentlichen Kenntniß gebracht wird.

Berlin, den 3. März 1888.

Der Provinzial-Steuer-Direktor.

Ausführungsbestimmung zum Branntweinsteuer-Gesetz

4. Der Bundesrath hat in seiner Sitzung vom 1. d. M. zur Ausführung des Branntweinsteuer-Gesetzes vom 24. Juni v. J. beschlossen,

daß Einwendungen von Brennerei-Inhabern gegen die bisher getroffene Festsetzung der durchschnittlichen Steuerbeträge, nach welchen die Bemessung derjenigen Jahresmenge Branntwein zu erfolgen hat, welche sie zu dem Abgabesatze von 0,50 M. für das Liter reinen Alkohols herzustellen befugt sind (§ 2 des Gesetzes), nur noch berücksichtigt werden dürfen, wenn dieselben bis zum 15. des laufenden Monats einschließlich bei der obersten Landes-Finanzbehörde angebracht worden sind.

* * *

Im Auftrage des Herrn Finanz-Ministers wird der vorstehende Beschluß des Bundesraths hierdurch zur Kenntniß der betheiligten Gewerbetreibenden gebracht.

Berlin, den 6. März 1888.

Der Provinzial-Steuer-Direktor.

Personal-Chronik.

Seine Majestät der Kaiser und König haben Allergnädigst geruht, den Regierungs-Rath Knatz zu Frankfurt a. O. zum Ober-Regierungs-Rath zu ernennen. Demselben ist vom 1. April d. J. ab die Ober-Regierungs-Raths-Stelle bei der dortigen General-Kommission übertragen.

Der bisherige Regierungs-Sekretariats-Assistent Tiebe ist zum Regierungs-Sekretair ernannt worden.

Der bisherige Regierungs-Militair-Supernumerar Wilke ist zum Regierungs-Sekretariats-Assistenten ernannt worden.

Der Civil-Anwärter Hans Pohle ist zum Regierungs-Civil-Supernumerarius ernannt worden.

Der bisherige Pfarrer zu Dalmin, Diözese Putlitz, Superintendent Gustav Friedrich Wilhelm Thiemann ist zum Oberpfarrer der Parochie Biesenthal und zum Superintendenten der Diözese Bernau bestellt worden.

Der bisherige Prediger zu Börnicke, Diözese Bernau, Ernst Martin Gotthilf Bublitz, ist zum Pfarrer der Parochie Rennhausen, Diözese Rathenow, bestellt worden.

Der bisherige Predigtamts-Kandidat Hermann Robert Albert Seger ist zum Pfarrer der Parochie Wiesecke, Diözese Perleberg, bestellt worden.

Die unter dem Patronate der Königlichen Hofkammer der Königlichen Familiengüter stehende Pfarrstelle zu Trebatsch, Diözese Beeskow, ist durch das am 13. Januar d. J. erfolgte Ableben des Pfarrers von Einem zur Erledigung gekommen.

An der Luisenstädtischen Oberrealschule in Berlin sind die ordentlichen Lehrer Gerlach und Aurel Krause zu Oberlehrern befördert und ist der Schulamts-Kandidat Hiller als ordentlicher Lehrer angestellt worden.

Der Lehrer Schirmer ist als Gemeindeschullehrer in Berlin angestellt worden.

Die Lehrerinnen Elisabeth Schaeffer, Pauline Kollrep, Gertrud Siegert, Meta Keck, Martha Wahrendorff, Elisabeth Albert und Martha Schurich sind als Gemeindeschullehrerinnen in Berlin angestellt worden.

Ausweisung von Ausländern aus dem Reichsgebiete.

Lauf. Nr.	Name und Stand (des Ausgewiesenen)	Alter und Heimath (des Ausgewiesenen)	Grund der Bestrafung	Behörde, welche die Ausweisung beschlossen hat	Datum des Ausweisungs-Beschlusses
1	2	3.	4	5	6
		a. Auf Grund des § 39 des Strafgesetzbuchs:			
1	Franz Schmid (Schmidt), vormaliger Lehrer, z. Zt. Tagschreiber,	geboren am 22. September 1841 zu Töstitz, Bezirk Znaim, Mähren, ortsangehörig ebendaselbst,	Diebstähle und Münzverbrechen (5 Jahre Zuchthaus laut Erkenntnisse vom 20. Januar und 5. Juli 1883),	Königlich Bayerisches Bezirksamt Donauwörth,	12. Januar 1888.
2	Wilhelm Nachtschatt, Brauergeselle,	geboren am 29. Juni 1861 zu Uderns, Bezirk Schwatz, Tirol, ortsangehörig ebendaselbst,	schwerer Diebstahl, Urkundenfälschung u. Unterschlagung (ein Jahr ein Monat Zuchthaus laut Erkenntniß vom 29. Januar 1887),	Königlich Preußischer Regierungspräsident zu Breslau,	2. Februar 1888.
		b. Auf Grund des § 362 des Strafgesetzbuchs:			
1	Franz Dolezel, Schmiedegeselle,	30 Jahre, geboren und ortsangehörig zu Praslowitz, Bezirk Olmütz, Mähren,	Widerstand gegen die Staatsgewalt, Berufsbeleidigung, Landstreichen und Betteln,	Königlich Bayerisches Bezirksamt Eggenfelden,	28. Januar 1888.
2	August Ringel, Schuhmacher,	geboren am 19. März 1837 zu Märzdorf, Bezirk Braunau, Böhmen, ortsangehörig ebendaselbst,	Diebstahl, Landstreichen und Betteln,	Königlich Sächsische Kreishauptmannschaft Bautzen,	21. Dezemb. 1887.

1. Lauf. Nr.	Name und Stand des Ausgewiesenen. 2.	Alter und Heimath des Ausgewiesenen. 3.	Grund der Bestrafung. 4.	Behörde, welche die Ausweisung beschlossen hat. 5.	Datum des Ausweisungs-Beschlusses. 6.
3	Stephan Govac, Bäcker und Konditor,	geboren am 19. März 1861 zu Michat, Komitat Semlin, Ungarn, ortsangehörig ebendaselbst,	Betteln im wiederholten Rückfall,	Königlich Württembergische Regierung des Neckarkreises zu Ludwigsburg,	28. Januar 1888.
4	Casimir Gutelawski (Kutylowski), Arbeiter,	26 Jahre, geboren zu Skordz, Bezirk Kroczinski, Gouvernement Nowgorod, Rußland, ortsangehörig zu Czekanowitz, Bezirk Kroczinski,	Landstreichen und Betteln,	Königlich Preußischer Regierungspräsident zu Königsberg,	12. Oktober 1887.
5	Max Meier Wolf Feuer, Schreiber,	geboren am 24. März 1858 zu Tarnow, Galizien, ortsangehörig ebendaselbst,	Betteln und Betteln unter Drohungen,	Königlich Preußischer Regierungspräsident zu Potsdam,	8. Februar 1888.
6	Wilhelm Feix, Gürtler,	geboren am 23. Februar 1857 zu Kukau, Kreis Bunzlau, Bezirk Gablonz, Böhmen, ortsangehörig ebendaselbst,	Betteln im wiederholten Rückfall,	Königlich Preußischer Regierungspräsident zu Magdeburg,	14. Dezem. 1887.
7	Karl Samuel Stern, Bäcker,	geboren am 20. August 1860 zu Hermannstadt, Siebenbürgen,	Landstreichen,	Königlich Preußischer Regierungspräsident zu Merseburg,	10. Februar 1888.
8	Johann Klapper, Weber u. Fabrikarbeiter,	geboren am 21. Januar 1853 zu Zuckmantel, Bezirk Freiwaldau, Oesterreich.-Schlesien, ortsangehörig ebendaselbst,	Landstreichen und Betteln,	Königlich Preußischer Regierungspräsident zu Breslau,	13. Februar 1888.
9	Hieronymus Uttner, Webergeselle,	geboren am 2. Juni 1854 zu Zuckmantel, ortsangehörig ebendaselbst,	Landstreichen,	derselbe,	15. Februar 1888.
10	Josef Tieftrunk, Gärtner,	geboren am 6. Januar 1867 zu Hlinovist, Böhmen,	desgleichen,	Königlich Preußischer Regierungspräsident zu Hannover,	11. Februar 1888.
11	Wenzel Karzinsky, Schuhmacher,	geboren 1866 zu Kupiszki, Gouvernement Kowno, Rußland,	desgleichen,	Königlich Preußischer Regierungspräsident zu Lüneburg,	20. Dezemb. 1887.
12	Johann Svehla, Tagelöhner,	geboren am 15. Mai 1848 zu Neudorf, Bezirk Pisek, Böhmen, ortsangehörig ebendaselbst,	desgleichen,	Stadtmagistrat Passau, Bayern,	24. Dezemb. 1887.

(Hierzu eine Beilage, enthaltend: Vorläufige Ausführungsbestimmungen zu dem Gesetz, betreffend Aenderungen der Wehrpflicht, vom 11. Februar 1888, sowie Drei Oeffentliche Anzeiger.)

(Die Insertionsgebühren betragen für eine einspaltige Druckzeile 20 Pf. Belagsblätter werden der Bogen mit 10 Pf. berechnet.)

Redigirt von der Königlichen Regierung zu Potsdam.

Potsdam, Buchdruckerei der A. W. Hayn'schen Erben (E. Hayn, Hof-Buchdrucker).

Extra-Beilage zum Amtsblatt.

Auf Ihren Bericht vom 10. Februar d. J. will Ich den anbei zurückerfolgenden vorläufigen Ausführungsbestimmungen zu dem Gesetze, betreffend Aenderungen der Wehrpflicht, unter Abänderung der bezüglichen Festsetzungen der Wehr-Ordnung vom 28. September 1875 hierdurch Meine Genehmigung ertheilen.

Berlin, den 11. Februar 1888.

Wilhelm.

v. Boetticher.

An den Reichskanzler.

Vorläufige Ausführungsbestimmungen

zu dem

Gesetz, betreffend Aenderungen der Wehrpflicht, vom 11. Februar 1888.

---

1. Die gemäß §. 7 des Gesetzes zur Meldung behufs Eintragung in die Listen der Landwehr zweiten Aufgebots verpflichteten, im Jahre 1850 und später geborenen Personen — Offiziere, Sanitätsoffiziere, obere Militärbeamten, Unteroffiziere, Mannschaften, untere Militärbeamten — welche nach abgeleisteter Dienstpflicht im stehenden Heere und der Landwehr (Flotte und Seewehr), bezw. als geübte Ersatzreservisten nach Ablauf der Ersatzreservepflicht, bereits zum Landsturm entlassen waren, sind alsbald durch öffentliche Bekanntmachung der Bezirks-Kommandos aufzufordern, sich mündlich oder schriftlich bei den zuständigen Militärbehörden bis zum 13. März 1888 unter Vorlage ihrer Militärpapiere bei Vermeidung der im §. 67 des Reichs-Militärgesetzes angedrohten Strafen zu melden. Diese Meldefrist ist für diejenigen Personen, welche sich außerhalb Deutschlands beziehungsweise auf Seereisen befinden, bis zum 30. September 1888, beziehungsweise wenn dieselben vor diesem Zeitpunkt nach Deutschland zurückkehren oder bei einem Seemannsamt des Inlandes abgemustert werden, bis 14 Tage nach erfolgter Rückkehr beziehungsweise Abmusterung verlängert.

Hierbei ist gleichzeitig bekannt zu machen:

a) Diejenigen zur Zeit des Inkrafttretens des Gesetzes bereits dem Landsturm angehörigen Personen, welche nicht unter den §. 7 des Gesetzes fallen, treten je nach ihrem Lebensalter zum Landsturm ersten beziehungsweise zweiten Aufgebots über (§. 24 des Gesetzes).

b) Angehörige der Ersatzreserve zweiter Klasse werden Angehörige des Landsturms ersten Aufgebots.

c) Auf Landsturmpflichtige finden bereits im Frieden nachstehende Bestimmungen Anwendung:

aa) Landsturmpflichtige, welche durch Konsulats-Atteste nachweisen, daß sie in einem außereuropäischen Lande eine ihren Unterhalt sichernde Stellung als Kaufmann, Gewerbetreibender ꝛc. erworben haben, können für die Dauer ihres Aufenthalts außerhalb Europas von der Befolgung des Aufrufs entbunden werden.

Bezügliche Gesuche sind an den Zivil-Vorsitzenden derjenigen Ersatz-Kommission zu richten, in deren Bezirk die Gesuchsteller nach abgeleisteter Dienstpflicht im Heere und in der Flotte zum Landsturm entlassen bezw. von vornherein (bisher der Ersatzreserve zweiter Klasse) dem Landsturm überwiesen sind.

bb) Der Uebertritt aus dem Landsturm ersten Aufgebots in den des zweiten Aufgebots erfolgt mit dem 31. März desjenigen Kalenderjahres, in welchem das 39. Lebensjahr vollendet wird. Die Landsturmpflicht im zweiten Aufgebot erlischt mit dem vollendeten 45. Lebensjahre, ohne daß es dazu einer besonderen Verfügung bedarf.

d) Angehörige der bisherigen Ersatzreserve erster Klasse sind nunmehr Angehörige der Ersatzreserve. Diejenigen der gegenwärtigen Seewehr angehörigen Mannschaften, welche derselben von Hause aus durch die Ersatzbehörden überwiesen sind, werden nunmehr Angehörige der Marine-Ersatzreserve.

Die Mannschaften der Ersatzreserve und Marine-Ersatzreserve gehören zum Beurlaubtenstande und erhalten in Folge hiervon veränderte Militärpapiere.

2. Für die Mannschaften der Ersatzreserve (bisher Ersatzreserve erster Klasse) beziehungsweise Marine-Ersatzreserve (bisher Seewehr zweiter Klasse) tritt der Ersatzreservepaß nach dem beigefügten Muster 1 beziehungsweise Marine-Ersatzreservepaß nach dem beigefügten Muster 2 an Stelle des im Schema 3 und 3a zu §. 38 der Ersatzordnung festgesetzten Ersatzreservescheins I und Ersatzreservepasses I beziehungsweise des im Schema 5 zu §. 40 der Ersatzordnung festgesetzten Seewehrscheins.

Beiden Pässen ist ein Abdruck der für die Mannschaften des Beurlaubtenstandes gültigen Bestimmungen vorzuheften.

3. Eine Abänderung der Papiere der zur Zeit der Ersatzreserve zweiter Klasse angehörigen, nunmehr zum Landsturm ersten Aufgebots tretenden Mannschaften hat nicht zu erfolgen. Die diesen Mannschaften seinerzeit ertheilten Ersatzreservescheine II dienen denselben als Ausweis ihrer Zugehörigkeit zum Landsturm.

4. Die endgültigen Entscheidungen über Militärpflichtige (§. 26,4 der Ersatzordnung) bestehen fortan in der

a) Ausschließung vom Dienst im Heere oder in der Marine,
b) Ausmusterung vom Dienst im Heere oder in der Marine,
c) Ueberweisung zum Landsturm ersten Aufgebots,
d) Ueberweisung zur Ersatzreserve beziehungsweise Marine-Ersatzreserve,
e) Aushebung für einen Truppen- oder Marinetheil.

5. Mannschaften, welche bisher der Ersatzreserve zweiter Klasse zugetheilt wurden (§§. 37 und 39 der Ersatzordnung) sind fortan dem Landsturm ersten Aufgebots zuzutheilen. Wer zwar zum Waffendienst dauernd untauglich, aber zum Dienst ohne Waffe und im Besonderen zur Arbeit, die seinem bürgerlichen Beruf entspricht, verwendbar ist, ist nicht auszumustern, sondern dem Landsturm ersten Aufgebots zum Dienst ohne Waffe zuzuweisen.

Die Ueberweisung zum Landsturm ersten Aufgebots erfolgt durch Ertheilung eines Landsturmscheins nach dem beigefügten Muster 3.

6. Die Ueberweisung zur Ersatzreserve beziehungsweise Marine-Ersatzreserve erfolgt durch Ertheilung des Ersatzreservepasses beziehungsweise Marine-Ersatzreservepasses nach Maßgabe der unter 2 getroffenen Bestimmung.

7. Die im §. 98 der Ersatzordnung in Betreff der Musterung und Aushebung der Ersatzreservisten zweiter Klasse getroffenen Bestimmungen finden auf die vom Aufruf betroffenen Jahresklassen des Landsturms ersten Aufgebots, sowie des zweiten Aufgebots, soweit die dem letzteren Angehörigen nicht durch das Heer gegangen sind beziehungsweise als Ersatzreservisten nicht geübt haben, entsprechende Anwendung.

---

*) Anlagen A. folgen hinter Anlage B.

Dem Aufruf des Landsturms zweiten Aufgebots folgt die Einberufung und Verwendung der ausgebildeten Mannschaften unmittelbar.

8. Bezüglich Zurückstellung hinter die letzte Jahresklasse des Landsturms finden die Bestimmungen des vierten und fünften Abschnitts der Kontrolordnung auf die ausgebildeten Mannschaften des Landsturms zweiten Aufgebots sinngemäße Anwendung mit der Maßgabe, daß die Unabkömmlichkeitslisten (§. 21,1 der Kontrolordnung) denjenigen Provinzial-Generalkommandos mitzutheilen sind, in deren Bezirk die Beamten ihren Wohnsitz haben. Befindet sich der Wohnsitz im Auslande, so ist dasjenige Provinzial-Generalkommando zuständig, in dessen Bezirk die Entlassung zum Landsturm erfolgt ist.

Bezüglich Zurückstellung der Angehörigen des Landsturms ersten Aufgebots und der Unausgebildeten des zweiten Aufgebots erfolgt die Entscheidung erst gelegentlich der Musterung und Aushebung (§. 98 der Ersatzordnung).

9. Die weiteren, durch das Gesetz, betreffend Aenderungen der Wehrpflicht vom 11. Februar 1888 bedingten Ergänzungen und Abänderungen der Wehrordnung vom 28. September 1875 bleiben bis zu einer Umarbeitung der letzteren vorbehalten, jedoch tritt schon jetzt die beigefügte Landwehr-Bezirkseintheilung für das Deutsche Reich an die Stelle der Anlage 1 zu §. 1 der Ersatzordnung. Anlag.

10. Die durch Neubeschaffung, Abänderung und Ergänzung der Militärpapiere ꝛc. entstehenden einmaligen Kosten werden auf Reichsfonds übernommen.

Anlage B.

Landwehr-Bezirks-Eintheilung für das Deutsche Reich.

Armee-korps.	Infanterie-Brigade.	Landwehr-Bataillons-Bezirke.	Verwaltungs- (bez. Aushebungs-) Bezirke.	Bundesstaat (im Königreich Preußen und Bayern auch Provinz, bez. Reg.-Bezirk).
		Tilsit.	Kreis Heydekrug. „ Tilsit.	Königreich Preußen, R.-B. Gumbinnen.
			„ Memel.	Königreich Preußen, R.-B. Königsberg.
		Wehlau.	Kreis Labiau. „ Wehlau.	
			„ Niederung.	Königreich Preußen, R.-B. Gumbinnen.
		Bartenstein.	Kreis Eylau. „ Friedland. „ Heilsberg.	Königreich Preußen, R.-B. Königsberg.
		Rastenburg.	Kreis Rastenburg. „ Rössel. „ Gerdauen.	
		Königsberg.	Kreis Fischhausen. Stadt Königsberg. Landkreis Königsberg.	
	2.	Insterburg.	Kreis Ragnit. „ Insterburg. „ Darkehmen.	Königreich Preußen, R.-B. Gumbinnen.
		Gumbinnen.	Kreis Stallupoenen. „ Gumbinnen. „ Pillkallen.	
		Lötzen.	Kreis Sensburg. „ Johannisburg. „ Lyck. „ Lötzen.	
		Goldap.	Kreis Angerburg. „ Goldap. „ Oletzko.	

Armee-korps.	Infanterie-Brigade.	Landwehr-Bataillons-Bezirke.	Verwaltungs- (bez. Aushebungs-) Bezirke.	Bundesstaat (im Königreich Preußen und Bayern auch Provinz, bez. Reg.-Bezirk).
		Osterode.	Kreis Osterode. „ Mohrungen.	Königreich Preußen, R.-B. Königsberg.
		Allenstein.	Kreis Allenstein. „ Neidenburg. „ Ortelsburg.	
		Deutsch-Eylau.	Kreis Rosenberg. „ Löbau. „ Strasburg.	Königreich Preußen, R.-B. Marienwerder.
		Braunsberg.*)	Kreis Braunsberg. „ Heiligenbeil. „ Preuß. Holland.	Königreich Preußen, R.-B. Königsberg.
	4.	Graudenz.	Kreis Marienwerder. „ Graudenz.	Königreich Preußen, R.-B. Marienwerder.
		Neustadt.	Kreis Neustadt i. W. „ Putzig. „ Carthaus.	Königreich Preußen, R.-B. Danzig.
		Danzig.	Stadt Danzig. Kreis Danziger Höhe. „ „ Niederung. „ Dirschau.	
		Marienburg.	Stadt Elbing. Landkreis Elbing. Kreis Marienburg.	
			„ Stuhm.	Königreich Preußen, R.-B. Marienwerder.
II.	5.	Anklam.	Kreis Anklam. „ Demmin. „ Ueckermünde.	Königreich Preußen, R.-B. Stettin.
			„ Greifswald.	Königreich Preußen, R.-B. Stralsund.
		Stralsund.	Kreis Franzburg. „ Rügen. Stadt Stralsund. Kreis Grimmen.	
		Stargard.	Kreis Saatzig. „ Greifenhagen. „ Pyritz.	Königreich Preußen, R.-B. Stettin.

*) Vom 1. April 1888 ab, bis dahin Preuß. Holland.

Armee-korps.	Infanterie-Brigade.	Landwehr-Bataillons-Bezirke.	Verwaltungs- (bez. Aushebungs-) Bezirke.	Bundesstaat (im Königreich Preußen und Bayern auch Provinz, bez. Reg.-Bezirk).
II.	5.	Naugard.	Kreis Cammin. " Naugard. " Greifenberg. " Regenwalde.	Königreich Preußen, R.-B. Stettin.
		Stettin.	Kreis Randow. Stadt Stettin. Kreis Usedom-Wollin.	
	6.	Schivelbein.	Kreis Schivelbein. " Neustettin. " Dramburg.	Königreich Preußen, R.-B. Cöslin.
		Cöslin.	Kreis Cöslin. " Colberg-Cörlin. " Bublitz. " Belgard.	
		Schlawe.	Kreis Schlawe. " Bütow. " Rummelsburg.	
		Stolp.	Kreis Stolp. " Lauenburg.	
	-	Gnesen.	Kreis Gnesen. " Mogilno. " Wongrowitz. " Witkowo. " Znin.	Königreich Preußen, R.-B. Bromberg.
		Schneidemühl.	Kreis Kolmar in Posen. " Czarnikau. " Filehne.	
		Inowrazlaw.	Kreis Inowrazlaw. " Strelno. " Schubin.	
		Bromberg.	Stadt Bromberg. Landkreis Bromberg. Kreis Wirsitz.	
	8.	Conitz.	Kreis Conitz. " Tuchel. " Schlochau.	Königreich Preußen, R.-B. Marienwerder.
		Deutsch-Crone.	Kreis Deutsch-Crone. " Flatow.	

Armeekorps.	Infanterie-Brigade.	Landwehr-Bataillons-Bezirke.	Verwaltungs- (bez. Aushebungs-) Bezirke.	Bundesstaat (im Königreich Preußen und Bayern auch Provinz, bez. Reg.-Bezirk).
II.	8.	Thorn.	Kreis Thorn. „ Culm. „ Briesen.	Königreich Preußen, R.-B. Marienwerder.
		Pr. Stargardt.	Kreis Schwetz.	
			„ Pr. Stargardt. „ Berent.	Königreich Preußen, R.-B. Danzig.
III.	9.	Frankfurt a. O.	Stadt Frankfurt a. O. Kreis Lebus. „ West-Sternberg.	Königreich Preußen, R.-B. Frankfurt a. O.
		Cüstrin.	Kreis Königsberg i. N. „ Soldin. „ Ost-Sternberg.	
		Landsberg a. W.	Kreis Landsberg.	
		Woldenberg.	Kreis Arnswalde. „ Friedeberg.	
	10.	Crossen.	Kreis Crossen. „ Züllichau-Schwiebus.	
		Sorau.	Stadt Guben. Landkreis Guben. Kreis Sorau.	
		Calau.	Kreis Luckau. „ Calau.	
		Cottbus.	Kreis Lübben. Stadt Cottbus. Landkreis Cottbus. Kreis Spremberg.	
	11.	Potsdam.	Stadt Potsdam. Kreis Zauch-Belzig.	Königreich Preußen, R.-B. Potsdam.
		Jüterbog.	Kreis Jüterbog-Luckenwalde. Kreis Beeskow-Storkow.	
		Brandenburg a. H.	Stadt Brandenburg. Kreis Westhavelland. Stadt Spandau. Kreis Osthavelland.	

Armee-korps.	Infanterie-Brigade.	Landwehr-Bataillons-Bezirke.	Verwaltungs- (bez. Aushebungs-) Bezirke.	Bundesstaat (im Königreich Preußen und Bayern auch Provinz, bez. Reg.-Bezirk).
III.	Berlin (III. Landwehr-Inspektion).	Teltow.*)	Kreis Teltow. Stadt Charlottenburg.	Königreich Preußen, R.-B. Potsdam.
		I. Berlin.**)	Hauptstadt Berlin.	—
		II. Berlin.**)		
	12.	Bernau.	Kreis Ober-Barnim. „ Nieder-Barnim.	Königreich Preußen, R.-B. Potsdam.
		Perleberg.	Kreis Ost-Priegnitz. „ West-Priegnitz.	
		Ruppin.	Kreis Ruppin.	
		Prenzlau.	Kreis Prenzlau. „ Angermünde. „ Templin.	
IV.	13.	Stendal.	Kreis Stendal. „ Osterburg. „ Salzwedel.	Königreich Preußen, R.-B. Magdeburg.
		Burg.	Kreis Jerichow I. „ Jerichow II.	
		Halberstadt.	Kreis Oschersleben. „ Halberstadt. „ Wernigerode.	
		Neuhaldensleben.	Kreis Gardelegen. „ Neuhaldensleben. „ Wolmirstedt.	
		Magdeburg.	Stadt Magdeburg. Landkreis Magdeburg. Kreis Wanzleben.	
	14.	Aschersleben.	Kreis Calbe. „ Aschersleben.	
		Halle.	Saal-Kreis. Stadt Halle a. S. Mansfelder Seekreis.	Königreich Preußen, R.-B. Merseburg.

*) Das Bezirks-Kommando Teltow befindet sich in Steglitz.
**) I. und II. Berlin bilden Landwehr-Regiments-Bezirke.

Armee-korps.	Infanterie-Brigade.	Landwehr-Bataillons-Bezirke.	Verwaltungs- (bez. Aushebungs-) Bezirke.	Bundesstaat (im Königreich Preußen und Bayern auch Provinz, bez. Reg.-Bezirk).
IV.	14.	Bitterfeld.	Kreis Delitzsch. " Bitterfeld. " Wittenberg.	Königreich Preußen, R.-B. Merseburg.
		Torgau.	Kreis Torgau. " Schweinitz. " Liebenwerda.	
		Dessau.	Kreis Dessau. " Zerbst.	Herzogthum Anhalt.
		Bernburg.	Kreis Cöthen. " Bernburg. " Ballenstedt.	
	15.	Sangerhausen.	Mansfelder Gebirgskreis. Kreis Sangerhausen.	Königreich Preußen, R.-B. Merseburg.
		Mühlhausen.	Kreis Worbis. " Heiligenstadt. " Mühlhausen. " Langensalza.	Königreich Preußen, R.-B. Erfurt.
		Erfurt.	Stadt Erfurt. Landkreis Erfurt. Kreis Schleusingen.	
			Oberherrschaft Arnstadt.	Fürstenthum Schwarzburg-Sondershausen.
			Kreis Ziegenrück.	Königreich Preußen, R.-B. Erfurt.
		Sondershausen.	Stadt Nordhausen. Landkreis Nordhausen. Kreis Weißensee.	
			Unterherrschaft Sondershausen.	Fürstenthum-Schwarzburg-Sondershausen.
	16.	Weißenfels.	Kreis Merseburg. " Weißenfels. " Zeitz.	Königreich Preußen, R.-B. Merseburg.
		Naumburg.	Kreis Naumburg. " Querfurt. " Eckartsberga.	
		Altenburg.	Ostkreis (Altenburg). Westkreis (Roda).	Herzogthum Sachsen-Altenburg.

Armeekorps.	Infanterie-Brigade.	Landwehr-Bataillons-Bezirke.	Verwaltungs- (bez. Aushebungs-) Bezirke.	Bundesstaat (im Königreich Preußen und Bayern auch Provinz, bez. Reg.-Bezirk).
IV.	16.	Gera.	Unterländischer Bezirk Gera. Oberländischer Bezirk Schleiz.	Fürstenthum Reuß jüngerer Linie.
			Fürstenthum Reuß älterer Linie.	Fürstenthum Reuß älterer Linie.
			Landrathsamts-Bezirk Rudolstadt. Landrathsamts-Bezirk Königsee. Landrathsamts-Bezirk Frankenhausen.	Fürstenthum Schwarzburg-Rudolstadt.
	17.	Görlitz.	Stadt Görlitz. Landkreis Görlitz. Kreis Bunzlau.	Königreich Preußen, R.-B. Liegnitz.
		Muskau.	Kreis Hoyerswerda. = Rothenburg.	
		Sprottau.	Kreis Sagan. = Sprottau. = Lüben.	
		Freistadt.	Kreis Grünberg. = Freistadt.	
		Glogau.	Kreis Glogau.	
			= Fraustadt. = Lissa.	Königreich Preußen, R.-B. Posen.
	18.	Jauer.	Kreis Schönau. = Bolkenhayn. = Jauer.	Königreich Preußen, R.-B. Liegnitz.
		Liegnitz.	Stadt Liegnitz. Landkreis Liegnitz. Kreis Goldberg-Haynau.	
		Lauban.	Kreis Löwenberg. = Lauban.	
		Hirschberg.	Kreis Landshut. = Hirschberg.	

Armee-korps.	Infanterie-Brigade.	Landwehr-Bataillons-Bezirke.	Verwaltungs- (bez. Aushebungs-) Bezirke.	Bundesstaat (im Königreich Preußen und Bayern auch Provinz, bez. Reg.-Bezirk).
V.	19.	Posen.	Kreis Obornik. Stadt Posen. Landkreis Posen-Ost. " " -West.	Königreich Preußen, R.-B. Posen.
		Samter.	Kreis Samter. " Birnbaum. " Schwerin a. W.	
		Neutomischel.	Kreis Meseritz. " Neutomischel. " Grätz.	
		Kosten.	Kreis Kosten. " Schmiegel. " Bomst.	
	20.	Schroda.	Kreis Wreschen. " Schroda.	
		Schrimm.	Kreis Pleschen. " Jarotschin. " Schrimm.	
		Rawitsch.	Kreis Gostyn. " Rawitsch. " Koschmin. " Krotoschin.	
		Ostrowo.	Kreis Ostrowo. " Adelnau. " Schildberg. " Kempen.	
VI.	21.	Striegau.	Kreis Striegau. " Waldenburg.	Königreich Preußen, R.-B. Breslau.
		Wohlau.	Kreis Wohlau. " Guhrau. " Steinau.	
		II. Breslau.	Landkreis Breslau. Kreis Neumarkt. " Trebnitz.	
		Oels.	Kreis Oels. " Poln Wartenberg. " Militsch.	

Armee-korps.	Infanterie-Brigade.	Landwehr-Bataillons-Bezirke.	Verwaltungs- (bez. Aushebungs-) Bezirke.	Bundesstaat (im Königreich Preußen und Bayern auch Provinz, bez. Reg.-Bezirk).
VI.	21.	I. Breslau*)	Stadt Breslau.	Königreich Preußen, R.-B. Breslau.
	22.	Glatz.	Kreis Glatz. „ Habelschwerdt. „ Neurode.	
		Schweidnitz.	Kreis Schweidnitz. „ Reichenbach.	
		Münsterberg.	Kreis Münsterberg. „ Frankenstein. „ Strehlen. „ Nimptsch.	
		Brieg.	Kreis Brieg. „ Ohlau. „ Namslau.	
	23.	Rybnik.	Kreis Pleß. „ Rybnik.	Königreich Preußen, R.-B. Oppeln.
		Ratibor.	Kreis Ratibor. „ Leobschütz.	
		Gleiwitz.	Kreis Tost-Gleiwitz. „ Gr. Strehlitz. „ Zabrze.	
		Cosel.	Kreis Cosel. „ Neustadt.	
	24.	Neisse.	Kreis Neisse. „ Grottkau.	
		Beuthen.	Kreis Tarnowitz. „ Beuthen. „ Kattowitz.	
		Kreuzburg.	Kreis Rosenberg. „ Lublinitz. „ Kreuzburg.	
		Oppeln.	Kreis Oppeln. „ Falkenberg.	

*) I. Breslau bildet einen Landwehr-Regiments-Bezirk.

Armee-korps.	Infanterie-Brigade.	Landwehr-Bataillons-Bezirke.	Verwaltungs- (bez. Aushebungs-) Bezirke.	Bundesstaat (im Königreich Preußen und Bayern auch Provinz, bez. Reg.-Bezirk).
VII.	25.	I. Münster.	Stadt Münster. Landkreis Münster. Kreis Steinfurt. " Coesfeld.	Königreich Preußen, R.-B. Münster.
		II. Münster.	Kreis Warendorf. " Beckum. " Lüdinghausen. " Tecklenburg.	
		Wesel.	Kreis Rees. Stadt Duisburg. Kreis Mülheim a. d. Ruhr. " Ruhrort.	Königreich Preußen, R.-B. Düsseldorf.
		Recklinghausen.	Kreis Recklinghausen. " Borken. " Ahaus.	Königreich Preußen, R.-B. Münster.
	26.	Minden.	Kreis Minden. " Lübbecke.	Königreich Preußen, R.-B. Minden.
		Bielefeld.	Stadt Bielefeld. Landkreis Bielefeld. Kreis Halle. " Wiedenbrück. " Herford.	
		Detmold.	Aushebungsbezirk Detmold. " Blomberg. " Lemgo. " Schötmar.	Fürstenthum Lippe.
			Fürstenthum Schaumburg-Lippe.	Fürstenthum Schaumburg-Lippe.
		Paderborn.	Verwaltungsbezirk Lipperode-Kappel.	Fürstenthum Lippe.
			Kreis Paderborn. " Warburg. " Höxter.	Königreich Preußen, R.-B. Minden.
	27.	Soest.	Kreis Büren.	
			" Soest. " Lippstadt. " Hamm.	Königreich Preußen, R.-B. Arnsberg.

Armee-korps.	Infanterie-Brigade.	Landwehr-Bataillons-Bezirke.	Verwaltungs- (bez. Aushebungs-) Bezirke.	Bundesstaat (im Königreich Preußen und Bayern auch Provinz, bez. Reg.-Bezirk).
VII	27.	Dortmund.	Stadt Dortmund. Landkreis Dortmund. Kreis Hörde.	Königreich Preußen, R.-B. Arnsberg.
		Bochum.	Stadt Bochum. Landkreis Bochum. Kreis Gelsenkirchen. „ Hattingen.	
		Hagen.	Stadt Hagen. Landkreis Hagen. Kreis Schwelm. „ Iserlohn.	
	28.	Geldern.	Kreis Cleve. „ Moers. „ Geldern.	Königreich Preußen, R.-B. Düsseldorf.
		Düsseldorf.	Stadt Düsseldorf. Landkreis Düsseldorf. Stadt Crefeld. Landkreis Crefeld.	
		Essen.	Stadt Essen. Landkreis Essen.	
		Gräfrath.	Kreis Solingen. Stadt Remscheid. Kreis Lennep.	
		Barmen.	Stadt Elberfeld. „ Barmen. Kreis Mettmann.	
VIII.	29.	Aachen.	Stadt Aachen. Landkreis Aachen.	Königreich Preußen, R.-B. Aachen.
		Eupen.	Kreis Eupen. „ Montjoie. „ Schleiden. „ Malmedy.	
		Erkelenz.	Kreis Erkelenz. „ Heinsberg.	
			„ Kempen.	Königreich Preußen, R.-B. Düsseldorf.

Armee-korps.	Infanterie-Brigade.	Landwehr-Bataillons-Bezirke.	Verwaltungs- (bez. Aushebungs-) Bezirke.	Bundesstaat (im Königreich Preußen und Bayern auch Provinz, bez. Reg.-Bezirk).
VIII.	29.	Jülich.	Kreis Düren. " Geilenkirchen. " Jülich.	Königreich Preußen, R.-B. Aachen.
	30.	Siegburg.	Siegkreis. Kreis Waldbroel.	Königreich Preußen, R.-B. Cöln.
		Bonn.	Stadt Bonn. Landkreis Bonn. Kreis Bergheim. " Euskirchen. " Rheinbach.	
		Neuß.	Kreis Neuß. " Grevenbroich. Stadt München-Gladbach. Kreis Gladbach.	Königreich Preußen, R.-B. Düsseldorf.
		Deutz.	Kreis Mülheim. " Wipperfürth. " Gummersbach.	Königreich Preußen, R.-B. Cöln.
		Cöln.*)	Stadt Cöln. Landkreis Cöln.	
	31.	Neuwied.	Kreis Neuwied. " Altenkirchen.	Königreich Preußen, R.-B. Coblenz.
		Coblenz.	Stadt Coblenz. Landkreis Coblenz. Kreis St. Goar.	
			Hohenzollernsche Lande.	Königreich Preußen, R.-B. Sigmaringen.
		Kirn.	Kreis Simmern. " Zell. " Kreuznach. " Meisenheim.	Königreich Preußen, R.-B. Coblenz.
		Andernach.	Kreis Mayen. " Cochem. " Adenau. " Ahrweiler.	

*) Cöln bildet einen Landwehr-Regiments-Bezirk.

Armee-korps.	Infanterie-Brigade.	Landwehr-Bataillons-Bezirke.	Verwaltungs- (bez. Aushebungs-) Bezirke.	Bundesstaat (im Königreich Preußen und Bayern auch Provinz, bez. Reg.-Bezirk).
VIII.	32.	St. Wendel.	Fürstenthum Birkenfeld.	Großherzogthum Oldenburg.
			Kreis St. Wendel. " Ottweiler.	Königreich Preußen, R.-B. Trier.
		Saarlouis.	Kreis Saarbrücken. " Saarlouis. " Merzig.	
		I. Trier.	Stadt Trier. Landkreis Trier. Kreis Saarburg. " Berncastel.	
		II. Trier.	Kreis Bitburg. " Prüm. " Daun. " Wittlich.	
IX.	33.	Bremen.	Freie Hansestadt Bremen.	Freie Hansestadt Bremen.
			Kreis Lehe. " Geestemünde. " Osterholz. " Blumenthal. " Verden. " Achim.	Königreich Preußen, R.-B. Stade.
		Stade.	Kreis Jork. " Stade. " Kehdingen. " Neuhaus a. d. O. " Hadeln. " Rotenburg. " Zeven. " Bremervörde.	
		Hamburg.	Aushebungsbezirk Hamburg. " " Ritzebüttel. " " Bergedorf.	Freie und Hansestadt Hamburg.
		Lübeck.	Freie und Hansestadt Lübeck.	Freie und Hansestadt Lübeck.
		Lübeck.	Kreis Herzogthum Lauenburg.	Königreich Preußen, Provinz Schleswig-Holstein.

Armee-korps.	Infanterie-Brigade.	Landwehr-Bataillons-Bezirke.	Verwaltungs- (bez. Aushebungs-) Bezirke.	Bundesstaat (im Königreich Preußen und Bayern auch Provinz, bez. Reg.-Bezirk).
IX.	34. (Großherzoglich mecklenburgische.)	Schwerin.	Aushebungsbezirk Schwerin. " " Hagenow. " " Ludwigslust. " " Parchim.	Großherzogthum Mecklenburg-Schwerin.
		Neu-Strelitz.	Aushebungsbezirk Neu-Strelitz. " " Neu-Brandenburg. " " Schönberg.	Großherzogthum Mecklenburg-Strelitz.
		Wismar.	Aushebungsbezirk Wismar. " " Grevismühlen. " " Doberan.	Großherzogthum Mecklenburg-Schwerin.
		Rostock.	Aushebungsbezirk Rostock. " " Ribnitz. " " Güstrow. " " Malchin. " " Waren.	
	35.	Schleswig.	Kreis Flensburg. " Eckernförde. " Schleswig. " Husum. " Eiderstedt.	Königreich Preußen, Provinz Schleswig-Holstein.
		Apenrade.	Kreis Hadersleben. " Sonderburg. " Apenrade. " Tondern.	
	36.	Kiel.	Stadt Kiel. Landkreis Kiel. Kreis Plön. " Oldenburg.	
			Fürstenthum Lübeck.	Großherzogthum Oldenburg.
		Rendsburg.	Kreis Rendsburg. " Norder-Dithmarschen. " Süder-Dithmarschen. " Steinburg.	Königreich Preußen, Provinz Schleswig-Holstein.
		Altona.	Stadt Altona. Kreis Pinneberg. " Stormarn. " Segeberg.	

Armeekorps.	Infanterie-Brigade.	Landwehr-Bataillons-Bezirke.	Verwaltungs- (bez. Aushebungs-) Bezirke.	Bundesstaat (im Königreich Preußen und Bayern auch Provinz bez. Reg.-Bezirk).
		Aurich.	Kreis Norden. Stadt Emden. Landkreis Emden. Kreis Wittmund ausschl. Jadegebiet. „ Aurich. „ Leer. „ Weener.	Königreich [illegible] Preußen, R.-B. Au[illegible]ich.
		Lingen.	Kreis Meppen. „ Aschendorf. „ Hümmling. „ Lingen. „ Grafschaft Bentheim. „ Bersenbrück.	Königreich Preußen, R.-B. Osnabrück.
	37.	I. Oldenburg.	Jadegebiet.	Königreich Preußen.
			Stadt Varel. Amt Varel. Stadt Jever. Amt Jever. „ Butjadingen. „ Brake. „ Elsfleth. „ Delmenhorst.	Großherzogthum Oldenburg.
X.		II. Oldenburg.	Stadt Oldenburg. Amt Oldenburg. „ Westerstede. „ Wildeshausen. „ Vechta. „ Cloppenburg. „ Friesoythe.	
		Osnabrück.	Stadt Osnabrück. Landkreis Osnabrück. Kreis Wittlage. „ Melle. „ Iburg.	Königreich Preußen, R.-B. Osnabrück.
	38.		„ Diepholz. „ Syke.	Königreich Preußen, R.-B. Hannover.
		Nienburg.	Kreis Hoya. „ Nienburg. „ Stolzenau. „ Sulingen.	

Armee-korps.	Infanterie-Brigade.	Landwehr-Bataillons-Bezirke.	Verwaltungs- (bez. Aushebungs-) Bezirke.	Bundesstaat (im Königreich Preußen und Bayern auch Provinz, bez. Reg.-Bezirk).
X.	38.	Nienburg.	Kreis Rinteln.	Königreich Preußen, R.-B. Cassel.
		Hannover.	Kreis Neustadt a. R. Stadt Hannover. Landkreis Hannover. Stadt Linden. Landkreis Linden. Kreis Springe. " Hameln.	Königreich Preußen, R.-B. Hannover.
	39.	Hildesheim.	Kreis Peine. Stadt Hildesheim. Landkreis Hildesheim. Kreis Marienburg. " Gronau. " Alfeld. " Goslar. " Zellerfeld. " Ilfeld.	Königreich Preußen, R.-B. Hildesheim.
		Göttingen.	Kreis Osterode. " Duderstadt. Stadt Göttingen. Landkreis Göttingen. Kreis Münden. " Uslar. " Einbeck. " Northeim.	
	40.	Lüneburg.	Kreis Lüchow. " Dannenberg. " Bleckede. Stadt Lüneburg. Landkreis Lüneburg. Kreis Winsen. Stadt Harburg. Landkreis Harburg.	Königreich Preußen, R.-B. Lüneburg.
		Celle.	Stadt Celle. Landkreis Celle. Kreis Gifhorn. " Burgdorf. " Isenhagen. " Fallingbostel. " Soltau. " Uelzen.	

Armee-korps.	Infanterie-Brigade.	Landwehr. Bataillons-Bezirke.	Verwaltungs- (bez. Aushebungs-) Bezirke.	Bundesstaat (im Königreich Preußen und Bayern auch Provinz, bez. Reg.-Bezirk).
X.	40.	I. Braunschweig.	Kreis Braunschweig. „ Helmstedt. „ Blankenburg.	Herzogthum Braunschweig.
		II. Braunschweig.	Kreis Wolfenbüttel. „ Gandersheim. „ Holzminden.	
XI.	41.	Oberlahnstein.	Untertaunuskreis. Unterlahnkreis. Kreis St. Goarshausen. Unterwesterwaldkreis.	Königreich Preußen, R.-B. Wiesbaden.
		Wiesbaden.	Stadt Wiesbaden. Kreis Höchst. Landkreis Wiesbaden. Rheingaukreis.	
		Wetzlar.	Kreis Wetzlar.	Königreich Preußen, R.-B. Coblenz.
			Dillkreis. Kreis Biedenkopf.	Königreich Preußen, R.-B. Wiesbaden.
		Weilburg.	Oberlahnkreis. Kreis Westerburg. Oberwesterwaldkreis. Kreis Limburg.	
	42.	Meschede.	Kreis Brilon. „ Meschede. „ Arnsberg. „ Wittgenstein.	Königreich Preußen, R.-B. Arnsberg.
		Siegen.*)	Kreis Siegen. „ Olpe. „ Altena.	
		Marburg.	Kreis Marburg. „ Kirchhain. „ Ziegenhain. „ Homberg.	Königreich Preußen, R.-B. Cassel.
		Fulda.	Kreis Fulda. „ Gelnhausen. „ Schlüchtern. „ Gersfeld.	

*) Vom 1. April 1888 ab, bis dahin Attendorn.

Armee-korps.	Infanterie-Brigade.	Landwehr-Bataillons-Bezirke.	Verwaltungs- (bez. Aushebungs-) Bezirke.	Bundesstaat (im Königreich Preußen und Bayern auch Provinz, bez. Reg.-Bezirk).
XI.	42.	Frankfurt a. M.	Stadt Frankfurt a. M. Landkreis Frankfurt a. M. Obertaunuskreis. Kreis Usingen.	Königreich Preußen, R.-B. Wiesbaden.
			Stadt Hanau. Landkreis Hanau.	Königreich Preußen, R.-B. Cassel.
	43.	Arolsen.	Fürstenthum Waldeck und Pyrmont.	Fürstenthum Waldeck und Pyrmont.
			Kreis Wolfhagen. " Frankenberg.	Königreich Preußen, R.-B. Cassel.
		I. Cassel.	Stadt Cassel. Landkreis Cassel. Kreis Witzenhausen. " Hofgeismar.	
		Gotha.	Kreis Gotha. " Coburg. " Ohrdruf. " Waltershausen.	Herzogthum Sachsen-Coburg und Gotha.
		Meiningen.	Kreis Meiningen. " Hildburghausen. " Sonneberg. " Saalfeld.	Herzogthum Sachsen-Meiningen.
	44.	Hersfeld.	Kreis Rotenburg a. F. " Schmalkalden. " Hünfeld. " Hersfeld.	Königreich Preußen, R.-B. Cassel.
		II. Cassel.	Kreis Melsungen. " Eschwege. " Fritzlar.	
		Weimar.	I. Verwaltungsbezirk (Weimar). II. Verwaltungsbezirk (Apolda). V. Verwaltungsbezirk (Neustadt a. O.)	Großherzogthum Sachsen.
		Eisenach.	III. Verwaltungsbezirk (Eisenach). IV. Verwaltungsbezirk (Dermbach).	

Armee-korps.	Infanterie-Brigade.	Landwehr-Bataillons-Bezirke.	Verwaltungs- (bez. Aushebungs-) Bezirke.	Bundesstaat (im Königreich Preußen und Bayern auch Provinz, bez. Reg.-Bezirk).
XI. Großherzoglich hessische (25.) Division.	49. (1. Großherzoglich hessische.)	I. Darmstadt.	Kreis Darmstadt. " Offenbach.	Großherzogthum Hessen.
		Friedberg.	Kreis Friedberg. " Büdingen.	
		Gießen.	Kreis Gießen. " Alsfeld. " Lauterbach. " Schotten.	
	50. (2. Großherzoglich hessische.)	II. Darmstadt.	Kreis Dieburg. " Bensheim. " Groß-Gerau.	
		Erbach.	Kreis Erbach. " Heppenheim.	
		Mainz.	Kreis Mainz. " Bingen.	
		Worms.	Kreis Worms. " Oppenheim. " Alzey.	
XII. (Königlich sächsisches.)	46. (2. Königlich sächsische.)	Pirna.	Amtshauptmannschaft Pirna. " Dippoldiswalde.	Königreich Sachsen.
		Zittau.	Amtshauptmannschaft Zittau. " Löbau.	
		Bautzen.	Amtshauptmannschaft Bautzen. " Kamenz.	
		II. Dresden.	Amtshauptmannschaft Großenhain. " Dresden-Neustadt.	
	47. (3. Königlich sächsische.)	Plauen.	Amtshauptmannschaft Oelsnitz. " Plauen.	
		Schneeberg.	Amtshauptmannschaft Schwarzenberg. " Auerbach.	

Armee-korps.	Infanterie-Brigade.	Landwehr-Bataillons-Bezirke.	Verwaltungs- (bez. Aushebungs-) Bezirke.	Bundesstaat (im Königreich Preußen und Bayern auch Provinz, bez. Reg.-Bezirk).
XII. (Königlich sächsisches.)	47. (3. Königlich sächsische.)	Zwickau.	Amtshauptmannschaft Zwickau.	Königreich Sachsen.
		Glauchau.	Amtshauptmannschaft Glauchau.	
	48. (4. Königlich sächsische.)	I. Leipzig.	Stadt Leipzig.	
		II. Leipzig.	Amtshauptmannschaft Leipzig.	
		Borna.	Amtshauptmannschaft Rochlitz. " Borna.	
		Wurzen.	Amtshauptmannschaft Grimma. " Oschatz.	
	63. (5. Königlich sächsische.)	Freiberg.	Amtshauptmannschaft Freiberg.	
		Annaberg.	Amtshauptmannschaft Marienberg. Amtshauptmannschaft Annaberg.	
		Chemnitz.	Stadt Chemnitz. Amtshauptmannschaft Chemnitz.	
		Frankenberg.	Amtshauptmannschaft Flöha.	
	64. (6. Königlich sächsische.)	Döbeln.	Amtshauptmannschaft Döbeln.	
		Meißen.	Amtshauptmannschaft Meißen. Amtshauptmannschaft Dresden-Altstadt.	
		I. Dresden.	Stadt Dresden.	
XIII. (Königlich württembergisches.)	51. (1. Königlich württembergische.)	Calw.	Oberamtsbezirk Herrenberg. " Calw. " Neuenbürg. " Nagold.	Königreich Württemberg.

Armee- korps.	Infanterie- Brigade.	Landwehr- Bataillons-Bezirke.	Verwaltungs- (bez. Aushebungs-) Bezirke.	Bundesstaat (im Königreich Preußen und Bayern auch Provinz, bez. Reg.-Bezirk).
XIII. (Königlich württembergisches.)	51. (1. Königlich württembergische.)	Reutlingen.	Oberamtsbezirk Reutlingen. „ Tübingen. „ Rottenburg am Neckar.	Königreich Württemberg.
		Horb.	Oberamtsbezirk Horb. „ Freudenstadt. „ Sulz. „ Oberndorf.	
		Rottweil.	Oberamtsbezirk Balingen. „ Rottweil. „ Spaichingen. „ Tuttlingen.	
		Stuttgart.	Oberamtsbezirk Stuttgart, Stadtdirektion. Oberamtsbezirk Stuttgart, Oberamt.	
	52. (2. Königlich württembergische.)	Leonberg.	Oberamtsbezirk Böblingen. „ Leonberg. „ Vaihingen. „ Maulbronn.	
		Ludwigsburg.	Oberamtsbezirk Ludwigsburg. Oberamtsbezirk Cannstatt. „ Marbach. „ Waiblingen.	
		Heilbronn.	Oberamtsbezirk Brackenheim. „ Besigheim. „ Heilbronn. „ Neckarsulm.	
		Hall.	Oberamtsbezirk Backnang. „ Weinsberg. „ Oehringen. „ Hall.	
	53. (3. Königlich württembergische.)	Mergentheim.	Oberamtsbezirk Künzelsau. „ Gerabronn. „ Crailsheim. „ Mergentheim.	
		Ellwangen.	Oberamtsbezirk Gaildorf. „ Ellwangen. „ Aalen. „ Neresheim.	

Armee-korps.	Infanterie-Brigade.	Landwehr-Bataillons-Bezirke.	Verwaltungs- (bez. Aushebungs-) Bezirke.	Bundesstaat (im Königreich Preußen und Bayern auch Provinz, bez. Reg.-Bezirk).
XIII. (Königlich württembergisches).	53. (3. Königlich württembergische).	Gmünd.	Oberamtsbezirk Schorndorf. " Welzheim. " Göppingen. " Gmünd.	Königreich Württemberg.
		Ulm.	Oberamtsbezirk Geislingen. " Heidenheim. " Ulm.	
	54. (4. Königlich württembergische).	Ravensburg.	Oberamtsbezirk Riedlingen. " Saulgau. " Ravensburg. " Tettnang.	
		Biberach.	Oberamtsbezirk Biberach. " Waldsee. " Leutkirch. " Wangen.	
		Ehingen.	Oberamtsbezirk Blaubeuren. " Münsingen. " Ehingen. " Laupheim.	
		Eßlingen.	Oberamtsbezirk Kirchheim. " Nürtingen. " Eßlingen. " Urach.	
XIV.	55.	Mosbach.	Bezirksamt Tauberbischofsheim. " Wertheim. " Buchen. " Adelsheim. " Mosbach. " Eberbach.	Großherzogthum Baden.
		Heidelberg.	Bezirksamt Heidelberg. " Wiesloch. " Mannheim. " Weinheim.	
	56.	Bruchsal.	Bezirksamt Sinsheim. " Eppingen. " Bretten. " Schwetzingen. " Bruchsal.	

Armee-korps.	Infanterie-Brigade.	Landwehr-Bataillons-Bezirke.	Verwaltungs- (bez. Aushebungs-) Bezirke.	Bundesstaat (im Königreich Preußen und Bayern auch Provinz, bez. Reg.-Bezirk).
XIV.	56.	Karlsruhe.	Bezirksamt Durlach. „ Ettlingen. „ Pforzheim. „ Karlsruhe.	Großherzogthum Baden.
	57.	Rastatt.*)	Bezirksamt Rastatt. „ Baden. „ Bühl. „ Achern. „ Oberkirch.	
		Offenburg.*)	Bezirksamt Offenburg. „ Kehl. „ Wolfach. „ Lahr. „ Ettenheim.	
		Freiburg.	Bezirksamt Emmendingen. „ Waldkirch. „ Breisach. „ Freiburg.	
		Lörrach.	Bezirksamt Staufen. „ Müllheim. „ Lörrach. „ Schönau. „ Schopfheim. „ Säckingen.	
	58.	Donaueschingen.**)	Bezirksamt Triberg. „ Villingen. „ Donaueschingen. „ Neustadt. „ St. Blasien. „ Bonndorf. „ Waldshut.	
		Stockach.**)	Bezirksamt Engen. „ Stockach. „ Meßkirch. „ Ueberlingen. „ Pfullendorf. „ Konstanz.	

*) Vom 1. April 1888 ab, bis dahin zur 58. Infanterie-Brigade gehörig.
**) „ 1. „ 1888 „ „ „ „ 57. „ „ „ .

Armee-korps.	Infanterie-Brigade.	Landwehr-Bataillons-Bezirke.	Verwaltungs- (bez. Aushebungs-) Bezirke.	Bundesstaat (im Königreich Preußen und Bayern auch Provinz, bez. Reg.-Bezirk).
XV.	59.	Diedenhofen.	Kreis Diedenhofen. „ Bolchen.	Elsaß-Lothringen.
		Metz.	Stadt Metz. Landkreis Metz.	
		Saarburg.	Kreis Château-Salins. „ Saarburg.	
	60.	Saargemünd.	Kreis Forbach. „ Saargemünd.	
		Hagenau.	Kreis Weißenburg. „ Hagenau. „ Zabern.	
	61.	Straßburg.	Stadt Straßburg. Landkreis Straßburg.	
		Molsheim.	Kreis Molsheim. „ Erstein.	
		Schlettstadt.	Kreis Schlettstadt. „ Rappoltsweiler.	
	62.	Colmar.	Kreis Colmar. „ Gebweiler.	
		Mülhausen i. E.	Mülhausen im Elsaß.	
		Altkirch.	Kreis Thann. „ Altkirch.	
I. Königlich bayerisches.	1. Königlich bayerische.	Rosenheim.	Bezirksamt Berchtesgaden. „ Traunstein. „ Laufen. „ Rosenheim. Magistrat Traunstein. „ Rosenheim.	Königreich Bayern. R.-B. Ober-Bayern.
		Wasserburg.	Bezirksamt Alt-Oetting. „ Mühldorf. „ Wasserburg. „ Ebersberg. „ Erding.	

Armee-korps.	Infanterie-Brigade.	Landwehr-Bataillons-Bezirke.	Verwaltungs- (bez. Aushebungs-) Bezirke.	Bundesstaat (im Königreich Preußen und Bayern auch Provinz, bez. Reg.-Bezirk).
I. Königlich bayerisches.	1. Königlich bayerische.	Weilheim.	Bezirksamt Miesbach. " Tölz. " Weilheim. " Garmisch. " Schongau.	Königreich Bayern.
		I. München.	Magistrat München.	R.-B. Ober-Bayern.
	2. Königlich bayerische.	II. München.	Bezirksamt München I. " " II. " Landsberg. " Bruck. " Friedberg. " Dachau. Magistrat Landsberg.	
		Landshut.	Bezirksamt Dingolfing. " Vilsbiburg. " Landshut. " Rottenburg. Magistrat Landshut.	R.-B. Nieder-Bayern.
			Bezirksamt } Magistrat } Freising.	R.-B. Ober-Bayern.
		Vilshofen.	Bezirksamt Eggenfelden. " Pfarrkirchen. " Griesbach. " Vilshofen. " Landau a. J.	R.-B. Nieder-Bayern.
		Passau.	Bezirksamt Passau. " Wolfstein. " Grafenau. " Regen. " Deggendorf. Magistrat Passau. " Deggendorf.	
	3. Königlich bayerische.	Kempten.	Bezirksamt Kempten. " Füssen. " Sonthofen. " Lindau. Magistrat Kempten. " Lindau.	R.-B. Schwaben und Neuburg.

Armee-korps.	Infanterie-Brigade.	Landwehr-Bataillons-Bezirke.	Verwaltungs- (bez. Aushebungs-) Bezirke.	Bundesstaat (im Königreich Preußen und Bayern auch Provinz, bez. Reg.-Bezirk).
I. Königlich bayerisches.	3. Königlich bayerische.	Mindelheim.	Bezirksamt Oberdorf. „ Kaufbeuren. „ Mindelheim. „ Memmingen. Magistrat Kaufbeuren. „ Memmingen.	Königreich Bayern.
		Augsburg.	Bezirksamt Augsburg. „ Zusmarshausen. „ Krumbach. „ Illertissen. „ Neu-Ulm. Magistrat Augsburg.	R.-B. Schwaben und Neuburg.
		Dillingen.	Bezirksamt Günzburg. „ Dillingen. „ Wertingen. „ Donauwörth. „ Nördlingen. Magistrat Günzburg. „ Dillingen. „ Donauwörth. „ Nördlingen.	
	4. Königlich bayerische.	Ingolstadt.	Bezirksamt Aichach. „ Schrobenhausen. „ Pfaffenhofen. „ Ingolstadt. Magistrat Ingolstadt.	R.-B. Ober-Bayern.
			Bezirksamt Beilngries.	R.-B. Oberpfalz und Regensburg.
			Bezirksamt } Eichstätt. Magistrat }	R.-B. Mittelfranken.
			Bezirksamt } Neuburg a. D. Magistrat }	R.-B. Schwaben und Neuburg.
		Gunzenhausen.	Bezirksamt Dinkelsbühl. „ Gunzenhausen. „ Weißenburg. „ Hilpoltstein. „ Feuchtwangen. „ Schwabach. Magistrat Dinkelsbühl. „ Weißenburg. „ Schwabach.	R.-B. Mittelfranken.

Armee-korps.	Infanterie-Brigade.	Landwehr-Bataillons-Bezirke.	Verwaltungs- (bez. Aushebungs-) Bezirke.	Bundesstaat (im Königreich Preußen und Bayern auch Provinz, bez. Reg.-Bezirk).
I. Königlich bayerisches.	4. Königlich bayerische.	Regensburg.	Bezirksamt Kelheim.	Königreich Bayern. R.-B. Nieder-Bayern.
			„ Regensburg. „ Stadtamhof. „ Parsberg. Magistrat Regensburg.	R.-B. Oberpfalz und Regensburg.
		Straubing.	Bezirksamt Mallersdorf. „ Straubing. „ Bogen. „ Viechtach. „ Kötzting. Magistrat Straubing.	R.-B. Nieder-Bayern.
			Bezirksamt Cham.	R.-B. Oberpfalz und Regensburg.
II. Königlich bayerisches.	5. Königlich bayerische.	Amberg.	Bezirksamt Roding. „ Waldmünchen. „ Neunburg v. W. „ Burglengenfeld. „ Nabburg. „ Amberg. Magistrat Amberg.	R.-B. Oberpfalz und Regensburg.
		Neustadt a. d. W. N.	Bezirksamt Vohenstrauß. „ Neustadt a. d. W. N. „ Tirschenreuth. „ Kemnath. „ Eschenbach.	
		Hof.	Bezirksamt Wunsiedel. „ Rehau. „ Hof. „ Naila. „ Münchberg. „ Berneck. Magistrat Hof.	R.-B. Oberfranken.
		Bayreuth.	Bezirksamt Kronach. „ Stadtsteinach. „ Kulmbach. „ Bayreuth. „ Pegnitz. Magistrat Bayreuth.	

Armeekorps.	Infanterie-Brigade.	Landwehr-Bataillons-Bezirke.	Verwaltungs- (bez. Aushebungs-) Bezirke.	Bundesstaat (im Königreich Preußen und Bayern auch Provinz, bez. Reg.-Bezirk).
				Königreich Bayern.
		Nürnberg.	Bezirksamt Neumarkt.	R.-B. Oberpfalz und Regensburg.
			„ Nürnberg.	R.-B. Mittelfranken.
			Magistrat Nürnberg.	
		Ansbach.	Bezirksamt Ansbach.	
			„ Fürth.	
			„ Neustadt a. d. Aisch.	
			„ Uffenheim.	
			„ Rothenburg a. T.	
			Magistrat Ansbach.	
			„ Fürth.	
	6. Königlich bayerische.		„ Rothenburg a. T.	
		Erlangen.	Bezirksamt Sulzbach.	R.-B. Oberpfalz und Regensburg.
			„ Hersbruck.	R.-B. Mittelfranken.
			„ Erlangen.	
			Magistrat Erlangen.	
			Bezirksamt Forchheim.	R.-B. Oberfranken.
II. Königlich bayerisches.			„ Höchstadt.	
		Kitzingen.	Bezirksamt Scheinfeld.	R.-B. Mittelfranken.
			„ Ochsenfurt.	R.-B. Unterfranken und Aschaffenburg.
			„ Kitzingen.	
			„ Gerolzhofen.	
			„ Haßfurt.	
			Magistrat Kitzingen.	
		Bamberg.	Bezirksamt Ebern.	
			„ Staffelstein.	R.-B. Oberfranken.
			„ Lichtenfels.	
			„ Ebermannstadt.	
			„ Bamberg I.	
			„ Bamberg II.	
	7. Königlich bayerische.		Magistrat Bamberg.	
		Kissingen.	Bezirksamt Königshofen.	R.-B. Unterfranken und Aschaffenburg.
			„ Mellrichstadt.	
			„ Neustadt a. S.	
			„ Brückenau.	
			„ Kissingen.	
			„ Hammelburg.	

Armee-korps.	Infanterie-Brigade.	Landwehr-Bataillons-Bezirke.	Verwaltungs- (bez. Aushebungs-) Bezirke.	Bundesstaat (im Königreich Preußen und Bayern auch Provinz, bez. Reg.-Bezirk).
				Königreich Bayern.
II. Königlich bayerisches.	7. Königlich bayerische.	Würzburg.	Bezirksamt Würzburg. " Karlstadt. " Schweinfurt. Magistrat Würzburg. " Schweinfurt.	R.-B. Unterfranken und Aschaffenburg.
		Aschaffenburg.	Bezirksamt Miltenberg. " Obernburg. " Marktheidenfeld. " Lohr. " Alzenau. " Aschaffenburg. Magistrat Aschaffenburg.	
	8. Königlich bayerische.	Kaiserslautern.	Bezirksamt Kirchheimbolanden. " Kusel. " Kaiserslautern.	R.-B. Pfalz.
		Speyer.	Bezirksamt Frankenthal. " Neustadt a. d. H. " Speyer. " Ludwigshafen a. Rh.	
		Landau.	Bezirksamt Bergzabern. " Landau. " Germersheim.	
		Zweibrücken.	Bezirksamt Homburg. " Zweibrücken. " Pirmasens.	

Gedruckt bei Julius Sittenfeld in Berlin.

Amtsblatt
der Königlichen Regierung zu Potsdam und der Stadt Berlin.

Stück 12. Den 23. März **1888.**

Bekanntmachungen der Königlichen Ministerien.

Unfallversicherung der bei Bauten beschäftigten Personen.

8. Im Anschluß an die unter dem 16. Dezember v. J. erlassenen

Vorschriften zur Ausführung des Reichsgesetzes, betreffend die Unfallversicherung der bei Bauten beschäftigten Personen, vom 11. Juli 1887 (Reichs-Gesetz-Blatt S. 287)

bestimmen wir, daß für solche Bauarbeiten an Wegen, Canälen, Wasserläufen rc., welche sich als Ausfluß eines über die Bezirke mehrerer Gemeinden sich erstreckenden Baubetriebes darstellen, die in §§ 4 Ziffer 4, 21 Buchstabe a., 22 Abs. 1 a. a. O. bezeichneten Nachweisungen der Gemeindebehörde desjenigen Orts, **in deren Bezirk der Baubetrieb seinen Sitz hat,** nicht den einzelnen Gemeinden, in deren Bezirken die Bauarbeiten ausgeführt werden, vorzulegen sind. Für die bezeichneten Fälle bedarf es bei Ausstellung der in § 22 Absatz 3 a. a. O. bezeichneten Bescheinigung der Zuziehung der die Baupolizei innerhalb der betreffenden Gemeinde führenden Behörde nicht. Euer Hochwohlgeboren ersuchen wir ergebenst, diesen Erlaß baldigst durch das dortige Regierungs-Amtsblatt zu veröffentlichen.

Berlin, den 25. Februar 1888.

Der Minister für Handel und Gewerbe.
In Vertretung. gez. Magdeburg.
Der Minister des Innern.
In Vertretung. gez. Herrfurth.
Der Minister für Landwirthschaft, Domainen u. Forsten.
In Vertretung. gez. Marcard.
Der Minister der öffentlichen Arbeiten.
Im Auftrage. gez. Schultz.

An den Königlichen Regierungs-Präsidenten Herrn von Neefe Hochwohlgeboren zu Potsdam.

B. 676 M. f. H. — IA. 1238 M. d. J.
III. 3837 M. d. ö. A. — I. 3062 M. f. L.

Bekanntmachungen des Königlichen Regierungs-Präsidenten.

Unfalluntersuchungen gemäß § 54 des Unfallversicherungsgesetzes betr.

103. Nach § 54 des Unfallversicherungsgesetzes vom 6. Juli 1884 (R.-G.-Bl. S. 69) haben die Ortspolizeibehörden von Einleitung einer Unfalluntersuchung den zur Theilnahme an den Untersuchungsverhandlungen berechtigten Vertrauensmännern Mittheilung zu machen.

Zum Vertrauensmann im Bereiche der Tiefbau-Berufsgenossenschaft ist nach einer Mittheilung des Vorstandes der genannten Genossenschaft für den Regierungsbezirk Potsdam der Bauunternehmer Gottl. Lange, in Firma H. Lichtsinn zu Charlottenburg, Spreestraße 19, und als dessen Stellvertreter der Tiefbauunternehmer Hermann Frosch in Berlin NW., Händelstraße 9, gewählt worden.

Es wird dies im Interesse der Unfall-Versicherung zur öffentlichen Kenntniß gebracht.

Potsdam, den 3. März 1888.

Der Regierungs-Präsident.

Betrifft die schußfreien Tage auf dem Schießplatze bei Cummersdorf für das Jahr 1888.

104. Unter Hinweis auf die Polizei-Verordnung vom 2. November 1875 — Amtsblatt Seite 366 — bringe ich hierdurch zur öffentlichen Kenntniß, daß die **schußfreien** Tage auf dem Schießplatze der Königlichen Artillerie-Prüfungs-Kommission bei Cummersdorf für das Jahr 1888 wie folgt festgesetzt worden sind:

März: 23., 25., 28., 29., 30.
April: 1., 2., 3., 4., 6., 8., 9., 11., 12., 15., 16., 17., 18., 22., 23., 25., 26., 27., 29., 30.
Mai: 2., 3., 6., 7., 9., 10., 11., 13., 14., 16., 17., 20., 21., 22., 23., 24., 27., 28., 30., 31.
Juni: 3., 6., 10., 13., 17., 18., 19., 24., 27.
Juli: 1., 5., 8., 11., 15., 18., 22., 25., 29.
August: 1., 5., 8., 12., 15., 19., 22., 26., 29.
September: 2., 5., 9., 12., 16., 17., 18., 23., 26., 30.
Oktober: 3., 4., 7., 8., 10., 14., 15., 18., 21., 22., 24., 28., 29., 31.
November: 4., 5., 6., 11., 14., 15., 18., 19., 21., 25., 26., 28.
Dezember: 2., 3., 4., 5., 9., 10., 11., 12., 13., 16., 17., 18., 19., 23., 25., 26., 27., 28., 29., 30.

Potsdam, den 14. März 1888.

Der Regierungs-Präsident.

Berichtigung.

105. Die im Stück № 9 des Amtsblatts der hiesigen Königlichen Regierung von 1888 auf Seite 73/78 abgedruckte Nachweisung über den Geschäftsbetrieb und die Resultate der städtischen und Kreis-Sparkassen im Regierungsbezirk Potsdam für 1886 wird bezüglich der Kreis-Sparkasse des Kreises Ober-Barnim dahin berichtigt, daß es in Colonne 6 für 871966 M. 54 Pf. — „120486 M. 99 Pf." und in Colonne 7 für „120486 M. 99 Pf." — „871966 M. 54 Pf." heißen muß.

Potsdam, den 17. März 1888.

Der Regierungs-Präsident.

Veranstaltung einer Verloosung zum Besten der Diakonissen-Anstalt zu Kaiserswerth.

106. Der Herr Minister des Innern hat der Direktion der Diakonissen-Anstalt zu Kaiserswerth die Erlaubniß ertheilt, zum Besten der gedachten Anstalt im Laufe dieses Jahres eine Ausspielung beweglicher Gegenstände zu veranstalten und die zu derselben auszugebenden 14000 Loose à 50 Pfennig im ganzen Bereiche der Monarchie zu vertreiben.

Potsdam, den 14. März 1888.

Der Regierungs-Präsident.

Viehseuchen.

107. Die im August vorigen Jahres wegen des Verdachts der Ansteckung mit der Rotzkrankheit unter polizeiliche Beobachtung gestellten Pferde des Büdners Spring zu Sommerfeld und mehrerer Besitzer zu Linum im Kreise Osthavelland sind von rotzverdächtigen Krankheitserscheinungen frei geblieben und ist die Observation derselben aufgehoben worden.

Potsdam, den 14. März 1888.

Der Regierung-Präsident.

108. Die Maul- und Klauenseuche unter dem Rindvieh des Ritterguts Priort im Kreise Osthavelland ist erloschen. Potsdam, den 15. März 1888.

Der Regierungs-Präsident.

109. Die Maul- und Klauenseuche ist unter dem Rindvieh des Ritterguts Jühnsdorf und der Wittwe Ebel zu Schönow, im Kreise Teltow, ausgebrochen.

Dieselbe Seuche ist unter dem Rindvieh des Ritterguts Friedrichsfelde, im Kreise Niederbarnim, erloschen.

Potsdam, den 19. März 1888.

Der Regierungs-Präsident.

Bekanntmachungen der Königlichen Regierung.

Turnlehrerinnen-Prüfung in Berlin.

8. Nachstehende

Bekanntmachung:

Für die Turnlehrerinnen-Prüfung, welche im Frühjahre 1888 zu Berlin abzuhalten ist, habe ich Termin auf **Freitag, den 11. Mai d. J.,** und folgende Tage anberaumt.

Meldungen der in einem Lehramte stehenden Bewerberinnen sind bei der vorgesetzten Dienstbehörde spätestens bis zum 28. März d. J., Meldungen anderer Bewerberinnen unmittelbar bei mir spätestens bis zum 12. April d. J. anzubringen.

Die nach § 4 des Prüfungs-Reglements vom 21. August 1875 beizubringenden Zeugnisse über Gesundheit, Führung und Lehrthätigkeit können nur dann Berücksichtigung finden, wenn sie in neuerer Zeit ausgestellt sind. Berlin, den 3. März 1888.

Der Minister der geistlichen, Unterrichts- und Medizinalangelegenheiten.

Im Auftrage: de la Croix.

wird hiermit zur öffentlichen Kenntniß gebracht.

Potsdam, den 10. März 1888.

Königl. Regierung,
Abtheilung für Kirchen- und Schulwesen.

Bekanntmachungen der Königlichen Hauptverwaltung der Staatsschulden.

Verloosung von dreieinhalbprozentigen Staatsschuldscheinen von 1842.

4. Bei der heute in Gegenwart eines Notars öffentlich bewirkten 5. Verloosung von 3½prozentigen unterm 2. Mai 1842 ausgefertigten Staatsschuldscheinen sind die in der Anlage verzeichneten Nummern gezogen worden.

Dieselben werden den Besitzern mit der Aufforderung gekündigt, die in den ausgeloosten Nummern verschriebenen Kapitalbeträge vom 1. Juli 1888 ab gegen Quittung und Rückgabe der Staatsschuldscheine und der nach dem 1. Juli d. J. fällig werdenden Zinsscheine Reihe XX. № 4 bis 8 nebst Zinsscheinanweisungen bei der Staatsschulden-Tilgungskasse, Taubenstraße 29, hierselbst zu erheben. Die Zahlung erfolgt von 9 Uhr Vormittags bis 1 Uhr Nachmittags, mit Ausschluß der Sonn- und Festtage und der letzten drei Geschäftstage jeden Monats. Die Einlösung geschieht auch bei den Regierungshauptkassen und in Frankfurt a. M. bei der Kreiskasse. Zu diesem Zwecke können die Effekten einer dieser Kassen schon vom 1. Juni d. J. ab eingereicht werden, welche sie der Staatsschulden-Tilgungskasse zur Prüfung vorzulegen hat und nach erfolgter Feststellung die Auszahlung vom 1. Juli 1888 ab bewirkt. Der Betrag der etwa fehlenden Zinsscheine wird vom Kapitale zurückbehalten.

Mit dem 1. Juli 1888 hört die Verzinsung der verloosten Staatsschuldscheine auf.

Zugleich werden die bereits früher ausgeloosten, auf der Anlage verzeichneten, noch rückständigen Staatsschuldscheine wiederholt und mit dem Bemerken aufgerufen, daß die Verzinsung derselben mit den einzelnen Kündigungsterminen aufgehört hat.

Die Staatsschulden-Tilgungskasse kann sich in einen Schriftwechsel mit den Inhabern der Staatsschuldscheine über die Zahlungsleistung nicht einlassen.

Formulare zu den Quittungen werden von sämmtlichen oben gedachten Kassen unentgeltlich verabfolgt.

Berlin, den 2. März 1888.

Hauptverwaltung der Staatsschulden.

Bekanntmachungen der Königlichen Eisenbahn-Direktion zu Bromberg.

Nachtrag zum Staatsbahn-Gütertarif Bromberg—Breslau.

18. Am 1. April d. J. wird der Nachtrag XIV. zum Staatsbahn-Gütertarif Bromberg—Breslau herausgegeben, derselbe enthält: 1) Ergänzungen und Aenderungen der Vorbemerkungen; 2) Giltigkeitstag der Frachtberechnung für Gliezig; 3) Uebernahme der Entfernungen und Frachtsätze für Schwarzenau, Miloslaw, Wreschen, Orzechowo-Warthehafen und Zerkow aus dem Lokal-Tarif Breslau und ermäßigte Entfernungen für Rosdzin; 4) Anderweite Frachtberechnung für Illowo loco; 5) Verlängerte Giltigkeit des Ausnahme-Tarifs 2 für Blei, Zink u. s. w. im Verkehre mit Berlin Ostbahnhof; 6) Ergänzungen der Ausnahme-Tarife für

Holz des Spezial-Tarifs II. und für rohe Steine; 7) Aufhebung der Ausnahme-Tarifsätze für rohe Steine von Löwen; 8) Erweiterung des Ausnahme-Tarifs 7 für Flachs und Hanf, durch Einbeziehung von Breslau Oderthorbhf. und Mehlsack als Verbandsstationen; 9) Ergänzung der Bestimmung zur Anwendung der Sätze des Ausnahme-Tarifs 12 für bestimmte Stückgüter, für Illowo und Mlawa transito; 10) Berichtigungen. Die unter 2, 3, 5, 7 und 8 aufgeführten Tarif-Erweiterungen und Bestimmungen, sowie die für Herminenweiche unter 10 aufgenommene Berichtigung sind bereits früher, durch besonders erlassene Bekanntmachungen, veröffentlicht worden. Die unter 4 bezeichnete anderweite Frachtberechnung für Illowo ergiebt Ermäßigungen für den Lokoverkehr, wogegen die Frachtberechnung für den Verkehr Illowo transito unter Zugrundelegung der bisherigen Entfernungen erfolgt. Druckstücke des Nachtrages XIV. sind durch Vermittelung unserer Billet Expeditionen zu beziehen.

Bromberg, den 8. März 1888.

Königl. Eisenbahn-Direktion,
Namens der betheiligten Verwaltungen.

Fahrplan-Aenderung.

19. Mit Rücksicht auf den früheren Beginn der Schulen in Berlin während des Sommerhalbjahrs wird der Vorortzug 746 der Strecke Dahmsdorf—Müncheberg—Charlottenburg vom 1. April d. J. ab auf Grund des folgenden Fahrplans 8 Minuten früher als jetzt in Berlin eintreffen; hierdurch werden gleichzeitig Aenderungen des Courierzuges 4 bedingt, wonach derselbe wie folgt verkehren wird:

Stationen.	Courierzug 4 1.—2. Kl.		Vorortzug 746 2.—3. Kl.	
	Ankunft.	Abfahrt.	Ankunft.	Abfahrt.
Landsberg	3 36	3 41	—	—
Cüstriner Vorstadt	4 23	4 24	—	—
Cüstrin	4 31	4 36	—	—
Dahmsdorf—Müncheberg	—	—	—	5 22
Rehfelde	—	—	5 37	5 38
Strausberg	—	—	5 45	5 46
Fredersdorf	—	—	5 52	5 53
Neuenhagen	—	—	5 59	6 00
Hoppegarten	—	—	6 04	6 07
Kaulsdorf	—	—	6 15	6 16
Biesdorf	—	—	6 20	6 21
Lichtenberg—Friedrichsfelde	—	—	6 27	6 28
Stralau—Rummelsburg	—	—	—	6 33
Berlin, Schlesischer Bahnhof	6 11	6 16	6 38	6 40
„ Alexanderplatz	6 22	6 24	6 46	—
„ Friedrichstraße	6 30	6 35	6 52	—
„ Zoologischer Garten	6 44	6 45	7 01	—
Charlottenburg	6 50	—	7 05	—

Bromberg, den 14. März 1888. Königl. Eisenbahn-Direktion.

Bekanntmachungen der Königlichen Eisenbahn-Direktion zu Erfurt.

Auslosung von Prioritäts-Obligationen der früheren Berlin-Anhaltischen Eisenbahn.

2. Nachstehende Prioritäts-Obligationen der früheren Berlin-Anhaltischen Eisenbahn sind am 12. März d. J., zum Zweck der privilegmäßigen Amortisation, in Gegenwart zweier Notare ausgeloost worden:

I. 4 % Prioritäts-Obligationen **II. Emission,** ausgestellt am 2. Januar 1857 (abzuliefern mit den Zinsscheinen Serie V. № 6 bis 20 nebst Talon).

73 Stück à 500 Thaler:

№ 1116 1245 1439 1645 1698 1780 1862 1875
1877 1898 1955 1989 1999 2020 2085 2144
2327 2354 2374 2395 2397 2553 2565 2684
2691 2731 2984 2987 3061 3066 3104 3138
3180 3264 3267 3312 3320 3416 3439 3453
3513 3584 3713 3803 3840 3933 4016 4116
4194 4238 4269 4343 4352 4379 4696 4713
4730 4783 4794 4837 4872 4940 4958 4961
5015 5038 5076 5146 5168 5169 5262 5274
5395.

365 Stück à 100 Thaler.

№ 5028 5034 5062 5075 5161 5327 5381 5570
5572 5677 5749 5780 5947 5951 5989 5990
5999 6013 6034 6100 6182 6223 6270 6349
6369 6399 6515 6522 6594 6607 6702 6865
6926 6952 6991 7057 7193 7374 7584 7618
7696 7702 7852 7937 7955 8019 8050 8191
8282 8324 8349 8367 8392 8432 8576 8649
8737 8745 8775 8789 8809 8916 9001 9063
9071 9073 9096 9099 9153 9177 9309 9315
9342 9418 9516 9544 9775 9867 9941 9951
9981 9989 10063 10188 10252 10333 10369
10407 10498 10531 10532 10576 10635 10688

10729 10831 10835 10858 11204 11245 11272
11411 11457 11623 11681 11732 11746 11801
11886 11948 12098 12110 12167 12168 12255
12257 12311 12375 12417 12419 12476 12492
12540 12599 12752 12948 13146 13225 13236
13362 13364 13393 13430 13433 13571 13572
13638 13676 13738 13752 13918 13941 13992
14307 14360 14429 14516 14565 14649 14653
14669 14706 14845 14996 15016 15036 15116
15137 15181 15205 15304 15311 15348 15414
15475 15609 15674 15711 15872 15877 15971
15990 16000 16022 16069 16135 16141 16154
16242 16311 16346 16402 16461 16467 16474
16848 16956 16966 17103 17171 17251 17275
17308 17329 17385 17403 17422 17487 17546
17634 17703 17740 17803 17916 17980 18024
18104 18126 18180 18189 18256 18298 18310
18344 18430 18461 18483 18491 18536 18593
18717 18751 18829 18866 18938 18948 18973
19180 19213 19274 19297 19333 19392 19414
19448 19573 19652 19716 19717 19801 19833
19839 19849 20050 20072 20088 20089 20176
20244 20263 20300 20343 20350 20479 20501
20558 20594 20667 20829 20911 20935 20988
20993 21057 21088 21093 21146 21161 21234
21307 21495 21496 21557 21614 21668 21821
21912 21950 22100 22164 22178 22209 22264
22301 22328 22407 22452 22512 22547 22835
22840 23275 23433 23576 23599 23646 23732
23778 23817 23820 23836 23942 24030 24062
24088 24098 24121 24157 24169 24270 24328
24500 24579 24610 24625 24704 24719 24752
24823 24936 24949 25009 25063 25088 25112
25144 25145 25172 25241 25353 25478 25496
25551 25607 25628 25638 25639 25716 25795
25866 26034 26040 26041 26097 16223 26272
26302 26318 26477 26544 26628 26680 26713
26730 26731 26866 26910 26955 26998 27053
27162 27202 27203 27259 27419.

II. 4 % Prioritäts-Obligationen **Lit. C.**, ausgestellt am 1. Oktober 1875
(abzuliefern mit den Zinsscheinen Serie III. № 6 bis 10 nebst Talon.)

211 Stück à 500 Reichsmark:

№ 34 267 488 552 958 1024 1077 1210 1521
1845 1861 2018 2478 2533 2945 3106 3130
3169 3295 3463 3587 3719 3916 3965 4034
4471 5025 5093 5101 5955 6000 6002 6149
6458 6540 6541 6596 6774 6784 6804 6894
6941 6961 7034 7125 7329 7438 7639 7963
7990 8011 8222 8484 8523 8535 8562 8580
8772 8803 8972 9035 9124 9126 9203 9239
9300 9403 9561 9597 9762 9774 9801 9906
10006 10169 10170 10222 10318 10548 10721
10733 10757 10799 10852 11081 11094 11278
11321 11346 11358 11697 11764 11770 11811
12214 12232 12245 12815 12981 13101 13364
13440 13517 13522 13588 13653 13704 13717
13731 13767 13887 13889 14611 14694 14775
14836 14844 15058 15081 15407 15484 15622
15653 16062 16093 16445 16553 16586 16699
16865 16965 17109 17322 17546 18324 18367
18465 18481 18711 18743 18809 18850 18939
18968 18972 19047 19166 19342 19460 19483
19570 19652 19764 20090 20160 20162 20241
20503 20510 20521 20660 20728 20748 20908
21102 21853 21887 21972 22251 22370 22977
23360 23372 24171 24222 24368 24465 24467
24690 24743 24953 25060 25164 25364 25609
25696 25771 26147 26436 26463 26502 26536
26949 27071 27417 27645 27662 27664 27765
27822 27846 28065 28115 28346 28433 29055
29125 29596 29704 29809 29910.

55 Stück à 1000 Reichsmark.

№ 30071 30408 30555 30638 31003 31269 31726
31731 31835 31904 32009 32079 32259 32386
32531 32552 32656 32670 32718 32741 32822
32910 32932 32980 33056 33134 33272 33688
33955 34122 34156 34323 34781 34884 34887
34994 35298 35488 35546 35926 36290 36494
36499 36554 36631 36695 36708 36889 36912
36922 36944 36992 37035 37162 37196.

10 Stück à 5000 Reichsmark.

№ 37823 37839 37932 38031 38072 38510 38511
38569 38767 38795.

Die Auszahlung der ausgeloosten Obligationen erfolgt gegen Einlieferung derselben vom 2. Juli d. J. ab:
in Erfurt bei der Königlichen Eisenbahn-Hauptkasse,
in Berlin bei der Königlichen Eisenbahn-Hauptkasse, — Abtheilung für Werthpapiere, Leipziger Platz 17, —
in Altona bei der Königlichen Eisenbahn-Hauptkasse,
in Breslau bei der Königlichen Eisenbahn-Hauptkasse,
in Köln bei der Königlichen Eisenbahn-Hauptkasse, — linksrheinische, —
in Frankfurt a. M. bei der Königlichen Eisenbahn-Hauptkasse,
in Dessau bei der Königlichen Eisenbahn-Betriebskasse.

Mit dem genannten Tage hört die Verzinsung der Obligationen auf.

Der Betrag der etwa fehlenden Zinskupons wird bei der Einlösung in Abzug gebracht.

Von den in früheren Jahren ausgeloosten 4 % Berlin-Anhaltischen Eisenbahn-Prioritäts-Obligationen sind bisher nicht zur Einlösung gelangt und **rückständig:**

1) **Obligationen I. Emission,** ausgestellt am 2. Januar 1856, aus der Verloosung zum 1. Juli 1886 (abzuliefern mit Coupons Serie V. № 2 bis 20 und Talon)

№ 4199 4519 à 100 Thaler.

2) **Obligationen II. Emission,** ausgestellt am 2. Januar 1857, aus der Verloosung zum 1. Juli 1886 (abzuliefern mit Coupons Serie V. № 2 bis 20 und Talon)

№ 2432 2681 3431 3618 4490 à 500 Thaler.

№ 8415 11120 11121 13375 13428 14043 14455

14621 14639 15499 15997 16083 17568 17655 19449 21050 21302 21789 21989 22721 23575 23792 24326 24768 25926 26463 26683 à 100 Thaler,

aus der Verloosung zum 1. Juli 1887 (abzuliefern mit Coupons Serie V. № 4 bis 20 und Talon)

№ 2701 3127 3342 3362 3570 4239 4419 4790 4977 5085 5095 à 500 Thaler,

№ 5742 5863 6500 6903 7480 7522 7795 8364 9015 9693 10241 11116 11149 11992 12374 12916 14379 14390 14729 15007 15342 15589 16025 16175 16251 20319 20619 21315 21403 21947 22120 22823 22882 23397 23804 24170 24317 24829 25307 25350 25596 25807 25873 26770 27117 27340 27432 27464 à 100 Thaler.

3) **Obligationen Litr. C.,** ausgestellt am 1. Oktober 1875, aus der Verloosung zum 1. Juli 1886 (abzuliefern mit Coupons Serie III. № 2 bis 10 und Talon.)

№ 1051 1920 2723 3064 6435 6684 7797 8362 10357 12120 12701 21775 25208 26848 29711 à 500 Reichsmark.

№ 36533 à 1000 Reichsmark.

Aus der Verloosung zum 1. Juli 1887 (abzuliefern mit Coupons Serie III. № 4 bis 10 und Talon.)

№ 1878 1884 2015 4724 6391 6703 7571 9776 10806 11071 12425 13555 14266 16982 18961 21438 24698 25802 29878 à 500 Reichsmark.

№ 30474 31452 31900 32118 32256 32522 33340 33878 à 1000 Reichmark.

№ 37911 37945 38821 à 5000 Reichsmark.

Rückständig ist ferner aus der Verloosung zum 1. Juli 1856 mit Coupon № 8 und Talon:

die 4% Berlin-Anhaltische **Eisenbahn-Prioritäts-Actie vom 2. Januar 1841,** № 3711 à 100 Thlr. — Der Betrag ist hinterlegt.

Die bis zum Schluß des Rechnungsjahres 1886/87 im Wege der Amortisation eingelösten Obligationen nebst Kupons sind in Gegenwart zweier Notare verbrannt worden. Erfurt, den 17. März 1888.

Königl. Eisenbahn-Direktion.

Bekanntmachungen der Königlichen Eisenbahn-Direktion zu Magdeburg.

Lokal-Güter- und Vieh-Verkehr.

3. Am 1. April d. J. treten die Nachträge 5 bezw. 3 zu den Tarifen für den Lokal-Güter- und Vieh- ꝛc. Verkehr des Bezirks der unterzeichneten Direktion in Kraft. Dieselben enthalten Aenderungen des Betriebs-Reglements nebst Zusatzbestimmungen, Specialbestimmungen zu den durch den Nachtrag I. zu dem Deutschen Eisenbahn-Gütertarif, Theil I. am 1. April d. J. zur Einführung gelangenden neuen Tarif für die Nebengebühren im Güterverkehr, einige Aenderungen und Ergänzungen des Tarifs für die Güterbeförderung auf Verbindungsbahnen nnd der Bestimmungen über die Abfertigungsbefugnisse einzelner Stationen, sowie die bei der Frachtberechnung anzuwendenden Entfernungsziffern und Ausnahmetarifsätze für die in den diesseitigen Bezirk übergehende Station Osterode a. Harz. Exemplare der Tarifnachträge sind bei den diesseitigen Expeditionen zu haben. Magdeburg, den 9. März 1888.

Königl. Eisenbahn-Direktion.

Bekanntmachung des Landes-Direktors der Provinz Brandenburg.

Büreau-Verlegung.

2. Es wird hierdurch zur öffentlichen Kenntniß gebracht, daß vom Montag, den 26 März d. J., ab die Büreaus und die Landeshauptkasse des Kommunalverbandes der Provinz Brandenburg in der Matthäikirchstraße 20/21 W., hierselbst, sich befinden werden.

Berlin, den 17. März 1888.

Der Landesdirektor der Provinz Brandenburg.

Personal-Chronik.

Der bisherige Predigtamts-Kandidat Dr. phil. Karl Hermann Entzian ist zum Diakonus in Rathenow, Diözese Rathenow, bestellt worden.

Dem Oberlehrer Dr. Muret an der Luisenschule und dem Oberlehrer Dr. Bachmann an der Königlichen Elisabethschule in Berlin ist der Professortitel verliehen worden.

Der Schulamts-Kandidat Gutsch ist am Königlichen Luisen-Gymnasium in Berlin als ordentlicher Lehrer angestellt worden.

Dem bisherigen Baggermeister Gaedicke in Magdeburg ist die Stromaufseherstelle zu Wittenberge vom 1. April d. J. ab verliehen worden.

Vermischte Nachrichten.

Vorlesungen für das Studium der Landwirthschaft an der Universität Halle.

Das Sommersemester beginnt am 26. April.

Von den für das Sommersemester 1888 angezeigten Vorlesungen der hiesigen Universität sind für die Studirenden der Landwirthschaft folgende hervorzuheben:

a. In Rücksicht auf fachwissenschaftliche und staatswissenschaftliche Bildung.

Specielle Pflanzenbaulehre: Geh. Reg.-Rath Prof. Dr. Kühn. Landwirthschaftliche Betriebslehre: Derselbe. Ausgewählte Abschnitte der Thierzuchtlehre: Prof. Dr. Freytag. Praktische Uebungen in der Abschätzung landwirthschaftlicher Objekte: Derselbe. — Der wirthschaftliche Werth der Woll- und Fleischschafzucht: Prof. Dr. Kirchner. — Landwirthschaftliche Bodenkunde, verbunden mit Exkursionen und Uebungen im Bonitiren: Derselbe. — Forstwissenschaft, 1. Theil: Prof. Dr. Ewald. — Feldgärtnerei und Samenbau: Dr. Heyer. Landwirthschaftliches Repetitorium: Derselbe. — Aeußere Krankheiten der Hausthiere in Verbindung mit klinischen Demonstrationen und mit Rücksicht auf das Exterieur des Pferdes: Prof. Dr. Pütz. Ueber die Fortpflanzung unserer Hausthiere mit Rücksicht auf die thierärztlichen Hilfeleistungen vor, bei und nach der Geburt, sowie auf die Krankheiten der neugebornen Hausthiere: Derselbe. Ausgewählte Kapitel der landwirthschaftlichen Maschinen- und Geräthekunde: Prof. Dr. Wüst. Maschinenprüfungen: Derselbe. Praktische Geometrie und Uebungen im Feldmessen und Nivelliren: Derselbe. Ausgewählte Kapitel der Mechanik und Maschinenlehre: Prof. Dr. Cornelius. — Meteorologie und Klimatologie: Derselbe. — Experimentalphysik, 2 Theil, Lehre vom Licht und von der Wärme: Geh. Reg.-Rath Prof. Dr. Knoblauch. — Organische Chemie, der Experimentalchemie 2. Theil: Prof. Dr. Volhard. — Einleitung in das Studium der Chemie: Dr. Baumert. — Ausgewählte Kapitel der unorganischen Chemie: Prof. Dr. Döbner. — Agrikulturchemie, 2. Theil (die Grundzüge der thierischen Ernährung): Prof. Dr. Maercker. Ausgewählte Kapitel der Agrikulturchemie: Derselbe. — Geologie: Prof. Dr. v. Fritsch. — Bodenkunde: Prof. Dr. Brauns. — Mineralogie: Prof. Dr. Lüdecke. — Grundzüge der Botanik: Prof. Dr. Kraus. — Zellkryptogamen: Prof. Dr. Zopf. Pflanzenpathologie: Geh. Reg.-Rath Prof. Dr. Kühn. Ausgewählte Kapitel aus der Entwickelungsgeschichte der Thiere: Prof. Dr. Grenacher. Morphologie der Coelenteraten, Echinodermen und Würmer: Derselbe. Allgemeine Insektenkunde: Prof. Dr. Taschenberg. Naturgeschichte der Säugethiere: Dr. Taschenberg. Ueber Parasiten, mit besonderer Berücksichtigung der im Menschen und in den Hausthieren schmarotzenden: Derselbe. Volkswirthschaftspolitik 2. praktischer Theil der Nationalökonomie: Prof. Dr. Conrad. Allgemeine Staatslehre: Prof. Dr. Friedberg. Bevölkerungspolitik unter besonderer Berücksichtigung des Armenwesens: Prof. Dr. Conrad. Theorie der Steuern: Prof. Dr. Eisenhart. — Handels- und Wechselrecht: Prof. Dr. Boretius.

b. In Rücksicht auf allgemeine Bildung, insbesondere für Studirende höherer Semester.

Vorlesungen aus dem Gebiete der Philosophie, Geschichte, Literatur und ethischen Wissenschaften halten die Prof. Prof. Dr. Dr. Haym, Stumpf, Vaihinger, Dümmler, Droysen, Ewald, Gosche, Uphues.

c. Theoretische und praktische Uebungen.

Staatswissenschaftliches Seminar: Professor Dr. Conrad. Statistische Uebungen: Derselbe. Experimentelle Uebungen im physikalischen Laboratorium: Prof. Dr. Dorn. — Uebungen im chemischen Laboratorium: Prof. Dr. Volhard. — Mineralogische, geologische und paläontologische Uebungen: Prof. Dr. von Fritsch und Prof. Dr. Lüdecke. — Uebungen im Bestimmen der Pflanzen: Dr. Zopf. — Phytotomisches und physiologisches Praktikum: Prof. Dr. Kraus. Zootomische Uebungen: Prof. Dr Grenacher. — Uebungen im Bestimmen der Insekten: Prof. Dr. Taschenberg. — Uebungen im landwirthschaftlich-physiologischen Laboratorium: Geh. Reg.-Rath Prof. Dr. Kühn. — Uebungen im mathematischen und naturwissenschaftlichen Seminar: Prof. Dr. Rosenberger, Cantor, Knoblauch, v. Fritsch, Kraus, Grenacher, Kühn. — Landwirthschaftliche Exkursionen und Demonstrationen: Prof. Dr. Freytag. — Demonstrationen auf dem Versuchsfelde des landwirthschaftlichen Instituts: Prof. Dr. Kirchner. — Landwirthschaftliche und gärtnerische Demonstrationen: Dr. Heyer. — Demonstrationen in der Thierklinik: Prof. Dr. Pütz. Praktische Uebungen im Molkereiwesen: Prof. Dr. Kirchner. Geognostische Exkursionen: Prof. Dr. v. Fritsch. — Botanische Exkursionen: Prof. Dr. Zopf. — Unterricht im Zeichnen und Malen: Zeichenlehrer Schenk.

Nähere Auskunft ertheilt das von dem Sekretariat des landwirthschaftlichen Instituts zu beziehende Programm für das Studium der Landwirthschaft an der Universität Halle. Briefliche Anfragen wolle man an den Unterzeichneten richten.

Halle a./S., im März 1888.

Geh. Reg.-Rath Dr. Julius Kühn,
ordentl. öffentl. Professor und Direktor
des landwirthschaftlichen Instituts an der Universität.

Ausweisung von Ausländern aus dem Reichsgebiete.

Lauf. Nr.	Name und Stand des Ausgewiesenen	Alter und Heimath des Ausgewiesenen	Grund der Bestrafung	Behörde, welche die Ausweisung beschlossen hat	Datum des Ausweisungs-Beschlusses
1.	2	3	4.	5	6
		a. Auf Grund des § 39 des Strafgesetzbuchs:			
1	Anton Linz, Schuhmacher,	geboren am 29. September 1847 zu Senomat, Bezirk Rakonitz, Böhmen, ortsangehörig ebendaselbst,	einfacher Diebstahl im Rückfalle (1½ Jahre Zuchthaus, laut Erkenntniß vom 13. September 1886),	Königlich Bayerisches Bezirksamt Bamberg II.,	9. Februar 1888.
2	Augustin Gervasi, Steinhauer u. Maurer,	geboren am 19. Juni 1852 zu Nimis, Provinz Udine, Italien, ortsangehörig ebendas., wohnh. zuletzt in Stuttgart, Württemberg,	schwerer Diebstahl im Rückfalle (3 Jahre Zuchthaus, laut Erkenntniß vom 19. Februar 1885),	Königlich Württembergische Regierung des Neckarkreises zu Ludwigsburg,	10. Februar 1888.

1. Lauf. Nr.	Name und Stand des Ausgewiesenen.	Alter und Heimath des Ausgewiesenen.	Grund der Bestrafung.	Behörde, welche die Ausweisung beschlossen hat.	Datum des Ausweisungs-Beschlusses.
1.	2.	3.	4.	5.	6
		b. Auf Grund des § 362 des Strafgesetzbuchs:			
1	Franz Kratochwill, Hutmachergehülfe,	geboren 1856 zu Gaudenzdorf Bezirk Sechshaus, Oesterreich, ortsangehörig zu Kohljanowitz, Bezirk Kuttenberg, Böhmen,	Landstreichen,	Stadtmagistrat Passau, Bayern,	14. Januar 1888.
2	Josef Jungmeier, Bäcker,	geboren am 18. März 1861 zu Mailberg, Bezirk Oberhollabrunn, Nieder-Oesterreich, ortsangehörig zu Seefeld, ebendaselbst,	Diebstahl, Landstreichen, Führung falscher Zeugnisse, falsche Namensangabe und Tragen verbotener Waffen,	Königlich Bayerisches Bezirksamt Füssen,	13. Januar 1888.
3	Paul Pingerra, Dienstknecht,	geboren im Februar 1854 zu Stilfs, Bezirk Meran, Tirol, ortsangehörig ebendaselbst,	Landstreichen und Betteln,	dasselbe,	7. Februar 1888.
4	Josef Schöniger, Tagschreiber,	geboren am 20. April 1863 zu Wscherau, Bezirk Mies, Böhmen, ortsangehörig ebendaselbst,	desgleichen,	Stadtmagistrat Deggendorf, Bayern,	20. Januar 1888.
5	Johann Churt (Chrt), Tagelöhner,	geboren am 25. November 1844 zu Rudolfstadt, Bezirk Budweis, Böhmen, ortsangehörig ebendaselbst,	Landstreichen,	derselbe,	desgleichen.
6	Lorenz Meskan, Schuhmacher,	geboren am 10. August 1854 zu Zabovresk, Bezirk Budweis, Böhmen, ortsangehörig ebendaselbst,	Landstreichen und Betteln,	derselbe,	1. Februar 1888.
7	Anton Grübl, Schuhmacher,	geboren am 17. Januar 1861 zu Peuerbach, Bezirk Schärding, Ober-Oesterreich, ortsangehörig ebendaselbst	Betteln im wiederholten Rückfall,	Königlich Bayerisches Bezirksamt Vilsbiburg,	27. Januar 1888.
8	Josef Hofinger, Wagnergeselle,	geboren 1858 zu Linz, Ober-Oesterreich, ortsangehörig zu Hellmannsödt, Bezirk Linz,	Landstreichen und Betteln,	Königlich Bayerisches Bezirksamt Ebersberg,	30. Januar 1888.
9	Jules Camille Levêque, Schmied u. Erdarbeiter,	28 Jahre, geboren und ortsangehörig zu Rive de Gier, Departement Loire, Frankreich,	Landstreichen,	Königlich Bayerisches Bezirksamt Pfarrkirchen,	26. Januar 1888.
10	Benedikt Hetlebrand, Schmied,	geboren 1853 zu Swata, Bezirk Rakonitz, Böhmen, ortsangehörig ebendaselbst,	Landstreichen und Betteln,	dasselbe,	1. Februar 1888.

Lauf. Nr.	Name und Stand	Alter und Heimath	Grund der Bestrafung.	Behörde, welche die Ausweisung beschlossen hat.	Datum des Ausweisungs-Beschlusses.
	des Ausgewiesenen.				
1.	2.	3.	4.	5.	6.
11	Matthias Wesely, Schuhmacher,	20 Jahre, geboren zu Radischek, Bezirk Datschitz, Mähren, ortsangehörig zu Rohozna, Bezirk Pilgram, Böhmen,	Landstreichen, Betteln und Führen falscher Legitimationspapiere,	Königlich Bayerisches Bezirksamt Eggenfelden,	3. Februar 1888.
12	Anton Königseder, Bäcker,	43 Jahre, geboren und ortsangehörig zu Roßbach, Bezirk Braunau, Böhmen,	Landstreichen und Betteln,	dasselbe,	6. Februar 1888.
13	Franz Leißner, Handschuhmacher,	47 Jahre, geboren und ortsangehörig zu Schluckenau, Böhmen, wohnhaft zuletzt in Stuttgart, Württemberg,	Betteln im wiederholten Rückfall,	Großherzoglich Badischer Landeskommissär zu Mannheim,	31. Januar 1888.
14	Josef Typasky, Drahtbinder,	geboren 1857 zu Nagy-Divina, Bezirk Trencsin, Ungarn, ortsangehörig ebendaselbst, wohnhaft zuletzt in Lüneburg, Preußen,	Landstreichen und Betteln,	Großherzoglich Mecklenburgisches Ministerium des Innern zu Schwerin,	21. Januar 1888.
15	Julius Viktor Lièvre, ohne Stand,	geboren am 15. August 1870 zu Niederhagenthal, Kreis Altkirch, Elsaß-Lothringen, französischer Optant,	Landstreichen,	Kaiserlicher Bezirks-Präsident zu Straßburg,	4. Februar 1888.
16	Karl Schemmer, Blechner,	geboren am 14. März 1821 zu Prag, Böhmen,	Landstreichen und Betteln,	Kaiserlicher Bezirks-Präsident zu Colmar,	16. Januar 1888.
17	Johann Kapelli, Erdarbeiter,	21 Jahre, geboren zu Serin, Italien,	Landstreichen,	Kaiserlicher Bezirks-Präsident zu Metz,	1. Februar 1888.
18	Seraphin Sculatti, Grundarbeiter,	geboren am 19. September 1839 zu Sexto-Colendo, Italien,	desgleichen,	derselbe,	12. Februar 1888.
19	Josef Wagner, Wagner,	28 Jahre, geboren und ortsangehörig zu Bonyhad, Ungarn,	Betteln im wiederholten Rückfall,	Königlich Preußischer Regierungspräsident zu Wiesbaden,	21. Februar 1888.

Hierzu eine Beilage, enthaltend das Verzeichniß der in der 5. Verloosung gezogenen, durch die Bekanntmachung der Königlichen Hauptverwaltung der Staatsschulden vom 2. März 1888 zur baaren Einlösung am 1. Juli 1888 gekündigten $3\frac{1}{2}$ prozentigen, unterm 2. Mai 1842 ausgefertigten Staatsschuldscheine, und das Verzeichniß der aus früheren Verloosungen noch rückständigen $3\frac{1}{2}$ prozentigen Staatsschuldscheine von 1842, sowie Drei Oeffentliche Anzeiger.

(Die Insertionsgebühren betragen für eine einspaltige Druckzeile 20 Pf. Belagsblätter werden der Bogen mit 10 Pf. berechnet.)

Redigirt von der Königlichen Regierung zu Potsdam.

Potsdam, Buchdruckerei der A. W. Hayn'schen Erben (E. Hayn, Hof-Buchdrucker).

Amtsblatt

der Königlichen Regierung zu Potsdam und der Stadt Berlin.

Stück 13. Den 30. März **1888.**

Den Nachtrag zu den reglementarischen Bestimmungen des Kur- und Neumärkischen Ritterschaftlichen Kredit-Instituts betreffend.

Auf Ihren Bericht vom 9. d. M. will Ich den anliegenden Nachtrag zu den reglementarischen Bestimmungen des Kur- und Neumärkischen Ritterschaftlichen Kredit-Instituts hierdurch landesherrlich genehmigen. Dieser Erlaß ist mit dem Nachtrage in dem gesetzlichen Wege zu veröffentlichen.

Berlin, den 20. Februar 1888.

gez. **Wilhelm.**

ggz. Lucius. Friedberg. von Scholz.

An den Minister für Landwirthschaft, Domänen und Forsten, der Justiz und der Finanzen.

* * *

Nachtrag

zu den reglementarischen Bestimmungen des Kur- und Neumärkischen Ritterschaftlichen Kreditinstituts.

I. Es können fortan auch Kur- und Neumärkische Neue Pfandbriefe mit dem Zinssatze von drei Procent nach der Wahl des Darlehnsnehmers ausgegeben werden, übrigens unter sinngemäßer Anwendung der für die Ausgabe von Kur- und Neumärkischen Neuen Pfandbriefen höheren Zinssatzes bestehenden statutarischen Vorschriften, namentlich ebenmäßig unter Beschränkung des Kurs-Differenz-Zuschusses auf den Höchstbetrag von zehn Prozent des Nennwerthes der auszureichenden dreiprozentigen Kur- und Neumärkischen Neuen Pfandbriefe.

II. Der § 29 des Regulativs vom 15. März 1858 über die hypothekarische Beleihung bepfandbriefungsfähiger Güter mittelst Ausfertigung Kur- und Neumärkischer Neuer Pfandbriefe findet auch Anwendung auf das Verfahren behufs Umwandlung älterer — auf den Gutsnamen lautender — Pfandbriefe in Kur- und Neumärkische Neue Pfandbriefe mit einem geringeren Zinssatze.

III. Die Vorschriften des mittelst Allerhöchsten Erlasses vom 7. Juli 1886 landesherrlich genehmigten Nachtrages zu den reglementarischen Bestimmungen des Kur- und Neumärkischen Ritterschaftlichen Kredit-Instituts finden auch sinngemäße Anwendung für den Fall der Umwandlung 3½ prozentiger Kur- und Neumärkischer Pfandbriefe und landschaftlicher Central-Pfandbriefe in Kur- und Neumärkische Pfandbriefe oder landschaftliche Central-Pfandbriefe mit einem geringeren Zinssatze.

IV. Die nach den bestehenden Vorschriften bei verspäteter Erhebung der Baarvaluta für gekündigte Pfandbriefe dem Inhaber derselben seitens des Kredit-Instituts zu gewährenden Depositalzinsen werden auf zwei Prozent jährlich festgesetzt.

Beglaubigt
(L. S.)
Der Minister für Landwirthschaft, Domänen u. Forsten.
gez. Lucius.

Bekanntmachungen der Königlichen Ministerien.

Polizei-Verordnung,

betreffend die Eisenbahn von Loewenberg nach Templin.

9. Auf Grund des § 74 des Bahnpolizei-Reglements für die Eisenbahnen Deutschlands vom 30. November 1885 ist mit Zustimmung des Reichseisenbahn-Amts die Anwendung der Bahnordnung für Deutsche Eisenbahnen untergeordneter Bedeutung vom 12. Juni 1878, publizirt in № 24 des Centralblatts für das Deutsche Reich vom 14. Juni 1878 und in № 29 des Amtsblatts der Königlichen Regierung zu Potsdam vom 19. Juli 1878 auf die Bahn von Loewenberg nach Templin von mir genehmigt worden.

Zugleich sind in Gemäßheit des § 45 dieser Bahnordnung, welche mit dem Tage der Eröffnung des Betriebes auf der bezeichneten Bahn für dieselbe in Kraft tritt, die nachstehenden Anordnungen getroffen worden, deren Uebertretung der Strafandrohung des § 45 unterliegt.

§ 1. Das Betreten des Planums der Bahn, der dazu gehörigen Böschungen, Dämme, Gräben, Brücken und sonstigen Anlagen ist ohne Erlaubnißkarte nur der Aufsichtsbehörde und deren Organen, den in der Ausübung ihres Dienstes befindlichen Forstschutz-, Zoll-, Steuer-, Telegraphen-, Polizeibeamten, den Beamten der Staatsanwaltschaft und den zur Rekognoszirung dienstlich entsendeten Offizieren gestattet; dabei ist jedoch die Bewegung wie der Aufenthalt innerhalb der Fahr- und Rangirgeleise zu vermeiden.

Das Publikum darf die Bahn nur an den zu Ueberfahrten und Uebergängen bestimmten Stellen überschreiten und zwar nur so lange, als sich kein Zug nähert. Dabei ist jeder unnöthige Verzug zu vermeiden.

Es ist untersagt, die Barrieren oder sonstigen Einfriedigungen eigenmächtig zu öffnen, zu überschreiten oder zu übersteigen, oder etwas darauf zu legen oder zu hängen.

§ 2. Außerhalb der bestimmungsmäßig dem Publikum für immer oder zeitweise geöffneten Räume darf Niemand den Bahnhof ohne Erlaubnißkarte betreten, mit Ausnahme der in Ausübung ihres Dienstes befindlichen Chefs der Militair- und Polizeibehörde, sowie der im § 1 gedachten und der Postbeamten.

Die Wagen, welche Reisende zur Bahn bringen oder daher abholen, müssen auf den Vorplätzen der Bahnhöfe an den dazu bestimmten Stellen auffahren. Die Ueberwachung der Ordnung auf den für diese Wagen bestimmten Vorplätzen, soweit dies den Verkehr mit Reisenden und deren Gepäck betrifft, steht den Bahnpolizei-Beamten zu, insofern in dieser Beziehung nicht besondere Vorschriften ein Anderes bestimmen.

§ 3. Das Hinüberschaffen von Pflügen, Eggen und anderen Geräthen, sowie von Baumstämmen und anderen schweren Gegenständen über die Bahn darf, sofern solche nicht getragen werden, nur auf Wagen oder untergelegten Schleifen erfolgen.

§ 4. Für das Betreten der Bahn und der dazu gehörigen Anlagen durch Vieh bleibt derjenige verantwortlich, welchem die Aufsicht über dasselbe obliegt.

§ 5. Alle Beschädigungen der Bahn und der dazu gehörigen Anlagen, mit Einschluß der Telegraphen, sowie der Betriebsmittel nebst Zubehör, ingleichen das Auflegen von Steinen, Holz und sonstigen Sachen auf das Planum, oder das Anbringen sonstiger Fahrhindernisse sind verboten, ebenso die Erregung falschen Alarms, die Nachahmung von Signalen, die Verstellung von Ausweiche-Vorrichtungen und überhaupt die Vornahme aller, den Betrieb störender Handlungen.

§ 6. Das Einsteigen in einen bereits in Gang gesetzten Zug, der Versuch, sowie die Hülfeleistung dazu, ingleichen das eigenmächtige Oeffnen der Wagenthüren, während der Zug sich noch in Bewegung befindet, ist verboten.

§ 7. Die Bahnpolizei-Beamten sind befugt, einen Jeden vorläufig festzunehmen, der auf der Uebertretung der in den §§ 43—45 der Bahnordnung für deutsche Bahnen untergeordneter Bedeutung, sowie der in dieser Polizeiverordnung enthaltenen Bestimmungen betroffen oder unmittelbar nach der Uebertretung verfolgt wird und sich über seine Person nicht auszuweisen vermag.

Derselbe ist mit der Festnahme zu verschonen, wenn er eine angemessene Sicherheit bestellt. Die Sicherheit darf den Höchstbetrag der angedrohten Strafe nicht übersteigen.

Enthält die strafbare Handlung ein Verbrechen oder Vergehen, so kann sich der Schuldige durch eine Sicherheitsbestellung der vorläufigen Festnahme nicht entziehen.

Jeder Festgenommene ist ungesäumt an die nächste Polizeibehörde oder an das zuständige Königliche Amtsgericht abzuliefern.

§ 8. Den Bahnpolizei-Beamten ist gestattet, die festgenommenen Personen durch Mannschaften aus dem auf der Eisenbahn befindlichen Arbeitspersonale in Bewachung nehmen und an den Bestimmungsort abliefern zu lassen. In diesem Falle hat der Bahnpolizei-Beamte eine, mit seinem Namen und mit seiner Dienstqualität bezeichnete Festnehmungskarte mitzugeben, welche vorläufig die Stelle der aufzunehmenden Verhandlung vertritt, die in der Regel an demselben Tage, an dem die Uebertretung konstatirt wurde, spätestens aber am Vormittag des folgenden Tages an die Polizeibehörde oder das zuständige Königliche Amtsgericht eingesendet werden muß.

§ 9. Ein Abdruck dieser Polizeiverordnung, der §§ 43—46 der Bahnordnung für deutsche Eisenbahnen untergeordneter Bedeutung, sowie der §§ 13, 14, 22 al. 2 und 5 und des § 23 des Betriebsreglements ist in den Wartesälen auszuhängen.

Mit Bezug auf § 136 des Gesetzes über die allgemeine Landesverwaltung vom 30. Juli 1883 (G.-S. S. 195 und ff.) wird diese Polizeiverordnung hierdurch zur öffentlichen Kenntniß gebracht.

Berlin, den 14. März 1888.

Der Minister der öffentlichen Arbeiten.

Ankauf von Remonten pro 1888.

Regierungs-Bezirk Potsdam.

10. Zum Ankaufe von Remonten im Alter von drei und ausnahmsweise vier Jahren sind im Bereiche der Königlichen Regierung zu Potsdam für dieses Jahr nachstehende, Morgens 8 resp. 9 Uhr beginnende Märkte anberaumt worden, und zwar:

am	**31.**	**Mai**	Wriezen a. Oder,
"	**8.**	**Juni**	Jüterbog 9 Uhr,
"	**9.**	"	Oranienburg,
"	**11.**	"	Nauen,
"	**12.**	"	Neustadt a. Dosse,
"	**13.**	"	Rathenow,
"	**15.**	"	Havelberg,
"	**16.**	"	Wilsnack 9 Uhr,
"	**31.**	**Juli**	Strasburg i. Uckermark,
"	**1.**	**August**	Prenzlau,
"	**2.**	"	Angermünde,
"	**3.**	"	Neu-Ruppin,
"	**4.**	"	Kyritz,
"	**6.**	"	Wittstock,
"	**7.**	"	Meyenburg,
"	**8.**	"	Pritzwalk 9 Uhr,
"	**9.**	"	Perleberg,
"	**10.**	"	Lenzen a. Elbe.

Die von der Remonte-Ankaufs-Kommission erkauften Pferde werden mit Ausnahme derjenigen von Oranienburg zur Stelle abgenommen und sofort gegen Quittung baar bezahlt. Die Verkäufer auf dem Markte in Oranienburg werden dagegen ersucht, die erkauften Pferde in dem nahe gelegenen Remonte-Depot Bärenklau auf eigene Kosten und Gefahr einzuliefern und daselbst nach erfolgter Uebergabe in gesundem Zustande den behandelten Kaufpreis in Empfang zu nehmen.

Pferde mit solchen Fehlern, welche nach den Landesgesetzen den Kauf rückgängig machen, sind vom Verkäufer gegen Erstattung des Kaufpreises und der Unkosten zurückzunehmen, ebenso Krippensetzer, welche sich in den ersten acht und zwanzig Tagen nach Einlieferung in den Depots als solche erweisen. Pferde, welche den Verkäufern nicht eigenthümlich gehören, oder durch einen nicht legitimirten Bevollmächtigten der Kommission vorgestellt werden, sind vom Kauf ausgeschlossen.

Die Verkäufer sind verpflichtet, jedem verkauften Pferde eine neue, starke rindlederne Trense mit starkem Gebiß und eine neue Kopfhalfter von Leder oder Hanf mit 2 mindestens zwei Meter langen Stricken ohne besondere Vergütung mitzugeben.

Um die Abstammung der vorgeführten Pferde feststellen zu können, ist es erwünscht, daß die Deckscheine möglichst mitgebracht werden, auch werden die Verkäufer ersucht, die Schweife der Pferde nicht zu coupiren oder übermäßig zu verkürzen.

Ferner ist es dringend wünschenswerth, daß der immer mehr überhand nehmende zu mastige oder weiche Futterzustand bei den zum Verkauf zu stellenden Remonten aufhört, weil dadurch die in den Remonte-Depots vorkommenden Krankheiten sehr viel schwerer zu überstehen sind, als dies bei rationell und nicht übermäßig gefutterten Remonten der Fall ist.

In Zukunft wird beim Ankauf zum Messen der Remonten das Stockmaß in Anwendung kommen.

Berlin, den 1. März 1888.

Kriegsministerium, Remontirungs-Abtheilung.

Bekanntmachungen des Königlichen Ober-Präsidenten der Provinz Brandenburg.

Ergänzung des Verzeichnisses der Kunststraßen im Regierungsbezirk Potsdam betreffend.

9. In Ergänzung meiner Bekanntmachung vom 28. Dezember v. J. (Amtsblatt pro 1888, Seite 11) bringe ich hiermit zur öffentlichen Kenntniß, daß auch die Chausseestrecken Wilsnack—Kletzke und Karstedt—Dallmin zu denjenigen daselbst unter lit. B. aufgeführten Kunststraßen gehören, für welche das Recht zur Erhebung von Chausseegeld verliehen ist.

Potsdam, den 15. März 1888.

Der Oberpräsident der Provinz Brandenburg,
Staatsminister Achenbach.

Bekanntmachungen des Königlichen Regierungs-Präsidenten.

Veröffentlichungen des Deutschen Handelsarchives betreffend.

110. Die betheiligten Kreise des Regierungsbezirkes mache ich auf folgende Veröffentlichungen aus dem diesjährigen Märzhefte des Deutschen Handelsarchives aufmerksam:

1) Erleichterungen in dem Betriebe der Preßhefebrennerei (S. 193),
2) Zahlung der Verbrauchsabgabe bei Abfertigung des Branntweins im freien Verkehre (S. 193),
3) Tarasätze für die mit dem Anspruche auf Zoll- und Steuervergütung ausgehenden Cigarretten (S. 193),
4) Zollbehandlung verschieden tarifirter Spirituosen innerhalb desselben Theilungslagers (S. 194),
5) Belgien: Zollbehandlung der für die Brüsseler Weltausstellung im Jahre 1888 bestimmten Gegenstände (S. 196),
6) Rußland: Erhöhung der Branntwein- und Spiritus-Accise (S. 196), sowie
7) Besteuerung der Contocorrente (S. 196).

Potsdam, den 20. März 1888.

Der Regierungs-Präsident.

Viehseuchen.

111. Die Maul- und Klauenseuche ist unter dem Rindvieh des Bauergutsbesitzers Springer zu Carow und des Kossäthen Ebel zu Schönfließ im Kreise Niederbarnim ausgebrochen und unter dem Rindvieh des Gutes Dalldorf, des Bauern Schmidt zu Biesdof und des Molkereibesitzers Reinert zu Rosenthal in demselben Kreise erloschen.

Potsdam, den 20. März 1888.

Der Regierungs-Präsident.

112. Die Maul- und Klauenseuche ist unter dem Rindvieh der Güter Baerwalde, Weissen und Wiepersdorf im Kreise Jüterbog-Luckenwalde ausgebrochen.

Dieselbe Seuche unter dem Rindvieh der Rittergüter Ober-Greiffenberg und Wilmersdorf im Kreise Angermünde, Klein-Machnow im Kreise Teltow und der Ortschaft Tarmow im Kreise Osthavelland ist erloschen.

Am Milzbrand ist eine Kuh des Ritterguts Carwesee im Kreise Osthavelland am 11ten d. M. verendet, auch ist dieselbe Seuche unter dem Rindvieh eines Büdnergehöftes in Boernicke in demselben Kreise ausgebrochen.

Potsdam, den 23. März 1888.

Der Regierungs-Präsident.

113. Die Maul- und Klauenseuche unter den Kühen des Molkereibesitzers Bräuer in Lichtenberg bei Berlin ist erloschen.

Potsdam, den 24. März 1888.

Der Regierungs-Präsident.

Bekanntmachungen der Königlichen Regierung.

Zahlungen für die Stadt Charlottenburg betreffend.

9. Die in Charlottenburg für Rechnung unserer Hauptkasse zu leistenden Zahlungen an Pensionen, Unterstützungen rc., welche bisher von dem Königlichen Steuer-Amte daselbst bewirkt worden sind, gehen vom nächsten Rechnungsjahre ab auf die vereinigte Konsistorial-Militär- und Baukasse in Berlin, Niederwallstraße 39 pt., über, woselbst auch die bereits am 31. d. M. zahlbaren Gehälter, Civil- und Militär-Pensionen zu erheben sind. Potsdam, den 26. März 1888.

Königl. Regierung.

Bekanntmachungen des Königl. Polizei-Präsidiums zu Berlin.

Schließung der Berliner Zahlstelle des Unterstützungsvereins Deutscher Tabakarbeiter in Bremen.

20. Nachdem die von mir unterm 13. Januar 1888 von Aufsichtswegen angeordnete Schließung der hiesigen Zahlstelle des zum Betriebe von Versicherungsgeschäften in Preußen bisher nicht zugelassenen Unterstützungsvereins Deutscher Tabakarbeiter in Bremen endgültig geworden ist, wird jede weitere dieser Maßnahme zuwiderlaufende Betheiligung an dem gedachten Verbande zur Vermeidung einer Strafe von 30 Mark eventl. 3 Tagen Haft hiermit ausdrücklich untersagt.

Berlin, den 20. März 1888.

Der Polizei-Präsident.

Jahresarbeitsverdienst land- und forstwirthschaftlicher Arbeiter in Berlin.

21. In Gemäßheit der Bestimmungen des § 6 Absatz 3 des Reichsgesetzes vom 5. Mai 1886 — Reichs-Gesetzblatt Seite 132 — und der Anweisung zur Ausführung desselben vom 4. Juni 1887 Ziffer I. 1 setze ich hiermit für den Stadtbezirk Berlin nach Anhörung der Gemeindebehörde den durchschnittlichen **Jahresarbeitsverdienst land- und forstwirthschaftlicher Arbeiter** bis auf Weiteres, wie folgt, fest:
1) für männliche Arbeiter über 16 Jahre auf 720 M.,
2) für weibliche Arbeiter über 16 Jahre auf 450 M.,
3) für männliche Arbeiter unter 16 Jahren auf 390 M.,
4) für jugendliche Arbeiter unter 16 Jahren auf 300 M.,
mit dem Hinzufügen, daß diese Durchschnittssätze den Maßstab bilden, nach welchem auf Grund des angegebenen Gesetzes die Berechnung einer zu zahlenden Rente zu erfolgen hat.

Berlin, den 22. März 1888.

Der Polizei-Präsident.

Verbot einer Druckschrift.

22. Auf Grund des § 12 des Reichsgesetzes gegen die gemeingefährlichen Bestrebungen der Sozialdemokratie vom 21. Oktober 1878 wird hierdurch zur öffentlichen Kenntniß gebracht, daß die nichtperiodische Druckschrift: „Sturmvögel. Revolutionaire Lieder und Gedichte.“ Gesammelt von Johann Most. Heft 2. New-York, 1888, nach § 11 des gedachten Gesetzes durch den Unterzeichneten von Landespolizeiwegen verboten worden ist. Berlin, den 23. März 1888.

Der Königl. Polizei-Präsident.

Bekanntmachungen der Königlichen Hauptverwaltung der Staatsschulden.

Verloosung von Schuldverschreibungen der Staatsanleihen von 1850, 1852, 1853 und 1862.

5. Bei der heute in Gegenwart eines Notars öffentlich bewirkten Verloosung von Schuldverschreibungen der 4prozentigen Staatsanleihen von 1850, 1852, 1853 und 1862 sind die in der Anlage verzeichneten Nummern gezogen worden.

Dieselben werden den Besitzern mit der Aufforderung gekündigt, die in den ausgeloosten Nummern verschriebenen Kapitalbeträge vom 1. Oktober 1888 ab gegen Quittung und Rückgabe der Schuldverschreibungen und der nach dem 1. Oktober 1888 fällig werdenden Zinsscheine nebst Zinsscheinanweisungen bei der Staatsschulden-Tilgungskasse, Taubenstraße Nr. 29 hierselbst, zu erheben.

Die Zahlung erfolgt von 9 Uhr Vormittags bis 1 Uhr Nachmittags, mit Ausschluß der Sonn- und Festtage und der letzten drei Geschäftstage jeden Monats. Die Einlösung geschieht auch bei den Regierungs-Hauptkassen und in Frankfurt a. M. bei der Kreiskasse.

Zu diesem Zwecke können die Schuldverschreibungen nebst Zinsscheinen und Zinsscheinanweisungen einer dieser Kassen schon vom 1. September d. J. ab eingereicht werden, welche sie der Staatsschulden-Tilgungskasse zur Prüfung vorzulegen hat und nach erfolgter Feststellung die Auszahlung vom 1. Oktober 1888 ab bewirkt.

Mit den verloosten Schuldverschreibungen sind unentgeltlich abzuliefern und zwar: von der Anleihe von 1850 der Zinsschein Reihe X. № 5, von der Anleihe von 1852 die Zinsscheine Reihe X. № 5 bis 7, von der Anleihe von 1853 der Zinsschein Reihe IX. № 8 und die Anweisung zur Abhebung der Reihe X.; endlich von der Anleihe von 1862 die Zinsscheine Reihe VII. № 6 bis 8 und die Anweisung zur Abhebung der Reihe VIII.

Der Betrag der etwa fehlenden Zinsscheine wird von dem Kapitale zurückbehalten.

Mit dem 1. Oktober 1888 hört die Verzinsung der verloosten Schuldverschreibungen auf.

Zugleich werden die bereits früher ausgeloosten, auf der Anlage verzeichneten noch rückständigen Schuldverschreibungen der zuerst genannten drei Anleihen wiederholt und mit dem Bemerken aufgerufen, daß die Verzinsung derselben mit den einzelnen Kündigungsterminen aufgehört hat.

Die Staatsschulden-Tilgungskasse kann sich in einen Schriftwechsel mit den Inhabern der Schuldverschreibungen über die Zahlungsleistung nicht einlassen.

Formulare zu den Quittungen werden von den sämmtlichen obengedachten Kassen unentgeltlich verabfolgt.

Berlin, den 3. März 1888.

Hauptverwaltung der Staatsschulden.

Aufgebot einer Schuldverschreibung.

6. Die Deutsche Genossenschaftsbank von Soergel, Parrisius & Co. hierselbst, Charlottenstraße Nr. 35a., hat auf Umschreibung der Schuldverschreibung der konsolidirten $3\frac{1}{2}$prozentigen Staatsanleihe von 1885 Lit. A. Nr. 9576 über 5000 M. angetragen, weil von dem oberen Theile derselben ein Stück abgerissen ist.

In Gemäßheit des § 3 des Gesetzes vom 4. Mai 1843 (Ges.-S. S. 177) wird deshalb Jeder, der an diesem Papier ein Anrecht zu haben vermeint, aufgefordert, dasselbe binnen 6 Monaten und spätestens

am 1. Oktober d. J.

uns anzuzeigen, widrigenfalls das Papier kassirt und dem obengenannten Bankgeschäft ein neues kursfähiges ausgehändigt werden wird.

Berlin, den 17. März 1888.

Hauptverwaltung der Staatsschulden.

Bekanntmachungen der Königl. Kontrolle der Staatspapiere.

Aufgebot von Schuldverschreibungen.

7. In Gemäßheit des § 20 des Ausführungsgesetzes zur Civilprozeßordnung vom 24. März 1879 (G.-S. S. 281) und des § 6 der Verordnung vom 16. Juni 1819 (G.-S. S. 157) wird bekannt gemacht, daß der Filiale der Breslauer Wechslerbank (vorm.

Louis Pollack) zu Liegnitz die Schuldverschreibungen der konsolidirten 4 %igen Staatsanleihe

a. von 1881 lit. D. № 205586 über 500 M.,

b. von 1883 lit. D. № 409780, 435417, 435432 über je 500 M.,

c. von 1884 lit. D. № 543438, 543461, 612416, 617096 über je 500 M.

angeblich in der Zeit vom Februar bis September v. J. gestohlen worden sind.

Es werden Diejenigen, welche sich im Besitze dieser Urkunden befinden, hiermit aufgefordert, solches der unterzeichneten Kontrolle der Staatspapiere oder dem Königl. Justizrath Fränkel zu Liegnitz anzuzeigen, widrigenfalls das gerichtliche Aufgebotsverfahren behufs Kraftloserklärung der Urkunden beantragt werden wird.

Berlin, den 19. März 1888.

Königl. Kontrolle der Staatspapiere.

Bekanntmachungen des Königlichen Oberbergamts zu Halle.

Verlegung des Wohnsitzes eines Markscheiders.

1. Unter Bezugnahme auf den § 4 der Allgemeinen Vorschriften für die concessionirten Markscheider im Preußischen Staate vom 21. Dezember 1871 bringen wir hierdurch zur öffentlichen Kenntniß, daß der concessionirte Markscheider Karl Schultze vom 12. März d. J. ab seinen Wohnsitz in Wriezen a. O. genommen hat. Halle, den 19. März 1888.

Königl. Oberbergamt.

Bekanntmachungen der Königlichen Eisenbahn-Direktion zu Bromberg.

Nachtrag I. zum Kilometerzeiger.

20. Aus Anlaß der Durchführung der Staatsbahnzüge von Soldau bis Illowo tritt vom 1. April 1888 ab für den Eisenbahn-Direktionsbezirk Bromberg der Nachtrag I. zum Kilometerzeiger zur Berechnung der Preise für die Beförderung von:

a. Personen und Reisegepäck,

b. Leichen, Fahrzeugen und lebenden Thieren,

c. Eil- und Frachtgütern

vom 1. April 1888, enthaltend: Entfernungen für die Station Illowo, in Kraft.

Derselbe kann durch die Billet-Expeditionen unseres Verwaltungsbezirks bezogen werden.

Bromberg, den 19. März 1888.

Königl. Eisenbahn-Direktion.

Nachtrag zum Verband-Gütertarif zwischen Stationen des Bezirks Bromberg einerseits und den Stationen der Marienburg-Mlawkaer Bahn andererseits.

21. Aus Anlaß der Durchführung der Staatsbahnzüge von Soldau bis Illowo tritt zum Verband-Gütertarif zwischen Stationen des Bezirks Bromberg einerseits und den Stationen der Marienburg-Mlawkaer Bahn andererseits vom 1. April 1888 ab der Nachtrag II. in Kraft.

Derselbe enthält:

1) Theilweise ermäßigte Frachtsätze im Verkehr mit Illowo und Mlawa;

2) Einbeziehung der Stationen der Strecke Gnesen-Jarotschin;

3) Berichtigungen.

Soweit gegen die bisherigen Frachtsätze Erhöhungen vorkommen, treten dieselben erst mit dem 15. Mai 1888 in Kraft.

Durch vorbezeichneten Nachtrag wird der Gütertarif für den Verkehr zwischen den Stationen des Eisenbahn-Direktions-Bezirks Bromberg einschließlich der Marienburg-Mlawkaer Bahn und der Ostpreußischen Südbahn einerseits und Stationen des Bezirks Breslau andererseits vom 1. April 1885 nebst Nachträgen, soweit er sich auf den Verkehr zwischen den Stationen der Strecke Gnesen-Jarotschin und den Stationen der Marienburg-Mlawkaer Bahn bezieht, aufgehoben.

Der qu. Nachtrag kann durch die Billet-Expeditionen der Verband-Stationen beider Verwaltungen bezogen werden.

Bromberg, den 21. März 1888.

Königl. Eisenbahn-Direktion.

Güterverkehr zwischen Stationen des Eisenbahn-Direktions-Bezirks Bromberg und den Stationen der Ostpreußischen Südbahn.

22. Mit dem 1. April 1888 tritt für den Güterverkehr zwischen Stationen des Eisenbahn-Direktions-Bezirks Bromberg einerseits und den Stationen der Ostpreußischen Südbahn andererseits ein neuer Tarif mit erweiterten Verkehrsbeziehungen und theilweise ermäßigten Frachtsätzen, namentlich im Verkehr mit Grajewo und Prostken in Kraft. Außerdem sind in den neuen Tarif die vom 1. April d. J. ab aus dem Bezirk Breslau in den Bezirk Bromberg übergehenden Stationen der Strecke Gnesen-Jarotschin für den Verkehr mit Grajewo und Prostken aufgenommen. Soweit in einigen Stationsverbindungen Erhöhungen vorkommen, treten dieselben erst mit dem 15. Mai d. J. in Geltung.

Durch den vorbezeichneten Tarif wird der Verbands-Gütertarif für den Südostpreußischen Verbandverkehr vom 1. April 1881, sowie der Güter-Tarif für den Verkehr zwischen den Stationen des Eisenbahn-Direktions-Bezirks Bromberg einschließlich der Marienburg-Mlawkaer Eisenbahn und der Ostpreußischen Südbahn einerseits und Stationen des Bezirks Breslau andererseits vom 1. April 1885 nebst Nachträgen, soweit letzterer Tarif sich auf den Verkehr zwischen den Stationen der Strecke Gnesen-Jarotschin und den Stationen Grajewo und Prostken der Ostpreußischen Südbahn bezieht, aufgehoben.

Exemplare des neuen Tarifs sind zum Preise von 0,80 M. durch die Billet-Expeditionen der Verband-Stationen beider Verwaltungen zu beziehen.

Bromberg, den 22. März 1888.

Königliche Eisenbahn-Direktion.

Bekanntmachungen anderer Behörden.

Polizei-Verordnung,

betreffend die Befugnisse der Stromaufsichtsbeamten der Elbe und Saale.

Auf Grund des § 138 des Gesetzes über die allgemeine Landesverwaltung vom 30. Juli 1883 verordne ich für die im Bereich der Elbstrom-Bauverwaltung belegenen Strecken der Elbe und Saale hierdurch Folgendes.

§ 1. Die Schiffs- und Floßführer sind verpflichtet, den Anordnungen, welche von den durch Dienstkleidung oder Dienstabzeichen erkennbaren Beamten der Strom- und Schifffahrtspolizei — Wasserbauinspektoren, Regierungs-Baumeistern und Bauführern, Buhnenmeistern, Stromaufsehern und anderen zur Ausübung der Stromaufsicht berufenen Beamten — in der Ausübung ihres Dienstes getroffen werden, jederzeit sofort und unweigerlich Folge zu leisten, auch diese Beamten auf ihre Fahrzeuge bezw. Flöße auf Verlangen aufzunehmen und ihnen das Anhängen ihrer Fahrzeuge an die Schiffe oder Flöße innerhalb ihres Dienstbereichs zu gestatten.

§ 2. Uebertretungen der vorstehenden Bestimmungen werden mit einer Geldbuße bis zu 60 M., oder mit entsprechender Haft bestraft, sofern nicht die im § 113 des Strafgesetzbuches für das Deutsche Reich vorgesehene höhere Geld- oder Gefängnißstrafe einzutreten hat.

Magdeburg, den 13. März 1888.

Der Chef der Elbstrom-Bauverwaltung,
Ober-Präsident der Provinz Sachsen
von Wolff.

Personal-Chronik.

Dem Fräulein Helene von Tettenborn zu Groß Machnow ist die Erlaubniß ertheilt worden, im Regierungsbezirk Potsdam Stellen als Hauslehrerin anzunehmen.

Die Lehrer Specht, Balzer, Winkelmann, Riemann, Prill, Krause XIII., Matschke, Andrée, Schulz XLVII., Weise, Schramm sind als Gemeindeschullehrer in Berlin angestellt worden.

Der ordentliche Lehrer Dr. Pariselle am Wilhelms-Gymnasium zu Hamburg ist als Erster Lehrer an dem mit der Augustaschule verbundenen Königlichen Lehrerinnen-Seminar in Berlin angestellt worden.

Bekanntmachung.

Im Verwaltungsbezirke der Königl. Hofkammer der Königl. Familiengüter ist vom 1. April 1888 ab die durch den Tod des Försters Heyser erledigte Försterstelle Pechhütte in der Oberförsterei Klein-Wasserburg dem zum Förster ernannten bisherigen Forstaufseher Ueckermann, ferner die durch Versetzung des Försters Callenbach nach Gramenz erledigte Försterstelle Massow in der Oberförsterei Staakow dem zum Förster ernannten bisherigen Forstaufseher Münchow in Sabrodt verliehen, sowie die Waldwärterstelle Sabrodt in der Oberförsterei Schwenow dem Forstaufseher Müller I. interimistisch übertragen worden.

Berlin, den 22. März 1888.

Königl. Hofkammer der Königl. Familiengüter.

Vermischte Nachrichten.

Erledigte Kreisphysikatsstelle.

Die mit einem jährlichen Gehalte von 900 Mark verbundene Kreisphysikatsstelle für den neu gebildeten Kreis Witkowo mit dem Wohnsitz in der gleichnamigen Kreisstadt ist zum 1. April d. J. zu besetzen.

Geeignete Bewerber wollen sich unter Einreichung ihrer Zeugnisse und eines kurzen Lebenslaufes binnen 6 Wochen bei uns melden.

Bromberg, den 14. März 1888.

Königl. Regierung, Abtheilung des Innern.

Hierzu eine Beilage, enthaltend das Verzeichniß der durch die Bekanntmachung der Königlichen Hauptverwaltung der Staatsschulden vom 3. März 1888 zur baaren Einlösung am 1. Oktober 1888 gekündigten Schuldverschreibungen der Staatsanleihen vom Jahre 1850, 1852, 1853 und 1862 und das Verzeichniß der aus früheren Verloosungen noch rückständigen Schuldverschreibungen der Staatsanleihen von 1850, 1852 und 1853, sowie Drei Oeffentliche Anzeiger.

(Die Insertionsgebühren betragen für eine einspaltige Druckzeile 20 Pf.
Belagsblätter werden der Bogen mit 10 Pf. berechnet.)

Redigirt von der Königlichen Regierung zu Potsdam.

Potsdam, Buchdruckerei der A. W. Hayn'schen Erben (E. Hayn, Hof-Buchdrucker).

Amtsblatt

der Königlichen Regierung zu Potsdam und der Stadt Berlin.

Stück 14. Den 6. April **1888.**

Allerhöchster Erlaß.

Auf Ihren Bericht vom 9. März d. J. bestimme Ich: A. **In Abänderung des Erlasses vom 21. Februar 1880** (Gesetzsammlung, Seite 49), daß das für die Verwaltung und den Betrieb der Berlin—Dresdener Eisenbahn eingesetzte, der Eisenbahn-Direktion zu Berlin unterstellte Eisenbahn-Betriebsamt zu Berlin am 1. April d. J. aufgelöst wird, B. **In Abänderung der Erlasse vom 20. August 1877** (Gesetzsammlung, Seite 216), **vom 17. Mai 1884** (Gesetzsammlung, Seite 270), **vom 23. Februar 1881** (Gesetzsammlung, Seite 34) und **vom 30. März 1887** (Gesetzsammlung, Seite 103), daß — gleichfalls am 1. April d. J. —: I. die zum Bezirk der Eisenbahn-Direktion zu Berlin gehörende Strecke: Berlin—Elsterwerda, II. die zum Bezirk der Eisenbahn-Direktion zu Breslau gehörende Strecke Jarotschin—Gnesen einschließlich Orzechowo—Warthehafen, III. die zum Bezirk der Eisenbahn-Direktion zu Magdeburg gehörende Strecke Sangerhausen—Erfurt, IV. die zum Bezirk der Eisenbahn-Direktion zu Hannover gehörenden Strecken: a. Herzberg—Landesgrenze (Badenhausen), b. Frankfurt a. M.—Bockenheim, welch' letztere Strecke für Rechnung der Eisenbahn-Direktion zu Hannover bereits von der Eisenbahn-Direktion zu Frankfurt a. M. betrieben wird, V. die zum Bezirk der rechtsrheinischen Eisenbahn-Direktion zu Cöln gehörende, für Rechnung dieser Behörde bereits von der Eisenbahn-Direktion zu Frankfurt a. M. betriebene Strecke Horchheim—Niederlahnstein, VI. die zum Bezirk der Eisenbahn-Direktion zu Frankfurt a. M. gehörende, für Rechnung dieser Behörde bereits von der Eisenbahn-Direktion zu Erfurt betriebene Strecke Ilversgehofen—Erfurt von ihren bisherigen Bezirken abgetrennt und zu I., III. und VI. dem Bezirk der Eisenbahn-Direktion zu Erfurt, zu II. dem Bezirk der Eisenbahn-Direktion zu Bromberg, zu IVa. dem Bezirk der Eisenbahn-Direktion zu Magdeburg und zu IVb. und V. dem Bezirk der Eisenbahn-Direktion zu Frankfurt a. M. zugetheilt werden. Dieser Erlaß ist durch die Gesetzsammlung zu veröffentlichen.

Charlottenburg, den 14. März 1888.

gez. **Friedrich.**
gegengez. Maybach.

An den Minister der öffentlichen Arbeiten.

Verfügung des Ministers der öffentlichen Arbeiten,

betreffend anderweite Abgrenzung mehrerer Betriebsamtsbezirke.

Es wird hiermit zur öffentlichen Kenntniß gebracht, daß die Geschäftsbezirke der in der anliegenden Nachweisung Spalte 2 aufgeführten Königlichen Eisenbahn-Betriebsämter in der in Spalte 3 und 4 angegebenen Weise und zu dem in Spalte 5 bezeichneten Zeitpunkte anderweit abgegrenzt worden sind.

Berlin, den 19. März 1888.

Der Minister der öffentlichen Arbeiten.
Maybach.

Anlage.

1.	2.	3.	4.	5.
Direktion.	Betriebsamt.	Zugang.	Abgang.	Zeitpunkt der eintretenden Veränderung.
Altona.	Kiel	Wrist—Itzehoe		Nach Betriebseröffnung.
Berlin.	Berlin (Berlin-Dresden)		Berlin—Elsterwerda	Am 1. April 1888 unter Auflösung des Betriebsamts (Berlin—Dresden) zu Berlin in den Bezirk des Betriebsamts zu Berlin (Eisenbahndirektionsbezirk Erfurt).
			Elsterwerda—Dresden	Am 1. April 1888 an das Königreich Sachsen.

1.	2.	3.	4.	5.
Direktion.	Betriebsamt.	Zugang.	Abgang.	Zeitpunkt der eintretenden Veränderung.
Breslau.	Posen		Jarotschin—Gnesen Orzechowo—Warthehafen	Am 1. April 1888 in den Bezirk des Betriebsamts zu Posen (Eisenbahndirektionsbezirk Bromberg).
Bromberg.	Posen	Jarotschin—Gnesen Orzechowo—Warthehafen		Am 1. April 1888 aus dem Bezirk des Betriebsamts zu Posen (Eisenbahndirektionsbezirk Breslau).
Cöln. (linksrheinische)	Aachen		Rheydt—M. Gladbach—Neuß, Rheydt—Dalheim—Landesgrenze, Neuß—Obercassel	Am 1. April 1888 in den Bezirk des Betriebsamts zu Crefeld.
	Crefeld	Rheydt—M. Gladbach—Neuß, Rheydt—Dalheim—Landesgrenze, Neuß—Obercassel		Am 1. April 1888 aus dem Bezirk des Betriebsamts zu Aachen.
Cöln. (rechtsrheinische)	Cöln	(Urbach—Troisdorf) z. Z. außer Betrieb		Am 1. April 1888 aus dem Bezirk des Betriebsamts zu Düsseldorf.
	Düsseldorf	Duisburg—Oberhausen (Rh.)		Am 1. April 1888 aus dem Bezirk des Betriebsamts zu Wesel.
			(Urbach—Troisdorf) z. Z. außer Betrieb	Am 1. April 1888 in den Bezirk des Betriebsamts zu Cöln.
	Neuwied		Horchheim—Niederlahnstein	Am 1. April 1888 in den Bezirk des Betriebsamts zu Wiesbaden (Eisenbahndirektionsbezirk Frankfurt a. M.), welches Verwaltung und Betrieb dieser Strecke bereits für Rechnung des Betriebsamts zu Neuwied des rechtsrheinischen Eisenbahndirektionsbezirks Cöln führt.
	Wesel		Duisburg—Oberhausen (Rh.)	Am 1. April 1888 in den Bezirk des Betriebsamts zu Düsseldorf.
Elberfeld.	Altena	Hilchenbach—Erndtebrück, Erndtebrück—Raumland, Schmallenberg—Fredeburg		Nach Betriebseröffnung.
	Düsseldorf	Wülfrath—Velbert		
Erfurt.	Berlin	Berlin—Elsterwerda		Am 1. April 1888 aus dem Bezirk des zur Auflösung gelangenden Betriebsamts (Berlin—Dresden) zu Berlin (Eisenbahndirektionsbezirk Berlin).

1. Direktion.	2. Betriebsamt.	3. Zugang.	4. Abgang.	5. Zeitpunkt der eintretenden Veränderung.
noch **Erfurt.**	Erfurt	Sangerhausen—Erfurt		Am 1. April 1888 aus dem Bezirk des Betriebsamts (Magdeburg—Halberstadt) zu Magdeburg (Eisenbahndirektionsbezirk Magdeburg).
		Ilversgehofen—Erfurt		Am 1. April 1888 aus dem Bezirk des Betriebsamts zu Nordhausen (Eisenbahndirektionsbezirk Frankfurt a. M.), für dessen Rechnung Verwaltung und Betrieb dieser Strecke bereits von dem Betriebsamt zu Erfurt (Eisenbahndirektionsbezirk Erfurt) geführt wird.
Frankfurt a. M.	Frankfurt a. M.	Frankfurt a. M. —Bockenheim.		Am 1. April 1888 aus dem Bezirk des Betriebsamts (Main—Weserbahn) zu Cassel (Eisenbahndirektionsbezirk Hannover), für dessen Rechnung Verwaltung und Betrieb dieser Strecke bereits von dem Betriebsamt zu Frankfurt a. M. (Eisenbahndirektionsbezirk Frankfurt a. M.) geführt wird.
		Rebstock—Frankfurt a. M. bez. Bockenheim, Bockenheim—Louisa		Am 1. April 1888 aus dem Bezirk des Betriebsamts zu Wiesbaden, für dessen Rechnung Verwaltung und Betrieb dieser Strecken bereits von dem Betriebsamt zu Frankfurt a. M. geführt wird.
	Nordhausen		Ilversgehofen—Erfurt	Am 1. April 1888 in den Bezirk des Betriebsamts zu Erfurt (Eisenbahndirektionsbezirk Erfurt), welches Verwaltung und Betrieb dieser Strecke bereits für Rechnung des Betriebsamts zu Nordhausen (Eisenbahndirektionsbezirk Frankfurt a. M.) führt.
	Wiesbaden		Rebstock-Frankfurt a. M. bez. Bockenheim, Bockenheim—Louisa	Am 1. April 1888 in den Bezirk des Betriebsamts zu Frankfurt a. M., welches Verwaltung und Betrieb dieser Strecken bereits für Rechnung des Betriebsamts zu Wiesbaden führt.
		Horchheim—Niederlahnstein		Am 1. April 1888 aus dem Bezirk des Betriebsamts zu Neuwied des rechtsrheinischen Eisenbahndirektionsbezirks Cöln, für dessen Rechnung Verwaltung und Betrieb dieser Strecke bereits von dem Betriebsamt zu Wiesbaden (Eisenbahndirektionsbezirk Frankfurt a. M.) geführt wird.

1.	2.	3.	4.	5.
Direktion.	Betriebsamt.	Zugang	Abgang.	Zeitpunkt der eintretenden Veränderung.
Hannover.	Cassel (Main—Weserbahn)		Frankfurt a. M.—Bockenheim	Am 1. April 1888 in den Bezirk des Betriebsamts zu Frankfurt a. M. (Eisenbahndirektionsbezirk Frankfurt a. M.), welches Verwaltung und Betrieb dieser Strecke bereits für Rechnung des Betriebsamts (Main—Weserbahn) zu Cassel (Eisenbahndirektionsbezirk Hannover) führt.
	Paderborn	Wulften—Duderstadt		Nach Betriebseröffnung.
			Herzberg—Landesgrenze (Badenhausen)	Am 1. April 1888 in den Bezirk des Betriebsamts zu Braunschweig (Eisenbahndirektionsbezirk Magdeburg).
Magdeburg.	Braunschweig	Herzberg—Landesgrenze (Badenhausen)		Am 1. April 1888 aus dem Bezirk des Betriebsamts zu Paderborn (Eisenbahndirektionsbezirk Hannover).
	Magdeburg (Magdeburg—Halberstadt)		Sangerhausen—Erfurt	Am 1. April 1888 in den Bezirk des Betriebsamts zu Erfurt (Eisenbahndirektionsbezirk Erfurt).

Bekanntmachungen des Königlichen Regierungs-Präsidenten.

Frühjahrsschonzeit der Fische.

114. Unter Hinweis auf die Bestimmungen der Verordnung vom 8. August 1887, betreffend die Ausführung des Fischerei-Gesetzes in der Provinz Brandenburg und dem Stadtkreis Berlin (veröffentlicht in der Extra-Beilage zum 42. Stück des Amtsblattes vom 21. Oktober 1887) mache ich mit Rücksicht auf das Herannahen der Frühjahrsschonzeit der Fische das betheiligte Publikum, insbesondere die fischereiberechtigten Gemeinden und Privatpersonen nochmals besonders darauf aufmerksam,

daß während der Frühjahrsschonzeit **in allen Gewässern** des diesseitigen Bezirkes, soweit sie nicht in § 3 der Verordnung unter Ziffer 2 besonders ausgenommen sind, die **Fischerei nur an drei Tagen** jeder in die Schonzeit fallenden Woche, und zwar von Montag Morgen 6 Uhr beginnend und Donnerstag Morgen 6 Uhr schließend, betrieben werden darf; sowie daß **während der nicht freigegebenen Zeit**, d. h. von Donnerstag Morgen 6 Uhr bis Montag Morgen 6 Uhr die durch das Fischereigesetz vom 30. Mai 1874 nicht beseitigten **ständigen Fischereivorrichtungen** in nicht geschlossenen Gewässern **hinweggeräumt oder abgestellt** sein müssen;

Die Ausübung irgend welcher Art von Fischereibetrieb während der nicht freigegebenen Zeit ist — innerhalb der durch die Verordnung selbst gezogenen Grenzen — nur zuläßig auf Grund besonderer von mir ausgestellter, auf die Person lautender Erlaubnißscheine.

Zuwiderhandlungen gegen die Vorschriften der bezeichneten Verordnung werden, soweit sie nicht den Strafbestimmungen der §§ 49 ff. des Fischerei-Gesetzes vom 30. Mai 1874 oder denjenigen des Reichsstrafgesetzbuches unterliegen, mit Geldstrafe bis zu 150 Mark oder entsprechender Haft bestraft.

Potsdam, den 29. März 1888.

Der Regierungs-Präsident.

Fischerei-Polizei-Ordnung für den Regierungs-Bezirk Potsdam vom 16. März 1867.

115. Nachdem durch Erkenntniß des Königl. Kammergerichtes zu Berlin in letzter Instanz entschieden ist, daß die Fischerei-Polizei-Ordnung für den Regierungsbezirk Potsdam vom 16. März 1867 noch soweit als in Geltung stehend anzusehen ist, als sie nicht Bestimmungen enthält über Gegenstände, welche durch das Fischerei-Gesetz vom 30. Mai 1874 oder die dazu erlassene Ausführungs-Verordnung vom 8. August 1887 anderweit geregelt sind, mache ich die Behörden, sowie das betheiligte Publikum hierauf mit dem Bemerken aufmerksam, daß ein Abdruck der noch für geltend zu erachtenden Bestimmungen der Polizei-Ordnung in einer der nächsten Nummern des Amtsblattes erfolgen wird.

Potsdam, den 4. April 1888.

Der Regierungs-Präsident.

Viehseuchen.

116. Die Maul- und Klauenseuche ist unter dem Rindvieh des Gutes Groß-Beeren im Kreise Teltow ausgebrochen. Potsdam, den 27. März 1888.

Der Regierungs-Präsident.

117. An der Räude sind die beiden Pferde des Eigenthümers Thieke in Hohenschönhausen im Kreise Niederbarnim erkrankt.

Die Maul- und Klauenseuche ist unter den Kühen des Magdalenenstifts zu Plötzensee ausgebrochen.

Potsdam, den 28. März 1888.

Der Regierungs-Präsident.

Bekanntmachungen des Königl. Polizei-Präsidiums zu Berlin.

Abänderungen der Statuten der Transport-Versicherungs-Gesellschaft „Neuer Schweizerischer Lloyd" in Winterthur betreffend.

23. Diesem Stück des Amtsblattes ist eine Beilage beigefügt, welche in Form eines Nachtrages die staatlich genehmigten Abänderungen der §§ 28, 41, 42 und 43 der Statuten der Transport-Versicherungs-Gesellschaft „Neuer Schweizerischer Lloyd" in Winterthur enthält.

Hierauf wird mit dem Bemerken hingewiesen, daß die Statuten der Gesellschaft vom 23. April 1883 in der Extra-Beilage zum 2. Stück des Amtsblattes der Königl. Regierung zu Potsdam und der Stadt Berlin vom 8. Januar 1886 veröffentlicht worden sind.

Berlin, den 9. März 1888.

Der Polizei-Präsident.

Jahresarbeitsverdienst land- und forstwirthschaftlicher Arbeiter.

24. In Gemäßheit der Bestimmungen des § 6 Absatz 3 des Reichsgesetzes vom 5. Mai 1886 — Reichs-Gesetzblatt Seite 132 — und der Anweisung zur Ausführung desselben vom 4. Juni 1887 Ziffer I. 1 setze ich hiermit für den Stadtbezirk Berlin nach Anhörung der Gemeindebehörde den durchschnittlichen **Jahresarbeitsverdienst land- und forstwirthschaftlicher Arbeiter** bis auf Weiteres, wie folgt, fest:

1) für männliche Arbeiter über 16 Jahre auf 720 M.
2) für weibliche Arbeiter über 16 Jahre auf 450 M.
3) für männliche Arbeiter unter 16 Jahren auf 390 M.
4) für weibliche Arbeiter unter 16 Jahren auf 300 M.

mit dem Hinzufügen, daß diese Durchschnittssätze den Maßstab bilden, nach welchem auf Grund des angegebenen Gesetzes die Berechnung einer zu zahlenden Rente zu erfolgen hat. Berlin, den 22. März 1888.

Der Polizei-Präsident.

Anlegung neuer Apotheken in der Stadt Berlin.

25. Der Herr Ober-Präsident der Provinz Brandenburg hat durch Erlaß vom 20. dieses Monats folgenden Personen zur Anlegung neuer Apotheken in der Stadt Berlin Conzessionen ertheilt:

1) dem Korpsstabs-Apotheker Peise zu Königsberg i. Pr. für die Ecke der Schmid- und Neänderstraße,
2) dem Apotheker Ernst Hunger zu Berlin für die Ecke der Potsdamer- und Alvenslebenstraße,
3) dem Apotheker Hartmann zu Berlin für die Neuenburgerstraße, zwischen der Linden- und Alten Jakobstraße,
4) dem Apotheker Joseph Clemens Faber zu Berlin für die Ecke der Großbeeren- und Hagelsbergerstraße im Zuge der letzteren,
5) dem Apotheker Bernhard Gottlieb Gradt zu Berlin für den Stralauer Platz, an der Mündung der Koppenstraße,
6) dem Apotheker Reinhold Andersch zu Berlin für die Karlstraße an der Einmündung in die Friedrichstraße,
7) dem Apotheker Seitz zu Bettenhausen bei Kassel für die Kreuzung der Memeler- und Posenerstraße,
8) dem Apotheker Gustav Emil Seyffert zu Berlin für den Marheinicke-Platz,
9) dem Apotheker Gustav Emil Taeschner zu Reichenhall in Bayern für die Neue Grünstraße an der Einmündung in die Kommandantenstraße,
10) dem Apotheker Paul Ulbrich zu Rheinsberg für die Ecke der Schlesischen- und Cuvrystraße,
11) dem Apotheker Heinrich Paetz zu Schöneberg bei Berlin für die Ecke der Thurm- und Bandelstraße.

Außerdem ist durch Erlaß vom gleichen Tage dem Apotheker Friedrich Wilhelm Schäfer zu Berlin die Concession zur Anlegung einer neuen Apotheke in der Stadt Charlottenburg, an der Ecke der Bismarck- und Wilmersdorferstraße, verliehen worden.

Berlin, den 28. März 1888.

Der Königl. Polizei-Präsident.

Zulassung von Hebammen.

26. Die Frau Wittwe Selma Stadtfeld, geborene Melcher, Wilhelmshavenerstraße 15 und Fräulein Minna Marie Lepper, im städtischen Krankenhaus im Friedrichshain hierselbst wohnhaft, sind als Hebammen vorschriftsmäßig geprüft und als solche für Berlin zugelassen worden. Dies wird hiermit zur Kenntniß gebracht. Berlin, den 28. März 1888.

Der Polizei-Präsident.

Bekanntmachungen der Kaiserlichen Ober-Postdirektion zu Berlin.

Verlegung des Postamts in Friedenau.

12. Am 1. April wird das Postamt in Friedenau aus dem Gebäude in der verlängerten Schmargendorferstraße, Ecke der Neuen Straße, nach dem neu erbauten Hause Rheinstraße Nr. 1b. verlegt.

Berlin C., 28. März 1888.

Der Kaiserliche Ober-Postdirector.

Bekanntmachungen der Königlichen Eisenbahn-Direktion zu Berlin.

Beförderung von Privat-Kesselwagen auf Eisenbahnen.

10. Für die Frachtberechnung bei der Beförderung leerer, in den Wagenpark der preußischen Staatseisenbahnen eingestellter **Privat-Kesselwagen** und die Ausübung des Verfügungsrechtes der Wageneigenthümer über den Lauf solcher Wagen sind **für den Bereich der Preußischen Staatsbahnen** neue, wesentliche Erleichterungen gewährende Vorschriften erlassen, welche mit 1. April d. Js. in Gültigkeit treten. Nach denselben werden von da ab im Bereiche der Preußischen Staats-Eisenbahnen die in Rede stehenden Privat-Kesselwagen im leeren Zustande auch dann **frachtfrei** befördert, wenn dieselben, sei es von der Heimathstation oder, nach ihrer Entladung auf einer Staatsbahnstation, von der letzteren zum Zwecke der Füllung nach einer anderen Staatsbahnstation **ausschließlich über Staatsbahnlinien** befördert werden, ohne demnächst denselben Weg in beladenem Zustande zurückzulegen, oder von einer Staatsbahnstation nach der Heimathsstation **ausschließlich über Staatsbahnlinien** leer zurückkehren, ohne denselben Weg beladen durchlaufen zu haben.

Wir bringen dies mit dem Bemerken zur öffentlichen Kenntniß, daß die gedachten Vorschriften auf unseren Stationen und Güter-Expeditionen, sowie in unserem Auskunftsbüreau hierselbst, Bahnhof Alexanderplatz, eingesehen werden können.

Berlin, im März 1888.

Königl. Eisenbahn-Direction.

Bekanntmachungen der Königlichen Eisenbahn-Direktion zu Bromberg.

Die Haltestellen Järshagen und Arnshagen betreffend.

23. Vom 1. Juni 1888 ab wird die Abfertigung von Gütern und lebenden Thieren auf den diesseitigen Haltestellen Järshagen der Strecke Schlawe-Rügenwalde und Arnshagen der Strecke Stolp-Stolpmünde aufgehoben. Bromberg, den 23. März 1888.

Königl. Eisenbahn-Direktion.

Einführung der neuen Deutsch-Italienischen Tarife.

24. Unter Bezugnahme auf unsere Bekanntmachung vom 20. Februar d. J. bringen wir hiermit zur Kenntniß, daß die neuen Deutsch-Italienischen Tarife, mit Ausnahme des Lebensmitteltarifs, erst mit dem 15. Mai d. J. eingeführt werden können. Die bisherigen Tarife bleiben daher noch bis zu diesem Zeitpunkte in Geltung. Der neue Ausnahme-Tarif für Lebensmittel-Sendungen aus Italien tritt mit dem 1. April d. J. in Kraft.

Bromberg, den 25. März 1888.

Königl. Eisenbahn-Direktion.

Bekanntmachungen der Königlichen Eisenbahn-Direktion zu Erfurt.

Berichtigung.

Die 6. Zahl auf Zeile 36 der Bekanntmachung vom 17. März d. J. auf Seite 108 muß heißen 26223, nicht 16223.

Bekanntmachungen der Kreis-Ausschüsse.

Communalbezirks-Veränderung.

7. Durch das Ausscheiden der jetzt den Burgfischer A. Killat'schen Eheleuten zu Bergholz bei Potsdam gehörigen, in der Gemarkung Drewitzer Nuthewiesen im Kreise Teltow belegenen sogenannten Burghofwiese von 3 ha 78 a 40 qm Flächeninhalt, von dem Gutsverbande des ehemaligen Rittergutes Potsdam (Vorwerk) und deren Einverleibung in den Gemeindebezirk Bergholz bei Potsdam im Kreise Zauch-Belzig haben die Grenzen der Kreise Teltow und Zauch-Belzig eine Veränderung erfahren.

Gemäß der Vorschrift im letzten Absatze des § 3 der Kreis-Ordnung vom 13. Dezember 1872 — 19. März 1881 bringen wir dies hierdurch zur öffentlichen Kenntniß.

Belzig, den 1. März 1888.

Der Kreis-Ausschuß des Kreises Zauch-Belzig.

8. **Nachweisung**

der von dem Kreis-Ausschusse des Kreises Zauch-Belzig auf Grund des § 25 des Zuständigkeitsgesetzes vom 1. August 1883 in Verbindung mit § 1 des Landgemeindeverfassungsgesetzes vom 14. April 1856 genehmigten Communalbezirksveränderungen.

1) Bezeichnung des in Betracht kommenden Grundstücks: Parzelle: Kartenblatt 1, Flächenabschnitt $\frac{1273}{703}$ von 0,072 ha Größe, jetzt der Kirchengemeinde Glindow gehörig. Seitheriger Guts- resp. Gemeindebezirk: Fiskalischer Gutsverband. Künftiger Guts- resp. Gemeindebezirk: Gemeindebezirk Glindow.

2) Bezeichnung des in Betracht kommenden Grundstücks: Plan 35 in den Drewitzer Nuthewiesen, genannt Burghofwiese, Kartenblatt 1 № 177 von 3 ha 78 ar 40 qm Flächeninhalt, bisher dem Königl. Eisenbahnfiskus, jetzt den Burgfischer Annus Killat'schen Eheleuten zu Bergholz b. P. gehörig. Seitheriger Guts- resp. Gemeindebezirk: Gutsbezirk des ehemaligen Ritterguts Potsdam. Künftiger Guts- resp. Gemeindebezirk: Gemeindebezirk Bergholz bei Potsdam.

Belzig, den 1. März 1888.

Der Kreis-Ausschuß des Kreises Zauch-Belzig.

Personal-Chronik.

Der Civil-Anwärter Bernau ist zum Regierungs-Civil-Supernumerarius ernannt worden.

Der Königl. Regierungs-Bauführer Emil Laar, zur Zeit in Fürstenwalde a. Spree, ist am 2. März d. J. als solcher vereidigt worden.

Der Landmesser von Frankenberg zu Berlin ist auf seinen Antrag zum 1. April d. J. in den Ruhestand versetzt.

Der Pfarrer Karl von Hoff in Kietz (Lenzerwische) ist zum Superintendenten der Diözese Lenzen ernannt worden.

Der bisherige Domhülfsprediger zu Magdeburg Johann Martin Immanuel Fiedler ist zum Pfarrer der Parochie Witzke, Diözese Rathenow, bestellt worden.

Die unter privatem Patronat stehende Pfarrstelle zu Hohenfinow, Diözese Eberswalde, kommt durch die nach neuem Rechte erfolgende Emeritirung des Pfarrers Williger zum 1. April d. J. zur Erledigung.

Der Rektor Dr. Schulze in Berlin ist zum Direktor des Königl. Französischen Gymnasiums daselbst ernannt worden.

Den Fräulein Helene Günther zu Amt Mildenberg, Margarethe Drechsler zu Dorf Mildenberg, Martha Rabbow zu Zehdenick und Bertha Stumpf ebendaselbst ist die Erlaubniß ertheilt worden, im Regierungsbezirk Potsdam Stellen als Hauslehrerinnen anzunehmen.

Ausweisung von Ausländern aus dem Reichsgebiete.

Lauf. Nr.	Name und Stand des Ausgewiesenen	Alter und Heimath des Ausgewiesenen	Grund der Bestrafung	Behörde, welche die Ausweisung beschlossen hat.	Datum des Ausweisungs-Beschlusses
1.	2	3.	4.	5.	6
		Auf Grund des § 362 des Strafgesetzbuchs:			
1	Gerhard Haerden, Ziegelarbeiter,	geboren am 10. März 1845 zu Leuth (Löth), Bezirk Lanklaar, Provinz Limburg, Belgien, ortsangehörig ebendaselbst, wohnhaft zuletzt zu Flehe bei Düsseldorf, Preußen,	Landstreichen und Betteln,	Königlich Preußische Regierung zu Düsseldorf,	17. Februar 1888.
2	Anton Dusel, Metzgergeselle,	geboren am 3. April 1856 zu St. Pölten, Niederösterreich, ortsangehörig ebendaselbst, wohnhaft zuletzt in Grafenau, Bayern,	desgleichen,	Königlich Bayerisches Bezirksamt Grafenau,	26. Januar 1888.
3	Ludwig Perrin, Hutmacher,	geboren am 10. September 1860 zu Lüttich, Belgien, ortsangehörig ebendaselbst,	Landstreichen,	Großherzoglich Badischer Landeskommissär zu Freiburg,	17. Februar 1888.
4	Niels Peter Karlson (Carlson), Arbeiter,	geboren am 25. März 1851 zu Anebuda, Kreis Berslan, Prov. Smaland, Schweden,	Betteln im wiederholten Rückfall,	Chef der Polizei in Hamburg,	13. Januar 1888.
5	Johann Jost, Tagner,	geboren am 19. Oktober 1852 zu Eriswyl, Kant. Bern, Schweiz, ortsangehörig ebendas.,	Landstreichen und Betteln,	Kaiserlicher Bezirks-Präsident zu Colmar,	31. Januar 1888.
6	Johann Ulrich Gugelmann, Knecht,	geboren am 1. Januar 1841 zu Lotzwyl, Schweiz, ortsangehörig ebendaselbst,	Landstreichen,	derselbe,	desgleichen.
7	Rudolf Merz, Müllerknecht,	geboren am 1. Juli 1839 zu Höngg, Kanton Zürich, Schweiz, ortsangehörig ebendas.,	desgleichen,	derselbe,	4. Februar 1888.
8	Johann Baptist Friedplatt, Tagelöhner,	geboren am 9. März 1843 zu Orschweiler, Kreis Schlettstadt, Elsaß-Lothringen, Französischer Optant,	desgleichen,	Kaiserlicher Bezirks-Präsident zu Straßburg,	12. Februar 1888.
9	Alois Padovani, Zimmermaler,	geboren im Juni 1850 zu Palmanova, Provinz Udine, Italien, ortsangehörig ebendaselbst, wohnhaft zuletzt in Hall, Württemberg,	desgleichen,	derselbe,	13. Februar 1888.
10	Augustin Mazzucchi, Erdarbeiter und Bäcker,	geboren am 8. Februar 1867 zu Vercelli, Italien, ortsangeh. ebendas., wohnhaft zuletzt in Hall, Württemberg,	desgleichen,	derselbe,	desgleichen.

Lauf. Nr.	Name und Stand des Ausgewiesenen.	Alter und Heimath des Ausgewiesenen.	Grund der Bestrafung.	Behörde, welche die Ausweisung beschlossen hat.	Datum des Ausweisungs-Beschlusses.
1.	2.	3	4.	5.	6.
11	Isidor Franz Xaver Prat, Dienstknecht,	geboren am 2. März 1859 zu Dosche, Departement Aube, Frankreich, ortsangehörig ebendaselbst,	Landstreichen,	Kaiserlicher Bezirks-Präsident zu Straßburg,	13. Februar 1888.
12	Georg Caspar Dutschler, Kunstmaler,	geboren am 5. Juni 1851 zu Homberg, Kanton St. Gallen, Schweiz,	desgleichen,	Kaiserlicher Bezirks-Präsident zu Metz,	18. Februar 1888.
13	Johannes Reinhold Wolf, Eisendreher,	geboren am 12. Januar 1864 zu Hinweil, Kant. Zürich, Schweiz,	desgleichen,	derselbe,	desgleichen.

Hierzu eine Beilage, enthaltend den Nachtrag zu den Statuten des „Neuen Schweizerischen Lloyd" Transport Versicherungs-Gesellschaft in Winterthur d. d. 23. April 1883, sowie Drei Oeffentliche Anzeiger.

(Die Insertionsgebühren betragen für eine einspaltige Druckzeile 20 Pf. Belagsblätter werden der Bogen mit 10 Pf. berechnet.)

Redigirt von der Königlichen Regierung zu Potsdam.

Potsdam, Buchdruckerei der A. W. Hayn'schen Erben (E. Hayn, Hof-Buchdrucker).

Beilage.

Nachtrag

zu den

Statuten des „Neuen Schweizerischen Lloyd“

Transport-Versicherungs-Gesellschaft in Winterthur d. d. 23. April 1883.

Von der außerordentlichen General-Versammlung der Actionäre vom 19. November 1887 sind folgende Statutenänderungen beschlossen worden:

1) Streichung folgender Worte in § 28, Lemma 1:

„und die Vertretung nach Außen und vor Gericht sind.“

Demgemäß hat das Lemma 1 in § 28 in Zukunft folgende Fassung:

„Die oberste Leitung der Gesellschaft ist dem „von der General-Versammlung frei zu erwählenden Verwaltungsrath übertragen, der „aus wenigstens 5 und höchstens 9 Mitgliedern „besteht.“

2) Gänzliche Streichung des bisherigen Wortlautes des § 41 und Ersetzung desselben durch folgende Bestimmung:

„Der Director vertritt die Gesellschaft nach jeder „Richtung gerichtlich und außergerichtlich und „führt dazu die rechtsverbindliche Unterschrift.“

3) Gänzliche Streichung von Lemma 4 und 5 in § 42.

4) Ersetzung des bisherigen Wortlautes von § 43 durch folgende Bestimmung:

„Wenn der Verwaltungsrath einen Sub-Director „wählt, so wird diesem die Unterschrift „per „procura“ ertheilt und ist er der Stellvertreter „des Directors in allen, durch die vorliegenden „Statuten demselben zugewiesenen Obliegenheiten „und Befugnissen.“

Obige Statutenänderungen sind unterm 2. Dezember 1887 in gesetzlich vorgeschriebener Weise in das Handels-Register des Kantons Zürich (Journal Nr. 681) eingetragen worden.

Namens des Verwaltungsrathes:

Der Präsident:	Der Director:
Ed. Sulzer.	**R. Panten.**

Druck von Carl Ringer & Sohn, Berlin.

Amtsblatt

der Königlichen Regierung zu Potsdam und der Stadt Berlin.

Stück 15. Den 13. April **1888.**

Reichs-Gesetzblatt.

(Stück 7.) № 1770. Gesetz, betreffend die Einführung der Gewerbeordnung in Elsaß-Lothringen. Vom 27. Februar 1888.

№ 1771. Gesetz, betreffend die Unterstützung von Familien in den Dienst eingetretener Mannschaften. Vom 28. Februar 1888.

(Stück 8.) № 1772. Verordnung, betreffend die Eheschließung und die Beurkundung des Personenstandes auf den zum Schutzgebiet der Neu-Guinea-Kompagnie gehörigen Salomonsinseln. Vom 1. März 1888.

(Stück 9.) № 1773. Gesetz, betreffend den Erlaß der Wittwen- und Waisengeldbeiträge von Angehörigen der Reichs-Civilverwaltung, des Reichsheeres und der Kaiserlichen Marine. Vom 5. März 1888.

№ 1774. Allerhöchster Erlaß, betreffend die Aufnahme einer Anleihe auf Grund des Gesetzes vom 20. Februar 1888 (Reichs-Gesetzbl. S. 55). Vom 5. März 1888.

(Stück 10.) № 1775. Allerhöchster Erlaß, betreffend die Beauftragung Seiner Königlichen Hoheit des Prinzen Wilhelm von Preußen mit der Stellvertretung Seiner Majestät des Kaisers in den laufenden Regierungsgeschäften. Vom 17. November 1887.

(Stück 11.) № 1776. Gesetz wegen Abänderung des Gesetzes, betreffend die Rechtsverhältnisse der Deutschen Schutzgebiete, vom 17. April 1886 (Reichs-Gesetzbl. S. 75). Vom 15. März 1888.

№ 1777. Bekanntmachung wegen Redaktion des Gesetzes, betreffend die Rechtsverhältnisse der Deutschen Schutzgebiete. Vom 19. März 1888.

№ 1778. Verordnung, betreffend den Erlaß der Wittwen- und Waisengeldbeiträge der Reichsbankbeamten. Vom 18. März 1888.

№ 1779. Allerhöchster Erlaß, betreffend die Betheiligung Seiner Kaiserlichen und Königlichen Hoheit des Kronprinzen an den Regierungsgeschäften. Vom 21. März 1888.

(Stück 12.) № 1780. Gesetz, betreffend die Feststellung des Reichshaushalts-Etats für das Etatsjahr 1888/89. Vom 26. März 1888.

№ 1781. Gesetz, betreffend die Aufnahme einer Anleihe für Zwecke der Verwaltungen des Reichsheeres, der Marine, der Reichseisenbahnen und der Post und Telegraphen, sowie zur vorläufigen Deckung der aus dem Reichsfestungsbaufonds entnommenen Vorschüsse. Vom 26. März 1888.

(Stück 13.) № 1782. Gesetz, betreffend die Verlängerung der Gültigkeitsdauer des Gesetzes gegen die gemeingefährlichen Bestrebungen der Sozialdemokratie vom 21. Oktober 1878. Vom 18. März 1888.

№ 1783. Gesetz, betreffend die Abänderung des Artikels 24 der Reichsverfassung. Vom 19. März 1888.

№ 1784. Gesetz, betreffend den Schutz von Vögeln. Vom 22. März 1888.

№ 1785. Gesetz, betreffend die Abänderung des Gesetzes über den Verkehr mit blei- und zinkhaltigen Gegenständen vom 25. Juni 1887 (Reichs-Gesetzbl. S. 273). Vom 22. März 1888.

(Stück 14.) № 1786. Verordnung, betreffend das Bergwesen und die Gewinnung von Gold und Edelsteinen im südwestafrikanischen Schutzgebiet. Vom 25. März 1888.

(Stück 15.) № 1787. Verordnung über die Inkraftsetzung des Gesetzes, betreffend die Unfall- und Krankenversicherung der in land- und forstwirthschaftlichen Betrieben beschäftigten Personen, vom 5. Mai 1886 für das Gebiet mehrerer Bundesstaaten. Vom 28. März 1888.

(Stück 16.) № 1788. Gesetz über die Auslegung des Artikels II. des Gesetzes vom 30. August 1871, betreffend die Einführung des Strafgesetzbuchs für das Deutsche Reich in Elsaß-Lothringen. Vom 29. März 1888.

Gesetz-Sammlung für die Königlichen Preußischen Staaten.

(Stück 4.) № 9257. Staatsvertrag zwischen Preußen und Sachsen-Meiningen wegen Anlage einer Eisenbahn von Immelborn nach Liebenstein durch die Werra-Eisenbahngesellschaft. Vom 28. November 1887.

(Stück 5.) № 9258. Allerhöchster Erlaß vom 17ten November 1887, betreffend die Beauftragung Seiner Königlichen Hoheit des Prinzen Wilhelm mit der Stellvertretung Seiner Majestät des Königs in den laufenden Regierungsgeschäften.

(Stück 6.) № 9259. Verfügung des Justizministers, betreffend die Anlegung des Grundbuchs für einen Theil der Bezirke der Amtsgerichte Alfeld, Moringen, Göttingen und Uslar. Vom 1. März 1888.

(Stück 7.) № 9260. Allerhöchster Erlaß vom 14. März 1888, betreffend Auflösung des Königlichen Eisenbahn-Betriebsamts (Berlin-Dresden) zu Berlin und anderweite Abgrenzung mehrerer Eisenbahn-Direktionsbezirke.

№ 9261. Allerhöchster Erlaß vom 21. März, betreffend die Betheiligung Seiner Kaiserlichen und Königlichen Hoheit des Kronprinzen an den Regierungsgeschäften.

(Stück 8.) № 9262. Gesetz, betreffend die Feststellung des Staatshaushalts-Etats für das Jahr vom 1. April 1888/89. Vom 28. März 1888.

№ 9263. Gesetz, betreffend den Erlaß der Wittwen- und Waisengeldbeiträge der unmittelbaren Staatsbeamten. Vom 28. März 1888.

Bekanntmachungen der Königlichen Ministerien.

Ankauf von Remonten pro 1888.

Regierungs-Bezirk Potsdam.

11. Zum Ankaufe von Remonten im Alter von drei und ausnahmsweise vier Jahren sind im Bereiche der Königlichen Regierung zu Potsdam für dieses Jahr nachstehende, Morgens 8 resp. 9 Uhr beginnende Märkte anberaumt worden, und zwar:

am 31.	Mai	Wriezen a. Oder,
" 8.	Juni	Jüterbog 9 Uhr,
" 9.	"	Oranienburg,
" 11.	"	Nauen,
" 12.	"	Neustadt a. Dosse,
" 13.	"	Rathenow,
" 15.	"	Havelberg,
" 16.	"	Wilsnack 9 Uhr,
" 31.	Juli	Strasburg i. Uckermark,
" 1.	August	Prenzlau,
" 2.	"	Angermünde,
" 3.	"	Neu-Ruppin,
" 4.	"	Kyritz,
" 6.	"	Wittstock,
" 7.	"	Meyenburg,
" 8.	"	Pritzwalk 9 Uhr,
" 9.	"	Perleberg,
" 10.	"	Lenzen a. Elbe.

Die von der Remonte-Ankaufs-Kommission erkauften Pferde werden mit Ausnahme derjenigen von Oranienburg zur Stelle abgenommen und sofort gegen Quittung baar bezahlt. Die Verkäufer auf dem Markte in Oranienburg werden dagegen ersucht, die erkauften Pferde in dem nahe gelegenen Remonte-Depot Bärenklau auf eigene Kosten und Gefahr einzuliefern und daselbst nach erfolgter Uebergabe in gesundem Zustande den behandelten Kaufpreis in Empfang zu nehmen.

Pferde mit solchen Fehlern, welche nach den Landesgesetzen den Kauf rückgängig machen, sind vom Verkäufer gegen Erstattung des Kaufpreises und der Unkosten zurückzunehmen, ebenso Krippensetzer, welche sich in den ersten acht und zwanzig Tagen nach Einlieferung in den Depots als solche erweisen. Pferde, welche den Verkäufern nicht eigenthümlich gehören, oder durch einen nicht legitimirten Bevollmächtigten der Kommission vorgestellt werden, sind vom Kauf ausgeschlossen.

Die Verkäufer sind verpflichtet, jedem verkauften Pferde eine neue, starke rindlederne Trense mit starkem Gebiß und eine neue Kopfhalfter von Leder oder Hanf mit 2 mindestens zwei Meter langen Stricken ohne besondere Vergütung mitzugeben.

Um die Abstammung der vorgeführten Pferde feststellen zu können, ist es erwünscht, daß die Deckscheine möglichst mitgebracht werden, auch werden die Verkäufer ersucht, die Schweife der Pferde nicht zu coupiren oder übermäßig zu verkürzen.

Ferner ist es dringend wünschenswerth, daß der immer mehr überhand nehmende zu massige oder weiche Futterzustand bei den zum Verkauf zu stellenden Remonten aufhört, weil dadurch die in den Remonte-Depots vorkommenden Krankheiten sehr viel schwerer zu überstehen sind, als dies bei rationell und nicht übermäßig gefutterten Remonten der Fall ist.

In Zukunft wird beim Ankauf zum Messen der Remonten das Stockmaß in Anwendung kommen.

Berlin, den 1. März 1888.

Kriegsministerium, Remontirungs-Abtheilung.

Bekanntmachungen der Königlichen Hauptverwaltung der Staatsschulden.

Kündigung von Eisenbahn-Prioritäts-Aktien bezw. Obligationen.

7. Die sämmtlichen, bisher noch nicht zur Verloosung gekommenen

1) Prioritäts-Aktien der Niederschlesisch-Märkischen Eisenbahn Serie I. und II. von 1845 und
2) Prioritäts-Obligationen dieser Bahn Serie I. und II. von 1846

werden den Besitzern mit der Aufforderung gekündigt, den Kapitalbetrag vom 2. Juli d. J. ab bei der Staatsschulden-Tilgungskasse hierselbst — W. Taubenstraße Nr. 29 — gegen Quittung und Rückgabe der Aktien bezw. Obligationen und der dazu gehörigen, alsdann noch nicht fälligen Zinsscheine und zwar: der Reihe IX. Nr. 4 bis 8 nebst Anweisungen bei den Prioritäts-Aktien, und der Reihe IX. Nr. 6 bis 8 nebst Anweisungen bei den Prioritäts-Obligationen, zu erheben.

Die Zahlung erfolgt von 9 Uhr Vormittags bis 1 Uhr Nachmittags mit Ausschluß der Sonn- und Festtage und der letzten drei Geschäftstage jeden Monats.

Die Einlösung geschieht auch bei den Königlichen Regierungs-Hauptkassen und der Königlichen Kreiskasse in Frankfurt a. M. Zu diesem Zwecke können die Aktien und Obligationen nebst den zugehörigen Zinsscheinen und Zinsscheinanweisungen einer dieser Kassen schon vom 1. Juni d. J. ab eingereicht werden, welche die Effekten der Staatsschulden-Tilgungskasse zur Prüfung vorzulegen hat und nach erfolgter Feststellung die Auszahlung vom 2. Juli d. J. ab bewirkt.

Vom 1. Juli 1888 ab hört die Verzinsung dieser Prioritäts-Aktien und Prioritäts-Obligationen auf.

Der Betrag der etwa fehlenden Zinsscheine wird vom Kapital zurückbehalten.

Die Staatsschulden-Tilgungskasse kann sich in einen Schriftwechsel mit den Inhabern der Aktien und Obligationen über die Zahlungsleistung nicht einlassen.

Formulare zu den Quittungen werden von den sämmtlichen oben gedachten Kassen unentgeltlich verabfolgt.

Der durch unsere Bekanntmachung vom 6. d. Mts. auf den 3. April d. J. festgesetzte Verloosungstermin für die am 1. Juli d. J. zu tilgenden Prioritäts-Aktien Serie I. und II. wird hierdurch aufgehoben.

Berlin, den 27. März 1888.

Hauptverwaltung der Staatsschulden.

Kündigung von Eisenbahn-Prioritäts-Obligationen.

8. Die sämmtlichen bisher noch nicht zur Verloosung gekommenen Prioritäts-Obligationen der Taunus-Eisenbahn von 1862 werden den Besitzern zur baaren Rückzahlung zum 1. Oktober d. J. gekündigt.

Der Kapitalbetrag ist von diesem Tage ab bei der Staatsschulden-Tilgungskasse hierselbst — W. Taubenstraße 29 — gegen Quittung und Rückgabe der Obligationen und der dazu gehörigen, alsdann noch nicht fälligen Zinsscheine Reihe II. Nr. 13 bis 20 nebst den Anweisungen zur Abhebung der Reihe III. zu erheben, wogegen neben dem Kapitalbetrage der Obligationen noch Stückzinsen für die Zeit vom 1. Juli bis 30. September d. J. werden ausgezahlt werden.

Die Zahlung erfolgt von 9 Uhr Vormittags bis 1 Uhr Nachmittags mit Ausschluß der Sonn- und Festtage und der letzten drei Geschäftstage jeden Monats.

Die Einlösung geschieht auch bei der Hauptkasse der Königlichen Eisenbahn-Direktion in Frankfurt a. M., bei der Königlichen Kreiskasse daselbst und bei den Königlichen Regierungs-Hauptkassen. Zu diesem Zwecke können die Effekten einer dieser Kassen schon vom 1. September d. J. ab eingereicht werden, welche sie der Staatsschulden-Tilgungskasse zur Prüfung vorzulegen hat und nach erfolgter Feststellung vom 1. Oktober 1888 ab die Auszahlung bewirkt.

Vom 1. Oktober 1888 ab hört die Verzinsung dieser Obligationen auf.

Der Betrag der etwa fehlenden Zinsscheine wird von dem Kapital zurückbehalten.

Die Staatsschulden-Tilgungskasse kann sich in einen Schriftwechsel mit den Inhabern der Obligationen über die Zahlungsleistung nicht einlassen.

Formulare zu den Quittungen werden von den gedachten Kassen unentgeltlich verabfolgt.

Berlin, den 27. März 1888.

Hauptverwaltung der Staatsschulden.

Bekanntmachungen des Königlichen Regierungs-Präsidenten.

Schornsteinfeger-Innung des Kreises Teltow.

118. Auf Grund des § 100 e. № 3 der Reichs-Gewerbe-Ordnung vom 18. Juli 1881 und der Ausführungs-Anweisung hierzu vom 9. März 1882 № I. 1 a. 2 bestimme ich hierdurch für den Bezirk der Schornsteinfeger-Innung des Kreises Teltow,

daß diejenigen Arbeitgeber, welche das Schornsteinfeger-Gewerbe betreiben und selbst zur Aufnahme in die Innung fähig sein würden, gleichwohl aber der Innung nicht angehören, vom 1. Oktober 1888 ab Lehrlinge nicht mehr annehmen dürfen.

Ich bringe dies mit dem Bemerken hierdurch zur Kenntniß, daß der Bezirk der genannten Innung den Kreis Teltow umfaßt.

Potsdam, den 28. März 1888.

Der Regierungs-Präsident.

Oeffnungszeit der Eisenbahndrehbrücke über die Havel bei Potsdam betreffend.

119. Die für die Eisenbahndrehbrücke über die Havel bei Potsdam in der Amtsblattbekanntmachung vom 5. Oktober 1887 Seite 372 unter II. A. 1 angegebene Oeffnungszeit beginnt vom 1. April 1888 ab nicht mehr um 5 30 Vorm., sondern um 5 42 Vorm., was hierdurch zur öffentlichen Kenntniß gebracht wird.

Potsdam, den 5. April 1888.

Der Regierungs-Präsident.

Stationirung des Bezirksfeldwebels der 3. Kompagnie des Königl. Bezirks-Commandos Bernau von Alt-Landsberg nach Lichtenberg und Errichtung eines Central-Melde-Büreaus daselbst.

120. Hiermit bringe ich zur öffentlichen Kenntniß, daß der Bezirksfeldwebel der 3. Compagnie des Königl. Bezirks-Commandos Bernau vom 1. Mai d. J. ab von Alt-Landsberg nach Lichtenberg stationirt und von demselben Zeitpunkte ab daselbst ein Central-Melde-Büreau errichtet wird.

Potsdam, den 7. April 1888.

Der Regierungs-Präsident.

Ausspielung von Pferden rc. in Neubrandenburg.

121. Auf den Bericht vom 18. März d. J. will Ich dem Komité für den Zuchtmarkt für edlere Pferde zu Neubrandenburg (im Großherzogthum Mecklenburg-Strelitz) hiermit die Erlaubniß ertheilen, Loose zu der mit Genehmigung der Großherzoglichen Landesregierung bei Gelegenheit des diesjährigen Zuchtmarktes von ihm zu veranstaltenden Ausspielung von Pferden, Equipagen, Reit-, Fahr- und Stall-Utensilien, auch im diesseitigen Staatsgebiete zu vertreiben.

Charlottenburg, den 23. März 1888.

gez. **Friedrich.**

ggez. von Puttkamer.

An den Minister des Innern.

* * *

Vorstehender Allerhöchster Erlaß wird hierdurch zur öffentlichen Kenntniß gebracht.

Zugleich werden die Ortspolizeibehörden angewiesen, dafür zu sorgen, daß der Vertrieb der Loose nicht beanstandet wird.

Potsdam und Berlin, den 5. April 1888.

Der Regierungs-Präsident. Der Polizei-Präsident.

122. **Nachweisung der Markt= 2c.**

Laufende №	Namen der Städte	Getreide								Uebrige Markt=																	
		Es kosten je 100 Kilogramm																						Es			
																								Rindfleisch			
		Weizen		Roggen		Gerste		Hafer		Erbsen		Speisebohnen		Linsen		Kartoffeln		Richtstroh		Krummstroh		Heu		von der Keule		Bauchfleisch	
		M.	Pf.	M.	Pf.	M.	Pf.	M.	Pf.	M.	Pf.	M.	Pf.	M.	Pf.	M.	Pf.	M.	Pf.	M.	Pf.	M.	Pf.	M.	Pf.	M.	Pf.
1	Angermünde	15	81	10	76	11	17	10	50	27	—	30	—	38	—	4	36	3	75	3	—	4	50	1	35	1	05
2	Beeskow	—	—	11	69	—	—	12	07	25	—	45	—	45	—	3	50	3	10	—	—	6	—	1	20	1	—
3	Bernau	16	45	11	17	13	73	11	70	25	—	32	—	45	—	4	94	3	50	—	—	5	55	1	20	1	10
4	Brandenburg	16	—	11	65	11	30	12	05	27	50	35	—	45	—	3	64	2	85	—	—	4	48	1	30	1	10
5	Dahme	15	86	11	62	11	43	12	—	35	—	45	—	50	—	3	—	3	50	2	50	6	—	1	—	1	—
6	Eberswalde	16	50	11	50	15	88	11	70	23	—	23	—	26	—	4	—	3	85	—	—	5	—	1	20	1	—
7	Havelberg	16	28	11	15	12	75	12	75	22	50	35	—	40	—	4	07	3	25	2	25	6	25	1	30	—	90
8	Jüterbog	15	67	11	73	11	75	13	—	25	—	30	—	40	—	5	—	3	20	—	—	6	20	1	20	1	10
9	Luckenwalde	15	—	11	41	11	43	11	45	32	50	32	50	37	50	4	25	3	16	—	—	5	50	1	20	1	20
10	Perleberg	16	24	11	41	12	52	11	53	18	—	32	—	43	—	4	49	4	46	—	—	7	73	1	40	1	10
11	Potsdam	16	41	11	35	14	61	12	66	24	—	31	—	43	—	4	68	3	59	—	—	5	81	1	35	1	10
12	Prenzlau	15	69	10	77	10	74	10	65	20	—	26	—	35	—	4	33	3	75	3	—	4	50	1	20	—	95
13	Pritzwalk	16	13	10	72	12	34	10	70	17	50	29	30	39	70	2	98	3	25	2	63	5	90	1	30	1	05
14	Rathenow	16	—	11	35	11	75	12	—	30	—	30	—	40	—	3	40	2	33	—	—	4	20	1	40	1	20
15	Neu=Ruppin	17	—	10	92	12	17	11	67	30	—	32	—	50	—	3	88	4	36	—	—	5	83	1	30	1	05
16	Schwedt	16	50	12	36	11	40	11	87	26	67	33	33	40	—	5	—	3	20	—	—	4	97	1	20	1	—
17	Spandau	14	75	12	50	14	50	13	25	26	50	28	50	36	—	5	—	3	42	—	—	5	95	1	40	1	20
18	Strausberg	16	74	11	32	14	62	12	80	25	—	30	50	35	—	3	50	4	50	—	—	7	20	1	20	1	10
19	Teltow	16	55	11	40	13	83	13	—	35	—	45	—	50	—	5	25	4	—	—	—	6	20	1	30	1	05
20	Templin	16	50	10	50	10	50	11	—	15	—	40	—	40	—	4	—	4	—	—	—	5	—	1	20	1	—
21	Treuenbrietzen	15	60	11	25	10	71	11	48	24	—	26	—	30	—	3	—	3	—	—	—	5	—	1	20	1	—
22	Wittstock	15	67	10	70	12	—	10	98	13	—	32	—	44	—	2	96	2	89	2	50	5	20	1	—	—	90
23	Wriezen a. O.	15	64	10	80	10	59	10	68	18	—	26	20	37	50	3	42	2	59	1	75	5	—	1	30	1	—
	Durchschnitt	16	04	11	30	12	35	11	80	—	—	—	—	—	—	4	03	3	46	—	—	5	56	—	—	—	—

Potsdam, den 9. April 1888.

123. **Nachweisung des Monatsdurchschnitts der gezahlten höchsten**

Laufende Nummer.	Es kosteten je 50 Kilogramm.	Angermünde.		Beeskow.		Bernau.		Brandenburg.		Dahme.		Eberswalde.		Havelberg.		Jüterbog.		Luckenwalde.		Perleberg.	
		M.	₰	M.	₰	M.	₰	M.	₰	M.	₰	M.	₰	M.	₰	M.	₰	M.	₰	M.	₰
1	Hafer	5	68	6	53	6	77	6	83	6	30	6	83	6	83	6	83	6	56	6	30
2	Heu	2	63	3	15	3	41	2	89	3	15	2	89	3	42	3	26	3	15	4	22
3	Richtstroh	2	10	1	63	1	96	1	68	1	84	2	10	1	84	1	68	1	76	2	49

Potsdam, den 9. April 1888.

Viehseuchen.

124. Die Maul= und Klauenseuche ist unter dem Rindvieh des Bauergutsbesitzers Schulze zu Dallgow, im Kreise Osthavelland, und unter den Schafen und Schweinen des Dominiums Beerbaum, im Kreise Oberbarnim, ausgebrochen. Dieselbe Seuche unter den Rindviehbeständen des Ritterguts Stolpe, im Kreise Niederbarnim, sowie des Ritterguts Klein=Machnow und des Gutsbesitzers Schulze zu Sputendorf bei Groß=beeren, im Kreise Teltow, ist erloschen.

Preise im Monat März 1888.

Artikel						Ladenpreise in den letzten Tagen des Monats											
kostet je 1 Kilogramm					Ein Schock Eier	Es kostet je 1 Kilogramm											
						Mehl		Gerste						Java-Kaffee in gebr. Bohnen			
Schweinefleisch	Kalbfleisch	Hammelfleisch	Speck	Butter		Weizen Nr. 1	Roggen Nr. 1	Graupe	Grütze	Buchweizengrütze	Hafergrütze	Hirse	Reis, Java	mittler	gelber	Speisesalz	Schweineschmalz, hiesig.
M. Pf.	M. Pf.	M. Pf.	M. Pf.	M. Pf.	M. Pf.	M. Pf.	M. Pf.	M. Pf.	M. Pf.	M. Pf.	M. Pf.	M. Pf.	M. Pf.	M. Pf.	M. Pf.	M. Pf.	M. Pf.
1 10	— 87	1 04	1 60	2 10	3 48	— 25	— 20	— 50	— 30	— 40	— 45	— 60	— 60	3 20	3 60	— 20	1 40
1 10	1 —	1 —	1 60	2 14	3 10	— 40	— 30	— 60	— 60	— 65	— 80	— 60	— 65	3 20	3 60	— 20	2 —
1 20	1 25	1 15	2 30	1 70	3 72	— 40	— 25	— 45	— 50	— 50	— 40	— 60	— 25	2 40	3 —	— 20	1 60
1 15	— 95	1 10	1 80	2 30	3 72	— 30	— 25	— 40	— 40	— 50	— 50	— 50	— 50	3 60	3 80	— 20	1 60
1 20	— 80	1 —	1 60	2 —	2 80	— 32	— 26	— 60	— —	— 40	— —	— 50	— 50	3 20	3 60	— 20	1 40
1 20	1 —	1 —	1 60	2 40	4 —	— 28	— 26	— 60	— 60	— 50	— —	— 60	— 60	3 20	3 60	— 20	1 60
1 20	1 20	1 —	1 50	2 30	3 20	— 30	— 20	— 55	— 60	— 60	— —	— 50	— 60	2 80	3 40	— 20	1 60
1 20	— 95	1 20	1 30	2 —	3 20	— 30	— 20	— 40	— 50	— 40	— 60	— 40	— 40	2 70	3 60	— 20	1 40
1 20	— 90	1 20	1 60	2 20	3 60	— 30	— 20	— 50	— 40	— 40	— 60	— 36	— 60	3 20	3 60	— 20	1 40
1 30	1 15	1 15	1 95	1 89	3 26	— 50	— 36	— 60	— 60	— 50	— 50	— 55	— 50	3 40	3 40	— 20	2 —
1 25	1 01	1 15	1 60	2 07	3 57	— 35	— 20	— 43	— 43	— 43	— 43	— 45	— 45	3 10	3 60	— 20	1 60
1 20	— 80	1 10	1 50	1 97	3 27	— 22	— 18	— 50	— 30	— 40	— 40	— 50	— 50	3 20	3 80	— 20	1 60
1 05	— 90	1 —	1 50	1 80	2 70	— 26	— 20	— 45	— 40	— 45	— 50	— 50	— 50	3 20	3 60	— 20	1 50
1 40	1 —	1 20	1 80	2 60	3 38	— 27	— 19	— 40	— 40	— 45	— 40	— 30	— 60	3 30	3 80	— 20	2 —
1 10	— 95	1 10	1 60	2 10	3 62	— 36	— 24	— 50	— 50	— 50	— 50	— 50	— 60	3 25	3 58	— 20	1 40
1 20	— 95	1 —	2 —	2 —	3 33	— 30	— 25	— 60	— 40	— 40	— 60	— 50	— 70	3 60	3 80	— 20	2 —
1 20	1 20	1 20	1 20	2 20	3 60	— 40	— 30	— 50	— 50	— 50	— 50	— 55	— 65	3 40	3 80	— 20	1 40
1 20	1 —	1 20	1 60	2 40	3 38	— 35	— 20	— 55	— 50	— 45	— 55	— 50	— 60	3 —	3 80	— 20	1 40
1 20	1 25	1 15	1 50	2 40	4 75	— 45	— 30	— 60	— 50	— 50	— 60	— 50	— 50	2 80	3 20	— 20	1 20
1 —	— 60	1 —	1 60	2 40	4 —	— 30	— 20	— 60	— 50	— 50	— 60	— 40	— 50	3 20	3 60	— 20	1 60
1 18	— 90	1 20	1 60	1 70	3 43	— 28	— 18	— 50	— —	— 40	— 55	— 30	— 50	3 20	3 40	— 20	1 80
— 94	— 58	— 93	1 60	1 75	2 80	— 26	— 18	— 50	— 50	— 40	— 40	— 50	— 60	3 20	3 60	— 20	1 60
1 10	1 05	1 05	1 40	2 10	2 97	— 20	— 19	— 40	— 30	— 40	— 50	— 50	— 50	3 —	3 25	— 20	1 20
— —	— —	— —	— —	— —	— —	— —	— —	— —	— —	— —	— —	— —	— —	— —	— —	— —	— —

Der Regierungs-Präsident.

Tagespreise incl. 5 % Aufschlag im Monat März 1888.

Potsdam.	Prenzlau.	Pritzwalk.	Rathenow.	Neu-Ruppin.	Schwedt.	Spandau.	Strausberg.	Teltow.	Templin.	Treuenbrietzen.	Wittstock.	Wriezen a. O.
M. ₰	M. ₰	M. ₰	M. ₰	M. ₰	M. ₰	M. ₰	M. ₰	M. ₰	M. ₰	M. ₰	M. ₰	M. ₰
6 95	5 84	5 88	6 57	6 18	6 23	7 49	6 83	6 83	6 30	6 03	5 76	5 93
3 68	2 63	3 21	2 31	3 07	2 60	3 36	3 89	4 42	3 15	2 63	2 73	2 89
2 11	2 10	1 71	1 32	2 29	1 68	1 93	2 42	2 10	2 36	1 58	1 52	1 40

Der Regierungs-Präsident.

Das wegen des Verdachts der Ansteckung mit Rotz unter Observation gestellte Fohlen des Gastwirths Habermann in Plötzensee bei Berlin ist gesund geblieben und die Observation aufgehoben worden.

Potsdam, den 3. April 1888.

Der Regierungs-Präsident.

125. Die Maul- und Klauenseuche ist unter den Ochsen des Dominiums Grünthal im Kreise Oberbarnim ausgebrochen.

Potsdam, den 9. April 1888.

Der Regierungs-Präsident.

Durchschnittlicher Jahresarbeitsverdienst land- und forstwirthschaftlicher Arbeiter für den Potsdam'er Regierungs-Bezirk.

126. In Gemäßheit des § 6 Absatz 3 des Reichsgesetzes vom 5. Mai 1886 (R.-G.-Bl. f. 1886 S. 132), welches mit dem 1. April d. J. vollständig in Kraft getreten ist, und den Ministerial-Erlaß vom 6. Februar 1888 — M. d. J. I. A. 924 / M. f. L. I. 1850 / M. f. H. B. 599 — setze ich den durchschnittlichen Jahresarbeitsverdienst land- und forstwirthschaftlicher Arbeiter für den Potsdam'er Regierungs-Bezirk folgendermaßen fest:

I. Kreis Templin (Stadt und Land)

a. der männlichen Arbeiter über 16 Jahr auf 400 Mark,
b. der männlichen Arbeiter unter 16 Jahr auf 225 Mark,
c. der weiblichen Arbeiter über 16 Jahr auf 180 Mark,
d. der weiblichen Arbeiter unter 16 Jahr auf 150 Mark.

II. Kreis Teltow

a. für männliche erwachsene: auf 600 M.,
b. für männliche jugendliche: auf 300 M.,
c. für weibliche erwachsene: auf 360 M.,
d. für weibliche jugendliche: auf 210 M.

in folgenden Gemarkungen: Gemeindebezirke Rixdorf, Britz, Schöneberg, Friedenau, Steglitz, Groß-Lichterfelde, Deutsch-Wilmersdorf, Schmargendorf, Gutsbezirk Dahlem, Stadtbezirk Teltow, Gemeindebezirke Schönow, Stahnsdorf, Ruhlsdorf, Gutsbezirk Ruhlsdorf, Gemeindebezirk Gütergotz, Gutsbezirke Gütergotz, Klein-Machnow, Düppel, Gemeindebezirk Zehlendorf, Gutsbezirke Spandauer Forst, Ruhleben, Gemeindebezirk Groß-Beeren, Gutsbezirk Groß-Beeren, Gemeindebezirk Klein-Beeren, Gutsbezirk Klein-Beeren, Gemeindebezirk Diedersdorf, Gutsbezirk Diedersdorf, Gemeinde- und Gutsbezirke Tempelhof und Hasenhaide, Gemeindebezirke Lankwitz, Mariendorf, Marienfelde, Gutsbezirk Osdorf, Gemeindebezirke Buckow, Groß-Ziethen, Gutsbezirke Groß-Ziethen, Klein-Ziethen, Gemeindebezirke Lichtenrade, Nowawes, Neuendorf b. Potsdam, Stolpe, Klein-Glienicke, Gutsbezirke Klein-Glienicke, Babelsberg, Gemeindebezirke Drewitz, Schenkendorf bei Groß-Beeren, Gutsbezirk Schenkendorf bei Großbeeren, Gemeindebezirke Sputendorf bei Groß-Beeren, Ahrensdorf, Rudow, Philippsthal, Fahlhorst, Gutsbezirke Fahlhorst, Potsdamer Forst, Stadtbezirk Coepenick, Gemeindebezirke Treptow, Niederschönweide, Johannisthal, Adlershof, Grünau, Kietz bei Coepenick, Alt-Glienicke, Neu-Glienicke, Müggelsheim, Gutsbezirk Coepenicker Forst (Teltower Antheil), Gemeindebezirke Bohnsdorf, Rudow, Gutsbezirk Rudow, Gemeindebezirk Schönefeld, Gutsbezirke Schönefeld, Diepensee, Gemeindebezirk Waltersdorf, Gutsbezirk Waltersdorf, Gemeindebezirk Schulzendorf b. W., Gutsbezirk Schulzendorf b. W., Gemeindebezirk Schmöckwitz, Gutsbezirke Schmöckwitzwerder, Radeland,

e. für männliche erwachsene: auf 450 M.,
f. für männliche jugendliche: auf 240 M.,
g. für weibliche erwachsene: auf 300 M.,
h. für weibliche jugendliche: auf 180 M.,

in folgenden Gemarkungen:

Stadtbezirk Mittenwalde, Gemeindebezirk Königs-Wusterhausen, Gutsbezirke Königs-Wusterhausen, Gallunsbrück, Wüstemark, Gemeindebezirke Neuemühle, Schenkendorf b. Königs-Wusterhausen, Gutsbezirk Schenkendorf b. Königs-Wusterhausen, Gemeindebezirke Senzig, Zeesen, Gutsbezirk Zeesen, Gemeindebezirk Deutsch-Wusterhausen, Gutsbezirk Deutsch-Wusterhausen, Gemeindebezirke Ragow, Hoherlehme, Zeuthen, Klein-Kienitz, Gutsbezirk Klein-Kienitz, Gemeindebezirke Groß-Kienitz, Brusendorf, Gutsbezirke Brusendorf, Karlshof, Gemeindebezirk Rotzis, Gutsbezirk Rotzis, Gemeindebezirke Kiekebusch, Selchow, Gutsbezirk Selchow, Gemeindebezirk Waßmannsdorf, Gutsbezirk Waßmannsdorf, Gemeindebezirk Groß-Machnow, Gutsbezirk Groß-Machnow, Gemeindebezirk Gallun, Gutsbezirk Gallun, Gemeindebezirke Krummensee, Groß-Besten, Klein-Besten, Gussow, Gräbendorf, Pätz, Stadtbezirk Teupitz, Gutsbezirk Schloß-Teupitz, Gemeindebezirk Staakow, Gutsbezirk Staakow, Gemeindebezirke Freidorf, Teurow, Gutsbezirk Teurow, Gemeindebezirke Halbe, Löpten, Gutsbezirk Löpten, Gemeindebezirke Schwerin, Groß-Köriß, Klein-Köriß, Gutsbezirke Hammersche Forst, Semmley, Königs-Wusterhausener Forst (Mochheide) Gemeindebezirke Egsdorf, Neuendorf bei Teupitz, Sputendorf bei Teupitz, Tornow, Zernsdorf, Miersdorf, Stadtbezirk Zossen, Gemeindebezirke Mahlow, Glasow, Blankenfelde, Gutsbezirk Blankenfelde, Gemeindebezirk Dahlwitz, Gutsbezirk Dahlwitz, Gemeindebezirk Jühnsdorf, Gutsbezirk Jühnsdorf, Gemeindebezirk Rangsdorf, Gutsbezirk Rangsdorf, Gemeindebezirk Groß-Schulzendorf, Gutsbezirk Werben, Gemeindebezirke Glienick b. Zossen, Dabendorf, Schünow, Nächst-Neuendorf, Dergischow, Saalow, Mellen, Gutsbezirk Haus Zossen, Gemeindebezirke Wünsdorf, Neuhof, Jachzenbrück, Fern-Neuendorf, Kummersdorf, Alexanderdorf, Rehagen, Gutsbezirk Kummersdorfer Forst, Gemeindebezirke Telz, Schöneiche, Callinchen, Töpchin, Motzen, Zehrensdorf, Claußdorf, Sperenberg, Stadtbezirk Trebbin, Gemeindebezirke Neuendorf b. Trebbin, Klein-Schulzendorf, Schönweide b. Luckenwalde, Gutsbezirk Woltersdorfer Forst, Gemeindebezirke Lüdersdorf, Gadsdorf, Christinendorf, Nunsdorf, Wendisch-Wilmersdorf, Gutsbezirk Wendisch-Wilmersdorf, Gemeindebezirke Thyrow, Groß-Beuthen, Gutsbezirke Groß-Beuthen, Klein-Beuthen, Gemeindebezirke Klein-Beuthen, Jütchendorf, Kietz bei Gröben, Gröben, Gutsbezirk Gröben, Gemeindebezirk Siethen, Gutsbezirk Siethen, Gemeindebezirke Wietstock, Kerzendorf, Gutsbezirk Kerzendorf, Gemeindebezirk Löwenbruch, Gutsbezirk Löwenbruch, Gemeindebezirk Genshagen, Gutsbezirk Genshagen, Gemeindebezirk Cliestow.

III. Kreis Angermünde.

Für die Städte: A. Angermünde.

1) für männliche Arbeiter über 16 Jahre 525 M.,

2) für weibliche Arbeiter über 16 Jahre 255 M.,
3) = männliche = unter 16 = 330 =
4) = weibliche = = 16 = 225 =

B. Greiffenberg

1) für männliche Arbeiter über 16 Jahre 375 M.,
2) = weibliche = = 16 = 225 =
3) = männliche = unter 16 = 225 =
4) = weibliche = = 16 = 150 =

C. Joachimsthal

1) für männliche Arbeiter über 16 Jahre 375 M.,
2) = weibliche = = 16 = 210 =
3) = männliche = unter 16 = 300 =
4) = weibliche = = 16 = 150 =

D. Oderberg

1) für männliche Arbeiter über 16 Jahre 450 M.,
2) = weibliche = = 16 = 240 =
3) = männliche = unter 16 = 270 =
4) = weibliche = = 16 = 240 =

E. Schwedt

1) für männliche Arbeiter über 16 Jahre 450 M.,
2) = weibliche = = 16 = 330 =
3) = männliche = unter 16 = 300 =
4) = weibliche = = 16 = 225 =

F. Vierraden

1) für männliche Arbeiter über 16 Jahre 375 M.,
2) = weibliche = = 16 = 300 =
3) = männliche = unter 16 = 180 =
4) = weibliche = = 16 = 150 =

Für das platte Land:

1) für männliche Arbeiter über 16 Jahre 420 M.,
2) = weibliche = = 16 = 225 =
3) = männliche = unter 16 = 180 =
4) = weibliche = = 16 = 150 =

IV. Kreis Niederbarnim

und zwar für den Umfang des ganzen Kreises):
1) für erwachsene männliche Personen 450 M.,
2) = = weibliche = 240 =
3) = jugendliche männliche = 210 =
4) = = weibliche = 150 =

V. Kreis Beeskow:

1) für männliche Arbeiter über 16 Jahre 1,25 M.,
2) = weibliche = = 16 = 0,90 =
3) = männliche = unter 16 = 0,80 =
4) = weibliche = = 16 = 0,70 =

VI. Kreis Oberbarnim.

A. Erwachsene Arbeiter.

1) männliche . . . . 390 M.,
2) weibliche . . . . 240 =

B. Jugendliche Arbeiter unter 16 Jahren

3) männliche . . . . 180 M.,
4) weibliche . . . . 150 =

VII. Kreis Prenzlau.

1) für den erwachsenen Mann . . . 420 M.,
2) = die erwachsene Frau . . . . 240 =
3) = Männer unter 16 Jahren . . 180 =
4) = Weiber = 16 = . . 120 =

VIII. Kreis Ruppin.

a. für die Sadt Neu-Ruppin

1) für männliche Arbeiter über 16 Jahre 480 M.,
2) = weibliche = = 16 = 300 =
3) = männliche = unter 16 = 180 =
4) = weibliche = = 16 = 180 =

b. für den übrigen Theil des Kreises Ruppin.

1) für männliche Arbeiter über 16 Jahre 390 M.,
2) = weibliche = = 16 = 225 =
3) = männliche = unter 16 = 120 =
4) = weibliche = = 16 = 120 =

IX. Kreis Jüterbog-Luckenwalde.

1) für männliche, über 16 Jahre alte, auf 375 M.,
2) = weibliche = 16 = = = 240 =
3) = männliche unter 16 = = = 210 =
4) = weibliche = 16 = = = 180 =

X. Kreis Ostprignitz.

1) für erwachsene männliche Arbeiter auf 450 M.,
2) = = weibliche = = 300 =
3) = jugendliche männliche = = 210 =
4) = = weibliche = = 180 =

XI. Kreis Westprignitz.

1) für erwachsene männliche Arbeiter auf 435 M.,
2) = = weibliche = = 300 =
3) = jugendliche männliche = = 225 =
4) = = weibliche = = 180 =

XII. Kreis Osthavelland.

1) für männliche Arbeiter über 16 Jahre 450 M.,
2) = weibliche = = 16 = 225 =
3) = jugendl. männl. unter 16 = 225 =
4) = = weibl. = 16 = 150 =

XIII. Kreis Westhavelland.

1) für männliche Arbeiter von 16 Jahren und darüber auf . . . . 500 M.,
2) für männliche Arbeiter unter 16 Jahren auf . . . . 300 =
3) für weibliche Arbeiter von 16 Jahren und darüber auf . . . . 300 =
4) für weibliche Arbeiter unter 16 Jahren auf . . . . 200 =

Potsdam, den 7. April 1888.

Der Regierungs-Präsident.

Bekanntmachungen des Königlichen Polizei-Präsidiums zu Berlin.

Trigonometrische Vermessungs-Arbeiten im Stadtkreise Berlin.

27. Vom 1. Mai d. J. ab werden im hiesigen Stadtgebiete trigonometrische Vermessungs-Arbeiten ausgeführt werden. Die als Trigonometer fungirenden Offiziere, Beamten rc. werden sich durch offene Ordres der Herren Minister des Innern und für die Landwirthschaft, die als Hilfsarbeiter kommandirten Soldaten durch Legitimationsscheine ausweisen, welche von dem Chef der trigonometrischen Abtheilung der Landes-Aufnahme durch Dienststempel und Unterschrift vollzögen sind.

Bei der Wichtigkeit der zu gemeinnützigen Zwecken gesetzlich angeordneten Arbeiten erwarte ich, daß die betheiligten Grundbesitzer dieselben nach Möglichkeit unterstützen und insbesondere das Betreten ihrer Grundstücke den wie vorstehend legitimirten Personen **auch ohne vorherige Anzeige** gestatten.

Die betreffenden Trigonometer sind angewiesen, jede Flurbeschädigung nach billiger Uebereinkunft, alle Kosten für Fuhrwerk, Holz, Baumaterial, besondere Hülfsleistungen, Arbeiter ꝛc., nach ortsüblichen Preisen baar zu bezahlen; **dagegen haben dieselben mit dem Ankauf der Bodenflächen, welche zum Schutze der Festlegungssteine von den Grundbesitzern an den Staat abzutreten sind, Nichts zu schaffen.** Die Erwerbung dieser Schutzflächen für den Staat erfolgt später im Verwaltungswege, die Zahlung hierfür wird durch die Steuerkassen geleistet.

Quartier und Verpflegung wird sowohl von den Trigonometern, wie auch von den kommandirten Soldaten stets direkt und baar bezahlt. Es werden hierzu keinerlei Zuschüsse aus Staats- oder Kommunal-Mitteln gewährt. Berlin, den 29. März 1888.

Der Polizei-Präsident.

Berliner und Charlottenburger Preise pro März 1888.

28. A. Engros-Marktpreise im Monatsdurchschnitt.

In Berlin:

für	100	Klgr.	Weizen (gut)	17	Mark	18	Pf.,
=	=	=	do. (mittel)	16	=	47	=
=	=	=	do. (gering)	15	=	76	=
=	=	=	Roggen (gut)	11	=	70	=
=	=	=	do. (mittel)	11	=	20	=
=	=	=	do. (gering)	10	=	71	=
=	=	=	Gerste (gut)	16	=	60	=
=	=	=	do. (mittel)	13	=	75	=
=	=	=	do. (gering)	10	=	90	=
=	=	=	Hafer (gut)	12	=	62	=
=	=	=	do. (mittel)	11	=	71	=
=	=	=	do. (gering)	10	=	75	=
=	=	=	Erbsen (gut)	17	=	75	=
für	100	Klgr.	do. (mittel)	15	=	50	=
=	=	=	do. (gering)	13	=	25	=
=	=	=	Richtstroh	3	=	87	=
=	=	=	Heu	6	=	18	=

Monats-Durchschnitt der höchsten Berliner Tagespreise **einschließlich 5 % Aufschlag** für 50 kg

	Hafer	Stroh	Heu
im Monat Februar	6,75 Mk.,	2,20 Mk.,	3,86 Mk.

B. Detail-Marktpreise im Monatsdurchschnitt.

1) In Berlin.

für	100	Klgr.	Erbsen (gelbe) z. Kochen	24	Mark	90	Pf.,
=	=	=	Speisebohnen (weiße)	31	=	96	=
=	=	=	Linsen	44	=	84	=
=	=	=	Kartoffeln	5	=	27	=
=	1	Klgr.	Rindfleisch v. d. Keule	1	=	20	=
=	1	=	= (Bauchfleisch)	1	=	—	=
=	1	=	Schweinefleisch	1	=	20	=
=	1	=	Kalbfleisch	1	=	20	=
für	1	Klgr.	Hammelfleisch	1	Mark	05	Pf.,
=	1	=	Speck (geräuchert)	1	=	40	=
=	1	=	Eßbutter	2	=	30	=
=	60	Stück	Eier	3	=	77	=

2) In Charlottenburg.

für	100	Klgr.	Erbsen (gelbe z. Kochen)	25	Mark	—	Pf.,
=	=	=	Speisebohnen (weiße)	25	=	—	=
=	=	=	Linsen	37	=	50	=
=	=	=	Kartoffeln	4	=	90	=
=	1	Klgr.	Rindfleisch v. d. Keule	1	=	16	=
=	1	=	= (Bauchfleisch)	1	=	—	=
=	1	=	Schweinefleisch	1	=	20	=
=	1	=	Kalbfleisch	1	=	11	=
=	1	=	Hammelfleisch	1	=	10	=
=	1	=	Speck (geräuchert)	1	=	30	=
=	1	=	Eßbutter	2	=	31	=
=	60	Stück	Eier	3	=	74	=

C. Ladenpreise in den letzten Tagen des Monats März 1888:

1) In Berlin:

für	1	Klgr.	Weizenmehl № 1			35	Pf.,
=	1	=	Roggenmehl № 1			28	=
=	1	=	Gerstengraupe			48	=
=	1	=	Gerstengrütze			40	=
=	1	=	Buchweizengrütze			44	=
=	1	=	Hirse			44	=
=	1	=	Reis (Java)			75	=
=	1	=	Java-Kaffee (mittler)	2	Mark	33	=
=	1	=	= (gelb in gebr. Bohnen)	3	=	20	=
=	1	=	Speisesalz			20	=
=	1	=	Schweineschmalz (hiesiges)	1	=	30	=

2) In Charlottenburg:

für	1	Klgr.	Weizenmehl № 1			60	Pf.,
=	1	=	Roggenmehl № 1			40	=
=	1	=	Gerstengraupe			60	=
=	1	=	Gerstengrütze			50	=
=	1	=	Buchweizengrütze			50	=
=	1	=	Hirse			60	=
=	1	=	Reis (Java)			80	=
=	1	=	Java-Kaffee (mittler)	2	=	60	=
=	1	=	= (gelb in gebr. Bohnen)	3	=	20	=
=	1	=	Speisesalz			20	=
=	1	=	Schweineschmalz (hiesiges)	1	=	20	=

Berlin, den 6. April 1888.

Königl. Polizei-Präsidium. Erste Abtheilung.

Entziehung eines Hebammen-Prüfungszeugnisses.

29. Durch Erkenntniß des Königlichen Ober-Verwaltungsgerichts hierselbst vom 20. Februar 1888 ist der bisherigen Hebamme Marie Anders, geborenen Ramin, auf Grund des § 53 der Reichsgewerbeordnung das Prüfungszeugniß entzogen worden; die ꝛc. Anders ist daher als Hebamme nicht mehr anzusehen.

Solches wird hiermit zur öffentlichen Kenntniß gebracht.

Berlin, den 5. April 1888.

Der Polizei-Präsident.

Bekanntmachungen der Königlichen Eisenbahn-Direktion zu Bromberg.

Fahrplan-Aenderungen.

25. Wegen der durch den Deichbruch bei Jonasdorf verursachten Unterbrechung des Eisenbahnbetriebes auf der Strecke Marienburg—Elbing treten vom Sonntag, den 8. April d. J. ab folgende Fahrplan-Aenderungen ein:

1) Die Schnellzüge 1 und 2 werden auf der Strecke Dirschau—Königsberg aufgehoben und nur zwischen Charlottenburg und Dirschau befördert.

2) Die Courierzüge 3 und 4 werden in ihren zwischen Charlottenburg und Eydtkuhnen durchgehenden Theilen auf der Strecke Bromberg—Thorn—Insterburg mit den Schnellzügen 51/41 bezw. 42/52 vereinigt befördert.

Die für den Binnenverkehr bestimmten Theile derselben verkehren unter Wegfall auf der Strecke Dirschau—Königsberg nur zwischen Bromberg und Dirschau, sowie zwischen Königsberg und Insterburg und werden in Bromberg bezw. Insterburg von den durchgehenden Theilen getrennt bezw. mit denselben vereinigt.

3) Der Fahrplan der Strecken Allenstein—Mohrungen—Güldenboden, Allenstein—Kobbelbude und Mehlsack—Braunsberg wird zur Herstellung einer möglichst guten Verbindung zwischen den Zügen der Strecke Elbing—Königsberg und denjenigen der Strecke Insterburg—Thorn geändert, wie unten angegeben. Auch erleiden einzelne Züge der Linien Dirschau—Marienburg und Elbing—Königsberg die vermerkten Aenderungen ihres Fahrplans.

4) Die Personenzüge 5 (ab Elbing 10 Uhr 40 Min. Nachts) und 6 (ab Königsberg 1 Uhr 11 Min. Nachts) kommen auf der Strecke Elbing—Königsberg vorläufig nicht zur Ablassung.

Bromberg, den 5. April 1888. Königl. Eisenbahn-Direktion.

* * *

Fahrplan.

Strecken Dirschau—Marienburg und Elbing—Königsberg.

Personen-Zug 13 1.—4. Kl.	Gemischter Zug 773. 2.—4. Klasse.	Gemischter Zug 831. 2.—4. Klasse.	Gemischter Zug 835. 2.—4. Klasse.	Stationen.	Personen-Zug 14. 1.—4. Klasse.	Personen-Zug 16. 1.—4. Klasse.	Personen-Zug 18. 1.—4. Klasse.	Personen-Zug 24. 1.—4. Klasse.	Gemischter Zug 774. 2.—4. Klasse.	Gemischter Zug 840. 2.—4. Klasse.
8 36	—	—	—	An Dirschau Ab	wie bisher.	2 50	—	—	—	—
8 45	2 17.	—	—	Ab „ An		12 29	—	8 50	1 30	—
9 05	2 35	—	—	An Simonsdorf Ab		12 15	—	8 37	1 15	—
9 07	2 44	—	—	Ab „ An		12 14	—	8 35	1 05	—
9 23	—	—	—	An Marienburg Ab	4 39	12 00	—	8 21		Ank.
10 50	weiter nach Ziegenhof wie bisher.	4 29	1 13	Ab Elbing An	3 52	11 50	10 07	—	von Ziegenhof.	11 16
weiter wie bisher.		4 30	1 34	An Güldenboden Ab	3 35	11 33	9 49	—		10 55
		4 55	1 39	Ab „ An	3 25	11 29	8 48	—		10 53
		weiter nach Mohrungen—Allenstein im nachstehenden Fahrplan.		„ Schlobitten „	3 02	11 14	9 24	—		von Allenstein—Mohrungen.
				„ Mühlhausen i. Ostpr. „	2 55	11 02	9 10	—		
				„ Tiedmannsdorf „	2 39	10 47	8 53	—		
				An Braunsberg Ab	2 19	10 28	8 33	—		
				Ab „ An	2 09	10 18	8 25	—		
				„ Heiligenbeil „	1 53	wie bisher.	8 09	—		
				„ Hoppenbruch „	1 40		7 54	—		
				„ Wolittnik „	1 31		7 45	—		
				„ Ludwigsort „	1 19		7 32	—		
				An Kobbelbude Ab	1 00		7 12	—		
				Ab „ An	12 56		7 09.	—		
				„ Seepothen „	12 48		7 00	—		
				An Königsberg Ab	12 29		6 40	—		

Strecke Güldenboden—Mohrungen—Allenstein.

Gemischter Zug 831. 2.—4. Klasse von Elbing.	Gemischter Zug 835. 2.—4. Klasse von Elbing.	Stationen.	Gemischter 840. 1.—4. Klasse nach Elbing.
4 55	1 39	Ab Güldenboden An	10 53
5 22	2 00	Pr. Holland	10 33
5 36	2 09	Neuendorf-Friedb.	10 23
6 00	2 24	Grünhagen	10 05
6 23	2 46	Maldeuten	9 44
6 41	3 02	Großbestendorf	9 28
7 04	3 22	Mohrungen	9 12
weiter wie bisher.	3 42	Horn	wie bisher.
	4 04	Groß-Gemmern	
	4 17	Windtken	
	4 34	Jonkendorf	
	4 52	Göttkendorf	
	5 07	Allenstein-Vorst.	
	5 10	An Allenstein Ab	

Strecke Braunsberg—Mehlsack.

Gemischter Zug 841.	843.	845.	Stationen	Gemischter Zug 842.	844.	846.
2.—4. Klasse.				2.—4. Klasse.		
4 52	1 28	8 31	Ab Braunsberg An	7 19	3 48	10 46
5 12	1 43	8 51	Vogelsang	7 00	3 29	10 27
5 32	2 08	9 11	Hogendorf	6 42	3 11	10 09
5 53	2 29	9 32	An Mehlsack Ab	6 20	2 49	9 47

Strecke Königsberg—Kobbelbude—Allenstein.

Gemischter Zug 851.	853.	855.	Stationen.	Gemischter Zug 852.	854.	856.
2.—4. Klasse.				2.—4. Klasse.		
3 33	12 11	7 09	Ab Königsberg An	8 44	5 09	12 06
3 57	12 35	7 33	Seepothen	8 22	4 47	11 44
4 07	12 45	7 43	An Kobbelbude Ab	8 11	4 36	11 33
4 13	12 50	7 49	Ab "	8 05	4 30	11 27
4 19	12 54	7 57	Perwilten	7 58	4 23	11 20
4 28	1 16	8 14	Kukehnen	7 41	4 06	11 03
5 02	1 40	8 33	Zinten	7 21	3 46	10 43
5 22	2 00	8 51	Tiefensee	6 57	3 22	10 17
5 37	2 15	9 13	Lichtenfeld	6 42	3 07	10 04
6 01	2 39	9 37	An **Mehlsack** Ab	6 15	2 40	9 37
6 07	2 45	9 47	Ab "	6 07	2 34	9 31
6 25	3 02	10 04	Heinrickau	5 51	2 11	9 15
6 45	3 23	10 20	Wormditt	5 31	1 58	8 55
7 05	3 42	10 44	Arnsdorf	5 13	1 40	8 37
7 40	4 17	11 19	Guttstadt	4 42	1 09	8 06
8 00	4 37	11 39	Münsterberg	4 18	12 46	7 42
8 13	4 50	11 52	Buchwalde	4 05	12 32	7 29
8 34	5 11	12 13	Göttkendorf	3 44	12 11	7 08
8 42	5 22	12 28	Allenstein V.	3 29	11 56	6 53
8 54	5 31	12 33	An Allenstein Ab	3 23	11 50	6 47

Ausdehnung der Gültigkeit von Fahr- und Rückfahrkarten und Gepäckfrachtsätzen.

26. Nachdem die Bahnstrecke Marienburg-Elbing voraussichtlich für längere Zeit dem Verkehr entzogen worden ist, gelten bis auf Weiteres die zeitigen Fahr- und Rückfahrkarten und Gepäckfrachtsätze im Verkehr zwischen den Stationen der Bahnstrecken

Berlin — Cüstrin oder Frankfurt a. O., — Schneidemühl oder Posen — Thorn,
Cüstrin—Frankfurt a. O.,
Kreuz—Posen—Breslau,
Posen—Inowrazlaw—Bromberg / Thorn

und südlich und westlich hiervon gelegener Bahnstrecken

einerseits

und den Stationen der Bahnstrecken
Elbing—Königsberg i. Pr.—Wehlau,
Güldenboden—Allenstein,
Braunsberg / Kobbelbude —Mehlsack—Allenstein

andererseits,

soweit dieselben über Marienburg—Elbing gelten, ohne Preiserhöhung zur Fahrt über die Umwegslinien Allenstein—Güldenboden bezw. Allenstein—Mehlsack—Kobbelbude / Braunsberg.

Im gesammten übrigen Verkehre werden die über die Strecke Marienburg—Elbing lautenden Billets nicht mehr ausgegeben, den Reisenden vielmehr überlassen, für die geeigneten Umwegsstrecken die erforderlichen Billets zu lösen.

Näheres ist bei den Bahnhofsvorständen zu erfahren.

Bromberg, den 6. April 1888.

Königl. Eisenbahn-Direktion.

Bekanntmachungen des Staatssekretairs des Reichs-Postamts.

Postpacketverkehr mit Victoria (Australien).

7. Mittels der Deutschen Reichs-Postdampfer können vom 1. April ab Postpackete nach der Britischen Kolonie Victoria (Australien) versandt werden. Die Beförderung der Packete erfolgt, je nach der Wahl des Absenders, über Bremen oder über Brindisi. Auf dem Wege über Bremen sind Packete bis zu 5 kg, auf demjenigen über Brindisi Packete bis zu 3 kg Gewicht zugelassen. Die Packete müssen frankirt werden. Ueber die Taxen und Versendungsbedingungen ertheilen die Postanstalten auf Verlangen Auskunft.

Berlin W., den 30. März 1888.

Der Staatssecretair des Reichs-Postamts.

Bekanntmachungen der Kaiserlichen Ober-Post-Direktion zu Potsdam.

Landbriefbestellbezirks-Aenderung.

13. Der Ort **Hellersdorf** (Kreis Nieder-Barnim) wird am 1. Mai von dem Landbriefbestellbezirke der Kaiserlichen Postagentur in Kaulsdorf abgezweigt und dem Bestellbezirke der am genannten Tage in **Marzahn** bei Friedrichsfelde (Berlin) in Wirksamkeit tretenden Postagentur zugetheilt.

Potsdam, den 6. April 1888.

Der Kaiserliche Ober-Postdirektor.

Bekanntmachungen der Kreis-Ausschüsse.

Communalbezirks-Veränderungen.

9. Auf Antrag des Rittergutsbesitzers Major a. D. von Jena-Coethen, sowie der Gemeinde Falkenberg genehmigen wir, auf Grund des § 25 des Zuständigkeitsgesetzes vom 1. August 1883, mit Einwilligung der betheiligten Besitzer, daß die auf der Handzeichnung des Königlichen Katasteramtes hierselbst vom 25. Januar 1887 mit den Parzellennummern 223/1 (Begräbnißplatz), 227/1, 228/1 und 229/1 bezeichneten Grundstücksparzellen aus dem Communalverbande des Rittergutes Coethen-Dannenberg ausscheiden und dem Communalverbande der Gemeinde Falkenberg einverleibt werden.

Freienwalde a. O., den 24. März 1888.

Der Kreisausschuß des Kreises Ober-Barnim.

Communalbezirks-Veränderungen.

10. Auf Antrag des Rittergutsbesitzers Major a. D. von Jena-Coethen, sowie der Gemeinde Broichsdorf genehmigen wir auf Grund des § 25 des Zuständigkeitsgesetzes vom 1. August 1883, mit Einwilligung der betheiligten Besitzer, daß die nachstehend, in den Auszügen des hiesigen Königlichen Katasteramtes vom 11. Januar d. J. und 20. Mai 1885, sowie den von demselben gefertigten Situationsplan vom März 1887 resp. Handzeichnung vom 19. Mai 1885 mit den Parzellennummern 173/1—187/1, 189/1—222/1, 230/1, 233/1, 238/1, 239/1, 244/1, 188/1, 141/1, 157/1, 158/1, 163/1, 164/1, 166/1—170/1 bezeichneten Grundstücksparzellen aus dem Communalbezirk des Rittergutes Coethen-Dannenberg ausscheiden und dem Communalbezirk der Gemeinde Broichsdorf einverleibt werden.

Freienwalde a. O., den 24. März 1888.

Der Kreisausschuß des Kreises Ober-Barnim.

Personal-Chronik.

Im Kreise Niederbarnim sind mit Rücksicht auf den Ablauf ihrer Dienstzeit der Administrator Jungk zu Hohen-Schönhausen, der Gemeinde-Vorsteher Dubick zu Marzahn und der Gemeinde-Vorsteher Grün zu Blumberg zum Amtsvorsteher des Bezirks XXI. Hohen-Schönhausen und zu Stellvertretern desselben Bezirks und des Bezirks XIX. Blumberg von Neuem ernannt worden.

Im Kreise Beeskow-Storkow ist nach Ablauf seiner bisherigen Dienstzeit der Gutsbesitzer Lezius zu Alt-Markgrafpieske zum Amtsvorsteher des Amtsbezirks IV. Markgrafpieske von Neuem ernannt worden.

Dem Forstkassenrendanten Schwandt ist die Stelle als Königlicher Rentmeister in Angermünde nunmehr definitiv verliehen worden.

Der bisherige Regierungs-Civil-Supernumerar Steinke ist zum Regierungs-Sekretariats-Assistenten ernannt worden.

Der Civil-Anwärter Oskar Heinrich ist zum Regierungs-Civil-Supernumerarius ernannt worden.

Dem Lehrer Ludwig Brachmann zu Neuenfeld ist die Erlaubniß ertheilt worden, im Regierungsbezirk Potsdam Stellen als Hauslehrer anzunehmen.

Beim Königlichen Oberbergamte in Halle a. S. wurde der Bergrath Wolf, bisher Bergrevierbeamter zu Wissen im Oberbergamtsbezirk Bonn, dem Kollegium als technischer Hilfsarbeiter zugetheilt.

Bei der Königlichen Direktion für die Verwaltung der direkten Steuern in Berlin sind a. der Regierungs-Assessor Bierbach zum Regierungs-Rathe ernannt, sowie der Regierungs-Assessor Dombois aus Cöslin dem Collegium überwiesen; b. der Regierungs-Secretair Rennspies unter Ernennung zum Rechnungsrath, sowie der Regierungs-Secretair und Buchhalter Burckhardt I. und der Steuererheber Haupt in den Ruhestand versetzt; c. der Regierungs-Secretair und Buchhalter Paschke verstorben; d. der Regierungs-Secretair Burckhardt II. an die Königliche Regierung zu Marienwerder und der Secretariats-Assistent Beer von Marienwerder an die Königliche Direktion für die Verwaltung der direkten Steuern in Berlin versetzt; e. der Civil-Supernumerar Jahnke und der Militair-Supernumerar Ehrich zu Secretariats-Assistenten befördert.

Dem Sekretär Heydel der hygienischen Institute der Königl. Friedrich Wilhelms-Universität, ist zufolge Verfügung Sr Excellenz des Herrn Ministers der geistlichen rc. Angelegenheiten die Befugniß zur selbstständigen Ausstellung von Attesten über die Richtigkeit des Calcüls der Rechnungen und der zugehörigen Beläge ertheilt worden.

Der bisherige Pfarrverweser Karl Eduard Theodor Hammer in Groß-Nebrau, Provinz Westpreußen, ist zum Pfarrer der Parochie Oderberg i. M., Diözese Angermünde, bestellt worden.

Der bisherige Hülfsprediger Albert Carl Friedrich Liesche ist zum Pfarrer der Parochie Ruhlsdorf, Diözese Bernau, bestellt worden.

Der bisherige Hülfsprediger Immanuel Wilhelm Kritzinger ist zum Diakonus bei der Evangelischen Gemeinde der Friedenskirche in Potsdam, Diözese Potsdam I., bestellt worden.

Die unter privatem Patronat stehende Pfarrstelle zu Weggun, Diözese Prenzlau I., kommt durch die nach neuem Rechte erfolgende Emeritirung des Pfarrers Gerhardt zum 1. November d. J. zur Erledigung.

Die unter privatem Patronat stehende Oberpfarrstelle zu Putlitz, Diözese gleichen Namens, kommt durch die nach neuem Rechte erfolgende Emeritirung des Oberpfarrers, Superintendenten a. D. Rutzen, zum 1. Oktober d. J. zur Erledigung.

Am Gymnasium in Potsdam ist der ordentliche Lehrer Dr. Niemeyer zum Oberlehrer befördert und sind die wissenschaftlichen Hilfslehrer Wegener und Dr. Weber als ordentliche Lehrer angestellt worden.

Der Lehrer Julius Schmidt ist als Gemeindeschullehrer in Berlin angestellt worden.

Personalveränderungen im Bezirke der Kaiserlichen Ober-Postdirektion zu Potsdam.

Etatsmäßig angestellt sind: die Postassistenten Bindseil in Wittenberge (Bez. Potsdam), Lüderitz in Groß-Lichterfelde und Thamm in Cöpenick als Postassistenten, der Postassistent Dilling in Franz. Buchholz als Postverwalter.

Ernannt ist: der Postsekretär Wiggers in Potsdam zum Ober-Postdirektionssekretär.

Versetzt sind: der Postrath Dr. Dehms von Konstanz nach Potsdam, der Postsekretär Voß in Spandau als c. Ober-Postdirektionssekretär nach Danzig, der Postsekretär Hoeynck in Hamm (Westf.) als c. Ober-Postdirektionssekretär nach Potsdam, der Postsekretär Menz von Hagenau (Elsas) nach Spandau, der Postverwalter Brusius in Groß-Schönebeck als Bureauassistent nach Potsdam, der Telegraphenassistent Kucias von Prenzlau nach Groß-Lichterfelde.

In den Ruhestand getreten ist: der Postsekretär Linder in Prenzlau.

Personalveränderungen im Bezirke der Kaiserlichen Ober-Postdirektion in Berlin.

Im Laufe des Monats März sind:

Ernannt: zum Postinspektor der Postkassirer Bruns, zum Ober-Postsecretair der Postsecretair Nath. Schultze.

Angestellt: as Postassistent der Postanwärter Schultze, als Telegraphenassistenten die Telegraphenanwärter Bartsch, Berger, Bertram, Engelmann, Gebrt, Hacker, Hanetzki, Nietzel, Riemann, Carl Schmidt, Schönol, Schuckelt, Schwoche, Westphal, Zahn.

Versetzt: der Postsecretair Sievert nach Bromberg.

Vermischte Nachrichten.

Verleihung des Verdienst-Ehrenzeichens für Rettung aus Gefahr.

Des Königs Majestät haben dem Bootsmann Wilhelm Wolf zu Colonie Kienitz das Verdienst-Ehrenzeichen für Rettung aus Gefahr zu verleihen geruht. Potsdam, den 6. April 1888.

Der Regierungs-Präsident.

Ausweisung von Ausländern aus dem Reichsgebiete.

Lauf. Nr.	Name und Stand (des Ausgewiesenen)	Alter und Heimath (des Ausgewiesenen)	Grund der Bestrafung.	Behörde, welche die Ausweisung beschlossen hat.	Datum des Ausweisungs-Beschlusses.
1.	2.	3.	4.	5.	6.
		a. Auf Grund der §§ 39 und 362 des Strafgesetzbuchs:			
1	Leopold Habenicht, Tuchwalker u. Arbeiter,	geboren am 21. Januar 1857 zu Reichenberg, Böhmen, ortsangehörig ebendaselbst,	Diebstahl im Rückfalle, Landstreichen u. Betteln (1½ Jahre Zuchthaus laut Erkenntniß vom 20. Juli 1886),	Königlich Preußischer Regierungspräsident zu Liegnitz,	24. Februar 1888.
		b. Auf Grund des § 39 des Strafgesetzbuchs:			
1	Leiser Baumgarten, Schneider,	geboren am 17. oder 18. August 1832 zu Drobitsch (Drohobycz), Galizien, ortsangehörig ebendaselbst,	Diebstahl im wiederholten Rückfall (3 Jahre Zuchthaus laut Erkenntniß vom 31. März 1885),	Königlich Preußische Regierung zu Posen,	3. März 1888.
2	Wolf Wiener, Handelsmann und Schustergeselle,	geboren am 15. Mai 1858 zu Körlin, Kreis Kolberg-Körlin, Preußen, Russischer Staatsangehörigkeit, wohnhaft zuletzt in Hannover, Preußen,	Diebstahl (1 Jahr Zuchthaus laut Erkenntniß vom 13. Juli 1886),	Königlich Preußischer Regierungspräsident zu Hannover,	27. Februar 1888.
3	Johann Groß, Arbeiter,	geboren am 16. Juni 1855 zu Grubin, Kurland, ortsangehörig ebendaselbst,	Diebstahl im wiederholten Rückfall (1 Jahr Zuchthaus laut Erkenntniß vom 21. Januar 1887),	Königlich Preußische Regierung zu Posen,	20. Januar 1888.
4	Johann Thomas Lippert, Schlossergeselle,	geboren am 4. April 1859 zu Eger, Böhmen, ortsangehörig ebendaselbst, wohnhaft zuletzt in Ebrach, Bayern,	schwerer Diebstahl (1 Jahr Zuchthaus laut Erkenntniß vom 18. Februar 1887),	Königlich Bayerisches Bezirksamt Bamberg II.,	3. Februar 1888.

Lauf. Nr.	Name und Stand des Ausgewiesenen.	Alter und Heimath des Ausgewiesenen.	Grund der Bestrafung.	Behörde, welche die Ausweisung beschlossen hat.	Datum des Ausweisungs-Beschlusses.
1.	2.	3.	4.	5.	6.
		c. Auf Grund des § 362 des Strafgesetzbuchs:			
1	Guillaume de Becker, Weißgerber,	geboren am 28. Februar 1840 zu Genval, Belgien, ortsangehörig ebendaselbst, wohnhaft zuletzt in Berlin,	Unterlassene Beschaffung eines Unterkommens,	Königlich Preußischer Polizei-Präsident zu Berlin,	26. Januar 1888.
2	Anton Marius Oestrup, Schlosser,	geboren am 8. Juli 1853 zu Aarhus, Dänemark, ortsangehörig ebendaselbst, wohnhaft zuletzt in Münster, Westfalen,	Betteln im wiederholten Rückfall,	Königlich Preußischer Regierungspräsident zu Stade,	9. Februar 1888.
3	Gerhard Martens, Schneider,	geboren am 5. April 1857 zu Lend, Provinz Gelderland, Niederlande,	Landstreichen und Betteln,	Königlich Preußischer Regierungspräsident zu Münster,	3. Januar 1888.
4	Josef Marousek, Schneidergehülfe,	geboren am 12. März 1843 zu Wyskytna, Bezirk Pilgram, Böhmen, ortsangehörig ebendaselbst,	Hausfriedensbruch, Beleidigung, Widerstand gegen die Staatsgewalt, Landstreichen und grober Unfug,	Königlich Bayerisches Bezirksamt Mühldorf,	6. Dezemb. 1887.
5	Konrad Gold, Webergeselle,	37 Jahre, geboren und ortsangehörig zu Wigstadt, Bezirk Troppau, Oesterreich.-Schlesien,	Landstreichen, Betteln, falsche Namensangabe und Führung falscher Zeugnisse,	Königlich Bayerisches Bezirksamt Eggenfelden,	10. Dezemb. 1887.
6	Franz Steinbach, Drechsler,	geboren am 31. Dezember 1859 zu Klattau, Böhmen, ortsangehörig ebendaselbst,	Landstreichen, falsche Namensangabe und Führung falscher Legitimationspapiere,	Königlich Bayerisches Bezirksamt Viechtach,	6. Februar 1888.
7	Barbara König, unverehel. Tagelöhnerin,	ca. 37 Jahre, geboren und ortsangehörig zu Wirschka, Bezirk Plan, Böhmen,	Landstreichen und Betteln,	Königlich Bayerisches Bezirksamt Beilngries,	15. Februar 1888.
8	Josef Strnad (Sternad), Seifensieder,	geboren am 6. Februar 1833 zu Nimburg, Bezirk Chrudim, Böhmen, ortsangehörig zu Chrudim,	desgleichen,	Königlich Sächsische Kreishauptmannschaft Dresden,	21. Dezemb. 1887.
9	Johann Ruppert Hentsch, Bäcker,	geboren am 14. Juli 1850 zu Niederbüren, Kanton St. Gallen, Schweiz, ortsangehörig ebendaselbst,	Landstreichen,	Kaiserlicher Bezirks-Präsident zu Colmar,	26. Januar 1888.
10	Karl Martinelli, Maurer,	geboren am 23. Dezember 1845 zu Cannero, Provinz Novara, Italien, ortsangehörig ebendaselbst,	desgleichen,	Kaiserlicher Bezirks-Präsident zu Straßburg,	22. Februar 1888.
11	Johann Franz Decour, ohne Stand,	geboren am 6. Januar 1858 zu Bonnetle Troncy, Departement Rhône, Frankreich,	desgleichen,	Kaiserlicher Bezirks-Präsident zu Metz,	23. Februar 1888.

Lauf. Nr.	Name und Stand des Ausgewiesenen	Alter und Heimath des Ausgewiesenen	Grund der Bestrafung	Behörde, welche die Ausweisung beschlossen hat	Datum des Ausweisungs-Beschlusses
1	2	3	4	5	6
12	Georg Poulevic, Coiffeur,	geboren am 13. März 1857 zu Strugas, Macedonien, Türkei,	Landstreichen,	Kaiserlicher Bezirks-Präsident zu Metz,	25. Februar 1888.
13	Alice Luise Beaugrand, unverehelicht, ohne Stand,	27 Jahre, geboren und ortsangehörig zu Montereau, Frankreich, wohnhaft zuletzt in Königsberg, Preußen,	gewerbsmäßige Unzucht,	Königlich Preußischer Regierungspräsident zu Königsberg,	17. Dezemb. 1887.
14	Johann Gawron, Schuhmachergeselle,	geboren am 27. Dezember 1851 zu Freistadt, Oesterreich, ortsangehörig ebendaselbst,	Landstreichen und Betteln,	Königlich Preußischer Regierungspräsident zu Oppeln,	16. Februar 1888.
15	Peter Reichel (fälschlich Frei), Schuhmacher,	geboren am 30. August 1859 zu Novo-Solov, Russisch-Polen, ortsangehörig zu Lodz, ebendaselbst,	Landstreichen u. Beilegen eines falschen Namens,	Königlich Preußischer Regierungspräsident zu Hannover,	29. Februar 1888.
16	Robert van Wersch, Mechaniker,	geboren am 25. September 1857 zu Harderwyck, Niederlande,	Landstreichen und Betteln,	Königlich Preußische Regierung zu Trier,	2. März 1888.
17	Josef Kolár, Bergmann,	geboren im Januar 1834 zu Havirna, Bezirk Pribram, Böhmen, ortsangehörig ebendaselbst,	desgleichen,	Königlich Bayerisches Bezirksamt Viechtach,	19. Januar 1888.
18	Johann Kohout, Tagelöhner u. Weber,	geboren am 6. Januar 1836 zu Hluboken, Bezirk Taus, Böhmen, ortsangehörig ebendaselbst,	desgleichen,	dasselbe,	6. Februar 1888.
19	Josef Krause, Weber,	geboren am 11. Mai 1842 zu Ringelshain, Bezirk Gabel, Böhmen, ortsangehörig ebendaselbst,	desgleichen,	Königlich Bayerisches Bezirksamt Hilpoltstein,	17. Februar 1888.
20	Josef Kögler, Weber u. Steinbrecher,	geboren am 19. August 1851 zu Schluckenau, Böhmen, ortsangehörig ebendaselbst,	Diebstahl, Landstreichen und Betteln,	Königlich Sächsische Kreishauptmannschaft Bautzen,	4. Februar 1888.
21	Alois Richter, Gürtler,	geboren am 29. Januar 1869 zu Trautenau, Böhmen, ortsangehörig ebendaselbst,	Landstreichen und Betteln,	Königlich Sächsische Kreishauptmannschaft Zwickau,	9. Februar 1888.
22	Johann Magnus Johannson, Arbeiter,	geboren am 11. oder 12. November 1852 zu Westraturso bei Weghö, Smaland, Schweden,	Betteln im wiederholten Rückfall,	Großherzoglich Mecklenburgische Landesregierung zu Neustrelitz,	12. Januar 1888.
23	Josef Anton Richle, Bäckergeselle,	geboren am 16. November 1867 zu Bütschwyl, Kant. St. Gallen, Schweiz, wohnhaft zuletzt in Hamburg,	verbotswidrige Rückkehr in das Staatsgebiet und Betteln im wiederholten Rückfall,	Chef der Polizei in Hamburg,	21. Januar 1888.

Lauf. Nr.	Name und Stand	Alter und Heimath	Grund der Bestrafung.	Behörde, welche die Ausweisung beschlossen hat.	Datum des Ausweisungs-Beschlusses.
	des Ausgewiesenen.				
1.	2.	3.	4.	5.	6.
24	Jakob Cadavy (Kadavy), Töpfergeselle,	geboren am 25. Juli 1866 zu Ingolstadt, Bayern, ortsangehörig zu Kritzlitz, Böhmen, wohnhaft zuletzt in Hamburg,	Betteln im wiederholten Rückfall,	Chef der Polizei in Hamburg,	10. Februar 1888.
25	Johann Schindler, fälschlich (Eugen Hartenfels), Schriftsetzer,	geboren am 5. Februar 1862 zu Fröhlichdorf, Bezirk Littau, Mähren, ortsangehörig ebendaselbst, wohnhaft zuletzt in Berlin,	desgleichen,	Königlicher Polizei-Präsident zu Berlin,	17. Februar 1888.
26	Josef Tokar, Handlungskommis,	geboren am 12. März 1850 zu Kolin, Bezirk Czaslau, Böhmen,	Landstreichen und Betteln,	Königlich Preußischer Regierungspräsident zu Oppeln,	24. Februar 1888.
27	Chaim Toker (Chlem Nowahof-Sagalowitsch), Tischlergeselle,	geboren am 12. März 1863 (oder 21. März 1868) zu Rakow, Gouvernement Minsk, Rußland, ortsangehörig ebendaselbst,	desgleichen,	Königlich Preußische Regierung zu Bromberg,	10. März 1888.
28	Julius Rosenbaum, ehemaliger Kommis, jetzt Arbeiter,	geboren am 28. Februar 1870 zu Unghvar, Bezirk Kaschau, Ungarn, ortsangehörig ebendaselbst,	Landstreichen,	Königlich Preußischer Regierungspräsident zu Hannover,	13. März 1888.
29	Peter Kagenbusch, angeblich Bergwerks-Direktor,	71 Jahre, geboren zu Stiepel, Kreis Hattingen, Preußen, großbritannischer Staatsangehöriger,	Nichtbeschaffung eines Unterkommens,	Königlich Preußischer Regierungspräsident zu Arnsberg,	21. Februar 1888.
30	Hermann Rosen, Hutmacher,	19 Jahre, geboren und ortsangehörig zu Kalisch, Russisch-Polen,	Landstreichen,	Königlich Preußischer Regierungspräsident zu Wiesbaden,	10. März 1888.
31	Warner Bosman (Werner Bosmann), Tagelöhner,	33 Jahre, geboren und ortsangehörig zu Kampen, Niederlande,	Landstreichen und Betteln,	Königlich Preußische Regierung zu Aachen,	21. Februar 1888.
32	Johann Kaufmann, Bäckergehülfe,	geboren am 25. Dezember 1860 zu Schrems, Bezirk Waidhofen, Nieder-Oesterreich, ortsangehörig ebendaselbst,	Landstreichen u. Diebstahl,	Stadtmagistrat Straubing, Bayern,	7. Oktober 1888.
33	Ferdinand Fischer, Kommis,	geboren am 28. April 1857 zu Schwannenstadt, Bezirk Vöcklabruck, Ober-Oesterreich, ortsangehörig ebendas.,	Landstreichen,	derselbe,	10. Februar 1888.
34	Ludwig Einwald, Schmiedegeselle,	geboren am 25. November 1848 zu Vöcklabruck, Ober-Oesterreich, ortsangehörig ebendas.,	Landstreichen, Betteln und Führung eines gefälschten Arbeitszeugnisses,	derselbe,	desgleichen.

Laufende Nr.	Name und Stand des Ausgewiesenen.	Alter und Heimath des Ausgewiesenen.	Grund der Bestrafung.	Behörde, welche die Ausweisung beschlossen hat.	Datum des Ausweisungs-Beschlusses.
1.	2.	3	4.	5.	6.
35	Georg Mäder, Dienstknecht,	geboren am 26. März 1831 zu Schleitheim, Kanton Schaffhausen, Schweiz, ortsangehörig ebendaselbst,	Landstreichen,	Königlich Bayerisches Bezirksamt Sonthofen,	25. Januar 1888.
36	Johann Schwandtner, Bäcker,	geboren 1869 zu Neulosimthal, Bezirk Tachau, Böhmen, ortsangehörig ebendaselbst,	desgleichen,	Königlich Bayerisches Bezirksamt Vilsbiburg,	28. Februar 1888.
37	Chiafredo Belliardo, Tagelöhner,	geboren am 26. (23.) März 1851 zu Roccabruna, Provinz Cunea, Italien,	desgleichen,	Großherzoglich Hessisches Kreisamt Worms,	14. Februar 1888.
38	Mathias Lerbs, Färber,	geboren am 15. Juni 1846 zu Hüttenheim, Unterelsaß, durch Option Franzose,	Aufruhr, Landstreichen und Betteln,	Kaiserlicher Bezirks-Präsident zu Colmar,	3. Februar 1888.
39	Johann Lustenberger, Tagner,	geboren am 27. November 1860 zu Hasle, Kant. Luzern, Schweiz, ortsangehörig ebendaselbst,	Landstreichen und Betteln,	derselbe,	18. Februar 1888.
40	Lucian Alfred Lapertaut, Holzschuhmacher,	geboren am 21. Januar 1874 zu Vic, Kreis Chateau-Salins, Lothringen,	Landstreichen,	Kaiserlicher Bezirks-Präsident zu Metz,	29. Februar 1888.
41	Felix Roth, Arbeiter,	geboren am 7. oder 8. Mai 1856 zu Merxheim bei Antwerpen, Belgien,	desgleichen,	derselbe,	4. März 1888.
42	Josef Strasche, Formstecher,	geboren am 4. April 1845 zu Reichenberg, Böhmen, ortsangehörig zu Hirschberg, Bezirk Dauba, Böhmen,	Betteln im wiederholten Rückfall,	Königlich Preußischer Regierungspräsident zu Frankfurt a. O.,	29. Februar 1888.
43	Josef Horak, Müller,	geboren 1837 zu Warasdin, Kroatien,	Diebstahl u. Landstreichen,	Königlich Preußischer Regierungspräsident zu Breslau,	15. März 1888.
44	Josef Bittner, Arbeiter,	geboren am 24. Dezember 1865 zu Sattel, Kreis Neustadt, Böhmen, ortsangehörig ebendaselbst,	Betteln im wiederholten Rückfall,	derselbe,	18. März 1888.

Hierzu Fünf Oeffentliche Anzeiger.

(Die Insertionsgebühren betragen für eine einspaltige Druckzeile 20 Pf. Belagsblätter werden der Bogen mit 10 Pf. berechnet.)

Redigirt von der Königlichen Regierung zu Potsdam.

Potsdam, Buchdruckerei der A. W. Hayn'schen Erben (E. Hayn, Hof-Buchdrucker).

Amtsblatt
der Königlichen Regierung zu Potsdam und der Stadt Berlin.

Stück 16. Den 20. April **1888.**

Bekanntmachung,
betreffend die von den Gemeindebehörden innerhalb des Königreichs Preußen, des Fürstenthums Waldeck und Pyrmont, sowie des Gebietes der freien und Hansestadt Lübeck aufzustellenden Verzeichnisse der Unternehmer unfallversicherungspflichtiger land- und forstwirthschaftlicher Betriebe.

Vom 9. April 1888.

In Gemäßheit des § 34 des landwirthschaftlichen Unfallversicherungsgesetzes vom 5. Mai 1886 (Reichs-Gesetzblatt Seite 132) hat jede Gemeindebehörde für ihren Bezirk binnen einer von dem Reichs-Versicherungsamt zu bestimmenden Frist ein Verzeichniß sämmtlicher Unternehmer der unter § 1 des genannten Gesetzes fallenden Betriebe aufzustellen und durch Vermittelung der unteren Verwaltungsbehörde dem Vorstande der auf den betreffenden Gemeindebezirk sich erstreckenden landwirthschaftlichen Berufsgenossenschaft zu übersenden.

Für den Umfang des Königreichs Preußen, des Fürstenthums Waldeck und Pyrmont, sowie der freien und Hansestadt Lübeck wird die Frist, innerhalb deren die Verzeichnisse der Betriebsunternehmer an die Genossenschaftsvorstände gelangen müssen, auf die Zeit

bis zum 1. Juni 1888 einschließlich

hiermit festgesetzt.

Demzufolge haben, damit diese Frist pünktlich eingehalten werden kann, die Gemeindebehörden die von ihnen aufzustellenden Verzeichnisse

bis spätestens zum 20. Mai 1888 einschließlich

an die unteren Verwaltungsbehörden (Landräthe, Oberamtmänner, Magistrate 2c.) gelangen zu lassen.

Nach Artikel VI. Ziffer 1 des Preußischen Ausführungsgesetzes vom 20. Mai 1887 (Gesetz-Sammlung Seite 189) hat der Genossenschaftsvorstand, d. i. der Provinzialausschuß (die Provinzialständische Verwaltungskommission, die Provinzialständische Verwaltung, der Provinzialständische Verwaltungsausschuß, der Provinzialverwaltungsrath) über die Aufstellung der Verzeichnisse nähere Bestimmungen zu 'treffen.

Es wird daher auf die von den vorbezeichneten Genossenschaftsvorständen bereits erlassenen beziehungsweise noch zu erlassenden Bestimmungen und Anleitungen, insbesondere auch hinsichtlich der bei Aufstellung der Verzeichnisse zu benutzenden Formulare hierdurch verwiesen.

Die Gemeindebehörden sind befugt, die Unternehmer zu einer Auskunft über die in das Verzeichniß aufzunehmenden Verhältnisse innerhalb einer zu bestimmenden Frist durch Geldstrafen im Betrage bis zu einhundert Mark anzuhalten. Wird die Auskunft nicht vollständig oder nicht rechtzeitig ertheilt, so hat die Gemeindebehörde bei Aufstellung des Verzeichnisses nach ihrer Kenntniß der Verhältnisse zu verfahren.

Für die einem Gemeindeverbande nicht einverleibten selbständigen Gutsbezirke und Gemarkungen tritt an die Stelle der Gemeindebehörden der Gutsherr oder Gemarkungsberechtigte.

Berlin, den 9. April 1888.

Das Reichs-Versicherungsamt.

Bekanntmachungen der Königlichen Ministerien.

Verwaltungszwangsverfahren wegen Beitreibung von Geldbeträgen.

12. In Gemäßheit des Art. 10 Abs. 2 der Ausführungsanweisung vom 15. September 1879 zur Verordnung, betreffend das Verwaltungszwangsverfahren wegen Beitreibung von Geldbeträgen, vom 7. September 1879 (G.-S. S. 591) wird hierdurch bestimmt, daß es einer vorgängigen Mahnung des Schuldners **nicht** bedarf:

1) bei der Vollstreckung der auf Grund des Gesetzes, betreffend den Erlaß polizeilicher Strafverfügungen wegen Uebertretungen, vom 23. April 1883 (G.-S. S. 65) von den Polizeibehörden festgesetzten Geldstrafen (§ 4 Abs. 2 litt. c. des Gesetzes; §§ 14 bis 16 der zur Ausführung des Gesetzes erlassenen Anweisung vom 8. Juni 1883),
2) bei der Vollstreckung der von den Verwaltungsbehörden im Geltungsbereiche des Gesetzes über die allgemeine Landesverwaltung vom 30. Juli 1883 (G.-S. S. 195) gemäß § 132 № 2 in Ausübung ihrer Zwangsbefugnisse festgesetzten Geldstrafen.

Berlin, den 15. März 1888.

Der Minister des Innern. gez. Puttkamer.

Der Justizminister. v. Friedberg.

Der Finanz-Minister. In Vertretung: gez. Meinecke.

Bekanntmachungen des Königlichen Ober-Präsidenten der Provinz Brandenburg.

Wahl eines Mitgliedes des Brandenburgischen Provinziallandtages.

10. An Stelle des verstorbenen Rittergutsbesitzers von Waldow-Reitzenstein auf Königswalde ist vom Kreistage des Kreises Ost-Sternberg der Gutsbesitzer Roestel zu Breesen zum Mitgliede des Brandenburgischen Provinziallandtags gewählt worden, was gemäß § 21 der Provinzial-Ordnung hierdurch bekannt gemacht wird. Potsdam, den 7. April 1888.

Der Ober-Präsident der Provinz Brandenburg,
Staatsminister Achenbach.

Bekanntmachungen des Königlichen Regierungs-Präsidenten.

Anstellung eines Fischerei-Aufsehers.

127. An Stelle des Hülfsstromaufsehers Lehmann ist der vom 1. April d. J. ab mit der Stromaufsicht betraute Stromaufseher Gaedicke zu Wittenberge für den ihm unterstellten Amtsbezirk von mir zum Fischerei-Aufseher ernannt worden. Potsdam, den 10. April 1888.

Der Regierungs-Präsident.

Verloosung von Equipagen, Pferden rc. in Quedlinburg.

128. Der Herr Minister des Innern hat dem Verein zur Förderung der Pferde- und Viehzucht in den Harzlandschaften zu Quedlinburg die Erlaubniß ertheilt, im Sommer d. J. eine öffentliche Verloosung von Equipagen, Pferden, Reit-, Fahr- und Jagd-Utensilien, Kunst- und Wirthschaftsgegenständen rc. zu veranstalten und die betreffenden Loose im ganzen Bereiche der Monarchie abzusetzen. Potsdam, den 12. April 1888.

Der Regierungs-Präsident.

Die Aufhebung von Laichschon-Revieren im Kreise Beeskow-Storkow betreffend.

129. Die nachfolgenden Laichschon-Reviere:

1) die Laake bei Steinfurth,
2) die Röthe-Laake bei Spreenhagen,
3) die tiefe Laake bei Streitberg,
4) die Tellerlaake bei Sandfurth

werden, nachdem mich der Herr Minister für Landwirthschaft, Domainen und Forsten mittels Erlasses vom 27. März d. J. — I. 4985 — dazu ermächtigt hat, hierdurch als solche aufgehoben.

Potsdam, den 14. April 1888.

Der Regierungs-Präsident.

Viehseuchen.

130. Die Maul- und Klauenseuche unter dem Rindvieh der Rittergüter Dahlwitz und Jühnsdorf im Kreise Teltow ist erloschen. Potsdam, den 13. April 1888.

Der Regierungs-Präsident.

131. Die Maul- und Klauenseuche ist unter dem Rindvieh des Ritterguts Schulzendorf im Kreise Oberbarnim ausgebrochen. Potsdam, den 13. April 1888.

Der Regierungs-Präsident.

Bekanntmachungen der Königl. Regierung.

Prüfung für Vorsteher an Taubstummen-Anstalten.

10. Nachstehende Bekanntmachung:

Die im Jahre 1888 zu Berlin abzuhaltende Prüfung für Vorsteher an Taubstummenanstalten wird **Mittwoch den 22. August d. J.** beginnen.

Meldungen zu derselben sind **bis zum 15. Juni d. J.** bei demjenigen Provinzial-Schulkollegium, in dessen Aufsichtskreise der Bewerber angestellt oder beschäftigt ist, unter Einreichung der in § 5 der Prüfungsordnung vom 11. Juni 1881 bezeichneten Schriftstücke anzubringen. Bewerber, welche nicht an einer Anstalt in Preußen thätig sind, können ihre Meldung bei Führung des Nachweises, daß solche mit Zustimmung ihrer Vorgesetzten, bezw. ihrer Landesbehörde erfolgen, **bis zum 1. Juli d. J.** unmittelbar an mich richten.

Berlin, den 29. März 1888.

Der Minister der geistlichen, Unterrichts- und Medizinal-Angelegenheiten.

Im Auftrage: gez. de la Croix.

wird hierdurch zur öffentlichen Kenntniß gebracht.

Potsdam, den 10. April 1888.

Königl. Regierung,
Abtheilung für Kirchen- und Schulwesen.

Bekanntmachungen des Staatssekretairs des Reichs-Postamts.

Packetverkehr mit Aden und Zanzibar.

8. Von jetzt ab können Packetsendungen ohne Werthangabe im Gewichte bis 22 kg nach Aden und Zanzibar auf dem Wege über Bremen unter Benutzung der Deutschen Reichs-Postdampfer auf der Strecke zwischen Bremen und Aden versandt werden. Das vom Absender im Voraus zu entrichtende Porto beträgt ohne Rücksicht auf die Entfernung 1 Mark für jedes halbe Kilogramm. Ueber die Versendungsbedingungen ertheilen die Postanstalten auf Verlangen Auskunft. Berlin W., den 5. April 1888.

Der Staatssecretair des Reichs-Postamts.

Bekanntmachungen der Kaiserlichen Ober-Postdirektion zu Berlin.

Verlegung des Postamts Nr. 58 (Schönhauser Allee).

14. Am 15. d. M. wird das Postamt 58 aus dem Hause Schönhauser Allee 45 nach dem an der Ecke der Schönhauser Allee belegenen Hause Danzigerstraße Nr. 3 verlegt und vom genannten Tage ab die Bezeichnung Postamt 58 (Danzigerstraße) führen.

Berlin C., den 10. April 1888.

Der Kaiserliche Ober-Postdirektor.

Bekanntmachungen der Kaiserlichen Ober-Post-Direktion zu Potsdam.

Errichtung von Postagenturen.

15. Am 16. April treten in den Orten: Pessin, Kreis Westhavelland, und Flatow (Mark), Kreis Osthavelland, Postagenturen in Wirksamkeit. Die neuen Verkehrsanstalten erhalten durch wochentägig zweimalige Landpostfahrten Postverbindung:

7^{35}, 3^{15}	↓	Paulinenaue	↑	12^{20}, 6^{25}
8^{15}, 4^{0}	↓	Pessin	↑	11^{40}, 5^{40}
5^{45}, 2^{15}	↓	Cremmen	↑	10^{30}, 5^{45}
7^{0}, 4^{15}	↓	Flatow (Mark)	↑	7^{15}, 4^{30}

Sonntags findet nur eine Verbindung durch Landbriefträger statt.

Den Landbriefbestellbezirk der Kaiserlichen Postagentur in Pessin bilden die Wohnstätten; Selbelang, Retzow Mühle und Abbau Liesicke; der Postagentur in Flatow wird ein Landbriefbestellbezirk vorerst nicht zugetheilt. Die bisherigen Posthülfstellen in Flatow und Pessin treten außer Wirksamkeit.

Potsdam, den 12. April 1888.

Der Kaiserliche Ober-Postdirektor.

Bekanntmachungen der Kreis-Ausschüsse.

11.

Nachweisung

der Seitens des Kreis-Ausschusses des Kreises Teltow auf Grund des § 1 des Gesetzes vom 14. April 1856 in Verbindung mit dem § 25 Absatz 1 des Zuständigkeitsgesetzes vom 1. August 1883 genehmigten Veränderungen von Gemeinde- und Gutsgrenzen pro I. Quartal 1888.

Bezeichnung des in Betracht kommenden Grundstücks.	Bezeichnung des bisherigen Gemeinde- bezw. Gutsbezirks.	Bezeichnung des künftigen Gemeinde- bezw. Gutsbezirks.
1) Domainenfiskalische Dorfaue zu Schmargendorf zum Flächeninhalte von 1,5739 ha.	Communalfrei.	Gemeindebezirk Schmargendorf.
2) Die dem Domainenfiskus gehörigen, an die verehelichte Bauergutsbesitzer Zinnow, Bertha Auguste Wilhelmine, geb. Busse, und an den Tischlermeister Wilhelm Michel zu Zehlendorf veräußerten Parzellen Kartenblatt 10 $\frac{827}{93}$, $\frac{828}{93}$ und $\frac{829}{93}$ zu Zehlendorf.	do.	Gemeindebezirk Zehlendorf.
3) Die domainenfiskalische Dorfaue zu Rudow.	do.	Gemeindebezirk Rudow.
4) Die dem Mühlenmeister Hartmann zu Groß-Beeren gehörige, Band III. № 47 des Grundbuches von Groß-Beeren verzeichnete Windmühle nebst dem dazu gehörigen Mühlenplatze und einem Ackerstücke von 1½ Morgen.	Gutsbezirk Groß-Beeren.	Gemeindebezirk Groß-Beeren.
5) Das mit einem Flächeninhalte von 8 ar 90 qm im Grundbuche von Groß-Beeren Band IV. № 66 verzeichnete Grundstück des Schmiedemeisters Walkow daselbst.		
6) Die von der Stadtgemeinde Berlin an die Kirchen-Gemeinde von Groß-Beeren zu Kirchenzwecken abgetretene Parzelle in der Gutsfeldmark Groß-Beeren Kartenblatt 2 Flächenabschnitt $\frac{454}{248}$ Acker am Potsdamer Wege von 1 ha 50 ar 40 qm.		
7) Die von dem Rittergutsbesitzer Briesen am 10. Januar 1883 an die Stadtgemeinde Berlin aufgelassenen, im Grundbuch von Groß-Beeren Band IIIa. 32 verzeichnete Gartenparzelle von 32 ar 40 qm.	Gemeindebezirk Groß-Beeren.	Gutsbezirk Groß-Beeren.

Berlin, den 7. April 1888.

Der Landrath des Kreises Teltow.

12.

Nachweisung

der vom Kreis-Ausschuß des Kreises Angermünde im 1. Quartal 1888 genehmigten Gemeinde- und Gutsbezirks-Veränderungen.

Bezeichnung des Grundstücks.	Name des Erwerbers.	Künftiger Gemeinde- oder Guts-Verband.
Grundstücke des ehemaligen Schulamts-Vorwerks Amt Joachimsthal und zwar:		
1) Die sogen. Fuchskörnung, verzeichnet im Kartenblatt № 2, Parzellen № $\frac{594}{360}$, $\frac{595}{366}$, $\frac{599}{366}$, $\frac{803}{357a}$, $\frac{825}{358}$ und $\frac{826}{358}$ der Gemarkung Joachimsthal und Grimnitz, von 25 ha 19 ar 70 qm Flächeninhalt.	Königliche Forst Grimnitz, Kreis Angermünde.	Guts-Verband der Königlichen Forst Grimnitz.
2) Die trockene Teichwiese, verzeichnet im Kartenblatt 5, Parzelle № 11 der Gemarkung Königliche Glambeck'er Forst, von 2 ha 37 ar 40 qm.	Königliche Forst Glambeck, Kreis Angermünde.	Guts-Verband der Königlichen Forst Glambeck.

Angermünde, den 5. April 1888.

Der Kreis-Ausschuß.

Bekanntmachungen der Königlichen Eisenbahn-Direktion zu Bromberg.

Frachtbegünstigung für Ausstellungsgegenstände.

27. Für die in der nachstehenden Zusammenstellung näher bezeichneten Gegenstände, welche auf den daselbst erwähnten Ausstellungen ausgestellt werden und unverkauft bleiben, wird eine Frachtbegünstigung in der Art gewährt, daß nur für die Hinbeförderung die volle tarifmäßige Fracht berechnet wird, die Rückbeförderung an die Versandstation und den Aussteller aber frachtfrei erfolgt, wenn durch Vorlage des ursprünglichen Frachtbriefes bezw. des Duplikat-Transportscheines für den Hinweg, sowie durch eine Bescheinigung der dazu ermächtigten Stelle nachgewiesen wird, daß die Gegenstände ausgestellt gewesen und unverkauft geblieben sind und wenn die Rückbeförderung innerhalb der unten angegebenen Zeit stattfindet.

In den ursprünglichen Frachtbriefen bezw. Duplicat-Transportscheinen für die Hinsendung ist ausdrücklich zu vermerken, daß die mit denselben aufgegebenen Sendungen durchweg aus Ausstellungsgut bestehen.

№	Art der Ausstellung	Ort	Zeit 1888	Die Frachtbegünstigung wird gewährt für	auf den Strecken der	Zur Ausfertigung der Bescheinigung sind ermächtigt	Die Rückbeförderung muß erfolgen innerhalb
1	Internationale Ausstellung von Jagd- und Luxushunden	Frankfurt a. M.	10. bis 13. Mai	Hunde	Preußischen Staatsbahnen	Ausstellungs-Comité	14 Tage
2	Rindvieh-Ausstellung	Königsberg i. Pr.	12. bis 14. Mai	Thiere	Königlichen Eisenbahn-Direktion Bromberg	Ausstellungs-Commission	8 Tage
3	Pferde-Ausstellung	Königsberg i. Pr.	12. bis 15. Mai	Luxus- und Zuchtpferde	Preußischen Staatsbahnen	desgl.	8 Tage
4	Deutsche nationale Kunstgewerbe-Ausstellung	München	15. Mai bis 15. Oktober	Gegenstände des Kunstgewerbes	Preußischen Staatsbahnen und Eisenbahnen in Elsaß-Lothringen	Direktorium der Ausstellung	3 Monate
5	Mastvieh-Ausstellung	Berlin	16. und 17. Mai	Maschinen, Geräthe und Produkte der Viehzucht, Molkerei und des Schlächtergewerbes, sowie Zuchtböcke und Eber	Preußischen Staatsbahnen	Ausstellungs-Comité	14 Tage
6	Landwirthschaftliche Ausstellung	Altenburg	16. Mai				
7	desgl.	Fischhausen	18. Mai	Thiere, landwirthschaftliche Maschinen und Geräthe	Königlichen Eisenbahn-Direktion Bromberg	Ausstellungs-Commission	8 Tage
8	desgl.	Schippenbeil	23. Mai				
9	desgl.	Liebstadt	25. Mai				
10	desgl.	Heilsberg	28. Mai				
11	desgl.	Ortelsburg	30. Mai				
12	desgl.	Prökuls	4. Juni				
13	Internationale Jagd- und Hunde-Ausstellung	Berlin	18. bis 22. Mai	Hunde u. sonstige Ausstellungs-Gegenstände	Preußischen Staatsbahnen u. Eisenbahnen in Elsaß-Lothringen	desgl.	14 Tage
14	Thierschau und landwirthschaftliche Ausstellung	Greifswald	24. bis 26. Mai	Thiere, landwirthschaftliche Geräthe, Maschinen und Erzeugnisse	Königlichen Eisenbahn-Direktion Berlin, Breslau und Bromberg	desgl.	14 Tage
15	Internationale Hunde-Ausstellung	Hamburg	25. bis 28. Mai	Hunde und Gegenstände der Hundezucht	Preußischen Staatsbahnen	desgl.	14 Tage

Nach Schluß der Ausstellung.

№	Art der Ausstellung	Ort	Zeit 1888	Die Frachtbegünstigung wird gewährt für	auf den Strecken der	Zur Ausfertigung der Bescheinigung sind ermächtigt	Die Rückbeförderung muß erfolgen innerhalb
16	Conditorei-Ausstellung	Berlin	1. bis 11. Juni	Erzeugnisse, Gebrauchs- und Bedarfsgegenstände, sowie Maschinen der Conditorei, Chocoladen- und Confituren-Fabrikation	Preußischen Staatsbahnen und Eisenbahnen in Elsaß-Lothringen	Ausstellungs-Commission	4 Wochen
17	Internationale Kunst-Ausstellung	München	1. Juni bis 31. Oktober	Kunstgegenstände	desgl.	desgl.	6 Wochen
18	Internationale Ausstellung von land-, forst- und hauswirthschaftlichen Maschinen und Geräthen	Breslau	7. bis 10. Juni	Maschinen, Geräthe u. sonstige Gegenstände der nebenbezeichneten Art	Preußischen Staatsbahnen	Maschinen-Ausstellungs- und Markt-Commission	14 Tage
19	Landwirthschaftliche Ausstellung	Breslau	7. bis 11. Juni	Thiere, landwirthschaftliche Erzeugnisse, Maschinen und Geräthe	Preußischen Staatsbahnen und Eisenbahnen in Elsaß-Lothringen	Ausstellungs-Commission	4 Wochen
20	Ausstellung von Kraft- und Arbeitsmaschinen für den Handwerksbetrieb	München	1. August bis 15. Oktober	Gegenstände der nebenbezeichneten Art	desgl.	desgl.	4 Wochen
21	Internationale Gartenbau-Ausstellung	Köln	4. August bis 9. September	Gegenstände des Gartenbaues *)	desgl.	General-Sekretair der Ausstellung	4 Wochen
22	VI. Blindenlehrer-Congreß	Köln	6. bis 9. August	Gegenstände der Blinden-Erziehung	desgl.	Ausstellungs-Vorstand	4 Wochen

Nach Schluß der Ausstellung.

*) Zu № 21 bestimmen wir für den diesseitigen Verwaltungsbezirk, daß die Beförderung **leicht verderblicher Gegenstände,** wie lebende Pflanzen, frische Blumen, Gemüse und Früchte, welche unter der Adresse der Gartenbaugesellschaft „Flora" zu Köln mit **weißem** Frachtbriefe aufgegeben und im Frachtbriefe als „Ausstellungsgut" bezeichnet werden, auf Antrag des Versenders im Frachtbriefe mit den für die Eilgutbeförderung bestimmten Zügen, unter Ausschluß der Schnell- und Kurierzüge, zu den einfachen Frachtgutsätzen erfolgt, sofern diese Sendungen nach Form, Gewicht und Verpackung zur eilgutmäßigen Beförderung sich eignen oder in besonderen Wagen zur Beförderung gelangen. Die Rückbeförderung der vorbezeichneten, leicht verderblichen Ausstellungsgüter erfolgt bei Aufgabe mit weißem Frachtbrief, **insoweit dieselbe bei Auflieferung als gewöhnliches Frachtgut nach der vorstehenden Bekanntmachung kostenfrei bewirkt werden würde,** auf ausdrücklichen Antrag des Versenders im Frachtbriefe unter den vorstehenden Voraussetzungen mit den für die Eilgutbeförderung bestimmten Zügen, mit Ausschluß der Schnell- und Kurierzüge, zu den einfachen Frachtgutsätzen; eine unentgeltliche Rückbeförderung von Ausstellungsgütern mit den für die Eilgutbeförderung eingerichteten Zügen findet nicht statt.

Bromberg, den 1. April 1888.

Königl. Eisenbahn-Direktion.

Bekanntmachungen des Königlichen Polizei-Präsidiums zu Berlin.

Trigonometrische Vermessungs-Arbeiten im Stadtkreise Berlin.

30. Vom 1. Mai d. J. ab werden im hiesigen Stadtgebiete trigonometrische Vermessungs-Arbeiten ausgeführt werden. Die als Trigonometer fungirenden Offiziere, Beamten &c. werden sich durch offene Ordres der Herren Minister des Innern und für die Landwirthschaft, die als Hilfsarbeiter kommandirten Soldaten durch Legitimationsscheine ausweisen, welche von dem Chef der trigonometrischen Abtheilung der Landes-Aufnahme durch Dienststempel und Unterschrift vollzogen sind.

Bei der Wichtigkeit der zu gemeinnützigen Zwecken gesetzlich angeordneten Arbeiten erwarte ich, daß die betheiligten Grundbesitzer dieselben nach Möglichkeit unterstützen und insbesondere das Betreten ihrer Grundstücke den wie vorstehend legitimirten Personen **auch ohne vorherige Anzeige** gestatten.

Die betreffenden Trigonometer sind angewiesen, jede Flurbeschädigung nach billiger Uebereinkunft, alle Kosten für Fuhrwerk, Holz, Baumaterial, besondere Hülfsleistungen, Arbeiter 2c., nach ortsüblichen Preisen baar zu bezahlen; **dagegen haben dieselben mit dem Ankauf der Bodenflächen, welche zum Schutze der Festlegungssteine von den Grundbesitzern an den Staat abzutreten sind, Nichts zu schaffen.** Die Erwerbung dieser Schutzflächen für den Staat erfolgt später im Verwaltungswege, die Zahlung hierfür wird durch die Steuerkassen geleistet.

Quartier und Verpflegung wird sowohl von den Trigonometern, wie auch von den kommandirten Soldaten stets direkt und baar bezahlt. Es werden hierzu keinerlei Zuschüsse aus Staats- oder Kommunal-Mitteln gewährt. Berlin, den 29. März 1888.

Der Polizei-Präsident.

Verbot einer Druckschrift.

31. Auf Grund des § 12 des Reichsgesetzes gegen die gemeingefährlichen Bestrebungen der Sozialdemokratie vom 21. Oktober 1878 wird hierdurch zur öffentlichen Kenntniß gebracht, daß die nichtperiodische Druckschrift: „Sozialdemokratische Bibliothek. XXI. Eines Arbeiters Widerlegung der national-ökonomischen Lehren John Stuart Mill's". Von J. George Eccarius. Hottingen-Zürich. Verlag der Volksbuchhandlung. 1888. nach § 11 des gedachten Gesetzes durch den Unterzeichneten von Landespolizeiwegen verboten worden ist. Berlin, den 10. April 1888

Der Königl. Polizei-Präsident.

Die neuen Statuten der Eidgenössischen Transport-Versicherungs-Gesellschaft in Zürich betreffend.

32. Diesem Stück des Amtsblattes ist eine Extra-Beilage beigefügt, welche die unter dem 5. Dezember 1887 staatlich genehmigten neuen Statuten der Eidgenössischen Transport-Versicherungs-Gesellschaft in Zürich vom 29. April 1887 enthält. Hierauf wird mit dem Bemerken hingewiesen, daß die Concession und das frühere Gesellschaftsstatut in der Extra-Beilage zum 24. Stück des Amtsblattes der Königl. Regierung zu Potsdam und der Stadt Berlin vom 13. Juni 1884 veröffentlicht worden sind.

Berlin, den 17. März 1888.

Der Polizei-Präsident.

Personal-Chronik.

Im Kreise Zauch-Belzig ist nach Ablauf seiner bisherigen Dienstzeit der Amtmann Curdt zu Grubow zum Amtsvorsteher des Amtsbezirks XXXVIII. Raben von Neuem ernannt worden.

Im Kreise Ruppin ist an Stelle des aus dem Bezirk verzogenen Forst-Assessors Merrem zu Rheinsberg, der Forst-Assessor von Nathusius zu Rheinsberg zum Amtsvorsteher des Amtsbezirks Rheinsberg ernannt worden.

Im Kreise Teltow sind der frühere Inspektor, jetzige Gemeindevorsteher Mußehl zu Adlershof, der Gutsbesitzer Höft zu Mariendorf, der Gutsbesitzer Berlinicke zu Steglitz und der Rittergutsbesitzer, Ritterschaftsrath Keller zu Klein-Ziethen zu Amtsvorsteher-Stellvertretern der Amtsbezirke XXII. Alt-Glienicke, XXVI. Mariendorf, XXVII. Steglitz und XXXIV. Buckow auf fernere sechs Jahre ernannt worden.

Der Königliche Regierungs-Bauführer Hans Winterstein, zur Zeit in Berlin, ist am 29. März d. J. als solcher vereidigt worden.

Die unter Königl. Patronate stehende vereinigte Rektorats- und Kaplanats-Stelle zu Fehrbellin wird zum 30. Juni d. J. vakant.

Bewerbungen um diese Stelle sind an die Königl. Regierung, Abtheilung für Kirchen- und Schulwesen, zu Potsdam zu richten.

Der Lehrerin Fräulein Clara Schmidt zu Cunersdorf ist die Erlaubniß ertheilt worden, im Regierungsbezirk Potsdam Stellen als Hauslehrerin anzunehmen.

Der bisherige Predigtamts-Kandidat Otto Hermann Rupprecht ist zum Pfarrer der Parochie Niederwerbig, Diözese Belzig, bestellt worden.

Die unter privatem Patronat stehende Pfarrstelle zu Ribbeck, Diözese Nauen, kommt durch die nach neuem Rechte erfolgende Emeritirung des Pfarres Donner zum 1. Oktober 1888 zur Erledigung.

Die unter privatem Patronat stehende Pfarrstelle zu Hohen-Landin, Diözese Schwedt, kommt durch die Versetzung des Pfarrers Lösch zum 1. Juli d. J. zur Erledigung.

Der Schulamtskandidat Krüger ist als ordentlicher Lehrer am Königl. Realgymnasium in Berlin angestellt worden.

Der Gemeindeschullehrer Reinke ist zum Gemeindeschulrektor ernannt worden.

Die bisherige Hülfslehrerin Obst ist als ordentliche Lehrerin an der Victoriaschule angestellt worden.

Die Gemeindeschullehrer Banditt, Jahnke II. und Caemmerer sind zum Gemeindeschulrektor ernannt worden.

Ausweisung von Ausländern aus dem Reichsgebiete.

Lauf. Nr.	Name und Stand	Alter und Heimath	Grund der Bestrafung.	Behörde, welche die Ausweisung beschlossen hat.	Datum des Ausweisungs-Beschlusses.
	des Ausgewiesenen.				
1.	2.	3.	4.	5.	6.
	Auf Grund des § 362 des Strafgesetzbuchs:				
1	Josef Ullrich, Gärtner,	geboren am 19. März 1847 zu Riedwaldiß, Bezirk Reichenberg, Böhmen, ortsangehörig ebendaselbst,	Landstreichen und Betteln,	Königlich Preußischer Regierungspräsident zu Liegnitz,	19. März 1888.
2	Franz Schwanke, Tischlergeselle,	geboren am 11. Januar 1865 zu Arnsdorf, Oesterreich.-Schlesien, ortsangehörig zu Römersdorf, ebendaselbst,	Landstreichen, Betteln und Beleidigung,	Königlich Preußischer Regierungspräsident zu Oppeln,	16. Februar 1888.
3	Otto Robert Brandt, Schauspieler,	geboren am 18. Oktober 1843 zu Riga, Rußland, ortangehörig ebendaselbst,	Widerstand gegen die Staatsgewalt, öffentliche Beleidigung, Erregung ruhestörenden Lärms, Landstreichen u. Betteln,	Königlich Preußischer Regierungspräsident zu Merseburg,	13. März 1888.
4	Johann Graf, Dienstknecht,	geboren am 12. Juni 1867 zu Eisenstraß, Bezirk Klattau, Böhmen, ortsangehörig ebendaselbst,	Landstreichen und Betteln,	Stadtmagistrat Deggendorf, Bayern,	28. Februar 1888.
5	Wenzel Schultes, Schreiner,	geboren 1848 zu Reichenthal, Bezirk Tachau, Böhmen, ortsangehörig zu Neuhäusel, Böhmen,	desgleichen,	derselbe,	3. März 1888.
6	August Hirsch, Stricker,	geboren am 16. Januar 1836 zu Taus, Böhmen, ortsangehörig ebendaselbst,	desgleichen,	Königlich Bayerisches Bezirksamt Viechtach,	7. März 1888.
7	Bernhard Bienert, Müllergeselle,	geboren am 20. August 1846 zu Engelsberg, Bezirk Eger, Böhmen, ortsangehörig zu Kamnitz, Bezirk Tetschen, ebendaselbst,	desgleichen,	dasselbe,	desgleichen.
8	Vincenz Banka, Bäcker,	geboren am 22. Januar 1851 zu Strasic, Bezirk Strakonitz, Böhmen, ortsangehörig ebendaselbst,	Hausfriedensbruch und Landstreichen,	Königlich Bayerisches Bezirksamt Landshut,	9. März 1888.
9	Josef Kollmann, Glasschleifer und Tagearbeiter,	geboren im Dezember 1842 zu Haida, Bezirk Böhmisch-Leipa, Böhmen, ortsangehörig ebendaselbst,	Betteln im wiederholten Rückfall,	Königlich Sächsische Kreishauptmannschaft Bautzen,	21. Februar 1888.
10	Johann Heinrich van Lahr, Böttcher,	geboren am 4. Juli 1840 zu Twist, Bezirk Drenthe, Niederlande, ortsangehörig ebendaselbst,	Landstreichen und Betteln,	Herzoglich Braunschweigische Kreisdirection Holzminden,	25. Februar 1888.

Lauf. Nr.	Name und Stand des Ausgewiesenen	Alter und Heimath des Ausgewiesenen	Grund der Bestrafung	Behörde, welche die Ausweisung beschlossen hat	Datum des Ausweisungs-Beschlusses
1.	2	3	4	5	6
11	Abraham Feilmann, Arbeiter,	geboren 1841 zu Drosz-Ruska, Komitat Zemplin, Ungarn,	Betteln im wiederholten Rückfall und verbotswidrige Rückkehr,	Chef der Polizei in Hamburg,	27. Februar 1888.
12	Josef Beuf, Tagner,	geboren am 23. Januar 1853 zu Bagnols, Frankreich, ortsangehörig ebendaselbst,	Landstreichen und Betteln,	Kaiserlicher Bezirks-Präsident zu Colmar,	20. Februar 1888.
13	Karl Bitte, Erdarbeiter,	geboren im Februar 1853 zu Luxenil, Frankreich, ortsangehörig ebendaselbst,	desgleichen,	derselbe,	desgleichen.
14	Ulrich Abegglen, Holzschnitzer,	geboren am 22. Juni 1857 zu Iseltwald, Kant. Bern, Schweiz, ortsangehörig ebendaselbst,	Landstreichen,	derselbe,	2. März 1888.
15	Johann Kutschera, Bäckergeselle,	geboren am 14. Mai 1863 zu Vysocany, Kreis Prag, Böhmen, ortsangehörig ebendaselbst,	desgleichen,	derselbe,	3. März 1888.
16	Peter Chassot, Dienstknecht,	geboren am 25. August 1851 zu Vuistenance, Kanton Freiburg, ortsangehörig ebendaselbst,	Landstreichen und Betteln,	derselbe,	desgleichen.
17	Alfons Remandet, Tagner,	geboren am 4. Dezember 1864 zu Lyon, Frankreich, ortsangehörig ebendaselbst,	Landstreichen u. Gebrauch gefälscht. Legitimationspapiere,	derselbe,	desgleichen.
18	Abraham Stoppelmann, Cigarrenarbeiter,	geboren am 1. April 1857 zu Winschoten, Niederlande,	Landstreichen,	Kaiserlicher Bezirks-Präsident zu Metz,	10. März 1888.
19	Joseph Trunzler, Arbeiter,	geboren am 1. Juli 1833 zu Dombrot, Departement des Vosges, Frankreich,	Landstreichen und Betteln,	derselbe,	19. März 1888.

Hierzu
eine Extra-Beilage, enthaltend die Statuten der Eidgenössischen Transportversicherungs-Gesellschaft in Zürich vom 29. April 1887,
sowie Sechs Oeffentliche Anzeiger.

(Die Insertionsgebühren betragen für eine einspaltige Druckzeile 20 Pf. Belagsblätter werden der Bogen mit 10 Pf. berechnet.)

Redigirt von der Königlichen Regierung zu Potsdam.
Potsdam, Buchdruckerei der A. W. Hayn'schen Erben (E. Hayn, Hof-Buchdrucker).

Extra-Beilage

zum

Königlichen Regierungs-Amtsblatte.

Statuten

der

Eidgenössischen Transportversicherungs-Gesellschaft

in

Zürich

vom 29. April 1887.

Name, Zweck, Sitz und Dauer der Gesellschaft.

§ 1.

Die „Eidgenössische Transportversicherungs-Gesellschaft“ ist eine Actiengesellschaft für Transportversicherung zu Land und zu Wasser.

§ 2.

Die Gesellschaft hat ihren Sitz und, soweit nicht staatliche Concessionen eine Abweichung bedingen, auch ihren Gerichtsstand in Zürich.

§ 3.

Die Dauer der Gesellschaft ist auf 50 Jahre, vom 1. Januar 1882 an gerechnet festgesetzt.

Zwei Jahre vor Ablauf dieses Zeitraumes hat die Generalversammlung über Fortsetzung oder Aufhebung der Gesellschaft zu entscheiden.

Gesellschaftscapital.

§ 4.

Das Actiencapital der Gesellschaft besteht in 5,000,000 Franken, eingetheilt in 2000 Actien à 2500 Franken.

Die Generalversammlung ist berechtigt, nach Bedürfniß das Grundcapital bis zu 10,000,000 Franken zu erhöhen.

Die Actien lauten auf Namen, und es ist Name und Wohnort des Actionärs in das Actienregister der Gesellschaft einzutragen.

Im Verhältnisse zu der Gesellschaft werden nur die im Actienbuche derselben eingetragenen Namensträger als Actionäre betrachtet.

Der Actionär haftet nur bis zum Nominalbetrag seiner Actien.

Der Besitz von Actien schließt die Anerkennung der Statuten in sich.

§ 5.

Auf jede Actie sind bis jetzt 20% oder 500 Franken in baar einbezahlt.

Für den Rest von 80% oder 2000 Franken hat der Actionär für jede Actie einen auf ihn lautenden Verpflichtungsschein mit Domicil an der Gesellschaftskasse in Zürich ausgestellt, welcher im Archiv der Gesellschaft deponirt ist und welcher von der Gesellschaft weder veräußert, noch in irgend einer Weise belastet werden darf.

Weitere Einzahlungen über die ersten 20% hinaus werden von der Generalversammlung beschlossen und es wird deren Betrag von dem Verpflichtungsscheine abgeschrieben.

Es sollen jedoch innerhalb zwei Monaten nie mehr als 20% des Actienbetrages eingefordert werden dürfen.

§ 6.

Die Actien können cedirt werden mit Genehmigung des Verwaltungsrathes und gegen eine Gebühr von 5 Franken per Actie, für welch' letztere sich die Gesellschaft ausschließlich an den Cedenten hält.

Die Genehmigung kann ohne Begründung verweigert werden. Erstere muß jedoch erfolgen, wenn für den Obligationen-Betrag genügende Real-Caution geleistet worden ist.

Der Name und Wohnort des Cessionärs ist nach erfolgter Genehmigung der Uebertragung alsbald in das Actienbuch der Gesellschaft einzutragen.

Die Actien sind nicht theilbar und es anerkennt die Gesellschaft für jede Actie nur einen Eigenthümer.

§ 7.

Stirbt ein Actionär oder erlischt eine Firma, auf deren Namen Actien lauten, so haben die Erben oder Rechtsnachfolger dem Verwaltungsrathe Kenntniß davon zu geben und binnen drei Monaten vom Todestage resp. vom Aufhören der Firma an einen Uebernehmer zu bezeichnen. Wird kein Uebernehmer bezeichnet oder derselbe vom Verwaltungsrathe nicht angenommen, so findet nach Ablauf jener Frist der Verkauf der Actie statt.

Der Erlös nach Abzug der Verkaufskosten wird den Erben bezw. Rechtsnachfolgern ausgehingegeben.

§ 8.

Geräth ein Actionär in Concurs oder bestehen sonstwie Zweifel über dessen Solvenz, so ist der Verwaltungsrath befugt, zu verlangen, daß innerhalb einer Präclusivfrist entweder Realcaution für den Obligationen-betrag geleistet werde, oder daß der Uebertrag der Actien an einen vom Verwaltungsrathe zu genehmigenden Cessionaren erfolge, widrigenfalls die Actien vom Verwaltungsrathe als entkräftet ausgeschrieben und an deren Stelle neue Titel ausgegeben werden. Der Erlös wird nach Abzug der Kosten aushingegeben.

§ 9.

Die Actionäre sind zu allen Einzahlungen mittest recommandirten Briefes aufzuforbern. Erfolgt die Zahlung nach dreimaliger solcher Aufforderung nicht in der angesetzten Frist, so ist der Verwaltungsrath berechtigt entweder den säumigen Actionär auf dem Executionswege zur Zahlung anzuhalten, oder die betreffenden Actien als entkräftet auszuschreiben und an deren Stelle neue Titel auszugeben. Für den Mindererlös bleibt der alte Actionär, auch nach Annullirung der Actien, auf Grund seines Verpflichtungsscheines, gegenüber der Gesellschaft haftbar; ein Ueberschuß hingegen wird ihm zurückvergütet.

Organisation.

§ 10

Die Organe der Gesellschaft sind:

a) Die Generalversammlung.
b) Der Verwaltungsrath.
c) Der Vorstand.
d) Die Direction.
e) Die Rechnungs-Revisoren (Controllstelle).

A. Generalversammlung.

§ 11.

Die Generalversammlung der Actionäre ist das oberste Organ der Gesellschaft; ihre statut- und gesetzgemäßen Beschlüsse haben für alle Actionäre rechtsverbindliche Kraft.

Die ordentliche Generalversammlung wird alljährlich im April in Zürich abgehalten.

Spätestens 8 Tage vor dieser Generalversammlung sind die Bilanz und die Rechnung über Gewinn und Verlust sammt dem Revisionsberichte zur Einsicht der Actionäre aufzulegen.

Die Anzeige hievon hat an die Actionäre durch recommandirte Briefe vorher zu geschehen.

§ 12.

Eine außerordentliche Generalversammlung kann durch Beschluß des Verwaltungsrathes jederzeit einberufen werden. Eine solche muß berufen werden auf Begehren von einem oder mehreren Actionären der Gesellschaft, deren Actien zusammen mindestens den zehnten Theil des Grundkapitals darstellen, oder auf Begehren der Rechnungs-Revisoren. Dieses Begehren ist schriftlich und unter Anführung des Zweckes an den Präsidenten des Verwaltungsrathes zu richten. In den beiden letzteren Fällen hat der Verwaltungsrath die Generalversammlung innerhalb sechs Wochen einzuberufen.

§ 13.

Die Einladungen zu den Generalversammlungen haben schriftlich durch den Verwaltungsrath zu geschehen, spätestens zwei Wochen vor dem Versammlungstage und unter Bezeichnung der Verhandlungsgegenstände. Ueber Gegenstände, deren Verhandlung nicht in dieser Weise angekündigt ist, können in der betreffenden Generalversammlung Beschlüsse nicht gefaßt werden; hiervon ist jedoch der Beschluß über den in einer Generalversammlung gestellten Antrag auf Berufung einer außerordentlichen Generalversammlung ausgenommen.

Zur Stellung von Anträgen und zu Verhandlungen ohne Beschlußfassung in der betreffenden Generalversammlung bedarf es keiner vorausgehenden Ankündigung.

§ 14.

Stimmberechtigt in der Generalversammlung sind die im Actienbuche der Gesellschaft eingetragenen Actienbesitzer.

Das Stimmrecht wird vom Actionär persönlich oder durch Uebertragen mittelst schriftlicher Vollmacht auf einen andern Actionär in der Generalversammlung ausgeübt.

Jede Actie berechtigt zu einer Stimme; Niemand darf jedoch mehr als ⅕ der vertretenen Stimmrechte direct und in Vertretung auf sich vereinigen.

§ 15.

Die Generalversammlung faßt ihre Beschlüsse und vollzieht ihre Wahlen, soweit nicht für specielle Gegenstände etwas Anderes gesetzlich bestimmt ist, mit absoluter Mehrheit der in solcher vertretenen und zur Geltendmachung berechtigten Actienstimmen.

Bei Stimmengleichheit entscheidet der Präsident.

§ 16.

Eine Erweiterung des Geschäftsbereiches der Gesellschaft durch Aufnahme verwandter Gegenstände oder eine Verengerung derselben, sowie die Auflösung der Gesellschaft, können nur in einer Generalversammlung beschlossen werden, in welcher mindestens die Hälfte sämmtlicher Actien vertreten sind.

Sollten jedoch in einer ersten Generalversammlung mit solcher Tagesordnung nicht die Hälfte sämmtlicher Actien vertreten sein, so kann auf einen späteren Termin, der mindestens auf 30 Tage von der ersten Generalversammlung an hinausgesetzt sein muß, eine zweite Generalversammlung einberufen werden, welche die fraglichen Beschlüsse mit absolutem Mehr der vertretenen Stimmen faßt.

§ 17.

Der Präsident des Verwaltungsrathes oder in dessen Verhinderung ein Vizepräsident führt den Vorsitz in der Generalversammlung.

Die Stimmzähler wählt die Versammlung durch offenes Handmehr.

Das betreffende Protokoll wird von allen diesen Funktionären unterzeichnet.

§ 18.

Der Generalversammlung kommt zu:

a) Wahl der Mitglieder des Verwaltungsrathes.
b) Wahl von zwei Rechnungsrevisoren und zwei Suppleanten derselben.
c) Prüfung des Geschäftsberichtes und Abnahme der Jahresrechnung auf Antrag der Rechnungsrevisoren.
d) Festsetzung der Dividende.
e) Schlußnahme über Anträge des Verwaltungsrathes.

f) Decretirung von weiteren Einzahlungen auf die Actien.

g) Abänderung der Statuten und Auflösung der Gesellschaft.

h) Beschlußfassung über Erhöhung des Gesellschaftscapitals.

i) Beschlußfassung über Erweiterung oder Verengerung des Geschäftsbereiches (§ 16).

Die Wahl der Mitglieder des Verwaltungsrathes geschieht durch geheime, diejenige der Rechnungsrevisoren durch offene Abstimmung.

Anträge, welche von mindestens 10 Actionären und spätestens vier Wochen vor dem Tage der Generalversammlung schriftlich eingereicht werden, müssen der Generalversammlung mit dem Gutachten des Verwaltungsrathes vorgelegt werden.

B. Verwaltungsrath.

§ 19.

Die oberste Leitung der Gesellschaft wird einem Verwaltungsrathe von zehn bis zwölf Mitgliedern übertragen, welche die Generalversammlung auf die Dauer von drei Jahren wählt.

Alljährlich treten nach der Anciennität vier der Verwaltungsraths-Mitglieder aus dem Amte. Die Austretenden sind sofort wieder wählbar.

Erledigte Stellen werden in der nächsten Generalversammlung wieder besetzt. Die aus der Ersatzwahl hervorgegangenen neuen Mitglieder treten in die Amtsdauer ihrer Vorgänger.

§ 20.

Jedes Mitglied des Verwaltungsrathes hat zehn auf seinen Namen eingetragene Actien ins Archiv der Gesellschaft niederzulegen und darf über dieselben während seiner Amtsdauer nicht verfügen.

§ 21.

Der Verwaltungsrath wählt den Präsidenten und zwei Vizepräsidenten aus seiner Mitte, je auf ein Jahr.

Die Protokolle werden durch die Unterschrift des Vorsitzenden und des Directors bezw. dessen Vertreters beurkundet.

§ 22.

Der Verwaltungsrath versammelt sich auf die Einladung seines Präsidenten, in der Regel alle drei Monate; außerdem auf Beschluß des Vorstandes, oder auf Verlangen dreier Mitglieder oder des Directors.

Die Schlußnahmen erfolgen durch absolutes Mehr der Anwesenden. Der Präsident stimmt mit und ist seine Stimme bei Stimmengleichheit entscheidend.

§ 23.

Dem Verwaltungsrathe kommen in der obersten Geschäftsleitung folgende Befugnisse und Pflichten zu:

a) Bestimmung der Termine für die Actieneinzahlungen (§§ 5 u. 9).

b) Genehmigung von Actienübertragungen.

c) Wahl der Mitglieder in den Vorstand.

d) Wahl und Entlassung des Directors, sowie seines Stellvertreters und Festsetzung ihrer Gehalte und Cautionen.

e) Vertheilung der Tantieme inclusive Festsetzung der Sitzungs- und Reisegelder.

§ 28.

Die Direction besorgt auf Grundlage des Reglements und unter der Oberleitung und Aufsicht des Vorstandes, resp. des Verwaltungsrathes, die eigentliche Geschäftsführung.

§ 29.

Der Director, oder in dessen Verhinderung sein Stellvertreter, wohnt in der Regel den Sitzungen des Vorstandes und des Verwaltungsrathes bei, mit berathender Stimme.

E. Rechnungsrevisoren.

§ 30.

Die Rechnungsrevisoren, sowie deren Suppleanten, werden von der Generalversammlung je auf die Dauer eines Jahres gewählt.

Denselben liegt die Prüfung der Gesellschaftsrechnung für das betreffende Geschäftsjahr ob und es haben dieselben ihren schriftlichen Bericht und Antrag dem Verwaltungsrathe zu Handen der nächsten ordentlichen Generalversammlung einzureichen.

Vertretung der Gesellschaft und Form von Publicationen.

§ 31.

Alle von der Gesellschaft ausgehenden Correspondenzen, Wechsel, Chèques, Anweisungen &c. und Rückversicherungsverträge bedürfen der Unterschrift des Directors oder seines Stellvertreters, sowie der Contrasignatur eines Mitgliedes des Vorstandes.

§ 32.

Alle Veröffentlichungen des Verwaltungsrathes oder der Direction geschehen im Schweizerischen Handels-Amtsblatte und eventuell weiteren durch den Verwaltungsrath zu bestimmenden Blättern.

Namens des Verwaltungsrathes zeichnet der Präsident eventuell einer der Vizepräsidenten und der Protokollführer.

Jahresrechnung und Gewinn-Vertheilung.

§ 33.

Die Jahresrechnungen werden je auf den 31. December geschlossen.

Bei Aufstellung der Jahresbilanz sollen:

a) für die am Schlusse des Rechnungsjahres noch nicht abgelaufenen Versicherungen die entsprechende Prämienreserve,

b) für schwebende Schäden, insofern deren Betrag schon festgestellt ist, dieser Schadenbetrag, andernfalls aber eine reichlich zu bemessende Summe,

als Passivum eingestellt werden.

Courshabende Papiere sind höchstens zu dem Courswerthe anzusetzen, welchen dieselben durchschnittlich in dem letzten Monate vor dem Bilanztage gehabt haben.

Im Allgemeinen ist die Bilanz so klar und übersichtlich aufzustellen, daß die Actionäre einen möglichst sichern Einblick in die Vermögenslage der Gesellschaft erhalten.

§ 34.

Aus dem Reingewinn der Jahresrechnung wird zunächst den Actionären eine Dividende bis auf 5 % des einbezahlten Betrages der Actien verrechnet.

Von dem verbleibenden Reste des Jahresgewinns kommen zu:

40 % dem Reservefonds, und zwar so lange, als derselbe die Höhe von einer Million Franken nicht erreicht, resp. durch eintretende Verluste unter diese Ziffer herabsinkt. Wenn immer der Reservefonds den vorbezeichneten Betrag übersteigt, so beschließt über die Verwendung des diesfälligen Ueberschusses die Generalversammlung auf Antrag des Verwaltungsrathes,

20 % als Tantieme dem Verwaltungsrath, Vorstand und der Direction,

40 % zur Verfügung der Generalversammlung.

Auflösung der Gesellschaft.

§ 35.

Die Auflösung der Gesellschaft kann von der Generalversammlung jederzeit beschlossen werden (§ 16).

Die Auflösung muß erfolgen, wenn der Reservefonds und vierzig Prozent des Actiencapitals verloren sind.

Im Falle der Auflösung wählt die Generalversammlung eine Liquidationscommission. Es dürfen keine neuen Versicherungen mehr abgeschlossen werden, und eine Vertheilung von allfälligen Activen, sowie die Rückgabe der Obligationen an die Actionäre kann erst erfolgen, nachdem die sämmtlichen Risicos ausgetragen sind.

Verfahren bei Streitigkeiten.

§ 36.

Alle Gesellschaftsstreitigkeiten zwischen den Actionären und der Gesellschaft, resp. ihren Organen, ferner zwischen dem Verwaltungsrathe und dem Vorstande oder der Direction, oder zwischen Mitgliedern dieser Collegien sollen durch das Zürcherische Handelsgericht oder in Ermangelung durch ein Schiedsgericht am Sitze der Gesellschaft erledigt werden.

Im letzteren Falle wählt jede Partei innert drei Wochen einen Schiedsrichter und diese wählen den Obmann. Wird seitens der einen Partei der Schiedsrichter nicht innert der bestimmten Frist bezeichnet, oder können sich die Schiedsrichter nicht über die Wahl eines Obmanns einigen, so ist der fehlende Schiedsrichter, beziehungsweise der Obmann durch das Präsidium des Zürcherischen Obergerichts zu bezeichnen.

Das Schiedsgericht entscheidet endgültig.

Zürich, den 29. April 1887.

„Eidgenössische Transport-Versicherungs-Gesellschaft“.

Der Präsident: Adelrich Benziger.

Der Director: Wettstein.

Druck von Carl Odler. Berlin C. Prenzlauer-Straße 13.

Amtsblatt
der Königlichen Regierung zu Potsdam und der Stadt Berlin.

Stück 17. Den 27. April **1888.**

Bekanntmachung,
betreffend die Abänderung des Betriebs-Reglements für die Eisenbahnen Deutschlands.

Der Bundesrath hat in seiner Sitzung vom 1. d. M. auf Grund des Artikels 45 der Reichsverfassung Folgendes beschlossen:

I. Der § 34 des Betriebs-Reglements für die Eisenbahnen Deutschlands vom 11. Mai 1874 („Central-Blatt für das Deutsche Reich" S. 179) erhält nachstehende Fassung:

§ 34.

1) Der Transport einer Leiche muß, wenn er von der Ausgangsstation des Zuges erfolgen soll, wenigstens 6 Stunden, wenn derselbe von einer Zwischenstation ausgehen soll, wenigstens 12 Stunden vorher angemeldet werden.

2) Die Leiche muß in einem hinlänglich widerstandsfähigen Metallsarge luftdicht eingeschlossen und letzterer von einer hölzernen Umhüllung dergestalt umgeben sein, daß jede Verschiebung des Sarges innerhalb der Umhüllung verhindert wird.

3) Die Leiche muß von einer Person begleitet sein, welche ein Fahrbillet zu lösen und denselben Zug zu benutzen hat, in dem die Leiche befördert wird.

4) Bei der Aufgabe muß der vorschriftsmäßige, nach anliegendem Formular (Anlage E.) ausgefertigte Leichenpaß beigebracht werden, welchen die Eisenbahn übernimmt und bei Ablieferung der Leiche zurückstellt. Die Behörden und Dienststellen, welche zur Ausstellung von Leichenpässen befugt sind, werden besonders bekannt gemacht. Der von der zuständigen Behörde oder Dienststelle ausgefertigte Leichenpaß hat für die ganze Länge des darin bezeichneten Transportweges Geltung. Die tarifmäßigen Transportgebühren müssen bei der Aufgabe entrichtet werden.

Bei Leichentransporten, welche aus ausländischen Staaten kommen, mit welchen vom Reich eine Vereinbarung wegen wechselseitiger Anerkennung der Leichenpässe abgeschlossen ist, genügt die Beibringung eines der Vereinbarung entsprechenden Leichenpasses der nach dieser Vereinbarung zuständigen ausländischen Behörde.

5) Die Beförderung der Leiche hat in einem besonderen, bedeckt gebauten Güterwagen zu erfolgen. Mehrere Leichen, welche gleichzeitig von dem nämlichen Abgangsort nach dem nämlichen Bestimmungsort aufgegeben werden, können in einem und demselben Güterwagen verladen werden. Wird die Leiche in einem ringsumschlossenen Leichenwagen befördert, so darf zum Eisenbahntransport ein offener Güterwagen benutzt werden.

6) Die Leiche darf auf der Fahrt nicht ohne Noth umgeladen werden. Die Beförderung muß möglichst schnell und ununterbrochen bewirkt werden. Läßt sich ein längerer Aufenthalt auf einer Station nicht vermeiden, so ist der Güterwagen mit der Leiche thunlichst auf ein abseits im Freien belegenes Geleise zu schieben. Innerhalb sechs Stunden nach Ankunft des Zuges auf der Bestimmungsstation muß die Leiche abgeholt werden, widrigenfalls sie nach der Verfügung der Ortsobrigkeit beigesetzt wird. Kommt die Leiche nach 6 Uhr Abends an, so wird die Abholungsfrist vom nächsten Morgen 6 Uhr ab gerechnet. Bei Ueberschreitung der Abholungsfrist ist die Eisenbahn berechtigt, Wagenstandgeld zu erheben.

7) Wer unter falscher Deklaration Leichen zur Beförderung bringt, hat außer der Nachzahlung der verkürzten Fracht vom Abgangs- bis zum Bestimmungsort das Vierfache dieser Frachtgebühr als Konventionalstrafe zu entrichten.

8) Bei dem Transport von Leichen, welche von Polizeibehörden, Krankenhäusern, Strafanstalten u. s. w. an öffentliche höhere Lehranstalten übersandt werden, bedarf es einer Begleitung nicht. Auch genügt es, wenn solche Leichen in dichtverschlossenen Kisten aufgegeben werden. Die Beförderung kann in einem offenen Güterwagen erfolgen. Es ist zuläßig, solche Güter in den Wagen mitzuverladen, welche von fester Beschaffenheit (Holz, Metall und dergleichen) oder doch von festen Umhüllungen (Kisten, Fässern und dergleichen) dicht umschlossen sind. Bei der Verladung ist mit besonderer Vorsicht zu verfahren, damit jede Beschädigung der Leichenkiste vermieden wird. Von der Zusammenladung sind ausgeschlossen: Nahrungs- und Genußmittel einschließlich der Rohstoffe, aus welchen Nahrungs- oder Genußmittel hergestellt werden, sowie die in Anlage D. zu § 48 des Betriebs-Reglements unter I. bis III. aufgeführten Gegenstände. Ob von der Beibringung eines Leichenpasses abgesehen werden kann, richtet sich nach den von den Landesregierungen dieserhalb ergehenden Bestimmungen.

9) Auf die Regelung der Beförderung von Leichen nach dem Bestattungsplatz des Sterbeorts finden die vorstehenden Bestimmungen nicht Anwendung.

II. Vorstehende Bestimmungen treten am 1. April 1888 in Kraft. Berlin, den 14. Dezember 1887.

Der Stellvertreter des Reichskanzlers.
von Boetticher.

Anlage E.

Leichen-Paß.

Die nach Vorschrift eingesargte Leiche de______
am______ten______18______
zu______(Ort)______an______(Todesursache)______
verstorbenen______(Alter)______jährigen______(Stand, Vor- und Zunamen des Verstorbenen, bei Kindern Stand der Eltern)______soll mittelst Eisenbahn von______über______nach______zur Bestattung gebracht werden. Nachdem zu dieser Ueberführung dem Begleiter der Leiche______(Stand und Name)______die Genehmigung ertheilt worden ist, werden sämmtliche Behörden, deren Bezirke durch diesen Leichentransport berührt werden, ersucht, denselben ungehindert und ohne Aufenthalt weitergehen zu lassen.

______, den______ten______18______

(L. S.) (Unterschrift.)

Bekanntmachungen der Königlichen Ministerien.

Ankauf von Remonten pro 1888.

Regierungs-Bezirk Potsdam.

13. Zum Ankaufe von Remonten im Alter von drei und ausnahmsweise vier Jahren sind im Bereiche der Königlichen Regierung zu Potsdam für dieses Jahr nachstehende, Morgens 8 resp. 9 Uhr beginnende Märkte anberaumt worden, und zwar:

am 31.	Mai	Wriezen a. Oder,
= 8.	Juni	Jüterbog 9 Uhr,
= 9.	=	Oranienburg,
= 11.	=	Nauen,
= 12.	=	Neustadt a. Dosse,
= 13.	=	Rathenow,
= 15.	=	Havelberg,
= 16.	=	Wilsnack 9 Uhr,
= 31.	Juli	Strasburg i. Uckermark,
= 1.	August	Prenzlau,
= 2.	=	Angermünde,
= 3.	=	Neu-Ruppin,
= 4.	=	Kyritz,
= 6.	=	Wittstock,
= 7.	=	Meyenburg,
= 8.	=	Pritzwalk 9 Uhr,
= 9.	=	Perleberg,
= 10.	=	Lenzen a. Elbe.

Die von der Remonte-Ankaufs-Kommission erkauften Pferde werden mit Ausnahme derjenigen von Oranienburg zur Stelle abgenommen und sofort gegen Quittung baar bezahlt. Die Verkäufer auf dem Markte in Oranienburg werden dagegen ersucht, die erkauften Pferde in dem nahe gelegenen Remonte-Depot Bärenklau auf eigene Kosten und Gefahr einzuliefern und daselbst nach erfolgter Uebergabe in gesundem Zustande den behandelten Kaufpreis in Empfang zu nehmen.

Pferde mit solchen Fehlern, welche nach den Landesgesetzen den Kauf rückgängig machen, sind vom Verkäufer gegen Erstattung des Kaufpreises und der Unkosten zurückzunehmen, ebenso Krippensetzer, welche sich in den ersten acht und zwanzig Tagen nach Einlieferung in den Depots als solche erweisen. Pferde, welche den Verkäufern nicht eigenthümlich gehören, oder durch einen nicht legitimirten Bevollmächtigten der Kommission vorgestellt werden, sind vom Kauf ausgeschlossen.

Die Verkäufer sind verpflichtet, jedem verkauften Pferde eine neue, starke rindlederne Trense mit starkem Gebiß und eine neue Kopfhalfter von Leder oder Hanf mit 2 mindestens zwei Meter langen Stricken ohne besondere Vergütung mitzugeben.

Um die Abstammung der vorgeführten Pferde feststellen zu können, ist es erwünscht, daß die Deckscheine möglichst mitgebracht werden, auch werden die Verkäufer ersucht, die Schweife der Pferde nicht zu coupiren oder übermäßig zu verkürzen.

Ferner ist es dringend wünschenswerth, daß der immer mehr überhand nehmende zu massige oder weiche Futterzustand bei den zum Verkauf zu stellenden Remonten aufhört, weil dadurch die in den Remonte-Depots vorkommenden Krankheiten sehr viel schwerer zu überstehen sind, als dies bei rationell und nicht übermäßig gefutterten Remonten der Fall ist.

In Zukunft wird beim Ankauf zum Messen der Remonten das Stockmaß in Anwendung kommen.

Berlin, den 1. März 1888.

Kriegsministerium, Remontirungs-Abtheilung.

Bekanntmachungen des Königlichen Ober-Präsidenten der Provinz Brandenburg.

Ergänzung des Verzeichnisses der Kunststraßen im Regierungsbezirk Potsdam.

11. In Ergänzung meiner Bekanntmachung vom 28. Dezember 1887 (Amtsblatt pro 1888, Seite 11) bringe ich hiermit zur öffentlichen Kenntniß, daß auch die Chausseestrecke Rathenow—Neustadt a. D. zu denjenigen daselbst unter lit. B. aufgeführten Kunststraßen gehört, für welche das Recht zur Erhebung von Chausseegeld verliehen worden ist.

Potsdam, den 10. April 1888.

Der Oberpräsident der Provinz Brandenburg,
Staatsminister Achenbach.

Bekanntmachungen des Königlichen Regierungs-Präsidenten.

Verloosung von Equipagen, Pferden rc. in Königsberg i. Pr.

132. Der Herr Minister des Innern hat dem Komité für den Pferdemarkt zu Königsberg i. Pr. die Erlaubniß ertheilt, bei Gelegenheit des diesjährigen dortigen Pferdemarktes eine öffentliche Verloosung von Equipagen, Pferden rc. zu veranstalten und die betreffenden Loose im ganzen Bereiche der Monarchie abzusetzen.

Potsdam, den 19. April 1888.

Der Regierungs-Präsident.

Verloosung von Pferden, Equipagen rc. in Marienburg.

133. Der Herr Minister des Innern hat dem Komité für den Luxuspferdemarkt zu Marienburg die Erlaubniß ertheilt, in Verbindung mit dem diesjährigen

Pferdemarkte wiederum eine öffentliche Verloosung von Pferden, Equipagen ꝛc. zu veranstalten, zu derselben 15000 Loose à 3 M. auszugeben und diese im ganzen Bereiche der Monarchie zu vertreiben.

Potsdam, den 18. April 1888.

Der Regierungs-Präsident.

134. Bestimmungen über die Beförderung von Leichen auf Eisenbahnen.

1) Die Ausstellung der Leichenpässe hat durch diejenige hierzu befugte Behörde oder Dienststelle zu erfolgen, in deren Bezirk der Sterbeort oder — im Falle einer Wiederausgrabung — der seitherige Bestattungsort liegt. Für Leichentransporte, welche aus dem Auslande kommen, kann, soweit nicht Vereinbarungen über die Anerkennung der von ausländischen Behörden ausgestellten Leichenpässe bestehen, die Ausstellung des Leichenpasses durch diejenige zur Ausstellung von Leichenpässen befugte inländische Behörde oder Dienststelle erfolgen, in deren Bezirk der Transport im Reichsgebiete beginnt. Auch können die Konsule und diplomatischen Vertreter des Reichs vom Reichskanzler zur Ausstellung der Leichenpässe ermächtigt werden. Die hiernach zur Ausstellung der Leichenpässe zuständigen Behörden ꝛc. werden vom Reichskanzler öffentlich bekannt gemacht.

2) Der Leichenpaß darf nur für solche Leichen ertheilt werden, über welche die nachstehenden Ausweise geliefert worden sind:

a. ein beglaubigter Auszug aus dem Sterberegister;

b. eine von dem Kreisphysikus ausgestellte Bescheinigung über die Todesursache, sowie darüber, daß seiner Ueberzeugung nach der Beförderung der Leiche gesundheitliche Bedenken nicht entgegenstehen.

Ist der Verstorbene in der tödtlich gewordenen Krankheit von einem Arzte behandelt worden, so hat letzteren der Kreisphysikus vor der Ausstellung der Bescheinigung betreffs der Todesursache anzuhören.

c. ein Ausweis über die vorschriftsmäßig erfolgte Einsargung der Leiche (§ 34 Absatz 2 des Eisenbahnbetriebsreglements in Verbindung mit № 3, 4 dieser Bestimmungen);

d. in den Fällen des § 157 der Strafprozeßordnung vom 1. Februar 1877 (Reichs-Gesetzbl. S. 253) die seitens der Staatsanwaltschaft oder des Amtsrichters ausgestellte schriftliche Genehmigung der Beerdigung.

Die Nachweise zu a. und b. werden bezüglich der Leichen von Militairpersonen, welche ihr Standquartier nach eingetretener Mobilmachung verlassen hatten (§§ 1, 2 der Verordnung vom 20. Januar 1879 — Reichs-Gesetzbl. S. 5) oder welche sich auf einem in Dienst gestellten Schiff oder anderen Fahrzeug der Marine befanden, durch eine Bescheinigung der zuständigen Militairbehörde oder Dienststelle über den Sterbefall unter Angabe der Todesursache und mit der Erklärung, daß nach ärztlichem Ermessen der Beförderung der Leiche gesundheitliche Bedenken nicht entgegenstehen, ersetzt.

3) Der Boden des Sarges muß mit einer mindestens 5 cm hohen Schicht von Sägemehl, Holzkohlenpulver, Torfmüll oder dergleichen bedeckt, und es muß diese Schicht mit fünfprozentiger Karbolsäurelösung *) reichlich besprengt sein.

4) In besonderen Fällen, z. B. für einen Transport von längerer Dauer oder in warmer Jahreszeit, kann nach dem Gutachten des Kreisphysikus eine Behandlung der Leiche mit fäulnißwidrigen Mitteln verlangt werden.

Diese Behandlung besteht gewöhnlich in einer Einwickelung der Leiche in Tücher, die mit fünfprozentiger Karbolsäurelösung getränkt sind. In schwereren Fällen muß außerdem durch Einbringen von gleicher Karbolsäurelösung in die Brust- und Bauchhöhle (auf die Leiche eines Erwachsenen zusammen mindestens 1 Liter gerechnet) oder dergleichen für Unschädlichmachung der Leiche gesorgt werden.

5) Als Begleiter sind von der den Leichenpaß ausstellenden Behörde nur zuverlässige Personen zuzulassen.

6) Ist der Tod im Verlauf einer der nachstehend benannten Krankheiten: Pocken, Scharlach, Flecktyphus, Diphtherie, Cholera, Gelbfieber oder Pest erfolgt, so ist die Beförderung der Leiche mittelst der Eisenbahn nur dann zuzulassen, wenn mindestens ein Jahr nach dem Tode verstrichen ist.

7) Die Regelung der Beförderung von Leichen nach dem Bestattungsplatz des Sterbeorts bleibt den Regierungsbehörden überlassen.

8) Bei Ausstellung von Leichenpässen für Leichentransporte, welche nach dem Auslande gehen, sind außer den vorstehenden Bestimmungen auch die von dem Reich mit ausländischen Regierungen hinsichtlich der Leichentransporte abgeschlossenen Vereinbarungen zu beachten.

Berlin, den 6. April 1888.

Der Minister des Innern. Der Justiz-Minister.
Der Minister der geistlichen-, Unterrichts- und Medicinal-Angelegenheiten.

* * *

Vorstehende Bestimmungen werden hierdurch mit dem Hinzufügen veröffentlicht, daß dieselben sofort in Kraft treten.

Indem ich zugleich auf die im vorliegenden Amtsblatt enthaltene Bekanntmachung des Herrn Reichskanzlers vom 14. Dezember v. J., betreffend die Abänderung des Betriebs-Reglements für die Eisenbahnen Deutschlands verweise, bemerke ich, daß den Herren Landräthen eine entsprechende Anzahl von Formularen zu Leichenpässen zugefertigt werden wird, von welchen die betreffenden städtischen Polizei-Verwaltungen ihren Bedarf zu beziehen haben.

Potsdam, den 20. April 1888.

Der Regierungs-Präsident.

---

*) Anm. Ein Theil sogenannter verflüssigter Karbolsäure (Acidum carbolicum liquefactum) ist in 18 Theilen Wasser unter häufigem Umrühren zu lösen.

135. Nachweisung der an den Pegeln der Spree und Havel im Monat Februar 1888 beobachteten Wasserstände.

Datum.	Berlin. Ober- N. N. Wasser.	Berlin. Unter- N. N. Wasser.	Spandau. Ober- Wasser.	Spandau. Unter- Wasser.	Potsdam.	Baumgartenbrück.	Brandenburg. Ober- Wasser.	Brandenburg. Unter- Wasser.	Rathenow. Ober- Wasser.	Rathenow. Unter- Wasser.	Havelberg.	Plauer Brücke.
	Meter.	Meter.	Meter.	Meter.	Meter.	Meter.	Meter.	Meter.	Meter.	Meter.	Meter.	Meter.
1	32,76	31,00	2,60	0,90	1,17	0,65	2,12	1,34	1,62	0,82	1,64	1,74
2	32,74	31,02	2,60	0,92	1,18	0,65	2,14	1,42	1,54	0,88	1,54	1,76
3	32,70	31,04	2,52	0,86	1,18	0,64	2,16	1,44	1,54	0,90	1,54	1,76
4	32,66	31,06	2,52	0,88	1,20	0,64	2,16	1,44	1,56	1,06	1,76	1,78
5	32,66	31,06	2,54	0,80	1,21	0,64	2,18	1,46	1,62	1,16	1,80	1,80
6	32,64	31,06	2,56	0,86	1,21	0,64	2,20	1,52	1,62	1,18	1,82	1,84
7	32,58	31,10	2,56	0,92	1,22	0,65	2,20	1,50	1,62	1,22	1,82	1,88
8	32,58	31,06	2,54	0,92	1,23	0,67	2,22	1,52	1,62	1,24	1,80	1,90
9	32,55	31,02	2,54	0,92	1,25	0,67	2,20	1,54	1,62	1,28	1,80	1,92
10	32,55	31,00	2,56	0,90	1,25	0,68	2,22	1,54	1,62	1,28	1,82	1,94
11	32,56	31,00	2,56	0,94	1,28	0,71	2,24	1,54	1,62	1,32	1,82	1,96
12	32,58	31,00	2,60	0,90	1,28	0,73	2,22	1,54	1,62	1,32	1,90	1,98
13	32,58	31,00	2,62	0,96	1,28	0,76	2,22	1,54	1,62	1,36	1,98	2,00
14	32,64	31,04	2,66	0,98	1,28	0,77	2,24	1,56	1,62	1,30	2,08	2,02
15	32,68	31,15	2,66	1,00	1,29	0,79	2,24	1,58	1,62	1,32	2,10	2,02
16	32,66	31,24	2,62	1,10	1,30	0,79	2,22	1,60	1,62	1,32	2,12	2,04
17	32,68	31,28	2,62	1,06	1,32	0,79	2,22	1,64	1,62	1,32	2,18	2,04
18	32,68	31,28	2,64	1,08	1,33	0,80	2,22	1,64	1,62	1,32	2,28	2,06
19	32,66	31,30	2,68	1,04	1,34	0,80	2,20	1,66	1,64	1,42	2,32	2,08
20	32,70	31,32	2,64	1,16	1,34	0,81	2,20	1,66	1,66	1,44	2,36	2,10
21	32,72	31,36	2,62	1,20	1,36	0,82	2,20	1,70	1,66	1,44	2,36	2,12
22	32,64	31,42	2,60	1,16	1,38	0,84	2,20	1,70	1,52	1,12	2,36	2,14
23	32,60	31,40	2,56	1,22	1,40	0,84	2,22	1,72	1,50	1,08	2,36	2,14
24	32,58	31,36	2,56	1,30	1,41	0,85	2,24	1,74	1,62	1,24	2,36	2,16
25	32,56	31,36	2,52	1,32	1,42	0,87	2,22	1,78	1,70	1,48	2,36	2,16
26	32,56	31,36	2,54	1,14	1,41	0,88	2,24	1,82	1,72	1,50	2,26	2,18
27	32,56	31,34	2,58	1,26	1,40	0,89	2,24	1,88	1,80	1,58	2,18	2,18
28	32,54	31,30	2,54	1,42	1,38	0,90	2,26	1,88	1,84	1,62	2,12	2,20
29	32,51	31,30	2,52	1,32	1,37	0,90	2,24	1,92	1,86	1,64	2,00	2,20

Potsdam, den 22. April 1888. Der Regierungs-Präsident.

Tischler- und Glaser-Innung zu Oranienburg.

136. Auf Grund des § 100e. № 3 der Reichsgewerbeordnung vom 18. Juli 1881 und der Ausführungs-Anweisung hierzu vom 9. März 18882 I. 1 a. 2 bestimme ich hierdurch für den Bezirk der Tischler- und Glaser-Innung zu Oranienburg,

daß diejenigen Arbeitgeber, welche das Tischler- oder Glasergewerbe betreiben und selbst zur Aufnahme in die Innung fähig sein würden, gleichwohl aber der Innung nicht angehören, vom 1. November 1888 ab Lehrlinge nicht mehr annehmen dürfen.

Ich bringe dies mit dem Bemerken hierdurch zur Kenntniß, daß der Bezirk der gedachten Innung den Bezirk der Stadtgemeinde Oranienburg sowie der Gemeinden Quaden-Germendorf, Sachsenhausen, Nassenheide, Freienhagen, Malz, Friedrichsthal, Zehlendorf, Schmachtenhagen, Wensickendorf, Zühlsdorf, Schönfließ, Bergfelde, Schildow, Lubars, Hermsdorf, Glienicke, Mühlenbeck, Stolpe, Hohen-Neuendorf, Birkenwerder und Borgsdorf des Kreises Niederbarnim sowie Grüneberg und Techendorf des Kreises Ruppin umfaßt.

Potsdam, den 12. April 1888.

Der Regierungs-Präsident.

Schuhmacher-Innung zu Schwedt a. O.

137. Auf Grund des § 100e. № 3 der Reichs-gewerbe-Ordnung vom 18. Juli 1881 und der Ausführungs-Anweisung hierzu vom 9. März 1882 № I. 1 a. 2 bestimme ich hierdurch für den Bezirk der Schuhmacher-Innung zu Schwedt a. O.:

daß diejenigen Arbeitgeber, welche das Schuhmacher-Gewerbe betreiben und selbst zur Aufnahme in die Innung fähig sein würden, gleichwohl aber der Innung nicht angehören, vom 1. November 1888 ab Lehrlinge nicht mehr annehmen dürfen.

Ich bringe dies mit dem Bemerken hierdurch zur Kenntniß, daß der Bezirk der genannten Innung die

Gemeindebezirke Schwedt a. O., Zülzen, Criewen, Flemsdorf, Berkholz und Heinersdorf umfaßt.

Potsdam, den 11. April 1888.

Der Regierungs-Präsident.

Innung „Bund der Zimmermeister zu Neu-Ruppin und Ruppiner Kreises."

138. Auf Grund des § 100e. № 3 der Reichsgewerbeordnung vom 18. Juli 1881 und der Ausführungs-Anweisung hierzu vom 9. März 1882 l. 1 a. 2 bestimme ich hierdurch für den Bezirk der Innung „Bund der Zimmermeister zu Neu-Ruppin und Ruppiner Kreises",

daß diejenigen Arbeitgeber, welche das Zimmergewerbe betreiben und selbst zur Aufnahme in die Innung fähig sein würden, gleichwohl aber der Innung nicht angehören, vom 1. November 1888 ab Lehrlinge nicht mehr annehmen dürfen.

Ich bringe dies mit dem Bemerken hierdurch zur Kenntniß, daß der Bezirk der gedachten Innung den Gemeindebezirk der Kurmärkischen Hauptstadt Neu-Ruppin und den Ruppiner Kreis umfaßt.

Potsdam, den 11. April 1888.

Der Regierungs-Präsident.

Eröffnung einer Apotheke.

139. Der Apotheker Carl August Wilhelm Fischer hat zu Groß-Lichterfelde in der Bahnhofstraße Nr. 40, die Apotheke, zu deren Errichtung ihm unterm 25. Oktober 1887 die Concession ertheilt worden war, eröffnet.

Potsdam, den 17. April 1888.

Der Regierungs-Präsident.

Errichtung eines Gemeinde-Aichungsamtes in Charlottenburg betr.

140. Der Herr Minister für Handel und Gewerbe hat durch Erlaß vom 12. April 1888 die Errichtung eines Gemeinde-Aichungsamtes zu Charlottenburg mit der Ordnungsnummer 2/44 genehmigt und demselben die Befugniß ertheilt, Aichungen von Längenmaaßen mit Ausschluß der Bandmaaße, von Flüssigkeitsmaaßen, Meßwerkzeugen für Flüssigkeiten und Meßflaschen, von Maaßen und Meßwerkzeugen für Brennmaterialien und Mineralproducte, von Gewichten, sowie von Waagen mit einer Tragfähigkeit von nicht mehr als 10000 kg vorzunehmen.

Potsdam, den 22. April 1888.

Der Regierungs-Präsident.

Viehseuchen.

141. Wegen Verdachts der Ansteckung durch Rotz ist ein Pferd des Fuhrherrn Wilhelm Geduld, Berlinerstraße 14 in Reinickendorf, unter polizeiliche Beobachtung gestellt worden.

An Milzbrand ist am 6. d. M. ein Ochs des Ritterguts Carwesee im Kreise Osthavelland verendet.

Die Maul- und Klauenseuche ist unter dem Rindvieh mehrerer Bauergutsbesitzer zu Tremmen im Kreise Westhavelland, sowie des Vorwerks Neu-Ahrensfelde, des Gutes Falkenberg und auch in Weißensee im Kreise Niederbarnim ausgebrochen. — Erloschen ist diese Seuche unter den Rindviehbeständen der Güter Bärwalde, Weißen und Wiepersdorf im Kreise Jüterbog-Luckenwalde, des Bauergutsbesitzers Schütze zu Dallgow im Kreise Osthavelland und des Ritterguts Biesdorf, des Bauergutsbesitzers Zimmermann zu Biesdorf und des Kossäthen Ebel zu Schönfließ im Kreise Niederbarnim.

Potsdam, den 20. April 1888.

Der Regierungs-Präsident.

142. Die Maul- und Klauenseuche unter den Kühen des Magdalenenstifts zu Plötzensee ist erloschen.

Potsdam den 21. April 1888.

Der Regierungs-Präsident.

Bekanntmachungen der Königl. Regierung.

Die Sequestration der Domaine Hammer mit den Vorwerken Liebenthal und Proetze betreffend.

11. Unter Bezugnahme auf unsere Bekanntmachung vom 19. November v. J. (Amtsblatt de 1887 Stück 47 S. 422) bringen wir hiermit zur öffentlichen Kenntniß, daß Herr Oberamtmann Lessel aus Zehdenick am 19. d. M. aus seiner Stellung als Sequester der Domaine Hammer mit den Vorwerken Liebenthal und Proetze ausgeschieden und für denselben Herr Oeconom Gürscheld, welcher seinen Wohnsitz auf der Domaine genommen hat, zum Sequester derselben von uns ernannt worden ist.

Es sind daher von dem gedachten Tage ab alle Zahlungen, soweit solche aus dem Wirthschaftsbetriebe der Domaine Hammer mit Vorwerken herrühren, nur an den Herrn Gürscheld gültig zu leisten.

Potsdam, den 23. April 1888.

Königl. Regierung.

Abtheilung für direkte Steuern, Domainen und Forsten.

Bekanntmachungen des Königlichen Polizei-Präsidiums zu Berlin.

Trigonometrische Vermessungs-Arbeiten im Stadtkreise Berlin

33. Vom 1. Mai d. J. ab werden im hiesigen Stadtgebiete trigonometrische Vermessungs-Arbeiten ausgeführt werden. Die als Trigonometer fungirenden Offiziere, Beamten ꝛc. werden sich durch offene Ordres der Herren Minister des Innern und für die Landwirthschaft, die als Hilfsarbeiter kommandirten Soldaten durch Legitimationsscheine ausweisen, welche von dem Chef der trigonometrischen Abtheilung der Landes-Aufnahme durch Dienststempel und Unterschrift vollzogen sind.

Bei der Wichtigkeit der zu gemeinnützigen Zwecken gesetzlich angeordneten Arbeiten erwarte ich, daß die betheiligten Grundbesitzer dieselben nach Möglichkeit unterstützen und insbesondere das Betreten ihrer Grundstücke den wie vorstehend legitimirten Personen **auch ohne vorherige Anzeige** gestatten.

Die betreffenden Trigonometer sind angewiesen, jede Flurbeschädigung nach billiger Uebereinkunft, alle Kosten für Fuhrwerk, Holz, Baumaterial, besondere Hülfsleistungen, Arbeiter ꝛc., nach ortsüblichen Preisen baar zu bezahlen; **dagegen haben dieselben mit dem Ankauf der Bodenflächen, welche zum Schutze der Festlegungssteine von den Grundbesitzern an den Staat abzutreten sind, Nichts zu schaffen.** Die Erwerbung dieser

Schutzflächen für den Staat erfolgt später im Verwaltungswege, die Zahlung hierfür wird durch die Steuerkassen geleistet.

Quartier und Verpflegung wird sowohl von den Trigonometern, wie auch von den kommandirten Soldaten stets direkt und baar bezahlt. Es werden hierzu keinerlei Zuschüsse aus Staats- oder Kommunal-Mitteln gewährt. Berlin, den 29. März 1888.

Der Polizei-Präsident.

Verbot einer Druckschrift.

34. Auf Grund des § 12 des Reichsgesetzes gegen die gemeingefährlichen Bestrebungen der Sozialdemokratie vom 21. Oktober 1878 wird hierdurch zur öffentlichen Kenntniß gebracht, daß die № 14 des III. Jahrgangs vom 7. April 1888 der periodischen Druckschrift: „Londoner Freie Presse. Deutsches unabhängiges Organ für die Interessen der werkthätigen Klassen." Herausgegeben von der Londoner Verlags-Genossenschaft. nach § 11 des gedachten Gesetzes durch den Unterzeichneten von Landespolizeiwegen verboten worden ist.

Berlin, den 18. April 1888.

Der Königl. Polizei-Präsident.

Verwendung schädlicher Farben zum Färben von Spielwaaren rc.

35. Wir Wilhelm von Gottes Gnaden Deutscher Kaiser, König von Preußen rc.

verordnen im Namen des Reichs, nach erfolgter Zustimmung des Bundesraths und des Reichstags, was folgt:

§ 1. Gesundheitsschädliche Farben dürfen zur Herstellung von Nahrungs- und Genußmitteln, welche zum Verkauf bestimmt sind, nicht verwendet werden.

Gesundheitsschädliche Farben im Sinne dieser Bestimmung sind diejenigen Farbstoffe und Farbzubereitungen, welche: Antimon, Arsen, Baryum, Blei, Cadmium, Chrom, Kupfer, Quecksilber, Uran, Zink, Zinn, Gummigutti, Korallin, Pikrinsäure enthalten.

Der Reichskanzler ist ermächtigt, nähere Vorschriften über das bei der Feststellung des Vorhandenseins von Arsen und Zinn anzuwendende Verfahren zu erlassen.

§ 2. Zur Aufbewahrung oder Verpackung von Nahrungs- und Genußmitteln, welche zum Verkauf bestimmt sind, dürfen Gefäße, Umhüllungen oder Schutzbedeckungen, zu deren Herstellung Farben der im § 1 Absatz 2 bezeichneten Art verwendet sind, nicht benutzt werden.

Auf die Verwendung von

- schwefelsaurem Baryum (Schwerspath, blanc fixe),
- Barytfarblacken, welche von kohlensaurem Baryum frei sind,
- Chromoxyd,
- Kupfer, Zinn, Zink und deren Legirungen als Metallfarben,
- Zinnober,
- Zinnoxyd,
- Schwefelzinn als Musivgold,
- sowie auf alle in Glasmassen, Glasuren oder Emails eingebrannte Farben und auf den äußeren Anstrich von Gefäßen aus wasserdichten Stoffen

findet diese Bestimmung nicht Anwendung.

§ 3. Zur Herstellung von kosmetischen Mitteln (Mitteln zur Reinigung, Pflege oder Färbung der Haut, des Haares oder der Mundhöhle), welche zum Verkauf bestimmt sind, dürfen die im § 1 Absatz 2 bezeichneten Stoffe nicht verwendet werden.

Auf schwefelsaures Baryum (Schwerspath, blanc fixe), Schwefelcadmium, Chromoxyd, Zinnober, Zinkoxyd, Zinnoxyd, Schwefelzink, sowie auf Kupfer, Zinn, Zink und deren Legirungen in Form von Puder findet diese Bestimmung nicht Anwendung.

§ 4. Zur Herstellung von zum Verkauf bestimmten Spielwaaren (einschließlich der Bilderbogen, Bilderbücher und Tuschfarben für Kinder), Blumentopfgittern und künstlichen Christbäumen dürfen die im § 1 Absatz 2 bezeichneten Farben nicht verwendet werden.

Auf die im § 2 Absatz 2 bezeichneten Stoffe, sowie auf

- Schwefelantimon und Schwefelcadmium als Färbemittel der Gummimasse,
- Bleioxyd in Firniß,
- Bleiweiß als Bestandtheil des sogenannten Wachsgusses, jedoch nur, sofern dasselbe nicht ein Gewichtstheil in 100 Gewichtstheilen der Masse übersteigt,
- chromsaures Blei (für sich oder in Verbindung mit schwefelsaurem Blei) als Oel- oder Lackfarbe oder mit Lack- oder Firnißüberzug,
- die in Wasser unlöslichen Zinkverbindungen, bei Gummispielwaaren jedoch nur, soweit sie als Färbemittel der Gummimasse, als Oel- oder Lackfarben oder mit Lack- oder Firnißüberzug verwendet werden,
- alle in Glasuren oder Emails eingebrannten Farben

findet diese Bestimmung nicht Anwendung.

Soweit zur Herstellung von Spielwaaren die in den §§ 7 und 8 bezeichneten Gegenstände verwendet werden, finden auf letztere lediglich die Vorschriften der §§ 7 und 8 Anwendung.

§ 5. Zur Herstellung von Buch- und Steindruck auf den in den §§ 2, 3 und 4 bezeichneten Gegenständen dürfen nur solche Farben nicht verwendet werden, welche Arsen enthalten.

§ 6. Tuschfarben jeder Art dürfen als frei von gesundheitsschädlichen Stoffen beziehungsweise giftfrei nicht verkauft oder feilgehalten werden, wenn sie den Vorschriften im § 4 Absatz 1 und 2 nicht entsprechen.

§ 7. Zur Herstellung von zum Verkauf bestimmten Tapeten, Möbelstoffen, Teppichen, Stoffen zu Vorhängen oder Bekleidungsgegenständen, Masken, Kerzen, sowie künstlichen Blättern, Blumen und Früchten dürfen Farben, welche Arsen enthalten, nicht verwendet werden.

Auf die Verwendung arsenhaltiger Beizen oder Fixirungsmittel zum Zweck des Färbens oder Bedruckens von Gespinnsten oder Geweben findet diese Bestimmung nicht Anwendung. Doch dürfen derartig bearbeitete Gespinnste oder Gewebe zur Herstellung der im Absatz 1 bezeichneten Gegenstände nicht verwendet werden, wenn sie das Arsen in wasserlöslicher Form oder in solcher Menge enthalten, daß sich in 100 Quadratcentimeter des fertigen Gegenstandes mehr als 2 Milligramm Arsen vorfinden. Der Reichskanzler ist ermächtigt, nähere Vorschriften über das bei der Feststellung des Arsengehalts anzuwendende Verfahren zu erlassen.

§ 8. Die Vorschriften des § 7 finden auch auf die Herstellung von zum Verkauf bestimmten Schreibmaterialien, Lampen- und Lichtschirmen, sowie Lichtmanschetten Anwendung.

Die Herstellung der Oblaten unterliegt den Bestimmungen im § 1, jedoch sofern sie nicht zum Genusse bestimmt sind, mit der Maßgabe, daß die Verwendung von schwefelsaurem Baryum (Schwerspath, blanc fixe), Chromoxyd und Zinnober gestattet ist.

§ 9. Arsenhaltige Wasser- oder Leimfarben dürfen zur Herstellung des Anstrichs von Fußböden, Decken, Wänden, Thüren, Fenstern der Wohn- oder Geschäftsräume, von Roll-, Zug- oder Klappläden oder Vorhängen, von Möbeln und sonstigen häuslichen Gebrauchsgegenständen nicht verwendet werden.

§ 10. Auf die Verwendung von Farben, welche die im § 1 Absatz 2 bezeichneten Stoffe nicht als konstituirende Bestandtheile, sondern nur als Verunreinigungen, und zwar höchstens in einer Menge enthalten, welche sich bei den in der Technik gebräuchlichen Darstellungsverfahren nicht vermeiden läßt, finden die Bestimmungen der §§ 2 bis 9 nicht Anwendung.

§ 11. Auf die Färbung von Pelzwaaren finden die Vorschriften dieses Gesetzes nicht Anwendung.

§ 12. Mit Geldstrafe bis zu einhundertundfünfzig Mark oder mit Haft wird bestraft:

1) wer den Vorschriften der §§ 1 bis 5, 7, 8 und 10 zuwider Nahrungsmittel, Genußmittel oder Gebrauchsgegenstände herstellt, aufbewahrt oder verpackt, oder derartig hergestellte, aufbewahrte oder verpackte Gegenstände gewerbsmäßig verkauft oder feilhält;
2) wer der Vorschrift des § 6 zuwiderhandelt;
3) wer der Vorschrift des § 9 zuwiderhandelt, ingleichen wer Gegenstände, welche dem § 9 zuwider hergestellt sind, gewerbsmäßig verkauft oder feilhält.

§ 13. Neben der im § 12 vorgesehenen Strafe kann auf Einziehung der verbotswidrig hergestellten, aufbewahrten, verpackten, verkauften oder feilgehaltenen Gegenstände erkannt werden, ohne Unterschied, ob sie dem Verurtheilten gehören oder nicht.

Ist die Verfolgung oder Verurtheilung einer bestimmten Person nicht ausführbar, so kann auf die Einziehung selbständig erkannt werden.

§ 14. Die Vorschriften des Gesetzes, betreffend den Verkehr mit Nahrungsmitteln, Genußmitteln und Gebrauchsgegenständen, vom 14. Mai 1879 (Reichs-Gesetzblatt Seite 145) bleiben unberührt. Die Vorschriften in den §§ 16, 17 desselben finden auch bei Zuwiderhandlungen gegen die Vorschriften des gegenwärtigen Gesetzes Anwendung.

§ 15. Dieses Gesetz tritt mit dem 1. Mai 1888 in Kraft, mit demselben Tage tritt die Kaiserliche Verordnung, betreffend die Verwendung giftiger Farben, vom 1. Mai 1882 (Reichs-Gesetzblatt Seite 55) außer Kraft.

Urkundlich unter Unserer Höchsteigenhändigen Unterschrift und beigedrucktem Kaiserlichen Insiegel.

Gegeben Bad Ems, den 5. Juli 1887.

(L. S.) **Wilhelm.**

von Bötticher.

* * *

Es wird hiermit zur öffentlichen Kenntniß gebracht, daß vom 1. Mai 1888 ab die Bestimmungen des vorstehend abgedruckten Reichsgesetzes in Kraft treten.

Mit demselben Tage tritt die Polizei-Verordnung vom 25. November 1878, betreffend die Verwendung schädlicher Farben zum Färben von Spielwaaren und Genußmitteln (Amtsblatt Stück 50 Seite 418/419) außer Kraft.

Berlin, den 16. April 1888.

Der Polizei-Präsident.

Allerhöchster Erlaß.

36. Auf Ihren Bericht vom 28. März dieses Jahres verleihe Ich der Stadtgemeinde Berlin behufs völliger Freilegung der Perlebergerstraße auf der Strecke von der Lübeckerstraße bis zur Stromstraße das Entеignungsrecht zur Erwerbung der dazu erforderlichen, im Privatbesitze befindlichen, auf dem nebst einer Uebersichtskarte zurückerfolgenden Lageplane vom 19. Januar dieses Jahres roth angelegten Grundstückstheile.

Charlottenburg, den 4. April 1888.

(gez.) **Friedrich.**

(gegengez.) von Maybach.

An den Minister der öffentlichen Arbeiten.

* * *

Vorstehender Allerhöchster Erlaß wird in Gemäßheit des § 2 des Enteignungsgesetzes vom 11. Juni 1874 hierdurch zur öffentlichen Kenntniß gebracht.

Berlin, den 20. April 1888.

Der Polizei-Präsident.

Entziehung eines Hebammen-Prüfungs-Zeugnisses.

37. Es wird hierdurch zur öffentlichen Kenntniß gebracht, daß der bisherigen Hebamme Albertine Henriette Wilhelmine Gutsche, geb. Müller, durch rechtskräftiges Erkenntniß des Bezirks-Ausschusses hierselbst vom 28. Februar 1888 auf Grund des § 53 der Reichsgewerbe-Ordnung das Prüfungs-Zeugniß entzogen worden und die Genannte daher als Hebamme **nicht** mehr anzusehen ist.

Berlin, den 18. April 1888.

Der Polizei-Präsident.

Prüfung für Heilgehülfen.

38. Personen, welche die Prüfung für Heilgehülfen abzulegen wünschen, haben zu diesem Zwecke zunächst

6 Mark Prüfungsgebühren bei der Königlichen Polizei-Hauptkasse, Molkenmarkt Nr. 1, Erdgeschoß, in den Vormittagsstunden von 9 bis 1 Uhr gegen Quittung einzuzahlen.

Die Anmeldung zur Prüfung ist persönlich, unter Vorlegung der erhaltenen Quittung **lediglich bei dem Königl. Stadtphysikus**, Tempelhofer Ufer Nr. 29 I., bis 9 Uhr Vormittags zu machen. **Meldungen bei dem Königl. Polizei-Präsidium sind überflüssig.**

Berlin, den 17. April 1888.

Der Polizei-Präsident.

Bekanntmachungen des Staatssekretairs des Reichs-Postamts.

Postpacketverkehr mit Chile.

9. Vom 1. Mai ab wird unter den Bedingungen des Vereinsdienstes ein Postpacketaustausch mit Chile, auf dem Wege über Hamburg, eingerichtet. Zugelassen sind gewöhnliche Postpackete, ohne Werthangabe oder Nachnahme, bis zum Gewicht von 5 kg. Die Taxe beträgt in Deutschland 3 M. 20 Pf. Ueber das Nähere ertheilen die Postanstalten Auskunft.

Berlin W., den 20. April 1888.

Der Staatssecretair des Reichs-Postamts.

Bekanntmachungen der Kaiserlichen Ober-Postdirektion zu Berlin.

Einrichtung von Postagenturen in Johannisthal bei Berlin und Marzahn bei Berlin.

16. Am 1. Mai d. J. treten in den Orten Johannisthal — Kreis Teltow — und Marzahn — Kreis Niederbarnim — Postagenturen mit Telegraphenbetrieb in Wirksamkeit, welche die Bezeichnung Johannisthal bei Berlin und Marzahn bei Berlin erhalten.

Von dem bezeichneten Zeitpuukte ab werden die in den genannten Orten bisher bestandenen Posthülfsstellen aufgehoben.

Die Dienststunden für den Verkehr mit dem Publikum werden für die beiden neuen Verkehrsanstalten, wie folgt, festgesetzt:

A. für Johannisthal bei Berlin:

1) an Werktagen von 7 (im Winterhalbjahr von 8) bis 12 Uhr Vormittags und von 3 bis 7 Uhr Nachmittags,
2) an Sonn- und Feiertagen von 7 (im Winterhalbjahr von 8) bis 9 Uhr Vormittags und von 5 bis 6 Uhr Nachmittags, außerdem von 12 bis 1 Uhr Mittags — nur für den Telegraphenbetrieb. —

B. für Marzahn bei Berlin:

1) an Werktagen von 7 (im Winterhalbjahr von 8) bis 11 Uhr Vormittags und von 3 bis 6 Uhr Nachmittags;
2) an Sonn- und Feiertagen von 7 (im Winterhalbjahr von 8) bis 9 Uhr Vormittags und von 5 bis 6 Uhr Nachmittags, außerdem von 12 bis 1 Uhr Mittags — nur für den Telegraphenbetrieb. —

Die Verwaltung der Postagentur in Johannisthal bei Berlin wird dem Gasthofbesitzer Wienstruck daselbst und die Verwaltung der Postagentur in Marzahn bei Berlin dem Lehrer Filter daselbst übertragen.

Die Postagentur in Johannisthal bei Berlin hat bis auf Weiteres nur einen Ortsbestellbezirk. Bei der Postagentur in Marzahn bei Berlin wird dagegen außer dem Ortsbestellbezirk aus den vom Postamte in Friedrichsfelde abgezweigten Niederlassungen Neu-Ahrensfelde und Bürknersfelde, sowie aus dem von der Postagentur in Kaulsdorf (Ober-Postdirektionsbezirk Potsdam) abgezweigten Dominium Hellersdorf ein Landbestellbezirk gebildet. Berlin C., den 18. April 1888.

Der Kaiserl. Ober-Postdirektor.

Verlegung der Postagentur in Tegeler Landstraße und Umwandlung derselben in ein Postamt III. Klasse.

17. Vom 26. d. M. ab wird die Postagentur in Tegeler Landstraße aus dem Hause Berlinerstraße 59 nach dem Hause Scharnweberstraße 103 verlegt und vom 1. Mai ab in ein Postamt III. Klasse umgewandelt. Die Dienststunden für den Verkehr mit dem Publikum finden, wie folgt, statt:

1) an den Werktagen von 7 (im Winterhalbjahr von 8) Uhr Vorm. bis 1 Uhr Nachm. und von 3 bis 7 Uhr Nachm.;
2) an Sonn- und Feiertagen von 7 (im Winterhalbjahr von 8) bis 9 Uhr Vorm. und von 5 bis 6 Uhr Nachm., außerdem von 12 bis 1 Uhr Mittags für den Telegraphenbetrieb.

Berlin C., den 19. April 1888.

Der Kaiserl. Ober-Postdirektor.

Bekanntmachungen der Kaiserlichen Ober-Post-Direction zu Potsdam.

Postbetriebsänderung in Folge Betriebseröffnung auf der Eisenbahnstrecke Löwenberg(Mark)—Templin.

18. Mit der Betriebseröffnung auf der Eisenbahnstrecke Löwenberg(Mark)—Templin werden vom 1. Mai ab folgende Aenderungen im Gange der Anschlußposten eintreten.

A. Es werden aufgehoben:

Die Postsachenbeförderungen mittels Privat-Personenfuhrwerks zwischen Gransee und Zehdenick bezw. Templin,

aus Gransee 8^{5} Vm., 12^{10} Nm., 7^{50} Abds.,
" Templin bezw. Zehdenick 4^{40} Vm., 2^{5} Nm., 4^{55} Nm.

B. Es werden neu eingerichtet:

1) eine tägliche Postsachenbeförderung mittels Privat-Personenfuhrwerks zwischen Gransee Bahnhof und Zehdenick,

8^{5} Vm. ab Gransee Bhf. an 8^{55} Abds.,
8^{50} " ab Badingen ab 8^{5} "
9^{25} " an Zehdenick ab 7^{25} "

2) eine wochentägige Botenpost zwischen Gransee und Badingen,

12^{10} Nm. ab Gransee an 3^{20} Nm.,
1^{30} " an Badingen ab 2^{0} "

C. Veränderten Gang erhalten:

1) die Landpostfahrt zwischen Milmersdorf und Templin, und zwar

10 0	Vm.	ab Templin	an	5 35	Nm.,
11 20	„	an Milmersdorf	ab	3 45	„

2) die Landpostfahrt zwischen Großdölln (Uckerm.) und Zehdenick,

9 0	Vm.	ab Zehdenick	an	6 45	Abds.,
9 20	„	ab Wesendorf	ab	6 0	„
9 55	„	ab Cappe	ab	4 50	Nm.,
11 45	„	an Großdölln (Uckm.)	ab	3 30	„

In Bergsdorf und Neuhof — Haltepunkte der Eisenbahnstrecke Löwenberg(Mark)—Templin — werden mit dem Tage der Betriebseröffnung auf derselben Posthülfstellen mit vollen Annahmebefugnissen zur Einrichtung gelangen.

Potsdam, den 21. April 1888.

Der Kaiserliche Ober-Postdirektor.

Errichtung von Postagenturen.

19. In den Orten: Kleinkreuz (Kreis Westhavelland) und Boberow (Kreis Westprignitz) treten am 20. April und 1. Mai Postagenturen in Wirksamkeit, und zwar in Kleinkreuz mit Telegraphenbetrieb.

Den Landbestellbezirk der Kaiserlichen Postagentur in Kleinkreuz bilden die Wohnstätten: Alte und neue Kleinkreuzer Weinberge, Saaringen, Hübner's Ziegelei, Wiese's Ziegelei, Köcher's Ziegelei nebst den angrenzenden Torfgräbereien.

Den Landbestellbezirk der Kaiserlichen Postagentur in Boberow werden die Ortschaften Rambow nebst Abbauten, Mellen, Seetz nebst Forsthaus, Ocker und Gosedahl zugetheilt.

Die neuen Verkehrsanstalten erhalten folgende Postverbindungen:

Landpostfahrt.	Privat-Personenfuhrwerk.		Privat-Personenfuhrwerk.	Landpostfahrt.
8 15	2 30	↓ Brandenburg (Havel) ↑	9 45	7 15
9 5	3 25	Kleinkreuz Ag.	9 0	6 10
9 45	4 5	Weseram Ag.	8 25	5 30
	5 35	Wachow Ag.	7 0	
	6 25	Großbehnitz	6 15	
	8 0	Nauen	4 45	

Landpostfahrt.	Botenpost.		Botenpost.	Landpostfahrt.
6	1 20	↓ Lenzen (Elbe) ↑	12	4 30
7 25	3 25	Rambow Br.	10 5	3 25
7 35	3 50	Mellen Br.	9 45	3 15
8	4 30	Boberow Ag.	8 50	2 40

Die Landpostfahrten beider Agenturen verkehren nur an den Wochentagen.

Die bisherige Post- und Telegraphenhülfstelle in Kleinkreuz tritt außer Wirksamkeit.

Potsdam, den 18. April 1888.

Der Kaiserliche Ober-Postdirektor.

Einrichtung einer Postagentur in Cammer.

20. Am 23. April wird in dem Orte Cammer (Kreis Zauch-Belzig) eine Postagentur mit Telegraphenbetrieb eingerichtet.

Den Landbestellbezirk der Postagentur bilden folgende Ortschaften ꝛc.:

Damelang nebst Mühle und Forsthaus,
Damelang Theerofen,
Obersünde,
Tornow Vorwerk nebst Forsthaus, Gollwitzer Heidehaus.

Die neue Verkehrsanstalt erhält Postverbindung durch zwei Botenposten mit nachstehendem Gange:

täglich	wochentäglich		wochentäglich	täglich
6 45	11 30	↓ Golzow (Bez. Potsdam) ↑	11 10	6 30
7 45	12 30	Cammer	9 40	5 30

Die bisherige Post- und Telegraphenhülfstelle in Cammer tritt außer Wirksamkeit.

Potsdam, den 19. April 1888.

Der Kaiserliche Ober-Postdierektor.

Bekanntmachungen der Königl. Kontrolle der Staatspapiere.

Aufgebot einer Schuldverschreibung.

8. In Gemäßheit des § 20 des Ausführungsgesetzes zur Civilprozeßordnung vom 24. März 1879 (G.-S. S. 281) und des § 6 der Verordnung vom 16. Juni 1819 (G.-S. S. 157) wird bekannt gemacht, daß die dem Restaurateur Ernst Konrad hier, Eichendorffstraße 11, gehörige Schuldverschreibung der konsolidirten 4 %igen Staatsanleihe von 1877 lit. D. № 21403 über 500 M. angeblich vernichtet worden ist. Es wird Derjenige, welche sich im Besitze dieser Urkunde befindet, hiermit aufgefordert, solches der unterzeichneten Kontrolle der Staatspapiere oder dem Herrn Konrad anzuzeigen, widrigenfalls das gerichtliche Aufgebotsverfahren behufs Kraftloserklärung der Urkunde beantragt werden wird.

Berlin, den 20. April 1888.

Königl. Kontrolle der Staatspapiere.

Bekanntmachungen der Kgl. Direktion der Rentenbank für die Provinz Brandenburg.

Auslovsung von Rentenbriefen.

4. Nach Vorschrift der §§ 39, 41, 46 und 47 des Gesetzes vom 2. März 1850 über die Errichtung von Rentenbanken (Ges.-S. 1850 S. 119) wird **am 14. Mai d. J., Vormittags 10 Uhr,** in unserem Geschäftslokale, Klosterstraße 76 hierselbst, die halbjährliche Ausloosung von Rentenbriefen, sowie die Vernichtung früher ausgelooster und eingelieferter Rentenbriefe nebst Coupons unter Zuziehung der von der Provinzial-Vertretung gewählten Abgeordneten und eines Notars stattfinden.

Berlin, den 19. April 1888.

Königl. Direktion der Rentenbank für die Provinz Brandenburg.

Bekanntmachungen des Provinzial-Steuer-Direktors.

Errichtung eines Steueramts in Driesen.

5. Mit Genehmigung des Herrn Finanzministers wird in Driesen im Bezirk des Königlichen Haupt-Steueramts zu Landsberg a. W. zum 1. Mai d. J. ein Steueramt II. Klasse errichtet werden. Dies wird hierdurch zur öffentlichen Kenntniß gebracht.

Berlin, den 20. April 1888.

Der Provinzial-Steuer-Direktor.

Ausweisung von Ausländern aus dem Reichsgebiete.

Lauf. Nr.	Name und Stand des Ausgewiesenen.	Alter und Heimath des Ausgewiesenen.	Grund der Bestrafung.	Behörde, welche die Ausweisung beschlossen hat.	Datum des Ausweisungs-Beschlusses.
1.	2.	3.	4.	5.	6.
		a. Auf Grund des § 39 des Strafgesetzbuchs:			
1	Ignatz Hankiewicz, früherer Wirthschaftsbeamter,	42 Jahre, geboren zu Druzbin, Gouvernement Kalisch, Russisch-Polen, ortsangehörig zu Niemyslow, Kreis Turek, Gouvernement Warschau, ebendaselbst,	schwerer Diebstahl in 2 Fällen und Beilegung eines falschen Namens (6 Jahre Zuchthaus laut Erkenntniß vom 1. April 1882),	Königlich Preußische Regierung zu Posen,	20. März 1888.
		b. Auf Grund des § 362 des Strafgesetzbuchs:			
1	Israel Nachmann Orelowitsch Kriger (Krüger), Kleiderpresser,	27 Jahre, geboren und ortsangehörig zu Remigola, Gouvernement Kowno, Rußland,	Landstreichen,	Königlich Preußischer Regierungspräsident zu Potsdam,	21. März 1888.
2	Josef Reichel, Tagearbeiter,	geboren am 28. März 1850 zu Sandhübel, Bezirk Freiwaldau, Oesterreich.-Schlesien, ortsangehörig ebendaselbst,	Landstreichen und Betteln,	Königlich Preußischer Regierungspräsident zu Oppeln,	2. März 1888.
3	Josef Soukup, Schneider,	geboren am 16. März 1848 zu Manetin, Bezirk Kralowitz, Böhmen, ortsangehörig ebendaselbst,	Landstreichen,	Stadtmagistrat Deggendorf, Bayern,	28. Februar 1888.
4	Julius Anger, Eisengießer,	geboren am 31. März 1866 zu Neufeld, Bezirk Oedenburg, Ungarn, ortsangehörig zu Langendorf, Bezirk Schüttenhofen, Böhmen,	Betteln im wiederholten Rückfall und Anfertigung eines falschen Zeugnisses,	Königlich Bayerisches Bezirksamt Pfarrkirchen,	29. Februar 1888.
5	Karl Kosak, Schreiner,	geboren am 19. März 1867 zu Reichenberg, Böhmen, ortsangehörig zu Zeckowitz, Bezirk Gitschin, ebendaselbst,	Widerstand gegen die Staatsgewalt, Beleidigung, Diebstahl, Landstreichen und Betteln,	Stadtmagistrat Nürnberg, Bayern,	15. März 1888.
6	Josef Gruber, Bäcker,	53 Jahre, geboren und ortsangehörig zu Neunkirchen a. W., Bezirk Schärding, Oesterreich,	Betteln im wiederholten Rückfall,	Königlich Bayerisches Bezirksamt Eggenfelden,	17. März 1888.
7	Josef Schindler, Bäcker und Kommis,	geboren am 14. Februar 1853 zu Rabenstein, Bezirk Kralowitz, ortsangehörig ebendaselbst,	Landstreichen,	Königlich Bayerisches Bezirksamt Neustadt a. W. N.,	18. März 1888.
8	Alexander Moscovits, Kaufmann,	geboren am 29. September 1863 zu Homonna, Ungarn, ortsangehörig ebendaselbst,	Landstreichen, Betteln und Gebrauch falscher Legitimationspapiere,	Großherzoglich Badischer Landeskommissär zu Konstanz,	21. März 1888.

Bekanntmachungen der Königlichen Eisenbahn-Direktion zu Berlin.

Fahrplan-Aenderung.

11. Vom 1. Mai d. J. ab wird behufs Herstellung einer direkten Verbindung zwischen Berlin und Swinemünde zum Anschluß an den von Berlin, Stettiner Bahnhof, um 8 50 Vorm. abgehenden Zug 481 auf der Strecke Ducherow—Swinemünde der Zug 507, ab Ducherow 12 59 Nachm., an Swinemünde 2 34 Nachm. befördert werden.

Berlin, im April 1888.

Königl. Eisenbahn-Direktion.

Betriebseröffnung der Eisenbahnstrecke Löwenberg—Templin.

12. Am 1. Mai d. J. wird die Eisenbahnstrecke Löwenberg—Templin nach Maßgabe der Bahnordnung für deutsche Eisenbahnen untergeordneter Bedeutung vom 12. Juni 1878 für den Personen- und Güterverkehr in Betrieb genommen werden. Die Stationen Zehdenick und Templin erhalten volle Abfertigungsbefugnisse für die Beförderung von Gütern aller Art, Leichen, Fahrzeugen und lebenden Thieren, Bergsdorf, Klein-Mutz, Vogelsang und Hammelspring nur solche für Güter und lebende Thiere; Neuhof dient lediglich dem Personen- und Gepäckverkehr. Der Fahrplan für die neue Strecke ist in dem auf den Stationen aushängenden gegenwärtigen Winterfahrplan des diesseitigen Bezirks bereits enthalten.

Berlin, im April 1888.

Königliche Eisenbahn-Direktion.

Bekanntmachungen der Königlichen Eisenbahn-Direktion zu Bromberg.

Nachtrag zum Verband-Gütertarif zwischen Stationen des Eisenbahn-Direktionsbezirks Bromberg und den Stationen der Ostpreußischen Südbahn.

28. Mit dem 1. Mai 1888 tritt zum Verband-Gütertarif zwischen Stationen des Eisenbahn-Direktions-Bezirks Bromberg einerseits und den Stationen der Ostpreußischen Südbahn andererseits vom 1. April 1888 der Nachtrag I. in Kraft. Derselbe enthält: 1) Anderweite Gebühren für die Zollabfertigung in Grajewo. 2) Berichtigungen. Der vorbezeichnete Nachtrag kann durch die Billet-Expeditionen der Verband-Stationen beider Verwaltungen bezogen werden.

Bromberg, den 15. April 1888.

Königl. Eisenbahn-Direktion.

Nachtrag 2 zum Kilometerzeiger.

29. Mit dem 1. Juni 1888 tritt für den Eisenbahn-Direktionsbezirk Bromberg der Nachtrag 2 zum Kilometerzeiger zur Berechnung der Preise für die Beförderung von a. Personen und Reisegepäck, b. Leichen, Fahrzeugen und lebenden Thieren, c. Eil- und Frachtgütern vom 1. April 1888 in Kraft, enthaltend Entfernungen für die Haltestelle Elsenbusch, sowie früher bereits veröffentlichte Tarif-Veränderungen und Berichtigungen.

Bromberg, den 18. April 1888.

Königl. Eisenbahn-Direktion.

Bekanntmachungen der Königlichen Eisenbahn-Direktion zu Magdeburg.

Lokal-Güter-Verkehr.

4. Am 1. Mai d. J. tritt der Nachtrag 7 zu dem Tarif für den Lokal-Güterverkehr des Bezirks der unterzeichneten Direktion in Kraft. Derselbe enthält eine anderweite Fassung des am 1. Mai v. J. eingeführten Ausnahme-Tarifs für bestimmte Stückgüter. Exemplare des Nachtrages sind bei den diesseitigen Expeditionen zu haben. Magdeburg, den 13. April 1888.

Königliche Eisenbahn-Direktion.

Personal-Chronik.

Im Kreise Teltow ist an Stelle des Gutsbesitzers Pasewaldt zu Mariendorf der Major a. D. Denk daselbst zum commissarischen Amtsvorsteher des Amtsbezirks Mariendorf ernannt worden.

Der Magistrats-Büreau-Diätar Westphal zu Berlin ist gemäß der von der Stadtverordneten-Versammlung zu Fehrbellin getroffenen Wahl als Bürgermeister der Stadt Fehrbellin für die gesetzlich zwölfjährige Amtsdauer bestätigt und am 28. März d. J. in das Amt eingeführt worden.

Der Bürgermeister Westphal in Fehrbellin ist zum Amtsanwalt bei dem Königl. Amtsgericht daselbst ernannt worden.

Der Bürgermeister Jahn zu Wittenberge ist gemäß der von der Stadtverordneten-Versammlung daselbst getroffenen Wiederwahl durch Allerhöchsten Erlaß vom 27. Februar d. J. in gleicher Eigenschaft für eine fernerweite Amtsdauer von zwölf Jahren bestätigt und am 4. April d. J. in das ihm von Neuem übertragene Amt eingeführt worden.

Die früheren Vice-Wachtmeister Friedrich Günther, Vice-Wachtmeister Leopold Goetz und Trompeter (Sergeant) Albert Goede sind als Aufseher bei der Königl. Strafanstalt zu Brandenburg angestellt worden.

Dem Kandidaten der Theologie Friedrich Seeländer in Ganz in der Prignitz ist die Erlaubniß ertheilt worden, Stellen als Hauslehrer im Regierungsbezirk Potsdam anzunehmen.

Bei der Königlichen Ministerial-Bau-Kommission zu Berlin sind im Laufe des 1. Kalenderquartals d. J. die Königlichen Regierungs-Bauführer: Richard Georg Paul Köhler, Karl Wilhelm Schmidt, Max Bürstenbinder, August Johann Jacob Zirkler, Johannes Valentin Lorenz Meyer, Georg August Gotthelf Bähr, Paul Gustav Maschke vereidigt worden.

Der Gemeindeschullehrer Maukisch ist als Gemeindeschulrektor in Berlin angestellt worden.

Personalveränderungen im Bezirke des Kammergerichts in den Monaten Februar und März 1888.

I. Richterliche Beamte.

Ernannt sind: die Gerichts-Assessoren Hartz, Polenski, Bonhoff, Dr. Mentz zu Amtsrichtern bei den Amtsgerichten in Prenzlau bezw. Zielenzig, Cottbus und Kyritz; der Erste Staatsanwalt Wachler in Berlin zum Oberstaatsanwalt bei dem Oberlandesgericht in Posen. Versetzt sind: der Amtsrichter Weitzenmiller in Berlin als Landrichter an das Landgericht I. in Berlin; die Amtsrichter Nickel in Cottbus und Zießler in Wusterhausen a. D. an das Amtsgericht I. zu Berlin; der Erste Staatsanwalt Groschuff in Altona an das Landgericht I. zu Berlin; der Erste Staatsanwalt Toussaint in Landsberg a. W. an das Landgericht zu Altona; der Erste Staatsanwalt Meyer in Prenzlau an das Laudgericht zu Landsberg a. W. Pensionirt sind: der Kammergerichtsrath Gottschalk und der Landrichter von Dechend in Berlin.

II. Assessoren.

Zu Gerichts-Assessoren sind ernannt: die Referendare von Savigny, Hoeler, Clemens, Rüdlin, Dr. Philippi, Wienskowsky, von Steinau—Steinrück, Heyer, Dr. Gumprecht, Richter, Angern, Dr. Salomonsohn, Haack, Altmann. Entlassen ist: Eschke Behufs Uebertritts in das Ressort des Auswärtigen Amtes.

III. Rechtsanwälte und Notare.

Gelöscht ist in der Liste der Rechtsanwälte: der Rechtsanwalt, Justizrath Geppert bei dem Landgericht I. zu Berlin. Eingetragen sind in die Liste der Rechtsanwälte: der Gerichts-Assessor Lahn und der Rechtsanwalt Beelitz aus Stettin bei dem Landgericht I. zu Berlin; der Gerichtsassessor Poppe bei dem Amtsgericht zu Bernau; der Gerichts-Assessor Bochbanczky bei dem Landgericht zu Potsdam. Dem Rechtsanwalt und Notar Regierungsrath a. D. Dr. Hugo Alexander-Katz in Berlin ist der Karakter als Justizrath verliehen. Dem Rechtsanwalt und Notar Schulz in Rathenow ist vom 1. April 1888 ab in seiner Eigenschaft als Notar der Bezirk des Oberlandesgerichts zu Marienwerder angewiesen. Die Entlassung als Notar ist dem Justizrath Geppert in Berlin ertheilt. Verstorben ist: der Rechtsanwalt und Notar Justizrath Kauffmann in Berlin.

IV. Referendare.

Zu Referendaren sind ernannt die bisherigen Rechtskandidaten Dr. Anton, Fischer, Köhler, Techow, Kirstaedter, Knopf, Pohld, Liebling, Jahn, Dr. Badstübner, Brach. Uebernommen sind: von Rosenstiel, Dr. Witte, Loch, Neumann, von Queis aus den Oberlandesgerichtsbezirken Naumburg bezw. Marienwerder, Königsberg, Breslau und Königsberg. Entlassen sind: Naumann, Freiherr von Richthofen, Junk, Dr. von Massow, Arnold, Roeper, Nothnagel und Szczesny Behufs Uebertritts in den Verwaltungsdienst; Gabriel Behufs Uebertritts in das Ressort des Auswärtigen Amtes; Alexander Graf von Dönhoff. Verstorben ist: Dr. Borstorff.

V. Subalternbeamte.

Ernannt sind: Der Gerichtsschreiber Guhl bei dem Amtsgericht zu Neu-Ruppin zum Rechnungsrevisor bei dem Landgericht daselbst; zu Gerichtsschreibern der Büreauhülfsarbeiter, Referendar a. D. Dr. phil. Michaelis und die etatsmäßigen Gerichtsschreibergehülfen Mechelke und Reinsch in Berlin bei dem Amtsgericht I. zu Berlin; der Gerichtsvollzieher Schultz in Freienwalde a. O. bei dem Amtsgericht daselbst; zum etatsmäßigen Gerichtsschreibergehülfen der Militairanwärter Pertsch bei dem Landgericht II. zu Berlin; zu Gerichtsvollziehern: die Militairanwärter Wetzel und Moebius bei dem Amtsgericht II. zu Berlin, Wuckold und Gaerisch bei dem Amtsgericht I. zu Berlin; zum Geistlichen am Strafgefängniß bei Berlin (Plötzensee) der Hülfsprediger Peters; zum Büreauassistenten am Strafgefängniß bei Berlin der Militairanwärter Lietzau; zum Kanzlisten bei der Staatsanwaltschaft in Guben der Kanzleidiätar Kahlbaum in Berlin. Versetzt sind: die Gerichtsschreiber Friebel vom Amtsgericht I. in Berlin an das Amtsgericht zu Lychen, Krell von Freienwalde a. O. an das Amtsgericht zu Neu-Ruppin, Schmoock von Oranienburg an das Landgericht I. zu Berlin, Behne von dem Amtsgericht II. an das Landgericht II. zu Berlin; der etatsmäßige Gerichtsschreibergehülfe Kelch in Driesen an das Amtsgericht I. zu Berlin; der Gerichtsvollzieher Kersten in Frankfurt a. O. an das Amtsgericht zu Freienwalde a. O. Pensionirt sind: der Gerichtsschreiber Driesel bei dem Landgericht I. zu Berlin, der Gerichtsvollzieher Domke bei dem Amtsgericht I. zu Berlin. Verstorben sind: der Gerichtsschreiber Köhler bei dem Landgericht II. zu Berlin, der Gerichtsvollzieher Korth in Baerwalde Nm., der Kanzlist Hartmann bei dem Landgericht zu Cottbus.

Personal-Veränderungen im Bezirke der Königl. Eisenbahn-Direktion Erfurt.

Versetzungen: Die Güter-Expedienten Detert von Delitzsch nach Berlin und Neitzke von Berlin nach Delitzsch.

Vermischte Nachrichten.

Belobigung für Rettung aus Lebensgefahr.

Der Büdner und Schiffer Wilhelm Schirmer zu Hohensaathen hat am 31. Juli v. J. bei Heegermühle dem Knaben Franz Hartpfiel nicht ohne eigene Lebensgefahr vom Tode des Ertrinkens gerettet. Diese muthige und hochherzige That des ꝛc. Schirmer wird hiermit belobigend zur öffentlichen Kenntniß gebracht und die demselben gebührende Anerkennung hiermit öffentlich ausgesprochen.

Potsdam, den 11. April 1888.

Der Regierungs-Präsident.

Hierzu Fünf Oeffentliche Anzeiger.

(Die Insertionsgebühren betragen für eine einspaltige Druckzeile 20 Pf. Belagsblätter werden der Bogen mit 10 Pf. berechnet.)

Redigirt von der Königlichen Regierung zu Potsdam.

Potsdam, Buchdruckerei der A. W. Hayn'schen Erben (E. Hayn, Hof-Buchdrucker).

Amtsblatt
der Königlichen Regierung zu Potsdam und der Stadt Berlin.

Stück 18. Den 4. Mai **1888.**

Bekanntmachungen der Königlichen Ministerien.

14. **Regulativ**

für die in Ausführung des Gesetzes, betreffend die Unfallversicherung der bei Bauten beschäftigten Personen, vom 11. Juli 1887 (Reichs-Gesetzbl. S. 287) vorzunehmenden Wahlen.

A. Wahl der Arbeitervertreter.

§ 1. Zum Zwecke der Wahl von Vertretern der Arbeiter werden die durch Bekanntmachung vom 8. d. M. gebildeten Ausführungsbezirke in so viele Wahlbezirke eingetheilt, als wahlfähige Kassen in denselben vorhanden sind. Wo nur eine wahlfähige Kasse vorhanden ist, bildet der Bezirk der Ausführungsbehörde einen einheitlichen Wahlbezirk.

Die Wahlfähigkeit gilt für diejenigen Orts-, Betriebs- (Fabrik-), Innungs- und Bau-Krankenkassen, sowie Knappschaftskassen, welchen mindestens zehn in den Betrieben der Staats-Bauverwaltung in unmittelbarem Lohnverhältniß beschäftigte nicht genossenschaftlich versicherte Arbeiter als Mitglieder angehören.

Die Wahl wird von den wahlberechtigten Kassen durch die Vorstandsmitglieder ausgeübt, welche aus der Zahl der Kassenangehörigen gewählt sind.

§ 2. Die Zahl der in jedem Wahlbezirke zu wählenden Arbeitervertreter wird wie folgt festgesetzt:

Bei wenigstens vier Wahlbezirken wird je ein Arbeitervertreter für jeden Wahlbezirk gewählt, bei zwei Wahlbezirken werden je zwei Arbeitervertreter für jeden Wahlbezirk gewählt, bei drei Wahlbezirken werden in einem Wahlbezirke nach Bestimmung der Ausführungsbehörde zwei, in den beiden übrigen Wahlbezirken je ein Arbeitervertreter gewählt; in dem einheitlichen Wahlbezirke werden stets vier Arbeitervertreter gewählt.

Für jeden Vertreter sind ein erster und ein zweiter Ersatzmann zu wählen, welche denselben in Behinderungsfällen zu ersetzen und im Falle des Ausscheidens für den Rest der Wahlperiode (§ 5) in der Reihenfolge ihrer Wahl (§ 4 Abs. 4) einzutreten haben.

Verweigern die Gewählten ihre Dienstleistung oder kommt eine Wahl nicht zu Stande, insbesondere deshalb, weil wahlfähige Kassen im Ausführungsbezirke nicht vorhanden sind, so hat, solange und soweit dies der Fall ist, die Ausführungsbehörde, die Vertreter und deren Ersatzmänner aus der Zahl der wählbaren Personen zu ernennen.

§ 3. Wählbar sind alle im unmittelbaren Lohnverhältniß zur Staatsbauverwaltung innerhalb des Ausführungsbezirks dauernd beschäftigten Kassenmitglieder, welche Deutsche, großjährig sind, sich im Besitze der bürgerlichen Ehrenrechte befinden und nicht durch richterliche Anordnung in der Verfügung über ihr Vermögen beschränkt sind.

§ 4. Der Wahlort wird durch die Ausführungsbehörde bestimmt.

Die Wahl wird geleitet durch denjenigen Bauinspektor, welcher am Sitze der Kasse oder demselben am nächsten wohnt, bezw. durch dessen von der Ausführungsbehörde aus der Zahl der höheren Baubeamten zu bestellenden Vertreter.

Mindestens fünf Tage vor dem Wahltage sind unter Angabe der Zeit und des Orts der Wahl die sämmtlichen wahlberechtigten Vorstandsmitglieder von dem Leiter der Wahl zur Theilnahme an derselben schriftlich mittelst eingeschriebener Briefe einzuladen.

Jeder Vertreter sowohl als auch sein erster und zweiter Ersatzmann werden je in einem besonderen Wahlgange gewählt.

Die Wahl erfolgt durch Stimmzettel. Den nicht am Orte der Wahl wohnenden, wahlberechtigten Vorstandsmitgliedern steht es frei, ihre Stimmzettel dem Leiter der Wahlverhandlung auf schriftlichem Wege einzureichen. Derartige Stimmzettel werden jedoch nur dann berücksichtigt, wenn dieselben im verschlossenen Briefumschlag bis spätestens am Tage vor der Wahl dem Leiter der Wahlverhandlung zugehen und mit der vom Vorsitzenden des Krankenkassenvorstandes beglaubigten Unterschrift des wählenden Vorstandsmitgliedes versehen sind.

Gewählt ist derjenige, welcher die meisten Stimmen erhält. Stimmen, welche auf nicht Wählbare entfallen, oder die Gewählten nicht deutlich bezeichnen, werden nicht mitgezählt. Bei Stimmengleichheit entscheidet das von dem Leiter der Wahlverhandlung zu ziehende Loos. Ueber die Wahlverhandlung ist von dem Leiter derselben ein Protokoll aufzunehmen, in welchem die Namen der auf den Stimmzetteln aufgezeichneten Personen, die Anzahl der auf sie gefallenen Stimmen und die Namen der gewählten Arbeitervertreter und deren Ersatzmänner, sowie ferner die Gründe anzugeben sind, aus welchen Stimmzettel für ungültig erklärt sind. Das Protokoll ist binnen einer Woche der Ausführungsbehörde einzureichen.

Ueber die Gültigkeit der Stimmzettel entscheidet vorbehaltlich der Beschwerde an das Reichs-Versicherungsamt der Leiter der Wahlverhandlung. Streitigkeiten über die Gültigkeit der vollzogenen Wahlen werden vom

Reichs-Versicherungsamt entschieden. Erklärt dieses eine Wahl als ungültig, so ist dieselbe zu wiederholen (vgl. auch § 9 am Schlusse).

§ 5. Die Wahlperiode läuft vier Jahre. Alle zwei Jahre scheidet die Hälfte der gewählten Vertreter und ihrer Ersatzmänner aus. Die erstmalig ausscheidenden Vertreter werden bei Gelegenheit der ersten Wahl von Beisitzern zum Schiedsgericht durch das in Gegenwart von mindestens zwei Arbeitervertretern durch den die Wahl leitenden Beamten zu ziehende Loos bestimmt, während demnächst die je nach ihrer Wahl älteren Vertreter mit ihren Ersätzmännern ausscheiden. Ausscheidende Vertreter und Ersatzmänner sind wieder wählbar.

§ 6. Die gewählten Vertreter sind verpflichtet, in Behinderungsfällen durch Vermittelung des ihnen zunächst vorgesetzten Baubeamten der Ausführungbehörde Anzeige zu erstatten. Dieselbe wird in solchen Fällen, sowie beim Erlöschen des Mandats den ersten Ersatzmann, und in Behinderungsfällen des Letzteren, von welchen ebenfalls Anzeige zu erstatten ist, den zweiten Ersatzman zu benachrichtigen. Das Mandat der Gewählten erlischt, sobald eine der im § 3 bezeichneten Voraussetzungen bei ihnen nicht mehr zutrifft.

B. Wahl der Beisitzer zum Schiedsgericht.

§ 7. Von den Vertretern der Arbeiter sind zwei Beisitzer zum Schiedsgericht für den Geschäftsbezirk der Ausführungsbehörde und für jeden Beisitzer ein erster und ein zweiter Stellvertreter zu wählen, welche ihn in Behinderungsfällen zu vertreten und im Fälle des Ausscheidens an dessen Stelle für den Rest der Wahlperiode in der Reihenfolge ihrer Wahl als Beisitzer einzutreten haben. Die Wahl wird im diesseitigen Auftrage von denjenigen höheren Beamten geleitet, welchen die Bearbeitung der auf die staatliche Unfallversicherung bezüglichen Angelegenheiten bei der Ausführungsbehörde übertragen ist.

§ 8. Wählbar sind die im § 3 des Regulativs bezeichneten, dem Arbeiterstande angehörenden Personen.

§ 9. Die Wahl findet spätestens drei Wochen nach der Wahl der Arbeitervertreter am Sitze der Ausführungsbehörde statt. Mindestens fünf Tage vor dem Wahltage sind unter Angabe der Zeit und des Orts der Wahl die sämmtlichen Vertreter der Arbeiter von der Ausführungsbehörde zur Theilnahme an der Wahl schriftlich mittels eingeschriebener Briefe einzuladen. Ist von der Behinderung eines Vertreters Anzeige erstattet (§ 6), so ist der erste Ersatzmann, und wenn auch dieser seine Behinderung angezeigt hat, der zweite Ersatzmann einzuladen.

Die Wahl eines jeden der beiden Beisitzer und eines jeden seiner beiden Stellvertreter findet in je einem besonderen Wahlgange statt.

Die Wahl erfolgt durch Stimmzettel. Jeder Wahlberechtigte hat eine Stimme. Den nicht am Orte der Wahl wohnenden Wahlberechtigten steht es frei, ihre Stimmzettel dem Leiter der Wahlverhandlung auf schriftlichem Wege einzureichen. Derartige Stimmzettel werden jedoch nur dann berücksichtigt, wenn dieselben in verschlossenem Briefumschlag spätestens am Tage vor der Wahl dem Leiter der Wahlverhandlung zugehen und mit der vom Vorsitzenden des Vorstandes derjenigen Krankenkasse, welcher der wählende Vertreter angehört, beglaubigten Unterschrift des Letzteren versehen sind. Gewählt ist derjenige, welcher die meisten Stimmen erhält. Stimmen, welche auf nicht Wählbare entfallen, oder die Gewählten nicht deutlich bezeichnen, werden nicht mitgezählt. Bei Stimmengleichheit entscheidet das von dem Leiter der Wahlverhandlung zu ziehende Loos. Ueber die Wahlverhandlung ist von dem Leiter derselben ein von den anwesenden wahlberechtigten Personen mitzuvollziehendes Protokoll aufzunehmen, in welchem die Namen der Wahlberechtigten, welche an der Wahl theilgenommen haben, die Anzahl der auf die einzelnen Personen entfallenen gültigen und ungültigen Stimmen und die Namen und Wohnorte der Gewählten, sowie ferner die Gründe anzugeben sind, aus welchen Stimmzettel für ungültig erklärt sind. Das Protokoll ist binnen einer Woche der Ausführungsbehörde einzureichen.

Ueber die Gültigkeit der Stimmzettel entscheidet vorbehaltlich der Beschwerde an das Reichs-Versicherungsamt der Leiter der Wahlverhandlung. Streitigkeiten über die Gültigleit der vollzogenen Wahlen werden vom Reichs-Versicherungsamt entschieden. Erklärt dieses eine Wahl für ungültig, so ist dieselbe zu wiederholen.

Ist die Wahl eines Vertreters oder Ersatzmannes für ungültig erklärt worden (§ 4), so ist die Wahl der Schiedsgerichtsbeisitzer und deren Ersatzmänner nur dann zu wiederholen, wenn in der Entscheidung festgestellt worden ist, daß die Ungültigkeit der Wahl des Vertreters oder Ersatzmannes auf die Wahl der Schiedsgerichtsbeisitzer oder deren Stellvertreter von Einfluß gewesen ist.

§ 10. Die Beisitzer und deren Stellvertreter werden auf vier Jahre gewählt. Alle zwei Jahre scheidet einer der Beisitzer und dessen erster und zweiter Stellvertreter aus. Der erstmalig ausscheidende Beisitzer wird durch das bei der ersten Wahl von dem Leiter der Wahlverhandlung zu ziehende Loos bestimmt, während demnächst stets der nach seiner Wahl ältere Beisitzer mit seinen beiden Stellvertretern ausscheidet. Ausscheidende Beisitzer und Stellvertreter sind wieder wählbar. Das Mandat der Gewählten erlischt, sobald eine der in den §§ 8 beziehungsweise 3 bezeichneten Voraussetzungen bei ihnen nicht mehr zutrifft.

§ 11. Die zu Beisitzern und Stellvertretern Gewählten sind zur Annahme der Wahl verpflichtet. Die Ablehnung der Wahl ist nur aus denselben Gründen zulässig, aus welchen das Amt eines Vormundes abgelehnt werden kann. Eine Wiederwahl ausscheidender Beisitzer oder Stellvertreter kann für die nächste Wahlperiode abgelehnt werden.

Wird die Annahme der Wahl aus einem der erwähnten Gründe abgelehnt, so findet eine Nachwahl statt. Wird hingegen die Uebernahme und die Wahrnehmung der Obliegenheiten des Amtes eines Beisitzers oder Stellvertreters aus anderen Gründen verweigert, so kann dieselbe seitens des Ministers der öffentlichen Arbeiten durch Geldstrafen bis zu fünfhundert Mark gegen die sich Weigernden erzwungen werden.

Verweigern die Gewählten gleichwohl ihre Dienstleistung, oder kommt eine Wahl nicht zu Stande, so hat, so lange und soweit dies der Fall ist, die Ausführungsbehörde die Beisitzer und deren Stellvertreter aus der Zahl der wählbaren Personen (§ 8) zu ernennen.

C. Vergütungssätze.

§ 12. Die Vertreter der Arbeiter und deren Ersatzmänner, sowie die gewählten Beisitzer zum Schiedsgericht und deren Stellvertreter erhalten aus Anlaß ihrer Dienstleistungen:

1) den entgangenen Arbeitsverdienst nach dem Lohneinkommen (Tagesverdienste), mit welchem sie zu den Krankenkassen veranlagt sind; außerdem die am Orte der Funktion Wohnhaften als Ersatz für Zehrungskosten und sonstige Auslagen 1 Mark, die Auswärtigen aber 4 Mark für jeden Tag;
2) als Reisekostenentschädigung, sofern sie von ihrem Wohnorte bis zum Verhandlungsorte mehr als zwei Kilometer zurückzulegen haben:
   a) bei Fahrten auf Eisenbahnen oder Dampfschiffen 5 Pfennig und bei Fahrten mit der Post 10 Pfennig für jedes Kilometer sowohl der Hin- wie der Rückreise,
   b) bei Reisen, welche nicht auf Eisenbahnen oder Dampfschiffen oder mit der Post zurückgelegt werden können, 20 Pfennig für jedes Kilometer sowohl der Hin- wie der Rückreise, unter Zugrundelegung der kürzesten postmäßig fahrbaren Straßenverbindung.

Die Feststellung der von den Beisitzern zum Schiedsgericht und deren Stellvertretern aufgestellten Rechnungen über die ihnen zu leistenden Vergütungen erfolgt durch den Vorsitzenden des Schiedsgerichts. Die Anweisung dieser, sowie die Festsetzung und Anweisung der den Vertretern der Arbeiter und deren Ersatzmännern zu gewährenden Vergütungen obliegt der Ausführungsbehörde.

Den von den Vorständen der Krankenkassen zur Theilnahme an den Untersuchungsverhandlungen gewählten Bevollmächtigten wird nach demjenigen Lohnsatze, mit welchem sie zu den betreffenden Krankenkassen veranlagt sind, für den entgangenen Arbeitsverdienst Ersatz geleistet. Die Festsetzung und Anweisung des Ersatzes erfolgt durch die Ausführungsbehörde.

Die Verrechnung der Vergütungen erfolgt bei dem Fonds Kapitel 66 Titel 4 des Bau-Verwaltungs-Etats. Gegen die Festsetzung der Vergütungssätze ist die Beschwerde an den Minister der öffentlichen Arbeiten zulässig. Derselbe entscheidet endgültig.

Abänderungen und Ergänzungen dieses Regulativs bleiben vorbehalten.

Berlin, den 24. Dezember 1887.

Der Minister der öffentlichen Arbeiten.

Maybach.

Bekanntmachungen der Königl. Regierung.

Bekanntmachung wegen Ausreichung der Zinsscheine Reihe IV. zu den Schuldverschreibungen der Preußischen konsolidirten 4prozentigen Staats-Anleihe von 1876 bis 1879.

12. Die Zinsscheine Reihe IV. № 1 bis 20 zu den Schuldverschreibungen der Preußischen konsolidirten 4prozentigen Staats-Anleihe von 1876 bis 1879 über die Zinsen für die Zeit vom 1. Juli 1888 bis 30. Juni 1898 nebst den Anweisungen zur Abhebung der folgenden Reihe werden vom 1. Juni d. J. ab von der Kontrolle der Staatspapiere hierselbst, Oranienstraße Nr. 92/94 unten links, Vormittags von 9 bis 1 Uhr, mit Ausnahme der Sonn- und Festtage und der letzten drei Geschäftstage jeden Monats, ausgereicht werden.

Die Zinsscheine können bei der Kontrolle selbst in Empfang genommen oder durch die Regierungs-Hauptkassen, sowie in Frankfurt a. M. durch die Kreiskasse bezogen werden.

Wer die Empfangnahme bei der Kontrolle selbst wünscht, hat derselben persönlich oder durch einen Beauftragten die zur Abhebung der neuen Reihe berechtigenden Zinsscheinanweisungen mit einem Verzeichnisse zu übergeben, zu welchem Formulare ebenda und in Hamburg bei dem Kaiserlichen Postamte № 1 unentgeltlich zu haben sind. Genügt dem Einreicher eine numerirte Marke als Empfangsbescheinigung, so ist das Verzeichniß einfach, wünscht er eine ausdrückliche Bescheinigung, so ist es doppelt vorzulegen. In letzterem Falle erhalten die Einreicher das eine Exemplar, mit einer Empfangsbescheinigung versehen, sofort zurück. Die Marke oder Empfangsbescheinigung ist bei der Ausreichung der neuen Zinsscheine zurückzugeben.

In Schriftwechsel kann die Kontrolle der Staatspapiere sich mit den Inhabern der Zinsscheinanweisungen nicht einlassen.

Wer die Zinsscheine durch eine der oben genannten Provinzialkassen beziehen will, hat derselben die Anweisungen mit einem doppelten Verzeichniß einzureichen.

Das eine Verzeichniß wird, mit einer Empfangsbescheinigung versehen, sogleich zurückgegeben und ist bei Aushändigung der Zinsscheine wieder abzuliefern.

Formulare zu diesen Verzeichnissen sind bei den gedachten Provinzialkassen und den von den Königlichen Regierungen in den Amtsblättern zu bezeichnenden sonstigen Kassen unentgeltlich zu haben.

Der Einreichung der Schuldverschreibungen bedarf es zur Erlangung der neuen Zinsscheine nur dann, wenn die Zinsscheinanweisungen abhanden gekommen sind; in diesem Falle sind die Schuldverschreibungen an die Kontrolle der Staatspapiere oder an eine der genannten Provinzialkassen mittelst besonderer Eingabe einzureichen.

Berlin, den 19. April 1888.

Hauptverwaltung der Staatsschulden.

* * *

Vorstehende Bekanntmachung wird mit dem Bemerken zur öffentlichen Kenntniß gebracht, daß Formulare zu den Verzeichnissen von unserer Hauptkasse, den

Königlichen Kreis- und Forstkassen und den Königlichen Haupt-Steuerämtern bezogen werden können.

Potsdam, den 28. April 1888.

Königl. Regierung.

Die Sequestration der Domaine Hammer mit den Vorwerken Liebenthal und Proetze betreffend.

13. Unter Bezugnahme auf unsere Bekanntmachung vom 19. November v. J. (Amtsblatt de 1887 Stück 47 S. 422) bringen wir hiermit zur öffentlichen Kenntniß, daß Herr Oberamtmann Lessel aus Zehdenick am 19. d. M. aus seiner Stellung als Sequester der Domaine Hammer mit den Vorwerken Liebenthal und Proetze ausgeschieden und für denselben Herr Deconom Güßefeld **(nicht Gürscheld, wie in voriger Nummer irrthümlich angegeben war)**, welcher seinen Wohnsitz auf der Domaine genommen hat, zum Sequester derselben von uns ernannt worden ist.

Es sind daher von dem gedachten Tage ab alle Zahlungen, soweit solche aus dem Wirthschaftsbetriebe der Domaine Hammer mit Vorwerken herrühren, nur an den Herrn Güßefeld gültig zu leisten.

Potsdam, den 23. April 1888.

Königl. Regierung.
Abtheilung für direkte Steuern, Domainen und Forsten.

Bekanntmachungen des Königlichen Regierungs-Präsidenten.

200 M. Belohnung.

143. Am 10. April d. J. Abends $11^3/_4$ Uhr ist in Dahme der städtische Nachtwächter Schmidt während eines Patrouillenganges erschossen worden. Für die Ermittelung des Mörders wird hiermit eine **Belohnung bis zu 200 Mark** ausgesetzt.

Etwaige Anzeigen sind an den Herrn Ersten Staatsanwalt beim Königl. Landgericht hierselbst zu erstatten.

Potsdam, den 1. Mai 1888.

Der Regierungs-Präsident.

Bäcker- und Pfefferküchler-Innung zu Prenzlau.

144. Für den Bezirk der Bäcker- und Pfefferküchler-Innung zu Prenzlau bestimme ich hiermit gemäß § 100e. № 3 der Reichs-Gewerbeordnung vom 18ten Juli 1881 und der dazu unter dem 9. März 1882 I. 1a. 2 ergangenen Ausführungs-Anweisung,

daß diejenigen Arbeitgeber, welche, obwohl sie ein in der Innung vertretenes Gewerbe betreiben und selbst zur Aufnahme in die Innung fähig sein würden, gleichwohl der Innung nicht angehören, vom 1. November 1888 ab Lehrlinge nicht mehr annehmen dürfen.

Vorstehendes bringe ich hierdurch zur öffentlichen Kenntniß, indem ich bemerke, daß zu dem Bezirk derselben folgende Gemeinden gehören: 1) Stadtgemeinde Prenzlau, 2) die Amtsbezirke des Kreises Prenzlau und zwar: a. Lübbenow mit Ausnahme von Güterberg, Karolinenthal und Fahrenholz, b. Jagow, c. Taschenberg, d. Wilsikow, e. Brietzig mit Ausnahme von Papendorf, f. Arendsee, g. Dedelow, h. Güstrow, i. Gollmitz, k. Sternhagen, l. Alexanderhof, m. Seelübbe, n. Baumgarten, o. Kleinow, p. Eickstedt, q. Schmölln, r. Battin, s. Damerow, t. Göritz, u. Schönfeld, v. Klockow, 3) aus dem Kreise Templin die Gemeinde Boitzenburg.

Potsdam, den 14. April 1888.

Der Regierungs-Präsident.

Jahresarbeitsverdienst der land- und forstwirthschaftlichen Arbeiter.

145. Im Anschlusse an meine Amtsblattbekanntmachung vom 7. April d. J. (Amtsblatt für 1888 Stück 15 S. 132 und 133) setze ich für nachstehende Kreise des Regierungsbezirks den durchschnittlichen Jahresarbeitsverdienst der land- und forstwirthschaftlichen Arbeiter folgendermaßen fest und zwar gleichmäßig für Land- wie für Forstwirthschaft:

I. Kreis Zauch-Belzig:

1) für männliche Arbeiter über 16 Jahren 363,83 M.,
2) „ desgl. weibliche . . . . . . 219,41 M.,
3) „ männliche Arbeiter unter 16 Jahren 195,37 M.,
4) „ desgl. weibliche . . . . 158,14 M.,

II. Stadtkreis Spandau:

1) für männliche Arbeiter über 16 Jahren 600 M.,
2) „ desgl. weibliche . . . . 400 M.,
3) „ männliche Arbeiter unter 16 Jahren 224 M.,
3) „ desgl. weibliche . . . . 224 M.,

III. Stadtkreis Charlottenburg:

1) für männliche Arbeiter über 16 Jahren 600 M.,
2) „ desgl. weibliche . . . . 300 M.,
3) „ männliche Arbeiter unter 16 Jahren 225 M.,
4) „ desgl. weibliche . . . . 150 M.,

IV. Stadtkreis Brandenburg a. H.:

1) für männliche Arbeiter über 16 Jahren 510 M.,
2) „ desgl. weibliche . . . . 300 M.

Arbeiter unter 16 Jahren kommen nicht vor.

V. Stadtkreis Potsdam:

für männliche Arbeiter über 16 Jahren 600 M.

Andere Arbeiter kommen nicht vor.

Gleichzeitig wird die oben erwähnte Amtsblattbekanntmachung unter **Nr. V. Kreis Beeskow dahin berichtigt,** daß der **Jahres**durchschnittsverdienst der land- und forstwirthschaftlichen Arbeiter des Kreises hierdurch folgendermaßen festgesetzt worden:

1) für männliche Arbeiter über 16 Jahren 375 M.,
2) „ weibliche . . . . 270 M.,
3) „ männliche Arbeiter unter 16 Jahren 240 M.,
4) „ weibliche . . . . 210 M.

Potsdam, den 24. April 1888.

Der Regierungs-Präsident.

Maurer- und Zimmermeister-Innung zu Angermünde.

146. Auf Grund des § 100e. 1, 2 und 3 der Reichsgewerbeordnung und der Ausführungs-Anweisung hierzu bestimme ich hierdurch für den Bezirk der Maurer- und Zimmermeister-Innung zu Angermünde:

1) daß Streitigkeiten aus den Lehrverhältnissen der im § 120a der Reichsgewerbeordnung bezeichneten Art auf Anrufen eines der streitenden Theile von der zuständigen Innungsbehörde auch dann zu entscheiden sind, wenn der Arbeitgeber, obwohl er das Maurer- und Zimmer-Gewerbe betreibt und zur

Aufnahme in die Innung fähig sein würde, gleichwohl der Innung nicht angehört;

2) daß die von der Innung erlassenen Vorschriften über die Regelung des Lehrlingsverhältnisses, sowie über die Ausbildung und Prüfung der Lehrlinge auch dann bindend sind, wenn deren Lehrherr zu den unter № 1 verzeichneten Arbeitgebern gehört;

3) daß Arbeitgeber der unter № 1 bezeichneten Art vom 1. November 1888 ab Lehrlinge nicht mehr annehmen dürfen.

Ich bringe dies mit dem Bemerken hierdurch zur Kenntniß, daß der Bezirk der gedachten Innung den Kreis Angermünde umfaßt.

Potsdam, den 26. April 1888.

Der Regierungs-Präsident.

Viehseuchen.

147. Milzbrand ist unter den Hausthieren des Kossäthen Paul und Schneidermeisters Lange zu Schlamau im Kreise Zauch-Belzig ausgebrochen und zwar hat sich derselbe, nachdem Fleisch von der zuerst daran erkrankten und gefallenen Kuh den fleischfressenden Hausthieren vorgeworfen worden war, auf drei Schweine, zwei Hunde und eine Katze verbreitet.

Maul- und Klauenseuche ist unter dem Vieh des Maurers Winkel zu Teetz im Kreise Ostprignitz ausgebrochen. Potsdam, den 24. April 1888.

Der Regierungs-Präsident.

148. Die Maul- und Klauenseuche ist unter dem Rindvieh des Rittergutsbesitzers Salchert und des Gemeindevorstehers Richter zu Schwerin, im Kreise Beeskow-Storkow, des Vorwerks Birkholz zum Gute Diedersdorf, im Kreise Teltow, und des Gutes Malchow, im Kreise Niederbarnim, ausgebrochen.

Potsdam, den 27. April 1888.

Der Regierungs-Präsident.

149. Die Maul- und Klauenseuche ist im Kreise Niederbarnim auch unter den Milchkühen des Gutsbesitzers Jaroczynski zu Franz. Buchholz ausgebrochen, unter dem Vieh des Bauergutsbesitzers Springer zu Karow erloschen.

Potsdam, den 28. April 1888.

Der Regierungs-Präsident.

150. Die Maul- und Klauenseuche unter den Schweinen und Schafen des Dominiums Beerbaum, sowie unter den Ochsen des Dominiums Grünthal und dem Rindvieh des Gutes Schulzendorf ist erloschen.

Potsdam, den 1. Mai 1888.

Der Regierungs-Präsident.

Bekanntmachungen des Königlichen Polizei-Präsidiums zu Berlin.

Eröffnung einer Apotheke.

39. Die von dem Apotheker Conrad Schmitz in dem Hause Arkonaplatz Nr. 5 auf Grund der von dem Herrn Ober-Präsidenten unter dem 1. November 1887 ertheilten Concession eingerichtete Apotheke ist nach stattgehabter Revision heute eröffnet worden.

Berlin, den 20. April 1888.

Der Polizei-Präsident.

Warnung.

40. Der Arbeiter Emil Paul Balke, Oppelnerstraße 15 hierselbst, verkauft sogenannten Harzer Universal-Blutreinigungsthee, der aus verschiedenen Kräutern ꝛc. besteht und in Quantitäten, wie sie Balke für 1 Mark verkauft, in den Apotheken im Handverkauf für etwa 50 Pf. käuflich ist. Dies wird hierdurch zur öffentlichen Kenntniß gebracht.

Berlin, den 23. April 1888.

Der Königl. Polizei-Präsident.

Zulassung von Hebammen.

41. Die bisherigen Hebammenschülerinnen a. Frau Agathe Schütz, geb. Zielaskowska, Wrangelstraße 66, b. Frau Hedwig Brede, geb. Hauke, Wilhelmshavenerstraße 14, c. Frau Marie Haupt, geb. Spieweck, Schulstraße 4, d. Frau Klaudine Albrecht, geb. Finsterwalder, Melchiorstraße 20, e. Frau Helene Hildebrandt, geb. Lorenz, Weißenburgerstraße 52, f. Frau Emilie Mecklenburg, geb. Sabin, Straußbergerstraße 7a, g. Frau Agathe Koch, geb. Neumann, Rüdersdorferstraße 36, sind nach bestandener Prüfung in Berlin als Hebammen zugelassen worden.

Berlin, den 24. April 1888.

Der Polizei-Präsident.

Bestimmung, die Drechsler-Innung zu Berlin betreffend.

42. Auf Grund des § 100e. der Reichs-Gewerbe-Ordnung bestimme ich hiermit für den Bezirk der Drechsler-Innung zu Berlin, daß

1) Streitigkeiten aus den Lehrverhältnissen der im § 120a. der Reichs-Gewerbe-Ordnung bezeichneten Art auf Anrufen eines der streitenden Theile von der zuständigen Innungsbehörde und zwar, so lange die Innung dem Innungsausschuß der vereinigten Innungen zu Berlin angehört, von dem engeren Ausschuß desselben (Schiedsgericht für Lehrlingsstreitigkeiten) auch dann zu entscheiden sind, wenn der Arbeitgeber, obwohl er ein in dieser Innung vertretenes Gewerbe betreibt und selbst zur Aufnahme in dieselbe fähig sein würde, gleichwohl der Innung nicht angehört;

2) die sämmtlichen von der bezeichneten Innung erlassenen Vorschriften über die Regelung des Lehrlingsverhältnisses, sowie über die Ausbildung und Prüfung der Lehrlinge auch dann bindend sind, wenn deren Lehrherr zu den unter Ziffer 1 bezeichneten Arbeitgebern gehört;

3) daß Arbeitgeber der unter Ziffer 1 bezeichneten Art vom 1. Juli 1888 ab Lehrlinge nicht mehr annehmen dürfen.

Diese Bestimmung tritt mit dem 1. Juli 1888 in Kraft. Berlin, den 24. April 1888.

Der Königl. Polizei-Präsident.

Verbot eines Flugblatts.

43. Auf Grund des § 12 des Reichsgesetzes gegen die gemeingefährlichen Bestrebungen der Sozialdemokratie vom 21. Oktober 1878 wird hierdurch zur öffentlichen Kenntniß gebracht, daß das angeblich in der Genossenschaftsdruckerei Hottingen-Zürich hergestellte

Flugblatt mit der Ueberschrift: „Parteigenossen!“ den Eingangsworten „Die letzten Wochen waren wiederum recht geeignet zc.“ und dem Schluß „Hoch die revolutionaire Sozialdemokratie.“ nach § 11 des gedachten Gesetzes durch den Unterzeichneten von Landespolizeiwegen verboten worden ist.

Berlin, den 27. April 1888.

Der Königl. Polizei-Präsident.

Polizei-Verordnung, betreffend das Fahren auf Drei- und Vier-Rädern.

44. Auf Grund der §§ 5 und 6 des Gesetzes über die Polizei-Verwaltung vom 11. März 1850 (Gesetz-Sammlung Seite 265) und der §§ 143 und 144 des Gesetzes über die allgemeine Landesverwaltung vom 30. Juli 1883 (Gesetz-Sammlung Seite 195) wird von Ortspolizeiwegen nach Zustimmung des Gemeinde-Vorstandes für den Polizei-Bezirk von Berlin, was folgt, verordnet:

§ 1. Das Fahren auf Drei- und Vierrädern ist auf den dem Fuhrwerksverkehr freigegebenen öffentlichen Straßen und Plätzen innerhalb des Polizei-Bezirks von Berlin Personen, welche das 15. Lebensjahr vollendet haben, gestattet.

§ 2. Jedes Drei- oder Vier-Rad muß eine Lenk-, Hemm- und Klingel-Vorrichtung und eine Laterne haben, welche während der Dunkelheit, d. h. während der Zeit, in welcher die Straßenlaternen brennen, genügend erleuchtet sein muß.

§ 3. Das Fahren auf Drei- und Vier-Rädern ist nur denjenigen Personen gestattet, welche sich im Besitze einer polizeilichen Fahrkarte befinden.

Jeder Radfahrer muß die Fahrkarte während der Fahrt bei sich führen und dieselbe auf Verlangen den Aufsichtsbeamten einhändigen.

Den Anordnungen der Aufsichtsbeamten haben die Radfahrer unbedingt Folge zu leisten.

§ 4. Die Fahrkarten werden von dem Kommissariat für öffentliches Fuhrwesen auf den Namen des Inhabers und für die Dauer des Kalenderjahres kostenfrei ausgestellt und müssen bei demselben im Dezember jeden Jahres von den Inhabern persönlich zur Erneuerung vorgelegt werden.

Fahrkarten, von denen der Inhaber nicht mehr Gebrauch machen will, sind dem Kommissariat für öffentliches Fuhrwesen abzuliefern.

§ 5. Die für den Fuhrwerksverkehr geltenden Bestimmungen finden auf das Fahren mit Drei- und Vier-Rädern sinngemäße Anwendung.

§ 6. Uebertretungen dieser Polizei-Verordnung werden mit Geldbuße von 3 bis 30 Mark oder im Falle des Unvermögens mit Haft bestraft.

§ 7. Diese Polzei-Verordnung tritt 14 Tage nach ihrer Verkündigung in Kraft und findet von diesem Tage ab die Polizei-Verordnung vom 24. März 1884 nur noch auf Zwei-Räder (Bicycles) Anwendung.

Berlin, den 24. April 1888.

Der Polizei-Präsident von Richthofen.

Rückgabe der Kaution eines Auswanderungs-Unternehmers.

45. Die Firma von der Becke & Marsily zu Antwerpen hat, nachdem der unter dem 31. Dezember 1877 zum Betriebe des Geschäfts der Beförderung von Auswanderern innerhalb des Preußischen Staates concessionirte, Louisenplatz Nr. 7 hierselbst wohnhaft gewesene Ernst Johanning am 11. November 1887 verstorben und damit die Concession erloschen ist, die Rückgabe der zur Sicherstellung des Geschäftsbetriebes desselben seiner Zeit von der genannten Firma bei der Königlichen Polizei-Haupt-Kasse hierselbst hinterlegten Kaution von 30000 Mark beantragt.

In Gemäßheit des § 14 des Reglements vom 6. September 1853, betreffend die Geschäftsführung der zur Beförderung von Auswanderern concessionirten Personen und die von denselben zu bestellenden Kautionen, wird solches hierdurch mit dem Bemerken zur öffentlichen Kenntniß gebracht, daß etwaige aus der Geschäftsführung des Ernst Johanning herzuleitende Ansprüche an die bestellte Kaution binnen einer zwölfmonatlichen Frist vom heutigen Tage an bei dem Polizei-Präsidium angemeldet werden müssen, widrigenfalls nach Ablauf dieser Frist die Kaution an die Empfangsberechtigten zurückgegeben werden wird.

Berlin, den 24. April 1888.

Der Polizei-Präsident.

Bekanntmachungen des Staatssekretairs des Reichs-Postamts.

Postanweisungen im Verkehr mit Chile.

10. Vom 1. Mai ab können nach Chile Zahlungen bis zum Betrage von 100 Pesos Gold im Wege der Postanweisung durch die Deutschen Postanstalten vermittelt werden. Auf den Postanweisungen, zu deren Ausstellung Formulare der für den internationalen Postanweisungsverkehr vorgeschriebenen Art zu verwenden sind, ist der dem Empfänger zu zahlende Betrag vom Absender in Pesos und Centavos Goldgeld anzugeben; die Umrechnung auf den hierfür in der Markwährung einzuzahlenden Betrag wird durch die Aufgabe-Postanstalt bewirkt. Die Auszahlung in Chile erfolgt in Papiergeld, jedoch unter Vergütung des Kursunterschiedes. Die Postanweisungsgebühr beträgt 20 Pfennig für je 20 Mark, mindestens aber 40 Pfennig. Der Abschnitt kann zu Mittheilungen jeder Art benutzt werden. Telegraphische Postanweisungen nach Chile sind vorerst nicht zulässig. Ueber die sonstigen Versendungsbedingungen ertheilen die Postanstalten auf Erfordern Auskunft.

Berlin W., den 24. April 1888.

Der Staatssecretair des Reichs-Postamts.

Bekanntmachungen der Kaiserlichen Ober-Postdirektion zu Berlin.

Unbestellbare Einschreibbriefe.

21. Bei der Ober-Postdirektion in Berlin lagern folgende, an den angegebenen Tagen in den Jahren 1887 und 1888 in Berlin zur Post gegebene Einschreibbriefe:

A. mit dem Bestimmungsorte Berlin:

im Jahre 1887:

an Pflüger 21. Novbr., an Feldhahn 29. Novbr., an Winter 1. Dezbr., an Röhlich-Erben 4. Dezbr., an Bergmann 5. Dezbr., an Müller, Pankstr. 49, 6. Dezbr., an Schmidt, Solmsstr. 29, 7. Dezbr., an Elsner 7. Dezbr., an Kuntze postl. 8. Dezbr., an Röhl 10. Dezbr., an Thomas 10. Dezbr., an Wahldick 12. Dezbr., an Augstein 16. Dezbr., an Tomski 17. Dezbr., an Blankenfeld 20. Dezbr., an Schulz, Wollinerstr. 15, 21. Dezbr., an Union, Versicherungs-Gesellschaft, 27. Dezbr., an Hehmig 28. Dezbr., an Warmburg 31. Dezbr., an Viergutz 31. Dezbr.;

im Jahre 1888:

an Fabian bei Kronach 3. Jan., an Hirsch 7. Jan., an Schraubeck 16. Jan., an Hochstein 16. Jan., an Else Krüger 16. Jan., an Lange 27. Jan., an Schimpf 30. Jan., an Krudpaul 4. Febr., an Miethe 8. Febr., an Walter 8. Febr., an Groh 9. Febr., an Bünzner 11. Febr., an Sohn 14. Febr., an Richter 18. Febr., an Hulke in Moabit 22. Febr.

B. mit anderen Bestimmungsorten:

im Jahre 1887:

an Henning in Vogerau (Brasilien) 27. Juni, an Pollack in New-York 18. Juli, an Stolzenburg in Cuba (Habana) 6. Septbr., an Stieler in Valdivia 2. Septbr., an Kahn in New-York 10. Septbr., an Ullmann in Wien 15. Septbr., an Pappelbaum in New-York 6. Oktbr., an Weßl in Wien (im Briefe 1 Ring und 1 Portemonnaie) 20. Oktbr., an Semmler in Bialystock 28. Oktbr., an Krappa in New-York 5. Novbr., an Treskow in Krubiszowo 17. Novbr., an Jahn in Fiddichow 17. Novbr., an Kasimir Stebocki in Warschau 20. Novbr., an Sitky in Nitzen bei Havelberg 28. Novbr., an Philipp in Zittau 3. Dezbr., an Haeübler in Kötschenbroda 5. Dezbr., an Simon in Wien 5. Dezbr., an Strobels in Raumlas 5. Dezbr., an von Treskow-Honbieszowo in Urbanowo 6. Dezbr., an Mettenet in Blienschweiler bei Dambach 6. Dezbr., an Heske in Zarnekow bei Villnow 7. Dezbr., an Kahle in Astin (Nord-Amerika) 17. Dezbr., an Kurth in Hamburg 19. Dezbr., an Schuckmann in Cöslin 21. Dezbr., an Schumacher in Karlsruhe (Baden) 23. Dezbr., an Sins in Hainhofen bei Speyer 24. Dezbr., an Vogel in Dresden 31. Dezbr.;

im Jahre 1888:

an Treskow-Krubieszowo in Urbanowo 4. Jan., an Horn in Cottbus 7. Jan., an Warnke in Strelitz 8. Jan., an Müller in Strelitz 8. Jan., an Gulden in Weißensee bei Berlin 10. Jan., an Dietzschold in Magdeburg 11. Jan., an Ischiegner-Grigolatis in Constantinopel 11. Jan., an Leuckhard in Breslau 13. Jan., an Kleinschmidt in Tempelhof 19. Jan., an Marferting in Tanneberg 31. Jan., an Petsch in Charlottenburg 1. Febr., an Ziehn in Leipzig 3. Febr., an Franz in Brandenburg (Havel) 9. Febr., an Standtke in Berlinchen 20. Febr., an Jäkel in Lauban 26. Febr., und 1 Postauftrag an Salewski in Hannover 27. Januar.

Die unbekannten Absender der vorbezeichneten Sendungen werden ersucht, zur Empfangnahme derselben spätestens innerhalb vier Wochen — vom Tage des Erscheinens gegenwärtiger Bekanntmachung an gerechnet — bei der hiesigen Ober-Postdirektion sich zu melden, widrigenfalls mit den Sendungen nach den gesetzlichen Vorschriften verfahren werden wird.

Berlin C., den 22. April 1888.

Der Kaiserl. Ober-Postdirektor.

Bekanntmachungen der Kaiserlichen Ober-Post-Direktion zu Potsdam.

Postbetriebsänderung in Folge Betriebseröffnung auf der Eisenbahnstrecke Löwenberg(Mark)—Templin.

22. Mit der Betriebseröffnung auf der Eisenbahnstrecke Löwenberg(Mark)—Templin werden vom 1. Mai ab folgende Aenderungen im Gange der Anschlußposten eintreten.

A. Es werden aufgehoben:

Die Postsachenbeförderungen mittels Privat-Personenfuhrwerks zwischen Gransee und Zehdenick bezw. Templin,

aus Gransee 8^{5} Vm., 12^{10} Nm., 7^{50} Abds.,
" Templin bezw. Zehdenick 4^{40} Vm., 2^{5} Nm., 4^{55} Nm.

B. Es werden neu eingerichtet:

1) eine tägliche Postsachenbeförderung mittels Privat-Personenfuhrwerks zwischen Gransee Bahnhof und Zehdenick,

8^{5}	Vm.	ab Gransee Bhf.	an	8^{55}	Abds.,
8^{50}	"	ab Badingen	ab	8^{5}	"
9^{25}	"	an Zehdenick	ab	7^{25}	"

2) eine wochentägige Botenpost zwischen Gransee und Badingen,

12^{10}	Nm.	ab Gransee	an	3^{20}	Nm.,
1^{30}	"	an Badingen	ab	2^{0}	"

C. Veränderten Gang erhalten:

1) die Landpostfahrt zwischen Milmersdorf und Templin, und zwar

10^{0}	Vm.	ab Templin	an	5^{35}	Nm.,
11^{20}	"	an Milmersdorf	ab	3^{45}	"

2) die Landpostfahrt zwischen Großdölln (Uckerm.) und Zehdenick,

9^{0}	Vm.	ab Zehdenick	an	6^{45}	Abds.,
9^{20}	"	ab Wesendorf	ab	6^{0}	"
9^{55}	"	ab Cappe	ab	4^{50}	Nm.,
11^{45}	"	an Großdölln (Uckm.)	ab	3^{30}	"

In Bergsdorf und Neuhof — Haltepunkte der Eisenbahnstrecke Löwenberg(Mark)—Templin — werden mit dem Tage der Betriebseröffnung auf derselben Posthülfstellen mit vollen Annahmebefugnissen zur Einrichtung gelangen.

Potsdam, den 21. April 1888.

Der Kaiserliche Ober-Postdirektor.

Einrichtung einer Postagentur mit Telegraphenbetrieb in Reetz (Prignitz).

23. Am 1. Mai wird in dem Orte Reetz (Prignitz) bei Karstädt, Kreis Westprignitz, eine Postagentur mit Telegraphenbetrieb eingerichtet.

Den Landbestellbezirk der Postagentur bilden die Ortschaften: Bäck, Gulow und Steinberg nebst Abbauten, Strigleben, Bresch-Mollnitz nebst Abbau und Reetzer Ziegelei.

Postverbindungen erhält die neue Verkehrsanstalt durch die schon jetzt bestehenden, zwischen Karstädt und Putlitz täglich verkehrenden Privat-Personenfuhrwerke, wie folgt:

I. Fahrt	II. Fahrt		I. Fahrt	II. Fahrt
3^{20} Vm.	1^{20} M.	ab Karstädt an	5^{0} Nm.	1^{45} Nachts
—	12^{40} Nm.	Blüthen	4^{20} =	—
4^{40} =	1^{20} =	Reetz (Prignitz)	3^{40} =	1^{20} =
5^{20} =	1^{55} =	Ottiliengrube	3^{5} =	11^{10} =
6^{20} =	3^{0} =	an Putlitz ab	1^{55} =	10^{30} =

Die Post- und Telegraphenhülfsstelle in Reetz tritt vom 1. Mai ab außer Wirksamkeit.

Potsdam, den 25. April 1888.

Der Kaiserliche Ober-Postdirektor.

Einrichtung einer Postagentur in Oehna.

24. In dem an der Eisenbahn Berlin-Jüterbog-Dresden belegenen Orte **Oehna** (Kreis Schweinitz) wird am **1. Mai** eine **Postagentur** eingerichtet.

Den Landbriefbestellbezirk der Postagentur bilden die Ortschaften rc. Göhlsdorf, Körbitz nebst Ziegelei, Langenlipsdorf, Oehna Bahnhof nebst Ziegelei, Welsigkendorf.

Postverbindungen erhält die Agentur durch die Bahnposten 2 bz. Schaffnerbahnposten Berlin-Jüterbog-Dresden.

Die bisherige Posthülfstelle in Oehna tritt außer Wirksamkeit.

Potsdam, den 26. April 1888.

Der Kaiserliche Ober-Postdirektor.

Errichtung einer Postagentur in Bechlin bei Neuruppin.

25. In dem Orte Bechlin bei Neuruppin, Kreis Ruppin, tritt am 1. Mai eine Postagentur in Wirksamkeit.

Postverbindungen erhält die neue Verkehrsanstalt durch die, zwischen Neuruppin und Neustadt (Dosse) Bahnhof verkehrenden Privat-Personenfuhrwerke und durch die Landpostfahrt Neuruppin—Walsleben (Mark).

Ein Landbestellbezirk wird der neuen Verkehrsanstalt nicht zugetheilt.

Potsdam, den 27. April 1888.

Der Kaiserliche Ober-Postdirektor.

Errichtung eines Postamts III. in Schlachtensee bei Zehlendorf.

26. In dem an der Wannsee-Bahn belegenen Villenorte Schlachtensee bei Zehlendorf (Kr. Teltow) tritt am 1. Mai für die Dauer der Sommermonate (bis einschl. 15. September) ein Postamt III. mit Telegraphenbetrieb in Wirksamkeit.

Postverbindungen erhält das Kaiserliche Postamt durch die auf der Wannsee-Bahn verkehrenden Schaffnerbahnposten.

Ein Landbestellbezirk wird der neuen Verkehrsanstalt nicht zugetheilt.

Potsdam, den 28. April 1888.

Der Kaiserliche Ober-Postdirektor.

Bekanntmachungen der Königlichen Eisenbahn-Direktion zu Berlin.

Ungarisch-Deutscher Viehverkehr.

13. Am 1. Mai d. J. tritt zu dem Tarif für den vorbezeichneten Verkehr ein Nachtrag I. in Kraft. Derselbe enthält neben Berichtigungen und Ergänzungen die Einbeziehung der Stationen Bromberg, Guben, Myslowitz in den Tarif für Borstenvieh, anderweite Frachtsätze für Borstenvieh im Verkehr mit Halle und Nordhausen, die Einbeziehung der Station Brassó in den Tarif für lebendes Geflügel in Wagenladungen, Tarifsätze für lebendes Geflügel in Käfigen u. s. w. bei Aufgabe in beliebigen Mengen als Eil- und Frachtgut. Insoweit Erhöhungen der bisherigen Frachtsätze eintreten, behalten letztere bis 15. Juni d. J. Giltigkeit.

Berlin, den 23. April 1888.

Königl. Eisenbahn-Direktion.

Nachträge zu den Tarifheften des Galizisch—Norddeutschen Getreide-Verkehrs.

14. Am 1. Mai d. J. treten zu den Tarifheften 1, 2 und 3 des Galizisch—Norddeutschen Getreide-Verkehrs die Nachträge II. in Kraft. Dieselben enthalten außer tarifarischen Aenderungen und Ergänzungen die Aufnahme der Stationen der Lokalbahn Dembica—Rozwadów der Galiz. Carl Ludwig-Bahn, sowie Bestimmungen über die Einführung von Rumänischem Getreide und Mais über Nowosielitza—Zuczka.

Exemplare der Nachträge sind im hiesigen Auskunftsbüreau, Stadtbahnhof Alexanderplatz, sowie bei der Güterkasse Stettin unentgeltlich zu haben.

Berlin, den 24. April 1888.

Königl. Eisenbahn-Direktion.

Be- und Entladungsfrist für bedeckte Wagen.

15. Die laut unserer Bekanntmachung vom 10. d. M. auf 8 Tagesstunden herabgesetzte Frist für die Be- und Entladung bedeckter Wagen wird vom 25. d. M. ab wieder auf 12 Tagesstunden verlängert.

Berlin, den 24. April 1888.

Königl. Eisenbahn-Direktion.

Nachträge zum Gütertarif und Getreidetarif im Norddeutsch—Galizisch—Südwestrussischen Grenzverkehr.

16. Am 1. Mai d. J. treten im Norddeutsch—Galizisch—Südwestrussischen Grenzverkehr ein Nachtrag IV. zum Gütertarif und ein Nachtrag I. zum Getreidetarif in Kraft. Dieselben enthalten neben Ergänzungen und Berichtigungen neu berechnete Frachtsätze für mehrere Stationen der Eisenbahn-Direktions-Bezirke Berlin und Breslau, sowie der Sächsischen Staatsbahnen; ferner enthält der Nachtrag IV. zum Gütertarif einen ermäßigten Ausnahmetarif für Sammelgut nach Rußland und der Nachtrag I. zum Getreidetarif die Aufnahme der Station Nadbrzezie transit (Rußland), sowie die Einführung der Getreidebeförderung in losem Zustande (alla rin fusa) von den Russisch-Oesterreichischen Grenzstationen und Ausdehnung dieser Transportart auf den Verkehr nach den Nordseehäfen.

Sofern Erhöhungen der Frachtsätze eintreten, sind spätere Giltigkeitstermine bestimmt.

Exemplare der Nachträge sind zum Preise von 0,35 bezw. 0,25 M. bei der Güter-Kasse in Stettin, sowie im hiesigen Auskunftsbüreau auf dem Stadtbahnhofe Alexanderplatz zu haben.

Berlin, den 28. April 1888.

Königl. Eisenbahn-Direktion.

Eisenbahn-Güter-Tarifbuch für Berlin.

17. Am **1. Mai d. J.** erscheint ein **„Eisenbahn-Güter-Tarifbuch für Berlin“**, welches **neben** den bestehenden allgemeinen Tarifen als besonderes Stations-Tarifbuch herausgegeben wird. Dasselbe enthält die der Frachtberechnung zu Grunde zu legenden kilometrischen Entfernungen (Kilometerzeiger) sowie ausgerechnete Frachtsätze (Stationstariftabellen und Ausnahmetarife) für den Güterverkehr zwischen den sämmtlichen **Berliner Bahnhöfen und Ringbahnstationen einerseits** und den **sämmtlichen deutschen Eisenbahnstationen andererseits**, insoweit direkte Verkehrsbeziehungen gegenwärtig vorhanden sind.

Das Tarifbuch enthält außerdem solche für die Abfertigung von Gütern in Kraft befindlichen Bestimmungen, welche für den Verkehr Berlins von Wichtigkeit sind, insbesondere hinsichtlich der Zoll- und Steuerabfertigung im Verkehr mit dem Auslande, der Lieferungszeit, Avisirung und Ablieferung der Güter, der Benutzung der Fernsprecheinrichtung im geschäftlichen Verkehr mit den Berliner Güterexpeditionen, der Abfertigungszeiten der Güter, der An- und Abfuhr der Güter durch die bahnamtlich bestellten Rollfuhrunternehmer, der Ueberführung der Güter über die Berliner Ringbahn, sowie nach und von den Anschlußgeleisen, der Abfertigung der Berliner Markthallen-Güter, der Beschränkung in den Tarif- und Abfertigungsbefugnissen einzelner Stationen, und dergleichen mehr.

Es ist in Aussicht genommen, das Tarifbuch **gleichzeitig** mit den betreffenden allgemeinen Tarifen durch Nachträge auf dem Laufenden zu halten.

Der Preis des Werkes beträgt für ein einzelnes Exemplar 9 Mark, bei gleichzeitiger Entnahme von 3 Exemplaren 7,50 Mark und von 10 Exemplaren 6 Mark für ein Exemplar.

Schriftliche oder mündliche Bestellungen auf das Tarifbuch, sowie Vorausbestellungen auf später erscheinende Nachträge werden angenommen bei dem hiesigen Auskunftsbureau, Stadtbahnhof Alexanderplatz, den Auskunftsstellen, Verkehrs-Büreaux und Güterexpeditionen sämmtlicher Königlich Preußischen Eisenbahn-Direktionen, bei der Drucksachen-Controle der Reichs-Eisenbahnen zu Straßburg i. Els., sowie bei dem Verkehrs-Büreau der Korporation der Kaufmannschaft hier, Börsengebäude 1 Treppe (Zugang von der Burgstraße).

Berlin, im April 1888.

Königl. Eisenbahn-Direktion.

Bekanntmachungen der Königlichen Eisenbahn-Direktion zu Bromberg.

Ausgabe von Rückfahrkarten mit Gutscheinen nach Berlin.

30. Vom 1. Mai bis einschließlich 30. September d. J. werden Rückfahrkarten mit Gutscheinen nach Berlin zum Anschlusse an die daselbst zum Verkaufe stehenden Rundreise- (feste oder kombinirbare), sowie Saisonbillets wie folgt ausgegeben werden:

a. **nach Berlin Stadtbahn:**

Von Allenstein, Braunsberg, Bromberg, Czerwinsk, Danzig, lege und hohe Thor, Dt. Eylau, Dirschau, Elbing, Gnesen, Graudenz, Insterburg, Jablonowo, Königsberg i. Pr., Konitz, Korschen, Kreuz, Landsberg a. W., Laskowitz, Marienburg, Marienwerder, Memel, Neustettin, Osterode, Pr. Stargard, Schneidemühl, Thorn, Tilsit und Warlubien mit 60tägiger Gültigkeitsdauer, von Breslau, Bunzlau, Cottbus, Görlitz, Guben, Königszelt, Liegnitz, Posen, Sagan, Schweidnitz und Waldenburg i. Schles. mit 45tägiger Gültigkeitsdauer,

b. **nach Berlin Stettiner Bahnhof:**

Von Belgard, Cöslin, Colberg, Ruhnow, Schlawe und Stolp mit 60tägiger und von Anclam, Greifswald, Pasewalk, Prenzlau, Stargard i. Pomm., Stettin und Stralsund mit 45tägiger Gültigkeitsdauer.

c. **nach Berlin Anhalter Bahnhof:**

Von Dresden, Friedrichstadt, Altstadt und Neustadt mit 45tägiger Gültigkeitsdauer.

Im Anschlusse an Rundreisebillets nach Italien, sowie an kombinirbare Rundreisebillets werden jedoch die Rückfahrkarten mit 60tägiger Gültigkeitsdauer während des ganzen Jahres verkauft. Ermäßigung bei Kinderbeförderung und Gepäckfreigewicht, sowie Zulösung von Billets beim Uebergange in höhere Wagenklassen wie im gewöhnlichen Verkehre. Bestellungen von Rückfahrkarten mit Gutscheinen werden durch umgehende Zusendung derselben mit der Post auf Gefahr und Kosten der Besteller ausgeführt, wenn gleichzeitig mit der Bestellung der Betrag für die Fahrkarten und Gutscheine portofrei der Billetexpedition zugesandt wird. Rückfahrkarte und Gutschein werden in solchem Falle mit dem Datum des Tages der Absendung abgestempelt und gilt dieser als der Anfangstag der Gültigkeitsdauer beider. Prospekte können zum Preise von 10 Pf. für das Stück durch Vermittelung der Billetexpeditionen bezogen werden und werden den Käufern der Rückfahrkarten mit Gutscheinen ohne besondere Bezahlung verabfolgt.

Näheres ist bei den Billetexpeditionen zu erfahren.

Bromberg und Berlin, den 21. April 1888.

Königl. Eisenbahn-Direktionen.

Hauptverzeichniß der Koupons für kombinirbare Rundreisebillete.

31. Am 1. Mai d. J. tritt an Stelle des bisherigen Haupt-Verzeichnisses der Koupons für kombinirbare Rundreisebillete und der Billet-Ausgabestellen ein neues Verzeichniß in Kraft, welches nebst Uebersichtskarte für 50 Pf. durch Vermittelung der Billet-Expeditionen bezogen werden kann.

Bromberg, den 20. April 1888.

Königl. Eisenbahn-Direktion.

Nachtrag zum Lokal-Güter-Tarif.

32. Am 1. Mai d. J. tritt der Nachtrag V. zum Theil II. des Lokal-Güter-Tarifs für den Eisenbahn-Direktions-Bezirk Bromberg in Kraft. Derselbe enthält eine anderweite Fassung des Ausnahme-Tarifs für bestimmte Stückgüter, welche gleichzeitig in denjenigen Verkehren, für welche dieser Ausnahme-Tarif Geltung hat, zur Anwendung kommt. Soweit hierdurch Frachterhöhungen herbeigeführt werden, treten dieselben erst mit dem 15. Juni d. J. in Wirksamkeit. Der Nachtrag V. kann durch die Billet-Expeditionen unseres Bezirks bezogen werden.

Bromberg, den 23. April 1888.

Königl. Eisenbahn-Direktion.

Nachtrag zum Verband-Gütertarif zwischen Stationen des Eisenbahn-Direktions-Bezirks Bromberg und den Stationen der Marienburg-Mlawkaer Bahn.

33. Mit dem 15. Juni 1888 tritt zum Verband-Gütertarif zwischen Stationen des Eisenbahn-Direktions-Bezirks Bromberg einerseits und den Stationen der Marienburg-Mlawkaer Bahn andererseits vom 1. Oktober 1887 der Nachtrag III. in Kraft, enthaltend erhöhte Ausnahmefrachtsätze für Getreide 2c. und Holz des Spezial-Tarif II. im Verkehr mit Illowo und Mlawa, sowie Berichtigungen. Der qu. Nachtrag kann durch die Billet-Expeditionen der Verband-Stationen beider Verwaltungen bezogen werden.

Bromberg, den 27. April 1888.

Königliche Eisenbahn-Direktion.

Frachtbegünstigung für Ausstellungsgegenstände.

34. Für die in der nachstehenden Zusammenstellung näher bezeichneten Gegenstände, welche auf den daselbst erwähnten Ausstellungen ausgestellt werden und unverkauft bleiben, wird eine Frachtbegünstigung in der Art gewährt, daß nur für die Hinbeförderung die volle tarifmäßige Fracht berechnet wird, die Rückbeförderung an die Versandstation und den Aussteller aber frachtfrei erfolgt, wenn durch Vorlage des ursprünglichen Frachtbriefes bezw. des Duplikat-Transportscheines für den Hinweg, sowie durch eine Bescheinigung der dazu ermächtigten Stelle nachgewiesen wird, daß die Gegenstände ausgestellt gewesen und unverkauft geblieben sind und wenn die Rückbeförderung innerhalb der unten angegebenen Zeit stattfindet.

In den ursprünglichen Frachtbriefen bezw. Duplicat-Transportscheinen für die Hinsendung ist ausdrücklich zu vermerken, daß die mit denselben aufgegebenen Sendungen durchweg aus Ausstellungsgut bestehen.

№	Art der Ausstellung	Ort	Zeit 1888	Die Frachtbegünstigung wird gewährt für	auf den Strecken der	Zur Ausfertigung der Bescheinigung sind ermächtigt	Die Rückbeförderung muß erfolgen innerhalb	
1	Internationale Industrie-Ausstellung	Barcelona	April bis Oktober	Erzeugnisse Deutscher Industrie	Preußischen Staatsbahnen und Eisenbahnen in Elsaß-Lothringen	Ausstellungs-Kommission	3 Monate	nach Schluß der Ausstellung.
2	Thierschau	Stallupönen	7. Mai					
3	desgl.	Gumbinnen	9. Mai					
4	desgl.	Tilsit	11. Mai	Thiere, landwirthschaftliche Maschinen und Geräthe	Königlichen Eisenbahn-Direktion Bromberg	desgl.	8 Tage	
5	desgl.	Insterburg	12. Mai					
6	desgl.	Angerburg	24. Mai					
7	desgl.	Lyck	25. Mai					
8	desgl.	Nikolaiken	26. Mai					
9	Landwirthschaftliche Ausstellung	Marggrabowa	1. u. 2. Juni					

Bromberg, den 23. April 1888.

Königl. Eisenbahn-Direktion.

Bekanntmachungen anderer Behörden.

Bekanntmachung,

die noch nicht zur Einlösung präsentirten Steuer-Credit-Kassenscheine und unverzinslichen Kammer-Credit-Kassenscheine betreffend.

Nachdem die letzte Verloosung der Steuer-Credit-Kassenscheine bereits Michaelis 1873 stattgefunden und die Verzinsung schon mit dem Ostertermine 1874 aufgehört hat, sind bis jetzt die nachfolgenden Steuer-Credit-Kassenscheine und unverzinslichen Kammer-Credit-Kassenscheine noch immer nicht zur Einlösung präsentirt:

A. Steuer-Credit-Kassenscheine:

I. Vom Jahre 1764:

Lit. A. à 1000 Thlr. № 5557.

Lit. D. à 100 Thlr. № 864 1941 2055 2208 3616

II. Vom Jahre 1836:

Lit. A. à 1000 Thlr. № 144.

B. Unverzinsliche Kammer-Credit-Kassenscheine.

Lit. E. à 43 Thlr. № 11577 11704 12260 12691 13234 13678 13727 14516 14657.

Lit. E. à 45 Thlr. № 828 1474 1912 2245 5497 6944 8180 8203 8512 8577 8586 8612 8663 8724 8899 8900 8901 9298 9336 9342 9443 9471 9927 10387 10568 10801 10809 11291 11542 11593 11629 12192 12301 12602 12603.

Lit. E. à 47 Thlr. № 283 1581 1653 2853 4850 4852 6255 6533 7933 8093 8101 8563 8608 8630 8697 8717 8753 9187 9299 9489 9941 10100 10479 10563 10624 10742 10906 12482 14412 14483 14601 14652.

Lit. E. à 49 Thlr. № 272 1240 1725 3242 3244 3782 4100 4390 5357 5599 5600 5685 6160 6161 6333 6899 8216 8447 8457 8473 8686 9041 9259 9439 9451 10235 10343 11417 12385 12515 14289 14702.

Die Besitzer dieser Scheine werden an die baldige Abhebung dieser Kapitalbeträge erinnert. Die Abhebung erfolgt bei der hiesigen Regierungs-Haupt-Kasse gegen Quittung, zu welchen Formulare von der genannten Kasse unentgeltlich verabfolgt werden und gegen Rückgabe der Scheine.

Merseburg, den 15. April 1888.

Der Königl. Regierungs-Präsident.

Personal-Chronik.

Im Kreise Ostprignitz ist wegen bevorstehenden Ablaufs seiner Dienstzeit der Lieutenant von Rohr zu Wulkow zum Amtsvorsteher-Stellvertreter des Amtsbezirks VI. Bantickow wieder ernannt worden.

Der der hiesigen Regierung überwiesene Regierungs-Assessor von Gersdorff hat seine Dienst-Geschäfte übernommen.

Dem Oberpfarrer Dr. Dieben zu Baruth ist vom 1. April d. J. ab die Kreisschulinspektion über die Schulen des Inspektionskreises Baruth übertragen worden.

Dem Kandidaten phil. Matthiae zu Wentow ist die Erlaubniß ertheilt worden, im Regierungsbezirk Potsdam Stellen als Hauslehrer anzunehmen.

Die durch den Tod ihres bisherigen Inhabers vacant gewordene Flößmeisterstelle Groß-Väter in der Oberförsterei Reiersdorf ist dem Forstpolizeisergeanten Freitag zu Schönwalde vom 1. Mai d. J. ab vorläufig probeweise übertragen worden.

Die Lehrer Hahn, Richter, Spree, Piecke, Hoff und Kranepfuhl sind als Gemeindeschullehrer in Berlin angestellt worden.

Vermischte Nachrichten.

In der Zeit vom 8. bis zum 17. Mai d. J. findet in der Diözese Kyritz unter dem Vorsitze des Generalsuperintendenten, Oberhofprediger D. Koegel, eine General-Kirchen-Visitation statt, über deren Plan die Geistlichen und Gemeinde-Kirchenräthe der Diözese Auskunft ertheilen können.

Ausweisung von Ausländern aus dem Reichsgebiete.

Lauf. Nr.	Name und Stand des Ausgewiesenen.	Alter und Heimath des Ausgewiesenen.	Grund der Bestrafung.	Behörde, welche die Ausweisung beschlossen hat.	Datum des Ausweisungs-Beschlusses.
1.	2.	3	4.	5.	6.
	Auf Grund des § 362 des Strafgesetzbuchs:				
1	Iwan Bassouroff, Tagelöhner,	geboren am 28. März 1855 zu Wilna, Rußland, ortsangehörig ebendaselbst,	Landstreichen und Betteln,	Kaiserlicher Bezirks-Präsident zu Colmar,	23. Februar 1888.
2	Friedrich Zwahlen, Knecht,	geboren am 5. Januar 1862 zu Guggisberg, Kant. Bern, Schweiz, ortsangehörig ebendaselbst,	desgleichen,	derselbe,	2. März 1888.
3	Norbert Puczkowski, Strumpfweber,	geboren am 6. Juni 1841 zu Luckow, Russ. Polen, ortsangehörig ebendaselbst,	Landstreichen,	derselbe,	5. März 1888.
4	Michael Luzian (oder Luzian Mikell), Erdarbeiter,	geboren am 22. März 1855 zu Siror, Bezirk Trient, Oesterreich,	Landstreichen u. Angabe eines falschen Namens,	Kaiserlicher Bezirks-Präsident zu Metz,	21. März 1888.
5	Franz Neuhauser, Schneider,	geboren am 1. April 1869 zu Netolic, Kreis Pisek, Böhmen, ortsangehörig ebendaselbst,	Betteln im wiederholten Rückfall,	Königlich Preußischer Regierungspräsident zu Magdeburg,	27. März 1888.

Lauf. Nr.	Name und Stand	Alter und Heimath	Grund der Bestrafung.	Behörde, welche die Ausweisung beschlossen hat.	Datum des Ausweisungs-Beschlusses.
	des Ausgewiesenen.				
1.	2.	3.	4.	5.	6.
6	Franz Schubert, Schuhmachergeselle,	geboren am 16. Juli 1835 zu Brür, Böhmen, ortsangehörig zu Grafenstein, Bezirk Reichenberg, ebendaselbst,	Betteln im wiederholten Rückfall,	Königlich Preußischer Regierungspräsident zu Liegnitz,	29. März 1888.
7	Mathias Krakowik, Bäcker,	geboren am 28. Oktober 1864 zu Krain, Bez. Laibach, Oesterreich, ortsangehörig ebendaselbst,	Landstreichen und Betteln,	Königlich Preußische Regierung zu Aachen,	28. März 1888.
8	Emanuel Jelineck, Tischlergeselle,	geboren am 25. Dezember 1864 zu Schlan, Böhmen, ortsangehörig ebendaselbst,	desgleichen,	Königlich Bayerisches Bezirksamt Pirmasens,	15. Januar 1888.
9	Josef Ackermann, Ziegelarbeiter,	geboren am 19. März 1845 zu Pilsen, Böhmen, ortsangehörig ebendaselbst,	Landstreichen,	Königlich Bayerisches Bezirksamt Vilsbiburg,	12. März 1888.
10	Anna Hackl, ledige Dienstmagd,	27 Jahre, geboren zu Birndorf, Bezirk Falkenau, Böhmen, ortsangehörig zu Littmitz, Bezirk Falkenau, ebendaselbst,	desgleichen,	Königlich Bayerisches Bezirksamt Eggenfelden,	22. März 1888.
11	Josef Lindner, Schmiedegeselle,	geboren am 19. Dezember 1848 zu Katharinaberg, Bezirk Brür, Böhmen, ortsangehörig ebendaselbst,	Landstreichen und Betteln,	Königlich Sächsische Kreishauptmannschaft Zwickau,	13. März 1888.
12	Michael Goerig, Tagner,	geboren am 27. August 1825 zu Ottinghausen, Schweiz, ortsangehörig ebendaselbst,	Betteln im wiederholten Rückfall,	Kaiserlicher Bezirks-Präsident zu Colmar,	10. März 1888.
13	Peter Basilico, Maurer,	geboren am 17. Juni 1851 zu Caronno bei Mailand, Italien,	Landstreichen,	Kaiserlicher Bezirks-Präsident zu Metz,	26. März 1888.
14	Abraham Weil, Bäcker,	geboren am 1. Januar 1857 zu Blötzheim, Ober-Elsaß, Französischer Optant,	desgleichen,	derselbe,	29. März 1888.

Hierzu Vier Oeffentliche Anzeiger.

(Die Insertionsgebühren betragen für eine einspaltige Druckzeile 20 Pf. Belagsblätter werden der Bogen mit 10 Pf. berechnet.)

Redigirt von der Königlichen Regierung zu Potsdam.

Potsdam, Buchdruckerei der A. W. Hayn'schen Erben (E. Hayn, Hof-Buchdrucker).

Amtsblatt
der Königlichen Regierung zu Potsdam und der Stadt Berlin.

Stück 19. Den 11. Mai 1888.

Reichs-Gesetzblatt.

(Stück 17.) № 1789. Gesetz, betreffend die Löschung nicht mehr bestehender Firmen und Prokuren im Handelsregister. Vom 30. März 1888.

№ 1790. Verordnung, betreffend die Uebertragung landesherrlicher Befugnisse auf den Statthalter in Elsaß-Lothringen. Vom 15. März 1888.

(Stück 18.) № 1791. Gesetz, betreffend die Zurückbeförderung der Hinterbliebenen im Auslande angestellter Reichsbeamten und Personen des Soldatenstandes. Vom 1. April 1888.

(Stück 19.) № 1792. Gesetz, betreffend die unter Ausschluß der Oeffentlichkeit stattfindenden Gerichtsverhandlungen. Vom 5. April 1888.

№ 1793. Freundschaftsvertrag zwischen dem Reich und dem Freistaat Ecuador. Vom 28. März 1887.

(Stück 20.) № 1794. Gesetz, betreffend die Ausführung der am 9. September 1886 zu Bern abgeschlossenen Uebereinkunft wegen Bildung eines internationalen Verbandes zum Schutze von Werken der Literatur und Kunst. Vom 4. April 1888.

(Stück 21.) № 1795. Gesetz, betreffend den Reingewinn aus kriegsgeschichtlichen Werken des großen Generalstabes. Vom 12. April 1888.

№ 1796. Verordnung, betreffend die Abänderung und Ergänzung der Ausführungsbestimmungen zu dem Gesetze über die Kriegsleistungen. Vom 14. April 1888.

№ 1797. Bekanntmachung, betreffend das Verbot des Umlaufs fremder Scheidemünzen. Vom 16. April 1888.

№ 1798. Bekanntmachung, betreffend die Gestattung des Umlaufs der Scheidemünzen der Frankenwährung innerhalb badischer Grenzbezirke. Vom 16. April 1888.

(Stück 22.) № 1799. Internationaler Vertrag zum Schutze der unterseeischen Telegraphenkabel. Vom 14. März 1884.

№ 1800. Gesetz zur Ausführung des internationalen Vertrages zum Schutze der unterseeischen Telegraphenkabel vom 14. März 1884. Vom 21. November 1887.

Gesetz-Sammlung für die Königlichen Preußischen Staaten.

(Stück 9.) № 9264. Gesetz, betreffend die Errichtung eines Landgerichts in Bochum, sowie die anderweitige Abgrenzung der Amtsgerichtsbezirke Hattingen und Bochum und der Landgerichtsbezirke Essen und Münster. Vom 3. April 1888.

№ 9265. Gesetz über das Grundbuchwesen und die Zwangsvollstreckung in das unbewegliche Vermögen im Geltungsbereich des Rheinischen Rechts. Vom 12. April 1888.

№ 9266. Gesetz, betreffend die Vereinigung der Rechtsanwaltschaft und des Notariats im Geltungsbereich des Rheinischen Rechts. Vom 13. April 1888.

№ 9267. Verordnung, betreffend die Zuständigkeit der Verwaltungsgerichte und den Instanzenzug für Streitigkeiten, welche nach reichsgesetzlicher Vorschrift im Verwaltungsstreitverfahren zu entscheiden sind. Vom 23. März 1888.

(Stück 10.) № 9268. Verordnung, betreffend die Kautionen der Beamten aus dem Bereiche des Ministeriums der geistlichen, Unterrichts- und Medizinal-Angelegenheiten. Vom 3. April 1888.

№ 9269. Allerhöchster Erlaß vom 13. April 1888, betreffend die Verleihung des Ranges der Räthe dritter Klasse an die Ober-Präsidialräthe.

№ 9270. Verfügung des Justizministers, betreffend die Anlegung des Grundbuchs für einen Theil des Bezirks des Amtsgerichts Stade. Vom 26. April 1888.

Bekanntmachungen der Königlichen Ministerien.

Ankauf von Remonten pro 1888.

Regierungs-Bezirk Potsdam.

15. Zum Ankaufe von Remonten im Alter von drei und ausnahmsweise vier Jahren sind im Bereiche der Königlichen Regierung zu Potsdam für dieses Jahr nachstehende, Morgens 8 resp. 9 Uhr beginnende Märkte anberaumt worden, und zwar:

am	**31.**	**Mai**	Wriezen a. Oder,
=	**8.**	**Juni**	Jüterbog 9 Uhr,
=	**9.**	=	Oranienburg,
=	**11.**	=	Nauen,
=	**12.**	=	Neustadt a. Dosse,
=	**13.**	=	Rathenow,
=	**15.**	=	Havelberg,
=	**16.**	=	Wilsnack 9 Uhr,
=	**31.**	**Juli**	Strasburg i. Uckermark,
=	**1.**	**August**	Prenzlau,
=	**2.**	=	Angermünde,
=	**3.**	=	Neu-Ruppin,
=	**4.**	=	Kyritz,

am 6. August Wittstock,
" 7. " Meyenburg,
" 8. " Pritzwalk 9 Uhr,
" 9. " Perleberg,
" 10. " Lenzen a. Elbe.

Die von der Remonte-Ankaufs-Kommission erkauften Pferde werden mit Ausnahme derjenigen von Oranienburg zur Stelle abgenommen und sofort gegen Quittung baar bezahlt. Die Verkäufer auf dem Markte in Oranienburg werden dagegen ersucht, die erkauften Pferde in dem nahe gelegenen Remonte-Depot Bärenklau auf eigene Kosten und Gefahr einzuliefern und daselbst nach erfolgter Uebergabe in gesundem Zustande den behandelten Kaufpreis in Empfang zu nehmen.

Pferde mit solchen Fehlern, welche nach den Landesgesetzen den Kauf rückgängig machen, sind vom Verkäufer gegen Erstattung des Kaufpreises und der Unkosten zurückzunehmen, ebenso Krippensetzer, welche sich in den ersten acht und zwanzig Tagen nach Einlieferung in den Depots als solche erweisen. Pferde, welche den Verkäufern nicht eigenthümlich gehören, oder durch einen nicht legitimirten Bevollmächtigten der Kommission vorgestellt werden, sind vom Kauf ausgeschlossen.

Die Verkäufer sind verpflichtet, jedem verkauften Pferde eine neue, starke rindlederne Trense mit starkem Gebiß und eine neue Kopfhalfter von Leder oder Hanf mit 2 mindestens zwei Meter langen Stricken ohne besondere Vergütung mitzugeben.

Um die Abstammung der vorgeführten Pferde feststellen zu können, ist es erwünscht, daß die Deckscheine möglichst mitgebracht werden, auch werden die Verkäufer ersucht, die Schweife der Pferde nicht zu coupiren oder übermäßig zu verkürzen.

Ferner ist es dringend wünschenswerth, daß der immer mehr überhand nehmende zu massige oder weiche Futterzustand bei den zum Verkauf zu stellenden Remonten aufhört, weil dadurch die in den Remonte-Depots vorkommenden Krankheiten sehr viel schwerer zu überstehen sind, als dies bei rationell und nicht übermäßig gefutterten Remonten der Fall ist.

In Zukunft wird beim Ankauf zum Messen der Remonten das Stockmaß in Anwendung kommen.

Berlin, den 1. März 1888.

Kriegsministerium, Remontirungs-Abtheilung.

Bekanntmachungen des Königlichen Ober-Präsidenten der Provinz Brandenburg.

Schutzpockenimpfung mit thierischem Impfstoff.

12. Bei der zunehmenden Inanspruchnahme der staatlichen Anstalten zur Gewinnung thierischen Impfstoffs werden die wegen des Bezugs des letzteren einzeln erlassenen Vorschriften häufig seitens der Aerzte nicht genügend beobachtet und haben sich namentlich insofern Unzuträglichkeiten herausgestellt, als der Bedarf an Impfstoff für den einzelnen Tag der Verwendung oft in willkürlich zu groß bemessener Menge angegeben wird, die Lymphe daher unbenutzt bleibt oder doch erst später zur Verimpfung gelangt. Findet aber letzteres statt, so kann sich inzwischen die Wirksamkeit des Impfstoffes, zumal dann, wenn derselbe nicht ununterbrochen kühl gehalten wird, mehr oder weniger abgeschwächt haben. Entgegen der, jeder Lympheliefrung beigegebenen Gebrauchsanweisung wird ferner noch häufig der thierische Impfstoff anstatt durch Schnitte durch die bei dieser Lymphe-Art unzuverlässige Methode der Stiche verimpft und werden auch die Vorschriften über die Zahl der anzulegenden Impfstellen nicht überall in der zur Erreichung des Impfschutzes und zur Beurtheilung der Wirkung erforderlichen Weise befolgt.

Endlich liegt es im sachlichen Interesse, daß die Dirigenten der Impfanstalten von der Wirksamkeit des gelieferten Impfstoffs ungesäumt nach Feststellung derselben in Kenntniß gesetzt werden, um möglichst bald etwa hervorgetretenen Mängeln in dem Betriebe der Anstalt bezw. in der Verwendung des Impfstoffs begegnen zu können.

Um den vorstehend erwähnten Unvollkommenheiten möglichst abzuhelfen und zugleich den Bezug thierischen Impfstoffs aus den staatlichen Impfinstituten einheitlich zu regeln, bestimme ich hienach, was folgt:

1) Die Anträge auf Lieferung von Impfstoff sind unter deutlicher Angabe des Namens und Wohnortes des Antragstellers, sowie der Zahl der Impfungen, zu denen, und des Tages, an welchem die Verwendung stattfinden soll, mindestens vierzehn Tage vor dem letzteren bei dem Anstalts-Dirigenten einzubringen.

   Die Zahl der an dem betreffenden Tage beabsichtigten öffentlichen Impfungen ist hierzu von dem Impfarzt, soweit angängig, auf Grund der Impflisten annähernd festzustellen.

2) Die Lieferung des Impfstoffs erfolgt für die Impfärzte kosten-, auch portofrei, im Uebrigen portopflichtig gegen eine im Voraus zu entrichtende Vergütung von 1 Mark für eine zu 1 bis 5 Impfungen ausreichende Menge Impfstoff nebst den Auslagen für die Verpackung.

3) Die von den Impfanstalten den Lymphesendungen beigegebenen Gebrauchsanweisungen sind genau zu befolgen.

4) Die von den Impfanstalten jeder einzelnen Lymphesendung beigegebenen Karten zur Angabe der mit dem gelieferten Impfstoff erzielten Impferfolge sind ungesäumt nach Feststellung der letzteren in Betreff jeder einzelnen Lymphesendung ausgefüllt den Anstalts-Dirigenten zuzustellen.

5) Der Tranport und die Aufbewahrung thierischen Impfstoffes bei hoher Wärme ist zu vermeiden; dem entsprechend sind öffentliche Impftermine in den Monaten Juli und August thunlichst zu beschränken.

Behufs Durchführung dieser Bestimmungen ersuche ich Euer Excellenz ganz ergebenst, gefälligst die erforderlichen Veranlassungen zu treffen.

Berlin, den 16. April 1888.

Der Minister der geistlichen,
Unterrichts- und Medizinal-Angelegenheiten.
gez. von Goßler.

M. № 3028.

An den Königl. Ober-Präsidenten, Staatsminister
Herrn Dr. Achenbach, Excellenz zu Potsdam.

* * *

Vorstehender Erlaß wird hiermit zur öffentlichen Kenntniß gebracht.

Potsdam, den 24. April 1888.

Der Ober-Präsident, Staatsminister Achenbach.

Bekanntmachungen der Bezirksausschüsse.

Eröffnung der Jagd auf wilde Enten.

1. Für die Eröffnung der **Jagd auf wilde Enten** tritt in dem Regierungsbezirke Potsdam während des laufenden Jahres keine Aenderung in dem durch § 1 unter № 9 des Gesetzes über die Schonzeiten des Wildes vom 26. Januar 1870 (Ges.-S. S. 120) vorgeschriebenen Termin (1. Juli) ein. Dies wird hierdurch zur öffentlichen Kenntniß gebracht.

Potsdam, den 4. Mai 1888.

Der Bezirks-Ausschuß.

Bekanntmachungen des Königlichen Polizei-Präsidiums zu Berlin.

Concession und Statut der Nürnberger Lebensversicherungsbank zu Nürnberg.

46. Diesem Stück des Amtsblattes ist eine Beilage, enthaltend die Concession und das Statut der Nürnberger Lebensversicherungsbank zu Nürnberg, beigefügt, worauf hierdurch mit dem Bemerken hingewiesen wird, daß der Assecuranz-Subdirektor E. R. Graeber, Urbanstraße Nr. 2 hierselbst wohnhaft, zum Generalbevollmächtigten der Bank für das Königreich Preußen bestellt worden ist.

Berlin, den 14. April 1888.

Der Polizei-Präsident.

Die Transport-Versicherungs-Gesellschaft The Underwriting and Agency Association Limited in London betreffend.

47. Die Transport-Versicherungs-Gesellschaft The Underwriting and Agency Association Limited in London, welche durch Concessionsurkunde vom 21. Juni 1886 zum Geschäftsbetriebe in Preußen zugelassen worden ist, hat Inhalts der von Ihren Generalbevollmächtigten unter dem 10 April dieses Jahres erstatteten Anzeige auf diese Concession verzichtet.

Dieses wird unter Bezugnahme auf die Bekanntmachung vom 29. Dezember 1886 im 4ten Stück des Amtsblattes der Königlichen Regierung zu Potsdam und der Stadt Berlin vom 28. Januar 1887 hierdurch zur öffentlichen Kenntniß gebracht.

Berlin, den 4. Mai 1888.

Der Polizei-Präsident.

Untersuchung von Farben, Gespinnsten und Geweben auf Arsen und Zinn.

48. Unter Bezugnahme auf das im Amtsblatt Nr. 17 vom 27. vorigen Monats abgedruckte Gesetz vom 5. Juli 1887, betreffend die Verwendung gesundheitsschädlicher Farben bei der Herstellung von Nahrungsmitteln, Genußmitteln und Gebrauchsgegenständen, wird hierdurch zur öffentlichen Kenntniß gebracht, daß die auf Grund der Vorschriften im § 1 Absatz 3 und § 7 Absatz 2 dieses Gesetzes unterm 10. April 1888 von dem Herrn Reichskanzler erlassenen näheren Bestimmungen über die Untersuchung von Farben, Gespinnsten und Geweben auf Arsen und Zinn im Central-Blatt für das Deutsche Reich Nr. 15 vom 13. April 1888 veröffentlicht sind.

Berlin, den 1. Mai 1888.

Der Königl. Polizei-Präsident.

Bestimmung, die Glaser-Innung zu Berlin betreffend.

49. Auf Grund des § 100e. der Reichs-Gewerbe-Ordnung bestimme ich hiermit für den Bezirk der **Glaser-Innung zu Berlin**, daß

1) Streitigkeiten aus den Lehrverhältnissen der im § 120a. der Reichs-Gewerbe-Ordnung bezeichneten Art auf Anrufen eines der streitenden Theile von der zuständigen Innungsbehörde und zwar, so lange die Innung dem Innungsausschuß der vereinigten Innungen zu Berlin angehört, von dem engeren Ausschuß desselben (Schiedsgericht für Lehrlingsstreitigkeiten), auch dann zu entscheiden sind, wenn der Arbeitgeber, obwohl er das Glasergewerbe betreibt und selbst zur Aufnahme in die gedachte Innung fähig sein würde, gleichwohl der Innung nicht angehört;
2) die sämmtlichen von der Innung erlassenen Vorschriften über die Regelung des Lehrlingsverhältnisses, sowie über die Ausbildung und Prüfung der Lehrlinge auch dann bindend sind, wenn deren Lehrherr zu den unter Ziffer 1 bezeichneten Arbeitgebern gehört.

Diese Bestimmung tritt mit dem 1. Juli 1888 in Kraft. Berlin, den 28. April 1888.

Der Königl. Polizei-Präsident.

Bestimmung, die Korbmacher-Innung zu Berlin betreffend.

50. Auf Grund des § 100e. der Reichs-Gewerbe-Ordnung bestimme ich hiermit für den Bezirk der **Korbmacher-Innung zu Berlin**, daß

1) Streitigkeiten aus den Lehrverhältnissen der im § 120a. der Reichsgewerbe-Ordnung bezeichneten Art auf Anrufen eines der streitenden Theile von der zuständigen Innungsbehörde — so lange die Korbmacher-Innung dem Innungsausschuß der vereinigten Innungen zu Berlin angehört, von dem von dem Letzteren niedergesetzten engeren Ausschuß (Schiedsgericht für Lehrlingsstreitigkeiten) — auch dann zu entscheiden sind, wenn der Arbeitgeber, obwohl er das Korbmachergewerbe betreibt und selbst zur Aufnahme in die gedachte Innung fähig sein würde, gleichwohl der Innung nicht angehört;
2) die sämmtlichen von der Innung erlassenen Vorschriften über die Regelung des Lehrlingsverhältnisses, sowie über die Ausbildung und Prüfung der Lehrlinge auch dann bindend sind, wenn deren Lehr-

herr zu den unter Ziffer 1 bezeichneten Arbeitgebern gehört.

Diese Bestimmung tritt mit dem 1. Juli 1888 in Kraft. Berlin, den 28. April 1888.

Der Königl. Polizei-Präsident.

Bekanntmachungen des Königlichen Regierungs-Präsidenten.

Betrifft General-Konsulat für Salvador.

151. Hiermit bringe ich zur öffentlichen Kenntniß, daß der bisherige Konsul des Freistaats Salvador,

153. **Nachweisung der Markt- ꝛc.**

Laufende №	Namen der Städte	Getreide: Weizen M.	Pf.	Roggen M.	Pf.	Gerste M.	Pf.	Hafer M.	Pf.	Uebrige Markt-: Erbsen M.	Pf.	Speisebohnen M.	Pf.	Linsen M.	Pf.	Kartoffeln M.	Pf.	Richtstroh M.	Pf.	Krummstroh M.	Pf.	Heu M.	Pf.	Es … Rindfleisch von der Keule M.	Pf.	Rindfleisch Bauchfleisch M.	Pf.
		Es kosten je 100 Kilogramm																									
1	Angermünde	16	55	11	17	11	45	11	28	28	—	30	—	39	20	4	90	3	99	3	—	4	88	1	30	1	10
2	Beeskow	—	—	11	70	—	—	12	85	27	50	32	50	40	—	4	01	3	60	—	—	6	—	1	20	1	—
3	Bernau	16	81	11	54	13	92	12	21	24	—	32	—	45	—	5	62	4	28	—	—	6	84	1	20	1	—
4	Brandenburg	16	30	11	73	11	64	12	19	27	50	35	—	55	—	3	80	2	97	—	—	4	97	1	30	1	10
5	Dahme	16	59	11	67	11	72	12	20	35	—	45	—	50	—	4	—	3	50	2	50	6	—	1	—	1	—
6	Eberswalde	16	50	11	50	16	22	11	37	23	—	23	—	26	—	5	13	3	85	—	—	5	50	1	20	1	—
7	Havelberg	16	29	13	15	13	19	13	—	22	50	35	—	45	31	4	28	3	36	2	65	6	50	1	30	—	90
8	Jüterbog	17	—	12	—	11	75	14	—	25	—	30	—	40	—	5	50	3	80	—	—	6	20	1	20	1	—
9	Luckenwalde	15	56	11	76	11	43	11	16	32	50	32	50	37	50	4	20	3	—	—	—	5	—	1	20	1	20
10	Perleberg	16	11	11	91	11	96	11	96	20	—	32	—	43	—	4	39	4	—	—	—	7	84	1	40	1	10
11	Potsdam	16	68	11	62	15	30	12	82	24	—	31	—	41	—	5	35	3	67	—	—	5	77	1	35	1	10
12	Prenzlau	16	55	11	—	10	95	10	97	21	50	35	—	45	—	4	88	4	—	3	—	4	75	1	20	—	92
13	Pritzwalk	16	38	10	95	12	34	11	43	17	50	30	—	40	—	3	18	3	25	2	63	5	90	1	30	1	05
14	Rathenow	16	44	12	22	11	78	11	91	30	—	30	—	40	—	3	73	2	53	—	—	4	20	1	40	1	20
15	Neu-Ruppin	17	—	11	23	12	30	12	21	30	—	32	—	50	—	4	34	4	29	—	—	5	88	1	30	1	05
16	Schwedt	16	60	12	40	12	—	12	09	26	67	33	33	33	33	5	—	3	51	—	—	5	39	1	20	1	—
17	Spandau	14	75	12	60	14	50	14	50	26	50	28	50	36	—	6	—	3	58	—	—	6	50	1	40	1	20
18	Strausberg	16	95	11	68	14	72	13	64	25	—	30	50	35	—	3	75	4	81	—	—	8	56	1	20	1	10
19	Teltow	17	40	11	72	14	58	13	50	35	—	45	—	50	—	5	75	4	20	—	—	7	50	1	30	1	05
20	Templin	17	—	11	—	11	50	12	—	14	—	40	—	40	—	4	50	4	—	—	—	6	—	1	20	1	—
21	Treuenbrietzen	16	32	11	56	10	71	12	50	24	—	26	—	30	—	3	85	3	—	—	—	5	—	1	20	1	—
22	Wittstock	16	20	10	86	13	50	12	21	15	—	32	—	44	—	3	33	2	83	2	50	5	43	—	99	—	83
23	Wriezen a. O.	15	91	11	03	10	90	11	10	18	—	28	—	37	50	4	21	2	67	1	75	5	25	1	30	1	—
	Durchschnitt	16	45	11	65	12	65	12	31	—	—	—	—	—	—	4	51	3	60	—	—	5	91	—	—	—	—

Potsdam, den 8. Mai 1888.

154. **Nachweisung des Monatsdurchschnitts der gezahlten höchsten**

Laufende Nummer.	Es kosteten je 50 Kilogramm.	Angermünde. M.	₰	Beeskow. M.	₰	Bernau. M.	₰	Brandenburg. M.	₰	Dahme. M.	₰	Eberswalde. M.	₰	Havelberg. M.	₰	Jüterbog. M.	₰	Luckenwalde. M.	₰	Perleberg. M.	₰
1	Hafer	6	15	6	88	7	02	6	90	6	40	6	83	7	09	7	35	6	56	6	48
2	Heu	2	83	3	15	4	20	3	06	3	15	3	15	3	55	3	26	3	15	4	26
3	Richtstroh	2	23	1	89	2	43	1	74	1	84	2	10	1	84	2	—	1	76	2	36

Potsdam, den 8. Mai 1888.

William Schoenlank in Berlin, zum General-Konsul von Salvador für Deutschland mit dem Amtssitze in Berlin ernannt worden ist.

Potsdam, den 4. Mai 1888.

Der Regierungs-Präsident.

Viehseuchen.

152. Die Maul- und Klauenseuche unter dem Rindvieh der Wittwe Ebel zu Schönow im Kreise Teltow ist erloschen. Potsdam, den 5. Mai 1888.

Der Regierungs-Präsident.

Preise im Monat April 1888.

Artikel						Ladenpreise in den letzten Tagen des Monats											
kostet je 1 Kilogramm					Ein Schock Eier	Es kostet je 1 Kilogramm											
						Mehl		Gerste						Java-Kaffee mittler in gebr. Bohnen	Java-Kaffee gelber in gebr. Bohnen		
Schweinefleisch	Kalbfleisch	Hammelfleisch	Speck	Butter		Weizen Nr. 1.	Roggen Nr. 1.	Graupe	Grütze	Buchweizengrütze	Hafergrütze	Hirse	Reis, Java			Speisesalz	Schweineschmalz, hiesig.
M. Pf.	M. Pf.	M. Pf.	M. Pf.	M. Pf.	M. Pf.	M. Pf.	M. Pf.	M. Pf.	M. Pf.	M. Pf.	M. Pf.	M. Pf.	M. Pf.	M. Pf.	M. Pf.	M. Pf.	M. Pf.
1 10	— 90	1 05	1 60	2 10	3 14	— 25	— 20	— 50	— 30	— 40	— 45	— 60	— 60	3 —	3 40	— 20	1 40
1 10	1 —	1 —	1 60	1 98	2 30	— 40	— 30	— 60	— 60	— 65	— 80	— 60	— 65	3 20	3 60	— 20	2 —
1 19	1 20	1 05	1 70	2 22	2 87	— 40	— 25	— 45	— 50	— 50	— 40	— 60	— 25	2 40	3 —	— 20	1 —
1 15	— 95	1 10	1 80	2 30	3 10	— 30	— 25	— 50	— 40	— 45	— 40	— 50	— 40	3 20	3 60	— 20	1 60
1 20	— 80	1 —	1 60	2 —	2 80	— 32	— 26	— 60	— —	— 40	— —	— 50	— 50	2 80	3 60	— 20	1 40
1 20	1 —	1 —	1 60	2 40	3 25	— 28	— 26	— 60	— 60	— 50	— —	— 60	— 60	3 20	3 60	— 20	1 60
1 20	1 20	1 —	1 50	2 24	2 85	— 30	— 20	— 55	— 60	— 60	— —	— 50	— 60	3 20	3 60	— 20	1 60
1 10	— 95	1 20	1 30	2 —	2 60	— 35	— 20	— 40	— 50	— 40	— 60	— 40	— 40	2 70	3 60	— 20	1 40
1 20	— 90	1 20	1 60	2 30	2 80	— 30	— 20	— 50	— 40	— 40	— 60	— 36	— 60	3 20	3 60	— 20	1 40
1 30	1 15	1 15	1 95	1 78	2 86	— 50	— 36	— 50	— 50	— 50	— 50	— 55	— 50	3 40	3 40	— 20	2 —
1 24	1 —	1 15	1 60	2 01	2 86	— 30	— 20	— 45	— 45	— 45	— 45	— 45	— 50	2 60	3 40	— 20	1 60
1 14	— 80	1 07	1 50	2 —	2 88	— 24	— 20	— 50	— 30	— 50	— 50	— 50	— 50	3 20	3 60	— 20	1 40
1 05	— 90	1 —	1 50	1 80	2 31	— 26	— 20	— 45	— 40	— 40	— 50	— 50	— 50	3 20	3 60	— 20	1 50
1 40	1 —	1 20	1 80	2 60	2 63	— 27	— 19	— 40	— 40	— 45	— 40	— 30	— 60	3 30	3 80	— 20	2 —
1 10	— 95	1 10	1 60	2 10	2 91	— 36	— 24	— 50	— 50	— 50	— 50	— 50	— 60	3 25	3 58	— 20	1 40
1 20	— 95	1 —	2 —	2 —	2 40	— 30	— 25	— 60	— 40	— 40	— 60	— 50	— 70	3 60	3 80	— 20	2 —
1 20	1 20	1 20	1 20	2 10	2 60	— 40	— 30	— 50	— 50	— 55	— 50	— 55	— 65	3 40	3 80	— 20	1 40
1 20	1 —	1 20	1 60	2 40	2 90	— 35	— 20	— 55	— 50	— 45	— 55	— 50	— 60	3 —	3 80	— 20	1 40
1 20	1 25	1 15	1 40	2 40	4 36	— 45	— 30	— 60	— 50	— 50	— 60	— 50	— 50	2 80	3 20	— 20	1 20
1 —	— 60	1 —	1 60	2 40	4 —	— 28	— 20	— 60	— 50	— 50	— 60	— 40	— 50	3 20	3 60	— 20	1 60
1 71	— 90	1 20	1 60	1 74	2 89	— 28	— 18	— 50	— —	— 40	— 55	— 30	— 50	3 20	3 40	— 20	1 80
— 89	— 56	— 86	1 60	1 68	2 20	— 28	— 18	— 50	— 50	— 40	— 40	— 50	— 60	3 20	3 60	— 20	1 60
1 10	1 05	1 15	1 40	2 10	2 68	— 20	— 20	— 40	— 30	— 40	— 50	— 50	— 50	3 —	3 25	— 20	1 20
— —	— —	— —	— —	— —	— —	— —	— —	— —	— —	— —	— —	— —	— —	— —	— —	— —	— —

Der Regierungs-Präsident.

Tagespreise incl. 5 % Aufschlag im Monat April 1888.

Potsdam.	Prenzlau.	Pritzwalk.	Rathenow.	Neu-Ruppin.	Schwedt.	Spandau.	Strausberg.	Teltow.	Templin.	Treuenbrietzen.	Wittstock.	Wriezen a. O.
M. ₰	M. ₰	M. ₰	M. ₰	M. ₰	M. ₰	M. ₰	M. ₰	M. ₰	M. ₰	M. ₰	M. ₰	M. ₰
7 11	5 90	6 30	6 47	6 52	6 34	7 88	7 35	7 04	6 82	6 57	6 64	6 04
3 71	2 89	3 57	2 32	3 19	2 82	3 68	4 66	4 20	3 41	2 63	2 97	3 02
2 18	2 37	1 84	1 38	2 25	1 85	2 02	2 65	2 42	2 36	1 58	1 49	1 49

Der Regierungs-Präsident.

Bekanntmachungen der Königl. Regierung.

14. **Liste**

der im Laufe des Etatsjahres 1887/88 der Kontrolle der Staatspapiere als aufgerufen und gerichtlich für kraftlos erklärt nachgewiesenen Staatsschuldurkunden.

I. Staatsschuldscheine.

Lit. F. № 52910 178699 178937 und 211550 über je 100 Thlr. Lit. G. № 30652 32381 49277 und 50346 über je 50 Thlr.

II. Staats-Prämienanleihe von 1855.

Serie 1150 № 114991 über 100 Thlr.

III. Staatsanleihe von 1862.

Lit. D. № 4174 über 100 Thlr.

IV. Prioritäts-Obligationen der Niederschlesisch-Märkischen Eisenbahn.

Serie I. № 10855 über 100 Thlr., Serie III. № 20458 und 21778 über je 100 Thlr.

V. Konsolidirte 4½ prozentige Staatsanleihe.

Lit. C. № 344 über 500 Thlr. Lit. D. № 29779 über 200 Thlr. Lit. E. № 4706 10087 27510 36730 und 43118 über je 100 Thlr. Lit. F. № 38766 38767 38768 und 38769 über je 50 Thlr. Lit. K. № 14855 über 500 Mark. Lit. L. № 1477 19000 28204 und 29736 über je 300 Mark.

VI. Konsolidirte 4 prozentige Staatsanleihe.

Lit. C. № 11257 61061 und 140424 über je 1000 Mark. Lit. E. № 35773 und 70392 über je 300 Mark. Lit. F. № 42197 über 200 Mark.

VII. Vormals Kurhessische Prämienanleihe von 1845.

Serie 2990 № 74732, Serie 5038 № 125947 nnd Serie 6102 № 152548 über je 40 Thlr.

VIII. Vormals Nassauische Staatsanleihe von 1837.

Lit. E. № 942 über 500 Gld.

IX. Vormals Nassauische Staatsanleihe von 1862.

Lit. N. № 4148 über 100 Gld.

Reichsschuldurkunden sind im Laufe des Etatsjahres 1887/88 als aufgerufen und gerichtlich für kraftlos erklärt nicht nachgewiesen.

Berlin, den 4. April 1888.

Königl. Kontrolle der Staatspapiere.

* * *

Die vorstehende Liste wird nach Vorschrift des § 22 der Verordnung vom 16. Juni 1819 (Ges.-S. S. 157) zur öffentlichen Kenntniß gebracht.

Potsdam, den 5. Mai 1888.

Königl. Regierung.

Bekanntmachungen der Kaiserlichen Ober-Post-Direktion zu Potsdam.

Einrichtung einer Postagentur mit Telegraphenbetrieb in Fohrde.

27. In dem Orte Fohrde, Kreis Westhavelland, wird am 5. Mai eine Postagentur mit Telegraphenbetrieb eingerichtet. Den Landbriefbestellbezirk der Verkehrsanstalt bilden folgende Wohnstätten:

Bohnenland, Colonie nebst Forsthaus, Butterlake, Tieckow nebst Colonie, die Ziegeleien bei Fohrde.

Postverbindungen erhält die Agentur durch das zwischen Brandenburg (Havel) und Pritzerbe verkehrende Privat-Personenfuhrwerk, sowie durch die Landpostfahrt Brandenburg-Pritzerbe. Die bisherige Post- und Telegraphenhülfsstelle in Fohrde tritt außer Wirksamkeit.

Potsdam, den 1. Mai 1888.

Der Kaiserliche Ober-Postdirektor.

Unbestellbare Postsendungen.

28. Bei der Kaiserlichen Ober-Postdirektion in Potsdam lagern folgende Postsendungen, welche den Absendern bezw. den Eigenthümern nicht haben zurückgegeben werden können:

Lfd. №	Tag der Aufgabe.	Aufgabe-Postanstalt.	Gegenstand.	Empfänger.	Bestimmungsort.	Absender.
1	24. September 1887.	Schwedt.	Postanweisung über 3 Mark.	Kämmereikasse.	Beeskow.	
2	25. Februar 1888.	Postamt 4. (Behlertstraße) in Potsdam.	Postanweisung über 11 M. 95 Pf.	G. Schmidthals.	Rügenwalde (Pommern).	

Ferner ist in dem Briefkasten der Postagentur in Dessow ein Zweimarkstück aufgefunden, dessen Eigenthümer bisher nicht ermittelt worden ist.

Die unbekannten Absender bezw. Eigenthümer der vorstehend bezeichneten Gegenstände werden aufgefordert, binnen 4 Wochen ihre Ansprüche geltend zu machen, widrigenfalls nach Maßgabe der gesetzlichen Bestimmungen verfahren werden wird. Potsdam, den 1. Mai 1888. Der Kaiserl. Ober-Postdirektor.

Die Wühlmühle bei Belzig betreffend.

29. Die Wühlmühle bei Belzig wird vom 14. Mai ab dem Landbriefbestellbezirke der Kaiserl. Postagentur in Brück (Mark) zugetheilt. Potsdam, den 2. Mai 1888.

Der Kaiserl. Ober-Postdirektor.

Bekanntmachungen des Königlichen Oberbergamts zu Halle.

Bekanntmachung.

2. Die Gewerkschaft „Berliner Kohlenwerke" zu Berlin hat in ihrer Gewerkenversammlung vom 16. April 1888 einstimmig beschlossen, die ihr gehörigen 22 Braunkohlenbergwerke, nämlich: 1) **Berliner Braunkohlenwerke**; 2) **Eugenie**; 3) **Ernestina**; 4) **Claret**; 5) **Johann Hoff**; 6) **Theresel**; 7) **Helena**; 8) **Jacobs-Freude**; 9) **Selmas Hoffnung**; 10) **Neuendorf**; 11) **Hortense**; 12) **Frischer Herd**; 13) **Egsdorf**; 14) **Tonichen**; 15) **Taubine**; 16) **Silvius**; 17) **Tornowa**;

18) **Doris;** 19) **Teupitz;** 20) **Jolanda;** 21) **Bianka** und 22) **Leonie,** mit ihren Fundpunkten sämmtlich bei Egsdorf im Kreise Teltow belegen, zu einem einheitlichen Ganzen unter dem Namen

Berliner Kohlenwerke

zu consolidiren.

Dies wird unter Hinweis auf die §§ 43 ff. des Allgemeinen Berggesetzes vom 24. Juni 1865 (Gef S. S. 705 ff.) hierdurch bekannt gemacht.

Halle, den 4. Mai 1888.

Königliches Oberbergamt.

Bekanntmachungen der Königlichen Eisenbahn-Direktion zu Berlin.

Fahrplan-Aenderung.

18. Vom 15. Mai d. J. ab werden die jetzt nur zwischen Berlin und Neustrelitz laufenden Expreßzüge 549 und 550 bis bezw. von Stralsund (Hafen) nach folgendem Fahrplane befördert werden:

№ 549			№ 550
Vm.			Nm.
10 23	ab Neustrelitz	an	6 40
11 05	Neu-Brandenburg	↑	6 05
11 52	Demmin		5 15
12 44	↓ Stralsund		4 25
12 56	an Stralsund (Hafen)	ab	4 12
Nm.			Nm.

Berlin, im April 1888.

Königl. Eisenbahn-Direktion.

Tarif für den Rumänisch- bezw. Galizisch- und Südwestrussisch-Norddeutschen Maisverkehr.

19. Am 1. Juli d. J. gelangt der Tarif für den Rumänisch- bezw. Galizisch- und Südwestrussisch-Norddeutschen Maisverkehr vom 1. März 1886 nebst Nachträgen in allen seinen Theilen zur Aufhebung.

Berlin, den 28. April 1888.

Königl. Eisenbahn-Direktion.

Bekanntmachung des Landes-Direktors der Provinz Brandenburg.

Ausschreiben der Beiträge zu den Entschädigungen für getödtete Pferde und Rinder.

3. In Gemäßheit des § 5 des in Kraft gebliebenen Reglements vom 25. Februar 1876 — Amtsblatt Stück 10 (Potsdam S. 91, Frankfurt a. O. S. 65) — betreffend die Vorschriften zur Ausführung des § 58 des Viehseuchengesetzes vom 23. Juni 1880 — Reichsgesetz-Blatt S. 153 — und der §§ 15 und 16 des Gesetzes vom 12. März 1881 — Gesetz-Sammlung S. 128 — bringe ich hierdurch zur öffentlichen Kenntniß, daß die am 1. November v. J. stattgehabte Zählung der abgabepflichtigen Pferde und Rinder der Provinz 245588 resp. 736958 ergeben hat.

	M.	Pf.	M.	Pf.	M.	Pf.
Die im Jahre 1887 gezahlte Entschädigung beträgt insgesammt					14185	41
wovon auf Rinder			870	66		
und auf Pferde	13314	75				
entfallen.						
Hierzu treten als Verwaltungskosten 3 % mit	399	44	26	12	425	56
Dagegen kommen von diesen	13714	19				
in Abzug bezw. in Anrechnung auf			896	78	14610	97
die aus dem Vorjahre 1886 zu berücksichtigenden 1928,93 Mark resp. 5262,45 Mark und durch Ab- und Zugänge anderweit festgesetzten	1823	74	5262	45	7086	19
Es verbleiben demnach	11890	45			7524	78
welchen die den Ortsbehörden rc. bewilligten 3 % Hebegebühren hinzutreten mit	356	71			356	71
so daß für Pferde aufzubringen sind.	12247	16			7881	49
Zur Deckung dieser Summe sollen pro Pferd rund 5 Pf. oder	12279	40			12279	40
erhoben werden, was gegen obige Bedarfssumme einen Mehrbetrag von	32	24				
ergiebt, welcher unter Hinzurechnung des verbliebenen Mehrbetrages bei den Rindern von			4365	67		
im Ganzen in Höhe von	4397 Mark 91 Pf.				4397	91
bei dem Ausschreiben pro 1888 Berücksichtigung finden wird.						

Hiernach sind für Rinder pro 1887 Entschädigungsbeiträge **nicht** einzuziehen.

Berlin, den 13. April 1888.

Der Landes-Direktor der Provinz Brandenburg. **von Levetzow.**

Personal-Chronik.

Im Kreise Oberbarnim ist in Folge Ablaufs der Dienstzeit der Rechnungsführer **Gerlach** zu Trampe zum Amtsvorsteher-Stellvertreter des Amtsbezirks III. Trampe wiederernannt worden.

Im Kreise Prenzlau sind in Folge erfolgten bezw.

bevorstehenden Ablaufs der Dienstzeit der Lieutenant Hertz zu Kleptow zum Amtsvorsteher des Amtsbezirks Klockow und der Domainenpächter Ritsch zu Brüssow zum Amtsvorsteher-Stellvertreter des Amtsbezirks Brüssow ernannt worden.

Der Civil-Anwärter Otto Schultze ist zum Regierungs-Civil-Supernumerarius ernannt worden.

Der Militair-Anwärter Carl Lehmann ist zum Regierungs-Militair-Supernumerarius ernannt worden.

Dem Candidaten des höheren Schulamts Albert Baack zu Heiligensee ist die Erlaubniß ertheilt worden, im Regierungsbezirk Potsdam Stellen als Hauslehrer anzunehmen.

Der Lehrerin Fräulein Pauline Hartmann in Stangenhagen ist die Erlaubniß ertheilt worden, im Regierungsbezirk Potsdam Stellen als Hauslehrerin anzunehmen.

Der Lehrerin Magdalene Schäfer zu Herzfelde im Kreise Niederbarnim ist die Concession zur Leitung und Verwaltung einer privaten Mädchenschule ebendaselbst ertheilt worden.

Die unter Königlichem Patronat stehende Pfarrstelle an der St. Elisabeth-Kirche zu Berlin, Diözese Berlin Stadt II., ist durch die Versetzung des Superintendenten und Pfarrers Quandt zum 1. April d. J. zur Erledigung gekommen. Die Wiederbesetzung dieser Stelle, mit welcher das Ephoralamt der Diözese Berlin Stadt II. verbunden ist, erfolgt durch das Kirchen-Regiment.

Der bisherige Diakonus Eduard Clemens Friedrich Rudolf Neumeister zu Belzig ist zum Pfarrer der Parochie Rosenwinkel, Diözese Kyritz, bestellt worden.

Der Gemeindeschullehrer William ist als Gemeindeschul-Rektor in Berlin angestellt worden.

Personalveränderungen im Bezirke der Kaiserlichen Ober-Postdirektion zu Potsdam.

Ernannt sind: die Postassistenten Kamien in Wittenberge (Bz. Potsdam) und Waßmansdorf in Bernau (Mark) zu Ober-Postassistenten.

Versetzt ist: der Postsekretair Krüger von Spandau nach Jüterbog.

In den Ruhestand getreten sind: der Postsekretair Treuter in Brandenburg (Havel) und der Ober-Telegraphenassistent Geschwind in Prenzlau.

Gestorben ist: der Postverwalter Witte in Gerswalde (Uckermark).

Ausweisung von Ausländern aus dem Reichsgebiete.

Laufende Nr.	Name und Stand des Ausgewiesenen.	Alter und Heimath des Ausgewiesenen.	Grund der Bestrafung.	Behörde, welche die Ausweisung beschlossen hat.	Datum des Ausweisungs-Beschlusses.
1.	2.	3	4.	5.	6.
		a. Auf Grund des § 39 des Strafgesetzbuchs:			
1	Katharina (al. Marianne) Zbieg, geb. Bednarczyk, verw. Arbeiterin,	geboren 1837 zu Wola-Filipowska, Bezirk Chrzanon, Galizien, ortsangehörig ebendaselbst,	Diebstahl im Rückfall (1½ Jahre Zuchthaus laut Erkenntniß vom 9. Oktober 1886),	Königlich Preußischer Regierungspräsident zu Breslau,	6. April 1888.
		Auf Grund des § 362 des Strafgesetzbuchs:			
1	Adolf Hochberg, Handlungsgehülfe,	geboren am 14. März 1866 zu Tarnow, Galizien, ortsangehörig ebendaselbst,	Landstreichen, Betteln, Attestfälschung, Nichtbefolgung der Reiseroute,	Königlich Preußischer Regierungspräsident zu Breslau,	6. April 1888.
2	Julius Simonson, Maler,	geboren am 14. Mai 1865 zu Kopenhagen, Dänemark, ortsangehörig ebendaselbst,	Landstreichen und Betteln,	Königlich Preußischer Regierungspräsident zu Stade,	2. März 1888.

Hierzu
eine Beilage, enthaltend die Concession zum Geschäftsbetriebe in den Königlich Preußischen Staaten für die „Nürnberger Lebensversicherungs-Bank“ zu Nürnberg sowie das Statut dieser Gesellschaft, sowie Vier Oeffentliche Anzeiger.

(Die Insertionsgebühren betragen für eine einspaltige Druckzeile 20 Pf. Belagsblätter werden der Bogen mit 10 Pf. berechnet.)

Redigirt von der Königlichen Regierung zu Potsdam.

Potsdam, Buchdruckerei der A. W. Hayn'schen Erben (E. Hayn, Hof-Buchdrucker).

Beilage zum Amtsblatt.

Concession

zum Geschäftsbetriebe in den Königlich Preußischen Staaten für die „Nürnberger Lebensversicherungs-Bank" zu Nürnberg.

Der unter der Firma:

„Nürnberger Lebensversicherungs-Bank"

mit Genehmigung des Königlich Bayerischen Staatsministeriums vom 28. September 1884 errichteten, in Nürnberg domicilirten Actiengesellschaft wird die Concession zum Geschäftsbetriebe in den Königlich Preußischen Staaten, auf Grund der vorgelegten Statuten hiermit unter nachfolgenden Bedingungen ertheilt:

1) Jede Veränderung der bei der Zulassung gültigen Statuten, sowie der auf der englischen Sterblichkeitstafel und einem Zinsfuße von 3½ Procent beruhenden Prämientarife muß bei Verlust der Concession angezeigt und, ehe nach derselben verfahren werden darf, von der Preußischen Staatsregierung genehmigt werden.

2) Die Veröffentlichung der Concession, der Statuten und der etwaigen Aenderungen derselben, sowie der bezüglichen Genehmigungs-Urkunden erfolgt in den Amtsblättern derjenigen Königlichen Regierungen, in deren Bezirken die Gesellschaft Geschäfte zu betreiben beabsichtigt, auf Kosten der Gesellschaft.

3) Die Gesellschaft hat wenigstens an einem bestimmten Orte in Preußen eine Haupt-Niederlassung mit einem Geschäftslokale und einem dort domicilirten Generalbevollmächtigten zu begründen.

Derselbe ist verpflichtet, derjenigen Königlichen Regierung, in deren Bezirk sein Wohnsitz belegen, in den ersten sechs Monaten eines jeden Geschäftsjahres neben dem Verwaltungsberichte, dem Rechnungsabschlusse und der Generalbilanz der Gesellschaft eine ausführliche Uebersicht der im verflossenen Jahre in Preußen betriebenen Geschäfte einzureichen und binnen derselben Frist nachzuweisen, daß die Bilanz, der Rechnungsabschluß und die gedachte Uebersicht durch den Deutschen Reichs- und Preußischen Staats-Anzeiger veröffentlicht worden sind.

In dieser Uebersicht — für deren Aufstellung von der betreffenden Regierung nähere Bestimmungen getroffen werden können — ist das in Preußen befindliche Activum von dem übrigen Activum gesondert aufzuführen.

Für die Richtigkeit der Bilanz, des Rechnungsabschlusses (Gewinn- und Verlust-Conto) und der Uebersicht, sowie der von ihm geführten Bücher einzustehen, hat der Generalbevollmächtigte sich persönlich und erforderlichen Falls unter Stellung zulänglicher Sicherheit zum Vortheile sämmtlicher Preußischer Gläubiger zu verpflichten. Außerdem muß derselbe auf amtliches Verlangen unweigerlich alle diejenigen Mittheilungen machen, welche sich auf den Geschäftsbetrieb der Gesellschaft oder auf den der Preußischen Geschäftsniederlassung beziehen, auch die zu diesem Behufe etwa nöthigen Schriftstücke, Bücher, Rechnungen ꝛc. zur Einsicht vorlegen.

4) Durch den Generalbevollmächtigten und von dem inländischen Wohnort desselben aus sind alle Verträge der Gesellschaft mit den Inländern abzuschließen.

Die Gesellschaft hat wegen aller aus ihren Geschäften mit Preußischen Staatsangehörigen entstehenden Verbindlichkeiten, je nach Verlangen des Preußischen Versicherten, entweder in dem Gerichtsstande des Generalbevollmächtigten oder in demjenigen des Agenten, welcher die Versicherung vermittelt hat, als Beklagte Recht zu nehmen und diese Verpflichtung in jeder für einen Preußischen Staatsangehörigen auszustellenden Versicherungspolice ausdrücklich auszusprechen.

Sollen die Streitigkeiten durch Schiedsrichter geschlichtet werden, so müssen diese letzteren, mit Einschluß des Obmannes, Preußische Unterthanen sein.

5) Alle statutenmäßigen Bekanntmachungen der Gesellschaft sind auch durch den Deutschen Reichs- und Preußischen Staats-Anzeiger zu veröffentlichen.

Die vorliegende Concession — welche übrigens die Befugniß zum Erwerbe von Grundeigenthum in den Preußischen Staaten, wozu es der in jedem einzelnen Falle besonders nachzusuchenden Erlaubniß bedarf, nicht in sich schließt — kann zu jeder Zeit, und ohne daß es der Angabe von Gründen bedarf, lediglich nach dem Ermessen der Preußischen Staatsregierung zurückgenommen und für erloschen erklärt werden.

Berlin, den 25. Februar 1888.

(L. S.) **Der Minister des Innern.**

Im Auftrage:

(gez.) **v. Zastrow.**

Statut
der
Nürnberger Lebensversicherungs-Bank.

Titel I.

Firma, Zweck, Sitz und Dauer der Gesellschaft.

§ 1. Unter der Firma

„Nürnberger Lebensversicherungs-Bank"

ist eine Aktiengesellschaft gebildet, welche den Zweck hat, Kapitalien und Renten mit Beziehung auf den Gesundheitszustand, den Eintritt des Todes, den Eintritt eines gewissen Lebensalters oder auf den Fall vorübergehender oder dauernder Invalidität von Personen aus allen Klassen der Bevölkerung zu versichern, ferner Aussteuer- und Versorgungskassen, auch in der Form gegenseitiger Verbände, zu gründen und zu verwalten.

Die Versicherung bezüglich der Invalidität bleibt ausgeschlossen für alle Fälle, in welchen eine staatliche Verpflichtung der Betreffenden zur Versicherung auf den Invaliditätsfall bei einer öffentlichen Kasse besteht.

§ 2. Der Sitz der Gesellschaft ist Nürnberg.

§ 3. Die Dauer der Gesellschaft wird auf Einhundert Jahre, vom Tage der Eintragung in das Handelsregister, festgesetzt und ist eine frühere Auflösung nur auf Grund der gesetzlichen Bestimmungen oder nach Erfüllung sämmtlicher Verbindlichkeiten der Gesellschaft auf Beschluß der General-Versammlung zulässig. Die Gesellschaft kann ihre Verlängerung über diese Dauer hinaus beschließen. Ein solcher Beschluß muß aber mindestens zwei Jahre vor Ablauf der festgesetzten Dauer in einer hierzu besonders berufenen außerordentlichen General-Versammlung gefaßt werden und unterliegt der staatlichen Genehmigung, so lange dieselbe gesetzlich erforderlich ist.

Titel II.

Grund-Kapital, Aktien und Interimsscheine, Aktionäre.

§ 4. Das Grundkapital der Gesellschaft beträgt

Drei Millionen Reichsmark,

eingetheilt in 3000 Aktien, auf Namen lautend, das Stück zu Tausend Mark; dasselbe kann auf Beschluß des Aufsichtsrathes mit staatlicher Genehmigung, auch vor der vollen Einzahlung desselben, bis auf Neun Millionen Mark erhöht werden, gleichfalls eingetheilt in Namens-Aktien, das Stück zu Tausend Mark; die Zeichnung der neu auszugebenden Aktien erfolgt durch schriftliche in zwei Exemplaren zu unterzeichnende Erklärung. Bei jeder Erhöhung des Grundkapitals haben die dann vorhandenen Aktionäre, ein Jeder nach Verhältniß seines Aktien-Besitzes, ein nur durch die laut § 7 dem Aufsichtsrathe zustehenden Befugnisse über Annahme oder Ablehnung eines neuen Aktionärs beschränktes Vorrecht auf Uebernahme der neu zu emittirenden Aktien zum Pari-Course. Dies Vorrecht kann nur binnen einer, vom Aufsichtsrathe durch öffentliche Bekanntmachung zu bestimmenden Frist ausgeübt werden.

§ 5. Die Aktien werden unter der Firma der Gesellschaft in fortlaufenden Nummern nach hier angeschlossenem Formular A ausgefertigt und erhalten in dem Aktien-Buche Folien, worauf Name, Stand und Wohnort des jedesmaligen Eigenthümers, sowie alle Besitzveränderungen kurz eingetragen werden. Die Eintragung, sowie jede Besitzveränderung wird auf der Aktie von dem Aufsichtsrathe bescheinigt.

§ 6. Von dem Nominalwerthe jeder Aktie werden zunächst nur zwanzig Prozent baar eingezahlt, und zwar sogleich nach staatlicher Genehmigung des Statuts. Ueber diese Einzahlung den auf Namen lautende Interimsscheine über Zweihundert Mark nebst Dividendenscheinen und Talons nach hier angefügtem Formular E resp. F und G ausgegeben und über je fernere 20% vier Sola-Wechsel an die Ordre der Gesellschaft und bei der Nürnberger Lebensversicherungs-Bank in Nürnberg domizilirt, einen Monat nach Wieder-Sicht zahlbar, nach dem gleichfalls angeschlossenen Formular B ausgestellt, deren Bezahlung nur nach Maßgabe der §§ 9, 10, 11 und 18 dieses Statuts gefordert werden kann. Indeß ist jeder Aktionär mit Zustimmung des Aufsichtsrathes berechtigt, einzelne oder sämmtliche der von ihm gegebenen Wechsel zu jeder Zeit gegen entsprechenden Vermerk auf dem betreffenden Interimsscheine durch Baarzahlung einzulösen.

Die Kosten der Wechselstempel trägt der Aktionär.

§ 6a. Nach Einzahlung des vollen Nennwerthes der Aktien werden die Interimsscheine eingezogen und die definitiven Aktien dafür ausgegeben; bis zu diesem Zeitpunkte haben alle von Aktien handelnden Bestimmungen dieses Statutes, *soweit nichts anderes* festgesetzt ist, gleicherweise auf die Interimsscheine Anwendung zu finden.

§ 7. Ueber Annahme der Aktionäre entscheidet bei der ersten Aktien-Zeichnung das Gründungs-Komite, bei späteren neuen Emissionen der Aufsichtsrath ohne Angabe von Gründen über Annahme oder Ablehnung.

Nicht voll eingezahlte Aktien (Interimsscheine) sind nur mit der Genehmigung des Aufsichtsrathes an Andere übertragbar, und ist eine solche Uebertragung erst dann als geschehen zu erachten, wenn der bisherige Eigenthümer die Uebertragung der Gesellschaft schriftlich angezeigt hat und die Eintragung des neuen Erwerbes in das Aktien-Buch erfolgt und auf dem Interimsscheine durch den Aufsichtsrath bescheinigt ist.

Die von ihm eingelegten Wechsel darf der frühere Eigenthümer nicht eher zurückerhalten, bevor nicht der neue die seinigen eingelegt hat. Nur wer als Eigenthümer einer oder mehrerer Aktien in das Aktien-Buch eingetragen ist, hat die Rechte eines Aktionärs und nimmt als solcher im Verhältniß seiner Aktienzahl an dem Vermögen, sowie an dem Gewinn und Verlust der Gesellschaft Theil.

§ 8. Nachstehend bezeichnete Personen können nicht Eigenthümer nicht voll einbezahlter Aktien (Interimsscheine) sein und also als solche auch nicht in das Aktien-Buch eingetragen werden:

a) Personen, über deren Handlungs- oder Privatvermögen der Konkurs schwebt oder innerhalb eines Zeitraumes von zehn Jahren geschwebt hat;
b) Personen, gegen welche Exekutionen wegen Forderungen innerhalb eines Zeitraumes von 10 Jahren fruchtlos vollstreckt worden sind, sowie solche, über denen ein Gehalts-Abzugsverfahren schwebt, oder die nach Ermessen des Aufsichtsrathes überhaupt nicht zahlungsfähig erscheinen;
c) solche Personen, welche in der Dispositionsfähigkeit über ihr Vermögen beschränkt sind, und
d) nicht wechselfähige Personen.

§ 9. Sobald der eingetragene Eigenthümer einer nicht voll eingezahlten Aktie (Interimsschein) in eine der in dem vorigen Paragraph angegebenen Kategorien verfällt, hat er oder sein gesetzlicher Vertreter auf Aufforderung der Direktion in einer von der Letzteren zu bestimmenden Frist den Betrag seiner Wechsel baar einzuzahlen, oder einen annehmbaren Rechtsnachfolger zu stellen. Geschieht keines von beiden, so hat der Aufsichtsrath durch dreimalige, in Zwischenräumen von mindestens 4 Wochen erfolgende Insertion in den im § 44 benannten Blättern die betreffenden Interimsscheine für ungültig zu erklären und an deren Stelle eine gleiche Anzahl neuer Interimsscheine unter neuen Nummern auszufertigen, die durch vereidete Makler zu verkaufen sind. Ueber die Annahme des Käufers entscheidet der Aufsichtsrath. —

Uebersteigt der Erlös, abzüglich der Unkosten, die Ansprüche der Gesellschaft an den bisherigen Aktionär, so wird der Mehrbetrag in den Wechseln des bisherigen Aktionärs und, soweit er diese übersteigt, baar gegen Auslieferung der für ungültig erklärten Interimsscheine zur Verfügung der Berechtigten gehalten; falls aber der Erlös, abzüglich der Unkosten, jene Ansprüche nicht deckt, so werden die Wechsel von der Direktion der Gesellschaft geltend gemacht und, wenn Zahlung nicht erfolgt, eingeklagt oder mit dem ohne Gewähr ausgestellten Giro der Gesellschaft durch einen vereideten Makler verkauft, der Gesellschaft aber ihre Rechte wegen der hierdurch etwa nicht getilgten Mehransprüche vorbehalten.

§ 10. Das im vorigen Paragraph vorgeschriebene Verfahren tritt auch im Falle des Ablebens eines Aktionärs oder des Erlöschens einer Handlungsfirma ein, auf welche Interimsscheine eingetragen stehen, wenn die Erben oder Rechtsnachfolger der schriftlichen Aufforderung der Direktion zur Stellung eines annehmbaren Cessionars oder Einzahlung der von dem Verstorbenen oder der erloschenen Handlungsfirma gegebenen Wechsel nicht binnen sechs Monaten nach dem Datum der Behändigung der Aufforderung nachkommen. Sind die Erben oder Rechtsnachfolger der Direktion nicht, oder nicht vollständig bekannt, so erfolgt die Aufforderung durch zweimalige Insertion in den Blättern der Gesellschaft (§ 44) und die sechsmonatliche Frist läuft alsdann von demjenigen Tage ab, an welchem die zweite öffentliche Aufforderung zuerst in einem der Gesellschaftsblätter erfolgt ist.

§ 11. Jeder Aktionär ist verpflichtet, einer durch die im § 44 bezeichneten Blätter veröffentlichten Aufforderung der Direktion zur ganzen oder theilweisen Einzahlung oder einer an ihn gerichteten Aufforderung des Aufsichtsrathes zur Erneuerung der Sola-Wechsel sofort Folge zu leisten, widrigenfalls nach Gutbefinden des Aufsichtsrathes entweder gegen ihn geklagt oder die Wechsel in Cours gesetzt werden, oder das im § 9 für eintretenden Verlust der Eigenschaften, welche zum Besitz von Interimsscheinen nothwendig sind, vorgeschriebene Verfahren in Anwendung gebracht wird. — Die öffentliche Aufforderung zur Einzahlung respektive Einlösung der Sola-Wechsel muß dreimal, das letzte Mal mindestens vier Wochen vor dem Einziehungsschlußtermin stattfinden.

Dem Aufsichtsrathe steht es auch frei, wenn die Einzahlung der ersten 20% nicht bis zum angesetzten Termin erfolgt und die öffentliche Aufforderung zur Einzahlung in der vorbezeichneten Weise geschehen ist, die bereits geschehene Zeichnung als erloschen zu erklären und anstatt der also verfallenen Zeichnungen neue anzunehmen.

§ 12. Die Gesellschaft vergütet für Wechsel, welche vor ihrer Fälligkeit bezahlt sind, 4% jährliche Zinsen, vom Tage der Einzahlung ab bis zur Fälligkeit, sofern der Ueberschuß der Aktiva über die Passiva hierzu hinreicht (§ 37).

§ 13. Nach der vollen Einzahlung des Nennwerthes der Aktien und nach dem Einzug der Interimsscheine werden, gleichzeitig mit den Aktien, nach dem hier angeschlossenen Fomular C für eine stets zehnjährige Zeitperiode Dividendenscheine nebst einem Talon nach Formular D ausgegeben, gegen dessen Rückgabe die Dividendenscheine für die neue Periode nebst dem neuen Talon verabfolgt werden.

Dividendenscheine, deren Betrag binnen fünf Jahren nach der Fälligkeit bei der Gesellschaftskasse nicht erhoben ist, verlieren ihre Gültigkeit und ihr Betrag verfällt zu Gunsten der Gesellschaft, sofern nicht durch den im nächsten § 14 vorgesehenen Fall eine Ausnahme eintritt.

§ 14. Eine erweislich unbrauchbar gewordene oder zerstörte, sowie jede auf gesetzlich vorgeschriebenem Wege amortisirte Aktie wird durch eine neue, unter gleicher Nummer ausgefertigte Aktie ersetzt, welche als „Neu-Ausfertigung laut § 14 des Statuts“ zu kennzeichnen ist.

Dieser Ersatz wird im Aktien-Buche vermerkt und die neue Aktie dem darin eingetragenen Eigenthümer ausgehändigt, welchem die Kosten des Verfahrens zur Last fallen. Das Amortisirungsverfahren verzögert und unterbricht nicht die Wechselverbindlichkeit des Aktionärs und hält auch die in den §§ 9 und 10 vorgesehenen Maßregeln nicht auf. Ein öffentliches Aufgebot und eine Amortisirung von Dividendenscheinen oder Talons ist unzulässig, selbst in Verbindung mit der Mortifikation der betreffenden Aktie. Wird jedoch vor Ablauf der im vorigen Paragraph bestimmten fünfjährigen Präklusivfrist der Verlust eines Dividendenscheines bei der Gesellschafts-Direktion schriftlich angezeigt, so erfolgt nach Ablauf der Präklusivfrist seine Bezahlung an den Anzeigenden, wenn bis dahin der Dividendenschein zur Einlösung nicht produzirt ist.

Wird ein Talon weder in dem Dividenden-Zahlungstermin, in welchem die neuen Dividendenscheine ausgehändigt werden, noch bis zu dem nächstfolgenden Zahlungstermine bei dem Gesellschafts-Vorstande präsentirt, so werden die Dividendenscheine nebst Talon der neuen Serie dem im Aktien-Buche eingetragenen Eigenthümer der Aktie gegen deren Vorzeigung bei Fälligkeit des zweiten Dividendenscheines dieser neuen Serie herausgegeben.

In gleicher Weise ist zu verfahren, wenn auf Grund des angeblich verlorenen Talons und auf Grund der Aktie die neue Dividendenschein-Serie gefordert wird.

Titel III.

Verwaltung und Geschäftsführung der Gesellschaft.

§ 15. Die Organe der Gesellschaft sind:

1. Der Aufsichtsrath.
2. Die Direktion als Vorstand der Gesellschaft.
3. Die General-Versammlung.
4. Die Revisions-Kommission.

§ 16. Der Aufsichtsrath besteht aus sieben Mitgliedern; diese Zahl kann jedoch bis auf neun erhöht werden. Die Wahl der Mitglieder des Aufsichtsrathes erfolgt durch die General-Versammlung; von den Mitgliedern des Aufsichtsrathes müssen, so lange er nur aus sieben Mitgliedern besteht, mindestens fünf, bei Erhöhung auf acht oder neun mindestens sechs seiner Mitglieder in Nürnberg oder in einem Umkreise von zehn Kilometern davon ihren Wohnsitz haben.

Der erste Aufsichtsrath wird in der, durch das Gründungskomite (§ 46) zu berufenden, konstituirenden General-Versammlung auf nicht länger als ein Jahr gewählt; später erfolgt die Wahl des Aufsichtsrathes jedesmal auf fünf Jahre; in jedem der drei ersten Jahre scheidet ein Mitglied, im vierten und fünften Jahre je zwei Mitglieder nach der Dauer ihres Amtes und so lange sich eine verschiedene Amtsdauer noch nicht gebildet hat, nach dem Loose aus, welches von der Hand des Vorsitzenden der General-Versammlung gezogen wird, durch welche die Wahl erfolgt.

Bei Erhöhung der Zahl der Mitglieder des Aufsichtsrathes auf acht scheiden in den ersten zwei Jahren je ein, in den weiteren drei Jahren je zwei Mitglieder aus; bei Erhöhung der Zahl derselben auf neun scheiden im ersten Jahre ein Mitglied, in jedem der darauf folgenden vier Jahre je zwei Mitglieder nach obigem Modus aus. Die Ausscheidenden sind wieder wählbar. Vakanzen, welche im Laufe eines Jahres eintreten, besetzt der Aufsichtsrath aus der Zahl der Aktionäre. Der in solcher Weise Gewählte führt das Amt nur so lange, als sein Vorgänger es zu führen gehabt haben würde.

Ueber die Ersatzwahlen zum Aufsichtsrathe ist Protokoll zu errichten.

Die nächste ordentliche General-Versammlung hat über die Bestätigung einer solchen Ersatzwahl zu beschließen und, sofern die Bestätigung nicht erfolgt, sofort die Neuwahl vorzunehmen. Auch der in diesem Falle Neugewählte führt das Amt nur so lange, als sein Vorgänger es geführt haben würde.

§ 17. Der Aufsichtsrath wählt aus seiner Mitte alljährlich und für die Dauer eines Kalenderjahres einen Vorsitzenden und dessen Stellvertreter. Die Wahl erfolgt durch Stimmzettel und es wird darüber, wie über alle Sitzungen des Aufsichtsrathes, von einem durch den Vorsitzenden zu bestimmenden Schriftführer Protokoll geführt. Der Vorsitzende oder sein Stellvertreter beruft die Sitzungen des Aufsichtsrathes ein und leitet dieselben. Die Einberufung muß stets erfolgen, wenn zwei Mitglieder des Aufsichtsrathes oder die Direktion sie verlangen.

§ 18. Dem Aufsichtsrathe liegt die Wahl und Entlassung des Direktors und des Gesellschafts-Arztes in Nürnberg (Revisionsarztes), sowie der Abschluß der Dienstverträge mit denselben ob, ferner die Wahl eines Stellvertreters des Arztes, so oft und so lange eine solche Stellvertretung erforderlich und wünschenswerth erscheint. Auf Vorschlag der Direktion ernennt und entläßt er diejenigen Beamten, welche ein Jahresgehalt von mehr als 2000 Mark beziehen, und bestimmt auch die Zahl der mit geringerem Gehalte anzustellenden Beamten.

Der Aufsichtsrath hat die Ausführung des Statuts durch die Direktion zu überwachen, deren Thätigkeit zu kontrolliren und ihr Instruktionen zu ertheilen und ist befugt, einzelne seiner Mitglieder zur Ausführung von Aufträgen zu delegiren.

Dem Aufsichtsrathe liegt es ferner ob, die ihm von der Direktion innerhalb der ersten drei Monate nach Verfluß des letzten Geschäftsjahres zu übergebende Jahresrechnung, Inventur und Bilanz zu prüfen und nach Maßgabe derselben bei der General-Versammlung die Dividenden-Vertheilung in Vorschlag zu bringen.

Der Aufsichtsrath ist verpflichtet, durch einzelne seiner Mitglieder in jedem Jahre mindestens zweimal eine außerordentliche Revision der Gesellschaftskasse vornehmen und mindestens einmal die Sicherheit der hinterlegten Wechsel prüfen zu lassen; er beauftragt die Direktion, Aktienwechsel einzuziehen und ist dies zu thun verpflichtet, wenn die General-Versammlung es beschließt oder wenn durch Verluste das Gesellschafts-Vermögen, abgesehen von den Aktienwechseln und Reserven, nicht mehr die Hälfte der zunächst baar eingezahlten 20% repräsentirt.

§ 19. Die Beschlüsse des Aufsichtsrathes werden mit absoluter Stimmenmehrheit gefaßt. Bei Stimmengleichheit entscheidet die Stimme desjenigen, der den Vorsitz führt.

Die Beschlüsse des Aufsichtsrathes sind nur gültig, wenn bei sieben Mitgliedern mindestens drei derselben und bei acht oder neun Mitgliedern mindestens fünf derselben, je einschließlich des den Vorsitz führenden Mitgliedes, ihre Stimmen abgegeben haben.

Die Ausfertigungen des Aufsichtsrathes müssen entweder von dem Vorsitzenden allein, oder seinem Stellvertreter und mindestens noch einem seiner Mitglieder unterzeichnet sein.

§ 20. Der Aufsichtsrath, ausgenommen der erste Aufsichtsrath, auf welchen die Vorschrift des Artikels 192 des allgemeinen deutschen Handelsgesetzbuches Anwendung findet, bezieht für seine Thätigkeit, außer dem Ersatz der dadurch etwa veranlaßten baaren Auslagen, eine Tantième im Betrage von 5% derjenigen Summe, welche von Jahres-Ueberschuß nach Abzug des in den Kapital-Reservefond fallenden Theiles übrig bleibt (§ 36). Ueber die Vertheilung der Tantième unter die einzelnen Mitglieder des Aufsichtsrathes beschließt der Letztere.

§ 21. Die Legitimation der Mitglieder des Aufsichtsrathes sowie der Direktion erfolgt durch ein auf Grund der Wahlverhandlungen ausgestelltes, gerichtliches oder notarielles Attest. Jedes Aufsichtsraths-Mitglied hat während der Dauer seines Amtes zwanzig auf seinen Namen lautende Aktien der Gesellschaft oder, im Falle es zu der Zahl der Aktionäre nicht gehört, den auf die gleiche Anzahl Aktien jeweils eingezahlten Betrag gegen 4%ige Verzinsung baar oder in deutschen Staatspapieren bei der Gesellschaft als Kaution zu deponiren, über welche es nicht früher verfügen kann, als bis nach seinem Austritte aus dem Aufsichtsrathe diesem über die Geschäftsführung im Jahre des Austrittes Decharge ertheilt ist. Die Namen der Mitglieder des Aufsichtsrathes, auch der vom Aufsichtsrathe interimistisch gewählten (§ 16 alin. 3), des Vorsitzenden und seines Stellvertreters sind durch die Gesellschaftsblätter bekannt zu machen.

§ 22. Die Direktion bildet den Gesellschafts-Vorstand. Dieselbe besteht aus dem Direktor, welcher der erste Gesellschaftsbeamte ist, und seinen Stellvertretern. Dem Direktor liegt die spezielle Leitung der Geschäfte ob. Der Direktor und seine Stellvertreter dürfen nicht gleichzeitig Mitglied des Aufsichtsrathes sein.

Die Wahl des Direktors und dessen Stellvertreter, welch' Letztere auf Präsentation des Direktors aus den Gesellschafts-Beamten zu entnehmen sind, erfolgt mittelst Stimmzettel durch den Aufsichtsrath nach absoluter Majorität; über die Wahl ist ein Protokoll aufzunehmen.

Die Anstellung des Direktors und seines oder seiner Stellvertreter ist zu jeder Zeit widerruflich, unbeschadet ihrer Ansprüche aus den mit ihnen abzuschließenden Engagements-Verträgen (Art. 227 des Handelsgesetzbuches). Die Zahl der Stellvertreter des Direktors bestimmt der Aufsichtsrath nach Bedürfniß.

Ferner ist der Aufsichtsrath befugt, Zweigniederlassungen zu errichten und die Direktion zu ermächtigen, den Vorständen und Beamten derselben Vollmachten zu ertheilen, die zum Betrieb des Etablissements erforderlich erscheinen.

§ 23. Der Direktor empfängt für seine Thätigkeit einen mit n Aufsichtsrathe zu vereinbarenden festen, in monatlichen Raten zahlbaren Gehalt; auch kann ihm daneben von dem Aufsichtsrathe ein Antheil an dem Gewinn der Gesellschaft bewilligt werden. Der Aufsichtsrath ist auch befugt, allenfallsige Remunerationen für die Stellvertreter und die übrigen Beamten und Bediensteten der Gesellschaft zu bestimmen und zu bewilligen.

In das Handelsregister sind einzutragen und durch die Gesellschaftsblätter zu veröffenlichen:

1. Der Name des Direktors.
2. Die Namen seines oder seiner Stellvertreter.

Die Gesellschaft darf dritten Personen niemals den Einwand entgegensetzen, es habe der Fall der Stellvertretung nicht vorgelegen.

§ 24. Der Direktor hat mindestens zehn und jeder seiner Stellvertreter mindestens drei auf ihre Namen lautende Aktien der Gesellschaft bei derselben als Kaution zu deponiren, über welche sie während der Amtsführung nicht verfügen können. Die Rückgabe der Kaution erfolgt, sofern andere Gründe zu ihrer Zubehaltung nicht vorliegen, nicht eher, als bis nach dem Austritte des Beamten der Direktion über dasjenige Geschäftsjahr Decharge ertheilt ist, in welchem der Austritt erfolgte.

§ 25. Der Direktor und in Verhinderung desselben dessen Stellvertreter führen die Geschäfte der Gesellschaft nach Maßgabe dieses Statuts. Sie sind der Gesellschaft gegenüber an die ihnen vom Aufsichtsrathe zu ertheilenden Instruktionen gebunden und für deren Befolgung der Gesellschaft verantwortlich.

Der Direktor und in Verhinderungsfällen dessen Stellvertreter vertreten die Gesellschaft nach Außen und unterzeichnen im Namen der Gesellschaft, welche durch des Direktors und eines seiner Stellvertreter Unterschrift oder durch die gemeinsame Unterschrift zweier Stellvertreter gültig verpflichtet wird. Der Direktor oder in dessen Verhinderungsfalle die Stellvertreter ernennen die Vertrauensärzte, die Spezial- und Sub-Direktoren, die General-, Haupt- und Spezial-Agenten, sowie alle Beamte und Hülfsarbeiter der Gesellschaft, welche einen Jahresgehalt von nicht über ℳ 2000.— beziehen.

Der Direktor und im Verhinderungsfalle seine Stellvertreter wohnen den Sitzungen des Aufsichtsrathes bei, soweit es sich nicht um Angelegenheiten handelt, welche sie persönlich treffen. Der Direktor und im Verhinderungsfalle dessen Stellvertreter sind ebenso wie die Aufsichtsraths-Mitglieder zu den Sitzungen einzuladen, haben aber nur eine berathende Stimme.

Titel IV.

Rechte und Pflichten der Aktionäre; General-Versammlungen.

§ 26. Die General-Versammlungen finden in Nürnberg statt. Dieselben werden durch den Aufsichtsrath berufen. Alljährlich im ersten Semester findet die ordentliche General-Versammlung statt.

An der General-Versammlung ist jeder Aktionär Theil zu nehmen berechtigt, der als solcher in das Aktien-Buch eingetragen ist. Der Besitz von fünf Aktien berechtigt zu einer Stimme und der von je weiteren fünf Aktien zu je einer weiteren Stimme. Abwesende Aktionäre können nur von einem stimmberechtigten Aktionär vertreten werden, wozu einfache schriftliche Vollmacht genügt; jedoch ist der Vorsitzende der General-Versammlung berechtigt, deren Echtheit zu prüfen und ihre amtliche Beglaubigung zu fordern. Ein abwesender Aktionär darf sich nicht durch mehrere Personen gleichzeitig vertreten lassen und seine Stimmen werden denen des Vertreters hinzugerechnet. Mehr als 20 Stimmen darf Niemand ausüben. Handlungshäuser können durch ihre Prokuristen, Korporationen, Institute und Aktien-Gesellschaften durch ihre gesetzlichen Repräsentanten, Ehefrauen durch ihre Ehemänner, Minderjährige oder sonst Bevormundete durch ihre Vormünder oder Kuratoren vertreten werden.

Der Zutritt zu der General-Versammlung steht auch solchen Personen zu, welche bei der Gesellschaft mit einem Lebensversicherungs-Kapitale von mindestens 5000 ℳ versichert sind und auf diese Versicherung mindestens drei volle Jahresprämien an die Gesellschaft eingezahlt haben.

Die Legitimation und der Zutritt zu den General-Versammlungen geschieht für die Aktionäre durch Vorzeigung der von dem Aufsichtsrathe zu ertheilenden Bescheinigung über die Zahl der seit mindestens drei Wochen vor der General-Versammlung auf den Namen des Aktionärs in das Aktien-Buch eingetragenen Aktien, für die Versicherten durch Eintrittskarten, welche innerhalb der letzten Woche vor der General-Versammlung von der Direktion der Gesellschaft ertheilt werden.

Versicherte haben jedoch kein weiteres Stimmrecht, als es ihnen durch § 33 behufs Wahl von Rechnungs-Revisoren zugestanden ist.

§ 27. Außerordentliche General-Versammlungen finden statt und müssen berufen werden, so oft der Aufsichtsrath sie für nothwendig erachtet oder sie von so vielen Aktionären gefordert werden, als nach Inhalt des Aktienbuches $^1/_{20}$ des emittirten Grundkapitals repräsentiren.

§ 27a. Jede General-Versammlung muß unter gleichzeitiger Bekanntmachung der Tagesordnung (vorbehaltlich deren späterer Erweiterung gemäß § 30) durch zweimalige Insertion in den Gesellschaftsblättern ausgeschrieben werden, deren erste bei ordentlicher General-Versammlung mindestens drei, bei außerordentlicher mindestens zwei Wochen vor dem Tage der Versammlung zu erfolgen hat.

§ 28. In der General-Versammlung präsidirt der Vorsitzende des Aufsichtsrathes oder sein Stellvertreter und ernennt einen Schriftführer, sowie zur Prüfung der Stimmberechtigung und Zählung der Stimmen zwei der anwesenden Aktionäre zu Skrutatoren. Die Protokolle der General-Versammlungen werden außer von dem Schriftführer von dem Vorsitzenden, den anwesenden Aufsichtsrathsmitgliedern, den Skrutatoren, dem anwesenden Direktor oder seinem Stellvertreter und denjenigen anwesenden Aktionären, welche dazu bereit sind, unterzeichnet.

§ 29. In jeder ordentlichen General-Versammlung ist der Bericht des Aufsichtsrathes und der Direktion über die Geschäftslage, sowie die Bilanz und der Rechnungs-Abschluß des Vorjahres mitzutheilen, über die dem Aufsichtsrathe und der Direktion zu ertheilende Decharge und die vorgeschlagene Gewinnvertheilung zu beschließen, sowie die erforderliche Wahl von Aufsichtsrathsmitgliedern und Mitgliedern der Revisions-Kommission vorzunehmen. Eigentliche Anleihen dürfen von der Gesellschaft nur auf Beschluß der General-Versammlung aufgenommen werden.

§ 30. Anträge von Aktionären, welche auf die Tagesordnung einer ordentlichen General-Versammlung kommen sollen, müssen spätestens zwei Wochen vor dem Termine der General-Versammlung schriftlich bei dem Aufsichtsrathe oder bei der Direktion eingereicht sein und in diesem Falle stets in die Tagesordnung aufgenommen werden.

§ 31. Zur gültigen Beschlußfassung in der General-Versammlung ist absolute Mehrheit der Stimmen erforderlich und in der Regel genügend. Bei Stimmengleichheit giebt, wenn es sich nicht um eine Wahl handelt, die Stimme des Vorsitzenden den Ausschlag.

Zu Statuten-Aenderungen, welche nicht bloß die Form der Bekanntmachungen, sowie der Berufung der General-Versammlung und der Vornahme von Wahlen zum Gegenstande haben, in welchen Fällen gleichfalls die absolute Mehrheit der Stimmen genügt, ist Zustimmung von $^2/_3$ der in der General-Versammlung vorhandenen Stimmen erforderlich; zur Beschlußfassung über Abänderung des Gegenstandes des Unternehmens über Fusion und Auflösung der Gesellschaft, sowie den Widerruf der Bestellung als Mitglied des Aufsichtsrathes wird eine Mehrheit von $^3/_4$ des in der General-Versammlung vertretenen Grundkapitals erfordert. Die von den General-Versammlungen gefaßten Beschlüsse sind auch für die darin nicht vertretenen Aktionäre verbindlich. Soweit für die Gültigkeit von Beschlüssen der General-Versammlung gerichtliche bezw. notarielle Protokollirung oder Einholung der staatlichen Genehmigung nach den bestehenden Gesetzen und Verordnungen erforderlich ist, hat es hierbei zu verbleiben.

§ 32. Alle von der General-Versammlung sowie ihren übrigen Organen vorzunehmenden Wahlen erfolgen, sofern nicht eine andere Art der Abstimmung einstimmig beschlossen wird, durch Stimmzettel und nach absoluter Majorität.

Ueber jede zu besetzende Stelle wird besonders abgestimmt. Ergiebt die erste Abstimmung keine absolute Majorität, so werden diejenigen Beiden, welche die relativ meisten Stimmen erhalten haben, zur engeren Wahl gestellt. Bei Stimmengleichheit entscheidet das Loos, durch die Hand desjenigen gezogen, der in der betreffenden Versammlung den Vorsitz führt. Wer sich binnen vierzehn Tagen nach an ihn ergangener Bekanntmachung von der Wahl über deren Annahme nicht erklärt, von dem wird angenommen, daß er die Wahl ablehne. Tritt ein solcher Fall bei einem Mitgliede des Aufsichtsrathes ein, so hat der Letztere nach § 16 die Vakanz provisorisch zu besetzen.

§ 33. Die Revisions-Kommission hat nach Ablauf jedes Rechnungs-Jahres den Rechnungs-Abschluß und seine Uebereinstimmung mit den Geschäftsbüchern und Skripturen der Gesellschaft zu prüfen und zu diesem Zwecke erforderlichen Falles auch die Gesellschaftskasse einzusehen; sie wird zur Ausübung ihrer Thätigkeit von dem Aufsichtsrathe mindestens vier Wochen vor jeder ordentlichen General-Versammlung einberufen und hat ihren schriftlichen Revisions-Bericht spätestens acht Tage vor dieser Versammlung dem Aufsichtsrathe einzureichen. Die erste Revisions-Kommission besteht aus drei vom Aufsichtsrathe ernannten Mitgliedern, welche weder dem Aufsichtsrathe noch der Direktion angehören dürfen.

Jede folgende Revisions-Kommission besteht aus mindestens drei, höchstens fünf Mitgliedern, von welchen drei Mitglieder, die weder dem Aufsichtsrathe noch der Direktion angehören dürfen, von der ordentlichen General-Versammlung gewählt werden. Wenn von diesen durch die General-Versammlung erwählten Revisoren einer oder mehrere verhindert sein sollten, so erwählt der Aufsichtsrath die erforderlichen Ersatzmänner.

Die Wahl von zwei weiteren Mitgliedern der Revisions-Kommission erfolgt durch die in der General-Versammlung anwesenden Versicherten der Gesellschaft.

Die Wahl darf nur auf solche Personen fallen, welche in der General-Versammlung anwesend sind, und erfolgt in der Weise, daß jeder Wählende eine Stimme hat und derjenige als gewählt gilt, auf welchen beim ersten Wahlgange die meisten Stimmen fallen; bei Stimmengleichheit entscheidet das durch die Hand des Vorsitzenden der General-Versammlung gezogene Loos.

Sollte eine derartige Wahl nicht zu Stande kommen oder sollten einer oder beide Gewählte die Eigenschaften verlieren, welche zum Zutritt zur General-Versammlung berechtigen, oder sollten einer oder beide Gewählte der Aufforderung zur Ausübung ihrer Thätigkeit nicht nachkommen, so genügt die Revision durch die von der General-Versammlung gewählten Mitglieder, und sind Ersatzmänner nicht zu wählen.

Titel V.

Kapital-Anlage; Jahres-Rechnung und Bilanz; Gewinn-Vertheilung.

§ 34. Die Anlage der Kapitalien der Gesellschaft, sofern sie nicht flüssig erhalten werden müssen, erfolgt auf Vorschlag der Direktion mit Genehmigung des Aufsichtsrathes; dieselben sind anzulegen:

a) durch Beleihung von Grundstücken mit pupillarischer Sicherheit;

b) in Inhaberpapieren, welche von dem Deutschen Reiche oder von einem dazu gehörigen Staate emittirt oder garantirt, oder welche unter Autorität eines der vorgedachten Staaten von Corporationen, Kreisen oder Communen ausgestellt und mit einem ein für alle Mal bestimmten Satze verzinslich sind. Die Belegung in anderen Papieren ist nur soweit und in dem Umfange statthaft, als von einem fremden Staate für die Zulassung zum Geschäftsbetriebe in demselben Cautionen in dessen Papieren erfordert werden;

c) durch Ankauf von Wechseln und durch Lombardgeschäfte nach den Grundsätzen der Reichsbank;

d) durch Vorauszahlungen und Vorschüsse auf von der Gesellschaft selbst ausgestellte Policen über Kapital-Versicherungen innerhalb ihres, nach den Rechnungsgrundlagen der Gesellschaft berechneten Zeitwerthes;

e) durch Vorschüsse auch in höheren Beträgen zum Zwecke der Dienstes-Cautionsbestellung für öffentliche Beamte auf deren von der Gesellschaft ausgestellte Lebensversicherungs-Policen.

Der Erwerb von Grundstücken ist der Gesellschaft nicht weiter gestattet, als es sich um Beschaffung der Geschäftslokalitäten oder um Abwendung von Verlusten an ausstehenden Forderungen handelt.

Die Zahlungen und Ausleihungen sub c, d und e können in den einzelnen Fällen von der Direktion selbstständig und ohne Befragung des Aufsichtsrathes bewirkt werden, die sub e erwähnten jedoch erst dann, nachdem der Aufsichtsrath die Gewährung von Cautions-Darlehen an Beamte **prinzipiell** genehmigt hat.

§ 35. Das **Kalenderjahr** ist das Rechnungs- und Bilanzjahr der Gesellschaft. Die Jahres-Rechnung muß die sämmtlichen Einnahmen und Ausgaben des Jahres enthalten. Den **baaren Einnahmen** des Jahres treten hinzu:

a) die aus den Vorjahren für die laufenden Risicos zurückgestellten Reserven;

b) die im Vorjahre zurückgestellten Reserven für die noch nicht regulirten Schäden;

c) das Guthaben auf Zinsen, welche im nächsten Rechnungsjahre zahlbar werden, bis zum Jahresschluß berechnet (Stückzinsen).

Dagegen kommen **außer** der gesammten Jahresausgabe, zu welcher auch die Organisations-, Einrichtungs- und Verwaltungs-Kosten zu ihrem vollen Betrage gehören, in Ausgang:

a) die rechnungsmäßige Reserve, welche nach den Rechnungsgrundlagen der Gesellschaft zur Deckung aller Risicos von Jahr zu Jahr angesammelt wird und mindestens der Differenz zwischen dem für die Gegenwart reducirten Werthe der versicherten Kapitalien und Renten und dem gleichzeitigen Erwartungswerthe der von den Versicherten zu leistenden Nettoprämien gleichkommen muß;

b) die Reserve zur Deckung der angemeldeten, aber noch nicht berichtigten Schäden in Höhe des angemeldeten Betrages;

c) die Abschreibungen auf die der Gesellschaft gehörigen Grundstücke oder anderes Besitzthum, welche für Immobilien nicht unter ein Prozent, für Mobilien nicht unter fünf Prozent des Erwerbspreises jährlich betragen dürfen;

d) die Abschreibungen auf zweifelhafte Forderungen, deren Höhe unter Berücksichtigung der obwaltenden Umstände für jeden Fall festzustellen ist.

§ 36. Die Bilanz wird gebildet durch Gegenüberstellung sämmtlicher Aktiva und sämmtlicher Passiva.

Demzufolge sind aufzuführen:

A. Aktiva.

I. Unter den Aktivis:

a) Der durch Wechsel gedeckte Betrag des ausgegebenen Aktienkapitals;

b) der baare Kassenbestand am Jahresschluß;

c) der Bestand an Effekten und Werthpapieren, welche, sofern sie einen Börsen- oder Marktpreis haben, höchstens zu dem Börsen- oder Marktpreise zur Zeit der Bilanzaufstellung, — wenn dieser jedoch den Anschaffungspreis übersteigt, höchstens zu letzterem — angesetzt werden dürfen;

d) die Außenstände und Forderungen der Gesellschaft aller Art unter Berücksichtigung des Werthes, welchen sie nach den erforderlichen Falles stattgehabten Abschreibungen am Schlusse des Jahres haben;

e) die der Gesellschaft gehörigen Grundstücke oder anderes Besitzthum nach ihrem Werthe am Jahresschlusse unter Berücksichtigung der stattgehabten Abschreibungen;

f) das Guthaben auf Zinsen, welche erst im nächsten Rechnungsjahre zahlbar werden, bis zum Jahresschlusse berechnet (Stückzinsen).

B. Passiva.

II. Unter den Passivis:

a) Der Nominalwerth der ausgegebenen Gesellschafts-Aktien (des Grundkapitals);

b) die rechnungsmäßige Reserve für die am Schlusse des Jahres noch nicht abgelaufenen Versicherungen;

c) die Schaden-Reserve für die am Schlusse des Jahres noch nicht berichtigten Schäden in voller Höhe der angemeldeten Beträge;

d) die Schulden der Gesellschaft aller Art, und zwar Kapitalien ohne Rücksicht auf ihre Fälligkeit;

e) der Kapital-Reservefond;

f) der Risico-Reservefond;

g) die im Voraus vereinnahmten Zinsen, soweit dieselben in das nächste Rechnungsjahr gehören;

h) die Reserven für die liquiden, in das laufende Rechnungsjahr gehörigen, aber noch nicht baar verausgabten Kosten.

Der aus der Vergleichung der Aktiva und Passiva sich ergebende Gewinn oder Verlust ist am Schlusse der Bilanz besonders anzugeben und bildet der erstere den Jahresüberschuß der Gesellschaft (§ 37).

Jahresrechnung und Bilanz sind spätestens bis zum 30. Juni jeden Jahres in den in dem § 44 bezeichneten Blättern öffentlich bekannt zu machen.

Die erste Abrechnung und Bilanzziehung erfolgt nach Ablauf des Jahres 1885, und zwar für den Rest des Jahres 1884 und für das Jahr 1885, welche beiden Zeiträume zusammen für ein Jahr gerechnet werden.

§ 37. Von dem Jahres-Ueberschuß werden zunächst 4% Zinsen von den Wechseln, welche vor ihrer Fälligkeit bezahlt sind (§ 12), sodann 10% für den Kapital-Reservefond abgesetzt. Von dem alsdann verbleibenden Ueberschuß werden die laut § 20 dem Aufsichtsrathe zustehende, ferner die gemäß § 23 etwa dem Direktor bewilligte Tantième und sonst bewilligten Remunerationen gezahlt.

Von dem Reste erhalten die Aktionäre eine bis auf halbe Mark abgerundete Dividende bis zum Maximum von 10% des für sämmtliche Aktionäre baar eingeforderten und eingezahlten Aktienkapitals (§ 6 alin. 1, erster Satz; § 18 alin. 4). Von dem hiernach verbleibenden Ueberschuß fallen 5% in den Risico-Reservefond, so lange, bis derselbe die Höhe von ℳ 500,000.— erreicht hat. Der dann verbleibende Rest ist Gewinn-Antheil der mit Gewinn-Antheil bei der Gesellschaft Versicherten.

Der Gewinn, welcher bei Erhöhung des Grundkapitals durch Ausgabe der Aktien für einen höheren als den Nennwerth erzielt wird, ist unverkürzt dem Kapital-Reservefond zu überweisen.

§ 38. Die Auszahlung der Dividenden an die Aktionäre erfolgt gegen Auslieferung des Dividendenscheines, nachdem die Höhe derselben durch die General-Versammlung festgestellt ist. Die Legitimation des Empfängers zu prüfen ist die Gesellschaft befugt, aber nicht verpflichtet.

§ 39. Der Kapital-Reservefond hat den Zweck Kapitalverluste auszugleichen; hat derselbe den Betrag von 10% des Grundkapitals erreicht und so lange er diesen vollen Betrag enthält, ist die General-Versammlung auf Antrag des Aufsichtsrathes und der Direktion befugt, den ferneren Zuschuß zu diesem Fond zu ermäßigen oder ganz fortfallen zu lassen.

§ 40. Der Risico-Reservefond hat den Zweck, Verluste aus ungünstiger Sterblichkeit oder Invalidität der Versicherten in der Weise auszugleichen, daß der zur Ausgleichung eines derartigen Verlustes erforderliche Betrag vor Berechnung des Jahres-Ueberschusses aus dem Risico-Reservefond, soweit derselbe dazu ausreicht, in die Jahres-Rechnung als Einnahme eingestellt wird, eine Ergänzung des Risico-Reservefonds aber immer nur aus den Jahres-Ueberschüssen (§ 37) erfolgt.

§ 41. Der Kapital-Reservefond und Risico-Reservefond werden nicht besonders verwaltet, sondern bilden einen Theil des arbeitenden Gesellschafts-Vermögens.

§ 42. Der Zeitpunkt, sowie die Art und Weise der Vergütung des Gewinn-Antheiles der mit Gewinn-Anspruch bei der Gesellschaft Versicherten an Letztere regelt sich nach den Bestimmungen der von der Gesellschaft mit ihnen abgeschlossenen Versicherungs-Verträge.

Titel VI.

Staatliche Aufsicht, Auflösung der Gesellschaft und transitorische Bestimmungen.

§ 43. Der Staats-Regierung steht das Recht zu, die Aufsicht über die Gesellschaft auszuüben und zu diesem Zwecke einen Commissär zu ernennen, welcher den General-Versammlungen und den Sitzungen des Aufsichtsrathes beizuwohnen, die Organe der Gesellschaft zusammen zu berufen, sowie von allen Büchern, Schriftstücken und Kassen der Gesellschaft jederzeit Einsicht zu nehmen befugt ist.

§ 44. Die Bekanntmachungen der Gesellschaft erfolgen durch

1. Korrespondent von und für Deutschland, } Nürnberg,
2. Fränkischer Kurier, }
3. Augsburger Abendzeitung,
4. Allgemeine Zeitung, München,
5. Frankfurter Zeitung.

Wenn eines dieser Blätter eingeht oder die Aufnahme der Bekanntmachung ablehnt, oder Privatbekanntmachungen überhaupt nicht annimmt, so genügt die Bekanntmachung durch die übrig bleibenden Blätter, bis die nächste ordentliche General-Versammlung für das nicht mehr zur Benutzung kommende Blatt ein anderes gewählt haben wird.

Ueberhaupt steht der General-Versammlung das Recht zu, anstatt der hier vorgeschriebenen Blätter andere zu wählen; indeß müssen die eintretenden Aenderungen in den bisher benutzten Blättern, sofern ihre Benutzung überhaupt möglich, veröffentlicht werden.

§ 45. Die Auflösung der Gesellschaft erfolgt auf Grund der gesetzlichen Bestimmungen oder durch Beschluß der General-Versammlung gemäß § 3.

§ 46. Bis zur Ertheilung der staatlichen Genehmigung werden sämmtliche Gesellschaftsangelegenheiten von dem Gründungs-Komite (§ 16) besorgt, dessen Mitglieder folgende sind:

Lothar Freiherr von Faber in Stein,
Commerzienrath Johannes Falk in Dutzendteich,
Commerzienrath Fr. von Grundherr in Nürnberg,
Commerzienrath J. G. Kugler in "
Fabrikbesitzer Moritz Pöhlmann in "
Bankier S. Bloch in "
k. Rechtsanwalt Wunder in "

Statut-Nachtrag I.

In der ordentlichen General-Versammlung vom 8. Juni 1886 wurde zu § 44 des Statuts der Nürnberger Lebensversicherungs-Bank abändernd beschlossen, daß die Bekanntmachungen derselben fortan durch:

1. den Deutschen Reichs-Anzeiger,
2. die Leipziger Zeitung,
3. den Korrespondent von und für Deutschland } in Nürnberg,
4. den Fränkischen Kurier }
5. die Frankfurter Zeitung

zu erfolgen haben.

A. Aktien-Formular.

Nr.

Nürnberger Lebensversicherungs-Bank.

Aktie
über
Ein Tausend Mark.

Herr .... in .... hat in Gemäßheit des landesherrlich genehmigten Statuts auf Grund dieser Aktie einen verhältnißmäßigen Antheil an dem Vermögen und dem Gewinn der

Nürnberger Lebensversicherungs-Bank

erworben. — Uebertragungen dieser Aktie an Andere sind der Gesellschaft gegenüber nur gültig, wenn die Eintragung des neuen Erwerbers in das Aktien-Buch erfolgt und auf der Aktie bescheinigt ist.

Nürnberg, den ....

Nürnberger Lebensversicherungs-Bank.

Der Aufsichtsrath:

....

Die Eintragung in das Aktien-Buch bescheinigt:

Der Aufsichtsrath: Die Direktion:

....

Direktor. Stellvertr. Direktor.

B. Wechsel-Formular.

Wechsel
zum Interimsscheine Nr. ....

Einen Monat nach Wiedersicht zahle gegen diesen **Sola-Wechsel**, wenn derselbe binnen **fünfzig** Jahren, von heute ab gerechnet, in dem unten bezeichneten Domizil präsentirt wird, an die Ordre der **Nürnberger Lebensversicherungs-Bank** die Summe von **Zweihundert Mark** und leiste zur Verfallzeit prompte Zahlung nach Wechselrecht.

.... den ....

Auf .... selbst,
zahlbar bei der **Nürnberger Lebensversicherungs-Bank**
in **Nürnberg**.

C. Aktien-Dividendenschein-Formular.

Vorderseite:

Dividendenschein zur Aktie Nr. ....

Am 1. Mai zahlt die unterzeichnete Gesellschaft dem Inhaber dieses Scheines gegen dessen Rückgabe die auf die Aktie Nr. .... für das Jahr treffende Dividende.

Nürnberg, den ....

Nürnberger Lebensversicherungs-Bank.

Der Aufsichtsrath: Die Direktion:
(Unterschrift des Vorsitzenden)

....

Direktor. Stellvertr. Direktor.

Rückseite:

Dividendenscheine, deren Betrag fünf Jahre nach deren Fälligkeit nicht erhoben ist, werden ungültig und ihr Betrag verfällt dem Kapital-Reservefond der Gesellschaft. Geht dieser Dividendenschein verloren, so wird nach § 14 des Statuts verfahren.

D. Aktien-Talon-Formular.

Nürnberger Lebensversicherungs-Bank.

Talon zur Aktie Nr.

Inhaber empfängt am 1. Mai die Serie der Dividendenscheine zu der vorstehend bezeichneten Aktie.

Nürnberg, den

Der Aufsichtsrath: (Unterschrift des Vorsitzenden) Die Direktion:

Direktor. Stellvertr. Direktor.

Geht obiger Talon verloren, so wird nach § 14 des Statuts verfahren.

E. Interimsschein-Formular.

Nr.

Interimsschein

über eine Aktie

der

Nürnberger Lebensversicherungs-Bank

von

Ein Tausend Mark Nennwerth

mit

Zweihundert Mark (20%) Einzahlung.

Herr in hat in Gemäßheit des landesherrlich genehmigten Statuts auf Grund dieses Scheines einen verhältnißmäßigen Antheil an dem Vermögen und dem Gewinn der

Nürnberger Lebensversicherungs-Bank

erworben. — Uebertragungen dieses Interimsscheines an Andere sind der Gesellschaft gegenüber nur gültig, wenn sie mit Genehmigung des Aufsichtsrathes geschehen und die Eintragung des neuen Erwerbers in das Aktien-Buch auf dem Interimsscheine bescheinigt ist. (§§ 6 und 7 des Statuts.)

Auf den Aktien-Nennwerth von Tausend Mark ist die erste Einzahlung mit Zweihundert Mark geleistet. Die weiteren Einzahlungen werden auf diesem Interimsscheine quittirt.

Nürnberg, den

Nürnberger Lebensversicherungs-Bank.

Der Aufsichtsrath:

Die Eintragung in das Aktien-Buch bescheinigt:

Der Aufsichtsrath: Die Direktion:

Direktor. Stellvertr. Direktor.

Formular zum Cessions-Vermerk auf den Interimsscheinen.

Den Interimsschein Nr. der Nürnberger Lebensversicherungs-Bank cedire hierdurch an

am

Die Uebertragung des Interimsscheines Nr. , welche in das Aktien-Buch der unterzeichneten Bank eingetragen ist, wird hierdurch genehmigt.

Nürnberg, am

Nürnberger Lebensversicherungs-Bank.

Der Aufsichtsrath:

F. Dividendenschein-Formular zu den Interimsscheinen.

Vorderseite:

Dividendenschein

zum Interimsschein Nr.

Am 1. Mai zahlt die unterzeichnete Gesellschaft dem Inhaber dieses Scheines gegen dessen Rückgabe die auf den Interimsschein Nr. für das Jahr treffende Dividende.

Nürnberg, den

Nürnberger Lebensversicherungs-Bank.

Der Aufsichtsrath: (Unterschrift des Vorsitzenden) Die Direktion:

Direktor. Stellvertr. Direktor.

Rückseite:

Dividendenscheine, deren Betrag fünf Jahre nach deren Fälligkeit nicht erhoben ist, werden ungültig und ihr Betrag verfällt dem Kapital-Reservefond der Gesellschaft. Geht dieser Dividendenschein verloren, so wird nach § 14 des Statuts verfahren.

G. Talon-Formular zu den Interimsscheinen.

Nürnberger Lebensversicherungs-Bank.

Talon

zum Interimsschein Nr.

Inhaber empfängt am 1. Mai die Serie der Dividendenscheine zu dem vorstehend bezeichneten Interimsscheine.

Nürnberg, den

Der Aufsichtsrath: (Unterschrift des Vorsitzenden) Die Direktion:

Direktor. Stellvertr. Direktor.

Geht obiger Talon verloren, so wird nach § 14 des Statuts verfahren.

Druck von W. Tümmel's Buchdruckerei in Nürnberg.

Amtsblatt
der Königlichen Regierung zu Potsdam und der Stadt Berlin.

Stück 20. Den 18. Mai **1888.**

Allerhöchster Erlaß.

Auf Ihren Bericht vom 20. April d. J. will Ich der unter der Firma „Dampfstraßenbahn zwischen Groß-Lichterfelde (Anhalter Bahnhof) Seehof-Teltow" in's Leben getretenen Actiengesellschaft das Enteignungsrecht hinsichtlich derjenigen Grundstücke hiermit verleihen, welche zur Herstellung einer Dampfstraßenbahn von dem Bahnhofe der Berlin-Anhaltischen Eisenbahn in Groß-Lichterfelde nach der Stadt Teltow und deren Weiterführung südlich um Teltow bis zum Chausseehause vor Stahnsdorf erforderlich sind. Die eingereichte Karte und das Gesellschaftsstatut erfolgen anbei zurück.

Berlin, den 23. April 1888.

In Vertretung Sr. Majestät des Königs

gez. **Wilhelm,**

Kronprinz.

ggez. von Maybach.

An den Minister der öffentlichen Arbeiten.

Bekanntmachungen der Königlichen Ministerien.

16.

Nachrichten für diejenigen jungen Leute, welche in die Unteroffizier-Vorschulen zu Weilburg, Annaburg und Neubreisach einzutreten wünschen.

1) Die Unteroffizier-Vorschulen haben die Bestimmung, geeignete junge Leute von ausgesprochener Neigung für den Unteroffizierstand in der Zeit zwischen dem Verlassen der Schule nach beendeter Schulpflicht und dem Eintritt in das wehrpflichtige Alter derart fortzubilden, daß sie für ihren künftigen Beruf tüchtig werden. Bei militärischer Erziehung sollen sie dort Gelegenheit finden, ihre Schulkenntnisse soweit zu ergänzen, wie dies nicht nur im Hinblick auf den militärischen Beruf, sondern auch für ihre spätere Verwendbarkeit im Militair-Verwaltungs- bez. Civildienst wünschenswerth ist. — Daneben wird der körperlichen Entwickelung und Ausbildung, unter vorzugsweiser Berücksichtigung der Anforderungen des Militärdienstes, besondere Aufmerksamkeit zugewendet.

2) Die Ausbildung in den Unteroffizier-Vorschulen dauert in der Regel ein bis zwei Jahre.

3) Die Zöglinge der Unteroffizier-Vorschulen gehören nicht zu den Militärpersonen des Reichsheeres. Denselben stehen daher bei vorkommenden Dienstbeschädigungen keine Ansprüche auf Invalidenwohlthaten zu. Die Aufnahme begründet aber die Verpflichtung, aus der Vorschule, unter Uebernahme der für die Ausbildung in einer Unteroffizierschule festgesetzten besonderen Dienstverpflichtung, unmittelbar in die hierfür bestimmte Unteroffizierschule überzutreten und für jeden vollen oder auch nur begonnenen Monat des Aufenthaltes in der Unteroffizier-Vorschule zwei Monate über die gesetzliche Dienstpflicht hinaus im aktiven Heere zu dienen; für den Fall aber, daß ein Zögling dieser Verpflichtung überhaupt nicht oder nicht in vollem Umfange nachkommen sollte, die auf ihn gewendeten Kosten, 465 ℳ für jedes auf der Unteroffizier-Vorschule zugebrachte Jahr, sofort zu erstatten. Im letzteren Falle sind die nicht ein volles Jahr bez. einen vollen Monat ausmachenden Fristen tageweise zu berechnen. Wird ein Zögling als zum Unteroffizier ungeeignet aus der Unteroffizier-Vorschule entlassen, so ist er zur Erstattung der Kosten nicht verpflichtet. Auch übernimmt der Zögling für einen etwaigen, über zwei Jahre hinaus erforderlich werdenden Aufenthalt in der Unteroffizier-Vorschule keine besondere Verpflichtung.

4) Bei dem Uebertritt in die Unteroffizierschule hat der Freiwillige den Fahneneid zu leisten und steht dann wie jeder andere Soldat des Heeres unter den militärischen Gesetzen.

5) Nach der in der Regel zwei Jahre dauernden Ausbildung in der Unteroffizierschule werden die in den Unteroffizier-Vorschulen vorgebildeten Füsiliere an Infanterie- und Artillerie-Truppentheile überwiesen und zwar diejenigen Füsiliere, welche die Befähigung hierzu erworben haben, als Unteroffiziere.

6) Die Aufnahme in eine Unteroffizier-Vorschule ist von folgenden Bedingungen abhängig:

Die Aufzunehmenden dürfen in der Regel nicht unter 15 und nicht über 16 Jahre alt sein.

Dieselben sollen eine Körpergröße von mindestens 151 cm und einen Brustumfang von 70—76 cm, bei einem Alter von 16 Jahren eine Körpergröße von mindestens 153 cm und einen Brustumfang von 73—79 cm haben.

Sie müssen sich untadelhaft geführt haben, vollkommen gesund, im Verhältniß zu ihrem Alter kräftig gebaut sowie frei von körperlichen Gebrechen und wahrnehmbaren Anlagen zu chronischen Krankheiten sein, ein scharfes Auge, gutes Gehör und fehlerfreie (nicht stotternde) Sprache haben.

Sie müssen leserlich und im Allgemeinen richtig schreiben, Gedrucktes (in deutscher und lateinischer Druckschrift) ohne Anstoß lesen und die vier Grundrechnungsarten rechnen können.

Bettnässer, Bruchleidende und mit Fußschweiß behaftete junge Leute dürfen nicht aufgenommen werden.

7) Wer in eine Unteroffizier-Vorschule aufgenommen zu werden wünscht, hat sich, nachdem er mindestens 14½ Jahre alt geworden ist, begleitet von seinem Vater oder Vormund, persönlich dem Bezirkskommandeur seines Aufenthaltsortes vorzustellen und hierbei folgende Papiere vorzulegen:
   a. ein Geburtszeugniß,
   b. den Confirmations- bz. Einsegnungsschein,
   c. ein Unbescholtenheitszeugniß der Polizei-Obrigkeit,
   d. etwa vorhandene Schulzeugnisse.

   Der Bezirkskommandeur veranlaßt die ärztliche Untersuchung, die schulwissenschaftliche Prüfung und die Aufnahme einer schriftlichen Verhandlung über die unter 3 erwähnte Verpflichtung, welche vom Vater oder Vormund mit zu unterzeichnen ist.

8) Insoweit Stellen frei sind, erfolgt die Einberufung nach vollendetem 15. Lebensjahre in die Unteroffizier-Vorschulen Weilburg und Annaburg im Oktober, in die Unteroffizier-Vorschule Neubreisach im April jedes Jahres durch Vermittelung der Bezirkskommandeure.

   Diejenigen jungen Leute, welche 16½ Jahre alt geworden sind, ohne einberufen worden zu sein, sind von der Aufnahme ausgeschlossen und erhalten daher die eingesandten Papiere zurück.

9) Die Einberufenen haben sich zunächst in das Stabsquartier des Bezirkskommandos zu begeben. Hier werden sie nochmals ärztlich untersucht und erhalten im Fall der Brauchbarkeit einen Vorschuß in Höhe der für den zurückgelegten Marsch und den Weitermarsch nach der betreffenden Vorschule zuständigen Gebührnisse. Diese bestehen in Fahr- und Zehrgeldern. Erstere richten sich bei Landwegen — nächste Poststraße — nach den tarifmäßigen Postfahrpreisen, ohne Rücksicht auf das wirklich benutzte Beförderungsmittel, während bei Eisenbahnverbindung ein Militärfahrschein auszustellen ist. Das Zehrgeld beträgt:
   a. bei Reisen auf der Eisenbahn für jedes km 0,5 Pf.,
   b. bei Reisen auf dem Landweg für jedes km 1,5 Pf.,

   in beiden Fällen aber mindestens 1 Mk.

10) Bei der Gestellung zum Eintritt in eine Unteroffizier-Vorschule müssen die Einberufenen mit einem Paar guter Stiefeln und zwei neuen Hemden sowie mit 6 Mk. zur Beschaffung des erforderlichen Putzzeuges versehen sein.

   In den Unteroffizier-Vorschulen wird das zum Lebensunterhalt Nothwendige, einschließlich der Kleidung und der Lehrmittel, unentgeltlich gewährt.

Berlin, den 8. April 1888.

Kriegsministerium.
Bronsart von Schellendorf.

№ 63/4. 88. A. 2.

17. Nachrichten für diejenigen Freiwilligen, welche in die Unteroffizierschulen zu Potsdam, Biebrich, Ettlingen und Marienwerder eingestellt zu werden wünschen.

1) Die Unteroffizierschulen haben die Bestimmung, junge Leute, welche sich dem Militärstande widmen wollen, zu Unteroffizieren heranzubilden.

2) Der Aufenthalt in der Unteroffizierschule dauert in der Regel drei, bei besonderer Brauchbarkeit nur zwei Jahre, in welcher Zeit die jungen Leute gründliche militärische Ausbildung und solchen Unterricht erhalten, welcher sie befähigt, bei sonstiger Tüchtigkeit auch die bevorzugteren Stellen des Unteroffizierstandes (Feldwebel 2c.), des Militär-Verwaltungsdienstes (Zahlmeister 2c.) und des Civildienstes zu erlangen.

   Der Unterricht umfaßt: Lesen, Schreiben und Rechnen, deutsche Sprache, Anfertigung aller Arten von Dienstschreiben, militärische Rechnungsführung, Geschichte, Geographie, Planzeichnen und Gesang.

   Die gymnastischen Uebungen bestehen in Turnen, Bajonettfechten und Schwimmen.

3) Der Aufenthalt in der Unteroffizierschule giebt den jungen Leuten keinen Anspruch auf die Beförderung zum Unteroffizier. Solche hängt lediglich von der guten Führung und der erlangten Dienstkenntniß des Einzelnen ab. Die vorzüglichsten Freiwilligen werden bereits auf den Unteroffizierschulen zu überzähligen Unteroffizieren befördert und treten bei ihrem Ausscheiden in das Heer sogleich in etatsmäßige Unteroffizierstellen.

4) Ueberweisungen von Unteroffizierschülern erfolgen nur an Infanterie- und Artillerie-Truppentheile. Für die Vertheilung an diese Truppentheile ist in erster Linie das dienstliche Bedürfniß maßgebend, indessen sollen die Wünsche der Einzelnen um Zutheilung an bestimmte Truppentheile nach Möglichkeit berücksichtigt werden.

5) Die Füsiliere der Unteroffizierschulen stehen wie jeder andere Soldat des aktiven Heeres unter den militärischen Gesetzen und haben beim Eintritt den Fahneneid zu leisten.

6) Der in die Unteroffizierschule Einzustellende muß mindestens 17 Jahre alt sein, darf aber das 20. Jahr noch nicht vollendet haben.

   Der Einzustellende soll mindestens 157 cm groß, vollkommen gesund, frei von körperlichen Gebrechen sowie wahrnehmbaren Anlagen zu chronischen Krankheiten sein und die Brauchbarkeit für den Friedensdienst der Infanterie besitzen.

Das Mindestmaß für den Brustumfang beträgt bei einem Alter von 17—18 Jahren 74—80 cm, von 18 bis 19 Jahren 76—82 cm, nach zurückgelegtem 19. Lebensjahre 78—84 cm.

7) Der Einzustellende muß sich tadellos geführt haben, lateinische und deutsche Schrift mit einiger Sicherheit lesen und schreiben können und die ersten Grundlagen des Rechnens mit unbenannten Zahlen kennen.

8) Der Eintritt in eine Unteroffizierschule kann nur dann erfolgen, wenn sich der Freiwillige zuvor verpflichtet, nach erfolgter Ueberweisung aus der Unteroffizierschule an einen Truppentheil noch vier Jahre im aktiven Heere zu dienen.

9) Der Einberufene muß mit ausreichendem Schuhzeug, zwei Hemden und mit 6 ℳ zur Beschaffung des erforderlichen Putzzeuges versehen sein. Im Uebrigen ist die Ausbildung kostenfrei; die Füsiliere der Unteroffizierschulen werden bekleidet und verpflegt wie jeder Soldat des aktiven Heeres.

10) Wer in eine Unteroffizierschule aufgenommen zu werden wünscht, hat sich bei dem Bezirkskommandeur seines Aufenthaltsorts oder bei einem der Kommandeure der Unteroffizierschulen in Potsdam, Biebrich, Ettlingen und Marienwerder unter Vorzeigung eines von dem Civil-Vorsitzenden der Ersatz-Commission seines Aushebungsbezirks ausgestellten Meldescheins persönlich zu melden.

Da die Unteroffizierschulen in Jülich und Weißenfels sich aus Unteroffizier-Vorschülern ergänzen, so findet die Einstellung von Freiwilligen daselbst nicht mehr statt.

• 11) Ist die Prüfung im Lesen, Schreiben und Rechnen sowie die ärztliche Untersuchung günstig ausgefallen, so wird zunächst die Verpflichtungs-Verhandlung über die vorgeschriebene längere aktive Dienstzeit (Ziffer 8) aufgenommen.

Diejenigen Freiwilligen, welche bei einem Bezirkskommandeur den freiwilligen Eintritt nachgesucht haben, erhalten durch dessen Vermittelung den Annahmeschein von der Unteroffizierschule, welcher sie zugetheilt worden sind.

Nach Ertheilung des Annahmescheins tritt der Freiwillige in die Klasse der vorläufig in die Heimath beurlaubten Freiwilligen. Die Einberufung erfolgt von derjenigen Unteroffizierschule, welche den Annahmeschein ausgestellt hat, durch Vermittelung des betreffenden Bezirkskommandeurs.

Eine Lösung der Eintrittsverpflichtung kann nur mit Genehmigung der Inspektion der Infanterieschulen erfolgen. Kosten dürfen der Militär-Verwaltung hierdurch nicht entstehen. Wird die Lösung der Verpflichtung nach dem Eintreffen auf einer Unteroffizierschule erbeten, so hat der betreffende Freiwillige, wenn die Genehmigung ausnahmsweise ertheilt wird, die Kosten der Rückreise zu tragen.

Die Wünsche der Freiwilligen um Zutheilung an eine bestimmte Unteroffizierschule sollen, soweit angängig, berücksichtigt werden.

12) Die Einstellung von Freiwilligen in die Unteroffizierschulen findet alljährlich zweimal statt, und zwar bei den Unteroffizierschulen Potsdam, Biebrich und Marienwerder im Monat Oktober, bei der Unteroffizierschule Ettlingen im Monat April.

Wer zu diesen Zeitpunkten nicht einberufen werden kann, darf in freiwerdende Stellen der Unteroffizierschulen zu Potsdam, Biebrich und Marienwerder bis Ende Dezember, der Unteroffizierschule zu Ettlingen bis Ende Juni eingestellt werden, vorausgesetzt, daß dann noch allen Aufnahmebedingungen genügt wird.

13) Füsiliere der Unteroffizierschulen, die sich durch mangelhafte Führung oder durch zu geringe Leistungen als nicht geeignet für den Unteroffizierberuf erweisen, werden aus den Unteroffizierschulen entlassen. Solchen entlassenen Freiwilligen wird die in den Unteroffizierschulen zugebrachte Dienstzeit bei der Erfüllung ihrer Dienstpflicht im aktiven Heere nicht in Anrechnung gebracht.

14) Während ihrer Dienstzeit in der Unteroffizierschule erhalten bei guter Führung diejenigen Füsiliere, welche in die Heimath beurlaubt werden, eine einmalige Reise-Entschädigung. Während dieser Beurlaubung wird den Füsilieren die Löhnung bis zu 4 Wochen belassen.

Berlin, den 8. April 1888.

Kriegsministerium.
Bronsart v. Schellendorff.

№ 63/4. 88. A. 2.

18. Bestimmungen für die Anmeldungen zu den Unteroffizier-Vorschulen und Unteroffizierschulen.

I. Nothwendige körperliche Eigenschaften für die Aufnahme.*)

A. Unteroffizier-Vorschulen.

1) Die zur Einstellung in die Unteroffizier-Vorschulen sich meldenden jungen Leute müssen mindestens 14½ Jahre alt, vollkommen gesund und frei von körperlichen Gebrechen und wahrnehmbaren Anlagen zu chronischen Krankheiten sein. Dieselben sollen eine Körpergröße von mindestens 151 cm und

---

*) Die ärztliche Untersuchung hat auf das Genaueste stattzufinden, da durch die Hin- und Rückreisen der von den betreffenden Anstalten wegen körperlicher Untauglichkeit wieder entlassenen Freiwilligen der Militär-Verwaltung unnöthige Kosten und den betreffenden jungen Leuten vielfach Nachtheile in ihrem bürgerlichen Fortkommen erwachsen.

Unmittelbar vor der Absendung der Freiwilligen vom Bezirkskommando nach der betreffenden Anstalt ist die ärztliche Untersuchung zu wiederholen.

einen Brustumfang von 70—76 cm, bei einem Alter von 16 Jahren eine Körpergröße von mindestens 153 cm und einen Brustumfang von 73—79 cm haben. Der Entwickelung der Brustorgane ist bei der ärztlichen Untersuchung die größte Aufmerksamkeit zu schenken und genau zu prüfen, ob dieselben vollständig gesund sind und mit dem übrigen Bau des Körpers in Größe und Thätigkeit übereinstimmen.

2) Auf dem rechten Auge muß volle Sehschärfe vorhanden sein, auf dem linken muß die letztere mehr als die Hälfte betragen. Kurzsichtigkeit, bei welcher der Fernpunktsabstand auf dem rechten Auge 70 cm oder weniger beträgt, schließt von der Einstellung aus. Die Ergebnisse der Untersuchung jedes einzelnen Auges — bei verdecktem anderen Auge — sind unter Benutzung der Snellen'schen Sehproben in unreduzirten Zahlen anzugeben. (Vergl. § 4, 8 der Dienstanweisung zur Beurtheilung der Militärdienstfähigkeit rc. vom 8. April 1877.)

3) Beide Ohren müssen normale Hörweite besitzen.

4) Die in der Anlage 1 der Rekrutirungs-Ordnung verzeichneten Fehler machen der Mehrzahl nach zur Aufnahme ungeeignet, wenn sie nicht sehr unbedeutend sind, oder sich noch beheben lassen. Dieselben sind in dem ärztlichen Attest in jedem Fall zu erwähnen.

5) Die in Gemäßheit des § 63, 2 der Dienstanweisung vom 8. April 1877 auszustellenden militär-ärztlichen Atteste haben sich darüber auszusprechen, ob der Untersuchte im Verhältniß zu seinem Alter gut, genügend oder mangelhaft entwickelt ist sowie ob derselbe voraussichtlich mit dem vollendeten 18. bz. 19. Lebensjahre völlig felddienstfähig sein wird.

B. Unteroffizierschulen.

Zu den im § 63, 1 der Dienstanweisung vom 8. April 1877 enthaltenen Vorschriften treten nachstehende Bestimmungen hinzu:

1) Das Mindestmaß für den Brustumfang beträgt bei einem Alter von 17—18 Jahren 74—80 cm, von 18—19 Jahren 76—82 cm, nach zurückgelegtem 19. Lebensjahre 78—84 cm. Der Entwickelung der Brustorgane ist bei der ärztlichen Untersuchung die größte Aufmerksamkeit zu schenken und genau zu prüfen, ob dieselben vollständig gesund sind und mit dem übrigen Bau des Körpers in Größe und Thätigkeit übereinstimmen.

2) Auf dem rechten Auge muß volle Sehschärfe vorhanden sein, auf dem linken muß dieselbe mehr als die Hälfte betragen. Kurzsichtigkeit, bei welcher der Fernpunktsabstand auf dem rechten Auge 70 cm oder weniger beträgt, schließt von der Einstellung aus. Die Ergebnisse der Untersuchung jedes einzelnen Auges — bei verdecktem anderen Auge — sind unter Benutzung der Snellen'schen Sehproben in unreduzirten Zahlen anzugeben.

3) Beide Ohren müssen normale Hörweite besitzen.

4) Die in der Anlage 1 der Rekrutirungs-Ordnung verzeichneten Fehler machen der Mehrzahl nach zur Aufnahme ungeeignet, wenn sie nicht sehr unbedeutend sind, oder sich noch beheben lassen. Dieselben sind in dem nach § 63 der Dienstanweisung vom 8. April 1877 auszustellenden ärztlichen Attest in jedem Fall zu erwähnen. Der Absatz 2 des § 7 der genannten Dienstanweisung hat keine Anwendung zu finden, da es sich um die körperliche Brauchbarkeit für eine Unteroffizierschule handelt, deren Zöglinge vielmehr unter Berücksichtigung des an ihre körperliche Tüchtigkeit besonders hohe Anforderungen stellenden künftigen Berufs als Unteroffiziere zu beurtheilen sind und die Brauchbarkeit für den Friedensdienst der Infanterie besitzen müssen.

In dem militairärztlichen Attest ist auszusprechen, ob der Untersuchte gut, genügend oder mangelhaft entwickelt ist.

II. Anmelde-Papiere.

Die Anmeldung bei der Inspektion der Infanterieschulen wird seitens der Bezirkskommandos mittelst eines Nationales bewirkt, für welches das Muster 1 maßgebend ist.

Dem Nationale sind als besondere Anlagen beizufügen:

1) Der Meldeschein (§ 83 der Ersatzordnung) in denjenigen Fällen, in welchen es sich um die Aufnahme von Freiwilligen in eine Unteroffizierschule handelt.

2) Eine nach Maßgabe des Musters 2 mit dem Freiwilligen aufzunehmende Verhandlung, in welcher sich der Betreffende verpflichtet, nach erfolgter Ueberweisung aus der Unteroffizierschule an einen Truppentheil noch vier Jahre im aktiven Heere zu dienen.

3) Eine gleichartige, nach Maßgabe des Musters 3 aufzunehmende Verhandlung, in welcher der für eine Unteroffizier-Vorschule Angemeldete sich zum Uebertritt in eine Unteroffizierschule und demnächst zur Erfüllung einer entsprechenden Dienstzeit im aktiven Heere verpflichtet.

4) Ein Prüfungs-Nachweis nach Muster 4.

5) Das ärztliche Attest.

Berlin, den 8. April 1888.

Kriegs-Ministerium.

Bronsart v. Schellendorff.

№ 63/4 88 A. 2.

Muster 1.

Nationale

des (Vor- und Zunamen) aus dem Bezirk des Landwehr-Bataillons . . . ., der sich zum Eintritt in die $\frac{\text{Unteroffizierschule}}{\text{Unteroffizier-Vorschule}}$ zu . . . . gemeldet hat.

1.	2.	3.	4.	5.	6.	7.	8.	9.	10.	11.
Vornamen und Zunamen	a. Tag b. Ort (Kreis, Regierungsbezirk, Bundesstaat) der Geburt	a. Namen und Vornamen der Eltern, b. ob solche leben oder nicht, c. Gewerbe, Stand, Vermögen und früheres Militärverhältniß des Vaters	a. Wohnsitz der Eltern oder des Vormundes b. Aufenthaltsort des Angemeldeten	a. Religion b. wann konfirmirt bz. eingesegnet	Was für Schulen besucht und bis zu welchem Jahre	Bürgerlicher Beruf oder sonstige Beschäftigung seit dem Verlassen der Schule	a. Größe b. Brustumfang	Kenntnisse	a. Zahl der Geschwister b. Stand derselben	Bemerkungen
								a. Lesen b. Schreiben c. Rechnen		

Erläuterungen zum Nationale.

1. Eine bestimmte $\frac{\text{Unteroffizierschule}}{\text{Unteroffizier-Vorschule}}$ ist nur dann anzugeben, wenn ein genügend begründeter Wunsch vorliegt.
2. Unter Bemerkungen ist das Urtheil des Bezirkskommandeurs kurz anzugeben (ob der Angemeldete körperlich, geistig und sittlich geeignet, ob der Ruf seiner Familie gut, ob derselbe empfohlen wird, ob baldige Einstellung erwünscht ist). Die Ermittelungen in Beziehung auf die sittliche Geeignetheit müssen so sorgfältig wie möglich angestellt werden.
3. In Spalte Bemerkungen ist ferner auszusprechen, ob bei den Anmeldungen zu einer Unteroffizier-Vorschule die jungen Leute Anspruch auf Aufnahme in das Militär-Knaben-Erziehungs-Institut zu Annaburg hatten, vergl. A.-V.-Bl. 1880 Seite 223.

Ort und Tag. Unterschrift.

Unteroffizierschule. **Muster 2.**

Verhandelt

. . . . den . . ten . . . . 18 . .

Es erscheint . . . . am . . 18 . . zu . . . . . Kreis . . . . . geboren, wohnhaft zu . . . . und bittet um Aufnahme in $\frac{\text{die}}{\text{eine}}$ Unteroffizierschule . . . .

Nachdem der Genannte mit der Bestimmung des § 86 der Ersatz-Ordnung bekannt gemacht worden ist und von der kriegsministeriellen Verfügung vom 8. April 1888 — A.-V.-Bl. Seite 82 — Kenntniß genommen hat, erklärt derselbe:

„Ich verpflichte mich hiermit auf Grund der vorgenannten mir bekannt gewordenen Bestimmungen, nach erfolgter Ueberweisung aus der Unteroffizierschule an einen Truppentheil noch vier Jahre im aktiven Heere zu dienen."

V. g. u.
(Unterschrift.)
Geschehen wie oben.
(Name, Charge.)

Unteroffizier-Vorschule. **Muster 3.**

Verhandelt

. . . . den . . ten . . . . 18 . .

Es erscheint . . . . am . . 18 . . zu . . . . . Kreis . . . . . geboren, wohnhaft zu . . . . und bittet um Aufnahme in $\frac{\text{die}}{\text{eine}}$ Unteroffizier-Vorschule . . . .

Nachdem der Genannte von der Bestimmung des Kriegsministeriums vom 8. April 1888 — A.-V.-Bl. Seite 80 — Kenntniß genommen hat, erklärt derselbe:

„Ich verpflichte mich hiermit auf Grund der vorgenannten mir bekannt gewordenen Bestimmung, aus der Vorschule, unter Uebernahme der für die Ausbildung in einer Unteroffizierschule festgesetzten besonderen Dienstverpflichtung, unmittelbar in die hierfür bestimmte Unteroffizierschule überzutreten und für jeden vollen oder auch nur begonnenen Monat des Aufenthalts in der Unteroffizier-Vorschule zwei Monate über die gesetzliche Dienstpflicht hinaus im aktiven Heere zu dienen; für den Fall aber, daß ich dieser Verpflichtung überhaupt nicht oder nicht in vollem Umfange nachkommen sollte, die auf mich gewendeten Kosten, im Betrage von 465 Mark für jedes auf der Unteroffizier-Vorschule zugebrachte Jahr, zu erstatten".

V. g. u.
(Unterschrift.)

Der unterzeichnete Vater (oder Vormund) genehmigt die vorstehende Erklärung seines Sohnes &c.

(Unterschrift des Vaters.)
Geschehen wie oben.

(Name, Charge.)

Muster 4.

Prüfungs-Nachweis.

Diktat (in deutscher Schrift).
Abschrift (in lateinischer Schrift).

Addition. Subtraktion.
Multiplikation. Division.

Unter meiner Aufsicht gefertigt.
Tag.
(Name, Charge.)

Ankauf von Remonten pro 1888.

Regierungs-Bezirk Potsdam.

19. Zum Ankaufe von Remonten im Alter von drei und ausnahmsweise vier Jahren sind im Bereiche der Königlichen Regierung zu Potsdam für dieses Jahr nachstehende, Morgens 8 resp. 9 Uhr beginnende Märkte anberaumt worden, und zwar:

am	31.	Mai	Wriezen a. Oder,
"	8.	Juni	Jüterbog 9 Uhr,
"	9.	"	Oranienburg,
"	11.	"	Nauen,
"	12.	"	Neustadt a. Dosse,
"	13.	"	Rathenow,
"	15.	"	Havelberg,
"	16.	"	Wilsnack 9 Uhr,
"	31.	Juli	Strasburg i. Uckermark,
"	1.	August	Prenzlau,
"	2.	"	Angermünde,
"	3.	"	Neu-Ruppin,
"	4.	"	Kyritz,
"	6.	"	Wittstock,
"	7.	"	Meyenburg,
"	8.	"	Pritzwalk 9 Uhr,
"	9.	"	Perleberg,
"	10.	"	Lenzen a. Elbe.

Die von der Remonte-Ankaufs-Kommission erkauften Pferde werden mit Ausnahme derjenigen von Oranienburg zur Stelle abgenommen und sofort gegen Quittung baar bezahlt. Die Verkäufer auf dem Markte in Oranienburg werden dagegen ersucht, die erkauften Pferde in dem nahe gelegenen Remonte-Depot Bärenklau auf eigene Kosten und Gefahr einzuliefern und daselbst nach erfolgter Uebergabe in gesundem Zustande den behandelten Kaufpreis in Empfang zu nehmen.

Pferde mit solchen Fehlern, welche nach den Landesgesetzen den Kauf rückgängig machen, sind vom Verkäufer gegen Erstattung des Kaufpreises und der Unkosten zurückzunehmen, ebenso Krippensetzer, welche sich in den ersten acht und zwanzig Tagen nach Einlieferung in den Depots als solche erweisen. Pferde, welche den Verkäufern nicht eigenthümlich gehören, oder durch einen nicht legitimirten Bevollmächtigten der Kommission vorgestellt werden, sind vom Kauf ausgeschlossen.

Die Verkäufer sind verpflichtet, jedem verkauften Pferde eine neue, starke rindlederne Trense mit starkem Gebiß und eine neue Kopfhalfter von Leder oder Hanf mit 2 mindestens zwei Meter langen Stricken ohne besondere Vergütung mitzugeben.

Um die Abstammung der vorgeführten Pferde feststellen zu können, ist es erwünscht, daß die Deckscheine möglichst mitgebracht werden, auch werden die Verkäufer ersucht, die Schweife der Pferde nicht zu coupiren oder übermäßig zu verkürzen.

Ferner ist es dringend wünschenswerth, daß der immer mehr überhand nehmende zu mastige oder weiche Futterzustand bei den zum Verkauf zu stellenden Remonten aufhört, weil dadurch die in den Remonte-Depots vorkommenden Krankheiten sehr viel schwerer zu überstehen sind, als dies bei rationell und nicht übermäßig gefutterten Remonten der Fall ist.

In Zukunft wird beim Ankauf zum Messen der Remonten das Stockmaß in Anwendung kommen.

Berlin, den 1. März 1888.

Kriegsministerium, Remontirungs-Abtheilung.

Bekanntmachungen des Königlichen Regierungs-Präsidenten.

Die Schifffahrtssperre auf der Elbe betreffend.

155. Es wird hierdurch im Interesse des schifffahrttreibenden Publikums des diesseitigen Regierungsbezirks zur öffentlichen Kenntniß gebracht, daß nach einer Mittheilung der Großherzogl. Flußbau-Verwaltungs-Commission in Schwerin voraussichtlich die Schifffahrt auf der Elde zwischen Eldenschleuse und Grabow wegen Hauptreparatur der Schleuse Nr. II. am Friedrich Franz Kanale, wegen Umbaues der Rehberger Brücke zu Grabow und der sogenannten Frengelhorst-Brücke über dem Fr. Fr. Kanale für die Zeit von Mitte Juni bis Mitte Juli d. J. gesperrt sein wird.

Potsdam, den 8. Mai 1888.

Der Regierungs-Präsident.

Viehseuchen.

156. Der Milzbrand unter den Hausthieren des Schneidermeisters Lange und des Kossäthen Paul zu Schlamau, im Kreise Zauch-Belzig, ist erloschen. Zur Warnung vor unvorsichtigem Verhalten bei dem Vorkommen dieser Seuche möge die Benachrichtigung dienen, daß der ꝛc. Paul, dessen Kuh gefallen war, an einer durch Milzbrand hervorgerufenen Blutvergiftung gestorben ist.

Potsdam, den 7. Mai 1888.

Der Regierungs-Präsident.

157. Die wegen Verdachts der Ansteckung mit der Rotzkrankheit im Oktober vorigen Jahres unter polizeiliche Beobachtung gestellten Pferde des Kaufmanns Klotz zu Schöneberg und des Milchhändlers Gericke zu Deutsch-Wilmersdorf bei Berlin sind von den Erscheinungen der Rotzseuche frei geblieben und sind daher die bezüglichen Sperrmaßregeln aufgehoben worden.

Potsdam, den 12. Mai 1888.

Der Regierungs-Präsident.

158. Das der Ansteckung durch Rotz verdächtige Pferd des Rentiers von Steinkeller in Pankow hat während der Beobachtungszeit keine Erscheinungen der Rotzkrankheit gezeigt und ist die Observation aufgehoben worden. Potsdam, den 14. Mai 1888.

Der Regierungs-Präsident.

159. Die Maul- und Klauenseuche unter dem Vieh des Maurers Winkel zu Teetz im Kreise Ostprignitz, sowie des Berliner Rieselgutes Falkenberg und Vorwerks Neu-Ahrensfelde im Kreise Niederbarnim ist erloschen.

Potsdam, den 14. Mai 1888.

Der Regierungs-Präsident.

Bekanntmachungen des Königlichen Polizei-Präsidiums zu Berlin.

Ausbildung von Hebammen.

51. Alljährlich müssen Personen, welche das zulässige Alter (jetzt 30 Jahre) überschritten haben, diesseits mit ihren Anträgen, die Hebammenkunst zu erlernen, abgewiesen werden. Vielfach versuchen dann die abschlägig Beschiedenen, ihre Ausbildung auf einer außerpreußischen Hebammen-Lehranstalt zu gewinnen, in der Hoffnung, nachträglich die Genehmigung zu erlangen, vor einer preußischen Prüfungskommission sich prüfen zu lassen. Da eine derartige Genehmigung jetzt nicht mehr ertheilt wird, bringe ich dies behufs Warnung der Betheiligten hiermit zur öffentlichen Kenntniß.

Berlin, den 7. Mai 1888.

Der Polizei-Präsident.

Entziehung eines Hebammen-Prüfungs-Zeugnisses.

52. Durch Erkenntniß des Bezirks-Ausschusses zu Potsdam vom 9. März d. J. ist der bisherigen Hebamme Marie Sophie Wilhelmine Ohlow, geborenen Rogge auf Grund des § 53 der Reichs-Gewerbeordnung das Prüfungs-Zeugniß als Hebamme entzogen worden; die ꝛc. Ohlow ist daher als Hebamme nicht mehr anzusehen.

Solches wird hiermit zur öffentlichen Kenntniß gebracht. Charlottenburg, den 30. April 1888.

Königl. Polizei-Direktion.

* * *

Vorstehende Bekanntmachung bringe ich hierdurch zur öffentlichen Kenntniß.

Berlin, den 8. Mai 1888.

Der Polizei-Präsident.

Berliner und Charlottenburger Preise pro April 1888

53. A. Engros-Marktpreise im Monatsdurchschnitt.

In Berlin:

für	100	Klgr.	Weizen	(gut)	17	Mark	54	Pf.,
„	„	„	do.	(mittel)	16	„	82	„
„	„	„	do.	(gering)	16	„	10	„
„	„	„	Roggen	(gut)	12	„	06	„
„	„	„	do.	(mittel)	11	„	57	„
„	„	„	do.	(gering)	11	„	09	„
„	„	„	Gerste	(gut)	16	„	67	„
„	„	„	do.	(mittel)	13	„	93	„
„	„	„	do.	(gering)	11	„	19	„
„	„	„	Hafer	(gut)	13	„	15	„
„	„	„	do.	(mittel)	12	„	23	„
„	„	„	do.	(gering)	11	„	26	„
„	„	„	Erbsen	(gut)	17	„	75	„
„	„	„	do.	(mittel)	15	„	50	„
„	„	„	do.	(gering)	13	„	25	„
„	„	„	Richtstroh		4	„	21	„
„	„	„	Heu		6	„	51	„

Monats-Durchschnitt der höchsten Berliner Tagespreise **einschließlich 5 % Aufschlag** für 50 kg

	Hafer	Stroh	Heu
im Monat April	7,01 Mk.,	2,38 Mk.,	4,04 Mk.

B. Detail-Marktpreise im Monatsdurchschnitt.

1) In Berlin.

für	100	Klgr.	Erbsen (gelbe) z. Kochen	24	Mark	09	Pf.,
„	„	„	Speisebohnen (weiße)	31	„	96	„
„	„	„	Linsen	44	„	83	„
„	„	„	Kartoffeln	5	„	66	„
„	1	Klgr.	Rindfleisch v. d. Keule	1	„	20	„
„	1	„	„ (Bauchfleisch)	1	„	—	„
„	1	„	Schweinefleisch	1	„	19	„
„	1	„	Kalbfleisch	1	„	20	„
„	1	„	Hammelfleisch	1	„	05	„
„	1	„	Speck (geräuchert)	1	„	40	„
„	1	„	Eßbutter	2	„	20	„
„	60	Stück	Eier	2	„	89	„

2) In Charlottenburg.

für	100	Klgr.	Erbsen (gelbe z. Kochen)	25	Mark	—	Pf.,
„	„	„	Speisebohnen (weiße)	25	„	—	„
„	„	„	Linsen	37	„	50	„
„	„	„	Kartoffeln	5	„	77	„
„	1	Klgr.	Rindfleisch v. d. Keule	1	„	10	„
„	1	„	„ (Bauchfleisch)	1	„	—	„
„	1	„	Schweinefleisch	1	„	20	„
„	1	„	Kalbfleisch	1	„	10	„
„	1	„	Hammelfleisch	1	„	10	„
„	1	„	Speck (geräuchert)	1	„	30	„
„	1	„	Eßbutter	2	„	30	„
„	60	Stück	Eier	2	„	53	„

C. Ladenpreise in den letzten Tagen des Monats April 1888:

1) In Berlin:

für	1	Klgr.	Weizenmehl № 1			35	Pf.,
„	1	„	Roggenmehl № 1			28	„
„	1	„	Gerstengraupe			48	„
„	1	„	Gerstengrütze			40	„
„	1	„	Buchweizengrütze			44	„
„	1	„	Hirse			44	„
„	1	„	Reis (Java)			75	„
„	1	„	Java-Kaffee (mittler)	2	Mark	33	„
„	1	„	„ (gelb in gebr. Bohnen)	3	„	20	„
„	1	„	Speisesalz			20	„
„	1	„	Schweineschmalz (hiesiges)	1	„	30	„

2) In Charlottenburg:

für	1	Klgr.	Weizenmehl № 1			60	Pf.,
„	1	„	Roggenmehl № 1			40	„
„	1	„	Gerstengraupe			60	„
„	1	„	Gerstengrütze			50	„
„	1	„	Buchweizengrütze			50	„
„	1	„	Hirse			60	„
„	1	„	Reis (Java)			80	„
„	1	„	Java-Kaffee (mittler)	2	„	60	„
„	1	„	„ (gelb in gebr. Bohnen)	3	„	—	„
„	1	„	Speisesalz			20	„
„	1	„	Schweineschmalz (hiesiges)	1	„	20	„

Berlin, den 7. Mai 1888.

Königl. Polizei-Präsidium. Erste Abtheilung.

Bekanntmachungen der Kaiserlichen Ober-Postdirektion zu Berlin.

Unanbringliche Postanweisungen.

30. Bei der Ober-Postdirektion in Berlin lagern die nachstehend verzeichneten, an den angegebenen Tagen in Berlin aufgelieferten unanbringlichen Postanweisungen: an Liverenz in Amsterdam über 30 M. 1 Pf., 4. April 1887, an das Polizei-Büreau der Markthalle 2 in Berlin über 3 M., 30. August 1887, an Frau Strauch in Breslau (Kirchstraße 4) über 5 M., 4. Oktober 1887, an Philipp Grünbaum in Banjaluka (Bosnien) über 5 M., 24. November 1887, an L. Schlabs in Cüstrin (Neumarkt) über 3 M., 3. Dezember 1887, an die Kreiskasse in Landsberg (Warthe) über 6 M. 10 Pf., 19. Dezember 1887, an Frau Seel in Berlin, Potsdamerstraße 113 über 5 M., 23. Dezember 1887, an Fräulein Thal in Bornstedt bei Potsdam über 40 M., 23. Dezember 1887, an Zimmermann in Berlin Müllerstraße 31 über 6 M., 23. Dezember 1887, an Schönrade in Charlottenburg (Schillersche Haus) über 6 M., 23. Dezember 1887, an Berger in Berlin (Forsterstraße 4) über 3 M., 24. Dezember 1887, an Emil Unger in Berlin (Auguststraße 12) über 5 M., 24. Dezember 1887, an Richard Töpfer in Magdeburg (Kaiserstraße 41) über 3 M., 12. Januar 1888, an W. Hartleb (Apotheker) in Wriezen über 41 Pf., 31. Januar 1888, an Fräulein Thal in Bornstedt bei Potsdam über 20 M., 3. Februar 1888, an Kissing & Möllmann in Iserlohn über 68 M. 50 Pf., 1. März 1888, ferner die Nachnahme-Post-Anweisungen an Neumann Cohn oder Sohn in Berlin (aus Pasewalk) aus Anlaß 1 Sendung an Heidenreich in Pasewalk über 7 M., 24. Oktober 1887, an das Pfarramt in Neuenburg W.-Pr. aus Anlaß 1 Sendung an Schmidt in Berlin S. 59 über 60 Pf., 26. Oktober 1887, an Heuber, Gerichtsvollzieher in Berlin, nähere Angaben fehlen, über 1 M. 30 Pf., 28. August 1888.

Die unbekannten Absender der vorbezeichneten Postanweisungen werden ersucht, spätestens innerhalb vier Wochen — vom Tage des Erscheinens gegenwärtiger Bekanntmachung an gerechnet — bei der Ober-Postdirektion hierselbst sich zu melden, widrigenfalls die Beträge dem Post-Armenfonds überwiesen werden.

Berlin C., den 9. Mai 1888.

Der Kaiserl. Ober-Postdirektor.

Unanbringliche Briefe mit Werthinhalt.

31. Bei der Ober-Postdirektion hierselbst lagern folgende, bei hiesigen Postanstalten an den bezeichneten Tagen aufgelieferte Briefe, in welchen bei der Eröffnung die dabei vermerkten Beträge vorgefunden worden sind: an J. Meyer in Berlin (Herberge zur Heimath, Auguststraße 81), 50 Pf., 16. Novbr. 1887, an Wittwe Lorenz in Thorn 50 Pf., 11. Dezbr. 1887, an die Expedition des Berliner Tageblattes in Berlin 2 M., 24. Dezbr. 1887, an Fräulein Hedwig Schulz in Berlin, Hagelsbergerstraße 3 II. 15 M., 12. Jan. 1888, an Fräulein Bertha Schäfer bei Karfunkel, Schlegelstraße 7 in Berlin, 5 M., 24. Jan. 1888, an G. B. 30 in Freiburg (Baden) 5 M., 2. Febr. 1888, an Gebr. Senf in Leipzig 2 M., 9. Febr. 1888, an Fräulein Helene Stein in Tiegenhof 2 M., 9. Febr. 1888, an Lazarus Kruschka in Zabrze 30 Pf., 17. Febr. 1888, an Wittwe Becke in Berlin, Wasserthorstraße 159, 60 Pf., 24. Febr. 1888.

Die unbekannten Absender der vorbezeichneten Briefe werden ersucht, spätestens innerhalb vier Wochen — vom Tage des Erscheinens gegenwärtiger Bekanntmachung an gerechnet — bei der Ober-Postdirektion sich zu melden, widrigenfalls die in den Sendungen vorgefundenen Beträge dem Post-Armenfonds überwiesen werden. Berlin C., den 9. Mai 1888.

Der Kaiserl. Ober-Postdirektor.

Bekanntmachungen der Kaiserlichen Ober-Post-Direktion zu Potsdam.

Die Villenkolonie „Friedrichshagen-Westend" betreffend.

32. Die Villenkolonie „**Friedrichshagen-Westend**" bei Cöpenick wird vom 14. Mai ab dem Landbriefbestellbezirke des Kaiserlichen Postamts in **Friedrichshagen** zugetheilt.

Potsdam, den 7. Mai 1888.

Der Kaiserliche Ober-Postdirektor.

Einrichtung einer Postagentur in Hammer (Mark).

33. Am 16. Mai tritt in dem zum Landbriefbestellbezirk des Kaiserlichen Postamts in Liebenwalde gehörigen Orte Hammer (Mark) — Kreis Niederbarnim — eine Postagentur in Wirksamkeit. Den Landbriefbestellbezirk der neuen Verkehrsanstalt bilden die Abbauten von Hammer, ferner Emilienfelde, Prötzewiesen, Höpen und Kl. Böhmerheide. Postverbindungen erhält die Kaiserliche Postagentur durch Botenposten mit folgendem Gange:

I.	II.		I.	II.
6 V.	10 V.	↓ ab Liebenwalde an ↑	9 45 V.	6 30 N.
6 45 V.	10 45 V.	↓ an Hammer (Mark) ab ↑	9 V.	5 45 N.

Potsdam, den 12. Mai 1888.

Der Kaiserliche Ober-Postdirektor.

Bekanntmachungen des Königlichen Provinzial-Schul-Collegiums zu Berlin.

Entlassungsprüfung im Königlichen Schullehrer-Seminar zu Oranienburg.

1. Die Entlassungsprüfung im Königlichen Schullehrer-Seminar zu Oranienburg wird vom **6. bis 12. September d. J.** abgehalten werden, und zwar so, daß am 10., 11. event. 12. September die mündliche Prüfung stattfindet. Zu dieser Prüfung werden auch nicht im Seminare gebildete Schulamtskandidaten, welche das zwanzigste Lebensjahr zurückgelegt haben, zugelassen. Die Anmeldungen sind bis **zum 10. August d. J.** an uns einzureichen und denselben beizufügen: 1) der Lebenslauf, 2) der Geburtsschein, 3) das Zeugniß eines zur Führung eines Dienstsiegels berechtigten Arztes über normalen Gesundheitszustand, 4) ein amtliches Führungsattest, 5) eine Probeschrift mit deutschen und lateinischen Lettern und 6) eine Probezeichnung. Erfolgt auf die Meldung kein ablehnender Bescheid, so haben sich die betreffenden

Schulamtsaspiranten am Tage vor Beginn der Prüfung dem Herrn Seminar-Direktor um 5 Uhr Nachmittags vorzustellen.

Berlin, den 10. Mai 1888.

Königl. Provinzial-Schulkollegium.

Zweite Lehrerprüfung im Kgl. Schullehrer-Seminar zu Oranienburg.

2. Die zweite Lehrerprüfung im Königlichen Schullehrer-Seminar zu Oranienburg wird **den 28. bis 31. August d. J.** abgehalten werden. Die Anmeldungen nur solcher Lehrer, die in dem Regierungsbezirk Potsdam im Lehramte stehen, sind bis zum 28sten Juli d. J. durch die bezüglichen Kreis-Schulinspektoren an uns einzureichen und denselben beizufügen: 1) das Original-Prüfungszeugniß über die bestandene erste Prüfung, 2) ein Zeugniß des Lokalschulinspektors, 3) eine von dem Examinanden selbständig gefertigte Ausarbeitung über ein von ihm selbst gewähltes Thema, mit der Versicherung, daß er keine anderen als die angegebenen Quellen dazu benutzt habe, 4) eine selbstgefertigte Probezeichnung und 5) Probeschrift. Erfolgt auf die Meldung kein ablehnender Bescheid, so haben sich die betreffenden Lehrer am Tage vor Beginn der schriftlichen Prüfung, also am 27. August, dem Herrn Seminar-Direktor um 5 Uhr Nachmittags vorzustellen.

Berlin, den 10. Mai 1888.

Königl. Provinzial-Schul-Collegium.

Bekanntmachungen der Königl. Kontrolle der Staatspapiere.

Aufgebot einer Schuldverschreibung.

9. In Gemäßheit des § 20 des Ausführungsgesetzes zur Civilprozeßordnung vom 24. März 1879 (G.-S. S. 281) und des § 6 der Verordnung vom 16. Juni 1819 (G.-S. S. 157) wird bekannt gemacht, daß die Schuldverschreibung der konsolidirten 4%igen Staatsanleihe von 1880 lit. E. № 350059 über 300 M. dem Bäckermeister Paul März hier, Stettinerstraße Nr. 54, angeblich abhanden gekommen ist. Es wird Derjenige, welcher sich im Besitze dieser Urkunde befindet, hiermit aufgefordert, solches der unterzeichneten Kontrolle der Staatspapiere oder dem Herrn März anzuzeigen, widrigenfalls das gerichtliche Aufgebotsverfahren behufs Kraftloserklärung der Urkunde beantragt werden wird.

Berlin, den 14. Mai 1888.

Königl. Kontrolle der Staatspapiere.

Bekanntmachungen der Königl. General-Kommission für die Provinzen Brandenburg und Pommern.

Wahl von Kreisverordneten.

1. Seitens der Kreistage sind zu Kreisverordneten gewählt:

1) für den Kreis Oberbarnim der Rittergutsbesitzer Zenker—Brunow, der Oekonomierath Christiani—Kerstenbruch, der Rittergutsbesitzer Karbe—Lichterfelde, der Rittergutsbesitzer Krog—Closterdorf, der Rittergutsbesitzer Kreich—Schulzendorf, der Schulze Hübner—Ladeburg,

2) für den Kreis Beeskow-Storkow der Rittergutsbesitzer Richer—Stuttgarten, der Gutsbesitzer Haschke—Leibsch,

3) für den Kreis West-Havelland der Rittergutsbesitzer Hans von Knoblauch—Buschow, der Rittergutsbesitzer von Bredow—Landin, der Oberstlieutenant a. D. von Katte—Roskow, der Rittergutsbesitzer von Ribbeck—Ribbeck, der Ackerbürger Plane—Rhinow, der Amtsvorsteher Bath—Wachow,

4) für den Kreis Jüterbog-Luckenwalde der Kammergutsbesitzer Keßler—Reinsdorf, der Rittergutsbesitzer von Lochow—Petkus, der Gemeindevorsteher Rügen—Berkenbrück, der Gemeindevorsteher Andres—Bergisdorf, der Gemeindevorsteher Sernow—Bochow,

5) für den Kreis Ost-Prignitz der Amtsvorsteher von Karstedt—Ganz, der Amtsvorsteher von Rohr—Dannenwalde, der Gemeindevorsteher Thiel—Techow, der Rentier Neumann—Pritzwalk,

6) für den Kreis Ruppin der Bürgermeister Stromeyer—Rheinsberg, der Rittergutsbesitzer von Platen—Koeritz,

7) für den Kreis Teltow der Rittergutsbesitzer Benssel auf Haus Zossen, der Gutsbesitzer Schulze—Sputendorf, der Oberamtmann Seidel—Theuro,

8) für den Kreis Zauch-Belzig der Lehnschulzengutsbesitzer Schultze—Gortz, der Lehnschulzengutsbesitzer Stackebrandt—Schmergke, der Lehnschulzengutsbesitzer Spiesecke—Ragoesen.

Die Wahl derselben ist von uns bestätigt.

Frankfurt a. O., den 3. Mai 1888.

Königl. General-Kommission für die Provinzen Brandenburg und Pommern.

Bekanntmachungen des Provinzial-Steuer-Direktors.

Einfuhr von Schweinedärmen.

6. Das durch die Kaiserliche Verordnung vom 6. März 1883 (R.-G.-Bl. S. 31) erlassene Verbot der Einfuhr von Schweinefleisch 2c. Amerikanischen Ursprungs ist auch auf Schweinedärme zu beziehen. Da indessen nach einer Aeußerung des Herrn Direktors des Kaiserlichen Gesundheitsamts der Einfuhr Amerikanischer Schweinedärme sanitäre oder veterinärpolizeiliche Bedenken zur Zeit nicht entgegenstehen, hat der Herr Reichskanzler (Reichsamt des Innern) im Interesse der inländischen Fleischwaarenfabrikation diese Einfuhr auf Grund des § 2 der erwähnten Verordnung im Wege eines generellen Dispenses gestattet.

Auf Schweinedärme Dänischer, Schwedischer oder Norwegischer Provenienz hat aus den in der Verfügung vom 29. Januar d. J. III. 1568 angegebenen Gründen der Dispens nicht erstreckt werden können. Zur Durchführung des in dieser Beziehung bestehenden Verbots erscheint es nach der Erklärung des Herrn Reichskanzlers erforderlich, die Zulassung von Schweinedärmen zur Einfuhr in das Inland in jedem Falle von dem Nachweise abhängig zu machen, daß die Därme nicht aus einem der vorgenannten drei Länder herstammen, zu welchem Behufe von den Grenzeingangsstellen Ursprungsatteste unter analoger Anwendung der Bekanntmachung vom 12. April 1883 (Centralblatt für das Deutsche Reich S. 92) zu erfordern sind. Hinsichtlich der bereits auf dem Transporte befindlichen Sendungen hat der Herr Reichskanzler sich vorbehalten, auf Antrag der Interessenten in einzelnen Fällen die Einfuhr auch ohne Beibringung von Ursprungsbescheinigungen zu gestatten.

Solches wird hiermit zur öffentlichen Kenntniß gebracht.

Berlin, den 7. Mai 1888.

Der Provinzial-Steuer-Direktor.

Bekanntmachungen der Königlichen Eisenbahn-Direktion zu Berlin.

Eisenbahnstrecke Grunow-Beeskow.

20. Am 15. Mai d. J. wird die bisher nur für den Wagenladungsverkehr eröffnete Eisenbahnstrecke Grunow—Beeskow nach Maßgabe der Bahnordnung für Deutsche Eisenbahnen untergeordneter Bedeutung vom 12. Juni 1878 für den Personen- und gesammten Güter-Verkehr in Betrieb genommen werden. Die Stationen Grunow und Beeskow erhalten volle Abfertigungsbefugnisse für die Beförderung von Gütern aller Art, Leichen und lebenden Thieren, die Station Schneeberg nur solche für Güter in Wagenladungen, sowie für leere Spiritusfässer als Stückgut, wenn das Gewicht jeder einzelnen Sendung mindestens 1000 kg beträgt oder die Fracht für dieses Gewicht gezahlt wird. Die übrigen beschränkenden Bestimmungen für diese drei Stationen auf Seite 1 des Berichtigungsblattes zum diesseitigen Lokal-Güter-Tarif vom 1. April 1888 werden zugleich außer Kraft gesetzt. Der Fahrplan für die neue Strecke ist in dem auf den Stationen aushängenden, durch Deckblatt vervollständigten Winterfahrplan enthalten. Berlin, im Mai 1888.

Königl. Eisenbahn-Direktion.

Fahrplan-Aenderung

21. Am 19. d. M. wird der Nachmittags 4^{33} von Berlin Stettiner Bahnhof abfahrende Personenzug von Oranienburg bis Gransee durchgeführt werden, auf den zwischenliegenden Stationen anhalten und Nachmittags 6^{31} in Gransee eintreffen. Die Rückkehr von Gransee erfolgt Abends 8^{1}, Ankunft in Oranienburg 8^{54} und in B.rlin Stettiner Bahnhof 10^{10}.

Ferner werden die während der Sommer-Fahrplan-Periode verkehrenden Sonntags-Sonder-Personenzüge:

611	ab Berlin Stettiner Bahnhof	2 Uhr Nachm.,		Hermsdorf	an	2^{34}
612	" Hermsdorf	2^{56}	"	Berlin Stettiner Bahnhof	an	3^{24}
613	" Berlin Stettiner Bahnhof	3^{40}	"	Oranienburg	"	4^{49}
614	" Oranienburg	8^{27}	"	Berlin Stettiner Bahnhof	"	9^{35}
615	" Berlin Stettiner Bahnhof	8^{50}	"	Hermsdorf	"	9^{25}
616	" Hermsdorf	9^{51}	"	Berlin Stettiner Bahnhof	"	10^{24}

auch während der Pfingstfeiertage am 20sten, 21sten und 22sten d. M. abgelassen werden.

Stralsund, den 5. Mai 1888.

Königliches Eisenbahn-Betriebs-Amt.

Bekanntmachungen der Königlichen Eisenbahn-Direktion zu Bromberg.

Verzeichniß der Koupons kombinirbarer Rundreise-Billets auf den Bahnstrecken der schweizerischen Transportanstalten.

35. Betreffs der Ausgabe kombinirbarer Rundreise-Billets auf den Bahnstrecken der schweizerischen Transportanstalten ist ein neues Verzeichniß der Koupons nebst Uebersichtskarte herausgegeben worden, welches von den Billet-Expeditionen des diesseitigen Direktionsbezirks zum Preise von 10 Pfennig bezogen werden kann. Wegen des Verkaufs dieser Rundreise-Billets im Anschlusse an kombinirbare Rundreise-Billets für Strecken des Vereins Deutscher Eisenbahn-Verwaltungen ist das Nähere bei den Bahnhofs-Vorständen zu erfahren.

Bromberg, den 5. Mai 1888.

Königl. Eisenbahn-Direktion.

Verkauf von Rückfahrkarten nach Badeorten.

36. Rückfahrkarten mit 45tägiger Gültigkeitsdauer nach Badeorten werden wie folgt verkauft:

a. Zum Besuch von Ostseebädern, vom 20. Mai bis 30. September 1888.

Nach **Colberg** von Bromberg, Konitz, Landsberg a. W., Schneidemühl, Stargard i. Pomm., Thorn, Thorn Stadt und Tilsit.

Nach **Elbing** (für Kahlberg) von Berlin, Charlottenburg, Zoologischer Garten, Friedrichstraße, Alexanderplatz, Schlesischer Bhf., Bromberg, Inowrazlaw, Thorn und Thorn Stadt.

Nach **Neuhäuser** von Berlin, Charlottenburg, Zoologischer Garten, Friedrichstraße, Alexanderplatz, Schlesischer Bhf., Cüstrin, Thorn, Thorn Stadt und Tilsit.

Nach **Rügenwalde** von Bromberg, Posen und Stargard i. Pomm.

Nach **Stolpmünde** von Bromberg, Posen, Schneidemühl und Stargard i. Pomm.

Nach **Zoppot** von Stargard i. Pomm. über Cöslin.

Nach **Zoppot oder Neufahrwasser** von Berlin, Charlottenburg, Zoologischer Garten, Friedrichstraße, Alexanderplatz, Schlesischer Bhf., Bromberg, Cüstrin, Cüstriner Vorstadt, Graudenz, Insterburg, Königsberg i. Pr., Konitz, Landsberg a. W., Posen, Schneidemühl, Thorn, Thorn Stadt und Tilsit.

Nach **Cranz** von Allenstein, Berlin, Charlottenburg, Zoologischer Garten, Friedrichstraße, Alexanderplatz, Schlesischer Bhf., Bromberg, Cüstrin, Goldap, Graudenz, Konitz, Landsberg a. W., Lyck, Marggrabowa, Ortelsburg, Osterode i. Ostpr., Posen, Thorn, Thorn Stadt und Tilsit.

Die Inhaber von Rückfahrkarten nach Elbing (für Kahlberg) haben beim Antritt der Rückreise der Billet-Expedition eine Bescheinigung des Herrn A. Grunwald zu Kahlberg, daß der Aufenthalt in Kahlberg länger als acht Tage gewährt hat, vorzuzeigen; andernfalls haben die Rückfahrkarten zur Rückreise keine Gültigkeit.

Eine Ueberführung der Billet-Inhaber findet in Königsberg i. Pr. von und nach dem Bahnhofe der Königsberg—Cranzer bezw. Ostpreußischen Südbahn nicht statt, wohl aber die Ueberführung des expedirten Gepäcks.

Während der Dauer der Unterbrechung der Bahnstrecke Marienburg—Elbing werden die Saisonbillets von Tilsit nach Colberg, von Insterburg, Königsberg i. Pr. und Tilsit nach Zoppot oder Neufahrwasser und von Graudenz und Konitz nach Cranz nicht ausgegeben.

b. Zum Besuch von schlesischen Badeorten.

Nach Landeck Bad von Bromberg, Thorn und Thorn Stadt. Nach Reinerz Bad von Bromberg, Thorn und Thorn Stadt. Nach Langenau Bad von Bromberg, Thorn und Thorn Stadt. Vom 1. Juni bis 31. August 1888. Nach Glatz von Bromberg, Thorn und Thorn Stadt. Nach Altwasser, Salzbrunn, Fellhammer, Wüstegiersdorf, Charlottenbrunn und Halbstadt (für Bad Cudowa) von Bromberg, Thorn und Thorn Stadt. Nach Friedeberg, Reibnitz, Hirschberg, Jannowitz und Liebau von Bromberg, Thorn und Thorn Stadt. Vom 15. Mai bis 31. August 1888. Näheres ist bei den Billet-Expeditionen zu erfahren.

Bromberg, den 4. Mai 1888

Königl. Eisenbahn-Direction.

Frachtbegünstigung für Ausstellungsgegenstände.

37. Für die in der nachstehenden Zusammenstellung näher bezeichneten Gegenstände, welche auf den daselbst erwähnten Ausstellungen ausgestellt werden und unverkauft bleiben, wird eine Frachtbegünstigung in der Art gewährt, daß nur für die Hinbeförderung die volle tarifmäßige Fracht berechnet wird, die Rückbeförderung an die Versandstation und den Aussteller aber frachtfrei erfolgt, wenn durch Vorlage des ursprünglichen Frachtbriefes bezw. des Duplikat-Transportscheines für den Hinweg, sowie durch eine Bescheinigung der dazu ermächtigten Stelle nachgewiesen wird, daß die Gegenstände ausgestellt gewesen und unverkauft geblieben sind und wenn die Rückbeförderung innerhalb der unten angegebenen Zeit stattfindet.

In den ursprünglichen Frachtbriefen bezw. Duplicat-Transportscheinen für die Hinsendung ist ausdrücklich zu vermerken, daß die mit denselben aufgegebenen Sendungen durchweg aus Ausstellungsgut bestehen.

№	Art der Ausstellung	Ort	Zeit	Die Frachtbegünstigung wird gewährt		Zur Ausfertigung der Bescheinigung sind ermächtigt	Die Rückbeförderung muß erfolgen innerhalb	
				für	auf den Strecken der			
1	Ausstellung von Gasmotoren, Gasheiz-, Beleuchtungs-, Schmelz-Apparaten und ähnlichen Gegenständen	Görlitz	22. April bis 27. Mai d. J.	Gegenstände der nebenbezeichneten Art	Preußischen Staatsbahnen	Ausstellungs-Kommission	3 Wochen	nach Schluß der Ausstellung.
2	Deutsche allgemeine Ausstellung für Unfallverhütung	Berlin	April bis Juli 1889	Gegenstände, welche dem Zwecke der Unfallverhütung dienen	Preußischen Staatsbahnen u. Eisenbahnen in Elsaß-Lothringen	Ausstellungs-Vorstand	6 Wochen	
3	Thierschau und landwirthschaftliche Ausstellung	Pritzwalk	28. und 29. Mai d. J.	landwirthschaftliche Maschinen und Geräthe	Königlichen Eisenbahn-Direktionen Altona, Bromberg und Magdeburg	Ausstellungs-Kommission	8 Tage	

Bromberg, den 5. Mai 1888.

Königl. Eisenbahn-Direktion.

Bekanntmachungen anderer Behörden.

Erledigte Kreisphysikatsstellen.

Die mit einem jährlichen Gehalte von je 900 Mark verbundenen Kreisphysikatsstellen in den neu gebildeten Kreisen Filehne und Znin, mit dem Wohnsitz in den Kreisstädten, sind sofort zu besetzen. Geeignete Bewerber wollen sich unter Einreichung ihrer Zeugnisse und eines Lebenslaufes in 4 Wochen bei uns melden.

Bromberg, den 5. Mai 1888.

Königl. Regierung. Abtheilung des Innern.

Allgemeine Vertragsbedingungen für die Ausführung von Garnisonbauten.

1. Gegenstand des Vertrages.

Den Gegenstand des Unternehmens bildet die im Vertrage bezeichnete Leistung. Im Einzelnen bestimmt sich Art und Umfang der dem Unternehmer obliegenden Verpflichtungen nach den Verdingungsanschlägen, den zugehörigen Zeichnungen und sonstigen als zum Vertrage gehörig bezeichneten Unterlagen. Die in den Verdingungsanschlägen angenommenen Vordersätze unterliegen jedoch denjenigen Aenderungen, welche — ohne wesentliche Abweichung von den dem Vertrage zu Grunde gelegten Bauentwürfen — bei der Ausführung der betreffenden Bauwerke sich ergeben.

Abänderungen der Bauentwürfe selbst anzuordnen, bleibt der Bauleitung vorbehalten. Leistungen, welche in den Bauentwürfen nicht vorgesehen sind, können dem Unternehmer nur mit seiner Zustimmung übertragen werden.

2. Berechnung der Vergütung.

Die dem Unternehmer zukommende Vergütung wird nach den wirklichen Leistungen unter Zugrundelegung der vertragsmäßigen Einheitspreise berechnet.

Die Vergütung für Tagelohnarbeiten erfolgt nach den vertragsmäßig vereinbarten Lohnsätzen.

3. Ausschluß einer besonderen Vergütung für Nebenleistungen, Vorhalten von Werkzeug, Geräthen, Rüstungen.

Insoweit in den Verdingungsanschlägen für Nebenleistungen sowie für das Vorhalten von Werkzeug und Geräthen, Rüstungen u. s. w. nicht besondere Preisansätze vorgesehen sind, umfassen die vereinbarten Preise und Tagelohnsätze zugleich die Vergütung für die zur planmäßigen Herstellung des Bauwerks gehörenden Nebenleistungen aller Art, insbesondere auch für die Heranschaffung der zu den Bauarbeiten erforderlichen Materialien aus den auf der Baustelle befindlichen Lagerplätzen nach der Verwendungsstelle am Bau, sowie die Entschädigung für Vorhaltung von Werkzeug, Geräthen u. s. w.

Auch die Gestellung der zu den Absteckungen, Höhenmessungen und Abnahmevermessungen erforderlichen Arbeitskräfte und Geräthe liegt dem Unternehmer ob, ohne daß demselben eine besondere Entschädigung hierfür gewährt wird.

4. Mehrleistung gegen den Vertrag.

Ohne ausdrückliche schriftliche Anordnung oder Genehmigung des Garnison-Baubeamten darf der Unternehmer keinerlei vom Vertrage abweichende oder im Verdingungsanschlage nicht vorgesehene Leistungen ausführen.

Diesem Verbot zuwider von dem Unternehmer bewirkte Leistungen ist die Bauleitung befugt, auf dessen Gefahr und Kosten wieder beseitigen zu lassen; auch hat der Unternehmer nicht nur keinerlei Vergütung für derartige Leistungen zu beanspruchen, sondern muß auch für allen Schaden aufkommen, welcher etwa durch diese Abweichungen vom Vertrage entstanden ist.

5. Minderleistung gegen den Vertrag.

Bleiben die ausgeführten Leistungen zufolge der von dem Garnison-Baubeamten getroffenen Anordnungen unter einer im Vertrage festverdungenen Menge zurück, so hat der Unternehmer Anspruch auf den Ersatz des ihm nachweislich hieraus entstandenen wirklichen Schadens.

Nöthigenfalls entscheidet hierüber das Schiedsgericht (25).

6. Beginn, Fortführung und Vollendung der Leistungen, Versäumnißstrafe.

Der Beginn, die Fortführung und Vollendung der Arbeiten und Lieferungen hat nach den in den besonderen Bedingungen festgesetzten Fristen zu erfolgen.

Ist über den Beginn der Leistung in den besonderen Bedingungen eine Vereinbarung nicht enthalten, so hat der Unternehmer spätestens 14 Tage nach schriftlicher Aufforderung seitens des bauleitenden Beamten zu beginnen.

Die Leistung muß im Verhältniß zu den bedungenen Vollendungsfristen fortgesetzt angemessen gefördert werden.

Die Zahl der zu verwendenden Arbeitskräfte und Geräthe, sowie die Vorräthe an Materialien müssen allezeit den übernommenen Leistungen entsprechen.

Eine im Vertrage bedungene Versäumnißstrafe gilt nicht für erlassen, wenn die verspätete Vertragserfüllung ganz oder theilweise ohne Vorbehalt angenommen worden ist.

Eine tageweise zu berechnende Versäumnißstrafe für verspätete Ausführung von Bauarbeiten bleibt für die in die Zeit einer Verzögerung fallenden Sonntage und allgemeinen Feiertage außer Ansatz.

7. Hinderungen der Bauausführung.

Glaubt der Unternehmer sich in der ordnungsmäßigen Fortführung der übernommenen Leistungen durch Anordnungen des Garnison-Baubeamten oder des bauleitenden Beamten oder durch das nicht gehörige Fortschreiten der Leistungen anderer Unternehmer behindert, so hat er bei dem bauleitenden Beamten hiervon schriftliche Anzeige zu erstatten.

Andernfalls werden schon wegen der unterlassenen Anzeige keinerlei auf die betreffenden, angeblich hindernden Umstände begründete Ansprüche oder Einwendungen zugelassen.

Nach Beseitigung derartiger Hinderungen sind die Leistungen ohne weitere Aufforderung ungesäumt wieder aufzunehmen.

Der Behörde, welche den Vertrag genehmigt hat, bleibt vorbehalten, falls die bezüglichen Beschwerden des Unternehmers für begründet zu erachten sind, eine angemessene Verlängerung der im Vertrage festgesetzten Vollendungsfristen — längstens bis zur Dauer der betreffenden Arbeitshinderung — zu bewilligen.

Für die bei Eintritt einer Unterbrechung der Bauausführung bereits ausgeführten Leistungen erhält der

Unternehmer die den vertragsmäßig bedungenen Preisen entsprechende Vergütung. Ist für verschiedenwerthige Leistungen ein nach dem Durchschnitt bemessener Einheitspreis vereinbart, so ist, unter Berücksichtigung des höheren oder geringeren Werthes der ausgeführten Leistungen gegenüber den noch rückständigen, ein von dem verabredeten Durchschnittspreis entsprechend abweichender neuer Einheitspreis für das Geleistete besonders zu ermitteln und danach die zu gewährende Vergütung zu berechnen.

Außerdem kann der Unternehmer im Fall einer Unterbrechung oder gänzlichen Abstandnahme von der Bauausführung den Ersatz des ihm nachweislich entstandenen wirklichen Schadens beanspruchen, wenn die eine Fortsetzung des Baues hindernden Umstände entweder von der Behörde, welche den Vertrag genehmigt hat, und deren Organen verschuldet sind, oder, insoweit zufällige, von dem Willen der Behörde unabhängige Umstände in Frage stehen, sich auf Seiten derselben zugetragen haben.

Eine Entschädigung für entgangenen Gewinn kann in keinem Falle beansprucht werden.

In gleicher Weise ist der Unternehmer zum Schadenersatz verpflichtet, wenn die betreffenden, die Fortführung des Baues hindernden Umstände von ihm verschuldet sind, oder auf seiner Seite sich zugetragen haben.

Auf die gegen den Unternehmer geltend zu machenden Schadenersatzforderungen kommen die etwa eingezogenen oder verwirkten Versäumnißstrafen in Anrechnung. Ist die Schadenersatzforderung niedriger als die Versäumnißstrafe, so kommt nur die letztere zur Einziehung.

In Ermangelung gütlicher Einigung entscheidet über die bezüglichen Ansprüche das Schiedsgericht (25).

Dauert die Unterbrechung der Bauausführung länger als 6 Monate, so steht jeder der beiden Vertragsparteien der Rücktritt vom Vertrage frei. Die Rücktrittserklärung muß schriftlich und spätestens 14 Tage nach Ablauf jener 6 Monate dem anderen Theile zugestellt werden; anderenfalls bleibt — unbeschadet der inzwischen etwa erwachsenen Ansprüche auf Schadenersatz oder Versäumnißstrafe — der Vertrag mit der Maßgabe in Kraft, daß die in demselben ausbedungene Vollendungsfrist um die Dauer der Bauunterbrechung verlängert wird.

8. Güte der Leistung.

Die Leistungen müssen den besten Regeln der Baukunst und den besonderen Bestimmungen des Verdingungsanschlages und des Vertrages entsprechen.

Bei den Arbeiten dürfen nur tüchtige und geübte Arbeiter beschäftigt werden.

Leistungen, welche der Garnison-Baubeamte den gedachten Bedingungen nicht entsprechend findet, sind sofort und unter Ausschluß der Anrufung eines Schiedsgerichts zu beseitigen und durch untadelhafte zu ersetzen. Für hierbei entstehende Verluste an Materialien hat der Unternehmer die Baukasse schadlos zu halten.

Arbeiter, welche nach dem Urtheile der Bauleitung untüchtig sind, müssen auf Verlangen entlassen und durch tüchtige ersetzt werden. Personen, welche an gemeingefährlichen Bestrebungen in irgend einer Weise betheiligt sind, dürfen bei Garnisonbauten nicht beschäftigt werden.

Materialien, welche dem Anschlage bezw. den besonderen Bedingungen oder den dem Vertrage zu Grunde gelegten Proben nicht entsprechen, sind auf Anordnung des Garnison-Baubeamten innerhalb einer von ihm zu bestimmenden Frist von der Baustelle zu entfernen.

Dem von dem Unternehmer als Bezugsquelle bezeichneten Fabrikanten wird von dem bauleitenden Beamten Mittheilung gemacht, wenn sich Anstände bezüglich der Ausführung der betreffenden Lieferungen ergeben.

Behufs Ueberwachung steht dem Garnison-Baubeamten oder den von demselben zu beauftragenden Personen jederzeit während der Arbeitsstunden der Zutritt zu den Arbeitsplätzen und Werkstätten frei, in welchen zu dem Unternehmen gehörige Arbeiten angefertigt werden.

9. Erfüllung der Verbindlichkeiten, welche dem Unternehmer, Handwerkern und Arbeitern gegenüber obliegen.

Der Unternehmer hat dem bauleitenden Beamten über die mit Handwerkern und Arbeitern in Betreff der Ausführung der Arbeit geschlossenen Verträge jederzeit auf Erfordern Auskunft zu ertheilen.

Sollte das angemessene Fortschreiten der Arbeiten dadurch in Frage gestellt werden, daß der Unternehmer Handwerkern oder Arbeitern gegenüber die Verpflichtungen aus dem Arbeitsvertrage nicht oder nicht pünktlich erfüllt, so ist die Behörde, welche den Vertrag genehmigt hat, berechtigt, die von dem Unternehmer geschuldeten Beträge für dessen Rechnung unmittelbar an die Berechtigten zu zahlen. Der Unternehmer hat die hierzu erforderlichen Unterlagen, Lohnlisten u. s. w. dem bauleitenden Beamten zur Verfügung zu stellen.

Der Unternehmer ist ferner verpflichtet, für die Errichtung einer Baukrankenkasse für die auf dem Bau beschäftigten Arbeiter Sorge zu tragen, resp. Letztere nach Maßgabe des Gesetzes vom 15. Juni 1883 — Reichsgesetzblatt № 9 pro 1883 — betreffend die Krankenversicherung der Arbeiter, bei einer Orts- oder Gemeinde-Krankenkasse zu versichern. Unternehmer haftet der Militär-Verwaltung für Ausführung dieser Bestimmung, sowie auch für alle Nachtheile, welche der Militär-Verwaltung etwa durch Unterlassung in Beziehung auf die Krankenversicherung der Arbeiter entstehen, mit der von ihm deponirten Kaution, sowie mit seinem ganzen übrigen Vermögen. Eine besondere Entschädigung wird für die durch Vorstehendes übernommene Verpflichtung Seitens der Militär-Verwaltung nicht gewährt.

10. Entziehung der Leistung.

Die Stelle, welche den Zuschlag ertheilt hat, ist berechtigt, den Vertrag aufzuheben, wenn sich nach Abschluß desselben herausstellt, daß der Unternehmer vorher mit Anderen Verabredungen behufs Enthaltung von der Verdingung oder sonst zum Schaden der Baukasse getroffen hatte; dieselbe Stelle ist befugt, dem Unternehmer die Arbeiten und Lieferungen ganz oder theilweise zu entziehen, sowie den noch nicht vollendeten Theil auf seine Kosten ausführen zu lassen oder selbst für seine Rechnung auszuführen, wenn

a. seine Leistungen untüchtig sind, oder
b. die Arbeiten nach Maßgabe der verlaufenen Zeit nicht genügend gefördert sind, oder
c. der Unternehmer den gemäß 9 getroffenen Anordnungen nicht nachkommt.

Vor der Entziehung der Leistung ist der Unternehmer durch eingeschriebenen Brief unter Androhung der Entziehung zur Beseitigung der vorliegenden Mängel, bezw. zur Befolgung der getroffenen Anordnungen unter Bewilligung einer angemessenen Frist aufzufordern.

Von der verfügten Entziehung wird dem Unternehmer durch eingeschriebenen Brief Eröffnung gemacht.

Auf die Berechnung der für die ausgeführten Leistungen dem Unternehmer zustehenden Vergütung und den Umfang der Verpflichtung desselben zum Schadenersatz finden die Bestimmungen in 7 gleichmäßige Anwendung.

Nach beendeter Leistung wird dem Unternehmer eine Abrechnung über die für ihn sich ergebende Forderung und Schuld mitgetheilt.

Abschlagszahlungen können im Falle der Entziehung dem Unternehmer nur innerhalb desjenigen Betrages gewährt werden, welcher als sicheres Guthaben desselben unter Berücksichtigung der entstandenen Gegenansprüche ermittelt ist.

Ueber die infolge der Entziehung etwa zu erhebenden vermögensrechtlichen Ansprüche entscheidet in Ermangelung gütlicher Einigung das Schiedsgericht (25).

11. Ordnungsvorschriften.

Der Unternehmer oder dessen Vertreter muß sich zufolge Aufforderung des bauleitenden Beamten auf der Baustelle einfinden, so oft nach dem Ermessen des letzteren die zu treffenden baulichen Anordnungen ein mündliches Benehmen auf der Baustelle erforderlich machen. Die sämmtlichen auf dem Bau beschäftigten Bevollmächtigten, Gehülfen und Arbeiter des Unternehmers sind bezüglich der Bauausführung und der Aufrechterhaltung der Ordnung auf dem Bauplatze den Anordnungen des bauleitenden Beamten bezw. dessen Stellvertreters unterworfen. Im Falle des Ungehorsams kann ihre sofortige Entfernung von der Baustelle verlangt werden.

Der Unternehmer hat, wenn nicht ein Anderes ausdrücklich vereinbart worden ist, für das Unterkommen seiner Arbeiter, insoweit dies von dem bauleitenden Beamten für erforderlich erachtet wird, selbst zu sorgen. Er muß für seine Arbeiter auf eigene Kosten an den ihm angewiesenen Orten die nöthigen Abtritte herstellen, sowie für deren regelmäßige Reinigung, Desinfektion und demnächstige Beseitigung Sorge tragen.

Für die Bewachung seiner Gerüste, Werkzeuge, Geräthe, sowie seiner auf der Baustelle lagernden Materialien Sorge zu tragen, ist lediglich Sache des Unternehmers.

12. Mitbenutzung von Rüstungen.

Die von dem Unternehmer hergestellten Rüstungen sind während ihres Bestehens auch anderen Bauhandwerkern unentgeltlich zur Benutzung zu überlassen. Aenderungen an den Rüstungen im Interesse der bequemeren Benutzung seitens der übrigen Bauhandwerker vorzunehmen, ist der Unternehmer nicht verpflichtet.

13. Beobachtung polizeilicher Vorschriften, Haftung des Unternehmers für seine Angestellten.

Für die Befolgung der bei Bauausführungen zu beachtenden polizeilichen Vorschriften und der etwa besonders ergehenden polizeilichen Anordnungen ist der Unternehmer für den ganzen Umfang seiner vertragsmäßigen Verpflichtungen verantwortlich. Kosten, welche ihm dadurch erwachsen, sowie Kosten der Arbeiterversicherung können der Baukasse nicht in Rechnung gestellt werden.

Der Unternehmer trägt insbesondere die Verantwortung für die gehörige Stärke und sonstige Tüchtigkeit der Rüstungen. Dieser Verantwortung unbeschadet ist er aber auch verpflichtet, eine von dem bauleitenden Beamten angeordnete Ergänzung und Verstärkung der Rüstungen unverzüglich und auf eigene Kosten zu bewirken.

Für alle Ansprüche, die wegen einer ihm selbst oder seinen Bevollmächtigten, Gehülfen oder Arbeitern zur Last fallenden Vernachlässigung polizeilicher Vorschriften an die Verwaltung erhoben werden, hat der Unternehmer in jeder Hinsicht aufzukommen.

Ueberhaupt haftet er in Ausführung des Vertrages für alle Handlungen und Unterlassungen seiner Bevollmächtigten, Gehülfen und Arbeiter persönlich. Er hat insbesondere jeden Schaden an Person oder Eigenthum zu vertreten, welcher durch ihn oder seine Organe Dritten oder der Baukasse zugefügt wird.

14. Aufmessung während des Baues und Abnahme.

Der bauleitende Beamte ist berechtigt, zu verlangen, daß über alle später nicht mehr nachzumessenden Leistungen von beiderseits Beauftragten während der Ausführung gegenseitig anzuerkennende Aufzeichnungen gemacht werden, welche demnächst der Berechnung zu Grunde zu legen sind.

Von der Vollendung der Leistungen hat der Unternehmer dem bauleitenden Beamten durch eingeschriebenen Brief Anzeige zu machen, worauf der Termin für die Abnahme mit thunlichster Beschleunigung anberaumt und dem Unternehmer schriftlich gegen Behändigungsschein oder mittelst eingeschriebenen Briefes bekannt gegeben wird.

Ueber die Abnahme wird in der Regel eine Verhandlung aufgenommen; auf Verlangen des Unternehmers muß dies geschehen. Die Verhandlung ist von dem Unternehmer bezw. dem für denselben etwa erschienenen Stellvertreter mit zu vollziehen.

Von der über die Abnahme aufgenommenen Verhandlung wird dem Unternehmer auf Verlangen beglaubigte Abschrift mitgetheilt.

Erscheint in dem zur Abnahme anberaumten Termine, gehöriger Benachrichtigung ungeachtet, weder der Unternehmer selbst, noch ein Bevollmächtigter desselben, so gelten die durch die Organe der bauleitenden Behörde bewirkten Aufzeichnungen, als anerkannt.

Auf die Feststellung des von dem Unternehmer Geleisteten finden im Falle der Entziehung (10) diese Bestimmungen gleichmäßige Anwendung.

Müssen Theilleistungen sofort abgenommen werden, so bedarf es einer besonderen Benachrichtigung des Unternehmers hiervon nicht, vielmehr ist es Sache desselben, für seine Anwesenheit oder Vertretung bei der Abnahme Sorge zu tragen.

15. Rechnungsaufstellung.

Bezüglich der formellen Aufstellung der Rechnung, welche in Form, Ausdrucksweise, Bezeichnung der Räume und Reihenfolge der Ansätze, genau nach dem Verdingungsanschlage einzurichten ist, hat der Unternehmer den von dem bauleitenden Beamten gestellten Anforderungen zu entsprechen.

Etwaige Mehrarbeiten sind in besonderer Rechnung nachzuweisen, unter deutlichem Hinweis auf die schriftlichen Vereinbarungen, welche bezüglich derselben getroffen sind.

16. Tagelohnrechnungen.

Werden im Auftrage des bauleitenden Beamten seitens des Unternehmers Arbeiten im Tagelohn ausgeführt, so ist die Liste der hierbei beschäftigten Arbeiter dem bauleitenden Beamten oder dessen Vertreter behufs Prüfung ihrer Richtigkeit täglich vorzulegen. Etwaige Ausstellungen dagegen werden dem Unternehmer binnen längstens 8 Tagen mitgetheilt.

Die Tagelohnrechnungen sind längstens von 2 zu 2 Wochen dem bauleitenden Beamten einzureichen.

17. Zahlung.

Die Schlußzahlung erfolgt auf die vom Unternehmer einzureichende Kostenrechnung alsbald nach vollendeter Prüfung und Feststellung derselben.

Abschlagszahlungen werden dem Unternehmer in angemessenen Fristen auf Antrag, nach Maßgabe des jeweilig Geleisteten, bis zu der von dem Garnison-Baubeamten mit Sicherheit vertretbaren Höhe gewährt.

Bleiben bei der Schlußabrechnung Meinungsverschiedenheiten bestehen, so soll das dem Unternehmer unbestritten zustehende Guthaben demselben gleichwohl nicht vorenthalten werden.

18. Verzicht auf spätere Geltendmachung aller nicht ausdrücklich vorbehaltenen Ansprüche.

Vor Empfangnahme des als Restguthaben zur Auszahlung angebotenen Betrages muß der Unternehmer alle Ansprüche, welche er aus dem Vertragsverhältniß über die behördlicherseits anerkannten hinaus etwa noch zu haben vermeint, bestimmt bezeichnen und sich vorbehalten, widrigenfalls die Geltendmachung dieser Ansprüche später ausgeschlossen ist.

19. Zahlende Kasse.

Alle Zahlungen erfolgen an der in den besonderen Bedingungen bezeichneten Kasse der Behörde.

20. Haftpflicht.

Die in den besonderen Bedingungen des Vertrages vorgesehene, in Ermangelung solcher nach den allgemeinen gesetzlichen Vorschriften sich bestimmende Frist für die dem Unternehmer obliegende Haftpflicht für die Güte der Leistung beginnt mit dem Zeitpunkte der Abnahme.

Der Einwand nicht rechtzeitiger Anzeige von Mängeln gelieferter Waaren (Art. 347 des Handelsgesetzbuches) *) ist nicht statthaft.

21. Sicherheitsstellung, Bürge.

Bürgen haben nach dem Ermessen der Aufsichtsbehörde als Selbstschuldner in den Vertrag mit einzutreten.

22. Sicherheitsstellung (Kaution).

Kautionen können in baarem Gelde, guten Werthpapieren, Sparkassenbüchern oder nach dem Ermessen der Aufsichtsbehörde auch in sicheren — gezogenen — Wechseln bestellt werden.

Kautionsfähige Papiere sind folgende:

1) Die Schuldverschreibungen, welche vom deutschen Reiche oder von einem deutschen Bundesstaate mit gesetzlicher Ermächtigung ausgestellt sind,
2) die Schuldverschreibungen, deren Verzinsung vom deutschen Reiche oder von einem deutschen Bundesstaate gesetzlich garantirt ist,
3) die Rentenbriefe der zur Vermittelung der Ablösung von Renten in Preußen bestehenden Rentenbanken,
4) die Schuldverschreibungen, welche von deutschen kommunalen Korporationen (Provinzen, Gemeinden, Kreisen 2c.) oder von deren Kreditanstalten ausgestellt und entweder seitens der Inhaber kündbar sind oder einer regelmäßigen Amortisation unterliegen,

---

*) Art. 347 des Handelsgesetzbuches lautet: „Ist die Waare von einem anderen Orte übersendet, so hat der Käufer ohne Verzug nach der Ablieferung, soweit dies nach dem ordnungsmäßigen Geschäftsgange thunlich ist, die Waare zu untersuchen, und wenn sich dieselbe nicht als vertragsmäßig oder gesetzmäßig (Art. 335) ergiebt, dem Verkäufer sofort davon Anzeige zu machen.

Versäumt er dies, so gilt die Waare als genehmigt, soweit es sich nicht um Mängel handelt, welche bei der sofortigen Untersuchung nach ordnungsmäßigem Geschäftsgange nicht erkennbar waren.

Ergeben sich später solche Mängel, so muß die Anzeige ohne Verzug nach der Entdeckung gemacht werden, widrigenfalls die Waare auch rücksichtlich dieser Mängel als genehmigt gilt.

Die vorstehende Bestimmung findet auch auf den Verkauf auf Besicht oder Probe, oder nach Probe Anwendung, insoweit es sich um Mängel der übersendeten Waare handelt, welche bei ordnungsmäßigem Besicht oder ordnungsmäßiger Prüfung nicht erkennbar waren."

5) die Sparkassenbücher von öffentlichen, obrigkeitlich bestätigten Sparkassen,
6) sichere Hypotheken und Pfandbriefe.

Die Annahme von Wechseln erfolgt nur, wenn die Aufsichtsbehörde solche für ganz zweifellos sicher erachtet.

Baar hinterlegte Kautionen werden nicht verzinst. Zinstragenden Werthpapieren sind die Anweisungen (Talons) und Zinsscheine, insoweit bezüglich der letzteren in den besonderen Bedingungen nicht etwas Anderes bestimmt wird, beizufügen. Die Zinsscheine werden so lange, als nicht eine Veräußerung der Werthpapiere zur Deckung entstandener Verbindlichkeiten in Aussicht genommen werden muß, an den Fälligkeitsterminen dem Unternehmer ausgehändigt. Für den Umtausch der Anweisungen (Talons), die Einlösung und den Ersatz ausgelooster Werthpapiere, sowie den Ersatz abgelaufener Wechsel hat der Unternehmer zu sorgen.

Falls der Unternehmer in irgend einer Beziehung seinen Verbindlichkeiten nicht nachkommt, kann die Behörde zu ihrer Schadloshaltung auf dem einfachsten, gesetzlich zulässigen Wege die hinterlegten Werthpapiere und Wechsel veräußern bezw. einkassiren.

Die Rückgabe der Kaution, soweit dieselbe für Verbindlichkeiten des Unternehmers nicht in Anspruch zu nehmen ist, erfolgt, nachdem der Unternehmer die ihm obliegenden Verpflichtungen vollständig erfüllt hat, und insoweit die Kaution zur Sicherung der Haftverpflichtung dient, nachdem die Haftzeit abgelaufen ist. In Ermangelung anderweiter Verabredung gilt als bedungen, daß die Kaution in ganzer Höhe zur Deckung der Haftverbindlichkeit einzubehalten ist.

23. Uebertragbarkeit des Vertrages.

Ohne Zustimmung der Behörde, welche den Vertrag genehmigt hat, darf der Unternehmer seine vertragsmäßigen Verpflichtungen nicht auf Andere übertragen.

Verfällt der Unternehmer vor Erfüllung des Vertrages in Konkurs, so ist diese Behörde berechtigt, den Vertrag mit dem Tage der Konkurs-Eröffnung aufzuheben.

Bezüglich der in diesem Falle zu gewährenden Vergütung sowie der Gewährung von Abschlagszahlungen finden die Bestimmungen in 10 sinngemäße Anwendung.

Für den Fall, daß der Unternehmer mit Tode abgehen sollte, bevor der Vertrag vollständig erfüllt ist, hat die Behörde die Wahl, ob sie das Vertragsverhältniß mit den Erben desselben fortsetzen oder dasselbe als aufgelöst betrachten will.

24. Gerichtsstand.

Für die aus dem Vertrage entspringenden Rechtsstreitigkeiten hat der Unternehmer — unbeschadet der in 25 vorgesehenen Zuständigkeit eines Schiedsgerichts — bei dem für den Ort der Bauausführung zuständigen Gerichte Recht zu nehmen.

25. Schiedsgericht.

Streitigkeiten über die durch den Vertrag begründeten Rechte und Pflichten, sowie über die Ausführung des Vertrages sind, wenn die Beilegung im Wege der Verhandlung nicht gelingen sollte, zunächst der Behörde, welche den Vertrag genehmigt hat, zur Entscheidung vorzulegen.

Gegen die Entscheidung dieser Behörde wird die Anrufung eines Schiedsgerichts zugelassen. Die Fortführung der Bauarbeiten, nach Maßgabe der von der Behörde getroffenen Anordnungen, darf hierdurch nicht aufgehalten werden.

Für die Bildung des Schiedsgerichts und das Verfahren vor demselben kommen die Vorschriften der deutschen Civil-Prozeßordnung vom 30. Januar 1877, §§ 851—872, in Anwendung. Bezüglich der Ernennung der Schiedsrichter sind abweichende, in den besonderen Vertragsbedingungen getroffene Bestimmungen in erster Reihe maßgebend. Falls die Schiedsrichter den Parteien anzeigen, daß sich unter ihnen Stimmengleichheit ergeben habe, wird das Schiedsgericht durch einen Obmann ergänzt. Die Ernennung desselben erfolgt — mangels anderweiter Festsetzung in den besonderen Bedingungen — durch den Intendanten eines benachbarten Korpsbezirks.

Ueber die Tragung der Kosten des schiedsrichterlichen Verfahrens entscheidet das Schiedsgericht nach billigem Ermessen.

26. Kosten und Stempel.

Briefe und Depeschen, welche den Abschluß und die Ausführung des Vertrages betreffen, werden beiderseits frankirt.

Die Portokosten für solche Geld- und sonstige Sendungen, welche im ausschließlichen Interesse des Unternehmers erfolgen, trägt der letztere.

Die Kosten des Vertragsstempels trägt der Unternehmer nach Maßgabe der gesetzlichen Bestimmungen.

Die übrigen Kosten des Vertragsabschlusses, d. h. der baaren Auslagen, fallen jedem Theile zur Hälfte zur Last.

* * *

Bestimmungen für die Bewerbung um Leistungen für Garnisonbauten.

1. Persönliche Leistungsfähigkeit der Bewerber.

Bei der Vergebung von Leistungen für Garnisonbauten hat Niemand Aussicht als Unternehmer angenommen zu werden, der nicht für die tüchtige, pünktliche und vollständige Ausführung derselben — auch in technischer Hinsicht — die erforderliche Sicherheit bietet.

2. Einsicht und Bezug der Verdingungsanschläge.

Verdingungsanschläge, Zeichnungen, Bedingungen sind an den in der Ausschreibung bezeichneten Stellen einzusehen, Abschriften, Nachrisse werden erforderlichen Falles auf Ersuchen gegen Erstattung der Selbstkosten verabfolgt.

3. Form und Inhalt der Angebote.

Die Angebote sind unter Benutzung der etwa vorgeschriebenen Formulare, von den Bewerbern unterschrieben, mit der in der Ausschreibung geforderten Ueberschrift versehen, versiegelt und frankirt bis zu dem angegebenen Termine einzureichen.

Die Angebote müssen enthalten:

a. die ausdrückliche Erklärung, daß der Bewerber sich den Bedingungen, welche der Ausschreibung zu Grunde gelegt sind, unterwirft;
b. die Angabe der geforderten Preise nach Reichswährung, und zwar sowohl die Angabe der Preise für die Einheiten, als auch der Gesammtforderung; stimmt die Gesammtforderung mit den Einheitspreisen nicht überein, so sollen die letzteren maßgebend sein, — wenn Angebote nach Prozenten der Anschlagssumme verlangt sind — diese Angebote;
c. die genaue Bezeichnung und Adresse des Bewerbers;
d. seitens gemeinschaftlich bietender Personen die Erklärung, daß sie sich für das Angebot solidarisch verbindlich machen, und die Bezeichnung eines zur Geschäftsführung und zur Empfangnahme der Zahlungen Bevollmächtigten; letzteres Erforderniß gilt auch für die Gebote von Gesellschaften;
e. nähere Angaben über die Bezeichnung der etwa mit eingereichten Proben. Die Proben selbst müssen ebenfalls vor dem Bietungstermine eingesandt und derartig bezeichnet sein, daß sich ohne Weiteres erkennen läßt, zu welchem Angebot sie gehören;
f. die etwa vorgeschriebenen Angaben über die Bezugsquellen.

Angebote, welche diesen Vorschriften nicht entsprechen, insbesondere solche, welche bis zu der festgesetzten Terminsstunde bei der Behörde nicht eingegangen sind, welche bezüglich des Gegenstandes von der Ausschreibung selbst abweichen, oder das Gebot an Sonderbedingungen knüpfen, haben keine Aussicht auf Berücksichtigung.

Es sollen indessen solche Angebote nicht grundsätzlich ausgeschlossen sein, in welchen der Bewerber erklärt, sich nur während einer kürzeren, als der in der Ausschreibung angegebenen Zuschlagsfrist an sein Angebot gebunden halten zu wollen.

4. Wirkung des Angebots.

Die Bewerber bleiben von dem Eintreffen des Angebots bei der ausschreibenden Behörde bis zum Ablauf der festgesetzten Zuschlagsfrist bezw. der von ihnen bezeichneten kürzeren Frist (№ 3 letzter Absatz) an ihre Angebote gebunden.

Die Bewerber unterwerfen sich mit Abgabe des Angebots in Bezug auf alle für sie daraus entstehenden Verbindlichkeiten der Gerichtsbarkeit des Ortes, an welchem die ausschreibende Behörde ihren Sitz hat.

5. Zulassung zum Eröffnungstermin.

Den Bewerbern und deren Bevollmächtigten steht der Zutritt zu dem Eröffnungstermine frei. Eine Veröffentlichung der abgegebenen Gebote ist nicht gestattet.

6. Ertheilung des Zuschlags.

Der Zuschlag wird von dem ausschreibenden Beamten, oder von der ausschreibenden Behörde, oder von einer dieser übergeordneten Behörde entweder im Eröffnungstermin, durch von dem gewählten Unternehmer mit zu vollziehende Verhandlung, oder durch besondere schriftliche Benachrichtigung ertheilt.

Letzterenfalls ist derselbe mit bindender Kraft erfolgt, wenn die Benachrichtigung innerhalb der Zuschlagsfrist als Depesche oder Brief dem Telegraphen- oder Postamt zur Beförderung an die in dem Angebot bezeichnete Adresse übergeben worden ist.

Trifft die Benachrichtigung trotz rechtzeitiger Absendung erst nach demjenigen Zeitpunkt bei dem Empfänger ein, für welchen dieser bei ordnungsmäßiger Beförderung den Eingang eines rechtzeitig abgesandten Briefes erwarten darf, so ist der Empfänger an sein Angebot nicht mehr gebunden, falls er ohne Verzug nach dem verspäteten Eintreffen der Zuschlagserklärung von seinem Rücktritt Nachricht gegeben hat.

Nachricht an diejenigen Bewerber, welche den Zuschlag nicht erhalten, wird nur dann ertheilt, wenn dieselben bei Einreichung des Angebots unter Beifügung des erforderlichen Briefgeldbetrages einen desfallsigen Wunsch zu erkennen gegeben haben. Proben werden nur dann zurückgegeben, wenn dies in dem Angebotsschreiben ausdrücklich verlangt wird, und erfolgt alsdann die Rücksendung auf Kosten des betreffenden Bewerbers. Eine Rückgabe findet im Falle der Annahme des Angebots nicht statt; ebenso kann im Falle der Ablehnung desselben die Rückgabe insoweit nicht verlangt werden, als die Proben bei den Prüfungen verbraucht sind.

Eingereichte Entwürfe werden auf Verlangen zurückgegeben.

Den Empfang des Zuschlagschreibens hat der Unternehmer umgehend schriftlich zu bestätigen.

7. Vertragsabschluß.

Der Bewerber, welcher den Zuschlag erhält, ist verpflichtet, auf Erfordern über den durch die Ertheilung des Zuschlages zu Stande gekommenen Vertrag eine schriftliche Urkunde zu vollziehen.

Sofern die Unterschrift des Bewerbers der Behörde nicht bekannt ist, bleibt vorbehalten, eine Beglaubigung derselben zu verlangen.

Die der Ausschreibung zu Grunde liegenden Verdingungsanschläge, Zeichnungen, welche bereits durch das Angebot anerkannt sind, hat der Bewerber bei Abschluß des Vertrages mit zu unterzeichnen.

8. Sicherheitsstellung (Kaution).

Wenn nichts Anderes durch die Ausschreibung bestimmt ist, hat der Unternehmer innerhalb 8 Tagen nach der Ertheilung des Zuschlages die vorgeschriebene Kaution zu bestellen, widrigenfalls die Behörde befugt ist, von dem Vertrage zurückzutreten und Schadenersatz zu beanspruchen.

9. Kosten der Ausschreibung.

Zu den durch die Ausschreibung selbst entstehenden Kosten hat der Unternehmer nicht beizutragen.

* * *

Vorstehende allgemeine Vertragsbedingungen rc. werden hierdurch zur öffentlichen Kenntniß gebracht.

Berlin, den 8. Mai 1888.

Königl. Intendantur des Garde-Korps.

Personal-Chronik.

Seine Majestät der Kaiser und König haben Allergnädigst geruht, den Regierungs-Assessor Grafen von Bernstorff zum Landrath zu ernennen. In dieser Eigenschaft ist demselben das bisher commissarisch verwaltete Landrathsamt im Kreise Ostprignitz zu Kyritz definitiv übertragen worden.

Dem Regierungs-Sekretair Wiechert ist vom 1. April d. J. ab die Verwaltung der Forstkassen-Rendantenstelle zu Alt-Ruppin dauernd übertragen worden.

Dem Steuer-Inspektor Mahler, bisher in Schmalkalden, ist für die Zeit vom 1. Mai d. J. ab die zweite Kataster-Inspektorstelle bei der hiesigen Königlichen Regierung verliehen worden.

Die Försterstelle Glambeck in der Oberförsterei Glambeck ist vom 1. Juli d. J. ab dem Förster Schramm zu Grünenberg, Oberförsterei Pechteich, übertragen worden.

Die Försterstelle Erkner in der Oberförsterei Cöpenick, ist vom 1. Juli d. J. ab dem Förster Witte zu Forsthaus Liepe, Oberförsterei Chorin, übertragen worden.

Der versorgungsberechtigte Jäger, Forstaufseher Koenig zu Joachimsthal, in der Oberförsterei Grimnitz, ist zum Königlichen Förster ernannt und demselben die Försterstelle Wucker in der Oberförsterei Reiersdorf vom 1. Juni d. J. ab übertragen worden.

Das unter Königlichem Patronat stehende Diakonat an der St. Jacobi-Kirche zu Berlin, Diözese Cöln Stadt, ist durch die Versetzung des Diakonus Laacke in das Archidiakonat an derselben Kirche zur Erledigung gekommen. Die Wiederbesetzung dieser Stelle erfolgt durch Gemeindewahl nach Maßgabe des Kirchengesetzes, betreffend das im § 32 № 2 der Kirchengemeinde- und Synodal-Ordnung vom 10. September 1873 rc. vorgesehene Pfarrwahlrecht, vom 15. März 1886 — Kirchliches Gesetz- und Verordnungs-Blatt de 1886 Seite 39. — Bewerbungen um diese Stelle sind schriftlich bei dem Königlichen Konsistorium der Provinz Brandenburg einzureichen. § 6 a. a. O.

Der Schulamtskandidat Bebernitz ist als ordentlicher Lehrer an dem Realgymnasium in Charlottenburg angestellt worden.

Die Rendantur der Kasse der Königlichen Blindenanstalt in Steglitz und der mit derselben verbundenen von Rothenburg-Stiftung ist dem ordentlichen Lehrer Matthies daselbst übertragen worden.

Personalveränderungen im Bezirke der Kaiserlichen Ober-Postdirektion in Berlin.

Im Laufe des Monats April sind:

Ernannt: zum Ober-Postdirektionssekretair der Postsekretair Kehr, zum Ober-Postsekretair der Postsekretair Sydow, zu Büreauassistenten die Postassistenten Hennig, Knorr, Nikisch, die Telegraphenassistenten Aler, Busse und Schöning, zu Ober-Postassistenten die Postassistenten Ramme, Bartels, Beyer, Bocksch, Böhm, Bordihn, Budde, Dietrich, Feddermann, Fiege, Haas, Haushalter, Hektor, Ilgner, Jahn, Kühnau, Kulinowski, Lockhoff, Lühe, Müller, Pohl, Polte, Schäfer, Scheffler, Joh. Schmidt, A. W. Th. Schmidt, Schultze, Tusche, Wolling und Wilms, zu Ober-Telegraphenassistenten die Telegraphenassistenten Herzbach, Kühn, Laube, Meltendorf, C. A. Müller, Steffens, Strempel, Szczepansky und Ziegler.

Angestellt: als Postsekretaire die Postpraktikanten Arends, Buhtz, Engelke, Müthe, Pahlow, Plath, G. A. Riedel, F. P. O. Riedel, Rosicki, Scholz und Zeiger, als Postassistenten die Postassistenten Aich, Binder, Born, Breiter, Dortmund, Engel, C. R. A. Franke, E. B. A. Franke, Friedrich, Goetzke, Gröper, Grunert, Haber, Heinze, Hellbardt, Herbst, Holborn, Jesse, Junge, Krüger, Lampen, Leye, Lobert, Lübbecke, May, Roisten, Oestreich, Platt, Popp, Reinheimer, Riemer, Rohr, Rothe, Ruppel, Ed. Schmidt, F. A. H. Schmidt, Schneider, Schulz, Schulze, Sommer, Steinert, Thämlitz, Ulmer, Vahldieck, Wottrich, Werhahn und der Postanwärter Peter, als Telegraphenassistenten die Postassistenten Dill, Effler, Hoeck, Makowski und Rychlicki.

Versetzt: von Berlin: der Postinspektor Köpchen nach Karlsruhe (Baden), der com. Postinspektor Gebhard nach Hamburg, der Telegraphenamtskassirer Nagel nach Saarbrücken, der Ober-Postsekretair Lichtwald nach Varel (Oldenb.), die Postsekretaire Bergemann nach Posen, Breithaupt nach Bromberg, Czech nach Braunschweig, Droese nach Cöln (Rhein), Flohr nach Metz, Friedrichs nach Erfurt, Hellwig nach Liegnitz, Iben nach Erfurt, Koerdell nach Hamburg, Martin nach Minden (Westf.), von Nordheim nach Frankfurt (Main), Ploetz nach Stettin, Rutsch nach Karlsruhe (Baden), Schammel nach Oppeln, Schmidt nach Kiel, Schultze nach Metz, Troch nach Frankfurt (Oder), Wernecke nach Trier, Wiegmann nach Breslau, die Telegraphensekretaire Beyersdorff nach Emden, Otto nach Arnsberg, Simon nach Hannover, der Ober-Telegraphenassistent Heinritzi nach Bremerhaven, der Telegraphenassistent Jaks nach Breslau, nach Berlin: der com. Postinspektor Moersberger von Oldenburg (Grh.), der com. Telegrapheninspektor Losch von Bremen, die Postkassirer Meißner von Coblenz, Sack von Braunschweig, die Ober-Postdirektionssekretaire Brandes von Hannover, Frotscher von Magdeburg, Göbel von Arnsberg, die Ober-Telegraphensekretaire Michels von Magdeburg,

Rohde von Breslau, die Postsekretaire Altmann von Mühlhausen (Elſ.), Braeß von Dresden, Gelhar von Constantinopel, Krauß von Eisenach, Kretzschmer von Elbing, C. G. Meyer von Gotha, Noack von Stargard (Pom.), Pflug von Hagen (Westf.), Seitz von Hannover.

In den Ruhestand versetzt sind: die Postsekretaire Hardt und Reimann, der Ober-Telegraphenassistent Lucke.

Gestorben: der Postsekretair Liebsch, der Ober-Telegraphenassistent Schinke, die Postassistenten Dethlessen und Waßmann.

Ausweisung von Ausländern aus dem Reichsgebiete.

Lauf. Nr.	Name und Stand des Ausgewiesenen.	Alter und Heimath des Ausgewiesenen.	Grund der Bestrafung.	Behörde, welche die Ausweisung beschlossen hat.	Datum des Ausweisungs-Beschlusses.
1.	2.	3	4.	5.	6.
		a. Auf Grund des § 39 des Strafgesetzbuchs:			
1	Johannes Bondt, Hufschmiedegeselle,	geboren am 27. Februar 1860 zu Teufen, Kanton Appenzell, Schweiz, wohnhaft zuletzt in Hamburg,	Diebstahl im wiederholten Rückfall (1 Jahr Zuchthaus laut Erkenntniß vom 5. April 1887),	Chef der Polizei zu Hamburg,	20. April 1888.
		Auf Grund des § 362 des Strafgesetzbuchs:			
1	Thomas Stippich, Bergmann,	geboren am 18. Dezember 1848 zu Windisch-St. Michael, Bezirk Klagenfurt, Kärnthen, ortsangehörig ebendaselbst, wohnhaft zuletzt in Waakirchen, Bez. Miesbach, Bayern,	Betteln im wiederholten Rückfall,	Stadtmagistrat Memmingen, Bayern,	16. März 1888.
2	Michael Zintl, Dienstbube,	geboren 1874 zu Glößberg, Bezirk Tirschenreuth, Bayern, ortsangehörig zu Neukirchen St. Cristoph, Bez. Tachau, Böhmen,	desgleichen,	Königlich Bayerisches Bezirksamt Neustadt a. W. N.,	22. März 1888.
3	Josef Dlouhy, Schneider,	geboren am 11. Juni 1862 zu Bierau, ortsangehörig zu Andorf, Bezirk Schärding, Ober-Oesterreich,	Landstreichen u. Führung falscher Legitimationspapiere,	Königlich Bayerisches Bezirksamt Erding,	5. April 1888.
4	Conrad Ducke, Färber,	geboren am 22. August 1850 zu Zwickau, Bezirk Gabel, Böhmen, ortsangehörig ebendas.,	Landstreichen und Betteln,	Königlich Sächsische Kreishauptmannschaft Zwickau,	19. März 1888.
5	Selik Katz, Handelsmann,	geboren 1847 zu Kolno, Russisch-Polen, ortsangehörig ebendaselbst,	Landstreichen,	Großherzoglich Hessisches Kreisamt Worms,	20. März 1888.
6	Petrus Jacobus de Bruyne, Grubenarbeiter,	32 Jahre, geboren und ortsangehörig zu Middelburg, Provinz Seeland, Niederlande,	desgleichen,	Großherzogl. Oldenburgisches Staatsministerium, Departement des Innern, zu Oldenburg,	desgleichen.
7	Heinrich Fuchs, Klempnergeselle,	geboren am 8. Juni 1859 zu Freiwaldau, Oesterreich.-Schlesien, wohnhaft zuletzt in Hamburg,	Betteln im wiederholten Rückfall,	Chef der Polizei zu Hamburg,	4. März 1888.

Lauf. Nr.	Name und Stand des Ausgewiesenen.	Alter und Heimath des Ausgewiesenen.	Grund der Bestrafung.	Behörde, welche die Ausweisung beschlossen hat.	Datum des Ausweisungs-Beschlusses.
1.	2.	3.	4.	5.	6.
8	Franz Michel, Dienstknecht,	geboren am 8. März 1884 zu Sourei, Frankreich, ortsangehörig ebendaselbst,	Landstreichen und Betteln,	Kaiserlicher Bezirks-Präsident zu Colmar,	7. März 1888.
9	Johann Huber, Kaufmann,	geboren am 3. September 1867 zu Gampern, Oesterreich, ortsangehörig ebendaselbst,	desgleichen,	derselbe,	9. März 1888.
10	Eugen Berchier, Schlosser,	geboren am 12. September 1865 zu Grange le Besin, Schweiz, ortsangehörig ebendaselbst,	Landstreichen,	derselbe,	desgleichen.
11	Eduard Dammler, Fabrikarbeiter,	geboren am 29. Juni 1849 zu Amsterdam, Niederlande, ortsangehörig ebendaselbst,	desgleichen,	Kaiserlicher Bezirks-Präsident zu Colmar,	12. März 1888.
12	Melchior Tännler, Tagner,	geboren am 9. Februar 1853 zu Imertkirchen, Schweiz, ortsangehörig ebendaselbst,	desgleichen,	derselbe,	23. März 1888.
13	Gottlieb Stirnemann, Metzgerknecht,	geboren am 10. Oktober 1852 zu Gränichen, Kanton Aargau, Schweiz, ortsangehörig ebendaselbst,	desgleichen,	derselbe,	27. März 1888.
14	Julius Gaehring, Vergolder,	geboren am 20. März 1859 zu Aubange, Belgien,	desgleichen,	Kaiserlicher Bezirks-Präsident zu Metz,	31. März 1888.
15	Anton Klemen, Kellner,	geboren am 13. Juni 1859 zu Leißberg, Bezirk Cilli, Böhmen,	Landstreichen und Betteln,	Königlich Preußischer Regierungspräsident zu Potsdam,	27. Februar 1888.
16	Stefan Halama, Schieferdecker,	geboren 1840 zu Maradsin, Bezirk Brödl, Ungarn, ortsangehörig ebendaselbst,	Betteln im wiederholten Rückfall,	Königlich Preußischer Regierungspräsident zu Breslau,	8. Februar 1888.
17	Clementine Hellmann, Arbeiterin,	geboren am 13. März 1854 zu Hermannstadt, Bezirk Freiwaldau, Oesterreich.-Schlesien,	Landstreichen und Betteln,	Königlich Preußischer Regierungspräsident zu Oppeln,	28. März 1888.
18	Georg Smolon, Buchhandlungsgehülfe,	geboren am 8. Februar 1851 zu Roppitz, Bezirk Teschen, Oesterreich,	Landstreichen,	derselbe,	31. März 1888.
19	Franziska Wah, ledige Dienstmagd,	geboren am 19. Dezember 1866 zu Wien, Oesterreich, ortsangehörig zu Plan, Böhmen,	Landstreichen u. gewerbsmäßige Unzucht,	Stadtmagistrat Amberg, Bayern,	2. März 1888.

Lauf. Nr.	Name und Stand des Ausgewiesenen	Alter und Heimath des Ausgewiesenen	Grund der Bestrafung	Behörde, welche die Ausweisung beschlossen hat	Datum des Ausweisungs-Beschlusses
1.	2	3	4.	5.	6
20	Michele Rutar, Tagelöhner u. Ziegler,	geboren am 27. April 1845 zu Strogna, Provinz Udine, Italien, ortsangehörig ebendaselbst,	Landstreichen und Betteln,	Königlich Württembergische Regierung des Neckarkreises zu Ludwigsburg,	6. April 1888.
21	Johann Hoder, Bäckergeselle,	geboren am 29. August 1854 zu Deutsch-Prausnitz, Bezirk Trautenau, Böhmen,	desgleichen,	Fürstliches Landrathsamt Schleiz,	22. März 1888.
22	Johann Jakob Summer,	geboren am 24. April 1836 zu Rotterdam, Niederlande, ortsangehörig ebendaselbst,	Landstreichen,	Kaiserlicher Bezirks-Präsident zu Colmar,	27. März 1888.
23	Adam Eduard Lobodzinski, Bäcker,	geboren am 26. Dezember 1860 zu Paris, Frankreich,	desgleichen,	Kaiserlicher Bezirks-Präsident zu Metz,	18. April 1888.
24	Josef Bernert, Ziegelmacher,	geboren am 24. Juni 1861 zu Nieder-Lindewiese, Bezirk Freiwaldau, Oesterreichisch-Schlesien, ortsangehörig ebendaselbst,	Landstreichen und Betteln,	Königlich Preußischer Regierungspräsident zu Oppeln,	19. März 1888.
25	Adalbert Szwaika, Arbeiter,	geboren 1847 zu Pilchow, Bezirk Tarnobrzeg, Oesterreich, ortsangehörig ebendas.,	Landstreichen,	Königlich Preußische Regierung zu Bromberg,	30. Dezemb. 1887.
26	Alois Lovosicky, Buchhalter,	geboren am 6. Oktober 1862 zu Amschelberg, Bezirk Selcan, Böhmen, ortsangehörig ebendaselbst, wohnhaft zuletzt in Hamburg,	desgleichen,	Königlich Preußische Regierung zu Aachen,	13. April 1888.
27	Johann Weitgasser, Steinbrecher,	geboren am 5. Januar 1859 zu Altenmarkt, Bezirk St. Johann im Pongau, Salzburg, ortsangehörig zu Hüttau, ebendaselbst,	Landstreichen und Betteln,	Königlich Bayerisches Bezirksamt Traunstein,	7. März 1888.
28	Heinrich Zink, Schlossergeselle,	geboren 1849 zu Steyr, Oesterreich, ortsangehörig ebendaselbst,	desgleichen,	dasselbe,	11. April 1888.
29	Franz Kalina, Handarbeiter,	geboren am 10. Oktober 1853 zu Patzau, Bezirk Pilgram, Böhmen, ortsangehörig ebendaselbst,	desgleichen,	Stadtmagistrat Deggendorf, Bayern,	9. März 1888.

Hierzu Drei Oeffentliche Anzeiger.

(Die Insertionsgebühren betragen für eine einspaltige Druckzeile 20 Pf. Belagsblätter werden der Bogen mit 10 Pf. berechnet.)

Redigirt von der Königlichen Regierung zu Potsdam.

Potsdam, Buchdruckerei der A. W. Hayn'schen Erben (E. Hayn, Hof-Buchdrucker).

Amtsblatt

der Königlichen Regierung zu Potsdam und der Stadt Berlin.

Stück 21. Den 25. Mai **1888.**

Bekanntmachungen der Königlichen Ministerien.

Streitigkeiten über Unterstützungsansprüche nicht gegen Krankheit versicherter Regieba uarbeiter.

20. Nach § 8 des Bauunfallversicherungsgesetzes vom 11. Juli 1887 (R.-G.-Bl. S. 287) findet in Streitigkeiten über Unterstützungsansprüche, welche den nicht gegen Krankheit versicherten Regiebauarbeitern während der ersten 13 Wochen nach dem Betriebsunfall zustehen, das Verwaltungsstreitverfahren, wo aber ein solches noch nicht besteht, subsidiär das Verfahren uach §§ 20, 21 der Gewerbeordnung statt.

Für das Verwaltungsstreitverfahren ist auf Grund des Gesetzes vom 27. April 1885 (G.-S. S. 187) durch Allerhöchste Verordnung vom 23. März d. J. bestimmt worden, daß der Bezirksausschuß zuständig und gegen dessen Entscheidung nur das Rechtsmittel der Revision statthaft ist.

Für das subsidiär eintretende Verfahren nach §§ 20, 21 der Gewerbe-Ordnung sollen, wie hierdurch bestimmt wird, diejenigen Vorschriften Geltung haben, welche für gleichartige Fälle im Geltungsbereich des landwirthschaftlichen Unfallversicherungsgesetzes vom 5. Mai 1886 (R.-G.-Bl. S. 132) durch Ziffer II. der Ausführungs-Anweisung vom 26. Juli 1886 erlassen worden sind.

Euer Hochwohlgeboren ersuchen wir ergebenst, diesen Erlaß durch Abdruck im dortigen Amtsblatt zu veröffentlichen.

Berlin, den 29. April 1888.

Der Minister für Handel und Gewerbe.	Der Minister des Innern.
In Vertretung	In Vertretung
gez. Magdeburg.	Herrfurth.

An den Königlichen Regierungs-Präsidenten Herrn von Neefe Hochwohlgeboren zu Potsdam.

1780 B. M. f. H. ꝛc.
I. 344 A. M. d. J.

Nothwendigkeit von Uebergangsscheinen bei Sendungen von Bier nach dem Großherzogthum Baden.

21. Die in der Bekanntmachung vom 16. Dezember v. J., betreffend die Nothwendigkeit von Uebergangsscheinen bei Sendungen von Wein nach dem Großherzogthum Baden, getroffenen Bestimmungen finden auch auf den Verkehr mit Bier Anwendung.

Berlin, den 28. April 1888.

Der Finanz-Minister.
Im Auftrage gez. Hasselbach.

Ankauf von Remonten pro 1888.

Regierungs-Bezirk Potsdam.

22. Zum Ankaufe von Remonten im Alter von drei und ausnahmsweise vier Jahren sind im Bereiche der Königlichen Regierung zu Potsdam für dieses Jahr nachstehende, Morgens 8 resp. 9 Uhr beginnende Märkte anberaumt worden, und zwar:

am	31.	Mai	Wriezen a. Oder,
=	8.	Juni	Jüterbog 9 Uhr,
=	9.	=	Oranienburg,
=	11.	=	Nauen,
=	12.	=	Neustadt a. Dosse,
=	13.	=	Rathenow,
=	15.	=	Havelberg,
=	16.	=	Wilsnack 9 Uhr,
=	31.	Juli	Strasburg i. Uckermark,
=	1.	August	Prenzlau,
=	2.	=	Angermünde,
=	3.	=	Neu-Ruppin,
=	4.	=	Kyritz,
=	6.	=	Wittstock,
=	7.	=	Meyenburg,
=	8.	=	Pritzwalk 9 Uhr,
=	9.	=	Perleberg,
=	10.	=	Lenzen a. Elbe.

Die von der Remonte-Ankaufs-Kommission erkauften Pferde werden mit Ausnahme derjenigen von Oranienburg zur Stelle abgenommen und sofort gegen Quittung baar bezahlt. Die Verkäufer auf dem Markte in Oranienburg werden dagegen ersucht, die erkauften Pferde in dem nahe gelegenen Remonte-Depot Bärenklau auf eigene Kosten und Gefahr einzuliefern und daselbst nach erfolgter Uebergabe in gesundem Zustande den behandelten Kaufpreis in Empfang zu nehmen.

Pferde mit solchen Fehlern, welche nach den Landesgesetzen den Kauf rückgängig machen, sind vom Verkäufer gegen Erstattung des Kaufpreises und der Unkosten zurückzunehmen, ebenso Krippensetzer, welche sich in den ersten acht und zwanzig Tagen nach Einlieferung in den Depots als solche erweisen. Pferde, welche den Verkäufern nicht eigenthümlich gehören, oder durch einen nicht legitimirten Bevollmächtigten der Kommission vorgestellt werden, sind vom Kauf ausgeschlossen.

Die Verkäufer sind verpflichtet, jedem verkauften Pferde eine neue, starke rindlederne Trense mit starkem Gebiß und eine neue Kopfhalfter von Leder oder Hanf mit 2 mindestens zwei Meter langen Stricken ohne besondere Vergütung mitzugeben.

Um die Abstammung der vorgeführten Pferde feststellen zu können, ist es erwünscht, daß die Deckscheine möglichst mitgebracht werden, auch werden die Verkäufer ersucht, die Schweife der Pferde nicht zu coupiren oder übermäßig zu verkürzen.

Ferner ist es dringend wünschenswerth, daß der immer mehr überhand nehmende zu massige oder weiche Futterzustand bei den zum Verkauf zu stellenden Remonten aufhört, weil dadurch die in den Remonte-Depots vorkommenden Krankheiten sehr viel schwerer zu überstehen sind, als dies bei rationell und nicht übermäßig gefutterten Remonten der Fall ist.

In Zukunft wird beim Ankauf zum Messen der Remonten das Stockmaß in Anwendung kommen.

Berlin, den 1. März 1888.

Kriegsministerium, Remontirungs-Abtheilung.

Bekanntmachungen des Königlichen Regierungs-Präsidenten.

Betrifft die schußfreien Tage auf dem Schießplatze bei Cummersdorf für das Jahr 1888.

160. Unter Hinweis auf die Polizei-Verordnung vom 2. November 1875 — Amtsblatt Seite 366 — bringe ich hierdurch zur öffentlichen Kenntniß, daß die **schußfreien** Tage auf dem Schießplatze der Königlichen Artillerie-Prüfungs-Kommission bei Cummersdorf für das Jahr 1888 wie folgt festgesetzt worden sind:

Mai: 27., 28., 30., 31.
Juni: 3., 6., 10., 13., 17., 18., 19., 24., 27.
Juli: 1., 5., 8., 11., 15., 18., 22., 25., 29.
August: 1., 5., 8., 12., 15., 19., 22., 26., 29.
September: 2., 5., 9., 12., 16., 17., 18., 23., 26., 30.
Oktober: 3., 4., 7., 8., 10., 14., 15., 17., 21., 22., 24., 28., 29., 31.
November: 4., 5., 6., 11., 14., 15., 18., 19., 21., 25., 26., 28.
Dezember: 2., 3., 4., 5., 9., 10., 11., 12., 13., 16., 17., 18., 19., 23., 25., 26., 27., 28., 29., 30.

Potsdam, den 15. Mai 1888.

Der Regierungs-Präsident.

Ausspielung von Kunstwerken rc. in München.

161. Des Kaisers und Königs Majestät haben mittelst Allerhöchster Ordre vom 26. v. M. zu genehmigen geruht, daß zu der in Verbindung mit der dritten internationalen und Jubiläums-Kunstausstellung zu München 1888 und der Deutschnationalen Kunstgewerbe-Ausstellung zu München 1888 zu veranstaltenden, Seitens der Königlich Bayerischen Staatsregierung genehmigten Ausspielung von Kunstwerken und Kunstwerksreproduktionen, sowie von Erzeugnissen des Kunstgewerbes, auch im diesseitigen Staatsgebiete Loose vertrieben werden dürfen.

Die nachgeordneten Behörden werden angewiesen, dafür zu sorgen, daß der Vertrieb der Loose nicht beanstandet wird.

Potsdam und Berlin, den 19. Mai 1888.

Der Regierungs-Präsident. Der Polizei-Präsident.

Viehseuchen.

162. Die Maul- und Klauenseuche unter dem Rindvieh der Berliner Rieselgüter Malchow und Falkenberg, des Vorwerks Neu-Ahrensfelde, des Bauergutsbesitzers Wilhelm Lenz zu Marzahn und des Kolonisten Liebenhagen in Neu-Hohen-Schönhausen, sämmtlich Ortschaften des Kreises Niederbarnim ist erloschen.

Potsdam, den 19. Mai 1888.

Der Regierungs-Präsident.

Bekanntmachungen der Königl. Regierung.

General-Kirchen-Visitation.

15. Nachstehende Bekanntmachung:

In der Zeit vom 12. bis zum 23. Juni d. J. findet in der Diözese Luckau unter Leitung des General-Superintendenten Braun eine General-Kirchenvisitation statt, über deren Plan die Geistlichen und Gemeinde-Kirchenräthe der Diözese nähere Auskunft ertheilen können.

Berlin, den 11. Mai 1888.

Königl. Konsistorium der Provinz Brandenburg.

wird hierdurch mit Bezug darauf, daß die zur Diözese Luckau gehörige Gemeinde Mahlsdorf im diesseitigen Bezirke belegen ist, zur öffentlichen Kenntniß gebracht.

Potsdam, den 16. Mai 1888.

Königl. Regierung,
Abtheilung für Kirchen- und Schulwesen.

Bekanntmachungen des Königlichen Provinzial-Schul-Collegiums zu Berlin.

Schulvorsteherinnen-Prüfung in Berlin.

3. Die Schulvorsteherinnen-Prüfung wird hier **am 15. und 16. November d. J.** abgehalten werden. Zu dieser Prüfung werden nur solche Lehrerinnen zugelassen, welche den Nachweis einer mindestens fünfjährigen Lehrthätigkeit zu führen vermögen und mindestens zwei Jahre in Schulen unterrichtet haben. Die Anmeldungen sind an uns bis zum 15. August d. J. einzureichen und sind denselben beizufügen: 1) ein selbstgefertigter Lebenslauf, auf dessen Titelblatt der vollständige Name, der Geburtsort, das Alter, die Confession und der Wohnort der Bewerberin angegeben ist, 2) der Geburtsschein, 3) die Zeugnisse über die schon bestandenen Prüfungen, 4) ein amtliches Führungsattest, 5) ein Zeugniß über die Lehrthätigkeit, 6) ein von einem zur Führung eines Amtssiegels berechtigten Arzte ausgestelltes Attest über normalen Gesundheitszustand. Berlin, den 10. Mai 1888.

Königl. Provinzial-Schul-Kollegium.

Lehrerinnen-Prüfung in Berlin.

4. Die Lehrerinnen-Prüfung wird hier **vom 15. Oktober d. J. an** abgehalten werden. Zu dieser Prüfung werden nur solche Bewerberinnen zugelassen, welche das achtzehnte Lebensjahr vollendet haben. Die Anmeldungen, in denen anzugeben ist, ob die Prüfung für Volksschulen oder mittlere und höhere Mädchenschulen gewünscht wird, sind spätestens bis zum 17. September d. J. an uns einzureichen und sind denselben beizufügen: 1) ein selbstgefertigter Lebenslauf, auf dessen Titelblatte der vollständige Name, der Geburtsort, das

Alter, die Confession und der Wohnort der Bewerberin angegeben ist, 2) der Geburtsschein, 3) die Zeugnisse über die bisher empfangene Schulbildung und die etwa schon bestandenen Prüfungen, 4) ein amtliches Führungsattest und 5) ein von einem zur Führung eines Dienstsiegels berechtigten Arzte ausgestelltes Attest über normalen Gesundheitszustand. Beim Eintritt in die Prüfung haben die Bewerberinnen eine von ihnen gefertigte Probeschrift auf einem halben Bogen Querfolio mit deutschen und lateinischen Lettern und eine Probezeichnung abzugeben.

Berlin, den 10. Mai 1888.

Königl. Provinzial-Schul-Kollegium.

Aufnahme-Prüfung am Kgl. Schullehrer-Seminar zu Oranienburg.

5. Die Aufnahme-Prüfung am Königlichen Schullehrer-Seminar zu Oranienburg wird **am 12., 13. und 14. September d. J.** abgehalten werden. Die Anmeldungen sind bis zum 22. August d. J. an den Herrn Seminar-Direktor Mühlmann einzureichen und denselben beizufügen: 1) der Lebenslauf, 2) der Geburtsschein, 3) der Impfschein, der Revaccinationsschein und ein Gesundheitsattest, ausgestellt von einem zur Führung eines Dienstsiegels berechtigten Arzte, 4) ein amtliches Führungsattest, 5) die Erklärung des Vaters oder an dessen Stelle des Nächstverpflichteten, daß er die Mittel zum Unterhalte des Aspiranten während der Dauer des Seminarkursus gewähren werde, mit der Bescheinigung der Ortsbehörde, daß er über die dazu nöthigen Mittel verfüge.

Berlin, den 12. Mai 1888.

Königl. Provinzial-Schul-Collegium.

Prüfung von Handarbeits-Lehrerinnen in Berlin.

6. Die Prüfung für den Unterricht in weiblichen Handarbeiten wird in Berlin im Lokale der Königlichen Elisabeth-Schule, Kochstraße Nr. 65, **vom 5. September d. J. ab** stattfinden. Zur Prüfung werden zugelassen: 1) Bewerberinnen, welche bereits die Befähigung zur Ertheilung von Schulunterricht vorschriftsmäßig nachgewiesen haben; 2) sonstige Bewerberinnen, wenn sie eine ausreichende Schulbildung nachweisen und wenn sie am Tage der Prüfung das 18. Lebensjahr vollendet haben. Die Anmeldungen zu derselben sind spätestens bis zum 8. August d. J. an uns einzureichen und sind denselben beizufügen: a. von solchen, welche bereits eine Prüfung als Lehrerinnen bestanden haben: 1) das Zeugniß über diese Prüfung, 2) ein amtliches Zeugniß über ihre bisherige Thätigkeit als Lehrerin; b. von den übrigen bezeichneten Bewerberinnen: 1) ein selbstgefertigter, in deutscher Sprache abgefaßter Lebenslauf, auf dessen Titelblatte der vollständige Name, der Geburtsort, das Alter, die Konfession, der Wohnort der Bewerberin und die Art der gewünschten Prüfung (ob für mittlere und höhere Mädchenschulen oder für Volksschulen) anzugeben ist; 2) ein Tauf- bezw. ein Geburtsschein; 3) ein Gesundheitsattest, ausgestellt von einem Arzte, der zur Führung eines Dienstsiegels berechtigt ist; 4) ein Zeugniß über die von der Bewerberin erworbene Schulbildung und die Zeugnisse über die etwa schon abgelegte Prüfung als Turnlehrerin, Zeichenlehrerin u. s. w.; 5) ein Zeugniß über die erlangte Ausbildung als Handarbeitslehrerin; 6) ein amtliches Führungs-Zeugniß, ausgestellt von einem Geistlichen oder von der Ortsbehörde. Die Prüfung ist eine praktische und theoretische. In praktischer Beziehung haben die Bewerberinnen 1) eine Probe ihrer technischen Fertigkeit in den weiblichen Handarbeiten abzulegen. Zu diesem Zwecke haben sie einzureichen: a. einen neuen Strumpf, gezeichnet mit zwei Buchstaben und einer Zahl in Gitterstich, dazu ein angefangenes Strickzeug, b. ein Häkeltuch mit 70 bis 90 Maschen Anschlag, welches mehrere Muster enthält und mit einer gehäkelten Kante umgeben ist; c. ein gewöhnliches Mannshemd (Herren-Nachthemd); d. ein Frauenhemd; e. einen alten Strumpf, in welchem ein Hacken neu eingestrickt und eine Gitterstopfe, sowie eine Strickstopfe ausgeführt ist; f. vier bis sechs kleine Proben von verschiedenen mittelfeinen Stoffen, wie dieselben im Hausstande vorzukommen pflegen, jede etwa 12 zu 12 Ctm. groß. Dieselben können sowohl einzeln als auch zu einem Tuche verbunden abgegeben werden und sollen enthalten: einen aufgesetzten und einen eingesetzten Flicken; eine weiße und eine bunt karrirte Gitterstopfe, eine Köperstopfe; zwei gezeichnete Buchstaben in Kreuzstich, zwei ebensolche in Rosenstich; drei gestickte lateinische Buchstaben und zwei Ziffern in rothem Garn, drei ebensolche gothische Buchstaben und zwei Ziffern in weißem Garn und ein gesticktes Monogramm aus den Namensbuchstaben der Bewerberinnen. Die unter f. aufgezählten Arbeiten müssen vor Allem dem gewählten Stoffe gemäß ausgeführt sein. Sämmtliche Arbeiten sollen schulgerecht und deshalb auch nur in Stoffen und aus Garnen von mittlerer Feinheit hergestellt werden. Die Arbeiten werden durch die Einreichung von den Bewerberinnen ausdrücklich als selbstgefertigt bezeugt; die Hemden sind indessen nicht ganz zu vollenden, damit nach Anweisung der Prüfungs-Kommission) und unter Aufsicht derselben an der Arbeit fortgefahren werden kann. 2) Außerdem hat jede Bewerberin in der Prüfung eine Probelektion in der Ertheilung des Handarbeitsunterrichtes in einer Schulklasse zu halten. Beim Eintritt in die Prüfung sind 6 M. Prüfungs- und 1 M. 50 Pf. Stempelgebühren, welche letztere der Examinandin im Falle des Nichtbestehens der Prüfung wieder zurückgezahlt werden, zu entrichten.

Berlin, den 11. Mai 1888.

Königl. Provinzial-Schul-Kollegium.

Bekanntmachungen der Königlichen Hauptverwaltung der Staatsschulden.

Aufgebot einer Schuldverschreibung.

9. Die Deutsche Genossenschaftsbank von Soergel, Parrisius & Co. hierselbst, Charlottenstraße Nr. 35a., hat auf Umschreibung der Schuldverschreibung der konsolidirten 3½prozentigen Staatsanleihe von 1885 Lit. A. Nr. 9576 über 5000 M. angetragen, weil von dem oberen Theile derselben ein Stück abgerissen ist.

In Gemäßheit des § 3 des Gesetzes vom 4. Mai

1843 (Gef.-S. S. 177) wird deshalb Jeder, der an diesem Papier ein Anrecht zu haben vermeint, aufgefordert, dasselbe binnen 6 Monaten und spätestens

am 1. Oktober d. J.

uns anzuzeigen, widrigenfalls das Papier kassirt und dem obengenannten Bankgeschäft ein neues kursfähiges ausgehändigt werden wird.

Berlin, den 17. März 1888.

Hauptverwaltung der Staatsschulden.

Bekanntmachungen der Kgl. Direktion der Rentenbank für die Provinz Brandenburg.

Verloosung von Rentenbriefen.

5. Bei der in Folge unsrer Bekanntmachung vom 19. v. M. heute geschehenen öffentlichen Verloosung von **Rentenbriefen der Provinz Brandenburg** sind folgende Stücke gezogen worden:

Litt. A. zu 3000 M. (1000 Thlr.) 157 Stück
und zwar die Nummern:

237 451 667 677 692 1057 1148 1190 1695 2038 2143 2256 2337 2481 2693 2785 2843 2910 3001 3115 3121 3487 3769 3938 4016 4045 4206 4345 4589 4632 4864 4900 5030 5104 5108 5189 5254 5318 5370 5411 5497 5881 6240 6244 6245 6371 6492 6494 6543 6769 6821 6894 6918 7044 7108 7111 7255 7512 7540 7562 7908 8159 8237 8241 8427 8429 8569 8574 8734 8849 8912 8920 9073 9090 9142 9148 9359 9463 9645 9678 9944 10142 10359 10366 10432 10813 10859 11019 11137 11248 11678 11735 11739 12020 12023 12323 12359 12360 12510 12813 12850 13010 13210 13409 13519 13531 13581 13979 14207 14308 14590 14755 14761 14796 14861 14897 14986 15047 15147 15512 15607 15769 15772 15799 15852 15860 15906 15957 15960 16090 16154 16282 16840 16896 16919 17035 17057 17165 17179 17232 17283 17284 17347 17407 17445 17687 17968 18000 18251 18329 18675 18758 18924 19041 19062 19074 19109.

Litt. B. zu 1500 M. (500 Thlr.) 55 Stück
und zwar die Nummern:

73 114 395 1067 1139 1209 1381 1513 1648 1657 1717 1779 1849 1890 1894 1905 2315 2481 2776 2803 2862 2947 3168 3183 3256 3344 3395 3470 3488 3930 3951 4153 4252 4389 4467 4503 4670 4706 4783 4810 4857 4914 5357 5511 5699 5700 5774 5778 5870 5973 5997 6028 6205 6476 6579.

Litt. C. zu 300 M. (100 Thlr.) 208 Stück
und zwar die Nummern:

42 103 177 280 436 478 789 868 964 971 996 1155 1266 1305 1327 1395 1618 1754 1826 1866 1895 1909 2242 2300 2510 2714 2870 3018 3283 3287 3393 3592 3698 3958 4059 4077 4430 4719 4780 4797 4899 4926 4927 5014 5257 5265 5300 5312 5572 5669 5777 5783 5890 5914 6005 6021 6039 6351 6421 6605 6682 6795 6920 6932 7330 7542 7619 7639 7953 8026 8252 8339 8362 8395 8463 8490 8573 8595 8788 8987 8989 9071 9104 9111 9242 9281 9469 9613 9614 9669 9763 9794 9909 9970 10440 10501 10566 10572 10654 10730 10827 11036 11202 11306 11554 11649 11890 12047 12062 12070 12164 12275 12391 12406 12564 12972 13174 13345 13349 13472 13611 13655 13756 14118 14333 14432 14603 14607 14669 14837 14907 15323 15389 15426 15483 15540 15549 15624 15653 15863 16053 16061 16174 16381 16477 16622 16688 16740 16878 16973 17075 17176 17232 17327 17457 17848 17961 18133 18245 18330 18355 18387 18726 18969 19032 19252 19516 19669 19890 20062 20116 20175 20241 20302 20327 20339 20563 20870 20938 21046 21090 21486 21791 21825 21958 22087 22219 22306 22447 22607 22784 22811 23034 23144 23164 23584 23594 23653 23779 23829 23857 23927 24000 24074 24100 24182 24217 24393.

Litt. D. zu 75 M. (25 Thlr.) 176 Stück
und zwar die Nummern:

19 44 298 299 390 599 776 949 1225 1296 1310 1322 1457 1503 1671 1779 1903 1924 2394 2452 2557 2583 2640 2673 2725 2875 3151 3481 3732 3874 3937 4118 4179 4233 4245 4407 4517 4579 4793 5070 5071 5441 5812 5834 5861 6015 6177 6430 6606 6661 6744 6925 7030 7116 7138 7157 7175 7176 7227 7305 7464 7823 7892 7931 7936 7969 8028 8451 8544 8707 8740 8819 8874 8916 9110 9133 9215 9489 9562 9617 9689 9768 9831 10040 10121 10248 10263 10271 10357 10439 10474 10879 10895 10923 10956 10989 11009 11028 11171 11280 11439 11482 11507 11542 11582 11836 12103 12153 12331 12394 12449 12482 12499 12510 12588 12634 12697 12846 12935 12955 13008 13286 13437 13491 13579 13587 13770 13826 14110 14113 14186 14269 14542 14738 14831 14859 14986 15026 15050 15139 15156 15208 15269 15340 15392 15732 15841 15880 16141 16438 16597 16610 16688 16776 16975 17051 17070 17089 17094 17538 17621 17717 17850 18037 18105 18153 18214 18369 18511 19291 19352 19479 19734 19766 20175 20216.

Die Inhaber dieser Rentenbriefe werden aufgefordert, dieselben in coursfähigem Zustande, mit den dazu gehörigen Coupons Ser. V. № 13—16 nebst Talons bei der hiesigen Rentenbank-Kasse, Klosterstraße 76, vom 1. Oktober d. J. ab an den Wochentagen von 9—1 Uhr einzuliefern, um hiergegen und gegen Quittung den Nennwerth der Rentenbriefe in Empfang zu nehmen. Vom 1. Oktober d. J. ab hört die Verzinsung der ausgeloosten Rentenbriefe auf. Von den früher verlooseten Rentenbriefen der Provinz Brandenburg sind nachstehend genannte Stücke noch nicht zur Einlösung bei der Rentenbank-Kasse vorgelegt worden, obwohl seit deren Fälligkeit 2 Jahre und darüber verflossen sind.

Zum 1. Oktober 1882 Litt. C. № 2124 über 300 M. (100 Thlr.)

Zum 1. April 1883 Litt. C. № 185 über 300 M. (100 Thlr.)

Zum 1. Oktober 1883 Litt. A. № 5689 über 3000 M. (1000 Thlr.) Litt. C. № 8068 à 300 M. (100 Thlr.) Litt. D. № 25 1038 6380 6743 à 75 M. (25 Thlr.)

Zum 1. April 1884 Litt B. № 3148 über 1500 M. (500 Thlr.) Litt. C. № 6431 19129 à 300 M. (100 Thlr.) Litt. D. № 2504 über 75 M. (25 Thlr.)

Zum 1. Oktober 1884 Litt. B. № 3754 über 1500 M. (500 Thlr.) Litt. C. № 564 1229 2410 4153 7957 13626 à 300 M. (100 Thlr.) Litt. D. № 259 1594 1976 2312 2393 3041 3276 5183 6741 8623 8638 12207 13278 à 75 M (25 Thlr.)

Zum 1. April 1885 Litt. A. № 6437 15555 à 3000 M. (1000 Thlr.) Litt. C. № 5166 5876 6196 9959 à 300 M. (100 Thlr.) Litt. D. № 12065 13382 à 75 M. (25 Thlr.)

Zum 1. Oktober 1885 Litt. A. № 557 à 3000 M. (1000 Thlr.) Litt. C. № 541 5139 8597 10171 19186 22408 à 300 M. (100 Thlr.) Litt. D. № 1465 4416 4917 5224 9719 14223 18119 à 75 M. (25 Thlr.)

Zum 1. April 1886 Litt. A. № 10557 à 3000 M. (1000 Thlr.) Litt. B. № 1001 1500 à 1500 M. (500 Thlr.) Litt. C. № 4610 5103 à 300 M. (100 Thlr.) Litt. D. № 3082 7404 8261 17269 à 75 M (25 Thlr.)

Die Inhaber dieser Rentenbriefe werden wiederholt aufgefordert, den Nennwerth derselben nach Abzug des Betrages der von den mitabzuliefernden Coupons etwa fehlenden Stücke bei unserer Kasse in Empfang zu nehmen. Wegen der Verjährung der ausgeloosten Rentenbriefe ist die Bestimmung des Gesetzes über die Errichtung der Rentenbanken vom 2. März 1850 § 44 zu beachten. Die Einlieferung ausgelooster Rentenbriefe an die Rentenbank-Kasse kann auch durch die Post, portofrei, und mit dem Antrage erfolgen, daß der Geldbetrag auf gleichem Wege übermittelt werde. Die Zusendung des Geldes geschieht dann auf Gefahr und Kosten des Empfängers und zwar bei Summen bis zu 400 M. durch Postanweisung. Sofern es sich um Summen über 400 Mark handelt, ist einem solchen Antrage eine ordnungsmäßige Quittung beizufügen.

Der zum 1. Oktober 1877 ausgelooste Rentenbrief der Provinz Brandenburg Litt. D. № 5241 à 75 M., welcher zur Einlösung nicht präsentirt worden, ist mit dem Schlusse des vergangenen Jahres verjährt.

Berlin, den 14. Mai 1888.

Königl. Direktion
der Rentenbank für die Provinz Brandenburg.

Personal-Chronik.

Im Kreise Niederbarnim sind an Stelle des verzogenen Administrators Küster zu Buch der Administrator August Timm daselbst zum Amtsvorsteher-Stellvertreter des Amtsbezirks Buch und an Stelle des unterm 29. Februar d. J. zum Amtsvorsteher ernannten Mühlenbesitzers August Gottschalk zu Schildow der Kaufmann Bernhard Friedrich Gottschalk daselbst zum Amtsvorsteher-Stellvertreter des Amtsbezirks Blankenfelde ernannt worden.

Im Kreise Ostprignitz ist an Stelle des Ritterschaftsraths a. D. von Rohr-Wahlen-Jürgaß sen. zu Schloß Meyenburg der Rittergutsbesitzer Otto von Rohr-Wahlen-Jürgaß jun. daselbst zum Amtsvorsteher, an Stelle des Letzteren der Erstere zum Amtsvorsteher-Stellvertreter für den Bezirk XXV. Gut Meyenburg ernannt worden.

Der bisherige Regierungs-Sekretariats-Assistent Münch ist zum Regierungs-Sekretair, der bisherige Regierungs-Hauptkassen-Assistent Spieth zum Regierungs-Sekretariats-Assistenten und der bisherige Regierungs-Militair-Supernumerar Schüttauf zum Regierungs-Hauptkassen-Assistenten ernannt worden.

Der Civil-Anwärter Paul Wendtlandt ist zum Regierungs-Civil-Supernumerarius ernannt worden.

Der bisherige Pfarrer Hermann Robert Theodor Prölß in Spiegelberg, Diözese Sternberg II., ist zum Pfarrer der Parochie Lützlow, Diözese Gramzow, bestellt worden.

Die unter privatem Patronat stehende Pfarrstelle zu Beveringen, Diözese Pritzwalk, kommt durch die Versetzung des Pfarrers Seehaus zum 1. Januar 1889 zur Erledigung.

Dem zum städtischen Schulinspektor für den 6ten Schulkreis in Berlin erwählten früheren ordentlichen Lehrer am Luisenstädtischen Gymnasium Dr. Hermann Fischer sind für den genannten Aufsichtsbezirk die Funktionen des Königlichen Kreisschulinspektors im Nebenamte übertragen worden.

Die Lehrerinnen Marie Bernard, Betty Lahner, Minna Schelle, Valida Knorr, Anna Sasse, Anna Gützlaff, Elise Beyer und Auguste Eilenfuß sind als Gemeindeschullehrerinnen in Berlin angestellt worden.

Vermischte Nachrichten.

Prämie für Lebensrettung.

Ich habe dem Maurer Wilhelm Prochnow, Waldstraße Nr. 30 hierselbst wohnhaft, für die von ihm am 23. April 1888 bewirkte Rettung des Knaben Otto Buhr vom Tode des Ertrinkens in der Spree am Holsteiner Ufer bei der Moabiter Stadtbahnbrücke eine Prämie von 15 Mark bewilligt.

Berlin, den 11. Mai 1888.

Der Polizei-Präsident.

Prämie für Lebensrettung.

In Anerkennung der von dem Werkmeister Johannes Dawitz, zu Charlottenburg, Charlottenburger Ufer Nr. 24, bewirkten Lebensrettung des Arbeiters Johann Wandelt habe ich Ersterem eine Prämie von 15 M. bewilligt, was hiermit zur öffentlichen Kenntniß gebracht wird.

Berlin, den 17. Mai 1888.

Der Polizei-Präsident.

Allgemeine Vertragsbedingungen für die Ausführung von Garnisonbauten.

1. Gegenstand des Vertrages.

Den Gegenstand des Unternehmens bildet die im Vertrage bezeichnete Leistung. Im Einzelnen bestimmt sich Art und Umfang der dem Unternehmer obliegenden Verpflichtungen nach den Verdingungsanschlägen, den zugehörigen Zeichnungen und sonstigen als zum Vertrage gehörig bezeichneten Unterlagen. Die in den Verdingungsanschlägen angenommenen Vordersätze unterliegen jedoch denjenigen Aenderungen, welche — ohne wesentliche Abweichung von den dem Vertrage zu Grunde gelegten Bauentwürfen — bei der Ausführung der betreffenden Bauwerke sich ergeben.

Abänderungen der Bauentwürfe selbst anzuordnen, bleibt der Bauleitung vorbehalten. Leistungen, welche in den Bauentwürfen nicht vorgesehen sind, können dem Unternehmer nur mit seiner Zustimmung übertragen werden.

2. Berechnung der Vergütung.

Die dem Unternehmer zukommende Vergütung wird nach den wirklichen Leistungen unter Zugrundelegung der vertragsmäßigen Einheitspreise berechnet.

Die Vergütung für Tagelohnarbeiten erfolgt nach den vertragsmäßig vereinbarten Lohnsätzen.

3. Ausschluß einer besonderen Vergütung für Nebenleistungen, Vorhalten von Werkzeug, Geräthen, Rüstungen.

Insoweit in den Verdingungsanschlägen für Nebenleistungen sowie für das Vorhalten von Werkzeug und Geräthen, Rüstungen u. s. w. nicht besondere Preisansätze vorgesehen sind, umfassen die vereinbarten Preise und Tagelohnsätze zugleich die Vergütung für die zur planmäßigen Herstellung des Bauwerks gehörenden Nebenleistungen aller Art, insbesondere auch für die Heranschaffung der zu den Bauarbeiten erforderlichen Materialien aus den auf der Baustelle befindlichen Lagerplätzen nach der Verwendungsstelle am Bau, sowie die Entschädigung für Vorhaltung von Werkzeug, Geräthen u. s. w.

Auch die Gestellung der zu den Absteckungen, Höhenmessungen und Abnahmevermessungen erforderlichen Arbeitskräfte und Geräthe liegt dem Unternehmer ob, ohne daß demselben eine besondere Entschädigung hierfür gewährt wird.

4. Mehrleistung gegen den Vertrag.

Ohne ausdrückliche schriftliche Anordnung oder Genehmigung des Garnison-Baubeamten darf der Unternehmer keinerlei vom Vertrage abweichende oder im Verdingungsanschlage nicht vorgesehene Leistungen ausführen.

Diesem Verbot zuwider von dem Unternehmer bewirkte Leistungen ist die Bauleitung befugt, auf dessen Gefahr und Kosten wieder beseitigen zu lassen; auch hat der Unternehmer nicht nur keinerlei Vergütung für derartige Leistungen zu beanspruchen, sondern muß auch für allen Schaden aufkommen, welcher etwa durch diese Abweichungen vom Vertrage entstanden ist.

5. Minderleistung gegen den Vertrag.

Bleiben die ausgeführten Leistungen zufolge der von dem Garnison-Baubeamten getroffenen Anordnungen unter einer im Vertrage festverdungenen Menge zurück, so hat der Unternehmer Anspruch auf den Ersatz des ihm nachweislich hieraus entstandenen wirklichen Schadens.

Nöthigenfalls entscheidet hierüber das Schiedsgericht (25).

6. Beginn, Fortführung und Vollendung der Leistungen, Versäumnißstrafe.

Der Beginn, die Fortführung und Vollendung der Arbeiten und Lieferungen hat nach den in den besonderen Bedingungen festgesetzten Fristen zu erfolgen.

Ist über den Beginn der Leistung in den besonderen Bedingungen eine Vereinbarung nicht enthalten, so hat der Unternehmer spätestens 14 Tage nach schriftlicher Aufforderung seitens des bauleitenden Beamten zu beginnen.

Die Leistung muß im Verhältniß zu den bedungenen Vollendungsfristen fortgesetzt angemessen gefördert werden.

Die Zahl der zu verwendenden Arbeitskräfte und Geräthe, sowie die Vorräthe an Materialien müssen allezeit den übernommenen Leistungen entsprechen.

Eine im Vertrage bedungene Versäumnißstrafe gilt nicht für erlassen, wenn die verspätete Vertragserfüllung ganz oder theilweise ohne Vorbehalt angenommen worden ist.

Eine tageweise zu berechnende Versäumnißstrafe für verspätete Ausführung von Bauarbeiten bleibt für die in die Zeit einer Verzögerung fallenden Sonntage und allgemeinen Feiertage außer Ansatz.

7. Hinderungen der Bauausführung.

Glaubt der Unternehmer sich in der ordnungsmäßigen Fortführung der übernommenen Leistungen durch Anordnungen des Garnison-Baubeamten oder des bauleitenden Beamten oder durch das nicht gehörige Fortschreiten der Leistungen anderer Unternehmer behindert, so hat er bei dem bauleitenden Beamten hiervon schriftliche Anzeige zu erstatten.

Andernfalls werden schon wegen der unterlassenen Anzeige keinerlei auf die betreffenden, angeblich hindernden Umstände begründete Ansprüche oder Einwendungen zugelassen.

Nach Beseitigung derartiger Hinderungen sind die Leistungen ohne weitere Aufforderung ungesäumt wieder aufzunehmen.

Der Behörde, welche den Vertrag genehmigt hat, bleibt vorbehalten, falls die bezüglichen Beschwerden des Unternehmers für begründet zu erachten sind, eine angemessene Verlängerung der im Vertrage festgesetzten Vollendungsfristen — längstens bis zur Dauer der betreffenden Arbeitshinderung — zu bewilligen.

Für die bei Eintritt einer Unterbrechung der Bauausführung bereits ausgeführten Leistungen erhält der

Unternehmer die den vertragsmäßig bedungenen Preisen entsprechende Vergütung. Ist für verschiedenwerthige Leistungen ein nach dem Durchschnitt bemessener Einheitspreis vereinbart, so ist, unter Berücksichtigung des höheren oder geringeren Werthes der ausgeführten Leistungen gegenüber den noch rückständigen, ein von dem verabredeten Durchschnittspreis entsprechend abweichender neuer Einheitspreis für das Geleistete besonders zu ermitteln und danach die zu gewährende Vergütung zu berechnen.

Außerdem kann der Unternehmer im Fall einer Unterbrechung oder gänzlichen Abstandnahme von der Bauausführung den Ersatz des ihm nachweislich entstandenen wirklichen Schadens beanspruchen, wenn die eine Fortsetzung des Baues hindernden Umstände entweder von der Behörde, welche den Vertrag genehmigt hat, und deren Organen verschuldet sind, oder, insoweit zufällige, von dem Willen der Behörde unabhängige Umstände in Frage stehen, sich auf Seiten derselben zugetragen haben.

Eine Entschädigung für entgangenen Gewinn kann in keinem Falle beansprucht werden.

In gleicher Weise ist der Unternehmer zum Schadenersatz verpflichtet, wenn die betreffenden, die Fortführung des Baues hindernden Umstände von ihm verschuldet sind, oder auf seiner Seite sich zugetragen haben.

Auf die gegen den Unternehmer geltend zu machenden Schadenersatzforderungen kommen die etwa eingezogenen oder verwirkten Versäumnißstrafen in Anrechnung. Ist die Schadenersatzforderung niedriger als die Versäumnißstrafe, so kommt nur die letztere zur Einziehung.

In Ermangelung gütlicher Einigung entscheidet über die bezüglichen Ansprüche das Schiedsgericht (25).

Dauert die Unterbrechung der Bauausführung länger als 6 Monate, so steht jeder der beiden Vertragsparteien der Rücktritt vom Vertrage frei. Die Rücktrittserklärung muß schriftlich und spätestens 14 Tage nach Ablauf jener 6 Monate dem anderen Theile zugestellt werden; anderenfalls bleibt — unbeschadet der inzwischen etwa erwachsenen Ansprüche auf Schadenersatz oder Versäumnißstrafe — der Vertrag mit der Maßgabe in Kraft, daß die in demselben ausbedungene Vollendungsfrist um die Dauer der Bauunterbrechung verlängert wird.

8. Güte der Leistung.

Die Leistungen müssen den besten Regeln der Baukunst und den besonderen Bestimmungen des Verdingungsanschlages und des Vertrages entsprechen.

Bei den Arbeiten dürfen nur tüchtige und geübte Arbeiter beschäftigt werden.

Leistungen, welche der Garnison-Baubeamte den gedachten Bedingungen nicht entsprechend findet, sind sofort und unter Ausschluß der Anrufung eines Schiedsgerichts zu beseitigen und durch untadelhafte zu ersetzen. Für hierbei entstehende Verluste an Materialien hat der Unternehmer die Baukasse schadlos zu halten.

Arbeiter, welche nach dem Urtheile der Bauleitung untüchtig sind, müssen auf Verlangen entlassen und durch tüchtige ersetzt werden. Personen, welche an gemeingefährlichen Bestrebungen in irgend einer Weise betheiligt sind, dürfen bei Garnisonbauten nicht beschäftigt werden.

Materialien, welche dem Anschlage bezw. den besonderen Bedingungen oder den dem Vertrage zu Grunde gelegten Proben nicht entsprechen, sind auf Anordnung des Garnison-Baubeamten innerhalb einer von ihm zu bestimmenden Frist von der Baustelle zu entfernen.

Dem von dem Unternehmer als Bezugsquelle bezeichneten Fabrikanten wird von dem bauleitenden Beamten Mittheilung gemacht, wenn sich Anstände bezüglich der Ausführung der betreffenden Lieferungen ergeben.

Behufs Ueberwachung steht dem Garnison-Baubeamten oder den von demselben zu beauftragenden Personen jederzeit während der Arbeitsstunden der Zutritt zu den Arbeitsplätzen und Werkstätten frei, in welchen zu dem Unternehmen gehörige Arbeiten angefertigt werden.

9. Erfüllung der Verbindlichkeiten, welche dem Unternehmer, Handwerkern und Arbeitern gegenüber obliegen.

Der Unternehmer hat dem bauleitenden Beamten über die mit Handwerkern und Arbeitern in Betreff der Ausführung der Arbeit geschlossenen Verträge jederzeit auf Erfordern Auskunft zu ertheilen.

Sollte das angemessene Fortschreiten der Arbeiten dadurch in Frage gestellt werden, daß der Unternehmer Handwerkern oder Arbeitern gegenüber die Verpflichtungen aus dem Arbeitsvertrage nicht oder nicht pünktlich erfüllt, so ist die Behörde, welche den Vertrag genehmigt hat, berechtigt, die von dem Unternehmer geschuldeten Beträge für dessen Rechnung unmittelbar an die Berechtigten zu zahlen. Der Unternehmer hat die hierzu erforderlichen Unterlagen, Lohnlisten u. s. w. dem bauleitenden Beamten zur Verfügung zu stellen.

Der Unternehmer ist ferner verpflichtet, für die Errichtung einer Baukrankenkasse für die auf dem Bau beschäftigten Arbeiter Sorge zu tragen, resp. Letztere nach Maßgabe des Gesetzes vom 15. Juni 1883 — Reichsgesetzblatt № 9 pro 1883 — betreffend die Krankenversicherung der Arbeiter, bei einer Orts- oder Gemeinde-Krankenkasse zu versichern. Unternehmer haftet der Militär-Verwaltung für Ausführung dieser Bestimmung, sowie auch für alle Nachtheile, welche der Militär-Verwaltung etwa durch Unterlassung in Beziehung auf die Krankenversicherung der Arbeiter entstehen, mit der von ihm deponirten Kaution, sowie mit seinem ganzen übrigen Vermögen. Eine besondere Entschädigung wird für die durch Vorstehendes übernommene Verpflichtung Seitens der Militär-Verwaltung nicht gewährt.

10. Entziehung der Leistung.

Die Stelle, welche den Zuschlag ertheilt hat, ist berechtigt, den Vertrag aufzuheben, wenn sich nach Abschluß desselben herausstellt, daß der Unternehmer vorher mit Anderen Verabredungen behufs Enthaltung von der Verdingung oder sonst zum Schaden der Baukasse getroffen hatte; dieselbe Stelle ist befugt, dem Unternehmer die Arbeiten und Lieferungen ganz oder theilweise zu entziehen, sowie den noch nicht vollendeten Theil auf seine Kosten ausführen zu lassen oder selbst für seine Rechnung auszuführen, wenn

a. seine Leistungen untüchtig sind, oder
b. die Arbeiten nach Maßgabe der verlaufenen Zeit nicht genügend gefördert sind, oder
c. der Unternehmer den gemäß 9 getroffenen Anordnungen nicht nachkommt.

Vor der Entziehung der Leistung ist der Unternehmer durch eingeschriebenen Brief unter Androhung der Entziehung zur Beseitigung der vorliegenden Mängel, bezw. zur Befolgung der getroffenen Anordnungen unter Bewilligung einer angemessenen Frist aufzufordern.

Von der verfügten Entziehung wird dem Unternehmer durch eingeschriebenen Brief Eröffnung gemacht.

Auf die Berechnung der für die ausgeführten Leistungen dem Unternehmer zustehenden Vergütung und den Umfang der Verpflichtung desselben zum Schadenersatz finden die Bestimmungen in 7 gleichmäßige Anwendung.

Nach beendeter Leistung wird dem Unternehmer eine Abrechnung über die für ihn sich ergebende Forderung und Schuld mitgetheilt.

Abschlagszahlungen können im Falle der Entziehung dem Unternehmer nur innerhalb desjenigen Betrages gewährt werden, welcher als sicheres Guthaben desselben unter Berücksichtigung der entstandenen Gegenansprüche ermittelt ist.

Ueber die infolge der Entziehung etwa zu erhebenden vermögensrechtlichen Ansprüche entscheidet in Ermangelung gütlicher Einigung das Schiedsgericht (25).

11. Ordnungsvorschriften.

Der Unternehmer oder dessen Vertreter muß sich zufolge Aufforderung des bauleitenden Beamten auf der Baustelle einfinden, so oft nach dem Ermessen des letzteren die zu treffenden baulichen Anordnungen ein mündliches Benehmen auf der Baustelle erforderlich machen. Die sämmtlichen auf dem Bau beschäftigten Bevollmächtigten, Gehülfen und Arbeiter des Unternehmers sind bezüglich der Bauausführung und der Aufrechterhaltung der Ordnung auf dem Bauplatze den Anordnungen des bauleitenden Beamten bezw. dessen Stellvertreters unterworfen. Im Falle des Ungehorsams kann ihre sofortige Entfernung von der Baustelle verlangt werden.

Der Unternehmer hat, wenn nicht ein Anderes ausdrücklich vereinbart worden ist, für das Unterkommen seiner Arbeiter, insoweit dies von dem bauleitenden Beamten für erforderlich erachtet wird, selbst zu sorgen. Er muß für seine Arbeiter auf eigene Kosten an den ihm angewiesenen Orten die nöthigen Abtritte herstellen, sowie für deren regelmäßige Reinigung, Desinfektion und demnächstige Beseitigung Sorge tragen.

Für die Bewachung seiner Gerüste, Werkzeuge, Geräthe, sowie seiner auf der Baustelle lagernden Materialien Sorge zu tragen, ist lediglich Sache des Unternehmers.

12. Mitbenutzung von Rüstungen.

Die von dem Unternehmer hergestellten Rüstungen sind während ihres Bestehens auch anderen Bauhandwerkern unentgeltlich zur Benutzung zu überlassen. Aenderungen an den Rüstungen im Interesse der bequemeren Benutzung seitens der übrigen Bauhandwerker vorzunehmen, ist der Unternehmer nicht verpflichtet.

13. Beobachtung polizeilicher Vorschriften, Haftung des Unternehmers für seine Angestellten.

Für die Befolgung der bei Bauausführungen zu beachtenden polizeilichen Vorschriften und der etwa besonders ergehenden polizeilichen Anordnungen ist der Unternehmer für den ganzen Umfang seiner vertragsmäßigen Verpflichtungen verantwortlich. Kosten, welche ihm dadurch erwachsen, sowie Kosten der Arbeiterversicherung können der Baukasse nicht in Rechnung gestellt werden.

Der Unternehmer trägt insbesondere die Verantwortung für die gehörige Stärke und sonstige Tüchtigkeit der Rüstungen. Dieser Verantwortung unbeschadet ist er aber auch verpflichtet, eine von dem bauleitenden Beamten angeordnete Ergänzung und Verstärkung der Rüstungen unverzüglich und auf eigene Kosten zu bewirken.

Für alle Ansprüche, die wegen einer ihm selbst oder seinen Bevollmächtigten, Gehülfen oder Arbeitern zur Last fallenden Vernachlässigung polizeilicher Vorschriften an die Verwaltung erhoben werden, hat der Unternehmer in jeder Hinsicht aufzukommen.

Ueberhaupt haftet er in Ausführung des Vertrages für alle Handlungen und Unterlassungen seiner Bevollmächtigten, Gehülfen und Arbeiter persönlich. Er hat insbesondere jeden Schaden an Person oder Eigenthum zu vertreten, welcher durch ihn oder seine Organe Dritten oder der Baukasse zugefügt wird.

14. Aufmessung während des Baues und Abnahme.

Der bauleitende Beamte ist berechtigt, zu verlangen, daß über alle später nicht mehr nachzumessenden Leistungen von beiderseits Beauftragten während der Ausführung gegenseitig anzuerkennende Aufzeichnungen gemacht werden, welche demnächst der Berechnung zu Grunde zu legen sind.

Von der Vollendung der Leistungen hat der Unternehmer dem bauleitenden Beamten durch eingeschriebenen Brief Anzeige zu machen, worauf der Termin für die Abnahme mit thunlichster Beschleunigung anberaumt und dem Unternehmer schriftlich gegen Behändigungsschein oder mittelst eingeschriebenen Briefes bekannt gegeben wird.

Ueber die Abnahme wird in der Regel eine Verhandlung aufgenommen; auf Verlangen des Unternehmers muß dies geschehen. Die Verhandlung ist von dem Unternehmer bezw. dem für denselben etwa erschienenen Stellvertreter mit zu vollziehen.

Von der über die Abnahme aufgenommenen Verhandlung wird dem Unternehmer auf Verlangen beglaubigte Abschrift mitgetheilt.

Erscheint in dem zur Abnahme anberaumten Termine, gehöriger Benachrichtigung ungeachtet, weder der Unternehmer selbst, noch ein Bevollmächtigter desselben, so gelten die durch die Organe der bauleitenden Behörde bewirkten Aufzeichnungen, als anerkannt.

Auf die Feststellung des von dem Unternehmer Geleisteten finden im Falle der Entziehung (10) diese Bestimmungen gleichmäßige Anwendung.

Müssen Theilleistungen sofort abgenommen werden, so bedarf es einer besonderen Benachrichtigung des Unternehmers hiervon nicht, vielmehr ist es Sache desselben, für seine Anwesenheit oder Vertretung bei der Abnahme Sorge zu tragen.

15. Rechnungsaufstellung.

Bezüglich der formellen Aufstellung der Rechnung, welche in Form, Ausdrucksweise, Bezeichnung der Räume und Reihenfolge der Ansätze, genau nach dem Verdingungsanschlage einzurichten ist, hat der Unternehmer den von dem bauleitenden Beamten gestellten Anforderungen zu entsprechen.

Etwaige Mehrarbeiten sind in besonderer Rechnung nachzuweisen, unter deutlichem Hinweis auf die schriftlichen Vereinbarungen, welche bezüglich derselben getroffen sind.

16. Tagelohnrechnungen.

Werden im Auftrage des bauleitenden Beamten seitens des Unternehmers Arbeiten im Tagelohn ausgeführt, so ist die Liste der hierbei beschäftigten Arbeiter dem bauleitenden Beamten oder dessen Vertreter behufs Prüfung ihrer Richtigkeit täglich vorzulegen. Etwaige Ausstellungen dagegen werden dem Unternehmer binnen längstens 8 Tagen mitgetheilt.

Die Tagelohnrechnungen sind längstens von 2 zu 2 Wochen dem bauleitenden Beamten einzureichen.

17. Zahlung.

Die Schlußzahlung erfolgt auf die vom Unternehmer einzureichende Kostenrechnung alsbald nach vollendeter Prüfung und Feststellung derselben.

Abschlagszahlungen werden dem Unternehmer in angemessenen Fristen auf Antrag, nach Maßgabe des jeweilig Geleisteten, bis zu der von dem Garnison-Baubeamten mit Sicherheit vertretbaren Höhe gewährt.

Bleiben bei der Schlußabrechnung Meinungsverschiedenheiten bestehen, so soll das dem Unternehmer unbestritten zustehende Guthaben demselben gleichwohl nicht vorenthalten werden.

18. Verzicht auf spätere Geltendmachung aller nicht ausdrücklich vorbehaltenen Ansprüche.

Vor Empfangnahme des als Restguthaben zur Auszahlung angebotenen Betrages muß der Unternehmer alle Ansprüche, welche er aus dem Vertragsverhältniß über die behördlicherseits anerkannten hinaus etwa noch zu haben vermeint, bestimmt bezeichnen und sich vorbehalten, widrigenfalls die Geltendmachung dieser Ansprüche später ausgeschlossen ist.

19. Zahlende Kasse.

Alle Zahlungen erfolgen an der in den besonderen Bedingungen bezeichneten Kasse der Behörde.

20. Haftpflicht.

Die in den besonderen Bedingungen des Vertrages vorgesehene, in Ermangelung solcher nach den allgemeinen gesetzlichen Vorschriften sich bestimmende Frist für die dem Unternehmer obliegende Haftpflicht für die Güte der Leistung beginnt mit dem Zeitpunkte der Abnahme.

Der Einwand nicht rechtzeitiger Anzeige von Mängeln gelieferter Waaren (Art. 347 des Handelsgesetzbuches) *) ist nicht statthaft.

21. Sicherheitsstellung, Bürge.

Bürgen haben nach dem Ermessen der Aufsichtsbehörde als Selbstschuldner in den Vertrag mit einzutreten.

22. Sicherheitsstellung (Kaution).

Kautionen können in baarem Gelde, guten Werthpapieren, Sparkassenbüchern oder nach dem Ermessen der Aufsichtsbehörde auch in sicheren — gezogenen — Wechseln bestellt werden.

Kautionsfähige Papiere sind folgende:

1) Die Schuldverschreibungen, welche vom deutschen Reiche oder von einem deutschen Bundesstaate mit gesetzlicher Ermächtigung ausgestellt sind,
2) die Schuldverschreibungen, deren Verzinsung vom deutschen Reiche oder von einem deutschen Bundesstaate gesetzlich garantirt ist,
3) die Rentenbriefe der zur Vermittelung der Ablösung von Renten in Preußen bestehenden Rentenbanken,
4) die Schuldverschreibungen, welche von deutschen kommunalen Korporationen (Provinzen, Gemeinden, Kreisen ꝛc.) oder von deren Kreditanstalten ausgestellt und entweder seitens der Inhaber kündbar sind oder einer regelmäßigen Amortisation unterliegen,

---

*) Art. 347 des Handelsgesetzbuches lautet: „Ist die Waare von einem anderen Orte übersendet, so hat der Käufer ohne Verzug nach der Ablieferung, soweit dies nach dem ordnungsmäßigen Geschäftsgange thunlich ist, die Waare zu untersuchen, und wenn sich dieselbe nicht als vertragsmäßig oder gesetzmäßig (Art. 335) ergiebt, dem Verkäufer sofort davon Anzeige zu machen.

Versäumt er dies, so gilt die Waare als genehmigt, soweit es sich nicht um Mängel handelt, welche bei der sofortigen Untersuchung nach ordnungsmäßigem Geschäftsgange nicht erkennbar waren.

Ergeben sich später solche Mängel, so muß die Anzeige ohne Verzug nach der Entdeckung gemacht werden, widrigenfalls die Waare auch rücksichtlich dieser Mängel als genehmigt gilt.

Die vorstehende Bestimmung findet auch auf den Verkauf auf Besicht oder Probe, oder nach Probe Anwendung, insoweit es sich um Mängel der übersendeten Waare handelt, welche bei ordnungsmäßigem Besicht oder ordnungsmäßiger Prüfung nicht erkennbar waren."

5) die Sparkassenbücher von öffentlichen, obrigkeitlich bestätigten Sparkassen,
6) sichere Hypotheken und Pfandbriefe.

Die Annahme von Wechseln erfolgt nur, wenn die Aufsichtsbehörde solche für ganz zweifellos sicher erachtet.

Baar hinterlegte Kautionen werden nicht verzinst. Zinstragenden Werthpapieren sind die Anweisungen (Talons) und Zinsscheine, insoweit bezüglich der letzteren in den besonderen Bedingungen nicht etwas Anderes bestimmt wird, beizufügen. Die Zinsscheine werden so lange, als nicht eine Veräußerung der Werthpapiere zur Deckung entstandener Verbindlichkeiten in Aussicht genommen werden muß, an den Fälligkeitsterminen dem Unternehmer ausgehändigt. Für den Umtausch der Anweisungen (Talons), die Einlösung und den Ersatz ausgelooster Werthpapiere, sowie den Ersatz abgelaufener Wechsel hat der Unternehmer zu sorgen.

Falls der Unternehmer in irgend einer Beziehung seinen Verbindlichkeiten nicht nachkommt, kann die Behörde zu ihrer Schadloshaltung auf dem einfachsten, gesetzlich zulässigen Wege die hinterlegten Werthpapiere und Wechsel veräußern bezw. einkassiren.

Die Rückgabe der Kaution, soweit dieselbe für Verbindlichkeiten des Unternehmers nicht in Anspruch zu nehmen ist, erfolgt, nachdem der Unternehmer die ihm obliegenden Verpflichtungen vollständig erfüllt hat, und insoweit die Kaution zur Sicherung der Haftverpflichtung dient, nachdem die Haftzeit abgelaufen ist. In Ermangelung anderweiter Verabredung gilt als bedungen, daß die Kaution in ganzer Höhe zur Deckung der Haftverbindlichkeit einzubehalten ist.

23. Uebertragbarkeit des Vertrages.

Ohne Zustimmung der Behörde, welche den Vertrag genehmigt hat, darf der Unternehmer seine vertragsmäßigen Verpflichtungen nicht auf Andere übertragen.

Verfällt der Unternehmer vor Erfüllung des Vertrages in Konkurs, so ist diese Behörde berechtigt, den Vertrag mit dem Tage der Konkurs-Eröffnung aufzuheben.

Bezüglich der in diesem Falle zu gewährenden Vergütung sowie der Gewährung von Abschlagszahlungen finden die Bestimmungen in 10 sinngemäße Anwendung.

Für den Fall, daß der Unternehmer mit Tode abgehen sollte, bevor der Vertrag vollständig erfüllt ist, hat die Behörde die Wahl, ob sie das Vertragsverhältniß mit den Erben desselben fortsetzen oder dasselbe als aufgelöst betrachten will.

24. Gerichtsstand.

Für die aus dem Vertrage entspringenden Rechtsstreitigkeiten hat der Unternehmer — unbeschadet der im 25 vorgesehenen Zuständigkeit eines Schiedsgerichts — bei dem für den Ort der Bauausführung zuständigen Gerichte Recht zu nehmen.

25. Schiedsgericht.

Streitigkeiten über die durch den Vertrag begründeten Rechte und Pflichten, sowie über die Ausführung des Vertrages sind, wenn die Beilegung im Wege der Verhandlung nicht gelingen sollte, zunächst der Behörde, welche den Vertrag genehmigt hat, zur Entscheidung vorzulegen.

Gegen die Entscheidung dieser Behörde wird die Anrufung eines Schiedsgerichts zugelassen. Die Fortführung der Bauarbeiten, nach Maßgabe der von der Behörde getroffenen Anordnungen, darf hierdurch nicht aufgehalten werden.

Für die Bildung des Schiedsgerichts und das Verfahren vor demselben kommen die Vorschriften der deutschen Civil-Prozeßordnung vom 30. Januar 1877, §§ 851—872, in Anwendung. Bezüglich der Ernennung der Schiedsrichter sind abweichende, in den besonderen Vertragsbedingungen getroffene Bestimmungen in erster Reihe maßgebend. Falls die Schiedsrichter den Parteien anzeigen, daß sich unter ihnen Stimmengleichheit ergeben habe, wird das Schiedsgericht durch einen Obmann ergänzt. Die Ernennung desselben erfolgt — mangels anderweiter Festsetzung in den besonderen Bedingungen — durch den Intendanten eines benachbarten Korpsbezirks.

Ueber die Tragung der Kosten des schiedsrichterlichen Verfahrens entscheidet das Schiedsgericht nach billigem Ermessen.

26. Kosten und Stempel.

Briefe und Depeschen, welche den Abschluß und die Ausführung des Vertrages betreffen, werden beiderseits frankirt.

Die Portokosten für solche Geld- und sonstige Sendungen, welche im ausschließlichen Interesse des Unternehmers erfolgen, trägt der letztere.

Die Kosten des Vertragsstempels trägt der Unternehmer nach Maßgabe der gesetzlichen Bestimmungen.

Die übrigen Kosten des Vertragsabschlusses, d. h. der baaren Auslagen, fallen jedem Theile zur Hälfte zur Last.

* * *

Bestimmungen für die Bewerbung um Leistungen für Garnisonbauten.

1. Persönliche Leistungsfähigkeit der Bewerber.

Bei der Vergebung von Leistungen für Garnisonbauten hat Niemand Aussicht als Unternehmer angenommen zu werden, der nicht für die tüchtige, pünktliche und vollständige Ausführung derselben — auch in technischer Hinsicht — die erforderliche Sicherheit bietet.

2. Einsicht und Bezug der Verdingungsanschläge.

Verdingungsanschläge, Zeichnungen, Bedingungen sind an den in der Ausschreibung bezeichneten Stellen einzusehen, Abschriften, Nachrisse werden erforderlichen Falles auf Ersuchen gegen Erstattung der Selbstkosten verabfolgt.

3. Form und Inhalt der Angebote.

Die Angebote sind unter Benutzung der etwa vorgeschriebenen Formulare, von den Bewerbern unterschrieben, mit der in der Ausschreibung geforderten Ueberschrift versehen, versiegelt und frankirt bis zu dem angegebenen Termine einzureichen.

Die Angebote müssen enthalten:

a. die ausdrückliche Erklärung, daß der Bewerber sich den Bedingungen, welche der Ausschreibung zu Grunde gelegt sind, unterwirft;
b. die Angabe der geforderten Preise nach Reichswährung, und zwar sowohl die Angabe der Preise für die Einheiten, als auch der Gesammtforderung; stimmt die Gesammtforderung mit den Einheitspreisen nicht überein, so sollen die letzteren maßgebend sein, — wenn Angebote nach Prozenten der Anschlagssumme verlangt sind — diese Angebote;
c. die genaue Bezeichnung und Adresse des Bewerbers;
d. seitens gemeinschaftlich bietender Personen die Erklärung, daß sie sich für das Angebot solidarisch verbindlich machen, und die Bezeichnung eines zur Geschäftsführung und zur Empfangnahme der Zahlungen Bevollmächtigten; letzteres Erforderniß gilt auch für die Gebote von Gesellschaften;
e. nähere Angaben über die Bezeichnung der etwa mit eingereichten Proben. Die Proben selbst müssen ebenfalls vor dem Bietungstermine eingesandt und derartig bezeichnet sein, daß sich ohne Weiteres erkennen läßt, zu welchem Angebot sie gehören;
f. die etwa vorgeschriebenen Angaben über die Bezugsquellen.

Angebote, welche diesen Vorschriften nicht entsprechen, insbesondere solche, welche bis zu der festgesetzten Terminsstunde bei der Behörde nicht eingegangen sind, welche bezüglich des Gegenstandes von der Ausschreibung selbst abweichen, oder das Gebot an Sonderbedingungen knüpfen, haben keine Aussicht auf Berücksichtigung.

Es sollen indessen solche Angebote nicht grundsätzlich ausgeschlossen sein, in welchen der Bewerber erklärt, sich nur während einer kürzeren, als der in der Ausschreibung angegebenen Zuschlagsfrist an sein Angebot gebunden halten zu wollen.

4. Wirkung des Angebots.

Die Bewerber bleiben von dem Eintreffen des Angebots bei der ausschreibenden Behörde bis zum Ablauf der festgesetzten Zuschlagsfrist bezw. der von ihnen bezeichneten kürzeren Frist (№ 3 letzter Absatz) an ihre Angebote gebunden.

Die Bewerber unterwerfen sich mit Abgabe des Angebots in Bezug auf alle für sie daraus entstehenden Verbindlichkeiten der Gerichtsbarkeit des Ortes, an welchem die ausschreibende Behörde ihren Sitz hat.

5. Zulassung zum Eröffnungstermin.

Den Bewerbern und deren Bevollmächtigten steht der Zutritt zu dem Eröffnungstermine frei. Eine Veröffentlichung der abgegebenen Gebote ist nicht gestattet.

6. Ertheilung des Zuschlags.

Der Zuschlag wird von dem ausschreibenden Beamten, oder von der ausschreibenden Behörde, oder von einer dieser übergeordneten Behörde entweder im Eröffnungstermin, durch von dem gewählten Unternehmer mit zu vollziehende Verhandlung, oder durch besondere schriftliche Benachrichtigung ertheilt.

Letzterenfalls ist derselbe mit bindender Kraft erfolgt, wenn die Benachrichtigung innerhalb der Zuschlagsfrist als Depesche oder Brief dem Telegraphen- oder Postamt zur Beförderung an die in dem Angebot bezeichnete Adresse übergeben worden ist.

Trifft die Benachrichtigung trotz rechtzeitiger Absendung erst nach demjenigen Zeitpunkt bei dem Empfänger ein, für welchen dieser bei ordnungsmäßiger Beförderung den Eingang eines rechtzeitig abgesandten Briefes erwarten darf, so ist der Empfänger an sein Angebot nicht mehr gebunden, falls er ohne Verzug nach dem verspäteten Eintreffen der Zuschlagserklärung von seinem Rücktritt Nachricht gegeben hat.

Nachricht an diejenigen Bewerber, welche den Zuschlag nicht erhalten, wird nur dann ertheilt, wenn dieselben bei Einreichung des Angebots unter Beifügung des erforderlichen Briefgeldbetrages einen desfallsigen Wunsch zu erkennen gegeben haben. Proben werden nur dann zurückgegeben, wenn dies in dem Angebotsschreiben ausdrücklich verlangt wird, und erfolgt alsdann die Rücksendung auf Kosten des betreffenden Bewerbers. Eine Rückgabe findet im Falle der Annahme des Angebots nicht statt; ebenso kann im Falle der Ablehnung desselben die Rückgabe insoweit nicht verlangt werden, als die Proben bei den Prüfungen verbraucht sind.

Eingereichte Entwürfe werden auf Verlangen zurückgegeben.

Den Empfang des Zuschlagschreibens hat der Unternehmer umgehend schriftlich zu bestätigen.

7. Vertragsabschluß.

Der Bewerber, welcher den Zuschlag erhält, ist verpflichtet, auf Erfordern über den durch die Ertheilung des Zuschlages zu Stande gekommenen Vertrag eine schriftliche Urkunde zu vollziehen.

Sofern die Unterschrift des Bewerbers der Behörde nicht bekannt ist, bleibt vorbehalten, eine Beglaubigung derselben zu verlangen.

Die der Ausschreibung zu Grunde liegenden Verdingungsanschläge, Zeichnungen, welche bereits durch das Angebot anerkannt sind, hat der Bewerber bei Abschluß des Vertrages mit zu unterzeichnen.

8. Sicherheitsstellung (Kaution).

Wenn nichts Anderes durch die Ausschreibung bestimmt ist, hat der Unternehmer innerhalb 8 Tagen nach der Ertheilung des Zuschlages die vorgeschriebene Kaution zu bestellen, widrigenfalls die Behörde befugt ist, von dem Vertrage zurückzutreten und Schadenersatz zu beanspruchen.

9. Kosten der Ausschreibung.

Zu den durch die Ausschreibung selbst entstehenden Kosten hat der Unternehmer nicht beizutragen.

* * *

Vorstehende allgemeine Vertragsbedingungen 2c. werden hierdurch zur öffentlichen Kenntniß gebracht.

Berlin, den 8. Mai 1888.

Königl. Intendantur des Garde-Korps.

Ausweisung von Ausländern aus dem Reichsgebiete.

Lauf. Nr.	Name und Stand des Ausgewiesenen.	Alter und Heimath des Ausgewiesenen.	Grund der Bestrafung.	Behörde, welche die Ausweisung beschlossen hat.	Datum des Ausweisungs-Beschlusses.
1.	2.	3.	4.	5.	6
		Auf Grund des § 362 des Strafgesetzbuchs:			
1	Josef Abram, Zimmermann,	geboren am 5. Oktober 1870 zu Josefsthal, Bezirk Waidhofen, Nieder-Oesterreich, ortsangeh. zu Schlag, Bezirk Waidhofen,	Landstreichen,	Stadtmagistrat Deggendorf, Bayern,	9. März 1888.
2	Leo Reitmaier, Hadernsammler und Tagelöhner,	geboren am 26. Juni 1860 zu Drosau, Bezirk Klattau, Böhmen, ortsangehörig ebendaselbst,	Landstreichen, Betteln, grober Unfug, Sachbeschädigung und Bedrohung,	Stadtmagistrat Deggendorf, Bayern,	12. März 1888.
3	Franz Buchar, Weber,	geboren 1840 zu Martinitz, Bezirk Starkenbach, Böhmen, ortsangehörig ebendaselbst,	Betteln im wiederholten Rückfall,	Königlich Bayerisches Bezirksamt Regen,	15. März 1888.
4	Alois Eichel, Sattler,	geboren am 15. Juni 1865 zu Natolitz, Bezirk Pisek, Böhmen, ortsangehörig zu Protivin, ebendaselbst,	Landstreichen und Betteln,	dasselbe,	desgleichen.
5	Anton Kindlmann, Schreiner,	geboren am 8. August 1860 zu Elhenitz, Bezirk Prachatitz, Böhmen, ortsangehörig ebendaselbst,	Landstreichen, Vergehen wider die öffentliche Ordnung und grober Unfug,	Stadtmagistrat Passau, Bayern,	7. April 1888.
6	Franz Konbeck, Kaminkehrer,	28 Jahre alt, geboren und ortsangehörig zu Onisti, Bezirk Deutschbrod, Böhmen,	Landstreichen und Betteln,	Königlich Bayerisches Bezirksamt Eggenfelden,	16. April 1888.
7	Franz Paupera, Schlosser,	geboren am 12. Januar 1856 zu Tischtin, Bezirk Preran, Mähren, ortsangehörig ebendaselbst,	Diebstahl und Landstreichen,	Königlich Bayerisches Bezirksamt Rosenheim,	18. April 1888.
8	Edgar Olaf Steendahl, Posamentier,	geboren am 11. Juli 1835 zu Bornholm, Kreis Bergen, Norwegen,	Landstreichen, Ruhestörung, Widerstand gegen die Staatsgewalt,	Großherzogl. Sächsischer Bezirksdirektor zu Weimar,	17. April 1888.
9	Nestor Mathey, Zimmermann,	geboren am 22. Juli 1855 zu Verrières le Jour, Frankreich,	Landstreichen und Betteln,	Kaiserlicher Bezirks-Präsident zu Colmar,	26. Novemb. 1887.
10	Julius Leroy, Kellner,	geboren am 5. Februar 1871 zu Paris, Frankreich,	Landstreichen,	Kaiserlicher Bezirks-Präsident zu Metz,	24. April 1888.

(Hierzu eine Beilage, enthaltend den Fahrplan des Königlichen Eisenbahn-Direktions-Bezirks Bromberg, gültig vom 1. Juni 1888 ab, sowie Drei Oeffentliche Anzeiger.)

(Die Insertionsgebühren betragen für eine einspaltige Druckzeile 20 Pf. Belagsblätter werden der Bogen mit 10 Pf. berechnet.)

Redigirt von der Königlichen Regierung zu Potsdam.

Potsdam, Buchdruckerei der A. W. Hayn'schen Erben (C. Hayn, Hof-Buchdrucker).

Amtsblatt

der Königlichen Regierung zu Potsdam und der Stadt Berlin.

Stück 22. Den 1. Juni **1888.**

Bekanntmachungen der Königlichen Ministerien.

Ankauf von Remonten pro 1888.

Regierungs-Bezirk Potsdam.

23. Zum Ankaufe von Remonten im Alter von drei und ausnahmsweise vier Jahren sind im Bereiche der Königlichen Regierung zu Potsdam für dieses Jahr nachstehende, Morgens 8 resp. 9 Uhr beginnende Märkte anberaumt worden, und zwar:

am	8.	Juni	Jüterbog 9 Uhr,
„	9.	„	Oranienburg,
„	11.	„	Nauen,
„	12.	„	Neustadt a. Dosse,
„	13.	„	Rathenow,
„	15.	„	Havelberg,
„	16.	„	Wilsnack 9 Uhr,
„	31.	Juli	Strasburg i. Uckermark,
„	1.	August	Prenzlau,
„	2.	„	Angermünde,
„	3.	„	Neu-Ruppin,
„	4.	„	Kyritz,
„	6.	„	Wittstock,
„	7.	„	Meyenburg,
„	8.	„	Pritzwalk 9 Uhr,
„	9.	„	Perleberg,
„	10.	„	Lenzen a. Elbe.

Die von der Remonte-Ankaufs-Kommission erkauften Pferde werden mit Ausnahme derjenigen von Oranienburg zur Stelle abgenommen und sofort gegen Quittung baar bezahlt. Die Verkäufer auf dem Markte in Oranienburg werden dagegen ersucht, die erkauften Pferde in dem nahe gelegenen Remonte-Depot Bärenklau auf eigene Kosten und Gefahr einzuliefern und daselbst nach erfolgter Uebergabe in gesundem Zustande den behandelten Kaufpreis in Empfang zu nehmen.

Pferde mit solchen Fehlern, welche nach den Landesgesetzen den Kauf rückgängig machen, sind vom Verkäufer gegen Erstattung des Kaufpreises und der Unkosten zurückzunehmen, ebenso Krippensetzer, welche sich in den ersten acht und zwanzig Tagen nach Einlieferung in den Depots als solche erweisen. Pferde, welche den Verkäufern nicht eigenthümlich gehören, oder durch einen nicht legitimirten Bevollmächtigten der Kommission vorgestellt werden, sind vom Kauf ausgeschlossen.

Die Verkäufer sind verpflichtet, jedem verkauften Pferde eine neue, starke rindlederne Trense mit starkem Gebiß und eine neue Kopfhalfter von Leder oder Hanf mit 2 mindestens zwei Meter langen Stricken ohne besondere Vergütung mitzugeben.

Um die Abstammung der vorgeführten Pferde feststellen zu können, ist es erwünscht, daß die Deckscheine möglichst mitgebracht werden, auch werden die Verkäufer ersucht, die Schweife der Pferde nicht zu coupiren oder übermäßig zu verkürzen.

Ferner ist es dringend wünschenswerth, daß der immer mehr überhand nehmende zu massige oder weiche Futterzustand bei den zum Verkauf zu stellenden Remonten aufhört, weil dadurch die in den Remonte-Depots vorkommenden Krankheiten sehr viel schwerer zu überstehen sind, als dies bei rationell und nicht übermäßig gefutterten Remonten der Fall ist.

In Zukunft wird beim Ankauf zum Messen der Remonten das Stockmaß in Anwendung kommen.

Berlin, den 1. März 1888.

Kriegsministerium, Remontirungs-Abtheilung.

Bekanntmachungen des Königlichen Ober-Präsidenten der Provinz Brandenburg.

Wahl eines Mitgliedes des Brandenburgischen Provinziallandtages.

13. An Stelle des verstorbenen Zimmermeisters Koosch zu Gramzow ist vom Kreistage des Kreises Angermünde der Gemeinde-Vorsteher Schulze zu Liepe zum Mitgliede des Brandenburgischen Provinziallandtages gewählt worden, was gemäß § 21 der Provinzial-Ordnung hierdurch bekannt gemacht wird.

Potsdam, den 18. Mai 1888.

Der Oberpräsident der Provinz Brandenburg,
Staatsminister Achenbach.

Bekanntmachungen des Königlichen Regierungs-Präsidenten.

Die Ober-Präsidenten betreffend.

163. Infolge Allerhöchster Ordre vom 5. d. M. sollen die Oberpräsidenten für die Dauer dieses ihres Amtes das Prädikat „Excellenz" führen, was hiermit zur öffentlichen Kenntniß gebracht wird.

Potsdam, den 24. Mai 1888.

Der Regierungs-Präsident.

Ausspielung von Pferden ꝛc. in Zerbst.

164. Des Königs Majestät haben mittelst Allerhöchster Ordre vom 23. April d. J. dem landwirthschaftlichen Verein zu Zerbst im Herzogthum Anhalt die Erlaubniß zu ertheilen geruht, zu der mit Genehmigung der Herzoglichen Landesregierung in diesem Jahre wiederum von ihm zu veranstaltenden Ausspielung von Pferden und Equipagen, sowie von landwirthschaftlichen und gewerblichen Gegenständen auch im diesseitigen

Staatsgebiete und zwar im Regierungsbezirke Magdeburg, sowie in dem zum Regierungsbezirk Potsdam gehörigen Kreise Zauch-Belzig Loose zu vertreiben.

Potsdam, den 15. Mai 1888.

Der Regierungs-Präsident.

Oeffnungszeiten der Eisenbahndrehbrücken der Berlin-Lehrter und der Berlin-Hamburger Eisenbahn über die Havel bei Spandau und derjenigen der Berlin-Potsdam-Magdeburger Eisenbahn über die Havel bei Potsdam und Werder.

165. Nachstehend werden diejenigen Zeiten, während welcher die Drehbrücken der Berlin-Lehrter und der Berlin-Hamburger Eisenbahn über die Havel bei Spandau und die Drehbrücken der Berlin-Potsdam-Magdeburger Eisenbahn über die Havel bei Potsdam und Werder vom 1. Juni d. J. ab für die Gültigkeitsdauer des neuen Sommerfahrplans für die Durchfahrt der Schiffe ꝛc. geöffnet sein werden, zur öffentlichen Kenntniß gebracht.

I. Brücke der Berlin-Lehrter Bahn bei Spandau.

Von	1·55	Vorm.	bis	2·42	Vorm.
=	3·02	=	=	4·56	=
=	5·46	=	=	6·47	=
=	8·49	=	=	9·02	=
=	11·02	=	=	11·15	=
=	12·28	Nachm.	=	12·53	Nachm.
=	1·22	=	=	1.43	=
=	2·19	=	=	2·49	=
=	3·09	=	=	3·25	=
=	3·48	=	=	4·18	=
=	5·57	=	=	6·22	=
=	6·42	=	=	7·06	=
=	8·44	=	=	9.48	=
=	10·45	=	=	11·32	=

II. Brücke der Berlin-Hamburger Bahn bei Spandau.

Von	5·03	Vorm.	bis	5·22	Vorm.
=	5·44	=	=	6·12	=
=	7·31	=	=	7·44	=
=	8·04	=	=	8·34	=
=	10·17	=	=	11·38	=
=	11·58	=	=	12·31	Nachm.
=	12·51	Nachm.	=	1.16	=
=	2·14	=	=	2.33	=
=	3·24	=	=	3·36	=
=	3·56	=	=	5·00	=
=	6·02	=	=	6·14	=
=	7·41	=	=	8·10	=
=	8·53	=	=	9·04	=
=	10·10	=	=	10·29	=

III. Brücken der Berlin-Potsdam-Magdeburger Bahn.

A. Bei Potsdam.

1)	Von	3·45	Vorm.	bis	4·26	Vorm.
2)	=	4·45	=	=	5·23	=
3)	=	5·42	=	=	6·17	=
4)	=	8·08	=	=	8·32	=
5)	=	10·12	=	=	10·38	=
6)	=	10·56	=	=	11·24	=
7)	=	11·49	=	=	12·07	Nachm.
8)	=	12·26	Nachm.	=	12·44	=
9)	=	1·35	=	=	1·49	=
10)	=	3·08	=	=	3·21	=
11)	=	4·50	=	=	5·17	=
12)	=	5·35	=	=	5·48	=
13)	=	6·54	=	=	7·15	=
14)	=	7·33	=	=	7·48	=
15)	=	8·51	=	=	9·14	=

Die Oeffnungszeiten zu 9, 10, 12 und 14 sind vorzugsweise für Dampfer und deren Anhänge bestimmt. Andere Fahrzeuge dürfen nur in Ausnahmefällen und sofern die gegebene Zeit dazu ausreichend ist, durchgelassen werden.

B. Bei Werder.

Von	5·30	Vorm.	bis	6·10	Vorm.
=	8·15	=	=	8·40	=
=	10·15	=	=	10·54	=
=	11·40	=	=	12·30	Nachm.
=	1·26	Nachm.	=	1·46	=
=	3·00	=	=	3·30	=
=	4·10	=	=	6·00	=
=	7·00	=	=	7·50	=
=	8·50	=	=	9·40	=

Verspätungen fahrplanmäßiger Züge, Extrazüge, sowie alle sonstigen Betriebszufälle beschränken die vorbezeichneten Oeffnungszeiten bei allen Brücken.

Potsdam, den 29. Mai 1888.

Der Regierungs-Präsident.

Viehseuchen.

166. Eine Kuh des Kossäthen Gustav Pusemann zu Buckow im Kreise Jüterbog-Luckenwalde ist am 13. d. M. am Milzbrand gefallen.

Die Maul- und Klauenseuche unter den Viehbeständen des Rittergutsbesitzers Salchert und des Gemeindevorstehers Richter zu Schwerin im Kreise Beeskow-Storkow ist erloschen.

Potsdam, den 26. Mai 1888.

Der Regierungs-Präsident.

Bekanntmachungen des Königlichen Polizei-Präsidiums zu Berlin.

Unfall- und Krankenversicherung der in land- und forstwirthschaftlichen Betrieben beschäftigten Personen.

54. Auf Grund des § 52 des Reichsgesetzes, betreffend die Unfall- und Krankenversicherung der in land- und forstwirthschaftlichen Betrieben beschäftigten Personen vom 5. Mai 1886 (Reichs-Gesetzblatt Seite 132) werden die Namen und Wohnorte der Vorsitzenden und der Beisitzer der für die landwirthschaftlichen Berufsgenossenschaften in Preußen errichteten Schiedsgerichte, sowie die Namen und Wohnorte der Stellvertreter dieser Mitglieder nachstehend bekannt gemacht.

Berlin, den 17. April 1888. Der Minister für Landwirthschaft, Domänen und Forsten. Lucius.

Schiedsgericht für die Sektion des Kreises (Oberamtsbezirks)	Sitz des Schiedsgerichts	Name, Stand und Wohnort des Vorsitzenden	des stellvertretenden Vorsitzenden	der Beisitzer	der stellvertretenden Beisitzer
I. und II. ꝛc.					
III. Brandenburgische landwirthschaftliche Berufsgenossenschaft zu Berlin.					
A. Stadtkreis Berlin.					
1. Berlin, Stadt.	Berlin.	Poschmann, Regierungs-Rath zu Berlin.	Stolzmann, Regierungs-Rath zu Berlin.	1. Emil Roennenkamp, städtischer Garten-Inspektor, Berlin, Humboldthain.	1. Otto Thoné, Gärtnereibesitzer, Berlin, Frankfurter Allee 134.
					2. Karl Wredow, Garten-Inspektor, Berlin, Sebastianstraße 7.
				2. Wilhelm Feicht, Gärtnereibesitzer, Berlin, Müllerstr. 116/17.	1. Franz Gube, Gärtnereibesitzer, Berlin, Hasenhaide 8a.
					2. Alex Jaenicke, Kunst- und Landschafts-Gärtner, Berlin, Gerhardtstr. 1.
				3. Paul Müller, Obergärtner, Berlin, Müllerstraße 49b.	1. Wilhelm Kramer, Gärtnergehülfe, Berlin, Mulackstraße 34.
					2. Eduard Rathke, Gärtnergehülfe, Berlin, Thaerstraße 9.
				4. Hermann Mirus, Gärtnergehülfe, Berlin, Hochstraße 37.	1. Hermann Weidlich, Gärtnergehülfe, Berlin, Alt-Moabit 85.
					2. Theodor Frühauf, Gärtnergehülfe, Berlin, Pankstraße 14a.
ꝛc.					

* * *

Vorstehende Bekanntmachung nebst den Namen und dem Wohnorte der Vorsitzenden und der Beisitzer des für die Brandenburgische landwirthschaftliche Berufsgenossenschaft, Stadtkreis Berlin, errichteten Schiedsgerichts, sowie die Namen und Wohnorte der Stellvertreter dieser Mitglieder, wird hierdurch zur öffentlichen Kenntniß gebracht. Berlin, den 17. Mai 1888. Der Polizei-Präsident.

Verbot einer Druckschrift.

55. Auf Grund des § 12 des Reichsgesetzes gegen die gemeingefährlichen Bestrebungen der Sozialdemokratie vom 21. Oktober 1878 wird hierdurch zur öffentlichen Kenntniß gebracht, daß die nichtperiodische Druckschrift: „Sturmvögel. Revolutionäre Lieder und Gedichte." Gesammelt von Johann Most. Heft 3. New-York 1888, nach § 11 des gedachten Gesetzes durch den Unterzeichneten von Landespolizeiwegen verboten worden ist. Berlin, den 26. Mai 1888.

Der Königl. Polizei-Präsident.

56. Polizei-Verordnung, betreffend Desinfection bei ansteckenden Krankheiten.

Auf Grund der §§ 143 und 144 des Gesetzes über die allgemeine Landesverwaltung vom 30. Juli 1883 (Gesetz-Sammlung Seite 195 ff.) und der §§ 5 ff. über die Polizei-Verwaltung vom 11. März 1850 (Gesetz-Sammlung Seite 265) wird hierdurch nach Zustimmung des Gemeinde-Vorstandes für den Stadtkreis Berlin Folgendes verordnet:

§ 1. Die Haushaltungs-Vorstände beziehungsweise deren Stellvertreter (in Anstalten die Leiter, Verwalter, Hausväter ꝛc.) sind verpflichtet, bei Krankheitswie Sterbefällen an asiatischer Cholera, Pocken, Fleck- und Rückfall-Typhus und Diphtherie unbedingt, an Darmtyphus, bösartigem Scharlachfieber und bösartiger Ruhr nach dem Ermessen des Polizei-Präsidiums die von den Kranken benutzten Effekten und Räume, sowie die in letzteren befindlichen Gegenstände nach Maßgabe der erlassenen Vorschriften zu desinfiziren.

§ 2. Für die Desinfektion gelten die unter dem 7. Februar 1887 im Einverständniß mit dem Magistrat erlassenen Vorschriften.

Wer diese Desinfektions-Vorschriften, sowie die zukünftig zur Ergänzung oder Abänderung derselben erlassenen und veröffentlichten ortspolizeilichen Vorschriften nicht befolgt, hat die Ausführung des vorgeschriebenen

Verfahrens durch die Polizeibehörde auf seine Kosten zu gewärtigen, außerdem aber, sofern nicht im § 327 des Reichsstrafgesetzbuches eine höhere Strafe vorgesehen ist, eine Geldstrafe bis zu 30 Mark verwirkt.

Berlin, den 7. Februar 1887.

Der Polizei-Präsident.
(gez.) Freiherr von Richthofen.

* * *

Anweisung zum Desinfektions-Verfahren bei Volkskrankheiten.

Allgemeines.

§ 1. Die Desinfekton hat den Zweck, die Verbreitung ansteckender Volkskrankheiten durch Unschädlichmachung oder Vernichtung der Ansteckungskeime zu verhüten.

§ 2. Die ansteckenden Volkskrankheiten werden zu diesem Zweck eingetheilt in solche,

A. welche unbedingt Desinfektion erheischen:
   1) Asiatische Cholera,
   2) Pocken (echte und modifizirte),
   3) Fleck- und Rückfall-Typhus,
   4) Diphtherie,

B. bei welchen auf besondere amtliche Anordnung Desinfektion stattfinden muß, andernfalls dringend empfohlen wird:
   5) Darm-Typhus,
   6) Scharlach,
   7) Epidemische Ruhr,
   8) Masern,
   9) Keuchhusten,
   10) Lungenschwindsucht.

§ 3. Ansteckende Krankheiten werden verbreitet:
durch den Kranken selbst und seine Ausleerungen,
durch Verstorbene,
durch Speisen und Gebrauchsgegenstände (Möbel, Kleider, Wäsche und dergleichen),
durch mit dem Kranken verkehrende Personen,
durch das Krankenzimmer.

Die Desinfektion hat alle diese Punkte ins Auge zu fassen.

§ 4. Zur Desinfektion gehört:

1) peinlichste Reinlichkeit für den Kranken selbst, seine lebende und todte Umgebung, das Krankenzimmer und dessen gesammten Inhalt;
2) ausgiebige und häufige Erneuerung der Luft im Krankenzimmer;
3) schleunigste Entfernung und Unschädlichmachung aller Ansteckungsstoffe und werthloser Gegenstände.

Ausführung der Desinfektion.

§ 5.

1) Zur Erhaltung der Reinlichkeit gehört tägliche Reinigung des Kranken, häufiger — wenn möglich täglicher — Wechsel der Leib- und Bettwäsche, sofortiger Wechsel besudelter Wäsche und tägliche Reinigung des Krankenzimmers durch Aufwischen mit feuchten Tüchern, welche nach Gebrauch sofort eine halbe Stunde in kochendem Wasser gebrüht werden.
2) Lüftung des belegten Krankenzimmers wird durch häufiges und längeres Oeffnen der Fenster und des von innen heizbaren Ofens, bei niedriger Außentemperatur durch Oeffnen eines verhängten Fensters erzielt.
3) Zur Unschädlichmachung der Ansteckungsstoffe dienen:
   a. strömender überhitzter Wasserdampf in den von der Stadt Berlin eingerichteten Desinfektions-Anstalten,
   b. halbstündiges Kochen im Wasser,
   c. eine 5prozentige Karbolsäure-Lösung, hergestellt durch sorgfältige Mischung (Umrühren) von 1 Theil sogenannter 100prozentiger Karbolsäure (acidum carbolicum depuratum) mit 18 Theilen Wasser,
   d. eine 2prozentige Karbolsäurelösung, hergestellt aus 1 Theil derselben Karbolsäure mit 45 Theilen Wasser,
   e. Verbrennung werthloser Gegenstände.

§ 6. Falls der Kranke nicht in ein Krankenhaus gebracht wird, ist ein thunlichst abgesonderter Raum als Krankenzimmer zu wählen und außer Verkehr zu stellen.

In einem Zimmer, in welchem eine an Cholera, Pocken, Fleck- oder Rückfalltyphus, Diphtherie, Scharlach oder Ruhr erkrankte Person untergebracht ist, müssen in der Regel die zur Zeit befindlichen Möbel und Gebrauchsgegenstände jeglicher Art verbleiben.

Ist die Entfernung einzelner Stücke nicht zu umgehen, so sind dieselben vor Gebrauch nach diesen Vorschriften zu desinfiziren.

Alle vom Kranken während der Erkrankungszeit benutzten Leib- und Bettwäsche-Stücke, zum täglichen Aufwischen des Zimmers gebrauchte Tücher, sowie alle sonst waschbaren Gegenstände, welche man nach der Außergebrauchstellung, ohne sie vorher zu schütteln oder auszustäuben, in 2prozentiger Karbolsäure-Lösung mindestens 24 Stunden ein, koche dieselbe dann eine halbe Stunde in Wasser und wasche sie in Kaliseifenlauge aus, welche aus 20 Gramm Kali- (schwarzer oder grüner) Seife mit 10 Litern Wasser hergestellt wird.

§ 7. Alle Absonderungen von Cholera-, Typhus-, Diphtherie-, Scharlach- und Ruhrkranken fange man in Gefäßen, welche zu einem Viertel mit 5prozentiger Karbolsäure-Lösung gefüllt sind, auf und schütte sie in den Abtritt.

In Betracht kommen:
bei Cholera: Erbrochenes, Stuhlgang und Urin,
bei Diphtherie und Scharlach: Auswurf, Nasenschleim und Urin,
bei allen Typhusarten und epidemischer Ruhr: die Stuhlgänge.

Abtritte (Closets) dürfen Kranke vorgedachter Art nicht benutzen. Ist dies dennoch vor Feststellung der Krankheit oder später verbotswidrig geschehen, so reinige man die Sitzbretter und die Abtrittstrichter sofort durch Abscheuern mit 5prozentiger Karbolsäure und spüle letztere durch Eingießen von reichlichen Mengen (3 bis 4 Liter) derselben Lösung sorgfältig nach.

§ 8. Speisen und Getränke dürfen im Krankenzimmer weder aufbewahrt, noch von irgend Jemand, außer dem Kranken, genossen werden.

§ 9. Benutzte Verbandstücke werden sofort verbrannt, Instrumente in 5prozentiger Karbolsäure-Lösung gereinigt.

§ 10. Ueble Gerüche beseitige man lediglich durch Entfernung der Geruchsquelle (Entleerungen, Verbandstücke ꝛc.) und durch wiederholte ausgiebige Lüftung, Räucherungen mit wohlriechenden Stoffen bewirken **keine** Desinfektion, verdecken nur den Geruch, beseitigen ihn aber nicht.

§ 11. Nach Ablauf der Krankheit bringe man benutzte, nicht waschbare Kleidungsstücke, Betten, Kissen, Matratzen, Decken, seidene Stoffe, Teppiche, Pelzwerk, Polstermöbel ohne fournirtes äußeres Holzgestell **vorsichtig**, d. h. ohne viel zu rühren beziehungsweise gar zu schütteln oder auszuklopfen, in ein mit 2prozentiger Karbolsäure-Lösung angefeuchtetes Leinentuch eingebunden, in eine der städtischen Desinfektions-Anstalten mittelst deren Transportwagen.

Besudelte Ledersachen (Schuhwerk) sind mit 5prozentiger Karbolsäure-Lösung zu reinigen.

§ 12. Alle werthlosen Gegenstände (Bettstroh, unbrauchbar gewordene Kleider und dergleichen) werden verbrannt, und zwar, soweit nach Umfang möglich, im Heiz- oder Kochheerd, welcher zur Zeit mit Speisen nicht besetzt sein darf; größere Gegenstände aber, wie große Mengen Bettstroh, gefüllte und leere Bettsäcke und dergleichen mehr, werden durch die Revier-Polizei den städtischen Desinfektions-Anstalten zur Unschädlichmachung überwiesen.

§ 13. Polirte und geschnitzte Möbel, Bilder mit Rahmen, Metall- und Kunst-Gegenstände werden mit trockenen Lappen scharf, Tapeten wie gestrichene Wände mit Brod trocken und scharf abgerieben, nachdem der Fußboden des Zimmers vorher mit 5prozentiger Karbolsäure-Lösung stark angefeuchtet ist.

Von den Wandflächen, welche mit Auswurfsstoffen des Kranken besudelt sind, müssen Tapeten beziehungsweise Anstrich nach Anfeuchten mit 5prozentiger Karbolsäure-Lösung durch Abkratzen in entsprechender Ausdehnung entfernt werden.

Alle Fußböden ohne Unterschied, Thüren, Fenster, sowie alle Holzbekleidungen ohne Politur sind nach Cholera, Pocken, Diphtherie, Fleck- und Rückfall-Typhus mit 5prozentiger Karbolsäure-Lösung sorgfältig abzuscheuern; letztere läßt man in etwaige Dielenfugen einziehen und wäscht die gereinigten Flächen mit reinem Wasser nach.

Das zum Abreiben verwendete Brod beziehungsweise die Lappen werden verbrannt, etwa noch brauchbare Tücher in 2prozentiger Karbolsäurelösung auf 24 Stunden eingeweicht, dann in Wasser gekocht und in heißer Kali-Seifenlösung (vergl. § 6 Schluß) gewaschen.

§ 14. Nachdem so jeder Gegenstand im ehemaligen Krankenzimmer, wie jeder Theil des letzteren selbst, vorschriftsmäßig und sorgfältig gereinigt ist, lüfte man das Krankenzimmer nach Cholera, Pocken, Diphtherie, Fleck- und Rückfall-Typhus 24 Stunden hindurch.

§ 15. Die Benutzung von öffentlichen Fuhrwerken (Lohnwagen, Droschken, Omnibus, Pferdebahnen, Eisenbahnen) und von öffentlichen Wasserfahrzeugen zum Transport von Cholera-, Pocken-, Typhus-, Diphtherie-, Ruhr-, Scharlach- und Masern-Kranken ist verboten.

Derartige Kranke sind in besonderen Krankenwagen zu transportiren.

Kranken- wie Wagen der Desinfektions-Anstalten bestellt das zuständige Polizei-Revier auf Verlangen.

§ 16. Genesene Kranke müssen, bevor sie mit Gesunden wieder verkehren, sich in einem warmen Seifenbad und, falls dies nicht thunlich ist, durch Abwaschen des ganzen Körpers mit warmem Seifenwasser sorgfältig reinigen, darauf reine Wäsche und in der Krankheit nicht benutzte oder desinfizirte Kleider anlegen.

§ 17. Leichen von an Cholera, Pocken, Diphtherie, Ruhr oder einer Typhusart Verstorbenen sarge man nach Feststellung des Todes **ungewaschen** und in ein in 5prozentige Karbolsäure-Lösung getauchtes Leichentuch gehüllt ein, und führe sie thunlichst bald mittelst Leichenwagens aus der Wohnung in eine Leichenhalle über.

§ 18. Alle Personen, welche mit an Cholera, Pocken, Diphtherie, Scharlach, Fleck- oder Rückfall-Typhus Erkrankten in Verkehr getreten sind, haben sich, bevor sie wieder mit Gesunden in Berührung kommen, die Hände mit 2prozentiger Karbolsäure-Lösung, Pfleger und Pflegerinnen auch das Gesicht, Haupt- und Barthaar sorgfältig zu reinigen.

Desinfektoren tragen während ihrer Thätigkeit einen lediglich für diesen Zweck bestimmten Arbeitsanzug, reinigen sich nach der Arbeit wie die Pfleger und haben, wie Letztere nach vollendeter Arbeit, Wäsche und Kleider zu wechseln.

§ 19. Die Vorschriften der §§ 13 bis 18 kommen auch in denjenigen Fällen (§ 2 B.) zur Anwendung, bei welchen Desinfektion auf besondere amtliche Anordnung stattfindet.

§ 20. Ist bei Darmtyphus, Scharlach oder Ruhr amtlich eine Desinfektion nicht angeordnet, so findet dieselbe, wie bei Masern, Keuchhusten, Lungenschwindsucht, in jedem einzelnen Falle nach ärztlichem Ermessen statt.

Berlin, den 7. Februar 1887.

Der Polizei-Präsident.
(gez.) Freiherr von Richthofen.

* * *

**Bekanntmachung,
betreffend die Ausführung der Desinfektion durch geprüfte Heildiener und sonst amtlich mit der Desinfektion beauftragte Personen.**

1) Jeder geprüfte Heildiener, sowie jede amtlich mit als Desinfektor bezeichnete Persönlichkeit ist verpflichtet, jede Desinfektion, welche durch Erkrankungen oder Sterbefälle an asiatischer Cholera, echten oder modifizirten Pocken, Fleck- oder Rückfall-Typhus und Diphtherie erforderlich gemacht

wird, ohne Säumen genau nach den Vorschriften der vorstehenden Anweisung zum Desinfektions-Verfahren bei Volkskrankheiten vom 7. Februar 1887 auszuführen.

Dieselben Vorschriften finden Anwendung, wenn in Folge von Erkrankungen oder Todesfällen an Darmtyphus, bösartigem Scharlach oder bösartiger Ruhr durch die Behörden eine Desinfektion angeordnet wird.

2) Jede Desinfektion ist schleunigst auszuführen.

3) Geprüfte Heildiener und amtlich als Desinfektoren bezeichnete Persönlichkeiten müssen sechs, je 2 Kilogramm haltende starke Flaschen mit Karbolsäure-Lösung gefüllt bereit halten; drei Flaschen sind mit 2prozentiger, drei Flaschen mit 5prozentiger Karbolsäure-Lösung (nach § 5c und d der Anweisung bereitet) anzufüllen.

Die Flaschen müssen in Oelfarben- oder eingebrannter Schrift deutlich:

2prozentige Karbolsäure-Lösung — beziehentlich —
5prozentige Karbolsäure-Lösung.
Vorsicht!

bezeichnet sein.

4) Der Desinfektor erhält für die Desinfektion eines einzelnen Krankenraumes 3 Mark, für die Desinfektion weiter folgender Räume sind je 2 Mark zu entrichten. Die baaren Auslagen für verbrauchte Desinfektionsmittel sind zu erstatten.

5) Gegen geprüfte Heildiener und amtlich bestellte Desinfektoren, welche ohne triftigen Grund die Uebernahme einer Desinfektion ablehnen beziehungsweise eine übernommene Desinfektion säumig, nachlässig oder unvollständig zur Ausführung bringen, wird nach Maßgabe der bestehenden Bestimmungen eingeschritten werden.

6) Die Anleitung zum Desinfektions-Verfahren vom 15. August 1883, sowie die Anweisung zur Ausführung der Desinfektion für geprüfte Heildiener ꝛc. vom 22. Oktober 1883 sind in Zukunft nicht mehr maßgebend.

Berlin, den 8. Februar 1887.

Der Polizei-Präsident.
(gez.) Freiherr von Richthofen.

* * *

Vorstehende Polizei-Verordnung nebst Anweisung ꝛc. wird hiermit mit dem Bemerken nochmals bekannt gemacht, daß die Bestimmungen der gedachten Polizei-Verordnung und der Desinfektionsanweisung in den im § 1 der ersteren vorgesehenen Fällen für Jedermann verbindlich sind und daß eine in anderer Weise, als dort vorgeschrieben, ausgeführte Desinfektion seitens des Polizei-Präsidiums nicht als ausreichend anerkannt wird.

Berlin, den 19. Mai 1888.

Der Polizei-Präsident.

Bekanntmachungen des Staatssekretairs des Reichs-Postamts.

Postaufträge im Verkehr mit San Salvador.

11. Vom 1. Juni ab können im Verkehr mit San Salvador, der Hauptstadt der Republik Salvador, Gelder bis zum Meistbetrage von 200 Pesos Gold im Wege des Postauftrages unter den für den Vereinsverkehr geltenden Bestimmungen und Gebühren eingezogen werden. Wechselproteste werden nicht vermittelt. Berlin W., den 21. Mai 1888.

Der Staats-Sekretair des Reichs-Postamts.

Bekanntmachungen der Kaiserlichen Ober-Postdirektion zu Berlin.

Verlegung der Postagentur in Plötzensee und Umwandlung derselben in ein Postamt III. Klasse.

34. Vom 1. Juni ab wird die Postagentur in Plötzensee aus dem zum Strafgefängniß daselbst gehörigen Gebäude nach dem zu Plötzensee am Spandauer Schifffahrtskanal belegenen Hause Homuth II. verlegt und vom genannten Tage ab in ein Postamt III. Klasse umgewandelt. Die Dienststunden für den Verkehr mit dem Publikum finden, wie folgt, statt:

1) An den Wochentagen von 7 (im Winterhalbjahr von 8) Uhr Vorm. bis 1 Uhr Nachm. und von 3 bis 7 Uhr, für den Telegraphenbetrieb bis 7½ Uhr Nachm.;
2) an Sonn- und Feiertagen von 7 (im Winterhalbjahr von 8) bis 9 Uhr Vorm. und von 5 bis 6 Uhr Nachm.; außerdem von 12 bis 1 Uhr Mittags für den Telegraphenbetrieb.

Ferner ist das Postamt verpflichtet, außerhalb der vorbezeichneten Dienststunden Telegramme vom Publikum anzunehmen und zu befördern, oder eintretenden Falls am Apparate aufzunehmen, sofern ein Beamter ohnehin in den Diensträumen anwesend ist.

Berlin C., den 24. Mai 1888.

Der Kaiserl. Ober-Postdirektor.

Bekanntmachungen der Kaiserlichen Ober-Post-Direktion zu Potsdam.

Erweiterung der Stadt-Fernsprechanlagen.

35. Für die im nächsten Bauabschnitte vom 1sten August d. J. ab auszuführende **Erweiterung der Stadt-Fernsprechanlagen** in Potsdam, Spandau, Cöpenick, Steglitz, Groß-Lichterfelde, Oranienburg, Wannsee, Grünau (Mark) und Ludwigsfelde, welche sämmtlich mit dem **Berliner Fernsprechnetz** verbunden sind, ist es nothwendig, die Anzahl der neuen Anschlüsse, sowie die Lage der Gebäude, in welchen Fernsprechstellen eingerichtet werden sollen, im Voraus zu kennen.

Diejenigen Personen, welche den Anschluß an eine der genannten Stadt-Fernsprecheinrichtungen wünschen, wollen ihre **schriftlichen Anmeldungen spätestens** bis zum 1. Juli mir zugehen lassen. Die einschlägigen Bedingungen werden auf Wunsch von den Postanstalten in den bezeichneten Orten mitgetheilt.

Potsdam, den 19. Mai 1888.

Der Kaiserl. Ober-Postdirektor.

Bekanntmachungen der Königlichen Eisenbahn-Direktion zu Berlin.

Abfertigung von Reisegepäck zwischen Heringsdorf und Berlin 2c.

32. Zur Erleichterung des Reiseverkehrs von Berlin nach dem Badeorte Heringsdorf wird vom **15. Juni bis 15. September d. J.** das zu den Personenzügen 481/507 (ab Berlin Stettiner Bahnhof 8 50 Vorm.), sowie das zu dem Expreßzuge 491 (ab Berlin Stettiner Bahnhof 10 0 Vorm.) auf Billets Berlin-Swinemünde über Ducherow aufgegebene Reisegepäck auf Verlangen direkt nach Heringsdorf abgefertigt und hierbei, neben der etwa zur Erhebung kommenden Gepäcküberfracht bis Swinemünde, für die Beförderung von Swinemünde bis Heringsdorf eine Gebühr von 2 Pfg. pro kg, ohne Anrechnung von Freigewicht, mindestens aber 50 Pfg. und außerdem ein fester Zuschlag von 20 Pfg. für jeden Gepäckschein seitens der Abfertigungs-Expedition erhoben. In gleicher Weise wird während des vorgedachten Zeitraums direkte Gepäckabfertigung auch in umgekehrter Richtung von Heringsdorf **nach** Berlin mit den Zügen 510/482 (ab Swinemünde Bahnhof 1 44 Nachm.), sowie zu dem Expreßzuge 492 (ab Swinemünde 4 28 Nachm.) stattfinden. Ferner sind für die Dauer der Badesaison zur Bequemlichkeit des das gedachte Bad besuchenden Publikums in Heringsdorf — „Hotel Lindemann" — direkte Billets I., II. und III. Classe ab Swinemünde nach Berlin zu den tarifmäßigen Preisen zum Verkauf aufgelegt.

Berlin, den 19. Mai 1888.

Königl. Eisenbahn-Direktion.

Bekanntmachungen der Königlichen Eisenbahn-Direktion zu Bromberg.

Ausnahmetarif für Sprit und Spiritus zum See-Export.

38. Der mit Giltigkeit bis zum 31. August 1888 im Lokalverkehr des Eisenbahn-Direktionsbezirks Bromberg, sowie in den Staatsbahnverkehren Bromberg-Altona, Berlin, Breslau, Hannover und Oldenburg und im Südostpreußischen Verbandverkehr eingeführte Ausnahmetarif für Sprit und Spiritus zum See-Export bleibt bis zum 31. August 1889 in Kraft.

Bromburg, den 16. Mai 1888.

Königl. Eisenbahn-Direktion.

Frachtbegünstigung für Ausstellungsgegenstände.

39. Für die in der nachstehenden Zusammenstellung näher bezeichneten Gegenstände, welche auf den daselbst erwähnten Ausstellungen ausgestellt werden und unverkauft bleiben, wird eine Frachtbegünstigung in der Art gewährt, daß nur für die Hinbeförderung die volle tarifmäßige Fracht berechnet wird, die Rückbeförderung an die Versandstation und den Aussteller aber frachtfrei erfolgt, wenn durch Vorlage des ursprünglichen Frachtbriefes bezw. des Duplikat-Transportscheines für den Hinweg, sowie durch eine Bescheinigung der dazu ermächtigten Stelle nachgewiesen wird, daß die Gegenstände ausgestellt gewesen und unverkauft geblieben sind und wenn die Rückbeförderung innerhalb der unten angegebenen Zeit stattfindet.

In den ursprünglichen Frachtbriefen bezw. Duplikat-Transportscheinen für die Hinsendung ist ausdrücklich zu vermerken, daß die mit denselben aufgegebenen Sendungen durchweg aus Ausstellungsgut bestehen.

№	Art der Ausstellung	Ort	Zeit 1888	Die Frachtbegünstigung wird gewährt für	auf den Strecken der	Zur Ausfertigung der Bescheinigung sind ermächtigt	Die Rückbeförderung muß erfolgen innerhalb
1	Skandinavische Ausstellung	Kopenhagen	18. Mai bis 30. September	Kunst und kunstgewerbliche Gegenstände, auch fremdländische	Preußischen Staatsbahnen u. Eisenbahnen in Elsaß-Lothringen	Ausstellungs-Vorstand	4 Wochen
2	Ausstellung des internationalen Wettstreits für Wissenschaft und Industrie	Brüssel	Mai bis November	Gegenstände der nebenbezeichneten Art, auch fremdländische	desgl.	desgl.	6 Wochen
3	Geflügel-Ausstellung	Herford	26. bis 28. Mai	Geflügel und Geräthe der Geflügelzucht	Preußischen Staatsbahnen	Ausstellungs-Commission	14 Tage
4	Landwirthschaftliche Ausstellung	Greifenberg i. P.	2. u. 3. Juni	Gegenstände der Landwirthschaft	Königlichen Eisenbahn-Direktion Berlin u. Bromberg	Ausstellungs-Comité	14 Tage
5	Gewerbe-Ausstellung	Allenstein	17. Juni bis 31. Juli	Gegenstände des Gewerbes	Königlichen Eisenbahn-Direktion Bromberg	desgl.	14 Tage
6	Ausstellung von Feuerlöschgeräthen	Hannover	28. und 29. Juli	Feuerlöschgeräthe und Ausrüstungs-Gegenstände des Feuerlöschwesens	Preußischen Staatsbahnen u Eisenbahnen in Elsaß-Lothringen	Ausstellungs-Commission	4 Wochen

(nach Schluß der Ausstellung)

Bromberg, den 19. Mai 1888.

Königl. Eisenbahn-Direktion.

Eisenbahn-Kursbuch.

40. Am 1. Juni d. J. erscheint eine neue Ausgabe des Ostdeutschen Eisenbahn-Kursbuchs, enthaltend die Sommerfahrpläne der Eisenbahnstrecken östlich der Linie Stralsund—Berlin—Dresden, sowie Auszüge der Fahrpläne der anschließenden Bahnen von Mitteldeutschland, Oesterreich-Ungarn und Rußland, auch Post- und Dampfschiffs-Verbindungen, Angaben über Rundreise- und Saison-Billets u. s. w.

Das Kursbuch ist bei allen Stationen des vorbezeichneten Bezirks an der Billet-Ausgabestelle, bei den Bahnhofsbuchhändlern, sowie im Buchhandel zum Preise von 50 Pfennig zu beziehen.

Bromberg, den 27. Mai 1888.

Königliche Eisenbahn-Direktion.

Bekanntmachungen der Kreis-Ausschüsse.

Genehmigung.

13. Auf Grund des § 25 des Zuständigkeitsgesetzes vom 1. August 1883 in Verbindung mit § 1 Abschnitt 4 des Gesetzes vom 14. April 1856 genehmigen wir hiermit, daß die dem Königlich Preußischen Staate (Domainenverwaltung) gehörige, zu Malz belegene und an den Büdner und Schiffseigner Gottlieb Schulze daselbst zu veräußernde, 1 a 99 qm große, bisher unter Gemarkung Malz № 98 Kartenblatt 1 Parzelle № $\frac{434}{254}$ mit enthaltene Dorfauenparzelle, künftig für sich Kartenblatt 1 Parzelle № $\frac{460}{254}$ verzeichnet, dem Gemeindebezirke Malz einverleibt werde.

Berlin, den 11. Mai 1888.

Der Kreis-Ausschuß des Kreises Nieder-Barnim.

Personal-Chronik.

Der Amtsvorsteher Ludwig in Trebbin ist zum Stellvertreter des Amtsanwalts bei dem Königlichen Amtsgericht daselbst ernannt worden.

Im Kreise Westprignitz ist an Stelle des Gutspächters Irmer zu Retzin, welcher den Bezirk verlassen wird, der Referendar Wolfgang Gans Edler Herr zu Putlitz zu Retzin vom 24. Juni d. J. ab zum Amtsvorsteher des Bezirks XII. Seddin ernannt worden. Ferner sind bezw. vom 20. und vom 28. Juni d. J. ab der bisherige Amtsvorsteher des Bezirks XXII. Gottschow, Rittergutsbesitzer Irmer zu Rosenhagen, sowie der bisherige Amtsvorsteher-Stellvertreter im Bezirk XV. Stavenow ebendaselbst, Gutspächter Techen zu Dargardt von Neuem für ihre bisherigen Aemter ernannt worden.

Im Kreise Niederbarnim ist in Folge Ablaufs seiner Dienstzeit der Fabrikbesitzer Otto Bohm in Fredersdorf von Neuem zum Amtsvorsteher-Stellvertreter für den Bezirk XIV. Fredersdorf ernannt worden.

Dem Candidaten phil. Walter Sönderop zu Rosenthal (Kreis Prenzlau) ist die Erlaubniß ertheilt worden, im Regierungsbezirk Potsdam Stellen als Hauslehrer anzunehmen.

Die unter Königlichem Patronat stehende Pfarrstelle zu Schmergow, Diözese Neustadt-Brandenburg, ist durch das am 2. April d. J. erfolgte Ableben des Pfarrers Typke zur Erledigung gekommen. Die Wiederbesetzung derselben erfolgt durch das Kirchenregiment.

Der bisherige Pfarrer Johannes August Victor Thiede in Vietmannsdorf, Diözese Templin, ist zum Pfarrer der Parochie Kuhz, Diözese Prenzlau I., bestellt worden.

Der bisherige Hülfsprediger Wilhelm Ernst Karl Klie ist zum Pfarrer bei der evangelischen Gemeinde zu Börnicke, Diözese Bernau, bestellt worden.

Der bisherige Dom-Kandidat Georg Heinrich Theodor Simon ist zum Pfarrer der Parochie Krausnick, Diözese Königs-Wusterhausen, bestellt worden.

Der ordentliche Lehrer Dr. Runze vom Sophiengymnasium in Berlin ist in gleicher Eigenschaft an das Falkrealgymnasium versetzt worden.

Die Lehrerin Schmidt ist als Lehrerin und Erzieherin am französischen Kinderhospiz in Berlin angestellt worden.

Bei der Königlichen Ministerial-, Militair- und Bau-Kommission zu Berlin sind:

ausgeschieden: der Regierungs- und Baurath Keller in Folge Beschäftigung im Königlichen Ministerium der öffentlichen Arbeiten, die Büreau-Diätare Roeseler und Riemann in Folge ihrer Ernennung zu Geheimen Registratoren in dem Königlichen Ministerium der geistlichen, Unterrichts- und Medizinal-Angelegenheiten;

ernannt: der expedirende Sekretair und Kalkulator de Grain zum Plankammer-Inspektor.

angenommen: der stud. jur. Hans Conradi, die Abiturienten Ernst Rauch und Arthur Schmidt, sowie die Ober-Primaner Erich Kobligk und Max Rüger als Civil-Supernumerare.

Hierzu eine Beilage, enthaltend den Fahrplan des Königlichen Eisenbahn-Direktions-Bezirks Berlin, gültig vom 1. Juni 1888 ab, sowie Drei Oeffentliche Anzeiger.

(Die Insertionsgebühren betragen für eine einspaltige Druckzeile 20 Pf.
Belagsblätter werden der Bogen mit 10 Pf. berechnet.)

Redigirt von der Königlichen Regierung zu Potsdam.

Potsdam, Buchdruckerei der A. W. Hayn'schen Erben (E. Hayn, Hof-Buchdrucker).

Amtsblatt

der Königlichen Regierung zu Potsdam und der Stadt Berlin.

Stück 23. Den 8. Juni **1888.**

Bekanntmachungen der Königlichen Ministerien.

Unfall- und Krankenversicherung der in land- und forstwirthschaftlichen Betrieben beschäftigten Personen.

24. Ew. Hochwohlgeboren benachrichtigen wir ergebenst, daß wir auf Grund des § 51 Abs. 2 des Reichsgesetzes vom 5. Mai 1886, betreffend die Unfall- und Krankenversicherung der in land- und forstwirthschaftlichen Betrieben beschäftigten Personen (R.-G.-Bl. S. 132), den Herrn Regierungsrath Heidfeld in Potsdam zum Vorsitzenden und den Herrn Regierungsrath Frhr. v. Speßhardt in Potsdam zum Stellvertreter des Vorsitzenden des nach der Anweisung vom 16. Juli 1887 (Reichs-Anz. № 189 erste Beil.) in Potsdam zu errichtenden Schiedsgerichts für die dem mitunterzeichneten Minister für Landwirthschaft, Domänen und Forsten unterstellten Betriebe, welche für Rechnung des Preußischen Staates verwaltet werden, insoweit diese Betriebe den Berufsgenossenschaften nicht angeschlossen worden sind, ernannt und ihnen die Ernennungsverfügungen haben zugehen lassen.

Berlin, den 21. April 1888.

Der Minister für Landwirthschaft, Domänen u. Forsten.
gez. Lucius.

Der Minister für Handel und Gewerbe.
In Vertretung gez. Magdeburg.

Der Minister des Innern.
In Vertretung gez. Herrfurth.

Der Finanz-Minister.
In Vertretung gez. Meinecke.

An den Königlichen Regierungs-Präsidenten Herrn von Neefe Hochwohlgeboren Potsdam.

M. f. L. I. 6188 II./III. 3659. M. f. H. B. 1614.
M. d. J. I. A. 3586. F. M. I. 5059.

Bekanntmachungen des Königlichen Regierungs-Präsidenten.

Errichtung einer Hufbeschlaglehrschmiede in Charlottenburg.

167. Seitens des Hauptdirektoriums des landwirthschaftlichen Provinzial-Vereins für die Mark Brandenburg rc. ist zu Charlottenburg eine Hufbeschlaglehrschmiede errichtet worden, welcher gemäß § 2 № 3 des Gesetzes vom 18. Juni 1884 die Befugniß zur Ertheilung von Prüfungszeugnissen für den Betrieb des Hufbeschlaggewerbes widerruflich ertheilt worden ist.

Die Prüfungscommission besteht aus a. einem vom Hauptdirectorium im Einverständniß mit dem zeitigen Verwalter der Lehranstalt ernannten Vorsitzenden, b. einem von mir ernannten Commissarius, c. dem Königl. Kreisthierarzt des Kreises Charlottenburg, d. dem zeitigen Verwalter der Lehranstalt.

Der Lehrcursus dauert 2 Monate und zerfällt in den theoretischen und praktischen Unterricht.

Zur Aufnahme sind erforderlich: 1) der Nachweis über Erlernung des praktischen Schmiedehandwerkes, 2) ein polizeiliches Führungsattest.

Es sollen nicht mehr als 12 Schüler gleichzeitig zu einem Kursus zugelassen werden.

Der im Voraus an den zeitigen Verwalter der Lehranstalt zu entrichtende Beitrag zu jedem Cursus beträgt 30 Mark. Das nöthige Eisen und die erforderlichen Kohlen liefert der zeitige Verwalter. Für Wohnung und Beköstigung hat jeder Schüler selbst zu sorgen.

Der Beginn eines jeden Cursus wird in den Kreisblättern des Regierungsbezirks Potsdam und im Landboten bekannt gemacht.

Potsdam, den 29. Mai 1888.

Der Regierungs-Präsident.

Betrifft Beaufsichtigung der im Kreise Ruppin belegenen Laichschonreviere.

168. Im Anschlusse an meine Bekanntmachung vom 13. Februar d. J. — Stück 7 des Amtsblattes de 1888 —, betreffend die Festsetzung von Laichschonrevieren im Kreise Ruppin, bringe ich hierdurch zur allgemeinen Kenntniß, daß ich folgende Personen bezw. Behörden mit der speziellen Beaufsichtigung der Laichschonreviere und Ausübung der polizeilichen Funktionen beauftragt habe:

1) den Königlichen Förster Schröder zu Forsthaus Fristow für das Revier im nordöstlichen Winkel des Zermützel-See's;
2) den Pritzstabel Beyer in Alt-Ruppin für das Revier:
   die nördliche Spitze des Ruppiner See's, begrenzt durch die Stadtlage von Alt-Ruppin und die Insel Poggenwerder einerseits, andererseits durch eine Linie, welche durch den auf der Ostseite belegenen Kalkofen und die Insel Poggenwerder geht;
3) den Königlichen Förster Boas zu Forsthaus Stechlin für die Reviere:
   a. die nordöstlich des Forsthauses Stechlin belegene Bucht des Gr.-Stechlin-See's,
   b. die östlich der vorigen belegene kleinere Bucht desselben See's,

c. die dem Wulwitz-See gegenüber belegene nördliche Bucht des Nehmitz-See's,

d. den Breutzen-See;

4) die Polizei-Verwaltung in Lindow für das Revier: den an der Mündung des Bielitz- und des Wutz-Fließes belegenen südöstlichen Theil des Gudelack-See's;

5) den Gendarm Skrypalle zu Lindow für die Reviere:

a. den westlich der Seebecker Abbauten belegenen mittleren Theil des Bielitz-See's,

b. den nördlich des kleinen Struben-See's belegenen mittleren Theil des Wutz-See's;

6) den Amtsdiener Baar zu Wustrau für die Reviere:

a. die der Karwer Forst gegenüber liegende östliche Bucht des Ruppiner See's,

b. die südwestlich vom Schloßberge in die Friesacker Feldmark einspringende Bucht des Bütz-See's;

7) den Amtsdiener Kubusch in Sommerfeld für das im fiskalischen Theil des Cremmen'er Sees eingerichtete Revier. Potsdam, den 31. Mai 1888.

Der Regierungs-Präsident.

Ausspielung von Gegenständen der Kunst und des Kunstgewerbes in Weimar.

169. Des Königs Majestät haben mittelst Allerhöchsten Erlasses vom 14. Mai d. J. dem Vorstande der ständigen Ausstellung für Kunst und Kunstgewerbe zu Weimar die Erlaubniß zu ertheilen geruht, zu der von ihm mit Genehmigung der Großherzoglich Sächsischen Staatsregierung im Laufe dieses Jahres wiederum zu veranstaltenden Ausspielung von Gegenständen der Kunst und des Kunstgewerbes, auch im diesseitigen Staatsgebiete, und zwar im ganzen Bereich desselben Loose zu vertreiben. Die Polizeibehörden und Gendarmen werden angewiesen, den Vertrieb der Loose nicht zu beanstanden. Potsdam und Berlin, den 30. Mai 1888.

Der Regierungs-Präsident. Der Polizei-Präsident.

Verbot eines Flugblattes.

170. Auf Grund der §§ 11 und 12 des Reichs-Gesetzes gegen die gemeingefährlichen Bestrebungen der Socialdemokratie vom 21. Oktober 1878 wird das in der Nacht vom 1.—2. Juni d. J. zu Velten, Kreis Ost-Havelland, verbreitete, eine Angabe des Druckers und Verlegers nicht enthaltende Flugblatt mit der Ueberschrift: „Parteigenossen! Arbeiter! Mitbürger!" und mit dem Schlußsatz „Hoch lebe die unbesiegbare, internationale Socialdemokratie!" verboten.

Potsdam, den 5. Juni 1888.

Der Regierungs-Präsident.

Viehseuchen.

171. Die Rotzkrankheit ist im Kreise Ostprignitz durch Tödtung nnd Obduction der erkrankten Pferde festgestellt worden: 1) am 17. Mai an einem Pferde des Holzhändlers Eduard Müller in Flecken Zechlin, welches auf dem vormals Bauer Friedrich Plagemann'schen Gehöfte zu Dranse gestanden hat und mit sehr altem Rotz behaftet gewesen ist; 2) am 18. Mai an einem Pferde der Bauerwittwe Friederike Gerth in Babitz bei Wittstock; 3) am 24. Mai an einem Pferde des Bauern Ramin in Grabow Ausbau bei Herzsprung.

Potsdam, den 2. Juni 1888.

Der Regierungs-Präsident.

Bekanntmachungen des Königlichen Polizei-Präsidiums zu Berlin.

Geheimmittel.

57. Unter dem Namen „Warner's Safe Cure" wird seit einiger Zeit eine braune Flüssigkeit in flachen Flaschen von etwa 500 Gramm Inhalt gegen Nierenleiden und Magenbeschwerden angepriesen und für den Preis von 4 Mark verkauft. Die amtlich veranlaßte chemische Untersuchung und die Angabe eines hiesigen Apothekers, welcher das Mittel führt, haben ergeben, daß das Mittel im Wesentlichen aus amerikanischem Wintergrün hergestellt wird und daß die Flasche höchstens einen Werth von 2 Mark hat. Solches wird hierdurch zur Warnung des Publikums veröffentlicht.

Berlin, den 25. Mai 1888.

Der Polizei-Präsident.

Bekanntmachungen des Staatssekretairs des Reichs-Postamts.

Postverkehr mit Togo.

12. In Klein Popo, im Deutschen Togo-Schutzgebiet, ist eine Kaiserliche Postanstalt eingerichtet worden, welche unter den für den Weltpostverein geltenden Bedingungen den Austausch von gewöhnlichen und eingeschriebenen Briefsendungen, sowie von Postpacketen bis 5 kg vermittelt. Die Beförderung der Briefsendungen erfolgt mit sämmtlichen sich bietenden Deutschen und Britischen Post-Dampfschiffverbindungen. Für Sendungen aus Deutschland beträgt das Porto: für Briefe 20 Pf. für je 15 g, für Postkarten 10 Pf., für Drucksachen, Waarenproben und Geschäftspapiere 5 Pf. für je 50 g, mindestens jedoch 10 Pf. für Waarenproben und 20 Pf. für Geschäftspapiere. Zu diesen Sätzen tritt u. A. die Einschreibgebühr von 20 Pf. Für Postpackete bis 5 kg nach Togo beträgt die Taxe 1 Mk. 60 Pf. Ueber das Weitere ertheilen die Postanstalten Auskunft. Berlin W., den 27. Mai 1888.

Der Staatssecretär des Reichs-Postamts.

Bekanntmachungen der Kaiserlichen Ober-Postdirektion zu Berlin.

Unanbringliche Packete.

36. Bei der Ober-Postdirektion in Berlin lagern: A. Packete (in Berlin zur Post gegeben): an Aron Siew in Dünaburg, 1,370 kg, 13. Juli 1887, an Feuermann & Bogroff in Odessa, 1,528 kg, 17. September 1887, an Weidenfels in Glehn bei Neuß, 5 kg, 23. November 1887, an Boehm in Breslau, Klosterstraße 66, 1½ kg, 29. November 1887, an Fabrikdirektor Mysyk in Münchengrätz, 1½ kg, 17. Dezember 1887, an Friedr. Wolter, Kellner in Berlin (Hotel Stadt London), 4 kg, 27. Dezember 1887, an Wild, Musikalienhandlung in Dresden, 8. Januar 1888, an Wendicke jr. in Ahlbeck, ½ kg, 15. Januar 1888, an Ludwig Raßmussen in Bremen, 5 kg, 18. Januar 1888.

B. Gegenstände, welche in Packeten ohne Aufschrift enthalten gewesen oder Postsendungen entfallen oder bei hiesigen Postanstalten herrenlos aufgefunden worden sind: 1 Dutzend Nußknacker, 1 Violinbogen, 2 Stege und 1 Stück Colophonium, 1 Körbchen, Tischlerleim, 1 Paar Schuhe, Haarnadeln, verschiedene Taschentücher, 2 Ringe, mehrere Paar Handschuhe, Knopf, Hutfeder, 2 Patenthaken, 1 Leuchter, 1 Vase, 1 Stück Marmor, 1 Gewindebohrer, 1 Kinderspielzeug, 1 Cliché, 1 Holzfigur, 1 Briefbeschwerer, Schreibebücher, 1 Kasten mit Stickzeug, Schlips und Messer, 1 Dintenwischer, 1 Stück Zink, Schieferstifte, 1 Baukasten, 1 Boa, 1 Stock, Wäsche, 1 Jacke, 1 Packet Messer, 1 Tabackspfeife, 1 Paar Morgenschuhe, mehrere Stück Band, 1 Schachtel mit Knöpfen, 1 Blechkanne, 1 Korbflasche, Barchend und Schürzenzeug, verschiedene Messer, 2 Dosen, 1 Umhüllung für Streichholzdöschen, Shirting, 1 Börse, 1 Halstuch und 1 Weste, 2 Glasdeckel, 2 Kragen, 1 Fraise und 1 Feuerzeug, 1 Uhrkette, 1 Kinderjacke, 2 Pfeifen für Kinder, Uhrfedern, 20 Cigarren, 1 Gewehr, 1 Lehrbuch der „Allgemeinen Weltgeschichte" von Löhlein, 1 Lotteriespiel, 1 Mütze, mehrere Armbänder, 6 Hemden, 1 Stück Tuchstoff, 1 Paar Unterbeinkleider, 8 Paar Strümpfe, 4 Vorhemden, 1 Deckel aus Metall, 1 Paar wollene Socken, Taback, 6 Päckchen Nadeln, Wolle, mehrere Scheeren, 1 Revolver, Haken und Oesen, 1 Paar Kinderschuhe, 1 Licht, eiserne und messingene Haken, 1 Broche, 1 Paar Manschetten, mehrere Schlösser und Schlüssel, 5 Schraubenköpfe von Messing, 1 Schachtel Wichse, mehrere Petschafte, 1 Trommelstock, 2 Päckchen Weißblech, mehrere Stück Seife, 8 Schlittschuhschlüssel, 1 Cigarren-Etui, 1 Büchse mit Schmiere, 2 Dutzend Schilder zu Cravatten, 1 Nadelbüchse und 2 Photographien, Drahtstifte, 3 Stahlschienen, 12 Stehkragen, 1 Portemonnaie, geschliffene Uhrgläser, Frachtbrief-Formulare, 1 Stahlbrille, 1 Päckchen Nägel, Nähnadeln, Staniolpapier, 2 Uhrgewichte, Perlen, 1 Gummiwalze, 8 Blechscheibchen, 1 Nickelkette, Rollen von Metall, Lenormand'sche Wahrsagerkarten, 1 Buch „ein Gang durch's Dörfchen", 1 Album mit Aquarellmalereien, 1 Uhrkette von Stahl, 1 Münze (Bettelmünze), 8 Probesendungen von Kleesamen, Luxusbilder, 1 Gürtelhalter und Schnalle, 1 Berloque (Compaß), 1 „christlicher Volkskalender", 1 Zeitschrift: „Forst- und Jagdwesen", 3 Spiele Karten, 1 Buch „Marpna", 1 Buch „Jagdliche Rundschau", 48 Arbeitsbücher, 1 Beutel mit Wallnüssen, 1 Kästchen mit 13 Stück vernickelten Cigarrenabschneidern, 2 Serviettenringe, 5 Rollen Bindfaden, 1 Nadel von Stahl (chirurgisches Instrument).

Die unbekannten Absender der vorbezeichneten Sendungen werden ersucht, spätestens innerhalb vier Wochen — vom Tage des Erscheinens gegenwärtiger Bekanntmachung an gerechnet — bei der Ober-Postdirektion hierselbst sich zu melden, widrigenfalls die Gegenstände zum Besten des Post-Armenfonds werden versteigert werden. Berlin C., 27. Mai 1888.

Der Kaiserl. Ober-Postdirektor.

Bekanntmachungen der Kaiserlichen Ober-Post-Direktion zu Potsdam.

Annahme von Postsendungen durch die Landbriefträger.

37. Im Interesse der ländlichen Bevölkerung besteht die Einrichtung, daß die Landbriefträger auf ihren Bestellgängen Postsendungen anzunehmen und an die nächste Postanstalt abzuliefern haben. Jeder Landbriefträger führt auf seinem Bestellgange ein Annahmebuch mit sich, welches zur Eintragung der von ihm angenommenen Sendungen mit Werthangabe, Einschreibsendungen, Postanweisungen, gewöhnlichen Packeten und Nachnahmesendungen dient.

Will ein Einlieferer die Eintragung selbst bewirken, so hat der Landbriefträger demselben das Buch vorzulegen.

Bei Eintragung des Gegenstandes durch den Landbriefträger muß dem Absender auf Verlangen durch Vorlegung des Annahmebuches die Ueberzeugung von der stattgehabten Eintragung gewährt werden.

Es wird hierauf mit dem Bemerken aufmerksam gemacht, daß **die Eintragung der Sendungen in das Annahmebuch das Mittel zur Sicherstellung des Auflieferers bietet.**

Potsdam, den 25. Mai 1888.

Der Kaiserliche Ober-Postdirector.

Einrichtung eines Postamts mit Telegraphenbetrieb in Groß-Lichterfelde.

38. Am **1. Juni** tritt in dem Dorfe **Groß-Lichterfelde** (Kr. Teltow), in der Nähe des Potsdamer Bahnhofes daselbst, Kyllmannstraße Nr. 13, ein **Postamt mit Telegraphenbetrieb** in Wirksamkeit, welches die Bezeichnung: **„Groß-Lichterfelde 3 (Potsdamer Bahn)"** erhält.

Die Dienststunden für den Verkehr mit dem Publikum sind, wie folgt festgesetzt:

An den **Wochentagen** von 7 (im Winterhalbjahr von 8) Uhr Vorm. bis 1 Uhr Nachm. und von 3 bis 7 Uhr Nachm.

An **Sonn- und Feiertagen** von 7 (im Winterhalbjahr von 8) Uhr bis 9 Uhr Vorm. und von 6 bis 7 Uhr Nachm.; außerdem von 12 bis 1 Uhr Mittags für den Telegraphenbetrieb.

Ferner hat das Kaiserliche Postamt, außerhalb der vorbezeichneten Dienststunden, Telegramme vom Publikum anzunehmen und zu befördern, oder eintretenden Falles am Apparat aufzunehmen, sofern ein Beamter ohnehin in den Diensträumen anwesend ist.

Postverbindungen erhält das Postamt durch die auf der Berlin-Potsdamer Eisenbahn verkehrenden Schaffnerbahnposten.

Mit der Bestellung der nach Groß-Lichterfelde gerichteten Postsendungen hat die neue Verkehrs-Anstalt vorerst keine Befassung.

Potsdam, den 28. Mai 1888.

Der Kaiserliche Ober-Postdirector.

Bekanntmachungen des Königlichen Provinzial-Schul-Collegiums zu Berlin.

Prüfung für Sprachlehrerinnen an mittleren und höheren Mädchenschulen.

7. Die Prüfung zur Erlangung der Lehr-Befähigung für den französischen und den englischen Sprachunterricht an mittleren und höheren Mädchenschulen wird in Berlin im Lokale der Königlichen Elisabethschule, Kochstraße Nr. 65, **vom 19. November d. J. ab** stattfinden. Zu der Prüfung werden nur solche Bewerberinnen zugelassen, welche das achtzehnte Lebensjahr vollendet und ihre sittliche Unbescholtenheit, sowie ihre körperliche Befähigung zur Verwaltung eines Lehramts nachgewiesen haben. Die Meldungen zu der Prüfung sind spätestens bis zum 22. Oktober d. J. an uns einzureichen und es ist in dem Gesuche anzugeben, ob die Ablegung der Prüfung in beiden Sprachen und wenn nur in einer, in welcher von beiden sie beabsichtigt wird. Der Meldung ist beizufügen: 1) ein selbstgefertigter Lebenslauf, auf dessen Titelblatt der vollständige Name, der Geburtsort, das Alter, die Confession und der Wohnort der Bewerberin anzugeben ist; 2) ein Tauf- beziehungsweise Geburtsschein; 3) Zeugnisse über die bisher empfangene Schulbildung und über etwa schon bestandene Prüfungen; 4) ein amtliches Führungszeugniß; 5) ein von einem zur Führung eines Dienstsiegels berechtigten Arzte ausgestelltes Zeugniß über den Gesundheitszustand. Beim Eintritt in die Prüfung sind 12 Mark Prüfungsgebühren und 1,50 Mark Stempelgebühren zu entrichten. Die Letzteren werden den Examinandinnen im Falle des Nichtbestehens der Prüfung wieder zurückgezahlt werden.

Berlin, den 11. Mai 1888.

Königl. Provinzial-Schulkollegium.

Mittelschullehrer-Prüfung in Berlin.

8. Die Mittelschullehrer-Prüfung wird hier **vom 6.—10. November,** event. **4.—8. Dezember d. J.** abgehalten werden. Die Anmeldungen mit der bestimmten Angabe, in welchen Fächern der Kandidat (cfr. Allg. Bestimmungen vom 15. Oktober 1872 § 12) die Befähigung als Lehrer an Mittelschulen und höheren Mädchenschulen zu erlangen wünscht, sind an uns bis zum 1. September d. J., von den im Amte stehenden Lehrern durch die bezüglichen Kreis-Schulinspektoren einzureichen, und es sind denselben beizufügen: 1) ein selbstgefertigter Lebenslauf, auf dessen Titelblatte der vollständige Name, der Geburtsort, das Alter und das augenblickliche Amtsverhältniß des Kandidaten angegeben ist, 2) das Zeugniß über die bisher empfangene Schul- oder Universitätsbildung und über die bisher abgelegten Prüfungen, 3) ein amtliches Führungsattest. Diejenigen, welche noch kein öffentliches Amt bekleiden, haben noch einzureichen: 4) ein von einem zur Führung eines Dienstsiegels berechtigten Arzte ausgestelltes Attest über normalen Gesundheitszustand.

Berlin, den 25. Mai 1888.

Königl. Provinzial-Schul-Collegium.

Rektorats-Prüfung in Berlin.

9. Die Rektorats-Prüfung wird hier **am 13. und 14. November** event. **11. und 12. Dezember d. J.** abgehalten werden. Die Anmeldungen sind an uns bis zum 1. September d. J. einzureichen, und zwar von den im Amte stehenden Lehrern durch die bezüglichen Kreisschulinspektoren, und sind denselben beizufügen: 1) ein selbstgefertigter Lebenslauf, auf dessen Titelblatte der vollständige Name, der Geburtsort, das Alter, die Konfession und das augenblickliche Amtsverhältniß des Kandidaten angegeben ist, 2) die Zeugnisse über die empfangene Schul- oder Universitätsbildung und über die bisher abgelegten Prüfungen, 3) ein amtliches Führungsattest, 4) Angabe, ob Examinand die absolute (auf Grund einer für zwei fremde Sprachen abzulegenden Prüfung) oder nur die beschränkte Befähigung für ein Rektorat an einer bestimmten Schule, zu dem er von den Besetzungsberechtigten bereits in Aussicht genommen ist, zu erlangen wünscht. Berlin, den 25. Mai 1888.

Königl. Provinzial-Schul-Collegium.

Bekanntmachungen der Königl. Direktion der Rentenbank der Provinz Brandenburg.

Vernichtung ausgelooster Rentenbriefe.

6. Die nachstehende Verhandlung

Geschehen, Berlin, den 14. Mai 1888.

Auf Grund der §§ 46, 47 und 48 des Rentenbank-Gesetzes vom 2. März 1850 wurden an ausgeloosten Rentenbriefen der Provinz Brandenburg, welche nach dem von dem mitunterzeichneten Provinzial-Rentmeister vorgelegten Verzeichnisse gegen Baarzahlung zurückgegeben sind und zwar:

137 Stück	Litt. A.	à 3000 M. =	411000 M.
50 „	- B.	à 1500 M. =	75000 M.
170 „	- C.	à 300 M. =	51000 M.
133 „	- D.	à 75 M. =	9975 M.
zusammen 490 Stück	über		546975 M.

nebst den dazu gehörigen, im vorgedachten Verzeichnisse aufgeführten 2513 Coupons und 490 Talons heute in Gegenwart der Unterzeichneten durch Feuer vernichtet.

V. g. u.

Lazarus, Justizrath, als Abgeordneter des Provinzial-Landtages. Witte, als Abgeordneter des Provinzial-Landtages.

König, als Notar.

a. u. s.

Küsel, Provinzial-Rentmeister. Schreiber, Rechnungsrath.

wird hierdurch zur öffentlichen Kenntniß gebracht.

Berlin, den 17. Mai 1888.

Königl. Direktion der Rentenbank für die Provinz Brandenburg.

Bekanntmachungen der Königlichen Eisenbahn-Direktion zu Berlin.

Beförderung der Wollsendungen nach dem Berliner Wollmarkt.

23. Für den diesjährigen, in der Zeit vom 12. bis 21. Juni auf dem hiesigen Lagerhofe der Berliner

Lagerhof-Aktien-Gesellschaft abzuhaltenden Wollmarkt wird die Beförderung der Wollsendungen von den hiesigen Bahnhöfen nach diesem Lagerhofe und in umgekehrter Richtung mittelst der Berliner Ringbahn und des Geleisanschlusses der Lagerhof-Aktien-Gesellschaft unter folgenden Bedingungen bewirkt werden:

1) Die auf den hier mündenden Eisenbahnen eingehenden Wollsendungen werden über die Ringbahn nach dem Lagerhofe an die Berliner Lagerhof-Aktien-Gesellschaft befördert, falls die Frachtbriefe deren Adresse tragen. Haben die ursprünglichen Frachtbriefe der hier ankommenden Wollsendungen eine andere Adresse, so bleibt es dem Adressaten überlassen, nach Verständigung mit der Lagerhof-Aktien-Gesellschaft die Weiterbeförderung und Aushändigung der Sendungen an diese bei der hiesigen Güter-Expedition der zuführenden Bahn, an welche zunächst die Fracht bis Berlin zu zahlen ist, zu beantragen und werden die Sendungen alsdann in gewünschter Weise mit der Ringbahn befördert werden.
2) Die auf dem Lagerhofe zur Auflieferung kommenden Wollsendungen werden auf dem Schienenwege den betreffenden Anschlußbahnen zugeführt, wenn sie von der Lagerhof-Aktien-Gesellschaft als Versenderin aufgeliefert werden.
3) Für die Beförderung der Wollsendungen nach und von dem Lagerhofe kommen die tarifmäßigen Gebühren zur Erhebung. Die Güter-Expedition auf dem Lagerhofe tritt am 14. Juni d. J. in Thätigkeit.

Berlin, den 24. Mai 1888.

Königl. Eisenbahn-Direktion.

Nachtrag zum Eisenbahn-Güter-Tarifbuch für Berlin.

24. Am 5. Juni d. J. erscheint der erste Nachtrag zum **Eisenbahn-Güter-Tarifbuch für Berlin.** Derselbe enthält die bis zum 5. Juni d. J. im Verkehr zwischen den Berliner Bahnhöfen und Ringbahnstationen einerseits und sämmtlichen deutschen Stationen andererseits eingetretenen Aenderungen und Ergänzungen und ist zum Preise von 0,30 Mark für das Stück durch die bekannt gegebenen Verkaufsstellen zu beziehen.

Berlin, den 31. Mai 1888.

Königl. Eisenbahn-Direktion.

Bekanntmachungen der Königlichen Eisenbahn-Direktion zu Bromberg.

Die neuen Deutsch-Italienischen Tarife betreffend.

41. Unter Bezugnahme auf unsere Bekanntmachung vom 25. März d. J. bringen wir hiermit zur Kenntniß, daß die neuen Deutsch-Italienischen Tarife nicht vor dem 1. Juli d. J. eingeführt werden können. Die bisherigen Tarife bleiben daher noch bis Ende Juni d. J. in Kraft.

Bromberg, den 29. Mai 1888.

Königl. Eisenbahn-Direktion.

Berliner Wollmarkt.

42. Für den diesjährigen, in der Zeit vom 19. bis 21. Juni d. J. auf dem Lagerhofe (dem früheren Viehhofe) der Berliner Lagerhof-Aktiengesellschaft in Berlin stattfindenden Wollmarkt übernehmen wir die Beförderung der auf unserer Bahnstrecke in Berlin eintreffenden für den Markt bestimmten Wollsendungen nach dem Lagerhof bei Gesundbrunnen mittelst der Verbindungsbahn und des Geleisanschlusses der Lagerhof-Aktiengesellschaft unter folgenden Bedingungen:

Die Frachtbriefe müssen die Adresse: „An die Berliner Lagerhof-Aktiengesellschaft in Berlin" tragen und, auch wenn die Sendung tarifmäßig als Wagenladung behandelt wird, die Bezeichnung der einzelnen Ballen nach Zeichen und Nummer (insoweit angängig, auch nach Brutto-Gewicht) enthalten.

Diese nähere Bezeichnung der Ballen kann auch auf einem besonderen dem Frachtbriefe anzuheftenden oder anzuklebenden Blatte bewirkt werden. Der Rücktransport bezw. die Ueberführung der zum Export bestimmten Wolle findet nur dann auf dem Schienenwege statt, wenn die Lagerhof-Aktiengesellschaft im Frachtbriefe als Versenderin bezeichnet ist.

Die Versendung vom Lagerhofe in Frankofracht und die Auflegung von Nachnahme ist ausgeschlossen.

Tragen die Frachtbriefe der in Berlin eingehenden Sendungen eine andere Adresse als die der Lagerhof-Aktiengesellschaft, so bleibt es den Adressaten überlassen, nach Vereinbarung mit der genannten Gesellschaft die Weiterbeförderung und Aushändigung der Sendungen an dieselbe bei unserer dortigen Güterexpedition, an welche zunächst die Fracht bis Berlin zu zahlen ist, zu beantragen. Die Sendungen werden alsdann, wenn dem Antrage entsprochen werden kann, mit der Verbindungsbahn zur Weiterbeförderung gelangen.

Für die Beförderung der Sendungen zwischen dem Berliner Nordbahnhofe und dem Lagerhof bei Gesundbrunnen werden außer den tarifmäßigen Gebühren bis bezw. ab Nordbahnhof 4 Mark pro Achse, und zwar 3 Mark als Gebühr für die Benutzung des Anschlußgeleises à Conto Lagerhof-Aktiengesellschaft und 1 Mark als Transportgebühr für Rechnung der Verbindungsbahn erhoben.

Bromberg, den 31. Mai 1888.

Königl. Eisenbahn-Direktion.

Bekanntmachungen der Königlichen Eisenbahn-Direktion zu Erfurt.

Einlösung Berlin-Anhaltischer und Oberlausitzer Zinskupons.

3. Vom 25. Juni d. J. ab werden die am 1. Juli 1888 fälligen Zins-Coupons A. № 5 Serie V. der vierprozentigen Prioritäts-Obligationen II. Emission und № 5 Serie III. der vierprozentigen Prioritäts-Obligationen Lit. C. **der vormaligen Berlin-Anhaltischen Eisenbahn-Gesellschaft,** B. № 4 Serie III. der vierprozentigen Prioritäts-Obligationen **der vormaligen Oberlausitzer Eisenbahn-Gesellschaft** in Altona, Breslau, Erfurt, Frankfurt a. M. (Sachsenhausen) bei den betreffenden Königlichen Eisenbahn-Hauptkassen, in Berlin bei der Königlichen Eisenbahn-Hauptkasse, Abtheilung für Werthpapiere (Leipzigerplatz 17), in Cöln bei der Königlichen

Eisenbahn-Hauptkasse (linksrheinische), in Dessau bei der Königlichen Eisenbahn-Betriebskasse und in Leipzig — jedoch nur bis 16. Juli d. J. in den Vormittagsstunden von 9—12 Uhr bei der Eisenbahn-Stationskasse auf dem **Thüringer Bahnhofe** eingelöst.

Außerdem werden die Coupons № 5 Serie III. der Berlin-Anhaltischen Prioritäts-Obligationen Lit. C. in **Frankfurt a. M.** in der Zeit vom 25. Juni bis 16. Juli d. J. bei den Herren M. A. von Rothschild & Söhne und bei der Filiale der Bank für Handel und Industrie eingelöst.

Die Coupons der Berlin-Anhaltischen und Oberlausitzer Obligationen sind mit besonderen von den Einlieferern zu vollziehenden Nachweisungen einzureichen, aus welchen die Stückzahl und der Werth, **nach den verschiedenen Sorten geordnet,** ersichtlich ist.

Erfurt, den 29. Mai 1888.

Königl. Eisenbahn-Direktion.

Bekanntmachungen der Kreis-Ausschüsse.

14.

Nachweisung

der vom Kreis-Ausschuß des Kreises Ruppin auf Grund des § 1 des Gesetzes vom 14. April 1856 in Verbindung mit § 25 des Zuständigkeitsgesetzes vom 1. August 1883 genehmigten Veränderungen an Gemeinde- und Gutsbezirksgrenzen.

Bezeichnung der in Betracht kommenden Grundstücke.	seitherigen Gemeinde- resp. Gutsbezirke.	künftigen Gemeinde- resp Gutsbezirke.
1) Die vom Rittergutsbesitzer Feodor Roloff zu Dabergotz von der fiskalischen Dorfaue daselbst erworbene Parzelle von 4 ar 66 qm.	Fiskalische Dorfaue zu Dabergotz.	Gemeindebezirk Dabergotz.
2) Die vom Kossäthen Wilhelm Rosentreter zu Dabergotz von der fiskalischen Dorfaue daselbst erworbene Parzelle von 3 ar 27 qm.		
3) Die vom Bauergutsbesitzer Wilhelm Schwarz zu Dabergotz von der fiskalischen Dorfaue daselbst erworbene Parzelle von 3 ar 65 qm.		
4) Die vom Schmiedemeister Burrmann zu Menz von der fiskalischen Dorfaue daselbst erworbene Parzelle von 1 ar 71 qm.	Fiskalische Dorfaue zu Menz.	Gemeindebezirk Menz.

Neu-Ruppin, den 29. Mai 1888.

Der Kreis-Ausschuß.

Personal-Chronik.

Des Königs Majestät haben den Regierungs-Assessor Joachimi in Potsdam zum Regierungsrathe zu ernennen geruht.

Der bisherige Gerichts-Referendar Hermann Junk ist zum Regierungs-Referendar ernannt worden.

Der Amtsanwalt Zöllner, bisher in Cüstrin, ist zum Amtsanwalt bei dem Königlichen Amtsgericht zu Brandenburg a. H. ernannt worden.

Im Kreise Niederbarnim ist an Stelle des verzogenen Rechnungsführers von Bock zu Lichtenberg der Kaufmann Hermann Silberschmidt zu Lichtenberg zum Amtsvorsteher-Stellvertreter des Bezirks I. Lichtenberg ernannt worden.

Im Kreise Osthavelland ist der Königliche Hofgartendirekter Jühlke zu Sanssouci zum Amtsvorsteher-Stellvertreter des Bezirks XXII. Sanssouci ernannt worden.

Der Förster Tornow zu Stendenitz in der Oberförsterei Alt-Ruppin ist auf seinen Antrag vom 1. Juli d. J. ab in den Ruhestand versetzt worden.

Der Förster Deseler zu Forsth. Zechlin in der Oberförsterei Zechlin ist auf seinen Antrag vom 1. Juli d. J. ab in den Ruhestand versetzt worden.

Die Försterstelle Zechlin in der Oberförsterei Zechlin ist vom 1. Juli d. J. ab dem Förster Witte zu Dollgow, Oberförsterei Menz, übertragen worden.

Der versorgungsberechtigte Oberjäger, Forstaufseher Rudolph Koch zu Frankendorf in der Oberförsterei Alt-Ruppin ist zum Königl. Förster ernannt und demselben die Försterstelle Stendenitz in derselben Oberförsterei vom 1. Juli d. J. ab übertragen worden.

Der versorgungsberechtigte Jäger, Forstaufseher Regling zu Neu-Fahrland in der Oberförsterei Potsdam ist zum Königl. Förster ernannt und demselben die Försterstelle Dollgow in der Oberförsterei Menz vom 1. Juli d. J. ab übertragen worden.

Die Försterstelle Liepe in der Oberförsterei Chorin ist vom 1. Juli d. J. ab dem Förster Kielmann zu Breitelege, Oberförsterei Freienwalde, übertragen worden.

Die Försterstelle Grünenberg in der Oberförsterei Pechteich ist vom 1. Juli d. J. ab dem Förster Rüdiger zu Loecknitz, Oberförsterei Gramzow, übertragen worden.

Der Schulvorsteherin Fräulein Therese Gunkel, z. Z. in Charlottenburg, ist die Erlaubniß zur Anlegung und Fortführung einer höheren Privat-Mädchenschule in Rixdorf ertheilt worden.

Die unter Königlichem Patronat stehende Pfarrstelle zu Herzberg, Diözese Lindow-Gransee, kommt durch die nach neuem Rechte erfolgende Emeritirung ihres bisherigen Inhabers, des Pfarrers Breithaupt, zum 1. Oktober d. J. zur Erledigung. Die Wiederbesetzung dieser Stelle erfolgt durch Gemeindewahl nach Maßgabe des Kirchengesetzes, betreffend das im § 32 № 2 der Kirchengemeinde- und Synodal-Ordnung vom 10. September 1873 2c. vorgesehene Pfarrwahlrecht, vom 15. März 1886 — Kirchl. Ges.- und Verordn.-Blatt de 1886 S. 39. Bewerbungen um diese Stelle sind schriftlich bei dem Königlichen Konsistorium der Provinz Brandenburg einzureichen. § 6 a. a. O.

Die unter Königlichem Patronat stehende Ober-Pfarrstelle zu Fehrbellin, mit welcher die Superintendentur der Diözese Fehrbellin verbunden ist, kommt durch die nach neuem Rechte erfolgende Emeritirung des Oberpfarrers und Superintendenten Schwartz zum 1. Oktober 1888 zur Erledigung. Die Wiederbesetzung des vorstehenden Doppelamtes erfolgt durch das Kirchenregiment.

Der bisherige Hilfsprediger Karl Ludwig Wieprecht Arthur Stromeyer ist zum Diakonus der Parochie Gramzow U.-M., Diözese Gramzow, bestellt worden.

Der bisherige Hülfsprediger Bernhard Adolf Philipp Friedrich Carl Peters ist zum dritten Hausgeistlichen bei dem neuen Strafgefängniß am Plötzensee bei Berlin berufen worden.

Der Schulamtskandidat Dr. Zemlin ist als ordentlicher Lehrer am Sophien-Realgymnasium in Berlin angestellt worden.

Ausweisung von Ausländern aus dem Reichsgebiete.

Lauf. Nr.	Name und Stand des Ausgewiesenen.	Alter und Heimath des Ausgewiesenen.	Grund der Bestrafung.	Behörde, welche die Ausweisung beschlossen hat.	Datum des Ausweisungs-Beschlusses.
1.	2.	3.	4.	5.	6.
		Auf Grund des § 362 des Strafgesetzbuchs:			
1	Franz Groß, ohne Stand,	geboren am 3. Januar 1874 zu Ober-Thomasdorf bei Freiwaldau, Oesterreich.-Schlesien, ortsangehörig ebendaselbst,	Landstreichen und Betteln,	Königlich Preußischer Regierungspräsident zu Breslau,	23. April 1888.
2	Louis Delana, Tagner,	geboren im August 1858 zu Bonnaux, Oesterreich, ortsangehörig ebendaselbst,	Landstreichen,	Kaiserlicher Bezirks-Präsident zu Colmar,	5. März 1888.
3	Johann Jakob Künzler, Weber,	geboren am 25. Oktober 1845 zu Walzenhausen, Schweiz, ortsangehörig ebendaselbst,	desgleichen,	derselbe,	12. April 1888.
4	Johann Küffer, Arbeiter,	geboren am 21. September 1851 zu Perlé, Luxemburg,	Landstreichen und Betteln,	Kaiserlicher Bezirks-Präsident zu Metz,	26. April 1888.
5	Ernst Medard, Arbeiter,	geboren am 4. Oktober 1858 zu Merle, Departement Loire, Frankreich,	desgleichen,	derselbe,	27. April 1888.
6	Josef Praml, Glasbläser,	geboren am 19. März 1871 zu Altgradiska, Ungarn,	Landstreichen,	derselbe,	1. Mai 1888.
7	Alexander Laip, Uhrmacher,	geboren am 17. März 1865 zu Preißburg, Rußland, ortsangehörig ebendaselbst,	Landstreichen, Betteln und Gebrauch gefälschter Zeugnisse,	Königlich Preußischer Regierungspräsident zu Wiesbaden,	11. Mai 1888.
8	Anna Kovarik, verehelichte Tagelöhnerin,	geboren 1851 zu Pelignitz, Bezirk Schüttenhofen, Böhmen,	Landstreichen und Betteln,	Königlich Bayerisches Bezirksamt Traunstein,	21. April 1888.
9	Franziska Svoboda, verehelichte Tagelöhnerin,	geboren 1849 zu Praskacka, Bezirk Königgrätz, Böhmen,	desgleichen,	dasselbe,	desgleichen.

Lauf. Nr.	Name und Stand	Alter und Heimath	Grund der Bestrafung	Behörde, welche die Ausweisung beschlossen hat	Datum des Ausweisungs-Beschlusses
	des Ausgewiesenen.				
1.	2	3	4	5	6
10	Anton Forst, Tagelöhner,	ca. 16 Jahre, geboren zu Marschowitz, Bezirk Beneschau, Böhmen, ortsangehörig zu Beneschau,	Landstreichen und Betteln,	Königlich Bayerisches Bezirksamt Traunstein,	21. April 1888.
11	Anna Forst, verehelichte Tagelöhnerin,	geboren 1848 zu Wittingau, Böhmen, ortsangehörig zu Marschowitz, Bezirk Beneschau, ebendaselbst,	desgleichen,	dasselbe,	25. April 1888.
12	Johann Forst, Tagelöhner,	geboren am 1. Mai 1874 zu Marschowitz, Böhmen, ortsangehörig ebendaselbst,	desgleichen,	dasselbe	desgleichen.
13	Johann Krupka, Weber,	geboren am 2. März 1870 zu Drumau, Bezirk Wiener Neustadt, Nieder-Oesterreich, ortsangehörig zu Brtev, Bezirk Gitschin, Böhmen,	desgleichen,	Königlich Bayerisches Bezirksamt Beilngries,	22. April 1888.
14	Josef Miskowsky, Uhrmacher und Tagelöhner,	geboren am 16. März 1848 zu Dektar, Bezirk Karolinenthal, Böhmen, ortsangehörig zu Celátovic, ebendaselbst,	Landstreichen, Betteln, Führung eines gefälschten Zeugnisses und unbefugtes Waffentragen,	Königlich Bayerisches Bezirksamt Mühldorf,	1. Mai 1888.
15	Franz Brandstetter, Malerlehrling,	geboren am 13. September 1871 zu Salzburg, Oesterreich, ortsangehörig ebendaselbst,	Diebstahl und Landstreichen,	dasselbe,	4. April 1888.
16	Georg Sagmeister, Schlosserlehrling,	geboren am 5. Januar 1871 zu Salzburg, Oesterreich, ortsangehörig zu St. Lorenzen, Bez. Brunneck, Tirol,	desgleichen,	dasselbe,	desgleichen.
17	Adalbert Kric (Kreuz), Weber,	52 Jahre, geboren und ortsangehörig zu Cepic, Bezirk Schüttenhofen, Böhmen,	Betteln im wiederholten Rückfall und Führung falscher Legitimationspapiere,	Königlich Bayerisches Bezirksamt Eggenfelden,	2. Mai 1888.
18	Therese Winter, led. Tagelöhnerin,	44 Jahre, geboren zu Husinec, Bezirk Prachatitz, Böhmen, ortsangehörig zu Malenic, Bezirk Strakonitz, ebendaselbst,	Landstreichen, Betteln und Angabe eines falschen Namens,	Königlich Bayerisches Bezirksamt Vilsbiburg,	3. Mai 1888.

Hierzu Drei Oeffentliche Anzeiger.

(Die Insertionsgebühren betragen für eine einspaltige Druckzeile 20 Pf. Belagsblätter werden der Bogen mit 10 Pf. berechnet.)

Redigirt von der Königlichen Regierung zu Potsdam.

Potsdam, Buchdruckerei der A. W. Hayn'schen Erben (E. Hayn, Hof-Buchdrucker).

Amtsblatt

der Königlichen Regierung zu Potsdam und der Stadt Berlin.

Stück 24. Den 15. Juni 1888.

Reichs-Gesetzblatt.

(Stück 23.) № 1801. Bekanntmachung, betreffend die Gestattung des Umlaufs der Scheidemünzen der Oesterreichischen Währung innerhalb Sächsischer Grenzbezirke. Vom 30. April 1888.

№ 1802. Bekanntmachung, betreffend die Einrichtung und den Betrieb der zur Anfertigung von Cigarren bestimmten Anlagen. Vom 9. Mai 1888.

(Stück 24.) № 1803. Verordnung über die Inkraftsetzung des Gesetzes, betreffend die Unfall- und Krankenversicherung der in land- und forstwirthschaftlichen Betrieben beschäftigten Personen, vom 5. Mai 1886. Vom 23. Mai 1888.

(Besondere Beilage zu Stück 24.) Bekanntmachung, betreffend die Abänderung der Aichordnung und der Aichgebühren-Taxe. Vom 4. Mai 1888.

(Stück 25.) № 1805. Verordnung wegen Ergänzung der Verordnung vom 16. August 1876, betreffend die Kautionen der bei der Militär- und der Marineverwaltung angestellten Beamten. Vom 26. Mai 1888.

№ 1806. Meistbegünstigungsvertrag zwischen dem Deutschen Reich und dem Freistaate Paraguay. Vom 21. Juli 1887.

Gesetz-Sammlung für die Königlichen Preußischen Staaten.

(Stück 11.) № 9271. Gesetz, betreffend die Einrichtung von Kehrbezirken für Schornsteinfeger. Vom 24. April 1888.

№ 9272. Gesetz, betreffend die weitere Herstellung neuer Eisenbahnlinien für Rechnung des Staates und sonstige Bauausführungen und Beschaffungen zur Vervollständigung und besseren Ausrüstung des Staatseisenbahnnetzes, sowie die Betheiligung des Staates an den Baukosten einer Eisenbahn von Sigmaringen (Inzigkofen) nach Tuttlingen. Vom 11. Mai 1888.

(Stück 12.) № 9273. Gesetz, die Abänderung von Amtsgerichtsbezirken betreffend. Vom 7. Mai 1888.

№ 9274. Gesetz, betreffend die Errichtung eines Amtsgerichts in Gnadenfeld. Vom 8. Mai 1888.

№ 9275. Allerhöchster Erlaß vom 14. Mai 1888, betreffend den Bau und Betrieb der in dem Gesetz vom 11. Mai 1888 vorgesehenen Eisenbahnlinien.

(Stück 13.) № 9276. Gesetz, betreffend die Bewilligung von Staatsmitteln zur Beseitigung der durch die Hochwasser im Frühjahr 1888 herbeigeführten Verheerungen. Vom 13. Mai 1888.

(Stück 14.) № 9277. Verordnung, betreffend die Ausführung des Fischereigesetzes in der Provinz Posen. Vom 12. Mai 1888.

(Stück 15.) № 9278. Gesetz, betreffend die Verleihung von Korporationsrechten an Niederlassungen geistlicher Orden und ordensähnlicher Kongregationen der katholischen Kirche. Vom 22. Mai 1888.

(Stück 16.) № 9279. Gesetz, betreffend die Vereinigung der Landgemeinden Geestemünde und Geestendorf. Vom 7. Mai 1888.

№ 9280. Gesetz, betreffend die Heranziehung der Fabriken u. s. w. mit Präzipualleistungen für den Wegebau in der Provinz Westfalen. Vom 14. Mai 1888.

№ 9281. Gesetz, betreffend die Ausübung des dem Staate zustehenden Stimmrechts bei dem Antrage wegen Aufnahme einer weiteren Prioritätsanleihe der Westholsteinischen Eisenbahngesellschaft. Vom 23. Mai 1888.

№ 9282. Staatsvertrag zwischen Preußen, Sachsen-Weimar, Schwarzburg-Rudolstadt, Reuß älterer Linie und Reuß jüngerer Linie wegen Herstellung einer Eisenbahn von Triptis nach Blankenstein. Vom 30. November 1887.

№ 9283. Staatsvertrag zwischen Preußen, Sachsen-Meiningen, Schwarzburg-Sondershausen und Schwarzburg-Rudolstadt, wegen Herstellung einer Eisenbahn von Arnstadt nach Saalfeld. Vom 6. Januar 1888.

(Stück 17.) № 9284. Gesetz, betreffend die Errichtung eines Amtsgerichts in der Stadt Tirschtiegel. Vom 24. Mai 1888.

№ 9285. Verordnung, betreffend Abänderung der Verordnung über die Einrichtung und Verwaltung des Landarmen- und Korrigendenwesens in der Provinz Posen vom 29. Juli 1871. Vom 15. Mai 1888.

№ 9286. Allerhöchster Erlaß vom 15. Mai 1888, betreffend die Genehmigung des zweiten Nachtrags zu dem Regulative, betreffend die Verwaltung der provinzialständischen Anstalten und Einrichtungen für Irre, Taubstumme und Blinde, sowie zur Unterstützung angehender Erzieherinnen in der Provinz Posen.

№ 9287. Verordnung wegen Bildung zweier Abtheilungen des Bezirksausschusses für den Regierungsbezirk Düsseldorf. Vom 28. Mai 1888.

(Stück 18.) № 9288. Gesetz, betreffend die Abänderung des Artikels 73 der Verfassungsurkunde vom 31. Januar 1850. Vom 27. Mai 1888.

172. Nachweisung der Markt- 2c.

Laufende №	Namen der Städte	Getreide: Weizen M.	Weizen Pf.	Roggen M.	Roggen Pf.	Gerste M.	Gerste Pf.	Hafer M.	Hafer Pf.	Uebrige Markt-: Erbsen M.	Erbsen Pf.	Speisebohnen M.	Speisebohnen Pf.	Linsen M.	Linsen Pf.	Kartoffeln M.	Kartoffeln Pf.	Richtstroh M.	Richtstroh Pf.	Krummstroh M.	Krummstroh Pf.	Heu M.	Heu Pf.	Rindfleisch von der Keule M.	Rindfleisch von der Keule Pf.	Bauchfleisch M.	Bauchfleisch Pf.
		Es kosten je 100 Kilogramm																						Es			
1	Angermünde	17	88	11	97	11	62	12	35	27	40	30	—	40	—	5	—	4	80	3	17	5	25	1	35	1	05
2	Beeskow	—	—	12	—	—	—	13	70	27	50	32	50	40	—	4	37	3	20	3	—	6	40	1	20	1	—
3	Bernau	17	80	12	08	14	27	12	76	24	63	32	38	45	—	5	56	4	47	—	—	6	64	1	20	1	—
4	Brandenburg	17	54	12	22	12	79	13	28	27	50	35	—	55	—	3	65	3	39	—	—	6	39	1	30	1	10
5	Dahme	17	48	12	07	12	86	14	—	35	—	45	—	50	—	4	—	3	50	2	50	6	—	1	—	1	—
6	Eberswalde	17	77	12	03	16	28	12	63	23	—	25	—	28	—	5	—	3	85	—	—	5	50	1	20	1	—
7	Havelberg	17	65	12	06	13	75	13	86	23	83	52	78	63	33	4	50	3	38	2	25	7	75	1	30	—	90
8	Jüterbog	17	50	12	87	11	75	14	60	25	—	30	—	40	—	5	—	4	—	—	—	6	20	1	20	1	—
9	Luckenwalde	18	06	12	55	12	86	12	01	32	50	32	50	37	50	4	25	3	33	—	—	5	—	1	20	1	20
10	Perleberg	17	78	11	80	12	96	12	50	20	—	32	—	43	—	4	11	4	02	—	—	7	70	1	40	1	10
11	Potsdam	15	63	12	16	15	15	13	98	24	—	32	—	41	—	5	32	4	16	—	—	6	04	1	35	1	10
12	Prenzlau	17	31	11	25	10	84	11	31	21	50	35	—	45	—	5	44	4	—	3	—	5	—	1	20	—	93
13	Pritzwalk	17	15	11	58	12	38	12	40	17	50	30	—	40	—	2	93	3	25	2	63	5	90	1	25	1	—
14	Rathenow	16	78	12	29	12	—	12	33	30	—	30	—	40	—	3	95	2	85	—	—	4	50	1	40	1	20
15	Neu-Ruppin	17	—	12	—	12	48	12	40	30	—	32	—	50	—	4	18	4	50	—	—	6	—	1	30	1	05
16	Schwedt	18	40	12	76	13	—	12	91	26	67	31	25	37	50	5	—	4	12	—	—	5	80	1	20	1	—
17	Spandau	15	50	13	50	14	50	14	50	21	—	33	—	40	—	6	—	4	50	—	—	7	50	1	40	1	20
18	Strausberg	17	84	12	07	15	16	14	13	25	—	30	50	35	—	4	53	5	—	—	—	8	49	1	20	1	10
19	Teltow	18	—	14	18	14	87	14	10	35	—	45	—	50	—	5	75	4	20	—	—	6	30	1	30	1	05
20	Templin	18	50	13	—	13	50	13	—	14	—	40	—	40	—	4	50	4	—	—	—	6	—	1	20	1	—
21	Treuenbrietzen	17	38	11	84	12	54	13	—	24	—	26	—	30	—	4	—	3	—	—	—	5	—	1	20	1	—
22	Wittstock	17	60	11	87	12	—	12	95	15	50	32	—	44	—	3	08	3	—	2	50	5	21	—	94	—	81
23	Wriezen a. O.	17	33	11	71	10	86	12	21	19	10	28	—	38	—	4	45	3	25	2	10	5	50	1	30	1	—
	Durchschnitt	17	45	12	30	13	11	13	08	—	—	—	—	—	—	4	55	3	82	—	—	6	09	—	—	—	—

Potsdam, den 10. Juni 1888.

173. Nachweisung des Monatsdurchschnitts der gezahlten höchsten

Laufende Nummer.	Es kosteten je 50 Kilogramm.	Angermünde. M.	Angermünde. ₰	Beeskow. M.	Beeskow. ₰	Bernau. M.	Bernau. ₰	Brandenburg. M.	Brandenburg. ₰	Dahme. M.	Dahme. ₰	Eberswalde. M.	Eberswalde. ₰	Havelberg. M.	Havelberg. ₰	Jüterbog. M.	Jüterbog. ₰	Luckenwalde. M.	Luckenwalde. ₰	Perleberg. M.	Perleberg. ₰
1	Hafer	6	72	7	30	7	35	7	30	7	35	7	29	7	50	7	67	7	11	6	83
2	Heu	3	15	3	36	4	21	3	64	3	15	3	15	4	20	3	26	3	15	4	22
3	Richtstroh	2	79	1	68	2	53	1	96	1	84	2	10	1	84	2	10	1	84	2	30

Potsdam, den 10. Juni 1888.

Schifffahrtssperre auf der Elde.

174. Im Interesse des schifffahrttreibenden Publikums des diesseitigen Regierungsbezirkes wird unter Hinweis auf meine Bekanntmachung vom 8. Mai 1888 (Amtsblatt St. 20 S. 189) zur öffentlichen Kenntniß gebracht, daß die angekündigte Schifffahrtssperre auf der Elde bei der Friedrich-Franz-Kanal-Schleuse II.,

lichen Regierungspräsidenten.

Preise im Monat Mai 1888.

Artikel kostet je 1 Kilogramm: Schweinefleisch	Kalbfleisch	Hammelfleisch	Speck	Butter	Ein Schock Eier	Ladenpreise in den letzten Tagen des Monats. Es kostet je 1 Kilogramm: Mehl Weizen Nr. 1	Mehl Roggen Nr. 1	Gerste Graupe	Gerste Grütze	Buchweizengrütze	Hafergrütze	Hirse	Reis, Java	Java-Kaffee in gebr. Bohnen mittler	Java-Kaffee in gebr. Bohnen gelber	Speisesalz	Schweineschmalz, hiesig.
M. Pf.	M. Pf.	M. Pf.	M. Pf.	M. Pf.	M. Pf.	M. Pf.	M. Pf.	M. Pf.	M. Pf.	M. Pf.	M. Pf.	M. Pf.	M. Pf.	M. Pf.	M. Pf.	M. Pf.	M. Pf.
1 05	— 94	1 05	1 50	2 26	2 87	— 25	— 20	— 50	— 30	— 45	— 50	— 60	— 60	3 —	3 40	— 20	1 40
1 10	1 —	1 —	1 60	2 37	2 10	— 40	— 30	— 60	— 60	— 65	— 80	— 60	— 65	3 20	3 60	— 20	2 —
1 19	1 20	1 05	1 70	2 20	2 61	— 40	— 25	— 45	— 50	— 50	— 40	— 60	— 25	2 40	3 —	— 20	1 60
1 15	— 95	1 10	1 80	2 30	2 85	— 30	— 20	— 50	— 40	— 50	— 40	— 50	— 50	3 —	3 60	— 20	1 60
1 20	— 80	1 —	1 60	2 —	2 80	— 32	— 26	— 60	— 40	— 45	—	— 50	— 50	2 80	3 60	— 20	1 40
1 20	1 —	1 —	1 60	2 40	2 80	— 28	— 26	— 60	— 60	— 50	— —	— 60	— 60	3 20	3 60	— 20	1 60
1 20	1 20	1 —	1 50	2 30	2 56	— 30	— 20	— 55	— 60	— 60	— 60	— 50	— 60	3 20	3 60	— 20	1 60
1 10	— 95	1 20	1 30	2 —	2 60	— 35	— 25	— 40	— 50	— 40	— 60	— 40	— 40	2 75	3 60	— 20	1 40
1 20	— 90	1 20	1 60	2 40	2 80	— 32	— 22	— 50	— 40	— 40	— 60	— 36	— 60	3 20	3 60	— 20	1 40
1 30	1 15	1 15	1 95	1 85	2 75	— 50	— 36	— 50	— 50	— 50	— 50	— 55	— 50	3 40	3 40	— 20	2 —
1 26	1 03	1 19	1 60	2 07	2 54	— 30	— 20	— 45	— 45	— 45	— 45	— 45	— 50	2 60	3 80	— 20	1 60
1 13	— 80	1 05	1 50	2 —	2 70	— 24	— 20	— 50	— 30	— 50	— 50	— 50	— 50	3 20	3 60	— 20	1 40
1 05	— 90	1 —	1 50	1 92	1 98	— 26	— 20	— 45	— 40	— 40	— 50	— 50	— 50	3 20	3 60	— 20	1 50
1 40	1 —	1 20	1 80	2 60	2 64	— 27	— 19	— 40	— 40	— 45	— 40	— 30	— 60	3 30	3 80	— 20	2 —
1 10	— 95	1 10	1 60	2 10	2 60	— 36	— 24	— 50	— 50	— 50	— 50	— 50	— 60	3 25	3 58	— 20	1 40
1 20	— 95	1 —	2 —	2 20	2 40	— 35	— 25	— 60	— 40	— 50	— 60	— 50	— 70	3 40	3 60	— 20	2 —
1 20	1 20	1 20	1 40	2 20	2 60	— 40	— 30	— 50	— 50	— 55	— 50	— 55	— 65	3 40	3 80	— 20	1 40
1 20	1 —	1 20	1 60	2 40	2 71	— 35	— 20	— 55	— 50	— 45	— 55	— 50	— 60	3 —	3 80	— 20	1 40
1 20	1 25	1 15	2 40	2 40	4 30	— 45	— 45	— 60	— 50	— 50	— 50	— 50	— 50	2 40	3 20	— 20	1 20
1 —	— 60	1 —	1 60	2 40	3 20	— 25	— 20	— 60	— 50	— 50	— 60	— 40	— 50	3 20	3 60	— 20	1 60
1 —	— 90	1 20	1 60	1 80	2 42	— 28	— 18	— 50	— —	— 40	— 55	— 30	— 50	3 20	3 40	— 20	1 80
— 86	— 65	— 85	1 60	1 94	2 14	— 28	— 18	— 50	— 50	— 40	— 40	— 50	— 60	2 60	3 60	— 20	1 60
1 05	1 05	1 05	1 48	2 10	2 40	— 20	— 19	— 40	— 30	— 40	— 50	— 50	— 50	3 —	3 25	— 20	1 20

Der Regierungs-Präsident.

Tagespreise incl. 5 % Aufschlag im Monat Mai 1888.

Potsdam.	Prenzlau.	Pritzwalk.	Rathenow.	Neu-Ruppin.	Schwedt.	Spandau.	Strausberg.	Teltow.	Templin.	Treuenbrietzen.	Wittstock.	Wriezen a. O.
M. ₰	M. ₰	M. ₰	M. ₰	M. ₰	M. ₰	M. ₰	M. ₰	M. ₰	M. ₰	M. ₰	M. ₰	M. ₰
7 60	6 10	6 83	6 65	6 76	6 78	8 40	7 60	7 56	7 35	6 83	7 06	6 80
3 85	3 15	3 10	2 54	3 15	3 05	4 20	4 49	3 78	3 41	2 63	2 74	3 15
2 37	2 37	1 74	1 53	2 36	2 16	2 63	2 74	2 42	2 36	1 58	1 58	1 73

Der Regierungs-Präsident.

bei der Friedrich-Franz-Kanal-Brücke IV. (Frengelhorstbrücke) und bei der Rehberger Brücke zu Grabow nach einer Mittheilung der Großherzogl. Flußbau-Verwaltungs-Kommission in Schwerin am **Montag, den 4. Juli 1888,** beginnt und bis **zum 1. August 1888** andauern wird.

Potsdam, den 10. Juni 1888.

Der Regierungs-Präsident.

175. **Nachweisung der an den Pegeln der Spree und Havel im Monat März 1888 beobachteten Wasserstände.**

Datum.	Berlin. Ober-Wasser N. N.	Berlin. Unter-Wasser N. N.	Spandau. Ober-Wasser.	Spandau. Unter-Wasser.	Potsdam.	Baumgartenbrück.	Brandenburg. Ober-Wasser.	Brandenburg. Unter-Wasser.	Rathenow. Ober-Wasser.	Rathenow. Unter-Wasser.	Havelberg.	Plauer Brücke.
	Meter.	Meter.	Meter.	Meter.	Meter.	Meter.	Meter.	Meter.	Meter.	Meter.	Meter.	Meter.
1	32,50	31,30	2,46	1,20	1,38	0,90	2,24	1,90	1,82	1,50	2,28	2,22
2	32,50	31,20	2,48	1,16	1,37	0,90	2,22	1,90	1,84	1,52	2,38	2,24
3	32,44	31,14	2,48	1,12	1,37	0,90	2,20	1,88	1,84	1,52	2,46	2,26
4	32,46	31,16	2,46	1,04	1,36	0,91	2,20	1,88	1,88	1,56	2,44	2,26
5	32,50	31,20	2,50	1,16	1,35	0,91	2,20	1,86	1,88	1,56	2,44	2,26
6	32,52	31,22	2,48	1,10	1,34	0,91	2,22	1,84	1,86	1,54	2,44	2,26
7	32,54	31,20	2,46	1,10	1,34	0,91	2,24	1,84	1,88	1,56	2,44	2,26
8	32,54	31,20	2,46	1,12	1,36	0,92	2,24	1,82	1,90	1,58	2,46	2,26
9	32,60	31,30	2,50	1,16	1,39	0,92	2,24	1,86	2,00	1,68	3,04	2,26
10	32,64	31,32	2,48	1,20	1,42	0,92	2,26	1,88	1,96	1,64	2,86	2,26
11	32,70	31,34	2,66	1,16	1,42	0,92	2,26	1,92	1,96	1,64	2,68	2,26
12	32,76	31,40	2,70	1,28	1,43	0,92	2,28	1,94	1,96	1,64	2,56	2,28
13	32,80	31,44	2,68	1,32	1,46	0,94	2,26	1,96	1,96	1,64	2,54	2,30
14	32,84	31,48	2,64	1,36	1,48	0,94	2,26	1,94	1,88	1,56	2,82	2,32
15	32,82	31,64	2,62	1,40	1,50	0,95	2,26	1,94	1,86	1,54	3,08	2,34
16	32,82	31,64	2,64	1,30	1,52	0,95	2,26	1,90	1,84	1,52	3,38	2,36
17	32,82	31,64	2,62	1,40	1,53	0,97	2,22	1,90	1,84	1,52	3,82	2,36
18	32,80	31,64	2,66	1,32	1,56	0,97	2,24	1,90	1,80	1,48	4,30	2,38
19	32,78	31,64	2,66	1,48	1,57	0,97	2,26	2,00	1,80	1,48	4,56	2,40
20	32,78	31,64	2,62	1,50	1,60	0,98	2,26	2,04	1,80	1,48	4,66	2,42
21	32,78	31,64	2,60	1,46	1,62	0,99	2,26	2,04	1,78	1,46	4,68	2,44
22	32,76	31,64	2,60	1,38	1,62	0,99	2,26	2,06	1,78	1,46	4,66	2,48
23	32,76	31,64	2,62	1,48	1,62	1,03	2,26	2,04	1,90	1,58	4,58	2,50
24	32,74	31,64	2,60	1,50	1,62	1,06	2,30	2,10	1,96	1,64	4,50	2,52
25	32,78	31,74	2,64	1,44	1,62	1,08	2,32	2,14	2,00	1,68	4,42	2,54
26	32,86	31,76	2,64	1,58	1,62	1,10	2,34	2,16	2,10	1,78	4,32	2,56
27	32,94	31,94	2,68	1,64	1,65	1,11	2,36	2,16	2,10	1,78	4,26	2,58
28	32,95	32,26	2,74	1,80	1,69	1,12	2,36	2,18	2,12	1,80	4,16	2,60
29	33,01	32,36	2,82	1,92	1,74	1,17	2,36	2,20	2,16	1,84	4,12	2,62
30	33,07	32,46	2,94	1,94	1,81	1,21	2,38	2,22	2,18	1,86	4,14	2,64
31	33,10	32,50	3,02	2,06	1,88	1,26	2,40	2,22	2,20	1,88	4,16	2,66

Potsdam, den 5. Juni 1888.

Der Regierungs-Präsident.

Beförderung von lebenden und frischen Fischen im Eisenbahn-Direktions-Bezirk Erfurt.

176. Die Beförderung **lebender Fische** in Fässern und Kübeln und **frischer Fische** in Körben mit Eispackung findet

a. **auf Grund rother Frachtbriefe** mit den nachstehend unter II. angegebenen **Schnell- und Kurierzügen** auf den ebenda vermerkten Strecken bezw. zwischen den namhaft gemachten Stationen,

b. **auf Grund weißer Frachtbriefe** mit **sämmtlichen zur Eilgutbeförderung zugelassenen Personen- und gemischten Zügen**

unter den nachstehend unter I. angegebenen Bedingungen statt. Ueber diese Personen- ꝛc. Züge ertheilen die Stationen und Expeditionen die erforderliche Auskunft.

I.

a. Das zulässige Höchstgewicht der zur Aufgabe kommenden Fässer und Kübel beträgt 100 kg.

b. Die Fässer bezw. Kübel müssen mit haltbaren Handhaben an beiden Kopfseiten, sowie mit in das Füllloch eingesetztem Trichterverschluß in der Höhe von mindestens 15 cm und unter dem Trichter außerdem mit einem schwimmenden und durchlöcherten Deckel versehen sein, welcher das Ausspritzen des Wassers und damit eine Beschädigung der im Packwagen mit beförderten Gepäck- und sonstigen Eilgutstücke verhindert, der Luft aber den Zutritt gestattet.

c. Die Fischkörbe mit Eisverpackung müssen auf dem Boden eine Unterlage von Torfmüll, Stroh, Sägespänen oder wasserdichtem Papier enthalten, welche geeignet ist, das Schmelzwasser aufzusaugen bezw. dessen Ausfließen und hiermit die unter b. bezeichnete Beschädigung zu verhindern.

II.

Zur Beförderung der unter I. bezeichneten Fischsendungen in Einzel-Collis auf Grund rother Frachtbriefe dienen nur die **nachbezeichneten Schnell- und Kurierzüge,** und zwar auch nur von und nach bezw. zwischen den angegebenen Stationen, ferner die fahrplanmäßigen Personenzüge, soweit dieselben zur Eilgutbeförderung bestimmt sind und die gemischten Züge.

Die Züge **1** und **2** zwischen den Stationen Halle, Bitterfeld, Wittenberg, Jüterbog und Berlin;

die Züge **3** und **4** bezw. **4**a. zwischen den Stationen Halle, Bitterfeld, Wittenberg, Jüterbog und Berlin;

der Zug **5** bezw. **75** von Neudietendorf (Uebergang vom Zuge 207) nach Erfurt;

die Züge **35** und **37** zwischen den Stationen Leipzig, Bitterfeld, Wittenberg, Jüterbog und Berlin;

der Zug **38** zwischen den Stationen Berlin, Jüterbog, Wittenberg und Leipzig;

der Zug **41** zwischen den Stationen Röderau, Falkenberg und Berlin;

der Zug **43** zwischen den Stationen Röderau, Jüterbog und Berlin;

die Züge **101** und **104** von und nach den Stationen Horka, Niesky, Uhyst, sowie zwischen den Stationen Falkenberg, Elsterwerda, Ruhland, Hoyerswerda, Hohenbocka und Kohlfurt;

die Züge **111, 112, 121, 122, 141, 142** von und nach den Stationen der Zugstrecken, soweit die Aufenthaltszeit dieser Züge die Einladung gestattet;

der Zug **207** auf der ganzen Zugstrecke, soweit die Beiladung während der Aufenthaltszeit auf den Stationen ausführbar ist.

Gültig vom 1. Juni 1888 ab.

Erfurt, im Mai 1888.

Königl. Eisenbahn-Direktion.

* * *

Vorstehendes wird hierdurch zur Kenntniß der Interessenten gebracht.

Potsdam, den 8. Juni 1888.

Der Regierungs-Präsident.

Polizei-Verordnung für den Plauer Canal.

177. Auf Grund des § 138 des Landesverwaltungsgesetzes vom 30. Juli 1883 und unter Bezugnahme auf den Erlaß der Herren Minister für Handel und Gewerbe, des Innern und der öffentlichen Arbeiten vom 14. Mai 1885 und die Bekanntmachung des Herrn Ober-Präsidenten der Provinz Sachsen vom 25. Mai 1885 (Amtsblatt de 1885 S. 211 № 817) verordne ich unter Aufhebung der Polizei-Verordnung für den Plauer Canal vom 8. September 1871 (Amtsblatt de 1871 S. 230) und der hierzu ergangenen Ergänzungsverordnung vom 27. Dezember 1878 (Amtsblatt de 1879 Seite 29) für den Umfang des Plauer Canals von der Elbe bei Niegripp bis zur Mündung in den Plauer See bei Plaue a. H., sowie für den schmalen Graben einschließlich der Baggerelbe von der Stromelbe bei Ferchland bis zur Mündung in den Plauer Canal bei Seedorf das Folgende:

Allgemeine Bestimmungen.

§ 1. Den Anordnungen der Canalbeamten und zwar des Wasserbauinspektors, der Canalaufseher und Schleusenmeister in Bezug auf die Regelung des Schiffsverkehrs, die Erhaltung der Canalufer, Leinpfade und aller zum Canal gehörigen Anlagen und Bauwerke ist unbedingt Folge zu leisten. Denjenigen, welche sich durch die Anordnungen der genannten Beamten in ihrem Rechte beeinträchtigt glauben, steht der Weg der Beschwerde an den Wasserbauinspektor bezw. an den Königlichen Regierungs-Präsidenten zu Magdeburg offen.

Bezeichnung der Fahrzeuge.

§ 2. Jedes Fahrzeug muß die für die Fahrt auf der Elbe vorgeschriebene Bezeichnung tragen.

Ausweis.

§ 3. Jeder Schiffer und Floßführer ist verpflichtet, den Canalbeamten auf Verlangen seine Ausweispapiere vorzuzeigen.

Lagern von Floßholz.

§ 4. Das Lagern von Floßholz in den normalen Canalstrecken ist verboten.

Störung der Schifffahrt.

§ 5. Jede unbefugte Störung der Schifffahrt oder des Leinenzuges ist untersagt.

Beschädigungen.

§ 6. Die zu dem Canal gehörigen Anlagen und Bauwerke dürfen in keiner Weise beschädigt werden. Wer derartige Beschädigungen bewirkt oder herbeiführt, hat außer der zu zahlenden Strafe vollen Schadenersatz zu leisten.

Stangen und Ruder, die mit Eisen beschlagen sind, dürfen in die Uferböschungen, Schleusen, Brücken und anderen Bauwerke des Canals nicht eingesetzt werden.

An denjenigen Stellen des Plauer Canals, an denen durch die Sohle und Böschungen desselben Telegraphen-Kabel gelegt sind, und die durch auf beiden Ufern aufgestellte Tafeln mit der Inschrift „Telegraph" bezeichnet sind, dürfen Stangen und Ruder weder in die Sohle noch in die Böschungen eingesetzt werden.

Verunreinigungen.

§ 7. Jede Verunreinignng des Canals durch Hineinwerfen von Ballast, Steinen, Kehricht, Asche, Schlacken, todten Thieren und dergleichen, sowie durch Flachs- und Hanfröthen und das Einleiten unreinen Wassers ist verboten.

Anlage von Treppen ꝛc.

§ 8. Ohne spezielle Erlaubniß des Königlichen Regierungs-Präsidenten darf Niemand Treppen, Ladevorrichtungen, Wasserabzüge oder bauliche Anlagen irgend welcher Art an den Canalufern zur Ausführung bringen oder bestehende derartige Anlagen verändern.

Gebäude dürfen in geringerer Entfernung als 4 m von der Vorderkante des Leinpfades nicht errichtet werden.

Anker.

§ 9. Während der Fahrt durch den Canal müssen

die Anker auf das Fahrzeug genommen und so niedergelegt werden, daß darüber gehende Zugleinen anderer Fahrzeuge nicht daran hängen bleiben.

Gierbretter.

§ 10. Die Gierbretter mit den Bolzen sind von beladenen Fahrzeugen beim Durchfahren des Canals, von unbeladenen nur beim Durchfahren der Schleuse abzunehmen.

Fischen und Krebsen.

§ 11. Das unbefugte Fischen und Krebsen im Canal ist verboten.

B. Abmessungen der Fahrzeuge und der Ladung.

Abmessungen und Tiefgang der Fahrzeuge.

§ 12. Die Schiffe, welche den Plauer Canal befahren, dürfen nicht über 65,0 m von Spitze zu Spitze lang, nicht über 7,7 m breit sein, und nicht über 1,4 m Tiefgang haben. Für den schmalen Graben sind nur Schiffe von 46,0 m Länge, 7,7 m Breite und 0,90 m Tiefgang zuläßig.

Die Höhe der Ladung darf 3,5 m über den Normalwasserstand nicht überschreiten.

Bordhöhe.

§ 13. Ein beladenes Fahrzeug muß überall mindestens 20 cm Bordhöhe haben. Ist dasselbe gedeckt oder auf andere geeignete Weise gegen Wellenschlag geschützt, so ist eine Bordhöhe von 15 cm zuläßig.

Belastung der Steuerruder.

§ 14. Die zur Belastung der Steuerruder dienenden Steine, Eisenbarren oder dergleichen müssen gegen das Herabfallen vollständig gesichert sein.

Holzflöße.

§ 15. Holzflöße dürfen nur in einer Länge bis zu 40 m und einer Breite bis zu 6,4 m gut verbunden in den Canal einlaufen.

C. Verhalten der Schiffer während der Fahrt.

Bemannung der Fahrzeuge.

§ 16. Auf der Fahrt muß jedes Fahrzeug und Floß wenigstens mit 2 Mann (1 vorn, 1 hinten) besetzt sein.

Segeln.

§ 17. Das Segeln auf dem Canal ist nur mit Segeln von höchstens 6,0 m Breite gestattet. Bei dem Vorüberfahren an anderen Fahrzeugen sind die ausgespannten Segel und die Segelstangen anzuholen. Mindestens 150 m vor jeder Brücke und Schleuse müssen die Segel vollständig eingezogen sein.

Treideln.

§ 18. Das Treideln hat stets auf dem rechts von der Fahrrichtung liegenden Leinpfad stattzufinden, ausgenommen, wenn der Wind hart nach dieser Seite steht oder nur ein Leinpfad vorhanden ist.

In diesen Fällen müssen die stromabwärts fahrenden Fahrzeuge wasserseitig ausweichen und die Zugleinen fallen lassen.

Vorbeifahren.

§ 19. Langsam fahrende Fahrzeuge oder Flöße müssen schneller fahrende Fahrzeuge vorbeilassen und ihnen möglichst freies Fahrwasser gestatten. Beide Theile haben sich hierbei ein möglichst schnelles und leichtes Vorbeifahren angelegen sein zu lassen. Längere Zeit dürfen 2 Fahrzeuge oder Flöße nicht in derselben Richtung neben einander fahren.

§ 20. Holzflöße dürfen andere in derselben Richtung fahrende Flöße oder Fahrzeuge nicht überholen.

§ 21. 150 m oberhalb und unterhalb der Brücken und Schleusen dürfen sich Fahrzeuge nicht überholen.

§ 22. Treffen zwei Fahrzeuge, die in entgegengesetzter Richtung fahren, zu gleicher Zeit bei einer Brücke ein, so durchfährt das abwärts fahrende Fahrzeug die Brücke zuerst und ist das aufwärts fahrende verpflichtet, mindestens 100 m von der Brücke entfernt so lange stillzuliegen, bis das abwärts fahrende die Brücke durchfahren hat. Dampfschiffe haben hierbei das Vorfahrrecht.

Dampfschiffe.

§ 23. Dampfschiffe dürfen nicht *mit mehr als* 3 Anhängen den Canal befahren und haben einschließlich ihres Anhanges das Vorfahrrecht bei allen Brücken und das Vorschleuserecht bei allen Schleusen, wenn sie den Vorschriften des § 32 genügen.

Fahrgeschwindigkeit derselben.

§ 24. Dampfschiffe dürfen den Canal nur mit einer Geschwindigkeit von höchstens 8 Minuten pro km befahren und müssen beim Vorbeifahren an anderen Fahrzeugen jeglicher Art die Geschwindigkeit mäßigen oder ganz stopfen.

Kuppeln der Fahrzeuge.

§ 25. Das Kuppeln von Fahrzeugen und Flößen ist verboten.

Beleuchtung der Fahrzeuge.

§ 26. Von Sonnenuntergang bis Sonnenaufgang müssen sämmtliche Fahrzeuge während der Fahrt wie folgt beleuchtet sein:

a. Dampfschiffe aller Art haben auf der rechten Seite eine Laterne mit grünem und auf der linken Seite eine solche mit rothem Licht in der Art zu führen, daß die erstere nach vorn und rechts, die zweite nach vorn und links leuchtet ohne von hinten sichtbar zu sein;

b. Fahrzeuge und Flöße, einschließlich der im Schleppzug befindlichen Schiffe, haben eine nach allen Seiten leuchtende Laterne mit weißem Licht in solcher Höhe zu führen, daß das Licht von allen Seiten deutlich gesehen werden kann.

Heben gesunkener Schiffe.

§ 27. Sinkt ein Fahrzeug, so ist der Schiffsführer verpflichtet, sofort die zur Hebung des Schiffes erforderlichen Anstalten zu treffen. Zeigt sich der Schiffer nach der Ansicht des Wasserbauinspektors hierbei säumig, so ist die Canalverwaltnng berechtigt, auf Kosten des Schiffseigenthümers die Hebung oder Beseitigung des Schiffes zu veranlassen und, falls der Schiffseigenthümer die Erstattung der hieraus entstandenen Unkosten verweigert, den Erlös aus dem Verkauf des Schiffes und der Ladung hierfür vorzugsweise in Anspruch zu nehmen,

D. Verhalten der Schiffer bei dem Durchfahren der Schleusen.

Reihenfolge beim Schleusen.

§ 28. Die Fahrzeuge werden in der Reihenfolge durchgeschleust, in der sie vor der Schleuse eintreffen. Zur Ersparung von Zeit und Wasser soll im Allgemeinen abwechselnd bergauf und bergab geschleust werden.

§ 29. Ist ein Schiffer, wenn die Reihe an denselben kommt, zum Durchschleusen nicht fertig, so verliert er seinen Rang zu Gunsten des nächstfolgenden.

Zollabfertigung.

§ 30. Schiffer und Flößer dürfen in die Schleusen, bei denen sich Zollämter befinden, nicht einfahren, bevor sie nicht zollamtlich abgefertigt sind und sich durch die Quittung des Einnehmers über die gezahlte Zollgebühr ausweisen.

Benutzung der Mastenrichter.

§ 31. Schiffer, welche die Mastenrichter an den Endschleusen zum Niederlegen und Aufrichten ihrer Masten benutzen wollen, haben zunächst die tarifmäßigen Gebühren an den Zolleinnehmer zu zahlen und sich dann unter Vorzeigung der Quittung bei dem Krahnmeister zu melden.

Im Allgemeinen findet das Aufrichten und Niederlegen der Masten nach der Reihenfolge der Meldungen statt. Falls es zur Herbeiführung des abwechselnden Auf- und Abschleusens, oder zur Vermeidung von Verzögerungen erforderlich ist, hat der Krahnmeister das Recht, von der Reihenfolge abzuweichen, und müssen sich die Schiffer diese Abweichungen gefallen lassen. Ueber die Benutzung der Mastenrichter selbst gelten die besonders erlassenen Bestimmungen.

Das Vorfahren der Fahrzeuge vor den Mastrichter darf nur auf specielle Anweisung des Krahnmeisters erfolgen. Zum Heben resp. Legen der Masten hat der betreffende Schiffer mindestens 2 Mann zur Hülfeleistung zu stellen, welche der Anweisung des Krahnmeisters Folge leisten müssen.

Vorschleuserecht.

§ 32. Außer der Reihenfolge haben das Vorschleuserecht, sowie den Vorrang bei Benutzung der Mastenrichter:

a. Dampfschiffe mit ihren Anhängen, wenn deren Führer bei den Canalzollhebestellen der jedesmaligen Eingangschleusen den hierauf bezüglichen schriftlichen Antrag auf beiden Ausfertigungen der Anmeldungen einreichen und demnach die 1,5fachen Schifffahrtsabgaben gezahlt haben.

Die betreffenden Anträge auf den zweiten Ausfertigungen der Anmeldungen werden von den Canalzollerhebern durch Beidrückung des Dienstsiegels beglaubigt und dürfen nur Fahrzeuge, deren Führer vorstehend beglaubigte zweite Ausfertigungen der Anmeldungen beibringen, vorgeschleust werden.

b. Die mit Pulver und Sprengstoffen beladenen Fahrzeuge und diejenigen, welche Gegenstände für Staatsrechnung geladen haben und sich hierüber ausweisen;

c. die der Canal-Bauverwaltung gehörigen Fahrzeuge,

d. Fahrzeuge, deren Ladung mindestens zu zwei Dritteln aus Gegenständen besteht, die durch längeren Aufenthalt einem leichten Verderben ausgesetzt sind.

Die Führer der letzteren haben wie a. einen schriftlichen Antrag auf das Vorschleuserecht auf beiden Ausfertigungen der Anmeldungen einzureichen, auch auf den Anmeldungen anzugeben, ob die Fahrzeuge zum Anhang eines Dampfschiffes gehören oder nicht. Im letzteren Falle sind nur die einfachen Schifffahrtsabgaben zu entrichten.

Zeit, zu welcher geschleust wird.

§ 33. Das Schleusen, sowie das Mastenlegen oder Richten findet in den Monaten Mai, Juni, Juli, August von Morgens 4 Uhr bis Abends 10 Uhr, in den Monaten März, April, September, Oktober von Morgens 5 Uhr bis Abends 9 Uhr und Januar, Februar, November, Dezember von Morgens 7 Uhr bis Abends 8 Uhr statt.

An den ersten Feiertagen der 3 hohen Feste, sowie am Charfreitage ruht der Schleusen- und Krahnbetrieb gänzlich; an den übrigen Festtagen und an jedem Sonntag ruht derselbe von 8 bis 12 Uhr Vormittags.

Bei dem Hochwasser der Elbe über 4,5 m an dem Pegel zu Niegripp werden an dieser Schleuse nur Fahrzeuge bis zu 46,0 m Länge geschleust, während das Schleusen zu Parey bereits bei einem Wasserstande von 3,77 m gänzlich aufhört.

Einfahren in die Schleusen.

§ 34. Fahrzeuge und Flöße müssen, nachdem der Schleusenmeister die Anweisung zum Einlaufen ertheilt hat, langsam und ohne Verzug in die Schleusen einfahren. Sie dürfen hierbei die Schleusenthore nicht berühren und müssen zu jeder Seite zwei Korkfender, Ballen oder Reibkissen herabhängen haben.

Oeffnen der Thore.

§ 35. Das Oeffnen und Schließen der Schütze und Schleusenthore geschieht durch die Schleusenknechte. Anderen Personen ist das Oeffnen oder Schließen der Schützen und Schleusenthore nicht gestattet. Den Schleusenknechten ist für das Oeffnen für jedes Fahrzeug und Floßholz eine Gebühr von 20 Pf. zu entrichten. Handkähne und Fischdröbel als Mitschleuser sowie Fahrzeuge im Besitze des Königlichen Hauses, des Reichs oder des Preußischen Staats zahlen Nichts.

Verhalten während des Schleusens.

§ 36. Während des Durchschleusens müssen Fahrzeuge und Flöße mindestens mit je zwei starken Tauen an den auf dem Schleusenplateau stehenden Stopfpfählen oder an den in den Kammermauern befindlichen eisernen Kreuzen befestigt sein, und sich mindestens zwei Männer auf dem Schiffe bezw. auf dem Floße selbst befinden.

§ 37. Die Fahrzeuge und Flöße dürfen in den Schleusen nicht länger verweilen, als zum Durchschleusen erforderlich ist. Innerhalb der Schleusen darf weder ein- noch ausgeladen werden.

E. Verhalten beim Anlegen und Ein- und Ausladen.

Anlegen.

§ 38. Im Oberbassin der Plauer Schleuse legen alle Fahrzeuge, die den Mastenrichter benutzen wollen, am rechten, alle anderen Fahrzeuge am linken Ufer an.

Ein- und Ausladen.

§ 39. Ohne Erlaubniß des Wasserbauinspectors ist das Ein- und Ausladen außerhalb der öffentlichen Ausladestellen und der genehmigten Privateinstiche verboten.

§ 40. Eine Ausnahme hiervon ist nur gestattet, wenn ein Schiffer Havarie erleidet und die ganze Ladung oder einen Theil derselben löschen muß. Die Gegenstände der Ladung sind in diesem Falle nicht auf den Leinpfad, sondern auf die dahinter liegenden Grundstücke niederzulegen; doch bleibt es dem Schiffer selber überlassen, sich wegen der Entschädigung, welche für das Ablagern zu zahlen ist, mit den betreffenden Grundbesitzern zu einigen.

§ 41. Die Höhe der Gebühren für das Ein- und Ausladen an den zum Canal gehörigen öffentlichen Ladestellen ist durch einen besonderen Tarif bestimmt.

§ 42. In den Einstichen dürfen nur Fahrzeuge von solchen Abmessungen liegen, daß sie darin vollständig Platz finden und das normale Canalprofil in keiner Weise beschränken.

Bei dem Ein- und Ausladen muß der Leinpfad in einer Breite von wenigstens 2,0 m vollkommen frei bleiben und dürfen mit Ausnahme der Karrbahn hier keinerlei Gegenstände niedergelegt werden.

Liegen der Schiffe.

§ 43. Während der Nacht, oder wenn die Fahrt aus einer anderen Veranlassung unterbrochen wird, müssen die Schiffe oder Flöße in einfacher Reihe gestreckt am Ufer liegen, und zwar muß zwischen je zweien ein Raum von 70 m frei bleiben, auch dürfen diese Fahrzeuge den Leinenzug nicht behindern.

Die Schiffe und Flöße müssen hierbei am hinteren und vorderen Ende mit je einem Tau festgelegt und bei Nacht durch eine nach allen Seiten leuchtende Laterne mit weißem Licht kenntlich sein. Wo sich keine Stopfpfähle befinden, haben die Schiffer ausreichend starke Pfähle in den landseitigen Rand des Leinpfades mindestens 3,0 m von der Uferkante entfernt einzuschlagen und hieran die Taue der Art zu befestigen, daß sie dicht auf den Leinpfad liegen. Zum Schutze der Leinpfadskante ist hierbei unter die Haltetaue oder Ketten ein Brett oder stärkeres Stück Holz zu legen.

Das Befestigen der Schiffe an Bäumen oder Baumpfählen, an den Constructionstheilen der Brücken oder an anderen zum Canal gehörigen Bauwerken, sowie das Einlegen von Ankern und das Einschlagen von Pfählen in die Canalsohle, Leinpfade, Banketts oder Böschungen ist verboten.

§ 44. In einer Entfernung bis zu 100 m ober- und unterhalb der Brücken dürfen Schiffe und Flöße außerhalb der Einstiche nicht anlegen.

§ 45. Schiffe, die nicht auf der Fahrt begriffen sind, müssen die Masten und Zugbäume umlegen. Die Schiffer sind verpflichtet, den vorbeifahrenden Fahrzeugen behülflich zu sein, daß die Leinen derselben ohne Hindernisse über die liegenden Fahrzeuge fortgehen.

Ueberwintern der Schiffe.

§ 46. Das längere Liegen der Fahrzeuge und Flöße in den Canalstrecken, welche nur die normale Breite haben, ist nicht gestattet, in den Schleusenbassins und Einstichen nur in dem Maße, daß der durchgehende Verkehr hierdurch in keiner Weise gestört wird.

Park des Rittergutes Seedorf.

§ 47. Vor dem Park des Rittergutes Seedorf dürfen Schiffe und Flöße nicht anlegen.

Bemannung der liegenden Schiffe.

§ 48. Auf den Schiffen und Floßtransporten, die nicht in der Fahrt begriffen sind, muß sich mindestens 1 Mann zur Bewachung befinden. Auf überwinternden Schiffen reicht für je 3 bis 4 hinter einander liegende 1 Mann aus.

F. Benutzung der Leinpfade.

Benutzung der Leinpfade.

§ 49. Das Fahren, Reiten, Karren, Viehtreiben und Hüten auf den Leinpfaden und Böschungen, sowie das Betreten der Böschungen und Banketts ist verboten.

Entfernung des Pfluges vom Canalbord.

§ 50. Auf einer Entfernung von mindestens 4 m vom Canalbord darf nicht gepflügt werden.

G. Befahren der Canalbrücken mit Last-Fuhrwerk.

§ 51. Die Canalbrücken dürfen mit Lastfuhrwerken, deren Gewicht, Wagen und Ladung zusammen, mehr als 8500 kg beträgt, nicht befahren werden.

§ 52. Sollen schwerere untheilbare Lasten über die Brücken befördert werden, so hat der Unternehmer hierzu die Genehmigung des Wasserbauinspectors einzuholen und sämmtlichen von demselben erlassenen Anordnungen Folge zu leisten. Etwa nöthig werdende Sicherheitsvorkehrungen werden von der Canalbau-Verwaltung ausgeführt, und hat der Unternehmer die dafür aufzuwendenden Kosten im Voraus an eine zu bestimmende Kasse einzuzahlen.

H. Strafbestimmungen.

§ 53. Soweit das Strafgesetzbuch nicht höhere Strafen vorschreibt, werden Uebertretungen dieser Verordnung mit Strafen bis zu 30 Mark bestraft.

Im Unvermögensfalle tritt Haft bis zu 3 Tagen ein.

§ 54. Diese Verordnung tritt sofort nach ihrer Verkündigung in Kraft.

Magdeburg, den 23. Mai 1888.

Der Regierungs-Präsident. v. Wedell.

* * *

Vorstehende Polizei-Verordnung wird im Interesse des schifffahrtstreibenden Publikums des diesseitigen Regierungsbezirkes zur öffentlichen Kenntniß gebracht.

Potsdam, den 8. Juni 1888.

Der Regierungs-Präsident.

Viehseuchen.

178. Die Maul- und Klauenseuche unter dem Rindvieh des Ritterguts Eichstädt und des Büdners Gericke zu Markee im Kreise Osthavelland ist erloschen.

Potsdam, den 1. Juni 1888.

Der Regierungs-Präsident.

179. Milzbrand ist ausgebrochen unter dem Rindvieh des zur Domaine Berge im Kreise Westhavelland gehörigen Vorwerks Bernitzow, woselbst bisher 4 Haupt Rindvieh der Seuche erlegen sind. — Ferner ist Milzbrand festgestellt worden bei einer nothgeschlachteten Kuh des Gärtnereibesitzers Lüder in Rathenow. An derselben Krankheit ist eine Kuh des Bäckermeisters Haupt zu Rheinsberg und ein Fohlen des Herrn Klessen zu Neu-Ruppin, welches sich seit 8 Tagen auf der Weide des Vorwerks Neuhof bei dem Rittergute Lohme II. im Kreise Ostprignitz befand, crepirt.

Die Maul- und Klauenseuche ist unter dem Rindvieh des Berliner Rieselgutes Wartenberg im Kreise Niederbarnim ausgebrochen.

Die beiden räudekrank gewesenen Pferde des Eigenthümers Wilhelm Thieke in Hohen-Schönhausen im Kreise Niederbarnim sind jetzt von der Räude frei.

Potsdam, den 8. Juni 1888.

Der Regierungs-Präsident.

Bekanntmachungen der Königl. Regierung.

Bekanntmachung wegen Ausreichung der Zinsscheine Reihe IV. zu den Schuldverschreibungen der Preußischen konsolidirten 4prozentigen Staats-Anleihe von 1876 bis 1879.

16. Die Zinsscheine Reihe IV. № 1 bis 20 zu den Schuldverschreibungen der Preußischen konsolidirten 4prozentigen Staats-Anleihe von 1876 bis 1879 über die Zinsen für die Zeit vom 1. Juli 1888 bis 30. Juni 1898 nebst den Anweisungen zur Abhebung der folgenden Reihe werden vom 1. Juni d. J. ab von der Kontrolle der Staatspapiere hierselbst, Oranienstraße Nr. 92/94 unten links, Vormittags von 9 bis 1 Uhr, mit Ausnahme der Sonn- und Festtage und der letzten drei Geschäftstage jeden Monats, ausgereicht werden.

Die Zinsscheine können bei der Kontrolle selbst in Empfang genommen oder durch die Regierungs-Hauptkassen, sowie in Frankfurt a. M. durch die Kreiskasse bezogen werden.

Wer die Empfangnahme bei der Kontrolle selbst wünscht, hat derselben persönlich oder durch einen Beauftragten die zur Abhebung der neuen Reihe berechtigenden Zinsscheinanweisungen mit einem Verzeichnisse zu übergeben, zu welchem Formulare ebenda und in Hamburg bei dem Kaiserlichen Postamte № 1 unentgeltlich zu haben sind. Genügt dem Einreicher eine numerirte Marke als Empfangsbescheinigung, so ist das Verzeichniß einfach, wünscht er eine ausdrückliche Bescheinigung, so ist es doppelt vorzulegen. In letzterem Falle erhalten die Einreicher das eine Exemplar, mit einer Empfangsbescheinigung versehen, sofort zurück. Die Marke oder Empfangsbescheinigung ist bei der Ausreichung der neuen Zinsscheine zurückzugeben.

In Schriftwechsel kann die Kontrolle der Staatspapiere sich mit den Inhabern der Zinsscheinanweisungen nicht einlassen.

Wer die Zinsscheine durch eine der oben genannten Provinzialkassen beziehen will, hat derselben die Anweisungen mit einem doppelten Verzeichniß einzureichen.

Das eine Verzeichniß wird, mit einer Empfangsbescheinigung versehen, sogleich zurückgegeben und ist bei Aushändigung der Zinsscheine wieder abzuliefern.

Formulare zu diesen Verzeichnissen sind bei den gedachten Provinzialkassen und den von den Königlichen Regierungen in den Amtsblättern zu bezeichnenden sonstigen Kassen unentgeltlich zu haben.

Der Einreichung der Schuldverschreibungen bedarf es zur Erlangung der neuen Zinsscheine nur dann, wenn die Zinsscheinanweisungen abhanden gekommen sind; in diesem Falle sind die Schuldverschreibungen an die Kontrolle der Staatspapiere oder an eine der genannten Provinzialkassen mittelst besonderer Eingabe einzureichen.

Berlin, den 19. April 1888.

Hauptverwaltung der Staatsschulden.

* * *

Vorstehende Bekanntmachung wird mit dem Bemerken zur öffentlichen Kenntniß gebracht, daß Formulare zu den Verzeichnissen von unserer Hauptkasse, den Königlichen Kreis- und Forstkassen und den Königlichen Haupt-Steuerämtern bezogen werden können.

Potsdam, den 28. April 1888.

Königl. Regierung.

Bekanntmachungen des Königlichen Polizei-Präsidiums zu Berlin.

Berliner und Charlottenburger Preise pro Mai 1888.

58. A. Engros-Marktpreise im Monatsdurchschnitt.

In Berlin:

für 100 Klgr.	Weizen	(gut)	18	Mark	63	Pf.,
"	do.	(mittel)	17	"	84	"
"	do.	(gering)	17	"	05	"
"	Roggen	(gut)	12	"	61	"
"	do.	(mittel)	12	"	11	"
"	do.	(gering)	11	"	59	"
"	Gerste	(gut)	17	"	40	"
"	do.	(mittel)	14	"	68	"
"	do.	(gering)	11	"	97	"
"	Hafer	(gut)	13	"	79	"
"	do.	(mittel)	12	"	80	"
"	do.	(gering)	11	"	81	"
"	Erbsen	(gut)	17	"	71	"
"	do.	(mittel)	15	"	51	"
"	do.	(gering)	13	"	30	"
"	Richtstroh		4	"	47	"
"	Heu		6	"	51	"

Monats-Durchschnitt der höchsten Berliner Tagespreise **einschließlich 5 % Aufschlag** für 50 kg

	Hafer	Stroh	Heu
im Monat Mai	7,38 Mk.,	2,53 Mk.,	4,10 Mk.

B. Detail-Marktpreise im Monatsdurchschnitt.

1) In Berlin.

für	100	Klgr.	Erbsen (gelbe) z. Kochen	24	Mark	58	Pf.,
=	=	=	Speisebohnen (weiße)	32	=	24	=
=	=	=	Linsen	45	=	—	=
=	=	=	Kartoffeln	5	=	54	=
=	1	Klgr.	Rindfleisch v. d. Keule	1	=	20	=
=	1	=	= (Bauchfleisch)	1	=	—	=
=	1	=	Schweinefleisch	1	=	18	=
=	1	=	Kalbfleisch	1	=	20	=
=	1	=	Hammelfleisch	1	=	05	=
=	1	=	Speck (geräuchert)	1	=	40	=
=	1	=	Eßbutter	2	=	20	=
=	60	Stück	Eier	2	=	54	=

2) In Charlottenburg.

für	100	Klgr.	Erbsen (gelbe z. Kochen)	25	Mark	—	Pf.,
=	=	=	Speisebohnen (weiße)	25	=	—	=
=	=	=	Linsen	37	=	50	=
=	=	=	Kartoffeln	5	=	25	=
=	1	Klgr.	Rindfleisch v. d. Keule	1	=	10	=
=	1	=	= (Bauchfleisch)	1	=	—	=
=	1	=	Schweinefleisch	1	=	20	=
=	1	=	Kalbfleisch	1	=	11	=
=	1	=	Hammelfleisch	1	=	11	=
=	1	=	Speck (geräuchert)	1	=	30	=
=	1	=	Eßbutter	2	=	30	=
=	60	Stück	Eier	2	=	14	=

C. Ladenpreise in den letzten Tagen des Monats Mai 1888:

1) In Berlin:

für	1	Klgr.	Weizenmehl № 1			35	Pf.,
=	1	=	Roggenmehl № 1			28	=
=	1	=	Gerstengraupe			48	=
=	1	=	Gerstengrütze			40	=
=	1	=	Buchweizengrütze			44	=
=	1	=	Hirse			44	=
=	1	=	Reis (Java)			75	=
=	1	=	Java-Kaffee (mittler)	2	Mark	33	=
=	1	=	= (gelb in gebr. Bohnen)	3	=	20	=
=	1	=	Speisesalz			20	=
=	1	=	Schweineschmalz (hiesiges)	1	=	30	=

2) In Charlottenburg:

für	1	Klgr.	Weizenmehl № 1			60	Pf.,
=	1	=	Roggenmehl № 1			40	=
=	1	=	Gerstengraupe			60	=
=	1	=	Gerstengrütze			50	=
=	1	=	Buchweizengrütze			50	=
=	1	=	Hirse			60	=
=	1	=	Reis (Java)			80	=
=	1	=	Java-Kaffee (mittler)	2	=	60	=
=	1	=	= (gelb in gebr. Bohnen)	3	=	—	=
=	1	=	Speisesalz			20	=
=	1	=	Schweineschmalz (hiesiges)	1	=	20	=

Berlin, den 6. Juni 1888.
Königl. Polizei-Präsidium. Erste Abtheilung.

Bekanntmachung auf Grund des Reichsgesetzes vom 21. Oktober 1878.

59. Unter Bezugnahme auf die Bekanntmachung vom 5. März 1888 wird hierdurch zur öffentlichen Kenntniß gebracht, daß die Liquidation der Lohnkommission der Zimmerer beendet ist.

Berlin, den 31. Mai 1888.

Der Polizei-Präsident.

Berliner Wollmarkt

60. Unter Bezugnahme auf die Bekanntmachung vom 22. Mai d. J. werden für den in den Tagen vom 19. bis 21. Juni d. J. auf dem Terrain der Berliner Lagerhof-Aktien-Gesellschaft abzuhaltenden Wollmarkt folgende Bestimmungen zur öffentlichen Kenntniß gebracht:

1) Die Auffahrt aller zum Wolltransport dienenden beladenen und unbeladenen Wagen findet lediglich von der Brunnenstraße durch das Wollmarktsthor, die Abfahrt nach der Brunnenstraße durch das Hauptthor des Lagerhofs und nach der Ackerstraße statt.

2) Jedem Führer, welcher Wolle zum Markt bringt, ist vom Absender (Spediteur) ein Begleitschein beizugeben, welcher enthalten muß:
   a. den Namen des Eigenthümers der Wolle,
   b. das Gewicht der Wolle nach Kilogramm,
   c. den Ort, woher dieselbe abgerollt worden ist (d. h. ob und eventuell von welchem Bahnhof oder von welchem Wolllager).

   Dieser Begleitschein ist dem am Eingangsthor zum Wollmarkt postirten Polizeibeamten auszuhändigen.

3) Die Lagerung der dem Wollmarkt zugeführten Wollen erfolgt nur in gedeckten Räumen gegen ein bei der Einführung der Wolle auf den Marktplatz an die Direktion der Lagerhof-Gesellschaft zu entrichtendes Lagergeld von einer Mark pro 50 Kilo und für die Dauer des Marktes einschließlich der Zeit der An- und Abfuhr.

   Die Einfuhr darf am 16. Juni beginnen.

4) Zum Verwiegen der Wolle sind unter der Aufsicht vereideter Wäger stehende Waagen vorhanden.

Berlin, den 5. Juni 1888.

Der Polizei-Präsident.

Bekanntmachungen des Staatssekretairs des Reichs-Postamts.

Post- und Eisenbahnkarte des Deutschen Reichs.

13. Von der im Kursbüreau des Reichs-Postamts bearbeiteten neuen Post- und Eisenbahnkarte des Deutschen Reichs sind jetzt im Weiteren die Blätter II. und XII. erschienen. Ersteres umfaßt die Provinz Schleswig-Holstein, letzteres Thüringen und das nördliche Bayern. Die Blätter können im Wege des Buchhandels zum Preise von 2 M. für das unausgemalte Blatt und 2 M. 25 Pf. für jedes Blatt mit farbiger Angabe der Grenzen von dem Verleger der Karten, dem Berliner Lithographischen Institut von Julius Moser (Berlin W. Potsdamerstraße 110), bezogen werden.

Berlin W., 31. Mai 1888.

Der Staatssekretair des Reichs-Postamts.

Bekanntmachungen der Kaiserlichen Ober-Postdirektion zu Berlin.

Einrichtung des Telegraphenbetriebes bei der Posthülfstelle in Schildow.

39. Am 10. Juni wird in Schildow neben der bereits bestehenden Posthülfstelle eine Telegraphenhülfstelle in Wirksamkeit treten, welche dem Posthülfstelleninhaber daselbst übertragen worden ist.

Die Telegraphenhülfstelle befaßt sich mit der Annahme, Beförderung und Bestellung aller Arten von Telegrammen, mit Ausnahme von telegraphischen Postanweisungen.

Besondere Dienststunden für den Verkehr mit dem Publikum werden bei der Telegraphenhülfstelle nicht festgesetzt.

Berlin C., 6. Juni 1888.

Der Kaiserliche Ober-Postdirektor.

Einrichtung des Telegraphenbetriebes bei dem Postamt № 84 (Krausenstraße 6/7).

40. Bei dem Postamte № 84 (Krausenstraße 6/7) in Berlin wird am 15. Juni der Telegraphenbetrieb eingerichtet. Die Dienststunden für den Telegrammverkehr mit dem Publikum werden wie folgt festgesetzt:

A. an Wochentagen

von 8 Uhr Vormittags bis 7 Uhr Nachmittags;

B. an Sonn- und Feiertagen

von 8 bis 9 Uhr Vormittags und von 5 bis 7 Uhr Nachmittags.

Berlin C., 8. Juni 1888.

Der Kaiserl. Ober-Postdirektor.

Bekanntmachungen der Kaiserlichen Ober-Post-Direktion zu Potsdam.

Einrichtung einer Telegraphenanstalt in Wansdorf.

41. In **Wansdorf,** Kreis Osthavelland, wird am 7. Juni eine mit der Postagentur daselbst vereinigte **Reichs-Telegraphenanstalt** in Wirksamkeit treten.

Potsdam, den 5. Juni 1888.

Der Kaiserliche Ober-Postdirector.

Errichtung von Telegraphenstellen.

42. Am 8. Juni wird im Kreise Ostprignitz zu **Breddin** eine **Reichs-Telegraphenanstalt,** und zu **Stüdenitz eine Telegraphenhülfstelle** in Wirksamkeit treten.

Potsdam, den 5. Juni 1888.

Der Kaiserl. Ober-Postdirektor.

Bekanntmachungen der Königlichen Hauptverwaltung der Staatsschulden.

Einlösung der am 1. Juli 1888 fälligen Zinsscheine Preußischer Staatsschulden rc.

10. Die am 1. Juli 1888 fälligen **Zinsscheine** der **Preußischen Staatsschulden** werden bei der Staatsschulden-Tilgungskasse — W. Taubenstraße 29 hierselbst —, bei der Reichsbank-Hauptkasse, sowie bei den früher zur Einlösung benutzten Königlichen Kassen und Reichsbankanstalten **vom 25. d. M. ab** eingelöst.

Die Zinsscheine sind, nach den einzelnen Schuldgattungen und Werthabschnitten geordnet, den Einlösungsstellen mit einem Verzeichniß vorzulegen, welches die **Stückzahl** und den **Betrag** für jeden Werthabschnitt angiebt, aufgerechnet ist und des Einliefernden Namen und Wohnung ersichtlich macht.

Wegen Zahlung der am 1. Juli fälligen Zinsen für die in das **Staatsschuldbuch** eingetragenen Forderungen bemerken wir, daß die **Zusendung** dieser Zinsen mittels der **Post** sowie ihre Gutschrift auf den Reichsbank-Girokonten der Empfangsberechtigten zwischen dem **18. Juni und 8. Juli** erfolgt; die **Baarzahlung** aber bei der **Staatsschulden-Tilgungskasse am 18. Juni, bei den Regierungs-Hauptkassen am 25. Juni** und bei den mit der Annahme direkter Staatssteuern außerhalb Berlins betrauten Kassen **am 2. Juli** beginnt.

Die Staatsschulden-Tilgungskasse ist **für die Zinszahlungen** werktäglich von 9 bis 1 Uhr mit Ausschluß des vorletzten Tages in jedem Monat, am letzten Monatstage aber von 11 bis 1 Uhr geöffnet.

Die Inhaber Preußischer 4prozentiger und 3½prozentiger Konsols machen wir auf die durch uns veröffentlichten „Amtlichen Nachrichten über das Preußische Staatsschuldbuch, Dritte Ausgabe" aufmerksam, welche durch jede Buchhandlung für 40 Pfennig oder von dem Verleger J. Guttentag (D. Collin) in Berlin durch die Post für 45 Pfennig franko zu beziehen sind.

Berlin, den 5. Juni 1888.

Hauptverwaltung der Staatsschulden.

Bekanntmachungen der Königl. Kontrolle der Staatspapiere.

Aufgebot einer Schuldverschreibung.

10. In Gemäßheit des § 20 des Ausführungsgesetzes zur Civilprozeßordnung vom 24. März 1879 (G.-S. S. 281) und des § 6 der Verordnung vom 16. Juni 1819 (G.-S. S. 157) wird bekannt gemacht, daß dem Buchdruckereibesitzer Johann Szymanski zu Inowrazlaw, früher zu Breslau, die Schuldverschreibung der konsolidirten 4%igen Staatsanleihe von 1882 lit. E. № 531760 über 300 M. angeblich in Breslau abhanden gekommen ist. Es wird Derjenige, welcher sich im Besitze dieser Urkunde befindet, hiermit aufgefordert, solches der unterzeichneten Kontrolle der Staatspapiere oder dem Herrn Szymanski anzuzeigen, widrigenfalls das gerichtliche Aufgebotsverfahren behufs Kraftloserklärung der Urkunde beantragt werden wird.

Berlin, den 4. Juni 1888.

Königl. Kontrolle der Staatspapiere.

Bekanntmachungen der Kreis-Ausschüsse.

Kommunalbezirks-Veränderungen.

15. Durch Beschluß des Kreisausschusses ist auf Grund des § 25 des Zuständigkeits-Gesetzes vom 1. August 1883 nach Einwilligung der Betheiligten: 1) Die Abtrennung des Grundstücks Kartenblatt 1, Flächenabschnitt 268/1 von 2 ha 72 a 23 qm Flächeninhalt, dem Majoratsherrn Grafen von Wilamowitz-Moellendorff auf Gadow gehörig, vom Gemeindebezirk Wustrow und die Vereinigung dieser Parzelle mit dem Gutsbezirke Wustrow, 2) die Abtrennung der Grundstücke Kartenblatt 1, Flächenabschnitte 262/109, 263/115 von zusammen 67 a 90 qm Flächeninhalt, dem Schuhmacher Christoph Gaedke zu Lenzersilge gehörig, vom Gutsbezirke Gadow und die Vereinigung derselben mit dem Gemeindebezirke Lenzersilge, 3) die Abtrennung des Grundstücks Kartenblatt 1, Flächenabschnitt 264/118 von 8 a 80 qm Flächeninhalt, dem Schuhmacher Christoph Gaedke zu Lenzersilge gehörig, vom Gutsbezirke Feldmarschallshof und dessen Vereinigung mit dem Gemeindebezirk Lenzersilge, 4) die Abtrennung der Grundstücke Kartenblatt 1, Abschnitte 217/148, 149 von 1 ha 80 a 60 qm Flächeninhalt, dem Kossäthen August Blüthmann zu Lanz gehörig, vom Gutsbezirke Gadow und die Vereinigung derselben mit dem Gemeindebezirke Lanz, 5) die Abtrennung der Grundstücke Kartenblatt 1, Abschnitte 211/101 und 102, 281/159 und 283/158, sowie 282/159 und 284/158 von bezw. 79 a 60 qm, 69 a 49 qm und 69 a 76 qm Flächeninhalt, dem Büdner Wilhelm Loether und dessen Ehefrau geb. Gaedecke, der Büdnerwittwe Marie Keilberg und Mitbesitzer und dem Büdner Gottlieb Walter zu Babekuhl gehörig, vom Gutsbezirke Gadow und deren Vereinigung mit dem Gemeindebezirke Babekuhl, 6) die Abtrennung des Grundstücks Kartenblatt 1, Abschnitt 206/138 von 1 ha 16 a 90 qm Flächeninhalt, dem Büdner Johann Joachim Hingst zu Babekuhl gehörig, vom Gutsbezirke Feldmarschallshof und die Vereinigung desselben mit dem Gemeindebezirke Babekuhl genehmigt worden, was gemäß § 1 (vorletzter Absatz) des Gesetzes, betreffend die Landgemeinde-Verfassungen, vom 14. April 1856 hiermit bekannt gemacht wird.

Perleberg, den 1. Juni 1888.

Namens des Kreisausschusses
v. Jagow, Landrath.

Personal-Chronik.

Dem Domänenpächter Ernst Keppler zu Fehrbellin ist von dem Herrn Minister für Landwirthschaft, Domänen und Forsten der Charakter „Königlicher Oberamtmann" verliehen worden.

Im Kreise Jüterbog-Luckenwalde ist an Stelle des verstorbenen Rittergutsbesitzer von Heinecken zu Bollensdorf der Amtmann Koch zu Mehlsdorf bei Dahme zum Amtsvorsteher des Bezirks VIII. Illmersdorf ernannt worden.

Der Königl. Regierungs-Bauführer Friedrich Kratz, zur Zeit in Charlottenburg, ist am 2. Juni d. J. als solcher vereidigt worden.

Der versorgungsberechtigte Feldwebel, Forstaufseher Franke zu Haselhorst in der Oberförsterei Tegel, ist zum Königlichen Förster ernannt und demselben die Försterstelle Breitelege in der Oberförsterei Freienwalde, vom 1. Juli d. J. ab übertragen worden.

Der versorgungsberechtigte Oberjäger, Forstaufseher Engel zu Forsthaus Templin, in der Oberförsterei Potsdam, ist zum Königlichen Förster ernannt und demselben die Försterstelle Löcknitz in der Oberförsterei Gramzow, vom 1. Juli d. J. ab übertragen worden.

Dem Superintendenten, Pfarrer Karl von Hoff zu Kietz (Lenzerwische) ist vom 1. Juni d. J. die Kreisschulinspection über die Schulen des Inspectionskreises Lenzen übertragen worden.

Der Erzieherin Wilhelmine Harras zu Stift Marienfließ, Kreis Ostprignitz, ist die Erlaubniß ertheilt worden, im Regierungsbezirk Potsdam Stellen als Hauslehrerin anzunehmen.

Der Erzieherin Frieda Wienke in Katerbow, Kreis Ruppin, ist die Erlaubniß ertheilt worden, im Regierungsbezirk Potsdam Stellen als Hauslehrerin anzunehmen.

Dem Fräulein Marie Weyland zu Stücken bei Beelitz ist die Erlaubniß ertheilt worden, im Regierungs-Bezirk Potsdam Stellen als Hauslehrerin anzunehmen.

Personalveränderungen im Bezirke der Kaiserlichen Ober-Postdirektion zu Potsdam.

Etatsmäßig angestellt sind: Der Postverwalter Hut in Gransee und der Postassistent Rose in Dahme als Postassistenten.

Ernannt sind: Der Postassistent Reich in Cöpenick zum Ober-Postassistenten, der Telegraphenassistent Kurias in Groß-Lichterfelde zum Ober-Telegraphenassistenten.

Gestorben ist: Der Postsecretair Treuter in Brandenburg (Havel).

Personal-Veränderungen im Königl. Eisenbahn-Direktions-Bezirke Bromberg.

Der Güterexpedient Falk in Berlin tritt am 1. Juli d. J. in den Ruhestand und der Stations-Aufseher Gutzeit in Neuenhagen ist zum Stations-Vorsteher ernannt.

Vermischte Nachrichten.

Belobigung für Rettung aus Lebensgefahr.

Der Schiffer August Hackert zu Himmelpfort, Kreis Templin, hat am 17. April d. J. im Finow-Kanal den Sohn des Handelsmanns Karl Kühne aus Steinfurth in Gemeinschaft mit dem Schleusengehilfen Friedrich Schulze zu Steinfurth nicht ohne eigene Lebensgefahr vom Tode des Ertrinkens gerettet.

Diese muthige That des ɔc. Hackert und Schulze wird hiermit zur öffentlichen Kenntniß gebracht und die denselben gebührende Anerkennung hierdurch öffentlich ausgesprochen.

Potsdam, den 11. Juni 1888.

Der Regierungs-Präsident.

Hierzu Drei Oeffentliche Anzeiger.

(Die Insertionsgebühren betragen für eine einspaltige Druckzeile 20 Pf. Belagsblätter werden der Bogen mit 10 Pf. berechnet.)

Redigirt von der Königlichen Regierung zu Potsdam.

Potsdam, Buchdruckerei der A. W. Hayn'schen Erben (E. Hayn, Hof-Buchdrucker).

Amtsblatt
der Königlichen Regierung zu Potsdam und der Stadt Berlin.

Stück 25. Den 22. Juni **1888.**

Bekanntmachungen des Königlichen Ober-Präsidenten der Provinz Brandenburg.

Wahl eines Mitgliedes des Brandenburgischen Provinziallandtags.

14. An Stelle des verstorbenen Wirklichen Geheimen Raths Grafen von Arnim-Boitzenburg ist von dem Kreistage des Kreises Templin der Rittergutsbesitzer Reiche zu Annenwalde zum Mitgliede des Brandenburgischen Provinziallandtags gewählt worden, was gemäß § 21 der Provinzial-Ordnung hierdurch bekannt gemacht wird.

Potsdam, den 9. Juni 1888.

Der Oberpräsident der Provinz Brandenburg.
Staatsminister Achenbach.

Bekanntmachungen des Königlichen Regierungs-Präsidenten.

Auflösung des Gutsbezirks Schulzendorf, Kreis Niederbarnim.

180. Des Königs Majestät haben mittels Allerhöchsten Erlasses vom 14. April d. J. die Auflösung des selbstständigen Gutsbezirks Schulzendorf, im Kreise Niederbarnim, zu genehmigen geruht.

Dies wird hiermit zur öffentlichen Kenntniß gebracht.

Potsdam, den 15. Juni 1888.

Der Regierungs-Präsident.

Einrichtung und Betrieb der zur Anfertigung von Cigarren bestimmten Anlagen.

181. Auf Grund des § 120 Absatz 3 und des § 139a Absatz 1 der Reichsgewerbeordnung hat der Bundesrath folgende Vorschriften über die Einrichtung und den Betrieb der zur Anfertigung von Cigarren bestimmten Anlagen erlassen:

§ 1. Die nachstehenden Vorschriften finden Anwendung auf alle Anlagen, in welchen zur Herstellung von Cigarren erforderliche Verrichtungen vorgenommen werden, sofern in den Anlagen Personen beschäftigt werden, welche nicht zu den Familiengliedern des Unternehmers gehören.

§ 2. Das Abrippen des Tabacks, die Anfertigung und das Sortiren der Cigarren darf in Räumen, deren Fußboden 0,5 m unter dem Straßenniveau liegt, überhaupt nicht, und in Räumen, welche unter dem Dache liegen, nur dann vorgenommen werden, wenn das Dach mit Verschalung versehen ist.

Die Arbeitsräume, in welchen die bezeichneten Verrichtungen vorgenommen werden, dürfen weder als Wohn-, Schlaf-, Koch- oder Vorrathsräume noch als Lager- oder Trockenräume benutzt werden. Die Zugänge zu benachbarten Räumen dieser Art müssen mit verschließbaren Thüren versehen sein, welche während der Arbeitszeit geschlossen sein müssen.

§ 3. Die Arbeitsräume (§ 2) müssen mindestens drei Meter hoch und mit Fenstern versehen sein, welche nach Zahl und Größe ausreichen, um für alle Arbeitsstellen hinreichendes Licht zu gewähren. Die Fenster müssen so eingerichtet sein, daß sie wenigstens für die Hälfte ihres Flächenraums geöffnet werden können.

§ 4. Die Arbeitsräume müssen mit einem festen und dichten Fußboden versehen sein.

§ 5. Die Zahl der in jedem Arbeitsraum beschäftigten Personen muß so bemessen sein, daß auf jede derselben mindestens sieben Kubikmeter Luftraum entfallen.

§ 6. In den Arbeitsräumen dürfen Vorräthe von Taback und Halbfabrikaten nur in der für eine Tagesarbeit erforderlichen Menge und nur die im Laufe des Tages angefertigten Cigarren vorhanden sein. Alles weitere Lagern von Taback und Halbfabrikaten, sowie das Trocknen von Taback, Abfällen und Wickeln in den Arbeitsräumen auch außerhalb der Arbeitszeit ist untersagt.

§ 7. Die Arbeitsräume müssen täglich zweimal mindestens eine halbe Stunde lang, und zwar während der Mittagspause und nach Beendigung der Arbeitszeit, durch vollständiges Oeffnen der Fenster und der nicht in Wohn-, Schlaf-, Koch- oder Vorrathsräume führenden Thüren gelüftet werden. Während dieser Zeit darf den Arbeitern der Aufenthalt in den Arbeitsräumen nicht gestattet werden.

§ 8. Die Fußböden und Arbeitstische müssen täglich mindestens einmal durch Abwaschen oder feuchtes Abreiben vom Staube gereinigt werden.

§ 9. Kleidungsstücke, welche von den Arbeitern für die Arbeitszeit abgelegt werden, sind außerhalb der Arbeitsräume aufzubewahren. Innerhalb der Arbeitsräume ist die Aufbewahrung nur gestattet, wenn dieselbe in ausschließlich dazu bestimmten verschließbaren Schränken erfolgt. Die letzteren müssen während der Arbeitszeit geschlossen sein.

§ 10. Auf Antrag des Unternehmers können Abweichungen von den Vorschriften der §§ 3, 5, 7 durch die höhere Verwaltungsbehörde zugelassen werden, wenn die Arbeitsräume mit einer ausreichenden Ventilationseinrichtung versehen sind.

Desgleichen kann auf Antrag des Unternehmers durch die höhere Verwaltungsbehörde eine geringere als die im § 3 vorgeschriebene Höhe für solche Arbeitsräume zugelassen werden, in welchen den Arbeitern ein größerer als der im § 5 vorgeschriebene Luftraum gewährt wird.

§ 11. Die Beschäftigung von Arbeiterinnen und jugendlichen Arbeitern ist nur gestattet, wenn die nachstehenden Vorschriften beobachtet werden:

1) Arbeiterinnen und jugendliche Arbeiter müssen im unmittelbaren Arbeitsverhältniß zu dem Betriebsunternehmer stehen. Das Annehmen und Ablohnen derselben durch andere Arbeiter oder für deren Rechnung ist nicht gestattet.
2) Für männliche und weibliche Arbeiter müssen getrennte Aborte mit besonderen Eingängen und, sofern vor Beginn und nach Beendigung der Arbeit ein Wechseln der Kleider stattfindet, getrennte Aus- und Ankleideräume vorhanden sein.

Die Vorschrift unter Ziffer 1 findet auf Arbeiter, welche zu einander in dem Verhältniß von Ehegatten, Geschwistern oder von Ascendenten und Descendenten stehen, die Vorschrift unter Ziffer 2 auf Betriebe, in welchen nicht über zehn Arbeiter beschäftigt werden, keine Anwendung.

§ 12. An der Eingangsthür jedes Arbeitsraumes muß ein von der Ortspolizeibehörde zur Bestätigung der Richtigkeit seines Inhaltes unterzeichneter Aushang befestigt sein, aus welchem ersichtlich ist:

1) die Länge, Breite und Höhe des Arbeitsraumes,
2) der Inhalt des Luftraumes in Kubikmeter,
3) die Zahl der Arbeiter, welche demnach in dem Arbeitsraum beschäftigt werden darf.

In jedem Arbeitsraum muß eine Tafel ausgehängt sein, welche in deutlicher Schrift die Bestimmungen der §§ 2 bis 11 wiedergiebt.

§ 13. Die vorstehenden Bestimmungen treten für neu errichtete Anlagen sofort in Kraft.

Für Anlagen, welche zur Zeit des Erlasses dieser Bestimmungen bereits im Betriebe stehen, treten die Vorschriften der §§ 2 bis 6 und 11 mit Ablauf eines Jahres, alle übrigen Vorschriften mit Ablauf dreier Monate nach dem Erlasse derselben in Kraft.

Für die ersten fünf Jahre nach dem Erlaß dieser Bestimmungen können Abweichungen von den Vorschriften der §§ 2 bis 6 für Anlagen, welche zur Zeit des Erlasses bereits im Betrieb waren, von den Landes-Centralbehörden gestattet werden.

Berlin, den 9. Mai 1888.

Der Reichskanzler. In Vertretung von Boetticher.

* * *

Diese Vorschriften werden hiermit zur Nachachtung und mit dem Bemerken veröffentlicht, daß nach § 13 der obigen Bekanntmachung diese Bestimmungen für Neuanlagen sofort, für Anlagen, welche zur Zeit des Erlasses dieser Vorschriften bereits im Betriebe stehen, die Vorschriften der §§ 2 bis 6 und 11 mit Ablauf 1 Jahres, alle übrigen Vorschriften mit Ablauf 3 Monate nach dem Erlasse derselben in Kraft treten.

Potsdam, den 7. Juni 1888.

Der Regierungs-Präsident.

182. Die Maul- und Klauenseuche auf dem Vorwerk Birkholz des Gutes Diedersdorf im Kreise Teltow ist erloschen.

Potsdam, den 12. Juni 1888.

Der Regierungs-Präsident.

183. Das rotzverdächtige Pferd des Fuhrherrn Wilhelm Geduld in Reinickendorf bei Berlin ist getödtet und bei der Obduction von der Rotzkrankheit frei befunden worden.

Potsdam, den 13. Juni 1888.

Der Regierungs-Präsident.

184. Der Milzbrand hat unter dem Viehbestande des Kossäthen Pusemann zu Bukow im Kreise Jüterbog-Luckenwalde, nachdem daran am 13. v. M. eine Kuh verendet war, nicht weiter um sich gegriffen und ist erloschen.

Potsdam, den 16. Juni 1888.

Der Regierungs-Präsident.

Bekanntmachungen des Königlichen Polizei-Präsidiums zu Berlin.

Verkauf sog. „getrockneter Morcheln" ꝛc.

61. Neuerdings ist mehrfach festgestellt worden, daß als **„getrocknete Morcheln"** hier vielfach nicht echte Morcheln, sondern die ihr äußerlich ähnlichen, bisweilen auch in ihrer Wirkung verdächtigen Lorcheln feilgehalten werden, deren Genuß, ganz besonders wenn denselben alte ausgewachsene wurmstichige und faule Exemplare beigemengt sind, leicht für die Gesundheit gefährliche Folgen haben kann.

Ebenso werden als **„getrocknete Champignons"** außerordentlich häufig nicht diese, sondern die zerschnittenen Stiele und Hüte des **Steinpilzes** nach Entfernung der Röhrenlamellen verkauft, welchen gelegentlich auch giftige Pilze, wie der **„Hörnling"**, der **Knollenblätterschwamm** u. a. **beigemengt** sind.

Es wird daher die größte Vorsicht nicht nur beim Einsammeln, wobei alle verdorbenen und schädlichen Exemplare fernzuhalten sind, sondern auch für den Genuß derartiger Pilze anzuwenden sein, und empfiehlt es sich, die frischen wie die getrockneten Pilze vor der Zubereitung durch kochendes und kaltes Wasser zu reinigen und eventuell aufzufrischen, um alsdann alle ungesund aussehenden Stücke zu entfernen. Hierbei sei bemerkt, daß das Fleisch des eßbaren Steinpilzes nach dem Trocknen weiß bleibt, während seine gefährlichen Nebenarten blau zu werden pflegen.

Berlin, den 8. Juni 1888.

Der Polizei-Präsident.

Auslegung des Planes zur Enteignung der Grundstücke An der Fischerbrücke Nr. 1 bis 5

62. Nachdem auf Grund des § 15 des Enteignungsgesetzes vom 11. Juni 1874 von Landespolizeiwegen vorläufig festgestellt worden ist, daß die An der Fischerbrücke Nr. 1 bis 5 hierselbst belegenen Grundstücke zu denjenigen Grundstücken gehören, gegenüber welchen der Stadtgemeinde Berlin zum Zwecke der Verbesserung der bestehenden Landverkehrs-Verhältnisse auf und zur Verbesserung der Wasserverhältnisse unter der Straße „Am

Mühlendamm" durch die Allerhöchste Kabinetsordre vom 7. April 1886 das Enteignungsrecht verliehen worden ist, wird der bezügliche Plan in Gemäßheit der §§ 18 fg. a. a. O. von Sonnabend, den 23. Juni, bis Sonnabend, den 7. Juli d. J., einschließlich in der Plankammer des hiesigen Magistrats während der täglichen Dienststunden zu Jedermanns Einsicht ausliegen.

Einwendungen gegen diesen Plan sind bis zum Ablaufe dieser Frist bei der Ersten Abtheilung des Königlichen Polizei-Präsidiums schriftlich einzureichen.

Berlin, den 16. Juni 1888.

Der Polizei-Präsident.

Bekanntmachungen der Kaiserlichen Ober-Post-Direktion zu Potsdam.

Erweiterung der Stadt-Fernsprechanlagen.

43. Für die im nächsten Bauabschnitte vom 1sten August d. J. ab auszuführende **Erweiterung der Stadt-Fernsprechanlagen** in Potsdam, Spandau, Cöpenick, Steglitz, Groß-Lichterfelde, Oranienburg, Wannsee, Grünau (Mark) und Ludwigsfelde, welche sämmtlich mit dem **Berliner Fernsprechnetz** verbunden sind, ist es nothwendig, die Anzahl der neuen Anschlüsse, sowie die Lage der Gebäude, in welchen Fernsprechstellen eingerichtet werden sollen, im Voraus zu kennen.

Diejenigen Personen, welche den Anschluß an eine der genannten Stadt-Fernsprecheinrichtungen wünschen, wollen ihre **schriftlichen Anmeldungen spätestens** bis zum 1. Juli mir zugehen lassen. Die einschlägigen Bedingungen werden auf Wunsch von den Postanstalten in den bezeichneten Orten mitgetheilt.

Potsdam, den 19. Mai 1888.

Der Kaiserl. Ober-Postdirektor.

Einrichtung einer Telegraphenanstalt in Zechlinerhütte.

44. In Zechlinerhütte wird am 16. Juni eine mit der Postagentur daselbst vereinigte **Reichs-Telegraphenanstalt** in Wirksamkeit treten.

Potsdam, 14. Juni 1888.

Der Kaiserliche Ober-Postdirector.

Einrichtung einer Telegraphenhülfstelle in Carwe.

45. In Carwe bei Wustrau wird am 18. Juni eine mit der Posthülfstelle daselbst vereinigte Telegraphenhülfstelle in Wirksamkeit treten.

Potsdam, den 15. Juni 1888.

Der Kaiserliche Ober-Postdirektor.

Postbestellbezirks-Aenderung.

46. Vom 15. Juni ab sind die Orte **Bläsendorf** (bisher im Landbestellbezirke des Kaiserlichen Postamts in Wittstock) und **Könkendorf** (bisher im Landbestellbezirke des Kaiserlichen Postamts in Pritzwalk) dem Bestellbezirke der Kaiserlichen Postagentur in **Sadenbeck** zugetheilt worden.

Potsdam, den 15. Juni 1888.

Der Kaiserliche Ober-Postdirektor.

Bekanntmachungen der Königlichen Hauptverwaltung der Staatsschulden.

15. Verloosung von Schuldverschreibungen der 4prozentigen Staatsanleihe von 1868 A.

11. Bei der heute in Gegenwart eines Notars öffentlich bewirkten 15. Verloosung von Schuldverschreibungen der 4prozentigen Staatsanleihe von 1868 A. sind die in der Anlage verzeichneten Nummern gezogen worden.

Dieselben werden den Besitzern mit der Aufforderung gekündigt, die in den ausgeloosten Nummern verschriebenen Kapitalbeträge vom 1. Januar 1889 ab gegen Quittung und Rückgabe der Schuldverschreibungen und der nach dem 1. Januar k. J. fällig werdenden Zinsscheine Reihe VI. № 3 bis 8 nebst Anweisungen zur Reihe VII. bei der Staatsschulden-Tilgungskasse hierselbst, Taubenstraße Nr. 29, zu erheben. Die Zahlung erfolgt von 9 Uhr Vormittags bis 1 Uhr Nachmittags, mit Ausschluß der Sonn- und Festtage und der letzten drei Geschäftstage jeden Monats.

Die Einlösung geschieht auch bei den Regierungs-Hauptkassen und in Frankfurt a. M. bei der Kreiskasse. Zu diesem Zwecke können die Schuldverschreibungen nebst Zinsscheinen und Zinsscheinanweisungen einer dieser Kassen schon vom 1. Dezember d. J. ab eingereicht werden, welche sie der Staatsschulden-Tilgungskasse zur Prüfung vorzulegen hat und nach erfolgter Feststellung die Auszahlung vom 1. Januar 1889 ab bewirkt.

Der Betrag der etwa fehlenden Zinsscheine wird vom Kapitale zurückbehalten.

Mit dem 1. Januar 1889 hört die Verzinsung der verloosten Schuldverschreibungen auf.

Zugleich werden die bereits früher ausgeloosten, auf der Anlage verzeichneten, noch rückständigen Schuldverschreibungen wiederholt und mit dem Bemerken aufgerufen, daß die Verzinsung derselben mit dem Tage ihrer Kündigung aufgehört hat.

Die Staatsschulden-Tilgungskasse kann sich in einen Schriftwechsel mit den Inhabern der Schuldverschreibungen über die Zahlungsleistung nicht einlassen.

Formulare zu den Quittungen werden von den obengedachten Kassen unentgeltlich verabfolgt.

Berlin, den 1. Juni 1888.

Hauptverwaltung der Staatsschulden.

Kündigung der Prioritäts-Obligationen der Taunus-Eisenbahn von 1844.

12. Die sämmtlichen, bisher noch nicht zur Verloosung gekommenen Prioritäts-Obligationen der Taunus-Eisenbahn von 1844 werden den Besitzern zur baaren Rückzahlung zum 31. Dezember dieses Jahres gekündigt.

Der Kapitalbetrag ist von diesem Tage ab bei der Staatsschulden-Tilgungskasse hierselbst — W. Taubenstraße 29 — gegen Quittung und Rückgabe der Obligationen zu erheben. Die Zahlung erfolgt von 9 Uhr Vormittags bis 1 Uhr Nachmittags mit Ausschluß der Sonn- und Festtage und der letzten drei Geschäftstage jeden Monats.

Die Einlösung geschieht auch bei der Hauptkasse der Königlichen Eisenbahn-Direktion in Frankfurt a. M., bei der Königlichen Kreiskasse daselbst und bei den Königlichen Regierungs-Hauptkassen.

Zu diesem Zwecke können die Obligationen einer dieser Kassen schon vom 1. Dezember d. J. ab eingereicht werden, welche sie der Staatsschulden-Tilgungskasse zur Prüfung vorzulegen hat und nach erfolgter Feststellung vom 31. Dezember 1888 ab die Auszahlung bewirkt.

Vom 1. Januar 1889 ab hört die Verzinsung dieser Obligationen auf.

Die Staatsschulden-Tilgungskasse kann sich in einen Schriftwechsel mit den Inhabern der Obligationen über die Zahlungsleistung nicht einlassen.

Formulare zu den Quittungen werden von den gedachten Kassen unentgeltlich verabfolgt.

Berlin, den 4. Juni 1888.

Hauptverwaltung der Staatsschulden.

Bekanntmachungen des Provinzial-Steuer-Direktors.

Neues amtliches Waarenverzeichniß.

7. Unter Bezugnahme auf den § 12 des Vereins-Zollgesetzes vom 1. Juli 1869 wird hierdurch zur öffentlichen Kenntniß gebracht, daß ein vom Bundesrath genehmigtes neues amtliches Waarenverzeichniß erschienen ist und mit dem 1. Juli d. J. in Kraft tritt. Dasselbe kann bei den einzelnen Amtsstellen des diesseitigen Verwaltungsbezirks während der Dienststunden eingesehen und im Wege des Buchhandels von dem Königl. Hofbuchhändler G. Schenk, Berlin SW., Jerusalemerstraße Nr. 56, bezogen werden.

Berlin, den 15. Juni 1888.

Der Provinzial-Steuer-Direktor.

Bekanntmachung des Landes-Direktors der Provinz Brandenburg.

Uebersicht von dem Zustande der Brandenburgischen Wittwen- und Waisen-Versorgungs-Anstalt für 1887/88.

4. Die Brandenburgsche Wittwen- und Waisen-Versorgungs-Anstalt hat in dem Rechnungsjahre 1887/88

an Wittwen- und Waisengeld-Beiträgen vereinnahmt		82 993 M. 91 Pf.
und an Zinsen von den Beständen des laufenden Fonds		1 031 „ 21 „
zusammen		84 025 M. 12 Pf.
An Wittwen- und Waisengeldern sind gezahlt		14 647 „ 11 „
so daß als Ueberschuß		69 378 M. 01 Pf.
dem „Eisernen Fonds" zu überweisen waren. Diesen sind zu seinem Bestande vom 31. März 1887 von	564 226,31 M.	
nach Abzug eines Kursverlustes für ausgelooste Werthpapiere von	12,84 „	
mit noch		564 213 „ 47 „
außerdem zugeflossen:		
an Zinsen		20 994 „ 32 „
„ Eintrittsgeldern		8 408 „ 47 „
„ nacherhobenen Beiträgen		138 „ 62 „
so daß derselbe am **31. März 1888** eine Höhe von		663 132 M. 89 Pf.

erreichte.

Die Vermehrung des Fonds im Rechnungsjahre 1887/88 stellt sich darnach auf 98 919,42 M.

Verausgabt sind für den Ankauf von Werthpapieren und zwar für:

a. 401 900 M. 4 % Preußische consolidirte Staatsanleihe (davon 400 000 M. in das Staatsschuldbuch eingetragen)	413 836,50 M.	
b. 150 M. 4 % Landschaftliche Central-Pfandbriefe	152,78 „	
c. 240 400 M. 3½ % Landschaftliche Pfandbriefe	237 886,98 „	
zusammen		651 876 „ 26 „
so daß ein — inzwischen belegter — Baarbestand verblieb von		11 256 M. 63 Pf.

Dies wird gemäß § 27 des Reglements der Anstalt hierdurch zur öffentlichen Kenntniß gebracht.

Berlin, den 8. Juni 1888.

Der Landesdirektor der Provinz Brandenburg.

von Levetzow.

Bekanntmachungen der Königlichen Eisenbahn-Direktion zu Bromberg.

Frachtbegünstigung für Ausstellungsgegenstände.

43. Für diejenigen Maschinen, Geräthe und sonstigen Gegenstände, welche zur Bierbereitung gebraucht werden und auf der vom 24. Juni bis 1. Juli d. J. in Stuttgart stattfindenden Ausstellung ausgestellt werden und unverkauft bleiben, wird auf den Strecken der Preußischen Staatseisenbahnen eine Frachtbegünstigung in der Art gewährt, daß für die Hinbeförderung die volle tarifmäßige Fracht berechnet wird, die Rückbeförderung an die Versandstation und den Aussteller aber frachtfrei erfolgt, wenn durch Vorlage des ursprünglichen Frachtbriefes für den Hinweg, sowie durch eine Bescheinigung der Ausstellungs-Kommission nachgewiesen wird, daß die Gegenstände ausgestellt gewesen und unverkauft geblieben sind, und wenn die Rückbeförderung innerhalb vier Wochen nach Schluß der Ausstellung stattfindet.

In den ursprünglichen Frachtbriefen über die Hinsendung ist ausdrücklich zu vermerken, daß die mit denselben aufgegebenen Sendungen **durchweg** aus Ausstellungsgut bestehen.

Bromberg, den 10. Juni 1888.

Königl. Eisenbahn-Direktion.

Bekanntmachungen der Kreis-Ausschüsse.

Communalbezirksveränderung.

16. Auf Grund des § 25 des Zuständigkeits-Gesetzes vom 1. August 1883 haben wir die Incommunalisirung der bisherigen domainenfiskalischen Dorfaue in Heegermühle in den Gemeinde-Verband Heegermühle genehmigt, was hiermit zur öffentlichen Kenntniß gebracht wird.

Freienwalde a. O., den 9. Juni 1888.

Der Kreis-Ausschuß des Kreises Ober-Barnim.

Communalbezirksveränderungen.

17. Durch Beschluß des Kreis-Ausschusses des Kreises Nieder-Barnim vom 1. Juni 1888 sind 1) die domainenfiskalischen Dorfauen-Parzellen Kartenblatt 2 № 136/88 und 134/88 von Krummensee mit dem Gemeinde-Bezirk Krummensee und 2) die domainenfiskalische Dorfauen-Parzelle Kartenblatt 2 № 201/38 von Seefeld mit dem Gemeinde-Bezirk Seefeld vereinigt worden.

Berlin, den 1. Juni 1888.

Der Landrath,

Geheime Regierungs-Rath Scharnweber.

Bekanntmachungen anderer Behörden.

41. Verloosung von Schlesischen Pfandbriefen Lit. B.

In der 41. Verloosung von

Schlesischen Pfandbriefen Lit. B.

sind nachbezeichnete Stücke gezogen worden und zwar:

Elend:

№ 61232 über 100 Thaler;

Maj. und Erbl. Herrsch. Fürstenstein:

№ 40691 über 1000 Thaler;

№ 44269 44274 44282 44303 44308 44316 44318 44341 je über 500 Thaler,

№ 50760 50813 50825 50852 50857 je über 200 Thaler;

№ 63337 63399 63404 63439 63441 63462 je über 100 Thaler;

Heydänichen:

№ 51659 über 200 Thaler;

№ 64405 über 100 Thaler;

Poln. Krawarn und Mackau:

№ 41130 über 1000 Thaler;

№ 45073 45077 45081 45099 je über 500 Thaler;

№ 51995 52010 über je 200 Thaler;

№ 64790 64798 64857 je über 100 Thaler;

№ 82450 82451 je über 25 Thaler;

O. und N. Miechowitz:

№ 40991 über 1000 Thaler;

№ 44806 44818 über je 500 Thaler;

№ 51584 51624 51640 51655 je über 200 Thaler;

№ 64287 64291 64303 64306 64321 64364 64382 64396 je über 100 Thaler;

№ 79326 79328 79331 je über 50 Thaler;

Nicolsdorf:

№ 63556 63560 über 100 Thaler;

№ 79287 über 50 Thaler;

№ 82284 über 25 Thaler;

Pogarell und Altzenau:

№ 49995 50003 50029 je über 200 Thaler;

№ 62334 62349 je über 100 Thaler;

Med. Herz. Ratibor:

№ 41187 über 1000 Thaler;

№ 45109 45113 45119 45133 45137 45141 45149 45151 45166 45185 45241 45245 45249 je über 500 Thaler;

№ 52165 52173 52192 52257 52276 je über 200 Thaler;

№ 65004 65104 je über 100 Thaler;

№ 82465 über 25 Thaler;

Nd. Schönau:

№ 61399 über 100 Thaler;

O. Schreibendorf:

№ 44419 über 500 Thaler;

Herrsch. Gr. Stein rc.:

№ 40377 40748 je über 1000 Thaler;

№ 43851 43886 44390 je über 500 Thaler;

№ 50353 50388 50396 50443 je über 200 Thaler;

№ 62766 62810 62888 62930 je über 100 Thaler;

№ 79250 über 50 Thaler;

№ 82220 82227 82228 je über 25 Thaler.

Diese Pfandbriefe im Gesammtbetrage von 29725 Thalern oder 89175 Mark werden ihren Inhabern mit dem Bemerken gekündigt, daß die Auszahlung des Nennwerthes derselben

vom 2. Januar 1889 ab

bei der Königlichen Instituten-Kasse hierselbst (im Regierungsgebäude am Lessingplatz) gegen Rückgabe der gekündigten Stücke nebst den dazu gehörigen Zinsscheinen Ser. XI. № 7 bis 10 erfolgen wird und die weitere Verzinsung der gezogenen Pfandbriefe vom genannten Tage ab aufhört.

Breslau, den 8. Juni 1888.

Königl. Kredit-Institut für Schlesien.

Personal-Chronik.

Die Försterstelle Rehhorst in der Oberförsterei Liebenwalde ist vom 1. Juli d. J. ab dem Förster Telle zu Tornow, Oberförsterei Lehnin, übertragen worden.

Der versorgungsberechtigte Vice-Feldwebel, Forstaufseher Köhn zu Groß-Ziethen in der Oberförsterei Glambeck ist zum Königlichen Förster ernannt und demselben die Försterstelle Tornow in der Oberförsterei Lehnin vom 1. Juli d. Js. ab übertragen worden.

Der Lehrerin Margarethe Wilski zu Buchholz bei Strausberg ist die Erlaubniß ertheilt worden, im Regierungsbezirk Potsdam Stellen als Hauslehrerin anzunehmen.

Der Gemeindeschullehrer Louis Albert Paul Buth III. ist als Erziehungsinspektor an dem städtischen Erziehungshause zu Rummelsburg bei Berlin angestellt worden.

Am Gymnasium in Potsdam sind der ordentliche Lehrer Dr. Niemeyer zum Oberlehrer befördert und die wissenschaftlichen Hülfslehrer Wegener und Dr. Weber als ordentliche Lehrer angestellt worden.

Der Schulamtskandidat Dr. Schlenner ist als ordentlicher Lehrer an der Luisenstädtischen Ober-Realschule in Berlin angestellt worden.

Der Schulamtskandidat Dr. Hollefreund ist als ordentlicher Lehrer an dem Luisenstädtischen Realgymnasium in Berlin angestellt worden.

Der Schulamtskandidat Max Döhler ist als III. Adjunkt an der Ritterakademie in Brandenburg a. H. angestellt worden.

Der Elementarlehrer August Glienke ist als Vorschullehrer an dem Progymnasium zu Groß-Lichterfelde angestellt worden.

Die Lehrerinnen Anna Wolf III., Marie Gelpcke, Adelgunde Dunkhase, Emma Pieske r, Bertha Kirsch, Anna Gellenthin und Johanna Wegener sind als Gemeindeschullehrerinnen in Berlin angestellt worden.

Der Gemeindeschullehrer Osner ist als Vorschullehrer an dem Andreasrealgymnasium in Berlin und der Schulamtskandidat Dr. Johannesson ist als ordentlicher Lehrer an demselben Realgymnasium in Berlin angestellt worden.

An der Margarethenschule zu Berlin sind die bisherigen Hülfslehrer Wappenhans und Dr. Funk als ordentliche Lehrer angestellt worden.

Der Hülfslehrer Dr. Bethge ist als ordentlicher Lehrer an der Städtischen 4. höheren Bürgerschule zu Berlin angestellt worden.

Der Oberlehrer an der Luisenstädtischen Ober-Realschule zu Berlin, Professor Dr. Gerberding ist als Rektor an der 1. Städtischen höheren Bürgerschule daselbst angestellt worden.

Der Gemeindeschullehrer Schultze ist als Lehrer der Städtischen Taubstummenschule in Berlin angestellt worden.

Der Hülfslehrer Theodor Kalepky ist als ordentlicher Lehrer an der 1. Städtischen höheren Bürgerschule in Berlin angestellt worden.

Der Hülfslehrer Hermann Borgmann ist als ordentlicher Lehrer an der III. Städtischen höheren Bürgerschule in Berlin angestellt worden.

Personalveränderungen im Bezirke des Kammergerichts in den Monaten April und Mai 1888.

I. Richterliche Beamte.

In den Adelstand ist erhoben: der Wirkliche Geheime Ober-Justizrath und Präsident des Kammergerichts Oehlschlaeger.

Ernannt sind: zu Amtsrichtern: die Gerichtsassessoren Barchewitz bei dem Amtsgericht zu Trebbin und Dr. Wagner bei dem Amtsgericht zu Wusterhausen a. D.; der Staatsanwalt von Bernstorff in Kiel zum Ersten Staatsanwalt bei dem Landgericht zu Prenzlau; der stellvertretende Handelsrichter, Bankier Th. Simon in Berlin zum Handelsrichter; der Kaufmann Arnold in Berlin zum stellvertretenden Handelsrichter in Berlin. Der Gerichtsassessor, Staatsanwalt Burchert unter Belassung in seiner Funktion als Erster Amtsanwalt bei dem Amtsgericht I. zu Berlin zum etatsmäßigen Staatsanwalt bei dem Landgericht I. in Berlin.

Versetzt sind: die Amtsrichter John bei dem Amtsgericht I. zu Berlin und Dr. Pollack zu Coeslin als Landrichter an das Landgericht I. zu Berlin; der Amtsrichter von Winterfeld in Lübben an das Amtsgericht I. zu Berlin.

Pensionirt sind: der Landgerichtsrath Markstein und der Landgerichtsdirektor Dr. Bornemann, beide in Berlin.

II. Assessoren.

Zu Gerichtsassessoren sind ernannt: die Referendare Dr. Sczepansky, Dr. Hirschfeld, Albert, Dr. Rosenberg, Bramson, Heinrich Meyer, Heffter, Overdyck, Dr. Scheven, Küll, Moll, Sehring, Seidel, Eschner, Dr. Jensen, Sack, Georg Hoffmann, Kremnitz, Heinitz, Paalzow, Kraft, Dr. Drabert, Dr. Hammer.

Uebernommen sind: Dr. Lehfeld und von Sander aus den Bezirken der Oberlandesgerichte zu Breslau bezw. Marienwerder.

Entlassen sind: Paeske, Dr. Kürwitz zwecks Uebertritts in das Ressort des Auswärtigen Amtes.

III. Rechtsanwälte und Notare.

Gelöscht sind in der Liste der Rechtsanwälte: die Rechtsanwälte Kuh beim Kammergericht, Bernstein beim Amtsgericht in Spremberg, Schulz beim Amtsgericht in Rathenow, Dr. Heimann, Schüler und Lange bei dem Landgericht I. Berlin, Mosson bei dem Amtsgericht zu Jüterbog.

Eingetragen sind in die Liste der Rechtsanwälte die Gerichtsassessoren Dr. Böhm, Naumann, C. H. Heilmann, Hugo Levy, die Rechtsanwälte Bernstein aus Spremberg, Rosenberg aus Magdeburg, Mosson aus Jüterbog und der frühere Amtsgerichtsrath Richter bei dem Landgericht I. zu Berlin, der Rechtsanwalt Kuh aus Berlin bei dem Amtsgericht in Rathenow, der Gerichtsassessor Samuel bei dem Amtsgericht in Rixdorf, der Rechtsanwalt Dr. Heimann, bisher bei dem Landgericht I., und die Gerichtsassessoren Max Flatow und Ludwig Levin bei dem Landgericht II. zu Berlin, der Rechtsanwalt Dr. Rießer aus Frankfurt a. M. bei dem Kammergericht, der Rechtsanwalt Schüler aus Berlin bei dem Amtsgericht in Spremberg, der Gerichtsassessor Leyser bei dem Amtsgericht in Charlottenburg.

Zu Notaren sind ernannt: die Rechtsanwälte Fraenkel und Kunckel in Landsberg a. W., Sander, Dr. Edmund Friedemann, Salinger und Geschke in Berlin, Koeber in Calau, Wollheim und Gaedke in Crossen, Kuh in Rathenow, Preußler in Soldin. Der Notar Bernstein in Spremberg hat das Notariat niedergelegt.

Verstorben ist: der Rechtsanwalt und Notar Justizrath Fretzdorff in Berlin.

IV. Referendare.

Zu Referendaren sind ernannt: die bisherigen Rechtskandidaten Gerhard Schmidt, Mendelssohn, Borchardt, Schneider, v. Nordenskjöld, Selle, Abresch.

Uebernommen sind: Klein und Dr. Strübing aus dem Bezirke des Oberlandesgerichts Marienwerder; Lent aus dem Bezirke des Oberlandesgerichts Hamm.

Entlassen sind: Stobwasser, Dr. Johannes, Schultze, Lauter, Boit.

Gestorben ist: Albert Brock.

V. Subalternbeamte.

Ernannt sind: zu Gerichtsschreibern: die Gerichtsschreibergehülfen Schiller in Neuwedell bei dem Amtsgericht in Zielenzig, Herwig in Wittenberge bei dem Amtsgericht daselbst, Giese und Kache in Berlin bei dem Amtsgericht II. daselbst, Franke und Fliege in Berlin bei dem Amtsgericht I. daselbst. Zu Sekretairen: die Gerichtsschreibergehülfen Grunske in Brandenburg, Eichel in Berlin, Nürnberg — früher Cohn — in Berlin und der Assistent Wegener in Berlin bei der Staatsanwaltschaft des Landgerichts I. zu Berlin. Zu etatsmäßigen Gerichtsschreibergehülfen: der Aktuar Neuendorf bei dem Kammergericht, die Aktuare Brannasch und Stock in Berlin bei dem Amtsgericht I. daselbst, Schulz in Sorau bei dem Amtsgericht in Driesen, Ternant in Luckenwalde bei dem Amtsgericht daselbst, Vollrath in Peitz bei dem Amtsgericht in Mittenwalde, Deter in Neu-Ruppin bei dem Amtsgericht in Wusterhausen a. D., die Militairanwärter Tanneberger bei dem Amtsgericht in Brandenburg, Rempel bei dem Landgericht I. in Berlin, Zimmermann, Bandow und Balla bei dem Amtsgericht I. in Berlin, Eichelbaum bei dem Amtsgericht in Soldin, Hartmann bei dem Amtsgericht in Seelow, Hildebrandt bei dem Amtsgericht in Wittenberge. Zu etatsmäßigen Assistenten: die Aktuare von Gülich, Werner, Kayser und der Militairanwärter Ullrich bei der Staatsanwaltschaft des Landgerichts I. zu Berlin. Zu Gerichtsvollziehern: der Gerichtsdiener Werchosch in Seelow bei dem Amtsgericht in Trebbin, die Militairanwärter Gierlich bei dem Amtsgericht in Zielenzig, Langenheim bei dem Amtsgericht in Meyenburg. Zum Kanzlisten: der Kanzleidiätar Rabe in Potsdam bei dem Landgericht in Cottbus.

Versetzt sind: die Gerichtsschreiber Jenichen in Werder an das Amtsgericht II. in Berlin, Koldit in Crefeld an das Amtsgericht in Werder, Peters und Crüger vom Amtsgericht I. als Sekretaire an die Staatsanwaltschaft des Landgerichts I. in Berlin, Bohnenstengel in Wittenberge an das Amtsgericht I. in Berlin, die Gerichtsschreibergehülfen Schlutius vom Landgericht I. an das Amtsgericht I. in Berlin, Benn in Luckenwalde an das Amtsgericht II. in Berlin, Riekesmann in Wusterhausen a. D. an das Amtsgericht in Neuwedell.

Pensionirt ist: der Gerichtsschreiber Gaebler in Peitz.

Verstorben sind: der Gerichtsschreiber Dalchow bei dem Amtsgericht I. zu Berlin, der Gerichtsschreibergehülfe v. Klösterlein bei dem Amtsgericht II. zu Berlin, der Kreisgerichtskassen- und Deposital-Rendant z. D. Voigt in Prenzlau, der Amtsanwalt Dr. Leviseur bei dem Amtsgericht I. zu Berlin.

Personalveränderungen im Bezirke der Kaiserlichen Ober-Postdirektion in Berlin.

Im Laufe des Monats Mai sind:

versetzt: von Berlin der Postdirektor Sachs nach Gotha, der Postassistent Marczinski nach Loetzen, nach Berlin der Postassistent Jestrzembsky von Frankfurt (Main),

in den Ruhestand versetzt: der Ober-Telegraphenassistent J. Krüger,

gestorben: der Postdirektor Serlo, der Telegraphenassistent Supply.

Ausweisung von Ausländern aus dem Reichsgebiete.

Lauf. Nr.	Name und Stand des Ausgewiesenen.	Alter und Heimath des Ausgewiesenen.	Grund der Bestrafung.	Behörde, welche die Ausweisung beschlossen hat.	Datum des Ausweisungs-Beschlusses.
1.	2.	3.	4.	5.	6.
		Auf Grund des § 362 des Strafgesetzbuchs:			
1	Martin Mertl, Schneider,	45 Jahre, geboren und ortsangehörig zu Lhotta, Gemeinde Budetitz, Bezirk Schüttenhofen, Böhmen,	Betteln im wiederholten Rückfall,	Königlich Bayerisches Bezirksamt Füssen,	5. Mai 1888.
2	Jakob Kraus, Schuhmacher und Bäcker,	geboren 1860 zu Wien, Oesterreich, ortsangehörig zu Eipovic, Bezirk Pilsen, Böhmen,	Widerstand gegen die Staatsgewalt, Landstreichen und Betteln,	Königlich Württembergische Regierung zu Ulm,	4. Mai 1888.

Lauf. Nr.	Name und Stand des Ausgewiesenen	Alter und Heimath des Ausgewiesenen	Grund der Bestrafung	Behörde, welche die Ausweisung beschlossen hat	Datum des Ausweisungs-Beschlusses
1.	2	3	4.	5.	6
3	Heinrich Eylardi, Brauer	geboren am 11. Mai 1861 zu Schwamberg, Böhmen, ortsangehörig ebendaselbst,	Betteln im wiederholten Rückfall,	Großherzogl. Oldenburgisches Staatsministerium, Departement des Innern, zu Oldenburg,	24. April 1888.
4	Viktor Stebler, Geometer,	geboren am 21. September 1824 zu Zullwil, Kanton Solothurn, Schweiz, ortsangehörig ebendaselbst,	Landstreichen und Betteln,	Kaiserlicher Bezirks-Präsident zu Colmar,	14. April 1888.
5	Andreas Winterberger, Melker,	geboren am 15. April 1847 zu Bern, Schweiz, ortsangehörig ebendaselbst,	Landstreichen,	derselbe,	30. April 1888.
6	Ignaz Warschauer, Kaufmann,	geboren am 1. Januar 1866 zu Plinsk, Rußland, ortsangehörig ebendaselbst,	Landstreichen und Betteln,	Kaiserlicher Bezirks-Präsident zu Straßburg,	27. April 1888.
7	Alfred Hansen, Maler,	geboren am 30. Januar 1867 zu Solero, Dänemark, ortsangehörig ebendaselbst,	desgleichen,	derselbe,	1. Mai 1888.
8	Hippolyt Battefort, Klempnergeselle,	geboren am 9. September 1863 zu Dagonville, Departement Meuse, Frankreich,	Landstreichen,	Kaiserlicher Bezirks-Präsident zu Metz,	11. Mai 1888.
9	Justin Tribout, ohne Stand,	40 Jahre, geboren zu Bandière bei Pont-à-Mousson, Frankreich,	Landstreichen und Betteln,	derselbe,	12. Mai 1888.

Vermischte Nachrichten.

Belobung.

Beim Löschen eines am 25. Mai d. J. im Jagen 36a der Oberförsterei Zinna ausgebrochenen Waldbrandes hat sich der Bahnwärter Röseler aus Grüna durch schnelles Erscheinen auf der Brandstelle und besondere Thätigkeit bei den Löscharbeiten ausgezeichnet und dadurch zur Beschränkung des Feuers wesentlich beigetragen.

Für diese lobenswerthe Handlungsweise sprechen wir demselben hierdurch unsere Anerkennung aus.

Potsdam, den 16. Juni 1888.

Königl. Regierung,
Abtheilung für direkte Steuern, Domainen und Forsten.

(Hierzu eine Beilage, enthaltend das Verzeichniß der in der 15ten Verloosung gezogenen, durch die Bekanntmachung der Königlichen Hauptverwaltung der Staatsschulden vom 1. Juni 1888 zur baaren Einlösung am 1. Januar 1889 gekündigten Schuldverschreibungen der Staatsanleihe vom Jahre 1868 A. und das Verzeichniß der aus früheren Verloosungen noch rückständigen Schuldverschreibungen der Staatsanleihe vom Jahre 1868 A., sowie Drei Oeffentliche Anzeiger.)

(Die Insertionsgebühren betragen für eine einspaltige Druckzeile 20 Pf.
Belagsblätter werden der Bogen mit 10 Pf. berechnet.)

Redigirt von der Königlichen Regierung zu Potsdam.

Potsdam, Buchdruckerei der A. W. Hayn'schen Erben (C. Hayn, Hof-Buchdrucker).

Verzeichniß

der in der **15**ten Verloosung gezogenen, durch die Bekanntmachung der unterzeichneten Hauptverwaltung der Staatsschulden vom 1. Juni 1888 zur baaren Einlösung am 1. Januar 1889 gekündigten Schuldverschreibungen der

Staatsanleihe vom Jahre 1868 A.

Abzuliefern mit Zinsscheinen Reihe VI Nr. 3—8 und Anweisungen zur Abhebung der Reihe VII.

Die fettgedruckte Zahl, welche die Tausende bezeichnet, bezieht sich auch auf diejenigen Zahlen, welche bis zu der folgenden fettgedruckten Zahl die Hunderte, Zehner und Einer angeben. Die Striche zwischen den Zahlen bedeuten, daß sämmtliche dazwischen liegende Nummern gekündigt sind.

Lit. **A.** zu **1000** Rthlr.

№ 72—77. 282. 286—290. 354—359. 435—440. 465—470. 524—529. 911—916. 989—991. **1**003. 16. 17. 115—118. 121. 122. 129—134. 267—269. 272—274. 287—292. 620—625. 672. 673. 675. 676. 679. 683. 887—892. **2**035—40. 431. 432. 434—437. 460. 465—475. **3**162—165. 167. 168. 225—229. 231. **4**081. 82. 619—622. **5**049—54. 313—318. 390—395. 444—449. 498—500. 609—611. 903—908. 928—933. **6**822—827. 834—839. **7**038—43. 134—139. 572—577. 836—841. 872—877. 998—8000. **8**001—3. 16—21. 40—45. 112—117. 142—147. 352—357. 406—411. **9**194—199. **10**124. 125. 130—133. 519—524. 651—656. **12**251—256. 281—284. 286. 288. 699—704. 729—734. **13**277—282. 493—498. 605—610. 701—706. 809—814. 941—946. 971—976.

Summe 348 Stück über 348 000 Rthlr. = 1 044 000 Mark.

Lit. **B.** zu **500** Rthlr.

№ 560—571. 789—793. 795. 796. 798—802. **2**462—473. **3**080—85. 201. 202. 204. 206. 208. 209. 240—245. 247—251. 253. 820—831. **4**279—290. 639—650. 687—698. 783—794. 963—974. **5**647—658. 743—754. 959—970. **6**440—451. **7**118—129. 874. 877—885. 887. 888. **8**450—461. 798—800. 802—810. 983—992. 994. 995. **10**260—271. 776—787. **11**100—111.

Summe 276 Stück über 138 000 Rthlr. = 414 000 Mark.

Lit. **C.** zu **300** Rthlr.

№ 183—202. 980—999. **2**345—364.

Summe 60 Stück über 18 000 Rthlr. = 54 000 Mark.

Lit. **D.** zu **100** Rthlr.

№ 286—300. 303—317.

Summe 30 Stück über 3 000 Rthlr. = 9 000 Mark.

Lit. **E.** zu **50** Rthlr.

№ 776—779. 781—785.

Summe 9 Stück über 450 Rthlr. = 1 350 Mark

Zusammen 723 Stück über 507 450 Rthlr. = 1 522 350 Mark.

Verzeichniß

Verzeichniß

der aus früheren Verloosungen noch rückständigen Schuldverschreibungen der Staatsanleihe vom Jahre 1868 A.

5. Verloosung.

Gekündigt zum 1. Januar 1884. Abzuliefern mit Anweisung zur Abhebung der Zinsscheinreihe V.

Lit. C. zu **300** Rthlr. № 1463.

6. Verloosung.

Gekündigt zum 1. Juli 1884. Abzuliefern mit Zinsscheinen Reihe V Nr. 2—8 und Anweisung zur Reihe VI.

Lit. E. zu **50** Rthlr. № 535.

7. Verloosung.

Gekündigt zum 1. Januar 1885. Abzuliefern mit Zinsscheinen Reihe V Nr. 3—8 und Anweisungen zur Reihe VI.

Lit. A. zu **1000** Rthlr. № 16. 280.
» B. » **500** » № 786.
» C. » **300** » № 1838. 839.

8. Verloosung.

Gekündigt zum 1. Juli 1885. Abzuliefern mit Zinsscheinen Reihe V Nr. 4—8 und Anweisungen zur Reihe VI.

Lit. A. zu **1000** Rthlr. № 1020. 601. 602.
» B. » **500** » № 8559.
» D. » **100** » № 453. 454. 469—473.
» E. » **50** » № 7. 17. 18. 22. 30. 40. 45. 47.

9. Verloosung.

Gekündigt zum 1. Januar 1886. Abzuliefern mit Zinsscheinen Reihe V Nr. 5—8 und Anweisungen zur Reihe VI.

Lit. B. zu **500** Rthlr. № 201. 7921—924.
» E. » **50** » № 138.

10. Verloosung.

Gekündigt zum 1. Juli 1886. Abzuliefern mit Zinsscheinen Reihe V Nr. 6—8 und Anweisungen zur Reihe VI.

Lit. A. zu **1000** Rthlr. № 111. 3180. 12594.
» B. » **500** » № 422. 423. 4106. 107.
» D. » **100** » № 213. 214. 275.
» E. » **50** » № 120. 122. 128. 136. 360.

11. Verloosung.

Gekündigt zum 1. Januar 1887. Abzuliefern mit Zinsscheinen Reihe V Nr. 7 und 8 und Anweisungen zur Reihe VI.

Lit. B. zu **500** Rthlr. № 439. 444. 446. 877. 1361.
» D. » **100** » № 563. 573. 586. 598.
» E. » **50** » № 157. 167.

12. Verloosung.

Gekündigt zum 1. Juli 1887. Abzuliefern mit Zinsscheinen Reihe V Nr. 8 und Anweisungen zur Reihe VI.

Lit. A. zu **1000** Rthlr. № 2420. 421. 10344. 345.
» B. » **500** » № 41. 731. 734. 4141. 8128. 129. 142. 153. 154. 177. 766.
» C. » **300** » № 1482. 483. 486. 503.
» D. » **100** » № 1280—282. 284. 285. 290. 291. 315.
» E. » **50** » № 187. 198. 211. 226. 229. 240. 243. 246. 253.

13. Verloosung.

Gekündigt zum 1. Januar 1888. Abzuliefern mit Anweisungen zur Abhebung der Zinsscheinreihe VI.

Lit. A. zu **1000** Rthlr. № 331. 332. 395. 802. 12728. 851.
» B. » **500** » № 356. 2284. 291. 561—563. 3626. 7858. 8694. 703. 932—934. 950. 952—954.
» D. » **100** » № 672. 677. 683. 709.
» E. » **50** » № 384. 654.

Wegen der in der 14ten Verloosung gezogenen Schuldverschreibungen siehe das Verzeichniß vom 2. Dezember 1887.

Berlin, den 1. Juni 1888.

Königliche Hauptverwaltung der Staatsschulden.

Sydow.

Berlin, gedruckt in der Reichsdruckerei

Extrablatt zum Amtsblatt

der Königlichen Regierung zu Potsdam und der Stadt Berlin.

Ausgegeben den 25. Juni 1888.

Bekanntmachung.

Mit Bezug auf die Allerhöchste Verordnung vom 20. d. M., durch welche die beiden Häuser des Landtages der Monarchie, das Herrenhaus und das Haus der Abgeordneten, **auf den 27. d. M.** in die Haupt- und Residenzstadt Berlin zusammenberufen worden sind, wird hierdurch bekannt gemacht, daß die Eröffnung des Landtages an diesem Tage **Mittags um 12 Uhr** im Weißen Saale des Königlichen Residenz-Schlosses stattfinden wird.

In dem Büreau des Herrenhauses und in dem Büreau des Hauses der Abgeordneten werden die Legitimationskarten zu der Eröffnungssitzung ausgegeben und alle sonst erforderlichen Mittheilungen in Bezug auf dieselbe gemacht werden.

Berlin, den 23. Juni 1888.

Der Minister des Innern.
In Vertretung: Herrfurth.

Amtsblatt
der Königlichen Regierung zu Potsdam und der Stadt Berlin.

Stück 26. Den 29. Juni **1888.**

Bekanntmachungen der Bezirksausschüsse.

Einverleibung Damelacker Waldparzellen in den Gemeindeverband der Stadt Havelberg.

2. Der unterzeichnete Bezirks-Ausschuß hat in seiner heutigen Sitzung auf Grund des § 2 Abs. 4 der Städte-Ordnung vom 30. Mai 1853 Folgendes beschlossen:

Die der Stadtgemeinde Havelberg, Kreis West-Prignitz, gehörigen, in der Grundsteuermutterrolle des Gemeindebezirks Damelack, Kreis Ost-Prignitz, unter Artikel № 40 Kartenblatt № 7 Parzelle 1 bis 4, eingetragenen, als Havelbergstücke 22, 23, 24 und 25 bezeichneten Waldparzellen, deren Gesammtflächeninhalt 44,855 ha beträgt, werden hierdurch aus dem Bezirke der Landgemeinde Damelack abgetrennt und mit dem Bezirke der Stadtgemeinde Havelberg vereinigt.

Vorstehender Beschluß wird hierdurch gemäß § 2 letzter Absatz der Städte-Ordnung vom 30. Mai 1853 mit dem Bemerken zur öffentlichen Kenntniß gebracht, daß die Bezirks-Veränderung eine Aenderung der Grenzen der Kreise Ost- und West-Prignitz in sich schließt.

Potsdam, den 10. Juni 1888.

Namens des Bezirks-Ausschusses. Der Vorsitzende.

Ferien des Bezirksausschusses zu Berlin.

3. Der unterzeichnete Bezirksausschuß zu Berlin hält Ferien während der Zeit **vom 21. Juli bis zum 1. September d. J.**

Während der Ferien dürfen Termine zur mündlichen Verhandlung der Regel nach nur in schleunigen Sachen abgehalten werden. Auf den Lauf der gesetzlichen Fristen bleiben die Ferien ohne Einfluß.

Dies wird hierdurch unter Bezugnahme auf die Bestimmungen im § 5 des Regulativs zur Ordnung des Geschäftsganges und des Verfahrens bei den Bezirksausschüssen vom 28. Februar 1884 (Potsdamer Amtsblatt von 1884 I. Extra-Beilage zum 13. Stück Seite 3 flgd.) zur öffentlichen Kenntniß gebracht.

Berlin, den 21. Juni 1888.

Der Bezirksausschuß zu Berlin.

Bekanntmachungen des Königlichen Regierungs-Präsidenten.

Ausspielung von Kunstwerken 2c.

185. Der Herr Minister des Innern hat dem Senate der Königl. Akademie der Künste zu Berlin die Genehmigung ertheilt, mit der diesjährigen akademischen Kunstausstellung eine Ausspielung von Kunstwerken, bestehend in Oelgemälden, Skulpturen, Aquarellen 2c. zu verbinden, zu welcher 150000 Loose à 1 M. unter Aussetzung von Gewinnen im Gesammtwerthe von 80000 M. ausgegeben werden dürfen und die betreffenden Loose im ganzen Bereiche der Monarchie zu vertreiben.

Potsdam und Berlin, den 19. Juni 1888.

Der Regierungs-Präsident. Der Polizei-Präsident.

Die Sperre der alten Schleuse zu Cossenblatt betreffend.

186. Wegen Baufälligkeit wird die alte Schleuse zu Cossenblatt für die Zeit vom 25. Juni bis zum 15. Juli 1888 für die Schifffahrt und Flösserei gesperrt sein.

Potsdam, den 25. Juni 1888.

Der Regierungs-Präsident.

Festsetzung eines Laichschonreviers im Kreise Ruppin.

187. Nach Anhörung der betheiligten Fischereiberechtigten und mit Ermächtigung des Herrn Ministers für Landwirthschaft, Domainen und Forsten mittels Erlasses vom 11. Juni 1888 wird

der nördliche Winkel des Möllensee's, das sogenannte Glawk,

im Ruppiner Kreise für die Zeit **vom 1. März bis zum 1. August** jeden Jahres — wie hiermit geschieht — zum **Laichschonrevier** erklärt.

Die hiernach zum Laichschonrevier ausgesonderte Gewässerstrecke ist auf einer besonderen zu diesem Behufe angefertigten, im Königlichen Landrathsamte zu Neu-Ruppin zur Einsicht offen liegenden Karte genau bezeichnet und wird durch Tafeln als „Laichschonrevier" kenntlich gemacht werden.

Indem ich dies zur allgemeinen Kenntniß bringe, mache ich zugleich auf die Vorschrift des § 30 des Fischerei-Gesetzes aufmerksam, nach welcher in Schonrevieren jede Art des Fischfanges untersagt ist, sowie auf die Vorschrift des § 31 a. a. O., nach welcher in Laichschonrevieren die Räumung, das Mähen von Schilf und Gras, die Ausführung von Sand, Steinen, Schlamm u. s. w. und jede anderweite, die Fortpflanzung der Fische gefährdende Störung während der Sperrung des Reviers unterbleiben muß, soweit dies die Interessen der Vorfluth und der Landeskultur gestatten.

Endlich verweise ich auf die Strafbestimmung des § 50 zu 5 des Fischerei-Gesetzes, nach welcher mit Geldstrafe bis zu 150 Mark oder mit Haft Derjenige bestraft wird, welcher in Schonrevieren verbotswidrig die Fischerei ausübt oder den zum Schutze derselben erlassenen reglementarischen Vorschriften zuwiderhandelt.

Potsdam, den 25. Juni 1888.

Der Regierungs-Präsident.

Bekanntmachungen der Königlichen Regierung.

17\. Die nachfolgende

Nachweisung

der im Regierungsbezirk Bromberg zur Zeit vacanten Lehrerstellen:

Lfd. №	Kreis	Schule in	Charakter der Schule	Confession des anzustellenden Lehrers	Bezeichnung der vacanten Lehrerstelle	Einkommen derselben excl. Wohnung und Feuerung	
1	Strelno	Krumknie	einkl. evangl. Volksschule	evangl.	I. Stelle	baar . . . . Landnutzung . .	744 M. 18 „
2	Witkow	Huttawerder	desgl.	evangl.	I. „	baar . . . . Landnutzung . .	732 „ 24 „
3	Mogilow	Klewitzdorf	desgl.	evangl.	I. „	baar . . . . Landnutzung . .	744 „ 13 „
4	Filehne	Busch Lukatz	desgl.	evangl.	I. „	baar . . . . Landnutzung . .	738 „ 15 „
5	Czarnikau	Behle	zweikl. evangl. Volksschule	evangl.	II. „	baar . . . . Landnutzung . .	744 „ 6 „
6	desgl.	Putzighauland	einkl. evangl. Volksschule	evangl.	I. „	baar . . . . Landnutzung . . als Küster . .	690 „ 60 „ 12 „
7	Mogilno	Dembowo	desgl.	evangl.	I. „	baar . . . . Landnutzung . .	726 „ 30 „
8	Witkow	Braunsdorf	desgl.	evangl.	I. „	baar . . . . Landnutzung . .	735 „ 15 „
9	Czarnikau	Lubasch	zweikl. kath. Volksschule	kathl.	II. „	baar	800 „
10	Kolmar i. P.	Miroslaw	evangl.	evangl.	I. „	baar . . . . Landnutzung . .	744 „ 78 „
11	Czarnikau	Romanshof	zweikl. evangl. Communalschule	kathl.	II. „	baar . . . . Landnutzung . .	738 „ 12 „
12	Gnesen	Ulanowo	zweikl. kathl. Volksschule	kathl.	II. „	baar	750 „
13	Bromberg	Kl. Bartelsee	fünfkl. paritätische Volksschule	kathl.	III. „	baar	1150 „
14	Mogilno	Gembitz	dreikl. kathl. Volksschule	kathl.	III. „	baar	800 „
15	do.	Wilatowen	zweikl. kathl. Schule	kathl.	II. „	baar	750 „
16	Wongrowitz	Popowo kirchl.	desgl.	kathl.	II. „	baar . . . . Landnutzung . .	711 „ 39 „
17	do.	Panigrodz	zweikl. kathl. Schule	kathl.	II. „	baar	750 „
18	Mogilno	Orchowo	einkl. kathl. Schule	kathl.	I. „	baar . . . . Landnutzung . .	732 „ 24 „
19	Wongrowitz	Lopienno	dreikl. kathl. Schule	kathl.	I. „	baar	900 „
20	Znin	Goscieszyn	zweikl. kathl. Schule	kathl.	II. „	baar	750 „
21	Bromberg	Wittsche	einkl. kathl. Schule	kathl.	I. „	baar . . . . Landnutzung . .	708 „ 45 „
22	Mogilno	Wielowies	zweikl. kathl. Schule	kathl.	II. „	baar	750 „
23	Czarnikau	Hammer bei Schönlanke	desgl.	kathl.	II. „	baar	750 „
24	Mogilno	Mogilno	vierkl. kathl. Schule	kathl.	III. „	baar . . . . Landnutzung . .	786 „ 15 „

Lfd. №	Kreis	Schule in	Charakter der Schule	Confession des anzustellenden Lehrers	Bezeichnung der vacanten Lehrerstelle	Einkommen derselben excl. Wohnung und Feuerung	
25	Mogilno	Tremessen	sechskl. kathl. Schule	kathl.	II. Stelle	baar	1000 M.
26	Bromberg	Bromberg	sechskl. Communalschule	kathl.	unterste Stelle	baar . . . . (incl. Wohnung und Feuerung)	900 "
27	Kolmar i. P.	Oberlesnitz	einkl. kathl. Schule	kathl.	I. "	baar . . . . Landnutzung . .	714 " 40 "
28	Strelno	Bielsko	desgl.	kathl.	I. "	baar . . . . Landnutzung . .	660 " 99 "
29	Znin	Ostrowiec	desgl.	kathl.	I. "	baar . . . . Landnutzung . .	756 " 15 "
30	Filehne	Dratzig	dreikl. kathl. Schule	kathl.	II. "	baar . . . . Benutzung . .	692 " 108,75 "
31	do.	Filehne	siebenkl. evangl. Schule	evangl.	VII. "	baar	750 "
32	Kolmar i. P.	Gertraudenhütte	einkl. evangl. Schule	evangl.	I. "	baar . . . . Landnutzung . .	744 " 6 "

wird hierdurch mit dem Bemerken zur öffentlichen Kenntniß gebracht, daß Bewerbungen um diese Stellen an die Königliche Regierung, Abtheilung für Kirchen- und Schulwesen zu Bromberg, zu richten sind.

Potsdam, den 14. Juni 1888.

Königl. Regierung, Abtheilung für Kirchen- und Schulwesen.

Verloosung der vormals Hannoverschen 4prozentigen Staatsschuldverschreibungen Litera S für das Jahr vom 1. April 1888/89.

18. Bei der am 1. d. M. in Gegenwart von Notar und Zeugen stattgehabten Ausloosung der vormals Hannoverschen Staatsschuldverschreibungen **Litera S.** zur Tilgung für das Jahr vom 1. April 1888/89 sind die nachfolgend verzeichneten Nummern gezogen worden: Nr. 45 120 235 439 554 713 825 891 1093 1102 1121 1207 1221 1321 1471 1488 1562 1568 1608 1712 1730 1817 1846.

Dieselben werden den Besitzern hierdurch **auf den 2. Januar 1889 zur baaren Rückzahlung gekündigt.**

Die ausgeloosten Schuldverschreibungen lauten auf **Gold,** und wird deren Rückzahlung in **Reichswährung** nach den Bestimmungen der Bekanntmachung des Herrn Reichskanzlers vom 6. Dezember 1873, betreffend die Außerkurssetzung der Landes-Goldmünzen 2c. (Reichsanzeiger Nr. 292), sowie nach den Ausführungsbestimmungen des Herrn Finanz-Ministers vom 17. März 1874 (Reichsanzeiger Nr. 68, Position 3) erfolgen.

Die Kapitalbeträge werden schon vom **15. Dezember d. J.** ab gegen Quittung und Einlieferung der Schuldverschreibungen nebst den zugehörigen Zinsschein-Anweisungen und den nach dem 2. Januar 1889 fälligen Zinsscheinen Nr. 7—10 an den Geschäftstagen bei der Regierungshauptkasse hierselbst, von 9 bis 12 Uhr Vormittags, ausgezahlt.

Die Einlösung der Schuldverschreibungen kann auch bei sämmtlichen übrigen Regierungshauptkassen, bei der Staatsschuldentilgungskasse in **Berlin,** sowie bei der Kreiskasse zu **Frankfurt a. M.** bewirkt werden.

Zu diesem Zwecke sind die Schuldverschreibungen nebst den zugehörigen Zinsschein-Anweisungen und Zinsscheinen schon vom 1. Dezember d. J. ab bei einer der letztgedachten Kassen einzureichen, welche dieselben der hiesigen Regierungshauptkasse übersenden und, nach erfolgter Feststellung, die Auszahlung besorgen wird:

Bemerkt wird:

1) Die Einsendung **der Schuldverschreibungen nebst den zugehörigen Zinsschein-Anweisungen und Zinsscheinen** mit oder ohne Werthangabe muß **portofrei** geschehen.
2) Sollte die Abforderung des gekündigten Kapitals bis zum Fälligkeitstermine nicht erfolgen, so tritt dasselbe von dem gedachten Zeitpunkte ab zum Nachtheile der Gläubiger außer Verzinsung.

Schließlich wird darauf aufmerksam gemacht, daß **alle** übrigen 3½- und 4prozentigen vormals Hannoverschen Landes- und Eisenbahn-Schuldverschreibungen bereits früher gekündigt sind und werden deshalb die Inhaber der unten verzeichneten, noch nicht eingelieferten, **mit dem Kündigungstermine außer Verzinsung getretenen,** Hannoverschen Staatsschuldverschreibungen an die Erhebung der Kapitalien derselben bei der hiesigen Regierungshauptkasse hierdurch nochmals erinnert.

Hannover, den 4. Juni 1888.

Der Regierungs-Präsident. von Cranach.

* * *

Verzeichniß

der bereits früher gekündigten und bis jetzt nicht eingelieferten, nicht mehr verzinslichen vormals Hannoverschen Landes- und Eisenbahn-Schuldverschreibungen.

Lit. H. 3½%

auf 2. Januar 1874 gekündigt:
Nr. 830 über 100 Thlr. Kurant.

Lit. N. 3½%

auf 1. Dezember 1866 gekündigt:
Nr. 7128 über 200 Thlr. Kurant,
auf 2. Januar 1873 gekündigt:
Nr. 4163 über 100 Thlr. Gold,
auf 1. Dezember 1874 gekündigt:
Nr. 4162 über 100 Thlr. Gold.

Lit. EI. 4%

auf 1. Dezember 1874 gekündigt:
Nr. 2880 über 100 Thlr. Kurant.

Lit. FI. 4%

auf 1. Dezember 1874 gekündigt:
Nr. 14110 über 500 Thlr. Gold,
" 13934 " 100 " Kurant.

Lit. GI. 4%

auf 1. Dezember 1874 gekündigt:
Nr. 1464 1465 5421 über je 100 Thlr. Kurant.

Lit. HI. 4%

auf 1. Dezember 1874 gekündigt:
Nr. 3644 4580 über je 200 Thlr. Kurant.
" 1320 " 100 " "

* * *

Vorstehende Bekanntmachung wird hiermit zur öffentlichen Kenntniß gebracht.

Potsdam, den 20. Juni 1888.

Königl. Regierung.

Bekanntmachungen des Staatssekretairs des Reichs-Postamts.

Austausch von Postpacketen mit der Republik Salvador.

14. Vom 1. Juli ab tritt die Republik Salvador der Pariser Uebereinkunft des Weltpostvereins in Betreff des Austausches von Postpacketen bei. Zunächst sind indeß nur Packete im Verkehr mit der Hauptstadt San Salvador bis zum Gewicht von 3 kg und ohne Werthangabe zulässig. Das Porto, welches vorauszubezahlen ist, beträgt 3 M. 40 Pf. Daneben kommt eine vom Empfänger in Salvador zu entrichtende Gebühr von 40 Pf. für je 500 g für die Beförderung über den Isthmus von Panama zur Erhebung.

Berlin W., den 17. Juni 1888.

Der Staatssecretair des Reichs-Postamts.

Beitritt der Regentschaft Tunis zum Weltpostverein.

15. Vom 1. Juli ab tritt die Regentschaft Tunis dem Weltpostvertrage und den Nebenabkommen, betreffend den Werthbrief-, Postpacket-, Postanweisungs- und Postauftragsverkehr, bei. Es finden daher fortan die Vereinsbestimmungen, welche bisher nur hinsichtlich der dort unterhaltenen fremden Postanstalten Geltung hatten, auf das ganze Gebiet der Regentschaft Anwendung. Ueber alles Einzelne ertheilen die Postanstalten auf Verlangen Auskunft.

Berlin W., den 17. Juni 1888.

Der Staatssecretär des Reichs-Postamts.

Bekanntmachungen der Kaiserlichen Ober-Post-Direktion zu Potsdam.

Erweiterung der Stadt-Fernsprechanlagen.

47. Für die im nächsten Bauabschnitte vom 1sten August d. J. ab auszuführende **Erweiterung der Stadt-Fernsprechanlagen** in Potsdam, Spandau, Cöpenick, Steglitz, Groß-Lichterfelde, Oranienburg, Wannsee, Grünau (Mark) und Ludwigsfelde, welche sämmtlich mit dem **Berliner Fernsprechnetz** verbunden sind, ist es nothwendig, die Anzahl der neuen Anschlüsse, sowie die Lage der Gebäude, in welchen Fernsprechstellen eingerichtet werden sollen, im Voraus zu kennen.

Diejenigen Personen, welche den Anschluß an eine der genannten Stadt-Fernsprecheinrichtungen wünschen, wollen ihre **schriftlichen Anmeldungen spätestens** bis zum 1. Juli mir zugehen lassen. Die einschlägigen Bedingungen werden auf Wunsch von den Postanstalten in den bezeichneten Orten mitgetheilt.

Potsdam, den 19. Mai 1888.

Der Kaiserl. Ober-Postdirektor.

Einrichtung einer Telegraphenanstalt in Wutike.

48. In **Wutike**, an der Bahn Neustadt (Dosse)—Pritzwalk, wird am 22. Juni eine, mit der Postagentur daselbst vereinigte, **Reichs-Telegraphenanstalt** in Wirksamkeit treten.

Potsdam, den 20. Juni 1888.

Der Kaiserl. Ober-Postdirektor.

Bekanntmachungen der Kgl. Direktion der Rentenbank für die Provinz Brandenburg.

Verloosung von Rentenbriefen.

7. Bei der in Folge unsrer Bekanntmachung vom 19. v. M. heute geschehenen öffentlichen Verloosung von **Rentenbriefen der Provinz Brandenburg** sind folgende Stücke gezogen worden:

Litt. A. zu 3000 M. (1000 Thlr.) 157 Stück
und zwar die Nummern:

237 451 667 677 692 1057 1148 1190 1695 2038
2143 2256 2337 2481 2693 2785 2843 2910 3001
3115 3121 3487 3769 3938 4016 4045 4206 4345
4589 4632 4864 4900 5030 5104 5108 5189 5254
5318 5370 5411 5497 5881 6240 6244 6245 6371
6492 6494 6543 6769 6821 6894 6918 7044 7108
7111 7255 7512 7540 7562 7908 8159 8237 8241
8427 8429 8569 8574 8734 8849 8912 8920 9073
9090 9142 9148 9359 9463 9645 9678 9944 10142
10359 10366 10432 10813 10859 11019 11137
11248 11678 11735 11739 12020 12023 12323
12359 12360 12510 12813 12850 13010 13210
13409 13519 13531 13581 13979 14207 14308
14590 14755 14761 14796 14861 14897 14986
15047 15147 15512 15607 15769 15772 15799
15852 15860 15906 15957 15960 16090 16154
16282 16840 16896 16919 17035 17057 17165

17179 17232 17283 17284 17347 17407 17445
17687 17968 18000 18251 18329 18675 18758
18924 19041 19062 19074 19109.

Litt. B. zu 1500 M. (500 Thlr.) 55 Stück
und zwar die Nummern:

73 114 395 1067 1139 1209 1381 1513 1648 1657
1717 1779 1849 1890 1894 1905 2315 2481 2776
2803 2862 2947 3168 3183 3256 3344 3395 3470
3488 3930 3951 4153 4252 4389 4467 4503 4670
4706 4783 4810 4857 4914 5357 5511 5699 5700
5774 5778 5870 5973 5997 6028 6205 6476 6579.

Litt. C. zu 300 M. (100 Thlr.) 208 Stück
und zwar die Nummern:

42 103 177 280 436 478 789 868 964 971 996
1155 1266 1305 1327 1395 1618 1754 1826 1866
1895 1909 2242 2300 2510 2714 2870 3018 3283
3287 3393 3592 3698 3958 4059 4077 4430 4719
4780 4797 4899 4926 4927 5014 5257 5265 5300
5312 5572 5669 5777 5783 5890 5914 6005 6021
6039 6351 6421 6605 6682 6795 6920 6932 7330
7542 7619 7639 7953 8026 8252 8339 8362 8395
8463 8490 8573 8595 8788 8987 8989 9071 9104
9111 9242 9281 9469 9613 9614 9669 9763 9794
9909 9970 10440 10501 10566 10572 10654 10730
10827 11036 11202 11306 11554 11649 11890
12047 12062 12070 12164 12275 12391 12406
12564 12972 13174 13345 13349 13472 13611
13655 13756 14118 14333 14432 14603 14607
14669 14837 14907 15323 15389 15426 15483
15540 15549 15624 15653 15863 16053 16061
16174 16381 16477 16622 16688 16740 16878
16973 17075 17176 17232 17327 17457 17848
17961 18133 18245 18330 18355 18387 18726
18969 19032 19252 19516 19669 19890 20062
20116 20175 20241 20302 20327 20339 20563
20870 20938 21046 21090 21486 21791 21825
21958 22087 22219 22306 22447 22607 22784
22811 23034 23144 23164 23584 23594 23653
23779 23829 23857 23927 24000 24074 24100
24182 24217 24393.

Litt. D. zu 75 M. (25 Thlr.) 176 Stück
und zwar die Nummern:

19 44 298 299 390 599 776 949 1225 1296 1310
1322 1457 1503 1671 1779 1903 1924 2394 2452
2557 2583 2640 2673 2725 2875 3151 3481 3732
3874 3937 4118 4179 4233 4245 4407 4517 4579
4793 5070 5071 5441 5812 5834 5861 6015 6177
6430 6606 6661 6744 6925 7030 7116 7138 7157
7175 7176 7227 7305 7464 7823 7892 7931 7936
7969 8028 8451 8544 8707 8740 8819 8874 8916
9110 9133 9215 9489 9562 9617 9689 9768 9831
10040 10121 10248 10263 10271 10357 10439
10474 10879 10895 10923 10956 10989 11009
11028 11171 11280 11439 11482 11507 11542
11582 11836 12103 12153 12331 12394 12449
12482 12499 12510 12588 12634 12697 12846
12935 12955 13008 13286 13437 13491 13579
13587 13770 13826 14110 14113 14186 14269
14542 14738 14831 14859 14986 15026 15050
15139 15156 15208 15269 15340 15392 15732
15841 15880 16141 16438 16597 16610 16688
16776 16975 17051 17070 17089 17094 17538
17621 17717 17850 18037 18105 18153 18214
18369 18511 19291 19352 19479 19734 19766
20175 20216.

Die Inhaber dieser Rentenbriefe werden aufgefordert, dieselben in coursfähigem Zustande, mit den dazu gehörigen Coupons Ser. V. № 13—16 nebst Talons bei der hiesigen Rentenbank-Kasse, Klosterstraße 76, vom 1. Oktober d. J. ab an den Wochentagen von 9—1 Uhr einzuliefern, um hiergegen und gegen Quittung den Nennwerth der Rentenbriefe in Empfang zu nehmen. Vom 1. Oktober d. J. ab hört die Verzinsung der ausgeloosten Rentenbriefe auf. Von den früher verlooseten Rentenbriefen der Provinz Brandenburg sind nachstehend genannte Stücke noch nicht zur Einlösung bei der Rentenbank-Kasse vorgelegt worden, obwohl seit deren Fälligkeit 2 Jahre und darüber verflossen sind.

Zum 1. Oktober 1882 Litt. C. № 2124 über 300 M. (100 Thlr.)

Zum 1. April 1883 Litt. C. № 185 über 300 M. (100 Thlr.)

Zum 1. Oktober 1883 Litt. A. № 5689 über 3000 M. (1000 Thlr.) Litt. C. № 8068 à 300 M. (100 Thlr.) Litt. D. № 25 1038 6380 6743 à 75 M. (25 Thlr.)

Zum 1. April 1884 Litt B. № 3148 über 1500 M. (500 Thlr.) Litt. C. № 6431 19129 à 300 M. (100 Thlr.) Litt. D. № 2504 über 75 M. (25 Thlr.)

Zum 1. Oktober 1884 Litt. B. № 3754 über 1500 M. (500 Thlr.) Litt. C. № 564 1229 2410 4153 7957 13626 à 300 M. (100 Thlr.) Litt. D. № 259 1594 1976 2312 2393 3041 3276 5183 6741 8623 8638 12207 13278 à 75 M (25 Thlr.)

Zum 1. April 1885 Litt. A. № 6437 15555 à 3000 M. (1000 Thlr.) Litt. C. № 5166 5876 6196 9959 à 300 M. (100 Thlr.) Litt. D. № 12065 13382 à 75 M. (25 Thlr.)

Zum 1. Oktober 1885 Litt. A. № 557 à 3000 M. (1000 Thlr.) Litt. C. № 541 5139 8597 10171 19186 22408 à 300 M. (100 Thlr.) Litt. D. № 1465 4416 4917 5224 9719 14223 18119 à 75 M. (25 Thlr.)

Zum 1. April 1886 Litt. A. № 10557 à 3000 M. (1000 Thlr.) Litt. B. № 1001 1500 à 1500 M. (500 Thlr.) Litt. C. № 4610 5103 à 300 M. (100 Thlr.) Litt. D. № 3082 7404 8261 17269 à 75 M (25 Thlr.)

Die Inhaber dieser Rentenbriefe werden wiederholt aufgefordert, den Nennwerth derselben nach Abzug des Betrages der von den mitabzuliefernden Coupons etwa fehlenden Stücke bei unserer Kasse in Empfang zu nehmen. Wegen der Verjährung der ausgeloosten Rentenbriefe ist die Bestimmung des Gesetzes über die

Errichtung der Rentenbanken vom 2. März 1850 § 44 zu beachten. Die Einlieferung ausgelooster Rentenbriefe an die Rentenbank-Kasse kann auch durch die Post, portofrei, und mit dem Antrage erfolgen, daß der Geldbetrag auf gleichem Wege übermittelt werde. Die Zusendung des Geldes geschieht dann auf Gefahr und Kosten des Empfängers und zwar bei Summen bis zu 400 M. durch Postanweisung. Sofern es sich um Summen über 400 Mark handelt, ist einem solchen Antrage eine ordnungsmäßige Quitung beizufügen.

Der zum 1. Oktober 1877 ausgelooste Rentenbrief der Provinz Brandenburg Litt. D. № 5241 à 75 M., welcher zur Einlösung nicht präsentirt worden, ist mit dem Schlusse des vergangenen Jahres verjährt.

Berlin, den 14. Mai 1888.

Königl. Direktion
der Rentenbank für die Provinz Brandenburg.

Bekanntmachungen des Königlichen Oberbergamts zu Halle.

3. Nachstehende Verleihungsurkunde:

„Im Namen des Königs.

Auf Grund der am 12. Dezember 1887 mit Präsentationsvermerk versehenen Muthung wird der Aktiengesellschaft Admiralsgarten-Bad in Berlin NW., Friedrichstraße Nr. 102, unter dem Namen **Admiralsgarten-Bad** das Bergwerkseigenthum in dem Felde, dessen Begrenzung auf dem heute von uns beglaubigten Situationsrisse mit den Buchstaben:
a b c d e f g h i k l m n o p q r s t u v w x y z
a' b' c' d' e' f' g' h' i' k' l' m' n' o' p' q' r' s' t' a
bezeichnet ist, und welches, einen Flächeninhalt von 2 188 000 geschrieben zwei Millioneneinhundertachtundachtzigtausend Quadratmeter umfassend, in der Haupt- und Residenzstadt Berlin und im Oberbergamtsbezirke Halle gelegen ist, zur Gewinnung der in dem Felde vorkommenden Soolquellen hierdurch verliehen".

urkundlich ausgefertigt am heutigen Tage, wird mit dem Bemerken, daß der Situationsriß in dem Büreau des Königlichen Bergrevierbeamten zu Eberswalde zur Einsicht offen liegt, unter Verweisung auf die Paragraphen 35 und 36 des Allgemeinen Berggesetzes vom 24. Juni 1865 hierdurch zur öffentlichen Kenntniß gebracht.

Halle a. S., den 16. Juni 1888.

Königl. Oberbergamt.

Bekanntmachungen der Königlichen Eisenbahn-Direktion zu Berlin.

Nachträge zum Ostdeutsch-Oesterreichischen Verbande.

25. Im Ostdeutsch-Oesterreichischen Verbande kommen am 10. Juli d. J. folgende Nachträge zur Einführung: zum Theil II. Heft 1 Nachtrag IX., zum Theil II. Heft 2 Nachtrag VIII., zum Theil II. Heft 3 Nachtrag VIII., zum Theil III. Nachtrag III. Dieselben enthalten Aenderungen des Vorwortes und der Besonderen Bestimmungen für den Verkehr mit Sosnowice und Granica, Ermäßigungen und Erweiterungen der Klassen- und Ausnahmetarife, neue Ausnahmetarife für Chamotteretorten und Chamottesteine rc. von Saarau nach Mähr. Ostrau und Schönbrunn im Theil II. Heft 2 und für Pflastersteine von Schärding nach Berlin im Theil III. und einige Berichtigungen bezw. Ergänzungen. Exemplare der Nachträge sind im hiesigen Auskunftsbüreau, Stadtbahnhof Alexanderplatz, unentgeltlich zu haben.

Berlin, den 21. Juni 1888.

Königl. Eisenbahn-Direktion.

Bekanntmachungen der Königlichen Eisenbahn-Direktion zu Bromberg.

Neuer Tarif für die Beförderung von Leichen, Fahrzeugen und lebenden Thieren.

44. Mit dem 1. Juli 1888 tritt für den Eisenbahn-Direktions-Bezirk Bromberg an Stelle des Lokaltarifs für die Beförderung von Leichen, Fahrzeugen und lebenden Thieren vom 1. Januar 1880, zweite Auflage nebst Nachträgen ein neuer Tarif, Theil II. in Kraft.

Derselbe enthält anderweite bezw. neue Frachtsätze für die Beförderung einzelner Stücke Vieh, welche im Allgemeinen niedriger, in vereinzelten Fällen indessen auch höher wie die bisherigen Sätze sind.

Außerdem wird die Haltestelle Kietz von sofort für den Viehverkehr eröffnet.

Exemplare des neuen Tarifs sind zum Preise von 0,20 Mark, der Kilometer-Tariftabellen für einzelne Stücke Vieh zum Preise von 0,70 Mark durch Vermittelung unserer Billet-Expeditionen zu beziehen.

Bromberg, den 16. Juni 1888.

Königl. Eisenbahn-Direktion.

Personal-Chronik.

Der Regierungs-Baurath Werner ist vom 1. Juli d. J. ab an die Königl. Ministerial-Bau-Commission in Berlin und an dessen Stelle der Geheime Regierungs-Rath Mayschel aus Magdeburg an die hiesige Königliche Regierung versetzt.

Der Königl. Regierungs-Baumeister E. Laurisch ist zum Assistenten des Königl. Gewerberaths Dr. von Rüdiger in Frankfurt a. O. ernannt und eidlich verpflichtet worden.

Dem Konsistorial-Sekretair Ernst Heinrich Sauer bei dem Königl. Konsistorium in Berlin ist durch Allerhöchste Kabinets-Ordre vom 5. Mai dieses Jahres der Charakter als Rechnungs-Rath verliehen worden.

Der bisherige Pfarrer Georg Karl Heinrich Schenk in Groß-Muckrow, Diözese Lübben, ist zum Pfarrer der Parochie Schönberg, Diözese Lindow-Gransee, bestellt worden.

Der bisherige Predigtamts-Kandidat Julius Karl Robert Reisch ist zum Pfarrer der Parochie Groß-Berge, Diözese Putlitz, bestellt worden.

Das unter Königlichem Patronat stehende Archidiakonat an der St. Elisabeth-Kirche in Berlin, Diözese Berlin II., ist durch das Ableben des bisherigen Inhabers, des Archidiakonus Torffstecher, am 20. Mai d. J. zur Erledigung gekommen. Die Wiederbesetzung erfolgt in diesem Falle durch das Kirchenregiment.

Die Lehrerinnen Hedwig Jastrow, Bertha Laski und Anna Zacharias sind als Gemeindeschullehrerinnen in Berlin angestellt worden.

Personalveränderungen im Bezirke der Königlichen Eisenbahn-Direktion Erfurt.

Versetzungen: Güterexpedienten Langbeck von Berlin nach Dobrilugk-Kirchhain und Johl von Berlin nach Elsterwerda.

Vermischte Nachrichten.

Handels- 2c Register betreffend.

Bei der Bearbeitung der auf das Handels- und Genossenschafts-Register sich beziehenden Geschäfte ist vom 1. Juni 1888 ab bei dem unterzeichneten Gerichte an die Stelle des Sekretairs Sommer der Sekretair Weichert getreten.

Berlin, den 5. Juni 1888.

Königl. Amtsgericht II. Abtheilung 8.

Ausweisung von Ausländern aus dem Reichsgebiete.

Lauf. Nr.	Name und Stand des Ausgewiesenen.	Alter und Heimath des Ausgewiesenen.	Grund der Bestrafung.	Behörde, welche die Ausweisung beschlossen hat.	Datum des Ausweisungs-Beschlusses.
1.	2.	3.	4.	5.	6.
		a. Auf Grund des § 39 des Strafgesetzbuchs:			
1	Hans Christian Oerstedt, Klempnergeselle,	geboren am 19. September 1858 zu Kopenhagen, Dänemark,	Wiederholter vollendeter und ein versuchter schwerer Diebstahl ($2\frac{1}{2}$ Jahre Zuchthaus laut Erkenntniß vom 2. November 1885),	Chef der Polizei in Hamburg,	16. Mai 1888.
2	a. Thomas Majdecki, Arbeiter,	23 Jahre, geboren und ortsangehörig zu Laski, Gouvernement Petrikau, Rußland,	schwerer Diebstahl (vier Jahre Zuchthaus laut Erkenntniß vom 3ten Juli 1884),	Königlich Preußische Regierung zu Posen,	26. Mai 1888.
	b. Josef Micielski, Leinweber u. Arbeiter,	geboren 1861 zu Lodz, Gouvernement Petrikau, Rußland,			
3	Axel Malmström, Konditor,	geboren am 13. August 1861 zu Ystadt, Bezirk Malmöhus, Schweden, ortsangehörig ebendaselbst,	mehrfacher theils vollendeter, theils versuchter schwerer Diebstahl ($2\frac{1}{4}$ Jahre Zuchthaus, laut Erkenntniß vom 21sten Mai 1886), u. Betteln,	Großherzoglich Badischer Landeskommissär zu Karlsruhe,	22. Mai 1888.
4	Franszisko d' Asis Ping y Ponceti, ohne Stand,	geboren am 4. Juli 1855 zu Albons, Provinz Gerona, Spanien, ortsangehörig ebendaselbst,	schwerer Diebstahl ($2\frac{1}{4}$ Jahre Zuchthaus laut Erkenntniß vom 21. Januar 1887. Seit 1sten Juni d. J. begnadigt),	derselbe,	desgleichen.
		b. Auf Grund des § 362 des Strafgesetzbuchs:			
1	August Tobias, Eisenbahnarbeiter,	ca. 26 Jahre, geboren zu Paris, Frankreich,	Landstreichen,	Königlich Preußischer Regierungspräsident zu Oppeln,	19. April 1888.
2	Richard Wilhelm Malmström, Kaufmann,	geboren am 27. März 1857 zu Norrköping, Schweden, ortsangehörig ebendaselbst, wohnhaft zuletzt in Emden, Preußen,	desgleichen,	Königlich Preußischer Regierungspräsident zu Aurich,	15. Mai 1888.
3	Johann Pfundner, Kellerbursche und Schuhmachergeselle,	geboren am 14. Mai 1858 zu Auern, Gemeinde St. Margarethen, Bezirk Wolfsberg, Kärnthen, ortsangehörig zu St. Margarethen,	Landstreichen, Betteln und Führung gefälschter Legitimationspapiere,	Stadtmagistrat Straubing, Bayern,	20. April 1888.

Lauf. Nr.	Name und Stand	Alter und Heimath	Grund der Bestrafung	Behörde, welche die Ausweisung beschlossen hat	Datum des Ausweisungs-Beschlusses
	des Ausgewiesenen				
1	2	3	4	5	6
4	Tomaso Zanon, Maurer,	geboren am 7. September 1834 zu Ziano, Bezirk Cavalese, Provinz Trient, Südtirol, ortsangehörig ebendaselbst,	Landstreichen und verbotswidrige Rückkehr,	Großherzoglich Badischer Landeskommissär zu Konstanz,	3. März 1888.
5	Abraham Kroll, Handlungsgehülfe,	geboren am 10. Juli 1870 zu Lemschütz, Rußland,	Landstreichen,	Kaiserlicher Bezirks-Präsident zu Metz,	22. Mai 1887.
6	a. Karl Hartmann, Künstler,	68 Jahre alt, geboren zu Handorf Oesterreichisch-Schlesien, ortsangehörig zu Stollenau, Mähren,	Landstreichen,	Königlich Preußischer Regierungspräsident zu Breslau,	2. April 1888.
	b. Reinhold Münch, Pferdehändler,	33 Jahre alt, geboren und ortsangehörig zu Stollenau,			
	c. Johann Wagner, Künstler,	34 Jahre alt, geboren und ortsangehörig zu Stollenau,			
	d. Marie Petermann, Sängerin,	36 Jahre alt, geboren und ortsangehörig zu Stollenau,			
	e. Ernestine Hartmann, Wäscherin,	35 Jahre alt, geboren zu Hoberg, Oesterreich, ortsangehörig zu Stollenau,			
	f. Johanna Lauenburger, Kinderwärterin,	59 Jahre alt, geboren zu Töpliwoda, Oesterreich, ortsangehörig zu Stollenau,			
	g. Auguste Karp, Nähterin,	34 Jahre alt, geboren zu Altdorf bei Teplitz, Böhmen, ortsangehörig zu Stollenau,			
	h. Johann Karp,	15 Jahre alt, ortsangehörig zu Stollenau,			
	i. Florian Petermann,	14 Jahre alt, ortsangehörig zu Stollenau,			
	k. Julius Lauenburger, Künstler,	26 Jahre alt, geboren und ortsangehörig zu Stollenau,			

Hierzu Drei Oeffentliche Anzeiger.

(Die Insertionsgebühren betragen für eine einspaltige Druckzeile 20 Pf. Belagsblätter werden der Bogen mit 10 Pf. berechnet.)

Redigirt von der Königlichen Regierung zu Potsdam.

Potsdam, Buchdruckerei der A. W. Hayn'schen Erben (E. Hayn, Hof-Buchdrucker).

Amtsblatt

der Königlichen Regierung zu Potsdam und der Stadt Berlin.

Stück 27. Den 6. Juli **1888.**

Reichs-Gesetzblatt.

(Stück 26.) № 1807. Verordnung, betreffend die Einberufung des Reichstags. Vom 16. Juni 1888.

(Stück 27.) № 1808. Bekanntmachung, betreffend die Befähigungszeugnisse für Schiffer auf kleiner Fahrt mit Hochseefischereifahrzeugen und die Berechnung der Steuermannsfahrzeit. Vom 15. Juni 1888.

Gesetz-Sammlung für die Königlichen Preußischen Staaten.

(Stück 19.) № 9289. Kreisordnung für die Provinz Schleswig-Holstein. Vom 26. Mai 1888.

№ 9290. Gesetz, betreffend die Einführung der Provinzialordnung vom 29. Juni 1875 in der Provinz Schleswig-Holstein. Vom 27. Mai 1888.

№ 9291. Bekanntmachung, betreffend die Provinzialordnung für die Provinz Schleswig-Holstein, vom 27. Mai 1888.

(Stück 20.) № 9292. Allerhöchster Erlaß vom 15. Juni 1888, betreffend die Landestrauer um des Hochseligen Kaisers und Königs Friedrich Majestät.

(Stück 21.) № 9293. Kirchengesetz, betreffend die Veränderung der Perikopen in den Herzogthümern Bremen und Verden. Vom 25. Mai 1888.

№ 9294. Kirchengesetz, betreffend die Deckung der durch die Beaufsichtigung des kirchlichen Bauwesens erwachsenen Kosten in der evangelisch-lutherischen Kirche der Provinz Hannover. Vom 26. Mai 1888.

№ 9295. Kirchengesetz, betreffend die Deckung der durch die Superrevision der kirchlichen Rechnungen erwachsenen Kosten in der evangelisch-lutherischen Kirche der Provinz Hannover. Vom 27. Mai 1888.

№ 9296. Gesetz zur Abänderung des § 29 des Gesetzes, betreffend die Verfassung der Verwaltungsgerichte und das Verwaltungsstreitverfahren, vom $\frac{\text{3. Juli 1875}}{\text{2. August 1880}}$ (Gesetz-Samml. 1880 S. 328). Vom 27. Mai 1888.

№ 9297. Gesetz, betreffend die Erweiterung der Stadtgemeinde und des Stadtkreises Harburg. Vom 4. Juni 1888.

(Stück 22.) № 9298. Verordnung wegen Einberufung der beiden Häuser des Landtages. Vom 20. Juni 1888.

Bekanntmachung,
betreffend die Besteuerung des Zuckers.

Der Bundesrath hat in seiner heutigen Sitzung folgende

Ausführungsvorschriften zu § 6 des Gesetzes, betreffend die Besteuerung des Zuckers, vom 9. Juli 1887

beschlossen:

I. Zu § 6 Absatz 1, zweiter Satz.

1. Die Festhaltung der Identität des Zuckers geschieht durch Lagerung unter steueramtlichem Mitverschluß. Die Lagerung ist nur zulässig an Orten, an welchen sich ein zu der demnächstigen Abfertigung des Zuckers zuständiges Steueramt befindet, und für Zuckerfabrikanten in der Zuckerfabrik.

2. Wer von der betreffenden Befugniß Gebrauch machen will, hat dies spätestens am 10. Juli d. J. dem Hauptamt, in dessen Bezirk der Zucker gelagert werden soll, schriftlich anzuzeigen und zugleich den zur Lagerung bestimmten Raum zu bezeichnen, über dessen Zulassung das Hauptamt entscheidet.

3. Spätestens am 28. Juli d. J. ist dem Hauptamt eine doppelt ausgefertigte Anmeldung des Zuckers einzureichen. Auf dieselbe finden die Vorschriften über die Anmeldung von Zucker zur Abfertigung mit dem Anspruch auf Steuervergütung sinngemäße Anwendung.

Ausnahmsweise kann vom Hauptamt die Anmeldung unverpackten Zuckers gestattet werden, insbesondere wenn derselbe in dem bisherigen Lagerraum demnächst unter Steuerverschluß weiter lagern soll.

4. Am 31. Juli oder 1. August d. J. findet eine steueramtliche Revision des Zuckers und sodann die Anlegung des Steuerverschlusses statt. Die Revision kann auf eine äußere Vergleichung der Waare mit der Anmeldung beschränkt, namentlich kann von der Verwiegung und der näheren Ermittelung der Art des Zuckers Abstand genommen werden, soweit nicht die Erstreckung der Revision hierauf aus besonderen Gründen erforderlich scheint.

Das Duplum der Anmeldung wird, versehen mit amtlicher Bescheinigung über die Einreichung und die stattgehabte Revision, dem Anmelder zurückgegeben.

5. Der identifizirte Zucker wird, sofern sich bezüglich der Festhaltung der Identität der Waare kein Bedenken ergiebt, bis zum 1. Oktober 1888 je nach den Anträgen des Berechtigten entweder unter Gewährung der Vergütung nach den bisherigen höheren Sätzen zur Ausfuhr bezw. Niederlegung oder ohne Ent-

richtung der Verbrauchsabgabe in den freien Verkehr des Inlands abgefertigt.

Soweit der Zucker nicht vor Ablauf des Monats September d. J. der zuständigen Steuerstelle zur Abfertigung gestellt worden ist, hat derselbe hinfort nur Anspruch auf die niedrigere Steuervergütung nach § 6 unter a., b., c. bezw. unterliegt derselbe der Verbrauchsabgabe.

IV. Zu § 6 Absatz 2.

Unter Abstandnahme von der Festsetzung einer Höchstmenge an Zucker für die Befugniß zur Ausfuhr oder Niederlegung mit der bisherigen höheren Steuervergütung kann auf Antrag den Zuckerfabrikanten gestattet werden, während der Zeit vom 1. August bis 1. Oktober 1888 alle aus der Fabrik ausgehenden vergütungsfähigen Zucker so lange mit dem Anspruch auf jene Vergütung abfertigen zu lassen, als in der Fabrik Rüben nicht verarbeitet und in dieselbe Zucker oder Zuckerabläufe (Syrup, Melasse) entweder nicht oder doch nur insoweit eingeführt werden, als ihre Herkunft aus einer dem 1. August 1888 vorhergehenden Betriebsperiode außer Zweifel steht und der aus einer steuerfreien Niederlage entnommene Rohzucker mit 17,25 Mk. für 100 kg (vergl. § 6 Absatz 3) versteuert wird.

Gleich der vorbezeichneten Abfertigung wird auch die Abfertigung der Zucker in den freien Verkehr ohne Entrichtung der Verbrauchsabgabe gewährt.

Der Antrag auf Zulassung zu dem obigen Verfahren ist spätestens am 10. Juli d. J. dem Hauptamt einzureichen.

Findet vor dem 1. Oktober 1888 der Beginn der Rübenverarbeitung oder eine Einführung von Zucker oder Zuckerabläufen in die Fabrik entgegen den obigen Vorschriften (Absatz 1) statt, so wird von da ab, sonst vom Beginn des 1. Oktober 1888 ab, der aus der Fabrik ausgehende Zucker, soweit er nicht bereits der zuständigen Steuerstelle zur Abfertigung gestellt worden war, steuerlich als Zucker der Betriebsperiode 1. August 1888/89 behandelt.

2. a. Für die auf Antrag in der Zuckerfabrik vorzunehmende steueramtliche Feststellung der Vorräthe an Rohzucker und unfertigen Fabrikaten, des Ausbringens an fertigem Zucker daraus und der Zuckermenge, bis zu deren Höhe die Fabrik weiter noch Zucker gegen Vergütung der Steuer nach den bisherigen höheren Sätzen zur Ausfuhr oder Niederlegung bringen kann, gelten die in der Anlage enthaltenen Bestimmungen.

Die Direktivbehörden sind ermächtigt, nach Bedürfniß nähere Anordnungen zu treffen, oder solche den Hauptämtern zu übertragen.

b. Dem Zuckerfabrikanten ist gestattet, in An- und Abrechnung auf den für ihn nach Ziffer IV. 2 der Anlage festgestellten Gesammtvergütungsbetrag bis zum 1. Oktober d. J. auch Zucker ohne Entrichtung der Verbrauchsabgabe in den freien Verkehr zu bringen. Die An- und Abrechnung geschieht in den Beträgen, welche sich für die betreffenden Zuckermengen als Steuervergütung nach den bisherigen höheren Sätzen von 17,25 Mk., 21,50 Mk. oder 20,15 Mk. berechnen.

Berlin, den 21. Juni 1888.

Der Reichskanzler.

In Vertretung: Jacobi.

* * *

Anlage.

Zuckerfabrikanten, welche von der im § 6 Absatz 2 des Zuckersteuergesetzes vom 9. Juli 1887 gewährten Befugniß Gebrauch machen wollen, müssen dies, bei Verlust des Anspruches auf Berücksichtigung, spätestens am 10. Juli d. J. dem Hauptamt anzeigen.

Sodann ist dem Hauptamt spätestens am 28. Juli d. J. eine Anmeldung der aufzunehmenden Zuckerbestände, sowie eine Berechnung der Zuckermenge, für welche die Berechtigung zur Ausfuhr oder Niederlegung mit der bisherigen höheren Vergütung beansprucht wird, in je zwei vom Fabrikinhaber unterschriebenen Exemplaren einzureichen. Im Falle der Verspätung ist die steueramtliche Bestandesaufnahme zu versagen.

I. Die Anmeldung muß ergeben, welche Arten und Gewichtsmengen von Rohzucker und unfertigen Fabrikaten am 1. August d. J. vorhanden sein und in welchen Fabrikräumen dieselben werden zur amtlichen Revision gestellt werden.

Als Rohzucker sind die vergütungsfähigen Rohzucker von mindestens 90 Prozent Zuckergehalt anzumelden.

Als unfertige Fabrikate sind anzumelden und dürfen nur angemeldet werden:

a. Brote, welche sich in der Trockenstube befinden;
b. Rohzucker (Nachprodukte) von weniger als 90 Prozent Zuckergehalt;
c. Füllmassen. Hierunter sind auch Deckkläre, Syrupe und Melassen, nicht aber grüne oder theilweise ausgedeckte Brote verstanden.

Im einzelnen sind die folgenden Bestimmungen zu beachten:

1. Für vergütungsfähigen Rohzucker.

Derselbe muß in verpacktem Zustande nach Zahl, Verpackungsart, Brutto- und Nettogewicht der Kolli, sowie nach dem Zuckergehalt in Prozenten der Polarisation angemeldet werden, wobei im übrigen die bezüglichen Vorschriften für die Anmeldung zur Ausfuhr oder Niederlegung von Zucker mit dem Anspruch auf Steuervergütung Anwendung finden.

2. Für unfertige Fabrikate.

a. Bezüglich der in der Trockenstube befindlichen Brote ist anzugeben, und zwar je besonders bezüglich etwaiger verschiedener Arten (größere, kleinere), die Vergütungsklasse; die Zahl; das erfahrungsmäßige Durchschnittsgewicht eines Brots im fertigen Zustande; das hiernach berechnete Gesammtgewicht.

b. Der nicht vergütungsfähige Rohzucker ist in verpacktem Zustande nach Zahl, Verpackungsart, Brutto- und Nettogewicht der Kolli, sowie nach seiner Beschaffenheit anzumelden, in letzterer Beziehung nach Maßgabe der entsprechenden Vorschriften für die Füllmassen (unter c).

c. Bezüglich der Füllmassen ist anzugeben: die Art; die Beschaffenheit, und zwar die Höhe der Polarisation nach vollen Prozenten und Bruchtheilen von mindestens 1/2, der Quotient, der Gehalt der Trockensubstanz an Nichtzucker, der Wassergehalt; die zur Aufbewahrung dienenden Gefäße (Bassins, Kasten u. s. w.), unter Angabe des Rauminhalts nach Litern; bei nicht ganz gefüllten Gefäßen die kubische Menge der darin befindlichen Füllmasse nach Litern; das erfahrungsmäßige Gewicht der in den Gefäßen enthaltenen Füllung. Wird ausnahmsweise Füllmasse in eingedicktem Zustande lose in Blöcken aufbewahrt, so ist Zahl und Gewicht der letzteren anzugeben.

d. Die Anmeldung muß übersichtlich und in einer die amtliche Bestandesaufnahme thunlichst erleichternden Weise eingerichtet sein. Der Fabrikinhaber hat sich dieserhalb rechtzeitig an das Hauptamt zu wenden und dessen Anweisung Folge zu leisten.

Zum Zwecke der Information wird das Hauptamt nach Befinden eine Besichtigung der Fabrik vornehmen.

Eine nicht vorschriftsmäßige Anmeldung kann unberücksichtigt bleiben.

II. In Bezug auf die Berechnung der Zuckermenge, für welche die Anwendung der bisherigen höheren Vergütungssätze beansprucht wird, gelten folgende Bestimmungen:

1. Der vorhandene vergütungsfähige Rohzucker kommt mit der aus der Anmeldnng sich ergebenden Gewichtsmenge in Ansatz.

2. Das Gleiche gilt bezüglich der in der Trockenstube befindlichen Brote.

3. Bezüglich der nicht vergütungsfähigen Rohzucker und der Füllmassen ist das wahrscheinliche Ausbringen an vergütungsfähigem Zucker anzugeben. Den angegebenen Mengen raffinirten Zuckers sind die entsprechenden Rohzuckermengen nach einer Berechnung beizufügen, bei welcher 100 kg raffinirte nicht höher als mit 116,5 kg Rohzucker angesetzt werden dürfen.

Die Berechnung über das Ausbringen ist auf Grund der Betriebs- und Rechnungsbücher, unter Anschluß von Auszügen daraus, mit der Beschränkung aufzustellen, daß über die niedrigsten Ausbeuten, welche in einem der letzten drei Betriebsjahre 1884/85 bis 1886/87 im Jahresdurchschnitt aus Zuckerstoffen gleicher Beschaffenheit gewonnen worden sind, nicht hinausgegangen werden darf. Soweit es an den bezüglichen buchmäßigen Grundlagen mangelt, ist durch ein Gutachten zweier an dem Fall persönlich nicht interessirter Sachsterständiger nachzuweisen, daß die angegebene Menge des Ausbringens als Mindestmaß der Ausbeute mit Wahrscheinlichkeit zu erwarten sei.

III. 1. Am 1. August d. J. und, soweit erforderlich, den zunächst folgenden Tagen findet die steueramtliche Bestandesaufnahme statt. Die Fabrik muß an den bezeichneten Tagen außer Betrieb sein.

Die Bestandesaufnahme geschieht unter Leitung des Hauptamtsvorstandes oder eines anderen Oberbeamten der Steuerverwaltung, sowie unter Zuziehung eines oder mehrerer vom Hauptamt ausgewählten technischen Sachverständigen (Zuckerindustrielle, vereidigte Handelschemiker u. s. w.).

Der Fabrikinhaber ist verpflichtet, die Hülfsdienste zu leisten oder leisten zu lassen, welche erforderlich sind, damit die Bestandesaufnahme in den vorgeschriebenen Grenzen nach näherer Anordnung des leitenden Oberbeamten schnell und zuverlässig ausgeführt werden kann. Insbesondere hat derselbe auch die Behälter (Säcke, Fässer u. s. w.) zur Aufbewahrung der Proben zu liefern, welche von den Rohzuckern oder Füllmassen zum Zwecke der Feststellung ihrer Beschaffenheit entnommen werden. (Vgl. unter 2c.)

2. Bei der steueramtlichen Feststellung der Zuckerbestände nach Menge und Art finden thunlichst die entsprechenden Vorschriften über die Abfertigung von Zucker mit dem Anspruch auf Steuervergütung sinngemäße Anwendung, namentlich auch in Bezug auf die Vornahme probeweiser Ermittelungen.

Im einzelnen ist zu beachten:

a. Das in der Anmeldung angegebene erfahrungsmäßige Durchschnittsgewicht der in der Trockenstube befindlichen Brote nach Fertigstellung kann als richtig angenommen werden, wenn sich aus der Einsichtnahme der Betriebs- und Rechnungsbücher und der Besichtigung der Brote Bedenken nicht ergeben. Andernfalls hat nach beendeter Trocknung der Brote eine amtliche Verwiegung stattzufinden.

b. Die Feststellung des Gewichts der Füllmassen erfolgt nach näherer Bestimmung des die Bestandesaufnahme leitenden Oberbeamten. Insbesondere sind probeweise Nachmessungen des Rauminhalts der Aufbewahrungsgefäße und der kubischen Menge der Füllung vorzunehmen. Desgleichen ist die Richtigkeit der in der Anmeldung enthaltenen Umrechnung der kubischen Menge auf Gewicht zu prüfen. Soweit die Nachmessung der Gefäße im befüllten Zustande nicht zuverlässig ausgeführt werden kann, hat dieselbe nach der nächsten Entleerung, wovon dem Fabrikinhaber Anzeige zu machen obliegt, zu geschehen.

c. Zur Untersuchung der Rohzucker und Füllmassen auf ihre Beschaffenheit sind Proben zu entnehmen und geeigneten Sachverständigen (Handelschemikern u. s. w.) zu übergeben.

3) Nach dem Abschluß aller zur Bestandesaufnahme gehörigen Ermittelungen stellt das Hauptamt die Bestände nach Art und Menge fest. Bei Abweichungen der ermittelten Ergebnisse von den Angaben der Anmeldung gelten die letzteren, soweit sie dem Fabrikanten weniger günstig sind.

IV. 1) Die Prüfung der Berechnung des Fabrikinhabers über die zur bisherigen höheren Vergütung zuzulassende Zuckermenge und die Feststellung der letzteren geschieht durch das Hauptamt unter Zuziehung von Sachverständigen (vergl. III. 1) und betrifft insbesondere das zu erwartende Ausbringen an vergütungsfähigem Zucker aus den nicht vergütungsfähigen Rohzuckern und den Füllmassen. Der Fabrikinhaber ist verpflichtet, dem Hauptamtsvorstand oder dem sonst hiermit beauftragten Oberbeamten und den Sachverständigen auf Erfordern die Betriebs- und Rechnungsbücher, namentlich aus den Betriebsjahren 1884/85 bis 1887/88, zur Einsicht vozulegen, dieselben zu erläutern, überhaupt jede gewünschte Auskunft zur Sache zu ertheilen.

Das Hauptamt hat bei der Bemessung der Höhe des Zuckerausbringens mit größter Vorsicht zu verfahren, so daß die Möglichkeit einer Schädigung der Steuerkasse völlig ausgeschlossen wird. Keinesfalls darf über die von dem Fabrikinhaber berechneten Ausbeutemengen hinausgegangen werden. Das Ausbringen ist auf vergütungsfähigen Rohzucker festzustellen.

2) Bei der schließlichen Ermittelung der Gesammtmenge des nach den bisherigen höheren Vergütungssätzen zu behandelnden Zuckers kommen in Ansatz der ermittelten Gewichtsmengen

a. des Bestandes an vergütungsfähigem Rohzucker,
b. des Bestandes an Broten in der Trockenstube (Gewicht im fertigen Zustande),
c. des Ausbringens an vergütungsfähigem Rohzucker aus dem vorhandenen Rohzucker unter 90 % Zuckergehalt und aus den Füllmassen.

Für jede der vorbezeichneten Gewichtsmengen ist der nach dem zutreffenden bisherigen Vergütungssatze sich ergebende Vergütungsbetrag zu berechnen. Diese Beträge sind zu addiren. Bis zur Höhe des so ermittelten Gesammtbetrages kann der Fabrikinhaber während der Zeit vom 1. August bis 1. Oktober d. J. Zucker der Vergütungsklassen a., b. und c. des § 6 des Zuckersteuergesetzes mit dem Anspruch auf Vergütung nach den bisherigen höheren Sätzen von 17,25 M., 21,50 M. und 20,15 M. ausführen oder zu Niederlagen bringen.

3) Das Hauptamt theilt dem Fabrikinhaber die nach den Vorschriften unter 2 aufgestellte Berechnung schriftlich mit. Innerhalb 8 Tagen nach dem Tage des Empfanges kann der Fabrikinhaber Beschwerde gegen die Berechnung beim Hauptamt einlegen. Ueber die Beschwerde wird von der Direktivbehörde entgültig entschieden.

V. Der Fabrikinhaber hat alle Kosten zu erstatten, welche der Steuerverwaltung in Folge des Antrages auf die Bestandesaufnahme erwachsen, insbesondere auch die Reisekosten der Steuerbeamten und zugezogenen Sachverständigen, sowie die den letzteren für ihre Arbeiten gewährten Vergütungen. Der Betrag der Kosten wird von der Direktivbehörde festgestellt und durch das Hauptamt eingezogen.

Bekanntmachungen des Königlichen Regierungs-Präsidenten.

Barbier-, Friseur- und Perrückenmacher-Innung zu Cöpenick.

188. Auf Grund des § 100e. № 1 und 2 der Reichsgewerbeordnung vom 18. Juli 1881 und der Ausführungs-Anweisung hierzu vom 9. März 1882 — № 1. 1a. 2 — bestimme ich hierdurch für den Bezirk der Barbier-, Friseur- und Perrückenmacher-Innung zu Cöpenick,

1) daß Streitigkeiten aus den Lehrverhältnissen der im § 120a. der Gewerbe-Ordnung bezeichneten Art auf Anrufen eines der streitenden Theile von der zuständigen Innungsbehörde auch dann zu entscheiden sind, wenn der Arbeitgeber, obwohl er das in der Innung vertretene Gewerbe betreibt und selbst zur Aufnahme in die Innung fähig sein würde, gleichwohl der Innung nicht angehört;
2) daß die von der Innung erlassenen Vorschriften über die Regelung des Lehrlingsverhältnisses, sowie über die Ausbildung und Prüfung der Lehrlinge auch dann bindend sind, wenn der Lehrherr zu den unter № 1 bezeichneten Arbeitgebern gehört.

Ich bringe dies mit dem Bemerken hierdurch zur Kenntniß, daß der Bezirk der gedachten Innung die Gemeindebezirke Cöpenick, Kietz bei Cöpenick, Friedrichshagen, Friedrichsberg, Friedrichsfelde, Grünau, Kl. Schönebeck, Waltersdorf, Glienicke, Rudow, Erkner, Königs-Wusterhausen, Teupitz, Rüdersdorf, Rummelsburg, Lichtenberg, Nieder- und Ober-Schönweide und Johannisthal umfaßt.

Potsdam, den 23. Juni 1888.

Der Regierungs-Präsident.

Veranstaltung einer Geldlotterie von dem Verein zur Pflege im Felde verwundeter und erkrankter Krieger.

189. Der Herr Minister des Innern hat dem Central-Comité des Preußischen Vereins zur Pflege im Felde verwundeter und erkrankter Krieger die Erlaubniß ertheilt, die dritte der demselben in Gemäßheit der Allerhöchsten Bestimmung vom 5. Februar 1885 gestatteten Geldlotterien nach dem vorgelegten Plane zu veranstalten, nach welchem 400 000 Loose à 3 Mark unter Aussetzung von 4119 Gewinnen im Gesammtbetrage von 575 000 Mark — anstatt wie ursprünglich beabsichtigt, 250 000 Loose à 5 Mark mit 3569 Gewinnen im Gesammtbetrage von 625 000 Mark — ausgegeben werden sollen. Zugleich ist genehmigt, daß die Ziehung dieser Lotterie nöthigenfalls erst im nächsten Jahre stattfindet.

Potsdam, den 26. Juni 1888.

Der Regierungs-Präsident.

Viehseuchen.

190. Die Maul- und Klauenseuche unter dem Rindvieh des Gutes Diedersdorf im Kreise Teltow ist erloschen. Potsdam, den 25. Juni 1888.

Der Regierungs-Präsident.

Bekanntmachungen der Königlichen Regierung.

Kursus zur Ausbildung von Turnlehrern.

19. Wir bringen hierdurch zur öffentlichen Kenntniß, daß zufolge Mittheilung des Herrn Ministers der geistlichen 2c. Angelegenheiten zu Anfang Oktober d. J. in der Königlichen Turnlehrerbildungsanstalt wiederum ein sechsmonatlicher Kursus zur Ausbildung von Turnlehrern eröffnet wird.

Für den Eintritt in die Anstalt sind die ministeriellen Bestimmungen vom 6. Juni 1884, abgedruckt in unserm Amtsblatt von 1884 Seite 241/2, maßgebend.

Gesuche um Zulassung zu qu. Kursus sind **durch die vorgesetzten Schulbehörden bis spätestens den 15. Juli d. J. an uns** einzureichen.

Direkt oder **später** eingehende Meldungen können **nicht berücksichtigt** werden.

Potsdam, den 27. Juni 1888.

Königl. Regierung,
Abtheilung für Kirchen- und Schulwesen.

Bekanntmachungen des Königlichen Polizei-Präsidiums zu Berlin.

Allerhöchster Erlaß.

63. Auf Ihren Bericht vom 22. Mai dieses Jahres verleihe Ich der Stadtgemeinde Berlin behufs Erwerbung der zur Freilegung des Halleschen Ufers auf der Strecke zwischen der Schöneberger- und der Möckernstraße, sowie der Königsbergerstraße auf der Strecke von der Rüdersdorfer- bis zur Memelerstraße erforderlichen, auf den nebst zwei Uebersichtsplänen zurückerfolgenden beiden Lageplänen roth angelegten Flächen das Enteignungsrecht.

Berlin, den 29. Mai 1888.

In Vertretung Seiner Majestät des Königs:
gez. **Wilhelm,**
Kronprinz.
gegengez. von Maybach.

An den Minister der öffentlichen Arbeiten.

* * *

Vorstehender Allerhöchster Erlaß wird in Gemäßheit des § 2 des Enteignungsgesetzes vom 11. Juni 1874 hierdurch zur öffentlichen Kenntniß gebracht.

Berlin, den 22. Juni 1888.

Der Polizei-Präsident.

Bekanntmachungen des Staatssekretairs des Reichs-Postamts.

Postverkehr mit Deutsch-Südwest-Afrika.

16. In Otyimbingue, dem Sitz des Reichskommissars für Deutsch-Südwest-Afrika, wird am 1. Juli d. J. eine Kaiserliche Postagentur eingerichtet, welche unter den für den Weltpostverkehr geltenden Bedingungen den Austausch von gewöhnlichen und eingeschriebenen Briefsendungen mit dem Südwestafrikanischen Schutzgebiet vermittelt. Die Beförderung der Sendungen im Verkehr mit der genannten Postanstalt erfolgt auf dem Wege über Capstadt und Walfischbay. Es empfiehlt sich, die Briefaufschriften mit dem Zusatze „via Capstadt" zu versehen. Für Sendungen aus Deutschland nach dem Schutzgebiet beträgt das Porto für Briefe 20 Pf. für je 15 g, für Postkarten 10 Pf., für Drucksachen, Waarenproben und Geschäftspapiere 5 Pf. für je 50 g, mindestens jedoch für Waarenproben 10 Pf. und für Geschäftspapiere 20 Pf. Zu diesen Sätzen tritt u. U. die Einschreibgebühr von 20 Pf.

Berlin W., den 21. Juni 1888.

Der Staatssecretär des Reichs-Postamts.

Bekanntmachungen der Kaiserlichen Ober-Postdirektion zu Berlin.

Verlegung des Postamts Nr. 20 in Berlin.

49. Am 4. Juli wird das Postamt 20 (Gesundbrunnen) aus dem Hause Stettinerstraße 11 nach dem Hause Prinzen-Allee 85 verlegt;

dasselbe behält nach wie vor die Bezeichnung Postamt 20 (Gesundbrunnen).

Berlin C., den 27. Juni 1888.

Der Kaiserl. Ober-Postdirektor.

Einrichtung des Telegraphenbetriebes bei dem Postamt № 60 (Junkerstraße 11)

50. Bei dem Postamt № 60 (Junkerstraße 11) in Berlin wird am 5. Juli der Telegraphenbetrieb eingerichtet.

Die Dienststunden für den Telegrammverkehr mit dem Publikum werden, wie folgt, festgesetzt:

A. **an Wochentagen:**

a. im Sommerhalbjahr von 7 Uhr Vormittags bis 10 Uhr Abends,
b. im Winterhalbjahr von 8 Uhr Vormittags bis 10 Uhr Abends,

B. **an Sonn- und Feiertagen:**

a. im Sommerhalbjahr von 7 bis 9 Uhr Vormittags, von 12 bis 1 Uhr und von 5 bis 7 Uhr Nachmittags;
b. im Winterhalbjahr von 8 bis 9 Uhr Vormittags, von 12 bis 1 Uhr und von 5 bis 7 Uhr Nachmittags.

Um Uebrigen ist die Postanstalt verpflichtet, außerhalb der vorbezeichneten Dienststunden Telegramme vom Publikum anzunehmen und zu befördern, sofern ein Beamter ohnehin in den Diensträumen anwesend ist.

Berlin C., den 29. Juni 1888.

Der Kaiserl. Ober-Postdirektor.

Bekanntmachungen der Kaiserlichen Ober-Post-Direktion zu Potsdam.

Einrichtung einer Telegraphenhülfstelle in Hirschfelde (Mark).

51. In Hirschfelde (Mark) bei Werneuchen wird am 1. Juli eine mit der Posthülfstelle daselbst vereinigte Telegraphenhülfstelle in Wirksamkeit treten.

Potsdam, den 26. Juni 1888.

Der Kaiserl. Ober-Postdirektor.

Einrichtung einer Telegraphenhülfstelle in Wilkendorf.

52. In **Wilkendorf** bei Strausberg wird am 4. Juli eine mit der Posthülfstelle daselbst vereinigte **Telegraphenhülfstelle** in Wirksamkeit treten.

Potsdam, den 2. Juli 1888.

Der Kaiserl. Ober-Postdirektor.

Einrichtung eines Zweig-Postamts mit Telegraphenbetrieb auf dem Gesundbrunnen bei Freienwalde (Oder).

53. Auf dem Gesundbrunnen bei Freienwalde (Oder) wird am 1. Juli für die Dauer der Badezeit bis einschließlich 30. September ein Zweig-Postamt mit Telegraphenbetrieb eingerichtet, welches die Bezeichnung „Freienwalde (Oder) 2." erhält. Die Dienststunden für den Verkehr mit dem Publikum sind, wie folgt, festgesetzt: An den Wochentagen von 7 Uhr Vormittags bis 1 Uhr Nachmittags und von 4 bis 7 Uhr Nachmittags. An den Sonn- und

Feiertagen von 7 bis 9 Uhr Vormittags und von 5 bis 6 Uhr Nachmittags; außerdem von 12 bis 1 Uhr Mittags für den Telegraphenbetrieb. Ferner hat das Kaiserliche Postamt, außerhalb der vorbezeichneten Dienststunden, Telegramme vom Publikum anzunehmen sofern ein Beamter ohnehin in den Diensträumen anwesend ist. Die neue Verkehrsanstalt erhält wochentägig fünfmalige, Sonntags dreimalige Postverbindung mit dem Kaiserlichen Postamte in der Stadt Freienwalde (Oder). Mit der Bestellung der nach dem Gesundbrunnen gerichteten Postsendungen — ausschließlich der Telegramme — hat das Zweig-Postamt keine Befassung.

Potsdam, den 28. Juni 1888.

Der Kaiserl. Ober-Postdirektor.

Bekanntmachungen des Königlichen Konsistoriums der Provinz Brandenburg.

Parochial-Verhältniß der in Berlin neu anzieh nden evangelischen Einwohner.

1. Durch das auf Grund der Allerhöchsten Kabinets-Ordre vom 30. April 1830 erlassene Reskript des Königl. Ministeriums der geistlichen rc. Angelegenheiten vom 5. Mai desselben Jahres ist den evangelischen Glaubensgenossen, welche an einem Orte ihren Wohnsitz nehmen, wo mehrere der Union beigetretene Kirchengemeinden sich befinden, das Recht verliehen worden, die Gemeinde, welcher sie angehören wollen, zu wählen. Dieses Recht findet nach Maßgabe der angeführten Verordnung, in Folge des Beitritts der evangelischen Kirchengemeinden in Berlin zur Union und unter Beziehung der allgemeinen Bestimmungen auf die besonderen Verhältnisse dieser Gemeinden, hierselbst in der Weise Anwendung, daß die den von auswärts zuziehenden Personen zustehende Wahl getroffen werden kann zwischen, einerseits der betreffenden, mit einem örtlich abgegrenzten Kirchsprengel versehenen Gemeinde und andererseits der Dom- oder der Parochial-Kirche.

Da die Ausübung dieses Wahlrechts bisher an eine Frist nicht gebunden gewesen ist, so hat sich das Bedürfniß ergeben, den aus einer oft lange verschobenen Feststellung der Gemeindeangehörigkeit erwachsenden Uebelständen für die Zukunft vorzubeugen.

In Folge der auf Grund Allerhöchsten Erlasses vom 6. September v. J. von dem Herrn Minister der geistlichen Angelegenheiten im Einverständnisse mit dem Evangelischen Ober-Kirchenrath uns ertheilten Ermächtigung wird demnach hierdurch Folgendes bestimmt:

1) Alle von auswärts nach Berlin ziehenden evangelischen Glaubensgenossen haben ohne Rücksicht auf ihr besonderes Konfessionsverhältniß die Wahl, sich entweder derjenigen Lokalparochie, innerhalb deren sie ihre Wohnung nehmen, oder der Gemeinde der Dom-Kirche resp. der Parochial-Kirche anzuschließen, deren Mitglieder an keinen bestimmten Wohnort in der Stadt gebunden sind und daher durch die Veränderung der Wohnung innerhalb der Stadt die Gemeinde und Kirche nicht wechseln.

2) Diese Wahl muß jedoch binnen Jahresfrist von der Niederlassung in Berlin ab gerechnet, durch eine ausdrückliche Erklärung bei dem Kirchen-Ministerium und dem Vorstande der gewählten Kirche zu erkennen gegeben werden.

3) Wird diese Wahl in der bezeichneten Frist nicht ausgeübt, so werden solche evangelische Einwohner als pflichtige Glieder derjenigen Lokalparochie, innerhalb deren sie ihre Wohnung genommen haben, angesehen und behandelt, und gehen bei jeder Veränderung der letzteren in diejenige Parochie als Mitglieder über, in welcher die neugewählte Wohnung belegen ist.

Berlin, den 21. November 1859.

Königl. Konsistorium der Provinz Brandenburg.

* * *

Vorstehende Bekanntmachung wird hierdurch von Neuem veröffentlicht.

Berlin, den 23. Juni 1888.

Königl. Konsistorium der Provinz Brandenburg.

Bekanntmachungen des Königlichen Oberbergamts zu Halle.

4. Nachstehende Verleihungsurkunde:

„**Im Namen des Königs.**

Auf Grund der am 26. Januar 1888 mit Präsentationsvermerk versehenen Muthung wird dem Ingenieur Gustav Stuckenholz zu Berlin W., Landgrafenstraße 14, unter dem Namen **Kreuzbruch I.** das Bergwerkseigenthum in dem Felde, dessen Begrenzung auf dem heute von uns beglaubigten Situationsrisse mit den Buchstaben: a' x w y' y z a' bezeichnet ist, und welches, einen Flächeninhalt von 1981411,8 qm geschrieben: Eine Million neunhundert ein und achtzig Tausend vierhundert elf 8/10 Quadratmeter umfassend, in den Gemarkungen Kreuzbruch, Königl. Liebenwalder Forst und Klosterfelde im Kreise Niederbarnim des Regierungsbezirks Potsdam und im Oberbergamtsbezirk Halle gelegen ist, zur Gewinnung der in dem Felde vorkommenden Braunkohlen hierdurch verliehen",

urkundlich ausgefertigt am heutigen Tage, wird mit dem Bemerken, daß der Situationsriß in dem Büreau des Königl. Bergrevierbeamten zu Eberswalde zur Einsicht offen liegt unter Verweisung auf die Paragraphen 35 und 36 des Allgemeinen Berggesetzes vom 24. Juni 1865 hierdurch zur öffentlichen Kenntniß gebracht.

Halle a. S., den 29. Juni 1888.

Königl. Oberbergamt.

5. Nachstehende Verleihungsurkunde:

„**Im Namen des Königs.**

Auf Grund der am 26. Januar 1888 mit Präsentationsvermerk versehenen Muthung wird dem Ingenieur Gustav Stuckenholz zu Berlin W., Landgrafenstraße Nr. 14, unter dem Namen **Kreuzbruch II.** das Bergwerkseigenthum in dem Felde, dessen Begrenzung auf dem heute von uns beglaubigten Situationsrisse mit den Buchstaben: x p u t v w x bezeichnet ist, und welches, einen Flächeninhalt von 2188946,88 geschrieben: Zwei Millionen einhundert acht und achtzig Tausend neunhundert sechs und vierzig

$^{83}/_{100}$ Quadratmeter umfassend, in den Gemarkungen Kreuzbruch, Königl. Liebenwalder Forst und Klosterfelde im Kreise Niederbarnim des Regierungsbezirks Potsdam und im Oberbergamtsbezirke Halle gelegen ist, zur Gewinnung der in dem Felde vorkommenden Braunkohlen hierdurch verliehen",

urkundlich ausgefertigt am heutigen Tage, wird mit dem Bemerken, daß der Situationsriß in dem Büreau des Königlichen Bergrevierbeamten zu Eberswalde zur Einsicht offen liegt, unter Verweisung auf die Paragraphen 35 und 36 des Allgemeinen Berggesetzes vom 24 Juni 1865 hierdurch zur öffentlichen Kenntniß gebracht.

Halle a. S., den 29. Juni 1888.

Königl. Oberbergamt.

Bekanntmachungen der Königlichen Eisenbahn-Direktion zu Berlin.

Böhmisch-Norddeutscher Braunkohlen-Verkehr.

26. Am 1. Juli d. J. tritt für die Beförderung Böhmischer Braunkohlen 2c. in Wagenladungen zu 10000 kg nach Norddeutschland an Stelle des Tarifs vom 1. August 1885 ein neuer Tarif mit vielfach ermäßigten Frachtsätzen in Kraft. Exemplare des Tarifs sind durch die betheiligten Gütererpeditionen und das Auskunfts-Büreau, hier Bahnhof Alexanderplatz, zu beziehen.

Berlin, den 24. Juni 1888.

Königl. Eisenbahn-Direktion.

Ausgabe von Sommerkarten II. und III. Klasse.

27. Mit dem 1. Juli d. J. gelangen außer einfachen Fahrkarten und gewöhnlichen Rückfahrkarten auch Sommerkarten (Saisonbillets) II. und III. Klasse mit 45tägiger Gültigkeitsdauer von Berlin, Stettiner Bahnhof, nach Ribnitz und Barth, auch nach letzterer Station auf Wunsch der Reisenden vom 1. Juli bis 30. September d. J. in Verbindung mit Sonderkarten für die Omnibus- bezw. Dampfschiffsfahrt von Barth nach den Badeorten Prerow und Zingst und zurück bei direkter Gepäckabfertigung zur Ausgabe.

Berlin, den 27. Juni 1888.

Königl. Eisenbahn-Direktion.

Bekanntmachungen der Königlichen Eisenbahn-Direktion zu Bromberg.

Nachtrag zum Staatsbahn-Güter-Tarif Bromberg-Breslau.

45. Am 15. Juli d. J. wird der Nachtrag XV. zum Staatsbahn-Güter-Tarif Bromberg-Breslau herausgegeben, derselbe enthält: 1) Aenderung und Ergänzung des Vorworts und der besonderen Bestimmungen, hauptsächlich der Zoll- und Steuervorschriften für Sendungen von und nach Rußland; 2) Aufnahme der Haltestelle Elsenbusch, an der Strecke Neustettin-Belgard belegen, in den Verband-Tarif; 3) Erweiterung des Ausnahme-Tarifs 1 für Getreide u. s. w.; Frachtsätze zwischen Jarotschin und sämmtlichen Stationen des Direktionsbezirks Bromberg, sowie zwischen Elsenbusch-Posen; 4) Verlängerung der Giltigkeitsdauer des Ausnahme-Tarifs 9 für Sprit und Spiritus bis 31. August 1889; 5) Aenderung des Artikelverzeichnisses des Ausnahme-Tarifs 12, sowie der Bestimmungen über die Frachtberechnung und Anwendung desselben; 6) Berichtigungen. Die durch die erlassenen Berichtigungen eintretenden Erhöhungen treten erst mit dem 15. August d. J. in Kraft. Druckstücke des Nachtrags XV. sind durch Vermittelung unserer Billet-Expeditionen zu beziehen. Bromberg, den 23. Juni 1888.

Königl. Eisenbahn-Direktion.
Namens der betheiligten Verwaltungen.

Einbeziehung der Stationen Strausberg und Rüdersdorf in den Vorort-Stadtverkehr.

46. Vom 3. Juli d. J. ab werden die Stationen Strausberg und Rüdersdorf in den Vorort-Stadtverkehr einbezogen, und werden von diesem Tage ab Fahr- und Rückfahrkarten für den Verkehr zwischen genannten Stationen einerseits und sämmtlichen Stationen und Haltestellen der Stadtbahnstrecke Berlin Schles. Bahnhof bis Westend andererseits ausgegeben. Hierdurch treten an Stelle der bisherigen Fahr- und Rückfahrkarten für den Verkehr zwischen Strausberg und Rüdersdorf einerseits und Berlin Alexanderplatz, Friedrichstraße, Zoologischer Garten und Charlottenburg andererseits neue Fahr- und Rückfahrkarten mit theilweise um eine bezw. mehrere Zehntelmark ermäßigten Preisen. Näheres ist bei den vorbezeichneten Stationen und Haltestellen zu erfahren. Bromberg, den 27. Juni 1888.

Königl. Eisenbahn-Direktion.

Bekanntmachungen der Königlichen Eisenbahn-Direktion zu Magdeburg.

Lokal-Vieh- 2c. Verkehr.

5. Am 1. Juli d. J. kommt für die Beförderung von Leichen, Fahrzeugen und lebenden Thieren auf den Strecken des Bezirks der unterzeichneten Direktion ein neuer Tarif, Theil II., zur Einführung, durch welchen der bisherige Tarif vom 1. April 1886 nebst den dazu erschienenen Nachträgen aufgehoben wird.

Der neue Tarif enthält besondere Bestimmungen zu dem Betriebs-Reglement für die Eisenbahnen Deutschlands und zu dem Nebengebührentarif, Tarifsätze, soweit dieselben in dem besonderen Deutschen Eisenbahn-Tarif für die Beförderung von Leichen, Fahrzeugen und lebenden Thieren, Theil I., vom 1. Juli d. J. nicht schon Aufnahme gefunden haben, ferner die Gebühren für die Beförderung von Vieh auf Verbindungsbahnen u. s. w. Exemplare des Tarifs sind bei den diesseitigen Expeditionen zum Preise von 20 Pf. für das Stück zu haben. Magdeburg, den 23. Juni 1888.

Königl. Eisenbahn-Direktion.

Bekanntmachungen des Landes-Direktors der Provinz Brandenburg.

Provinzial-Abgaben für 1888/89.

5. Nach dem Hauptetat der Verwaltung des Brandenburg'schen Provinzialverbandes sind im Etatsjahre 1888/89 für die Zwecke des Landarmenwesens 6 % der in den einzelnen Land- und Stadtkreisen aufkommenden direkten Staatssteuern nach Maßgabe der

§§ 106 bis 108 der Provinzialordnung als Provinzialabgaben aufzubringen und zwar zur Hälfte am 1. Juli d. J. und zur andern Hälfte am 2. Januar 1889, vorbehaltlich definitiver Regelung.

Demgemäß hat der Provinzial-Ausschuß die aufzubringenden Provinzialabgaben auf die einzelnen Land- und Stadtkreise folgendermaßen vertheilt:

Lfd. Nr.	Kreis	Gesammt-Steuer-aufkommen		6 pCt. als Provinzial-abgabe.	
		M.	Pf.	M.	Pf.
1	Angermünde	427313	17	25638	79
2	Oberbarnim	530939	57	31856	37
3	Niederbarnim	892235	28	53534	12
4	Beeskow-Storkow	189252	58	11355	15
5	Ost-Havelland	355269	07	21316	14
6	West-Havelland	329661	38	19779	68
7	Jüterbog-Luckenwalde	329031	46	19741	89
8	Lebus	571847	49	34310	85
9	Prenzlau *	468219	93	28093	20
10	Ost-Prignitz	362218	94	21733	14
11	West-Prignitz	464651	04	27879	06
12	Ruppin	436408	83	26184	53
13	Teltow *	1060550	97	63633	06
14	Templin	240081	23	14404	87
15	Zauch-Belzig	384238	84	23054	33
16	Brandenburg	235846	92	14150	82
17	Charlottenburg	672142	96	40328	58
18	Frankfurt a. O.	448556	06	26913	36
19	Potsdam	518009	88	31080	59
20	Spandau	208449	08	12506	95
21	Arnswalde	193258	70	11595	52
22	Cottbus-Land	177978	31	10678	70
23	Crossen	219943	78	13196	63
24	Friedeberg	266883	66	16013	02
25	Königsberg	560692	71	33641	56
26	Landsberg	466847	23	28010	83
27	Soldin	272432	86	16345	97
28	Ost-Sternberg	208967	51	12538	05
29	West-Sternberg	207765	90	12465	95
30	Züllichau-Schwiebus	221629	28	13297	76
31	Cottbus-Stadt	204537	92	12272	28
32	Calau	228543	—	13712	58
33	Guben-Land	182418	78	10945	13
34	Luckau	272614	03	16356	84
35	Lübben	117307	64	7038	46
36	Sorau	408204	66	24492	28
37	Spremberg	111143	42	6668	61
38	GubenStadt	172659	71	10359	58
	Summa	13618753	78	817125	23

Bei den mit einem * versehenen Kreisen sind wegen der nicht eingegangenen Nachweisungen des Gesammt-Steueraufkommens die Beträge des Vorjahres aufgenommen worden.

Berlin, den 28. Juni 1888.

Der Landesdirektor der Provinz Brandenburg
von Levetzow.

Unfall-Versicherung der Bauarbeiter des Provinzialverbandes.

6. Nachdem Seitens der zuständigen Herren Minister durch Erlaß vom 11. Mai d. J. der Provinzialverband von Brandenburg für leistungsfähig erklärt worden, diejenigen Lasten zu übernehmen, welche durch die Unfallversicherung bei den von dem Provinzialverbande in anderen als Eisenbahnbetrieben als Unternehmer ausgeführten Bauarbeiten entstehen werden, hat der Herr Oberpräsident der Provinz Brandenburg unterm 27. Mai d. J. das

Regulativ für die Wahlen von Arbeitervertretern und Schiedsgerichtsbeisitzern, welche zur Durchführung der Unfallversicherung bei den von dem Provinzialverbande von Brandenburg ausgeführten Bauarbeiten zu vollziehen sind, sowie über die den gewählten Personen zu gewährenden Vergütungssätze

erlassen.

Dasselbe wird in der diesem Stücke des Amtsblattes beigefügten Extrabeilage zur öffentlichen Kenntniß gebracht.

Berlin, den 16. Juni 1888.

Der Landes-Direktor der Provinz Brandenburg.
von Levetzow.

Pflegegelder für Geisteskranke in der Landirren-Anstalt zu Landsberg a. W.

7. Die Pflegegelder für die in der neueröffneten Brandenburgschen Landirren-Anstalt zu Landsberg a. W. unterzubringenden Geisteskranken aus der Provinz Brandenburg betragen für die zur Aufnahme von Kranken eingerichtete Klasse III. jährlich 720 M. und für Klasse IV. jährlich 540 M.

Der Pauschsatz für das Begräbniß verstorbener Pfleglinge dieser Anstalt ist auf Zehn Mark festgesetzt.

Dies bringe ich hiermit gemäß der §§ 7 und 11 des Reglements der Landirren-Anstalten des Provinzial-Verbandes von Brandenburg zur öffentlichen Kenntniß.

Berlin, den 20. Juni 1888.

Der Landes-Direktor der Provinz Brandenburg
von Levetzow.

Bekanntmachungen anderer Behörden.

Umtausch von Pfandbriefen Lit. B

Die Inhaber der nachbezeichneten, von dem Königlichen Kredit-Institut für Schlesien ausgefertigten **4% Pfandbriefe Lit. B.**, haftend

1) auf den im Neiße'r Kreise belegenen Gütern Giesmannsdorf c. pert. und Jentsch:

№ 45502 à 500 Thaler,
№ 52643 52644 52655 à 200 Thaler,
№ 65554 65555 65582 65583 à 100 Thaler,
№ 79505 à 50 Thaler,
№ 82500 82501 82502 à 25 Thaler,

2) auf den im Brieg'schen Kreise belegenen Gütern Cantersdorf und Klein-Neudorf:

№ 43670 à 500 Thaler,
№ 50093 50103 50107 50111 50121 50122 50140 à 200 Thaler,

№ 62460 62461 62469 62470 62475 62476 62481 62482 à 100 Thaler,

werden hierdurch wiederholt aufgefordert, diese Pfandbriefe in kursfähigem Zustande mit den Zinsscheinen Ser. XI. № 5 bis incl. 10 an die Königliche Instituten-Kasse hierselbst — im Regierungsgebäude am Lessingplatz — zum Umtausch gegen andere Pfandbriefe Lit. B. von gleichem Betrage und mit gleichen Zinsscheinen versehen einzureichen.

Sollte die Präsentation nicht

bis zum 15. August d. J.

erfolgen, so werden die Inhaber dieser Pfandbriefe nach § 50 der Verordnung vom 8. Juni 1835 mit ihrem Realrechte auf die in den Pfandbriefen ausgedrückte Spezial-Hypothek präkludirt, die Pfandbriefe für vernichtet erklärt, in unserem Register, sowie im Grundbuche gelöscht und die Inhaber mit ihren Ansprüchen lediglich an die in unserem Gewahrsam befindlichen Umtausch-Pfandbriefe verwiesen werden.

Breslau, den 15. Februar 1888.

Königl. Kredit-Institut für Schlesien.

Aufruf verlooster Pfandbriefe Lit. B.

Die Inhaber der nachbezeichneten, in der 40. Verloosung gezogenen und in Folge dessen durch die öffentliche Bekanntmachung vom 6. Juni v. J. zur Baarzahlung gekündigten 4 % Schlesischen Pfandbriefe Lit. B. und zwar:

à 200 Thaler:

№ 49173 Elend,
№ 50349 Herrsch. Gr. Stein rc.,
№ 50376 do.
№ 50452 do.
№ 50904 do.
№ 51581 Ob. und Ndr. Miechowitz,
№ 51976 Poln. Krawarn und Mackau,
№ 52032 do.
№ 52034 do.
№ 52221 Mediat-Herz. Ratibor,

à 100 Thaler:

№ 62777 Herrsch. Gr. Stein rc.,
№ 63515 do.
№ 64342 Ob. und Ndr. Miechowitz,
№ 64370 do.
№ 64842 Poln. Krawarn und Mackau,
№ 64949 Med. Herz. Ratibor,
№ 64967 do.
№ 65098 do.

werden hierdurch wiederholt aufgefordert, diese Pfandbriefe bei der Königl. Instituten-Kasse hierselbst (im Regierungs-Gebäude am Lessingplatz) zu präsentiren und dagegen die Valuta derselben in Empfang zu nehmen.

Sollte die Präsentation nicht bis zum **15. August d. J.** erfolgen, so werden die Inhaber der fraglichen Pfandbriefe nach § 50 der Allgemeinen Verordnung vom 8. Juni 1835 mit ihrem Realrechte auf die in den Pfandbriefen ausgedrückte Special-Hypothek präkludirt und mit ihren Ansprüchen lediglich an die bei der Königlichen Instituten-Kasse hierselbst deponirte Kapitals-Valuta verwiesen werden.

Aus früheren Verloosungen sind Pfandbriefe Lit. B. nach rückständig und bereits präkludirt:

à 3½ %

aus der 20. Verloosung:

№ 18581 Hausdorf à 100 Thlr.,

à 4 %

aus der 35. Verloosung:

№ 79467 Med. Herz. Ratibor à 50 Thlr.,
№ 82257 Herrsch. Fürstenstein à 25 Thlr.,

aus der 37. Verloosung:

№ 22674 Koschentin und Tworog à 25 Thlr.,
№ 82256 Herrsch. Fürstenstein à 25 Thlr.,

aus der 38. Verloosung:

№ 82226 Herrsch. Gr. Stein rc. à 25 Thlr.,

aus der 39. Verloosung:

№ 45102 Poln. Krawarn und Mackau à 500 Thlr.,
№ 62933 Herrsch. Gr. Stein rc. à 100 Thlr.,
№ 50104 Cantersdorf und Kl. Neudorf à 200 Thlr.

Breslau, den 16. Februar 1888.

Königl. Kredit-Institut für Schlesien.

Anderweite Besetzung der Regierungs- und Bauraths-stelle bei dem Königl. Oberpräsidium in Magdeburg.

Dem Wasserbauinspektor von Doemming ist die kommissarische Verwaltung der durch Versetzung des bisherigen Elbstrombau-Direktors, Geheimen Regierungs-Raths Mupschel vakant gewordenen Regierungs- und Baurathsstelle bei dem Königl. Ober-Präsidium in Magdeburg vom 1. Juli d. J. ab übertragen worden.

Magdeburg, den 22. Juni 1888.

Der Ober-Präsident der Provinz Sachsen.

Personal-Chronik.

Im Kreise Oberbarnim ist an Stelle des Administrators Bartels zu Wölsickendorf, welcher den Bezirk verlassen hat, der Königl. Oberst z. D. von Bredow auf Wölsickendorf zum Amtsvorsteher des Bezirks X. Wölsickendorf ernannt worden.

Der Stadtverordnete, Rentier Heine zu Spandau ist zum Stellvertreter des Amtsanwalts in Spandau ernannt worden.

Dem pro rectoratu geprüften Lehrer Heinrich Schmidt zu Charlottenburg ist die Erlaubniß zur Anlegung einer höheren Töchterschule im 18. Stadtbezirk daselbst ertheilt worden.

Der bisherige Predigtamts-Kandidat Ludwig Gottlieb Otto Max Herrmann ist zum Diakonus zu Belzig und Prediger bei der Filialgemeinde Preußnitz, Diözese Belzig, bestellt worden.

Die unter privatem Patronat stehende Pfarrstelle zu Freienstein, Diözese Pritzwalk, kommt durch die nach altem Rechte erfolgende Emeritirung des Pfarrers Laue zum 1. Oktober d. J. zur Erledigung.

Dem seitherigen Pächter des Stiftsgutes Rapshagen, Alexander Meier, ist der Charakter Königl. Oberamtmann beigelegt worden.

Im Verwaltungsbezirke der Königl. Hofkammer der Königl. Familiengüter sind die Förster Malks von Freidorf, Oberförsterei Staakow, nach Roderbeck, Oberförsterei Peetzig, Braun von Buberow, Oberförsterei Rheinsberg, nach Gr. Obisch, Oberförsterei Töppendorf, Wegener von Brand nach Alt-Karmunkau, Oberförsterei Karmunkau, und Prüfs von Alt-Karmunkau nach Brand, Oberförsterei Staakow, **versetzt**, und die Forstaufseher Limpert und Grußdorff II. zu Förstern in Freidorf, Oberförsterei Staakow, bezw. Buberow, Oberförsterei Rheinsberg, **ernannt**.

Geschenke an Kirchen 2c.

Bei dem Königlichen Konsistorium der Provinz Brandenburg sind in neuerer Zeit folgende an Kirchen 2c. im Regierungsbezirk Potsdam gemachten Geschenke zur Anzeige gebracht worden:

Von Ihrer Majestät der Kaiserin der Kirche zu Betzin, Diözese Fehrbellin, Crucifix und Altarleuchter.

Außerdem sind folgende Geschenke an Kirchen 2c. gemacht worden:

Diözese Baruth: der Kirche zu Merzdorf vom Patron Friedrich Fürst zu Solms-Baruth eine neue vollständige Altar-, Kanzel- und Taufsteinbekleidung von dunkelgrünem Tuch;

Diözese Beeskow: der Kirche zu Giesendorf vom Gutsbesitzer Symons daselbst eine schwarztuchene Altarbekleidung mit gelben Frangen, von Frau Schmiedemeister Möbus daselbst eine schwarztuchene Kanzelbekleidung mit gelben Frangen; der Kirche zu Sauen von der Gemeinde eine Altar-, Kanzel- und Taufstein-Bekleidung von rothem Tuch unter Verwendung des Silberbesatzes der bisherigen unbrauchbar gewordenen Bekleidung, 2 weiße baumwollene Schutzdecken; der Kirche zu Görzig von Gemeindegliedern daselbst eine schwarztuchene Altar-, Kanzel- und Taufstein-Bekleidung mit Silberbesatz, eine schwarzsammetne Ueberdecke für den Altar, eine weiße gestickte Decke für die vasa sacra, zwei Altarleuchter von Alfenide nebst doppeltem Unterlage-Deckchen; der Kirche zu Sauen von der Patronin Freifrau von Rheinbaben einen Wandleuchter von Bronce; der Kirche zu Görzig aus freiwilligen Beiträgen sämmtlicher Gemeindeglieder beschafft ein broncener Kronleuchter;

Diözese Belzig: der Kirche zu Wiesenburg von einem Ungenannten ein silbernes Taufbecken und eine silberne Taufkanne; der Kirche zu Gömnigk vom Hof-Glasmaler P. G. Heinersdorf, Gemeinde-Vorsteher Gericke in Gomnick und Pfarrer Müller in Rottstock für das in Teppich-Malerei veranschlagte Chorfenster ein Christus-Medaillon; der Kirche zu Medewitz von einigen jungen Leuten daselbst zwei Altarlichte; der Kirche zu Ziesow vom Pfarrer D. Grundemann eine Kanzelbibel; der Kirche zu Schlamau (Gutsbezirk Steindorf) vom Rittergutsbesitzer Brandt v. Lindau auf Schmerwitz zur Beschaffung von neuen Provinzial-Gesangbüchern 20 M.; der Kirche zu Hagelberg von der Kirchengemeinde zu dem neu beschafften Harmonium 6 M. 80 Pf., von Frau Gräfin zu Fürstenstein desgl. 13 M. 20 Pf.; der Kirche zu Lübnitz von der Kirchengemeinde und Patronat zu dem neuen Harmonium 55 M. 60 Pf.;

Diözese Berlin-Land I.: der Kirche zu Kl.-Schönebeck vom Rentier Carl Sandfuß eine Altarbekleidung von schwarzem Tuch mit silbernen Borten und Frangen und silbernem Kreuz, eine Kanzelbekleidung (wie oben), eine Bekleidung des Bibelpults (wie oben), eine weiße Decke zum Gebrauch beim heiligen Abendmahl, ein Altarteppich, Neuanstrich und Neubronzirung des Taufsteins, von dessen Ehefrau, geb. Schulze, Neuversilberung des Taufsteins; der Kirche zu Heinersdorf durch freiwillige Beiträge aus der Gemeinde neue Bekleidung für Altar, Kanzel und Lesepult, ein Altarteppich, Altarleuchter, Crucifix nebst Unterlagen, graue Vorhänge für die Fenster der Altarnische, von einem Ungenannten eine innen vergoldete Weinkanne und eine Hostiendose, beides aus Alfenide, der Kirche zu Dahlwitz vom Rittergutspächter Spitzner in Schöneiche ein Taufbecken aus Alfenide; der Kirche zu Weißensee vom Verein ehemaliger Kampfgenossen in Neu-Weißensee ein aus Eichenholz geschnitztes Ordensspinde, von Frau Amtsvorsteher Feldtmann ebenda eine Altardecke von schwarzem Tuche mit silbernem Kreuze und 2 mit braunem Plüsch überkleidete Kniepolster;

Diözese Bernau: der Kirche zu Gr. Schönebeck von Frau Gastwirth Emilie Wrehe daselbst eine Taufsteindecke von feinem schwarzen Tuch mit silbernen Frangen und Quasten und Silberstickerei;

Diözese Altstadt Brandenburg: der Kirche zu Weseram von Frl. Clara Cerf zu Berlin eine große Altarschutzdecke aus weiß Leinen mit reicher Handstickerei;

Diözese Neustadt-Brandenburg: der Kirche zu Lehnin von Konfirmanden eine Unterdecke für den Altar, von Gemeindegliedern eine Altar-Palla aus Bielefelder Handgespinnst, von einen Kirchenältesten zur Vergoldung der Abendmahlskanne 15 M., von der 1. Mädchenklasse ein Bild Sr. Majestät des Kaisers für die Sakristei, von Frauen der Gemeinde ein violetter Altarbehang mit Kreuz, Spruch und Goldfranzen und ein 4 × 5 m großer Brüsseler Altar-Teppich, von Fr. P. D. eine Altar-Palla aus feiner weißer Leinwand mit Spitzen, von einem Ungenannten die Agende, kostbar gebunden, und ein neues Abkündigungsbuch, von einem Ungenannten ein schwarzer Altarbehang mit Monogramm Christi und Spruch;

Diözese Dom Brandenburg: der Kirche zu Berchesar vom Orts-Pfarrer eine weiße leinene Altardecke mit leinen Spitzen und ein leinenes Velum; der Kirche zu Marzahn von der Gemeinde zwei bronzene Kronleuchter und zwei bronzene Wandleuchter; der Kirche zu Buckow vom Orts-Pfarrer ein Altarteppich;

Diözese Cöln-Land II.: der Kirche zu Rixdorf von den Familien Staberow und Schreiber eine weiße gestickte Taufsteindecke; der Kirche zu Mahlow von Frau Rittergutsbesitzer Richter zu Mahlow ein Altarbild — der segnende Christus — mit Rahmen; der Kirche zu Böhmisch-Rixdorf von Frau Kolon Wanzlik, geb. Motel, eine schwarze Altar- und Kanzelbekleidung mit silbernen Borten, von der Lutherisch-Böhmischen Bethlehems Gemeinde in Berlin ein Altarbild, von Frau Anna Gutzeit, geb. Wanzlik, und Frau Lüdicke 2 broncene Altarleuchter, von Frau Hoffmann, geb. Bednars eine Altarbibel, von Frau Bahnmeister Neßler, geb. Wanzlik, eine Kanzelbibel und Gesangbuch, von Frau G. Wanzlik und Frau H. Wanzlik ein Brüsseler Altarteppich, von Frau Lischke, geb. Wanzlik, eine Taufkanne, von Wilhelm Duscheck ein kunstvoll angefertigter Taufstein aus Sandstein und eine Taufschüssel, von Herrn Stange ein Wandspiegel für die Sakristei, vom Kirchenältesten Joh. Wanzlik ein Kronleuchter, von Frau C. Wessely 2 Gaskandelaber auf dem Orgelchor, von Frau A. Prochaska ein Altar-Crucifix, von Frau Kolon. Joh. Krystek, Frau C. Wanzlik, Frau F. Strakow, Fräulein Wilhelmine Strakow, Fräulein Pauline Kampffmeyer und Heinrich Witter je ein Wand-Armleuchter, von mehreren ungenannten Personen ein kleiner Kronleuchter in der Vorhalle nnd andere Gasbeleuchtungs-Gegenstände in der Kirche und Sakristei, ferner 1 Tisch, 2 Stühle, 1 Wandschrank und 1 Kohlenkasten in der Sakristei, Linoleum zur Belegung der Altarstufen und 1 Decke vor der Kanzeltreppe; der Stadtkirche zu Cocpenick vom Kirchenältesten, Stadtrath Wetting zwei bunte Glasfenster mit den Abbildungen des Jesuskindes, bezw. des kreuztragenden Christus;

Diözese Dahme: der Kirche zu Gerbersdorf von Freifräulein v. Kleist zu Gerbersdorf Anstrich und Bemalung der Thür des sogenannten Sakraments-Häuschens mit Goldbronze-Farbe, ein neues Crucifix über der Thür des Sakraments-Häuschens und ein Holzkreuz mit vergoldetem Christuskörper zur Benutzung bei Begräbnissen;

Diözese Fehrbellin: der Kirche zu Königshorst von Gemeindegliedern daselbst Decken von rothem Plüsch für Altar, Kanzel und Taufstein mit echt goldenen Borten und Franzen, von Frauen und Jungfrauen der Gemeinde daselbst leinene Schutzdecken für Altar und Taufstein mit durchbrochener Handarbeit und breiten Kanten, von Frau Professor Dr. Langerhaus auf Madeira graue Staubdecken für Altar, Taufstein und Kanzel;

Diözese Havelberg-Wilsnack: der Kirche zu Wilsnack vom Fuhrherrn Schönitz zu Berlin nebst Ehefrau, geb. Beckmann, ein Crucifix in schwarzem Gußeisen mit versilbertem Korpus, zwei Altarleuchter in schwarzem Gußeisen nebst 2 Wachskerzen, eine einfache Bibel; der Kirche zu Roddahn von der Gemeinde durch freiwillige Beiträge ein Altarbild „Der segnende Christus" von Kaselowsky in Oeldruck; der Kirche zu Schönermark von einem Unbekannten ein Altarteppich; der Kirche zu Nitzow vom Rentier Chr. Westphal hier ein gothaischer Kronleuchter von Goldbronze zu 24 Lichten;

Diözese Jüterbog: der Kirche St. Nicolai zu Jüterbog aus freiwilligen Gaben der Gemeindeglieder und aus Collectensammlungen in den Bibelstunden ein Etui, enthaltend die Geräthe zu Haus- und Krankenkommunionen, ein Crucifix, zwei Leuchter, ein Kelch, eine Patene, ein Ciborium und Corporale;

Diözese Kyritz: der Kirche zu Dannewalde vom Patron Rittmeister von Rohr ein kupfernes Taufbecken mit dem Bilde der Taufe Christi und einer Inschrift;

Diözese Luckenwalde: der Kirche zu Dobbrikow von einer Ungenannten ein gesticktes Tuch zur Umhüllung der Abendmahlsgeräthe; der Kirche zu Hennigkendorf von ungenannten Gemeindegliedern zur Anschaffung einer Orgel 300 M.; der St. Johannis-Kirche zu Luckenwalde vom Tuchmacher F. Jung Legat von 3000 M. zum Besten des Baues der 2. Ev. Kirche, von Wittwe Köhler Legat von 300 M. (150 M. für den äußeren Missionsverein, 150 M. für den Gustav-Adolf-Verein), von zwei Ungenannten zwei blausammtne mit Gold gestickte und ächten Goldfranzen versehene Klingbeutel, von einer Ungenannten eine schwarzsammtne Decke für die Abendmahlsgeräthe mit der Silberstickung „Für Euch"; der Kirche zu Dorf Zinna von einem Ungenannten eine schwarzsammtne Kanzelpult-Decke mit silbernen Franzen und silbernem Kreuz, eine Altarbibel mit goldenem Kreuz und Kelch in Leder, Polsterung der Kanzelbrüstung und Kanzeltreppen-Wange;

Diözese Nauen: der Kirche zu Grünefeld vom Bauergutsaltsitzer Schröder nebst Ehefrau eine schwarze Altar- und Kanzelbekleidung, vom Bauergutsaltsitzer Stockhaus nnd Ehefrau ein weißes Altarlinnen mit Spitze und Stickerei; der Kirche zu Ribbeck vom Rittergutsbesitzer von Ribbeck auf Ribbeck ein Taufstein aus Sandstein, von Frau von Krosigk, geb. von Veltheim auf Hohenerxleben eine Altarbekleidung in Tuch mit Goldstickerei und eine desgleichen Kanzelbekleidung, von Frau von Ribbeck, geb. von Krosigk auf Ribbeck ein Broncecrucifix, von Frau von Ribbeck, geb. von Funcke zu Potsdam 2 Broncealtarleuchter, von Frau von Veltheim, geb. von Funcke in Hohenerxleben ein gemaltes Kirchenfenster mit Medaillon und Wappen, von Fräulein von Vincke in Hohenerxleben ein desgleichen, von Frau von Witzleben, geb. von Ribbeck zu Potsdam ein desgleichen, von Herrn und Frau von Ribbeck auf Ribbeck ein desgleichen, von den vereinigten Familien von Ribbeck, von Löwenfels, von Brauchitzsch und von Baudenur 2 gemalte Kirchenfenster mit Medaillon und Wappen, von den Jungfrauen der Kirchengemeinde Ribbeck ein Altarteppich, von der Kirchengemeinde Ribbeck ein Broncekronenleuchter zu 24 Lichten, von Fräulein Johanna Donner ein Velum für die Altargeräthe;

Diözese Perleberg: der St. Jacobi-Kirche in Perleberg von einer ungenannten Dame eine Altardecke von rothem Sammet mit Goldstickerei und ein gleicher Kanzelvorhang;

Diözese Potsdam I.: der St. Nicolai-Kirche zu Potsdam von Fräulein Marie Tiedke Vermächtniß von 450 M. zur Pflege ihres Grabes;

Diözese Prenzlau I.: der Kirche zu Taschenberg vom Seconde-Lieutenant der Reserve im 1. Garde-Dragoner-Regiment Ernst von Kalisch ein sandsteinerner Taufstein nebst neusilbernem Becken;

Diözese Pritzwalk: der Kirche zu Reckenthin von Fr. Rittergutsbesitzer von Freier auf Hoppenrade und Fr. Rittergutsbesitzer M. Metzner in Eggersdorf, sowie von den Frauen und Jungfrauen der Gemeinde Reckenthin eine Altar- und Kanzelbekleidung, eine Decke für Altar- und Lesepult (dunkelroth mit Gold) und ein Velour-Teppich für die Altarstufen;

Diözese Putlitz: der Kirche zu Kl.-Pankow vom Kirchenältesten Boge eine neue Altar- und Kanzelbekleidung, vom Pfarrverweser Kupper in Redlin zwei vergoldete Dachkreuze; der Kirche zu Redlin von der Stiftsdame Frl. von Zimmermann in Stepenitz und einigen anderen Gebern ein Taufstein;

Diözese Neu-Ruppin: der Kirche zu Wildberg vom Kriegerverein zu Wildberg ein schwarzpolirter Glasschrank zur Aufbewahrung der Ehrenzeichen und Denkmünzen verstorbener Krieger, von Frauen und Jungfrauen der Gemeinde Wildberg ein vergoldeter eiserner Kronleuchter zu 24 Kerzen; der Kirche zu Rheinsberg von Frau Mathilde Mühlhausen Vermächtniß von 300 M. zur Unterhaltung von Gräbern; der Kirche zu Hohenbruch von Frauen der Gemeinde Hohenbruch eine Altardecke von rothem Tuch mit seidenem Besatz und ein Antependium von schwarzem Tuch; der Kirche zu Rechlin zur Anschaffung von Beleuchtungskörpern in Goldbronze (3 Kronleuchter, 7 Arm- resp. Wandleucht:r): von der Kirchengemeinde Rechlin 181 M. 95 Pf., von 4 Gebrüdern von Kunowsky 70 M., vom Rittergutsbesitzer Michaelis in Reppen 15 M., vom Ziegeleibesitzer und Rittergutspächter Schiller auf Treskowerberg 10 M.;

Diözese Schwedt: der Kirche zu Niederlandin von der Patronatsvertreterin Frau von Schmeling-Diringshofen ein Altarteppich;

Diözese Storkow: der Kirche zu Alt-Markgrafspieske vom Gutsbesitzer O. Lezius ein Altar-Antipodium von schwarzem Tuch mit ächtem silbernen Kreuz und Franzen; der Ki:che zu Spreenhagen von Gemeindemitgliedern eine Altarbibel mit Goldschnitt, Kreuz und Kelch; der Kirche zu Groß-Schauen von einem Gemeindeglied und Pfarrer Schumann je ein Altarteppich;

Diözese Strasburg: der Kirche zu Papendorf vom Ortspfarrer Hopff und Frau eine weiße leinene Altardecke mit rothseidener Stickerei und Spitzen; der Kirche zu Brietzig von Herrn Collin und Frau eine silberplattirte, innen vergoldete Abendmahlskanne; der Kirche zu Werbelow vom Rittergutsbesitzer Lieutenant Flügge ein Fenster mit dem Flügge'schen Wappen; der Kirche zu Nechlin von der verwittweten Frau Amtmann Flügge in Prenzlau ein Kronleuchter;

Diözese Templin: der Kirche zu Templin vom Kupferschmiedemeister Steinfeld daselbst Vermächtniß von 84 M. zur Pflege seines Grabhügels, von der verwittweten Frau Triloff daselbst zur Pflege einiger Gräber 600 M.;

Diözese Treuenbrietzen: der Kirche zu Wittbrietzen von der Pfarrfrau daselbst 2 vierarmige Altarleuchter in imit. cuivre poli, vom Altbauergutsbesitzer Friedrich Spahn daselbst einen neuen mit Goldverzierung und Inschrift (Marcus 10,14), sowie ebensolchem Kreuz versehenen Taufstein, von der Kirchengemeinde ein electro-magnetisches Uhrschlagwerk; der Kirche zu Salzbrunn von einem Ungenannten zwei hellmetallene Altarleuchter;

Diözese Wriezen: der Kirche zu Schulzendorf vom Patron Rittergutsbesitzer Lieutenant Kreich einen neuen silbernen, innen vergoldeten Abendmahlskelch nebst Futteral;

Diözese Wusterhausen: der Kirche zu Plaenitz vom Kirchenpatron Hauptmann a. D. von Rathenow ein Altarbild in Oelbruck, das heilige Abendmahl darst-llend, und eine rothsammetne Taufsteindecke, vom Pfarrer Otto in Plaenitz ein silberplattirtes Taufbecken mit Spruch und Taube; der Kirche zu Neustadt a. D. von Frau von Rathenow-Spiegelberg ein Velum von feiner Arbeit, mit schwerem Atlas gefüttert;

Diözese Königs-Wusterhausen: der Kirche zu Schenkendorf vom Rittergutsbesitzer, Kommerzienrath Richter zu Muskau eine Kanzel-Altar- und Taufstischbekleidung von schwarzem Tuch mit silbernen Franzen 2c.; der Kirche zu Teupitz vom Major a. D. von Euen und Frl. Bertha Gottgetreu zwei neue Kirchenglocken;

Diözese Zossen: der Kirche zu Kerzendorf von einem Ungenannten ein Altarteppich; der Kirche zu Glienick vom Baueraltsitzer Gottfried Kukko eine neusilberne, außen versilberte, innen vergoldete Abendmahlsoblaten-Dose; der Kirche zu Schünow vom Ortsvorsteher F. Heinrich eine weißleinene Decke zum Schutz der Altarbekleidung.

Ausweisung von Ausländern aus dem Reichsgebiete.

Lauf. Nr.	Name und Stand des Ausgewiesenen.	Alter und Heimath des Ausgewiesenen.	Grund der Bestrafung.	Behörde, welche die Ausweisung beschlossen hat.	Datum des Ausweisungs-Beschlusses.
1.	2.	3.	4.	5.	6.
		a. Auf Grund des § 39 des Strafgesetzbuchs:			
1	Ignaz Holescsák, Dienstknecht,	geboren 1859 zu Csáca, Komitat Trencsin, Ungarn, ortsangehörig ebendaselbst	Mordversuch, räuberischer Diebstahl, einfacher Diebstahl, Unterschlagung, schwere Körperverletzung (8 Jahre Zuchthaus laut Erkenntniß vom 5. Juni 1880),	Königlich Bayerisches Bezirksamt Donauwörth,	5. Juni 1888.
		b. Auf Grund des § 362 des Strafgesetzbuchs:			
1	Joseph Hruschka, Tischlergeselle,	geboren am 19. März 1868 zu Kosetein, Bezirk Neutitschein, Mähren, ortsangehörig ebendaselbst,	Landstreichen und Betteln,	Königlich Preußischer Regierungspräsident zu Oppeln,	30. April 1888.
2	Johann Heinrich Rollmann, Matrose,	geboren am 12. Juli 1847 zu Almelo, Niederlande,	Landstreichen,	Königlich Preußischer Regierungspräsident zu Minden,	26. Mai 1888.
3	Antje Benardine Timmermanns, geb. Klöfkorn, Arbeiterfrau,	geboren am 12. Mai 1855 zu Emden, Preußen, ortsangehörig in den Niederlanden, wohnhaft zuletzt in Emden,	gewerbsmäßige Unzucht und Uebertretung sittenpolizeilicher Vorschriften,	Königlich Preußischer Regierungspräsident zu Aurich,	16. Mai 1888.
4	Antonio Montrasio, Tagelöhner,	49 Jahre alt, geboren und ortsangehörig zu Palermo, Italien,	Betteln im wiederholten Rückfall,	Königlich Preußischer Regierungspräsident zu Wiesbaden,	19. Mai 1888.
5	Ernst Hollez, Kaminkehrer,	geboren am 2. Februar 1863 zu Wisotschan, Bezirk Kralowitz, Böhmen, ortsangehörig zu Walischbirken, Bezirk Prachatitz, ebendaselbst,	Landstreichen und Betteln,	Königlich Bayerisches Bezirksamt Traunstein,	4. Mai 1888.
6	Josef Habac, Schreiner,	geboren am 28. Februar 1867 zu Lang-Engersdorf, Oesterreich, ortsangehörig zu Wodnan, Bezirk Pisek, Böhmen, wohnhaft zuletzt in Regen, Bayern,	Landstreichen und Betteln,	Königlich Bayerisches Bezirksamt Regen,	7. Mai 1888.
7	Josef Puchinger, Dienstknecht,	geboren am 2. März 1864 zu Liesing, Bezirk Sechshaus, Oesterreich, ortsangehörig zu Kochet, Bezirk Schüttenhofen, Böhmen, wohnhaft zuletzt in Mühldorf, Bayern,	desgleichen,	Königlich Bayerisches Bezirksamt Mühldorf,	17. Mai 1888.
8	Jakob Jezek, Schuhmachergeselle,	geboren 1869 zu Husinec, Bezirk Prachatitz, Böhmen, ortsangehörig ebendaselbst,	Betteln im wiederholten Rückfall,	Königlich Bayerisches Bezirksamt Laufen,	19. Mai 1888.

Lauf. Nr.	Name und Stand des Ausgewiesenen.	Alter und Heimath des Ausgewiesenen.	Grund der Bestrafung.	Behörde, welche die Ausweisung beschlossen hat.	Datum des Ausweisungs-Beschlusses.
1.	2.	3.	4.	5.	6.
9	Christian Kaspar, Dienstknecht und Steinhauer,	geboren am 25. März 1860 zu Binningen, Schweiz, ortsangehörig zu Berlingen, ebendaselbst,	Landstreichen und Betteln,	Kaiserlicher Bezirks-Präsident zu Colmar,	9. Mai 1888.
10	Richard Anton Ernst Catteau, Fabrikarbeiter,	geboren am 30. April 1854 zu Menin, Belgien, ortsangehörig ebendaselbst,	desgleichen,	Kaiserlicher Bezirks-Präsident zu Straßburg,	17. Mai 1888.
11	Georg Berthold van der Bargen, Malergehülfe,	geboren am 28. November 1862, aus Groningen, Niederlande,	Landstreichen,	Stadtmagistrat Bamberg, Bayern,	1. Mai 1888.
12	Josef Florian, Kürschner,	geboren am 23. Juli 1834 zu Unterreichenstein, Bezirk Schüttenhofen, Böhmen, ortsangehörig ebendaselbst,	Betteln im wiederholten Rückfall,	Königlich Bayerisches Bezirksamt Landau,	5. Mai 1888.
13	Johann Georg Geißler (Sinnhofer), Steinhauer,	geboren am 13. März 1860 zu Elsbethen, Bezirk Salzburg, Oesterreich, ortsangehörig ebendaselbst,	einfacher Diebstahl im Rückfalle, Angabe eines falschen Namens, Landstreichen,	Königlich Bayerisches Bezirksamt Laufen,	15. Mai 1888.
14	Josef Bezdeka, Glaser,	geboren am 5. März 1844 zu Wien, Oesterreich, ortsangehörig zu Krenowitz, Bezirk Budweis, Böhmen, wohnhaft zuletzt in Garmisch, Bayern,	Landstreichen,	Königliche Polizeidirektion München, Bayern,	18. Mai 1888.
15	Johann Maurer, Kellner,	geboren am 6. Mai 1860 zu Raab, Bezirk Schärding, Oesterreich, ortsangehörig ebendaselbst, wohnhaft zuletzt in München, Bayern,	Beihilfe zum Diebstahl, Betrug, falsche Namensangabe und Landstreichen,	dieselbe,	26 Mai 1888.
16	a. Maria Mitteregger, Tagelöhnersfrau,	geboren 1841 zu Wolfsegg, Bezirk Schwanenstadt, Oesterreich, ortsangehörig zu Viechtwang, Bez. Gmunden, Ober-Oesterreich,	Landstreichen u. Betteln,	Königlich Bayerisches Bezirksamt Traunstein,	22. Mai 1888.
17	b. deren Sohn Johann Mitteregger, Tagelöhner,	geboren 1872 zu Anthering, Bezirk Salzburg, Oesterreich, ortsangehörig zu Viechtwang,			
	Mathias Zibulka, Tagelöhner,	geboren am 24. Mai 1870 zu Taus, Böhmen, ortsangehörig ebendaselbst,	Landstreichen,	Königlich Bayerisches Bezirksamt Schongau,	24. Mai 1888.

Lauf. Nr.	Name und Stand des Ausgewiesenen.	Alter und Heimath des Ausgewiesenen.	Grund der Bestrafung.	Behörde, welche die Ausweisung beschlossen hat.	Datum des Ausweisungs-Beschlusses.
1.	2.	3	4.	5.	6.
18	Anton Rütter, Töpfer,	geboren am 17. Mai 1862 zu Prag, Böhmen, ortsangehörig ebendaselbst,	Landstreichen,	Kaiserlicher Bezirks-Präsident zu Colmar,	19. Mai 1888.
19	August Vogt, Mechaniker,	geboren am 8. November 1857 zu Basel, Schweiz, ortsangehörig ebendaselbst,	desgleichen,	derselbe,	desgleichen.
20	Josef Heufenträger, Handelsmann,	geboren am 15. Juli 1840 zu Warschau, Russisch-Polen,	Landstreichen und Betteln,	Kaiserlicher Bezirks-Präsident zu Metz,	2. Juni 1888.
21	August Steiner, Müllergeselle,	geboren am 31. Juli 1840 zu Magny lès Jussey, Departement Haute Saône, Frankreich,	desgleichen,	derselbe,	desgleichen.
22	Lebe David Perelmann, Sattler,	geboren im August 1865 zu Dünaburg, Rußland, ortsangehörig zu Jaswoine, Gouvernement Kowno, ebendaselbst,	Landstreichen, Betteln, Führung falschen Namens und falscher Legitimation,	Königlich Preußischer Regierungspräsident zu Frankfurt a. O.,	17. April 1888.
23	Jan Matyas, Müllergeselle,	geboren am 13. Juni 1844 zu Czedovic, Bezirk Senftenberg, Böhmen, ortsangehörig ebendaselbst,	Landstreichen und Betteln,	Königlich Preußischer Regierungspräsident zu Breslau,	6. Juni 1888.
24	Wenzl Pekarek, Maurer,	61 Jahre alt, geboren und ortsangehörig zu Skocitz, Bezirk Prestitz, Böhmen,	desgleichen,	Stadtmagistrat Deggendorf, Bayern,	5. April 1888.
25	Josef Sochorovsky, Maschinenschlosser,	43 Jahre alt, geboren und ortsangehörig zu Prag, Böhmen,	Landstreichen,	derselbe,	2. Mai 1888.
26	Norbert Bruml, Müller und Bäcker,	geboren am 10. Februar 1862 zu Hradkow, Bezirk Boskowitz, Mähren, ortsangehörig ebendaselbst,	versuchter Diebstahl und Landstreichen,	Königlich Bayerisches Bezirksamt Dachau,	18. Mai 1888.
27	Johann Silhavy, Maurer,	geboren 1853 zu Pecetin, Bezirk Klattau, Böhmen, ortsangehörig ebendaselbst, wohnhaft zuletzt in Zwiesel, Bezirk Regen, Bayern,	Diebstahl, Landstreichen und Betteln,	Königlich Bayrisches Bezirksamt Regen,	3. Juni 1888.
28	Josef Schnepp, Dienstknecht,	geboren am 6. April 1860 zu Bärringen, Bezirk Joachimsthal, Böhmen, ortsangehörig ebendaselbst,	versuchter Betrug, Landstreichen, Betteln und Gebrauch eines falschen Namens,	Königlich Sächsische Kreishauptmannschaft Zwickau,	18. Mai 1888.

Lauf. Nr.	Name und Stand	Alter und Heimath	Grund der Bestrafung	Behörde, welche die Ausweisung beschlossen hat	Datum des Ausweisungs-Beschlusses
	des Ausgewiesenen				
1	2	3	4.	5	6
29	Hermann Johann Schmidt, Handlungsgehülfe,	geboren am 16. Oktober 1862 zu Landskron, Böhmen, ortsangehörig ebendaselbst,	Betteln im wiederholten Rückfall,	Großherzogl. Oldenburgisches Staatsministerium, Departement des Innern, zu Oldenburg,	19. Mai 1888.
30	Jakob Anton Vanhemelrick, Schneider,	geboren am 1. September 1869 zu Brüssel, Belgien, ortsangehörig ebendaselbst,	Landstreichen,	Kaiserlicher Bezirks-Präsident zu Colmar,	2. Juni 1888.
31	Cölestine Charet, ledige Tagnerin,	geboren im Oktober 1821 zu Besançon, Frankreich, ortsangehörig ebendaselbst,	desgleichen,	derselbe,	9. Juni 1888.
32	Vincenz Emil Richy, Arbeiter,	geboren am 9. Oktober 1849 zu Combrès, Frankreich,	desgleichen,	Kaiserlicher Bezirks-Präsident zu Metz,	11. Juni 1888.

Vermischte Nachrichten.

Ortsbenennung.

Der den Herren Dr. med. Weil, Kaufmann Bitterlich, Lithographen Schal, Banquier Marschal und Secretair Schmidt gehörigen, im Gemeindebezirke Friedrichshagen 0,8 km südöstlich von der Kirche daselbst, am nördlichen Spreeufer, 5 km südwestlich von der Stadt Coepenick und südlich der Chaussee von Coepenick nach Friedrichshagen belegenen, aus fünf Feuerstellen bestehenden Villen-Colonie ist der Name

„Neu-Camerun“

beigelegt worden.

Potsdam, den 3. Juli 1888.

Der Regierungs-Präsident.

Hierzu eine Extra-Beilage, enthaltend das Regulativ für die Wahlen von Arbeitervertretern und Schiedsgerichtsbeisitzern, welche zur Durchführung der Unfallversicherung bei den von dem Provinzial-Verbande von Brandenburg als Unternehmer ausgeführten Bauarbeiten zu vollziehen sind, sowie über die den gewählten Personen zu gewährenden Vergütungssätze, sowie Drei Oeffentliche Anzeiger.

(Die Insertionsgebühren betragen für eine einspaltige Druckzeile 20 Pf. Belagsblätter werden der Bogen mit 10 Pf. berechnet.)

Redigirt von der Königlichen Regierung zu Potsdam.

Potsdam, Buchdruckerei der A. W. Hayn'schen Erben (C. Hayn, Hof-Buchdrucker).

Extrabeilage zum Amtsblatt.

Regulativ

für

die Wahlen von Arbeitervertretern und Schiedsgerichtsbeisitzern, welche zur Durchführung der Unfallversicherung bei den von dem Provinzial-Verbande von Brandenburg als Unternehmer ausgeführten Bauarbeiten zu vollziehen sind, sowie über die den gewählten Personen zu gewährenden Vergütungssätze.

A. Wahl der Arbeitervertreter.

§ 1.

Zum Zwecke der Wahl von Beisitzern zum Schiedsgericht, der Begutachtung von Vorschriften zur Verhütung von Unfällen, sofern Strafbestimmungen in dieselben aufgenommen werden sollen, und zum Zwecke der Theilnahme an der Wahl zweier nichtständiger Mitglieder des Reichs-Versicherungsamts werden für die von dem Provinzialverband von Brandenburg als Unternehmer ausgeführten Bauten — vorbehaltlich der Bestimmung im § 2, Abs. 4 — acht Vertreter der Arbeiter gewählt.

§ 2.

Behufs Vornahme der Wahl ist der Bezirk des Provinzial-Verbandes von Brandenburg in 8 Wahlbezirke eingetheilt, welche den Bezirken der Landesbauinspektionen entsprechen, nämlich:

1. Berlin. 2. Potsdam. 3. Eberswalde. 4. Prenzlau. 5. Kyritz. 6. Frankfurt a. O. 7. Landsberg a. W. 8. Guben.

In jedem Wahlbezirk ist ein Vertreter zu wählen.

Für jeden Vertreter sind ein erster und zweiter Ersatzmann zu wählen, welche denselben in Behinderungsfällen zu ersetzen und im Falle des Ausscheidens für den Rest der Wahlperiode (§ 5) in der Reihenfolge ihrer Wahl (§ 4, Abs. 4) einzutreten haben.

Insofern in einem Wahlbezirk eine Krankenkasse, deren Vorstandsmitglieder nach § 4 wahlberechtigt sind, nicht vorhanden ist, oder sofern die wahlberechtigten Vorstandsmitglieder das Wahlrecht nicht ausüben, entfällt die Wahl eines Arbeitervertreters für die laufende Wahlperiode.

§ 3.

Wählbar sind nur diejenigen innerhalb des Bezirks des Provinzial-Verbandes von Brandenburg von der Provinzialbauverwaltung bei der Ausführung von Bauarbeiten im Arbeiterverhältniß dauernd beschäftigten, männlichen, großjährigen Deutschen, welche einer der im § 4 bezeichneten Krankenkassen als Mitglieder angehören, sich im Besitze der bürgerlichen Ehrenrechte befinden und nicht durch richterliche Anordnung in der Verfügung über ihr Vermögen beschränkt sind.

§ 4.

Die Wahl der Vertreter und ihrer Ersatzmänner erfolgt durch die aus der Zahl der Kassenangehörigen gewählten Mitglieder der Vorstände derjenigen Orts-, Betriebs-, (Fabrik-), Bau- und Innungs-Krankenkassen sowie derjenigen Knappschaftskassen, welche im Wahlbezirke ihren Sitz haben und welchen mindestens 10 vom Provinzialverbande bei der Ausführung von Bauarbeiten beschäftigte Personen angehören. Ueber diese Kassen wird von den Landes-Bauinspektionen ein fortlaufendes Verzeichniß geführt, welches jederzeit die Zahl der der betreffenden Kasse angehörigen, von der Provinzial-Bauverwaltung beschäftigten Arbeiter ergeben muß.

Die Wahl wird durch den Landes-Bauinspektor des Wahlbezirks geleitet und findet an dem amtlichen Wohnort des letzteren statt.

Mindestens fünf Tage vor dem Wahltage sind unter Angabe des Wahlraumes die sämmtlichen wahlberechtigten Vorstandsmitglieder von dem Landes-Bauinspektor zur Theilnahme an derselben schriftlich einzuladen.

Jeder Vertreter sowohl als auch sein erster und zweiter Ersatzmann werden je in einem besonderen Wahlgange gewählt.

Die Wahl erfolgt durch Stimmzettel. Jedes wahlberechtigte Vorstandsmitglied hat so viele Stimmen, als die Zahl der von der Provinzial-Bauverwaltung beschäftigten unfallversicherungspflichtigen Mitglieder derjenigen Krankenkasse beträgt, deren Vorstande es angehört. Den nicht am Orte der Wahl wohnenden, wahlberechtigten Vorstandsmitgliedern steht es frei, ihre Stimmzettel dem Leiter der Wahlverhandlung auf schriftlichem Wege einzureichen. Derartige Stimmzettel werden jedoch nur dann berücksichtigt, wenn dieselben im verschlossenen Briefumschlage bis spätestens am Tage vor der Wahl dem Leiter der Wahlverhandlung zugehen und mit der vom Vorsitzenden des Krankenkassenvorstandes oder von einem zur Führung eines Amtssiegels berechtigten Beamten beglaubigten Unterschrift des wählenden Vorstandsmitgliedes versehen sind. Gewählt ist derjenige, welcher die meisten Stimmen erhält. Stimmen, welche auf nicht Wählbare entfallen oder die Gewählten nicht deutlich bezeichnen, werden nicht mitgezählt. Bei Stimmengleichheit entscheidet das von dem Leiter der Wahlverhandlung zu ziehende Loos. Ueber die Wahlverhandlung ist von dem Leiter derselben ein Protokoll aufzunehmen, in welchem die Namen der auf den Stimmzetteln aufgezeichneten Personen, die Anzahl der auf sie gefallenen Stimmen und die Namen der gewählten Arbeitervertreter und deren Ersatzmänner, sowie ferner die Gründe anzugeben sind, aus welchen Stimmzettel für ungültig erklärt sind.

Das Protokoll ist binnen einer Woche dem Landesdirektor einzureichen.

Ueber die Gültigkeit der Stimmzettel entscheidet der Leiter der Wahlverhandlung. Streitigkeiten über die Gültigkeit der vollzogenen Wahlen werden vom Reichs-Versicherungsamt entschieden. Befindet dasselbe die Ungültigkeit einer vollzogenen Wahl, so ist die betreffende Wahl nach Maßgabe dieses Regulativs zu wiederholen (vergl. auch § 9 am Schlusse).

§ 5.

Die Wahl erfolgt auf vier Jahre. Alle zwei Jahre scheidet die Hälfte der Vertreter mit ihren Ersatzmännern aus. Die erstmalig ausscheidenden Vertreter werden nach Eingang sämmtlicher Wahlergebnisse bei dem Landesdirektor durch das in Gegenwart von mindestens zwei Arbeitervertretern zu ziehende Loos bestimmt, während demnächst stets die nach ihrer Wahl älteren Vertreter mit ihren Ersatzmännern ausscheiden. Ausscheidende Vertreter und Ersatzmänner sind wieder wählbar.

§ 6.

Die gewählten Vertreter sind verpflichtet, in Behinderungsfällen durch Vermittelung des Landes-Bauinspektors dem Landesdirektor Anzeige zu erstatten. Derselbe wird in solchen Fällen, sowie beim Erlöschen des Mandats den ersten Ersatzmann und in Behinderungsfällen des Letzteren, von welchem ebenfalls Anzeige zu erstatten ist, den zweiten Ersatzmann benachrichtigen. Das Mandat der Gewählten erlischt, sobald eine der im § 3 bezeichneten Voraussetzungen bei ihnen nicht mehr zutrifft.

B. Wahl der Beisitzer zum Schiedsgericht.

§ 7.

Von den Vertretern der Arbeiter sind zwei Beisitzer zum Schiedsgericht des Provinzial-Verbandes von Brandenburg und für jeden Beisitzer ein erster und ein zweiter Stellvertreter zu wählen, welche ihn in

Behinderungsfällen zu vertreten und im Falle des Ausscheidens an dessen Stelle für den Rest der Wahlperiode in der Reihenfolge ihrer Wahl als Beisitzer einzutreten haben. Die Wahl erfolgt unter Leitung eines vom Landesdirektor zu bezeichnenden oberen Provinzialbeamten.

§ 8.

Wählbar sind die im § 3 des Regulativs bezeichneten, dem Arbeiterstande angehörenden Personen.

§ 9.

Die Wahl findet spätestens drei Wochen nach der Wahl der Arbeitervertreter am Sitze des Provinzialverbandes statt. Mindestens fünf Tage vor dem Wahltage sind unter Angabe des letzteren und des Wahlraumes die sämmtlichen Vertreter der Arbeiter von dem Landesdirektor zur Theilnahme an der Wahl schriftlich einzuladen. Ist von der Behinderung eines Vertreters Anzeige erstattet (§ 6), so ist der erste Ersatzmann und, wenn auch dieser seine Behinderung angezeigt hat, der zweite Ersatzmann einzuladen.

Die Wahl eines jeden der beiden Beisitzer und eines jeden seiner beiden Stellvertreter findet in je einem besonderen Wahlgange statt.

Die Wahl erfolgt durch Stimmzettel. Jeder Wahlberechtigte hat eine Stimme. Den nicht am Orte der Wahl wohnenden Wahlberechtigten steht es frei, ihre Stimmzettel dem Leiter der Wahlverhandlungen auf schriftlichem Wege einzureichen. Derartige Stimmzettel werden jedoch nur dann berücksichtigt, wenn dieselben in verschlossenem Briefumschlage spätestens am Tage vor der Wahl dem Leiter der Wahlverhandlung zugehen und mit der vom Vorsitzenden des Vorstandes derjenigen Krankenkasse, welcher der wählende Vertreter angehört, oder von einem zur Führung eines Amtssiegels berechtigten Beamten beglaubigten Unterschrift des letzteren versehen sind. Gewählt ist derjenige, welcher die meisten Stimmen erhält. Stimmen, welche auf nicht Wählbare entfallen, oder die Gewählten nicht deutlich bezeichnen, werden nicht mitgezählt. Bei Stimmengleichheit entscheidet das von dem Leiter der Wahlverhandlung zu ziehende Loos. Ueber die Wahlverhandlung ist von dem Leiter derselben ein von den anwesenden wahlberechtigten Personen mitzuvollziehendes Protokoll aufzunehmen, in welchem die Namen der Wahlberechtigten, welche an der Wahl theilgenommen haben, die Anzahl der auf die einzelnen Personen entfallenden gültigen und ungültigen Stimmen und die Namen und Wohnorte der Gewählten, sowie ferner die Gründe anzugeben sind, aus welchen Stimmzettel für ungültig erklärt sind. Das Protokoll ist binnen einer Woche dem Landesdirektor einzureichen.

Ueber die Gültigkeit der Stimmzettel entscheidet der Leiter der Wahlverhandlung. Streitigkeiten über die Gültigkeit der vollzogenen Wahlen werden vom Reichsversicherungsamt entschieden. Befindet dasselbe die Ungültigkeit einer vollzogenen Wahl, so ist die betreffende Wahl nach Maßgabe dieses Regulativs zu wiederholen.

Ist die Wahl eines Vertreters oder Ersatzmannes für ungültig erklärt worden (§ 4), so ist die Wahl der Schiedsgerichtsbeisitzer und deren Ersatzmänner nur dann zu wiederholen, wenn in der Entscheidung festgestellt worden ist, daß die Ungültigkeit der Wahl des Vertreters oder Ersatzmannes auf die Wahl der Schiedsgerichtsbeisitzer oder deren Stellvertreter von Einfluß gewesen ist.

§ 10.

Die Beisitzer und deren Stellvertreter werden auf vier Jahre gewählt. Alle zwei Jahre scheidet einer der Beisitzer und dessen erster und zweiter Stellvertreter aus. Der erstmalig ausscheidende Beisitzer wird durch das bei der ersten Wahl von dem Leiter der Wahlverhandlung zu ziehende Loos bestimmt, während demnächst stets der nach seiner Wahl ältere Beisitzer mit seinen beiden Stellvertretern ausscheidet. Ausscheidende Beisitzer und Stellvertreter sind wieder wählbar.

Das Mandat der Gewählten erlischt, sobald eine der in den §§ 8 beziehungsweise 3 bezeichneten Voraussetzungen bei ihnen nicht mehr zutrifft.

§ 11.

Die zu Beisitzern und Stellvertretern Gewählten sind zur Annahme der Wahl verpflichtet. Die Ablehnung der Wahl ist nur aus denselben Gründen zulässig, aus welchen das Amt eines Vormundes abgelehnt werden kann. Auch eine Wiederwahl ausscheidender Beisitzer oder Stellvertreter kann für die nächste Wahlperiode abgelehnt werden.

Wird die Annahme der Wahl aus einem der erwähnten Gründe abgelehnt, so findet eine Nachwahl statt. Wird hingegen die Uebernahme und die Wahrnehmung der Obliegenheiten des Amtes eines Beisitzers oder Stellvertreters aus anderen Gründen verweigert, so kann dieselbe seitens des Oberpräsidenten der Provinz Brandenburg durch Geldstrafen bis zu fünfhundert Mark gegen die sich Weigernden erzwungen werden.

Verweigern die Gewählten gleichwohl ihre Dienstleistung, oder kommt eine Wahl nicht zu Stande, so hat, so lange und so weit dies der Fall ist, das Königliche Polizei-Präsidium in Berlin die Beisitzer und deren Stellvertreter aus der Zahl der wählbaren Personen (§ 8) zu ernennen.

C. Vergütungssätze.

§ 12.

Die Vertreter der Arbeiter und deren Ersatzmänner, sowie die gewählten Beisitzer zum Schiedsgericht und deren Stellvertreter erhalten die ihnen aus Anlaß ihrer Dienstleistungen erwachsenden nothwendigen baaren Auslagen nach der wirklichen Aufwendung erstattet und den entgangenen Arbeitsverdienst nach dem Lohneinkommen (Tagesverdienste), mit welchem sie zu den Krankenkassen veranlagt sind, vergütet. Bei Reisen, welche dieselben auf Einladung oder Anordnung des Landesdirektors oder des Vorsitzenden des Schiedsgerichts unternehmen, erhalten sie außer der Erstattung der Reisekosten und der Vergütung des Lohnausfalls ein Tagegeld von vier Mark. Die Feststellung der von den Beisitzern zum Schiedsgericht und deren Stellvertretern aufgestellten Rechnungen über die ihnen zu leistenden Vergütungen erfolgt durch den Vorsitzenden des Schiedsgerichts. Die Anweisung dieser, sowie die Festsetzung und Anweisung der den Vertretern der Arbeiter und deren Ersatzmännern zu gewährenden Vergütungen obliegt dem Landesdirektor.

Den von den Vorständen der Krankenkassen zur Theilnahme an den Untersuchungsverhandlungen gewählten Bevollmächtigten wird nach demjenigen Lohnsatze, mit welchem sie zu den betreffenden Krankenkassen veranlagt sind, für den entgangenen Arbeitsverdienst Ersatz geleistet. Die Festsetzung und Anweisung des Ersatzes erfolgt durch den Landesdirektor.

Gegen die Festsetzung der Vergütungssätze ist die Beschwerde an den Oberpräsidenten der Provinz Brandenburg zulässig. Derselbe entscheidet endgültig.

Abänderungen und Ergänzungen dieses Regulativs bleiben vorbehalten.

Potsdam, den 27. Mai 1888.

(L. S.)

Der Oberpräsident der Provinz Brandenburg.

Staatsminister

v. Achenbach.

Deutsche Verlags- und Buchdruckerei-Actien-Gesellschaft, Berlin SW., Königgrätzerstr. 41.

Amtsblatt

der Königlichen Regierung zu Potsdam und der Stadt Berlin.

Stück 28. Den 13. Juli 1888.

Reichs-Gesetzblatt.

(Stück 28.) № 1809. Verordnung, betreffend die Uebertragung landesherrlicher Befugnisse auf den Statthalter in Elsaß-Lothringen. Vom 20. Juni 1888.

№ 1810. Bekanntmachung, betreffend die Schiffsvermessungsordnung. Vom 20. Juni 1888.

(Stück 29.) № 1811. Verordnung über die Inkraftsetzung des Gesetzes, betreffend die Unfall- und Krankenversicherung der in land- und forstwirthschaftlichen Betrieben beschäftigten Personen, vom 5. Mai 1886 für das Fürstenthum Schwarzburg-Sondershausen. Vom 26. Juni 1888.

Gesetz-Sammlung für die Königlichen Preußischen Staaten.

(Stück 23.) № 9299. Gesetz, betreffend die Verfassung der Realgemeinden in der Provinz Hannover. Vom 5. Juni 1888.

№ 9300. Gesetz, betreffend die Verbesserung der Oder und der Spree, sowie die Abänderung des Gesetzes vom 9. Juli 1886, betreffend den Bau neuer Schifffahrtskanäle und die Verbesserung vorhandener Schifffahrtsstraßen. Vom 6. Juni 1888.

№ 9301. Gesetz, betreffend die Erleichterung der Volksschullasten. Vom 14. Juni 1888.

(Stück 24.) № 9302. Gesetz, betreffend die Vertheilung der öffentlichen Lasten bei Grundstückstheilungen und die Gründung neuer Ansiedelungen in der Provinz Schleswig-Holstein. Vom 13. Juni 1888.

Bekanntmachungen des Königlichen Regierungs-Präsidenten.

Sperre des Friedrich-Wilhelms Kanals in der Haltung Kaisermühler Brücke bis Schlaubehammer.

191. Wegen Neubaues der Kaisermühler Brücke wird der Theil des Friedrich-Wilhelms Kanals, welcher zwischen der alten Kaisermühler Brücke und der Schleuse zu Schlaubehammer liegt, für die Zeit vom 15. August bis 15. Oktober 1888 für die Schifffahrt und Flösserei gesperrt sein.

Potsdam, dem 5. Juli 1888.

Der Regierungs-Präsident.

Erledigte Kreiswundarztstelle.

192. Die seit längerer Zeit vacante Kreiswundarztstelle des Kreises Templin ist noch unbesetzt und fordere ich daher mit dem Fähigkeitszeugnisse zur Verwaltung einer Physikatsstelle versehene Aerzte zur Bewerbung um dieselbe auf. Bezüglich des Amtssitzes in einem Orte des Kreises sollen die Wünsche der Bewerber Berücksichtigung finden.

Potsdam, den 5. Juli 1888.

Der Regierungs-Präsident.

Verloosung von Singvögeln ꝛc. in Potsdam.

193. Der Herr Oberpräsident der Provinz Brandenburg hat dem Verein der Geflügel-Liebhaber „Oettel" hierselbst die Erlaubniß ertheilt, in Verbindung mit der in den Tagen vom 10. bis 14. Januar 1889 in Potsdam stattfindenden ersten Allgemeinen Geflügel- und Singvögel-Ausstellung eine öffentliche Verloosung von Ausstellungs-Gegenständen zu veranstalten und die betreffenden Loose im Regierungsbezirk Potsdam zu vertreiben.

Die Zahl der Loose beträgt 5000 à 1 M., die Zahl der Gewinne 400 im Gesammtwerthe von 4000 M. Potsdam, den 26. Juni 1888.

Der Regierungs-Präsident.

Verloosung von Ausstellungsgegenständen.

194. Der Herr Oberpräsident hat dem Märkischen Central-Verein für Bienenzucht für den Umfang der Provinz Brandenburg und der Stadt Berlin zu der beabsichtigten Veranstaltung einer öffentlichen Verloosung von Gegenständen der in den Tagen vom 22. bis 24. September d. J. in Luckenwalde stattfindenden bienenwirthschaftlichen Ausstellung, zu welcher 5000 Loose zu je 50 Pfg. ausgegeben werden sollen, unter der Bedingung die Genehmigung ertheilt, daß mindestens zwei Dritttheile des Bruttoertrages der Loose zum Ankauf von Gewinnen verwendet werden.

Potsdam und Berlin, den 7. Juli 1888.

Der Regierungs-Präsident. Der Polizei-Präsident.

Verloosung von Ausstellungsgegenständen.

195. Der Herr Oberpräsident hat dem Verein der Vogelfreunde zu Berlin „Aegintha" für den Umfang der Stadt Berlin und der Provinz Brandenburg die Erlaubniß ertheilt, im Anschlusse an eine im Monat Oktober d. J. in Berlin stattfindende Ausstellung von lebenden Vögeln ꝛc. eine öffentliche Verloosung von Ausstellungsgegenständen zu veranstalten und zu diesem Zwecke 6000 Loose zu 1 Mark zu verausgaben.

Der Gesammtwerth der Gewinne ist auf 4500 Mark festgesetzt worden.

Potsdam und Berlin, den 7. Juli 1888.

Der Regierungs-Präsident. Der Polizei-Präsident.

196. **Nachweisung der Markt- 2c.**

Laufende №	Namen der Städte	Getreide: Weizen (M. Pf.)	Roggen (M. Pf.)	Gerste (M. Pf.)	Hafer (M. Pf.)	Uebrige Markt-: Erbsen (M. Pf.)	Speisebohnen (M. Pf.)	Linsen (M. Pf.)	Kartoffeln (M. Pf.)	Richtstroh (M. Pf.)	Krummstroh (M. Pf.)	Heu (M. Pf.)	Es …: Rindfleisch von der Keule (M. Pf.)	Bauchfleisch (M. Pf.)
		Es kosten je 100 Kilogramm												
1	Angermünde	17 61	12 —	11 67	12 28	27 —	30 —	39 33	5 13	5 —	3 17	5 25	1 30	1 05
2	Beeskow	— —	12 70	— —	13 40	27 50	32 50	40 —	3 68	3 60	— —	6 —	1 20	1 —
3	Bernau	17 38	12 81	14 83	12 81	23 63	32 —	45 —	5 38	4 50	— —	6 36	1 20	1 —
4	Brandenburg	18 55	13 44	13 20	14 05	27 50	35 —	55 —	3 62	4 44	— —	6 89	1 30	1 10
5	Dahme	18 24	12 80	12 86	14 —	25 —	32 —	45 —	4 —	3 50	2 50	6 —	1 —	1 —
6	Eberswalde	17 64	12 78	16 —	12 84	23 —	24 —	26 —	4 —	3 87	— —	5 —	1 20	1 —
7	Havelberg	17 57	12 53	14 25	14 50	26 50	55 —	65 —	4 50	3 38	2 25	7 75	1 30	— 90
8	Jüterbog	17 50	13 60	11 75	15 —	25 —	30 —	40 —	4 50	5 —	— —	7 —	1 20	1 —
9	Luckenwalde	18 33	12 94	12 50	12 69	32 50	32 50	37 50	3 80	3 83	— —	5 —	1 20	1 20
10	Perleberg	17 78	12 90	13 18	13 33	20 —	32 —	50 —	3 50	4 84	— —	7 77	1 40	1 10
11	Potsdam	17 21	12 54	15 74	14 47	24 —	30 —	43 —	4 72	4 82	— —	6 20	1 35	1 10
12	Prenzlau	17 32	11 60	11 08	11 74	21 50	35 —	45 —	5 11	4 —	3 —	5 —	1 20	— 95
13	Pritzwalk	17 68	11 88	12 45	13 07	17 50	30 —	40 —	2 70	3 25	2 63	5 90	1 18	1 —
14	Rathenow	17 —	13 03	12 50	13 50	30 —	30 —	40 —	3 96	3 —	— —	4 75	1 40	1 20
15	Neu-Ruppin	18 —	13 10	14 —	13 99	30 —	32 —	50 —	3 46	4 50	— —	5 80	1 30	1 05
16	Schwedt	18 40	12 62	12 80	12 86	26 67	31 25	37 50	5 —	4 13	— —	5 49	1 20	1 —
17	Spandau	15 50	14 —	14 50	15 50	26 —	32 —	40 —	5 60	4 50	— —	7 50	1 40	1 20
18	Strausberg	17 61	12 86	15 70	14 24	25 —	30 50	35 —	5 —	5 —	— —	8 04	1 20	1 10
19	Teltow	17 30	12 72	15 28	13 66	35 —	45 —	50 —	5 75	4 80	— —	7 58	1 30	1 05
20	Templin	18 50	13 —	12 50	13 50	13 —	40 —	40 —	5 —	4 —	— —	6 —	1 20	1 —
21	Treuenbrietzen	17 28	11 70	13 96	13 44	24 —	26 —	30 —	4 —	3 —	— —	5 —	1 20	1 —
22	Wittstock	18 —	13 14	13 —	13 72	15 —	32 —	44 —	2 79	3 59	2 50	6 —	— 99	— 83
23	Wriezen a. O.	16 95	11 99	11 24	13 41	22 —	28 —	37 38	3 51	3 62	2 25	5 57	1 30	1 —
	Durchschnitt	17 61	12 73	13 41	13 57	— —	— —	— —	4 29	4 09	— —	6 17	— —	— —

Potsdam, den 9. Juli 1888.

197. **Nachweisung des Monatsdurchschnitts der gezahlten höchsten**

Laufende Nummer.	Es kosteten je 50 Kilogramm.	Angermünde. (M. ₰)	Beeskow. (M. ₰)	Bernau. (M. ₰)	Brandenburg. (M. ₰)	Dahme. (M. ₰)	Eberswalde. (M. ₰)	Havelberg. (M. ₰)	Jüterbog. (M. ₰)	Luckenwalde. (M. ₰)	Perleberg. (M. ₰)
1	Hafer	6 67	7 20	7 33	7 62	7 35	7 39	7 88	7 88	7 57	7 18
2	Heu	3 15	3 15	4 11	3 95	3 15	2 89	4 20	3 68	3 15	4 22
3	Richtstroh	2 89	1 89	2 50	2 61	1 84	2 10	1 84	2 63	2 20	2 74

Potsdam, den 9. Juli 1888.

Die Anleitung für die Geschäftsführung der Amtsvorsteher vom Jahre 1887 betreffend.

198. In den § 102 der vom Regierungs-Referendar Dr. Adolf Bauer zusammengestellten Anleitung für die Geschäftsführung der Amtsvorsteher vom Jahre 1887 sind unter № 2 hinsichtlich der Immobiliar-Versicherungen Bestimmungen aus der früheren Anleitung vom Jahre 1874 irrthümlicher Weise übernommen worden, indem dieselben schon durch das Gesetz vom 31. März 1877 — Ges.-S. S. 121 — aufgehoben sind.

Preise im Monat Juni 1888.

Artikel kostet je 1 Kilogramm: Schweinefleisch M. Pf.	Kalbfleisch M. Pf.	Hammelfleisch M. Pf.	Speck M. Pf.	Butter M. Pf.	Ein Schock Eier M. Pf.	Mehl: Weizen Nr. 1. M. Pf.	Mehl: Roggen Nr. 1. M. Pf.	Gerste: Graupe M. Pf.	Gerste: Grütze M. Pf.	Buchweizengrütze M. Pf.	Hafergrütze M. Pf.	Hirse M. Pf.	Reis, Java M. Pf.	Java-Kaffee in gebr. Bohnen: mittler M. Pf.	Java-Kaffee in gebr. Bohnen: gelber M. Pf.	Speisesalz M. Pf.	Schweineschmalz, hiesig. M. Pf.
1 —	— 90	1 03	1 50	2 20	2 95	— 25	— 20	— 50	— 30	— 40	— 40	— 60	— 60	3 —	3 40	— 20	1 40
1 10	1 —	1 —	1 60	2 18	2 53	— 40	— 30	— 60	— 60	— 65	— 80	— 60	— 65	3 20	3 60	— 20	2 —
1 10	1 20	1 05	1 70	2 20	2 64	— 40	— 25	— 45	— 50	— 50	— 40	— 60	— 25	2 40	3 —	— 20	1 60
1 15	— 95	1 10	1 80	2 30	2 68	— 30	— 25	— 50	— 40	— 45	— 45	— 50	— 50	3 20	3 60	— 20	1 60
1 20	— 80	1 —	1 60	2 —	2 40	— 32	— 26	— 60	— —	— 40	— —	— 50	— 50	2 80	3 60	— 20	1 40
1 20	1 —	1 —	1 60	2 40	3 —	— 28	— 26	— 60	— 60	— 50	— —	— 60	— 60	3 20	3 60	— 20	1 60
1 20	1 20	1 —	1 50	2 07	2 55	— 30	— 20	— 55	— 60	— 60	— 60	— 50	— 60	3 —	3 40	— 20	1 60
1 10	— 95	1 20	1 40	2 —	2 60	— 35	— 25	— 40	— 50	— 40	— 60	— 40	— 40	2 75	3 60	— 20	1 50
1 —	— 90	1 20	1 60	2 10	3 20	— 34	— 24	— 50	— 40	— 40	— 60	— 36	— 60	3 20	3 60	— 20	1 40
1 30	1 15	1 15	1 95	1 66	3 —	— 50	— 36	— 50	— 50	— 50	— 50	— 50	— 55	3 40	3 40	— 20	2 —
1 23	1 01	1 21	1 60	2 06	2 68	— 30	— 20	— 45	— 45	— 45	— 45	— 45	— 50	2 60	3 80	— 20	1 60
1 15	— 80	1 05	1 50	2 —	2 80	— 24	— 20	— 50	— 30	— 50	— 50	— 50	— 50	3 20	3 60	— 20	1 40
1 10	— 90	1 —	1 50	1 58	2 18	— 26	— 20	— 45	— 40	— 40	— 50	— 50	— 50	3 20	3 60	— 20	1 50
1 40	1 —	1 20	1 80	2 60	2 80	— 27	— 19	— 40	— 40	— 45	— 40	— 30	— 60	3 30	3 80	— 20	2 —
1 10	— 95	1 10	1 60	2 10	2 56	— 36	— 24	— 50	— 50	— 50	— 50	— 50	— 60	3 25	3 58	— 20	1 40
1 20	— 90	1 —	2 —	2 —	3 —	— 35	— 25	— 60	— 40	— 50	— 60	— 50	— 70	3 40	3 60	— 20	2 —
1 20	1 20	1 25	1 40	2 20	2 80	— 40	— 30	— 50	— 50	— 55	— 50	— 55	— 65	3 40	3 80	— 20	1 40
1 20	1 —	1 20	1 60	2 40	2 60	— 35	— 20	— 55	— 50	— 45	— 55	— 50	— 60	3 —	3 80	— 20	1 40
1 20	1 25	1 15	1 40	2 40	4 30	— 45	— 30	— 60	— 50	— 50	— 60	— 50	— 50	2 80	3 20	— 20	1 20
1 —	— 60	1 —	1 60	2 40	3 20	— 28	— 20	— 60	— 50	— 50	— 60	— 40	— 50	3 20	3 60	— 20	1 60
1 —	— 90	1 21	1 60	1 80	2 33	— 28	— 18	— 50	— —	— 40	— 55	— 30	— —	3 20	3 40	— 20	1 80
— 92	— 66	— 89	1 60	1 64	2 30	— 28	— 18	— 50	— 50	— 40	— 40	— 50	— 60	3 20	3 60	— 20	1 60
1 05	1 05	1 05	1 50	2 10	2 50	— 21	— 20	— 40	— 30	— 40	— 50	— 50	— 50	3 —	3 25	— 20	1 20
— —	— —	— —	— —	— —	— —	— —	— —	— —	— —	— —	— —	— —	— —	— —	— —	— —	— —

Der Regierungs-Präsident.

Tagespreise incl. 5 % Aufschlag im Monat Juni 1888.

Potsdam. M. ₰	Prenzlau. M. ₰	Pritzwalk. M. ₰	Rathenow. M. ₰	Neu-Ruppin. M. ₰	Schwedt. M. ₰	Spandau. M. ₰	Strausberg. M. ₰	Teltow. M. ₰	Templin. M. ₰	Treuenbrietzen. M. ₰	Wittstock. M. ₰	Wriezen a. O. M. ₰
7 88	6 31	7 24	7 35	7 39	6 75	8 40	7 63	7 19	7 88	7 06	7 28	7 38
3 93	3 15	3 57	2 63	3 15	2 88	4 20	4 37	3 99	3 41	2 63	3 15	3 15
2 81	2 36,5	1 84	1 58	2 36	2 16	2 63	2 73	2 52	2 36	1 58	1 89	1 92

Der Regierungs-Präsident.

Ich mache die Herren Amtsvorsteher wegen Berichtigung der in ihren Händen befindlichen Anleitung auf diesen Irrthum aufmerksam.

Potsdam, den 5. Juli 1888.

Der Regierungs-Präsident.

Viehseuchen.

199. Am Milzbrand ist Ende Juni eine Kuh des Gutspächters Hertz zu Kleptow im Kreise Prenzlau verendet. Potsdam, den 4. Juli 1888.

Der Regierungs-Präsident.

Bekanntmachungen der Bezirksausschüsse.

Die Ferien des Bezirks-Ausschusses zu Potsdam betreffend.

4. Nach § 5 des Regulativs zur Ordnung des Geschäftsganges und des Verfahrens bei den Bezirks-Ausschüssen vom 28. Februar 1884 hält der Bezirks-Ausschuß **Ferien** vom 21. Juli bis zum 1. September d. J.

Dies wird hierdurch mit dem Eröffnen bekannt gemacht, daß schleunige Gesuche als solche zu begründen und als

„Feriensache"

zu bezeichnen sind.

Potsdam, den 10. Juli 1888.

Namens des Bezirks-Ausschusses:
Der Vorsitzende.

Bekanntmachungen des Königlichen Polizei-Präsidiums zu Berlin.

Die Aktien-Gesellschaft The Bradstreet Company zu New-Haven betreffend

64. Diesem Stück des Amtsblattes ist eine Beilage, enthaltend die Concession sowie einen Auszug des Statuts der zu New-Haven domizilirten Aktien-Gesellschaft The Bradstreet Company nebst Aenderung beigefügt, worauf hierdurch mit dem Bemerken hingewiesen wird, daß Herr W. Schimmelpfeng hierselbst, Behrenstraße 47, zum General-Vertreter der Gesellschaft bestellt ist.

Berlin, den 28. Juni 1888.

Der Polizei-Präsident.

65. **Nachtrag**

zu dem Statute der Transatlantischen Feuer-Versicherungs-Aktiengesellschaft in Hamburg.

Nach den Beschlüssen der Generalversammlung vom 3. Mai 1887 bezw. 1. Mai 1888 lauten fortan:

§ 2 Abs. 1.

„Der Zweck der Gesellschaft ist: im In- und Auslande gegen den direkten und indirekten Schaden zu versichern, der durch Feuer, Blitzschlag und Explosion veranlaßt wird."

§ 7.

„Die Aktien werden nach dem Formular Anlage A. mit fortlaufender Nummer im Namen des Aufsichtsrathes ausgefertigt. Mit jeder Aktie werden Dividendenscheine (Formular B.) nebst Talon (Formular C.) jedesmal auf zehn Jahre ausgegeben, welche nach Ablauf des letzten Jahres gegen Einreichung des Talons durch neue ersetzt werden."

§ 18 Abs. 3 erster Satz.

„Die Prämiengelder sind nach Ermessen des Aufsichtsrathes in Disconten — den von der Reichsbank befolgten Grundsätzen entsprechend — oder nach Maßgabe Abs. 1 dieses Paragraphen anzulegen."

* * *

Dem vorstehenden, in Folge der Beschlüsse der Generalversammlung vom 3. Mai 1887 bezw. 1. Mai 1888 aufgestellten Nachtrage zu dem Statute der

Transatlantischen Feuer-Versicherungs-Aktien-Gesellschaft in Hamburg

wird, nachdem die genannte Gesellschaft sich verpflichtet hat, von der Ausdehnung des Geschäftes auf die Versicherung gegen indirekten Schaden für den Umfang des Preußischen Staates keinerlei Gebrauch zu machen, die in der Conzession zum Geschäftsbetriebe in Preußen vom 18. Dezember 1879 vorbehaltene Genehmigung hierdurch ertheilt.

Berlin, den 22. Juni 1888.

(L. S.)

Der Minister des Innern.
Im Auftrage gez. von Zastrow.

Genehmigungsurkunde
IA. 6046.

* * *

Vorstehender Statut-Nachtrag nebst der Genehmigungsurkunde vom 22. Juni dieses Jahres wird unter Hinweis auf die Extra-Beilage zum Stück 10 dieses Amtsblattes vom 5. März 1880, in welcher das Statut und die Concession der Transatlantischen Feuer-Versicherungs-Aktiengesellschaft in Hamburg veröffentlicht worden sind, hiermit zur öffentlichen Kenntniß gebracht.

Berlin, den 30. Juni 1888.

Der Polizei-Präsident.

Berliner und Charlottenburger Preise pro Monat Juni 1888.

66. A. Engros-Marktpreise im Monatsdurchschnitt.

In Berlin:

für	100	Klgr.	Weizen (gut)	18	Mark	19	Pf.,
=	=	=	do. (mittel)	17	=	43	=
=	=	=	do. (gering)	16	=	67	=
=	=	=	Roggen (gut)	13	=	07	=
=	=	=	do. (mittel)	12	=	79	=
=	=	=	do. (gering)	12	=	50	=
=	=	=	Gerste (gut)	17	=	58	=
=	=	=	do. (mittel)	14	=	83	=
=	=	=	do. (gering)	12	=	07	=
=	=	=	Hafer (gut)	13	=	73	=
=	=	=	do. (mittel)	12	=	80	
=	=	=	do. (gering)	11	=	87	=
=	=	=	Erbsen (gut)	17	=	25	=
=	=	=	do. (mittel)	15	=	25	=
=	=	=	do. (gering)	13	=	25	=
=	=	=	Richtstroh	4	=	58	=
=	=	=	Heu	6	=	34	=

B. Detail-Marktpreise im Monatsdurchschnitt.

1) In Berlin.

für	100	Klgr.	Erbsen (gelbe) z. Kochen	23	Mark	63	Pf.,
=	=	=	Speisebohnen (weiße)	32	=	—	=
=	=	=	Linsen	45	=	—	=
=	=	=	Kartoffeln	5	=	36	=
=	1	Klgr.	Rindfleisch v. d. Keule	1	=	20	=
=	1	=	= (Bauchfleisch)	1	=	—	=
=	1	=	Schweinefleisch	1	=	11	=
=	1	=	Kalbfleisch	1	=	20	=
=	1	=	Hammelfleisch	1	=	05	=
=	1	=	Speck (geräuchert)	1	=	40	=
=	1	=	Eßbutter	2	=	20	=
=	60	Stück	Eier	2	=	67	=

2) In Charlottenburg.

				Mark		Pf.	
für	100	Klgr.	Erbsen (gelbe z. Kochen)	25	Mark	—	Pf.,
=	=	=	Speisebohnen (weiße)	25	=	—	=
=	=	=	Linsen	37	=	50	=
=	=	=	Kartoffeln	5	=	19	=
=	1	Klgr.	Rindfleisch v. d. Keule	1	=	10	=
=	1	=	= (Bauchfleisch)	1	=	—	=
=	1	=	Schweinefleisch	1	=	20	=
=	1	=	Kalbfleisch	1	=	10	=
=	1	=	Hammelfleisch	1	=	10	=
=	1	=	Speck (geräuchert)	1	=	30	=
=	1	=	Eßbutter	2	=	30	=
=	60	Stück	Eier	2	=	11	=

C. Ladenpreise in den letzten Tagen des Monats Juni 1888:

1) In Berlin:

				Mark		Pf.	
für	1	Klgr.	Weizenmehl № 1			35	Pf.,
=	1	=	Roggenmehl № 1			28	=
=	1	=	Gerstengraupe			48	=
=	1	=	Gerstengrütze			40	=
=	1	=	Buchweizengrütze			44	=
=	1	=	Hirse			44	=
=	1	=	Reis (Java)			75	=
=	1	=	Java-Kaffee (mittler)	2	Mark	33	=
=	1	=	= (gelb in gebr. Bohnen)	3	=	20	=
=	1	=	Speisesalz			20	=
=	1	=	Schweineschmalz (hiesiges)	1	=	30	=

2) In Charlottenburg:

				Mark		Pf.	
für	1	Klgr.	Weizenmehl № 1			60	Pf.,
=	1	=	Roggenmehl № 1			40	=
=	1	=	Gerstengraupe			60	=
=	1	=	Gerstengrütze			50	=
=	1	=	Buchweizengrütze			60	=
=	1	=	Hirse			60	=
=	1	=	Reis (Java)			80	=
=	1	=	Java-Kaffee (mittler)	2	=	60	=
=	1	=	= (gelb in gebr. Bohnen)	3	=	20	=
=	1	=	Speisesalz			20	=
=	1	=	Schweineschmalz (hiesiges)	1	=	20	=

Berlin, den 7. Juli 1888.

Königl. Polizei-Präsidium. Erste Abtheilung.

Desinfection von Wäsche 2c.

67. Der städtischen Desinfections-Anstalt hierselbst, zu welcher der Zugang **nur vom Kottbuser Ufer Nr. 19.** stattfinden darf, sind wiederholt **von außerhalb** Betten, Kleider, Wäsche und andere Gegenstände zur Desinfection zugegangen, welche durchaus ungenügend verpackt gewesen sind.

Da bei ungenügender Verpackung der inficirten Sachen leicht eine Uebertragung von ansteckenden Krankheiten auf das mit dem Transporte betraute Personal, stattfinden kann, so bestimmen wir hierdurch, daß alle der städtischen Desinfections-Anstalt **Kottbuser Ufer Nr. 19.** hierselbst, von **außerhalb,** einschließlich der **benachbarten** Ortschaften, zur Desinfection zugehenden Gegenstände **in festen, im Innern mit Blech ausgeschlagenen Kisten** verpackt zugesandt werden müssen.

Zuwiderhandlungen gegen vorstehende Bestimmungen werden dem Königlichen Polizei-Präsidium hierselbst Behufs der Bestrafung angezeigt werden.

Die Rückgabe der von auswärts zur Desinfection eingelieferten Gegenstände erfolgt nur nach vorheriger Bezahlung beziehungsweise unter Nachnahme der tarifmäßigen Gebühren.

Berlin, den 30. Juni 1888.

Magistrat hiesiger Königl. Haupt- und Residenzstadt.

gez. von Forckenbeck.

* * *

Polizei-Verordnung,

betreffend Verpackung und Versendung von Gebrauchsgegenständen von Ortschaften außerhalb Berlin an die hiesigen städtischen Desinfectionsanstalten.

Auf Grund der §§ 143 und 144 des Gesetzes über die allgemeine Landesverwaltung vom 30. Juli 1883 (G.-S. S. 195 ff.) und der §§ 5 ff. des Gesetzes über die Polizei-Verwaltung vom 11. März 1850 (G.-S. S. 265) wird hierdurch nach Zustimmung des Gemeindevorstandes für den Stadtkreis Berlin Folgendes verordnet:

Einziger Paragraph.

Wer den, über Verpackung und Versendung von Gebrauchsgegenständen, welche von **außerhalb einschließlich der benachbarten Ortschaften** den hiesigen städtischen Desinfektions-Anstalten zugesandt werden, von dem hiesigen Magistrat unter dem heutigen Tage veröffentlichten Vorschriften zuwiderhandelt, wird mit Geldstrafe bis zu 30 Mark bestraft.

Berlin, den 30. Juni 1888.

Der Polizei-Präsident.

Freiherr von Richthofen.

Bekanntmachungen des Staatssekretairs des Reichs-Postamts.

Postpacketverkehr mit Neu-Süd-Wales.

17. Mittels der Deutschen Reichs-Postdampfer können von jetzt ab Postpackete nach der Britischen Kolonie Neu-Süd-Wales (Australien) versandt werden. Die Beförderung der Packete erfolgt, je nach der Wahl des Absenders über Bremen oder über Brindisi. Auf dem Wege über Bremen sind Packete bis zu 5 kg, auf demjenigen über Brindisi Packete bis zu 3 kg Gewicht zugelassen. Die vom Absender im Voraus zu entrichtende Taxe beträgt für jedes Packet bei der Beförderung über Bremen 6 M. 80 Pf., bei der Beförderung über Brindisi 7 M. 60 Pf. Ueber das Weitere ertheilen die Postanstalten auf Verlangen Auskunft. Berlin W., den 4. Juli 1888.

Der Staatssecretair des Reichs-Postamts.

Bekanntmachungen der Königl. Kontrolle der Staatspapiere.

Aufgebot von Schuldverschreibungen.

11. In Gemäßheit des § 20 des Ausführungsgesetzes zur Civilprozeßordnung vom 24. März 1879 (G.-S. S. 281) und des § 6 der Verordnung vom 16. Juni 1819 (G.-S. S. 157) wird bekannt gemacht, daß der Wittwe Julie Glücksmann hier, Krausnickstraße Nr. 15, folgende Schuldverschreibungen der konsolidirten 4%igen Staatsanleihe angeblich zu Thorn am 29. Mai v. J. gestohlen worden sind: a. von 1881 lit. C. № 205429 über 1000 M., b. von 1882 lit. C. № 347237 über 1000 M., c. von 1883 lit. D. № 462749 462750 462751 über je 500 M., lit. F. № 275284 über 200 M., d. von 1884 lit. C. № 473926 500855 519769 über je 1000 M., lit. D. № 601172 über 500 M., lit. F. № 330454 über 200 M., lit. H. № 45827 über 150 M., e. von 1885 lit. D. № 698994 753063 753064 760518 über je 500 M. Es werden Diejenigen, welche sich im Besitze dieser Urkunden befindet, hiermit aufgefordert, solches der unterzeichneten Kontrolle der Staatspapiere oder dem Rechtsanwalt Dr. jur. J. Brock hier, Chausseestraße Nr. 2 F., anzuzeigen, widrigenfalls das gerichtliche Aufgebotsverfahren behufs Kraftloserklärung der Urkunden beantragt werden wird.

Berlin, den 6. Juli 1888.

Königl. Kontrolle der Staatspapiere.

Bekanntmachungen des Provinzial-Steuer-Direktors.

Erhebung von Reichsstempelabgaben seitens des Steueramts zu Lenzen.

8. Auf Anordnung des Herrn Finanz-Ministers wird hierdurch zur öffentlichen Kenntniß gebracht, daß die dem Steuer-Amte II. Klasse zu Lenzen (Haupt-Amts-Bezirk Neu-Ruppin) seiner Zeit übertragene Befugniß zur Erhebung von Reichsstempelabgaben demselben vom 1. August d. J. ab wieder entzogen worden ist. Berlin, den 4. Juli 1888.

Der Provinzial-Steuer-Direktor.

Bekanntmachungen des Königlichen Oberbergamts zu Halle.

6. Nachstehende Verleihungsurkunde:

„Auf Grund der am 25. März 1888 mit Präsentationsvermerk versehenen Muthung wird dem Ingenieur Gustav Stuckenholz zu Berlin W., Landgrafenstraße Nr. 14, unter dem Namen **Hammer I.** das Bergwerkseigenthum in dem Felde, dessen Begrenzung auf dem heute von uns beglaubigten Situationsrisse mit den Buchstaben: A B C i k l m n Q P H A bezeichnet ist, und welches, einen Flächeninhalt von 2188959,8925 qm, geschrieben: Zwei Millionen einhundert acht und achtzig Tausend neunhundert neun und funfzig $^{8925}/_{100000}$ Quadratmeter umfassend, in den Gemarkungen Hammer, Zerpenschleuse und Königlicher Forst Liebenwalde im Kreise Niederbarnim des Regierungsbezirks Potsdam und im Oberbergamtsbezirke Halle gelegen ist, zur Gewinnung der in dem Felde vorkommenden Braunkohlen hierdurch verliehen",

urkundlich ausgefertigt am heutigen Tage, wird mit dem Bemerken, daß der Situationsriß in dem Büreau des Königlichen Bergrevierbeamten zu Eberswalde zur Einsicht offen liegt, unter Verweisung auf die Paragraphen 35 und 36 des Allgemeinen Berggesetzes vom 24. Juni 1865 hierdurch zur öffentlichen Kenntniß gebracht.

Halle a. S., den 6. Juli 1888.

Königl. Oberbergamt.

7. Nachstehende Verleihungsurkunde:

„**Im Namen des Königs.**

Auf Grund der am 8. April 1888 mit Präsentationsvermerk versehenen Muthung wird der Gewerkschaft Pequena unter dem Namen **Liebenwalde I.** bei Liebenwalde das Bergwerkseigenthum in dem Felde, dessen Begrenzung auf dem heute von uns beglaubigten Situationsrisse mit den Buchstaben: C D E G O S d e f g h i C bezeichnet ist, und welches, einen Flächeninhalt von 2140404,35 qm, geschrieben: Zwei Millionen einhundert vierzig Tausend vierhundert vier $^{35}/_{100}$ Quadratmeter umfassend, in den Gemarkungen Liebenwalde und Hammer im Kreise Niederbarnim des Regierungsbezirks Potsdam und im Oberbergamtsbezirke Halle gelegen ist, zur Gewinnung der in dem Felde vorkommenden Braunkohlen hierdurch verliehen",

urkundlich ausgefertigt am heutigen Tage, wird mit dem Bemerken, daß der Situationsriß in dem Büreau des Königl. Bergrevierbeamten zu Eberswalde zur Einsicht offen liegt, unter Verweisung auf die Paragraphen 35 und 36 des Allgemeinen Berggesetzes vom 24. Juni 1865 hierdurch zur öffentlichen Kenntniß gebracht.

Halle a. S., den 6. Juli 1888.

Königl. Oberbergamt.

Bekanntmachungen der Königlichen Eisenbahn-Direktion zu Berlin.

Neuer ungarisch-oesterreichisch-deutscher Holz- und Borke-Ausnahmetarif.

28. Am 1. August 1888 gelangt ein neuer ungarisch-oesterreichisch-deutscher Holz- und Borke-Ausnahmetarif zur Einführung, welcher den Verkehr von Stationen der k. k. pr. Kaschau-Oderberger Bahn, pr. oesterreich-ungarischen Staatseisenbahn-Gesellschaft, ungarischen Nordostbahn und Königlich ungarischen Staatseisenbahnen nach Stationen der Königlichen Eisenbahn-Direktionsbezirke Altona, Berlin, Breslau, Bromberg, Erfurt, Frankfurt a. M., Hannover (einschl. der Warstein—Lippstadter Eisenbahn) und Magdeburg, der Lübeck—Büchener Eisenbahn-Gesellschaft, der Weimar-Geraer Eisenbahn, der Königlich sächsischen Staatseisenbahn, und der Mährisch-Schlesischen Centralbahn umfaßt. Durch den neuen Tarif wird der ungarisch-deutsche bezw. ungarisch-niederländische Holzausnahmetarif vom 1. Dezember 1882 nebst Nachträgen rücksichtlich der obengenannten Verkehrsgebiete aufgehoben. Ferner gelangen gleichfalls zur Aufhebung: a. der Ausnahmetarif für die Beförderung von Rinden im Westdeutsch-oesterreich-ungarischen Verband Theil II. Heft 5 vom 1. Oktober 1886 nebst Nachträgen; b. der als Anhang zum ostdeutsch-ungarischen Verband Theil II. Heft 1 herausgegebene Ausnahmetarif für Holz vom 1. April 1887, sowie der in dem vorbezeichneten Hefte Seite 158 bis 161 enthaltene Ausnahmetarif für Rinden; c. der Aus-

nahmetarif № 6 für Rinden im sächsisch-ungarischen Verbande, Theil II., Heft 3 vom 1. April 1885 nebst Nachträgen; d. der Ausnahmetarif № 20 a. und b. für Holz im deutsch-oesterreichisch-ungarischen Seehafenverband Theil II., Heft 3, Nachtrag II. vom 15. Oktober 1885; e. der Ausnahmetarif № 17 für Rinden im deutsch-oesterreich-ungarischen Seehafenverband, Theil II., Heft 3 vom 1. September 1885. Der neue Tarif enthält außer Tariferhöhungen in Folge Einrechnung anderweiter deutscher Antheile bedeutend durch Herabminderung der Antheile der oesterreich-ungarischen Bahnen herbeigeführte Frachtermäßigungen. Soweit in dem neuen Tarif für einzelne Stationen Frachtsätze nicht wieder aufgenommen sind, bezw. insoweit Tariferhöhungen vorliegen, bleiben die betreffenden Frachtsätze sowohl des Tarifs vom 1. Dezember 1882 als auch der unter a—e aufgeführten Ausnahmetarife noch bis zum 15. August 1888 in Kraft. Exemplare des neuen Tarifs zum Preise von 2,25 M. können von der Güterkasse zu Stettin sowie vom hiesigen Auskunftsbureau auf dem Stadtbahnhofe Alexanderplatz bezogen werden.

Berlin, den 30. Juni 1888.

Königl. Eisenbahn-Direktion.

Bekanntmachungen der Königlichen Eisenbahn-Direktion zu Bromberg.

Frachtbegünstigung für Kunst- und kunstgewerbliche Gegenstände.

47. Für diejenigen Kunst- und kunstgewerblichen Gegenstände, welche auf der vom 15. Juli bis 15. Oktober d. J. in Antwerpen stattfindenden internationalen Jubiläums-Kunst-Ausstellung ausgestellt werden und unverkauft bleiben, wird auf den Strecken der Preußischen Staatseisenbahnen, sowie der Eisenbahnen in Elsaß-Lothringen eine Frachtbegünstigung in der Art gewährt, daß für die Hinbeförderung die volle tarifmäßige Fracht berechnet wird, die Rückbeförderung an die Versandstation und den Aussteller aber frachtfrei erfolgt, wenn durch Vorlage des ursprünglichen Frachtbriefes für den Hinweg, sowie durch eine Bescheinigung der Ausstellungs-Kommission nachgewiesen wird, daß die Gegenstände ausgestellt gewesen und unverkauft geblieben sind, und wenn die Rückbeförderung innerhalb drei Monaten nach Schluß der Ausstellung stattfindet.

In den ursprünglichen Frachtbriefen über die Hinsendung ist ausdrücklich zu vermerken, daß die mit denselben aufgegebenen Sendungen **durchweg** aus Ausstellungsgut bestehen.

Bromberg, den 30. Juni 1888.

Königl. Eisenbahn-Direktion.

Frachtbegünstigung für Ausstellungsgegenstände.

48. Für diejenigen Gegenstände, welche auf der vom 3. bis 18. Juli d. J. in Glogau stattfindenden Ausstellung von Kleinmotoren für Handwerk, Gewerbe und Landwirthschaft ausgestellt werden und unverkauft bleiben, wird auf den Strecken der Königl. Eisenbahn-Direktionen Berlin, Breslau, Bromberg und Erfurt eine Frachtbegünstigung in der Art gewährt, daß für die Hinbeförderung die volle tarifmäßige Fracht berechnet wird, die Rückbeförderung an die Versandstation und den Aussteller aber frachtfrei erfolgt, wenn durch Vorlage des ursprünglichen Frachtbriefes für den Hinweg, sowie durch eine Bescheinigung der Ausstellungs-Kommission nachgewiesen wird, daß die Gegenstände ausgestellt gewesen und unverkauft geblieben sind und wenn die Rückbeförderung innerhalb 14 Tagen nach Schluß der Ausstellung stattfindet. In den ursprünglichen Frachtbriefen über die Hinsendung ist ausdrücklich zu vermerken, daß die mit denselben aufgegebenen Sendungen durchweg aus Ausstellungsgut bestehen.

Bromberg, den 6. Juli 1888.

Königl. Eisenbahn-Direktion.

Bekanntmachungen anderer Behörden.

Fähranstalt betreffend.

Es wird hierdurch zur öffentlichen Kenntniß gebracht, daß eine zur Erhebung von Ueberfahrtsgeld berechtigte Fähranstalt über die Havel bei Hohenschöpping nicht besteht.

Potsdam, den 6. Juli 1888.

Königl. Haupt-Steueramt.

Personal-Chronik.

Se. Majestät der Kaiser und König haben Allergnädigst geruht 1) dem Hegemeister Brandt zu Erkner in der Oberförsterei Coepenick und 2) dem Hegemeister Thieleker zu Eggersdorf in der Oberförsterei Rüdersdorf zu ihrer am 1. Juli d. J. eingetretenen Versetzung in den Ruhestand den Königl. Kronen-Orden IV. Cl. zu verleihen.

Im Kreise Ruppin ist an Stelle des verstorbenen Oeconomie-Raths Scherz zu Kraenzlin der Rittergutsbesitzer Schleuß zu Werder zum Amtsvorsteher des Bezirks XIV. Kraenzlin ernannt worden.

Im Kreise Jüterbog-Luckenwalde ist an Stelle des verzogenen Rittergutsbesitzers Zimmermann zu Malterhausen der Rittergutsbesitzer Apponius daselbst zum Amtsvorsteher des Bezirks II. Malterhausen ernannt worden.

Im Kreise Templin sind der Amtmann Classe zu Boitzenburg für den Amtsbezirk Boitzenburg, der Amtmann Zimmermann zu Suckow für den Amtsbezirk Suckow, der Rittergutsbesitzer Mette zu Ribbeck für den Amtsbezirk Ribbeck, der Königl. Oberförster Kühn zu Neu-Thymen für den Amtsbezirk Neu-Thymen, zu Amtsvorstehern und der Gräfl. Forstmeister Schmidt zu Boitzenburg für den gleichnamigen Amtsbezirk zum Amtsvorsteher-Stellvertreter ernannt bezw. wiederernannt worden.

Der Gemeinde-Einnehmer Suckau aus Gransee ist gemäß der von der Stadtverordneten-Versammlung getroffenen Wahl als Bürgermeister der Stadt Lindow für die gesetzlich zwölfjährige Amtsdauer bestätigt und am 2. Juli 1888 in das ihm übertragene Amt eingeführt worden.

Die Schleusenmeisterstelle zu Regowschleuse bei Bredereiche ist dem civilversorgungsberechtigten Polizei-Wachtmeister Trautmann aus Berlin vom 1. Juli d. J. ab übertragen worden.

Die durch den Tod des Brückenwärters Bahnemann erledigte Brückenwärterstelle zu Beeskow ist vom 1. Juli d. J. ab dem civilversorgungsberechtigten Gendarmen Uthoff aus Plötzensee bei Berlin übertragen worden.

Bei der Königlichen Direktion für die Verwaltung der direkten Steuern in Berlin sind: 1) der Regierungs-Secretair Wernicke zum Rechnungsrath ernannt; 2) die Secretariats-Assistenten Zappe, Baron, Nagel II. und Holder-Egger zu Regierungs-Secretairen befördert; 3) der Regierungs-Secretair Alt und der Secretariatsassistent Ebert zum Buchhalter ernannt; 4) die Civil-Supernumerare Nicolai, Semler I. Loewe, Rooß und Graul, sowie die Militair-Supernumerare Henning, Schmidt III., Mäffert und Schmidt IV. als Secretariats-Assistenten angestellt; 5) der Gymnasiast Beister als Civil-Supernumerar eingetreten; 6) die Militairanwärter Iwer, Guhl und Müller als Militair-Supernumerare übernommen; 7) die Kanzleidiener Lusch und Wedell, sowie die Militairanwärter Gericke und Schmidt als Steuererheber und 8) der Militairanwärter König als Kanzleidiener angestellt; 9) der Secretariats-Assistent Schmidt III. ist verstorben.

Der bisherige Diakonus an der hiesigen St. Jacobi-Kirche, Diözese Berlin-Cöln-Stadt, Franz Emil Theodor Adalbert Laacke ist zum Archidiakonus an derselben Kirche bestellt worden.

Der bisherige Hülfsprediger Karl Rudolf Walter Rödenbeck zu Ernstbrunn bei Wien ist zum Pfarrer der Parochie Klein-Glienicke, Diözese Potsdam I., bestellt worden.

Der bisherige Predigtamts-Kandidat Friedrich Wilhelm Adolf von Lahrbusch ist zum Diakonus in Brüssow, Diözese Prenzlau II., bestellt worden.

Die neuerrichtete dritte Predigerstelle an der hiesigen Emmaus-Kirche, Diözese Berlin-Cöln-Stadt, ist in nächster Zeit zu besetzen. Die Wahl des dritten Predigers geschieht durch die verfassungsmäßigen Gemeinde-Organe.

Die unter Königlichem Patronat stehende Pfarrstelle an der hiesigen St. Johannis-Kirche in Moabit, Diözese Berlin Stadt II., kommt durch die nach altem Rechte erfolgende Emeritirung ihres bisherigen Inhabers, des Pfarrers Prochnow zum 1. Oktober dieses Jahres zur Erledigung. Die Wiederbesetzung dieser Stelle erfolgt durch Gemeindewahl nach Maßgabe des Kirchengesetzes, betreffend das im § 32 № 2 der Kirchengemeinde- und Synodal-Ordnung vom 10. September 1873 ꝛc. vorgesehene Pfarrwahlrecht, vom 15. März 1886 — Kirchl. Ges. u. Verordn. Bl. de 1886 S. 39. — Bewerbungen um diese Stelle sind schriftlich bei dem Königlichen Konsistorium der Provinz Brandenburg einzureichen. § 6 a. a. O.

Der Gemeindeschullehrer Falz ist als Gemeindeschulrektor in Berlin angestellt worden.

Dem Oberlehrer Dr. Löw am Königlichen Realgymnasium in Berlin ist das Prädikat „Professor" verliehen.

Der Schulamtskandidat Ohle ist als ordentlicher Lehrer und Adjunkt am Joachimsthal'schen Gymnasium zu Berlin angestellt worden.

Personalveränderungen im Bezirke der Kaiserlichen Ober-Postdirektion in Berlin.

Im Laufe des Monats Juni sind:

ernannt: zum Telegraphenamtskassirer der Ober-Postdirektionssecretair Hanßen, zu Ober-Postdirektionssecretairen die Postsecretaire Kummer und Muchow, zum Ober-Postassistenten der Postassistent Meyer;

angestellt: als Postsecretaire die Postpraktikanten Köhlitz und Spengler, als Postassistenten die Postassistenten Bock, Fahlbusch, Funk, Geisenheyner, Heuel, Kiel, Paradowski, Pingel, Runge, Schneppe, Schochow, Schröder, Schütte, Schulze, Uhl und Will, die Postanwärter Graef, Herberding, Paul, Baquett und Wiebach, als Telegraphenassistenten die Postassistenten Foede, Krause, Weidner und Wiegard, als Postverwalter der Postassistent Scharmberg;

in den Ruhestand versetzt: der Ober-Telegraphenassistent Eicke;

gestorben: der Postsecretair Gumz.

Personalveränderungen im Bezirke der Kaiserlichen Ober-Postdirektion zu Potsdam.

Etatsmäßig angestellt sind: der Postanwärter Sorge in Potsdam als Postassistent und der Telegraphenanwärter Froese in Potsdam als Telegraphenassistent.

Ernannt ist: der Postkassirer Kürbis in Potsdam zum Postinspektor.

Versetzt sind: die Postdirektoren Rutschke von Beeskow nach Züllichau, Zech von Prenzlau nach Inowrazlaw, Henschel von Schrimm nach Beeskow und Weber von Inowrazlaw nach Prenzlau. Die Postsekretaire Mahnke von Luckenwalde nach Prenzlau, und Zahn von Pritzwalk nach Potsdam. Der Postassistent Michael von Dahme nach Perleberg. Die Postverwalter Buchholz von Groß-Pankow (Prignitz) nach Greiffenberg (Uckermark) und Gramm von Greiffenberg (Uckermark) nach Loewenberg (Mark).

Hierzu
eine Extra-Beilage, enthaltend die Concession und Statuten-Auszug der Actien-Gesellschaft The Bradstreet Company zu New-Haven bez. New-York,
sowie Drei Oeffentliche Anzeiger.

(Die Insertionsgebühren betragen für eine einspaltige Druckzeile 20 Pf.
Belagsblätter werden der Bogen mit 10 Pf. berechnet.)

Redigirt von der Königlichen Regierung zu Potsdam.

Potsdam, Buchdruckerei der A. W. Hayn'schen Erben (E. Hayn, Hof-Buchdrucker).

Extra-Beilage

zum 28sten Stück des Amtsblatts

der Königlichen Regierung zu Potsdam und der Stadt Berlin.

Den 13. Juli 1888.

Concession und Statuten-Auszug der Actien-Gesellschaft The Bradstreet Company zu New-Haven bez. New-York.

Der zu New-Haven bezw. New-York unter der Firma The Bradstreet Company bestehenden Aktiengesellschaft wird die Concession zum Geschäftsbetriebe im Königreich Preußen auf Grund der Gewerbe-Ordnung vom 17. Januar 1845 und des Gesetzes vom 22. Juni 1861 (§ 12 der Gewerbe-Ordnung vom 21. Juni 1869) hiermit unter folgenden Bedingungen ertheilt:

1) Die Concession und ein von dem Königlichen Polizei-Präsidenten zu Berlin festzustellender Auszug des Statuts und etwaige Aenderungen der in diesem Auszuge enthaltenen Bestimmungen sind auf Kosten der Gesellschaft in dem Amtsblatt der Königlichen Regierung zu Potsdam und der Stadt Berlin in Deutscher Uebersetzung zu öffentlicher Kenntniß zu bringen.

2) Für jede Aenderung oder Ergänzung des Statuts ist die Zustimmung des Königlich Preußischen Ministers für Handel und Gewerbe zu erwirken.

3) Die Gesellschaft ist verpflichtet, in Berlin eine Zweigniederlassung mit einem Geschäftslokal und einem dort domicilirten General-Bevollmächtigten zu begründen und von diesem Orte aus regelmäßig ihre Verträge mit Preußischen Unterthanen abzuschließen, sowie auch wegen aller aus ihren Geschäften mit solchen entstehenden Verbindlichkeiten bei den Gerichten jenes Ortes als Beklagte Recht zu nehmen.

4) Dem Königlichen Polizei-Präsidenten zu Berlin ist in den ersten drei Monaten jedes Geschäftsjahrs
   a. die General-Bilanz der Gesellschaft,
   b. eine Special-Bilanz der Preußischen Geschäftsniederlassung, in welcher das in Preußen befindliche Activum abgesondert von den übrigen Activis nachzuweisen ist,

   einzureichen.

   Dem genannten Königlichen Polizei-Präsidenten bleibt vorbehalten, nähere Grundsätze für die Aufstellung der Special-Bilanz festzusetzen und nähere Erläuterungen über die darin aufzunehmenden Positionen zu verlangen.

5) Der General-Bevollmächtigte hat sich auf Erfordern des Königlichen Polizei-Präsidenten zu Berlin zum Vortheile sämmtlicher Preußischen Gläubiger der Gesellschaft persönlich und erforderlichen Falls unter Stellung zulänglicher Sicherheit zu verpflichten, für die Richtigkeit der eingereichten Special-Bilanz einzustehen.

Die Concession kann zu jeder Zeit und ohne daß es der Angabe von Gründen bedarf, nach dem Ermessen der Königlich Preußischen Staatsregierung zurückgenommen und für erloschen erklärt werden.

Die Befugniß zum Erwerbe von Grundeigenthum in Preußen wird nicht schon durch die Concession, sondern erst durch besondere, in jedem einzelnen Falle nachzusuchende landesherrliche Erlaubniß erlangt.

Berlin, den 20. März 1888.

(L. S.)

Der Minister für Handel und Gewerbe.
In Vertretung gez. Magdeburg.

Concession zum Geschäftsbetriebe im Königreich Preußen für die zu New-Haven bezw. New-York domicilirte Actiengesellschaft The Bradstreet Company. B. 1164.

* * *

Auszug

aus der Gründungsacte und den Statuten (Nebengesetzen) der The Bradstreet Company.

I. Aus der Gründungsacte:

The Bradstreet Company ist eine auf Grund der statutarischen Gesetze des Staates Connecticut gegründete Corporation. Der Sitz der Gesellschaft ist New-Haven, District New-Haven, im Staate Connecticut.

1) Der Zweck, für welchen die besagte Corporation gebildet worden, ist der folgende: das Geschäft einer merkantilen Agentur zu leiten, desgleichen das des Druckens, Verlegens, der Buchbinderei und des Annoncenwesens und in Verbindung mit der merkantilen Agentur durch solche Mittel, welche sich am angemessensten erweisen, Thatsachen und Umstände mit Bezug auf die Stellung und Geschäftslage von Geschäftspersonen, die innerhalb der Grenzen der Vereinigten Staaten und des Dominiums von Kanada, oder an anderen Orten wohnen, einzuziehen und weiter zu verbreiten; ausstehende Schuldforderungen und Verbindlichkeiten einzuziehen, und im Allgemeinen alle Geschäfte zu besorgen, welche für einen wirksamen Geschäftsbetrieb einer merkantilen Agentur und der anderen oben angegebenen Geschäftszweige nothwendig sind; ferner Real- oder Personal-Eigenthum, welches für den Betrieb des besagten Geschäfts nothwendig oder passend ist, zu kaufen, verkaufen und Handel damit zu treiben, nnd im Allgemeinen Alles zu thun, was zu dem besagten Geschäft und der ordnungsmäßigen Leitung desselben gehört.

2) Der Betrag des Stammkapitals ist Fünfhunderttausend (500,000) Dollar.

3) Der Betrag von deren wirklich eingezahltem Stammkapital ist Dreihundertunddreißig Tausend (330,000) Dollar.

4) 2c.

Datirt zu New-Haven am 28sten Tage des April A. D. 1800 und sechs- und siebenzig.

(Unterschriften.)

II. Aus den Statuten (Nebengesetzen.)

1) Das Grundkapital, Eigenthum und Geschäft der Corporation steht unter der Leitung und Controle eines Directoriums, bestehend aus drei Personen, welche von den Actionairen aus ihrer Mitte in deren jährlicher Versammlung gewählt werden.

2) Die Executiv-Beamten sind ein Präsident, Secretair und ein Schatzmeister.

3) Der Präsident führt, im Falle seiner Anwesenheit, den Vorsitz in den Versammlungen der Actionaire der Gesellschaft. In seiner Abwesenheit wird die Versammlnng von dem Secretair einberufen und ein Präsident pro tempore ernannt. Derselbe hat alle diejenigen Pflichten wahrzunehmen, welche die Akte, kraft deren die gegenwärtige Corporation organisirt (gegründet) worden, wie die statutarischen Gesetze dieses Staates von ihm erheischen, und hat ferner, vorbehaltlich der Controle der Directoren die allgemeine Aufsicht über den executiven Theil der Geschäfte der Gesellschaft.

4) 2c.

5) Der Schatzmeister empfängt die Werthpapiere der Corporation, nimmt sie unter seine Aufsicht und in sicheren Verschluß und ist gehalten, eine Aufstellung zu machen über die für die Corporation vereinnahmten und verausgabten Gelder, welche er in ein zu diesem Zwecke zu führendes Buch eintragen lassen soll, das der Durchsichtnahme der Directoren jederzeit zugänglich sein muß. Der Schatzmeister ist ferner gehalten zur Wahrnehmung aller derjenigen andern Pflichten, welche Kraft der oben erwähnten Acte wie der statutarischen Gesetze von einem solchen Beamten im Besonderen verlangt werden.

6) Der Präsident, Secretair und Schatzmeister bilden ein Comitee für die Geschäftsleitung (managing committee) und haben, vorbehaltlich der Controle der vorerwähnten Directoren uneingeschränkte Rechtsgewalt, Geschäftsleitung und Controle der Geschäfte der Corporation. Im Falle von Meinungsverschiedenheiten entscheidet die Stimme von je zweien derselben.

7) Eine jährliche Versammlung der Inhaber von Actien des Stammcapitals (Stockholders) wird behufs der Wahl von Directoren und der Abmachung von zweckdienlichen Geschäften abgehalten im Büreau der besagten Gesellschaft zu New-Haven am ersten Tage des Mai eines jeden Jahres. Einem jeden der Actionaire ist von dem Secretair schriftliche Anzeige von einer solchen Versammlung zu machen und zwar mindestens sechs Tage vor Abhaltung derselben. Eine jede derartige Anzeige an einen jeden der Actionaire ist nach dessen Wohnung zu adressiren, und muß zu diesem Zwecke dem Postamte der betreffenden Stadt frankirt übergeben werden. Spezial-Versammlungen der Stockholder werden, nach geschehener Anzeige, jederzeit abgehalten. Der Secretair ist verpflichtet, eine derartige Anzeige auf Wunsch der eine Hälfte des Stammkapitals besitzenden Stockholder der Corporation schriftlich zu machen, welche ihn ersuchen, daß eine solche Spezial-Versammlung abgehalten werde, wenn sie darin Zweck, Zeit und Ort der Versammlung angeben, welche Einzelheiten von dem Secretair in der an die Stockholder zu erlassenden Anzeige angegeben sein müssen.

8) 2c.

9) In den Versammlungen der Stockholder berechtigt je eine Actie den Inhaber derselben zu Einer Stimme.

Auf Wunsch eines der Stockholder werden die Stimmen mittels Kugelung abgegeben unter Nennung des Namens des Stockholders und der Anzahl der von ihm besessenen Actien. Stockholder können mittels Stellvertreters abstimmen, wenn Letzterer einen Monat vor der Versammlung, in welcher die Stimme abgegeben werden soll, vorschriftsmäßig schriftlich dazu bevollmächtigt worden ist.

10) Der Schatzmeister hat einen jeden der Stockholder mittels eines nach der Wohnung desselben zu adressirenden oder ihm persönlich zu übergebenden Briefes mindestens fünfzehn Tage vor demjenigen Anzeige zu machen, an welchem Zahlung einer von den Directoren ausgeschriebenen neuen Einzahlung auf das Stammkapital verlangt wird. Solche Schätzungen können von den Directoren in einer der ordentlichen Versammlungen oder in einer zu diesem Zwecke zu berufenden Spezial-Versammlung vorgenommen werden.

11) Vorschriftsmäßige Stammkapital Cessionsbücher sind von dem Secretair zu führen, und eine Cession ist nicht anders gestattet als durch die besagten Bücher und wird nur von dem Stockholder in Person bewirkt oder mittels einer zu diesem Zwecke vorschriftsmäßig vollzogenen Vollmacht.

12) Diese Nebengesetze können abgeändert oder amendirt werden in einer Jährlichen Versammlung der Corporation und zwar durch eine das Stammkapital repräsentirende Majorität, oder in einer zu diesem Zwecke besonders berufenen Versammlung durch eine das Stammkapital repräsentirende Majorität; keine Aenderung indeß, die in einer anderen als jährlichen Versammlung vorgenommen wird, soll rechtsverbindlich sein, wenn nicht eine Majorität des gesammten Stammcapitals in derselben vertreten ist.

Potsdam, Buchdruckerei der A. W. Hayn'schen Erben (C. Hayn, Hof-Buchdrucker).

Amtsblatt

der Königlichen Regierung zu Potsdam und der Stadt Berlin.

Stück 29. Den 20. Juli **1888.**

Allerhöchstes Privilegium,

betrifft das der Stadt Spandau ertheilte Allerhöchste Privilegium wegen Ausfertigung auf den Inhaber lautender Anleihescheine im Betrage von 500000 M.

Wir Friedrich

von Gottes Gnaden König von Preußen rc.

Nachdem die Vertretung der Stadtgemeinde Spandau beschlossen hat, die zum Bau zweier Schulhäuser und einer Leichenhalle, zur Herstellung des Gymnasialgebäudes, zum Erweiterungsbau des Krankenhauses, zur Anlage eines städtischen Friedhofes, zu Straßenpflasterungen und zur Herstellung von Uferbefestigungen rc. erforderlichen Mittel im Wege einer neuen Anleihe zu beschaffen, wollen Wir auf den Antrag des dortigen Magistrats,

zu diesem Zwecke auf jeden Inhaber lautende, mit Zinsscheinen versehene, Seitens der Gläubiger unkündbare Anleihescheine im Betrage von 500000 Mark ausstellen zu dürfen,

da sich hiergegen weder im Interesse der Gläubiger noch der Schuldnerin Etwas zu erinnern gefunden hat, in Gemäßheit des § 2 des Gesetzes vom 17. Juni 1833 zur Ausstellung von Anleihescheinen zum Betrage von 500000 Mark, in Buchstaben: Fünfhunderttausend Mark, welche in folgenden Abschnitten:

400 000 Mark zu 500 M.,
100 000 Mark „ 200 „
zusammen 500 000 Mark

nach dem anliegenden Muster auszufertigen, mit vier Prozent jährlich zu verzinsen und nach dem festgestellten Tilgungsplane mittelst Ankaufs oder Verloosung jährlich mit wenigstens einem Prozent des Kapitales, unter Zuwachs der Zinsen von den getilgten Anleihescheinen, zu tilgen sind, durch gegenwärtiges Privilegium Unsere landesherrliche Genehmigung ertheilen. Die Ertheilung erfolgt mit der rechtlichen Wirkung, daß ein jeder Inhaber dieser Anleihescheine die daraus hervorgegangenen Rechte geltend zu machen befugt ist, ohne zu dem Nachweise der Uebertragung des Eigenthumes verpflichtet zu sein.

Durch vorstehendes Privilegium, welches Wir vorbehaltlich der Rechte Dritter ertheilen, wird für die Befriedigung der Inhaber der Anleihescheine eine Gewährleistung Seitens des Staates nicht übernommen.

Urkundlich unter Unserer Höchsteigenhändigen Unterschrift und beigedrucktem Königlichen Insiegel.

Gegeben Berlin, den 29. Mai 1888.

In Vertretung Seiner Majestät des Königs

(L. S.) gez. **Wilhelm,**
Kronprinz.

ggez. v. Puttkamer. von Scholz.

Privilegium
wegen Ausfertigung auf den Inhaber lautender Anleihescheine der Stadt Spandau im Betrage von 500 000 Mark.

Provinz Brandenburg. **Regierungsbezirk Potsdam.**

Anleiheschein
der Stadt Spandau
. . . . te Ausgabe
Buchstabe . . . № . . . .
über . . . Mark Reichswährung.

Ausgefertigt in Gemäßheit des landesherrlichen Privilegiums vom 29. Mai 1888 (Amtsblatt der Königlichen Regierung zu Potsdam vom . . ten . . . . . 1888 № . . . . . Seite . . . und Gesetz-Sammlung für 1888 Seite . . . . laufende № . . . . .).

Auf Grund des von dem Bezirksausschusse zu Potsdam genehmigten Beschlusses der städtischen Behörden zu Spandau wegen Aufnahme einer Schuld von 500 000 Mark bekennt sich der Magistrat zu Spandau Namens der Stadt Spandau durch diese, für jeden Inhaber gültige, seitens des Gläubigers unkündbare Verschreibung zu einer Darlehnsschuld von . . . Mark, welche an die Stadt Spandau baar gezahlt worden und mit vier Prozent jährlich zu verzinsen ist.

Die Rückzahlung der ganzen Schuld von 500 000 Mark erfolgt nach Maßgabe des genehmigten Tilgungsplanes mittelst freien Ankaufes oder Verloosung der Anleihescheine in den Jahren 1888 bis spätestens 1928 einschließlich aus einem Tilgungsstocke, welcher mit wenigstens Einem Prozent des Kapitals jährlich unter Zuwachs der Zinsen von den getilgten Anleihescheinen gebildet wird. Die Ausloosung geschieht in dem Monate . . . . jeden Jahres. Der Stadt Spandau bleibt jedoch das Recht vorbehalten, den Tilgungsstock zu verstärken oder auch sämmtliche noch im Umlauf befindliche Anleihescheine auf einmal zu kündigen.

Die durch die verstärkte Tilgung ersparten Zinsen wachsen ebenfalls dem Tilgungsstocke zu.

Die ausgelooſten, ſowie die gekündigten Anleiheſcheine werden unter Bezeichnung ihrer Buchſtaben, Nummern und Beträge, ſowie des Termins, an welchem die Rückzahlung erfolgen ſoll, öffentlich bekannt gemacht. Dieſe Bekanntmachung erfolgt ſechs, drei, zwei und einen Monat vor dem Zahlungstermine in dem Deutſchen Reichs- und Preußiſchen Staatsanzeiger und dem Amtsblatt der Königlichen Regierung zu Potsdam. Geht eines dieſer Blätter ein, ſo wird an deſſen Statt von den ſtädtiſchen Behörden zu Spandau mit Genehmigung des Königlichen Regierungs-Präſidenten in Potsdam ein anderes Blatt beſtimmt.

Bis zu dem Tage, wo ſolchergeſtalt das Kapital zu entrichten iſt, wird es in halbjährlichen Terminen am 1. April und 1. Oktober, von heute an gerechnet, mit vier Prozent jährlich verzinſet.

Die Auszahlung der Zinſen und des Kapitals erfolgt gegen bloße Rückgabe der fällig gewordenen Zinsſcheine beziehungsweiſe dieſes Anleiheſcheines bei der Stadt-Hauptkaſſe zu Spandau, und zwar auch in der nach dem Eintritte des Fälligkeitstermins folgenden Zeit. Mit dem zur Empfangnahme des Kapitals eingereichten Anleiheſcheine ſind auch die dazu gehörigen Zinsſcheine der ſpäteren Fälligkeitstermine zurückzuliefern. Für die fehlenden Zinsſcheine wird der Betrag vom Kapital abgezogen.

Die gekündigten Kapitalbeträge, welche innerhalb dreißig Jahren nach dem Rückzahlungstermine nicht erhoben werden, ſowie die innerhalb vier Jahren nach Ablauf des Kalenderjahres, in welchem ſie fällig geworden, nicht erhobenen Zinſen verjähren zu Gunſten der Stadt Spandau.

Wenn die zu tilgenden Anleiheſcheine ſtatt durch Auslooſung aus freier Hand erworben werden, ſo ſollen die auf dieſem Wege getilgten Nummern jedesmal durch die oben bezeichneten Blätter öffentlich bekannt gemacht werden.

Das Aufgebot und die Kraftloserklärung verlorener oder vernichteter Anleiheſcheine erfolgt nach Vorſchrift der §§ 838 und ff. der Civilprozeß-Ordnung für das Deutſche Reich vom 30. Januar 1877 (R.-Geſ.-Bl. Seite 83) beziehungsweiſe nach § 20 des Ausführungsgeſetzes zur Deutſchen Civilprozeßordnung vom 24. März 1879 — Geſ.-S. S. 281 —

Zinsſcheine können weder aufgeboten, noch für kraftlos erklärt werden. Doch ſoll Demjenigen, welcher den Verluſt von Zinsſcheinen vor Ablauf der vierjährigen Verjährungsfriſt bei dem Magiſtrate zu Spandau anmeldet und den ſtattgehabten Beſitz der Zinsſcheine durch Vorzeigung des Anleiheſcheines oder ſonſt in glaubhafter Weiſe darthut, nach Ablauf der Verjährungsfriſt der Betrag der angemeldeten und bis dahin nicht vorgekommenen Zinsſcheine gegen Quittung ausgezahlt werden.

Mit dieſem Anleiheſcheine ſind halbjährige Zinsſcheine bis zum Schluſſe des Jahres . . . . ausgegeben; die ferneren Zinsſcheine werden für fünfjährige Zeiträume ausgegeben werden. Die Ausgabe einer neuen Reihe von Zinsſcheinen erfolgt bei der Stadt-Haupt-Kaſſe in Spandau gegen Ablieferung der, der älteren Zinsſcheinreihe beigedruckten Nachweiſung. Beim Verluſte der Anweiſung erfolgt die Aushändigung der neuen Zinsſcheinreihe an den Inhaber des Anleiheſcheines, ſofern deſſen Vorzeigung rechtzeitig geſchehen iſt.

Zur Sicherheit der hierdurch eingegangenen Verpflichtungen haftet die Stadt Spandau mit ihrem Vermögen und mit ihrer Steuerkraft.

Deſſen zu Urkund haben wir dieſe Ausfertigung unter unſerer Unterſchrift ertheilt.

Spandau, den . . ten . . . . .

Der Magiſtrat.
(Unterſchriften.)

Provinz Brandenburg. **Regierungsbezirk Potsdam.**

Zinsſchein.

. . . . Reihe.

zu dem Anleiheſchein der Stadt Spandau . . . . te Ausgabe Buchſtabe № . . über . . . . . . Mark zu . . Prozent Zinſen über . . . . . . Mark . . . Pfennig.

Der Inhaber dieſes Zinsſcheines empfängt gegen deſſen Rückgabe in der Zeit vom 1. April (bezw.) 1. Oktober 18 . . ab die Zinſen des vorbenannten Anleiheſcheines für das Halbjahr vom . . ten . . . . . bis . . ten . . . . mit . . . . . Mark . . . Pfennig bei der Stadt-Hauptkaſſe zu Spandau.

Spandau, den . . ten . . . . .

Der Magiſtrat.
(Unterſchriften.)

Dieſer Zinsſchein iſt ungültig, wenn deſſen Geldbetrag nicht innerhalb vier Jahren nach Ablauf des Kalenderjahres der Fälligkeit erhoben wird.

Anmerkung:

Die Namensunterſchriften des Magiſtrats-Dirigenten und des Magiſtrats-Mitgliedes können mit Lettern oder Fakſimileſtempeln gedruckt werden, doch muß jeder Zinsſchein mit der eigenhändigen Namensunterſchrift eines Controlbeamten verſehen werden.

Provinz Brandenburg. **Regierungsbezirk Potsdam.**

Anweiſung

zum Anleiheſchein der Stadt Spandau
. . . . te Ausgabe. Buchſtabe . . . . № . . .
über . . . . Mark.

Der Inhaber dieſer Anweiſung empfängt gegen deren Rückgabe zu dem obigen Anleiheſcheine die . . . te Reihe von Zinsſcheinen für die fünf Jahre 18 . . bis 18 . . bei der Stadt-Hauptkaſſe zu Spandau, ſofern nicht rechtzeitig von dem als ſolchen ſich ausweisenden Inhaber des Anleihescheines dagegen Widerspruch erhoben wird.

Spandau, den . . ten 18

Der Magistrat.
(Unterschriften).

Anmerkung:

Die Namensunterschriften des Magistrats-Dirigenten und des Magistrats-Mitgliedes können mit Lettern oder Faksimilestempeln gedruckt werden, doch muß jede Anweisung mit der eigenhändigen Namensunterschrift eines Controlbeamten versehen werden.

Die Anweisung ist zum Unterschiede auf der ganzen Blattbreite unter den beiden letzten Zinsscheinen mit davon abweichenden Lettern in nachstehender Art abzudrucken.

. . . .ter Zinsschein	. . . .ter Zinsschein
Anweisung.	

Bekanntmachungen der Königlichen Ministerien.

Ankauf von Remonten pro 1888.

Regierungs-Bezirk Potsdam.

25. Zum Ankaufe von Remonten im Alter von drei und ausnahmsweise vier Jahren sind im Bereiche der Königlichen Regierung zu Potsdam für dieses Jahr nachstehende, Morgens 8 resp. 9 Uhr beginnende Märkte anberaumt worden, und zwar:

am 31. Juli Strasburg i. Uckermark,
" 1. August Prenzlau,
" 2. " Angermünde,
" 3. " Neu-Ruppin,
" 4. " Kyritz,
" 6. " Wittstock,
" 7. " Meyenburg,
" 8. " Pritzwalk 9 Uhr,
" 9. " Perleberg,
" 10. " Lenzen a. Elbe.

Die von der Remonte-Ankaufs-Kommission erkauften Pferde werden mit Ausnahme derjenigen von Oranienburg zur Stelle abgenommen und sofort gegen Quittung baar bezahlt. Die Verkäufer auf dem Markte in Oranienburg werden dagegen ersucht, die erkauften Pferde in dem nahe gelegenen Remonte-Depot Bärenklau auf eigene Kosten und Gefahr einzuliefern und daselbst nach erfolgter Uebergabe in gesundem Zustande den behandelten Kaufpreis in Empfang zu nehmen.

Pferde mit solchen Fehlern, welche nach den Landesgesetzen den Kauf rückgängig machen, sind vom Verkäufer gegen Erstattung des Kaufpreises und der Unkosten zurückzunehmen, ebenso Krippensetzer, welche sich in den ersten acht und zwanzig Tagen nach Einlieferung in den Depots als solche erweisen. Pferde, welche den Verkäufern nicht eigenthümlich gehören, oder durch einen nicht legitimirten Bevollmächtigten der Kommission vorgestellt werden, sind vom Kauf ausgeschlossen.

Die Verkäufer sind verpflichtet, jedem verkauften Pferde eine neue, starke rindlederne Trense mit starkem Gebiß und eine neue Kopfhalfter von Leder oder Hanf mit 2 mindestens zwei Meter langen Stricken ohne besondere Vergütung mitzugeben.

Um die Abstammung der vorgeführten Pferde feststellen zu können, ist es erwünscht, daß die Deckscheine möglichst mitgebracht werden, auch werden die Verkäufer ersucht, die Schweife der Pferde nicht zu coupiren oder übermäßig zu verkürzen.

Ferner ist es dringend wünschenswerth, daß der immer mehr überhand nehmende zu massige oder weiche Futterzustand bei den zum Verkauf zu stellenden Remonten aufhört, weil dadurch die in den Remonte-Depots vorkommenden Krankheiten sehr viel schwerer zu überstehen sind, als dies bei rationell und nicht übermäßig gefutterten Remonten der Fall ist.

In Zukunft wird beim Ankauf zum Messen der Remonten das Stockmaß in Anwendung kommen.

Berlin, den 1. März 1888.

Kriegsministerium, Remontirungs-Abtheilung.

Bekanntmachungen des Königlichen Regierungs-Präsidenten.

Nachträgliche Untersuchung bewurzelter, zur Kategorie der Rebe nicht gehöriger Gewächse, welche aus den der internationalen Reblauskonvention nicht beigetretenen Staaten eingeführt sind.

200. Nach den Bestimmungen der Kaiserlichen Verordnung vom 7. April 1887 (R.-G.-Bl. S. 155) dürfen bewurzelte, zur Kategorie der Rebe nicht gehörige Gewächse, welche aus den der internationalen Reblauskonvention nicht beigetretenen Staaten stammen, über die Grenzen desjenigen Gebiets, welches durch das deutsche Zollgebiet und die außerhalb der deutschen Zollgrenze belegenen Theile des Reichsgebietes gebildet wird, unter gewissen, in der beregten Verordnung und in der Bekanntmachung vom 23. August 1887 (R.-G.-B. S. 431) näher angegebenen Bedingungen eingeführt werden, sofern eine, an der Eingangsstelle auf Kosten des Verpflichteten vorgenommene Untersuchung auf Rebläuse die Unverdächtigkeit der Sendung ergiebt.

Es sind nun Fälle vorgekommen, in welchen derartige Sendungen bewurzelter Gewächse bei der Ueberführung über die Grenze des vorbezeichneten Gebietes versehentlich, sei es wegen mangelhafter Deklaration oder aus anderen Gründen einer solchen Untersuchung nicht unterworfen worden und daher ununtersucht in das Inland gelangt sind. Nach § 1 Absatz 2 der gedachten Kaiserlichen Verordnung wäre in Fällen dieser Art gemäß § 6 der Kaiserlichen Verordnung vom 4. Juli 1883 mit der Rücksendung oder Vernichtung der betreffenden Sendungen vorzugehen. Da aber Umstände vorliegen können, welche die eben bezeichneten Maßnahmen als nicht zweckdienlich und als eine nicht gerechtfertigte Härte erscheinen lassen würden, so hat der Herr Reichskanzler sich bereit finden lassen, in geeigneten Ausnahmefällen von der Ausführung der bezeichneten Maßnahmen zu dispensiren und es zu gestatten, daß die vorgeschriebene Untersuchung nachträglich im Inlande vorgenommen werde, mit der Maßgabe, daß die beregten

Sendungen den Empfängern zur freien Verfügung zu überlassen sind, sofern der Inhalt derselben von der Reblaus frei befunden wird.

Dies wird hiermit zur allgemeinen Kenntniß gebracht mit dem Bemerken, daß die Gesuche um ausnahmsweise Zulassung der nachträglichen Untersuchung der vorbezeichneten Sendungen, wenn die Umstände des Einzelfalles eine solche Ausnahme zu rechtfertigen geeignet scheinen, behufs Vermeidung von Zeitverlust unmittelbar

an den Herrn Reichskanzler (Reichsamt des Innern)

zu richten sind.

Potsdam, den 5. Juli 1888.

Der Regierungs-Präsident.

Staats-Stipendium zum Besuche der Königlichen technischen Hochschule betreffend.

201. Das für den diesseitigen Regierungsbezirk bestimmte Staats-Stipendium von 600 M. jährlich zum Besuche der Königlichen technischen Hochschule in Berlin wird **am 1. Oktober d. J.** wieder verfügbar.

Bewerber um dieses Stipendium, welche die in der Bekanntmachung vom 10. April 1855 (Amtsblatt S. 173) näher vorgeschriebenen Nachweise beizubringen im Stande sind, haben ihre diesfälligen Gesuche spätestens bis zum 1. August d. J. an mich einzureichen.

Potsdam, den 10. Juli 1888.

Der Regierungs-Präsident.

Die auf der Havel zwischen Spandau und Cladow in Folge von Pontonirübungen voraussichtlich eintretenden Schifffahrtssperrungen betreffend

202. Vom 23. bis 31. Juli d. J. wird das Garde-Pionier-Bataillon auf der Havel zwischen Spandau und Cladow Pontonir-Uebungen abhalten und der Verkehr auf der Havel hierdurch theilweise Beschränkungen erfahren, worauf das schifffahrtstreibende Publikum aufmerksam gemacht wird.

Die eingebauten Brücken ꝛc. sollen zeitweise geöffnet werden. Die Durchlaßöffnungen, sowie die Erlaubniß dieselben zu passiren, werden durch Aufrichten einer rothen Flagge erkennbar gemacht werden.

Potsdam, den 15. Juli 1888.

Der Regierungs-Präsident.

Viehseuchen.

203. Die Maul- und Klauenseuche unter dem Rindvieh des Gutes Wartenberg und des Gutsbesitzers **Jaroczinsky** zu Franz. Buchholz im Kreise Niederbarnim ist erloschen.

Potsdam, den 12. Juli 1888.

Der Regierungs-Präsident.

Bekanntmachungen der Bezirksausschüsse.

Die Ferien des Bezirks-Ausschusses zu Potsdam betreffend.

5. Nach § 5 des Regulativs zur Ordnung des Geschäftsganges und des Verfahrens bei den Bezirks-Ausschüssen vom 28. Februar 1884 hält der Bezirks-Ausschuß **Ferien** vom 21. Juli bis zum 1. September d. J.

Dies wird hierdurch mit dem Eröffnen bekannt gemacht, daß schleunige Gesuche als solche zu begründen und als

„Feriensache"

zu bezeichnen sind.

Potsdam, den 10. Juli 1888.

Namens des Bezirks-Ausschusses:
Der Vorsitzende.

Bekanntmachungen des Königlichen Polizei-Präsidiums zu Berlin.

Die Leipziger Feuer-Versicherungs-Anstalt betreffend.

68. Diesem Stück des Amtsblatts ist eine Beilage beigefügt, welche die Genehmigung vom 4. Mai 1888 zu den am 12. Januar dieses Jahres beschlossenen Abänderungen zu den Verfassungs-Artikeln der Leipziger Feuer-Versicherungs-Anstalt, sowie als Anhang diese Abänderungen selbst enthält.

Auf diese Beilage wird hierdurch mit dem Bemerken hingewiesen, daß der Leipziger Feuer-Versicherungs-Anstalt durch Verfügungen des zuständigen Herrn Ministers vom 8. August 1837 und 12. Februar 1839 die Erlaubniß zu Mobiliar- und Immobiliar-Feuer-Versicherungen in Preußen ertheilt worden ist.

Berlin, den 30. Juni 1888.

Der Königl. Polizei-Präsident.

Bekanntmachungen der Kaiserlichen Ober-Post-Direktion zu Potsdam.

Eröffnung von Reichs-Telegraphenanstalten.

34. Am 17. Juli werden in den Orten *Tremmen*, Wachow, Päwesin und Roskow im Kreise Westhavelland Reichs-Telegraphenanstalten eröffnet.

Potsdam, den 14. Juli 1888.

Der Kaiserl. Ober-Postdirektor.

Bekanntmachungen der Königlichen Hauptverwaltung der Staatsschulden.

Verloosung von Kurmärkischen Schuldverschreibungen.

13. Bei der heute in Gegenwart eines Notars öffentlich bewirkten 7. Verloosung von Kurmärkischen Schuldverschreibnugen sind die in der Anlage verzeichneten Nummern gezogen worden.

Dieselben werden den Besitzern mit der Aufforderung gekündigt, die in den ausgeloosten Nummern verschriebenen Kapitalbeträge vom 1. November 1888 ab gegen Quittung und Rückgabe der Schuldverschreibungen und der nach dem 1. November d. J. fällig werdenden Zinsscheine Reihe XIII. № 3 bis 8 nebst Zinsscheinanweisungen bei der Staatsschulden-Tilgungskasse Taubenstraße Nr. 29, hierselbst zu erheben. Die Zahlung erfolgt von 9 Uhr Vormittags bis 1 Uhr Nachmittags, mit Ausschluß der Sonn- und Festtage und der letzten drei Geschäftstage jeden Monats. Die Einlösung geschieht auch bei den Regierungs-Hauptkassen und in Frankfurt a. M. bei der Kreiskasse. Zu diesem Zwecke können die Effekten einer dieser Kassen schon vom 1. Oktober d. J. ab eingereicht werden, welche sie der Staatsschulden-Tilgungskasse zur Prüfung vorzulegen hat und nach erfolgter Feststellung die Auszahlung vom 1. November 1888 ab bewirkt.

Der Betrag der etwa fehlenden Zinsscheine wird vom Kapitale zurückbehalten.

Mit dem 1. November 1888 hört die Verzinsung der verloosten Kurmärkischen Schuldverschreibungen auf.

Die Staatsschulden-Tilgungskasse kann sich in einen Schriftwechsel mit den Inhabern der Schuldverschreibungen über die Zahlungsleistung nicht einlassen.

Formulare zu den Quittungen werden von sämmtlichen obengedachten Kassen unentgeltlich verabfolgt.

Berlin, den 2. Juli 1888.

Hauptverwaltung der Staatsschulden.

Bekanntmachungen der Königl. Kontrolle der Staatspapiere.

Aufgebot von Schuldverschreibungen.

12. In Gemäßheit des § 20 des Ausführungsgesetzes zur Civilprozeßordnung vom 24. März 1879 (G.-S. S. 281) und des § 6 der Verordnung vom 16. Juni 1819 (G.-S. S. 157) wird bekannt gemacht, daß dem Restaurateur Otto Dunst hierselbst, Lothringerstraße Nr. 72, die Schuldverschreibungen der konsolidirten 4 %igen Staatsanleihe a. von 1880 lit. E. № 208316 über 300 M., b. von 1882 lit. E. № 500390 und 636916 über je 300 M., c. von 1884 lit. C. № 486995 über 1000 M., lit. D. № 535019 über 500 M., und lit. E. № 845241 über 300 M. angeblich abhanden gekommen sind. Es werden Diejenigen, welche sich im Besitze dieser Urkunden befinden, hiermit aufgefordert, solches der unterzeichneten Kontrolle der Staatspapiere oder dem rc. Dunst anzuzeigen, widrigenfalls das gerichtliche Aufgebotsverfahren behufs Kraftloserklärung der Urkunden beantragt werden wird. Berlin, den 11. Juli 1888.

Königl. Kontrolle der Staatspapiere.

Aufgebot von Schuldverschreibungen.

13. In Gemäßheit des § 20 des Ausführungsgesetzes zur Civilprozeßordnung vom 24. März 1879 (G.-S. S. 281) und des § 6 der Verordnung vom 16. Juni 1819 (G.-S. S. 157) wird bekannt gemacht, daß dem Rentier Gustav Reiling in Halle a. S. angeblich in der Nacht vom 9. bis 10. April d. J. die Schuldverschreibungen der konsolidirten 4 %igen Staatsanleihe lit. E. № 223143 und 318207 über je 300 M. gestohlen worden sind. Es werden Diejenigen, welche sich im Besitze dieser Urkunden befinden, hiermit aufgefordert, solches der unterzeichneten Kontrolle der Staatspapiere oder dem Rechtsanwalt und Notar Reiling in Zeitz anzuzeigen, widrigenfalls das gerichtliche Aufgebotsverfahren behufs Kraftloserklärung der Urkunden beantragt werden wird.

Berlin, den 11. Juli 1888.

Königl. Kontrolle der Staatspapiere.

Bekanntmachungen der Kgl. Direktion der Rentenbank für die Provinz Brandenburg.

Ausreichung von Entlastungsquittungen für abgelöste Renten.

8. Denjenigen Grundbesitzern, welche die an die Rentenbank zu entrichtenden Renten am 31. März d. J. durch Kapital-Zahlung abgelöst haben, wird hierdurch bekannt gemacht, daß wir die gemäß § 27 des Rentenbank-Gesetzes vom 2. März 1850 ausgefertigten Entlastungsquittungen den betreffenden Kreiskassen zugesandt haben, um sie, soweit die Renten vollständig abgelöst sind, den zuständigen Amtsgerichten Behufs der kostenfreien Löschung des Vermerks der Rentepflicht im Grundbuche zuzustellen, in Fällen der Ablösung von Theilrenten dagegen denjenigen unmittelbar auszureichen, welche die Kapitalzahlung geleistet haben.

Berlin, den 29. Mai 1888.

Königl. Direktion
der Rentenbank für die Provinz Brandenburg.

Bekanntmachungen des Provinzial-Steuer-Direktors.

Denaturirung von Branntwein.

9. Im Auftrage des Herrn Finanz-Ministers bringe ich hierdurch zur öffentlichen Kenntniß, daß der Bundesrath durch Beschluß vom 21. Juni d. J. — § 372 der Protokolle — eine Aenderung der Bestimmungen, betreffend die Denaturirung von Branntwein in der nachstehenden Fassung genehmigt hat. Auf Zuwiderhandlungen gegen die Vorschriften dieser Bestimmungen finden die Strafbestimmungen des § 18 des Regulativs, betreffend die Steuerfreiheit des Branntweins zu gewerblichen rc. Zwecken, gleichmäßig Anwendung. Berlin, den 3. Juli 1888.

Der Provinzial-Steuer-Direktor.

* * *

Bestimmungen, betreffend die Denaturirung von Branntwein.

1. Die durch Beschluß des Bundesraths vom 15. Dezember v. J. — § 650 der Protokolle — vorgeschriebene Zusammensetzung des allgemeinen Denaturirungsmittels im Sinne des Regulativs, betreffend die Steuerfreiheit des Branntweins zu gewerblichen rc. Zwecken bleibt bis auf Weiteres in Geltung.

2. An die Stelle der bisherigen Bestimmungen über die Beschaffenheit der Bestandtheile des allgemeinen Denaturirungsmittels (Anl. R. 2 des Regulativs) treten die in der Anlage A. enthaltenen Vorschriften. Bis zum 31. Dezember 1888 können jedoch Holzgeist und Pyridinbasen in der den bisherigen Erfordernissen entsprechenden Beschaffenheit zur Denaturirung verwendet werden.

3. Die Prüfung der vorschriftsmäßigen Beschaffenheit des Holzgeistes und der Pyridinbasen erfolgt nach Maßgabe der Anleitung in Anlage B.

4. Dem allgemeinen Denaturirungsmittel darf von den zur Zusammensetzung desselben ermächtigten Fabriken ein Zusatz von 40 g Lawendelöl oder 60 g Rosmarinöl auf je ein Liter beigemengt werden. Die bezüglich der Bestandtheile des allgemeinen Denaturirungsmittels vorgeschriebene Prüfung durch den amtlich bestellten Chemiker ist auf diese Zusätze gleichfalls zu erstrecken.

5. Es ist verboten:

a. aus denaturirtem Branntwein das Denaturirungsmittel ganz oder theilweise wieder auszuscheiden, oder, — abgesehen von der Ausnahme zu 4 — dem denaturirten Branntwein Stoffe beizufügen, durch welche die Wirkung des Denaturirungsmittels in Bezug auf Geschmack oder Geruch verändert wird;

b. Branntwein, welcher — abgesehen von der Ausnahme zu 4 — in der unter a. angegebenen Weise behandelt ist, zu verkaufen oder feilzuhalten.

Händler mit denaturirtem Branntwein sind verpflichtet, einen Abdruck des vorstehenden Verbotes in ihren Verkaufslokalen an einer deutlich sichtbaren Stelle auszuhängen.

6. Gewerbtreibenden kann es gestattet werden, die Denaturirung von Branntwein für den eigenen gewerblichen Bedarf statt mit dem allgemeinen Denaturirungsmittel oder mit Pyridinbasen (§ 10 des Regulativs) auch mit 5 Prozent Holzgeist von der vorgeschriebenen Beschaffenheit vorzunehmen. Bezüglich der Voraussetzungen, unter denen dieses Denaturirungsmittel zugelassen werden darf, finden die Vorschriften des § 9 des Regulativs entsprechende Anwendung.

7. Ebenso kann auch weiterhin und ohne die in dem § 19 des Regulativs bisher vorgesehene Beschränkung Händlern gestattet werden, zum Verkaufe an Gewerbetreibende Branntwein mit 5 Prozent Holzgeist denaturiren zu lassen, und kann Gewerbtreibenden, welche ihren Bedarf an denaturirtem Branntwein beim Händler ankaufen wollen, die Berechtigung hierzu ertheilt werden. Die früher gültigen bezüglichen Vorschriften finden hierauf weitere Anwendung.

8. Gewerbtreibenden, welche Lacke oder Polituren bereiten, darf die Denaturirung des dazu zu verwendenden Branntweins mit 1/2 Prozent Terpentinöl weiterhin auch dann gestattet werden, wenn die Lacke oder Polituren nicht zur Verarbeitung im eigenen Fabrikationsbetriebe (§ 10 des Regulativs), sondern zum Handel bestimmt sind.

9. Zur Herstellung von Brauglasur darf die Denaturirung mit einer Lösung von 1 Gewichtstheil Schellack und 2 Gewichtstheilen Alkohol von 95 Prozent zugelassen werden, welche dem Branntwein in dem Verhältniß von 20 Prozent zuzusetzen ist.

Für den zur Bereitung dieser Schellacklösung verwendeten Alkohol ist Steuerfreiheit zu gewähren.

10. Es darf ferner gestattet werden, Branntwein denaturiren zu lassen.

a. zur Herstellung der nachbenannten Chemikalien: der Alkoloide, der als Arzneimittel gebrauchten Extraktivstoffe, wie Jalappenharz und Skammonium, des Chloroforms, Jodoforms, der Aethylweinsäure, des Chloralhydrats, Schwefeläthers, des Essigäthers zu technischen Zwecken (vergl. Ziffer 11), Kollodiums, Tannins, der Salicylsäure und der salicylsauren Salze, des Bleiweiß und der essigsauren Salze (Bleizucker) mit 1/2 Prozent Terpentinöl oder mit 0,025 Prozent Thieröl, oder 10 Prozent Schwefeläther;

b. zur Herstellung von Farblacken mit 1/2 Prozent Terpentin-Oel oder 0,025 Prozent Thieröl,

c. zur Untersuchung von Zuckerrüben auf den Gehalt an Zucker in Zuckerfabriken mit 0,025 Prozent Thieröl.

Die Bestimmungen in § 10d. Ziffer 1/3 des Regulativs sind aufgehoben.

11. Zur Herstellung von Essigäther, welcher zu technischen Zwecken bestimmt ist, darf für den dazu zu verwendenden Branntwein Steuerfreiheit nur unter der Bedingung gewährt werden, daß außer der vorschriftsmäßigen Denaturirung des Branntweins (Ziffer 10a.) eine Kontrole der Verwendung des Essigäthers eintritt.

12. Thieröl, Terpentinöl, Schwefeläther und Schellacklösung, welche als Denaturirungsmittel verwendet werden sollen, haben den aus der beiliegenden Anleitung zur Untersuchung — Anlage C. — sich ergebenden Erfordernissen zu entsprechen.

Die Untersuchung ist im Bedürfnißfalle auf Kosten der betreffenden Gewerbtreibenden durch einen amtlich bestellten Chemiker vorzunehmen.

13. Zur Fabrikation von Essig darf Branntwein auch mit 200 Prozent Essig von 3 Prozent Gehalt an Essigsäure (Essigsäurehydrat) oder mit 30 Prozent Essig von 6 Prozent Gehalt an Essigsäure (Essigsäurehydrat) 70 Prozent Wasser und 100 Prozent Bier denaturirt werden. Ferner kann es gestattet werden, zum Zweck der Denaturirung neben der vorgeschriebenen Essigmenge 100 Prozent reinen Naturweins an Stelle des Wassers, Biers oder Hefenwassers beizumischen.

14. Die obersten Landes-Finanzbehörden sind ermächtigt, im Bedürfnißfalle zu genehmigen, daß weniger als ein Hektoliter, jedoch nicht unter fünfzig Liter Branntwein auf einmal zur Denaturirung gestellt werden (§ 7 des Regulativs).

15. Der Beschluß des Bundesraths vom 27. September 1887 — § 459 Ziffer 2 der Protokolle —, betreffend die Zulässigkeit von Abweichungen von den [illegible]läufigen Bestimmungen zur Ausführung des Brannt[illegible]steuergesetzes vom 24. Juni v. J. tritt bezüglich [illegible] Regulativs, betreffend die Steuerfreiheit des Bra[illegible]weins zu gewerblichen ꝛc. Zwecken, mit dem Abl[illegible] des Jahres 1888 außer Kraft.

* * *

Anlage A.

Die Beschaffenheit der Bestandtheile des allgemeinen Denaturirungsmittels.

1. Der Holzgeist.

Der Holzgeist soll farblos oder schwach gelblich gefärbt sein. Bei der Destillation von 100 Raumtheilen des Holzgeistes sollen bei dem normalen Barometerstand von 760 mm Quecksilberdruck bis zu einer Temperatur von 75 Graden des hunderttheiligen Thermometers mindestens 90 Raumtheile übergegangen sein. Der Holzgeist soll mit Wasser ohne wesentliche Trübung in jedem Verhältniß mischbar sein. Das Gehalt des Holzgeistes in Aceton soll 30 Prozent übersteigen. Der [illegible] ist

soll wenigstens 1, aber nicht mehr als 1,5 Prozent an Brom entfärbenden Bestandtheilen enthalten.

2. Die Pyridinbasen.

Das Pyridinbasengemisch soll farblos oder schwach gelblich gefärbt sein. Sein Wassergehalt soll 10 Prozent nicht übersteigen. Bei der Destillation von 100 Raumtheilen des Gemisches sollen bei dem normalen Barometerstand von 760 mm bis zu einer Temperatur von 140 Graden des hunderttheiligen Thermometers mindestens 90 Raumtheile übergegangen sein. Das Gemisch soll mit Wasser ohne wesentliche Trübung in jedem Verhältniß mischbar und frei von Ammoniak sein.

* * *

Anlage B.

Anleitung zur Prüfung des Holzgeistes und der Pyridinbasen.

1. Holzgeist.

1. Farbe. Die Farbe des Holzgeistes soll nicht dunkler sein als die einer Auflösung von 2 ccm Zehntelnormaljodlösung in einem Liter destillirten Wassers.

2. Siedetemperatur. 100 ccm Holzgeist werden in einen Metallkolben gebracht; auf den Kolben ist ein mit Kugel versehenes Siederohr aufgesetzt, welches durch einen seitlichen Stutzen mit einem Liebig'schen Kühler verbunden ist. Durch die obere Oeffnung wird ein amtlich beglaubigtes Thermometer mit hunderttheiliger Skala eingeführt, dess n Quecksilbergefäß bis unterhalb des Stutzens hinabreicht. Der Kolben wird so mäßig erhitzt, daß das übergegangene Destillat aus dem Kühler tropfenweise abläuft. Das Destillat wird in einem graduirten Glascylinder aufgefangen, und es sollen, wenn das Thermometer 75 Grad zeigt, bei normalem Barometerstand mindestens 90 ccm übergegangen sein.

Weicht der Barometerstand vom normalen ab, so sollen für je 30 mm 1 Grad in Anrechnung gebracht werden, also z. B. sollen bei 770 mm 90 ccm bei 75,5 Grad, bei 750 mm bei 74,7 Grad übergegangen sein.

3. Mischbarkeit mit Wasser. 20 ccm Holzgeist sollen mit 40 ccm Wasser eine klare oder doch nur schwach opalisirende Mischung geben.

4. Abscheidung mit Natronlauge. Beim Durchschütteln von 20 ccm Holzgeist mit 40 ccm Natronlauge von 1,3 spezifischem Gewicht sollen nach ½ Stunde mindestens 5,0 ccm des Holzgeistes abgeschieden werden.

5. Gehalt an Aceton. 1 ccm einer Mischung von 10 ccm Holzgeist mit 90 ccm Wasser wird in einem engen Mischcylinder mit 10 ccm Doppelnormalnatronlauge (80 g Natriumhydroxyd in einem Liter) durchgeschüttelt. Darauf werden 5 ccm Doppelnormaljodlösung (254 g Jod im Liter) unter erneutem Schütteln hinzugefügt. Das sich ausscheidende Jodoform wird mit 10 ccm Aether von spezifischem Gewicht 0,722 unter kräftigem Schütteln aufgenommen. Von der nach kurzer Ruhe sich abscheidenden Aetherschicht werden 5 ccm mittelst einer Pipette auf ein gewogenes Uhrglas gebracht und auf demselben langsam verdunstet. Dann wird das Uhrglas 2 Stunden über Schwefelsäure gestellt und gewogen. Die Gewichtszunahme soll nicht weniger als 0,07 g betragen.

6. Aufnahmefähigkeit für Brom. 100 ccm einer Lösung von Kaliumbromat und Kaliumbromid, welche nach der unten folgenden Anweisung hergestellt ist, werden mit 20 ccm einer in der gleichfalls unten angegebenen Weise verdünnten Schwefelsäure versetzt. Zu diesem Gemisch, das eine Brom-Lösung von 0,703 Gramm Brom darstellt, wird aus einer in 0,1 ccm getheilten Bürette tropfenweise unter fortwährendem Umrühren so lange Holzgeist hinzugesetzt, bis dauernde Entfärbung eintritt. Zur Entfärbung sollen nicht mehr als 30 ccm und nicht weniger als 20 ccm Holzgeist erforderlich sein.

Die Prüfungen der Aufnahmefähigkeit für Brom sind stets bei vollem Tageslicht auszuführen.

Anweisung zur Herstellung der Bestandtheile der Bromlösung.

a. Bromsalze. Nach wenigstens zweistündigem Trocknen bei 100 Grad und Abkühlenlassen im Exsikkator werden 2,447 Gramm Kaliumbromat und 8,719 Gramm Kaliumbromid, welche vorher auf ihre Reinheit geprüft sind, abgewogen und in Wasser gelöst. Die Lösung wird zu einem Liter aufgefüllt.

b. Verdünnte Schwefelsäure. 1 Volumen konzentrirter Schwefelsäure wird mit 3 Volumen Wasser vermischt. Das Gemisch läßt man erkalten.

2. Pyridinbasen.

1. Farbe. Wie beim Holzgeist.

2. Verhalten gegen Cadmiumchlorid. 10 ccm einer Lösung von 1 ccm Pyridinbasen in 100 ccm Wasser werden mit 5 ccm einer 5prozentigen wässrigen Lösung von wasserfreiem, geschmolzenem Cadmiumchlorid versetzt und kräftig geschüttelt; es soll alsbald eine deutliche krystallinische Ausscheidung eintreten. Mit 5 ccm Neßlerschem Reagens sollen 10 ccm derselben Pyridinbasenlösung einen weißen Niederschlag geben.

3. Siedetemperatur. Man verfährt wie beim Holzgeist, doch soll das Destillat, erst wenn das Thermometer auf 140 Grad gestiegen ist, mindestens 90 ccm betragen.

4. Mischbarkeit mit Wasser. Wie beim Holzgeist.

5. Wassergehalt. Beim Durchschütteln von 20 ccm Basen und 20 ccm Natronlauge von 1,4 spezifischem Gewicht sollen nach einigem Stehenlassen mindestens 18,5 ccm der Basen abgeschieden werden.

6. Tritation der Basen. 1 ccm Pyridinbasen in 10 ccm Wasser gelöst werden mit Normalschwefelsäure versetzt, bis ein Tropfen der Mischung auf Kongopapier einen deutlichen blauen Rand hervorruft, der alsbald wieder verschwindet. Es sollen nicht weniger als 10 ccm der Säurelösung bis zum Eintritt dieser Reaktion verbraucht werden.

Zur Herstellung des Kongopapiers wird Filtrirpapier durch eine Lösung von 1 g Kongoroth in 1 Liter Wasser gezogen und getrocknet.

* * *

Anlage C.

Anleitung zur Untersuchung von Thieröl, Terpentinöl und Aether.

1. Thieröl.

1. Farbe. Die Farbe des Thieröls soll schwarzbraun sein.

2. Siedetemperatur. Werden 100 ccm in der für den Holzgeist angegebenen Weise destillirt, so sollen unter 90 Grad nicht mehr als 5 ccm, bis 180 Grad aber wenigstens 50 ccm übergehen.

3. Pyrrolreaktion. 2,5 ccm einer 1 prozentigen alkoholischen Lösung des Thieröls werden mit Alkohol auf 100 ccm verdünnt. Bringt man in 10 ccm dieser Lösung, die 0,025 Prozent Thieröl enthält, einen mit konzentrirter Salzsäure befeuchteten Fichtenholzspahn, so soll derselbe nach wenigen Minuten deutliche Rothfärbung zeigen.

4. Verhalten gegen Quecksilberchlorid. 5 ccm der 1 prozentigen alkoholischen Lösung des Thieröls sollen beim Versetzen mit 5 ccm einer 2 prozentigen alkoholischen Lösung von Quecksilberchlorid alsbald eine voluminöse, flockige Fällung geben. 5 ccm der 0,025 prozentigen alkoholischen Lösung von Thieröl, mit 5 ccm der Quecksilberchloridlösung versetzt, soll alsbald noch eine deutliche Trübung zeigen.

2. Terpentinöl.

1. Specifisches Gewicht. Das specifische Gewicht des Terpentinöls soll zwischen 0,855 und 0,865 bei 15 Grad liegen.

2. Siedetemperatur. Werden 100 ccm in der für den Holzgeist angegebenen Weise destillirt, so sollen unter 150 Grad nicht mehr als 5 ccm, bis 160 Grad aber mindestens 90 ccm übergehen.

3. Mischbarkeit mit Wasser. 20 ccm Terpentinöl werden mit 20 ccm Wasser kräftig geschüttelt. Wenn nach einigem Stehen beide Schichten sich getrennt haben und klar geworden sind, so soll die obere wenigstens 19 ccm betragen.

3. Aether.

1. Specifisches Gewicht. Das specifische Gewicht des Aethers soll nicht mehr als 0,730 betragen.

2. Mischbarkeit mit Wasser. 20 ccm Aether werden mit 20 ccm Wasser kräftig geschüttelt. Nach dem Absetzen soll die Aetherschicht wenigstens 18 ccm betragen.

4. Schellacklösung.

10 g der Lösung sollen beim Verdunsten auf dem Wasserbade und nach darauf folgendem Erhitzen des eingedampften Rückstandes im Trockenschranke während einer halben Stunde auf eine Temperatur von 100 bis 105 Grad mindestens 3,3 g Schellack hinterlassen.

Die Besteuerung des Zuckers betreffend.

10. Der Bundesrath hat in der Sitzung vom 28. Juni d. J. die in der Anlage abgedruckten Ausführungsbestimmungen zu dem Gesetze vom 9. Juli 1887, die Besteuerung des Zuckers betreffend, erlassen, welche ich hiermit zur öffentlichen Kenntniß bringe.

Berlin, den 5. Juli 1888.

Der Provinzial-Steuerdirektor.

Bekanntmachungen der Königlichen Eisenbahn-Direktion zu Berlin.

Gewährung von Frachtkrediten.

29. In unserem Bezirke werden Frachtkredite mit einmonatlicher Zahlungsfrist für alle entstandenen Frachten, Frachtkredite mit längerer als einmonatlicher Zahlungsfrist nur für die Frachten der nach Oesterreich-Ungarn und Rußland, sowie der nach Berlin und nach Stationen der Linie Berlin—Kreuz-Alexandrowo und nördlich davon bestimmten **Kohlen**transporte nach Maßgabe der bisher gültigen allgemeinen Bedingungen bis auf Weiteres gewährt. Diese Bedingungen können unentgeltlich von den diesseitigen Königl. Eisenbahn-Betriebsämtern bezogen werden, an welche auch etwaige Anträge auf Gewährung von Frachtkrediten zu richten sind.

Berlin, den 10. Juli 1888.

Königl. Eisenbahn-Direktion.

Be- und Entladefristen für offene Wagen.

30. Vom 16. d. M. ab werden für den diesseitigen Bahnbereich, mit Einschluß des Schlesischen, Görlitzer, Stettiner und Nordbahnhofs in Berlin und der Bahnhöfe der Berliner Ringbahn die Be- und Entladefristen für offene Wagen bezüglich derjenigen Interessenten, welche innerhalb eines Umkreises von 5 km von der betreffenden Station entfernt wohnen, bis auf Weiteres auf **6 Tagesstunden** herabgesetzt.

Berlin, den 14. Juli 1888.

Königl. Eisenbahn-Direktion.

Personal-Chronik.

Seine Majestät der Kaiser und König haben dem Kreisbau-Inspektor von Lançicolle in Nauen den Charakter als Baurath Allergnädigst zu verleihen geruht.

An Stelle des mit Pension in den Ruhestand tretenden Katasterkontroleurs, Steuerinspektors Reinshagen zu Jüterbog ist dem Katasterkontroleur Ohnesorge, bisher Katasterassistent bei der Königl. Regierung zu Trier, die Verwaltung des Katasteramts zu Jüterbog vom 1. Juli d. J. ab übertragen worden.

Dem Oberpfarrer Schmidt zu Neu-Ruppin ist vom 1. Juli d. J. ab die Kreisschulinspektion über die Schulen des Inspektionskreises Ruppin übertragen worden.

Der bisherige Missionsprediger Philipp Wilhelm Reinhardt zu Berlin ist zum Pfarrer der Parochie Paplitz, Diözese Baruth, bestellt worden.

Das unter Königlichem Patronat stehende erste Diaconat zu Luckenwalde und das damit verbundene

Pfarramt von Liebätz, Diözese Luckenwalde, kommt durch die Versetzung des Diakonus Rodatz zum 1. Dezember d. J. zur Erledigung. Die Wiederbesetzung erfolgt im vorliegenden Falle durch das Kirchenregiment.

Die unter magistratualischem Patronate stehende 4. Diakonatsstelle an der St. Nicolai-Kirche zu Berlin, Diözese Berlin Stadt I., ist durch den Abgang des bisherigen Inhabers, Predigers Gaertner, zur Erledigung gekommen.

Mit Genehmigung des Evangelischen Ober-Kirchenraths und des Herrn Ministers der geistlichen Angelegenheiten werden die deutsch-reformirte St. Johannis-Kirchengemeinde und die französisch-reformirte Kirchengemeinde zu Prenzlau als vereinigte Muttergemeinden unter einem gemeinschaftlichen Pfarramte zusammengeschlagen. Hinsichtlich der Synodal-Zugehörigkeit einer jeden der beiden Gemeinden wird nichts geändert. Der Zeitpunkt der Zusammenlegung der beiden Gemeinden ist auf den 1. Juli d. J. festgesetzt.

Dem Lehrer Czaika zu Cöpenick ist die Concession zur Fortführung der katholischen Privatschule daselbst ertheilt worden.

Vermischte Nachrichten.

Ausschreiben

der von den Mitgliedern der Städte-Feuer-Societät der Provinz Brandenburg für das I. Halbjahr 1888 zu entrichtenden Feuer-Societäts-Beiträge.

Der Direktorialrath der Städte-Feuer-Societät der Provinz Brandenburg hat die Beiträge der Mitglieder der Societät für das I. Halbjahr 1888 für 100 M. Versicherungssumme festgesetzt:

in Klasse	I A.	auf	2,1	Pf.	(0,21 pro mille),
" "	I.	"	3	"	(0,3 - -),
" "	I B.	"	3,9	"	(0,39 - -),
" "	II A.	"	6	"	(0,6 - -),
" "	II.	"	9	"	(0,9 - -),
" "	II B.	"	12	"	(1,2 - -),
" "	III.	"	21	"	(2,1 - -),
" "	III B.	"	30	"	(3,0 - -),
" "	IV.	"	42	"	(4,2 - -),
" "	IV B.	"	66	"	(6,6 - -).

Demzufolge werden nunmehr ausgeschrieben:

von	37 763 775	M. Versicherungssumme in Klasse	I A.	7 930	M.	39	Pf.
"	319 209 400	" " " "	I.	95 762	"	82	"
"	20 776 825	" " " "	I B.	8 102	"	96	"
"	4 312 050	" " " "	II A.	2 587	"	23	"
"	148 131 375	" " " "	II.	133 318	"	24	"
"	17 455 550	" " " "	II B.	20 946	"	66	"
"	20 563 450	" " " "	III.	43 183	"	25	"
"	6 212 650	" " " "	III B.	18 637	"	95	"
"	1 869 600	" " " "	IV.	7 852	"	32	"
"	1 380 650	" " " "	IV B.	9 112	"	29	"
überhaupt von	577 675 325	M. beitragspflichtiger Versicherungs-Summe		347 434	M.	11	Pf.
Dazu von	385 825	M. Explosionsversicherungssumme à 1 Pf.		38	"	58	"
und "	103 700	" desgl. à 2 "		20	"	74	"
				347 493	M.	43	Pf.

Den Associirten in 23 Städten sind wegen der guten Löscheinrichtungen der letzteren auf Grund des § 65 des Reglements 20, bezw. 15, 12 und 10 % ihrer Beiträge erlassen mit	14 699	"	09	"
bleiben	332 794	M.	34	Pf.
Hiervon stehen den Magisträten 5 % zu mit	16 639	"	72	"
so daß zur Deckung des Bedarfs verfügbar sind	316 154	M.	62	Pf.

Dieser Bedarf beläuft sich für die in den Monaten Januar bis Juni 1888 stattgehabten, von der

Societät zu vergütenden 148 Brand- und 6 Blitzschäden, einschließlich der Spritzen- rc. Prämien und Abschätzungskosten auf 217 225 M. 15 Pf.
und außerdem sind für Schäden an unversicherten Gegenständen, Postporto, Zuschüsse an die Feuerwehren rc. erforderlich 15 467 = 13 =

zusammen also	232 692 M. 28 Pf.
Das vorstehende Ausschreiben ergiebt	316 154 = 62 =
Es verbleiben mithin zur Wiederergänzung des Betriebsfonds	83 462 M. 34 Pf.

Die Magistrāte der associirten Städte wollen hiernach die von den Mitgliedern der Societät zu entrichtenden Beiträge ungesäumt einziehen und binnen vier Wochen — § 70 Abs. 3 des Reglements — an die Brandenburgsche Landeshauptkasse hierselbst abführen lassen.

Berlin, den 6. Juli 1888.

Der Direktor der Städte-Feuer-Societät der Provinz Brandenburg.

Feuerkassengelder-Ausschreiben

für die Land-Feuer-Societät der Kurmark Brandenburg, des Markgrafthums Niederlausitz und der Distrikte Jüterbog und Belzig für das I. Halbjahr 1888.

Für das I. Halbjahr 1888 sind von den Societäts-Mitgliedern überhaupt aufzubringen:

a.	Vergütigungsgelder für Immobiliar-Brandschäden inkl. Abschätzungskosten	599 313 M. 43 Pf.,
b.	= = Mobiliar- = = =	18 491 = 49 =
c.	Spritzen-Prämien	9 149 = — =
d.	Wasserwagen-Prämien	2 883 = — =
e.	Pertinenzschäden-Vergütigungen	8 100 = 48 =
f.	Verwaltungskosten	49 255 = 09 =
g.	Extraordinarien	14 521 = 15 =
	Summa	701 713 M. 64 Pf.

Hiervon kommen in Abzug:

a.	das nach dem Ausschreiben pro II. Semester 1887 verbliebene Guthaben von	96 274 M. 68 Pf.,	
b.	die Beiträge der Mobiliar-Versicherten pro I. Semester 1888	49 866 = 37 =	
c.	an Zinsen	7 220 = 97 =	
d.	an extraordinairen Einnahmen	1 602 = 54 =	
	Zusammen		154 964 = 56 =
	so daß noch aufzubringen bleiben		546 749 M. 08 Pf.

Zur Deckung dieser Summe werden für Gebäude der

I. Klasse	6 Pf.	pro 100 M. Versicherung
II. =	12 =	
III. =	42 =	
IV. =	72 =	

ausgeschrieben und sind demnach aufzubringen für Gebäude der

I. Klasse von 266 688 925 M. Versicherungskapital		160 013 M. 36 Pf.,
II. = = 126 873 925 = =		152 248 = 71 =
III. = = 72 629 825 = =		305 045 = 26 =
IV. = = 292 350 = =		2 104 = 92 =
Zusammen von 466 485 025 M. Versicherungskapital		619 412 M. 25 Pf.,
also gegen obige Bedarfssumme von		546 749 = 08 =
mehr		72 663 M. 17 Pf.,

welcher Betrag den Societäts-Genossen bei Erlaß des Feuerkassengelder-Ausschreibens pro II. Semester 1888 zu Gute gerechnet werden wird.

Die Societäts-Mitglieder werden hierdurch veranlaßt, die von ihnen zu leistenden Beiträge nach Maßgabe der besonderen Aufforderungen der Kreis-Feuer-Societäts-Direktionen beziehungsweise Orts-Erheber ungesäumt zu entrichten.

Berlin, den 16. Juli 1888.

Ständische General-Direktion der Land-Feuer-Societät der Kurmark und der Niederlausitz.

Ausweisung von Ausländern aus dem Reichsgebiete.

Lauf. Nr.	Name und Stand des Ausgewiesenen.	Alter und Heimath des Ausgewiesenen.	Grund der Bestrafung.	Behörde, welche die Ausweisung beschlossen hat.	Datum des Ausweisungs-Beschlusses.
1.	2.	3.	4.	5.	6.
		Auf Grund des § 362 des Strafgesetzbuchs:			
1	Esmeralda Goldstein, geb. Cohn, verw. Näherin,	geboren am 22. September 1852 zu Linz, Oesterreich, ortsangehörig zu Wien, ebendaselbst,	Landstreichen und Betteln, einfacher Diebstahl im Rückfalle,	Königlich Preußischer Regierungspräsident zu Breslau,	12. Juni 1888.
2	Ludwig Wisniewski, Gerber,	34 Jahre, geboren und ortsangehörig zu Kalisch, Russisch-Polen,	desgleichen,	Königlich Preußische Regierung zu Posen,	15. Juni 1888.
3	Viktor Theodor Terla, Schmied,	geboren am 12. April 1841 zu Komotau, Böhmen, ortsangehörig ebendaselbst,	Landstreichen,	Königlich Preußischer Regierungspräsident zu Hannover,	13. Juni 1888.
4	Levy Lilienthal, Schlächtergeselle,	geboren am 8. Oktober 1829 zu Odessa, Gouvernement Cherson, Rußland, ortsangehörig ebendaselbst,	Landstreichen und Betteln,	Königlich Preußischer Regierungspräsident zu Hildesheim,	19. Juni 1888.
5	Karl Ludwig Meunier, Goldarbeiter,	30 Jahre, geboren zu Pforzheim, Baden, französischer Unterthan,	Betteln im wiederholten Rückfall,	Königlich Preußische Regierung zu Aachen,	13. Juni 1888.
6	Franz Marr, Tagelöhner,	geboren am 5. Dezember 1850 zu Zons, Kreis Neuß, Preußen, mit Entlassungsurkunde ausgewandert,	desgleichen,	Königlich Preußische Regierung zu Düsseldorf,	desgleichen.
7	Ignaz Hartmann, ehem. Tischler, z. Zt. Markt- und Handlungsgehülfe,	geboren am 19. Februar 1862 zu Groß-Hubina, Bezirk Leitmeritz, Böhmen, ortsangehörig zu Hirschberg, Bezirk Dauba, ebendaselbst,	desgleichen,	Königlich Sächsische Kreishauptmannschaft Zwickau,	5. April 1888.
8	Franz Frank, Schuhmacher,	geboren am 1. Mai 1844 zu Wscherau, Bezirk Mies, Böhmen, ortsangehörig ebendaselbst,	verbotswidrige Rückkehr in das Bundesgebiet und Landstreichen,	dieselbe,	2. Juni 1888.
9	Josepha Koschik, geb. Pawlas, verehel. Werkarbeiter,	geboren am 7. März 1849 zu Oschin, Kreis Rybnik, Preußen, ortsangehörig zu Regulice, Bezirk Chrzanow, Galizien,	Landstreichen u. gewerbsmäßige Unzucht,	Königlich Preußischer Regierungspräsident zu Breslau,	18. Juni 1888.
10	Franz Trömer, Wollspinner,	geboren am 24. Februar 1866 zu Hennersdorf, Bezirk Gitschin, Böhmen, ortsangehörig ebendaselbst, wohnhaft zuletzt in Klein-Hennersdorf bei Landeshut, Preußen,	Betteln im wiederholten Rückfall,	derselbe,	25. Juni 1888.

Lauf. Nr.	Name und Stand des Ausgewiesenen.	Alter und Heimath des Ausgewiesenen.	Grund der Bestrafung.	Behörde, welche die Ausweisung beschlossen hat.	Datum des Ausweisungs-Beschlusses.
1.	2.	3.	4.	5.	6.
11	Die Zigeuner: a. Josef Buchczyk, b. Josef Dach, c. Franz Dach, d. Johann Pawlowski,	70 Jahre, ca. 23 Jahre, ca. 37 Jahre, geboren zu Bobek, Bezirk Oswieczim, Galizien, ca. 36 Jahre, geboren zu Bobek, sämmtlich ortsangehörig zu Koczybendza b. Teschen, Oesterreich.-Schlesien,	Landstreichen,	Königlich Preußischer Regierungspräsident zu Oppeln,	12. Juni 1888.
12	Waklav Urban, Arbeiter,	42 Jahre, aus Bezzerek, Böhmen,	Landstreichen und Betteln,	Königlich Preußische Regierung zu Posen,	26. Juni 1888.
13	Vincenz Zelinger, Tischlergeselle,	geboren am 4. April 1859 zu Adler-Kosteletz, Bezirk Reichenau, Böhmen, ortsangehörig ebendaselbst,	desgleichen,	Königlich Preußischer Regierungspräsident zu Osnabrück,	16. Juni 1888.
14	Henry Smet, Fabrikarbeiter,	geboren am 23. November 1862 zu Dallas, Texas, Nordamerika,	desgleichen,	Königlich Preußische Regierung zu Aachen,	26. Juni 1888.
15	Franz Hostasch, Schuhmacher,	geboren am 4. Oktober 1853 zu Nemschitz, Bezirk Klattau, Böhmen, ortsangehörig ebendaselbst,	desgleichen,	Königlich Bayerisches Bezirksamt Viechtach,	30. Mai 1888.
16	Jakob Braschl (Praschl), Dienstknecht,	geboren am 18. Juli 1869 zu Bornbach, Bezirk Passau, Bayern, ortsangehörig zu Kaltenbach, Bezirk Prachatitz, Böhmen,	Landstreichen,	Königlich Bayerisches Bezirksamt Eggenfelden,	19. Juni 1888.
17	Josef Klement, Berg- u. Handarbeiter,	geboren am 27. Dezember 1852 zu Schlaggenwald, Bezirk Falkenau, Böhmen, ortsangehörig ebendaselbst,	Betteln im wiederholten Rückfalle und Widerstand gegen die Staatsgewalt,	Königlich Sächsische Kreishauptmannschaft Zwickau,	7. Juni 1888.

Hierzu

1) eine Beilage, enthaltend die Ausführungs-Bestimmungen zu dem Gesetz vom 9. Juli 1887, die Besteuerung des Zuckers betreffend,
2) eine Beilage, enthaltend das Verzeichniß der in der 7ten Verloosung gezogenen, durch die Bekanntmachung der Königlichen Hauptverwaltung der Staatsschulden vom 2. Juli 1888 zur baaren Einlösung am 1. November 1888 gekündigten Kurmärkischen Schuldverschreibungen,
3) eine Beilage, enthaltend die Genehmigungs-Urkunde und die Abänderungen zu den Verfassungs-Artikeln der Leipziger Feuer-Versicherungs-Anstalt, beschlossen in der General-Versammlung vom 12. Januar 1888,

sowie Vier Oeffentliche Anzeiger.

(Die Insertionsgebühren betragen für eine einspaltige Druckzeile 20 Pf. Belagsblätter werden der Bogen mit 10 Pf. berechnet.)

Redigirt von der Königlichen Regierung zu Potsdam.

Potsdam, Buchdruckerei der A. W. Hayn'schen Erben (E. Hayn, Hof-Buchdrucker).

Extra-Beilage zum Amtsblatt.

Bekanntmachung.

Zur Ausführung des Gesetzes vom 9. Juli 1887, die Besteuerung des Zuckers betreffend, hat der Bundesrath in seiner heutigen Sitzung die folgenden Bestimmungen beschlossen.

Berlin, den 28. Juni 1888.

Der Reichskanzler.
In Vertretung: Jacobi.

Ausführungs-Bestimmungen

zu dem Gesetz vom 9. Juli 1887,

die Besteuerung des Zuckers betreffend.

Nr. 1. Zu §. 1 des Gesetzes.

Verarbeitung ausländischen Zuckers unter Freilassung von der Verbrauchsabgabe.

§. 1. Auf Antrag kann Zuckerfabrikanten von der Direktivbehörde des Bezirks, zu welchem die Fabrik gehört, die Verarbeitung ausländischen Zuckers der Klasse 2 im §. 1 Absatz 1 des Gesetzes unter Freilassung von der Verbrauchsabgabe in der Art gestattet werden, daß der Eingangszoll nur in dem nach Abzug der Verbrauchsabgabe von 12 Mark für 100 Kilogramm sich ergebenden Betrage, also zu dem Satze von 18 Mark für 100 Kilogramm, erhoben wird. Im weiteren unterliegt sodann der Zucker der gleichen steuerlichen Behandlung wie der inländische Zucker.

Die vorbezeichnete Eingangsabfertigung geschieht durch die Zuckersteuerstelle (vergl. §. 2), welcher die etwa fehlenden Befugnisse zu ertheilen sind. In den Belägen zum Zolleinnahmeregister muß die stattgehabte Aufnahme des Zuckers in die Fabrik amtlich unter Angabe des weiteren Nachweises (Seite und Nummer des betreffenden Registers) bescheinigt werden.

Nr. 2. Zu §. 2 des Gesetzes.

I. Errichtung von Steuerabfertigungsstellen für die Zuckerfabriken.

§. 2. Für die Zuckerfabriken werden zur Vornahme der durch die Verbrauchsabgabe bedingten steuerlichen Abfertigungen (insbesondere beim Eingang von Zucker in die Zuckerfabrik, bei der Aufnahme oder Entnahme von Zucker in das Fabriklager oder aus demselben, beim Ausgang von Zucker aus der Fabrik) nach näherer Bestimmung der obersten Landes-Finanzbehörden Steuerstellen unter dem Namen „Zuckersteuerstelle" errichtet, welche je für eine Fabrik oder mehrere Fabriken zuständig sind.

Die Zuckersteuerstellen haben die Befugniß zu allen Abfertigungen nach den §§. 34 bis 37 des Gesetzes und den bezüglichen Ausführungsvorschriften, soweit nicht zufolge der Bestimmungen über die Abfertigung von Abläufen der Zuckerfabrikation und über die Abfertigung von Zucker mit dem Anspruch auf Steuervergütung oder nach Anordnung der obersten Landes-Finanzbehörden eine Beschränkung eintritt.

II. Abfertigungszeit.

§. 3. In der Regel soll die Vornahme der vorbezeichneten steuerlichen Abfertigungen nur an Wochentagen stattfinden und die tägliche Dienstzeit dafür 9 Stunden betragen. Für Sonn- und

Festtage können solche Abfertigungen außerhalb der Zeit des Gottesdienstes nach Maßgabe des Bedürfnisses gestattet werden. Das Nähere wegen der regelmäßigen Abfertigungsstunden für die einzelnen Zuckerfabriken und wegen Gestattung von Ausnahmen bestimmen die Direktivbehörden; in eiligen Fällen können auch seitens der Hauptämter Ausnahmen bewilligt werden. Ueberall ist den Bedürfnissen des Fabrikbetriebs und Verkehrs thunlichst entgegenzukommen.

Dem Fabrikinhaber kann im Falle einer ausnahmsweisen Bewilligung bezüglich der Abfertigungszeit die Entrichtung einer Gebühr oder eines Verwaltungskostenbeitrags nach näherer Bestimmung der obersten Landes-Finanzbehörde auferlegt werden.

Nr. 3. Zu §. 3 des Gesetzes.

I. Rübenverwiegung.

§. 4. Es dürfen nicht weniger als je 250 Kilogramm Rüben, in den Fällen des §. 68 Absatz 3 nicht weniger als je 500 Kilogramm Rüben, auf die Waage gebracht werden. Die Gewichtsermittelung durch Probeverwiegung ist unzulässig.

In Bezug auf die dienstlichen Obliegenheiten der Steuerbehörden und Aufsichtsbeamten hinsichtlich der Rübenverwiegung, insbesondere auch hinsichtlich der Buch- und Registerführung über die Ergebnisse der Verwiegung, bleiben die auf Grund der Vereinbarungen der Regierungen des Zollvereins vom 23. Oktober 1845 und 20. Februar 1854 in den einzelnen Bundesstaaten erlassenen bisherigen Bestimmungen von Bestand. Gleiche Bestimmungen sind im Bedürfnißfalle von den obersten Landes-Finanzbehörden derjenigen Bundesstaaten, in welchen der Gegenstand bisher nicht geregelt ist, zu erlassen.

II. Gewichtsverhältniß von getrockneten zu rohen Rüben.

§. 5. Die Feststellung des Gewichtsverhältnisses von getrockneten zu rohen Rüben bleibt für den etwaigen Fall eines sich ergebenden Bedürfnisses vorbehalten.

III. Erstreckung der Verbrauchsabgabe auf Abläufe der Zuckerfabrikation (Syrup, Melasse).

§. 6. Abläufe der Zuckerfabrikation (Syrup, Melasse), deren Quotient, d. h. deren prozentualer Zuckergehalt in der Trockensubstanz 70 oder mehr beträgt, unterliegen vom 1. August 1888 ab der Verbrauchsabgabe von 12 Mark für 100 Kilogramm. Derartige Abläufe gehören zum inländischen Rübenzucker im Sinne des §. 2 des Gesetzes. Als Quotient gilt derjenige Prozentsatz des Zuckergehalts von Syrup oder Melasse, welcher sich auf Grund der Polarisation und des spezifischen Gewichts nach Brix berechnet. Auf Antrag kann die Berechnung des Quotienten nach dem chemisch ermittelten reinen Zuckergehalt des Ablaufs stattfinden (Central-Blatt für das Deutsche Reich, 1888, S. 193).

§. 7. Zur Ermittelung des Quotienten auf Grund der Polarisation und des spezifischen Gewichts nach Brix sind die zur Polarisation von Zucker bei der Abfertigung mit dem Anspruch auf Steuervergütung ermächtigten Steuerstellen (§. 19 lit. a) befugt. Das Verfahren derselben zu dieser Ermittelung ist in der als Anlage A beigefügten Anleitung vorgeschrieben. (Anlage A.)

Führt die nach Ziffer 1 dieser Anleitung zunächst vorzunehmende Prüfung des Ablaufs auf den Gehalt an Invertzucker zu dem Ergebniß, daß die weitere Untersuchung steueramtlich nicht stattfinden kann, oder wird von dem Anmelder die Berechnung des Quotienten nach dem chemisch ermittelten reinen Zuckergehalt des Ablaufs (bei Annahme des Vorhandenseins überpolarisirender Bestandtheile wie Raffinose u. s. w.) beantragt, so ist die Untersuchung einer seitens der obersten Landes-Finanzbehörde oder auf deren Ermächtigung seitens der Direktivbehörde zur Ausführung solcher Untersuchungen bezeichneten Person oder Anstalt (vereidigte Handelschemiker u. s. w.) zu übertragen.

In beiden Fällen erfolgt die Uebersendung der Proben des Ablaufs an den Chemiker und die Untersuchung durch den letzteren auf Kosten des Anmelders. Für das Verfahren in diesen Fällen ist die Anleitung in Anlage B maßgebend. (Anlage B.)

§. 8. Unter Syrup-Raffinerien sind diejenigen nicht zu den Zuckerfabriken im Sinne des §. 11 des Gesetzes gehörigen Gewerbsanstalten zu verstehen, in welchen Abläufe der inländischen Rübenzuckerfabrikation oder ausländische Zuckerabläufe (Syrup, Melasse) einem Reinigungsverfahren (z. B. durch Filtration über Knochenkohle) unterworfen werden.

Auf die Syrup-Raffinerien finden die in den §§. 11 bis 38 des Gesetzes enthaltenen Bestimmungen, betreffend die Steuerkontrole über die Zuckerfabriken und den Zucker, sowie die bezüglichen Ausführungsvorschriften entsprechende Anwendung. In Fällen des Bedürfnisses können mit Genehmigung der obersten Landes-Finanzbehörde Erleichterungen gewährt oder abändernde Vorschriften ertheilt werden. Insbesondere kann vorgeschrieben werden, daß von den in der Raffinerie zu verwendenden Zuckerabläufen von steuerpflichtiger Beschaffenheit die Verbrauchsabgabe bei der Einbringung in die Raffinerie, nach Befinden unter Gewährung eines Gewichtsabzugs für Raffinationsverlust, zu erheben ist. Für solche Syrup-Raffinerien, welche ausschließlich steuerfreie Zuckerabläufe verarbeiten und deren Fabrikate niemals den Quotienten von 70 oder mehr erreichen, kann eine geeignete Buchkontrole über die Fabrikation, verbunden mit öfterer, steueramtlich oder durch den damit beauftragten Chemiker u. s. w. vorzunehmender Prüfung des Quotienten der bezogenen Zuckerabläufe und der hergestellten Fabrikate, angeordnet werden.

Nr. 4. Zu §§. 4 und 9 des Gesetzes.

I. Zuckersteuer-Heberegister.

§. 9. Die Einrichtung der von den Steuerstellen zu führenden Heberegister über die Einnahme aus der Zuckersteuer (Materialsteuer, Verbrauchsabgabe, Steuer für Zucker aus Niederlagen) wird von den obersten Landes-Finanzbehörden oder auf deren Ermächtigung von den Direktivbehörden bestimmt. Das Muster 1 dient dabei als Vorbild.

Muster 1.*)

II. Stundung der Zuckersteuer.

A. Stundung gegen Sicherheitsleistung.

§. 10. Inhabern von Zuckerfabriken mit Rübenverarbeitung wird zur Entrichtung der Materialsteuer gegen Sicherheitsbestellung ein sechsmonatlicher Kredit mit der Maßgabe bewilligt, daß die Steuer für die während der Zeit von Anfang März bis zum Ende des Betriebsjahres (31. Juli) verarbeiteten Rüben im Monat August fällig wird.

Die Verbrauchsabgabe für Zucker wird den zu ihrer Entrichtung verpflichteten Gewerbetreibenden gegen Sicherheitsbestellung auf sechs Monate gestundet.

Den Inhabern von Zucker-Raffinerien, einschließlich der die Herstellung von raffinirten Zuckern betreibenden Rübenzuckerfabriken und Melasse-Entzuckerungsanstalten, kann zur Entrichtung der Steuer für Zucker aus Niederlagen (Erstattung der Materialsteuervergütung für den gegen Steuervergütung niedergelegten und demnächst zu Raffineriezwecken aus der Niederlage entnommenen Rohzucker) gegen Sicherheitsbestellung ein sechsmonatlicher Kredit mit der Maßgabe bewilligt werden, daß die Steuer für den während der Zeit von Anfang März bis Ende Juli aus der Niederlage entnommenen Rohzucker im Monat August fällig wird. Für die Höhe des Kredits ist die regelmäßige, bezüglich neu entstandener Betriebe zunächst durch Schätzung festzustellende, jährliche Verbrauchsmenge der Raffinerie an Rohzucker maßgebend, vorbehaltlich einer etwaigen bei außerordentlicher Verstärkung des Betriebes vorübergehend zu bewilligenden Erhöhung.

B. Sicherheitsleistung.

§. 11. Die Sicherheitsleistung hat auf Höhe des zu stundenden Abgabenbetrages zu erfolgen und kann geschehen:

a) durch Niederlegung einer gleich großen Summe kurshabender inländischer Staatspapiere oder sonstiger von der Reichsbank beleihbarer Effekten als Faustpfand. Inländische Staatspapiere und Steuervergütungsscheine über Zuckersteuer sind zum Nennwerthe anzunehmen. Steuervergütungsscheine gelten nur bis zum Ablauf der Frist, innerhalb welcher sie anrechnungsfähig sind, als Sicherheit. Bei anderen Effekten ist der Kurswerth, soweit er nicht über den Nennwerth hinausgeht, zu Grunde zu legen, in jedem Falle jedoch nach den Grundsätzen zu verfahren, welche von Seiten des nächsten Reichsbank-Kontors bei der Annahme von Werthpapieren als Unterpfand beobachtet werden; fällt der Kurs derartiger Effekten erheblich unter den Werth, zu welchem dieselben bei der Annahme in Absatz gebracht worden sind, so ist die Sicherheit zu ergänzen.

   Die zu den Werthpapieren gehörenden Zinsscheine (Kupons), Dividendenscheine und Anweisungen zu Zinsscheinen (Talons) sind mit zu hinterlegen.

   Mit Genehmigung der obersten Landes-Finanzbehörden und unter den von denselben vorzuschreibenden Bedingungen können auch Effekten, welche von der Reichsbank nicht beleihbar sind, als Sicherheitsleistung zugelassen werden;

b) durch Ausstellung gezogener oder trockener, von sicheren Personen acceptirter oder avalirter Wechsel;

c) durch Hypotheken oder Grundschulden, sofern dieselben bei ländlichen Grundstücken innerhalb der ersten zwei drittel des durch die Taxe einer zur Aufnahme von Taxen zuständigen Behörde oder amtlich verpflichteter Sachverständiger, bei städtischen Grundstücken innerhalb der ersten Hälfte des durch die Taxe einer zuständigen Behörde oder durch die Taxe einer öffentlichen Feuerversicherungsgesellschaft zu ermittelnden Werthes derselben zu stehen kommen.

   Für städtische Grundstücke bleibt bei besonderen örtlichen Verhältnissen der obersten Landes-Finanzbehörde eine andere Bestimmung der Beleihungsgrenze vorbehalten;

d) durch Bestellung eines Faustpfandes an Zuckervorräthen oder anderen Waaren dergestalt,

---

*) Muster 1 ist hier nicht abgedruckt.

daß das Unterpfand gleich realisirt werden kann, wenn die gestundete Abgabe nicht rechtzeitig entrichtet wird.

Die nach Maßgabe der vorstehenden Bestimmungen zulässige Stundung der Zuckersteuer kann von den Hauptämtern selbständig bewilligt werden. Soll die Sicherstellung auf andere Weise, z. B. durch Bürgschaftsleistung, erfolgen, so bleibt die Entscheidung den Direktivbehörden vorbehalten.

C. Stundung ohne Sicherheitsleistung.

§. 12. Die Hauptämter sind ermächtigt, Fabrikanten beziehungsweise Händler, welche als zuverlässig und hinreichend sicher bekannt sind, von der Verpflichtung, für den zu stundenden Abgabenbetrag Sicherheit zu bestellen, ganz oder zum Theil zu entbinden, sofern nur eine dreimonatliche Stundungsfrist in Anspruch genommen wird.

D. Entziehung der Stundung.

§. 13. Treten Umstände ein, welche einen Ausfall an der gestundeten Abgabe besorgen lassen, so kann die bewilligte Stundung jeder Zeit entzogen werden und die zwangsweise Beitreibung der geschuldeten Abgabe erfolgen, sofern nicht der Steuerpflichtige für die sofortige Bestellung der erforderlichen Sicherheit Sorge trägt.

E. Mindestbetrag der Stundung.

§. 14. Eine Stundung von Zuckersteuerbeträgen unter 100 Mark findet, abgesehen von der im §. 15 vorgesehenen Ausnahme, nicht statt.

F. Kreditanerkenntnisse.

§. 15. Derjenige, welchem Zuckersteuer (Materialsteuer, Verbrauchsabgabe, Steuer für Zucker aus Niederlagen) gestundet wird, hat über jeden einzelnen im Heberegister anzuschreibenden Betrag der Hebestelle ein Kreditanerkenntniß zu übergeben. Zuverlässigen Steuerpflichtigen kann indessen vom Hauptamt gestattet werden, über sämmtliche für sie im Laufe eines Tages zur Anschreibung kommende Einzelbeträge, auch wenn sich Beträge von weniger als 100 Mark darunter befinden, am Schlusse der Dienststunden nur ein Anerkenntniß abzugeben; in diesem Falle sind die einzelnen Beträge in dem Anerkenntniß zu bezeichnen.

G. Lauf der Stundungsfrist.

§. 16. Die Stundungsfrist beginnt mit dem Anfang desjenigen Monats, welcher auf den Monat folgt, in welchem die Verarbeitung der Rüben stattgefunden hat, beziehungsweise für welchen jeder einzelne Steuerbetrag nach dem Gesetze fällig geworden ist. Die gestundeten Beträge sind bis zum 25. Tage des Monats, in welchem die Stundungsfrist abläuft, und wenn dieser auf einen Sonn- oder Feiertag fällt, am Tage vorher baar einzuzahlen oder durch fällige Steuervergütungsscheine abzulösen. Erfolgt die Ablösung durch Steuervergütungsscheine, so können diejenigen Scheine, welche an einem Sonn- oder Feiertag fällig werden, am Tage vorher in Zahlung gegeben werden.

Wer es einmal versäumt, die Zahlung der gestundeten Abgabe pünktlich zu leisten, hat auf fernere Stundungsbewilligung keinen Anspruch.

Nr. 5. Zu §. 6 des Gesetzes.

I. Ausschluß der Vergütung der Verbrauchsabgabe bei der Ausfuhr oder Niederlegung von Zucker.

§. 17. Bei der Ausfuhr von Zucker oder dessen Niederlegung in öffentlichen u. s. w. Niederlagen findet eine Vergütung der entrichteten Verbrauchsabgabe nicht statt.

Mit Rücksicht auf §. 7 des Gesetzes ist in den diesen Ausführungsvorschriften beigegebenen Formularen die Vergütung der Verbrauchsabgabe insoweit vorgesehen, als es sich um die Ausfuhr oder Niederlegung von zuckerhaltigen Fabrikaten handelt.

II. Vergütung der Materialsteuer bei der Ausfuhr oder Niederlegung von Zucker.

A. Betrag der Vergütung.

§. 18. Für Zucker, welcher über die Zollgrenze ausgeführt oder in öffentliche Niederlagen oder Privatniederlagen unter amtlichem Mitverschluß, seien es besondere oder zugleich zur Lagerung ausländischer unverzollter Waaren bestimmte, aufgenommen ist, wird, wenn die Menge wenigstens 500 Kilogramm netto beträgt, vom 1. August 1888 an eine Vergütung der Materialsteuer nach folgenden Sätzen für 100 Kilogramm gewährt:

a) für Rohzucker von mindestens 90 Prozent Zuckergehalt und für raffinirten Zucker von unter 98, aber mindestens 90 Prozent Zuckergehalt . . . . 8,50 ℳ.

b) für Kandis und für Zucker in weißen vollen harten Broten, Blöcken, Platten, Stangen oder Würfeln, oder in Gegenwart der Steuerbehörde zerkleinert, für die sogenannten Crystal- und für andere weiße, harte, durchscheinende Zucker in Krystallform von mindestens $99^1/_2$ Prozent Zuckergehalt, insbesondere die im Handel als granulirte und granulated bezeichneten Zucker; ferner für sonstige Zucker von mindestens $99^1/_2$ Prozent Zuckergehalt, welche vom Bundesrath etwa noch dieser Klasse zugewiesen werden . . . . 10,65 ℳ.

c) für alle übrigen harten Zucker, sowie für alle weißen trocknen (nicht über 1 Prozent Wasser enthaltenden) Zucker in Krystall-, Krümel- und Mehlform von mindestens 98 Prozent

Zuckergehalt, soweit auf dieselben nicht der Vergütungssatz unter b Anwendung findet . . . . 10 ℳ

Werden mit einer Anmeldung Zucker verschiedener Vergütungsklassen zur Abfertigung gestellt, so wird die Steuervergütung gewährt, wenn auch nur das Gesammtgewicht der Zucker wenigstens 500 Kilogramm netto beträgt.

B. Zuständigkeit der Steuerstellen.

§. 19. Zur Abfertigung des mit Anspruch auf Steuervergütung ausgehenden oder niedergelegten Zuckers sind berechtigt, und zwar

a) zur unbeschränkten Abfertigung von Zucker aller Art:

in Preußen:

die Hauptzollämter Danzig, Stralsund, Swinemünde, Kiel, Flensburg, Altona, Harburg, Cleve, Aachen, die Hauptsteuerämter für ausländische Gegenstände zu Berlin und Cöln, die Hauptsteuerämter Königsberg in Ostpreußen, Stettin, Posen, Breslau, Görlitz, Halle, Magdeburg, Itzehoe, Hannover, Hildesheim, Uerdingen, Duisburg,

in Bayern:

die Hauptzollämter München, Regensburg und Ludwigshafen am Rhein, sowie das Nebenzollamt zu Frankenthal,

in Sachsen:

die Hauptzollämter Zittau und Leipzig, die Hauptsteuerämter Dresden und Meißen,

in Württemberg:

die Hauptzollämter Stuttgart, Heilbronn und Friedrichshafen,

in Baden:

das Hauptzollamt Mannheim und die Zollabfertigungsstelle am badischen Bahnhof in Basel (Schweiz),

in Hessen:

die Hauptsteuerämter Mainz und Gießen,

in Mecklenburg-Schwerin:

das Hauptzollamt Rostock und das Nebenzollamt I. Wismar,

in Oldenburg:

das Hauptzollamt Brake,

in Braunschweig:

das Hauptsteueramt Braunschweig,

in Anhalt:

das Hauptsteueramt Dessau und die Zollabfertigungsstelle Wallwitzhafen bei Dessau,

in Luxemburg:

das Hauptzollamt Luxemburg,

in den Hansestädten:

die Hauptzollämter Lübeck, Hamburg und Bremen

unter der Bedingung, daß die Feststellung des Zuckergehalts der vom Bundesrath der Klasse b zugewiesenen Zucker von mindestens $99\frac{1}{2}$ Prozent Zuckergehalt von einer seitens der obersten Landes-Finanzbehörde oder auf deren Ermächtigung seitens der Direktivbehörde zur Ausführung dieser Untersuchungen bezeichneten Person oder Anstalt (vereidigte Handelschemiker u. s. w.) auf Kosten der Anmelder vorgenommen wird;

b) zur Abfertigung von Kandis und von Zucker in weißen vollen harten Broten, Blöcken, Platten, Stangen oder Würfeln oder in Gegenwart der Steuerbehörde zerkleinert:

alle Hauptzoll- und Hauptsteuerämter, die Zuckersteuerstellen und die von den obersten Landes-Finanzbehörden dazu bisher besonders ermächtigten oder künftig zu ermächtigenden Unterämter.

Diese Aemter sind auch zur Abfertigung der der Klasse b zugewiesenen Zucker von mindestens $99\frac{1}{2}$ Prozent Polarisation unter der vorstehend zu a gemachten Einschränkung ermächtigt;

c) zur Abfertigung der in die Klassen a und c fallenden Zucker mit der Maßgabe, daß von dem angemeldeten Zucker Proben zu entnehmen und auf Kosten des Anmelders behufs der Polarisation und Festsetzung des der weiteren Abfertigung zu Grunde zu legenden Befundes einer zur Polarisation des Zuckers befugten Amtsstelle zu übersenden sind, sofern nicht nach den Bestimmungen im §. 46 und §. 48 Absatz 2 von der Polarisation Abstand genommen werden kann:

sämmtliche nicht unter a genannten Hauptzoll- und Hauptsteuerämter, die Zuckersteuerstellen und die von den obersten Landes-Finanzbehörden besonders mit dieser Befugniß versehenen oder künftig zu versehenden Unterämter.

C. Anmeldung des Zuckers.

§. 20. Der Antrag zur Ausfuhr oder Niederlegung gegen Steuervergütung ist bei einer dazu befugten Steuerstelle auf den nach den Ausführungsvorschriften zu §§. 34 bis 37 des Gesetzes abzugebenden Papieren (Fabrikbetriebs-, Fabriklager- oder Niederlage-Abmeldungen, Begleitscheinen, Begleitscheinauszügen) zu stellen. Daneben ist eine nach Muster 2 angefertigte Anmeldung in einfacher Ausfertigung vorzulegen, welche die Art und Menge des Zuckers, sowie die Verpackungsart und Bezeichnung der einzelnen Kolli angiebt und diejenige Steuerstelle benennt, über welche die Ausfuhr oder bei welcher die Niederlegung bewirkt werden soll.

Muster 2.

Bezieht sich der Antrag auf Steuervergütung auf Zucker, welcher nicht unter steuerlicher Kontrole steht, so genügt die Abgabe der vorbezeichneten Anmeldung.

§. 21. Die Art des Zuckers ist in der Anmeldung im Anschluß an die im §. 18 unter a bis c angegebene Klassifikation dergestalt zu bezeichnen, daß sich die Klasse, deren Vergütungssatz in Anspruch genommen wird, mit Bestimmtheit erkennen läßt. Bezüglich der in die Klassen a und c fallenden und der vom Bundesrath zur Gewährung der Steuervergütung nach dem Satze der Klasse b zugelassenen Zuckergattungen (crystals, granulated u. s. w.) ist der Zuckergehalt nach dem Grade der Polarisation in vollen Prozenten und deren Bruchtheilen, letztere mindestens in halben Prozenten, anzugeben.

Weicht die Angabe des Zuckergehalts von dem bei der Revision ermittelten Zuckergehalt ab, so findet eine Bestrafung nicht statt, wenn die Abweichung in Fällen des §. 48 des Gesetzes nicht mehr als einhalb Prozent, in Fällen des §. 49 des Gesetzes nicht mehr als ein Prozent beträgt.

§. 22. Die Menge des Zuckers ist in der Regel nach Brutto- und Nettogewicht für jedes zu der betreffenden Anmeldung gehörende Kollo anzugeben. Bei Zucker derselben Vergütungsklasse und Art kann jedoch die Anmeldung des Bruttogewichtes auch partieweise, nach sogenannten Schalgängen, erfolgen, wenn die abzufertigende Waarenpost aus einer größeren Anzahl von Kolli gleicher Verpackungsart mit annähernd demselben Brutto- und Nettogewichte besteht.

Auch ist in diesem Falle die Anmeldung des Gesammtbruttogewichts sowie des Gesammtnettogewichts mit der Angabe zulässig, daß jedes Kollo das gleiche zu bezeichnende Durchschnittsgewicht hat.

§. 23. Wird Zucker in Broten, Blöcken, Platten oder ähnlichen gleichmäßigen Stücken von annähernd gleichem Einzelgewicht unter amtlicher Aufsicht verpackt, oder soll socher unverpackt nach erfolgter Abfertigung unter Raumverschluß versendet werden, so kann sich die Anmeldung auf Angabe der Art und der Stückzahl beschränken, der Versender oder dessen Vertreter hat aber in diesem Falle die Richtigkeit der über das Ergebniß der amtlichen Gewichtsermittelung abgegebenen Bescheinigung durch Mitunterschrift anzuerkennen.

§. 24. Wird anderer Zucker unter amtlicher Aufsicht in Kolli von gleichem Netto-Inhalte verpackt, so genügt die Anmeldung der Zahl, Art, Bezeichnung der Kolli, der Art des Zuckers und des Nettogewichts für das Kollo mit besonderer Angabe des Gesammtnettogewichts. Die Bescheinigung der Abfertigungsbeamten über das ermittelte Bruttogewicht hat der Versender oder dessen Vertreter alsdann durch Mitunterschrift anzuerkennen.

§. 25. Anmeldungen, welche den vorerwähnten Bedingungen nicht entsprechen, sind zur Vervollständigung oder Umschreibung zurückzugeben.

D. Abfertigung des Zuckers. a) Allgemeine Bestimmungen.

§. 26. Ueber die nach Vorschrift bewirkte Abfertigung des Zuckers ist den darum nachsuchenden Anmeldern eine Bescheinigung zu ertheilen, in welcher summarisch die Art, das Brutto- und das Nettogewicht, sowie die ermittelte Polarisation des Zuckers anzugeben ist.

§. 27. Ist der Zucker, bezüglich dessen die Vergütung der Materialsteuer in Anspruch genommen wird, zur **Ausfuhr** angemeldet, so läßt die abfertigende Steuerstelle, sofern dieselbe zugleich das Ausgangsamt ist, die Ausfuhr unter ihrer Kontrole vor sich gehen, stellt dieselbe in der bei Begleitscheingütern gebräuchlichen Art fest und bescheinigt sie auf der Anmeldung und eventuell dem dazu gehörigen Begleitpapier.

Soll dagegen die Ausfuhr über eine andere als die abfertigende Steuerstelle erfolgen, so wird der Zucker mit der Anmeldung und, sofern derselbe sich nicht im freien Verkehr befindet, mit dem zugehörigen Begleitpapier (vergl. §. 101) auf das Ausgangsamt abgelassen, wobei wegen der Verschlußanlage die Vorschriften im §. 102 Anwendung finden.

Das Ausgangsamt nimmt von der Ausfuhr Ueberzeugung, bescheinigt dieselbe auf dem Begleitschein und sendet die mit der Erledigungsbescheinigung versehene Anmeldung an das Ausfertigungsamt zurück. Ist dieses nicht ein Hauptamt, so hat dasselbe die bescheinigte Anmeldung alsbald dem vorgesetzten Hauptamt einzureichen. Bezüglich der Ertheilung der Begleitscheinerledigungsscheine wird nach den Vorschriften des Begleitscheinregulativs verfahren. In die Erledigungsbescheinigungen der Grenzausgangsämter ist stets dasjenige Gewicht des Zuckers aufzunehmen, welches bei der Berechnung der Steuervergütung zu Grunde gelegt wird und als solches in der Ausfuhranmeldung von den Abfertigungsbeamten ausdrücklich zu bezeichnen ist.

§. 28. Wenn Zucker mit dem Anspruche auf Steuervergütung niedergelegt wird, so tritt an Stelle der Ausgangsbescheinigung die Bescheinigung über die erfolgte Niederlegung.

Ist die abfertigende Steuerstelle nicht zugleich das Niederlageamt, so hat dieselbe nach der Vorschrift im §. 27 Absatz 2 zu verfahren.

Daß die Abfertigung zum Zweck der Steuervergütung stattgefunden hat, sowie demnächst welcher Vergütungsbetrag gewährt worden ist, hat das Niederlageamt im Niederlageregister anzuschreiben. Zu diesem Behufe hat das die Steuervergütung liquidirende Amt, sofern dasselbe nicht zugleich das Niederlageamt ist, dem letzteren alsbald nach Eingang des Vergütungsscheines den Vergütungsbetrag mitzutheilen.

§. 29. Bei der Abfertigung des Zuckers ist, insoweit nicht die Bestimmungen in den §§. 30 bis 49 Platz greifen, für jedes einzelne Kollo das Brutto- und Nettogewicht, sowie die Art des Zuckers durch Revision zu ermitteln und das Ergebniß der Revision auf der Anmeldung zu vermerken.

b) Besondere Bestimmungen über die Ermittelung des Bruttogewichts.

§. 30. Bei der Abfertigung größerer, aus gleichartigen Kolli bestehender Sendungen von Zucker derselben Vergütungsklasse und Art kann von Ermittelung des Bruttogewichts der einzelnen Kolli abgesehen werden und die amtliche Verwiegung partieweise, nach sogenannten Schalgängen, erfolgen.

Auch ist bei Sendungen der gedachten Art eine probeweise Ermittelung des Bruttogewichts in der Weise zulässig, daß die Verwiegung sich mindestens auf 5 Prozent der ganzen Waarenpost zu erstrecken hat. Jedoch muß die Bruttoverwiegung der ganzen Waarenpost stets dann stattfinden, wenn entweder das ermittelte Gewicht irgend einer der brutto verwogenen Partien beziehungsweise irgend eines der brutto verwogenen Kolli um mehr als 2 Prozent hinter dem deklarirten Gewicht zurückbleibt, oder wenn sich bei jeder verwogenen Partie beziehungsweise einem jeden verwogenen Kolli ein geringeres Gewicht als das deklarirte ergiebt, ohne jedoch die Grenze von 2 Prozent zu erreichen.

Das deklarirte Bruttogewicht des nicht verwogenen Theils der probeweise verwogenen Waarenpost ist nur dann der Steuervergütung zu Grunde zu legen, wenn das durch die Probeverwiegung ermittelte Bruttogewicht des zwanzigsten oder eines größeren Theils der Waarenpost das auf diesen Theil entfallende deklarirte Bruttogewicht erreicht oder übersteigt.

Ist dagegen das durch probeweise Verwiegung ermittelte Bruttogewicht bis zu höchstens 2 Prozent geringer als das deklarirte, so ist auch das Bruttogewicht des nicht verwogenen Theils der Waarenpost nach dem für das einzelne Kollo des verwogenen Theils zu berechnenden Durchschnittsgewicht durch Reduktion zu bestimmen. Sofern der Waarenführer sich hiermit nicht einverstanden erklärt, muß die Bruttoverwiegung der ganzen Waarenpost stattfinden.

c) Besondere Bestimmungen über Ermittelung des Nettogewichts.

§. 31. Das Nettogewicht des mit dem Anspruch auf Steuervergütung auszuführenden oder niederzulegenden Zuckers wird entweder durch Nettoverwiegung oder durch Abrechnung eines Tarasatzes von dem Bruttogewicht festgestellt.

§. 32. Die Ermittelung des Nettogewichts durch Tara-Abzug ist für jetzt anwendbar bei Brotzucker, Roh-, Krystall- und gemahlenem Zucker in Fässern von weichem Holze, sowie bei Roh-, Krystall- und gemahlenem Zucker in einfachen Säcken.

Der Tarasatz beträgt

a) für Zucker in Fässern von weichem Holze:

bei Brotzucker, dessen einzelne Brote eine besondere Umschließung von Papier und Bindfaden haben . . . . 17 Prozent,

bei Brotzucker ohne solche Umschließung . . . . 11 Prozent,
bei Roh=, Krystall= und gemahlenem Zucker . . . . 8 =
b) für Roh=, Krystall= und gemahlenen Zucker in einfachen Säcken . . . . . 1,5 = .

§. 33. Statt des nach den vorgedachten Sätzen berechneten Nettogewichts wird der Feststellung der Steuervergütung das in der Anmeldung angegebene zu Grunde gelegt, wenn das letztere geringer ist als das durch die Berechnung ermittelte.

§. 34. Dem Versender und der Steuerstelle steht in jedem Falle die Befugniß zu, statt der Berechnung des Nettogewichts nach dem Tarasatze die Ermittelung des Nettogewichts durch wirkliche Verwiegung eintreten zu lassen.

Von Seiten der Abfertigungsstellen ist von dieser Befugniß Gebrauch zu machen, wenn anzunehmen ist, daß das wirkliche Nettogewicht erheblich geringer ist, als das aus der Berechnung hervorgehende. Zum Anhalt für die Beurtheilung können einzelne Kolli der Nettoverwiegung unterworfen werden. Dies empfiehlt sich namentlich bei Fässern, deren Bruttogewicht weniger als 4,50 Doppelzentner beträgt.

§. 35. Zur Ermittelung des Nettogewichts einer Waarenpost kann die probeweise Verwiegung eines Theils der Kolli stattfinden, wenn letztere von gleicher Verpackungsart, gleichem Inhalte und annähernd gleichem Bruttogewichte sind.

§. 36. Solche probeweisen Verwiegungen haben sich bei Zucker aller Art in Säcken und bei Kandiszucker in Kisten auf mindestens 2 Prozent, in allen anderen Fällen auf mindestens 5 Prozent der zu der gleichartigen Post gehörenden Kollizahl zu erstrecken.

§. 37. Wenn das nach dem Ergebniß der probeweisen Verwiegung sich berechnende durchschnittliche Gewicht der einzelnen Kolli um mehr als 2 Prozent hinter dem aus dem deklarirten Gesammtnettogewicht der gleichartigen Waarenpost sich ergebenden Durchschnittsgewichte der einzelnen Kolli zurückbleibt, so muß stets die Nettoverwiegung der ganzen Post stattfinden.

Das deklarirte Nettogewicht des nicht verwogenen Theils der probeweise verwogenen Kolli ist nur dann der Berechnung der Steuervergütung zu Grunde zu legen, wenn das durch die Probeverwiegung ermittelte Nettogewicht des betreffenden Theils der Waarenpost das auf diesen Theil entfallende deklarirte Nettogewicht erreicht oder übersteigt.

Ist dagegen das durch probeweise Verwiegung ermittelte Nettogewicht bis zu höchstens 2 Prozent geringer als das deklarirte, so kann unter Abstandnahme von der Nettoverwiegung der ganzen Waarenpost das Nettogewicht des nicht verwogenen Theils derselben nach dem für das einzelne Kollo des verwogenen Theils zu berechnenden Durchschnittsgewicht durch Reduktion bestimmt werden. Sofern der Waarenführer sich hiermit nicht einverstanden erklärt, muß die Nettoverwiegung der ganzen Post erfolgen.

§. 38. Bei der Abfertigung von rangirtem Würfelzucker in Kisten ist auch eine probeweise Feststellung des Nettogewichts in der Art zulässig, daß bei Posten

von 6 bis einschließlich 18 Kisten . . . . 6 Kisten,
= 19 = = 36 = ... 12 =
= 37 = = 100 = ... 18 =

bei größeren Posten eine entsprechend größere Anzahl von Kisten ausgesondert und aus diesen durch Herausnahme je eines der verschiedenen Seitenbretter und des entsprechenden Theiles der Einlagen und Ausfüllungen von Papier aus jeder Kiste 1 beziehungsweise 2, 3 oder mehr die Durchschnittstara darstellende leere Kisten gebildet und verwogen werden.

Bei dieser Feststellung wird das deklarirte Nettogewicht der Steuerberechnung dann zu Grunde gelegt, wenn dasselbe das bei der Probeverwiegung ermittelte Gewicht bei keiner der neu gebildeten Kisten um mehr als zwei Prozent übersteigt. Ist der Unterschied erheblicher, oder ergiebt sich, daß das deklarirte Nettogewicht das für jede neu gebildete Kiste ermittelte Nettogewicht überschreitet, ohne jedoch die Grenze von zwei Prozent zu erreichen, so ist die ganze Waarenpost netto zu verwiegen.

§. 39. Wird Zucker in Broten in Umschließungen von Papier und Bindfaden zur Abfertigung gestellt, so ist zur Ermittelung des Nettogewichts das Gewicht dieser Umschließung mit einem Tarasatz von 2½ Prozent von dem Gewicht des Zuckers in dieser Umschließung in Abzug zu bringen, wenn nicht der Betheiligte vollständige Nettoverwiegung beantragt, oder solche von Seiten der Abfertigungsstelle für nothwendig erachtet wird.

Diese Nettoverwiegung ist insbesondere dann vorzunehmen, wenn die Vermuthung dafür spricht, daß das Gewicht der aus Papier und Bindfaden bestehenden unmittelbaren Umschließungen den Satz von $2^1/_2$ Prozent übersteigt.

Tritt eine derartige Nettoverwiegung ein, so kann dieselbe auf eine geringere, als die dem zwanzigsten Theile der Waarenpost entsprechende Zahl von Broten beschränkt werden, wenn der Versender der zu übergebenden Anmeldung eine Deklaration über das Gewicht der aus Papier und Bindfaden bestehenden unmittelbaren Umschließungen des Zuckers beifügt, und wenn die probeweise Nettoverwiegung ein mit der Deklaration übereinstimmendes Ergebniß liefert.

Hierbei können geringfügige Unterschiede zwischen dem nach der Deklaration und dem nach dem Ergebniß der Probe-Ermittelung berechneten Tarasatz bis zu $^2/_{10}$ Prozent unbeachtet bleiben. Jedoch ist bei Differenzen dieser Art stets das höhere Gewicht, also, wenn das deklarirte Gewicht der Umschließungen das nach dem Resultat der Probe-Ermittelungen berechnete übersteigt, das erstere Gewicht der Feststellung des Nettogewichts zu Grunde zu legen.

Die Feststellung des Nettogewichts von Zucker in Broten, bei welchem erweislich das Gewicht der aus Papier und Bindfaden bestehenden unmittelbaren Umschließungen den Satz von $2^1/_2$ Prozent nicht erreicht, kann auf Antrag ebenfalls unter den im Absatz 3 und 4 aufgeführten Bedingungen durch Probe-Ermittelungen in bezeichnetem Umfange erfolgen.

d) Besondere Bestimmungen über die Feststellung der Art des Zuckers.

§. 40. Zur Feststellung der Art des abzufertigenden Zuckers findet eine Prüfung der letzteren auf die maßgebenden äußeren Merkmale statt, ferner in denjenigen Fällen, in welchen die Vergütungsfähigkeit oder die Bestimmung der zutreffenden Vergütungsklasse von der Höhe des Zuckergehaltes abhängig und das Vorhandensein der entscheidenden Höhe aus der äußeren Beschaffenheit des Zuckers nicht mit Sicherheit zu erkennen ist, eine Ermittelung des Zuckergehalts entnommener Proben durch Polarisation oder chemische Analyse.

Die Polarisation ist nach der in Anlage C enthaltenen Anleitung vorzunehmen. Anlage C.

§. 41. Die Feststellung des Zuckergehalts durch chemische Analyse ist geboten, wenn Grund zu der Annahme vorliegt, daß der abzufertigende Zucker überpolarisirende Bestandtheile (Raffinose u. s. w.) in verhältnißmäßig erheblicher Menge enthält, wie dies bei den durch Melasseentzuckerung, namentlich den im Strontianit- oder Ausscheidungsverfahren hergestellten Zuckern, häufig der Fall ist.

Die Steuerstelle hat daher, wenn ihr der zur Abfertigung gestellte Zucker als ein Erzeugniß der Melasse-Entzuckerung bekannt ist, desgleichen wenn der Zucker die als karakteristisches Merkmal der Raffinose beobachtete eigenthümlich spitze Krystallform, oder wenn eine vorgenommene Polarisation mehr als 100 Prozent oder überhaupt einen auffallend hohen Zuckergehalt zeigt, eine Probe von dem betreffenden Zucker zu entnehmen und dieselbe zur Ermittelung des Zuckergehalts einer dafür zuständigen Person oder Anstalt zu übersenden. Diese Ermittelung erfolgt nach dem in der Anlage B beschriebenen Verfahren und auf Kosten des Anmelders.

§. 42. Die Polarisirung der vom Bundesrath dem höchsten Vergütungssatze (Klasse b) zugewiesenen und ferner etwa zuzuweisenden Zucker von mindestens $99^1/_2$ Prozent Zuckergehalt geschieht ausschließlich durch die damit amtlich beauftragten Personen oder Anstalten (vergl. §. 19), diejenige der übrigen Zucker (Klasse a und c) durch die dazu ermächtigten Amtsstellen. Soweit die letzteren dieser Aufgabe wegen des Umfangs der bezüglichen Untersuchungen oder des Mangels an geeigneten Beamten zu genügen nicht im Stande sein sollten, kann auf Grund der von der obersten Landes-Finanzbehörde oder auf deren Ermächtigung seitens der Direktivbehörde ertheilten Genehmigung an Stelle der amtlichen Polarisation eine solche durch vereidigte approbirte Chemiker (Handelschemiker) auf Kosten der Verwaltung treten.

§. 43. An der Feststellung der Art der Zucker muß stets ein Oberbeamter, bei den Untersteuerämtern und den Steuerstellen in den Zuckerfabriken der Amtsvorstand theilnehmen.

§. 44. Die Prüfung der Zucker kann sich auf sämmtliche zur Abfertigung gestellte Kolli erstrecken. Bei umfangreichen Waarenposten von Kolli gleicher Art und gleicher Verpackung soll dieselbe jedoch in der Regel probeweise, und zwar in Bezug auf mindestens 10 Prozent der zu einer Waarenpost gehörigen Kolli, erfolgen.

Ergiebt sich bei der probeweisen Untersuchung eine Abweichung von der Anmeldung bezüglich der Art des Zuckers und entstehen in Folge dessen Zweifel über die Vergütungsfähigkeit des Zuckers oder dessen Zulassung zu dem beanspruchten Vergütungssatze, so muß die Prüfung auf sämmtliche Kolli der abzufertigenden Waarenpost erstreckt werden. Stellt sich hierbei eine durchgängige Gleichartigkeit des Zuckers heraus, so kann bei größeren Posten die Probenentnahme und weitere Prüfung auf 10 Prozent der Gesammtzahl der Kolli beschränkt bleiben. Wird dagegen durch die vorläufige Prüfung das Vorhandensein von nach Augenschein, Gefühl und Geschmack wesentlich abweichenden Zuckersorten festgestellt, so ist eine Sortirung der letzteren zu bewirken und die Probenentnahme zwecks spezieller Untersuchung auf jede der verschiedenen Sorten, und zwar bei einer größeren Kollizahl auf je mindestens 10 Prozent, zu erstrecken.

§. 45. Bei der Entnahme der Proben zur Ermittelung des Zuckergehalts muß stets mit großer Sorgfalt verfahren werden. Es sind dazu bei Rohzucker, sowie bei allen Zuckern in Krümel- und Mehlform in der Regel Sonden (vorn abgerundete etwa 50 Centimeter lange Löffel mit etwa $1^1/_2$ bis 2 Centimeter innerem oberen Durchmesser von starkem Kupferblech mit hölzernem Griff) zu verwenden. Mittelst derselben ist der Zucker möglichst aus der Mitte der Kolli zu ziehen. Die in einer Post hervorgetretenen Unterschiede müssen durch die entnommenen Proben unter genauer Bezeichnung der Kolli, auf welche sich die Proben beziehen, ausgedrückt werden. Nachdem die in den Proben etwa enthaltenen Knötchen, Klümpchen und Stückchen zerdrückt sind, wird aus sämmtlichen Theilproben durch Zusammenschütteln eine, beziehungsweise für jede Sorte eine Durchschnittsprobe für die Ermittelung des Zuckergehalts gebildet. — Von Rohzuckern geringen Gehalts, aus verschiedenen Zuckersorten gemischt, welche Knötchen, Klümpchen oder Stückchen in erheblicher Menge enthalten und nicht gleichfarbig erscheinen, ist die Durchschnittsprobe in der Weise zu entnehmen, daß die zur Probe-Entnahme bestimmten Säcke durch Ausschüttung (Stürzen) vollständig entleert, der gesammte, zu einem Haufen vereinigte Zucker tüchtig durcheinandergeschaufelt, eine Zerdrückung der vorhandenen Zusammenballungen von Zucker und demnächstige Wiederbeimischung vorgenommen und hiermit solange fortgefahren wird, bis der Zucker gut durcheinandergemischt ist und die darin enthaltenen Knötchen ꝛc. beseitigt sind, worauf aus dem oberen, mittleren und unteren Theil der auf diese Weise hergestellten Zuckermenge je eine bestimmte Menge Zucker zu entnehmen und aus der innigen Vermischung dieser drei Proben die zur Feststellung des Zuckergehalts erforderliche Durchschnittsprobe zu bilden ist.

Die Entnahme der Proben wird in Gegenwart des Anmelders oder dessen Vertreters in der Regel durch Steuerbeamte besorgt, kann aber unter amtlicher Betheiligung auch durch einen vereidigten Probezieher nach Maßgabe der vorstehenden Bestimmungen vorgenommen werden.

Zum Zweck der etwaigen Versendung, welche mit möglichster Beschleunigung erfolgen muß, wird die Probe in einer Menge von mindestens 150 Gramm in eine vorher vollständig gereinigte Blechdose oder Glasflasche gefüllt, fest eingedrückt und amtlich versiegelt. Eine Kontrolprobe wird bis zur Erledigung der Sache bei der Steuerstelle aufbewahrt.

§. 46. In Betreff der Zucker, für welche der Vergütungssatz der Klasse a beansprucht wird, ist die Feststellung des Zuckergehalts durch Polarisation bei weißen Zuckern nur dann, wenn sie sehr feucht sind, dagegen stets bei allen Rohzuckern (Nachprodukten) erforderlich, welche syrupiren, wenig scharfe Krystalle zeigen und stark nach Salzen schmecken.

§. 47. Hutzucker in weißen vollen harten Broten oder in Gegenwart der Steuerbehörde zerkleinert, für welchen der Vergütungssatz der Klasse b gewährt werden soll, muß bis in die Spitze ausgedeckt sein. Die vielfach gebräuchliche geringe Abdrehung der Spitze rechtfertigt zwar nicht die Zurückweisung der sonst zum höchsten Satze zuzulassenden Brote, jedoch ist bei deren Abfertigung durch Zerschlagen einzelner Brote auch von deren innerer Beschaffenheit Ueberzeugung zu nehmen. Brote, welche bei der Revision sich als zerbrochen herausstellen, sind deshalb allein von der Gewährung des Vergütungssatzes der Klasse b nicht auszuschließen.

§. 48. Zu den Zuckern, für welche der Vergütungssatz der Klasse c in Anspruch genommen werden kann, gehören u. A. gelblich scheinender oder fleckiger, nicht ganz weißer Meliszucker, Stücke von Broten, sowie aller weißer Zucker in Krümel- und Mehlform, soweit sie nicht etwa vom Bundesrath der Klasse b zugewiesen werden, ferner weißer Stückenzucker aus Platten, Broten ꝛc. (crushed) und die gemahlenen scharf getrockneten weißen Farine, wenn kein Zweifel besteht, daß sie nicht über 1 Prozent Wasser enthalten und mindestens 98 Prozent Zuckergehalt haben.

Bei Krystallzuckern, für welche der Vergütungssatz der Klasse c in Anspruch genommen wird, ist eine Feststellung des Zuckergehalts durch Polarisation nicht erforderlich, sofern dieselben weiß und trocken sind.

Die Revisionsbeamten haben sich nur davor zu hüten, helle Rohzucker mit den angeführten Zuckern zu verwechseln, die Polarisation aber stets zu veranlassen, wenn Anlaß zu Zweifeln über die Vergütungsklasse vorliegt.

§. 49. Die Trockenheit der Zucker der Klasse c wird in der Regel durch das Gefühl festzustellen sein; nur, wo begründete Zweifel darüber bestehen, daß der abzufertigende Zucker mehr als 1 Prozent Wasser enthält, ist zur näheren Ermittelung zu schreiten. Hierbei ist zunächst der Gehalt an reinem Zucker durch Polarisation festzustellen und, wenn sich dabei ein solcher von mehr als 98 Prozent ergiebt, weiter kein Anstand zu erheben. Ist jedoch der Zuckergehalt von 98 Prozent nur eben erreicht und muß der Zucker beim leisen Druck zwischen den Fingerspitzen als feucht bezeichnet werden, so ist schleunig die Feststellung des Zuckergehalts durch einen zuständigen Chemiker auf Kosten des Anmelders herbeizuführen.

E. Weitere Behandlung der abgefertigten Anmeldungen, Liquidation und Zahlung der Steuervergütung, Buchführung.

§. 50. Ueber die Abfertigung von Zucker mit dem Anspruche auf Steuervergütung sind von den Aemtern Register nach Muster 3 zu führen.

Werden den Versendern auf deren Antrag Bescheinigungen über die Abfertigung des Zuckers ertheilt, so ist im Abfertigungsregister hierüber Vermerk zu machen.

§. 51. Die Hauptämter, bei denen Anmeldungen zur Ausfuhr oder Niederlegung von Zucker mit dem Anspruche auf Steuervergütung eingegangen sind, haben nach dem Ablaufe jedes Monats oder mit Genehmigung der Direktivbehörde zweimal monatlich, und zwar am 1. und 15. Tage, Steuervergütungs-Liquidationen über den als ausgeführt oder niedergelegt nachgewiesenen Zucker nach Muster 4 aufzustellen und mit den bescheinigten Anmeldungen und den etwa zugehörigen Attesten der Chemiker der Direktivbehörde vorzulegen. (Muster 3. *) Muster 4. *))

§. 52. Die Direktivbehörde hat die zu vergütenden Beträge festzusetzen und darüber Steuervergütungsscheine nach Muster 5 auszustellen, und zwar für jede Anmeldung, beziehungsweise sofern der mit einer Anmeldung ausgeführte oder niedergelegte Zucker verschiedenen Klassen angehört und die Vergütung dafür nach Maßgabe der Bestimmungen im §. 53 in zwei verschiedenen Monaten fällig wird, für jeden der beiden verschieden fälligen Theilbeträge der Vergütung einen besonderen. Entspricht ein solcher Theilbetrag einer geringeren Zuckermenge als netto 500 Kilogramm, so ist der Angabe der Zuckermenge der Vermerk: „Theil von .... (Gesammtgewicht der ausgeführten beziehungsweise niedergelegten Menge) Kilogramm“ hinzuzufügen. (Muster 5.)

Jede Direktivbehörde führt über die von ihr ausgefertigten Steuervergütungsscheine sowie über die Erledigung derselben ein den Zeitraum eines Etatsjahres umfassendes Register nach Muster 6. Die fortlaufende Nummer dieses Registers wird auf den betreffenden Scheinen zur rechten Seite des Landeswappens vermerkt. (Muster 6. *))

§. 53. Die Steuervergütung für ausgeführten oder gegen Steuervergütung niedergelegten Zucker wird am fünfundzwanzigsten Tage des sechsten Monats nach dem Monat der Ausfuhr oder Niederlegung fällig, wenn es sich um Zucker der Klassen a und c handelt, dagegen am fünfundzwanzigsten Tage des fünften Monats nach dem angegebenen Monat, wenn es sich um Zucker der Klasse b handelt. Indessen wird die Steuervergütung für den von Anfang März beziehungsweise April bis Ende Juli zur Ausfuhr oder Niederlegung gelangten Zucker schon am nächsten 25. August fällig.

§. 54. Sobald die Vergütung, über welche der Steuervergütungsschein lautet, fällig geworden ist, steht es dem Inhaber des letzteren frei, unter Rückgabe desselben den Betrag der Steuervergütung entweder bei einer beliebigen Steuerstelle im deutschen Zollgebiet auf bei derselben einzuzahlende Zuckersteuer (Materialsteuer, Verbrauchsabgabe, Steuer für Zucker aus Niederlagen) in Anrechnung zu bringen oder bei der in dem Steuervergütungsschein genannten Steuerstelle baar zu erheben. Diese Steuerstelle muß dem Bundesstaate angehören, dessen Direktivbehörde den Steuervergütungsschein ausgestellt hat.

§. 55. Die Annahme nicht fälliger Steuervergütungsscheine in Anrechnung auf nicht gestundete Zuckersteuer oder auf fälligen Zuckersteuerkredit ist unzulässig.

Dagegen dürfen nicht fällige Steuervergütungsscheine zur Ablösung von Zuckersteuerkredit verwendet werden, welcher gleichzeitig mit den Vergütungsscheinen oder später fällig wird. Es sind

---

*) Muster 3, 4 und 6 sind hier nicht abgedruckt.

deshalb in der von dem Steuerpflichtigen auf der zweiten Seite der Vergütungsscheine beziehungsweise auf der letzten Seite der Nachweisungen über mehrere noch nicht fällige Scheine (vergl. §. 58) abzugebenden Bescheinigung über die erfolgte Anrechnung der Vergütung die Fälligkeitstermine des mit den Scheinen abgelösten Kredits zu bezeichnen.

§. 56. Jeder Steuervergütungsschein wird nur mit dem vollen darin genannten Betrage entweder angerechnet oder aber durch Baarzahlung eingelöst. Die Anrechnung eines Theils dieses Betrages unter Baarzahlung des Restes ist unzulässig.

Je nachdem der Betrag der Vergütung angerechnet oder baar erhoben wird, hat der Inhaber die auf der Rückseite des Scheins vorgedruckte erste oder zweite Bescheinigung auszufüllen und zu unterschreiben. Diese Bescheinigungen dienen als Kassenquittungen.

§. 57. Der Inhaber mehrerer fälliger Steuervergütungsscheine hat, wenn er die angewiesenen Vergütungen zu gleicher Zeit baar erheben will, die Scheine nach Ziffer 2 der darauf abgedruckten Zahlungsbedingungen der betreffenden Steuerstelle mit einem nach Muster 7 aufzustellenden Verzeichniß vorzulegen. Es genügt dann eine Quittung des Empfängers über den Gesammtbetrag der bezüglichen Vergütungen, welche auf der letzten Seite des Verzeichnisses unter Benutzung des Vordrucks auszustellen ist; der Vordruck auf der Rückseite der einzelnen Steuervergütungsscheine bleibt in diesem Falle unausgefüllt.

Muster 7.*)

Unmittelbar nach der Befriedigung des Zahlungsempfängers sind von den Kassenbeamten die zu dem Verzeichniß gehörigen Steuervergütungsscheine auf der Vorderseite mit schwarzer Tinte kreuzweise zu durchstreichen. Sodann erfolgt die Ausfüllung des Buchungsvermerks auf der letzten Seite des Verzeichnisses.

§. 58. Ebenso hat derjenige Inhaber von Steuervergütungsscheinen, welcher mehrere fällige Scheine auf schuldige Zuckersteuer zu gleicher Zeit in Anrechnung bringen will, dieselben der betreffenden Steuerstelle mittelst Verzeichnisses vorzulegen. Solche Verzeichnisse sind nach Muster 8 aufzustellen. Die Bestimmungen im §. 57 finden hierbei entsprechende Anwendung.

Muster 8.*)

Sollen mehrere nicht fällige Steuervergütungsscheine nach der Bestimmung im §. 55 zur Ablösung von noch nicht fälligem Kredit verwendet werden, so ist über dieselben von dem Steuerpflichtigen ein besonderes Verzeichniß aufzustellen und der Hebestelle vorzulegen.

§. 59. Gleich nach Ablauf jedes Rechnungsmonats haben die Hauptämter über die im Laufe desselben bei ihnen selbst und bei den Unterstellen ihres Bezirks in Anrechnung genommenen beziehungsweise durch Baarzahlung eingelösten Steuervergütungsscheine an die vorgesetzte Direktivbehörde Nachweisungen nach Muster 9 einzureichen, in welchen die Scheine nach dem Etatsjahre ihrer Ausstellung, und zwar die im gleichen Etatsjahre ausgestellten nach der Reihenfolge der Ausfertigungsnummern aufzuführen sind. Die auf nicht fälligen Kredit in Anrechnung genommenen nicht fälligen Steuervergütungsscheine werden unter einem besonderen Abschnitte angesetzt. Wenn die betreffenden Scheine von verschiedenen Behörden ausgefertigt sind, ist für jede dieser Ausfertigungsstellen eine besondere Nachweisung aufzustellen. Die Nachweisung über die von der vorgesetzten Direktivbehörde ausgefertigten Scheine ist mit A zu bezeichnen, die übrigen Nachweisungen erhalten die Bezeichnung B, C u. s. w.

Muster 9.*)

In jeder der Nachweisungen sind die in den Spalten 6 bis 8 angesetzten Vergütungsbeträge zu summiren. Demnächst werden die Schlußsummen derselben in der Nachweisung A zusammengestellt und dort aufgerechnet. Daß die so ermittelte Hauptsumme der Vergütungen mit der betreffenden Angabe in der Reichssteuerübersicht übereinstimmt, hat der Hauptamtsdirigent unter der Nachweisung A zu bescheinigen.

Wo Hauptamtsbezirke nicht bestehen, sind die Nachweisungen von den Steuerstellen aufzustellen und von den Bezirks-Oberkontrolören zu bescheinigen.

§. 60. Die Direktivbehörde hat die richtige Aufrechnung der Nachweisungen prüfen und bescheinigen, auch davon Ueberzeugung nehmen zu lassen, daß die Schlußsumme der Nachweisung A sich mit der Reichssteuerübersicht des betreffenden Amts in Uebereinstimmung befindet. Nachdem von sämmtlichen Hauptämtern beziehungsweise Steuerstellen des Direktivbezirks die in ihren Reichssteuerübersichten angesetzten Steuervergütungsbeträge für Zucker in der vorgedachten Art speziell nachgewiesen worden sind, werden die Nachweisungen B, C u. s. w. nach den Ausfertigungsstellen ge-

*) Muster 7, 8 und 9 sind hier nicht abgedruckt.

ordnet und diesen letzteren behufs Löschung der erledigten Steuervergütungsscheine in ihren Ausfertigungsregistern übersandt. Gleichzeitig sind die in der Nachweisung A verzeichneten Steuervergütungsscheine in dem eigenen Ausfertigungsregister der Direktivbehörde zu löschen.

Sollten zwei Jahre nach dem Abschlusse des Ausfertigungsregisters einzelne Steuervergütungsscheine noch nicht gelöscht sein, so ist ein Verzeichniß der unerledigten Nummern nach den Spalten 1, 2 und 6 bis 11 des Registers aufzustellen und bis Ende Juni an die oberste Landes-Finanzbehörde zur weiteren Veranlassung einzusenden.

Nr. 6. Zu §. 7 des Gesetzes.

§. 61. Bei der Ausfuhr oder der Niederlegung von kondensirter Milch in einer öffentlichen Niederlage oder einer Privatniederlage unter amtlichem Mitverschluß wird eine Vergütung der Materialsteuer und der entrichteten Verbrauchsabgabe nach Maßgabe der in der Anlage D enthaltenen näheren Bestimmungen gewährt. *Steuervergütung für zuckerhaltige Fabrikate.* *Anlage D.*

Die Bestimmungen über die Gewährung einer solchen Vergütung für andere zuckerhaltige Fabrikate werden besonders erlassen werden.

Nr. 7. Zu §. 8 des Gesetzes.

§. 62. Es bleibt vorbehalten, wegen Gewährung der Steuerfreiheit für Zucker zur Viehfütterung oder zur Herstellung von anderen Fabrikaten als Verzehrungsgegenständen nach Maßgabe des sich ergebenden Bedürfnisses Bestimmung zu treffen. *Steuerfreiheit von Zucker zur Viehfütterung 2c.*

Nr. 8. Zu §§. 6, 7, 9 und 10 des Gesetzes.

§. 63. Außer den in §§. 6, 7, 9 und 10 des Gesetzes vorgesehenen Niederlagen für Zucker und zuckerhaltige Fabrikate zur Niederlegung mit dem Anspruch auf Steuervergütung können auch Niederlagen ausschließlich zu dem Zwecke bewilligt werden, daß die Erhebung der Verbrauchsabgabe ausgesetzt bleibt. *Zuckerniederlagen.*

Die näheren Bestimmungen über die Niederlagen beider Arten sind in der Anlage E enthalten. *Anlage E.*

Nr. 9. Zu §§. 12 und 13 des Gesetzes.

§. 64. Bezüglich der baulichen Einrichtungen der Zuckerfabriken gelten folgende Bestimmungen (Central-Blatt für das Deutsche Reich, 1888 S. 74): *I. Bauliche Einrichtung der Zuckerfabriken.*

I. Bezüglich bereits bestehender Zuckerfabriken:

A. Für die Anforderungen, welche an die Fabrikinhaber in Bezug auf die bauliche Einrichtung der Fabriken zur Sicherung gegen heimliches Wegbringen von Zucker zu stellen sind, dienen die folgenden Bestimmungen als Grundlage:

1. Die sichernde Einrichtung besteht entweder
   a) in der geeigneten Abschließung derjenigen Fabrikräume, in welchen die Herstellung und weitere Bearbeitung von krystallisirtem Zucker, sowie dessen Aufbewahrung außerhalb des Fabriklagers stattfindet, desgleichen, soweit nicht Ausnahmen gestattet werden, derjenigen Räume, in welchen zuckerhaltige Abläufe (Syrup, Melasse) sich befinden, gegen die übrigen Fabrikräume und nach außen,

   oder

   b) in der geeigneten Umfriedigung der Fabrikanlage.
2. In der Regel soll die erstere Einrichtung (unter 1 a) Platz greifen. Dieselbe kann insbesondere auch für solche Fabriken in Anwendung gesetzt werden, welche schon mit einer genügenden oder leicht in gehörigen Stand zu setzenden Umfriedigung versehen sind.

B. In Bezug auf die sichernde Abschließung der unter A 1 a bezeichneten Fabrikräume ist zu beachten:

1. Der Abschluß der Räume, in welchen krystallisirter Zucker hergestellt, weiter bearbeitet und außerhalb des Fabriklagers aufbewahrt wird, gegen die in demselben Gebäude befindlichen Vorräume der Fabrikation, soll in der Regel bei dem Koch- (Vakuum-) Raum, oder doch bei dem Raum, in welchen die Füllmasse zunächst vom Kochraum zwecks der

Verarbeitung gelangt, in der Art stattfinden, daß der bezeichnete Raum mit eingeschlossen wird. Vorzugsweise soll der Abschluß durch eine Mauerwand oder ein Gitter von Eisendraht bewerkstelligt werden.

2. Die Zahl der inneren und äußeren Zugänge (Thüren, Ladeluken und dergleichen) zu den abzuschließenden Fabrikräumen ist soweit zu beschränken, als es mit den Bedürfnissen des Fabrikbetriebes und Verkehrs vereinbar erscheint.
3. Die Fenster und ähnliche äußere Maueröffnungen sind in geeigneter Weise (durch Gitter von Eisenstäben, Eisendraht und dergleichen) zu versichern. Vorbehaltlich der bei bereits vorhandenen Gittern zu gestattenden Ausnahmen dürfen die Gitterstäbe nicht weiter als 5 Centimeter von einander entfernt sein, die Maschen der Drahtgitter keine größere Weite als 5 Centimeter haben. Es kann eine Einrichtung der Versicherung, welche im Nothfalle das leichte Oeffnen der Fenster u. s. w. ermöglicht, zugelassen und für die oberen Stockwerke, sowie für die Bedachung der Gebäude von der Versicherung Abstand genommen werden.

C. Bezüglich der Umfriedigung der Fabrikanlage ist zu beachten:

1. Neue Umfriedigungen sind in der Regel so anzulegen, daß kein eingeschlossenes Gebäude weniger als 5 Meter von der Umfriedigung entfernt liegt. Dasselbe Mindestmaß der Entfernung ist in der Regel bei der späteren Errichtung von Gebäuden innerhalb neuer oder jetzt bereits vorhandener Umfriedigungen einzuhalten.
2. In der Regel sollen die Umfriedigungen mindestens $2\frac{1}{2}$ Meter hoch sein und aus Steinmauern oder eisernen Gittern (Stäbe, Draht) bestehen. Bei den Gittern dürfen, vorbehaltlich der bei bereits vorhandenen zu gestattenden Ausnahmen, die Stäbe höchstens 7 Centimeter von einander entfernt sein, die Drahtmaschen höchstens eine Weite von 7 Centimeter haben.
3. Ueberführungen über die Umfriedigungen sind in der Regel unzulässig.
4. In Bezug auf die Zahl der Eingänge in der Umfriedigung findet die Bestimmung unter B 2 entsprechende Anwendung.
5. Wird die Umfriedigung zum Theil durch zur Fabrik gehörige Gebäude gebildet, so sind diese entweder nach dem Fabrikhofe zu oder nach außen in der Art sichernd einzurichten, daß die betreffenden Thüren und dergleichen beseitigt oder unter Steuerverschluß genommen und die betreffenden Fenster und dergleichen vergittert werden. In letzterer Beziehung ist gemäß der Bestimmungen unter B 3 zu verfahren.

D. Die näheren Anordnungen bezüglich der an die einzelnen Fabrikinhaber zu stellenden Anforderungen sind nach Maßgabe der Bestimmungen unter A bis C von den obersten Landes-Finanzbehörden oder auf deren Ermächtigung von den Direktivbehörden zu erlassen.

Die bezeichneten Behörden haben insbesondere auch darüber zu entscheiden:

1. welche Veränderungen in der baulichen Einrichtung der Fabrikräume etwa zur Erleichterung der Uebersicht über den Gang der Fabrikation (vergl. §. 12 Absatz 1 des Gesetzes) zu treffen sein möchten,
2. welche Thüren, Ladeluken u. s. w. der Fabrikgebäude verschlußfähig einzurichten und welche Gefäße etwa mit einer gegen heimliche Entfernung der darin befindlichen Zuckersäfte, Füllmasse u. s. w. sichernden Vorrichtung zu versehen sind,
3. an welchen Stellen innerhalb oder außerhalb der Fabrikräume Wachtlokale für Aufsichtsbeamte herzustellen sind,
4. welche zur Fabrikanlage gehörigen Gebäude, Gärten u. s. w. in die Umfriedigung einzuschließen sind.

II. Bezüglich künftig zu errichtender Zuckerfabriken.

Auf diese Fabriken finden die obigen Bestimmungen unter I entsprechende Anwendung.

II. Ausnahmen von der sichernden baulichen Einrichtung der Zuckerfabriken.

§. 65. Nach näherer Bestimmung der obersten Landes-Finanzbehörden kann von der den Vorschriften im §. 64 entsprechenden baulichen Einrichtung bezüglich bereits bestehender Zuckerraffinerien, insbesondere Kandiskochereien, mit so unbedeutendem Betriebe, daß der Betrag der Verbrauchsabgabe von ihrem Fabrikat in einem Mißverhältniß zu der Höhe der Kosten jener Einrichtung und der ständigen Bewachung sich befinden würde, Abstand genommen und für solche Raffinerien eine erleichterte Kontrole und Erhebung der Verbrauchsabgabe vorgeschrieben werden. Insbesondere ist es hierbei gestattet, die Steuererhebung an die Einbringung der zu verarbeitenden Zucker in die Raffinerie, unter Gewährung eines Gewichtsabzugs für Fabrikationsverlust, oder an die Produktion der Raffinerie auf Grund einer geeigneten Buchführung anzuschließen.

Das Gleiche gilt bezüglich solcher bereits bestehender größerer Zucker-Raffinerien, deren vorschriftsmäßiger baulicher Einrichtung unüberwindliche Schwierigkeiten entgegenstehen.

Nr. 10. Zu §. 14 des Gesetzes.

Lokal zum Aufenthalt und zur Uebernachtung für die Beamten.

§. 66. Die näheren Anordnungen wegen Ausübung des Anspruchs der Steuerverwaltung auf Gewährung von Lokalen der nebenbezeichneten Art und wegen Feststellung der Vergütung des Fabrikinhabers sind von den obersten Landes-Finanzbehörden oder auf deren Ermächtigung von den Direktivbehörden zu treffen.

Nr. 11. Zu §. 15 des Gesetzes.

Büreauraum für die Beamten.

§. 67. In Bezug auf Lage, Größe, Einrichtung und Ausstattung des Büreaus sind die Anforderungen der Steuerbehörde entscheidend. Dieselbe hat dabei die Vorschläge und Wünsche des Fabrikinhabers zu berücksichtigen, soweit nicht das Interesse und Bedürfniß des Dienstes entgegensteht.

In den Zuckerfabriken mit Rübenverarbeitung bedarf es eines Büreaus, welches so gelegen und eingerichtet ist, daß aus demselben die Rübenwaage und der Zugang zu dem Rüben-Zerkleinerungsapparat (Reibe- oder Schneidemaschine) amtlich beaufsichtigt werden kann. Sofern es dem Dienstinteresse entspricht, für die nicht mit der Rübenverwiegung zusammenhängenden Büreaugeschäfte einen an anderer Stelle gelegenen Büreauraum zu benutzen, ist auch ein solcher vom Fabrikinhaber zu stellen. Jedoch soll bereits bestehenden Fabriken gegenüber in dieser Beziehung thunliche Nachsicht geübt werden.

Nr. 12. Zu §. 17 des Gesetzes.

Waage-Einrichtungen.

§. 68. Zu den amtlichen Verwiegungen von Rüben und von Zucker haben die Fabrikinhaber den Anforderungen der Steuerbehörde entsprechende, vorschriftsmäßig geaichte Waagen und Gewichte zu halten. Es dürfen nur für steuer- und zollamtliche Ermittelungen überhaupt zugelassene Waagen, und zwar zur Rübenverwiegung in der Regel nur sogenannte Brückenwaagen, benutzt, und es müssen dieselben nach Anweisung der Steuerbehörde aufgestellt werden. Der Fabrikinhaber ist verpflichtet, die Waagen und Gewichte nach näherer Bestimmung der Steuerbehörde, die Rübenwaagen in der Regel jährlich einmal, aichamtlich prüfen zu lassen.

Die zur Rübenverwiegung bestimmten Waagen müssen eine Tragkraft von mindestens 250 kg haben.

Im Falle Umbaues oder Neubaues von Zuckerfabriken, in welchen täglich eine Verarbeitung von 200 000 kg oder mehr Rüben stattfindet oder künftig stattfinden soll, sind die Waage-Einrichtungen so zu treffen, daß mindestens je 500 kg Rüben auf einmal zur Verwiegung gelangen können.

Das Füllen und Entleeren der Rübenbehälter soll nicht auf der Waage selbst, sondern in angemessener Entfernung von derselben erfolgen. In den Fabriken, in welchen zur Zeit noch eine Einrichtung der ersteren Art benutzt wird, ist dieselbe spätestens bis zum Beginn des Betriebes in der Periode 1889/90 zu beseitigen. Die Direktivbehörde kann eine Fristverlängerung oder eine dauernde Ausnahme gestatten, sofern das steuerliche Interesse nicht gefährdet erscheint.

Nr. 13. Zu §. 19 des Gesetzes.

Neubau oder Umbau von Zuckerfabriken.

§. 69. Die Vorlegung der Baupläne über den beabsichtigten Neubau oder Umbau einer Zuckerfabrik hat seitens des Unternehmers bei dem Hauptamte, in dessen Bezirk die Fabrik errichtet werden soll beziehungsweise besteht, zu erfolgen. Das Hauptamt unterzieht die betreffenden Pläne in Rücksicht auf das in Frage kommende Steuerinteresse einer Prüfung und erwirkt demnächst die Entscheidung der Direktivbehörde darüber, ob die Genehmigung zur Ausführung nach dem Plane oder unter welchen Abänderungen des letzteren zu ertheilen ist.

Bevor diese Entscheidung getroffen und dem Unternehmer bekannt gegeben, auch eventuell der Bauplan dem Verlangen der Steuerbehörde gemäß geändert worden ist, darf mit der Ausführung des Baues nicht begonnen werden.

Nr. 14. Zu §§. 20, 21, 22 des Gesetzes.

Anmeldung der Räume und Geräthe.

§. 70. Von den Geräthen sind nur die feststehenden anzumelden.

Ueber die Zuckerfabriken werden bei den Steuerhebestellen Inventarien, bei den Hauptämtern Hauptinventarien geführt und darin für jede Fabrik die der Anmeldung unterliegenden Geräthe nach Bestand, Zugang und Abgang nachgewiesen.

Die Formulare zur Nachweisung der Räume und Geräthe, sowie zur Anzeige von Veränderungen werden von den obersten Landes-Finanzbehörden vorgeschrieben. Die letzteren bestimmen auch das Nähere über die Nummerirung der Geräthe und deren Bezeichnung mit der Angabe des deklarirten Rauminhalts, desgleichen in Bezug auf die etwaige steueramtliche Identifizirung oder Nachvermessung der Geräthe, ferner über die Führung der Inventarien und Hauptinventarien.

Bezüglich der bereits bestehenden Zuckerfabriken mit Rübenverarbeitung kann nach näherer Bestimmung der Direktivbehörden von der Einreichung einer neuen Nachweisung der Räume und Geräthe zu dem im §. 20 Absatz 2 des Gesetzes bezeichneten Zeitpunkt Abstand genommen werden, vorbehaltlich der Herbeiführung einer etwa erforderlichen Ergänzung der bisherigen Nachweisung.

Nr. 15. Zu §. 25 des Gesetzes.

Bestellung eines Betriebsleiters.

§. 71. Die Anzeige von der Bestellung eines Betriebsleiters muß auch den Zeitpunkt des Beginnes der Funktion angeben und vor dem betreffenden Tage der Steuerhebestelle eingereicht werden. Von dem bestellten Betriebsleiter ist zur Beurkundung der Uebernahme der Funktion die Anzeige mit zu unterzeichnen.

Nr. 16. Zu §. 27 des Gesetzes.

Beschreibung des technischen Verfahrens der Fabrikation.

§. 72. Die Beschreibung des technischen Verfahrens der Fabrikation soll den Steuerbeamten einen Anhalt für die Kontrole des Betriebes gewähren. Dieselbe muß die einzelnen Hauptabschnitte der Fabrikation angeben und das in jedem derselben stattfindende Verfahren näher kennzeichnen, so daß sich ergiebt, in welcher Weise der gesammte Fabrikationsbetrieb verläuft und welche Arten von Fabrikaten hergestellt werden. Wenn in Bezug auf die herzustellenden Fabrikate je nach Umständen ein Wechsel beabsichtigt wird (z. B. wenn in einer Rohzuckerfabrik neben dem ersten Produkt jeweils entweder zweites und drittes oder nur zweites Produkt hergestellt werden soll), so kann dies ein- für allemal zum voraus in der Beschreibung angegeben werden.

Als Hauptabschnitte des technischen Verfahrens der Fabrikation sind insbesondere anzusehen:

I. bei den Zuckerfabriken mit Rübenverarbeitung:
   1. die Zerkleinerung der Rüben (Reiben, Schnitzeln u. s. w.),
   2. die Saftgewinnung (Pressen, Diffusion u. s. w.),
   3. die Saftreinigung, unter Angabe, ob und welche Zusätze an Zuckerstoffen, wie Rübensaft, Zuckerkalk, Rohzucker u. s. w. stattfinden,
   4. die Eindampfung der Säfte und Herstellung der Füllmasse,
   5. die Gewinnung des ersten Produkts aus der Füllmasse (Centrifugenarbeit), unter Angabe der Art, z. B. Rohzucker, Konsumwaare (Würfel-, gemahlene Zucker u. s. w.),
   6. die Gewinnung der Nachprodukte (wie viele, welcher Art),
   7. die Melasse-Entzuckerung (Osmose, Elution, Strontianitverfahren u. s. w.),
   8. die Verarbeitung der Abläufe (Syrup, Melasse) außer zur Gewinnung von festem Zucker (z. B. Herstellung von Speisesyrup);

II. bei den Zucker-Raffinerien:
   1. das Schmelzen und Klären des Rohzuckers (einschließlich des etwaigen Schleuderns vor dem Schmelzen),
   2. die Reinigung der aus dem Rohzucker gewonnenen Zuckerlösungen,
   3. die Herstellung der Deckkläre,
   4. die Herstellung der Füllmasse,

5. die Gewinnung des ersten Produkts aus der Füllmasse, unter Angabe der Art (Bodenarbeit, Centrifugenarbeit, Decken der Brote, Trocknen der Brote, beziehungsweise Zuckerplatten oder sonstigen Zucker, Putzen u. s. w. der Brote, Zerschneiden von Platten in Würfel u. s. w., überhaupt die vollständige Fertigstellung des ersten Produkts),
6. die Gewinnung der Nachprodukte (wie viele, welcher Art),
7. die Melasse-Entzuckerung,
8. die Verarbeitung der Abläufe (Syrup, Melasse) außer zur Gewinnung von festem Zucker;

III. bei den Anstalten, in welchen ohne Rübenverarbeitung Zucker aus Rübensäften oder Abläufen der Zuckerfabrikation (Syrup, Melasse) bereitet wird:
1. die Herstellung und Abscheidung des Saccharats,
2. die Reinigung des Saccharats (Decken auf Nutschen oder in Filterpressen),
3. die weitere Behandlung des Saccharats zur Entfernung des Strontians u. s. w. (Kühlhaus, Ausschlagekasten, Centrifugen u. s. w.),
4. die Behandlung der Ablaugen zur Gewinnung von Zucker,
5. die Herstellung von Zuckerlösungen aus dem Saccharat (Saturation, Filterpressen),
6. die Gewinnung des ersten Produkts aus der Zuckerlösung, unter Angabe der Art, z. B. Konsumwaare (Würfel u. s. w.),
7. die Gewinnung der Nachprodukte (wie viele, welcher Art),
8. die Verarbeitung der Restmelassen außer zur Gewinnung von festem Zucker;

IV. bei den Syrup-Raffinerien:
1. die Reinigung der Zuckerabläufe (z. B. Filtration über Knochenkohle nach zuvoriger Verdünnung),
2. das Einkochen der gereinigten Zuckerabläufe.

Wie nach Maßgabe der obigen Grundzüge die Beschreibungen im einzelnen einzurichten sind, bestimmt das Hauptamt.

Abänderungen in dem Verfahren der Fabrikation sind der Steuerhebestelle durch eine Ergänzung oder Erneuerung der Beschreibung anzuzeigen, und zwar bevor die Aenderung erstmals ausgeführt wird.

Nr. 17. Zu §. 28 des Gesetzes.

Verschluß von Zugängen während des Betriebes.

§. 73. Welche äußeren Eingänge der Zuckerfabrik (nebst Umfriedigung) und welche innerhalb derselben vorhandenen Zugänge als nicht für den gewöhnlichen Gebrauch dienend von dem Fabrikinhaber in der Regel verschlossen zu halten sind, desgleichen wie viele und welche Eingänge zur Nachtzeit unverschlossen sein dürfen, bestimmt das Hauptamt. Dasselbe hat auch Anordnung dahin zu treffen, daß der steueramtliche Mitverschluß äußerer Eingänge und innerer Zugänge im Falle des Bedürfnisses thunlichst ohne Verzug abgenommen werden kann, und daß während der Offenhaltung, soweit es erforderlich scheint, amtliche Bewachung eintritt.

Nr. 18. Zu §. 29 des Gesetzes.

Unterbrechung des Betriebes.

§. 74. Bei der Anzeige der Betriebsunterbrechung ist auch die voraussichtliche Dauer der letzteren anzugeben.

§. 75. Die Verschlußanlegung an die zur Zuckererzeugung erforderlichen Geräthe während ruhenden Betriebes ist nicht weiter auszudehnen, als das Interesse der Steuersicherheit es nöthig macht. Bei der Auswahl der unter Verschluß zu setzenden Geräthe sind die Wünsche des Fabrikinhabers thunlichst zu berücksichtigen. Ueber die Handlung der Verschlußanlage ist ein Protokoll aufzunehmen, welches der Fabrikinhaber oder der Betriebsleiter mit zu vollziehen hat.

Nr. 19. Zu §. 32 des Gesetzes.

Hülfsleistung bei Ausübung der Steuerkontrole.

§. 76. Für die Pferde oder Fuhrwerke der dienstlich die Fabrik besuchenden Beamten ist von dem Fabrikinhaber auf Verlangen ein gegen Witterungseinflüsse geschützter Raum für die Dauer der dienstlichen Anwesenheit der Beamten zur Verfügung zu stellen.

Nr. 20. Zu §§. 34 bis 37 des Gesetzes.

I. Fabriklager. A. Lagerräume.

§. 77. Die Räume der Zuckerfabrik, welche als Fabriklager benutzt werden sollen, sind rechtzeitig der Steuerhebestelle des Bezirks schriftlich anzumelden. Das Gleiche gilt, wenn demnächst dauernd oder vorübergehend andere Räume neben den ursprünglichen Lagerräumen oder an Stelle derselben in Gebrauch genommen werden sollen.

§. 78. Ueber die Zulassung der angemeldeten Räume als Fabriklager entscheidet das Hauptamt und trifft die geeigneten Anordnungen bezüglich der zur steueramtlichen Verschlußanlegung erforderlichen Einrichtungen. Als Fabriklager können insbesondere auch die Schüttböden zugelassen werden.

In Bezug auf die Anforderungen an die sichernde Beschaffenheit der Lagerräume dienen die bezüglich der Privatniederlagen unter steueramtlichem Mitverschluß geltenden Grundsätze als Anhalt. Jedoch ist von deren strenger Anwendung bei bereits bestehenden Zuckerfabriken in geeigneten Fällen des Bedürfnisses Abstand zu nehmen. Insbesondere ist zunächst zeitweilig zur Erleichterung des Ueberganges thunliche Nachsicht zu üben.

§. 79. Ist die Herstellung eines Fabriklagers in einer bereits bestehenden Zuckerfabrik nach deren dermaliger baulicher Einrichtung unthunlich, so kann die Direktivbehörde zur Herstellung des Fabriklagers eine Frist bis längstens zum 1. Oktober 1889 ertheilen und hat die besonderen Anordnungen zu treffen, welche einstweilen zur völligen Sicherung des Steuerinteresses etwa erforderlich erscheinen.

B. Verpflichtung zur Einbringung in das Fabriklager.

§. 80. Der in der Zuckerfabrik bereitete Zucker ist im Sinne der §§. 34 und 35 des Gesetzes fertiggestellt, sobald er die vollständige Verpackung für den Transport erhalten hat. Eine solche Verpackung liegt vor, ohne daß der Zucker mit Etikette, Zeichen oder Nummer versehen worden ist. Zuckerbrote in Papier und mit Bindfaden umschnürt gelten noch nicht als vollständig für den Transport verpackt.

Der Regel nach muß der fertig gestellte Zucker spätestens am dritten auf den Tag der Fertigstellung folgenden Tage in das Fabriklager gebracht werden, soweit nicht vorher die Abfertigung aus der Fabrik stattfindet. Bei nachgewiesenem Bedürfnisse kann eine entsprechende Fristverlängerung, und zwar für Einzelfälle von der Steuerstelle, auf Dauer vom Hauptamt, jedoch nur widerruflich, ertheilt werden.

§. 81. Von außerhalb bezogener Zucker (Rohzucker für Raffinerien u. s. w.) ist in der Regel spätestens am Tage nach der Ankunft in der Fabrik zum Fabriklager zu bringen. Ausnahmen kann in einzelnen Fällen die Steuerstelle, auf Dauer das Hauptamt, Widerruf vorbehaltlich, mit der Beschränkung gestatten, daß die außerhalb des Fabriklagers aufbewahrte Zuckermenge den Verarbeitungsbedarf der Fabrik für höchstens 8 Tage nicht übersteigen darf.

§. 82. Für Syrup und Melasse kann die Einbringung in das Fabriklager erlassen werden, nach Befinden unter Anordnung anderer sichernder Maßnahmen. Das Nähere wird von den Hauptämtern bestimmt.

§. 83. Die Steuerbeamten üben die Kontrole bezüglich der rechtzeitigen Aufnahme des Zuckers in das Fabriklager und haben zu diesem Behufe sich insbesondere über die Fertigstellung von Zucker durch Beobachtung des Betriebes und Einsichtnahme der Betriebsbücher fortlaufend in Kenntniß zu erhalten.

§. 84. Außer den Fällen der §§. 81 und 82 unterliegt der Verpflichtung zur Aufnahme in das Fabriklager auch aller fertige unverpackte Zucker, welcher in Zuckerfabriken mit Rübenverarbeitung 8 Tage nach der letzten Rübenverwiegung der Betriebsperiode vorhanden ist. Findet nach Beendigung der Rübenverarbeitung noch weiter ein regelmäßiger Betrieb statt (z. B. Melasse-Entzuckerung), so trifft die bezeichnete Verpflichtung den 8 Tage nach dem Schlusse dieses Betriebs vorhandenen betreffenden Zucker. Die achttägige Frist kann vom Hauptamt verlängert werden.

Tritt in Zuckerfabriken ohne Rübenverarbeitung eine Betriebsunterbrechung auf mehr als

4 Wochen ein, so kann die Steuerbehörde fordern, daß aller 8 Tage nach dem Beginn der Betriebsunterbrechung vorhandene fertige Zucker in das Fabriklager eingebracht wird.

§. 85. Auf Antrag kann auch Zucker, zu dessen Verbringung in das Fabriklager noch keine Verpflichtung besteht, zur Aufnahme in dasselbe zugelassen werden.

C. Verschluß des Fabriklagers.

§. 86. Das Fabriklager steht, so lange darin nicht gearbeitet wird, unter Steuerverschluß und Mitverschluß des Fabrikinhabers oder Betriebsleiters; während der Offenhaltung findet Steuerbewachung statt.

Der Steuerverschluß geschieht durch Kunstschlösser, welche die Steuerverwaltung auf Kosten des Fabrikinhabers liefert und im Falle einer etwaigen Aufhebung des Lagers ohne Erstattung der Anschaffungskosten zurücknimmt.

D. Verfahren bei der Abfertigung zu und von dem Fabriklager.

§. 87. Auf die An- und Abmeldung von Zuckerprodukten zu beziehungsweise von dem Fabriklager und deren steueramtliche Abfertigung finden die nachstehend unter II getroffenen Bestimmungen hinsichtlich des Zu- und Abgangs in den beziehungsweise aus dem Fabrikbetrieb entsprechende Anwendung; für die Fabriklager-Register, sowie die An- und Abmeldungen sind die ebendaselbst vorgeschriebenen Formulare unter entsprechender Abänderung der Aufschrift zu benutzen.

Bei der Aufnahme in das Fabriklager kann von der amtlichen Revision Abstand genommen werden, insbesondere wenn der Zucker zur Zeit der Genehmigung des Fabriklagers lose in dem betreffenden Raum gelagert war oder lose aus anderen Fabrikräumen in das Fabriklager gebracht werden soll. Wird in solchen Fällen eine amtliche Gewichtsermittelung für erforderlich erachtet, so genügt die Berechnung des Gewichts auf Grund kubischer Vermessung.

E. Behandlung der Zuckerprodukte im Fabriklager.

§. 88. In der Behandlung des Zuckers auf dem Fabriklager (Packung, Umpackung, Mischung, Sortirung u. s. w.) ist der Lagerinhaber nicht beschränkt. Die Steuerbeamten üben hierüber nur eine allgemeine Aufsicht.

Der Lagerinhaber und jeder, welcher das Fabriklager betritt, hat sich den bezüglich der Kontrole getroffenen Anordnungen der Steuerbehörde zu unterwerfen.

F. Lageraufnahme.

§. 89. In den Fällen des §. 84 hat der Fabrikinhaber nach Einbringung der Zuckervorräthe in das Fabriklager eine Deklaration über den Lagerbestand in doppelter Ausfertigung bei der Steuerstelle einzureichen, welche darauf thunlichst unter Betheiligung eines Oberbeamten und unter Zuziehung des Fabrikinhabers oder Betriebsleiters eine Bestandesaufnahme mittelst Feststellung des lagernden Zuckers nach Art und Gewicht vornimmt. Eine Verpackung des lose lagernden Zuckers zwecks der Bestandesaufnahme ist nicht erforderlich, und es genügt auch die Gewichtsermittelung durch Berechnung auf Grund kubischer Vermessung.

Ergeben sich bei der Bestandesaufnahme Fehlmengen gegenüber der Anschreibung im Fabriklager-Register, so ist dieserhalb von weiterer Verfolgung abzusehen, falls nicht der Verdacht einer stattgehabten Defraudation vorliegt. Hierüber entscheidet das Hauptamt.

Das Ergebniß der Bestandesaufnahme hat der Lagerinhaber durch Unterzeichnung der Aufnahmeverhandlung als richtig anzuerkennen und ebenfalls schriftlich für den Betrag der auf den Zuckervorräthen ruhenden Verbrauchsabgabe bis zum Nachweis der Entrichtung derselben oder bis zur stattgehabten Abfertigung des Zuckers aus der Fabrik im gebundenen Verkehr sich haftbar zu erklären.

Nach der amtlichen Feststellung des Lagerbestandes ist das Fabriklager-Register abzuschließen, und finden auf das Lager hinsichtlich der Kontrole und Abfertigung, sowie der Buchführung lediglich die Vorschriften des Zuckerniederlage-Regulativs so lange Anwendung, bis die Fabrik mit Wiedereröffnung des Betriebs wieder unter volle Steuerbewachung tritt. Mit dem letzteren Zeitpunkt erlischt die vom Fabrikinhaber übernommene Haftung für die auf dem Lagerbestand ruhende Verbrauchsabgabe. Einer amtlichen Aufnahme des Lagerbestandes bei Wiedereröffnung des Fabrikbetriebs bedarf es nur, wenn besondere Gründe dazu Anlaß bieten.

Wird im Falle einer Betriebseinstellung der Fabrikbetrieb binnen Jahresfrist nicht wieder eröffnet, so kann seitens der Steuerverwaltung der Fabrikinhaber, wenn er binnen der ihm gesetzten Frist einen Antrag auf Abfertigung des Zuckers nicht stellt, zur Entrichtung der Verbrauchsabgabe von dem vorhandenen Lagerbestand angehalten werden.

G. Genehmigung des Fabriklagers als steuerfreie Niederlage.

§. 90. Ist ein Fabriklager in Gemäßheit des §. 37 Absatz 3 des Gesetzes als steuerfreie Niederlage genehmigt worden, so gelten für dasselbe lediglich die Vorschriften des Zuckerniederlage-

Regulativs. Das Zusammenlagern von bonifizirtem mit nicht bonifizirtem Zucker ist jedoch nicht gestattet.

II. Fabrikbetrieb. A. Aufnahme von Zuckerprodukten in den Betrieb.

Muster 10.

§. 91. Zum Zweck der Aufnahme in den Fabrikbetrieb ist über Art und Nettogewicht der Zuckerprodukte der Zuckersteuerstelle eine Anmeldung nach Muster 10 zu übergeben. Die etwa vorhandenen Begleitpapiere sind nach erfolgter Aufnahme der Zuckerprodukte in den Betrieb nach Maßgabe der bezüglichen Bestimmungen gesondert zu erledigen. Auf der Anmeldung ist die stattgefundene Aufnahme in den Fabrikbetrieb amtlich zu bescheinigen. Ist die Kontrolirung der Fabrik auf den sichernden Abschluß der zur Herstellung 2c. von krystallisirtem Zucker dienenden Räume gegründet, so hat sich die Bescheinigung auf die Aufnahme der Zuckerprodukte in diese enger bewachten Räume oder deren sofortige Verwendung als Einwurf 2c. zu erstrecken.

War für die Zuckerprodukte nach Ausweis des Begleitpapiers Vergütung der Materialsteuer gewährt, so ist gleichzeitig für deren Erstattung zu sorgen und letztere im Begleitpapier nachzuweisen.

Muster 11.

Die übergebenen Anmeldungen werden in das nach Muster 11 zu führende Fabrikbetriebsregister eingetragen, in welchem die An- und Abschreibungen lediglich nach Art und Nettogewicht der Zuckerprodukte erfolgen.

Die Anschreibung im Fabrikbetriebsregister geschieht auf Grund der Anmeldung, und es kann, insofern in betreff der Richtigkeit derselben keine Bedenken bestehen, eine amtliche Revision unterbleiben, soweit eine solche nicht zur vorschriftmäßigen Erledigung des Begleitpapiers geboten ist.

B. Betriebskontrole.

§. 92. Der Fabrikinhaber hat der Steuerstelle schriftlich in zwei Exemplaren anzumelden, in welchen Räumen der Fabrik Zucker weiter verarbeitet (z. B. getrocknet, gesiebt, zerkleinert), verpackt oder außerhalb des Fabriklagers aufbewahrt werden soll. Eine beabsichtigte Veränderung ist in gleicher Weise anzumelden. Mit der Duplikation der Anmeldungen ist entsprechend dem §. 30 des Gesetzes zu verfahren.

§. 93. Sollen in Zuckerfabriken, deren Kontrolirung auf den sichernden Abschluß der zur Herstellung u. s. w. von krystallisirtem Zucker dienenden Räume gegründet ist, Zuckerprodukte aus den im Abschluß befindlichen Räumen in den vorhergehenden Fabrikbetrieb zurückgenommen werden, so ist die Zurücknahme unter Angabe des Verwendungszwecks dem den Abschluß beaufsichtigenden Beamten schriftlich nach Maßgabe des Musters 12 anzumelden.

Muster 12.

Muster 13.

Der Beamte hat die Anmeldung in ein nach Muster 13 zu führendes Notizregister einzutragen und auf derselben die Verwendung der Zuckerprodukte zu dem angegebenen Zweck zu bescheinigen.

§. 94. Demselben Beamten ist in Fabriken der vorbezeichneten Art die Entnahme von Zuckerproben aus den im Abschluß befindlichen Räumen zum Zweck der Benutzung innerhalb der Fabrik (z. B. Untersuchung im Laboratorium) mündlich anzumelden. Häufig wiederkehrende derartige Probeentnahmen können ein- für allemal, nach näherer Anleitung der Steuerstelle, schriftlich angemeldet werden.

C. Entnahme von Zuckerprodukten aus dem Betriebe.

a) Allgemeine Bestimmungen.

§. 95. Jede Entnahme von Zuckerprodukten aus dem Fabrikbetriebe ist der Zuckersteuerstelle nach Muster 10 zu deklariren.

Die in zweifacher Ausfertigung abzugebende Abmeldung muß enthalten:

a) die Zahl der Kolli, deren Verpackungsart, Zeichen und Nummern, Brutto- und Nettogewicht, ferner die Art der Zuckerprodukte, die Angabe der Abfertigungsweise, welche begehrt wird, und den Namen des Waarenempfängers;
b) bei Versendung von Syrup und Melasse außerdem auch die Angabe des Quotienten (vergl. §. 7).

Bezüglich der Zulässigkeit einer summarischen Gewichtsangabe für größere aus gleichartigen Kolli bestehende Waarenposten finden die über die steuerliche Behandlung von Zucker zur Ausgangsabfertigung mit Steuervergütung ertheilten betreffenden Vorschriften Anwendung.

Der Deklarant haftet für die Richtigkeit seiner Angaben, es sollen jedoch Abweichungen von dem deklarirten Gewicht, welche sich bei der Revision herausstellen, straffrei gelassen werden, wenn der Unterschied zehn Prozent des deklarirten Gewichts der einzelnen Kolli oder einer zusammen abgefertigten Waarenpost nicht übersteigt. Auch sind Abweichungen von dem angemeldeten Quotienten der Zuckerabläufe straffrei, wenn sie zwei Prozent nicht übersteigen.

Die abgegebenen Abmeldungen werden von der Steuerstelle in das Fabrikbetriebsregister fortlaufend eingetragen.

b) Abfertigung beim Austritt in den freien Verkehr.

§. 96. Sollen Zuckerprodukte aus dem Fabrikbetrieb unter Entrichtung der Verbrauchsabgabe in den freien Verkehr treten, so ist der Abgabenberechnung, sofern nicht der Steuerpflichtige die Versteuerung nach dem Bruttogewicht beantragt, das Nettogewicht zu Grunde zu legen, welches bis auf weiteres durch Verwiegung zu ermitteln ist.

An Stelle der Erhebung der Abgabe kann, wenn die Einzahlung, bei einer anderen zuständigen Steuerstelle erfolgen soll, Abfertigung auf Begleitschein II (vergl. auch §. 101) eintreten.

Wird für Syrup und Melasse Abgabefreiheit beansprucht, so tritt Feststellung des Quotienten ein. Besitzt hierzu die Abfertigungsstelle nicht die Befugniß (vergl. §. 7), so ist eine Probe des Zuckerablaufs unter Zuziehung des Anmelders oder seines Vertreters zu entnehmen und auf Kosten des Anmelders behufs der vorzunehmenden Untersuchung an ein befugtes Amt oder nach Antrag des Anmelders an einen zuständigen Chemiker zu übersenden. Fehlt es bei der Abfertigungsstelle oder dem Amt, an welches die Probe versendet wird, an den erforderlichen Beamten für die Ermittelung des Quotienten, so findet die entsprechende Bestimmung im §. 42 Anwendung.

§. 97. Von der Feststellung der Quotienten kann mit Genehmigung des Hauptamts abgesehen werden:

1. in Rohzuckerfabriken bei Abläufen vom dritten Produkt oder von ferneren Nachprodukten, wenn
   a) der Fabrikant die Abläufe als solche vom dritten Produkt oder von ferneren Nachprodukten deklarirt,
   b) diese Abläufe in der betreffenden Fabrik erfahrungsgemäß den Quotienten 70 nicht erreichen,
   c) die vorbezeichneten Abläufe stets in besonderen, vom Fabrikinhaber angegebenen Gefäßen aufbewahrt werden und
   d) die Abfertigungsbeamten hiernach die Ueberzeugung gewinnen, daß Abläufe der fraglichen Art vorliegen, worüber in dem Abfertigungspapier eine entsprechende Bescheinigung abzugeben ist.

   Zur Kontrole hat von Zeit zu Zeit nach Bestimmung des Hauptamts die Entnahme von Proben und deren Quotientbestimmung stattzufinden;
2. in anderen Fällen, in welchen die Beschaffenheit der Zuckerabläufe als steuerfrei außer Zweifel steht (z. B. auf Grund der zuverlässigen Betriebs- und Rechnungsbücher der Fabrik, oder nach dem Ergebniß vorhergegangener amtlicher Untersuchung eines unzweifelhaft gleichartigen Produkts derselben Fabrik).

§. 98. Bei Zweifeln bezüglich der steuerfreien Beschaffenheit von Zuckerabläufen kann zur Vermeidung der Ermittelung des Quotienten auf Antrag des Anmelders die Denaturirung stattfinden. Als Denaturirungsmittel dient ein Zusatz von zwei Prozent englischer Schwefelsäure, welche mit der drei- bis vierfachen Menge Wasser verdünnt worden ist, oder von zwei Prozent roher Salzsäure des Handels. Das Denaturirungsmittel hat der Antragsteller zu liefern.

§. 99. Sind die steuerfrei zu belassenden Abläufe zur Versendung nach einer anderen Zuckerfabrik beziehungsweise Syrup-Raffinerie bestimmt, so ist die Zuckersteuerstelle derselben unter Uebersendung eines Exemplars der Abmeldung hiervon zu benachrichtigen.

c) Abfertigung beim Uebergang in das Fabriklager.

§. 100. Sollen Zuckerprodukte aus dem Fabrikbetriebe in das Fabriklager derselben Zuckerfabrik übernommen werden, so genügt die Angabe der Art und des Nettogewichts der Zuckerprodukte in der nur in einer Ausfertigung abzugebenden Abmeldung, welche zugleich als Anmeldung für den Zugang zum Fabriklager dient.

d) Abfertigung im gebundenen Verkehr.

§. 101. Wenn die aus dem Fabrikbetriebe abgemeldeten Zuckerprodukte nicht in den freien Verkehr zu treten bestimmt sind, so findet in der Regel Abfertigung auf Begleitschein I statt, und kommen dabei, sowie bei der Abfertigung auf Begleitschein II (vergl. §. 96) die Bestimmungen zur Anwendung, welche bezüglich dieser Kontrole im Vereinszollgesetze und im Begleitscheinregulativ getroffen sind. Gegebenen Falls sind außerdem die Vorschriften über die Abfertigung von Zucker mit dem Anspruche auf Vergütung der Materialsteuer zu beachten.

Versendungen von Abläufen der Zuckerfabrikation können auf Antrag auch erfolgen, ohne daß die Steuerpflichtigkeit festgestellt ist.

Zu den Zuckerbegleitscheinen I und II, den Annahme-Erklärungen, den Begleitschein-Ausfertigungs- und Begleitschein-Empfangsregistern, den Begleitscheinauszügen und Erledigungsscheinen sind Formulare nach den Mustern 14 bis 20 zu verwenden.

Muster 14 bis 20.

Sollen Zuckerprodukte aus dem Fabrikbetriebe in eine Niederlage oder in eine andere Fabrik desselben Orts und derselben Steuerstelle übergeführt werden, oder ist bei der Versendung der Zuckerprodukte in das Ausland die Abfertigungsstelle zugleich das Ausgangsamt, so unterbleibt die Ausfertigung eines Begleitscheins I und genügt die Abgabe von Fabrikbetriebs-Abmeldungen nach Muster 10. Im ersten Falle ist die Abgabe von drei Ausfertigungen der Abmeldung, im zweiten von zwei derselben, im letzten Falle von nur einer erforderlich.

In allen drei Fällen hat, sofern die Ueberführung beziehungsweise die Ausfuhr nicht unter den Augen der Abfertigungsbeamten stattfindet, in der Regel Begleitung durch Beamte einzutreten. Kann dieselbe nicht gewährt werden, so muß der Deklarant auf den Abmeldungen eine Annahmeerklärung nach Maßgabe des Vordrucks auf den Zuckerbegleitscheinen I (Muster 14) abgeben.

Die mit der Bescheinigung über den erfolgten Ausgang versehene Abmeldung, beziehungsweise das mit der Bescheinigung über die erfolgte Aufnahme in die betreffende Fabrik oder in die betreffende Niederlage versehene Exemplar dient als Belag des Fabrikbetriebsregisters. Im Falle der Aufnahme der Zuckerprodukte in eine andere Fabrik wird das zweite Exemplar der Abmeldung Anmeldungsbelag zu dem betreffenden Register dieser Fabrik. Bei der Aufnahme der Zuckerprodukte in eine Niederlage dienen zwei Exemplare der Abmeldung als Niederlage-Anmeldungen und wird das eine als Belag zum Niederlageregister verwendet, das andere nach darin bescheinigter Niederlegung der Zuckerprodukte dem Niederleger zugestellt.

d) Verschlußanlage.

§. 102. Von Anlegung eines amtlichen Verschlusses kann in denjenigen Fällen Abstand genommen werden, in welchen es sich nicht um Abfertigung mit dem Anspruche auf Steuervergütung handelt.

Erfolgt die Abfertigung mit diesem Anspruche, so hat, sofern nicht Raumverschluß stattfindet, sichernder Kolloverschluß einzutreten.

III. Entnahme von Proben, welche die Fabrik verlassen sollen.

§. 103. Jede Entnahme von Zuckerproben, welche die Fabrik verlassen sollen, bedarf der vorherigen schriftlichen oder mündlichen Anmeldung bei der Steuerstelle. In dringlichen Fällen kann die Anmeldung auch bei einem Aufsichtsbeamten erfolgen, muß aber alsdann eine schriftliche sein; der Beamte hat die Anmeldung demnächst der Steuerstelle zu übergeben.

Die entnommenen Proben bleiben vorbehaltlich der im Falle eines Mißbrauchs anzuordnenden Aufhebung oder Beschränkung dieser Vergünstigung steuerfrei, wenn deren Gewicht im einzelnen weniger als 100 Gramm beträgt. Größere Proben werden nach amtlicher Feststellung des Gewichts in dem Fabrikbetriebs- beziehungsweise Fabriklager-Register abgeschrieben und am Schlusse des Quartals auf Grund amtlich beglaubigter Registerauszüge im ganzen zur Versteuerung gezogen.

IV. Aufsichts-Kontrole beim Ausgang von Zuckerprodukten aus der Fabrik.

§. 104. Die Wegführung von Zuckerprodukten jeder Art aus der Fabrik darf nur aus den von dem Fabrikinhaber der Steuerbehörde angemeldeten und von der letzteren ein- für allemal genehmigten Ausgängen des Fabrikgebäudes oder bei umfriedigten Fabriken den gleichermaßen bestimmten Thoren der Umfriedigung stattfinden.

Für Zuckerprodukte, welche aus der Fabrik ausgeführt werden, ist, sofern nicht das Abfertigungspapier den Transport begleitet, zum Zweck des Ausweises eine Legitimation nach Muster 21 auszustellen.

Muster 21.

Nr. 21. Zu §. 38 des Gesetzes.

Statistische Nachweisungen der Zuckerfabrikanten.

§. 105. Vom 1. August 1888 ab haben die Inhaber von Zuckerfabriken die nachbezeichneten statistischen Nachweisungen aufzustellen:

1. monatliche Betriebsnachweisungen auf Grund der Fabrikbücher, und zwar:
   a) die Inhaber von Zuckerfabriken mit Rübenverarbeitung (Rübenzuckerfabriken) — nach dem anliegenden Muster 23,
   b) die Inhaber von Zucker-Raffinerien — nach dem anliegenden Muster 24,
   c) die Inhaber von Melasse-Entzuckerungsanstalten ohne Rübenverarbeitung — nach dem anliegenden Muster 25;

Muster 23. Muster 24. Muster 25.

2. eine Nachweisung der am 31. Juli jeden Jahres vorhandenen Zuckerbestände — nach dem anliegenden Muster 26. Muster 26.

Außerdem ist

3. eine Nachweisung über die Zuckerbestände am 31. Juli jeden Jahres in öffentlichen Niederlagen und Privatniederlagen unter amtlichem Mitverschluß von den Niederlageämtern nach dem anliegenden Muster 27 aufzustellen. Muster 27.

Für die Nachweisungen über die Bestände vom 31. Juli 1888 gelten noch die bisherigen Muster.

Die Formulare zu den Nachweisungen (1a, b, c; 2; 3) werden den Steuerstellen von dem Kaiserlichen Statistischen Amt geliefert.

§. 106. Je ein Exemplar der im §. 105 unter 1 und 2 gedachten Betriebs- und Bestandesnachweisungen ist bis zu dem in der Anleitung auf den Formularmustern vorgeschriebenen betreffenden Termin der daselbst bezeichneten Amtsstelle (Steuerhebestelle, Hauptamt) einzureichen, das andere Exemplar aber in der Betriebsanstalt aufzubewahren.

An die Stelle der Nachweisungen treten, wenn Einträge nicht zu machen sind, Fehlanzeigen nach der Vorschrift auf den Formularen.

§. 107. Von den unteren Steuerstellen beziehungsweise den Hauptämtern sind bei Einsendung der statistischen Nachweisungen (§. 105 unter 1, 2 und 3) und Fehlanzeigen an das Hauptamt beziehungsweise das Kaiserliche Statistische Amt die auf den Formularen bezeichneten Einsendungstermine zu beachten. Den Einsendungen an das Kaiserliche Statistische Amt ist ein hinsichtlich der Vollständigkeit bescheinigtes Verzeichniß der Nachweisungen und Fehlanzeigen beizufügen.

§. 108. Die Oberbeamten der Steuerverwaltung haben beim Besuch der Betriebsanstalten Kenntniß von den daselbst befindlichen Duplikaten der Betriebs- und Bestandesnachweisungen zu nehmen, die Einträge zu prüfen und nach Befinden eine Berichtigung zu veranlassen. Zum letzteren Zweck ist auch von der Befugniß zur Einsicht der Fabrikbücher über den Verbrauch an Zuckerstoffen und die Produktion an Zucker Gebrauch zu machen, wenn es sich um Zweifel von Bedeutung handelt und eine genügende Aufklärung durch Benehmen mit dem Fabrikinhaber oder dessen Vertreter nicht erreicht wird.

§. 109. Vom Kaiserlichen Statistischen Amt sind die hauptsächlichen Ergebnisse der Betriebs- und Bestandesnachweisungen thunlichst bald in geeigneter Weise zu veröffentlichen. In der Veröffentlichung dürfen die Angaben der einzelnen Fabriken nicht erkennbar sein.

§. 110. Die bisher vorgeschriebenen halbmonatlichen Nachweisungen der Steuerstellen über die mit dem Anspruch auf Steuervergütung abgefertigten Zuckermengen u. s. w. (Bundesrathsbeschluß vom 7. Juli 1887), desgleichen die monatlichen Nachweisungen über die Zahl der im Betriebe gewesenen Rübenzuckerfabriken und die versteuerten Rübenmengen (Bundesrathsbeschluß vom 9. Juni 1882), sowie die vorläufige Uebersicht über die Ergebnisse der Rübenzuckerfabrikation im Betriebsjahre (Bundesrathsbeschluß vom 7. Dezember 1871) sind bis auf weiteres auch ferner aufzustellen und einzusenden.

Wegen Aufstellung der Jahresstatistik über die Produktion und Besteuerung des Rübenzuckers vom 1. August 1888 ab bleibt Bestimmung vorbehalten.

Nr. 22. Zu §. 39 des Gesetzes.

Kontrole über die Fabriken von Stärkezucker und gleichgestellte Fabriken.

§. 111. Nachdem die Syrup-Raffinerien durch §. 8 unter die Steuerkontrole nach §§. 11 bis 38 des Gesetzes gestellt worden sind, finden auf dieselben die Bestimmungen im §. 39 des Gesetzes Absatz 1 und 3 keine Anwendung.

§. 112. Die Vorschriften in den Absätzen 1 bis 3 des §. 39 des Gesetzes treten auch für die Fabriken in Kraft, in welchen Saccharin hergestellt oder weiter verarbeitet wird (durch Vermischung mit Rübenzucker oder Stärkezucker, oder in sonstiger Weise). Den Hauptämtern liegt ob, die Inhaber der betreffenden Fabriken auf die hiernach sie treffenden Verpflichtungen aufmerksam zu machen, sofern die gleichen Verpflichtungen nicht schon bisher für die Fabriken (z. B. als Stärkezuckerfabriken) Platz gegriffen haben.

§. 113. Auf Grund der nach §. 39 des Gesetzes erstatteten Anzeigen über das Bestehen und den Besitzes- oder Ortswechsel von Stärkezucker- oder Stärkesyrupfabriken, von Maltose- oder Maltosesyrupfabriken, von Fabriken, welche Sacharin herstellen oder weiter verarbeiten, sowie von gewerblichen Betrieben, in denen aus unversteuerten Rüben Säfte und zuckerhaltige Produkte gewonnen werden, ist von den Steuerhebestellen ein nach den bezeichneten Klassen geordnetes Verzeichniß der Betriebsanstalten zu führen, welches für jede der letzteren den Inhaber und den Ort angiebt.

Die unteren Steuerstellen haben bis Mitte September 1888, soweit dies nicht schon nach den bisherigen Bestimmungen geschehen, dem Hauptamt eine Abschrift des Verzeichnisses einzureichen und demselben sodann fortlaufend Mittheilung von den Zugängen, Abgängen und sonstigen Veränderungen zu machen. Bei den Hauptämtern wird danach ein Hauptverzeichniß geführt.

Den obersten Landes-Finanzbehörden bleibt es bis auf weiteres überlassen, Inhaber gewerblicher Betriebe, welche aus unversteuerten Rüben Säfte oder zuckerhaltige Produkte gewinnen, ausnahmsweise von der Anzeigepflicht nach §. 39 Absatz 1 des Gesetzes zu befreien.

Die im §. 39 Absatz 3 des Gesetzes vorgesehene Kontrole über die nach Absatz 1 daselbst anzeigepflichtigen Betriebsanstalten ist unter Vermeidung von Störungen des Betriebes und nur in dem Umfange auszuüben, welcher durch den Zweck der Kenntnißnahme vom Betriebe bedingt ist. Die näheren Anordnungen werden nach Bedürfniß bis auf weiteres von den obersten Landes-Finanzbehörden erlassen.

§. 114. Ueber die Produktion von Stärkezucker sind von den Inhabern der Stärkezuckerfabriken auf Grund der Fabrikbücher Jahresnachweisungen nach dem anliegenden Muster 28 in doppelter Ausfertigung aufzustellen. Das eine Exemplar ist zu dem im Formular bezeichneten Termin der Steuerhebestelle des Bezirks einzureichen, das andere in der Betriebsanstalt aufzubewahren. Den Oberbeamten der Steuerverwaltung liegt ob, die Einträge zu prüfen, nach Befinden eine Berichtigung zu veranlassen und zu diesem Zweck nöthigenfalls auch von der Befugniß zur Einsicht der Fabrikbücher Gebrauch zu machen.

Muster 28.

Die Formulare sind vom Kaiserlichen Statistischen Amt zu liefern.

§. 115. Ueber die Produktion der Syrup-Raffinerien, der Maltose- und Maltosesyrupfabriken und der Fabriken, welche Sacharin herstellen oder weiter verarbeiten, haben die Hauptämter, in deren Bezirk die Fabriken sich befinden, auf Grund der von den Fabrikinhabern nach Maßgabe der Fabrikbücher zu machenden Angaben Nachweisungen nach Betriebsjahren $\frac{\text{1. August}}{\text{31. Juli}}$ aufzustellen, welche die Art und Menge der verarbeiteten Materialien, sowie der fertiggestellten Produkte enthalten. Diese Nachweisungen sind bis zum 15. September dem Kaiserlichen Statistischen Amt einzureichen, welches geeignete Zusammenstellungen in Verbindung mit den Uebersichten über den Betrieb der Stärkezuckerfabriken veröffentlicht. Dabei dürfen die Angaben der einzelnen Fabriken nicht erkennbar gemacht werden.

Anlage A.

Anleitung für die Steuerstellen

zur

Bestimmung des Quotienten der Syrupe oder Melassen.

Die Bestimmung des Quotienten von Zuckerabläufen (Syrup oder Melasse) kann vom Steuerbeamten nur ausgeführt werden, wenn weniger als 2 Prozent Invertzucker in der betreffenden Probe enthalten sind. Zuvörderst ist daher

1. festzustellen, ob der Gehalt an Invertzucker unter 2 Prozent oder höher ist. Zu diesem Zweck wird eine Porzellanschale auf einer Waage, wie sie bei der Polarisation der festen Zucker Verwendung findet, tarirt und alsdann in derselben genau die Menge von 10 Gramm des zuvor durch Anwärmen dünnflüssig gemachten Syrups u. s. w. abgewogen. Darauf wird durch Zusatz von etwa 50 ccm warmen Wassers und durch Umrühren mit einem Glasstab der Syrup u. s. w. zur Lösung gebracht. Einer Filtration der erhaltenen dünnen Flüssigkeit bedarf es in der Regel nicht, auch wenn dieselbe getrübt erscheinen sollte.

Man bringt die Lösung des Syrups sodann in eine sogenannte Erlenmeyersche Kochflasche von etwa 200 ccm Inhalt oder in eine entsprechend große Porzellanschale und fügt dazu 50 ccm Fehlingsche Lösung. In 2 Flaschen getrennt bewahrt man im Laboratorium einerseits eine Lösung von Kupfervitriol, andererseits Seignettesalz-Natronlauge auf; gleiche Theile von beiden Flüssigkeiten bilden die Fehlingsche Lösung. Wenn man gerade viele Analysen vorhat, kann man größere Mengen beider Lösungen mischen, also vielleicht von jeder derselben 250 ccm verwenden, und der Mischung für die Analyse 50 ccm entnehmen; sind dagegen nur wenige Analysen auszuführen, so entnimmt man direkt der Seignettesalz-Natronlaugenflasche und der Kupfervitriolflasche je 25 ccm mittelst zweier Pipetten und bringt dieselben in die Erlenmeyersche Kochflasche. Gemischte Fehlingsche Lösung darf nur drei Tage lang zum Gebrauch aufbewahrt werden, da sie bei längerem Stehen zur Analyse untauglich wird. Man kocht alsdann die Flüssigkeit im Kochkolben über einem sogenannten Bunsen-Brenner auf, indem man dieselbe auf ein darüber befindliches, durch einen Dreifuß getragenes Drahtnetz stellt, und erhält die Flüssigkeit mindestens 2 Minuten im Sieden. Die Zeit des Kochens darf nicht abgekürzt, kann aber ohne Gefahr für den Ausfall der Analyse einige Minuten verlängert werden.

Man nimmt alsdann die Flamme weg, wartet einige Minuten, bis ein in der Flasche entstehender Niederschlag sich abgesetzt hat, hält dieselbe darauf gegen das Licht und beobachtet, ob die Flüssigkeit noch blau gefärbt ist. Deutlicher noch erkennt man die Färbung, wenn man ein Blatt weißes Schreibpapier hinter die Flasche hält und dieselbe im auffallenden Licht beobachtet.

Nur in dem Falle, daß die blaue Farbe noch vorhanden ist, enthält die Lösung weniger als 2 Prozent Invertzucker und kann der Beamte die weitere Untersuchung des Syrups vornehmen; anderenfalls muß die Untersuchung durch einen Chemiker ausgeführt werden. Häufig wird die Flüssigkeit nach dem Kochen, trotzdem daß noch unzersetzte blaue Kupferlösung in derselben vorhanden, nicht blau, sondern gelbgrün erscheinen, weil die blaue Farbe durch die gelbbraune Färbung des Syrups verdeckt wird.

In solchen Fällen hat der Beamte folgendes Verfahren einzuschlagen:

Er filtrirt durch ein kleines Papierfilter aus gutem dicken Filtrirpapier, welches in einen Glastrichter eingesetzt ist, wenige Kubikzentimeter (vielleicht 10 ccm) von der gekochten Flüssigkeit ab.

Dabei wird die Vorsicht gebraucht, daß das Filter zunächst mit etwas Wasser angefeuchtet und am Rande des Trichters gut festgedrückt wird. Das Filtrat fängt man in einem sogenannten Reagensgläschen auf, setzt dazu ungefähr die gleiche Menge Essigsäure, wie sie in den Laboratorien gebräuchlich ist, und einen oder zwei Tropfen einer Lösung von gelbem Blutlaugensalz hinzu, die man sich entweder durch Lösen des Salzes in Wasser frisch bereiten oder auch vorräthig halten kann. Falls noch Kupfer in Lösung war, entsteht sofort eine intensiv rothe Färbung. Nur wenn dieselbe beobachtet worden ist, kann der Beamte selbst den Syrup weiter untersuchen.

2. Bestimmung des Gehalts des Syrups nach Brix. In einem tarirten Becherglase werden etwa 200 bis 300 Gramm des zu untersuchenden Syrups abgewogen. Man fügt alsdann dazu 100 bis 200 ccm heißes destillirtes Wasser, rührt mit einem Glasstab, welcher mit tarirt wurde, so lange vorsichtig (um das Glas nicht zu zerstoßen) um, bis der Syrup sich darin vollständig gelöst hat, und stellt alsdann das Becherglas so lange in kaltes Wasser, bis der Inhalt ungefähr Zimmertemperatur angenommen hat. Darauf stellt man das Becherglas wiederum auf die Waage und setzt vorsichtig aus einer Spritzflasche soviel Wasser zu, daß das Gewicht desselben gleich dem des angewandten Syrups ist; waren also beispielsweise 251 Gramm Syrup abgewogen worden, so sind in Summa 251 Gramm Wasser zuzusetzen. Nach dem Zufügen des Wassers rührt man nochmals um und gießt alsdann die Flüssigkeit in einen Glascylinder, welcher zur Vornahme der Spindelung dient. Die Weite des Cylinders muß derartig sein, daß die Spindel frei in demselben schwimmen kann, ohne an der Wandung anzuhaften; auch muß derselbe zur Verhinderung eines solchen Anhaftens möglich senkrecht stehen, also auf eine horizontale Fläche aufgestellt werden. Man senkt die Spindel vorsichtig und langsam in die Flüssigkeit ein und trägt Sorge, daß der außerhalb verbleibende Theil derselben möglichst wenig benetzt wird. Nachdem das Instrument zur Ruhe gekommen ist, liest man den Gehalt an derjenigen Stelle der Spindel ab, welche mit dem Niveau der Flüssigkeit im Cylinder sich in einer Linie befindet. Man erfährt ferner die Temperatur der Flüssigkeit aus dem Stande eines Thermometers, welches an dem Bauch der Spindel angebracht ist, und korrigirt die abgelesenen Grade, falls die Flüssigkeit nicht zufällig die Normaltemperatur von 17,5° C. besaß, mittelst der folgenden von Stammer entworfenen Tabelle, für deren Anwendung eine besondere Erklärung nicht nöthig ist:

Berichtigung der Prozente Brix nach der Temperatur 17½° C.

Temperatur nach Celsius.	Prozente Brix der Lösung							
	25	30	35	40	50	60	70	75
	von der Aräometeranzeige abzuziehen.							
0°	0,72	0,82	0,92	0,98	1,11	1,22	1,25	1,29
5°	0,59	0,65	0,72	0,75	0,80	0,88	0,91	0,94
10°	0,39	0,42	0,45	0,48	0,50	0,54	0,58	0,61
11°	0,34	0,36	0,39	0,41	0,43	0,47	0,50	0,53
12°	0,29	0,31	0,33	0,34	0,36	0,40	0,42	0,46
13°	0,24	0,26	0,27	0,28	0,29	0,33	0,35	0,39
14°	0,19	0,21	0,22	0,22	0,23	0,26	0,28	0,32
15°	0,15	0,16	0,17	0,16	0,17	0,19	0,21	0,25
16°	0,10	0,11	0,12	0,12	0,12	0,14	0,16	0,18
17°	0,04	0,04	0,04	0,04	0,04	0,05	0,05	0,06
18°	0,03	0,03	0,03	0,03	0,03	0,03	0,03	0,02
19°	0,10	0,10	0,10	0,10	0,10	0,10	0,08	0,06
20°	0,18	0,18	0,18	0,19	0,19	0,18	0,15	0,11
21°	0,25	0,25	0,25	0,26	0,26	0,25	0,22	0,18
22°	0,32	0,32	0,33	0,33	0,34	0,32	0,29	0,25

Temperatur nach Celsius.	Prozente Brix der Lösung							
	25	30	35	40	50	60	70	75
	zur Aräometeranzeige hinzuzufügen.							
23°	0,39	0,39	0,39	0,40	0,42	0,39	0,36	0,33
24°	0,46	0,46	0,47	0,47	0,50	0,46	0,43	0,40
25°	0,53	0,54	0,55	0,55	0,58	0,54	0,51	0,48
26°	0,60	0,61	0,62	0,62	0,66	0,62	0,58	0,55
27°	0,68	0,68	0,69	0,70	0,74	0,70	0,65	0,62
28°	0,76	0,76	0,78	0,78	0,82	0,78	0,72	0,70
29°	0,84	0,84	0,86	0,86	0,90	0,86	0,80	0,78
30°	0,92	0,92	0,94	0,94	0,98	0,94	0,88	0,86
35°	1,32	1,33	1,35	1,36	1,39	1,34	1,27	1,25
40°	1,79	1,79	1,80	1,82	1,88	1,78	1,69	1,65
50°	2,80	2,80	2,80	2,80	2,79	2,70	2,56	2,51
60°	3,88	3,88	3,88	3,90	3,82	3,70	3,48	3,41
70°	5,13	5,10	5,08	5,06	4,90	4,72	4,47	4,35
80°	6,46	6,38	6,30	6,26	6,06	5,82	5,50	5,33

Nachdem die Korrektur angebracht ist, wird das erhaltene Resultat noch mit 2 multiplizirt, da ja der Syrup mit Wasser auf die Hälfte verdünnt worden war.

Beispiel: 200 Gramm Syrup seien mit 200 Gramm Wasser verdünnt worden. Die Ablesung an der Spindel betrage 40,3° bei einer Temperatur von 20° C. Aus der Tabelle ergiebt sich, daß dieser Betrag um 0,19 zu vergrößern ist; wir runden diese Zahl auf 0,2 ab, da wir nur Zehntel, nicht Hundertstel bei der Spindelung berücksichtigen, finden demgemäß den korrigirten Werth 40,3 + 0,2 = 40,5 und den Werth für den ursprünglichen Syrup zu 40,5 × 2 = 81,0° Brix. Die Abrundung der gefundenen Hundertstel der Grade Brix auf Zehntel erfolgt stets nach oben.

3. **Polarisation des Syrups.** Zur Polarisation des Syrups wiegt man das halbe Normalgewicht des Syrups, also 13,024 g in einer ebensolchen Porzellanschale ab, wie dieselbe zur Wägung des festen Zuckers gebraucht wird; darauf bringt man in die Schale etwa 40 bis 50 ccm destillirtes, am besten lauwarmes Wasser und rührt mit einem Glasstab um, bis sich der Syrup gelöst hat. Die Flüssigkeit wird in derselben Weise wie bei der Polarisation der festen Zucker in den Kolben gespült, überhaupt die Polarisation bis auf geringe Abweichungen genau in derselben Weise wie bei Untersuchung der letzteren ausgeführt.

Die eine dieser Abweichungen besteht darin, daß man zur Klärung der dunkleren Flüssigkeit hier viel mehr Bleiessig anwenden muß. Man läßt deshalb vor dem Auffüllen zur Marke mit destillirtem Wasser in den Kolben so lange Bleiessig einfließen, bis die Flüssigkeit genügend geklärt erscheint. Man verfährt so, daß man zunächst vielleicht 5 ccm Bleiessig zulaufen und den entstehenden Niederschlag absetzen läßt. Dies geschieht zumeist in wenigen Minuten; ist die Flüssigkeit sehr dunkel gefärbt, so fährt man für den Fall, daß Bleiessig überhaupt noch einen Niederschlag darin hervorruft, so lange mit Zusatz desselben fort, bis die genügende Helligkeit erreicht ist. Man verbraucht oftmals bis ungefähr 12 ccm Bleiessig, ehe dieser Punkt erreicht ist.

Keinesfalls darf aber überschüssiger Bleiessig hinzugesetzt werden; ein neuer Tropfen davon muß in in der filtrirten Flüssigkeit immer noch einen Niederschlag hervorbringen.

Läßt sich trotzdem die Polarisation im 200 mm langen Rohr nicht ausführen, so versucht man, ob dieselbe mittelst eines nur 100 mm langen Rohres, also in halb so langer Schicht möglich ist. Ist dieselbe auch in dieser Weise nicht ausführbar, so wiederholt man die ganze Prozedur der Analyse von Anfang an und giebt vor dem Bleiessigzusatz etwa 10 ccm einer Lösung von Alaun oder Gerbsäure; diese Flüssigkeiten geben mit Bleiessig starke Niederschläge, die klärend wirken, und gestatten weit mehr Bleiessig anzuwenden, als ohne Zusatz derselben gebraucht werden darf.

Die zweite Abweichung gegenüber dem Untersuchungsverfahren für feste Zucker beruht darin, daß das Resultat der Polarisation, welches mittelst des Apparats gefunden wird, hier mit 2 multiplizirt werden muß, da nur das halbe Normalgewicht an Syrup angewandt wurde, der Apparat aber nur für das ganze Normalgewicht Prozente angiebt. Hat man statt des 200-Millimeter-Rohrs ein solches von nur 100 Millimeter Länge angewendet, so muß das abgelesene Resultat aus leicht ersichtlichen Gründen sogar mit 4 multiplizirt werden, wenn man die Prozente Zucker im Syrup erhalten will.

4. Berechnung des Quotienten aus den ermittelten Zahlen. Den Quotienten berechnet man nach der Formel $Q = \frac{100 \cdot P}{B}$, wo P die gefundene Polarisation bedeutet und B den Gehalt des Syrups, wie er mit der Brixspindel gefunden wurde.

Beispiel: Die Polarisation sei zu 50,4 gefunden, der Gehalt nach Brix mittelst der Spindel zu 70,1.

Der Quotient ist alsdann:

$$\frac{100 \cdot 50{,}4}{70{,}1} = 71{,}9.$$

Bei der Berechnung des Quotienten werden Hundertstel nach unten abgerundet, beispielsweise ist statt 69,99 nicht 70,00, sondern 69,9 zu setzen.

Anlage B.

Anweisung

zur

Untersuchung solcher Syrupe, welche 2 Prozent oder mehr Invertzucker enthalten, stärkezuckerhaltiger und raffinosehaltiger Syrupe, sowie raffinosehaltiger fester Zucker.

Bei der Untersuchung derjenigen Syrupe, welche in Folge des Invertzuckergehalts von 2 Prozent und mehr dem Chemiker überwiesen worden sind, kann die Bestimmung des spezifischen Gewichts beziehungsweise der Grade Brix in derselben Weise geschehen, wie in Anlage A, Anleitung für die Steuerstellen zur Bestimmung des Quotienten der Syrupe und Melasse, vorgeschrieben ist. Selbstverständlich kann an Stelle dieser Methode auch die direkte Bestimmung des spezifischen Gewichts mittelst des Pyknometers genommen werden, keinesfalls aber ist es gestattet, die Trockensubstanzbestimmung an Stelle derselben treten zu lassen, da einerseits damit eine ungleiche Art der Feststellung des Quotienten seitens der Beamten und Chemiker eingeführt werden würde, andererseits die Bestimmung der Trockensubstanz in invertzuckerhaltigen Syrupen viel zu zeitraubend und schwierig für den Gebrauch in der Praxis ist.

Bei der Berechnung des Quotienten ist nicht so zu verfahren wie im Fabrikbetriebe, daß nämlich nur der Rohrzucker als Zucker gerechnet wird, sondern der vorhandene Invertzucker ist dadurch, daß $^1/_{20}$ der gefundenen Menge abgezogen wird, in Rohrzucker umzurechnen, zu der direkt gefundenen Menge des letzteren zu addiren und die Summe des Gesammtzuckers der Berechnung zu Grunde zu legen.

Für die Bestimmung des Zuckergehalts sind verschiedene Methoden anzuwenden, je nachdem mehr oder weniger Invertzucker oder auch Stärkezucker oder Raffinose zugegen ist. Zur Erläuterung seien folgende Bemerkungen vorausgeschickt:

Der Invertzucker in den Syrupen pflegt zwar häufig inaktiv zu sein, kann aber doch auch die normale Linksdrehung, welche nach neueren Untersuchungen $0{,}33$ mal, nach älteren $0{,}34$ mal so groß ist als die Rechtsdrehung des Rohrzuckers, besitzen. Sobald sehr viel Invertzucker zugegen ist, kann daher die Polarisation des vorhandenen Rohrzuckers entsprechend herabgedrückt werden. Bekanntlich ist deshalb von Meißl für die Untersuchung der festen Kolonialzucker vorgeschlagen worden, man solle den gefundenen Invertzucker mit $0{,}34$ multipliziren und die erhaltene Zahl der Polarisation zuzählen, um auf diese Weise den richtigen Zuckergehalt zu berechnen. Ein solches Verfahren bei der Syrupanalyse anzuwenden, wäre jedoch unstatthaft, weil, wie erwähnt, in den Syrupen der Invertzucker häufig nicht das normale Drehungsvermögen zeigt, sondern ein geringeres, beziehungsweise optisch inaktiv wird. Hier würde eine derartige Korrektur, wie sie Meißl anwendet, den Karakter der Willkür tragen und in vielen Fällen dazu führen, daß der Zuckergehalt zu hoch gefunden wird. Immerhin wird aber die Möglichkeit im Auge zu behalten sein, daß in Folge des Drehungsvermögens des Invertzuckers nach links die Menge des Rohrzuckers viel zu niedrig gefunden wird. Im Hinblick auf diese Verhältnisse erscheint im allgemeinen die Berechnung des Gesammtzuckers aus der Polarisation und dem gefundenen Invertzucker nur in solchen Fällen statthaft, wo die Menge des Invertzuckers nicht über ein gewisses Maß hinausgeht. Beispielsweise würde bei Anwesenheit von 6 Prozent Invertzucker die Polarisation des Rübenzuckers bereits um $6 \cdot 0{,}33 = 1{,}98$ Prozent zu niedrig ausfallen können, demgemäß so viel Zucker zu wenig gefunden werden können. Es empfiehlt sich daher, da die dem Chemiker zur Untersuchung übergebenen Syrupe beträchtliche Mengen Invertzucker enthalten können, dessen Drehungsvermögen wir nicht kennen, im allgemeinen von der optischen Methode der Zuckerbestimmung gänzlich abzusehen und die gewichtsanalytische anzuwenden, für welche weiter unten unter I eine neue, rasch auszuführende Modifikation angegeben ist.

Eine Ausnahme tritt ein bei Anwesenheit von Stärkezucker oder Raffinose. Da wir die Menge des vorhandenen Stärkezuckers nicht genau bestimmen können und da ferner das Reduktionsvermögen des Stärkezuckers, welches bei der Handelswaare entsprechend einem Gehalt von ungefähr 40 bis 60 Zucker schwankt, unter denjenigen Bedingungen, unter welchen die Inversion der Zuckersyrupe behufs Ausführung der gewichtsanalytischen Zuckerbestimmung vorgenommen wird, fast unverändert bleibt, so ist in Fällen, wo solcher vorhanden ist, die gewichtsanalytische Methode zur Feststellung des gesammten Gehalts an Rübenzucker beziehungsweise des Quotienten nicht mehr anwendbar. Sie würde im Gegentheil zu großen Irrthümern führen, und es würden Syrupe von über 70 Quotient, nach dieser Methode untersucht, nach Zusatz einer gewissen Menge Stärkezucker als solche von unter 70 Quotient erscheinen. In solchen Fällen, wo Stärkezucker zugegen ist, wird dann aber der deprimirende Einfluß der Linksdrehung des Invertzuckers auf die Polarisation des Zuckers gar nicht mehr in Betracht kommen können, weil der Stärkezucker ein ungleich höheres Rechtsdrehungsvermögen besitzt als die anderen vorhandenen Zuckerarten. Um Täuschungen zu verhüten, welche sonst durch Vermischen von Syrupen über 70 Quotient mit Stärkezucker leicht möglich sein würden, ist deshalb in allen Fällen, wo Stärkezucker zugegen ist, der Gesammtzuckergehalt aus der Polarisation und dem direkt zu bestimmenden Invertzucker zu berechnen. Näher beschrieben ist die Methode unter II. Für den Fall endlich, daß Raffinose zugegen ist, muß wieder anders verfahren werden; die nähere Beschreibung der Methode findet sich unter III angegeben.

I. Es braucht auf die Anwesenheit von Stärkezucker überhaupt keine Rücksicht genommen werden.

Untersuchungen von Syrupen, welche notorisch frei von Stärkezuckersyrup sind, werden vielfach vorkommen, da die meisten Fabriken nicht selbst Stärkezuckersyrup zumischen, sondern diese Mischung erst von zweiter oder dritter Hand vorgenommen zu werden pflegt.

Die Gesammtzuckerbestimmung kann hier in einer einzigen Operation ausgeführt werden.

Man wägt das halbe Normalgewicht ($13_{,024}$ g) Syrup ab, löst in einem Hundertkölbchen in 75 ccm Wasser, setzt 5 ccm Salzsäure (von $38_{,8}$ Prozent HClgehalt) hinzu und erwärmt auf 67 bis 70° C. im Wasserbade. Sobald der Inhalt des Kolbens diesen Grad erreicht hat, wird die Temperatur noch 5 Minuten auf 67 bis 70° unter häufigem Umschütteln gehalten. Da das Anwärmen $2^1/_2$ bis 5 Minuten in Anspruch nehmen kann, so wird die Ausführung dieser Operation im ganzen $7^1/_2$ bis 10 Minuten in Anspruch nehmen. Man füllt zur Marke auf, verdünnt darauf 50 ccm von den 100 ccm zum Liter, nimmt davon 25 ccm (entsprechend $0_{,1628}$ Substanz) in eine Kochflasche und setzt dazu, um die vorhandene freie Säure zu neutralisiren, 25 ccm einer Lösung von kohlensaurem Natron, welche durch Lösen von $1_{,7}$ g wasserfreien Salzes zum Liter bereitet und vorräthig gehalten wird. Darauf versetzt man mit 50 ccm der allgemein gebräuchlichen Soxhletschen Lösung, erhitzt in derselben Weise wie bei der Invertzuckerbestimmung zum Sieden und hält die Flüssigkeit 3 Minuten im Kochen. Da hier sämmtlicher Zucker invertirt ist, Rohrzucker somit das Resultat der Reduktion bei längerem Erhitzen nicht beeinflussen kann, so braucht man bezüglich des Innehaltens der Zeit des Erwärmens nicht so ängstlich zu sein, als bei der Invertzuckerbestimmung. 2 auch 3 Minuten längeres Erwärmen beeinflußt das Resultat, wie aus Soxhlets Versuchen hervorgeht, nicht merklich. Nach beendetem Erhitzen verdünnt man die Flüssigkeit in der Kochflasche mit dem gleichen Volumen luftfreien Wassers und verfährt im übrigen genau wie bei der Invertzuckerbestimmung. Zur Berechnung des Resultats können selbstverständlich die in der Literatur vorhandenen Tabellen nicht dienen, weil dieselben nicht für Invertzucker, sondern nur für Glukose oder auch Gemenge von Invertzucker mit Sacharose gelten. Es ist deshalb die folgende Tabelle für Invertzucker bei 3 Minuten Kochdauer aufgestellt worden, welche gestattet, aus der gefundenen Kupfermenge sogleich die entsprechende Menge an Sacharose zu berechnen. Der Umrechnung des Invertzuckers in Rohrzucker ist man demnach bei Benutzung derselben überhoben.

Tabelle zur Berechnung des dem vorhandenen Invertzucker entsprechenden Rohrzuckergehaltes aus der gefundenen Kupfermenge bei 3 Minuten Kochdauer.

Rohrzucker	Kupfer	Rohrzucker	Kupfer	Rohrzucker	Kupfer	Rohrzucker	Kupfer
mg	mg	mg	mg	mg	mg	mg	mg
40	79,0	73	145,2	106	208,6	139	269,1
41	81,0	74	147,1	107	210,5	140	270,9
42	83,0	75	149,1	108	212,3	141	272,7
43	85,2	76	151,0	109	214,2	142	274,5
44	87,2	77	153,0	110	216,1	143	276,3
45	89,2	78	155,0	111	217,9	144	278,1
46	91,2	79	156,9	112	219,8	145	279,9
47	93,3	80	158,9	113	221,6	146	281,6
48	95,3	81	160,8	114	223,5	147	283,4
49	97,3	82	162,8	115	225,3	148	285,2
50	99,3	83	164,7	116	227,2	149	286,9
51	101,3	84	166,6	117	229,0	150	288,8
52	103,3	85	168,6	118	230,9	151	290,5
53	105,3	86	170,5	119	232,8	152	292,3
54	107,3	87	172,4	120	234,6	153	294,0
55	109,4	88	174,3	121	236,4	154	295,7
56	111,4	89	176,3	122	238,3	155	297,5
57	113,4	90	178,2	123	240,2	156	299,2
58	115,4	91	180,1	124	242,0	157	300,9
59	117,4	92	182,0	125	243,9	158	302,6
60	119,5	93	183,9	126	245,7	159	304,4
61	121,5	94	185,8	127	247,5	160	306,1
62	123,5	95	187,8	128	249,3	161	307,8
63	125,4	96	189,7	129	251,2	162	309,5
64	127,4	97	191,6	130	252,9	163	311,3
65	129,4	98	193,5	131	254,7	164	313,0
66	131,4	99	195,4	132	256,5	165	314,7
67	133,4	100	197,3	133	258,3	166	316,4
68	135,3	101	199,2	134	260,1	167	318,1
69	137,3	102	201,1	135	261,9	168	319,9
70	139,3	103	202,9	136	263,7	169	321,6
71	141,3	104	204,8	137	265,5	170	323,3
72	143,2	105	206,7	138	267,3		

Beispiel: 25 ccm der wie oben beschrieben berechneten Lösung des invertirten Syrups = 0,1628 g Substanz geben bei der Reduktion 0,1628 g Kupfer, diese entsprechen 0,082 g Zucker, demnach vorhanden im Syrup 50,4 Prozent Zucker.

Angenommen, derselbe Syrup habe einen Gehalt von 80° Brix gezeigt, so ist demnach sein Quotient 63,0. Der Quotient wird nur bis auf Zehntel, nicht auf Hundertstel berechnet, die Abrundung der sich durch Rechnung ergebenden Hundertstel auf Zehntel erfolgt bezüglich der Grade Brix nach oben, des Quotienten nach unten, so daß also bei einem Befunde der Brixgrade von 82,85 82,9, des Quotienten von 69,99 dagegen nicht 70,0, sondern 69,9 anzugeben ist.

II. Der zu untersuchende Syrup kann Stärkezuckersyrup enthalten.

In diesem Falle führt man zunächst eine Polarisation des Syrups direkt in bekannter Weise aus. Ergiebt die Quotientenberechnung aus dieser und den Graden Brix bereits ein höheres

Resultat als 70, so ist eine weitere Untersuchung nicht von nöthen, da dieselbe doch nur dazu führen könnte, den Quotienten zu erhöhen, niemals aber ihn erniedrigen könnte.

Ergiebt dagegen diese Berechnung einen niederen Werth als 70, so ist die Anwesenheit von Stärkezucker immer noch nicht ausgeschlossen. Um festzustellen, ob solcher vorhanden ist oder nicht, wird daher das halbe Normalgewicht in der unter I bereits beschriebenen Weise im Hundertkolben in 75 ccm Wasser gelöst und mit 5 ccm Salzsäure von 38,8 Prozent HCl bei 67 bis 70° invertirt. Darauf wird zu Hundert aufgefüllt und mit 1/2 bis 1, bei dunklen Syrupen auch mit 2 bis 3 Gramm mit Salzsäure ausgewaschener Knochenkohle oder mit Blutkohle, die man in trockenem Zustande direkt in den Hundertkolben bringt, entfärbt. Wendet man Blutkohle an, so ist der Absorptionsfaktor für Invertzucker für das betreffende Präparat zu bestimmen und je nach der angewandten Menge eine Korrektur der am Polarimeter abgelesenen Zahl anzubringen, falls die Linksdrehung genau festgestellt wird. Im vorliegenden Falle genügt es, bei annähernder Temperatur von 20° dieselbe festzustellen. Unverfälschte Syrupe nehmen zwar erfahrungsgemäß häufig nicht ganz die normale Linksdrehung an, welche 0,33 mal so groß als die ursprüngliche Rechtsdrehung ist, doch beträgt dieselbe immer mindestens den fünften Theil der ursprünglichen Rechtsdrehung. Es muß also ein Syrup von 55 Polarisation beispielsweise mindestens nach der Inversion eine Linksdrehung von — 11, auf das ganze Normalgewicht berechnet, zeigen. Würde dieser Syrup statt dessen alsdann nur eine Drehung von — 10 oder weniger oder gar Rechtsdrehung annehmen, so ist derselbe als mit Stärkezuckersyrup versetzt zu betrachten.

Ist in der vorbeschriebenen Weise die Abwesenheit von Stärkezucker nachgewiesen, so wird die unter I beschriebene gewichtsanalytische Methode zur Bestimmung des Gesammtzuckers angewendet und in der dort angegebenen Weise das Resultat berechnet.

Ist dagegen die Anwesenheit von Stärkezucker erwiesen, so muß zur Feststellung des Gesammtzuckergehalts der Weg eingeschlagen werden, daß zu der Polarisation der bereits vorhandene Invertzucker, welcher sich aus dem direkten Reduktionsvermögen des Syrups gegen Fehlingsche Lösung berechnet, hinzugerechnet wird.

Man verfährt dabei genau so, wie jetzt im Handel üblich, indem man die bekannte Fehlingsche Lösung nach Soxhlets Vorschrift benutzt. Man muß jedoch, da für 10 Gramm Substanz, welche gewöhnlich zur Invertzuckerbestimmung angewendet werden, hier die Fehlingsche Lösung nicht ausreichen würde, erst ausprobiren, welche Substanzmenge genommen werden darf. Es geschieht dies am bequemsten, indem man 10 Gramm Syrup zu 100 ccm löst, in mehrere Reagensgläser je 5 ccm Fehlingsche Lösung bringt und successive je 8, 6, 4, 2 ccm der Syruplösung in die einzelnen Reagensgläser mit Fehlingscher Lösung aus einer graduirten Pipette laufen läßt und aufkocht, bis schließlich derjenige Punkt erreicht ist, wo die Fehlingsche Lösung nicht mehr entfärbt wird. Ist dies beispielsweise bei 6 ccm der Fall, so wiegt man 6 Gramm Substanz zur Analyse ab, bei 4 ccm 4 Gramm Substanz, löst in 50 ccm Wasser und versetzt ohne vorherige Klärung mit Bleiessig mit 50 ccm Fehlingscher Lösung, kocht 2 Minuten und verfährt weiter in der Weise, wie für die Untersuchung der festen Zucker auf Invertzucker üblich ist. Die Berechnung des Invertzuckers geschieht nach der Tabelle von Meißl. Folgende Angaben über die Art der Benutzung dieser Tabelle sind dessen Originalarbeit, Zeitschrift des Vereins für die Rübenzuckerindustrie des Deutschen Reichs 1883 S. 768, entnommen:

Es sei I. $\frac{Cu}{2}$ = annähernde absolute Menge Invertzucker = Z;

II. $Z \times \frac{100}{p}$ = annähernde prozentische Menge Invertzucker = y;

III. $\frac{100\ Pol}{Pol + y}$ = R Verhältnißzahl für den Rohzucker,

100 — R = I Verhältnißzahl für den Invertzucker,

R : Z Verhältniß von Rohrzucker: Invertzucker = 6;

IV. $\frac{Cu}{p} \times F$ = richtige Prozente Invertzucker;

Cu bedeutet in dieser Formel die Menge des gewogenen Kupfers,

p bedeutet darin die Menge der angewandten Substanz,

Pol bedeutet darin die Polarisation,
Z dient zur Orientirung für die vertikale Spalte nachstehender Tabelle,
R : Z dient zur Orientirung für die horizontale Spalte nachstehender Tabelle.

Man benutzt jene Spalten, die dem gefundenen Werthe von Z und R : Z am nächsten kommen; dort, wo die vertikale und horizontale Spalte zusammentreffen, findet sich in der folgenden Tabelle der gesuchte Faktor F.

Faktoren zur Bestimmung des Invertzuckers neben Rohrzucker.

Rohrzucker zu Invertzucker = R : Z	Milligramme Invertzucker = Z.									
	245	225	200	175	150	125	100	75	50	Faktoren = F.
90 : 10	$56_{,2}$	$55_{,1}$	$54_{,1}$	$53_{,6}$	$53_{,1}$	$52_{,6}$	$52_{,1}$	$51_{,6}$	$51_{,2}$	
91 : 9	$56_{,2}$	$55_{,1}$	$54_{,1}$	$53_{,6}$	$52_{,6}$	$52_{,1}$	$51_{,6}$	$51_{,2}$	$50_{,7}$	
92 : 8	$56_{,2}$	$54_{,6}$	$53_{,6}$	$53_{,1}$	$52_{,1}$	$51_{,6}$	$51_{,2}$	$50_{,7}$	$50_{,3}$	
93 : 7	$55_{,7}$	$54_{,1}$	$53_{,6}$	$53_{,1}$	$52_{,1}$	$51_{,2}$	$50_{,7}$	$50_{,3}$	$49_{,8}$	
94 : 6	$55_{,7}$	$54_{,1}$	$53_{,1}$	$52_{,6}$	$51_{,6}$	$50_{,7}$	$50_{,3}$	$49_{,8}$	$48_{,9}$	
95 : 5	$55_{,7}$	$53_{,6}$	$52_{,6}$	$52_{,1}$	$51_{,2}$	$50_{,3}$	$49_{,4}$	$48_{,9}$	$48_{,5}$	
96 : 4	—	—	$52_{,1}$	$51_{,2}$	$50_{,7}$	$49_{,8}$	$48_{,9}$	$47_{,7}$	$46_{,9}$	
97 : 3	—	—	$50_{,7}$	$50_{,3}$	$49_{,8}$	$48_{,9}$	$47_{,7}$	$46_{,2}$	$45_{,1}$	
98 : 2	—	—	$49_{,9}$	$48_{,9}$	$48_{,5}$	$47_{,3}$	$45_{,8}$	$43_{,3}$	$40_{,0}$	
99 : 1	—	—	$47_{,7}$	$47_{,3}$	$46_{,5}$	$45_{,1}$	$43_{,3}$	$41_{,2}$	$38_{,1}$	

Beispiel: Die Polarisation eines Zuckers sei $86_{,4}$ und es seien für $3_{,256}$ g Substanz = p, $0_{,290}$ g Kupfer = Cu gefunden, so ist:

$$\text{I.}\quad \frac{Cu}{2} = \frac{0_{,290}}{2} = 0_{,145} = Z;$$

$$\text{II.}\quad Z \times \frac{100}{p} = 0_{,145} \times \frac{100}{3_{,256}} = 4_{,45} = y;$$

$$\text{III.}\quad \frac{100 \times Pol}{Pol + y} = \frac{8640}{86_{,4} + 4_{,45}} = 95_{,1} = R;$$

$$100 - R = 100 - 95_{,1} = Z;\ R : Z = 95_{,1} : 4_{,9}.$$

Um nun den Faktor F zu finden, müssen wir die richtige Vertikal- und Horizontalspalte aufsuchen. Dem Werthe von Z = 145 kommt die mit 150 überschriebene Spalte am nächsten; dem Verhältnisse R : Z = $95_{,1}$: $4_{,9}$ kommt in den Horizontalspalten das Verhältniß von 95 : 5 am nächsten, am Kreuzungspunkte dieser 2 Spalten findet sich der Faktor $51_{,2}$, mit Hülfe dessen die letzte Rechnung ausgeführt wird.

$$\text{IV.}\quad \frac{Cu}{p} \times F = \frac{0_{,290}}{3_{,256}} \times 51_{,2} = 4_{,56}\ \text{Prozent Invertzucker.}$$

Wir rechnen den Invertzucker in Saccharose um, indem wir 1/20 der gefundenen Menge abziehen, erhalten demnach ihm entsprechend $4_{,56} - 0_{,23} = 4_{,33}$ Saccharose, addiren diese Zahl zur Polarisation und berechnen aus den Graden Brix und der Summe in bekannter Weise den Quotienten.

III. Es ist auf die Anwesenheit von Raffinose Rücksicht zu nehmen.

Falls dem Chemiker aufgegeben ist, die Anwesenheit der Raffinose zu berücksichtigen, wird in folgender Weise verfahren:

a) es wird in bekannter Weise die Polarisation des Zuckers bestimmt,
b) es wird die Polarisation nach der Inversion bei genau 20° C. bestimmt.

Die Ausführung der Inversion geschieht unter Beachtung der bekannten Vorsichtsmaßregeln nach der oben unter I und II bereits beschriebenen Methode. Das halbe Normalgewicht wird im Hundertkubikcentimeterkolben in 75 ccm Wasser gelöst und mit 5 ccm Salzsäure (von $38{,}8$ Gehalt HCl) $7^{1}/_{2}$ bis 10 Minuten auf 60 bis 70° C. erwärmt. Nach dem Auffüllen und Klären mit durch Salzsäure ausgewaschener Knochenkohle oder Blutkohle wird die Beobachtung bei 20° C. ausgeführt.

Zur Berechnung des Resultats dienen folgende beide Formeln:

$$Z\,(\text{Zucker}) = \frac{0{,}5188\,P - J}{0{,}845} \text{ und } R\,(\text{Raffinose}) = \frac{P - Z}{1{,}85},$$

wo P die direkte Polarisation und J diejenige nach der Inversion für das ganze Normalgewicht mit Umkehrung des Vorzeichens bedeutet.

Bezüglich des Invertzuckers wird ebenso verfahren wie bei den gewöhnlichen Syrupen. Hat die Probe, welche in der Anlage A beschrieben ist, ergeben, daß so wenig davon vorhanden ist, daß seine Menge bei der Quotientenberechnung vernachlässigt werden kann (unter 2 Prozent), so wird derselbe weiter nicht berücksichtigt. Sind 2 Prozent oder mehr davon vorhanden, so muß die Menge desselben quantitativ nach der Methode von Meißl, wie unter II beschrieben, bestimmt und als Sacharose berechnet werden. Bezüglich der Benutzung der Meißlschen Tabelle ist hier zu beachten, daß die Raffinose bei Aufsuchung des Berechnungsfaktors der Sacharose gleich zu achten ist, demnach für den Meißlschen Werth Pol. überall die Summe von Zucker und Raffinose einzusetzen ist.

Die Berechnung des Quotienten erfolgt aus den Graden Brix und die Summe des Gehalts an Zucker und Invertzucker, auf Zucker umgerechnet, ohne Berücksichtigung der Raffinose.

Beispiel: Bei der Untersuchung eines Syrups seien gefunden:

$85{,}6$° Brix, $76{,}6$ direkte Pol., — 3 Pol. nach der Inversion.

Daraus berechnet sich mittelst obiger Formel $50{,}5$ Zucker und $14{,}0$ Raffinose. Außerdem seien $2{,}1$ Prozent Zucker als Invertzucker gefunden, demnach beträgt die Summe des Zuckers $52{,}6$ und der Quotient $61{,}4$.

Es wäre denkbar, daß grobe Täuschungen dadurch versucht würden, daß sehr reine Zuckersyrupe mit wenig Stärkesyrup versetzt würden und die Untersuchung der Syrupe unter Berücksichtigung des Raffinosegehalts beantragt würde. In derartigen Fällen würden durch Anwendung der hier beschriebenen Methode Irrthümer in der Richtung begangen werden, daß viel zu wenig Zucker und ein bedeutender Gehalt an Raffinose je nach der Menge des zugesetzten Stärkezuckers sich berechnen würden, demnach für hochwerthige Zuckersyrupe ein Quotient unter 70 gefunden werden könnte.

Die Anwendung der vorbeschriebenen Untersuchungsmethode der Syrupe unter Berücksichtigung des Raffinosegehalts ist deshalb nur statthaft, wenn kein Stärkezucker zugegen ist. Ist solcher vorhanden, so tritt die unter II beschriebene, im allgemeinen für Stärkezuckersyrupe geltende Untersuchungsmethode in Kraft.

Die Prüfung auf Stärkezucker kann hier nicht in der Weise ausgeführt werden, wie unter II für die Syrupe im allgemeinen vorgeschrieben, da raffinosehaltige Syrupe eine viel schwächere Linksdrehung nach der Inversion anzunehmen pflegen, als dem fünften Theil der Rechtsdrehung entspricht. Es liegt aber die Rechtsdrehung beziehungsweise Linksdrehung nach der Inversion bei solchen Syrupen stets innerhalb ganz bestimmter Grenzen, welche nachstehende einfach und bequem zu benutzende Tabelle erkennen läßt.

Liegt daher ein angeblich raffinosehaltiges Produkt vor, so wird die Untersuchung desselben in jedem Fall nach der oben beschriebenen Methode ausgeführt und der Gehalt an Zucker und Raffinose berechnet. Man vergleicht darauf die beobachteten Polarisationen mit den aus dem gefundenen Zucker- und Raffinosegehalt mittelst der Tabelle berechneten. Die beobachtete Rechtsdrehung darf nicht mehr als höchstens 5° höher sein, die Linksdrehung nicht mehr als 5° weiter nach der positiven Seite zu liegen, als sie sich aus der Tabelle berechnen, andernfalls ist Stärkezucker sicher zugegen, die Raffinoseformel demnach nicht mehr anwendbar und die Untersuchung des Syrups nach dem unter II für stärkezuckerhaltige Syrupe vorgeschriebenen Verfahren auszuführen.

Tabelle zur Erkennung der Anwendbarkeit der Raffinoseformel bei der Untersuchung von Syrupen.

A. Direkte Polarisation eines Gemenges von Zucker und wasserfreier Raffinose für $26{,}_{048}$ Gramm Substanz zu 100 ccm.

$$P = Z + 1{,}_{85}\,R.$$

Z =	R = 1.	2.	3.	4.	5.	6.	7.	8.	9.	10.	11.	12.	13.	14.	15.	16.	17.	18.	19.	20.
41 Prozent	42,9	44,7	46,6	48,4	50,3	52,1	54,0	55,8	57,7	59,5	61,4	63,2	65,1	66,9	68,8	70,6	72,5	74,3	76,2	78,0
42 „	43,9	45,7	47,6	49,4	51,3	53,1	55,0	56,8	58,7	60,5	62,4	64,2	66,1	67,9	69,8	71,6	73,5	75,3	77,2	79,0
43 „	44,9	46,7	48,6	50,4	52,3	54,1	56,0	57,8	59,7	61,5	63,4	65,2	67,1	68,9	70,8	72,6	74,5	76,3	78,2	80,0
44 „	45,9	47,7	49,6	51,4	53,3	55,1	57,0	58,8	60,7	62,5	64,4	66,2	68,1	69,9	71,8	73,6	75,5	77,3	79,2	81,0
45 „	46,9	48,7	50,6	52,4	54,3	56,1	58,0	59,8	61,7	63,5	65,4	67,2	69,1	70,9	72,8	74,6	76,5	78,3	80,2	82,0
46 „	47,9	49,7	51,6	53,4	55,3	57,1	59,0	60,8	62,7	64,5	66,4	68,2	70,1	71,9	73,8	75,6	77,5	79,3	81,2	83,0
47 „	48,9	50,7	52,6	54,4	56,3	58,1	60,0	61,8	63,7	65,5	67,4	69,2	71,1	72,9	74,8	76,6	78,5	80,3	82,2	84,0
48 „	49,9	51,7	53,6	55,4	57,3	59,1	61,0	62,8	64,7	66,5	68,4	70,2	72,1	73,9	75,8	77,6	79,5	81,3	83,2	85,0
49 „	50,9	52,7	54,6	56,4	58,3	60,1	62,0	63,8	65,7	67,5	69,4	71,2	73,1	74,9	76,8	78,6	80,5	82,3	84,2	86,0
50 „	51,9	53,7	55,6	57,4	59,3	61,1	63,0	64,8	66,7	68,5	70,4	72,2	74,1	75,9	77,8	79,6	81,5	83,3	85,2	87,0
51 „	52,9	54,7	56,6	58,4	60,3	62,1	64,0	65,8	67,7	69,5	71,4	73,2	75,1	76,9	78,8	80,6	82,5	84,3	86,2	88,0
52 „	53,9	55,7	57,6	59,4	61,3	63,1	65,0	66,8	68,7	70,5	72,4	74,2	76,1	77,9	79,8	81,6	83,5	85,3	87,2	89,0
53 „	54,9	56,7	58,6	60,4	62,3	64,1	66,0	67,8	69,7	71,5	73,4	75,2	77,1	78,9	80,8	82,6	84,5	86,3	88,2	90,0
54 „	55,9	57,7	59,6	61,4	63,3	65,1	67,0	68,8	70,7	72,5	74,4	76,2	78,1	79,9	81,8	83,6	85,5	87,3	89,2	91,0
55 „	56,9	58,7	60,6	62,4	64,3	66,1	68,0	69,8	71,7	73,5	75,4	77,2	79,1	80,9	82,8	84,6	86,5	88,3	90,2	92,0
56 „	57,9	59,7	61,6	63,4	65,3	67,1	69,0	70,8	72,7	74,5	76,4	78,2	80,1	81,9	83,8	85,6	87,5	89,3	91,2	93,0
57 „	58,9	60,7	62,6	64,4	66,3	68,1	70,0	71,8	73,7	75,5	77,4	79,2	81,1	82,9	84,8	86,6	88,5	90,3	92,2	94,0
58 „	59,9	61,7	63,6	65,4	67,3	69,1	71,0	72,8	74,7	76,5	78,4	80,2	82,1	83,9	85,8	87,6	89,5	91,3	93,2	95,0
59 „	60,9	62,7	64,6	66,4	68,3	70,1	72,0	73,8	75,7	77,5	79,4	81,2	83,1	84,9	86,8	88,6	90,5	92,3	94,2	96,0
60 „	61,9	63,7	65,6	67,4	69,3	71,1	73,0	74,8	76,7	78,5	80,4	82,2	84,1	85,9	87,8	89,6	91,5	93,3	95,2	97,0

B. Polarisation eines Gemenges von Rohrzucker und wasserfreier Raffinose nach der Inversion.

(Die Werthe gelten für das ganze Normalgewicht.)

$$J = -0{,}327\,Z + 0{,}96\,R.$$

Z =	R = 1.	2.	3.	4.	5.	6.	7.	8.	9.	10.	11.	12.	13.	14.	15.	16.	17.	18.	19.	20.
41 Prozent	−12,4	−11,4	−10,5	−9,5	−8,6	−7,6	−6,6	−5,7	−4,7	−3,8	−2,8	−1,8	−0,9	+0,1	+1,0	+2,0	+2,9	+3,9	+4,8	+5,8
42 .	−12,7	−11,7	−10,8	−9,8	−8,9	−7,9	−6,9	−6,0	−5,0	−4,1	−3,1	−2,1	−1,2	−0,2	+0,7	+1,7	+2,6	+3,6	+4,5	+5,5
43 .	−13,1	−12,1	−11,2	−10,2	−9,3	−8,3	−7,3	−6,4	−5,4	−4,5	−3,5	−2,5	−1,6	−0,6	+0,3	+1,3	+2,2	+3,2	+4,1	+5,1
44 .	−13,4	−12,4	−11,5	−10,5	−9,6	−8,6	−7,6	−6,7	−5,7	−4,8	−3,8	−2,8	−1,9	−0,9	+0,0	+1,0	+1,9	+2,9	+3,8	+4,8
45 .	−13,7	−12,7	−11,8	−10,8	−9,9	−8,9	−7,9	−7,0	−6,0	−5,1	−4,1	−3,1	−2,2	−1,2	−0,3	+0,7	+1,6	+2,6	+3,5	+4,5
46 .	−14,0	−13,0	−12,1	−11,1	−10,2	−9,2	−8,2	−7,3	−6,3	−5,4	−4,4	−3,4	−2,5	−1,5	−0,6	+0,4	+1,3	+2,3	+3,2	+4,2
47 .	−14,4	−13,4	−12,5	−11,5	−10,6	−9,6	−8,6	−7,7	−6,7	−5,8	−4,8	−3,8	−2,9	−1,9	−1,0	+0,0	+0,9	+1,9	+2,8	+3,8
48 .	−14,7	−13,7	−12,8	−11,8	−10,9	−9,9	−8,9	−8,0	−7,0	−6,1	−5,1	−4,1	−3,2	−2,3	−1,3	−0,3	+0,6	+1,6	+2,5	+3,5
49 .	−15,0	−14,0	−13,1	−12,1	−11,2	−10,3	−9,3	−8,3	−7,3	−6,4	−5,4	−4,4	−3,5	−2,5	−1,6	−0,6	+0,3	+1,3	+2,2	+3,2
50 .	−15,3	−14,3	−13,4	−12,4	−11,5	−10,5	−9,5	−8,6	−7,6	−6,7	−5,7	−4,7	−3,8	−2,8	−1,9	−0,9	+0,0	+1,0	+1,9	+2,9
51 .	−15,7	−14,7	−13,8	−12,8	−11,9	−10,9	−9,9	−9,0	−8,0	−7,1	−6,1	−5,1	−4,2	−3,2	−2,3	−1,3	−0,4	+0,6	+1,6	+2,5
52 .	−16,0	−15,0	−14,1	−13,1	−12,2	−11,2	−10,3	−9,3	−8,3	−7,4	−6,4	−5,4	−4,5	−3,5	−2,6	−1,6	−0,7	+0,3	+1,3	+2,2
53 .	−16,3	−15,3	−14,4	−13,4	−12,5	−11,5	−10,5	−9,6	−8,6	−7,7	−6,7	−5,7	−4,8	−3,8	−2,9	−1,9	−1,0	+0,0	+0,9	+1,9
54 .	−16,6	−15,6	−14,7	−13,7	−12,8	−11,8	−10,8	−9,9	−8,9	−8,0	−7,0	−6,0	−5,1	−4,1	−3,2	−2,3	−1,3	−0,3	+0,6	+1,6
55 .	−17,0	−16,0	−15,1	−14,1	−13,2	−12,2	−11,3	−10,3	−9,3	−8,4	−7,4	−6,4	−5,5	−4,5	−3,6	−2,6	−1,7	−0,7	+0,3	+1,2
56 .	−17,3	−16,3	−15,4	−14,4	−13,5	−12,5	−11,6	−10,6	−9,6	−8,7	−7,7	−6,7	−5,8	−4,8	−3,9	−2,9	−2,0	−1,0	−0,1	+0,9
57 .	−17,6	−16,7	−15,7	−14,7	−13,8	−12,8	−11,8	−10,9	−9,9	−9,0	−8,0	−7,0	−6,1	−5,1	−4,2	−3,3	−2,3	−1,3	−0,4	+0,6
58 .	−17,9	−16,9	−16,0	−15,0	−14,1	−13,1	−12,1	−11,2	−10,2	−9,3	−8,3	−7,3	−6,4	−5,4	−4,5	−3,5	−2,6	−1,6	−0,7	+0,2
59 .	−18,3	−17,3	−16,4	−15,4	−14,5	−13,5	−12,5	−11,6	−10,6	−9,7	−8,7	−7,7	−6,8	−5,8	−4,9	−3,9	−3,0	−2,0	−1,1	−0,1
60 .	−18,6	−17,7	−16,7	−15,7	−14,8	−13,8	−12,8	−11,9	−10,9	−10,0	−9,0	−8,0	−7,1	−6,1	−5,2	−4,2	−3,3	−2,3	−1,4	−0,4

IV. Untersuchung fester Zucker auf Raffinose.

Die Untersuchungsmethode für raffinosehaltige Syrupe ist ohne weiteres auch auf feste Zucker anwendbar. Man bestimmt bei denselben die direkte Polarisation in üblicher Weise, diejenige nach der Inversion mittelst des halben Normalgewichts genau wie für die Syrupe unter III b angegeben und berechnet den Zucker- und Raffinosegehalt mit Hülfe der beiden unter III angegebenen Formeln. Zahlreiche Versuche haben ergeben, daß diese Methode zuverlässige Resultate giebt.

So wurden in einem Gemenge von Zucker und Raffinose mittelst der Methode gefunden

gemischt		wiedergefunden mittelst der Methode	
Zucker Prozent	Raffinose Prozent	Zucker Prozent	Raffinose Prozent
$97_{,00}$	$3_{,00}$	$97_{,02}$	$2_{,98}$
$91_{,00}$	$9_{,00}$	$90_{,99}$	$8_{,95}$
$85_{,00}$	$15_{,00}$	$85_{,06}$	$14_{,97}$.

Wenn demnach nicht zu zweifeln ist, daß die Methode als eine scharfe bezeichnet werden kann, so wird doch angesichts der Neuheit derselben die Grenze für Versuchsfehler zunächst ziemlich weit gezogen werden müssen. Diese Grenze wird deshalb auf $0_{,6}$ Abweichung des Zuckergehalts, wie er sich nach der Raffinoseformel berechnet, gegenüber dem direkt mittelst Polarisation gefundenen festgesetzt. Beträgt also z. B. die Polarisation eines Zuckers $92_{,6}$, und berechnet sich nach der Raffinoseformel $92_{,0}$ Prozent Zucker, so wird noch anzunehmen sein, daß die Abweichung des Ergebnisses auf Versuchsfehler zurückzuführen ist; es ist deshalb in einem derartigen Falle anzugeben, daß Raffinose nicht vorhanden sei, und der Zuckergehalt gleich der direkten Polarisation zu setzen.

Ist dagegen mittelst der Raffinoseformel ein Gehalt von nur $91_{,9}$ Prozent Zucker gefunden, gegenüber $92_{,6}$ Polarisation, so ist an dem Vorhandensein von Raffinose zwar kaum zu zweifeln; um indeß auch Irrthümer zu verhüten, welche aus noch größeren Versuchsfehlern hervorgehen könnten als $0_{,6}$, ist bei einem Minderbefunde bis 1 Prozent Zucker gegenüber der Polarisation nach einem sogleich zu beschreibenden Verfahren eine Kontrolbestimmung auszuführen, von deren Ausfall abhängig gemacht wird, ob das Vorhandensein von Raffinose anzunehmen ist oder nicht.

Da der Raffinosegehalt der hochprozentigen Zucker, soweit ein solcher bis jetzt überhaupt beobachtet wurde, mehr betragen hat als der obigen Grenze von $0_{,6}$ Prozent entspricht, so wird die Anwendbarkeit der Methode auf derartige Zucker dadurch, daß die Fehlergrenze so weit hat gezogen werden müssen, nicht beeinträchtigt werden. Mengen von Raffinose, welche einer Abweichung des Zuckergehalts nach der Raffinoseformel von weniger als $0_{,6}$ gegenüber der Polarisation entsprechen, lassen sich auch nach einer anderen bekannten Methode nicht bestimmen, so daß sie zur Zeit überhaupt nicht berücksichtigt werden können. Die von Scheibler angegebene Methode, unter Gleichsetzung des Aschen- und organischen Nichtzuckergehalts den Minimalgehalt an Raffinose zu berechnen, wird so geringe Mengen Raffinose mit Zuverlässigkeit gleichfalls nicht mehr erkennen lassen, weil letztere durch den unbekannten Ueberschuß der organischen Substanz gegenüber dem Aschengehalt verdeckt werden wird. — Diese rechnerische Methode ist aber sehr geeignet, in vielen Fällen, wo mittelst der Raffinoseformel nach der Inversionsmethode verhältnißmäßig geringe Abweichungen von der Polarisation gefunden werden, also vielleicht weniger als 1 Prozent Zucker entsprechend, eine Kontrole dafür zu liefern, daß wirklich Raffinose vorhanden ist und nicht doch noch Versuchsfehler vorliegen.

Zu diesem Behuf wird Polarisation, Wasser, Asche (Salze) des Zuckers bestimmt, der organische Nichtzucker wird gleich den Salzen gesetzt und die Summe von Polarisation, Wasser, Asche und dem auf diese Weise berechneten Nichtzucker genommen. Diese Summe beträgt in allen denjenigen Fällen, wo Raffinose in bestimmbaren Mengen zugegen ist, über 100. Beträgt sie unter 100, so ist anzunehmen, daß der Zucker frei von Raffinose ist.

Ist sie größer als 100, so wird der Zuckergehalt an Raffinose wie folgt berechnet.

Der Prozentgehalt an Wasser plus der doppelten Asche wird von 100 abgezogen. Die Differenz entspricht dem Gehalt an Zucker plus wasserfreier Raffinose. Setzen wir die dafür erhaltene Zahl = a, bezeichnen mit p die gefundene Polarisation, mit x den vorhandenen Zucker, mit y die vorhandene Raffinose, so ist

$$x + 1{,}85\,y = p,$$
$$x + y = a,$$
$$x\ (\text{Zuckergehalt}) = \frac{1{,}85\,a - p}{0{,}85}$$
$$y\ (\text{Raffinosegehalt}) = \frac{a - 1{,}85\,a - p}{0{,}85}.$$

Die Grenze für die Versuchsfehler ist hier auf 0,8 festzusetzen, d. h. die Summe von Polarisation, doppelter Asche und Wasser muß mehr als 100,8 betragen, wenn die Methode angewendet werden soll; anderenfalls ist in Anbetracht dessen, daß bei der Polarisation Beobachtungsfehler bis zu 0,2 sehr wohl vorkommen können, das Resultat für den praktischen Gebrauch zu unsicher.

Folgendes Beispiel ist absichtlich so gewählt, daß daran gezeigt werden kann, daß sich Abweichungen von 0,6 Prozent Zucker von der Polarisation bei obiger Fehlergrenze mit der Methode nicht mehr bestimmen lassen.

Ein Zucker gäbe 99,7 Polarisation, 0,4 Wasser und 0,1 Asche, dann ist die Summe sämmtlicher Bestandtheile

= 99,7
+ 0,4
+ 2 × 0,1 = 0,2 (org. Nichtzucker + Asche)
―――――
100,8

a ist = 100,0
− 0,4 p = 99,7
− 0,2
―――――
a = 99,4,

folglich x (Zucker) = 99,05, welche Zahl zu 99,1 abgerundet wird, y (Raffinose) = 0,8.

Man sieht, daß 0,8 Ueberpolarisation, welche sich nach der Rechnungsmethode ergeben, und welche hier als Fehlergrenze festgesetzt werden mußten, gerade derselben Abweichung von Polarisation und wahrem Zuckergehalt entsprechen, welche für die Inversionsmethode mit Raffinoseformel als Fehlergrenze festgesetzt worden ist.

Ist mittelst letzterer Methode ein Mindergehalt an Zucker von 1 Prozent oder mehr gegenüber der Polarisation gefunden, so tritt die Kontroluntersuchung nach der Rechnungsmethode überhaupt nicht ein, beziehungsweise wird auch bei negativem Befunde der letzteren das Resultat der Raffinoseformel als endgültig angegeben.

Hat man zur Kontrole die Rechnungsmethode bei einem Zucker mit geringeren Abweichungen als 1 Prozent Zucker von der Polarisation mit negativem Erfolg angewendet, so ist anzugeben, daß Raffinose nicht nachweisbar sei. Läßt bei einem solchen Zucker die Rechnungsmethode die Anwesenheit von Raffinose dagegen zweifelhaft erscheinen, indem die wie oben berechnete Summe aller Bestandtheile zwischen 100,0 und 100,8 liegt, oder hat sie mit Sicherheit die Anwesenheit von Raffinose ergeben, so ist nicht das Resultat der Rechnungsmethode, welches nur einen Annäherungswerth giebt, sondern in allen Fällen dasjenige der Inversionsmethode mit Benutzung der Raffinoseformel in das Attest aufzunehmen, sofern die Abweichung des mit letzterer gefundenen Zuckers von der Polarisation mehr als 0,6 Prozent beträgt. Beträgt diese Abweichung 0,6 Prozent oder weniger, so ist anzugeben, daß Raffinose nicht nachweisbar sei. Bezüglich der Berechnung gilt die Regel, daß Hundertstel Zucker nach oben abzurunden sind; statt 97,01 Zucker ist also 97,1 in das Attest einzusetzen.

Anlage C.

Anleitung

zur

Ausführung der Polarisation.

Zur Ausführung der Polarisation bedient man sich entweder eines Ventzke-Soleilschen Farbenapparats oder des Halbschattenapparats von Schmidt & Haensch. Die Arbeitsweise für beide Instrumente ist nur in einzelnen Punkten verschieden. Es gilt deshalb das in nachfolgender Instruktion im allgemeinen Gesagte für beide Apparate; unter a ist demnächst das ausschließlich auf den Farbenapparat, unter b das auf den Halbschattenapparat Bezügliche angegeben.

Unbedingtes Erforderniß ist, daß man vor Ingebrauchnahme des Instruments sich von seiner Richtigkeit überzeuge. Es geschieht dies, indem man den Nullpunkt des Apparats einstellt und sich von der Richtigkeit der Skala des Apparats mittelst sogenannter Normalquarzplatten, deren Polarisation bekannt ist, oder einer Normalzuckerlösung, welche im Apparat 100° zeigt, überzeugt.

Bei der Bestimmung der Polarisation eines Zuckers ist folgendermaßen zu verfahren: Abwägen und Auflösen der Probe, Auffüllen zu 100 ccm.

Man stellt auf der amtlich gelieferten Waage zunächst die Tara eines zur Aufnahme des zu untersuchenden Zuckers zweckmäßig an den beiden Langseiten umgebogenen Kupferblechs fest und bringt darauf $26_{,048}$ g des zu untersuchenden Zuckers, das ist diejenige Menge, welche als Normalgewicht zu bezeichnen ist. Der Bequemlichkeit halber benutzt man dazu ein Gewichtsstück, welches auf die angegebene Anzahl Gramme justirt ist. Falls die Zuckerprobe, welche untersucht werden soll, nicht gleichmäßig gemischt war, ist es nothwendig, dieselbe eventuell unter Zerdrücken der Klumpen mit einem Pistill oder mit der Hand vor dem Abwägen gut durchzurühren. Die Wägung muß mit einer gewissen Schnelligkeit geschehen, weil besonders in warmen Räumen sonst während der Ausführung derselben die Substanz Wasser abgeben kann, wodurch die Polarisation erhöht wird. Man schüttet den abgewogenen Zucker alsdann vom Kupferblech auf einen Messingtrichter, bringt ihn mittelst eines Glasstabes in das 100 Kubikcentimeter-Kölbchen, spült anhängende Zuckertheilchen mit etwa 80 Kubikcentimeter destillirtem Wasser von Zimmertemperatur, welches man einer Spritzflasche entnimmt, nach und bewegt die Flüssigkeit im Kolben unter leisem Schütteln und Zerdrücken größerer Klümpchen mit einem Glasstab so lange, bis sämmtlicher Zucker sich gelöst hat. Etwaige unlösliche Bestandtheile wie Sand und dergleichen erkennt man daran, daß sie sich mit dem Glasstab nicht zerdrücken lassen. Am Glasstab haftende Zuckerlösung wird beim Entfernen desselben mit destillirtem Wasser ins Kölbchen zurückgespült. Schließlich wird das Volumen der Flüssigkeit im Kolben mittelst destillirten Wassers genau bis zu der 100 Kubikcentimeter zeigenden Marke aufgefüllt. Zu diesem Zweck nimmt man den Kolben in die Hand, hält ihn in senkrechter Stellung so vor sich, daß die Marke sich in der Höhe des Auges befindet, und setzt Wasser zu, bis die untere Kuppe der Flüssigkeit im Kolbenhalse in eine Linie mit dem als Marke dienenden Aetzstrich im Glase fällt.

Die hier beschriebene Art des Verfahrens gilt jedoch nur für solche Zucker, welche bei nachfolgender Filtration durch Papier ganz klare Flüssigkeiten geben beziehungsweise nicht so dunkel gefärbt sind, daß die Lösung im Polarisationsapparat nicht hinlänglich durchsichtig erscheint.

Wenn diese Voraussetzungen nicht zutreffen, so muß man die Zuckerlösung klären beziehungsweise entfärben. Klärung.

a) Bei Verwendung des Farbenapparats benutzt man als Klärmittel, je nachdem Zucker ersten oder zweiten Produkts oder Nachprodukte zur Untersuchung stehen, und je nachdem man eine Lampe von größerer oder geringerer Lichtintensität besitzt (vergl. weiter unten), 2 bis 3, 3 bis 10 beziehungsweise 10 bis 20 Tropfen oder noch mehr Bleiessig, welcher der Zuckerlösung aus einer Heberspritzflasche oder einer kleinen Pipette zugesetzt wird. Gelingt die Klärung in dieser Weise nicht, so läßt man dem Bleiessigzusatz denjenigen von ebensoviel Alaunlösung folgen, oder man setzt zuerst einen bis mehrere Kubikcentimeter Alaunlösung und darauf eine größere Menge Bleiessig als zuvor hinzu, bis es gelingt, ein Filtrat von weißlicher oder gelbweißer Farbe zu erzielen. Werden die Lösungen dennoch nicht klar, so wird nur mit Bleiessig geklärt und das Filtrat mit möglichst wenig (1, 2, auch 3 g) extrahirter Blutkohle oder bei 120 Grad getrockneter Knochenkohle versetzt. Bei Anwendung derselben ist das Polarisationsergebniß um den Betrag des Absorptionskoeffizienten zu erhöhen, welcher für die dem Beamten gelieferte Kohle angegeben ist.

Nach der Klärung wird der innere Theil des Halses, das Kölbchen mit destillirtem Wasser, welches einer Heberspritzflasche oder einer gewöhnlichen Spritzflasche entnommen wird, abgespült und durch tropfenweises Zulaufenlassen die Flüssigkeit auf genau 100 Kubikcentimeter aufgefüllt. Zu diesem Zweck bringt man in der vorbeschriebenen Weise das Kölbchen in senkrechter Stellung vor das Auge und setzt Wasser hinzu, bis der Aetzstrich des Glases und die untere Kuppe der Flüssigkeit in eine Linie fallen. Hierauf wird mit Fließpapier etwa im Halse des Kölbchens noch anhaftende Flüssigkeit abgetupft, die Oeffnung desselben durch Andrücken des Daumens oder des Zeigefingers geschlossen und der Inhalt des Kolbens durch wiederholtes Umkehren und Schütteln desselben gut durchgemischt.

b) Bei Benutzung von Halbschattenapparaten genügt für Rohzucker ersten Produkts in der Regel als Klärmittel der Zusatz eines dünnen Breis von Thonerdehydrat, welcher in Mengen von 3 bis 5 Kubikcentimeter in das 100 Kubikcentimeter-Kölbchen vor dem Auffüllen zur Marke mittelst einer Pipette gegeben wird. Nur wenn die Zuckerlösung sehr dunkel gefärbt ist, muß als Klärungsmittel Bleiessig angewendet werden. Bezüglich des Zusatzes desselben wird hier ebenso verfahren, wie unter a für die Farbenapparate angegeben. Läßt sich mit Bleiessig allein genügende Klärung nicht erzielen, so wird Alaunlösung in der ebenfalls unter a beschriebenen Weise zu Hülfe genommen. Bis zur Verwendung von Blut- oder Knochenkohle wird man hier kaum zu gehen brauchen, da im Halbschattenapparat noch ziemlich dunkle Zuckerlösungen polarisirt werden können.

Schließlich wird auch hier zur Marke aufgefüllt.

Bezüglich der Klärung gelten folgende allgemeine Bemerkungen für beide Apparate:

1. Die Flüssigkeit kann um so dunkler gefärbt sein, je größer die Lichtintensität der Lampe ist, welche zur Beleuchtung des Polarisationsapparats dient. Besitzt man die patentirte Lampe mit Reflektor von Schmidt & Hänsch, welche sowohl für Gas als Petroleum eingerichtet ist, so wird man auch bei Farbenapparaten Blutkohle oder Knochenkohle zur Klärung nicht bedürfen, überhaupt im allgemeinen viel weniger von dem Klärmittel gebrauchen, als wenn man eine minder vollkommene Lampe zur Verfügung hat. Menge und Art des Klärmittels sind also nicht nur von der Beschaffenheit der zu untersuchenden Probe, sondern auch von der Qualität der Lampe abhängig.
2. Bei Anwendung von Bleiessig zur Klärung darf nie ein Ueberschuß davon verwandt werden. Ein neuer Tropfen Bleiessig muß stets noch einen deutlichen Niederschlag in der Flüssigkeit hervorbringen. Bei einiger Uebung lernt man sehr bald den Punkt finden, wo mit dem Bleiessigzusatz aufgehört werden muß. Ist zuviel zugesetzt worden, so muß der Ueberschuß durch nachträglichen Zusatz von Alaun in der oben unter a beschriebenen Weise ausgefällt werden.
3. Es ist dringend nöthig, nach dem Auffüllen zu 100 Kubikcentimeter auf das Durchschütteln der Flüssigkeit die größte Sorgfalt zu verwenden, da andernfalls eine genaue Polarisation unmöglich ist.

Filtration. Man schreitet alsdann zur Filtration der Flüssigkeit, welche mittelst eines in einen Glastrichter eingesetzten Papierfilters geschieht. Der Trichter wird auf einen sogenannten Filtrircylinder gestellt, welcher die Flüssigkeit aufnimmt, und wird während der Operation, um Verdunstung zu verhüten, mit einer Glasplatte oder einem Uhrglase bedeckt gehalten. Trichter und Cylinder müssen ganz trocken sein, um nicht durch eventuellen Feuchtigkeitsgehalt derselben eine nachträgliche Verdünnung der 100 Kubikcentimeter zu bewirken.

Zweckmäßig wird das Filter gerade so groß genommen, daß man die 100 Kubikcentimeter Flüssigkeit auf einmal aufgeben kann; es empfiehlt sich ferner, falls das Papier nicht sehr dick ist, ein doppeltes Filter anzuwenden. Die ersten durchlaufenden Tropfen werden weggegossen, weil sie trübe sind und in ihrer Konzentration durch einen eventuellen Feuchtigkeitsgehalt des Papiers beeinflußt sein können. Auch das nachfolgende Filtrat muß häufig wiederholt auf das Filter zurückgegossen werden, ehe die Flüssigkeit klar durchläuft. Es ist dringend nothwendig, diese Vorsichtsmaßregel nicht zu verabsäumen, da nur mit ganz klaren Flüssigkeiten sich sichere polarimetrische Beobachtungen anstellen lassen.

Füllung in das 200 mm-Rohr.

Nachdem auf die beschriebene Weise eine klare Lösung durch Filtration erzielt worden ist, wird ein Theil der Flüssigkeit aus dem Cylinder, welcher zum Auffangen derselben gedient hat, in die Röhre eingefüllt, welche zur polarimetrischen Beobachtung dienen soll.

Man bedient sich dazu in der Regel 200 mm langer, genau justirter Messing- oder Glasröhren, deren Verschluß an beiden Enden durch runde Glasplatten, sogenannte Deckgläschen, bewirkt wird. Festgehalten werden die Deckgläschen entweder durch eine aufzusetzende Schraubenkapsel oder an Röhren neuer Konstruktion, die vorzuziehen sind, durch eine federnde Kapsel, welche einfach über das Rohr geschoben und von der Feder festgehalten wird. Bei Auflösung von $26_{,048}$ g Zucker zu 100 und Benutzung einer derartigen Röhre zeigt der Polarisationsapparat direkt den Prozentgehalt an Zucker in der zu untersuchenden Probe an. Zuweilen ist es jedoch vorzuziehen, statt des 200 mm langen Rohres nur ein 100 mm-Rohr zu benutzen, in solchen Fällen nämlich, wo trotz aller Klärversuche die Flüssigkeit zu dunkel geblieben ist, um in einem 200 mm-Rohr hinlänglich durchsichtig zu sein, wohl aber im 100 mm-Rohr sich die Beobachtung im Apparat ausführen läßt. In diesen Fällen muß das abgelesene Resultat mit 2 multiplizirt werden, um Prozente Zucker zu geben.

Vor dem Einfüllen der Flüssigkeit in die Röhren muß man sich zunächst überzeugen, daß die Röhren auf das gründlichste gereinigt und gut getrocknet seien. Diese Reinigung geschieht zweckmäßig durch wiederholtes Ausspülen mit Wasser und Nachstoßen eines trockenen Pfropfens aus Filtrirpapier mittelst eines Holzstabes. Desgleichen müssen die Deckgläser blank geputzt sein und dürfen nicht fehlerhafte Stellen und Schrammen zeigen. Bei dem Füllen des Rohres ist unnützes Erwärmen mit der Hand zu vermeiden. Man faßt deshalb das unten geschlossene Rohr mit zwei Fingern am oberen Theil an und umschließt es nicht mit der ganzen Hand, gießt alsdann das Rohr so voll, daß die Flüssigkeitskuppe die obere Oeffnung derselben überragt, wartet kurze Zeit, um etwa hineingekommenen Luftblasen Zeit zum Aufsteigen zu lassen, und schiebt das Deckgläschen von der Seite in wagerechter Richtung über die Oeffnung des Rohres. Letztere Operation muß so schnell und sorgfältig ausgeführt werden, daß keine Luftblase unter das Deckgläschen gelangen kann, wie überhaupt die Flüssigkeit im Rohr gänzlich frei von Bläschen sein muß. Ist das Ueberschieben des Deckgläschens das erste Mal nicht befriedigend ausgefallen, so muß es wiederholt werden; man putzt zu dem Zweck das Deckgläschen von neuem trocken und blank und stellt die Kuppe der Zuckerlösung im Rohr durch Hinzufügen einiger neuer Tropfen der Flüssigkeit wieder her. Nach dem Aufschieben des Deckgläschens wird das Rohr mit der Schraubenkapsel beziehungsweise federnden Schieberkapsel verschlossen. Wendet man Schraubenkapseln an, so ist mit peinlicher Sorgfalt darauf zu achten, daß dieselben lose nur so weit angezogen werden, daß das Deckgläschen eben nur in feste Lage gebracht wird; sind die Deckgläschen zu fest angezogen, so werden dieselben optisch aktiv und und man erhält falsche Resultate bei der Polarisation. Ist eine Schraube zu stark angezogen gewesen, so genügt es häufig nicht, dieselbe zu lockern und dann sofort die Polarisation vorzunehmen, man muß vielmehr längere Zeit damit warten, da die Deckgläschen ihr angenommenes Drehungsvermögen zuweilen nur langsam wieder verlieren, und muß die Polarisation alsdann von 10 zu 10 Minuten wiederholen, bis die Resultate konstant sind.

Handhabung des Polarisationsapparates.

Nachdem das Rohr gefüllt ist, wird der Polarisationsapparat zur Beobachtung bereit gemacht, indem man die Lampe anzündet. Dieselbe ist so weit als möglich von dem Apparat aufzustellen, und zwar bei Anwendung der Reflektorlampe von Schmidt & Haensch in einer Entfernung von 35 bis 40 cm, bei Anwendung gewöhnlicher Lampen von schwächerer Lichtintensität in solcher von mindestens 15 cm vom Apparat. Mit größter Sorgfalt ist darauf zu achten, daß die Lampe gut im stande sei. Jede Veränderung in der Beschaffenheit der Flamme, sowie der Lage der Lampe zum Apparat, also Hoch- und Niedrigschrauben des Dochtes beziehungsweise der Flamme, Vorwärtsschieben oder Drehen derselben verändert auch das Resultat. Lage und Intensität der Lichtquelle dürfen deshalb während der Beobachtung keine Veränderung erfahren.

Im übrigen trägt man Sorge, den Raum, in welchem der Polarisationsapparat steht, nach Möglichkeit durch Verhängen der Fenster und dergleichen zu verdunkeln, da die Beobachtungen sich um so besser ausführen lassen, je weniger das Auge durch seitliche Lichtstrahlen gestört wird.

Durch Verschiebung des Apparats beziehungsweise des Fernrohrs, welches an dem vorderen Ende desselben sich befindet, sucht man alsdann denjenigen Punkt der Einstellung, wo der Faden, welcher das Gesichtsfeld im Apparat in zwei Theile theilt, scharf zu erkennen ist. Man drückt dabei das Auge nicht direkt an das Fernrohr an, sondern hält dasselbe in einer Entfernung von vielleicht 1 bis 3 cm davon, sorgt dafür, daß der Körper sich während der Dauer der Beobachtung in angemessener bequemer Stellung befindet, da jede Verrenkung desselben auch zu unnöthiger Anstrengung des Auges führt. Wenn der Apparat richtig eingestellt ist, so muß das Gesichtsfeld kreisrund und scharf begrenzt erscheinen. Man beruhige sich niemals mit einer unvollkommenen Erfüllung dieser Vorbedingungen der polarimetrischen Analyse, sondern ändere Lage der Lampe beziehungsweise des Apparats und Stellung des Fernrohrs so lange, bis man das bezeichnete Ziel erreicht hat.

Nullpunkteinstellung.

Alsdann schreitet man zur Einstellung des Nullpunktes. Anfänger thun gut dabei, ein mit Wasser gefülltes Rohr in den Apparat zu legen, weil dadurch das Gesichtsfeld vergrößert und die Beobachtung erleichtert wird.

a) Bei den Farbenapparaten nach Ventzke-Soleil muß der Einstellung des Nullpunktes die der sogenannten teinte de passage vorausgehen, welche mittelst der rechten seitlichen Schraube geschieht. Man dreht so lange, bis man einen gewissen, bei einiger Uebung leicht zu findenden hellblauen bis blauvioletten Ton bei ungefährer Nullpunkteinstellung gefunden hat. Die Scharfeinstellung des Nullpunktes geschieht, indem man die Schraube unterhalb des Fernrohrs in hin- und herspielende Bewegung setzt und endlich denjenigen Punkt fixirt, wo die beiden durch den Faden getrennten Hälften des Gesichtsfeldes genau gleich gefärbt erscheinen.

b) Bei dem Halbschattenapparat ist für die Nullpunkteinstellung keine Vorbereitung von nöthen; sie geschieht ohne weiteres durch Spielenlassen der unterhalb des Fernrohrs befindlichen Schraube und Fixiren des Punktes, wo beide Hälften des Gesichtsfeldes gleich beschattet erscheinen.

Das Resultat der Nullpunktablesung wird bei beiden Apparaten in gleicher Weise festgestellt. Man liest an der mit einem Nonius versehenen Skala des Apparats, welche man durch Verschiebung eines zur Beobachtung derselben dienenden Fernrohrs und durch Beleuchtung mit einer Kerze scharf sichtbar machen kann, das Resultat der Einstellung ab. Auf dem festliegenden Nonius ist der Raum von 9 Theilen der Skala in 10 gleiche Theile getheilt. Der Nullpunkt des Nonius zeigt die ganzen Grade an, die Theilung des Nonius wird zur Ermittelung der zuzuzählenden Zehntel benutzt. Wenn der Nullpunkt des Apparats richtig steht, so muß die ihn bezeichnende Linie mit der des Nullpunkts des Nonius zusammenfallen. Ist dies nicht der Fall, so muß die gefundene Abweichung notirt und nachher bei der Polarisation in Anrechnung gebracht werden.

Man begnügt sich nicht mit einer Einstellung des Nullpunkts, sondern macht eine größere Anzahl, vielleicht 5 bis 6, und nimmt das Mittel aus den sich anschließenden Ablesungen an der Skala. Geben eine oder mehrere der Ablesungen eine Abweichung von mehr als $^3/_{10}$ Theilstrichen gegenüber dem großen Durchschnitt, so werden dieselben als unrichtig verworfen. Zwischen jeder einzelnen Beobachtung gönnt man dem Auge 20 bis 40 Sekunden Ruhe.

Polarisation der Lösung.

Nachdem die Nullpunkteinstellung stattgefunden hat, wird das Rohr mit der Zuckerlösung in den Apparat gelegt. Man wiederholt jetzt die Scharfeinstellung des Fernrohrs, bis der Faden wieder deutlich sichtbar wird. Unter allen Umständen muß, wie wiederholt hervorgehoben wird, ein scharfes kreisrundes Bild erzielt werden, um richtige Resultate erhalten zu können. Läßt sich das durch Veränderung in der Einstellung nicht erreichen, sondern erscheint das Gesichtsfeld getrübt, so ist es nöthig, die ganze Untersuchung noch einmal von vorn zu beginnen. Hat man dagegen ein klares Bild erzielt, so dreht man die Schraube solange, bis wiederum a im Farbenapparat Farbengleichheit, b im Halbschattenapparat gleiche Beschattung eingetreten ist. Ist durch Spielenlassen der Schraube der Punkt möglichst genau festgestellt, so liest man die ganzen Prozente Zucker an der Skala, als durch denjenigen Punkt bezeichnet, welcher zunächst dem Nullpunkt des Nonius steht, die Zehntel mittelst des letztern ab. Wiederum führt man 5 bis 6 Beobachtungen in Zwischenräumen von 10 bis 40 Sekunden aus und nimmt als Endresultat der Polarisation den mittleren Durchschnittswerth an. Stand der Nullpunkt nicht genau ein, so muß man die Abweichung desselben hinzurechnen, wenn derselbe nach links, dagegen abziehen, wenn er nach der rechten Seite verschoben war.

Hat man mehrere Analysen neben einander auszuführen, so ist es nicht nöthig, vor jeder einzelnen den Nullpunkt zu kontroliren, sondern es genügt, wenn dies nach Verlauf je einer Stunde geschieht.

Kontrole der Richtigkeit des Apparates.

Von Zeit zu Zeit, besonders aber, wenn der Polarisationsapparat starken Erschütterungen ausgesetzt gewesen ist, ist es nothwendig, sich von der Richtigkeit desselben zu überzeugen; dieses geschieht, wie eingangs erwähnt, durch Einstellung des Nullpunkts, Kontrole der Skala durch eine Quarzplatte oder durch Prüfung des Hundertpunkts, indem $26{,}_{048}$ g chemisch reiner Zucker, der zu diesem Zwecke vorräthig gehalten wird, in der beschriebenen Weise gelöst und untersucht wird. Wenn der Nullpunkt richtig stand, muß die Zuckerlösung genau 100 Grad polarisiren.

a) Bei den Farbenapparaten wird demgemäß die Ablenkung der Quarzplatte beziehungsweise der Zuckerlösung zur Kontrole der Skala in derselben Weise, wie oben für die zu untersuchende Zuckerlösung beschrieben, bestimmt.

b) Bei Halbschattenapparaten geschieht die Kontrole der Skala gleichfalls in derselben Weise, mit Quarzplatten oder chemisch reinem Zucker, doch muß hier zuweilen in den Apparat zuvor ein anderes Fernrohr gesteckt werden. Der Grund hierzu liegt darin, daß reine, farblose Zucker Lösungen geben, welche im Halbschattenapparat bei der Untersuchung insofern Schwierigkeiten bereiten, als sich völlige Gleichheit beider Gesichtshälften überhaupt durch Verstellen der Schraube nicht mehr erzielen läßt. Dieselbe Erscheinung tritt ein bei Verwendung von hochpolarisirenden Quarzplatten. Es gelingt aber bei einiger Uebung trotzdem, denjenigen Punkt zu finden, welcher der richtigen Einstellung entspricht. Wenn dies nicht möglich ist, setzt man in den Apparat statt des gewöhnlichen Fernrohrs ein solches mit einer dünnen Platte von rothem, chromsaurem Kali ein. Dieselbe beseitigt die Farbenungleichheit, und gelingt alsdann die Einstellung des richtigen Punktes auch solchen, die im Gebrauch des Apparates weniger geübt sind.

Anlage D.

Bestimmungen,

betreffend

die bei der Ausfuhr von kondensirter Milch zu gewährende Steuervergütung für den in dem Fabrikate enthaltenen Zucker.

Die obersten Landes-Finanzbehörden werden ermächtigt, nach Maßgabe der nachstehenden Vorschriften vorbehaltlich jederzeitigen Widerrufs und unter Anordnung spezieller Kontrolemaßregeln für den zur Herstellung kondensirter Milch verwendeten Zucker von der im §. 6 Absatz 1 litt. b des Gesetzes, die Besteuerung des Zuckers betreffend, vom 9. Juli 1887 bezeichneten Beschaffenheit bei der Ausfuhr des Fabrikats oder bei Niederlegung desselben in öffentlichen Niederlagen oder Privatniederlagen unter amtlichem Mitverschluß die Zuckersteuer (Materialsteuer und Verbrauchsabgabe) auf Grund des §. 7 des gedachten Gesetzes zu vergüten:

1. Der Fabrikant hat schriftlich anzuzeigen, in welchem Prozentverhältniß er bei der Herstellung kondensirter Milch Zucker der obenbezeichneten Beschaffenheit zu verwenden beabsichtigt und für jede Art der zur Füllung zu benutzenden Gefäße nähere Angaben bezüglich des Brutto-

gewichts derselben in gefülltem, verkaufsfertigem Zustand, sowie des Nettogewichts an kondensirter Milch zu machen.

Werden nach dieser Richtung hin Aenderungen beabsichtigt, so hat der Fabrikant diese vorher schriftlich anzumelden.

2. Der Fabrikationsbetrieb ist während der Zeit, in welcher zum Export gearbeitet wird, auf Kosten des Fabrikanten einer ständigen steuerlichen Ueberwachung zu unterwerfen, welche sich namentlich auch darauf zu erstrecken hat, daß nur Zucker der vorbezeichneten Art und in der angemeldeten Menge (Ziffer 1) verwendet wird.
3. Die unter steuerlicher Aufsicht hergestellten Fabrikate werden behufs Festhaltung der Identität, eventuell getrennt nach ihrem verschiedenen Zuckergehalt, in ein unter amtlichem Mitverschluß stehendes Lager aufgenommen.
4. Diejenigen Fabrikate, welche mit Anspruch auf Steuervergütung für den darin enthaltenen Zucker ausgeführt oder in öffentliche 2c. Niederlagen niedergelegt werden sollen, sind zum Zweck der Entnahme aus dem Lager der mit der Kontrole der Fabrik beauftragten Steuerstelle mittelst einer Deklaration anzumelden, in welcher außer der Zahl und der Art, sowie dem Bruttogewicht der Kolli deren Nettogewicht an kondensirter Milch und das Gewicht des darin enthaltenen Zuckers, für welchen die Steuervergütung in Anspruch genommen wird, anzugeben ist. Die Steuerstelle hat ihrem Revisionsbefunde auf Grund der von ihr über den Fabrikationsbetrieb geführten Kontrole eine Bescheinigung über das Gewicht und die Art des in der kondensirten Milch enthaltenen Zuckers beizufügen.

   Nachdem der Nachweis der Ausfuhr u. s. w. geführt ist, erfolgt die Feststellung und Anweisung der Steuervergütung nach den allgemeinen Bestimmungen.
5. Dem Fabrikanten ist gestattet, auf zuvorige Anzeige bei der Steuerstelle auch Fabrikate zum Absatz nach dem Inlande aus dem Lager zu entnehmen.

Anlage E.

Zucker-Niederlage-Regulativ.

§. 1.

1. Allgemeine Bestimmungen.

Die Niederlegung pon Zuckerprodukten und zuckerhaltigen Fabrikaten in öffentlichen Niederlagen oder Privatniederlagen unter amtlichem Mitverschluß ist zu dem Zwecke gestattet, um entweder

a) lediglich die Erhebung der Verbrauchsabgabe bis auf weiteres auszusetzen (Verbrauchsabgabenlager), oder
b) zugleich oder unabhängig davon (a) die Vergütung der Materialsteuer für Zucker oder der Materialsteuer und Verbrauchsabgabe für zuckerhaltige Fabrikate zu erlangen (Vergütungslager).

§. 2.

Auf die bezeichneten Niederlagen für Zucker finden die Bestimmungen des allgemeinen Niederlage-Regulativs und des Regulativs für Privatlager sinngemäße Anwendung, soweit nicht nachstehend andere Vorschriften getroffen sind.

§. 3.

Privatniederlagen können von der Direktivbehörde widerruflich an Gewerbetreibende bewilligt werden, welche kaufmännische Bücher ordnungsmäßig führen und das Vertrauen der Verwaltung genießen.

Handelsgesellschaften und diejenigen Personen, welche nicht am Lagerorte wohnen, haben einen dort wohnhaften geeigneten Vertreter zu bestellen.

§. 4.

Der Lagerinhaber hat auf Erfordern zum Zweck der steueramtlichen Abfertigungen und Revisionen auf seine Kosten ein geeignetes, mit dem erforderlichen Mobiliar ausgestattetes, nach Bedürfniß zu erleuchtendes und zu erwärmendes Abfertigungslokal zu stellen, auch für die benöthigten geaichten Waagen und Gewichte Sorge zu tragen und diejenigen Hülfsdienste zu leisten oder leisten zu lassen, welche erforderlich sind, um die Abfertigungen und Revisionen in den vorgeschriebenen Grenzen zu vollziehen.

§. 5.

Falls die Privatniederlage sich nicht am Sitze einer zur Abfertigung befugten Amtsstelle befindet, sind die Kosten, welche durch die amtliche Kontrole des Lagers und die Abfertigungen bei der Ein- und Auslagerung entstehen, von den Lagerinhabern nach Feststellung der Direktivbehörde zu ersetzen.

Für Privatniederlagen am Sitz einer zur Abfertigung befugten Amtsstelle bewendet es hinsichtlich der Ueberwachungskosten bei der Bestimmung im §. 9 Absatz 5 des Privatlager-Regulativs.

§. 6.

Die Zuckerprodukte und zuckerhaltigen Fabrikate lagern mit der Qualität als inländische Waaren, jedoch im Falle der Benutzung einer öffentlichen Niederlage oder eines Privatlagers für unverzollte ausländische Gegenstände unter der Voraussetzung, daß daselbst Zuckerprodukte oder zuckerhaltige gleichartige Fabrikate, auf welchen ein Zollanspruch haftet, entweder nicht oder genügend abgesondert lagern.

§. 7.

In demselben Lager darf die Niederlegung von Zuckerprodukten mit dem Anspruch auf Materialsteuervergütung und von solchen, für welche eine derartige Vergütung nicht beansprucht worden, nur mit der Maßgabe stattfinden, daß eine räumliche Trennung dieser verschieden abgefertigten Zuckerprodukte eintritt.

§. 8.

Eine Abmeldung von Zucker oder zuckerhaltigen Fabrikaten ist nur in Mengen von mindestens 500 Kilogramm netto gestattet. Ausnahmen kann das Hauptamt bewilligen.

Die Entnahme aus der Niederlage kann entweder behufs des Eintritts der Waare in den freien Verkehr oder behufs der Versendung derselben unter Steuerkontrole stattfinden.

Bei der letzteren soll in der Regel Abfertigung auf Zuckerbegleitschein I eintreten. Der Niederleger hat zu diesem Behufe für die in zweifacher Ausfertigung abzugebende Abmeldung die zweite Seite des Zuckerbegleitschein-Formulars zu benutzen.

Wenn die Waare in den freien Verkehr übergehen soll, findet die Abfertigung auf Grund der Abmeldung nach Muster 22 oder nach Antrag mittelst Zuckerbegleitscheins II statt. Letzterenfalls kann auf Verlangen des Niederlegers nicht nur die Verbrauchsabgabe, sondern auch die Erstattung der gewährten Steuervergütung überwiesen werden. Muster 22.

Die Abfertigung auf Grund der Abmeldung nach Muster 22 kann ferner erfolgen, wenn es sich um Ueberführung der Waare in eine Zuckerfabrik oder in eine Niederlage desselben Orts und derselben Abfertigungsstelle handelt. Die Abmeldung ist in einfacher beziehungsweise bei Wiederniederlegung der Waare in dreifacher Ausfertigung einzureichen.

Findet in den zuletzt erwähnten Fällen die Ueberführung in die Fabrik oder Niederlage nicht unter den Augen der Abfertigungsbeamten statt, so soll in der Regel Begleitung durch Beamte eintreten. Kann dieselbe nicht gewährt werden, so muß die in der Annahme-Erklärung (Seite 2 der Abmeldung) enthaltene Verpflichtung übernommen werden. Die von der Steuerstelle mit der Bescheinigung über die erfolgte Uebernahme des Zuckers ꝛc. in die Fabrik beziehungsweise dessen Niederlegung zu versehende Abmeldung wird der Ausfertigungsstelle in einem Exemplar zurückgegeben und von derselben als Belag zum Niederlageregister benutzt.

Von der amtlichen Verschlußanlage bei Zuckersendungen unter Steuerkontrole aus Niederlagen kann in denjenigen Fällen abgesehen werden, in welchen es sich nicht um mit Vergütungsanspruch niedergelegten oder mit solchem aus der Niederlage abzufertigenden Zucker handelt. Bei der Versendung von zuckerhaltigen Fabrikaten erfolgt stets Verschlußanlage.

§. 9.

II. Besondere Bestimmungen für Vergütungslager.

Bei der Anmeldung von Zucker oder zuckerhaltigen Fabrikaten zur Niederlage, der amtlichen Revision, der Liquidation der Vergütung, der Ausstellung der Vergütungsscheine und der Anweisung des Vergütungsbetrags finden die Bestimmungen, betreffend die steuerliche Behandlung von Zucker zum Zwecke der Materialsteuervergütung, beziehungsweise die Vorschriften, welche bezüglich der Vergütung der Materialsteuer und Verbrauchsabgabe von zuckerhaltigen Fabrikaten bei der Ausfuhr erlassen sind oder fernerhin werden erlassen werden, entsprechende Anwendung.

Müssen Zuckerproben behufs Feststellung des Zuckergehalts durch Polarisation oder chemische Analyse an eine andere Amtsstelle oder einen Chemiker versandt werden, so fallen die Kosten, einschließlich derjenigen für die Untersuchung, dem Lagerinhaber zur Last.

§. 10.

Die eingelagerten Zucker oder zuckerhaltigen Fabrikate sind in den Niederlageräumen derart aufzubewahren, daß die Identität jedes einzelnen Kollo, oder bei Einlagerung einer größeren Menge von Kolli gleicher Verpackungsart, gleichen Inhalts und wenigstens annähernd gleichen Gewichts die Identität der Gesammtpost während der Lagerung erhalten bleibt. Der Lagerinhaber ist verpflichtet, den zu diesem Zweck von der Steuerbehörde getroffenen Anordnungen nachzukommen. Dabei soll jedoch eine derartige Lagerung, daß jedes einzelne Kollo (wie insbesondere bei Stapelung von Säcken) von allen Seiten ohne weiteres der Revision zugänglich ist, nicht gefordert werden.

Die Umpackung, auch die Zerkleinerung des eingelagerten Zuckers ꝛc. kann nach zuvoriger Anmeldung von dem Niederlageamt gestattet werden und hat innerhalb des Lagers oder in benachbarten Räumen unter amtlicher Ueberwachung zu erfolgen. Die Waarenpost wird dann im Niederlageregister ab- und nach der neuen Feststellung wieder angeschrieben, wobei als das Gesammtgewicht der neuen Post das Einlagerungsgewicht der alten festgehalten wird.

Ausländische unverzollte Umschließungen dürfen nur zum Zweck der Verpackung von Zucker oder zuckerhaltigen Fabrikaten, welche für die Ausfuhr bestimmt sind, auf die Niederlage gebracht werden. Dieselben unterliegen der Anschreibung im Niederlageregister und der zollvormerklichen Behandlung (Anschreibung ꝛc. im Fastageregister).

§. 11.

Die Abschreibung des Zuckers und der zuckerhaltigen Fabrikate im Niederlageregister und die Feststellung der zu erstattenden Steuervergütung erfolgt nach dem Einlagerungsgewicht. Eine Verwiegung des Zuckers ꝛc. bei der Auslagerung ist daher regelmäßig nur dann nöthig, wenn derselbe unter steueramtlicher Kontrole weiter versendet werden soll, oder wenn Theilposten zur Abmeldung gelangen. Auch in ersterem Falle kann auf Antrag des Abmelders von der Verwiegung abgesehen und das im Niederlageregister angeschriebene Einlagerungsgewicht in die amtliche Bezettelung übernommen werden, wenn nicht anzunehmen ist, daß der Zucker ꝛc. während der Lagerung eine wesentliche Gewichtsveränderung erlitten hat.

Bei der Abmeldung einer mit einem Gesammtgewicht angeschriebenen Waarenpost in Theilmengen erfolgt die Abschreibung beziehungsweise die Berechnung der zurückzuzahlenden Vergütung nach dem jedesmal zu ermittelnden Auslagerungsgewicht. Ergiebt sich dabei im ganzen ein Mindergewicht gegen das Einlagerungsgewicht, so ist bei der Abfertigung der letzten Theilpost dieses Mindergewicht abzuschreiben, und zwar, wenn auch nur eine der Theilposten in den freien Verkehr zurückgenommen oder auf eine andere Niederlage übergeführt ist, unter Einziehung des darauf entfallenden Vergütungsbetrags.

Ergiebt sich dagegen ein Mehrgewicht der abgemeldeten Theilmengen, so ist, wenn die sämmtlichen Theilmengen der ganzen Post in den freien Verkehr gebracht oder auf eine andere Niederlage übergeführt sind, bei der zuletzt abgeschriebenen Theilpost, falls dieselbe in den freien Verkehr zurückgenommen wird, von diesem Mehrgewicht eine zu erstattende Vergütung nicht zu berechnen, sofern dieselbe aber in eine andere Niederlage übergeht, das Einlagerungsgewicht in dem Register der letzteren Niederlage mit einem entsprechend verminderten Betrage unter nachrichtlicher Vermerkung des wirklichen Gewichts anzuschreiben.

§. 12.

Der Lagerinhaber beziehungsweise bei der Abmeldung von der Niederlage der Extrahent der Begleitbezettelung haftet für den Betrag der gewährten Steuervergütung so lange, als nicht die Rückzahlung der Vergütung oder die Aufnahme der Waare in eine andere Niederlage oder die Ausfuhr oder die steuerfreie Verwendung zu einem der im §. 8 des Gesetzes angegebenen Zwecke in der vorgeschriebenen Art nachgewiesen wird.

Muster 2.

Direktivbezirk .... Des Abfertigungsregisters № ....

Anmeldung

zur $\frac{\text{Ausfuhr}}{\text{Niederlegung}}$ von Zucker und zuckerhaltigen Fabrikaten mit dem Anspruch auf Steuervergütung.

Ausfertigungsamt .... Empfangsamt ....

Antrag des Versenders: Unterzeichnete ....

melde hiermit dem (der) ....

zu ...., daß beabsichtig , den (die) nach Art, Menge und Kollizahl umstehend unter I deklarirten Zucker (zuckerhaltige Fabrikate) $\frac{\text{über das}}{\text{bei dem}}$

.... Amt zu .... nach ....

$\frac{\text{auszuführen}}{\text{niederzulegen}}$ und trag darauf an, nach erfolgter $\frac{\text{Ausfuhr}}{\text{Niederlegung}}$ und auf Grund der desfallsigen Bescheinigung die gesetzliche Steuervergütung zu gewähren.

Nähere Bezeichnung des zugehörigen Begleitpapiers, sofern ein solches vorhanden ist:

.... den ....ten .... 18....

.... den ....ten .... 18..

Stempel .... Amt.

Erledigungsbescheinigung.

Auf Grund des {in dem zugehörigen Begleitpapiere / auf Seite 4 dieser Anmeldung} abgegebenen Attestes wird hiermit bescheinigt, daß die umstehend bezeichneten .... kg Zucker (zuckerhaltige Fabrikate) {über die Grenze in das Ausland geführt / in eine öffentliche (Privatniederlage) aufgenommen} worden sind.

........, den 18

Abgegeben am ten 18

I. Angabe der Versender.

№ der einzelnen Positionen.	Der einzelnen Kolli: Zeichen und Nummern.	Der einzelnen Kolli: Zahl und Art der Verpackung.	Art des Zuckers bezw. der zuckerhaltigen Fabrikate.	Menge: Brutto-Gewicht kg	Menge: Brutto-Gewicht 1/100	Menge: Netto-Gewicht des Zuckers bezw. der zuckerhaltigen Fabrikate kg	Menge: Netto-Gewicht des Zuckers bezw. der zuckerhaltigen Fabrikate 1/100	Menge: Gewicht des in den Fabrikaten enthaltenen Zuckers kg	Menge: Gewicht des in den Fabrikaten enthaltenen Zuckers 1/100
1.	2.	3.	4.	5.		6.		7.	

II. Revisionsbefund des Abfertigungsamtes.

№ der einzelnen Positionen.	Der einzelnen Kolli		Art des Zuckers bezw. der zuckerhaltigen Fabrikate.	Menge						Bemerkungen, namentlich über 1. Anlegung oder Beibehaltung des Verschlusses, 2. Anwendung des Tarasatzes von $2^1/_2$ % für die unmittelbare Umschließung, 3. die Untersuchung des Zuckers durch einen Chemiker.
	Zeichen und Nummern.	Zahl und Art der Verpackung.		Brutto-Gewicht		Netto-Gewicht des Zuckers bezw. der zuckerhaltig. Fabrikate		Gewicht des in den Fabrikaten enthaltenen Zuckers		
				kg	1/100	kg	1/100	kg	1/100	
8.	9.	10.	11.	12.		13.		14.		15.

Die Richtigkeit vorstehender Ermittelungen bescheinigen

.... den ....ten.................... 18.......

Die Revisionsbeamten.

I. Nachweis des Ausgangs über die Grenze.*)

A. Umstehend genannte Waaren wurden nach Abnahme des unverletzt befundenen Verschlusses:

a) in den Eisenbahngüterwagen Nr. der Eisenbahn verladen und nach Verschließung des Wagens mit Schlössern der Serie dem Amte in überwiesen.

, den 188

=Amt.

b) auf das des verladen und dem Ansageposten in

unter { Begleitung durch d. Grenzaufseher
Verschluß mittelst

überwiesen.

, den 188

=Amt.

c) unter unseren Augen in das Ausland geführt.

, den 188

=Amt.

B. D oben bezeichnete wurde nach Abnahme des unverletzt befundenen Verschlusses:

a) d. Grenzaufseher

zur Begleitung über die Grenze übergeben.

, den 188

b) unter unseren Augen in das Ausland ausgeführt.

, den 188

II. Nachweis der Niederlegung.*)

Umstehend genannte Waaren sind im Niederlageregister Seite Konto Nr. weiter nachgewiesen.

, den 188

=Amt.

*) Die Benutzung des Vordrucks dieser Seite findet nur statt, wenn Begleitpapiere (Begleitschein I. x.) nicht vorhanden sind. Ist letzteres der Fall, so ist der Ausgang über die Grenze oder die Niederlegung nur auf dem Begleitpapier zu bescheinigen.

Muster 5.

Steuervergütungsschein.

Nummer (Landes-Wappen.) 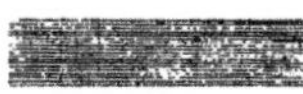

Anerkenntniß

über

Steuervergütung für Zucker.

Für Kilogramm ....

...., welche für d ....

.... zu ....

am .... 18 (Nr.) über/in .... ausgeführt/niedergelegt

worden sind, beträgt die Vergütung

an Materialsteuer . . . . ℳ

„ Verbrauchsabgabe . . . . „

zusammen ℳ

in Worten:

.... Mark .... Pf.

Dieselbe kann in dem vorgedachten Betrage von jedem Inhaber dieses Scheins gegen Abgabe des letzteren entweder bei einer beliebigen Hebestelle im deutschen Zollgebiet auf bei derselben zu entrichtende, nicht früher als am .... 18 fällig werdende Zuckersteuer in Anrechnung gebracht, oder auch von dem bezeichneten Zeitpunkte ab baar bei dem Haupt- -Amte zu .... erhoben werden. Jedoch findet die Annahme des Scheins seitens der Steuerstellen zur Anrechnung bezw. Einlösung nur innerhalb Jahresfrist, von dem auf die Ausfertigung folgenden Monat an gerechnet, statt.

.................., den ..ten .... 18 .

(Amtssiegel.)

№ ....

Zahlungsbedingungen.

1. Der Inhaber dieses Steuervergütungsscheins hat, wenn er die Vergütung baar zu erheben oder einer Reichsbankanstalt zur Gutschrift auf Giro-Konto zu überweisen beabsichtigt, die von ihm gewünschte Art der Realisirung des Scheins und den Tag der Erhebung bezw. der Ueberweisung mindestens .... Tage vorher dem obengenannten Hauptamt anzumelden.
2. Bei gleichzeitiger Einreichung mehrerer fälliger Steuervergütungsscheine ist dem genannten Hauptamt ein nach dem vorgeschriebenen Muster aufzustellendes Verzeichniß vorzulegen.

Bescheinigung über erfolgte Anrechnung der Vergütung.

Umstehender Betrag von .... Mark .... Pf., in Worten: ....

....

ist heute von dem .... Amt zu .... auf die von mir (uns) an dasselbe zu zahlende, am .... 18..... (heute) fällig werdende Zuckersteuer angerechnet worden.

.... , den ....ten .... 18 .

Quittung über empfangene Baarzahlung.

Umstehender Betrag von .... Mark ..... Pf., in Worten: ....

....

ist mir (uns) von dem .... Amt zu .... baar gezahlt worden, worüber diese Quittung.

.... , den ....ten .... 18 .

Buchungs-Vermerk.

Der Vergütungsschein ist bei dem .... Amte zu ....

am .....ten .... 18..... in Zahlung gegeben und gebucht

in Einnahme:	in Ausgabe:
*) im Zuckersteuer-Hebe-Register Seite ... Nr.	im Haupt-Journal Seite ... Nr. ...
im Kredit-Journal für 18 ... Seite ... Nr. ...	im Haupt-Manual Seite ... Nr. ...
im Kredit-Manual für 18 ... Seite ... Conto ...	im Kassen-Journal, Abthl. II Seite ... Nr.

D..... Kassenbeamte

*) Dieser Vordruck kann nach Maßgabe der Kassenvorschriften in den einzelnen Bundesstaaten geändert werden.

Muster 10.

Abgegeben am .... Fabrik $\frac{\text{betriebs-}}{\text{lager-}}$ Register, $\frac{\text{Anschreibung}}{\text{Abschreibung}}$ Nr. ......

Vorregister:

Zuckerbegleitschein-Empfangs-Register Nr. ......
Niederlage-Register ...... Konto ...... Nr. ......
Fabriklager-Register Nr. ......
Fabrikbetriebs-Register Nr. ......

$\frac{\text{An}}{\text{Ab}}$ meldung

zur

Aufnahme von Zucker in {den Fabrikbetrieb / das Fabriklager} der Zuckerfabrik
Entnahme von Zucker aus dem {Fabrikbetrieb / Fabriklager} der Zuckerfabrik

des ....

zu

....

Ich Unterschriebener, der ....
....
zu .... melde der Zuckersteuerstelle
zu .... hiermit die innen verzeichneten Zuckerprodukte zur

Aufnahme in { den Fabrikbetrieb / das Fabriklager

Entnahme aus dem { Fabrikbetrieb / Fabriklager

an und hafte für die Wahrheit und Vollständigkeit meiner Angabe.

den 188

Laufende Nummer.	I. Angaben des $\frac{\text{An}}{\text{Ab}}$melders.						II. Revisions-		
	Der Kolli		Der Zuckerprodukte			Anträge und Bemerkungen des $\frac{\text{An}}{\text{Ab}}$melders. (Bei Abmeldungen mit Angabe des Namens und Wohnorts des Empfängers.)	Der Kolli		Der
	Zeichen und Nummern.*)	Zahl und Art der Verpackung*)	Art.**)	Menge. Bruttogewicht.*) kg ¹/₁₀₀	Menge. Nettogewicht. kg ¹/₁₀₀		Zeichen und Nummern.	Zahl und Art der Verpackung.	Art.**)
1.	2.	3.	4.	5.	6.	7.	8.	9.	10.

*) Die Spalten 2, 3 und 5 bleiben bei der Anmeldung von Zuckerprodukten, sowie bei der Abmeldung solcher zur Uebernahme aus dem Fabriklager in den Fabrikbetrieb und umgekehrt unausgefüllt.

**) Bei raffinirtem Zucker ist die nähere Beschaffenheit (ob Hut-, Platten-, Würfel-Zucker, Farin rc.), bei Abläufen der Quotient anzugeben.

***) In den Spalten 8 bis 12 finden Einträge nur insoweit statt, als eine Revision thatsächlich vorgenommen worden ist.

befund.***)				III. Berechnung der Verbrauchsabgabe.				IV. Weiterer Nachweis.		V. Bemerkungen.
Zuckerprodukte				Nettogewicht durch Abrechnung der Tara mit Angabe des Tarasatzes.		Betrag.		Der Hebe- oder Kontrolregister		
Menge.								Benennung.	Blatt	
Bruttogewicht.		Nettogewicht.							Nr.	
kg	1/100	kg	1/100	kg	1/100	Mark.	Pf.			
11.		12		13.		14.		15.	16.	17.

Muster 11.

Fabrik $\frac{\text{betriebs}}{\text{lager}}$-Register

der

Zucker-Steuerstelle zu ....

für die

Zuckerfabrik des ....

zu

....

für die Zeit vom 1. August 18....... bis 31. Juli 18.......

Dies Register enthält .... Blätter, mit einer Schnur durchzogen, welche auf dem Titelblatte mit dem Dienstsiegel des Unterzeichneten angesiegelt ist.

Geführt vom ....

1. Anschreibung.

Lfde. Nr.	Datum der Anschreibung.	Des Vorregisters Benennung und Nr.	Art und Nettogewicht der Zuckerprodukte.									
			Roh- zucker. kg	Brot- zucker. kg	Stangen- zucker. kg	Würfel- zucker. kg	Farin. kg	kg	kg	kg	Syrup. kg	Melasse. kg
1.	2.	3	4	5.	6.	7.	8.	9.	10.	11.	12.	13.

Anmerkung. Die Spalten 4 bis 13 der Anschreibung und 3 bis 12 der Abschreibung sind im Kopf je nach Bedarf auszufüllen.

II. Abschreibung.

Lfde. Nr.	Datum der Abschreibung.	Art und Nettogewicht der Zuckerprodukte.										Weiterer Nachweis der Hebe- und Kontrolregister.	
		Rohzucker. kg	Brotzucker. kg	Stangenzucker. kg	Würfelzucker. kg	Farin. kg	kg	kg	kg	Syrup. kg	Melasse. kg	Benennung.	Blatt Nr.
1.	2.	3.	4.	5.	6.	7.	8.	9.	10.	11.	12.	13.	14.

Muster 12.

Eingetragen im Notizregister unter Nr. ....

Anmeldung
über die Zurücknahme von Zuckerprodukten aus den im Abschluß befindlichen Fabrikräumen in den vorhergehenden Fabrikbetrieb.

Der Anmeldung			Der in den vorhergehenden Fabrikbetrieb zurückzunehmenden Zuckerprodukte		Angabe des Verwendungszwecks und der Nummern der Geräthe, in denen die Verwendung erfolgen soll.
laufende Nr.	Tag.	Stunde.	Art.	Menge. (Gewicht oder Maaß)	
1.	2.	3.	4.	5.	6.

.................................., den ...ten 188

.... (Name des Fabrikinhabers oder Betriebsleiters.)

Bescheinigung.

Daß die auf Grund der vorliegenden Anmeldung aus den im Abschluß befindlichen Fabrikräumen zurückgenommenen Zuckerprodukte heute unter meiner Aufsicht zu dem oben angegebenen Zwecke verwendet worden sind, bescheinige ich hierdurch.

.................................., den ...ten 188

.... (Name.)

(Dienstkarakter.)

Steuerstelle ....

Muster 13.

Notizregister

über die

Zurücknahme von Zuckerprodukten aus den im Abschluß befindlichen Fabrikräumen

in den vorhergehenden Fabrikbetrieb

der Fabrik des ....

zu ....

für das Betriebsjahr 18......

Dieses Register enthält .... Blätter, mit einer Schnur durchzogen, welche auf dem Titelblatte mit dem Dienstsiegel des Unterzeichneten angesiegelt ist.

Geführt vom ....

Der Anmeldung			Der in den vorhergehenden Fabrikbetrieb zurückgenommenen Zuckerprodukte		Angabe des Verwendungszwecks und der Nummern der Geräthe, in denen die Verwendung erfolgen soll.
Laufende №	Tag.	Stunde	Art.	Menge (Gewicht oder Maaß.)	
1.	2.	3.	4.	5.	6.

Muster 14.

Direktivbezirk:

Zuckerbegleitschein I.

№ ....

Ausfertigungs-Amt:
Transportfrist: Bis zum
Verlängert bis zum

Empfangs-Amt:
Ueberwiesen auf

Annahme-Erklärung des Begleitschein-Extrahenten: übernehme diesen Begleitschein mit der Verpflichtung, die in demselben verzeichneten Zuckerprodukte bezw. zuckerhaltigen Fabrikate in unveränderter Gestalt und Menge sowie mit unverletztem Verschlusse in dem bestimmten Zeitraum bei dem angegebenen Amte zur Revision und weiteren Abfertigung zu stellen. Zugleich erkläre für verpflichtet, für die auf diesen Zuckerprodukten bezw. zuckerhaltigen Fabrikaten ruhende Verbrauchsabgabe (und die darauf gewährte Steuervergütung) zu haften.

Diese Verpflichtungen erlöschen nur dann, wenn durch Ertheilung des Erledigungsscheines seitens des Empfangsamtes bescheinigt wird, daß den vorgedachten Obliegenheiten völlig genügt sei.

Vorregister:
Fabrikbetriebs-Register Nr.
Fabriklager-Register Nr.
Zuckerbegleitschein-Empfangs-Register Nr.
Niederlage-Register Konto Nr.

, den . 188

, den 188

....=Amt (Stelle).

(Stempel.)

Erledigungsschein Nr. Ziffer

(Unterschrift.)

Erledigungs-Bescheinigungen.

1. Der Begleitschein ist abgegeben am 188

2. Derselbe ist eingetragen im Zuckerbegleitschein-Empfangs-Register unter Nr.

3. Revisionsbefund
   a) in Betreff des Verschlusses;
   b) in Bezug auf Art und Menge der Zuckerprodukte bezw. zuckerhaltigen Fabrikate:

Die Richtigkeit dieser Angaben bescheinigen:

4. Nachweis des Ausgangs über die Grenze.

A. Umstehend genannte Waaren wurden nach Abnahme des unverletzt befundenen Verschlusses:

a) in den Eisenbahngüterwagen Nr. der Eisenbahn verladen und nach Verschließung des Wagens mit Schlössern der Serie dem =Amte in überwiesen.

, den . 188

=Amt.

b) auf das des verladen und dem Ansagepoften in

unter { Begleitung durch d Grenzaufseher
Verschluß mittelst } überwiesen.

, den . 188

=Amt.

c) unter unseren Augen in das Ausland geführt.

, den . 188

=Amt.

B. D oben bezeichnete wurde nach Abnahme des unverletzt befundenen Verschlusses:

a) d Grenzaufseher zur Begleitung über die Grenze übergeben.

, den . 188

b) unter unseren Augen in das Ausland ausgeführt.

, den . 188

Die Erledigung des Begleitscheins bescheinigt.

, den . 188

=Amt.

Abgegeben am . 188 Die Revision übernehmen: *)

I. Fabrik-Betriebs/Lager-Abmeldung, Auszug aus dem Zucker-Begleitschein oder dem Niederlageschein.											II.	III.
Nr. der einzelnen Positionen.	Name und Wohnort der Empfänger.	Der Kolli		Art und Menge der Zuckerprodukte bezw. zuckerhaltigen Fabrikate						Angabe, ob und wie und bei welchem Amte ein Verschluß angelegt ist, und Zahl der angelegten Bleie u. s. w.	Anträge und Bemerkungen des Waarendisponenten (Deklaranten, Begleitschein-Extrahenten, Waarenführers ꝛc.)	Angabe a) der Lagerzeit [illegible] Niederlagen, b) ob der gelagert[illegible] Zucker bei der Niederlegung mit Anspruch auf Steuervergütung abgefertigt ist, mit Angabe des Betrags der Vergütung (in Buchstaben), und zwar [illegible] nach Konsumsteuer und Verbrauchsabgabe.
		Zeichen und Nummern.	Zahl und Art der Verpackung	nach der noch nicht geprüften Angabe des Deklaranten.			nach stattgehabter amtlicher Ermittelung.					
				Art. **)	Menge.		Art. **)	Menge.				
					Brutto-Gewicht kg | 1/100	Netto-Gewicht kg | 1/100		Brutto-Gewicht kg | 1/100	Netto-Gewicht kg | 1/100			
1.	2.	3.	4.	5.	6.	7.	8.	9.	10.	11.	12.	13.
											Mit Begleitschein I auf an	

Mit dem {Begleitscheine / Niederlage-Register} übereinstimmend.

Ich Unterschriebener, der
melde der Zuckerstelle zu
vorstehend verzeichnete Zuckerprodukte zur Entnahme aus dem {Fabrikbetri[eb] / Fabriklager}
an und hafte für die Wahrheit und Vollständigkeit dieser meiner Angabe.
, den 188

(Dieser Vordruck ist zu durchstreichen, wenn die Anmeldung nicht als Fabrikbetriebs- o[der] Fabriklager-Abmeldung dient.)

*) Nur für den Fall des lokalen Bedürfnisses auszufüllen.

**) In den Spalten 5, 8 und 16 ist bei raffinirtem Zucker die nähere Beschaffenheit (ob Hut-, Platten-, Würfel-Zuckr, Farin : bei Abläufen der Quotient und bei zuckerhaltigen Fabrikaten die in denselben enthaltene Zuckermenge anzugeben.

IV. Revisionsbefund.							V. Abgabenberechnung.								VI. Weiterer Nachweis der Zuckerprodukte ꝛc.			VII. Bemerkungen über: a) die Abgabe einer Anmeldung zur Abfertigung des Zuckers ꝛc. mit dem Anspruch auf Steuervergütung, b) vorhandenen beibehaltenen oder angelegten Verschluß, Zahl der Bleie u. s. w.
Der Kolli		Der Zuckerprodukte bezw. zuckerhaltigen Fabrikate					1. Verbrauchsabgabe.				2. Steuer für Zucker aus Niederlagen				Der Hebe- und Kontrolregister		Der Verkehrsnachweisung.	
Zeichen und Nummern.	Zahl und Art der Verpackung	Art.**)	Menge. Durch Verwiegung ermitteltes Gewicht.				Nettogewicht durch Abrechnung der Tara mit Angabe des Tarasatzes.		Betrag.		a) Materialsteuer.		b) Verbrauchsabgabe.		Benennung.	Blatt Nr.	Nummer, Blatt lfd. Nr.	
			Brutto.		Netto.													
			kg	1/100	kg	1/100	kg	1/100	Mark	Pf.	Mark	Pf.	Mark	Pf.				
14.	15.	16.	17.		18.		19.		20.		21.		22.		23.	24.	25.	26.

Vermerke über veränderte Bestimmung der Waaren u. s. w.

. beantrage den Begleitschein hier zu erledigen. , den 188	Genehmigt. , den 188 =Amt (Stelle)
2. beantrage diesen Begleitschein zum Zweck der Weiterversendung der Waaren an in auf das (die) =Amt Stelle zu überweisen, indem in Beziehung auf den weiteren Transport die Verpflichtungen des Begleitschein=Extrahenten übernehme . , den 188	Eingetragen unter Nr. des Zuckerbegleitschein=Ausfertigungs=Registers und auf das =Amt mit Gültigkeitsfrist bis zum überwiesen. Verschluß: , den 188 =Amt (Stelle).

Muster 15.

Direktivbezirk:

Zuckerbegleitschein II.

№

Ausfertigungs-Amt: Empfangs-Amt

Gestellung der Waaren:

Zahlungsfrist: Die Zucker-Verbrauchsabgabe von
Die Steuer für Zucker aus Niederlagen von a) Materialsteuer . . . Mark Pf.
b) Verbrauchsabgabe . Mark Pf.
zusammen . . . Mark Pf. in Worten:

Mark **Pfennig**

muß bei dem Empfangs-Amte bis zum unter Vorlage dieses Begleitscheins eingezahlt sein, widrigenfalls die Einziehung des Betrages von dem Extrahenten des Begleitscheins erfolgen wird. Der Beweis der erfolgten Zahlung muß bis zum Ablauf der für die Uebersendung des Erledigungsscheins festgesetzten Frist geführt werden.

Geleistete Sicherheit:

Annahme-Erklärung des Begleitschein-Extrahenten: übernehme diesen Begleitschein mit den aus demselben sich ergebenden Verpflichtungen.

, den 188

Vorregister:
Fabrikbetriebs-Register Nr.
Fabriklager-Register Nr.
Zuckerbegleitschein-Empfangs-Register Nr.
Niederlage-Register Konto Nr.

, den 188

-Amt (Stelle).

(Stempel.)

Erledigungsschein Nr. Ziffer

(Unterschrift).

Erledigungs-Bescheinigung.

1. Der Begleitschein ist am 188 unter Nr. des Zuckerbegleitschein-Empfangs-Registers eingetragen.
2. Gestellung der Waaren:
3. Die Abgabe ist mit Mark Pfennig am . 188 ad depositum verbucht unter Nr. des
4. Die Abgabe ist mit Mark Pfennig am . 188 definitiv vereinnahmt unter Nr. des Einnahme-Journals

, den 188

-Amt.

Abgegeben am. 188 Die Revision übernehmen:*)

I. Fabrik-{Betriebs-/Lager-} Abmeldung, Auszug aus dem Zuckerbegleitschein oder dem Niederlageschein.											II. Anträge und Bemerkungen des Waarendisponenten (Deklaranten, Begleitschein-Extrahenten, Waarenführers ꝛc.).	III. Angabe, ob der gelagert gewesene Zucker ꝛc. bei der Niederlegung mit Anspruch auf Steuervergütung abgefertigt ist, mit Angabe des Betrages der Vergütung (in Buchstaben), und zwar ausgeschieden nach Materialsteuer u. Verbrauchsabgabe.
Nr. der einzelnen Positionen.	Name und Wohnort der Empfänger.	Der Kolli		Art und Menge der Zuckerprodukte bezw. zuckerhaltigen Fabrikate						Angabe, ob und wie und bei welchem Amte ein Verschluß angelegt ist, und Zahl der angelegten Bleie u. s. w.		
		Zeichen und Nummern.	Zahl und Art der Verpackung	nach der noch nicht geprüften Angabe des Deklaranten.			nach stattgehabter amtlicher Ermittelung					
				Art.**)	Menge.		Art.**)	Menge				
					Brutto-Gewicht. kg ¹/₁₀₀	Netto-Gewicht. kg ¹/₁₀₀		Brutto-Gewicht. kg ¹/₁₀₀	Netto-Gewicht. kg ¹/₁₀₀			
1.	2.	3.	4.	5.	6.	7.	8.	9.	10.	11.	12.	13.
											Mit Begleitschein II auf an	

Mit dem {Zuckerbegleitscheine / Niederlage-Register} übereinstimmend.

Ich Unterschriebener, der

melde der Zuckersteuerstelle zu

vorstehend verzeichnete Zuckerprodukte zur Entnahme aus dem {Fabrikbetriebe / Fabriklager} ꝛc.

und hafte für die Wahrheit und Vollständigkeit dieser meiner Angabe.

, den 188

(Dieser Vordruck ist zu durchstreichen, wenn die Anmeldung nicht als Fabrikbetriebs- oder Fabriklager-Abmeldung dient.)

*) Nur für den Fall des lokalen Bedürfnisses auszufüllen.

**) In den Spalten 5, 8 und 16 ist bei raffinirtem Zucker die nähere Beschaffenheit des Zuckers (ob Hut-, Platten-, Würfel-Zucker, Farin ꝛc.), bei Abläufen der Quotient und bei zuckerhaltigen Fabrikaten die in denselben enthaltene Zuckermenge anzugeben.

Muster 17.

IV. Revisionsbefund.					V. Abgabenberechnung.				
Der Kolli		Der Zuckerprodukte bezw. zuckerhaltigen Fabrikate			1. Verbrauchsabgaben.		2. Steuer f. … aus Niederlag…		
Zeichen und Nummern.	Zahl und Art der Verpackung.	Art.**)	Menge. Durch Verwiegung ermitteltes Gewicht. Brutto. kg | 1/100	Netto. kg | 1/100	Netto-Gewicht durch Abrechnung der Tara, mit Angabe des Tarasatzes kg | 1/100	Betrag. Mark. | Pf.	a) Materialsteuer. Mark. | Pf.	b) Verbrauchsabgabe. Mark. | Pf.	…rister (Vo… schein amt a…
14.	15.	16.	17.	18.	19.	20.	21.	22.	23.

, den 18

-Amt (Stelle).

Stempelabdruck.

Erledigung des Begleitscheins.

Die Erledigung des Begleitscheins bescheinigt auf Grund des Erledigungsschein №

, den 18

-Amt (Stelle).

Stempelabdruck.

Muster 17.

Zuckerbegleitschein-Ausfertigungs-Register

des (der)

…-Amtes (Stelle) zu …

für das … Quartal des Etatsjahres 18…

Dies Register enthält … Blätter, mit einer Schnur durchzogen, welche auf dem Titelblatte mit dem Dienstsiegel des Unterzeichneten angesiegelt ist.

Geführt vom …

Mit … Heften Belägen zur Revision eingesendet.

…, den …ten … 18…

…-Amt (Stelle).

Muster 18.

Zuckerbegleitschein-Empfangs-Register

des (der)

..........-Amtes (Stelle) zu ....

für das .... Quartal des Etatsjahres 18..........

Dies Register enthält .... Blätter, mit einer Schnur durchzogen, welche auf dem Titelblatte mit dem Dienstsiegel des Unterzeichneten angesiegelt ist.

Geführt vom

....

Mit .... Heften Belägen zur Revision eingesendet.

.........., den ....ten .... 18..........

..........-Amt (Stelle).

Laufende Nummern oder Buchstaben		Tag des Ausgangs der in das Ausland gegangenen Waaren.	Die nicht in das Ausland gegangenen Waaren sind weiter nachgewiesen		Des Erledigungsscheins		Bemerkungen.
der übergebenen Zuckerbegleitschein-Auszüge.	der Waarenposten in dem Zuckerbegleitschein.		Benennung des Registers, worin solches geschehen.	Dessen №.	Ordnungszahl, unter welcher der Begleitschein eingetragen ist.	Ausstellungstag.	
9.	10.	11.	12.	13.	14.	15.	16.

Muster 19.

Zuckerbegleitschein-Empfangs-Register Blatt .... Nr. ....

Abgegeben, den .... 188 ..
Die Revision übernehmen:*)

Auszug

aus

dem Zuckerbegleitschein I des .... -Amtes .... zu .... Nr. .... vom .... 188 .. über die damit an den umstehend genannten Empfänger eingegangenen Zuckerprodukte bezw. zuckerhaltigen Fabrikate.

Behufs der Anmeldung derselben zum Eintritt in den freien Verkehr.
zur Niederlage.
zur Weiterbeförderung mit Begleitschein.

Annahme-Erklärung.

Indem .... den Empfang des auf Grund dieser (der angestempelten) Anmeldung ausgefertigten, unter Nr. .... des Begleitschein-Ausfertigungs-Registers .... eingetragenen Begleitscheins anerkenne ,

übernehme .... die Verpflichtung, die in demselben verzeichneten Zuckerprodukte bezw. zuckerhaltigen Fabrikate in unveränderter Gestalt und Menge, sowie mit unverletztem Verschlusse in dem bestimmten Zeitraume bei dem Begleitschein-Erledigungs-Amte zur Revision und weiteren Abfertigung zu stellen. Zugleich erkläre .... für verpflichtet, für die auf diesen Zuckerprodukten bezw. zuckerhaltigen Fabrikaten ruhende Verbrauchsabgabe (Steuer für Zucker aus Niederlagen) zu haften. Diese Verpflichtungen erlöschen nur dann, wenn durch Ertheilung des Erledigungsscheins seitens des Empfangsamtes bescheinigt wird, daß den vorgedachten Obliegenheiten völlig genügt sei.

verpflichte .... den darin festgestellten Abgabenbetrag, wenn der Nachweis der erfolgten Zahlung desselben an das Empfangsamt nicht bis zum Ablauf der für die Uebersendung des Erledigungsscheins festgesetzten Frist erbracht sein wird, auf Anfordern bei dem Begleitschein-Ausfertigungs-Amt einzuzahlen.**).

.... , den .... 188 .

Erledigung des Begleitscheins.

Die Erledigung des Begleitscheins bescheinigt auf Grund des Erledigungsscheins Nr. .... Ziffer ....

.... , den .... 188 ....

*) Nur für den Fall des lokalen Bedürfnisses auszufüllen.

**) Bei Begleitscheinen I werden die Worte „verpflichte“ bis „einzuzahlen“, und bei Begleitscheinen II die Worte „übernehme“ bis „genügt sei“ durchstrichen.

I.											II.	III.
Inhalt des Begleitscheins.											Anträge und Bemerkungen des Waarendisponenten (Begleitschein-Extrahenten, Waarenführers 2c.)	Angabe a) der Lagerzeit … Niederlagen, b) ob der gelagert gewesene Zucker … dem Anspruch … Steuervergütung abgefertigt ist … Angabe des Betrages der Vergütung (in Buchstaben), … ausgeschieden … Materialsteuer … Verbrauchs…
Nummer der einzelnen Positionen.	Name und Wohnort der Empfänger.	Der Kolli		Art und Menge der Zuckerprodukte bezw. zuckerhaltigen Fabrikate						Angabe, ob und wie und bei welchem Amte ein Verschluß angelegt ist, und Zahl der angelegten Bleie u. s. w.		
		Zeichen und Nummern.	Zahl und Art der Verpackung.	nach der noch nicht geprüften Angabe des Deklaranten.			nach stattgehabter amtlicher Ermittelung.					
				Art.*)	Menge.		Art.*)	Menge.				
					Brutto-Gewicht kg | 1/100	Netto-Gewicht kg | 1/100		Brutto-Gewicht kg | 1/100	Netto-Gewicht kg | 1/100			
1.	2.	3.	4.	5.	6.	7.	8.	9.	10.	11.	12.	13.

Mit dem Begleitschein übereinstimmend.

*) In Spalte 5, 8, und 16 ist bei raffinirtem Zucker die nähere Beschaffenheit (ob Hut-, Platten-, Würfel-Zucker, Farin 2c.), be
läufen der Quotient und bei zuckerhaltigen Fabrikaten die in denselben enthaltene Zuckermenge anzugeben.

IV. Revisionsbefund.					V. Abgabenberechnung.				VI. Weiterer Nachweis der Zuckerprodukte 2c.			VII. Bemerkungen über a) die Angabe einer Anmeldung zur Abfertigung des Zuckers 2c. mit dem Anspruch auf Steuervergütung, b) vorhandenen, beibehaltenen oder angelegten Verschluß, Zahl der Bleie u. s. w.
Der Kolli		Der Zuckerprodukte bezw. zuckerhaltigen Fabrikate			1. Verbrauchsabgabe.		2. Steuer für Zucker aus Niederlagen.		Der Hebe- und Kontrolregister		Der Verkehrsnachweisung	
Zeichen und Nummern.	Zahl und Art der Verpackung.	Art.*)	Menge. Durch Verwiegung ermitteltes Gewicht.		Nettogewicht durch Abrechnung der Tara mit Angabe des Tarasatzes	Betrag.	a) Materialsteuer.	b) Verbrauchsabgabe.	Benennung.	Blatt / Nr.	Nummer, Blatt	
			Brutto kg | 1/100	Netto kg | 1/100	kg | 1/100	Mark. | Pf.	Mark. | Pf.	Mark. | Pf.			laufende Nr.	
14.	15.	16.	17.	18.	19.	20.	21.	22.	23.	24.	25.	26.

Muster 20.

*) Nr.

*) Tag der Ankunft:

Erledigungsschein

über die von dem (der) .... =Amt (Stelle)
in der Zeit vom .... bis .... 18.... erledigten
.... Zuckerbegleitscheine des (der) .... =Amts (Stelle). **)

Ordnungszahl.	Gattung des Zuckerbegleitscheins.	Nummer des Zuckerbegleitschein-Ausfertigungs-Registers.	Zeit der Ausstellung des Zuckerbegleitscheins			Nummer des Zuckerbegleitschein-Empfangs-Registers.	Zeit der Erledigung des Zuckerbegleitscheins			Bemerkungen.
			Tag.	Monat.	Jahr.		Tag.	Monat.	Jahr.	

*) Von dem Zuckerbegleitschein-Ausfertigungs-Amt auszufüllen.
**) Die einzelnen Zuckerbegleitscheine werden nach ihrer Reihenfolge im Zuckerbegleitschein-Empfangs-Register eingetragen.

Muster 21.

Legitimation

für

die Wegführung von Zuckerprodukten aus der Zuckerfabrik von ....

zu ....

Laufende Nummer.	Name und Wohnort des Waarenführers.	Zahl und Verpackungsart der Kolli, Zahl der Wagen 2c., bei Eisenbahnwagen Nr. derselben.	Art der Zuckerprodukte.	Gewicht (brutto) derselben (summarisch). kg	Bestimmungsort.	Bemerkungen.
1.	2.	3.	4.	5.	6.	7.

Abgegeben am

Die Revision übernehmen:*)

Muster 22.

Abmeldung

von niedergelegtem Zucker bezw. zuckerhaltigen Fabrikaten

aus der { Niederlage des ………… Amtes zu …………
{ unter amtlichem Mitverschluß stehenden Privatniederlage des ………… zu …………

I. Angabe des Abmelders nach Inhalt des Niederlagescheins.										II. Anträge und Bemerkungen des Anmelders.	III. Amtliche Angabe, ob Niederlegung mit Vergütungsanspruch stattgefunden hat, mit Angabe des Betrages der Vergütung (in Buchstaben) und zwar getrennt nach Materialsteuer und Verbrauchsabgabe.	IV. Revisionsbefund.						V. Abgaben-Berechnung.				VI. Weiterer Nachweis.		VII. Bemerkungen über: a) die Abgabe einer Anmeldung zur Abfertigung des Zuckers 2c. mit dem Anspruch auf Steuervergütung, b) Beamtenbegleitung, vorhandenen oder beibehaltenen oder angelegten Verschluß, Zahl der Bleie u. s. w.
Niederlage-Register.			Datum der Niederlegung.	Der Kolli		Des Zuckers bezw. der zuckerhaltigen Fabrikate			Angabe, ob und wie und bei welchem Amte ein Verschluß angelegt ist, Zahl der Bleie u. s. w.			Der Kolli		Angabe des vorgefundenen Verschlusses und Zahl der Bleie u. s. w.	Des Zuckers bezw. der zuckerhaltigen Fabrikate			1. Verbrauchsabgabe.		2. Steuer für Zucker aus Niederlagen.		Der Hebe- und Kontrolregister		
							Menge. Einlagerungsgewicht.									Menge.								
Konto.	Blatt.	Nr.		Zeichen und Nummern.	Zahl und Art der Verpackung.	Art.**)	Bruttogewicht.	Nettogewicht.				Zeichen und Nummern.	Zahl und Art der Verpackung.		Art.**)	Bruttogewicht.	Nettogewicht.	Nettogewicht nach Abrechnung der tarifmäßigen Tara mit Angabe des Tarasatzes.	Betrag.	a) Materialsteuer.	b) Verbrauchsabgabe.	Benennung.	Blatt Nr.	
							kg | 1/100	kg | 1/100								kg | 1/100	kg | 1/100	kg | 1/100	Mark.	Mark.	Mark.			
1	2.	3.	4.	5.	6.	7.	8.	9.	10.	11.	12.	13.	14.	15.	16.	17.	18.	19.	20.	21.	22.	23.	24.	25.

Mit dem Niederlageregister übereinstimmend.

(Name und Amtskarakter.)

*) Nur für den Fall des lokalen Bedürfnisses auszufüllen.

**) In den Spalten 7 und 16 ist bei raffinirtem Zucker die nähere Beschaffenheit (ob Hut-, Platten-, Würfel-Zucker, Farin u. s. w.), bei Abläufen der Quotient und bei zuckerhaltigen Fabrikaten die in demselben enthaltene Zuckermenge anzugeben.

Annahme-Erklärung.

übernehme die Verpflichtung, die innen verzeichneten Zuckerprodukte (zuckerhaltigen Fabrikate) in unveränderter Gestalt und Menge noch heut (bis zum ____ten________) der benannten Zuckerfabrik (der benannten Niederlage) zuzuführen und daselbst zur Abfertigung zu gestellen.

Zugleich erkläre für verpflichtet, für die auf diesen Zuckerprodukten (zuckerhaltigen Fabrikaten) ruhenden Abgaben zu haften, bis der Uebergang in die Empfangs-Fabrik (Niederlage) steueramtlich bescheinigt ist.

den ____ten________ 188__

Muster 23.

Einsendungstermine:
für die Hebestellen an das Hauptamt der 12te,
für die Hauptämter an das Kaiserliche Statistische Amt:
der 15te des auf den Monat der Nachweisung zunächst folgenden Kalendermonats.

Direktivbezirk: ....

Hauptamtsbezirk: ....

Hebebezirk: ....

Betriebs-Nachweisung

der

Rübenzuckerfabrik .... **in** ....

für

den Monat ....

Anleitung.

1. Das Formular ist bestimmt für die Rübenzuckerfabriken, d. h. die Fabriken, in welchen Rüben auf Rohzucker oder Konsumzucker verarbeitet werden, sei es ohne oder mit Melasse-Entzuckerung, ohne oder mit Einwurf von Zucker.
   Es dient zur Nachricht, daß die Angaben der einzelnen Fabriken nur zur Kenntniß der Behörden, zur Veröffentlichung aber nur Zusammenstellungen gelangen.
2. Die Nachweisung ist für jeden Kalendermonat in zwei, von dem Fabrikinhaber oder dessen ermächtigtem Vertreter zu vollziehenden Exemplaren aufzustellen, von welchen das eine bis zum 10. des nächstfolgenden Monats der Steuerhebestelle des Bezirks einzureichen, das andere in der Fabrik zur Einsichtnahme der Steuerbeamten aufzubewahren ist.
   Fehlt es für einen Monat an Einträgen, so ist ein entsprechender Vermerk in zwei Exemplaren des Formulars zu machen und mit diesen nach der Vorschrift im Absatz 1 zu verfahren.
3. Die Einträge der Rübenmengen in Spalte 1 sind mit den Monatsabschlüssen im steueramtlichen Verwiegungsregister in Uebereinstimmung zu halten. Die Uebereinstimmung wird in Spalte 16 von einem Aufsichtsbeamten bescheinigt.
4. Hat ein Bezug von Füllmasse aus anderen Fabriken stattgefunden, so ist die als Einwurf verwendete Menge solcher Füllmasse in Spalte 3 unter der Linie anzugeben, und zwar nach dem vollen Gewicht.
5. Bezüglich der mit Melasse-Entzuckerung betriebenen Fabriken ist das angewendete Verfahren durch Eintragung einer Eins (1) in die zutreffende Spalte (6—11) zu bezeichnen. Sollten in einem Monat mehrere Verfahren angewendet sein, so ist der Betrieb für jedes derselben auf einer besonderen Linie nachzuweisen. Zu Spalte 11 ist das betreffende Verfahren unter „Bemerkungen“ näher zu bezeichnen.
   Unter Melasse (Spalte 6—12) sind die Abläufe aller Art, einschließlich derjenigen vom ersten und zweiten Produkt, verstanden.
6. In Spalte 15 sind die aus dem Rübensaft (bezw. mit Einwurf oder Deckung) unmittelbar hergestellten raffinirten und Konsumzucker aller Art nachzuweisen, nicht aber auch die durch weitere mechanische Bearbeitung, insbesonder Zerkleinerung, dieser ursprünglichen Produkte schließlich gewonnenen Fabrikate (z. B. Würfel- oder gemahlener Zucker aus Broten, Platten u. s. w.).
7. Die Gewichtsmengen (Spalte 1—5, 12—15) sind auf Grund der Fabrikbücher oder, soweit in denselben das betreffende Gewicht nicht angeschreiben ist, nach Maßgabe der Ueblichkeit der Fabrik nachzuweisen.

I. Verwendete Zucker

A. Menge der verarbeiteten Rüben.	B. Menge des als Einwurf oder zum Decken verwendeten Zuckers.				C. Melasse-		
	1. Rohzucker, einschließlich der Nachprodukte		2. Raffinirte und Konsumzucker		1. Bezeichnung des		
	a) in der Fabrik selbst produzirt.	b) fremden Ursprungs (unter der Linie die verwendete Menge fremder Füllmasse).	a) in der Fabrik selbst produzirt	b) fremden Ursprungs.	a) Osmose.	b) Elution und Fällung.	c) Substitution
100 kg	100 kg	100 kg	100 kg	100 kg			
1.	2.	3.	4.	5.	6.	7.	8.

................................, den ...... ten .... 18 .

stoffe.				II. Produzirte Zucker.			Bemerkungen.
Entzuckerung.				A. Rohzucker.		B.	
angewendeten Verfahrens.			2.	1.	2.		
d) Ausscheidung.	e) Strontianverfahren.	f) Andere Verfahren.	Menge der in Verarbeitung genommenen Melasse.	Erstes und zweites Produkt.	Nachprodukte vom dritten Produkt ab.	Raffinirte und Konsumzucker aller Art.	
			100 kg	100 kg	100 kg	100 kg	
9.	10.	11.	12.	13.	14.	15.	16.

(Unterschrift):

Muster 24.

Einsendungstermin
für die Hauptämter an das Kaiserliche Statistische Amt:
der 10te des auf den Monat der Nachweisung zunächst folgenden Kalendermonats.

Direktivbezirk:
Hauptamtsbezirk:
Hebebezirk:

Betriebs-Nachweisung

der

Zucker-Raffinerie .... in ....

für

den Monat ....

Anleitung.

1. Das Formular ist bestimmt für die Zucker-Raffinerien, ausschließlich der die Herstellung raffinirter Zucker betreibenden Rübenzuckerfabriken und selbständigen Melasse-Entzuckerungsanstalten.

   Nachrichtlich wird bemerkt, daß die Angaben der einzelnen Fabriken nur zur Kenntniß der Behörden, zur Veröffentlichung aber nur Zusammenstellungen gelangen.

2. Die Nachweisung ist für jeden Kalendermonat in zwei, von dem Fabrikinhaber oder dessen ermächtigtem Vertreter zu vollziehenden Exemplaren aufzustellen, von welchen das eine bis zum 6ten des nächstfolgenden Monats dem Haupt-steuer- (Zoll-) amt des Bezirks einzureichen, das andere in der Fabrik zur Einsichtnahme der Steuerbeamten aufzubewahren ist.

   Fehlt es für einen Monat an Einträgen, so ist ein entsprechender Vermerk in zwei Exemplaren des Formulars zu machen und mit diesen nach der Vorschrift im Absatz 1 zu verfahren.

3. In Spalte 1 und 2 sind, dem Vordruck entsprechend, die aus der eigenen Fabrikation stammenden, wieder zur Umschmelzung u. s. w. gelangenden Produkte nicht mit nachzuweisen.

   Hat ein Bezug von Füllmasse aus anderen Fabriken stattgefunden, so ist die als Einwurf verwendete Menge solcher Füllmasse in Spalte 1 unter der Linie anzugeben, und zwar nach dem vollen Gewicht.

4. Das Verfahren der Melasse-Entzuckerung (Spalte 8) ist nach Maßgabe der folgenden Eintheilung anzugeben: Osmose; Elution; Fällung; Substitution; Ausscheidung; Strontianverfahren. Ist ein vorstehend nicht benanntes Verfahren angewendet worden, so ist dasselbe nach seiner Eigenart zu bezeichnen und erstmals in Spalte 7 kurz zu beschreiben.

   Sollten in einem Monat mehrere Verfahren der Melasse-Entzuckerung angewendet sein, so ist der Betrieb für jedes derselben auf einer besonderen Linie nachzuweisen.

   Unter Melasse (Spalte 3, 4) sind die Abläufe aller Art, einschließlich derjenigen vom ersten und zweiten Produkt, verstanden.

5. In Spalte 5 sind die aus den Füllmassen unmittelbar hergestellten raffinirten und Konsumzucker aller Art nachzuweisen, nicht aber auch die durch weitere mechanische Bearbeitung, insbesondere Zerkleinerung, dieser ursprünglichen Produkte schließlich gewonnenen Fabrikate (z. B. Würfel- oder gemahlener Zucker aus Broten, Platten u. s. w.).

6. Die Gewichtsmengen (Spalte 1, 2, 4 bis 6) sind auf Grund der Fabrikbücher oder, soweit in denselben das betreffende Gewicht nicht angeschrieben ist, nach Maßgabe der Ueblichkeit der Fabrik nachzuweisen.

I. Verwendung von fremden, d. h. nicht in der Fabrik selbst produzirten Zuckern.		II. Melasse-Entzuckerung.		III. Produzirte Zucker.		Bemerkungen.
An solchen Zuckern sind eingeworfen		1.	2.	1.	2.	
1. Rohzucker, einschließlich der Nachprodukte (Unter der Linie die verwendete Menge fremder Füllmasse, vergl. Anleitung Ziffer 3).	2. raffinirte und Konsumzucker.	Angabe des angewendeten Verfahrens.	Menge der in Verarbeitung genommenen Melasse.	Raffinirte und Konsumzucker aller Art.	Roh-zucker aller Art.	
100 kg	100 kg		100 kg	100 kg	100 kg	
1.	2.	3.	4.	5.	6.	7

. . . . . . , den ten . 18 .

(Unterschrift):

Muster 25.

Einsendungstermin
für die Hauptämter an das Kaiserliche Statistische Amt:
der 10te des auf den Monat der Nachweisung zunächst folgenden Kalendermonats.

Direktivbezirk: ....

Hauptamtsbezirk: ....

Hebebezirk: ....

Betriebs-Nachweisung

der

Melasse-Entzuckerungsanstalt .... in ....

für

den Monat ....

Anleitung.

1. Das Formular ist bestimmt für die Melasse-Entzuckerungsanstalten ohne Rübenverarbeitung.
   Nachrichtlich wird bemerkt, daß die Angaben der einzelnen Fabriken nur zur Kenntniß der Behörden, zur Veröffentlichung aber nur Zusammenstellungen gelangen.
2. Die Nachweisung ist für jeden Kalendermonat in zwei, von dem Fabrikinhaber oder dessen ermächtigtem Vertreter zu vollziehenden Exemplaren aufzustellen, von welchen das eine bis zum 6. des nächstfolgenden Monats dem Hauptsteuer- (Zoll-)amt des Bezirks einzureichen, das andere in der Fabrik zur Einsichtnahme der Steuerbeamten aufzubewahren ist.
   Fehlt es für einen Monat an Einträgen, so ist ein entsprechender Vermerk in zwei Exemplaren des Formulars zu machen und mit diesen nach der Vorschrift im Absatz 1 zu verfahren.
3. Das Verfahren der Melasse-Entzuckerung (Spalte 1) ist nach folgender Eintheilung anzugeben: Osmose; Elution; Fällung; Substitution; Ausscheidung; Strontianverfahren. Ist ein vorstehend nicht benanntes Verfahren angewendet worden, so ist dasselbe nach seiner Eigenart zu bezeichnen und erstmals in Spalte 9 kurz zu beschreiben.
   Sollten in einem Monat mehrere Verfahren der Melasse-Entzuckerung angewendet sein, so ist der Betrieb für jedes derselben auf einer besonderen Linie nachzuweisen.
   Unter Melasse (Spalte 2) sind die Abläufe aller Art, einschließlich derjenigen vom ersten und zweiten Produkt, verstanden.
4. Hat ein Bezug von Füllmasse aus anderen Fabriken stattgefunden, so ist die als Einwurf verwendete Menge solcher Füllmasse in Spalte 4 unter der Linie anzugeben, und zwar nach dem vollen Gewicht.
5. In Spalte 7 sind die aus der Melasse (bezw. unter Mitverwendung von Zucker als Einwurf u. s. w.) unmittelbar hergestellten raffinirten und Konsumzucker aller Art nachzuweisen, nicht aber auch die durch weitere mechanische Bearbeitung, insbesondere Zerkleinerung, dieser ursprünglichen Produkte schließlich gewonnenen Fabrikate (z. B. Würfel- oder gemahlener Zucker aus Broten, Platten u. s. w.).
6. Die Gewichtsmengen (Spalte 2 bis 8) sind auf Grund der Fabrikbücher oder, soweit in denselben das betreffende Gewicht nicht angeschrieben ist, nach Maßgabe der Ueblichkeit der Fabrik nachzuweisen.

I. Angabe des angewendeten Verfahrens der Melasse-Entzuckerung.	II. Verwendete Zucker-			
	A. Melasse.	B. Rohzucker, einschließlich der Nachprodukte.		C. Raffinirte und
		1. in der Fabrik selbst produzirt.	2. fremden Ursprungs (unter der Linie die verwendete Menge fremder Füllmasse).	1. in der Fabrik selbst produzirt.
	100 kg	100 kg	100 kg	100 kg
1.	2.	3.	4.	5.

den ten 18

stoffe.	III. Produzirte Zucker.		Bemerkungen.
Konsum-Zucker.			
2. fremden Ursprungs.	1. Raffinirte und Konsumzucker aller Art.	2. Rohzucker aller Art.	
100 kg	100 kg	100 kg	
6.	7.	8.	9.

(Unterschrift): ....

Muster 26.

Einsendungstermine:
für die Hebestellen an das Hauptamt:
10. August ....
für die Hauptämter an das Kaiserliche
Statistische Amt:
15. August ....

Direktivbezirk: ....

Hauptamtsbezirk: ....

Hebebezirk: ....

Nachweisung

des

Bestandes an Zucker

der

.... in ....

am 31. Juli 18 .

Anleitung.

1. Das Formular ist bestimmt für Rübenzuckerfabriken, gleichviel ob in denselben nur Rohzucker oder auch Konsumzucker hergestellt wird, für Zucker-Raffinerien und für Melasse-Entzuckerungsanstalten ohne Rübenverarbeitung.

   Nachrichtlich wird bemerkt, daß die Angaben der einzelnen Fabriken nur zur Kenntniß der Behörden, zur Veröffentlichung aber nur Zusammenstellungen gelangen.

2. Die Nachweisung ist nach dem Stande vom 31. Juli jeden Jahres in zwei, von dem Fabrikinhaber oder dessen ermächtigtem Vertreter zu vollziehenden Exemplaren aufzustellen, von welchen das eine bis zum 6. des nächstfolgenden Monats der Steuerhebestelle des Bezirks einzureichen, das andere in der Fabrik zur Einsichtnahme der Steuerbeamten aufzubewahren ist.

   Sollte es an Einträgen gänzlich fehlen, so ist ein entsprechender Vermerk in zwei Exemplaren des Formulars zu machen und mit diesen nach der Vorschrift in Absatz 1 zu verfahren.

3. Ausgeschlossen von der Nachweisung ist der in öffentlichen Niederlagen oder in Privatniederlagen unter amtlichem Mitverschluß, desgleichen der außerhalb des Zollgebiets von der Fabrik gelagerte Zucker.

   Hiervon abgesehen hat jede Fabrik nachzuweisen

   a) ihren gesammten eigenen Bestand an den im Formular bezeichneten Zuckern, gleichviel wo dieselben lagern, insbesondere auch einschließlich des Zuckers in den Fabriklagern, sowie in Kommissions- oder Lombardlagern, jedoch mit Ausnahme derjenigen Zucker, welche bei einer anderen zur Ausfüllung des Formulars verpflichteten Fabrik (vergl. Ziffer 1) auf Lager sind,

   b) die auf ihren Lagern befindlichen Zucker anderer Eigenthümer, insbesondere die bereits verkauften, aber noch nicht abgesendeten Mengen eigener Fabrikate.

4. Die Nachweisung erstreckt sich nicht auf die im Fabrikationslaufe befindlichen Zuckermengen. Insbesondere sind in Spalte 2 nur die bereits abgeschleuderten Nachprodukte nachzuweisen.

5. Sofern die Einträge der Spalten 1 bis 5 ausländischen Zucker enthalten, ist dessen Menge in Spalte 6 besonders zu vermerken.

6. Die Zuckermengen sind entweder nach dem für diesen Zweck durch Verwiegung besonders ermittelten Gewicht oder nach demjenigen Gewicht nachzuweisen, mit welchem die betreffenden Fabrikate in den Fabrikbüchern angeschrieben sind oder, falls eine solche Anschreibung nicht stattgefunden hat, mit welchem sie nach der Ueblichkeit der Fabrik berechnet zu werden pflegen.

   Das für jede der Spalten 1 bis 5 ermittelte Gesammtgewicht ist in der Art abzurunden, daß überschießende Mengen unter 50 kg gestrichen, von 50 kg ab für volle 100 kg gerechnet werden. In gleicher Weise sind die überhaupt 100 kg nicht erreichenden Gesammtgewichte abzurunden.

Bestand am 31. Juli 18 .					
1. Rohzucker und Farine.			2. Raffinirte und Konsumzucker (mit Ausschluß der Farine).		Bemerkungen.
a) Rohzucker.		b) Farine	a) Zucker der höchsten Vergütungsklasse nach § 6b des Gesetzes vom 9. Juli 1887, einschließlich der vom Bundesrath dieser Klasse zugewiesenen Zucker.	b) Sonstige raffinirte und Konsumzucker, zur zweiten Vergütungsklasse nach § 6c des Gesetzes vom 9. Juli 1887 gehörig.	
aa) erstes und zweites Produkt	bb) Nachprodukte vom dritten Produkte ab (bereits abgeschleudert)				
100 kg	100 kg	100 kg	100 kg	100 kg	
1.	2.	3.	4.	5.	6.

, den ten 18

(Unterschrift):

Muster 27.

Einsendungstermine:
für die Hebestellen an das Hauptamt:
6. August
für die Hauptämter an das Kaiserliche Statistische Amt:
12. August

Direktivbezirk: ....
Hauptamtsbezirk: ....
Hebebezirk: ....

Nachweisung

des

Bestandes an Zucker

in den

öffentlichen Niederlagen und den Privatniederlagen

unter amtlichem Mitverschluß

im Bezirk des .... zu ....

am 31. Juli 18.........

Anleitung.

1. Ueber die in öffentlichen Niederlagen und in Privatniederlagen unter amtlichem Mitverschluß (nicht auch in Fabriklagern) am 31. Juli jeden Jahres vorhandenen Bestände an Zucker ist von den betreffenden Niederlageämtern auf Grund der Niederlageregister eine Nachweisung in Gemäßheit des umstehenden Formulars aufzustellen. Es sind zuerst die öffentlichen, dann die Privatniederlagen, letztere unter Benennung des Inhabers, in der Art einzutragen, daß jede Niederlage auf einer besonderen Linie nachgewiesen wird.

   Die Zuckermengen sind nach dem Nettogewicht anzugeben. Sofern letzteres im Niederlageregister nicht angeschrieben sein sollte, ist dasselbe durch Abzug der für die Verzollung geltenden Tara von dem Bruttogewicht zu ermitteln.

2. Die Nachweisungen der unteren Steuerstellen sind bis zum 6. August in je zwei Exemplaren den Hauptämtern einzureichen. Die letzteren haben bis zum 12. desselben Monats dem Kaiserlichen Statistischen Amt eine für den Hauptamtsbezirk unter Benutzung des Formulars gefertigte Zusammenstellung vorzulegen, in welcher die Bestände der öffentlichen Niederlagen und der Privatlager, und zwar mit Angabe der Zahl der Lager, getrennt in je einer Summe nachzuweisen sind. Der Zusammenstellung sind die Nachweisungen der Niederlageämter in je einem Exemplar beizufügen.

Lau-fende Nr.	Bezeichnung der Niederlagen.			Bestand	
				I. Ausländischer Zucker.	
	Art der Niederlage.	Ort derselben.	Hebebezirk.	1. Rohzucker. 100 kg	2. Raffinirte Zucker aller Art. 100 kg
1.	2.	3.	4.	5.	6.

an Zucker am 31. Juli 18..

II. Inländischer Zucker.				
1. Rohzucker und Farine.		2. Raffinirte und Konsumzucker (mit Ausschluß der Farine).		Bemerkungen.
a) Im ganzen.	b) Darunter Farine.	a) Zucker der höchsten Vergütungsklasse nach §. 6 b des Gesetzes vom 9. Juli 1887, einschließlich der vom Bundesrath dieser Klasse zugewiesenen Zucker.	b) Sonstige raffinirte und Konsumzucker, zur zweiten Vergütungsklasse nach §. 6 c des Gesetzes vom 9. Juli 1887 gehörig.	
100 kg	100 kg	100 kg	100 kg	
7.	8.	9.	10.	11.

Muster 28.

Einsendungstermine:
für die Hebestellen an das Hauptamt der 5te September;
für die Hauptämter an das Kaiserliche Statistische Amt der 15te September.

Direktivbezirk: ....

Hauptamtsbezirk: ....

Hebebezirk: ....

Betriebs-Nachweisung

der

Stärkezuckerfabrik .... **in** ....

für das Betriebsjahr $\frac{\text{1. August 18.....}}{\text{31. Juli 18.....}}$.

Anleitung.

1. Die Nachweisung ist in zwei, von dem Fabrikinhaber oder dessen ermächtigtem Vertreter zu vollziehenden Exemplaren aufzustellen, von welchen das eine bis zum 1. September des betreffenden Jahres der Steuerhebestelle des Bezirks einzureichen, das andere in der Fabrik zur Einsichtnahme der Steuerbeamten aufzubewahren ist.
   Es dient zur Nachricht, daß die Angaben der einzelnen Fabriken nur zur Kenntniß der Behörden, zur Veröffentlichung aber nur Zusammenstellungen gelangen.
2. Die Gewichtsmengen sind auf volle 100 kg (Doppelzentner) derart abzurunden, daß Mengen unter 50 kg unberücksichtigt zu lassen, Mengen von 50 kg oder darüber als 100 kg anzuschreiben sind.
3. Hiervon abgesehen, müssen die Eintragungen genau mit den Fabrikbüchern übereinstimmen.
4. Wenn der Betrieb während des ganzen Jahres geruht hat, ist eine Fehlanzeige einzureichen.

Mengen in

Menge des gewonnenen Stärkezuckers.				Bemerkungen.
Stärkezucker in fester Form.	Darunter (Spalte 6) krystallisirter Stärkezucker, namentlich in Form von Broten, Platten und dergleichen.	Stärkezuckersyrup.	Außerdem Couleur.	
6.	7.	8.	9.	10.
100 kg.				

Gedruckt bei Julius Sittenfeld ir

Verzeichniß

der in der 7ten Verloosung gezogenen, durch die Bekanntmachung der unterzeichneten Hauptverwaltung der Staatsschulden vom 2. Juli 1888 zur baaren Einlösung am 1. November 1888 gekündigten **Kurmärkischen Schuldverschreibungen.**

Abzuliefern mit Zinsscheinen Reihe XIII Nr. 3—8 und Anweisungen zur Abhebung der Reihe XIV.

Die fettgedruckte Zahl, welche die Tausende bezeichnet, bezieht sich auch auf diejenigen Zahlen, welche bis zu der folgenden fettgedruckten Zahl die Hunderte, Zehner und Einer angeben. Die Striche zwischen den Zahlen bedeuten, daß sämmtliche dazwischen liegende Nummern gekündigt sind.

Lit. **A.** zu **1000** Rthlr.

№ **2**011—20. Summa 10 Stück über 10 000 Rthlr. = 30 000 Mark.

Lit. **B.** zu **500** Rthlr.

№ **1**587. 899. 903. 917. 920. 925—929. 946. 960. Summa 12 Stück über 6 000 Rthlr. = 18 000 Mark.

Lit. **C.** zu **400** Rthlr.

№ 158. 162. 167. 178. 179. Summa 5 Stück über 2 000 Rthlr. = 6 000 Mark.

Lit. **D.** zu **300** Rthlr.

№ 2. 4. 6. 15. 17—19. 26. 31. 37. Summa 10 Stück über 3 000 Rthlr. = 9 000 Mark.

Lit. **F.** zu **100** Rthlr.

№ **1**632. 646. 649. Summa 3 Stück über 300 Rthlr. = 900 Mark.

Zusammen 40 Stück über 21 300 Rthlr. = 63 900 Mark.

Berlin, den 2. Juli 1888.

Königliche Hauptverwaltung der Staatsschulden.

Sydow.

Berlin, gedruckt in der Reichsdruckerei.

Die Anstalt übernimmt gegen feste Prämien den Ersatz von Verlusten jeder Art, welche durch Feuer, Blitzschlag oder Explosion verursacht werden. Die Versicherungen können unmittelbar von der Direction oder durch dazu von ihr bevollmächtigte Personen, welche aber nur als Bevollmächtigte im Sinne des Art. 235 des Handelsgesetzbuches anzusehen sind, geschlossen werden. Die Anstalt kann Rückversicherungen gewähren und auch solche nehmen.

Art. 25.

Wenn in einem der in vorstehenden Artikeln bemerkten Fälle die Direction zum Verkaufe von Actien durch Mäkler verschreitet, so werden die betreffenden Actien-Documente, dafern nicht der zeitherige Inhaber solche unaufgefordert zur Uebertragung auf den Käufer an die Direction eingesendet hat, unter Anzeige ihrer Nummern, durch eine dreimal nach einander in die Leipziger Zeitung zu insertirende Bekanntmachung für annullirt erklärt, dem Käufer aber dafür neue Actien-Documente unter fortlaufenden Nummern ausgefertigt, worauf die auf die annullirten Actien außer der ursprünglichen Einlage etwa geleisteten Nachschüsse abgeschrieben werden.

Wenn der Verlust einer Actie von deren Eigenthümer glaubhaft nachgewiesen wird, oder wenn eine Actie für den ferneren Umlauf unbrauchbar geworden ist, hat die Direction die Befugniß, neue Actien auszufertigen; dieselben haben aber die alte Nummer und die Bemerkung:

„Neuausfertigung vom (Datum) gemäß Nr. 25 der Verfassungs-Artikel"

zu erhalten.

Genehmigungs-Urkunde.

Den in dem beigehefteten Anhange aufgeführten*), in der General-Versammlung vom 12. Januar d. Js. beschlossenen und Seitens des Königlich Sächsischen Ministeriums des Innern staatlich genehmigten

Abänderungen zu den Verfassungs-Artikeln der Leipziger Feuerversicherungs-Anstalt

wird die in den Conzessionsbedingungen vorbehaltene Genehmigung mit der Maßgabe hierdurch ertheilt, daß unter dem im neu redigirten Artikel 3 gebrauchten Ausdrucke „Verlusten jeder Art“ nicht auch indirekte Verluste (Mieths- und Geschäftsverluste 2c.) zu verstehen sind.

Berlin, den 4. Mai 1888.

Der Königlich Preußische Minister des Innern.

I. A. 4274. (L. S.) In Vertretung: Herrfurth.

*) Nachstehend abgedruckt.

Anhang.

Abänderungen

zu den

Verfassungs-Artikeln der Leipziger Feuer-Versicherungs-Anstalt,

beschlossen in der General-Versammlung vom 12. Januar 1888.

Genehmigt vom Königl. Sächsischen Ministerium des Innern laut Verordnung der Königl. Brandversicherungs-Kammer d. d. Dresden, den 23. Februar 1888.

(Gegen nachfolgende Neuredaction tritt die bisher in Kraft gewesene Redaction der betreffenden Artikel nebst den dazu gehörigen Anhängen außer Kraft.)

Art. 3.

Die Anstalt übernimmt gegen feste Prämien den Ersatz von Verlusten jeder Art, welche durch Feuer, Blitzschlag oder Explosion verursacht werden. Die Versicherungen können unmittelbar von der Direction oder durch dazu von ihr bevollmächtigte Personen, welche aber nur als Bevollmächtigte im Sinne des Art. 235 des Handelsgesetzbuches anzusehen sind, geschlossen werden. Die Anstalt kann Rückversicherungen gewähren und auch solche nehmen.

Art. 25.

Wenn in einem der in vorstehenden Artikeln bemerkten Fälle die Direction zum Verkaufe von Actien durch Mäkler verschreitet, so werden die betreffenden Actien-Documente, dafern nicht der zeitherige Inhaber solche unaufgefordert zur Uebertragung auf den Käufer an die Direction eingesendet hat, unter Anzeige ihrer Nummern, durch eine dreimal nach einander in die Leipziger Zeitung zu inserirende Bekanntmachung für annullirt erklärt, dem Käufer aber dafür neue Actien-Documente unter fortlaufenden Nummern ausgefertigt, worauf die auf die annullirten Actien außer der ursprünglichen Einlage etwa geleisteten Nachschüsse abgeschrieben werden.

Wenn der Verlust einer Actie von deren Eigenthümer glaubhaft nachgewiesen wird, oder wenn eine Actie für den ferneren Umlauf unbrauchbar geworden ist, hat die Direction die Befugniß, neue Actien auszufertigen; dieselben haben aber die alte Nummer und die Bemerkung:

„Neuausfertigung vom (Datum) gemäß Nr. 25 der Verfassungs-Artikel“

zu erhalten.

Eine unbrauchbar gewordene Actie ist in einer Directionssitzung zu vernichten und über den Vorgang in dem Protokoll zu berichten. Ueber sämmtliche vorstehende Vorgänge sind Eintragungen in das Actienbuch der Anstalt (Art. 21) zu machen.

Art. 32.

Mit dem Tage der jährlichen Ordentlichen General-Versammlung tritt das der Wahl nach älteste Directionsmitglied von der Direction ab und die Wiederbesetzung der erledigten Stelle erfolgt durch Wahl der genannten General-Versammlung. Der Ausgeschiedene ist wieder wählbar.

Art. 40.

Ist ein der Reihe nach an der Function stehender Director durch Krankheit oder sonst behindert, so muß er sich durch einen der anderen Directoren vertreten lassen.

Der Bevollmächtigte wird in Behinderungsfällen entweder durch einen Director oder durch einen von der Direction zu ernennenden Procuristen vertreten.

Die Zeichnung der Firma ist giltig und für die Anstalt verbindlich, wenn sie entweder von zwei Directoren, oder von einem Director mit dem Bevollmächtigten, oder von einem Director mit dem Procuristen bewirkt wird.

Art. 54.

Die Actionaire können in allgemeinen Versammlungen nicht blos in Person, sondern auch durch legitimirte Bevollmächtigte, die jedoch selbst Actionaire sein müssen, erscheinen. Nur die (persönlich oder durch Bevollmächtigte) erschienenen Actionaire stimmen über die in Vortrag kommenden Angelegenheiten; schriftlich eingeschickte Abstimmungen werden bei der Stimmenzählung nicht berücksichtigt. Die Stimme eines Actionairs, welcher Eigenthümer ist

von 1 bis 5 Actien wird einfach,
" 6 " 10 " " zweifach,
" 11 " 15 " " dreifach,
" mehr als 15 " " vierfach gezählt.

Um die Remotion eines Directions-Mitglieds, eine Abänderung der Verfassungs-Artikel, ingleichen die Auflösung der Anstalt als beschlossen anzunehmen, müssen Zwei Drittheile der Stimmen der gegenwärtigen Mitglieder dafür sein.

Bei andern Angelegenheiten entscheidet die bloße Stimmen-Mehrheit. Bei Stimmen-Gleichheit hat die Direction (als corpus) die entscheidende Stimme hinzuzufügen.

Abwesende Interessenten werden als den auf solche Art zu Stande gekommenen Beschlüssen beistimmend angesehen.

Art. 60.

Das Rechnungsjahr der Anstalt ist das Kalenderjahr.

Art. 62.

Von dem sich aus dem Abschlusse ergebenden verfügbaren Reingewinne des Jahres ist zunächst der Capital-Reservefonds mit 5% so lange zu dotiren, bis er den Betrag von 3 000 000 Mark erreicht. Ueber den Rest beschließt die General-Versammlung zum Zweck der Dotirung eines Dividenden-Ergänzungsfonds, eines Cours-Reservefonds und einer Dividenden-Vertheilung an die Actionaire, sowie eventuell sonstiger im Interesse des Geschäftsbetriebes gebotener Verwendungen. Die vorgenannten Fonds dienen ausschließlich den angegebenen Zwecken.

Art. 63.

Hat sich in einem Rechnungsjahre ein Verlust ergeben, so ist, falls der Dividenden-Ergänzungsfonds nicht mehr vorhanden ist, der Verlust aus dem Capital-Reservefonds zu decken. Eine Dividende darf aber später erst wieder vertheilt werden, nachdem der Capital-Reservefonds auf die Höhe von 3 000 000 Mark zuvor ergänzt worden ist.

Schlußbestimmungen.

Für das Jahr 1887 wird, um die Bestimmung des Art. 60 bezüglich der Verlegung des Rechnungsjahres in Wirksamkeit treten zu lassen, ein Zwischenabschluß gemacht, welcher den Zeitraum vom 1. Juni 1887 bis 31. Dezember 1887 umfaßt.

Bezüglich des durch diesen Abschluß ausgewiesenen Reingewinnes finden die Grundsätze der vorstehenden Verfassungs-Artikel entsprechende Anwendung.

Druck von Gebrüder Grunert, Berlin.

Amtsblatt

der Königlichen Regierung zu Potsdam und der Stadt Berlin.

Stück 30. Den 27. Juli **1888.**

Bekanntmachungen der Königlichen Ministerien.

Ankauf von Remonten pro 1888.

Regierungs-Bezirk Potsdam.

26. Zum Ankaufe von Remonten im Alter von drei und ausnahmsweise vier Jahren sind im Bereiche der Königlichen Regierung zu Potsdam für dieses Jahr nachstehende, Morgens 8 resp. 9 Uhr beginnende Märkte anberaumt worden, und zwar:

am 31.	**Juli**	Strasburg i. Uckermark,
" **1.**	**August**	Prenzlau,
" **2.**	"	Angermünde,
" **3.**	"	Neu-Ruppin,
" **4.**	"	Kyritz,
" **6.**	"	Wittstock,
" **7.**	"	Meyenburg,
" **8.**	"	Pritzwalk 9 Uhr,
" **9.**	"	Perleberg,
" **10.**	"	Lenzen a. Elbe.

Die von der Remonte-Ankaufs-Kommission erkauften Pferde werden mit Ausnahme derjenigen von Oranienburg zur Stelle abgenommen und sofort gegen Quittung baar bezahlt. Die Verkäufer auf dem Markte in Oranienburg werden dagegen ersucht, die erkauften Pferde in dem nahe gelegenen Remonte-Depot Bärenklau auf eigene Kosten und Gefahr einzuliefern und daselbst nach erfolgter Uebergabe in gesundem Zustande den behandelten Kaufpreis in Empfang zu nehmen.

Pferde mit solchen Fehlern, welche nach den Landesgesetzen den Kauf rückgängig machen, sind vom Verkäufer gegen Erstattung des Kaufpreises und der Unkosten zurückzunehmen, ebenso Krippensetzer, welche sich in den ersten acht und zwanzig Tagen nach Einlieferung in den Depots als solche erweisen. Pferde, welche den Verkäufern nicht eigenthümlich gehören, oder durch einen nicht legitimirten Bevollmächtigten der Kommission vorgestellt werden, sind vom Kauf ausgeschlossen.

Die Verkäufer sind verpflichtet, jedem verkauften Pferde eine neue, starke rindlederne Trense mit starkem Gebiß und eine neue Kopfhalfter von Leder oder Hanf mit 2 mindestens zwei Meter langen Stricken ohne besondere Vergütung mitzugeben.

Um die Abstammung der vorgeführten Pferde feststellen zu können, ist es erwünscht, daß die Deckscheine möglichst mitgebracht werden, auch werden die Verkäufer ersucht, die Schweife der Pferde nicht zu coupiren oder übermäßig zu verkürzen.

Ferner ist es dringend wünschenswerth, daß der immer mehr überhand nehmende zu massige oder weiche Futterzustand bei den zum Verkauf zu stellenden Remonten aufhört, weil dadurch die in den Remonte-Depots vorkommenden Krankheiten sehr viel schwerer zu überstehen sind, als dies bei rationell und nicht übermäßig gefutterten Remonten der Fall ist.

In Zukunft wird beim Ankauf zum Messen der Remonten das Stockmaß in Anwendung kommen.

Berlin, den 1. März 1888.

Kriegsministerium, Remontirungs-Abtheilung.

Bekanntmachungen des Königlichen Ober-Präsidenten der Provinz Brandenburg.

Reichstags-Ersatzwahl betreffend.

15. In Folge der Entmündigung des Reichstags-Abgeordneten Hasenclever ist eine Ersatzwahl im VI. Reichstagswahlkreise der Stadt Berlin erforderlich geworden. Zu diesem Zwecke habe ich in Gemäßheit des § 34 des Reglements vom 28. Mai 1870 (Bundes-Gesetzblatt S. 275) den Wahltermin **auf den 30. August d. J.** festgesetzt und den Herrn Stadtrath Mamroth in Berlin zum Wahlkommissarius, sowie den Herrn Stadtrath Spielberg daselbst zu dessen Stellvertreter ernannt.

Die Auslegung der Wählerlisten beginnt am 2. August d. J.

Potsdam, den 21. Juli 1888.

Der Ober-Präsident der Provinz Brandenburg,
Staatsminister Achenbach.

Bekanntmachungen der Königlichen Regierung.

Bekanntmachung wegen Ausreichung der Zinsscheine Reihe IV. zu den Schuldverschreibungen der Preußischen konsolidirten 4prozentigen Staats-Anleihe von 1876 bis 1879.

20. Die Zinsscheine Reihe IV. № 1 bis 20 zu den Schuldverschreibungen der Preußischen konsolidirten 4prozentigen Staats-Anleihe von 1876 bis 1879 über die Zinsen für die Zeit vom 1. Juli 1888 bis 30. Juni 1898 nebst den Anweisungen zur Abhebung der folgenden Reihe werden vom 1. Juni d. J. ab von der Kontrolle der Staatspapiere hierselbst, Oranienstraße Nr. 92/94 unten links, Vormittags von 9 bis 1 Uhr, mit Ausnahme der Sonn- und Festtage und der letzten drei Geschäftstage jeden Monats, ausgereicht werden.

Die Zinsscheine können bei der Kontrolle selbst in Empfang genommen oder durch die Regierungs-Hauptkassen, sowie in Frankfurt a. M. durch die Kreiskasse bezogen werden.

Wer die Empfangnahme bei der Kontrolle selbst

wünscht, hat derselben persönlich oder durch einen Beauftragten die zur Abhebung der neuen Reihe berechtigenden Zinsscheinanweisungen mit einem Verzeichnisse zu übergeben, zu welchem Formulare ebenda und in Hamburg bei dem Kaiserlichen Postamte № 1 unentgeltlich zu haben sind. Genügt dem Einreicher eine numerirte Marke als Empfangsbescheinigung, so ist das Verzeichniß einfach, wünscht er eine ausdrückliche Bescheinigung, so ist es doppelt vorzulegen. In letzterem Falle erhalten die Einreicher das eine Exemplar, mit einer Empfangsbescheinigung versehen, sofort zurück. Die Marke oder Empfangsbescheinigung ist bei der Ausreichung der neuen Zinsscheine zurückzugeben.

In Schriftwechsel kann die Kontrolle der Staatspapiere sich mit den Inhabern der Zinsscheinanweisungen nicht einlassen.

Wer die Zinsscheine durch eine der oben genannten Provinzialkassen beziehen will, hat derselben die Anweisungen mit einem doppelten Verzeichniß einzureichen.

Das eine Verzeichniß wird, mit einer Empfangsbescheinigung versehen, sogleich zurückgegeben und ist bei Aushändigung der Zinsscheine wieder abzuliefern.

Formulare zu diesen Verzeichnissen sind bei den gedachten Provinzialkassen und den von den Königlichen Regierungen in den Amtsblättern zu bezeichnenden sonstigen Kassen unentgeltlich zu haben.

Der Einreichung der Schuldverschreibungen bedarf es zur Erlangung der neuen Zinsscheine nur dann, wenn die Zinsscheinanweisungen abhanden gekommen sind; in diesem Falle sind die Schuldverschreibungen an die Kontrolle der Staatspapiere oder an eine der genannten Provinzialkassen mittelst besonderer Eingabe einzureichen.

Berlin, den 19. April 1888.

Hauptverwaltung der Staatsschulden.

* * *

Vorstehende Bekanntmachung wird mit dem Bemerken zur öffentlichen Kenntniß gebracht, daß Formulare zu den Verzeichnissen von unserer Hauptkasse, den Königlichen Kreis- und Forstkassen und den Königlichen Haupt-Steuerämtern bezogen werden können.

Potsdam, den 28. April 1888.

Königl. Regierung.

Bekanntmachungen des Königlichen Regierungs-Präsidenten.

Schuhmacher-Innung zu Pritzwalk.

205. Auf Grund des § 100 e. der Reichsgewerbeordnung vom 18. Juli 1881 und der Ausführungsverordnung hierzu vom 9. März 1882 № I. 1 a. 2 bestimme ich hierdurch für den Bezirk der Schuhmacher-Innung zu Pritzwalk,

daß diejenigen Arbeitgeber, welche das Schuhmachergewerbe betreiben und selbst zur Aufnahme in die Innung fähig sein würden, gleichwohl aber der Innung nicht angehören, vom 1. Januar 1889 ab Lehrlinge nicht mehr annehmen dürfen.

Ich bringe dies mit dem Bemerken hierdurch zur Kenntniß, daß der Bezirk der genannten Innung die Gemeinde Pritzwalk, sowie die Umgegend in einem Umkreise von 12 km umfaßt.

Potsdam, den 7. Juli 1888.

Der Regierungs-Präsident.

Schuhmacher-Innung zu Brandenburg a. H.

206. Auf Grund des § 100 e 1, 2 und 3 der Reichsgewerbeordnung vom 18. Juli 1881 und der Ausführungsanweisung hierzu vom 9. März 1882 — № I. 1 a, 2 — bestimme ich hierdurch für den Bezirk der Schuhmacher-Innung zu Brandenburg a. H.

1) daß Streitigkeiten aus den Lehrverhältnissen der im § 120 a der Reichsgewerbeordnung bezeichneten Art auf Anrufen eines der streitenden Theile von der zuständigen Innungsbehörde auch dann zu entscheiden sind, wenn der Arbeitgeber, obwohl er das in der Innung vertretene Gewerbe betreibt und selbst zur Aufnahme in die Innung fähig sein würde, gleichwohl der Innung nicht angehört;
2) daß die von der Innung erlassenen Vorschriften über die Regelung des Lehrlings-Verhältnisses, sowie über die Ausbildung und Prüfung der Lehrlinge auch dann bindend sind, wenn deren Lehrherr zu den unter № 1 bezeichneten Arbeitgebern gehört;
3) daß Arbeitgeber der unter № 1 bezeichneten Art vom 1. Januar 1889 ab Lehrlinge nicht mehr annehmen dürfen.

Ich bringe dies mit dem Bemerken hierdurch zur Kenntniß, daß der Bezirk der gedachten Innung die Stadt Brandenburg a. H., Dom Brandenburg, den Amtsbezirk Wilhelmsdorf und die Gemeinden Butzow und Barnewitz sowie die Gemeinde Groß-Wusterwitz des Kreises Jerichow II. in Regierungsbezirk Magdeburg umfaßt.

Potsdam, den 16. Juli 1888.

Der Regierungs-Präsident.

Aufhebung von Laichschon-Revieren im Kreise Ost-Havelland.

207. Die nachfolgenden Laichschon-Reviere:

1) die sogenannte Glienicke, eine Bucht am Trebelsee,
2) die der Stadt Ketzin gegenüber liegende Uferstrecke von der Einfahrt in den Dammgraben bis zum sogenannten Gänseloch in einer Länge von 800 m und einer Tiefe vom Ufer nach dem Strome zu von 15 m

werden, nachdem mich der Herr Minister für Landwirthschaft, Domainen und Forsten mittels Erlasses vom 6. Juni d. J. — I. 9859 — dazu ermächtigt hat, hierdurch als solche aufgehoben.

Potsdam, den 20. Juli 1888.

Der Regierungs-Präsident.

Beaufsichtigung der im Kreise Ruppin belegenen Laichschonreviere

208. Im Anschlusse an meine Bekanntmachung vom 25. Juni d. J. — Stück 26 des Amtsblattes de 1888 — betreffend die Festsetzung eines Laichschonrevieres im Möllensee des Kreises Ruppin, bringe ich hierdurch zur allgemeinen Kenntniß, daß ich den Königlichen Förster Kuse zu Zippelsförde mit der speziellen Beaufsichtigung des oben bezeichneten Reviers und Ausübung der polizeilichen Funktionen beauftragt habe.

Potsdam, den 21. Juli 1888.

Der Regierungs-Präsident.

Betrifft die schußfreien Tage auf dem Schießplatze bei Cummersdorf für das Jahr 1888.

209. Unter Hinweis auf die Polizei-Verordnung vom 2. November 1875 — Amtsblatt Seite 366 — bringe ich hierdurch zur öffentlichen Kenntniß, daß die **schußfreien** Tage auf dem Schießplatze der Königlichen Artillerie-Prüfungs-Kommission bei Cummersdorf für das Jahr 1888 wie folgt festgesetzt worden sind:

Juli: 29.

August: 1., 5., 8., 12., 15., 19., 22., 26., 29.

September: 2., 5., 9., 12., 16., 17., 18., 23., 26., 30.

Oktober: 3., 4., 7., 8., 10., 14., 15., 17., 21., 22., 24., 28., 29., 31.

November: 4., 5., 6., 11., 14., 15., 18., 19., 21., 25., 26., 28.

Dezember: 2., 3., 4., 5., 9., 10., 11., 12., 13., 16., 17., 18., 19., 23., 25., 26., 27., 28., 29., 30.

Potsdam, den 19. Juli 1888.

Der Regierungs-Präsident.

Vereinigung des selbstständigen Gutsbezirks Joachimsthal mit dem Gemeindebezirke der Stadt Joachimsthal im Kreise Angermünde.

210. Des Königs Majestät haben mittelst Allerhöchsten Erlasses vom 29. Juni d. J. die Vereinigung des selbstständigen Gutsbezirks Joachimsthal im Kreise Angermünde mit dem Gemeindebezirke der Stadt Joachimsthal in demselben Kreise zu genehmigen geruht.

Potsdam, den 21. Juli 1888.

Der Regierungs-Präsident.

Veranstaltung einer Lotterie in Köln.

211. Des Königs Majestät haben mittelst Allerhöchster Ordre vom 22. Juni d. J. dem Verwaltungsrathe der Gartenbau-Gesellschaft Flora zu Köln die Erlaubniß zu ertheilen geruht, in Verbindung mit der in der Zeit vom 4. August bis 9. September d. J. daselbst stattfindenden internationalen Gartenbau-Ausstellung eine Lotterie in zwei Serien zu veranstalten und die Loose im ganzen Bereiche der Monarchie zu vertreiben. Zu dieser Lotterie, bei welcher für jede Serie neben 1400 andern Gewinnen im Werthe von 22500 M. auch 212 Geldprämien im Gesammtbetrage von 37500 M. zur Ausspielung gelangen sollen, dürfen für jede Serie 150000 Loose à 1 M. ausgegeben werden.

Potsdam und Berlin, den 19. Juli 1888.

Der Regierungs-Präsident. Der Polizei-Präsident.

Bekanntmachungen der Bezirksausschüsse.

Die Ferien des Bezirks-Ausschusses zu Potsdam betreffend.

6. Nach § 5 des Regulativs zur Ordnung des Geschäftsganges und des Verfahrens bei den Bezirks-Ausschüssen vom 28. Februar 1884 hält der Bezirks-Ausschuß **Ferien** vom 21. Juli bis zum 1. September d. J.

Dies wird hierdurch mit dem Eröffnen bekannt gemacht, daß schleunige Gesuche als solche zu begründen und als **„Feriensache"** zu bezeichnen sind.

Potsdam, den 10. Juli 1888.

Namens des Bezirks-Ausschusses:
Der Vorsitzende.

Bekanntmachungen des Königlichen Polizei-Präsidiums zu Berlin.

Schuhmacher-Innung zu Berlin.

69. Auf Grund des § 100 f. der Reichsgewerbeordnung bestimme ich hiermit für den Bezirk **der Schuhmacher-Innung zu Berlin**, daß Arbeitgeber, welche, obwohl sie ein in der Innung vertretenes Gewerbe betreiben, derselben nicht angehören, und deren Gesellen zu den Kosten:

a. der von der Innung für das Herbergswesen und den Nachweis für Gesellenarbeit getroffenen, beziehungsweise unternommenen Einrichtungen (§ 97 Ziffer 2 d. Gew.-Ord.),
b. des von der Innung errichteten Schiedsgerichts (Gesellen-Schiedsgerichts — § 97a Ziffer 6 a. a. O.)

in derselben Weise und nach demselben Maßstabe beizutragen verpflichtet sind, wie die Innungsmitglieder und deren Gesellen.

Diese Bestimmung tritt mit mit dem 1. Januar 1889 in Wirksamkeit.

Der **Bezirk** der Schuhmacher-Innung zu Berlin umfaßt die Stadt Berlin und die Umgegend von Berlin bis zu 7½ Kilometer Entfernung.

Berlin, den 19. Juli 1888.

Der Polizei-Präsident.

Bekanntmachungen der Kaiserlichen Ober-Post-Direktion zu Potsdam.

Errichtung einer Telegraphenanstalt in Hohenofen.

55. In **Hohenofen,** Kreis Ruppin, wird am 24. Juli eine **Reichs-Telegraphenanstalt** in Wirksamkeit treten.

Potsdam, den 21. Juli 1888.

Der Kaiserliche Ober-Postdirektor.

Bekanntmachungen der Königlichen Hauptverwaltung der Staatsschulden.

Aufgebot einer Schuldverschreibung.

14. Die Deutsche Genossenschaftsbank von Soergel, Parrisius & Co. hierselbst, Charlottenstraße Nr. 35a., hat auf Umschreibung der Schuldverschreibung der konsolidirten 3½ prozentigen Staatsanleihe von 1885 Lit. A. Nr. 9576 über 5000 M. angetragen, weil von dem oberen Theile derselben ein Stück abgerissen ist.

In Gemäßheit des § 3 des Gesetzes vom 4. Mai 1843 (Ges.-S. S. 177) wird deshalb Jeder, der an diesem Papier ein Anrecht zu haben vermeint, aufgefordert, dasselbe binnen 6 Monaten und spätestens

am 1. Oktober d. J.

uns anzuzeigen, widrigenfalls das Papier kassirt und

dem obengenannten Bankgeschäft ein neues kursfähiges ausgehändigt werden wird.

Berlin, den 17. März 1888.

Hauptverwaltung der Staatsschulden.

Bekanntmachungen der Königlichen Eisenbahn-Direktion zu Bromberg.

Frachtsätze für getrocknete Malztreber.

49. Bis zum Ablauf des Jahres 1888 kommen im Lokal- und direkten Verkehr der Preußischen Staatsbahnen und in deren Verkehr mit den Reichseisenbahnen in Elsaß-Lothringen für getrocknete Malztreber die Frachtsätze des Specialtarifs III. von sofort zur Anwendung.

Bromberg, den 18. Juli 1888.

Königl. Eisenbahn-Direktion.

Bekanntmachungen der Kreis-Ausschüsse.

Gutsbezirksveränderung.

18. Die in Folge des Allerhöchsten Erlasses vom 14. April d. J. durch die Auflösung des selbstständigen Gutsbezirks Schulzendorf communalfrei gewordenen Grundstücke desselben sind mit dem Gutsbezirke der Königlichen Tegeler Forst vereinigt worden.

Berlin, den 13. Juli 1888.

Der Kreis-Ausschuß des Kreises Niederbarnim.

Personal-Chronik.

An Stelle des zum Geheimen Baurath und vortragenden Rath in dem Ministerium der öffentlichen Arbeiten beförderten bisherigen Regierungs-Baurath Lorenz ist der Geheime Regierungsrath von Tiedemann vom 1. August d. J. dem hiesigen Regierungs-Collegium überwiesen.

Im Kreise Niederbarnim ist nach Ablauf seiner Dienstzeit der Rechnungsführer Loechert zu Friedrichsfelde von Neuem zum Amtsvorsteher des Amtsbezirks III. Friedrichsfelde ernannt worden.

Der Oberpfarrer Dr. Franz Wilhelm Otto Dieben in Baruth ist zum Superintendenten der Diözese Baruth ernannt worden.

Der bisherige Predigtamts-Kandidat Max Georg Wagner ist zum Pfarrer der Parochie Groß-Ziescht, Diözese Baruth, bestellt worden.

Die unter privatem Patronat stehende Pfarrstelle zu Krügersdorf, Diözese Beeskow, kommt durch die Versetzung des Pfarrers Götze zum 1. Oktober 1888 zur Erledigung.

Bei der Königlichen Ministerial-Bau-Kommission zu Berlin sind im Laufe des 2. Kalenderquartals d. J. die Königlichen Regierungs-Bauführer Hugo Friedrich Wilhelm Timme, Bernhard Degener, Ludwig Borchardt vereidigt worden.

Bei der Königlichen Ministerial-Militair- und Bau-Kommission zu Berlin sind:

angenommen: der frühere Zeugfeldwebel Paul Seidel als Büreau-Diätar, der Primaner Paul Fröbrodt als Civil-Supernumerar, der invalide Oberlazarethgehülfe Otto Seefeld als Hülfsbote und der invalide Gefreite Carl Pidde als Hauswächter;

ausgeschieden: der Büreau-Diätar Louis in Folge seiner Ernennung zum Kassen-Sekretair bei der Königlichen Hauptverwaltung der Staatsschulden und der Hülfsbote Ferdinand Schulze in Folge anderweiter Anstellung beim Museum.

(Hierzu eine Extrabeilage, enthaltend die Nachtragsbestimmungen zur Ausführung des Gesetzes vom 17. Juni 1887, betreffend die Fürsorge für die Wittwen und Waisen von Angehörigen des Reichsheeres und der Kaiserlichen Marine, sowie Drei Oeffentliche Anzeiger.)

(Die Insertionsgebühren betragen für eine einspaltige Druckzeile 20 Pf.
Belagsblätter werden der Bogen mit 10 Pf. berechnet.)

Redigirt von der Königlichen Regierung zu Potsdam.

Potsdam, Buchdruckerei der A. W. Hayn'schen Erben (E. Hayn, Hof-Buchdrucker).

Extra-Beilage

zum 30sten Stück des Amtsblatts

der Königlichen Regierung zu Potsdam und der Stadt Berlin.

Den 27. Juli 1888.

Bekanntmachungen des Königlichen Regierungs-Präsidenten.

Nachtragsbestimmungen zur Ausführung des Gesetzes vom 17. Juni 1887, betreffend die Fürsorge für die Wittwen und Waisen von Angehörigen des Reichsheeres und der Kaiserlichen Marine.

204. A. Im Anschluß an die unter dem 16. Juli 1887 — Armee-Verordnungs-Blatt Seite 217 ff. — diesseits erlassenen Ausführungsbestimmungen zu dem oben genannten Gesetze („Militär-Hinterbliebenen-Gesetz") wird zur Behebung von Zweifeln über Auslegung und Anwendung desselben Nachstehendes bekannt gemacht:

I. Zu den §§ 1 und 32.

1) Die Wirksamkeit des Gesetzes beschränkt sich auf solche Funktionäre, welche berufsmäßig dem Dienste im Reichsheere oder in der Kaiserlichen Marine sich gewidmet haben. Ebensowenig wie die Offiziere des Beurlaubtenstandes fallen daher die dem letzteren angehörigen Militärärzte und Beamten, sowie die blos auf bestimmte Zeit oder für die Dauer des mobilen Verhältnisses in Stellen des Reichsheeres verwendeten Funktionäre unter das Gesetz, gleichviel, ob dieselben aus diesen Stellen pensionirt sind, ob sie vor ihrer Verwendung im Heere in einem zur Entrichtung von Wittwen- und Waisengeldbeiträgen verpflichtenden Amte des Reichs-Civil- oder Staatsdienstes sich befunden haben oder nicht.

Hingegen schließt der Umstand, daß pensionirte Offiziere des Friedensstandes im Beurlaubtenstande wieder angestellt werden, die anderweit begründete Anwendung des Gesetzes auf dieselben nicht aus.

2) In Ansehung der im Ruhestande befindlichen Angehörigen des Reichsheeres beschränkt sich die Anwendung des Gesetzes auf solche Pensionsempfänger, welche bis zum Eintritt in den Ruhestand entweder als dem Friedensstande des Reichsheeres angehörige Offiziere, Aerzte im Offiziersrang, Militairbeamte, Zeugfeldwebel, Zeugsergeanten, Wallmeister und Registratoren bei den Generalkommandos oder als Civilbeamte der Militärverwaltung im Frieden etatsmäßig angestellt waren. Demgemäß fallen beispielsweise nicht unter das Gesetz die mit Offiziers-Charakter beliehenen ehemaligen Unteroffiziere der Infanterie- ꝛc. Truppen, welche keine Offizierspension erdient haben, sondern zu Invalidenpensionen anerkannt sind.

Ebensowenig fallen unter das Gesetz die unter dem Vorbehalt des Widerrufs oder der Kündigung angestellt gewesenen Beamten, welche keine in den Besoldungs-Etats aufgeführte Stelle bekleidet haben und denen nur auf Grund des § 37 des Reichsbeamtengesetzes eine Pension bewilligt worden ist.

3) Die im § 32 des Gesetzes bezeichneten Personen — Zeugfeldwebel ꝛc. — fallen als Pensionsempfänger ebensowohl dann unter das Gesetz, wenn sie Invalidenpension beziehen, als wenn sie gemäß § 91 des Militär-Pensionsgesetzes nach den für die Reichsbeamten geltenden Vorschriften pensionirt sind.

4) Der Verlust des Offizierstitels schließt hinsichtlich der Empfänger gesetzlicher Pension die Anwendung des Gesetzes nicht aus.

II. Zu §§ 4 und 14.

1) Die Pensionserhöhungen des § 12 des Militär-Pensionsgesetzes und des § 1 des Gesetzes vom 16. Oktober 1866, sowie die Pensionszulage des § 71 des ersteren Gesetzes und des § 1a. des Gesetzes vom 9. Februar 1867 kommen dem Hinterbliebenen-Gesetze gegenüber nur insoweit in Betracht, als sie in Stellungen erworben sind, auf deren Inhaber dieses Gesetz anwendbar ist. Hat beispielsweise ein pensionirter Beamter eine Pensionserhöhung gemäß § 12 des Militär-Pensionsgesetzes in der Eigenschaft als Offizier des Beurlaubtenstandes erworben, so bleibt solche dem Hinterbliebenen-Gesetze gegenüber außer Berücksichtigung. Das Gleiche gilt von der Pensionszulage gemäß § 71 des Militär-Pensionsgesetzes, wenn dieselbe nicht auf Grund der §§ 89 ff. dieses Gesetzes an berufsmäßige Beamte oder an Zeugfeldwebel ꝛc. bewilligt ist.

2) Die in den §§ 11 und 12 der Novelle vom 4. April 1874 zum Miliär-Pensionsgesetze vorgesehenen Pensionszulagen — Anstellungsentschädigung und Zulage für Nichtbenutzung des Civilversorgungsscheins — kommen, da sie nicht als eigentliche Bestandtheile der Pension anzusehen sind, dem Hinterbliebenen-Gesetze gegenüber nicht in Betracht.

3) Hinsichtlich der Heranziehung der im letzten Absatze des § 4 des Gesetzes gedachten Offiziere ꝛc. zur Entrichtung von Wittwen- und Waisengeldbeiträgen wird behufs Ausgleichung etwaiger

Verschiedenheiten in der stattgehabten Behandlung der Sache bemerkt, daß die Erhebung der Beiträge im Falle der Verheirathung solcher Offiziere ꝛc. mit dem Tage der Eheschließung zu beginnen hatte.

III. Zu §§ 6^3 und 8.

Die Beitragspflicht derjenigen Offiziere ꝛc., welchen in Gemäßheit des § 4 des Militär-Pensionsgesetzes Pension zuvörderst auf ein Jahr oder einige Jahre (temporär) gewährt wird, erlischt erst mit dem Wegfall der Pensionsberechtigung.

IV. Zu §§ 6^4, 7 und 8.

Die Adoption von Kindern äußert dem Gesetze gegenüber keinerlei Wirkungen.

V. Zu §§ 6^4, 7 und 15.

Eine Ehe gilt als nach der Pensionirung geschlossen, wenn die Verheirathung nach demjenigen Tage erfolgt ist, bis zu welchem einschließlich nach den gesetzlichen Vorschriften die der Pensionsberechnung zu Grunde zu legende Dienstzeit bemessen wird. Demgemäß ist bei Offizieren und Aerzten im Offiziersrang die Ehe als nach der Pensionirung geschlossen zu betrachten, wenn die Verheirathung nach dem Tage stattgefunden hat, an welchem die Ordre der Verabschiedung oder Dispositionsstellung ergangen ist (§ 18 des Militär-Pensionsgesetzes). Bei Beamten ist gemäß § 55 des Reichsbeamtengesetzes der Tag des Eintritts in den Ruhestand entscheidend.

VI. Zu §§ 10, 12 und 20^1.

1) Als Mutter im Sinne des § 10 ist nur die leibliche Mutter der Kinder zu verstehen. Es ist daher (gemäß § 10^2) das erhöhte Waisengeld für Kinder, deren Mutter nicht mehr lebt oder (wenn die betreffende Ehe geschieden war) zur Zeit des Todes des Beitragspflichtigen zum Bezuge von Wittwengeld nicht berechtigt war, auch dann zuständig, wenn eine zum Empfang von Wittwengeld berechtigte Stiefmutter vorhanden ist, welche die Kinder in Pflege und Erziehung hat.

2) Die Wiederverheirathung einer wittwengeldberechtigten Wittwe begründet nicht den Anspruch auf das erhöhte Waisengeld für ihre Kinder.

VII. Zu § 10 letzter Absatz.

Als Militär-Erziehungsanstalten im Sinne des Gesetzes gelten die Kadettenanstalten, Unteroffizierschulen, Unteroffizier-Vorschulen und das Militär-Knaben-Erziehungs-Institut zu Annaburg, wobei bemerkt wird, daß Pensionsgeld oder Erziehungsbeitrag nur bei Aufnahme von Knaben in Kadettenanstalten zu entrichten ist, soweit solche nicht in Freistellen erfolgt, während die Aufnahme ꝛc. in die übrigen genannten Militär-Erziehungsanstalten unentgeltlich stattfindet. Als Militär-Erziehungsanstalten im Sinne des Gesetzes gelten hingegen nicht die Anstalten des Potsdamschen großen Militär-Waisenhauses.

Wegen Ueberweisung der Waisengelder für die in die letztgedachten Anstalten aufgenommenen Kinder an die Haupt-Militär-Waisenhauskasse wird auf die ergangenen besonderen Bestimmungen Bezug genommen.

B. Die Ausführungsbestimmungen vom 16. Juli 1887 zum Militär-Hinterbliebenen-Gesetze werden, wie folgt, ergänzt und abgeändert:

I. Die Bestimmung unter Ziffer 3 zu den §§ 9 bis 14 erhält den Zusatz:

„Außerdem bedarf es hinsichtlich sämmtlicher Kinder im Alter von über sechs Jahren eines amtlichen Nachweises in Bezug auf die etwaige Aufnahme derselben in Militär-Erziehungsanstalten oder in die Anstalten des Potsdamschen großen Militär-Waisenhauses."

II. Die Bestimmung unter Ziffer 5 zu den §§ 9 bis 14 erhält folgenden Wortlaut:

„Die gemäß § 12 des Gesetzes bei dem Ausscheiden eines Wittwen- oder Waisengeldberechtigten erforderliche anderweite Festsetzung des Wittwen- oder Waisengeldes der verbleibenden Berechtigten erfolgt durch diejenigen Behörden, aus deren Haupt- ꝛc. Kassen die Gebührnisse zahlbar sind (Regierungen, Intendantur des XIV. Armeekorps, Ministerium für Elsaß-Lothringen), hinsichtlich der auf die Militär-Pensionskasse angewiesenen Empfangsberechtigten durch die Unterstützungs-Abtheilung des Kriegsministeriums."

III. Die Bestimmung im zweiten Absatz der Ziffer 2 zu den §§ 17 bis 22 erhält folgende Fassung:

„Beim Verzuge nach Berlin ist die Militär-Pensionskasse zur Uebernahme der Zahlungen in der Art anzuweisen, daß die Ausfertigung der Ueberweisungsordre ohne Anschreiben dem Kriegsministerium, Unterstützungs-Abtheilung vorgelegt und von dieser der Militär-Pensionskasse zugefertigt wird."

IV. Die Bestimmung unter Ziffer 8 Absatz 2 zu den §§ 17 bis 22 erhält den Zusatz:

„und nicht in einer Militär-Erziehungsanstalt untergebracht sind."

V. In den nach Anlage 2 zu den Ausführungsbestimmungen zu stellenden Anträgen auf Feststellung von Wittwen- und Waisengeld, bei deren Vorlage es besonderer Anschreiben nicht bedarf, ist hinsichtlich der im aktiven Dienst verstorbenen Angehörigen des Reichsheeres, sofern es sich nicht um Offiziere und Aerzte handelt, in Spalte 8 unter dem Betrage des Diensteinkommens anzugeben, für welchen Zeitraum und an wen Gnadengehalt gezahlt ist. Betreffs der im aktiven Dienst verstorbenen Offiziere und Aerzte ist eine gleichartige Angabe unter „e" der in Spalte 18 gedachten Dienstlaufbahnbescheinigung zu machen. Hinsichtlich der im Ruhestand Verstorbenen ist in Spalte 9 des Antrags das Entsprechende wegen der gezahlten Gnadenpension zu vermerken. (Vergl. § 17 des Gesetzes.)

In Spalte 10 ist unter dem Datum der Verheirathung zu vermerken, ob die Ehe bis zum Tode eines der Ehegatten ungetrennt war oder von wann das Scheidungs-Erkenntniß datirt.

In den Spalten 11 und 13 ist auch anzugeben, an welchen Orten die Wittwe, der Vormund oder die sonstigen Bezugsberechtigten das Wittwen- oder Waisengeld zu erheben beabsichtigen.

In Spalte 18 hat der mit „Nöthigenfalls' beginnende Satz zu lauten:

„Nöthigenfalls Nachweis in Bezug auf die Aufnahme von Kindern in Militär-Erziehungsanstalten oder in die Anstalten des Potsdamschen großen Militär-Waisenhauses, sowie darüber, daß die Mädchen über 16 Jahre unverheirathet sind."

Ebendaselbst ist im folgenden Absatz hinter „Aerzten" einzuschalten:

„welche im aktiven Dienste verstorben sind."

VI. In Bezug auf die Anlagen 3 und 4 zu den Ausführungsbestimmungen — Muster für die Jahresquittungen über Wittwen- und Waisengeld — treten folgende Aenderungen ein:

1) In Anlage 3 erhält die Bescheinigung nachstehenden Wortlaut:

„Daß die Wittwe (Vor- und Mannesname) geborene . . . noch lebt und seit dem Tode des (Name und Charakter des Ehemannes) nicht wieder geheirathet, vorstehende Quittung selbst unterschrieben hat und zu dem Unterzeichneten in keinem nahen verwandtschaftlichen Verhältnisse steht, sowie daß die vorbezeichneten Kinder noch am Leben sind, daß keines derselben in eine Militär-Erziehungsanstalt aufgenommen (oder daß der unter b genannte Sohn in eine Freistelle des Kadettenhauses N. oder der unter c genannte Sohn in eine 90 M.-Stelle der Haupt-Kadettenanstalt zu Lichterfelde seit dem 1. November 1887 aufgenommen ist u. dgl.) und die unter d genannte (mehr als 16 Jahre alte) Tochter unverehelicht ist, wird hiermit unter Beidrückung des Dienstsiegels bescheinigt."

2) Die Bescheinigung in Anlage 4 hat folgendermaßen zu lauten:

„Daß die vorbezeichneten Kinder des (Name und Charakter des Vaters) noch leben und keines derselben in eine Militär-Erziehungsanstalt aufgenommen (oder daß der unter b. genannte Sohn in eine Freistelle des Kadettenhauses N. oder der unter c. genannte Sohn in eine 90 M.-Stelle der Haupt-Kadettenanstalt zu Lichterfelde seit dem 1. November 1887 aufgenommen ist u. dgl.) und die unter d. genannte (mehr als 16 Jahre alte) Tochter unverehelicht ist, sowie daß der (Name und Stand des Vormundes) die vorstehende Quittung selbst unterschrieben hat, wird hierdurch unter Beidrückung des Dienstsiegels mit dem Bemerken bescheinigt, daß der Unterzeichnete weder zu dem Vormund noch zu dessen Pflegebefohlenen in einem nahen verwandtschaftlichen Verhältnisse steht."

3) Die Bemerkung auf den Anlagen 3 und 4 hat zu lauten:

a. Das für die Jahresquittungen gegebene Muster gilt auch für die Monatsquittungen. Hinsichtlich der Bescheinigung der letzteren siehe die Ausführungsbestimmungen unter Ziffer 11 zu den §§ 17 bis 22 des Gesetzes, Seite 221 des Armee-Verordnungs-Blattes für 1887.

b. In den Quittungen sind auch diejenigen Kinder mit aufzuführen, für welche wegen unentgeltlicher Aufnahme in Militär-Erziehungs-Anstalten Waisengeld nicht zahlbar ist.

c. In den Quittungen sind die sämmtlichen Vornamen (nicht blos die Rufnamen) der bezugsberechtigten Wittwen und Kinder aufzuführen."

Berlin, den 15. Juni 1888.

Kriegsministerium.

Bronsart v. Schellendorf.

№ 979/5 88 C. 2.

* * *

Vorstehendes wird hierdurch unter Bezugnahme auf die Bekanntmachung vom 3. August 1887 (vergl. die Extrabeilage zum 32. Stück des Amtsblatts für 1887) mit dem Bemerken zur Kenntniß der Betheiligten gebracht, daß die Hinterbliebenen der **Pensionäre** die schleunige Feststellung und Anweisung der Wittwen- und Waisengelder nur herbeiführen können, wenn sie die hierzu erforderlichen Schriftstücke **baldigst** nach dem Tode desjenigen, von dem sie ihr Recht herleiten, an mich einreichen.

Es sind einzureichen:

1) standesamtliche oder pfarramtliche Urkunden:
   a. über die Geburt der Eheleute und der Kinder unter 18 Jahren,
   b. über die Eheschließung,
   c. über das Ableben des Ehemannes oder Vaters und zutreffenden Falls der Ehefrau.
   — Soweit die Geburtstage des verstorbenen Ehemannes und der Ehefrau aus der stande-

oder pfarramtlichen Heirathsurkunde ersichtlich sind, bedarf es besonderer Geburtsurkunden nicht. —

2) eine ortspolizeiliche Bescheinigung, welche Ausweis ertheilt:
   a. hinsichtlich der Eheschließung, ob die Ehe bis zum Tode eines der Ehegatten ungetrennt war, oder von wann das Scheidungs-Erkenntniß datirt,
   b. hinsichtlich der Kinder im Alter von über sechs Jahren darüber, ob dieselben etwa in einer Militair-Erziehungs-Anstalt bezw. in welcher oder in den Anstalten des Potsdam'schen großen Militair-Waisenhauses Aufnahme gefunden haben,
   c. hinsichtlich der Mädchen von mehr als 16 Jahren, daß die Betreffenden unverehelicht sind.

Die Anträge, welchen die vorbezeichneten Beweisstücke beizufügen sind, **können zweckmäßig bei der bisherigen Pensions-Zahlstelle abgegeben werden.**

Zur Vermeidung unnöthiger Rückfragen müssen diese Anträge Angaben darüber enthalten,

1) ob die Gnadenpension bezw. für welchen Monat abgehoben ist und
2) an welchen Orten die Wittwe, der Vormund oder die sonst Bezugsberechtigten das Wittwen- oder Waisengeld zu erheben beabsichtigen.

Potsdam, den 17. Juli 1888.

Der Regierungs-Präsident.

Potsdam, Buchdruckerei der A. W. Hayn'schen Erben (E. Hayn, Hof-Buchdrucker).

Amtsblatt

der Königlichen Regierung zu Potsdam und der Stadt Berlin.

Stück 31. Den 3. August **1888.**

Bekanntmachungen der Königlichen Ministerien.

Ankauf von Remonten pro 1888.

Regierungs-Bezirk Potsdam.

27. Zum Ankaufe von Remonten im Alter von drei und ausnahmsweise vier Jahren sind im Bereiche der Königlichen Regierung zu Potsdam für dieses Jahr nachstehende, Morgens 8 resp. 9 Uhr beginnende Märkte anberaumt worden, und zwar:

am 3. August Neu-Ruppin,
" 4. " Kyritz,
" 6. " Wittstock,
" 7. " Meyenburg,
" 8. " Pritzwalk 9 Uhr,
" 9. " Perleberg,
" 10. " Lenzen a. Elbe.

Die von der Remonte-Ankaufs-Kommission erkauften Pferde werden mit Ausnahme derjenigen von Oranienburg zur Stelle abgenommen, und sofort gegen Quittung baar bezahlt. Die Verkäufer auf dem Markte in Oranienburg werden dagegen ersucht, die erkauften Pferde in dem nahe gelegenen Remonte-Depot Bärenklau auf eigene Kosten und Gefahr einzuliefern und daselbst nach erfolgter Uebergabe in gesundem Zustande den behandelten Kaufpreis in Empfang zu nehmen.

Pferde mit solchen Fehlern, welche nach den Landesgesetzen den Kauf rückgängig machen, sind vom Verkäufer gegen Erstattung des Kaufpreises und der Unkosten zurückzunehmen, ebenso Krippensetzer, welche sich in den ersten acht und zwanzig Tagen nach Einlieferung in den Depots als solche erweisen. Pferde, welche den Verkäufern nicht eigenthümlich gehören, oder durch einen nicht legitimirten Bevollmächtigten der Kommission vorgestellt werden, sind vom Kauf ausgeschlossen.

Die Verkäufer sind verpflichtet, jedem verkauften Pferde eine neue, starke rindlederne Trense mit starkem Gebiß und eine neue Kopfhalfter von Leder oder Hanf mit 2 mindestens zwei Meter langen Stricken ohne besondere Vergütung mitzugeben.

Um die Abstammung der vorgeführten Pferde feststellen zu können, ist es erwünscht, daß die Deckscheine möglichst mitgebracht werden, auch werden die Verkäufer ersucht, die Schweife der Pferde nicht zu coupiren oder übermäßig zu verkürzen.

Ferner ist es dringend wünschenswerth, daß der immer mehr überhand nehmende zu massige oder weiche Futterzustand bei den zum Verkauf zu stellenden Remonten aufhört, weil dadurch die in den Remonte-Depots vorkommenden Krankheiten sehr viel schwerer zu überstehen sind, als dies bei rationell und nicht übermäßig gefutterten Remonten der Fall ist.

In Zukunft wird beim Ankauf zum Messen der Remonten das Stockmaß in Anwendung kommen.

Berlin, den 1. März 1888.

Kriegsministerium, Remontirungs-Abtheilung.

28. **Aufforderung**

zur Bewerbung um ein Stipendium der Jacob Saling'schen Stiftung.

Aus der unter dem Namen „Jacob Saling'sche Stiftung" für Studirende der Königl. Gewerbe-Akademie, jetzt Fach-Abtheilung III. und IV. der Königlichen technischen Hochschule in Berlin, begründeten Stipendien-Stiftung ist vom 1. Oktober d. J. ab ein Stipendium in Höhe von 600 Mark zu vergeben.

Nachdem durch das Amtsblatt der Königlichen Regierung zu Potsdam vom 9. Dezember 1864 veröffentlichten Statute sind die Stipendien dieser Stiftung von dem früheren Ministerium für Handel, Gewerbe und öffentliche Arbeiten und nachdem das technische Unterrichtswesen vom 1. April 1879 ab auf das Ressort des Ministeriums der geistlichen rc. Angelegenheiten übergegangen ist, von dem Minister der geistlichen, Unterrichts- und Medicinal-Angelegenheiten an bedürftige, fähige und fleißige, dem Preußischen Staatsverbande angehörige Studirende der genannten Anstalt auf die Dauer von drei Jahren unter denselben Bedingungen zu verleihen, unter welchen die Staats-Stipendien an Studirende dieser Anstalt bewilligt werden.

Es können daher nur solche Bewerber zugelassen werden, welchen, wenn sie die Abgangsprüfung auf einer Gewerbeschule abgelegt haben, das Prädikat „mit Auszeichnung bestanden" zu Theil geworden ist, oder, wenn sie von einer Realschule oder einem Gymnasium mit dem Zeugniß der Reife versehen sind, zugleich nachzuweisen vermögen, daß sie sich durch vorzügliche Leistungen und hervorragende Fähigkeiten ausgezeichnet haben.

Bewerber um das vom 1. Oktober d. J. ab zu vergebende Stipendium werden aufgefordert, ihre desfallsigen Gesuche an diejenige Königliche Regierung zu richten, deren Verwaltungsbezirke sie ihrem Domizil nach angehören.

Dem Gesuche sind beizufügen:

1) der Geburtsschein,
2) ein Gesundheitsattest, in welchem ausgedrückt sein muß, daß der Bewerber die körperliche Tüchtigkeit für die praktische Ausübung des von ihm erwählten

Gewerbes und für die Anstrengungen des Unterrichts in der Anstalt besitze,

3) ein Zeugniß der Reife von einer zu Entlassungsprüfungen berechtigten Gewerbe- oder Realschule oder von einem Gymnasium,
4) die über die etwaige praktische Ausbildung des Bewerbers sprechenden Zeugnisse,
5) ein Führungs-Attest,
6) ein Zeugniß der Ortsbehörde resp. des Vormundschaftsgerichts über die Bedürftigkeit mit specieller Angabe der Vermögensverhältnisse des Bewerbers,
7) die über die militärischen Verhältnisse des Bewerbers sprechenden Papiere, aus welchen hervorgehen muß, daß die Ableistung seiner Militärpflicht keine Unterbrechung des Unterrichts herbeiführen werde,
8) falls der Bewerber bereits Studirender der III. und IV. Fach-Abtheilung der hiesigen Königlichen technischen Hochschule ist, ein von dem Rector der Anstalt auszustellendes Attest über Fleiß, Fortschritte und Fähigkeiten des Bewerbers.

Berlin, den 26. Juni 1888.

Der Minister der geistlichen,
Unterrichts- und Medizinal-Angelegenheiten.
Im Auftrage: gez. Greiff.

Bekanntmachungen des Königlichen Ober-Präsidenten der Provinz Brandenburg.

Ueberweisung eines Betrages aus landwirthschaftlichen Zöllen an die Stadt Berlin pro 1887/88.

16. Zufolge der von dem Herrn Minister des Innern und dem Herrn Finanz-Minister gemäß § 3 des Gesetzes, betreffend Ueberweisung von Beträgen, welche aus landwirthschaftlichen Zöllen eingehen, an die Communalverbände, vom 14. Mai 1885 (G.-S. S. 128) festgestellten Berechnung ist der Stadt Berlin aus dem den Communalverbänden zustehenden Theile der Getreide- und Viehzölle des Etatsjahres 1887/88 die Summe von 974860 M. überwiesen worden, welches hiermit zur öffentlichen Kenntniß gebracht wird.

Potsdam, den 24. Juli 1888.

Der Oberpräsident der Provinz Brandenburg,
Staatsminister Achenbach.

Bekanntmachungen des Königlichen Regierungs-Präsidenten.

Schlosser-, Uhrmacher-, Goldarbeiter-, Klempner-, Nadler-, Gelbgießer-, Kupferschmiede-, Nagelschmiede- und Büchsenmacher-Innung zu Jüterbog.

212. Auf Grund des § 100e. № 3 der Reichsgewerbeordnung vom 18. Juli 1881 und der Ausführungs-Anweisung hierzu vom 9. März 1882 I. 1a. 2 — bestimme ich hierdurch für den Bezirk der Schlosser-, Uhrmacher-, Goldarbeiter-, Klempner-, Nadler-, Gelbgießer-, Kupferschmiede-, Nagelschmiede- und Büchsenmacher-Innung zu Jüterbog,

daß diejenigen Arbeitgeber, welche ein in der Innung vertretenes Gewerbe betreiben und selbst zur Aufnahme in die Innung fähig sein würden, gleichwohl aber derselben nicht angehören, vom 1. Januar 1889 ab Lehrlinge nicht mehr annehmen dürfen.

Ich bringe dies mit dem Bemerken hierdurch zur Kenntniß, daß der Bezirk der genannten Innung den Stadt-Bezirk Jüterbog umfaßt.

Potsdam, den 16. Juli 1888.

Der Regierungs-Präsident.

Artikel des Deutschen Handels-Archives

213. Die betheiligten Kreise des Bezirkes mache ich auf folgende Artikel des Juli-Heftes für 1888 des Deutschen Handels-Archives aufmerksam:

1) Deutsches Reich: Bestimmungen über Tara, S. 419 ff.
2) Maischbottichsteuersätze für landwirthschaftliche Brennereien, S. 431,
3) Versiegelung der Branntweinfässer. S. 431,
4) Berechnung der Betriebszeit der zu den ermäßigten Maischbottichsteuersätzen zugelassenen landwirthschaftlichen Brennereien, S. 431,
5) Abfindung der mehlige Stoffe verarbeitenden Brennereien, S. 431,
6) Abänderung der Bestimmungen über die Ermittelung des zollpflichtigen Gewichts von Massengütern. S. 432.

Potsdam, den 21. Juli 1888.

Der Regierungs-Präsident.

Die Verordnung des Herrn Reichskanzlers vom 4. Juli 1888, enthaltend Abänderungen der Postordnung vom 8 März 1879, betreffend.

214. Diesem Stücke des Amtsblatts ist die Seitens des Herrn Reichskanzlers unterm 4. Juli 1888 erlassene Verordnung, betreffend Abänderungen der Postordnung vom 8. März 1879, in einem Druckexemplare beigefügt worden, worauf hierdurch noch besonders aufmerksam gemacht wird.

Potsdam, den 31. Juli 1888.

Der Regierungs-Präsident.

Polizei-Verordnung,

betreffend das Befahren der Havel und Spree mit Dampfschleppzügen.

215. Auf Grund der §§ 138, 139 des Gesetzes über die Allgemeine Landesverwaltung vom 30. Juli 1883 wird in Abänderung der Polizeiverordnung vom 31. März 1885, betr. das Befahren der Wasserstraßen mit Frachtdampfbooten und mit Dampfschleppzügen (Amtsblatt 1885 S. 177), unter Zustimmung des Bezirks-Ausschusses Folgendes verordnet.

Art. I.

Der § 2 der Polizei-Verordnung vom 31. März 1885 erhält unter № 1 und 2 nachfolgende Fassung:

Die höchste Zahl der Fahrzeuge, welche in einem Zuge geschleppt werden dürfen, ist folgende:

1) auf der Havel:
   a. von der Spreemündung bis einschließlich dem Pichelsdorfer Gemünde zu Berg 6, zu Thal 3;
   b. von dem Pichelsdorfer Gemünde bis zur Elbe 6;
2) auf der Spree:
   a. von einschließlich dem Dämmeritzsee bis zur oberen Berliner Weichbildsgrenze 4,
   b. von der Berlin-Charlottenburger Weichbilds-

grenze bis zu den Charlottenburger Schleusen zu Berg 3 und zu Thal 2, jedoch mit der Einschränkung, daß auf der Strecke von diesen Schleusen bis 150 m oberhalb der Charlottenburger Eisenbahnbrücke keine Schleppzüge neu gebildet, sondern nur diejenigen Fahrzeuge, welche gleichzeitig mit den Schleppdampfern geschleust sind, und höchstens 3 Fahrzeuge, geschleppt werden dürfen.

Art. II.

Diese Polizei-Verordnung tritt mit dem Tage ihrer Verkündigung in Kraft. Potsdam, den 20. Mai 1888.

Der Regierungs-Präsident.

Viehseuchen.

216. Der Milzbrand unter dem Rindvieh des Ritterguts Carwesee im Kreise Osthavelland und des Ritterguts Kleptow im Kreise Prenzlau ist erloschen.

Potsdam, den 24. Juli 1888.

Der Regierungs-Präsident.

Bekanntmachungen des Königlichen Polizei-Präsidiums zu Berlin.

Polizei-Verordnung.

70. Auf Grund der §§ 5 und 6 des Gesetzes über die Polizei-Verwaltung vom 11. März 1850 (Gesetz-Sammlung Seite 265) und der §§ 143 und 144 des Gesetzes über die allgemeine Landesverwaltung vom 30. Juli 1883 (Gesetz-Sammlung Seite 195) wird unter Hinweis auf das Gesetz vom 20. Juni 1887 über den Verkehr auf den Kunststraßen (Gesetz-Sammlung Seite 301) mit Zustimmung des Gemeinde-Vorstandes für den Stadtkreis Berlin verordnet was folgt:

Vom 1. Oktober 1888 ab wird der § 3 des Straßen-Polizei-Reglements vom 7. April 1867 aufgehoben und durch folgende Bestimmung ersetzt:

§ 3.

Fuhrwerk, welches nicht seiner Bestimmung gemäß zur Beförderung von Personen dient, muß mit dem Eigengewicht des Wagens einschließlich des Zubehörs, als Schrotleitern, Ketten, Aufsatz- und Schutzbretter rc., dem Vor- und Zunamen und der Wohnung (Ortschaft, Straße und Hausnummer) des Eigenthümers, und wenn derselbe mehrere derartige Fuhrwerke besitzt, mit fortlaufender Nummer bezeichnet sein.

Diese Aufschrift ist entweder an der rechten und linken oder an der hinteren Seite des Fuhrwerks selbst, oder an Tafeln, welche an demselben befestigt sind, in deutlicher und unverwischbarer Schrift von mindestens 5 Centimenter Höhe in einem Abstande des unteren Randes derselben von wenigstens 45 Centimeter vom Erdboden dergestalt anzubringen, daß sie stets sichtbar ist.

Bei Hunde-, Handwagen und Schubkarren (sowie Transportvelocipeden) ist die Angabe des Eigengewichtes nicht erforderlich.

Berlin, den 18. Juni 1888.

Der Polizei-Präsident.

In Vertretung Friedheim.

Bekanntmachungen der Kaiserlichen Ober-Postdirektion zu Berlin.

Unbestellbare Einschreibbriefe.

56. Bei der Ober-Postdirektion in Berlin lagern folgende, an den angegebenen Tagen in den Jahren 1887 und 1888 zur Post gegebenen Einschreibbriefe.

A. mit dem Bestimmmungsorte Berlin:

(im Jahre 1888.)

an Fanny Krüger, Friedrichstr. 102, 5 Februar, an A. Schröder, Markgrafenstr. 31, 8. Februar, an Gercke 20. Februar, an Dulk 27. Februar, an Schröder (Schmidtstr. 45) 6 März, an Luther 9. März, an Bomcke 10. März, an Anna Engel, Seydelstr. 10, 10. März, an Kage 11. März, an Olga Klein, Lichtenbergerstr. 11, 17. März, an Timm 24. März, an Schwarzstein 31. März, an Frenzke bei Kurowski 1. April, an Plachstedt 1. April, an v. Richthofen 3. April, an v. Richthofen 4. April, an Hermann adr. Homburger 9. April, an Rütersbusch 16. April, an Eberling 19. April, an Noack adr. Ertling 24. April, an Seydler 26. April, an Sr. Durchlaucht Fürst v. Bismarck 2. Mai, an Dammann 3. Mai, an Fischer, Wilhelmstr. 116, 4. Mai, an Vereinigte Spritfabrikanten 9. Mai, an Loeser Wolff 12. Mai, an Lange (N Friedrichstr. 75) 15. Mai, an Böthke 17. Mai, an Heiler 21. Mai, an Gustav Jacoby adr. Wallisch, Behrenstr. 9, 29. Mai, an Krüger, Weißenburgerstr. 79, 4. Juni.

B. mit anderen Bestimmungsorten:

an Hartmann in Panama 3. Juli 1885, an Kahn in New-York 23. September 1887, an Nette in Friedrichshagen 27. September 1887, an Belitz in Buenos-Ayres 18. Oktober 1887, an Williams in Moskau 24. November 1887, an Bumgaez in New-York 27. Dezember 1887,

im Jahre 1888:

an Grunow in Coepenick 22. Januar, an Bäncken in Amsterdam 9. Februar, an Schmiedel in Kötzschenbroda 15. Februar, an Ehrenbach in Genua 21. Februar, an Ragotzky in Petersburg 24. Februar, an Hahnemann in Weißensee (bei Berlin) 25. Februar, an Schabe in Lesnicza bei Kodyma (Rußland) 1. März, an v. Schöller in Wien 8. März, an Saalfeld in Seelow 24. März, an Pfenniger in Zürich 25. März, an Puff in Lehnin 26. März, an Schöneberg in Zempelburg 1. April, an Proboszcz, Joseph Czerwinski in Potilicz bei Lemberg 2. April, an Stute in Soest 3. April, an Hagen in Hamburg 3. April, an Mallin in Gr. Jodlow bei Madlow (Waarenprobe) 4. April, an Brauns in Wolmarshof bei Wolmar pr. Riga (Drucksache) 4. April, an Pietsch in Chantilly 10. April, an Girard in Paris 17. April, an Roloff in Gesundbrunnen 1. Mai, an Brettschneider in Untereiseln bei Tilsit 7. Mai, an Nickel in Heddernheim bei Frankfurt (Main) 14. Mai, an Schulz in Nagelin 23. Mai.

Die unbekannten Absender der vorbezeichneten Sendungen werden ersucht, zur Empfangnahme derselben spätestens innerhalb vier Wochen — vom Tage des Erscheinens gegenwärtiger Bekanntmachung an gerechnet — bei der hiesigen Ober-Postdirektion sich zu melden, widrigenfalls mit den Sendungen nach den gesetzlichen Vorschriften verfahren werden wird.

Berlin C., den 27. Juli 1888.

Der Kaiserl. Ober-Postdirektor.

Unanbringliche Postanweisungen.

57. Bei der Ober-Postdirektion in Berlin lagern die nachstehend verzeichneten, an den angegebenen Tagen in Berlin aufgelieferten unanbringlichen Postanweisungen: an Niederberger in Lourdes über 8 M. 10 Pf., 30. Juli 1887; an Hermann Krause in Altena über 3 M., 14. Februar 1888; an Eduard Reihou in Rixdorf über 3 M., 17. Februar 1888; an A. Plotho in Berlin, Zionskirchstr. 5, über 40 M., 9. März 1888; an Landwehr-Bezirks-Kommando in Berlin, Niederwallstraße, über 1 M. 50 Pf., 26. März 1888; an Bilse'sche Concerthaus in Berlin über 1 M., 27. März 1888; an Schulz bei Müller in Berlin, Auguststraße 67, über 2 M. 50 Pf., 29. März 1888; an Zeitz in Berlin, Fehrbellinerstr. 45, über 20 M., 31. März 1888; an Christine Klenck bei Hoffmann in Oehringen über 60 M., 3. April 1888; an Adelheid Wolfgram in Grünhoff bei Stettin über 12 M., 10. April 1888; an Richard Voigt in Berlin, Andreasstraße 23, über 6 M., 23. April 1888; an Arthur Neumann in Seyda bei Richter über 2 M. 70 Pf., 26. April 1888; an Pastor Schwenke in Mecklenburg über 3 M. 5 Pf., 28. April 1888; an Hanisch in Wittenberg Halle über 200 M., 24. Mai 1888;

aufgeliefert in Charlottenburg: an die Expedition des Antisemitischen Volksblatts in Cassel über 90 Pf., 6. April 1888; endlich 2 Beträge, zu welchen die Postanweisungen in Verlust gerathen sind: an Andreß in Leipzig über 1 M., 12. Februar 1888 und an Bergel in Berlin über 85 Pf., 30. Mai 1888.

Die unbekannten Absender der vorbezeichneten Postanweisungen werden ersucht, spätestens innerhalb vier Wochen — vom Tage des Erscheinens gegenwärtiger Bekanntmachung an gerechnet — bei der Ober-Postdirektion sich zu melden, widrigenfalls die Beträge dem Post-Armenfonds überwiesen werden.

Berlin C., den 28. Juli 1888.

Der Kaiserl. Ober-Postdirektor.

Bekanntmachungen der Königl. Kontrolle der Staatspapiere.

Aufgebot einer Schuldverschreibung.

14. In Gemäßheit des § 20 des Ausführungsgesetzes zur Civilprozeßordnung vom 24. März 1879 (G.-S. S. 281) und des § 6 der Verordnung vom 16. Juni 1819 (G.-S. S. 157) wird bekannt gemacht, daß dem Holzhändler Friedrich Griefhahn zu Nauen seit dem 6. v. M. die Schuldverschreibung der konsolidirten 4%igen Staatsanleihe von 1880 lit. E. № 283894 über 300 M. angeblich abhanden gekommen ist. Es wird Derjenige, welcher sich im Besitze dieser Urkunde befindet, hiermit aufgefordert, solches der unterzeichneten Kontrolle der Staatspapiere oder dem rc. Griefhahn anzuzeigen, widrigenfalls das gerichtliche Aufgebotsverfahren behufs Kraftloserklärung der Urkunde beantragt werden wird.

Berlin, den 27. Juli 1888.

Königl. Kontrolle der Staatspapiere.

Bekanntmachungen der Königl. Direktion der Rentenbank der Provinz Brandenburg.

Versicherung rentenpflichtiger Grundstücke gegen Feuersgefahr.

9. Den betheiligten Grundbesitzern wird bekannt gemacht, daß der Commercial Union Assurance Company Limited gestattet ist, Gebäude und andere Baulichkeiten auf Grundstücken, von denen an die Rentenbank für die Provinz Brandenburg Renten zu entrichten sind, gegen Feuersgefahr zu versichern.

Die Gesellschaften und Anstalten, bei denen Gebäude rc. der uns pflichtigen Grundstücke gegen Feuer versichert werden können, sind nunmehr folgende:

1) die Ständische Städte-Feuer-Societät der Kur- und Neumark und der Nieder-Lausitz,
2) die Ständische Land-Feuer-Societät der Kurmark und der Nieder-Lausitz,
3) die Ständische Land-Feuer-Societäts-Direction der Neumark,
4) die Aachen- und Münchener Feuer-Versicherungs-Gesellschaft,
5) die Feuer-Versicherungs-Gesellschaft „Colonia“,
6) die Berlin'sche Feuer-Versicherungs-Anstalt,
7) die Magdeburger Feuer-Versicherungs-Gesellschaft,
8) die Preußische National-Versicherungs-Gesellschaft zu Stettin,
9) die Schlesische Feuer-Versicherungs-Gesellschaft zu Breslau,
10) die Vaterländische Feuer-Versicherungs-Gesellschaft zu Elberfeld,
11) die Leipziger Feuer-Versicherungs-Anstalt,
12) die Versicherungs-Gesellschaft Deutscher Phönix zu Frankfurt a. M.,
13) die Feuer-Versicherungsbank für Deutschland zu Gotha,
14) die Mühlen-Feuer-Versicherungs-Gesellschaft zu Neu-Ruppin,
15) die Feuer-Versicherungs-Gesellschaft Thuringia zu Erfurt,
16) die Feuer-Versicherungs-Anstalt der Bayrischen Hypotheken- und Wechselbank,
17) die Deutsche Feuer-Versicherungs-Actien-Gesellschaft zu Berlin,
18) die Gladbacher Feuer-Versicheruugs-Actien-Gesellschaft zu Gladbach,
19) die Nord British and Mercantile Insurance Company zu London und Edinburg,
20) der Feuer-Assecuranz-Verein zu Altona,
21) die Versicherungs-Gesellschaft Providentia zu Frankfurt a. M.,
22) die Westdeutsche Versicherungs-Actien-Bank zu Essen,

23) die Allgemeine Versicherungs-Actien-Gesellschaft Union zu Berlin,
24) die Feuer-Versicherungs-Gesellschaft in Brandenburg a. H.,
25) die Immobiliar-Feuer-Versicherungs-Gesellschaft der Ost- und Westprignitz,
26) die Mecklenburgische Immobiliar-Brand-Versicherungs-Gesellschaft zu Neu-Brandenburg,
27) die Aachen-Leipziger Versicherungs-Actien-Gesellschaft zu Aachen,
28) die Oldenburger Versicherungs-Gesellschaft zu Oldenburg,
29) die Basler Versicherungs-Gesellschaft gegen Feuerschaden zu Basel,
30) der Unterstützungs-Verein bei Brandunfällen zu Pollychen-Holländer,
31) die Norddeutsche Feuer-Versicherungs-Gesellschaft zu Hamburg,
32) die Warthebruchs-Feuer-Versicherungs-Gesellschaft im Landsberger Kreise,
33) die Warthebruchs-Feuer-Societät im Ost-Sternberger Kreise,
34) die Transatlantische Feuer-Versicherungs-Actien-Gesellschaft zu Hamburg,
35) der Niederschlesische Windmühlen-Versicherungs-Verein zu Glogau,
36) die Londoner Phönix-Feuer-Assecuranz-Societät,
37) die Hamburg-Bremer Feuer-Versicherungs-Gesellschaft zu Hamburg,
38) die Preußische Feuer-Versicherungs-Actien-Gesellschaft zu Berlin,
39) die Hanseatische Feuer-Versicherungs-Gesellschaft zu Hamburg,
40) der Havelländische Windmühlen-Versicherungs-Verband für den Regierungsbezirk Potsdam zu Cremmen,
41) der Lübecker Feuer-Versicherungs-Verein von 1826,
42) die Commercial Union Assurance Company Limited.

Berlin, den 19. Juli 1888.

Königl. Direction
der Rentenbank für die Provinz Brandenburg.

Bekanntmachungen des Provinzial-Steuer-Direktors.

Anderweite Uebertragung einer Stempel-Distribution.

11. Die bisher von dem Kaufmann Eichelmann hierselbst, Badstraße Nr. 28, verwaltete Stempel-Distribution ist dem Kaufmann Hermann Harder hierselbst, Badstraße Nr. 28, widerruflich übertragen worden.

Berlin, den 26. Juli 1888.

Der Provinzial-Steuer-Direktor.

Erhebung des Brückenaufzuggeldes für Benutzung der Havelbrücke am Berliner Thore zu Spandau.

12. Durch Erlaß vom 8. Juli d. J. hat der Herr Finanzminister im Einverständnisse mit dem Herrn Minister der öffentlichen Arbeiten bestimmt, daß in Abänderung der zusätzlichen Vorschriften zum Tarif vom 24. Dezember 1878, nach welchem die Abgabe für das Oeffnen der Havelbrücke am Berliner Thore zu Spandau zu entrichten ist (Amtsblatt der Königlichen Regierung zu Potsdam und der Stadt Berlin für 1879 S. 50), der Verkauf der Quittungen dem den Aufzug bewirkenden Brückenwärter übertragen wird. Letzteres wird alsbald geschehen.

Berlin, den 23. Juli 1888.

Der Provinzial-Steuer-Direktor.

Bekanntmachungen der Königlichen Eisenbahn-Direktion zu Berlin.

Be- und Entladung offener Wagen.

31. Die laut unserer Bekanntmachung vom 14. d. M. auf 6 Tagesstunden herabgesetzte Frist für die Be- und Entladung offener Wagen wird vom 30. d. M. ab wieder auf 12 Tagesstunden verlängert.

Berlin, den 28. Juli 1888.

Königl. Eisenbahn-Direktion.

Bekanntmachungen der Königlichen Eisenbahn-Direktion zu Bromberg.

Nachtrag zum Kilometerzeiger.

30. Mit dem Tage der Betriebs-Eröffnung der Bahnstrecken Dt. Krone-Callies und Terespol-Schwetz (voraussichtlich den 1. September 1888), Hohenstein i. Ostpr.-Soldau (voraussichtlich den 1. Oktober 1888) tritt für den Eisenbahn-Direktions-Bezirk Bromberg der Nachtrag 3 zum Kilometerzeiger zur Berechnung der Preise für die Beförderung von: a. Personen- und Reisegepäck, b. Leichen, Fahrzeugen und lebenden Thieren, c. Eil- und Frachtgütern vom 1. April 1888 in Kraft, enthaltend: 1) Entfernungen für die Stationen der neuen Strecken, 2) Ermäßigte Entfernungen zufolge der Abkürzungslinie Allenstein-Hohenstein i. Ostpr.-Soldau, 3) Berichtigungen; soweit diese Erhöhungen enthalten, treten dieselben mit dem 1. September d. J. in Kraft.

Bromberg, den 20. Juli 1888.

Königl. Eisenbahn-Direktion.

Neuer Deutsch-Italienischer Güter-Tarif.

31. Am 1. August d. J. tritt an Stelle des Deutsch-Italienischen Güter-Tarifs Theil I., II., III. und IV. vom 1. Juni bezw. 1. Oktober und 4. Dezember 1882 ein neuer Tarif, Theil I. und II. in Kraft. Derselbe enthält für den diesseitigen Bezirk Ausnahme-Tarifsätze für Spiritus und Sprit in Wagenladungen von den Stationen Bromberg, Colberg, Cüstrin, Cüstriner Vorstadt, Danzig, Insterburg, Königsberg i. Pr., Neufahrwasser, Pr. Stargard, Stolp und Thorn, sowie für Kartoffelmehl und Stärke in Wagenladungen von den Stationen Cüstrin, Cüstriner Vorstadt, Landsberg a. W. und Schneidemühl. Näheres ist bei den genannten Güter-Expeditionen in Erfahrung zu bringen; auch können Exemplare des Tarifs zum Preise von 3 M. 20 Pf. für den Theil I. und 6 M. für den Theil II. durch die Billet-Expeditionen unseres Bezirks bezogen werden.

Bromberg, den 22. Juli 1888.

Königl. Eisenbahn-Direktion.

Frachtbegünstigung für Ausstellungsgegenstände.

32. Für die in der nachstehenden Zusammenstellung näher bezeichneten Gegenstände, welche auf den daselbst erwähnten Ausstellungen ausgestellt werden und unverkauft bleiben, wird eine Frachtbegünstigung in der Art gewährt, daß nur für die Hinbeförderung die volle tarifmäßige Fracht berechnet wird, die Rückbeförderung an die Versand-Station und den Aussteller aber frachtfrei erfolgt, wenn durch Vorlage des ursprünglichen Frachtbriefes bezw. des Duplikat-Transportscheines für den Hinweg, sowie durch eine Bescheinigung der dazu ermächtigten Stelle nachgewiesen wird, daß die Gegenstände ausgestellt gewesen und unverkauft geblieben sind, und wenn die Rückbeförderung innerhalb der unten angegebenen Zeit stattfindet.

In den ursprünglichen Frachtbriefen bezw. Duplikat-Transportscheinen für die Hinsendung ist ausdrücklich zu vermerken, daß die mit denselben aufgegebenen Sendungen durchweg aus Ausstellungsgut bestehen.

№	Art der Ausstellung	Ort	Zeit 1888	Die Frachtbegünstigung wird gewährt für	auf den Strecken der	Zur Ausfertigung der Bescheinigung sind ermächtigt	Die Rückbeförderung muß erfolgen innerhalb
1	Ausstellung für Kleinindustrie und Handwerkstechnik	Freiburg i. Schles.	15. bis 29. Juli	Arbeitsmaschinen	Königlichen Eisenbahn-Direktionen Berlin, Breslau, Bromberg und Erfurt	Ausstellungs-Vorstand	14 Tage
2	Ausstellung der Buchbinder-Innung	Breslau	4. bis 7. August	Gegenstände des Buchbinder-Handwerks	Preußischen Staatsbahnen u. Eisenbahnen in Elsaß-Lothringen	desgl.	3 Wochen

(nach Schluß der Ausstellung)

Bromberg, den 23. Juli 1888.

Königl. Eisenbahn-Direktion.

Bekanntmachungen der Kreis-Ausschüsse.

Communalbezirks-Veränderung.

19. Auf Grund des § 25 № 1 des Zuständigkeits-Gesetzes vom 1. August 1883, in Verbindung mit § 1 Absatz 2 des Gesetzes über die Landgemeinde-Verfassungen vom 14. April 1856 haben wir beschlossen:

1) die bisher communalfreien forst- beziehungsweise domainenfiskalischen, im sogenannten „Tiefen Gehege" bei Luckenwalde belegenen Parzellen № 146/87, 88 I., 88 II. und 89, Kartenblatt 11, dem Gutsbezirke Forstrevier Scharfenbrück (Woltersdorf),
2) die übrigen communalfreien, östlich vom sogenannten Fliederdamm im tiefen Gehege belegenen Grundstücke dem Gemeindebezirke Gottow einzuverleiben.

Jüterbog, den 21. Juli 1888.

Der Kreis-Ausschuß Jüterbog-Luckenwaldeschen Kreises.

20. **Nachweisung**

der von dem Kreisausschusse des Kreises Beeskow-Storkow im I. Halbjahr 1888 genehmigten Communal-Bezirks-Veränderungen.

Datum der Genehmigung	Bezeichnung des Grundstücks	Besitzers	jetzigen Gemeinde-Verbandes	künftigen Gemeinde-Verbandes	Bemerkungen (Größe des Grundstücks) ha	a	qm
23. März 1888	Wege	Vogel, Ketschendorf	Gemeinde Ketschendorf	Gutsbezirk Forst Colpin	—	06	98
desgl.	desgl.	desgl.	Gemeinde Rauen	desgl.	—	08	61
desgl.	desgl.	Forstfiscus	Gutsbezirk Forst-Colpin	Gemeinde Rauen	—	15	60

Beeskow, den 16. Juli 1888.

Der Vorsitzende des Kreis-Ausschusses,
Landrath v. Heyden.

Personal-Chronik.

Der Königliche Regierungs-Bauführer Hermann Promies, zur Zeit in Charlottenburg, ist am 12. Juli d. J. als solcher vereidigt worden.

An Stelle des Mühlenpächters Selau ist der Verwalter Ludwig Hintze zum stellvertretenden Schleusenmeister an der Schleuse zu Neue Mühle bestellt und vereidet worden.

Der bisherige Pfarrer Ernst Adolf Reinhold Lösch in Hohenlandin ist zum Pfarrer bei der Evangelischen Gemeinde der Schloßkirche in Schwedt a. O., Diözese Schwedt, bestellt worden.

Der bisherige ordentliche Lehrer am Luisenstädtischen Gymnasium hierselbst Dr. Bohm ist zum Oberlehrer und der bisherige Hilfslehrer Max Frick als ordentlicher Lehrer an der II. höheren Bürgerschule in Berlin angestellt bezw. befördert worden.

Ausweisung von Ausländern aus dem Reichsgebiete.

Lauf. Nr.	Name und Stand des Ausgewiesenen	Alter und Heimath des Ausgewiesenen	Grund der Bestrafung	Behörde, welche die Ausweisung beschlossen hat	Datum des Ausweisungs-Beschlusses
1	2	3	4.	5.	6
		a. Auf Grund des § 39 des Strafgesetzbuchs:			
1	Mans Sonesson, Arbeiter,	geboren am 1. Oktober 1847 zu Elmta, Kirchspiel Asorum, Schweden, ortsangehörig zu Elsebranemola, ebendaselbst, wohnhaft zuletzt zu Bremerhaven,	Diebstahl im wiederholten Rückfalle (1 Jahr Zuchthaus laut Erkenntniß vom 30. Juni 1887),	Polizeikommission des Senats zu Bremen,	9. Septemb. 1887.
		b. Auf Grund des § 362 des Strafgesetzbuchs:			
2	Jeruchem Suckmann, Hutmacher,	geboren am 8. Juni 1846 zu Brzezowa, Bezirk Tarnow, Galizien, ortsangehörig ebendaselbst,	Landstreichen und Betteln,	Großherzoglich Badischer Landeskommissär zu Freiburg,	27. Juni 1888.
3	Heinrich Albino, Tagner,	geboren am 20. Mai 1870 zu St. Petersburg, ortsangehörig ebendaselbst,	desgleichen,	Kaiserlicher Bezirks-Präsident zu Straßburg,	21. Juni 1888.
4	Emil Andreas Chauveau, Tagner,	geboren am 18. Februar 1865 zu Bombon, Frankreich, ortsangehörig ebenda,	Landstreichen,	derselbe,	24. Juni 1888.
5	Friedrich Lüthi, Tagner,	geboren am 14. Oktober 1824 zu Büderswyl, Schweiz, ortsangehörig ebenda,	Landstreichen,	Kaiserlicher Bezirks-Präsident zu Colmar,	30. Mai 1888.
6	Johann Seinbenny, Arbeiter,	geboren am 15. November 1851 zu Lodevesco, Italien, ortsangehörig ebenda,	desgleichen,	derselbe,	2. Juni 1888.
7	Emerich Bauer, Schriftsetzer,	geboren am 16. Oktober 1861 zu Moor, Ungarn, ortsangehörig ebendaselbst,	desgleichen,	derselbe,	12. Juni 1888.
8	Albert Knecht, Tagner,	geboren am 8. August 1860 zu Schwaderloch, Schweiz,	Landstreichen und Betteln,	derselbe,	21. Juni 1888.
9	Franz Stefan Dreuilhe, ohne Stand,	geboren am 1. Juli 1848, aus St. Gaudeur, Frankreich,	Landstreichen,	derselbe,	26. Juni 1888.
10	Johann Przybilla, Knecht,	22 Jahre alt, geboren und ortsangehörig zu Grosec, Bezirk Bialla, Galizien,	Landstreichen und Betteln,	Königlich Preußischer Regierungspräsident zu Breslau,	26. Juni 1888.
11	Emanuel Palme, Glasschleifer,	geboren am 2. März 1841 zu Steinschönau, Bezirk Tetschen, Böhmen, ortsangehörig ebendaselbst,	Betteln im wiederholten Rückfall,	Königlich Preußischer Regierungspräsident zu Frankfurt a. O.,	20. März 1888.

Lauf. Nr.	Name und Stand des Ausgewiesenen.	Alter und Heimath des Ausgewiesenen.	Grund der Bestrafung.	Behörde, welche die Ausweisung beschlossen hat.	Datum des Ausweisungs-Beschlusses.
1.	2.	3	4.	5.	6.
12	Abraham Weinstein, Handelsmann,	27 Jahre alt, geboren und ortsangehörig zu Chomsk, Kreis Kobryn, Gouvernement Grodno, Rußland,	Landstreichen und Betteln,	Königlich Preußischer Regierungspräsident zu Magdeburg,	12. Juni 1888.
13	Karl August Wilhelm Olm, genannt Zimmermann, Arbeiter,	geboren am 22. September 1861 zu Klockow, Kr. Prenzlau, Preußen, aus der Preußischen Staatsangehörigkeit entlassen,	Landstreichen,	Königlich Preußischer Regierungspräsident zu Osnabrück,	28. Juni 1888.
14	Adam Alois Fritz, Handelsmann,	geboren am 26. April 1834 zu Fulda, Preußen, ortsangehörig zu Arnheim, Niederlande,	Landstreichen und Betteln,	derselbe,	desgleichen.
15	Josef Wrobel, Schuhmacher,	geboren am 13. Dezember 1856 zu Altfild, Provinz Limburg, Niederlande,	desgleichen,	Königlich Preußische Regierung zu Aachen,	27. Juni 1888.
16	Johann Adam Wolf, Tuchmachergehilfe,	geboren am 29. April 1853 zu Schönbach, Bezirk Asch, Böhmen, ortsangehörig ebendaselbst,	Widerstand gegen die Staatsgewalt und Landstreichen,	Königlich Bayerisches Bezirksamt Ansbach,	25. April 1888.
17	a. Franz Swoboda, Schlosser,	geboren am 17. Mai 1841 zu Imramov, Bezirk Brünn, Mähren, ortsangehörig zu Lösch, ebendaselbst,	Landstreichen,	Königl. Bayerisches Bezirksamt Traunstein,	8. Juni 1888.
18	b. dessen Ehefrau Katharina,	geboren am 22. März 1848 zu Lösch, ortsangehörig ebendaselbst,	Landstreichen und Betteln,		
19	Franz Bransche, Weber u. Handarbeiter,	geboren am 28. Mai 1837 zu Einsiedel, Bezirk Friedland, Böhmen, ortsangehörig ebendaselbst,	Betteln im wiederholten Rückfall,	Königlich Sächsische Kreishauptmannschaft Zwickau,	12. Juni 1888.
20	Pierre Eduard Henry Laurenceau, ohne Stand,	geboren am 4. Juni 1861 zu Saint Gourgon, Frankreich, ortsangehörig ebendaselbst,	Landstreichen und Betteln,	Großherzoglich Badischer Landeskommissär zu Konstanz,	21. Juni 1888.
21	Santino Francioli, Glaser,	geboren 1866 zu Lostallo, Italien, ortsangehörig ebendaselbst,	Landstreichen,	Kaiserlicher Bezirks-Präsident zu Colmar,	27. Juni 1888.

(Hierzu eine Extra-Beilage, enthaltend Abänderungen der Postordnung vom 8. März 1879, sowie Drei Oeffentliche Anzeiger.)

(Die Insertionsgebühren betragen für eine einspaltige Druckzeile 20 Pf.
Belagsblätter werden der Bogen mit 10 Pf. berechnet.)
Redigirt von der Königlichen Regierung zu Potsdam.
Potsdam, Buchdruckerei der A. W. Hayn'schen Erben (C. Hayn, Hof-Buchdrucker).

Extra-Beilage zum Amtsblatt.

Abänderungen

der

Postordnung vom 8. März 1879.

Auf Grund der Vorschrift im §. 50 des Gesetzes über das Postwesen des Deutschen Reichs vom 28. Oktober 1871 wird die Postordnung vom 8. März 1879 in folgenden Punkten abgeändert:

1. Im §. 3, „Begleitadresse zu Packeten" betreffend, ist im Absatz IV das vorletzte Wort „genau" zu streichen.
2. Im §. 11a, „Dringende Packetsendungen" betreffend, sind im ersten Satze des Absatzes I die Worte „mit Rücksicht auf die Beschaffenheit des Inhalts" zu streichen.
3. Im §. 12, „Postkarten" betreffend, erhält im Absatz I der erste Satz folgenden anderweiten Wortlaut:

Auf der Vorderseite der Postkarte darf der Absender außer den auf die Beförderung bezüglichen Angaben noch seinen Namen und Stand bezw. seine Firma, sowie seine Wohnung vermerken.

4. Im §. 14, „Waarenproben" betreffend, ist am Schluß des Absatzes III Folgendes hinzuzufügen:

Die Aufschrift darf nicht auf einer sogenannten Fahne angebracht und der Sendung angehängt, sondern muß auf diese selbst aufgeschrieben sein.

Ferner ist im Absatz VIII das Wort „Flüssigkeiten" zu streichen.

5. Im §. 16, „Postanweisungen" betreffend, ist im Absatz VI das Wort „schriftlichen" zu streichen.
6. Im §. 18, „Posmachnahmesendungen" betreffend, erhält der Absatz IV folgenden Zusatz:

Im Falle der Nachsendung (§. 38) einer Nachnahmesendung wird für jeden neuen Bestimmungsort vom Tage der Ankunft daselbst eine besondere Einlösungsfrist von 7 Tagen berechnet.

7. Im §. 19, „Postaufträge zur Einziehung von Geldbeträgen" betreffend, im vorletzten Satze des Absatzes XV und ebenso im §. 20, „Postaufträge zur Einholung von Wechselaccepten" betreffend, im vorletzten Satze des Absatzes X ist statt der Worte „an den betreffenden Notar, Gerichtsvollzieher ꝛc." zu setzen:

an den betreffenden Gerichtsvollzieher, Notar ꝛc.

8. Zwischen §. 23 und §. 24 ist folgender neue Paragraph einzuschalten:

§. 23a.

Zeitungsvertrieb. Der Verleger einer Zeitung, welcher dieselbe der Postverwaltung zum Vertriebe übergeben will, muß solches in einer schriftlichen Erklärung nach Maßgabe der von der Postverwaltung vorgeschriebenen Fassung aussprechen und diese Erklärung bei der Postanstalt niederlegen.

9. Im §. 24, „Ort der Einlieferung" betreffend, sind im ersten Satze des Absatzes VI die Worte „portopflichtigen Einschreibbriefsendungen, sowie für Packete bis $2^1/_2$ kg einschließlich", zu streichen; dafür ist zu setzen:

portopflichtigen Einschreibbriefsendungen, Packete bis $2^1/_2$ kg einschließlich,

10. Im §. 32, „Bestellung" betreffend, ist im Absatz VII der letzte Satz zu streichen und dafür zu setzen:

Werden Packete von höherem Gewicht als $2^1/_2$ Kilogramm abgetragen, so beträgt das Bestellgeld 20 Pf. für das Stück.

11. Im §. 34 „An wen die Bestellung geschehen muß." ist hinter dem ersten Satze im Absatz 1 Folgendes einzuschalten:

Postsendungen, welche an verstorbene Personen gerichtet sind, dürfen den Erben ausgehändigt werden, wenn dieselben sich als solche durch Vorlegung des Testaments, der gerichtlichen Erbbescheinigung rc. ausgewiesen haben; so lange dieser Nachweis nicht erbracht ist, kommen für die Aushändigung gewöhnlicher Briefsendungen die Vorschriften im nachfolgenden Absatz III in Anwendung.

12. Im §. 38, „Nachsendung der Postsendungen" betreffend, erhält der Absatz II folgenden Wortlaut:

II. Bei Packeten, bei Briefen mit Werthangabe, sowie bei Briefen mit Nachnahme erfolgt die Nachsendung nur auf Verlangen des Absenders oder, bei vorhandener Sicherheit für das Porto, auch des Empfängers.

Vorstehende Abänderungen treten mit dem 1. August 1888 in Kraft.

Berlin, den 4. Juli 1888.

Der Reichskanzler.

In Vertretung:

von Stephan.

Gedruckt bei Julius Sittenfeld in Berlin W.

Amtsblatt

der Königlichen Regierung zu Potsdam und der Stadt Berlin.

Stück 32. Den 10. August **1888.**

Allerhöchster Erlaß.

Auf Ihren Bericht vom 10. Juni d. J. will Ich auf Grund des Gesetzes vom 4. Mai 1846 genehmigen, daß die zu London domicilirte Aktiengesellschaft Imperial-Continental-Gas-Association die im Grundbuche des Amtsgerichts Berlin II. von Schöneberg Band 24 Blatt № 1020 und 1019 eingetragenen Grundstücke, nämlich die Flächenabschnitte $\frac{725}{218}$ und $\frac{712}{213}$ Kartenblatt 2 der Gemarkung Schöneberg in Größe von bezw. 68 Ar 71 Quadratmeter und 2 Hektar 52 Ar 70 Quadratmeter, erwerbe.

Marmor-Palais, den 22. Juni 1888.

gez. **Wilhelm R.**

Für den Minister für Handel und Gewerbe.

ggez. von Boetticher.

Für den Minister des Innern.

ggez. von Friedberg.

An den Minister für Handel und Gewerbe und den Minister des Innern.

Bekanntmachungen des Königlichen Ober-Präsidenten der Provinz Brandenburg.

Eröffnung der Jagd auf Rebhühner.

17. Auf Grund des § 2 des Gesetzes über die Schonzeit des Wildes vom 26. Februar 1870 in Verbindung mit dem § 107 des Zuständigkeitsgesetzes vom 1. August 1883 und dem § 43 Abs. 3 des Gesetzes über die allgemeine Landesverwaltung vom 30. Juli 1883 wird für den Bezirk des Stadtkreises Berlin als Tag der Eröffnung der diesjährigen Jagd auf Rebhühner

Montag, der 20. August,

hierdurch festgesetzt.

Potsdam, den 4. August 1888.

Der Ober-Präsident der Provinz Brandenburg.

In Vertretung: v. Brandenstein.

Bekanntmachungen des Königlichen Regierungs-Präsidenten.

Einrichtung einer Chausseegeldhebestelle bei dem Dorfe Hönow im Kreise Nieder-Barnim.

217. Dem Kreise Niederbarnim ist Seitens des Herrn Ministers der öffentlichen Arbeiten durch Erlaß vom 20. Juli d. J. die Genehmigung ertheilt worden, an der Chaussee von Neuenhagen über Hönow nach Mehrow in Station 3,6 derselben am Schnittpunkte der von Berlin nach Alt-Landsberg führenden Chaussee bei dem Dorfe Hönow eine Chausseegeldhebestelle zu errichten und an derselben das tarifmäßige Chausseegeld für eine Meile zu erheben. Mit dieser Hebestelle wird die mit gleicher Hebebefugniß für die Chaussee Berlin-Alt-Landsberg ausgestattete Hebestelle Seeberg verbunden.

Potsdam, den 31. Juli 1888.

Der Regierungs-Präsident.

Chausseegelderhebung auf einigen Kreis-Chausseen des Kreises Westprignitz.

218. Dem Kreise Westprignitz ist Seitens des Herrn Ministers der öffentlichen Arbeiten durch Erlaß vom 19. Juli d. J. die Genehmigung ertheilt worden:

1) auf der Kreischaussee von Karstädt an der Berlin-Hamburger Provinzialstraße nach Dallmin in Station II. bei Postlin,
2) auf der Kreischaussee von Wilsnack nach Kletzke zum Anschlusse an die Berlin-Hamburger Provinzialstraße in Station IV. auf dem Vorwerke Haarn,
3) auf der Kreischaussee von Wilsnack nach Gnevsdorf in Station IV. kurz vor Legde je eine Hebestelle

zu errichten und an der Hebestelle zu 1 ein halbmeiliges, an jeder der Hebestellen zu 2 und 3 ein anderthalbmeiliges Chausseegeld zu erheben.

Potsdam, den 31. Juli 1888.

Der Regierungs-Präsident.

Allerhöchster Erlaß.

219. Auf den Bericht vom 26. Juni d. Js. will Ich hierdurch genehmigen, daß der Zinsfuß der von der Gemeinde Rixdorf, Kreis Teltow, auf Grund der Privelegien vom $\frac{\text{9. Juni 1880}}{\text{18. Dezember 1882}}$ und 19. November 1883 ausgegebenen, auf den Inhaber lautenden Anleihescheine vom 1. Januar 1889 ab von vier auf dreieinhalb Prozent, vorbehaltlich aller sonstigen Bestimmungen der vorgedachten Privelegien, herabgesetzt werde.

Marmor-Palais, den 4. Juli 1888.

(gez.) **Wilhelm R.**

Zugleich für den Minister des Innern:

(ggz.) von Scholz.

An die Minister des Innern und der Finanzen.

* * *

Vorstehender Allerhöchster Erlaß wird unter Bezugnahme auf die Bekanntmachungen vom 8. Januar 1883 (Amtsblatt pro 1883 Stück 3 Seite 19) und 14. Dezember 1883 (Amtsblatt pro 1883 Stück 51 Seite 443/45) hierdurch zur öffentlichen Kenntniß gebracht.

Potsdam, den 3. August 1888.

Der Regierungs-Präsident.

220. Nachweisung der an den Pegeln der Spree und Havel im Monat April 1888 beobachteten Wasserstände.

Datum.	Berlin. Ober- N. N. Wasser.	Berlin. Unter- N. N. Wasser.	Spandau. Ober- Wasser.	Spandau. Unter- Wasser.	Potsdam.	Baumgartenbrück.	Brandenburg. Ober- Wasser.	Brandenburg. Unter- Wasser.	Rathenow. Ober- Wasser.	Rathenow. Unter- Wasser.	Havelberg.	Plauer Brücke.
	Meter.	Meter.	Meter.	Meter.	Meter.	Meter.	Meter.	Meter.	Meter.	Meter.	Meter.	Meter.
1	33,12	32,56	3,06	2,04	1,96	1,30	2,40	2,24	2,20	1,88	4,22	2,68
2	33,15	32,58	3,12	2,10	2,00	1,36	2,40	2,26	2,22	1,90	4,38	2,70
3	33,18	32,62	3,14	2,22	2,05	1,41	2,48	2,30	2,18	1,86	4,58	2,70
4	33,20	32,64	3,10	2,24	2,07	1,45	2,54	2,34	2,18	1,86	4,70	2,72
5	33,18	32,66	3,10	2,22	2,09	1,50	2,56	2,36	2,16	1,84	4,74	2,74
6	33,22	32,68	3,06	2,26	2,11	1,52	2,58	2,40	2,16	1,84	4,74	2,78
7	33,22	32,70	3,00	2,24	2,11	1,52	2,60	2,42	2,22	1,90	4,72	2,80
8	33,24	32,70	3,00	2,14	2,09	1,51	2,62	2,44	2,24	1,92	4,68	2,80
9	33,26	32,72	2,96	2,30	2,08	1,51	2,64	2,46	2,24	1,92	4,62	2,82
10	33,26	32,74	2,92	2,30	2,07	1,51	2,64	2,48	2,26	1,94	4,58	2,84
11	33,28	32,76	2,90	2,30	2,08	1,51	2,66	2,50	2,26	1,94	4,50	2,86
12	33,28	32,76	2,86	2,28	2,08	1,50	2,66	2,50	2,28	1,96	4,42	2,88
13	33,26	32,72	2,82	2,30	2,08	1,50	2,68	2,52	2,30	1,98	4,34	2,88
14	33,24	32,72	2,80	2,30	2,07	1,49	2,66	2,54	2,32	2,00	4,26	2,88
15	33,22	32,70	2,80	2,18	2,07	1,49	2,68	2,54	2,30	1,98	4,22	2,88
16	33,20	32,66	2,80	2,26	2,04	1,49	2,68	2,54	2,30	1,98	4,18	2,90
17	33,16	32,60	2,78	2,22	2,03	1,49	2,70	2,52	2,30	1,98	4,12	2,90
18	33,14	32,56	2,76	2,18	2,03	1,48	2,68	2,54	2,32	2,00	4,08	2,90
19	33,10	32,52	2,72	2,20	2,03	1,48	2,68	2,52	2,30	1,98	4,08	2,90
20	33,06	32,46	2,70	2,14	2,01	1,48	2,68	2,52	2,32	2,00	4,06	2,90
21	33,04	32,38	2,68	2,10	2,01	1,47	2,68	2,52	2,32	2,00	4,04	2,90
22	33,04	32,32	2,72	1,98	2,00	1,47	2,70	2,52	2,32	2,00	4,00	2,90
23	32,98	32,30	2,70	2,04	1,98	1,46	2,70	2,52	2,32	2,00	4,02	2,90
24	32,98	32,24	2,70	2,00	1,96	1,46	2,72	2,54	2,34	2,02	4,00	2,92
25	32,90	32,24	2,72	1,90	1,97	1,44	2,70	2,54	2,36	2,04	3,98	2,92
26	32,90	32,14	2,74	1,96	1,96	1,43	2,68	2,56	2,34	2,02	3,98	2,92
27	32,86	32,08	2,70	1,90	1,93	1,42	2,60	2,54	2,34	2,02	3,98	2,90
28	32,72	31,96	2,68	1,90	1,96	1,41	2,54	2,46	2,32	2,00	3,86	2,88
29	32,80	31,98	2,70	1,86	1,93	1,40	2,60	2,46	2,30	1,98	3,98	2,86
30	32,76	31,92	2,70	1,86	1,95	1,38	2,60	2,46	2,28	1,96	4,00	2,84

Potsdam, den 4. August 1888. Der Regierungs-Präsident.

Konsulat für Mexiko betreffend

221. Hiermit bringe ich zur öffentlichen Kenntniß, daß dem Mexikanischen Konsul Julius Samelson zu Berlin neben dem Stadtkreise Berlin die Provinz Brandenburg als Amtsbezirk zugewiesen worden ist.

Potsdam, den 7. August 1888.

Der Regierungs-Präsident.

Schneider-Innung zu Prenzlau.

222. Auf Grund des § 100e № 3 der Reichs-Gewerbeordnung in der Fassung des Gesetzes vom 18. Juli 1881 und der Ausführungs-Anweisung hierzu vom 9. März 1882 I e 1 a 2 bestimme ich hierdurch für den Bezirk der Schneider-Innung zu Prenzlau,

daß diejenigen Arbeitgeber, welche das Schneider-Gewerbe betreiben und selbst zur Aufnahme in die Innung fähig sein würden, gleichwohl aber der Innung nicht angehören, vom 1. Februar 1889 ab Lehrlinge nicht mehr annehmen dürfen.

Ich bringe dies mit dem Bemerken hierdurch zur Kenntniß, daß der Bezirk der Innung den Bezirk der Gemeinde Prenzlau sowie der Amtsbezirke Lübbenow — mit Ausnahme der Gemeinden Günterberg, Carolinthal, Fahrenholz und Lindenhorst, Jagow, Taschenberg, Wilsikow — mit Ausnahme der Gemeinden Wilsikow und Milow —, Brietzig — mit Ausnahme der Gemeinde Papendorf —, Arendsee, Dedelow, Güstow, Gollmitz, Sternhagen, Alexanderhof, Seelübbe, Baumgarten, Kleinow, Eichsfeldt, Schmölln, Rossow, Polzow, Damerow, Züsedom, Goeritz, Schoenfeld und Plockow umfaßt. Potsdam, den 30. Juli 1888.

Der Regierungs-Präsident.

Schuhmacher-Innung zu Wittstock.

223. Auf Grund des § 100e № 3 der Reichsgewerbe-Ordnung in der Fassung des Gesetzes vom 18. Juli 1881 und der Ausführungs-Anweisung hierzu vom 9. März 1882 I. 1 a 2 bestimme ich hierdurch für den Bezirk der Schuhmacher-Innung zu Wittstock, daß diejenigen Arbeitgeber, welche das Schuhmachergewerbe betreiben und selbst zur Aufnahme in die Innung fähig sein würden, gleichwohl aber der Innung nicht angehören, vom 1. Februar 1889 ab Lehrlinge nicht mehr annehmen dürfen.

Ich bringe dies mit dem Bemerken hierdurch zur Kenntniß, daß der Bezirk der genannten Innung den Amtsgerichtsbezirk Wittstock umfaßt, soweit derselbe nicht bereits zum Bezirke der Schuhmacher-Innung von Pritzwalk gehört. Potsdam, den 23. Juli 1888.

Der Regierungs-Präsident.

Auflösung des Gutsbezirks Groß-Gottschow im Kreise Westprignitz.

224. Des Königs Majestät haben mittelst Allerhöchsten Erlasses vom 26. Juni d. J. die Auflösung des selbstständigen Gutsbezirks Groß-Gottschow, im Kreise West-Prignitz, zu genehmigen geruht. Dies wird hiermit zur öffentlichen Kenntniß gebracht.

Potsdam, den 22. Juli 1888.

Der Regierungs-Präsident.

Aenderung der Statuten der Union Marine Insurance Company Limited.

225. In einer außerordentlichen Generalversammlung der Union Marine Insurance Company, Limited, ordnungsmäßig berufen und abgehalten in den Law Association Rooms, Cook-Street, Liverpool, in der Grafschaft Lancaster, am Montag, den 30. Januar 1888, wurden die folgenden Specialbeschlüsse ordnungsmäßig gefaßt, und in einer folgenden Generalversammlung der gedachten Gesellschaft, die gleichfalls ordnungsmäßig berufen und in derselben Weise in dem eingetragenen Geschäftslokal der Gesellschaft, Liverpool and London Chambers, High-Street, Liverpool in der Grafschaft Lancaster, am Mittwoch, den 15. Februar 1888 abgehalten ist, wurden die folgenden Specialbeschlüsse ordnungsmäßig bestätigt:

„Daß der Artikel 57 der Statuten der Gesellschaft aufgehoben und an seiner Stelle folgender Artikel angenommen werden solle:"

„Das Hauptbureau der Gesellschaft soll in Liverpool sein". — „Die Direktoren sollen zur Vornahme folgender Handlungen befugt sein:"

a. „Die Banquiers der Gesellschaft zu erwählen".

b. „Alle Gelder der Gesellschaft, die nicht unmittelbar für die Zwecke der Gesellschaft erforderlich sind, auszuleihen, oder in einer ihnen angemessen erscheinenden Weise anzulegen, jedes Darlehen oder Anlage von Zeit zu Zeit zu verändern, einzuziehen oder zu realisiren. Dabei wird jedoch vorausgesetzt, daß keine Anlage in Aktien einer Gesellschaft mit unbegrenzter Haftbarkeit oder in Aktien der Gesellschaft selbst stattfinden darf".

c. „Diejenigen Beamten, Kommis und Dienstboten, welche sie zur wirksamen Führung der Geschäfte der Gesellschaft für erforderlich erachten, mit denjenigen Bezügen und unter denjenigen Bedingungen anzustellen, welche sie für angemessen erachten".

d. „Diejenigen Baulichkeiten oder Geschäftslokale für die Gesellschaft, wie sie selbige zweckmäßig erachten, zu diesem Behuf mit den Mitteln der Gesellschaft anzuschaffen, selbige als freies Lehen oder in einer anderen Form des Grundeigenthum-Erwerbs zu kaufen, oder einen Miethekontrakt zu einer bestimmten Miethesumme oder sonstwie abzuschließen, für irgend welche Gebäude oder Bureaux Grund und Boden zu kaufen oder solchen zu miethen, oder irgend welche Gebäude oder Bureaux auf demselben für den obengenannten Zweck zu errichten und solchen Grund und Boden, Häuser, Gebäude und Bureaux oder einen Theil derselben nach ihrem Ermessen zum Besten der Gesellschaft wieder zu verkaufen, zu vertauschen, umzuschreiben, anzuweisen, zu hinterlassen, zu vermiethen oder auf andere Weise darüber zu verfügen, und es sollen das so gekaufte Grundeigenthum, Häuser, Gebäude und Räume, für alle hier erwähnten Zwecke als persönliches Eigenthum und als ein Theil des Kapitals der Gesellschaft angesehen werden".

„Daß der Artikel 80 der Statuten durch Streichung der folgenden Worte abgeändert werde:"

„Und die Direktoren sollen befugt sein, die Summe, welche in dieser Weise als Reservefonds beiseitegesetzt ist, in solchen Sicherheiten, wie sie selbige auswählen, anzulegen und diese Sicherheiten von Zeit zu Zeit zu verändern".

Dies ist das Dokument mit der Bezeichnung „A.", auf welches in meinem Attest vom 10. Mai 1888 Bezug genommen ist.

(L. S.) Harold D. Bateson,
öffentlicher Notar, Liverpool.

Die wörtliche Uebereinstimmung der vorstehenden Uebersetzung mit dem vorgehefteten englischen Originale beglaubigt

Altona, den 15. Mai 1888.

(L. S.) (gez.) Otto Wedekind,
gerichtlicher Dollmetscher und beeidigter Uebersetzer.

Für die Richtigkeit:

(L. S.) Breier, Geheimer Kanzleisekretär.

* * *

Vorstehende Statutenänderungen werden hierdurch mit dem Bemerken zur öffentlichen Kenntniß gebracht, daß dieselben durch Erlaß des Herrn Ministers für Handel und Gewerbe vom 20. Juni d. J. genehmigt worden sind.

Potsdam, den 6. August 1888.

Der Regierungs-Präsident.

Viehseuchen.

226. An den Pferden der Fuhrherren Neye, Hamel, Bindig und Döbler, sämmtlich zu Rixdorf, Hermannstraße Nr. 6 wohnhaft, welche seit dem 11. Januar dieses Jahres wegen Verdachts der Ansteckung durch Rotz beobachtet worden sind, haben sich während der Dauer der Beobachtung keine rotzverdächtigen Erscheinungen gezeigt und sind deshalb die angeordneten Schutzmaßregeln wieder aufgehoben worden.

Potsdam, den 3. August 1888.

Der Regierungs-Präsident.

227. **Nachweisung der Markt- 2c.**

Laufende №	Namen der Städte	Getreide								Uebrige Markt-																					
		Es kosten je 100 Kilogramm																												Es	
																												Rindfleisch			
		Weizen		Roggen		Gerste		Hafer		Erbsen		Speisebohnen		Linsen		Kartoffeln		Richtstroh		Krummstroh		Heu						von der Keule		Bauchfleisch	
		M.	Pf.	M.	Pf.	M.	Pf.	M.	Pf.	M.	Pf.	M.	Pf.	M.	Pf.	M.	Pf.	M.	Pf.	M.	Pf.	M.	Pf.					M.	Pf.	M.	Pf.
1	Angermünde	16	81	11	94	11	67	12	03	27	—	30	—	38	—	5	40	5	—	3	17	5	25					1	30	1	05
2	Beeskow	—	—	11	60	—	—	12	40	25	—	32	50	40	—	4	44	3	90	3	25	5	55					1	20	1	—
3	Bernau	17	10	12	54	14	80	12	75	25	—	32	—	45	—	5	91	4	53	—	—	6	23					1	24	1	—
4	Brandenburg	18	55	13	20	13	20	14	05	27	50	35	—	47	50	4	47	4	65	—	—	6	35					1	30	1	10
5	Dahme	18	24	13	10	12	86	14	—	25	—	32	—	45	—	4	—	3	50	2	50	6	—					1	—	1	—
6	Eberswalde	17	03	12	65	16	—	12	34	23	—	23	—	26	—	4	—	3	70	—	—	5	—					1	20	1	—
7	Havelberg	17	50	12	75	14	25	14	75	26	50	55	—	65	—	4	50	4	13	2	25	7	75					1	30	—	90
8	Jüterbog	17	—	13	80	11	75	15	—	25	—	30	—	40	—	4	—	5	—	—	—	7	50					1	20	1	—
9	Luckenwalde	17	78	12	94	12	86	13	08	32	50	32	50	37	50	4	75	4	—	—	—	5	—					1	20	1	20
10	Perleberg	17	33	12	61	13	15	13	29	22	—	35	—	53	—	3	50	5	14	—	—	7	75					1	40	1	10
11	Potsdam	17	23	12	61	15	58	14	47	24	—	30	—	43	—	5	61	4	86	—	—	6	19					1	35	1	10
12	Prenzlau	16	40	11	82	11	27	11	65	21	50	35	—	45	—	6	—	4	—	3	—	5	—					1	20	—	95
13	Pritzwalk	17	52	12	27	12	47	12	90	16	75	30	—	38	75	5	28	3	25	2	75	5	—					1	10	1	—
14	Rathenow	17	—	12	75	12	50	13	50	30	—	30	—	40	—	4	57	3	28	—	—	4	83					1	40	1	20
15	Neu-Ruppin	18	—	12	62	13	10	13	74	30	—	32	—	50	—	3	81	4	50	—	—	6	—					1	30	1	05
16	Schwedt	18	40	12	50	12	80	12	80	26	67	31	25	37	50	6	—	3	91	—	—	5	03					1	20	1	—
17	Spandau	15	75	15	—	16	—	15	50	22	50	30	50	40	—	6	—	5	50	—	—	6	50					1	40	1	20
18	Strausberg	17	30	12	69	15	70	14	—	25	—	30	50	35	—	5	—	5	—	—	—	8	12					1	20	1	10
19	Teltow	17	18	12	75	14	80	13	70	35	—	45	—	50	—	5	75	4	80	—	—	7	60					1	30	1	05
20	Templin	17	50	12	75	12	50	13	50	13	—	40	—	40	—	6	—	4	—	—	—	6	—					1	20	1	—
21	Treuenbrietzen	17	—	11	56	—	—	14	—	24	—	26	—	30	—	4	—	3	50	—	—	5	62					1	20	1	—
22	Wittstock	17	—	12	36	13	—	13	51	14	—	32	—	44	—	3	50	3	50	2	50	4	50					1	—	—	86
23	Wriezen a. O.	16	03	12	52	10	59	13	13	22	—	28	—	35	50	4	07	3	54	2	25	5	44					1	30	1	—
	Durchschnitt	17	26	12	67	13	37	13	48	—	—	—	—	—	—	4	81	4	23	—	—	6	01					—	—	—	—

Potsdam, den 7. August 1888.

228. **Nachweisung des Monatsdurchschnitts der gezahlten höchsten**

Laufende Nummer.	Es kosteten je 50 Kilogramm.	Angermünde.		Beeskow.		Bernau.		Brandenburg.		Dahme.		Eberswalde.		Havelberg.		Jüterbog.		Luckenwalde.		Perleberg.	
		M.	₰	M.	₰	M.	₰	M.	₰	M.	₰	M.	₰	M.	₰	M.	₰	M.	₰	M.	₰
1	Hafer	6	54	6	51	7	46	7	62	7	35	7	19	7	88	7	88	7	68	7	16
2	Heu	3	15	2	92	3	89	3	78	3	15	2	89	4	20	3	94	3	15	4	20
3	Richtstroh	2	89	2	05	2	50	2	68	1	84	2	10	2	30	2	63	2	20	2	88

Potsdam, den 7. August 1888.

Bekanntmachungen der Königl. Regierung.

Bekanntmachung wegen Ausreichung neuer Zinsscheine zu den Schuldverschreibungen der Reichsanleihen vom Jahre 1880 und 1884.

21. Die Zinsscheine Reihe III. № 1 bis 8 zu den Schuldverschreibungen der Deutschen Reichsanleihe von 1880 und Reihe II. № 1 bis 8 zu den Schuldverschreibungen der Deutschen Reichsanleihe von 1884 über die Zinsen für die vier Jahre vom 1. Oktober 1888 bis 30. September 1892 nebst den Anweisungen zur Abhebung der folgenden Reihe werden von der Königlich

Preise im Monat Juli 1888.

Artikel kostet je 1 Kilogramm						Ladenpreise in den letzten Tagen des Monats. Es kostet je 1 Kilogramm											
						Mehl		Gerste						Java-Kaffee mittler / gelber in gebr. Bohnen			
Schweinefleisch M. Pf.	Kalbfleisch M. Pf.	Hammelfleisch M. Pf.	Speck M. Pf.	Butter M. Pf.	Ein Schock Eier M. Pf.	Weizen Nr. 1 M. Pf.	Roggen Nr. 1 M. Pf.	Graupe M. Pf.	Grütze M. Pf.	Buchweizengrütze M. Pf.	Hafergrütze M. Pf.	Hirse M. Pf.	Reis, Java M. Pf.	mittler M. Pf.	gelber M. Pf.	Speisesalz M. Pf.	Schweineschmalz, hiesig. M. Pf.
— 95	— 90	1 05	1 60	2 10	3 40	— 25	— 20	— 50	— 30	— 40	— 40	— 60	— 60	3 —	3 40	— 20	1 40
1 10	1 —	1 —	1 60	2 25	2 80	— 40	— 30	— 60	— 60	— 65	— 80	— 60	— 65	3 20	3 60	— 20	2 —
1 10	1 19	1 09	1 70	2 20	2 90	— 40	— 25	— 45	— 50	— 50	— 40	— 60	— 25	2 40	3 —	— 20	1 60
1 15	— 95	1 12	1 80	2 30	2 60	— 30	— 25	— 50	— 40	— 50	— 50	— 50	— 50	3 20	3 60	— 20	1 60
1 20	— 80	1 —	1 60	2 —	2 40	— 35	— 30	— 60	— —	— 40	— —	— 50	— 50	2 80	3 60	— 20	1 40
1 20	1 —	1 —	1 60	2 40	3 20	— 30	— 26	— 60	— 60	— 50	— —	— 60	— 60	3 20	3 40	— 20	1 60
1 20	1 20	1 —	1 50	2 12	2 84	— 30	— 20	— 55	— 60	— 60	— 60	— 50	— 60	2 80	3 40	— 20	1 60
1 10	— 95	1 20	1 40	2 —	2 60	— 33	— 25	— 40	— 50	— 40	— 60	— 40	— 40	2 75	3 60	— 20	1 50
1 20	— 90	1 20	1 60	2 20	3 20	— 34	— 24	— 50	— 40	— 40	— 60	— 36	— 60	3 20	3 60	— 20	1 40
1 30	1 15	1 15	1 95	1 70	3 —	— 50	— 36	— 50	— 50	— 50	— 50	— 50	— 55	3 40	3 40	— 20	2 —
1 23	1 03	1 25	1 60	2 06	3 03	— 40	— 19	— 45	— 45	— 45	— 45	— 50	— 55	2 60	3 80	— 20	1 60
1 15	— 80	1 05	1 50	2 —	3 —	— 24	— 20	— 50	— 30	— 50	— 50	— 50	— 50	3 20	3 60	— 20	1 40
1 10	— 90	1 —	1 50	1 71	2 48	— 26	— 20	— 45	— 40	— 40	— 50	— 50	— 50	3 20	3 60	— 20	1 50
1 40	1 —	1 20	1 80	2 60	3 —	— 29	— 20	— 40	— 40	— 45	— 40	— 30	— 60	3 50	3 80	— 20	2 —
1 10	— 95	1 10	1 60	2 10	2 98	— 36	— 24	— 50	— 50	— 50	— 50	— 50	— 60	3 25	3 58	— 20	1 40
1 20	— 90	1 —	2 —	2 —	3 20	— 35	— 25	— 60	— 40	— 50	— 60	— 50	— 70	3 40	3 60	— 20	2 —
1 20	1 20	1 20	1 40	2 20	3 —	— 40	— 30	— 50	— 50	— 55	— 50	— 55	— 65	3 40	3 80	— 20	1 40
1 20	1 —	1 20	1 60	2 40	2 62	— 35	— 20	— 55	— 50	— 45	— 55	— 50	— 60	3 —	3 80	— 20	1 40
1 20	1 25	1 15	1 40	2 40	4 30	— 45	— 30	— 60	— 50	— 50	— 60	— 50	— 50	2 80	3 20	— 20	1 20
1 —	— 70	1 20	1 60	2 40	3 60	— 28	— 20	— 60	— 50	— 50	— 60	— 40	— 50	3 20	3 60	— 20	1 60
1 —	— 90	1 20	1 60	1 87	2 67	— 28	— 18	— 50	— —	— 40	— 56	— 30	— 50	3 60	3 40	— 20	1 80
— 95	— 67	— 90	1 60	1 72	2 67	— 28	— 18	— 50	— 50	— 40	— 40	— 50	— 60	3 20	3 60	— 20	1 60
1 05	1 05	1 05	1 50	2 16	2 70	— 20	— 20	— 40	— 30	— 40	— 50	— 50	— 50	3 —	3 25	— 20	1 20

Der Regierungs-Präsident.

Tagespreise incl. 5 % Aufschlag im Monat Juli 1888.

Potsdam. M. ₰	Prenzlau. M. ₰	Pritzwalk. M. ₰	Rathenow. M. ₰	Neu-Ruppin. M. ₰	Schwedt. M. ₰	Spandau. M. ₰	Strausberg. M. ₰	Teltow. M. ₰	Templin. M. ₰	Treuenbrietzen. M. ₰	Wittstock. M. ₰	Wriezen a. O. M. ₰
7 88	6 44	6 75	7 35	7 25	6 72	8 40	7 56	7 19	7 88	7 35	7 24	7 35
4 03	3 15	2 80	2 63	3 15	2 64	3 68	4 40	3 99	3 41	2 95	2 36	3 15
2 81	2 37	1 80	1 76	2 36	2 06	3 15	2 73	2 52	2 36	1 84	1 84	1 90

Der Regierungs-Präsident.

Preußischen Kontrolle der Staatspapiere hierselbst, Oranienstraße Nr. 92/94 unten links vom 3. September d. J. ab Vormittags von 9 bis 1 Uhr, mit Ausnahme der Sonn- und Festtage und der letzten drei Geschäftstage jeden Monats, ausgereicht werden.

Die Zinsscheine können bei der Kontrolle selbst in Empfang genommen oder durch die Reichsbankhauptstellen und Reichsbankstellen, sowie durch diejenigen Kaiserlichen Oberpostkassen, an deren Sitz sich eine solche Bankanstalt nicht befindet, bezogen werden.

Wer die Empfangnahme bei der Kontrolle selbst wünscht, hat derselben persönlich oder durch einen Beauftragten die zur Abhebung der neuen Reihe berechtigenden Zinsscheinanweisungen mit einem Verzeichnisse zu übergeben, zu welchem Formulare ebenda unentgeltlich zu haben sind. Genügt dem Einreicher der Zinsscheinanweisungen eine numerirte Marke als Empfangsbescheinigung, so ist das Verzeichniß einfach, wünscht er eine ausdrückliche Bescheinigung, so ist es doppelt vorzulegen. In letzterem Falle erhält der Einreicher das eine Exemplar, mit einer Empfangsbescheinigung versehen, sofort zurück. Die Marke oder Empfangsbescheinigung ist bei der Ausreichung der neuen Zinsscheine zurückzugeben.

In Schriftwechsel kann die Kontrolle der Staatspapiere sich mit den Inhabern der Zinsscheinanweisungen nicht einlassen.

Wer die Zinsscheine durch eine der oben genannten Bankanstalten oder Oberpostkassen beziehen will, hat derselben die Anweisungen mit einem doppelten Verzeichniß einzureichen.

Das eine Verzeichniß wird, mit einer Empfangsbescheinigung versehen, sogleich zurückgegeben und ist bei Aushändigung der Zinsscheine wieder abzuliefern.

Formulare zu diesen Verzeichnissen sind bei den gedachten Ausreichungsstellen unentgeltlich zu haben.

Der Einreichung der Schuldverschreibungen bedarf es zur Erlangung der neuen Zinsscheine nur dann, wenn die Zinsscheinanweisungen abhanden gekommen sind; in diesem Falle sind die Schuldverschreibungen an die Kontrolle der Staatspapiere oder an eine der genannten Bankanstalten und Oberpostkassen mittelst besonderer Eingabe einzureichen.

Schließlich wird darauf aufmerksam gemacht, daß die nächsten Zinsscheinreihen zu den Schuldverschreibungen der Deutschen Reichsanleihen von 1880 und 1884 die Zinsscheine für die zehn Jahre vom 1. Oktober 1892 bis 30. September 1902 umfassen werden und daß die mit den Zinsscheinreihen III. bezw. II. ausgegebenen Anweisungen eine dementsprechende Fassung erhalten haben.

Berlin, den 21. Juli 1888.

Reichsschuldenverwaltung.

* * *

Vorstehende Bekanntmachung wird hiermit zur öffentlichen Kenntniß gebracht.

Potsdam, den 31. Juli 1888.

Königl. Regierung.

Bekanntmachungen der Bezirksausschüsse.

Eröffnung der kleinen Jagd.

7. Für den Regierungsbezirk Potsdam wird als Tag der Eröffnung der diesjährigen Jagd auf **Rebhühner und Wachteln** hierdurch: **Montag, der 20. August**, auf **Hasen, Auer-, Birk- und Fasanenhennen, sowie Haselwild Sonnabend, der 15. September** festgesetzt.

Potsdam, den 3. August 1888.

Der Bezirks-Ausschuß.

Bekanntmachungen des Königlichen Polizei-Präsidiums zu Berlin.

Verbot einer Druckschrift.

71. Auf Grund des § 12 des Reichsgesetzes gegen die gemeingefährlichen Bestrebungen der Sozialdemokratie vom 21. Oktober 1878 wird hierdurch zur öffentlichen Kenntniß gebracht, daß die № 31 der hierselbst im Verlage von F. Posekel erscheinenden periodischen Druckschrift „Berliner Volks-Tribüne. Sozial-Politisches Wochenblatt" vom 4. August 1888 nach § 11 des gedachten Gesetzes durch den Unterzeichneten von Landespolizeiwegen verboten worden ist.

Berlin, den 4. August 1888.

Der Königl. Polizei-Präsident.

Omnibus-Fahrplan.

72. Auf Grund des § 2 der Polizei-Verordnung vom 3. Januar 1865 wird hiermit zur öffentlichen Kenntniß gebracht, daß für die Omnibuslinie zwischen Berlin (Alexanderplatz) und Mühlenbeck der nachstehende abgeänderte Fahrplan nebst Tarif genehmigt worden ist:

Fahrplan für die Omnibuslinie Berlin (Alexanderplatz) Pankow, Niederschönhausen, Nordend—Rosenthal, Mühlenbeck.

	1. Vorm.	2. Vorm.	3. Vorm.	4. Vorm.	5. Vorm.	6. Mitt.	7. Nchm.	8. Nchm.	9. Nchm.	10. Nchm.	11. Nchm.	12. Nchm.	13. Nchm.	14. Nchm.	15. Nchm.	16. Nchm.	17. Nchm.	18 Nchm.
Abf.																		
Berlin (Alexanderpl.)	7	8	9	10	11	12	1	1 30	2	3	4	5	6	7	8	9	10	11
Pankow (Kirche)	7 45	8 45	9 45	10 45	11 45	12 45	1 45	2 15	2 45	3 45	4 45	5 45	6 45	7 45	8 45	9 45	10 45	11 45
Nieder-Schönhausen (Kirche)	7 53	8 53	9 53	10 53	11 53	12 53	1 53	2 23	2 53	3 53	4 53	5 53	6 53	7 53	8 53	9 53	10 53	11 53
Nordend-Rosenthal	8	9	10	11	12	1	2	2 30	3	4	5	6	7	8	9	10	11	12
Blankenfelde (Kirche)	8 25	—	—	—	—	—	—	2 55	—	—	—	—	—	—	9 25	—	—	—
Schildow (Kirche)	8 40	—	—	—	—	—	—	3 10	—	—	—	—	—	—	9 40	—	—	—
Mühlenbeck	9 10	—	—	—	—	—	—	3 40	—	—	—	—	—	—	10 10	—	—	—
Ank.																		

	1. Vorm.	2. Vorm.	3. Vorm.	4. Vorm.	5. Vorm	6 Vorm.	7. Vorm.	8. Nchm.	9. Nchm.	10. Nchm.	11. Nchm.	12. Nchm.	13. Nchm.	14. Nchm.	15 Nchm.	16. Nchm.	17. Nchm.	18. Nchm.
Abf.																		
Mühlenbeck	—	—	6 40	—	—	—	10 40	—	—	—	—	—	—	—	5 40	—	—	—
Schildow (Kirche)	—	—	7 10	—	—	—	11 10	—	—	—	—	—	—	—	6 10	—	—	—
Blankenfelde (Kirche)	—	—	7 25	—	—	—	11 25	—	—	—	—	—	—	—	6 25	—	—	—
Nordend-Rosenthal	5 50	6 50	7 50	8 50	9 50	10 50	11 50	12 20	12 50	1 50	2 50	3 50	4 50	5 50	6 50	7 50	8 50	9 50
Nieder-Schönhausen (Kirche)	5 57	6 57	7 57	8 57	9 57	10 57	11 57	12 27	12 57	1 57	2 57	3 57	4 57	5 57	6 57	7 57	8 57	9 57
Pankow (Kirche)	6 5	7 5	8 5	9 5	10 5	11 5	12 5	12 35	1 5	2 5	3 5	4 5	5 5	6 5	7 5	8 5	9 5	10 5
Berlin (Alexanderpl.)	6 50	7 50	8 50	9 50	10 50	11 50	12 50	1 20	1 50	2 50	3 50	4 50	5 50	6 50	7 50	8 50	9 50	10 50
Ank.																		

Tarif für durchgehende Billets:

Berlin (Alexanderplatz)—Pankow . . . . 20 Pf.
Berlin (Alexanderplatz)—Nieder-Schönhausen . . . . . 25 Pf.
Berlin (Alexanderplatz)—Nordend—Rosenthal . . . . 30 Pf.
Berlin (Alexanderplatz)—Blankenfelde . . . . 50 Pf.
Berlin (Alexanderplatz)—Schildow . . . . 60 Pf.
Berlin (Alexanderplatz)—Mühlenbeck . . . . 75 Pf.

Tarif für einzelne Strecken:

Berlin (Alexanderplatz)—Pappel-Allee . . . . 10 Pf.
Pappel-Allee—Pankow . . . . 15 Pf.
Pankow—Nieder-Schönhausen . . . . 10 Pf.
Nieder-Schönhausen—Nordend—Rosenthal . . . . 10 Pf.
Nordend—Rosenthal—Blankenfelde . . . . 20 Pf.
Blankenfelde—Schildow . . . . 15 Pf.
Schildow—Mühlenbeck . . . . 20 Pf.

Polizeiliche Bestimmungen:

Auszug aus dem Omnibus-Reglement vom 3. Januar 1865:

§ 47. Das Tabackrauchen im Wagen, sowie das Lärmen und Singen ist den Fahrgästen untersagt. Das Trittbrett darf von Fahrgästen nicht besetzt werden.

§ 48. Das tarifmäßige Fahrgeld ist der Conducteur beim Einsteigen der Fahrgäste zu erheben berechtigt.

Ein Kind unter 6 Jahren in Begleitung Erwachsener ist im Innern des Wagens frei, sobald dasselbe keinen besonderen Platz einnimmt.

Berlin, den 28. Juli 1888. Der Polizei-Präsident.

Verlegung von Verkaufsstellen.

73. Mit Rücksicht auf die auf der Mittelpromenade der Gneisenaustraße zwischen der Bellealliance- und Nostitzstraße ausgeführten gärtnerischen Anlagen wird bezüglich der dort stattfindenden Jahrmärkte fortan eine gänzliche Verlegung der bisher auf jener Strecke untergebrachten Verkaufsstellen nothwendig.

Das Commissariat für Markt- und Gewerbe-Angelegenheiten wird die anderweitige Anweisung der Stellen für die betreffenden Händler auf dem noch verfügbaren Jahrmarktterrain in der Schleiermacherstraße seiner Zeit bewirken.

Indem dies hiermit zur Kenntniß der betreffenden Gewerbetreibenden gebracht wird, muß gleichzeitig bemerkt werden, daß gegen die bezüglichen Anordnungen der Markt-Polizei etwaige Reclamationen Berücksichtigung nicht finden können.

Berlin, den 27. Juli 1888.

Der Polizei-Präsident.

Bestimmung, betreffend die Kupferschmiede-Innung zu Berlin

74. Auf Grund des § 100e. der Reichs-Gewerbe-Ordnung bestimme ich hiermit für den Bezirk der Kupferschmiede-Innung zu Berlin, daß

1) Streitigkeiten aus den Lehrverhältnissen der im § 120a. der Reichsgewerbe-Ordnung bezeichneten Art auf Anrufen eines der streitenden Theile von der zuständigen Innungsbehörde — so lange die Kupferschmiede-Innung dem Innungs-Ausschuß der vereinigten Innungen zu Berlin angehört, von dem von dem Letzteren niedergesetzten engeren Ausschuß (Schiedsgericht für Lehrlingsstreitigkeiten) — auch dann zu entscheiden sind, wenn der Arbeitgeber, obwohl er das Kupferschmiede-Gewerbe betreibt und selbst zur Aufnahme in die gedachte Innung fähig sein würde, gleichwohl der Innung nicht angehört.

2) Die sämmtlichen von der Innung erlassenen Vorschriften über die Regelung des Lehrlingsverhält-

nisses, sowie über die Ausbildung und Prüfung der Lehrlinge auch dann bindend sind, wenn deren Lehrherr zu den unter Ziffer 1 bezeichneten Arbeitgebern gehört.

Diese Bestimmung tritt mit dem 1. September 1888 in Kraft.

Berlin, den 21. Juli 1888.

Der Königl. Polizei-Präsident.

Mineralwasser-Fabrikation.

75. Die von dem Polizei-Präsidium zu Berlin unter dem 8. November 1862 von Landespolizeiwegen für den engeren Polizei-Bezirk von Berlin sowie für die Stadt Charlottenburg erlassene Polizei-Verordnung (Bekanntmachung) betreffend die Abwendung der bei dem Betriebe der Fabriken für künstliche Mineralwässer u. s. w. vorhandenen Explosionsgefahr wird hierdurch für das Gebiet des Polizei-Bezirkes von Berlin vom 15. Mai dieses Jahres an, als dem Tage des Inkrafttretens der den gleichen Gegenstand für Berlin neu regelnden ortspolzeilichen Verordnung vom heutigen Tage, aufgehoben.

Berlin, den 9. April 1888.

Der Polizei-Präsident.
In Vertretung: Friedheim.

Polizei-Verordnung, betreffend den Betrieb von Mineralwasser-Fabriken.

76. Auf Grund der §§ 143 und 144 des Gesetzes über die allgemeine Landes-Verwaltung vom 30. Juli 1883 (Gesetz-Sammlung Seite 195 ff.) und der §§ 5 ff. des Gesetzes über die Polizei-Verwaltung vom 11. März 1850 (Gesetz-Sammlung Seite 265 ff.) wird mit Zustimmung des Gemeinde-Vorstandes für den Stadtkreis Berlin das Folgende verordnet:

§ 1. Die Räume, in welchen künstliche Mineralwasser dargestellt werden, müssen gut ventilirt, geräumig und so hell sein, daß die darin aufgestellten Apparate in allen Einzelheiten genau beobachtet werden können.

§ 2. Die Verwendung von Brunnenwasser ist ausgeschlossen.

§ 3. Die bei der Bereitung der Mineralwasser zu verwendenden Salze müssen die, durch die Pharmacopoe vorgeschriebene chemische Reinheit haben.

§ 4. Alle Apparate, in welchen ein, den gewöhnlichen Luftdruck übersteigender Druck hervorgebracht wird, sind aus gutem Kupferblech, welches innen stark verzinnt ist, herzustellen. Der bei der Arbeit herrschende Maximaldruck ist in unabnehmbarer Schrift auf dem Apparat deutlich anzugeben.

§ 5. Diese Apparate sind mit Manometer und Sicherheits-Ventil zu versehen, welche den Druck im Apparate genau angeben, beziehungsweise bei der Ueberschreitung desselben abblasen. Die Sicherheitsventile dürfen nicht überlastet, nicht mit Gummiplatten versehen oder gar festgekeilt werden.

§ 6. Bei denjenigen Anlagen, in welchen flüssige Kohlensäure zur Verwendung gelangt, ist zwischen der Flasche, in welcher die flüssige Kohlensäure bezogen wird, und dem Mischgefäß ein Expansionsgefäß von dem Inhalte von mindestens 100 Litern einzuschalten. Die Flasche muß mit Reductions-Ventil versehen, das Expansionsgefäß so, wie in den §§ 4 und 5 angeordnet, beschaffen sein.

§ 7. Der Betrieb darf nicht eher begonnen werden, als bis die Prüfung der Betriebsstätte und der aufgestellten Apparate auf ihre Beschaffenheit beziehungsweise Zuverlässigkeit nach Maßgabe dieser Verordnung durch einen Sachverständigen erfolgt, eine Bescheinigung darüber dem Polizei-Präsidium vorgelegt und Genehmigung des Betriebs ertheilt worden ist.

§ 8. Die Apparate werden alle zwei Jahre auf ihre gute Verzinnung und auf ihre Zuverlässigkeit, indem sie dem 1½fachen Ueberdrucke ausgesetzt werden, durch einen Sachverständigen geprüft. Der Nachweis der erfolgten Prüfung ist durch Vorlage der Bescheinigung dieses Sachverständigen dem Polizei-Präsidium oder dessen Vertretern auf Erfordern zu führen.

Diese Vorschrift erstreckt sich auch auf die tragbaren Gefäße, in welchen die kohlensäurehaltigen Wasser zum Ausschank außerhalb des Fabriklokals gelangen.

§ 9. Die Sachverständigen (§§ 7 und 8) werden vom Polizei-Präsidium ernannt, welches auch die, von den Unternehmern zu zahlenden Prüfungs-Gebühren festsetzt.

§ 10. Zur thunlichsten Sicherung der Arbeiter gegen Gefahren sind ferner die mit kohlensäurehaltigem Wasser gefüllten Flaschen bei ihrem Verschließen mit Sicherheitskörben aus starkem, enggeflochtenem Draht zu überdecken, auch sind geeignete Schutzbrillen vorzuhalten.

§ 11. Uebertretungen dieser Verordnung werden, sofern nicht die Bestimmungen des § 147 zu 4 der Gewerbeordnung beziehungsweise des § 367 Nr 6 des Strafgesetzbuchs Anwendung finden, mit Geldstrafe bis zu 30 Mark bestraft, an deren Stelle im Falle des Unvermögens entsprechende Haft tritt.

§ 12. Vorstehende Polizei-Verordnung tritt mit dem 15. Mai 1888 in Kraft.

Berlin, den 9. April 1888.

Der Polizei-Präsident v. Richthofen.

Polizei-Verordnung über die Einrichtung und den Betrieb von Dampffässern

77. Auf Grund der §§ 42, 43, 137 und 139 des Gesetzes über die Allgemeine Landesverwaltung vom 30. Juli 1883 (Gesetz-Sammlung Seite 195 ff.) verordne ich mit Zustimmung des Herrn Ober-Präsidenten der Provinz Brandenburg als Landespolizeibehörde für den Stadtkreis Berlin, was folgt:

§ 1. Als Dampffässer im Sinne der gegenwärtigen Polizei-Verordnungen gelten:

die Lumpen-, Stroh- und Holzstoff-Kocher;
die Kartoffel-Kochfässer der Brennereien, der Stärke und der Stärkezucker-Fabriken;
der Knochendämpfer der Leim-, Knochen-, Kohle- und Düngerfabriken;
die Gefäße zum Vulkanisiren des Gummis;

die Ammoniakgefäße der Eismaschinen;
ferner die Gefäße zum Ausziehen von Farbhölzern (Farbholzkocher), sowie
die Gefäße zum Bleichen oder Dämpfen von Gespinnsten und von Geweben aller Art,

sofern dieselben bei geschlossener Bauart mit einem höheren als dem atmosphärischen Drucke betrieben werden, und sofern zugleich das Produkt aus dem Fassungsraum des Dampffasses in Litern und dem Betriebsdrucke in Atmosphären die Zahl 300 überschreitet.

Unter Atmosphärendruck wird ein Druck von einem Kilogramm auf den Quadratcentimeter verstanden.

§ 2. Mit Dampf geheizte Dampffässer sind mit Vorrichtungen zu versehen, welche es gestatten, sie einzeln für sich von der Dampfleitung abzusperren.

Die Feuerungen, durch welche Dampffässer geheizt werden, müssen so eingerichtet sein, daß ihre Einwirkung auf die letzteren ohne Weiteres gehemmt werden kann.

§ 3. Jedes Dampffaß muß mit mindestens Einem zuverlässigen Sicherheitsventile und Einem zuverlässigen Manometer versehen sein, welche so einzurichten oder an einer solchen Stelle anzubringen sind, daß sie durch die kochende Masse nicht ungangbar gemacht werden können.

Werden mehrere Dampffässer von derselben Dampfleitung aus geheizt, so genügt die Anbringung eines gemeinsamen Sicherheitsventils, falls dieses vor den Absperrvorrichtungen für die einzelnen Dampffässer angebracht ist und eine dem Querschnitte des gemeinsamen Dampfzuleitungsrohres gleichkommende freie Durchgangsöffnung besitzt.

Bei denjenigen Dampffässern, welche mit Dampf, der einem anderen Dampferzeuger entnommen ist, geheizt werden, kann von der Anbringung des Sicherheitsventils und des Manometers in dem Falle Abstand genommen werden, daß der höchste Betriebsdruck im Dampferzeuger denjenigen im Dampffaß nicht übersteigt.

Die zulässige Belastung des Ventils ist mittels des Manometers dem festgesetzten höchsten Betriebsdrucke gemäß zu regeln.

§ 4. An jedem Dampffasse muß der festgesetzte höchste Betriebsdruck in Atmosphären, der Fassungsraum in Liter, die Firma und der Wohnort des Verfertigers, die laufende Anfertigungsnummer und das Jahr der Herstellung in leicht erkennbarer, dauerhafter Weise angegeben sein.

§ 5. An jedem Dampffaß muß sich eine Einrichtung (Flansch) befinden, welche das Anbringen des amtlichen Controlmanometers gestattet.

§ 6. Jedes neue Dampffaß muß nach Anbringung der Ausrüstung, jedoch vor der etwaigen Einmauerung oder Ummantelung, einer Wasserdruckprobe sowie einer hiermit stets zu vereinigenden, weiteren technischen Untersuchung (Constructionsprüfung) durch einen Sachverständigen unterzogen werden.

Diese ersten Untersuchungen können in der Fabrik, in welcher das Dampffaß angefertigt ist, oder an dem Orte der Benutzung erfolgen. Zu ihrer Ausführung sind die Dampfkessel-Revisoren, die zur Vornahme von amtlichen Druckproben an Dampfkesseln ermächtigten Vereins-Ingenieure, sowie die als Sachverständige im Sinne dieser Verordnung amtlich anerkannten Beauftragten der Berufsgenossenschaften und sonstigen Personen befugt.

Die Auswahl des Sachverständigen aus dem Kreise der vorbezeichneten Personen bleibt dem Besitzer des Dampffasses überlassen.

Die Druckprobe ist mit dem anderthalbfachen Betrage des höchsten Betriebs-Ueberdrucks, mindestens jedoch mit einer denselben um eine Atmosphäre übersteigenden Pressung auszuführen.

Die weitere technische Untersuchung (Construktionsprüfung) hat festzustellen, ob die Vorschriften der §§ 2 bis 5 dieser Verordnung beobachtet sind, und ob sämmtliche Verschlüsse zuverlässig wirken.

Hat das Dampffaß dem Probedrucke widerstanden, und hat auch die Constructionsprüfung zu Ausstellungen keinen Anlaß gegeben, so ist darüber von dem Sachverständigen eine schriftliche Bescheinigung auszustellen. Dieser Bescheinigung ist eine maßstäbliche Zeichnung des Dampffasses, sowie eine Beschreibung desselben und seiner bestimmungsmäßigen Verwendung beizufügen, welche von dem Sachverständigen zu bestätigen und, sofern das Dampffaß mit einem Sicherheitsventil versehen ist, mit einem Vermerke über die Bemessung der Belastung desselben zu versehen ist. Die Beschaffung der Zeichnung und Beschreibung liegt dem Besitzer des Dampffasses ob.

§ 7. Von der beabsichtigten Inbetriebnahme eines Dampffasses ist unter Vorlegung der Bescheinigung über die vorgenommenen Untersuchungen (§ 6) und unter Angabe des Aufstellungsortes Anzeige an die Ortspolizeibehörde zu erstatten, welche hierüber bei Rücksendung der Vorlagen ungesäumt Bescheinigung ertheilt.

Beide Bescheinigungen sind in ein Revisionsbuch zu heften, welches bei dem Dampffasse aufzubewahren ist.

§ 8. Die Besitzer von Dampffässern oder die an ihrer Statt zur Leitung des Betriebs bestellten Vertreter, sowie die mit der Wartung der Dampffässer beauftragten Arbeiter sind verpflichtet, dafür Sorge zu tragen, daß während des Betriebes die Sicherheitsvorrichtungen bestimmungsgemäß benutzt und daß Dampffässer, die sich nicht in gefahrlosem Zustande befinden, nicht im Betriebe erhalten werden.

Die Besitzer von Dampffässern sind verpflichtet, in Zwischenräumen von längstens sechs Jahren, sowie außerdem nach jeder größeren Ausbesserung eines Dampffasses die Wiederholung der Wasserdruckprobe und der Constructionsprüfung (§ 6) zu veranlassen.

Für diesen Zweck ist das gehörig gereinigte Dampffaß zu der mit dem Sachverständigen zu verabredenden Zeit bereit zu stellen und die etwaige Einmauerung oder Ummantelung soweit zu entfernen, wie es der Sachverständige für erforderlich erachtet.

Zugleich mit diesen Untersuchungen sind die durch

den Gebrauch eingetretenen Abnutzungen des Dampffasses festzustellen.

Der Sachverständige hat den Befund in das Revisionsbuch (§ 7) einzutragen und Abschrift der Eintragung der Ortspolizeibehörde mitzutheilen, welche sich von der Abstellung der etwa ermittelten Mängel zu vergewissern hat.

Sind diese Mängel erheblicher Art und weigert sich der Besitzer des Dampffasses, diese zu beseitigen, so hat der Sachverständige bei der Ortspolizeibehörde die Anordnung einer außerordentlichen technischen Untersuchung in angemessener Frist zu beantragen.

Findet der Sachverständige das Dampffaß in einem Zustande, welcher eine unmittelbare Gefahr einschließt, so hat er unverzüglich bei der Ortspolizeibehörde die Untersagung des Betriebs bis zur Beseitigung des gefahrdrohenden Zustandes zu beantragen.

§ 9. Auf die bereits in Betrieb genommenen Dampffässer finden die vorstehenden Bestimmungen mit der Maßgabe Anwendung, daß die ersten Untersuchungen (§ 6) und die der Ortspolizeibehörde zu erstattende Anzeige (§ 7) innerhalb einer Frist von 12 Monaten nach dem Erlaß dieser Verordnung zu erfolgen hat.

§ 10. Den Landespolizeibehörden bleibt vorbehalten, in einzelnen Fällen von der Beachtung vorstehender Bestimmungen zu entbinden, insoweit dies im Interesse der öffentlichen Sicherheit unbedenklich scheint.

§ 11. Uebetretungen dieser Verordnung werden, sofern durch einen vorgekommenen Unglücksfall nicht eine härtere Strafe bedingt ist, mit Geldbuße bis zum Betrage von sechzig Mark bestraft.

§ 12. Gegenwärtige Verordnung tritt mit dem Tage ihrer Verkündigung in Wirksamkeit.

Berlin, den 19. Juni 1888.

Der Polizei-Präsident.
In Vertretung Friedheim.

Verbot von Druckschriften.

78. Auf Grund des § 12 des Reichsgesetzes gegen die gemeingefährlichen Bestrebungen der Sozialdemokratie vom 21. Oktober 1878 wird hierdurch zur öffentlichen Kenntniß gebracht, daß die nicht periodischen Druckschriften: 1) Sozialdemokratische Bibliothek. XXIII. Kleine Aufsätze von Ferdinand Lassalle, enthaltend: I. Die französischen Nationalwerkstätten von 1848. II. Antwort an Herrn Professor Rau. III. Lassalle und die Satistik von W. Wackernagel. IV. Herr Wackernagel oder der moderne Herostratus. V. Erwiderung auf eine Rezension der „Kreuzzeitung" und 2) Sozialdemokratische Bibliothek. XXIV. Zur Erinnerung für die Deutschen Mordspatrioten. 1806—1807. Von Sigismund Borkheim. Mit einer Einleitung von Fr. Engels., mit dem Vermerk: Hottingen-Zürich. Verlag der Volksbuchhandlung 1888. nach § 11. des gedachten Gesetzes durch den Unterzeichneten von Landespolizeiwegen verboten worden ist.

Berlin, den 2. August 1888.

Der Königl. Polizei-Präsident.

Bekanntmachungen der Kaiserlichen Ober-Postdirektion zu Berlin.

Unanbringliche Postsendungen.

58. Bei der Ober-Postdirektion in Berlin lagern

A. Packete in Berlin zur Post gegeben:

an Mayer in Mühlbach bei Oberdorf in Bayern, 1½ kg, 12. März 1888, an Krause in Berlin, Schulstr. 10, ½ kg, 31. März 1888, an Juliane Schulz, geb. Ansorge, in Spandau, 1½ kg, 6. April 1888, an Keimel in Berlin, Bergstr. 10, 1½ kg, 23. April 1888, an Alsberg in Aachen, 10½ kg, 26. April 1888, an Kronfeld in Prag, ½ kg, 26. April 1888, an Metze in Bojanowo, 1 kg, 7. Juni 1888.

B. Gegenstände, welche in Packeten ohne Aufschrift enthalten gewesen bz. Postsendungen entfallen oder bei hiesigen Postanstalten herrenlos aufgefunden worden sind:

1 Schachtel mit 10 Hornkämmen, 1 Visitenkartentäschchen, eiserne Stangen zu Rouleaux, 12 Dutzend Nähmaschinennadeln, 1 Päckchen Oesen, 2 Päckchen Wollfäden, 1 Häkelnadel und 1 Taschenschraubenzieher, 5 Päckchen weißes Band, 1 Diarium, 1 Rolle schwarzes Band, 1 Taschenkamm und 1 Düte Pulver, 1 Medaillon, 1 Taschenbuch, 1 Pendel, 1 Schürze, 1 Buch: „Der Rhein" (Griebens Reisebibliothek), 4 Schachteln Schweizerpillen, 36 Messingkapseln, 2 metallene Rosetten zu Gardinenhaltern, 1 Stahlambos, 1 silberner Serviettenring, 1 Kette von rothen Perlen, 1 Weckeruhr, 1 Batterieschrankklemme, 5 Körbe, Glasperlen, 1 Stativ von Holz, anscheinend für Feldmesser, 1 Rasirmesser mit Futteral, 1 Buch: „Der Genius und sein Erbe" von Hans Hopfen, 1 Päckchen Portemonnaie-Schlösser, 1 Rolle schwarzen Zwirn, 1 Büchse Cacao, 1 Karton mit weißer Stickerei, 2 Schnüre mit Gummiringen, 1 Schachtel, worin 1 Portemonnaie, 1 Schachtel mit Kidleder Crême, 1 vernickelter Universalhammer mit Zange, 3 Päckchen Putzmacherdraht, 1 Paar Manschetten, 3 Stäbe von einem Feldstuhl, Strickgarn, 2 Fingerhüte, Kanten, 2 Stickereien, 2 Häkelhaken, 1 Schere, 1 Muster und 2 Papiere mit Garn, 9 Stricknadeln, 9 Schrauben und 10 Fensterhaken, 15 Briefbogen und 14 Briefumschläge, 58 Knöpfe, 15 Cigarren, 4 Stück Radirgummi, 1 Stück schwarze Borde und 6 Patent-Flaschenverschlüsse, 2 Groß Knopfbefestiger, 1 Buch: 13. Band von 1887 der „Bibliothek der Unterhaltung und des Wissens" (Stuttgart), 4 Patronenhülsen, gestanzte Abzeichen, 2 Hämmer, 1 Axt ohne Stiel, mehrere Messer, mehrere Paar Strümpfe, mehrere Taschentücher, Schlösser, 1 Fläschchen, anscheinend Cognac enthaltend, 1 Broschüre über Rechenunterricht, 2 Geldbeutel von Leinen, 1 Buch: „Geistliche Amtsreden", 1 Uhrberloque von Silber, 1 Damenkrause, 1 Brochüre: „Stammbuch der Juristen und Beamten", 1 Rolle, enthaltend 1 Bild, 1 gestickte Tasche, 2 Gummiwagen, Titelschilder: „Königsmosel", 1 Flasche Farbe, Dr. Ellendt's lateinische Grammatik, Stickerei-Schablonen mit Buchstaben, 20 Briefumschläge mit Trauerrand, 2 Haaruhrketten,

9 Erinnerungsmedaillen, 1 seidenes Halstuch, 1 Rolle rohe Seide, 1 Notenheft, 1 Band: „Die heilige Schrift", 1 Buch: „Hellenes Kinderchen", 1 Buch: „Bliemchen in Rom", Photographien, 1 Mundharmonica, 2 Perlarmbänder, 3 Thermometer, 18 Hefte „Accordionschule", 1 Schreibmappe, 3 Fläschchen Stempelfarbe, 1 Kästchen mit goldenem Haarkettenbeschlag, 1 Broche mit Inschrift: „Salzburg".

Die unbekannten Absender der vorbezeichneten Sendungen werden ersucht, spätestens innerhalb vier Wochen — vom Tage des Erscheinens gegenwärtiger Bekanntmachung an gerechnet — bei der Ober-Postdirektion hierselbst sich zu melden, widrigenfalls die Gegenstände zum Besten der Postarmenkasse werden versteigert werden.

Berlin C., den 4. August 1888.

Der Kaiserl. Ober-Postdirektor.

Bekanntmachungen der Königlichen Hauptverwaltung der Staatsschulden.

Aufgebot einer Schuldverschreibung

15. Das Bankgeschäft von Herrig & Frantz hierselbst, Taubenstraße Nr. 33, hat auf Umschreibung der Schuldverschreibung der konsolidirten 4prozentigen Staatsanleihe von 1885 Lit. E. № 921991 über 300 M. angetragen, weil von der unteren linken Ecke derselben ein Stück abgeschnitten ist.

In Gemäßheit des § 3 des Gesetzes vom 4. Mai 1843 (Ges.-S. S. 177) wird deshalb Jeder, der an diesem Papier ein Anrecht zu haben vermeint, aufgefordert, dasselbe binnen 6 Monaten und spätestens

am 11. Februar 1889

uns anzuzeigen, widrigenfalls das Papier kassirt und dem obengenannten Bankgeschäft ein neues kursfähiges ausgehändigt werden wird.

Berlin, den 26. Juli 1888.

Hauptverwaltung der Staatsschulden.

Bekanntmachungen des Provinzial-Steuer-Direktors.

Ausführungsbestimmungen des Branntweinsteuergesetzes

13. Es wird hierdurch zur öffentlichen Kenntniß gebracht, daß an die Stelle der durch den Bundesrathbeschluß vom 3. November 1887 (§ 520 der Protokolle) genehmigten Zusätze zur Ausführungsbestimmung unter III. f. zu § 11 des Branntweinsteuergesetzes vom 24. Juni 1887 durch Beschluß des Bundesraths vom 12. Juli d. J. — § 443 der Protokolle — vom 1. August d. J. ab folgende Vorschriften getreten sind:

1) Auf den Antrag des Brennereibesitzers kann die Verbrauchsabgabe auch nach dem höheren Abgabesatze berechnet und gleichzeitig die zur Abfertigung gelangende Branntweinmenge auf die Jahresmenge Branntwein, welche der Brennereibesitzer zu dem niedrigeren Abgabesatze herstellen darf, in Anrechnung kommen.

2) Der Brennereibesitzer erhält bezüglich einer jeden derartigen Abfertigung einen über den Differenzbetrag zwischen dem höheren und dem niedrigeren auf die betreffende Branntweinmenge entfallenden Verbrauchsabgabesatze in Geld lautenden Berechtigungsschein, welcher von jedem Inhaber desselben auf zu entrichtende Maischbottichsteuer, Branntweinmaterialsteuer, Branntweinverbrauchsabgabe, sowie Zuschlag zu letzterer statt baarer Zahlung in Anrechnung gegeben werden kann.

Die Ertheilung der Berechtigungsscheine erfolgt seitens der zuständigen Directivbehörde.

3) a. Der Betrag, über welchen der Berechtigungsschein lautet, wird am 25. Tage des sechsten, auf den Monat der Abfertigung des Branntweins folgenden Monats anrechnungsfähig.

Sobald der Berechtigungsschein anrechnungsfähig geworden ist, steht es dem Inhaber desselben frei, den Schein auf sofort baar zu entrichtende oder kreditirte Branntweinsteuer aller Art bei einer beliebigen Steuerstelle im Gebiet der Branntweinsteuergemeinschaft in Anrechnung zu geben. Jedoch findet die Annahme der Scheine seitens der Steuerstellen nur innerhalb Jahresfrist vom Tage des Beginns der Fälligkeit der Scheine an statt.

Eine baare Herauszahlung auf die Berechtigungsscheine seitens der Steuerstellen wird nicht geleistet.

b. Die Annahme nicht fälliger Berechtigungsscheine in Anrechnung auf nicht gestundete Branntweinsteuer oder auf fälligen Branntweinsteuerkredit ist unzulässig.

Dagegen dürfen nicht fällige Berechtigungsscheine zur Ablösung von Branntweinsteuer-Kredit verwendet werden, welcher gleichzeitig mit den Berechtigungsscheinen und später fällig wird.

c. Die Anrechnung hat der Inhaber des Scheines durch Ausfüllung und Vollziehung des unter dem letzteren befindlichen Vordrucks zu bescheinigen.

d. Steuerpflichtige, welche mehrere fällige Berechtigungsscheine gleichzeitig auf schuldige Branntweinsteuer in Anrechnung bringen wollen, haben diese Scheine der betreffenden Steuerstelle mittelst Verzeichnisses vorzulegen. Es genügt alsdann eine Bescheinigung des Steuerpflichtigen über den Gesammtbetrag der in Zahlung gegebenen Berechtigungsscheine, welche auf der letzten Seite des Verzeichnisses auszustellen ist. Der Vordruck auf der Rückseite der einzelnen Berechtigungsscheine bleibt in diesem Falle unausgefüllt.

Sollen mehrere **nicht** fällige Berechtigungsscheine nach der Bestimmung unter b. zur Ablösung von noch nicht fälligem Kredit verwendet werden, so ist über dieselben vom Inhaber ein besonderes Verzeichniß aufzustellen und der Hebestelle vorzulegen.

4) Insoweit Berechtigungsscheine nach Maßgabe der Anordnungen im Beschlusse vom 3. November v. J. bereits ertheilt, aber noch nicht bei den Ab-

fertigungen des mit den höheren Verbrauchsabgaben belegten Branntweins in Anrechnung gebracht worden sind, dürfen dieselben von den zeitigen Inhabern den Ausfertigungsämtern mit dem Antrage übergeben werden, an Stelle dieser Scheine ihnen gemäß des Musters J. 2 ausgefertigte Berechtigungsscheine auszuhändigen.

Wird von dieser Erlaubniß kein Gebrauch gemacht, dann findet die Anrechnung der alten Scheine und die Controle dieser Anrechnung in der bisherigen Weise statt.

Berlin, den 3. August 1888.

Der Provinzial-Steuer-Director.

Vergütung der Verbrauchsabgabe bei der Ausfuhr von Branntweinfabrikaten.

14. Im Auftrage des Herrn Finanz-Ministers bringe ich hierdurch den nachstehenden Bundesrathsbeschluß vom 12. v. M. zur öffentlichen Kenntniß.

Berlin, den 4. August 1888.

Der Provinzial-Steuer-Director.

* * *

Beschluß des Bundesraths

vom 12. Juli 1888, § 444 der Protokolle, betreffend die Vergütung der Verbrauchsabgabe bei der Ausfuhr von Branntweinfabrikaten.

I.

a. Für den vom 1. September 1888 ab ausgeführten, zu gewerblichen 2c. Zwecken steuerfrei verabfolgten oder gegen Steuervergütung niedergelegten Branntwein wird die Steuervergütung am fünfundzwanzigsten Tage des sechsten Monats nach dem Monat der Ausfuhr beziehungsweise der steuerfreien Verabfolgung oder Niederlegung fällig.

b. Ueber die für den zu a. bezeichneten Branntwein zu vergütenden Beträge sind von der Direktivbehörde Steuervergütungsscheine nach dem anliegenden Muster (hier nicht mit abgedruckt) auszufertigen.

c. Sobald die Vergütung, über welche der Steuervergütungsschein lautet, fällig geworden ist, steht es dem Inhaber des letzteren frei, unter Rückgabe desselben den Betrag der Steuervergütung entweder bei einer beliebigen Steuerstelle im Gebiet der Branntweinsteuergemeinschaft auf zu entrichtende Branntweinsteuer (Maischbottich- und Branntweinmaterialsteuer, Verbrauchsabgabe 2c.) in Anrechnung zu bringen oder bei der in dem Steuervergütungsschein genannten Steuerstelle baar zu erheben. Diese Steuerstelle muß dem Bundesstaate angehören, dessen Direktivbehörde den Steuervergütungsschein ausgestellt hat.

d. Die Annahme nicht fälliger Steuervergütungsscheine in Anrechnung auf nicht gestundete Branntweinsteuer oder auf fälligen Branntweinsteuerkredit ist unzulässig.

Dagegen dürfen nicht fällige Steuervergütungsscheine zur Ablösung von Branntweinsteuerkredit verwendet werden, welcher gleichzeitig mit den Vergütungsscheinen oder später fällig wird. Es sind deshalb in der von dem Steuerpflichtigen auf der zweiten Seite der Vergütungsscheine abzugebenden Bescheinigung über die erfolgte Anrechnung der Vergütung die Fälligkeitstermine des mit den Scheinen abgelösten Kredits zu bezeichnen.

e. Jeder Steuervergütungsschein wird nur mit dem vollen darin genannten Betrage entweder angerechnet oder aber durch Baarzahlung eingelöst. Die Anrechnnng eines Theils dieses Betrages unter Baarzahlung des Restes ist unzulässig.

Je nachdem der Betrag der Vergütung angerechnet oder baar erhoben wird, hat der Inhaber die auf der Rückseite des Scheins vorgedruckte erste oder zweite Bescheinigung auszufüllen und zu unterschreiben. Diese Bescheinigungen dienen als Kassenquittungen.

II.

An die Stelle der unter Nr. 7 zu § 12 der vorläufigen Ausführungsbestimmungen zu dem Branntweinsteuergesetz vom 24. Juni 1887 getroffenen Anordnung treten folgende Vorschriften:

a. Für die Vergütung der Verbrauchsabgabe bei der Ausfuhr von Fabrikaten, zu deren Herstellung im freien Verkehr befindlicher Branntwein verwendet ist, finden die Vorschriften, betreffend die Vergütung der Maischbottich- oder Materialsteuer, bei der Ausfuhr mit folgenden Aenderungen entsprechende Anwendung.

b. Bei der Ausfuhr von mit Zucker, Zuckerstoffen oder anderen Ingredienzien versetztem oder auf andere Weise zum menschlichen Genuß fertig gestellten feineren Trinkbranntwein, von Fruchtsäften, Punschessenzen und zur Verwendung in der Fabrikation von Trinkbranntweinen bestimmten alkoholhaltigen Essenzen, zu deren Herstellung im freien Verkehr befindlicher Branntwein verwendet ist, wird eine Vergütung der Verbrauchsabgabe von 0,50 M. und der Maischbottich- oder Materialsteuer von 0,1601 M. für jedes in den ausgeführten Fabrikaten enthaltene Liter reinen Alkohols gewährt, jedoch nur an Fabrikanten, welche das Vertrauen der Steuerbehörde genießen.

c. Eines Nachweises darüber, daß der Branntwein, aus welchem die ausgeführten Fabrikate hergestellt sind, der Maischbottich- oder Materialsteuer unterlegen hat, bedarf es nicht.

d. Die Ermittelung des Alkoholgehalts wird bei Trinkbranntweinen, welche derartig mit Zucker, Zuckerstoffen oder anderen Ingredienzien versetzt sind, daß die Anwendung des Thermo-Alkoholometers bei ihnen nicht erfolgen kann, sowie bei Punschessenzen, anderen alkoholhaltigen Essenzen und Fruchtsäften vermittelst des von der Kaiserlichen Normal-Aichungs-Kommission für diesen Zweck konstruirten Meßapparats nach Maßgabe der angeschlossenen Anleitung (hier nicht mitabgedruckt) bewirkt und die Menge der auszuführenden Fabrikate durch Vermessung festgestellt. Die mit diesem

Apparat auszurüstenden Amtsstellen, welchen die Befugniß zur Abfertigung der betreffenden Fabrikate zu ertheilen ist, werden durch die obersten Landes-Finanzbehörden bestimmt.

e. Die Alkoholstärke kann in den Fällen, in welchen mittelst einer und derselben Anmeldung mehrere mit gleichem Fabrikat gefüllte Fässer oder Flaschen von annähernd gleich großem, d. h. nicht mehr als 10 Prozent von einander abweichendem Rauminhalt oder verschiedene Sorten von Fabrikaten in einer gleich großen Anzahl von Flaschen von annähernd gleich großem Raumgehalt zur Revision gestellt werden, durchschnittlich ermittelt und diese Durchschnittsermittelung den weiteren Feststellungen des Revisionsbefundes zu Grunde gelegt werden. Hierbei ist derartig zu verfahren, daß bei jedem Fasse nach gehöriger Umrührung des Inhalts aus der Mitte des Fasses, bei in Flaschen vorgeführten Fabrikaten aus einer hinreichenden Anzahl von Flaschen oder, falls verschiedene Sorten von Fabrikaten in Flaschen vorgeführt werden, aus einer gleich großen Anzahl von Flaschen jeder Sorte eine Probe von genau gleich großen Volumen entnommen wird. Diese Proben werden in ein vollkommen reines und trockenes Gefäß geschüttet, die Mischung gehörig umgerührt und ein Theil derselben zur Ermittelung der Alkoholstärke auf den Meßapparat gebracht. Die für die Mischung ermittelte Alkoholstärke ist der Berechnung des in den zur Untersuchung gezogenen Fässern und Flaschen enthaltenen reinen Alkohols zu Grunde zu legen.

f. Die Ausfuhrvergütung ist nur zu gewähren, wenn die mittelst des Alkoholometers zu untersuchende beziehungsweise mittelst einer einzigen Destillation auf dem Meßapparat zu prüfende Menge des vorgeführten Fabrikats bei Trinkbranntweinen, Punschessenzen, alkoholhaltigen zur Verwendung bei der Herstellung von Trinkbranntweinen bestimmten Essenzen wenigstens 20 und bei Fruchtsäften wenigstens 100 Liter beträgt.

g. In den Liquidationsnachweisungen der Hauptämter über die zu gewährenden Steuervergütungen sind in der Geldspalte die zu vergütenden Beträge nach den beiden Arten der Abgabe (Maischbottich- oder Branntweinmaterialsteuer und Verbrauchsabgabe) getrennt anzusetzen und die Summen beider Beträge in der Bemerkungsspalte auszuwerfen. In den Reichssteuereinnahme-Uebersichten sind die in den Anerkenntnissen für die Verbrauchsabgabe und die Maischbottich- oder Materialsteuer ausgeworfenen Beträge von der Verbrauchsabgabe beziehungsweise von der Maischbottich- und Materialsteuer abzusetzen.

III.

Die obersten Landes-Finanzbehörden werden ermächtigt, für die seit dem 1. Oktober v. J. bis zum Inkrafttreten der vorstehenden Bestimmungen zur Ausfuhr angemeldeten und nach amtlicher Revision und unter amtlicher Kontrole ausgeführten Mengen von Fabrikaten der unter II. b. genannten Art die Vergütung der Verbrauchsabgabe mit 0,50 M. für das Liter reinen Alkohols nachträglich zu gewähren, sofern durch amtlich zurückbehaltene Proben oder auf andere Weise die Menge des in den ausgeführten Fabrikaten enthalten gewesenen reinen Alkohols mit Sicherheit ermittelt werden kann. Läßt sich die Alkoholmenge nicht mehr mit voller Sicherheit ermitteln, so kann der Verbrauchsabgabenvergütung, soweit es sich um die Ausfuhr von Likören handelt, eine durchschnittliche Alkoholstärke von 27 Prozent zu Grunde gelegt werden, vorausgesetzt, daß kein Grund zu der Annahme vorliegt, daß die Alkoholstärke thatsächlich eine geringere gewesen ist.

Es bestand Einverständniß darüber, daß zu den feineren Trinkbranntweinen ꝛc. im Sinne der Bestimmung unter II. b. namentlich die nachstehend bezeichneten alkoholhaltigen Fabrikate zu rechnen sind:

1) die durch Versetzung mit Zucker, Zuckerstoffen und anderen Ingredienzien hergestellten Liköre und sogenannten Verschnitt-Rums, -Arracs und -Cognacs;
2) die durch Zusammendestilliren von Kartoffelbranntwein und Kornlutter unter Zusatz von Gewürzen beziehungsweise anderen Mitteln erzeugten sogenannten Nordhäuser Kornbranntweine;
3) Punschessenzen;
4) die zur Fertigung von Trinkbranntweinen bestimmten Essenzen, welche im Wesentlichen aus alkoholhaltigen, ohne Mitverwendung von Zucker bereiteten Extrakten aus Früchten, Kräutern und Wurzeln bestehen und denen theilweise Säuren oder geringere Mengen ätherischen Oeles zugesetzt sind;
5) die aus nicht mehligen Stoffen bereiteten Branntweine, welche durch eine weitere Behandlung (z. B. durch Vermischen mit Erzeugnissen anderer Jahrgänge, Beigaben von Zusatzstoffen u. s. w.) zum menschlichen Genusse fertig gemacht sind.

Bekanntmachungen der Königlichen Eisenbahn-Direktion zu Bromberg.

Neue Ausgabe des Ostdeutschen Eisenbahn-Kursbuchs.

53. Am 1. August d. J. erschien eine neue Ausgabe des Ostdeutschen Eisenbahn-Kursbuchs, enthaltend die neuesten Fahrpläne der Eisenbahnstrecken östlich der Linie Stralsund—Berlin—Dresden, sowie Auszüge der Fahrpläne der anschließenden Bahnen von Mitteldeutschland, Oesterreich-Ungarn und Rußland, auch Post- und Dampfschiffs-Verbindungen, Angaben über Rundreise- und Saison-Billets u. s. w. Das Kursbuch ist bei allen Stationen des vorbezeichneten Bezirks an der Billet-Ausgabestelle, bei den Bahnhofsbuchhändlern, sowie im Buchhandel zum Preise von 50 Pfennige zu beziehen.

Bromberg, den 1. August 1888.

Königl. Eisenbahn-Direktion.

Güterverkehr im H rbst.

54. Für die erfahrungsmäßig im Herbst eintretende erhebliche Steigerung des Güterverkehrs auf den Eisenbahnen sind zwar Seitens der Eisenbahn-Verwaltung

Vorkehrungen getroffen, um erhöhten Anforderungen an den Wagenpark nach Möglichkeit genügen zu können, der gewünschte Erfolg wird jedoch nur zu erreichen sein, wenn auch das verkehrtreibende Publikum seinerseits dazu mitwirkt, indem es frühzeitig mit der Anfuhr des Herbst- und Winterbedarfs beginnt. Wir ersuchen daher alle Betheiligten und namentlich die Inhaber von Fabriken u. s. w. im eigenen Interesse, die Eisenbahn-Verwaltung in dem Bestreben, dem Mangel an Wagen vorzubeugen, dadurch zu unterstützen, daß, wenn irgend angängig, mit dem Bezuge der für den Winter erforderlichen Materialien, insbesondere der Kohlen, Kokes u. s. w. auch für den Hausbedarf bereits mit Anfang August begonnen wird.

Bromberg, den 25. Juli 1888.

Königl. Eisenbahn-Direktion.

Bekanntmachungen der Königlichen Eisenbahn-Direktion zu Frankfurt.

Güterverkehr im Herbst.

1. In Rücksicht auf den alljährlich in den Herbstmonaten — wegen der alsdann stattfindenden Massentransporte von Getreide, Rüben, Obst, Kartoffeln, Zucker, Kohlen 2c. — sich steigernden Verkehr und auf die dadurch in erhöhtem Maße bedingte Inanspruchnahme des Güterwagenparks der Eisenbahnen sehen wir uns, wie in den Vorjahren, wieder veranlaßt, das Publikum namentlich die Consumenten von Kohlen und Coaks schon jetzt aufzufordern, für thunlichst frühzeitigen Bezug ihres Bedarfs Sorge tragen und entsprechende Vorräthe rechtzeitig ansammeln zu wollen, damit bei etwaigen im Eisenbahnbetriebe vorübergehend eintretenden Verzögerungen keine Verlegenheiten entstehen. Auch ersuchen wir das verkehrstreibende Publikum, sich die schleunige Be- und Entladung der Wagen besonders angelegen sein zu lassen, um es den Eisenbahn-Verwaltungen zu ermöglichen, von einer Einschränkung der Ladefristen, so lange als irgend thunlich, abzusehen.

Frankfurt a. M., im Juli 1888.

Königl. Eisenbahn-Direktion.

Personal-Chronik.

Der dem Königlichen Ober-Präsidium überwiesene Oberpräsidialrath von Brandenstein ist zum Mitgliede des Provinzialraths der Provinz Brandenburg auf die Dauer seines Hauptamtes an Stelle des mit dem 1. August d. J. in den Ruhestand getretenen Oberpräsidialraths Schultze ernannt worden.

Die durch Pensionirung des Försters Scholl zur Erledigung kommende Försterstelle Ragösen in der Oberförsterei Dippmannsdorf ist vom 1. Oktober d. J. ab dem Förster Wölffling zu Schmerberg, Oberförsterei Cunersdorf, übertragen worden.

Der bisherige Diakonatsverweser Gustav Adolf Karl Ernst Haesecke in Baruth ist zum Diakonus bei der evangelischen Gemeinde zu Baruth, Diözese gleichen Namens, bestellt worden.

Der bisherige Hilfsprediger und wissenschaftliche Lehrer am großen Militärwaisenhause zu Potsdam, Adolf Theodor Georg Lasson ist zum Pfarrer der Parochie Friedersdorf, Diözese Storkow, bestellt worden.

Der bisherige Predigtamts-Kandidat Robert Friedrich Theodor Stein ist zum Pfarrer der Parochie Warnow, Diözese Lenzen, bestellt worden.

Das unter Königlichem Patronat stehende, mit der Pfarrstelle zu Wünsdorf verbundene Archidiakonat zu Zossen, Diözese Zossen, ist durch die nach neuem Rechte erfolgte Emeritirung des Archidiakonus Schelz zum 1. Juli d. J. zur Erledigung gekommen. Die Wiederbesetzung dieser Stelle erfolgt durch Gemeindewahl nach Maßgabe des Kirchengesetzes, betreffend das im § 32 № 2 der Kirchengemeinde- und Synodal-Ordnung vom 10. September 1873 2c. vorgesehene Pfarrwahlrecht vom 15. März 1886 — Kirchliches Gesetz- und Verordnungs-Blatt de 1886 Seite 39. — Bewerbungen um diese Stelle sind schriftlich bei dem Königlichen Konsistorium der Provinz Brandenburg einzureichen. § 6 a. a. O.

Vacant sind resp. werden folgende Schulstellen: die Lehrer-, Organisten- und Küsterstelle zu Gammer, Inspektion Neustadt-Brandenburg, Privat-Patronats; die Lehrer-, Organisten- und Küsterstelle zu Preddöhl, Inspektion Pritzwalk, Privat-Patronats; die Lehrer-, Organisten- und Küsterstelle zu Ferchesar, Inspektion Rathenow, Privat-Patronats; die Lehrer- und Küsterstelle zu Kehrberg, Inspektion Pritzwalk, Privat-Patronats; die Lehrer-, Organisten- und Küsterstelle zu Barnewitz, Inspektion Dom Brandenburg, Privat-Patronats; die erste Lehrer-, Organisten- und Küsterstelle zu Glöwen, Inspektion Dom Havelberg, Privat-Patronats; die Lehrer-, Organisten- und Küsterstelle zu Wuthenow, Inspektion Ruppin, Königl. Patronats; eine Lehrerstelle zu Alt-Ruppin, Königl. Patronats; die Lehrer- und Küsterstelle zu Grubo, Inspektion Belzig, Königl. Patronats; die Lehrerstelle zu Lütgendorf, Inspektion Putlitz, Privat-Patronats; die Lehrer- und Küsterstelle zu Gräningen, Inspektion Rathenow, Privat-Patronats; die Lehrer-, Organisten- und Küsterstelle zu Naegelin, Inspektion Ruppin, Königl. Patronats, und die Lehrer- und Küsterstelle zu Herzsprung, Inspektion Wittstock, Privat-Patronats.

Personalveränderungen im Bezirke der Kaiserlichen Ober-Postdirektion in Berlin.

Im Laufe des Monats Juli sind

ernannt: zum Postkassirer der Ober-Postdirektionssekretair Seidelmann,

angestellt: als Postassistenten die Postanwärter Lau und von Rhein,

versetzt: von Berlin die Ober-Postdirektionssekretaire Hesse nach Forst (Lausitz) und Kehr nach Cassel, nach Berlin der Postdirektor Boltze von Aschersleben, die Postsekretaire Braun von Straßburg (Els.) und Jausly von Bremen,

in den Ruhestand getreten: der Postdirektor Fuchs, der Ober-Telegraphensekretair Teusler, der Postsecretair Fuchs und die Ober-Telegraphen-Assistenten Lutter und J. R. Schröder.

Vermischte Nachrichten.

Verzeichniß der Vorlesungen

an der Königlichen Landwirthschaftlichen Hochschule zu Berlin, Invalidenstraße Nr. 42, im Winter-Semester 1888/89.

1. Landwirthschaft, Forstwirthschaft und Gartenbau.

Geheimer Regierungs-Rath, Professor Dr. Settegast: Zucht, Haltung und Ernährung des Fleischschafes. Allgemeine Thierzucht. — Professor Dr. Orth: Allgemeine Ackerbaulehre, Theil I.: Bodenkunde, Urbarmachung, Ent- und Bewässerung. Landwirthaftliche Betriebslehre Praktische Uebungen im agronomisch-pedologischen Laboratorium. Leitung agronomischer und agricultur-chemischer Untersuchungen für Vorgerückte. — Oekonomierath Dr. Freiherr von Canstein: Specieller Pflanzenbau. — Professor Dr. Grahl: Landwirthschaftliche Taxationslehre. Principien und Methoden der landwirthschaftlichen Buchführung. Landwirthschaftliches Seminar. — Dr. Hartmann: Rindviehzucht. — Professor Dr. Lehmann: Landwirthschaftliche Fütterungslehre, Theil I. (Die Nährstoffe, Futtermittel und die Grundlagen für die Entwicklung der Fütterungsnormen.) Schweinezucht. Molkereiwesen, Theil II. (Die älteren Rahmgewinnungsmethoden, der Centrifugenbetrieb und die Butterbereitung.) Cursus im Untersuchen von Milch, Molkereiproducten und einigen im Molkereibetriebe wichtigen Stoffen (Lab, Butterfarbe 2c.) — Ingenieur Schotte: Landwirthschaftliche Maschinenkunde. Principien der Mechanik und allgemeinen Maschinenlehre. Zeichen- und Constructions-Uebungen. — Forstmeister Krieger: Waldbau. Forstbenutzung und zwar Gewinnung und Zugutemachung der Forstnebennutzungen. — Garteninspector Lindemuth: Obstbau.

2. Naturwissenschaften.

a. Botanik und Pflanzenphysiologie. Professor Dr. Kny: Anatomie und Entwickelungsgeschichte der Pflanzen in Verbindung mit mikroskopischen Demonstrationen. Einführung in den Gebrauch des Mikroskops. Arbeiten für Fortgeschrittenere im botanischen Institut. — Professor Dr. Frank: Krankheiten der Culturpflanzen. Ernährung der Pflanzen. Anleitung zu pflanzenphysiologischen Untersuchungen im Gebiete der Landwirthschaft. Arbeiten für Fortgeschrittenere im pflanzenphysiologischen Institut. — Professor Dr. Wittmack: Systematische Botanik mit besonderer Berücksichtigung der landwirthschaftlichen und officinellen Pflanzen. Verfälschung der Nahrungs- und Futtermittel.

b. Chemie und Technologie. Geheimer Regierungs-Rath, Professor Dr. Landolt: Anorganische Experimentalchemie. Großes chemisches Prakticum. Kleines chemisches Prakticum. — Dr. Degener: Grundzüge der anorganischen Chemie. — Professor Dr. Delbrück: Brennerei, Stärke- und Essigfabrication nebst Uebungen. — Privatdocent Dr. Hayduck: Chemie und Technologie der Gährung.

c. Mineralogie, Geologie und Geognosie. Prof. Dr. Gruner: Bodenkunde und Bonitirung. Geognosie und Geologie. Uebungen zur Bodenkunde.

d. Physik. Professor Dr. Börnstein: Experimental-Physik, I. Theil. Ausgewählte Kapitel der mathematischen Physik. Wetterkunde. Physikalische Uebungen.

e. Zoologie und Thierphysiologie. Professor Dr. Nehring: Zoologie und vergleichende Anatomie mit besonderer Berücksichtigung der Wirbelthiere. Zoologisches Colloquium. — Dr. Karsch: Ueber die der Landwirthschaft schädlichen und nützlichen Insecten, mit besonderer Berücksichtigung der Bienenzucht und des Seidenbaues. — Professor Dr. Zuntz: Physiologie des thierischen Stoffwechsels. Gesundheitspflege der Hausthiere. Arbeiten im thierphysiologischen Laboratorium (mit Prof. Dr. Lehmann).

3. Veterinärkunde.

Professor Dieckerhoff: Seuchen und parasitische Krankheiten der Hausthiere. — Professor Müller: Anatomie der Hausthiere, verbunden mit Demonstrationen. — Oberroßarzt Küttner: Hufbeschlagslehre.

4. Rechts- und Staatswissenschaft.

Professor Dr. Schmoller: Agrarwesen und Agrarpolitik Deutschlands. Preußische Verfassungs-, Verwaltungs- und Finanzgeschichte von 1640 bis zur Gegenwart. — Kammergerichtsrath Keyßner: Reichs- und preußisches Recht, mit besonderer Rücksicht auf die für den Landwirth und Culturtechniker wichtigen Rechtsverhältnisse. Die Unfallversicherung überhaupt und namentlich die Unfallversicherung für die im land- und forstwirthschaftlichen Betriebe beschäftigten Arbeiter.

5. Culturtechnik und Baukunde.

N. N. Culturtechnik. Culturtechnisches Seminar. Entwerfen culturtechnischer Anlagen. — Professor Schlichting: Wasserbau. Brücken- und Wegebau. Entwerfen wasserbaulicher Anlagen. Landwirthschaftliche Baulehre.

6. Geodäsie und Mathematik.

Professor Dr. Vogler: Landesvermessung. Ausgleichungsrechnung. Praktische Geometrie. Geodätisches Seminar. Zeichenübungen. Meßübungen. Geodätische Rechenübungen (mit dem Assistenten Hegemann). Geodätische Rechenübungen (mit dem Assistenten Boedecker). — Professor Dr. Börnstein: Darstellende Geometrie. Mathematische Uebungen (mit dem Assistenten Hegemann). — Professor Dr. Reichel: Analytische Geometrie und Analysis. Mathematische Uebungen.

Das Winter-Semester beginnt am 15. Oktober 1888. — Programme sind durch das Secretariat zu erhalten.

Berlin, den 24. Juli 1888.

Der Rector der Königl. Landwirthschaftlichen Hochschule.

Settegast.

Ausweisung von Ausländern aus dem Reichsgebiete.

Lauf. Nr.	Name und Stand des Ausgewiesenen	Alter und Heimath des Ausgewiesenen	Grund der Bestrafung	Behörde, welche die Ausweisung beschlossen hat.	Datum des Ausweisungs-Beschlusses
1.	2	3.	4.	5.	6
		Auf Grund des § 362 des Strafgesetzbuchs:			
1	Franz Obrucza, Arbeiter,	ca. 20 Jahre alt, geboren zu Koczybendza, Bezirk Teschen, Oesterreichisch-Schlesien,	Diebstahl und Landstreichen,	Königlich Preußischer Regierungspräsident zu Oppeln,	14. Juni 1888.
2	Ernestine Buchczyk, unverehelicht,	13 oder 15 Jahre alt, geboren zu Koczybendza,	desgleichen,	derselbe,	desgleichen.
3	Josef Koscio, Bäcker,	ca. 18 Jahre alt, geboren zu Szacsur, Bezirk Zemplin, Ungarn, ortsangehörig ebendaselbst,	Landstreichen,	derselbe,	28. Juni 1888.
4	Franz Thamm, Papiermacher,	geboren am 6. März 1825 zu Hermannseifen, Bezirk Hohenelbe, Böhmen, ortsangehörig ebendaselbst,	Betteln im wiederholten Rückfall,	Königlich Preußischer Regierungspräsident zu Liegnitz,	7. Juli 1888.
5	Karl Pusch, Weber,	geboren am 28. August 1848 zu Klokina, Gouvernement Kalisch, Russisch-Polen, ortsangehörig ebendaselbst,	Landstreichen u. Führung eines falschen Namens,	Königlich Preußischer Regierungspräsident zu Stade,	14. Juni 1888.
6	Robert Harnisch, Brauer,	geboren am 15. Juli 1865 zu Klein-Schwechat bei Wien, Oesterreich,	Landstreichen,	Königlich Preußischer Regierungspräsident zu Arnsberg,	8. Mai 1888.
7	Viktor Bordihn, Metzgergeselle,	geboren am 1. März 1868 zu Dreuschewo, Bezirk Ortelsburg, Russisch-Polen,	Landstreichen, Betteln und Hausfriedensbruch,	derselbe,	desgleichen.
8	Karl Schellenberg, Schlosser,	geboren am 21. Dezember 1857 zu Atzenbach, Kreis Lörrach, Baden, ortsangehörig zu Zürich, Schweiz,	Landstreichen und Betteln,	Königlich Preußische Regierung zu Aachen,	27. Juni 1888.
9	Josef Rieger, Schneider,	geboren am 22. August 1857 zu Kritzlic, Bezirk Starkenbach, Böhmen, ortsangehörig ebendaselbst,	Betteln im wiederholten Rückfalle,	Königlich Bayerisches Bezirksamt Ludwigshafen,	16. Juni 1888.
10	Anton Werner, Küfer und Brauer,	geboren am 13. Juni 1836 zu Pfraumberg, Bezirk Tachau, Böhmen, ortsangehörig ebendaselbst,	Landstreichen und Fälschung eines Legitimations-Papiers,	Großherzoglich Badischer Landeskommissär zu Freiburg,	10. Juli 1888.

Hierzu Zwei Oeffentliche Anzeiger.

(Die Insertionsgebühren betragen für eine einspaltige Druckzeile 20 Pf.
Belagsblätter werden der Bogen mit 10 Pf. berechnet.)
Redigirt von der Königlichen Regierung zu Potsdam.

Potsdam, Buchdruckerei der A. W. Hayn'schen Erben (E. Hayn, Hof-Buchdrucker).

Amtsblatt

der Königlichen Regierung zu Potsdam und der Stadt Berlin.

Stück 33. Den 17. August **1888.**

Reichs-Gesetzblatt.

(Stück 30.) № 1812. Verordnung, betreffend eine Abänderung der Klasseneintheilung der Orte. Vom 29. Juni 1888.

(Stück 31.) № 1813. Verordnung, betreffend die Rechtsverhältnisse in den Schutzgebieten von Kamerun und Togo. Vom 2. Juli 1888.

(Stück 32.) № 1814. Verordnung über die Inkraftsetzung des Gesetzes, betreffend die Unfall- und Krankenversicherung der in land- und forstwirthschaftlichen Betrieben beschäftigten Personen, vom 5. Mai 1886. Vom 21. Juli 1888.

№ 1815. Bekanntmachung, betreffend die Gestattung des Umlaufs der Scheidemünzen der österreichischen und der Franken-Währung innerhalb bayerischer Grenzbezirke. Vom 7. Juli 1888.

№ 1816. Bekanntmachung, betreffend eine Abänderung des Verzeichnisses der gewerblichen Anlagen, welche einer besonderen Genehmigung bedürfen. Vom 16. Juli 1888.

№ 1817. Bekanntmachung, betreffend die Beschäftigung von Arbeiterinnen und jugendlichen Arbeitern in Gummiwaarenfabriken. Vom 21. Juli 1888.

(Stück 33) № 1818. Verordnung, betreffend die Rechtsverhältnisse im Schutzgebiete der Neu-Guinea-Kompagnie. Vom 13. Juli 1888.

Gesetz-Sammlung für die Königlichen Preußischen Staaten.

(Stück 25.) № 9303. Gesetz, betreffend die Regulirung der Stromverhältnisse in der Weichsel und Nogat. Vom 20. Juni 1888.

Bekanntmachungen des Königlichen Regierungs-Präsidenten.

300 Mark Belohnung.

229. Die unterm 1. Mai d. J. für die Ermittelung des Mörders des städtischen Nachtwächters Schmidt zu Dahme ausgesetzte Belohnung von 200 M. wird hiermit auf 300 M. erhöht.

Etwaige Anzeigen sind an den Herrn Ersten Staatswalt hierselbst zu richten.

Potsdam, den 3. August 1888.

Der Regierungs-Präsident.

Bekanntmachungen des Königlichen Polizei-Präsidiums zu Berlin.

Bestrafung des Milchhändlers Panwitz.

79. Auf Grund des Ministerial-Erlasses vom 28. September 1883 wird im Interesse des Milch konsumirenden Publikums hierdurch bekannt gemacht, daß bei dem Milchhändler Friedrich Panwitz, Sorauerstraße Nr. 9, hier wiederholt Milch entnommen worden ist, welche nicht den Bestimmungen in der Polizei-Verordnung vom 6. Juli 1887 entsprach. Der ꝛc. Panwitz ist deshalb schon mehrfach bestraft worden.

Berlin, den 2. August 1888.

Der Polizei-Präsident.

Berliner und Charlottenburger Preise pro Monat Juli 1888.

80. A. Engros-Marktpreise im Monatsdurchschnitt.

In Berlin:

			Mark		Pf.	
für 100 Klgr.	Weizen	(gut)	17	Mark	80	Pf.,
= = =	do.	(mittel)	17	=	10	=
= = =	do.	(gering)	16	=	40	=
= = =	Roggen	(gut)	12	=	85	=
= = =	do.	(mittel)	12	=	53	=
= = =	do.	(gering)	12	=	21	=
= = =	Gerste	(gut)	17	=	50	=
= = =	do.	(mittel)	14	=	80	=
= = =	do.	(gering)	12	=	10	=
= = =	Hafer	(gut)	13	=	42	=
= = =	do.	(mittel)	12	=	53	=
= = =	do.	(gering)	11	=	63	=
= = =	Erbsen	(gut)	17	=	25	=
= = =	do.	(mittel)	15	=	25	=
= = =	do.	(gering)	13	=	25	=
= = =	Richtstroh		4	=	60	=
= = =	Heu		6	=	24	=

Monats-Durchschnitt der höchsten Berliner Tagespreise **einschließlich 5% Aufschlag** für 50 kg

	Hafer	Stroh	Heu
im Monat Juli	7,20 Mk.,	2,56 Mk.,	3,88 Mk.

B. Detail-Marktpreise im Monatsdurchschnitt.

1) In Berlin.

für 100 Klgr.	Erbsen (gelbe) z. Kochen	25	Mark	65	Pf.,
= = =	Speisebohnen (weiße)	32	=	—	=
= = =	Linsen	45	=	—	=
= = =	Kartoffeln	5	=	86	=
= 1 Klgr.	Rindfleisch v. d. Keule	1	=	24	=
= 1 =	= (Bauchfleisch)	1	=	—	=
= 1 =	Schweinefleisch	1	=	10	=
= 1 =	Kalbfleisch	1	=	18	=
= 1 =	Hammelfleisch	1	=	09	=
= 1 =	Speck (geräuchert)	1	=	38	=
= 1 =	Eßbutter	2	=	20	=
= 60 Stück	Eier	2	=	90	=

2) In Charlottenburg.

für 100 Klgr.	Erbsen (gelbe z. Kochen)	25	Mark	—	Pf.,
= = =	Speisebohnen (weiße)	25	=	—	=
= = =	Linsen	37	=	50	=
= = =	Kartoffeln	5	=	64	=
= 1 Klgr.	Rindfleisch v. d. Keule	1	=	10	=
= 1 =	= (Bauchfleisch)	1	=	—	=
= 1 =	Schweinefleisch	1	=	20	=
= 1 =	Kalbfleisch	1	=	10	=
= 1 =	Hammelfleisch	1	=	10	=
= 1 =	Speck (geräuchert)	1	=	30	=
= 1 =	Eßbutter	2	=	27	=
= 60 Stück	Eier	2	=	41	=

C. Ladenpreise in den letzten Tagen des Monats Juli 1888:

1) In Berlin:

für 1 Klgr.	Weizenmehl № 1			35	Pf.,
= 1 =	Roggenmehl № 1			28	=
= 1 =	Gerstengraupe			48	=
= 1 =	Gerstengrütze			40	=
= 1 =	Buchweizengrütze			44	=
= 1 =	Hirse			44	=
= 1 =	Reis (Java)			75	=
= 1 =	Java-Kaffee (mittler)	2	Mark	33	=
= 1 =	= (gelb in gebr. Bohnen)	3	=	20	=
= 1 =	Speisesalz			20	=
= 1 =	Schweineschmalz (hiesiges)	1	=	30	=

2) In Charlottenburg:

für 1 Klgr.	Weizenmehl № 1			50	Pf.,
= 1 =	Roggenmehl № 1			30	=
= 1 =	Gerstengraupe			60	=
= 1 =	Gerstengrütze			50	=
= 1 =	Buchweizengrütze			50	=
= 1 =	Hirse			50	=
= 1 =	Reis (Java)			70	=
= 1 =	Java-Kaffee (mittler)	2	=	60	=
= 1 =	= (gelb in gebr. Bohnen)	3	=	60	=
= 1 =	Speisesalz			20	=
= 1 =	Schweineschmalz (hiesiges)	1	=	40	=

Berlin, den 7. August 1888.

Königl. Polizei-Präsidium. Erste Abtheilung.

Polizei-Verordnung.

81. Auf Grund der §§ 5 und 6 des Gesetzes über die Polizei-Verwaltung vom 11. März 1850 (Gesetz-Sammlung Seite 265) und der §§ 143 und 144 des Gesetzes über die allgemeine Landesverwaltung vom 30. Juli 1883 (Gesetz-Sammlung Seite 195) wird unter Hinweis auf das Gesetz vom 20. Juni 1887 über den Verkehr auf den Kunststraßen (Gesetz-Sammlung Seite 301) mit Zustimmung des Gemeinde-Vorstandes für den Stadtkreis Berlin verordnet was folgt:

Vom 1. Oktober 1888 ab wird der § 3. des Straßen-Polizei-Reglements vom 7. April 1867 aufgehoben und durch folgende Bestimmung ersetzt:

§ 3. Fuhrwerk, welches nicht seiner Bestimmung gemäß zur Beförderung von Personen dient, muß mit dem Eigengewicht des Wagens einschließlich des Zubehörs, als Schrotleitern, Ketten, Aufsatz- und Schutzbretter rc., dem Vor- und Zunamen und der Wohnung (Ortschaft, Straße und Hausnummer) des Eigenthümers, und wenn derselbe mehrere derartige Fuhrwerke besitzt, mit fortlaufender Nummer bezeichnet sein.

Diese Aufschrift ist entweder an der rechten und linken oder an der hinteren Seite des Fuhrwerks selbst, oder an Tafeln, welche an demselben befestigt sind, in deutlicher und unverwischbarer Schrift von mindestens 5 Centimeter Höhe in einem Abstande des unteren Randes derselben von wenigstens 45 Centimeter vom Erdboden dergestalt anzubringen, daß sie stets sichtbar ist.

Bei Hunde-, Handwagen und Schubkarren (sowie Transportvelocipeden) ist die Angabe des Eigengewichtes nicht erforderlich. Berlin, den 18. Juli 1888.

Der Polizei-Präsident. In Vertretung: Friedheim.

* * *

Zu vorstehender Polizei-Verordnung vom 18. Juli 1888 wird bemerkt, daß dieselbe in Stück 31 des Amtsblattes der Königl. Regierung zu Potsdam und der Stadt Berlin vom 3. August 1888 Seite 305 versehentlich mit unrichtigem Datum abgedruckt worden ist.

Berlin, den 8. August 1888.

Der Polizei-Präsident. In Vertretung: Friedheim.

Anlage des 3ten und 4ten Geleises auf der Berliner Ringbahn zwischen der Landsberger Allee und Bahnhof Wedding.

82. Durch den Allerhöchsten Erlaß vom 6. April 1887 (Gesetz-Sammlung Seite 109) ist verordnet worden, daß für die in dem Gesetze vom 1. April 1887 § 1, II., 1, (Gesetz-Sammlung Seite 97) vorgesehene Anlage des 3ten und 4ten Geleises auf der Berliner Ringbahn zwischen der Landsberger Allee und Bahnhof Wedding das Recht zur Enteignung und dauernden Beschränkung derjenigen Grundstücke Platz greift, welche zur Bauausführung nach den von dem Minister der öffentlichen Arbeiten festzustellenden Plänen nothwendig sind.

Nachdem der für diese Bauausführung ausgearbeitete Plan durch Erlaß des Herrn Ministers der öffentlichen Arbeiten vom 18. April 1888 — IIa. (b.) 4805 — vorläufig festgestellt worden ist, wird ein Auszug aus demselben und zwar für die Theilstrecke von km 4,8 bis km 8,2, bestehend aus:

a. 2 Lage- und Höheplänen,
b. 2 Flächenplänen,
c. einem Lage- und Höhenplane der Ueberführung der Prenzlauer Allee,
d. einem Verzeichniß der Wege- und Vorfluth-Anlagen (Anlage A.),
e. einer Nachweisung der erforderlichen Grundstücke (Anlage B.)

in Gemäßheit des § 19 des Enteignungsgesetzes vom 11. Juni 1874 in der Zeit von Sonnabend, den 18ten dieses Monats, bis Sonnabend, den 1sten künftigen Monats, einschließlich in der Registratur der I. Abtheilung des Polizei-Präsidiums, Molkenmarkt Nr. 1 part. hierselbst, während der täglichen Dienststunden zu Jedermanns Einsicht ausliegen.

Einwendungen gegen den ausgelegten Plan-Auszug sind bis zum Ablaufe der bezeichneten Frist bei der I. Abtheilung des Polizei-Präsidiums schriftlich einzureichen oder mündlich zu Protokoll zu geben.

Berlin, den 12. August 1888.

Der Polizei-Präsident.

Bekanntmachungen der Kaiserlichen Ober-Post-Direktion zu Potsdam.

Einrichtung einer Postagentur in Schönfließ.

59. Am **16. August** wird in dem zum Landbriefbestellbezirke der Kaiserlichen Postagentur in Hermsdorf (Mark) gehörenden Orte **Schönfließ (Bezirk Potsdam)** eine **Postagentur mit Telegraphenbetrieb** eingerichtet. Postverbindungen erhält die Kaiserliche Postagentur durch Landbriefträger, wie folgt:

7^{10}, 3^{10}, ↓ Hermsdorf (Mark) ↑ 1^{20}, 6^{15},
8^{40}, 4^{30}, ↓ Schönfließ (Bez. Potsdam) ↑ 12^{00}, 5^{00}.

An **Sonntagen** besteht nur **eine** Verbindung Vormittags. Die bisherige Post- und Telegraphenhülfstelle in Schönfließ tritt außer Wirksamkeit. Ein Landbriefbestellbezirk wird der neuen Verkehrsanstalt vorläufig nicht zugetheilt.

Potsdam, den 12. August 1888.

Der Kaiserliche Ober-Postdirektor.

Bekanntmachungen der Kaiserlichen Ober-Postdirektion zu Berlin.

Unanbringliche Briefe mit Werthinhalt.

60. Bei der Ober-Postdirektion in Berlin lagern folgende, bei hiesigen Postanstalten an den bezeichneten Tagen im Jahre 1888 aufgelieferten Briefe, in welchen bei der Eröffnung die dabei vermerkten Beträge gefunden worden sind: an H. Sacks, adr. Michalowski in Kiew 50 M., 7. Febr., an O. B., Schlächtergeselle in Hamburg postl. 20 M., 28. Febr., an Robert Conrad in Leipzig postl. 10 M., 8. März, an Hönicke, adr. Conrad in Berlin, Friedrichstraße Nr. 135a., 30 Pf., 9. März, an Gastwirth Walther, abzugeben an Stiller in Kunin, 5 M., 11. März, an Philippine Engel, Karlstraße 4, 20 M., 21. März, an Frau Meilicke in Berlin, Steglitzerstraße 1, 1 M., 21. März, an Bertha Pöpel in Berlin 1 M. 20 Pf., 29. März, an Frau Billem in Berlin, Trebbinerstraße 14, 5 M., 31. März, an Glocke, adr. Noe & Schultze in Potsdam, 1 M., 1. April, an B. Janisch in Berlin, Ackerstraße 89, 50 Pf., 7. April, an Fräulein Taubert in Berlin, Grenadierstraße 23, 5 M., 17. April, an Sommer in Berlin, Potsdamerstraße 67, 3 M., 28. April, an Wizorke in Weimar, 50 Pf., 29. April, an Paul Eichler, adr. Saß in Hamburg, 5 M., 3. Mai, an Max Menke, Dominium Kopanin bei Elsenau (Posen) 5 M., 5. Mai, an Vieregge in Steinhausen bei Neuenburg (M.) 1 M., 7. Mai, an Ernestine Martini, Lennéstraße 18, 5 M., 10. Mai, an Hoffmann in Nordenburg 7 M., 15. Mai, an v. Knobelsdorff in Leipzig 10 M., 16. Mai, an das „Volkstheater" in Copenhagen 11 M. 10 Pf., 24. Mai, „ohne Aufschrift" 50 Pf., 27. Mai, an Wesener in Brüssel 100 M., 31. Mai.

Die unbekannten Absender der vorbezeichneten Briefe werden ersucht, spätestens innerhalb vier Wochen — vom Tage des Erscheinens gegenwärtiger Bekanntmachung an gerechnet — bei der Ober-Postdirektion sich zu melden, widrigenfalls die in den Sendungen aufgefundenen Beträge der Post-Armenkasse überwiesen werden. Berlin C., den 7. August 1888.

Der Kaiserl. Ober-Postdirektor.

Bekanntmachungen der Königlichen Eisenbahn-Direktion zu Frankfurt.

Hohenebra-Ebelebener und Kerkerbachbahn.

2. Mit Gültigkeit vom 15. August d. J. ab kommt für den Eisenbahn-Direktionsbezirk Frankfurt a. M. ein neuer Lokal-Gütertarif zur Ausgabe, welcher gleichzeitig die Sätze für den Verkehr mit der Hohenebra—Ebelebener und Kerkerbachbahn, sowie der Hohenebra—Ebelebener Stationen unter sich enthält.

Durch diesen Tarif kommen zur Aufhebung:

1) der Lokal-Güter-Tarif für den Direktionsbezirk Frankfurt a. M. vom 1. August 1883 nebst Nachträgen;
2) der Staatsbahn-Güter-Tarif Frankfurt a. M.—Köln (rechtsrh.) vom 1. Mai 1887 nebst Nachträgen hinsichtlich der Sätze für Horchheim;
3) der Lokal-Güter-Tarif für den Direktionsbezirk Hannover vom 1. April 1886 nebst Nachträgen hinsichtlich der Sätze für Bockenheim und Frankfurt a. M., M. W. B.;
4) der Staatsbahn-Güter-Tarif Frankfurt a. M.—Hannover vom 1. Februar 1882 nebst Nachträgen hinsichtlich der Sätze für Bockenheim und Frankfurt a. M., M. W. B.;
5) der Staatsbahn-Güter-Tarif Köln (rechtsrh.)—Hannover vom 1. Juni 1887 nebst Nachträgen hinsichtlich der Sätze zwischen Horchheim und Bockenheim sowie Frankfurt a. M., M. W. B.;
6) der Staatsbahn-Güter-Tarif Hannover—Erfurt vom 1. Januar 1887 nebst Nachträgen hinsichtlich der Sätze zwischen Bockenheim und Frankfurt a. M., M. W. B. einerseits und den Stationen der ehemaligen Nordhausen—Erfurter Bahn (mit Ausschluß von Ilversgehofen) sowie der Hohenebra—Ebelebener Bahn andererseits;
7) der Lokal-Güter-Tarif für den Direktionsbezirk Magdeburg vom 1. April 1886 nebst Nachträgen hinsichtlich der Sätze zwischen Sömmerda und den Berliner Bahnhöfen;
8) der Staatsbahn-Güter-Tarif Frankfurt a. M.—Magdeburg vom 1. Februar 1882 nebst Nachträgen hinsichtlich der Sätze für Sömmerda;
9) der Staatsbahn-Güter-Tarif Köln (rechtsrh.)—Magdeburg vom 1. Januar 1887 nebst Nachträgen hinsichtlich der Sätze zwischen Horchheim und Sömmerda;
10) der Staatsbahn-Güter-Tarif Hannover-Magdeburg vom 1. Juni 1886 nebst Nachträgen hinsichtlich der Sätze zwischen Bockenheim sowie Frankfurt a. M., M. W. B. und Sömmerda;
11) der Staatsbahn-Güter-Tarif Erfurt—Magdeburg

Heft 2 vom 1. April 1884 nebst Nachträgen hinsichtlich der Sätze zwischen den Stationen der ehemaligen Nordhausen—Erfurter Bahn (mit Ausschluß von Ilversgehofen) sowie der Hohenebra—Ebelebener Bahn und Sömmerda;

12) der Staatsbahn-Güter-Tarif Bromberg—Hannover vom 15. Juni 1885 nebst Nachträgen hinsichtlich der Sätze zwischen Berlin Ostbhf. und Lichtenberg—Friedrichsfelde einerseits und Bockenheim und Frankfurt a. M., M. W. B. andererseits;

13) der Staatsbahn-Güter-Tarif Köln (rechtsrh.)—Altona vom 1. Oktober 1886 nebst Nachträgen hinsichtlich der Sätze zwischen Horchheim und Berlin, Hamburger Bhf.;

14) der Staatsbahn-Güter-Tarif Köln (rechtsrh.)—Bromberg vom 1. Oktober 1885 nebst Nachträgen hinsichtlich der Sätze zwischen Horchheim einerseits und Berlin Ostbhf. und Lichtenberg—Friedrichsfelde andererseits;

15) der Staatsbahn-Güter-Tarif Köln (rechtsrh.)—Erfurt vom 1. April 1887 nebst Nachträgen hinsichtl.ch der Sätze zwischen Horchheim und Berlin Anh.—Dresdener Bhf.;

16) der Staatsbahn-Güter-Tarif Bromberg—Erfurt vom 1. Juni 1886 nebst Nachträgen hinsichtlich der Sätze zwischen Berlin Ostbhf. und Lichtenberg—Friedrichsfelde einerseits und den Stationen der ehemaligen Nordhausen—Erfurter Bahn (mit Ausschluß von Ilversgehofen), sowie der Hohenebra—Ebelebener Bahn andererseits;

17) der Staatsbahn-Güter-Tarif Magdeburg—Erfurt Heft 1 vom 1. April 1884 nebst Nachträgen hinsichtlich der Sätze zwischen Sömmerda und Berlin Anhalt—Dresdener Bhf.;

18) der Staatsbahn-Güter-Tarif Bromberg—Magdeburg vom 1. Mai 1885 nebst Nachträgen hinsichtlich der Sätze zwischen Berlin Ostbhf. und Lichtenberg—Friedrichsfelde einerseits und Sömmerda andererseits.

Bis zur Eröffnung des Haupt-Personenbahnhofs in Frankfurt a. M., welche auf den 18. August d. J. festgesetzt ist, ist die Abfertigung von Eilgut, sowie der mit Personenzügen Beförderung findenden Leichen, Fahrzeugen und lebenden Thieren nach und von Frankfurt a. M. Staatsbahnhof ausgeschlossen.

Bis zu diesem Termine werden Eilgut- und die mit Personenzügen zu befördernden Leichen-, Fahrzeuge- und Viehsendungen von und nach den Stationen Frankfurt a. M. Westbhf. (Taunus- oder Nass. Bhf.) und Frankfurt a. M. Westbahnhof (Main-Weserbhf.) abgefertigt und zwar unter Zugrundelegung der in oben bezeichnetem Tarife enthaltenen Entfernungen und Frachtsätze für Frankfurt a. M. Staatsbhf.

Die in dem oben genannten Tarife enthaltenen Ueberfuhrgebühren im Verkehr mit Frankfurt a. M. Staatsbhf. gelten für den Eilgut- und den durch die Personenzüge bedienten Leichen-, Fahrzeuge- und Vieh-Verkehr bis zu dem bezeichneten Termin auch für den Verkehr mit Frankfurt a. M. Westbhf. (Main-Neckarbahnhof), Frankfurt a. M. Westbhf. (Taunus- oder Nass. Bhf.) und Frankfurt a. M. Westbhf. (Main-Weserbhf.)

Die durch den neuen Tarif eintretenden geringfügigen **Frachterhöhungen** erhalten erst mit dem 1. Oktober d. J. Wirksamkeit; bis zu diesem Zeitpunkte bleiben die bisherigen Sätze in Kraft. Mit diesem Tage treten auch die in dem bisherigen Lokal-Tarife des Direktions-Bezirks Frankfurt a. M. enthaltenen Sätze zwischen Gemünden einerseits und den westlich bezw. nördlich von Hanau belegenen Stationen andererseits, soweit sich die Tarifbildung über Aschaffenburg ergiebt, außer Kraft.

Näheres ist auf den Stationen zu erfahren, woselbst auch der Tarif käuflich zu haben ist.

Frankfurt a. M., den 3. August 1888.

Königl. Eisenbahn-Direktion.

Personal-Chronik.

Dem Schulamtsaspiranten **Kipcke** zu Warbende ist die Erlaubniß ertheilt worden, im Reg.-Bez. Potsdam Stellen als Hauslehrer anzunehmen.

Der Lehrerin Fräulein Bertha Wilhelmine Caroline Louise **Krause**, bisher zu Colberg, ist die Erlaubniß zur Leitung und Verwaltung der zuvor von der Lehrerin Fräulein **Ohnesorge** geleiteten evangelischen Privat-Töchterschule zu Kyritz ertheilt worden.

Der bisherige Hilfsprediger Max Emil Alfred **Böhm** in Paplitz ist zum Pfarrer der Parochie Wittmannsdorf, Diözese Templin, bestellt worden.

Die unter magistratualischem Patronat und unter Kollatur des Landesherrn stehende und mit dem Ephoralamte der Diözese Beelitz verbundene Oberpfarrstelle zu Beelitz kommt durch die Versetzung des Superintendenten **Krückeberg** zum 1. Oktober 1888 zur Erledigung. Die Wiederbesetzung dieses Doppelamts erfolgt durch das Kirchenregiment.

Vermischte Nachrichten.

Vorlesungen

an der Königl. thierärztlichen Hochschule zu Hannover.

Wintersemester 1888/89.

Beginn 4. Oktober 1888.

Direktor, Geheimer Regierungsrath Dr. **Dammann**: Encyclopädie und Methodologie der Thierheilkunde; Specielle Chirurgie; Gerichtliche Thierheilkunde; Uebungen im Anfertigen von schriftlichen Gutachten und Berichten. — Professor Dr. **Lustig**: Specielle Pathologie und Therapie; Propädeutische Klinik; Spitalklinik für große Hausthiere. — Professor Dr. **Rabe**: Specielle pathologische Anatomie; Pathologisch-histologischer Cursus; Pathologisch-anatomische Uebungen und Obductionen; Spitalklinik für kleine Hausthiere. — Professor Dr. **Kaiser**: Exterieur des Pferdes und der übrigen Arbeitsthiere; Thierzuchtlehre und Gestütskunde; Operations-Uebungen; Ambulatorische Klinik. — Lehrer **Tereg**: Physiologie, II. Theil. — Lehrer Dr. **Arnold**: Anorganische Chemie; Pharmakognosie; Pharmaceutische Uebungen. — Lehrer **Boether**: Anatomie der Hausthiere; Anatomische Uebungen; Zoologie. — Oberlehrer

Ehrlenholtz: Physik. — Beschlaglehrer Geiß: Theorie des Hufbeschlages. — Repetitor Romann: Anatomisch-physiologische Repetitorien. — Repetitor: Dr. Dombois: Physikalisch-chemische Repetitorien.

Zur Aufnahme als Studirender ist der Nachweis der Reife für die Prima eines Gymnasiums oder eines Realgymnasiums mit obligatorischem Latein oder einer durch die zuständige Central-Behörde als gleichstehend anerkannten höheren Lehranstalt erforderlich.

Ausländer und Hospitanten können auch mit geringeren Vorkenntnissen aufgenommen werden, sofern sie die Zulassung zu den thierärztlichen Prüfungen in Deutschland nicht beanspruchen. Nähere Auskunft ertheilt auf Anfrage die Direktion der thierärztlichen Hochschule.

Vorlesungen für das Studium der Landwirthschaft an der Universität Halle.

Das Wintersemester beginnt am 15. Oktober.

Von den für das Wintersemester 1888/89 angezeigten Vorlesungen der hiesigen Universität sind für die Studirenden der Landwirthschaft folgende hervorzuheben:

a. In Rücksicht auf fachwissenschaftliche Bildung.

Einleitung in das Studium der Landwirthschaft: Geh. Reg.-Rath Prof. Dr. Kühn. Allgemeine Ackerbaulehre: Derselbe. — Allgemeine Thierzuchtlehre: Derselbe. — Specielle Thierzuchtlehre: Prof. Dr. Freytag. — Landwirthschaftliche Buchführung und Abschätzungslehre: Derselbe. — Molkereiwesen: Prof. Dr. Kirchner. — Der wirthschaftliche Werth der Milch- und Mastviehhaltung: Derselbe. — Geschichte der Landwirthschaft: Derselbe. — Forstwissenschaft, 2. Theil: Prof. Dr. Ewald. — Landwirthschaftliches Repetitorium: Dr. Heyer. — Obstbaulehre: Derselbe. Die Kultur der exotischen Nutzpflanzen: Derselbe. — Grundzüge der Thier-Anatomie und Physiologie: Prof. Dr. Pütz. — Ueber die wichtigsten inneren Thierkrankheiten mit besonderer Berücksichtigung der Seuchen und Heerdekrankheiten, sowie der auf den Menschen übertragbaren Thierkrankheiten: Derselbe. — Die Anfänge der mikroskopischen Untersuchung: Derselbe. — Elemente der Mechanik und Maschinenlehre: Prof. Dr. Cornelius. — Landwirthschaftliche Maschinen- und Gerätheкunde: Prof. Dr. Wüst. — Drainage und Wiesenbau: Derselbe. — Landwirthschaftliche Baukunde: Regierungs-Baumeister Knoch. — Experimentalchemie: Prof. Dr. Volhard. — Analytische Chemie: Dr. Erdmann. — Grundzüge der organischen Chemie: Prof. Dr. Döbner. — Ausgewählte Kapitel der organischen Chemie: Derselbe. — Agrikulturchemie, 1ster Theil (die Naturgesetze der Ernährung der landwirthschaftlichen Kulturpflanzen): Prof. Dr. Maercker. — Technologie der Kohlenhydrate: Derselbe. — Gesteinslehre als Grundlage der Bodenkunde: Prof. Dr. v. Fritsch. — Paläontologie: Derselbe. — Allgemeine Geologie: Prof. Dr. Brauns. — Technische Geologie: Derselbe. — Krystallographie: Prof. Dr. Lüdecke. — Ueber Gebirgsbildung und Vulkanismus: Dr. Frech. — Anatomie und Physiologie der Pflanzen: Prof. Dr. Kraus. — Ausgewählte Kapitel aus der Kryptogamen-Physiologie: Prof. Dr. Zopf. — Elemente der Zoologie: Prof. Dr. Grenacher. — Landwirthschaftliche Insektenkunde: Prof. Dr. Taschenberg. Naturgeschichte der Schmetterlinge: Derselbe. — Ueber Parasiten, mit besonderer Berücksichtigung der im Menschen und in den Hausthieren schmarotzenden Arten: Dr. O. Taschenberg. — Naturgeschichte der Fische: Derselbe. — Ueber den Bau des thierischen Sehorganes: Prof. Dr. Grenacher. — Physiologie der vegetativen Prozesse: Prof. Dr. Bernstein. — Ueber Darwinismus, für Studirende aller Fakultäten: Prof. Dr. Brauns. — Darwinismus, besonders angewendet auf Völkerentwickelung: Prof. Dr. Kirchhoff. — Nationalökonomie: Prof. Dr. Conrad. — Geschichte der Nationalökonomie: Derselbe. — Bevölkerungsstatistik: Derselbe. — Landwirthschaftsrecht: Prof. Dr. Schollmeyer. — Finanzwissenschaft: Prof. Dr. Friedberg. — Theorie der Steuern: Prof. Dr. Eisenhart. — Die gegenwärtige Staatenwelt: Derselbe. — Einleitung in die Socialwissenschaft: Prof. Dr. Friedberg. — Nationalökonomisches Repetitorium: Derselbe. — Handelsrecht: Prof. Dr. Lastig.

b. In Rücksicht auf staatswissenschaftliche und allgemeine Bildung, insbesondere für Studirende höherer Semester.

Vorlesungen aus dem Gebiete der Philosophie, Geschichte, Literatur und ethischen Wissenschaften halten die Prof. Prof. Dr. Dr. Erdmann, Haym, Droysen, Lindner, Ewald, Gosche, Heydemann, Stumpf, Vaihinger, Dr. Uphues ꝛc. ꝛc.

c. Theoretische und praktische Uebungen.

Staatswissenschaftliches Seminar: Professor Dr. Conrad. Statistische Uebungen: Derselbe. — Praktische Uebungen im chemischen Laboratorium: Prof. Dr. Volhard. — Mineralogische, geologische und paläontologische Uebungen: Prof. Dr. von Fritsch und Prof. Dr. Lüdecke. — Phytotomische Uebungen und botanische Demonstrationen: Prof. Dr. Kraus. — Klinische Demonstrationen und Uebungen im Thierspital, verbunden mit chirurgischen Operationen: Prof. Dr. Pütz. — Uebungen im Bestimmen der Insekten: Prof. Dr. Taschenberg. — Uebungen im landwirthschaftlich-physiologischen Laboratorium: Geh. Reg.-Rath Prof. Dr. Kühn. — Uebungen im Untersuchen und Beurtheilen der Wolle: Prof. Dr. Freytag. — Uebungen im Bestimmen der Obstsorten: Dr. Heyer. — Technische Exkursionen und Demonstrationen: Prof. Dr. Wüst. — Technologische Exkursionen: Prof. Dr. Maercker. — Unterricht im Zeichnen und Malen: Zeichenlehrer Schenk.

Nähere Auskunft ertheilt die durch jede Buchhandlung zu beziehende Schrift: „Das Studium der Landwirthschaft an der Universität Halle, Cottbus, E. Kühn's Buchhandlung 1888." Briefliche Anfragen wolle man an den Unterzeichneten richten.

Halle a./S., im Juli 1888.

Dr. Julius Kühn, Geh. Reg.-Rath,
ordentl. öffentl. Professor und Direktor
des landwirthschaftlichen Instituts an der Universität.

Ausweisung von Ausländern aus dem Reichsgebiete.

Lauf. Nr.	Name und Stand des Ausgewiesenen	Alter und Heimath des Ausgewiesenen	Grund der Bestrafung	Behörde, welche die Ausweisung beschlossen hat	Datum des Ausweisungs-Beschlusses
1	2	3	4	5	6
	Auf Grund des § 362 des Strafgesetzbuchs:				
1	a. Friedrich Meier, Drahtarbeiter,	geboren am 27. Januar 1842 bei Venedig, Italien,	Landstreichen,	der Landesdirektor der Fürstenthümer Waldeck und Pyrmont,	6. Juli 1888.
	b. dessen Ehefrau Margarethe, geb. Fröhlich,	geboren am 23. Juni 1826 zu Hainzell bei Fulda, Preußen, durch ihre Verheirathung Ausländerin,			
2	Bernhard Grazintti, Erdarbeiter,	34 Jahre alt, ortsangehörig zu Udine, Italien,	desgleichen,	Kaiserlicher Bezirks-Präsident zu Metz,	desgleichen.
3	Ludwig Resch, Messerschmied,	geboren am 26. Juni 1857 zu Paris, Departement Seine, Frankreich, wohnhaft zuletzt in St. Avold, Lothringen,	desgleichen,	derselbe,	desgleichen.
4	Johann Jakob Baumgärtner, Kellner,	geboren am 8. November 1852 zu Burgdorf, Kanton Bern, Schweiz, ortsangehörig ebendaselbst,	desgleichen,	derselbe,	10. Juli 1888.
5	Ignaz Pekar, Arbeiter,	35 Jahre alt, geboren und ortsangehörig zu Popudin, Ungarn,	Landstreichen und Betteln,	Königlich Preußischer Regierungspräsident zu Potsdam,	12. Juli 1888.
6	Ignaz Doubek, Kellner,	geboren am 24. November 1847 zu Auslauf, Bezirk Gitschin, Böhmen, ortsangehörig ebendaselbst,	Betteln im wiederholten Rückfall,	Königlich Preußischer Regierungspräsident zu Breslau,	8. Juli 1888.
7	Anton Krinke, Schuhmachergeselle,	geboren am 2. Februar 1848 zu Böhmisch-Wernersdorf, Bezirk Braunau, Böhmen, ortsangehörig ebendaselbst, wohnhaft zuletzt zu Vogelsdorf, Kreis Landeshut, Preußen,	Diebstahl, Landstreichen und Betteln,	derselbe,	16. Juli 1888.
8	Martin Josef Heuchen, Ziegelarbeiter,	geboren 1848 zu Neuenhagen, Bezirk Herle, Niederlande, ortsangehörig ebendaselbst,	Landstreichen und Betteln,	Königlich Preußischer Regierungspräsident zu Düsseldorf,	13. Juli 1888.

Hierzu Drei Oeffentliche Anzeiger.

(Die Insertionsgebühren betragen für eine einspaltige Druckzeile 20 Pf. Belagsblätter werden der Bogen mit 10 Pf. berechnet.)

Redigirt von der Königlichen Regierung zu Potsdam.

Potsdam, Buchdruckerei der A. W. Hayn'schen Erben (E. Hayn, Hof-Buchdrucker).

Amtsblatt
der Königlichen Regierung zu Potsdam und der Stadt Berlin.

Stück 34. Den 24. August **1888.**

Bekanntmachungen des Königlichen Regierungs-Präsidenten.

Anlegung einer Apotheke in Rummelsburg, Kreis Niederbarnim.

230. In der östlich von Berlin, im Kreise Niederbarnim belegenen Ortschaft Rummelsburg soll eine Apotheke angelegt werden und zwar nördlich der Ostbahn innerhalb einer Entfernung von ungefähr 100 m von dem Uebergange der Boxhagen-Rummelsburger Chaussee über jene Eisenbahn. Bewerbungen um die bezügliche Concession nehme ich bis zum 30. September d. J. entgegen.

Die Bewerber haben ihre Approbation, eine kurze Lebensbeschreibung und amtlich bestätigte Zeugnisse über ihre bisherige Beschäftigung und Führung einzureichen, auch die Versicherung zu geben, daß sie eine Apotheke bisher nicht besessen haben und daß ihnen die zur Einrichtung der Apotheke und zum Ankaufe des dazu erforderlichen Grundstücks nöthigen Geldmittel zur Verfügung stehen. Potsdam, den 12. August 1888.

Der Regierungs-Präsident.

Hebammen-Lehrkurse des Jahres 1888/89.

231. Der diesjährige Lehrkursus in der Königlichen Hebammen-Lehranstalt in Berlin beginnt am 1. Oktober und in der Hebammen-Lehranstalt zu Frankfurt a. O. am 3. Oktober d. J.

Schülerinnen, welche zur Theilnahme an den Lehrkursen berufen, jedoch an jenen Tagen nicht bis 9 Uhr Morgens in den Lehranstalten eingetroffen sind, haben zu gewärtigen, daß sie nicht mehr zugelassen werden.

Bezüglich der Dauer der Lehrkurse und der Höhe der Kostenbeträge verweise ich auf meine den Hebammen-Unterricht betreffende Bekanntmachung vom 28. Juli 1885 (Stück 32 Seite 307 des Amtsblatts für 1885).

Potsdam, den 16. August 1888.

Der Regierungs-Präsident.

Erledigte Kreisthierarztstelle.

232. Die Kreisthierarztstelle des Kreises Ruppin ist durch die Krankheitshalber erfolgte Amtsniederlegung des bisherigen Inhabers erledigt. Bewerber, welche die Prüfung als Kreisthierarzt bestanden haben, wollen sich, unter Vorlegung ihrer Zeugnisse, einschließlich eines ortspolizeilichen Führungs-Attestes, sowie eines Lebenslaufes, binnen sechs Wochen bei mir melden. Der bisherige Amtssitz der Stelle war in der Kreisstadt Neu-Ruppin; es wird jedoch bei der künftigen Wahl des Wohnsitzes auf die Wünsche der Bewerber möglichst Rücksicht genommen werden.

Potsdam, den 18. August 1888.

Der Regierungs-Präsident.

Bekanntmachungen des Königlichen Polizei-Präsidiums zu Berlin.

Einrichtung und Betrieb der zur Anfertigung von Cigarren bestimmten Anlagen.

83. Die von dem Herrn Reichskanzler am 9. Mai 1888 veröffentlichten Vorschriften, betreffend die Einrichtung und den Betrieb der zur Anfertigung von Cigarren bestimmten Anlagen, welche bereits im 25sten Stück des Amtsblatts der Königlichen Regierung zu Potsdam und der Stadt Berlin vom 22. Juni 1888 durch den Königlichen Regierungs-Präsidenten zu Potsdam für den Bezirk dieser Regierung zur öffentlichen Kenntniß gelangt sind, werden hiermit auch für den Bezirk des Polizei-Präsidiums unter besonderem Hinweis auf den § 13, wonach ein Theil der Bestimmungen bereits mit dem 12. August dieses Jahres, ein anderer erst mit dem 12. Mai künftigen Jahres in Kraft tritt, zur Nachachtung bekannt gemacht und hierzu Folgendes bemerkt:

Die vorgesehenen Abweichungen von den Bestimmungen der Bekanntmachung **können** zugelassen werden, ein Recht auf ihre Zulassung steht den Gewerbe-Unternehmern nicht zu.

Die Voraussetzung, von welcher die Zulassung der oben bezeichneten Abweichung abhängt, ist das Vorhandensein einer ausreichenden Ventilations-Einrichtung, d. h. **einer eigens zum Zwecke der Ventilation hergestellten** und diesen Zweck in genügendem Maaße erreichenden **Einrichtung.** Eine durch elementare Kraft betriebene Einrichtung wird nicht gefordert.

Die Zulassung von Abweichungen hat nur auf Antrag des Unternehmers und demnach für jede einzelne Anlage besonders stattzufinden.

Berlin, den 3. August 1888.

Der Polizei-Präsident.
In Vertretung: Friedheim.

Bekanntmachung.

84. Der bisherigen Hebamme Henriette Bloch, geborenen Sakolowsky, Schwedterstraße 247 hierselbst, ist auf Grund des § 53 der Reichs-Gewerbe-Ordnung durch rechtskräftiges Erkenntniß des hiesigen Bezirks-Ausschusses vom 19. Juni 1888 das Prüfungs-Zeugniß als Hebamme entzogen worden.

Es wird deshalb zur öffentlichen Kenntniß gebracht, daß die rc. Bloch als Hebamme nicht mehr anzusehen ist.

Berlin, den 15. August 1888.

Der Polizei-Präsident.
In Vertretung: Friedheim.

Bekanntmachungen der Königl. Regierung.

22. Die nachfolgende Nachweisung der vakanten Lehrerstellen im Regierungsbezirk Posen:

Laufende №	Name des Schulorts	Kreis	Konfessioneller Charakter der Schule	Bezeichnung der Stelle	Datum der eingetretenen Erledigung	Einkommen	Bemerkungen.
1	Mur. Goslin	Obornik	simultan	5	1. 8. 87	800 M. neben freier Wohnung und Feuerung.	Mit einem kathol. Lehrer zu besetzen.
2	Rackwitz	Bomst	evang.	4	1. 10. 87	960 M. einschl. der Mieths- und Feuerungsentschädigung von 120 M. bezw. 90 M.	—
3	Borny	=	=	—	1. 4. 88	750 M., freie Wohnung und Feuerung.	—
4	Lissa	Lissa	=	7	15. 4. 88	749 M. und 463 M. als Kantor, freie Wohnung und 90 M. Feuerungsentschädigung.	Mit Kontrakt.
5	Waschke	Rawitsch	=	—	1. 7. 88	750 M., worunter eine Landnutzung im Werthe von 100 M. neben freier Wohnung und Feuerung.	—
6	Scherlanke	Neutomischl	=	2	1. 8. 88	750 M., freie Wohnung und 90 M. Feuerungsentschädigung.	Neue Stelle.
7	Pleschen	Pleschen	=	5	1. 7. 88	1350 M. Gehalt, Wohnungsentschädigung 200 M., Feuerungsentschädigung 90 M.	—
8	Marienwalde	Schwerin	=	—	1. 6. 88	750 M., freie Wohnung und Feuerung und 9 M. Nebeneinnahme.	—
9	Groß-Nelke	Bomst	=	2	1. 7. 88	750 M., freie Wohnung und Feuerung.	Neue Stelle.
10	Meseritz	Meseritz	simultan	7	1. 5. 88	1100 M. inkl. 240 M. Mieths- u. Feuerungs-Entschädigung.	Mit einem evang. Lehrer zu besetzen.
11	Kobylin	Krotoschin	evang.	1	1. 7. 88	1000 M. inkl. 18 M. Landnutzung neben freier Wohnung u. Feuerung.	—
12	Garbatka	Obornik	=	—	1. 8. 88	750 M., freie Wohnung und Feuerung.	—
13	Rzyskowo	Rawitsch	=	—	1. 7. 88	750 M., freie Wohnung und 90 M. Feuerungsentschädigung.	Neu errichtete Stelle.
14	Nipter	Meseritz	=	—	1. 7. 88	750 M. und 6 M. für Begräbnisse, freie Wohnung und Feuerung.	—
15	Rogasen	Obornik	jüdisch	1	1. 9. 88	1240 M. inkl. Miethsentschädigung von 200 M. u. 90 M. Holzgeld.	—
16	Neu-Görzig	Schwerin	evang.	—	1. 10. 88	657 M. neben freier Wohnung u. Feuerung, Landnutzung im Werthe von 93 M.	—

Laufende №	Name des Schulorts	Kreis	Konfessioneller Charakter der Schule	Bezeichnung der Stelle	Datum der eingetretenen Erledigung	Einkommen	Bemerkungen.
17	Punken	Meseritz	katholisch	—	30. 4. 87	620,65 M. baar, Landnutzung im Werthe von 129,35 M. neben freier Wohnung u. Feuerung.	—
18	Neustadt b. P.	Neutomischel	„	—	1. 4. 87	960 M. baar inkl. Wohnungs- und Feuerungsentschädigung von 120 und 90 M.	—
19	Wasowo	Neutomischel	„	—	1. 7. 87	750 M. neben freier Wohnung u. Feuerung.	—
20	Boruschin	Obornik	„	2	1. 7. 87	750 M. inkl. des Werthes der Naturalien von 36 M. neben freier Wohnung u. Feuerung.	—
21	Domaschowo	Gostyn	„	2	1. 8. 87	750 M. neben freier Wohnung u. Feuerung.	—
22	Kroeben	Gostyn	„	4	1. 7. 87	750 M. neben freier Wohnung u. Feuerungsentschädigung von 90 M.	—
23	Nietrzanow	Schroda	„	—	1. 7. 87	712,50 M. baar, Landnutzung im Werthe von 37,50 M. neben freier Wohnung u. Feuerung.	—
24	Buck	Graetz	„	6	1. 7. 87	750 M. baar, Wohnungsgeldentschädigung von 150 M., Feuerungsentschädigung von 90 M.	—
25	Grabow	Schildberg	„	5	1. 8. 87	750 M. baar neben freier Wohnung u. Feuerung.	—
26	Kaliszkowice Olobocki	Schildberg	„	2	1. 8. 87	750 M. baar neben freier Wohnung u. Feuerung.	—
27	Sokolnik	Wreschen	„	—	1. 7. 87	675 M., Landnutzung von 75 M. neben freier Wohnung u. Feuerung.	—
28	Dobrzyca	Krotoschin	„	2	1. 10. 87	740 M. baar, Landnutzung im Werthe von 60 M., Wohnungsentschädigung von 120 M. und freie Wohnung, für Nebeneinnahme des Organistenamtes etwa 120 M.	—
29	Schroda	Schroda	„	5	1. 9. 87	990 M. inkl. einer Wohnungs- und Feuerungsentschädigung von 150 bezw. 90 M.	—
30	Komorow	Schildberg	„	2	1. 9. 87	750 M. baar neben freier Wohnung und Feuerung.	—
31	Mynkowo	Obornik	„	2	1. 11. 87	750 M. baar neben freier Wohnung und Feuerung.	—

Laufende №	Name des Schulorts	Kreis	Confessioneller Charakter der Schule	Bezeichnung der Stelle	Datum der eingetretenen Erledigung	Einkommen	Bemerkungen
32	Gorczyn	Posen	katholisch	4	1. 11. 87	800 M. baar, Wohnungsentschädigung 150 M., Feuerungsentschädigung 30 M.	—
33	Jankow przygodzki	Adelnau	"	2	1. 9. 87	750 M. neben freier Wohnung u. Feuerung.	—
34	Lubosin	Samter	"	—	30. 9. 87	500 M. baar, Naturalien im Werthe von 160 M., Landnutzung im Werthe von 90 M. neben freier Wohnung u. Feuerung.	—
35	Xions	Schrimm	"	3	1. 11. 87	890 M. baar inkl. einer Feuerungsentschädigung von 90 M. neben freier Wohnung.	—
36	Alt-Lubosch	Kosten	"	—	30. 9. 87	670 M. baar, Landnutzung im Werthe von 80 M. neben freier Wohnung und Feuerung.	—
37	Staszkowo	Graetz	"	—	30. 9. 87	750 M., darunter Naturalien im Werthe von 200 M. u. Landnutzung im Werthe von 46 M. neben freier Wohnung und Feuerung.	—
38	Pieczkowo	Schroda	"	—	31. 12. 87	777,50 M. baar, Landnutzung im Werthe von 22,50 M. neben freier Wohnung u. Feuerung.	—
39	Woznitz	Schmiegel	"	—	30. 9. 87	714 M. baar, Landnutzung im Werthe von 36 M. neben freier Wohnung und Feuerung.	—
40	Sikorzyn	Schmiegel	"	—	30. 9. 87	702 M. baar, Landnutzung im Werthe von 48 M. neben freier Wohnung und Feuerung.	—
41	Bronischewitz	Pleschen	"	—	31. 12. 87	775 M. baar, Landnutzung im Werthe von 25 M. neben freier Wohnung und Feuerung.	—
42	Smolitz	Gostin	"	—	1. 12. 87	723 M. baar, Landnutzung im Werthe von 27 M. neben freier Wohnung und Feuerung.	—
43	Schußenze	Bomst	"	2	30. 9. 87	705 M. baar, aus dem Organistenamt 150 M., neben freier Wohnung und Feuerung.	—
44	Zalesie	Jarotschin	"	—	1. 10. 87	720 M. baar, Landnutzung i. Werthe v. 30 M. neben freier Wohn. u. Feuerung.	—

Laufende №	Name des Schulorts	Kreis	Konfessioneller Charakter der Schule	Bezeichnung der Stelle	Datum der eingetretenen Erledigung	Einkommen	Bemerkungen.
45	Strzyzmin	Birnbaum	katholisch	—	1. 12. 87	556,80 M. baar, Naturalien im Werthe von 66,10 M., Landnutzung im Werthe von 127,90 M. neben freier Wohnung und Feuerung.	—
46	Kolaczkowo	Wreschen	"	—	1. 12. 87	708 M. baar, Landnutzung i. Werthe v. 42 M. neben fr. Wohn. u. Feuerung.	—
47	Mosciejewo	Birnbaum	"	—	30. 11. 87	660,23 M., Naturalien im Werthe von 35,77 M., Landnutzung im Werthe von 54 M. neben freier Wohnung u. Feuerung.	—
48	Groß-Lenka	Gostyn	"	—	31. 10. 87	750 M. neben freier Wohnung u. Feuerung.	—
49	Wreschen	Wreschen	"	4	1. 10. 87	875 M. neben freier Wohnung und 75 M. Feuerungsentschädigung.	—
50	Lowin	Meseritz	"	—	30. 11. 87	448,68 M. baar, Naturalien im Werthe von 226,32 M., Landnutzung im Werthe von 75 M. neben freier Wohnung u. Feuerung.	—
51	Weine	Fraustadt	"	—	1. 1. 88	747 M. baar, Gartenlandnutzung im Werthe von 3 M. neben freier Wohnung u. Feuerung.	—
52	Groß-Strzelcze	Gostyn	"	2	1. 1. 88	750 M. baar neben freier Wohnung u. Feuerung.	—
53	Paupowo	Kröben	"	2	1. 1. 88	750 M. baar neben freier Wohnung u. Feuerung.	—
54	Miloslaw	Wreschen	"	4	1. 1. 88	851 M. incl. 120 M. Wohnungs- und 90 M. Feuerungsentschädigung neben Naturalien im Werthe von 159 M.	—
55	Mixstadt	Schildberg	"	3	1. 1. 88	800 M. baar neben freier Wohnung u. Feuerung.	—
56	Obornik	Obornik	evangelisch	2	31. 3. 88	1100 M. neben einer Miethsentschädigung von 225 M. und einer Feuerungsentschädigung von 120 M.	—
57	Groß-Siekierki	Schroda	katholisch	—	1. 1. 88	481 M. baar, Landnutzung im Werthe von 54 M., Naturalien im Werthe von 215 M., aus dem Organistenamte 45 M. neben freier Wohnung und Feuerung.	—

Laufende №	Name des Schulorts	Kreis	Konfessioneller Charakter der Schule	Bezeichnung der Stelle	Datum der eingetretenen Erledigung	Einkommen	Bemerkungen.
58	Prußy	Jarotschin	katholisch	—	1. 3. 88	536 M. baar, Naturalien im Werthe von 164 M., Landnutzung im Werthe von 50 M. neben freier Wohnung und Feuerung.	—
59	Budy	Krotoschin	„	—	1. 3. 88	720 M. baar, Landnutzung im Werthe von 30 M. neben freier Wohnung u. Feuerung.	—
60	Siemianice	Kempen	„	2	1. 3. 87	726 M. baar, Landnutzung im Werthe von 24 M. neben freier Wohnung u. Feuerung.	—
61	Tadeuszewe	Schroda	„	—	1. 3. 88	750 M. incl. einer Landnutzung im Werthe von 36 M. neben freier Wohnung u. Feuerung.	—
62	Osing	Kempen	„	—	1. 4. 80	750 M. baar neben freier Wohnung u. Feuerung.	—
63	Pinne	Samter	„	2	1. 1. 88	850 M. incl. einer Landnutzung im Werthe von 75 M., freier Wohnung und einer Feuerungsentschädigung v. 90 M.	—
64	Trzcenica	Schmiegel	„	2	1. 4. 88	750 M. baar neben freier Wohnung u. Feuerung.	—
65	Sulencin Hauland	Schroda	„	—	1. 1. 88	750 M. incl. einer Landnutzung v. 24 M. neben freier Wohnung und Feuerung.	—
66	Bielewo	Kosten	„	—	1. 4. 88	660 M. baar, Landnutzung im Werthe von 90 M., sowie freie Wohnung und Feuerung.	—
67	Olszówa	Kempen	„	—	31. 3. 88	750 M. incl. Landnutzung im Werthe von 40 M., Naturalien im Werthe von 150 M. neben freier Wohnung u. Feuerung.	—
68	Klein-Gaj	Samter	„	—	31. 3. 88	750 M. incl. Landnutzung von 110 M., Naturalien im Werthe von 221 M. neben freier Wohnung u. Feuerung.	—
69	Sarbinowo	Schroda	„	—	31. 3. 88	750 M. neben freier Wohnung u. Feuerung.	—
70	Scharfenort	Samter	„	1	30. 6. 88	976 M. incl. 90 M. Feuerungs- u. 66 M. Miethsentschädigung, Ertragswerth des Schullandes 78,84 M.	—

Laufende №	Name des Schulorts	Kreis	Konfessioneller Charakter der Schule	Bezeichnung der Stelle	Datum der eingetretenen Erledigung	Einkommen	Bemerkungen.
71	Slomowo	Obornik	katholisch	—	31. 3. 87	401 M., Landnutzung im Werthe von 90 M.	—
72	Pleschen	Pleschen	"	2	28 3. 88	1490 M. incl. Feuerungs- bezw. Miethsentschädigung von 90 M. bezw. 200 M.	—
73	Zurawiniec	Schildberg	"	—	1. 4. 88	378 M. baar, Landnutzung im Werthe von 12 M. neben freier Wohnung u. Feuerung.	—
74	Pontkowo	Schroda	"	—	1. 4. 88	750 M. incl. Landnutzung im Werthe von 40 M. neben freier Wohnung und Feuerung.	—
75	Moschin	Schrimm	"	3	1. 4. 88	800 M. baar neben freier Wohnung u. Feuerung.	—
76	Kuznicabobwuka	Schildberg	"	—	1. 4. 88	750 M., worunter eine Landnutzung von 60 M. neben freier Wohnung und Feuerung.	—
77	Rogaszyce	Schildberg	"	2	31. 3. 88	750 M. neben freier Wohnung u. Feuerung.	—
78	Pietrowo	Kosten	"	—	1. 5. 88	750 M. incl. einer Landnutzung im Werthe von 60 M. neben freier Wohnung u. Feuerung.	—
79	Groß-Kreutsch	Fraustadt	"	—	1. 7. 88	750 M. neben freier Wohnung u. Feuerung.	—
80	Bomblin	Obornik	"	—	1. 6. 88	750 M. neben freier Wohnung u. Feuerung.	—
81	Primentdorf	Bomst	"	2	1. 4. 88	750 M. neben freier Wohnung u. Feuerung.	—
82	Psarskie	Samter	"	—	1. 5. 88	750 M. incl. einer Landnutzung von 36 M. neben freier Wohnung und Feuerung.	—
83	Trzcenica	Schmiegel	"	—	1. 7. 88	800 M. incl. Landnutzung von 60 M. neben freier Wohnung u. Feuerung.	—
84	Kleindorf	Bomst	"	—	1. 4. 88	750 M., worunter Naturalien im Werthe von 128 M. und einer Landnutzung v. 120 M. neben freier Wohnung und Feuerung.	—
85	Luschwitz	Fraustadt	"	1	31. 3. 88	1000 M. incl. der Nutzung des Schullandes im Werthe von 60 M. und einem Organisteneinkommen von 336 M. neben freier Wohnung und Feuerung.	—

Laufende №	Name des Schulorts	Kreis	Konfessioneller Charakter der Schule	Bezeichnung der Stelle	Datum der eingetretenen Erledigung	Einkommen	Bemerkungen.
86	Bargen	Fraustadt	katholisch	—	—	601,37 M. baar, Landnutzung im Werthe von 120 M., Werth der Naturalien 23,10 M.	—
87	Dubin	Rawitsch	"	2	1. 4. 88	800 M. baar, neben freier Wohnung u. Feuerung.	—
88	Alt-Zattum	Birnbaum	"	—	31. 3. 86	750 M. incl. Landnutzung im Werthe von 90 M., Naturalien im Werthe von 167 M. neben freier Wohnung und Feuerung.	—
89	Grabow	Schildberg	evangelisch	3	1. 6. 88	900 M. incl. Landnutzung im Werthe von 15 M. neben freier Wohnung und Feuerung.	—
90	Koebnitz	Bomst	katholisch	1	31. 3. 88	800 M. incl. einer Landnutzung im Werthe von 60 M., Naturalien im Werthe von 134 M., bei Uebernahme des Organistenamtes eine Einnahme von 120 M. neben freier Wohnung und Feuerung.	—
91	Biskupice Zaberyzsec	Schildberg	"	—	1. 6. 88	750 M. neben freier Wohnung u. Feuerung.	—
92	Ostrowo geistlich	Wreschen	"	—	1. 7. 88	750 M., worunter eine Landnutzung im Werthe von 36 M. und Naturalien im Werthe von 192 M.	—
93	Tarnowko	Obornik	"	—	—	840 M., worunter eine Feuerungs-Entschädigung von 90 M.	Neue Stelle

wird hierdurch mit dem Bemerken zur öffentlichen Kenntniß gebracht, daß Bewerbungen um diese Stellen an die Königliche Regierung, Abtheilung für Kirchen- und Schulwesen, zu Posen zu richten sind.

Potsdam, den 2. August 1888.

Königliche Regierung, Abtheilung für Kirchen- und Schulwesen.

Bekanntmachungen des Königlichen Oberbergamts zu Halle.

8. Nachstehende Verleihungsurkunde:

„Im Namen des Königs.

Auf Grund der am 29. März 1888 mit Präsentationsvermerk versehenen Muthung wird dem Kaufmann Leopold Falk zu Berlin, Leipzigerstraße Nr. 29, unter dem Namen **Birkenwerder** das Bergwerkseigenthum in dem Felde, dessen Begrenzung auf dem heute von uns beglaubigten Situationsrisse mit den Buchstaben: a b c d a bezeichnet ist, und welches, einen Flächeninhalt von 2188999,9873 qm, geschrieben: Zwei Millionen einhundertachtundachtzig Tausend neunhundertneunundneunzig $^{9873}/_{10000}$ Quadratmeter umfassend, in den Gemarkungen Hohen-Neuendorf, Stolpe und Königliche Forst Mühlenbeck im Kreise Niederbarnim des Regierungsbezirks Potsdam und im Oberbergamtsbezirke Halle gelegen ist, zur Gewinnung der in dem Felde vorkommenden Braunkohlen hierdurch verliehen",

urkundlich ausgefertigt am heutigen Tage, wird mit dem Bemerken, daß der Situationsriß in dem Büreau des Königlichen Bergrevierbeamten zu Eberswalde zur Einsicht offen liegt, unter Verweisung auf die Paragraphen 35 und 36 des Allgemeinen Berggesetzes vom 24. Juni 1865 hierdurch zur öffentlichen Kenntniß gebracht.

Halle a. S., den 14. August 1888.

Königl. Oberbergamt.

9. Nachstehende Verleihungsurkunde:

„Im Namen des Königs.

Auf Grund der am 24. März 1888 mit Präsentationsvermerk versehenen Muthung wird dem Kaufmann Leopold **Falk** zu Berlin, Leipzigerstraße Nr. 29, unter dem Namen **Stolpe** das Bergwerkseigenthum in dem Felde, dessen Begrenzung auf dem heute von uns beglaubigten Situationsrisse mit den Buchstaben: a b c d e f g h a bezeichnet ist, und welches, einen Flächeninhalt von 2188999,979 qm, geschrieben: Zwei Millionen einhundertachtundachtzig Tausend neunhundertneunundneunzig $^{979}/_{1000}$ Quadratmeter umfassend, in den Gemarkungen Hohen-Neuendorf und Stolpe im Kreise Niederbarnim des Regierungsbezirks Potsdam und im Oberbergamtsbezirke Halle gelegen ist, zur Gewinnung der in dem Felde vorkommenden Braunkohlen hierdurch verliehen",

urkundlich ausgefertigt am heutigen Tage, wird mit dem Bemerken, daß der Situationsriß in dem Büreau des Königl. Bergrevierbeamten zu Eberswalde zur Einsicht offen liegt, unter Verweisung auf die Paragraphen 35 und 36 des Allgemeinen Berggesetzes vom 24. Juni 1865 hierdurch zur öffentlichen Kenntniß gebracht.

Halle a. S., den 14. August 1888.

Königl. Oberbergamt.

Bekanntmachungen der Königlichen Eisenbahn-Direktion zu Bromberg.

Nachtrag zum Verband-Gütertarif.

55. Mit dem 1. September 1888 tritt zum Verband-Gütertarif zwischen Stationen des Bezirks Bromberg einerseits und den Stationen der Marienburg-Mlawkaer Bahn andererseits vom 1. Oktober 1887 der Nachtrag IV. in Kraft. Derselbe enthält: 1) Aenderungen der Spezial-Bestimmungen zu dem Betriebs-Reglement, 2) Aenderung der Nomenklatur des Ausnahmetarifs für bestimmte Stückgüter, 3) Früher bereits veröffentlichte Tarifänderungen, 4) Berichtigungen. Der vorbezeichnete Nachtrag kann durch die Billet-Expeditionen der Verband-Stationen beider Verwaltungen bezogen werden.

Bromberg, den 11. August 1888.

Königl. Eisenbahn-Direktion.

Preisermäßigung für Arbeiter-Wochenkarten.

56. Der Preis einer Arbeiter-Wochenkarte im Verkehr zwischen Rüdersdorf und Strausberg einerseits und den Stationen und Haltestellen der Stadtbahnstrecke Berlin Schles. Bhf. bis Westend andererseits ermäßigt sich vom 19. d. M. auf den Betrag von 3 M. 20 Pf. Näheres ist bei den vorbezeichneten Stationen und Haltestellen zu erfahren.

Bromberg, den 14. August 1888.

Königl. Eisenbahn-Direktion.

Nachtrag zum Kilometerzeiger.

57. Mit dem 1. September 1888, dem Eröffnungstage der zwischen Tamsel und Vietz gelegenen Haltestelle Kl. Cammin, tritt für den Eisenbahn-Direktions-Bezirk Bromberg der Nachtrag 4 zum Kilometerzeiger zur Berechnung der Preise für die Beförderung von:

1. Personen und Reisegepäck,
2. Leichen, Fahrzeugen und lebenden Thieren,
3. Eil- und Frachtgütern

vom 1. April 1888

in Kraft, enthaltend:

1. Entfernungen für die Haltestelle Kl. Cammin,
2. Berichtigungen; soweit diese Erhöhungen enthalten, treten dieselben erst mit dem 1. Oktober 1888 in Kraft.

Die Haltestelle Kl. Cammin wird für den unbeschränkten Personen- und Gepäck-Verkehr, Leichenverkehr, sowie für den Wagenladungs-Güter- und Wagenladungs-Viehverkehr mit der Einschränkung eröffnet, daß der Versand und Empfang von Fahrzeugen ausgeschlossen ist.

Die Züge werden von Kl. Cammin wie folgt abfahren:

Richtung nach Vietz:

Zug № 317 um 5 ^{03} Vormittags,
" " 9 " 2 ^{48} Nachmittags,
" " 7 " 6 ^{30} "
" " 11 " 9 ^{37} Abends.

Richtung nach Tamsel:

Zug № 10 um 6 ^{23} Vormittags,
" " 8 " 11 ^{19} "
" " 12 " 6 ^{56} Nachmittags,
" " 342 " 10 ^{23} Abends.

Bromberg, den 10. August 1888.

Königl. Eisenbahn-Direktion.

Bekanntmachungen anderer Behörden.

Bekanntmachung.

Im Anschluß an die im § 2 unter litt. c. des Schlußprotokolls der V. Elbschifffahrts-Revisions-Kommission vom 4. April 1863 (Preuß. Ges.-S. 1863 S. 379, Hann. Ges.-S. 1863 S. 217, Offiz. Wochenblatt für Lauenburg 1863 S. 57) für die Elbe getroffenen schifffahrtspolizeilichen Vorschriften, welche wie folgt lauten:

„Beim Passiren stark gekrümmter, oder enger, oder seichter Fahrwasserstellen haben die Dampfschleppschiffe in der Bergfahrt zu gleicher Zeit nur ein oder höchstens zwei Schiffe durchzuschleppen, die übrigen aber unterhalb, bezw. oberhalb der bezeichneten Gefahrstellen so lange zu Anker bringen, bis der ganze Schleppzug hinüber gebracht ist. In der Thalfahrt dagegen sind **auf der Strecke unterhalb Magdeburg** die Schleppkähne entweder sämmtlich loszulassen, damit sie einzeln über die Gefahrstellen treiben, oder sie sind von dem Dampfschiffe einzeln, und zwar **neben** demselben befestigt, über die Gefahrstellen zu bringen. —"

wird hierdurch zur öffentlichen Kenntniß gebracht, daß die Fahrwasserstellen, auf welche die vorstehenden Bestimmungen Anwendung finden, fortan durch am Ufer oberhalb und unterhalb der betreffenden Stellen ausgesteckte Schifffahrtszeichen — bestehend aus Stangen mit am oberen Ende derselben angebrachten, aus Weiden geflochtenen Vollkörpern nach Art der Seefahrtszeichen — im Bereiche der diesseitigen Verwaltung örtlich kenntlich gemacht sein werden und daß außerdem bei der Veröffentlichung der geringsten Fahrtiefen im amtlichen Magdeburger Anzeiger ein entsprechender Hinweis auf die vorhandenen derartigen Gefahrstellen, bezw. auf die Anwendung der obengedachten Polizeivorschriften ergehen wird.

Die diesseitige Polizei-Verordnung vom 24. Juni 1882 (Amtsbl. Merseburg 1882 Seite 261) wird hierdurch außer Kraft gesetzt.

Magdeburg, den 13. August 1888.

Der Chef der Elbstrom-Bauverwaltung,
Ober-Präsident der Provinz Sachsen.
von Wolff.

Bekanntmachung.

Die Unternehmer land- und forstwirthschaftlicher Betriebe innerhalb Berlins machen wir darauf aufmerksam, daß gemäß den Bestimmungen des § 55 des Reichsgesetzes vom 5. Mai 1886 (R.-G.-Bl. S. 153), betreffend die Unfallversicherung der in land- und forstwirthschaftlichen Betrieben beschäftigten Personen, von jedem in einem versicherten Betriebe vorkommenden Unfalle, durch welchen eine in demselben beschäftigte Person getödtet wird oder eine Körperverletzung erleidet, welche eine Arbeitsunfähigkeit von mehr als drei Tagen oder den Tod zur Folge hat, von dem Betriebsunternehmer bei der Ortspolizeibehörde schriftlich oder mündlich Anzeige zu erstatten ist.

Dieselbe muß **binnen zwei Tagen** nach dem Tage erfolgen, an welchem der Betriebsunternehmer von dem Unfalle Kenntniß erlangt hat.

Für den Betriebsunternehmer kann derjenige, welcher zur Zeit des Unfalls den Betrieb oder den Betriebstheil, in welchem sich der Unfall ereignet, zu leiten hat, die Anzeige erstatten; im Falle der Abwesenheit oder Behinderung des Betriebsunternehmers ist er dazu verpflichtet.

Von jeder hiernach zu erstattenden Unfall-Anzeige ist **gleichzeitig** dem Sectionsvorstande, für Berlin dem Stadtausschusse, gemäß § 31 des Genossenschafts-Statuts durch Vermittelung des Vertrauensmannes, Herrn Gärtnereibesitzers, Hoflieferanten Gust. A. Schultz hier, O. Eckartsberg Schultz'sches Haus, Mittheilung zu machen.

Die zu den Unfallsanzeigen zu benutzenden, vom Reichsversicherungsamte festgestellten Formulare, werden einzeln von den Königlichen Polizei-Revieren, in größeren Quantitäten in unserer Registratur zum Selbstkostenpreise verabfolgt.

Betriebsunternehmer, welche der ihnen obliegenden Verpflichtung zur Erstattung der Unfall-Anzeigen nicht rechtzeitig nachkommen, können gemäß § 124 des Reichs-Gesetzes vom 5. Mai 1886 von dem Genossenschaftsvorstande mit Ordnungsstrafe bis zu Dreihundert Mark belegt werden.

Berlin, den 15. August 1888.

Der Stadt-Ausschuß. Neubrink.

Personal-Chronik.

Der Bürgermeister Suckau in Lindow *ist zum* Stellvertreter des Amts-Anwalts bei dem *Königlichen* Amtsgericht daselbst ernannt worden.

Dem Lehrer Isidor Granwald aus Leobschütz ist die Concession zur Leitung und Fortführung der zweiklassigen jüdischen Privat-Elementarschule an dem jüdischen Erziehungshause zu Pankow ertheilt worden.

Der bisherige Garnisonpfarrer Albert Wilhelm Voigt zu Wesel ist als Divisionspfarrer der 6. Division nach Brandenburg a. H. versetzt worden.

Der bisherige Hülfsprediger Hermann Walther Burckhardt ist zum dritten Prediger bei der Evangelischen Gemeinde der Sophien-Kirche zu Berlin, Diözese Berlin II., bestellt worden.

Der bisherige Predigtamts-Kandidat Max Gustav Thimann ist zum Pfarrer der Parochie Quitzow, Diözese Perleberg, bestellt worden.

Die unter Königlichem Patronat stehende Pfarrstelle zu Ihlo, Diözese Dahme, kommt durch die Versetzung des Pfarrers Springborn in nächster *Zeit* zur Erledigung. Die Wiederbesetzung erfolgt im *vorliegenden* Falle durch das Kirchenregiment.

Der Lehrer Reinhold Bielitz ist als technischer Lehrer an dem Realprogymnasium zu Luckenwalde angestellt worden.

Der bisherige wissenschaftliche Hilfslehrer Dr. Bruno Gebhardt ist als ordentlicher Lehrer an der IV. städtischen höheren Bürgerschule in Berlin angestellt worden.

Der Gemeindeschullehrer Louis Kraemer ist als Gemeindeschulrektor in Berlin angestellt worden.

Personalveränderungen im Bezirke der Königlichen Eisenbahn-Direktion Erfurt.

Versetzung: Stations-Vorsteher 2. Klasse von Beulhem ab 1. Juli 1888 von Jüterbog nach Liebenwerda.

Hierzu Drei Oeffentliche Anzeiger.

(Die Insertionsgebühren betragen für eine einspaltige Druckzeile 20 Pf. Belagsblätter werden der Bogen mit 10 Pf. berechnet.)

Redigirt von der Königlichen Regierung zu Potsdam.

Potsdam, Buchdruckerei der A. W. Hayn'schen Erben (E. Hayn, Hof-Buchdrucker).

Amtsblatt

der Königlichen Regierung zu Potsdam und der Stadt Berlin.

Stück 35. Den 31. August **1888.**

Bekanntmachungen des Königlichen Regierungs-Präsidenten.

Veröffentlichungen des Deutschen Handelsarchives.

233. Die betheiligten Kreise des Bezirkes mache ich auf folgende Veröffentlichungen im Augusthefte des Deutschen Handelsarchives aufmerksam: 1) Privatlager-Regulativ (S. 515 bis 526), 2) Ausführungsbestimmungen zu dem Gesetze vom 9. Juli 1887, die Besteuerung des Zuckers betreffend (S. 526 bis 559), 3) Ermittelung des Alkoholgehaltes des zur steuerlichen Abfertigung gelangenden Branntweines 2c. (S. 579 bis 585), 4) Vorschriften für die Waarensendungen aus Rußland (S. 644).

Potsdam, den 21. August 1888.

Der Regierungs-Präsident.

Sperrung der Aufzugsöffnung an der Oderbrücke bei Glogau.

234. Dem schifffahrttreibenden Publikum wird hierdurch zur Kenntniß gebracht, daß bei dem Umbau der Oderbrücke zu Glogau eine Sperrung der Aufzugsöffnung vom 27. August d. J. ab auf ca. 2 Monate eintreten wird. Potsdam, den 28. August 1888.

Der Regierungs-Präsident.

Bekanntmachungen der Kaiserlichen Ober-Post-Direktion zu Potsdam.

Unbestellbare Postsendungen.

61. Bei der Kaiserlichen Ober-Postdirektion in Potsdam lagern folgende Postsendungen, welche den Absendern bezw. den Eigenthümern nicht haben zurückgegeben werden können:

Lfd. №	Tag der Aufgabe.	Aufgabe-Postanstalt.	Gegenstand.	Empfänger.	Bestimmungsort.	Absender.
1	7. Dezember 1887.	Karstädt.	Postanweisung über 2 M. 50 Pf.	von Brocke.	Perleberg.	Unbekannt.
2	5. September 1887.	Mahlow (Bezirk Potsdam).	Postanweisung über 5 M.	Amtskasse.	Tempelhof.	Unbekannt.
3	23. Dezember 1887.	Spandau 2 (Hamburger Bahnhof)	Gewöhnlicher Brief mit einem Fünfmarkschein.	Redacteur von Beuren.	Berlin.	Unbekannt.
4	31. Mai 1888.	Potsdam 1.	Einschreibbrief.	Paul Richter.	Weisenau bei Mainz.	Unbekannt.
5	12. Mai 1888.	Rathenow.	Postanweisung über 4 M.	Robert Roschain.	Berlin, Leipzigerstraße 72.	Philipp Maier.
6	6. Mai 1888.	Friedersdorf (Mark).	Postanweisung über 11 M.	Frau Cerelio.	Jaskowieck, Reg.-Bez. Posen.	Unbekannt.
7	16. März 1888.	Potsdam 1.	Postanweisung über 10 M. 5 Pf.	Schröder.	Möglin bei Wriezen.	—

Ferner sind herrenlos aufgefunden: a. Auf dem Postamte in Wittenberge (Bez. Potsdam) 2 (Bahnhof) am 5. Dezember 1887 eine St. Georgsmedaille, am 11. Dezember 1887 ein Pappkarton, enthaltend eine Cigarrentasche mit gesticktem Monogramm O. E.; am 24. Dezember 1887 in Münzen 25 Pfennig, am 3. Februar 1888 ein Paar wollene Strümpfe. b. In der Packkammer des hiesigen Haupt-Postamts am 23. Mai 1888 ein Einmarkstück.

Die unbekannten Absender bezw. Eigenthümer der vorstehend bezeichneten Gegenstände werden aufgefordert, binnen 4 Wochen ihre Ansprüche geltend zu machen, widrigen Falles nach Maßgabe der gesetzlichen Bestimmungen verfahren werden wird.

Potsdam, den 21. August 1888.

Der Kaiserl. Ober-Postdirektor.

Bekanntmachung der Direktion der Städte-Feuer-Societät der Provinz Brandenburg.

Uebersicht

von den Ergebnissen der Verwaltung der Städte-Feuer-Societät der Provinz Brandenburg im Jahre 1887.

I. Versicherungssummen.

Am Schlusse des Jahres 1887 betrugen die beitragspflichtigen Versicherungssummen

in Klasse	I A.	35 768 475	M. für	1,922	Gebäude,
" "	I.	319 006 950	" "	74,115	"
" "	I B.	20 605 175	" "	4,779	"
" "	II A.	4 339 800	" "	442	"
" "	II.	148 841 300	" "	74,720	"
" "	II B.	17 655 675	" "	5,893	"
" "	III.	20 770 350	" "	16,102	"
" "	III B.	6 653 875	" "	1,338	"
" "	IV.	2 068 050	" "	1,497	"
" "	IV B.	1 393 575	" "	1,430	"
in Summa		577 103 225	M. für	182 238	Gebäude,
gegen		573 945 900	" "	182 492	"

am Schlusse des Jahres 1886
hat sich daher die Versicherungssumme im Jahre 1887 vermehrt um 3 157 325 M.,
dagegen die Zahl der versicherten Gebäude vermindert um 254 Gebäude.

Wird der Hauptversicherungssumme von 577 103 225 M.
noch hinzugerechnet die beitragsfreie Hälfte der Versicherungssummen für Kirchen und Thürme mit 7 215 650 "
so ergiebt sich eine Gesammt-Versicherungssumme bei der Societät von 584 318 875 M.

Gegen Explosionsgefahr waren am Schlusse des Jahres 1887 versichert:

in Klasse	I.	38 Gebäude	mit 385 825 M.
" "	II.	13 "	" 103 700 "
zusammen		51 Gebäude	mit 489 525 M.

II. Brand- und Blitzschäden.

Die Zahl der von der Societät zu vergütenden Brandschäden belief sich auf 297 (133 im I. Semester, 164 im II. Semester). Von denselben wurden in 94 Städten 672 Gebäude betroffen. Durch Einschlagen des Blitzes, ohne daß derselbe gezündet, fanden in 27 Fällen Beschädigungen an 30 Gebäuden statt.

Von den 297 Schadenfeuern sind 12 durch Gewitter, 8 durch Explosion, 5 vorsätzlich, 6 durch Fahrlässigkeit, 7 durch schadhafte bezw. vorschriftswidrige Feuerungsanlagen, 4 durch Selbstentzündung, 2 durch Gewerbebetrieb, 1 durch Zufall und 10 durch unzurechnungsfähige Personen nachweislich verursacht worden. In 196 Fällen sind die Entstehungsursachen der Brände unaufgeklärt und in 46 Fällen fehlen noch die Nachrichten vom Ergebniß der Untersuchung. Verurtheilt sind wegen vorsätzlicher Brandstiftung 3 Personen und wegen fahrlässiger Brandstiftung bezw. wegen Uebertretung feuerpolizeilicher Vorschriften ebenfalls 3 Personen.

III. Schadensvergütungen, Prämien und Kosten.

Aus Anlaß der voraufgeführten Brand- und Blitzschäden und 3 Brandschäden aus dem Jahre 1886 sind festgesetzt:

A. Schadensvergütungen in Klasse	I A.	2906 M.	57 Pf.
" "	I.	211 990 "	08 "
" "	I B.	18 992 "	69 "
" "	II A.	8 "	— "
" "	II.	245 933 "	17 "
" "	II B.	80 046 "	56 "
" "	III.	67 226 "	81 "
" "	III B.	53 048 "	65 "
" "	IV.	13 103 "	31 "
" "	IV B.	25 046 "	25 "
	zusammen	718 302 M.	09 Pf.
B. Spritzen- und Wasserwagen-Prämien		2 518 "	— "
C. Schadensabschätzungskosten		5 525 "	— "
	Summa	726 345 M.	09 Pf.

IV. Beiträge der Theilnehmer der Societät.

An Beiträgen wurden ausgeschrieben vom Hundert der Versicherungs-Summe:

pro
= II. = =
in

V. Ergebnisse der Jahres-Rechnungen.

A. Auszug aus der Rechnung vom laufenden Verwaltungsfonds für das Jahr 1887.

Einnahme.

A.			
B. Einn			79 66
C. Aus dem l	hre:		
1.	hr 1887	751	745 706 77
2.		1	1 448 05
3.		6	6 524 60
4.	Außerordentliche Einnahmen		18 —
D. 1.	Erworbene Werthpapiere	132	132 100
2.	Erlös für ausgegebene Werthpapiere	94	94
	Summa		

Ausgabe.

A.	Ausgabe-Rückstände ult. 1886 57 102 M. 95 Pf. Abgang 39 = 33 =	57 063	52 3 7
B.	Aus dem laufenden Rechnungsjahre:		
1.	Prüfungs- und Taxgebühren	18 645	18 645 53
2.	Vergütungen:		
	a. für Brand- und Blitzschäden (einschließlich 2518 M. für Spritzenprämien)	726 345	575 403 32
	b. für Schäden an unversicherten Gegenständen	4 173	4 173 43
3.	Außerordentliche Prämien (für Ermittelung von Brandstiftern und für außerordentliche Löschhülfe)	1 310	1 310 20
4.	Kur- und Versäumnißkosten	738	738 75
5.	irisch organisirter Feuerwehren	11 808	11
6.		1	1
7.			
8.	estreitung der laufenden Ausgaben		
9.	(einschließlich 5200 M. Zuschuß		
		6	6
C.	Ausgege	222	222

Die Einnahme beträgt
mithin bleibt Bestand
und zwar: in Werthpapieren 60 000 M. — Pf.,
baar 297 898 = 41 =

B. Auszug aus der Rechnung vom eisernen Fonds für das Jahr vom 1. April 1887 bis 31. März 1888.

A. Bestand aus voriger Rechnung
B. Erlös für ausgegebene Effekten
C. Erworbene Effekten und Hypotheken
D. Zinsen von Werthpapieren und Hypotheken-Kapitalien
E. Sonstige Einnahmen
F. Zuschuß aus dem laufenden Verwaltungsfonds

Summa

Ausgabe.

	M.	Pf.
A. Ausgegebene Effekten	237 400	—
B. Für erworbene Hypotheken	107 500	—
C. Laufende Ausgaben:		
1. Reisekosten und Tagegelder der Mitglieder des Direktorialrathes der Societät	557	60
2. Besoldungen und Remunerationen der Beamten	27 660	—
3. Für Bureau- und Kassenbedürfnisse	6 430	90
4. Sonstige Ausgaben	1 149	58
D. Außerordentliche Ausgaben	2 625	25
Summa	383 323	33
Die Einnahme beträgt	1 133 634	27
mithin bleibt Bestand	750 310	94

und zwar in Werthpapieren 139 800 M. — Pf.,
in Hypotheken 610 400 „ — „
baar 110 „ 94 „

Berlin, den 12. August 1888. Der Direktor der Städte-Feuer-Societät der Provinz Brandenburg.

Bekanntmachungen der Königl. Direktion der Rentenbank der Provinz Brandenburg.

Einlösung von Rentenbriefen und Zinscoupons.

10. Die Rentenbank-Kasse — Klosterstraße 76 I. hierselbst — wird

a. die am 1. Oktober d. J. fälligen Zinscoupons der Rentenbriefe **aller** Provinzen schon vom 17. bis einschließlich den 24. September d. J.,

b. die ausgeloosten und am 1. Oktober d. J. fälligen Rentenbriefe der **Provinz Brandenburg** vom 21. bis einschließlich den 25. September d. J.

einlösen und demnächst vom 1. Oktober d. J. ab mit der Einlösung fortfahren.

Berlin, den 22. August 1888.

Königl. Direktion
der Rentenbank für die Provinz Brandenburg.

Berichtigung.

11. In unserer Bekanntmachung vom 19. Juli d. Js. „Stück 31 Seite 306“ ist an Stelle laufende № 1 zu lesen:

Städtefeuer-Societät der Provinz Brandenburg.

Berlin, den 21. August 1888.

Königliche Direction der Rentenbank
für die Provinz Brandenburg.

Bekanntmachungen der Königlichen Eisenbahn-Direktion zu Berlin.

Nachtrag zum Eisenbahn-Güter-Tarifbuch für Berlin.

32. Am 1. September d. J. erscheint der zweite Nachtrag zum **Eisenbahn-Güter-Tarifbuch für Berlin.** Derselbe enthält die bis zum 1. September d. J. im Verkehr zwischen den Berliner Bahnhöfen und Ringbahnstationen einerseits und allen übrigen deutschen Stationen andererseits eingetretenen Aenderungen und Ergänzungen. Der Nachtrag ist zum Preise von 0,70 M. für das Stück durch die bekannt gegebenen Verkaufsstellen zu beziehen.

Berlin, den 25. August 1888.

Königl. Eisenbahnbahn-Direktion.

Bekanntmachungen der Kreis-Ausschüsse.

Communalbezirksveränderung.

21. In der diesseitigen Bekanntmachung vom 21. Juli d. J., betreffend die Incommunalisirung des sogenannten Tiefen Geheges bei Luckenwalde, ist ad 2 als Grenzscheide, von welcher die östlich im Tiefen Gehege gelegenen Grundstücke dem Gemeindebezirke Gottow einverleibt worden sind, der sogenannte Fliederdamm angegeben. Dies beruht auf einem Schreibfehler. Nicht der Fliederdamm, sondern der schwarze Damm soll die Grenze bilden und wird hiernach diese Bekanntmachung hierdurch berichtigt.

Jüterbog, den 20. August 1888.

Der Kreis-Ausschuß Jüterbog-Luckenwaldeschen Kreises.

Personal-Chronik.

Seine Majestät der Kaiser und König haben allergnädigst geruht, den bei dem Königlichen Konsistorium in Berlin angestellten Konsistorial-Assessor Kurt Balan zum Konsistorial-Rath zu ernennen.

Der bisherige Wachtmeister Rhein ist vom 1. September d. J. ab als Polizei-Kommissarius bei der Königlichen Polizei-Direktion zu Potsdam definitiv angestellt worden.

Im Kreise Templin ist wegen des Ablaufs seiner Dienstzeit der Rittergutsbesitzer von Arnim zu Willmine von Neuem zum Amtsvorsteher-Stellvertreter des Amtsbezirks „Groß-Fredenwalde“ ernannt worden.

Der Lehrerin Margarethe Müller zu Börnicke bei Bernau ist die Erlaubniß ertheilt worden, im Regierungsbezirk Potsdam Stellen als Hauslehrerin anzunehmen.

Die Lehrer Faehling, Voigt, Pasewaldt, Becker, Segner, Irmisch und Boß sind als Gemeindeschullehrer und die Lehrerinnen Auguste Hoffmann, Marie Forth, Hedwig Knab, Marie Budczies, Margarethe Palmié, Helene Pesch, Meta Noack, Anna Rietz und Ida Schellewald, geborene Rauch, sind als Gemeindeschullehrerinnen in Berlin angestellt worden.

Die Lehrer Kiesow II., Hansen, Zahn, Legal, Otto VI., Beccard II., Ehrenpfordt, Schulze L., Große IV., Prahn, Helm, Hannemann, Schley, Jünemann, Koeppel, Kopsch, Klinder, Witt, Stolper, Rubahn und Kriegel sind als Gemeindeschullehrer in Berlin angestellt worden.

Dem Küster und ersten Lehrer August Bernhard Ludwig Schmidt zu Lunow, Diözese Angermünde, ist der Titel „Kantor" verliehen worden.

Bekanntmachung.

Im Verwaltungsbezirke der Königlichen Hofkammer der Königlichen Familiengüter ist vom 1. September d. J. ab der Förster Walther von Staakow Oberförsterei Staakow, nach Arnsberg, Oberförsterei Arnsberg, versetzt und der bisherige Forstaufseher Theile zum Königlichen Förster in Staakow ernannt.

Berlin, den 20. August 1888.

Königl. Hoffammer der Königl. Familiengüter.

Vermischte Nachrichten.

Erledigte Kreisphysikatsstellen.

Die mit einem jährlichen Gehalte von je 900 M. verbundenen Kreisphysikatsstellen für die neu gebildeten Kreise Witkowo und Znin mit dem Amtssitze in den gleichnamigen Kreisstädten sind zu besetzen.

Geeignete Bewerber wollen sich unter Einreichung ihrer Zeugnisse und eines kurzen Lebenslaufes binnen 4 Wochen bei uns melden.

Bromberg, den 20. August 1888.

Königl. Regierung, Abtheilung des Innern.

Erledigte Kreiswundarztstelle.

Die mit einem jährlichen Gehalte von 600 Mark verbundene Kreiswundarztstelle für den Kreis Schubin — mit dem Amtswohnsitze in Erin — ist sofort zu besetzen.

Geeignete Bewerber wollen sich unter Einreichung ihrer Zeugnisse und eines kurzen Lebenslaufs binnen 4 Wochen bei uns melden.

Bromberg, den 20. August 1888.

Königl. Regierung, Abtheilung des Innern.

Ausweisung von Ausländern aus dem Reichsgebiete.

Lauf. Nr.	Name und Stand des Ausgewiesenen	Alter und Heimath des Ausgewiesenen	Grund der Bestrafung	Behörde, welche die Ausweisung beschlossen hat	Datum des Ausweisungs-Beschlusses
1	2	3.	4.	5.	6
		Auf Grund des § 362 des Strafgesetzbuchs:			
1	Alois Schmid, Tagelöhner,	geboren 1838 zu Umhausen, Bezirk Imst, ortsangehörig ebendaselbst,	Betteln im wiederholten Rückfalle,	Königliche Polizei-Direktion zu München, Bayern,	18. Mai 1888.
2	Anton Stadelbauer, Bergmann,	geboren am 1. Juni 1865 zu Aigen, Bezirk Rohrbach, Oberösterreich, ortsangehörig ebendaselbst,	desgleichen,	Königlich Bayerisches Bezirksamt Pirmasens,	15. Juni 1888.
3	Mathias Pisner, Tagelöhner,	geboren im August 1866 zu Bergreichenstein, Bezirk Schüttenhofen, Böhmen, ortsangehörig ebendaselbst,	Landstreichen und Betteln,	Königlich Bayerisches Bezirksamt Traunstein,	5. Juli 1888.
4	Johann Baptist, Sevignani, ohne Stand,	geboren am 23 Oktober 1868 zu St. Johann, Bezirk Kitzbühel, Tirol, ortsangehörig ebendaselbst,	Betrug, Diebstahl, Landstreichen, Gebrauch gefälschter Legitimationspapiere und falsche Namensangabe,	Königlich Bayerisches Bezirksamt Aichach,	6. Juli 1888.
5	Wenzel Capek, Schuhmacher,	27 Jahre alt, geboren zu Bodance, Bezirk Kuttenberg, Böhmen, ortsangehörig zu Petrovic, ebendaselbst,	Landstreichen, Betteln und Angabe eines falschen Namens,	Königlich Bayerisches Bezirksamt Eggenfelden,	11. Juli 1888.
6	Leopold Fried, ohne Stand,	geboren am 15. Mai 1829 zu Nannas, Ungarn,	Landstreichen,	Kaiserlicher Bezirks-Präsident zu Colmar,	6. Juli 1888.
7	Hieronymus Kretz, Säger,	geboren im Februar 1839 zu Aesch, Kanton Luzern, Schweiz, ortsangehörig ebendaselbst,	desgleichen,	derselbe,	11. Juli 1888.
8	Josef Peterka, Erdarbeiter,	geboren im Juli 1862 zu Zara, Dalmatien, Oesterreich,	Landstreichen und Betteln,	derselbe,	16. Juli 1888.

Lauf. Nr.	Name und Stand	Alter und Heimath	Grund der Bestrafung.	Behörde, welche die Ausweisung beschlossen hat.	Datum des Ausweisungs-Beschlusses.
	des Ausgewiesenen.				
1.	2.	3	4.	5.	6.
9	Josef Peters, ohne Stand,	geboren am 16. September 1873 zu Brüssel, Belgien, ortsangehörig ebendaselbst,	Landstreichen,	Kaiserlicher Bezirks-Präsident zu Metz,	18. Juli 1888.
10	Johann Bäumel, Bäckergeselle,	geboren am 10. November 1869 zu Mottowitz, Kreis Pilsen, Böhmen, ortsangehörig ebendaselbst,	Landstreichen und Betteln,	Königlich Preußischer Regierungspräsident zu Lüneburg,	21. Juli 1888.
11	Jean Gilles Josef (Egidius) Lesenfants, Erdarbeiter,	geboren am 6. April 1857 zu Remouchamps, Bezirk Aywaille, Belgien,	desgleichen,	Königlich Preußische Regierung zu Aachen,	15. Juni 1888.
12	Josef Buschek, Bergmann,	geboren am 13. Januar 1850 zu Gründorf, Bezirk Pilgram, Böhmen, ortsangehörig ebendaselbst,	desgleichen,	Königlich Preußischer Regierungspräsident zu Aachen,	12. Juli 1888.
13	Johann Stroß, Metzger und Brauer,	geboren im Jahre 1866 zu Brandysa, Bezirk Karolinenthal, Böhmen, ortsangehörig ebendaselbst,	Landstreichen,	Königlich Bayerisches Bezirksamt Schrobenhausen,	17. Juli 1888.
14	Johann Jansky, ohne Stand,	geboren im Jahre 1863 zu Kolinetz, Bezirk Klattau, Böhmen, ortsangehörig ebendaselbst, wohnhaft zuletzt in Regen, Bayern,	Landstreichen und Betteln,	Königlich Bayrisches Bezirksamt Regen,	18. Juli 1888.
15	Karl Marquart, Weber und Heizer,	geboren am 11. Juni 1835 zu Gottmannsgrün, Bezirk Asch, Böhmen, ortsangehörig ebendaselbst,	Betteln im wiederholten Rückfall und unerlaubte Rückkehr,	Königlich Sächsische Kreishauptmannschaft Dresden,	3. Juli 1888.
16	Johanna Jacobowitz, geb. Glas,	30 Jahre alt, geboren und ortsangehörig zu Lakowo, Rußland,	Landstreichen,	Kaiserlicher Bezirks-Präsident zu Straßburg,	23. Juli 1888.
17	Josef Bujem Königstein, Weber,	51 Jahre alt, geboren und ortsangehörig zu Lask, Rußland,	desgleichen,	derselbe,	24. Juli 1888.
18	a. Josef Salomon Fischoff, Gerber,	43 Jahre alt, geboren und ortsangehörig zu Tomaszow, Rußland,	desgleichen,	derselbe,	desgleichen.
	b. dessen Ehefrau Liba Nieuradoma,	38 Jahre alt, geboren zu Widaska, Rußland,			
19	Felix Zanin, Erdarbeiter,	47 Jahre alt, geboren zu Feltre, Italien,	desgleichen,	Kaiserlicher Bezirks-Präsident zu Metz,	21. Juli 1888.

Hierzu Drei Oeffentliche Anzeiger.

(Die Insertionsgebühren betragen für eine einspaltige Druckzeile 20 Pf. Belagsblätter werden der Bogen mit 10 Pf. berechnet.)

Redigirt von der Königlichen Regierung zu Potsdam.

Potsdam, Buchdruckerei der A. W. Hayn'schen Erben (E. Hayn, Hof-Buchdrucker).

Amtsblatt

der Königlichen Regierung zu Potsdam und der Stadt Berlin.

Stück 36. Den 7. September 1888.

Bekanntmachungen des Königlichen Regierungs-Präsidenten.

Die Bäcker-Innung zu Kyritz betreffend.

235. Auf Grund des § 100e. № 3 der Reichs-Gewerbe-Ordnung in der Fassung des Gesetzes vom 18. Juli 1881 und der Ausführungs-Anweisung hierzu vom 9. März 1882 I. 1a. 2 bestimme ich hierdurch für den Bezirk der Bäcker-Innung zu Kyritz:

daß diejenigen Arbeitgeber, welche das Bäckergewerbe betreiben und selbst zur Aufnahme in die Innung fähig sein würden, gleichwohl aber der Innung nicht angehören, vom 1. Februar 1889 ab Lehrlinge nicht mehr annehmen dürfen.

Ich bringe dies mit dem Bemerken hierdurch zur Kenntniß, daß der Bezirk der genannten Innung die Stadt Kyritz, sowie die zum Gerichtsbezirke Kyritz gehörigen Gemeinden umfaßt.

Potsdam, den 25. August 1888.

Der Regierungs-Präsident.

Abänderung des Tarifs für die Fähre über den Rhinsee zwischen Neu-Ruppin-Wuthenow und Rietwerder.

236. Im Einverständniß mit dem Herrn Provinzial-Steuer-Director wird der Tarif für die Fähre über den Rhinsee zwischen Neu-Ruppin-Wuthenow und Rietwerder vom 1. September 1852 in den Positionen II. und III. dahin abgeändert, daß den Fährberechtigten für das Uebersetzen folgende Sätze gewährt werden:

für einen Zieh- oder Treiberhund: . . . 3 Pf.
" einen leeren Handwagen . . . . . 5 "
" einen beladenen Handwagen . . . 10 "
" eine leere Karre . . . . 3 "
" eine beladene Karre . . . . 5 "

Als beladene Handwagen und Karren sind solche Gefährte anzusehen, welche außer den leeren Kiepen, Körben und Säcken, die zum Hin- und Rücktransport bestimmt sind, mit Gegenständen im Gesammtgewicht von mehr als 15 kg beladen sind.

Potsdam, den 31. August 1888.

Der Regierungs-Präsident.

Viehseuchen.

237. Der Milzbrand ist unter dem Rindvieh des Ritterguts Krügersdorf bei Beeskow ausgebrochen.

Potsdam, den 28. August 1888.

Der Regierungs-Präsident.

238. Der Milzbrand ist unter dem Rindvieh in Dyrotz, Kreis Osthavelland, ausgebrochen.

Potsdam, den 30. August 1888.

Der Regierungs-Präsident.

239. Der Milzbrand ist unter dem Rindvieh in Wernsdorf, Kreis Beeskow-Storkow, ausgebrochen.

Potsdam, den 31. August 1888.

Der Regierungs-Präsident.

Bekanntmachungen des Königlichen Polizei-Präsidiums zu Berlin.

85. **Allerhöchster Erlaß.**

Auf den Bericht vom 28. Juli dieses Jahres will Ich auf Grund des Gesetzes vom 11. Juni 1874 (Gesetz-Sammlung Seite 221 ff.) der Stadtgemeinde Berlin das Enteignungsrecht zum Zwecke des Erwerbes der zu dem Bau des Hauptsammlers für das Radialsystem X. der allgemeinen Kanalisation von Berlin in der Bellermannstraße erforderlichen Grundflächen hiermit verleihen. Die eingereichten Pläne erfolgen zurück.

Berlin, den 8. August 1888.

gez. **Wilhelm R.**

ggz. von Maybach.

An den Minister der öffentlichen Arbeiten.

* * *

Vorstehender Allerhöchster Erlaß wird in Gemäßheit des § 2 des Enteignungsgesetzes vom 11. Juni 1874 hierdurch zur öffentlichen Kenntniß gebracht..

Berlin, den 29. August 1888.

Der Polizei-Präsident.

Verbot einer Druckschrift.

86. Auf Grund des § 12 des Reichsgesetzes gegen die gemeingefährlichen Bestrebungen der Sozialdemokratie vom 21. Oktober 1878 wird hierdurch zur öffentlichen Kenntniß gebracht, daß das Beiblatt der Nummer 35 der hierselbst im Verlage von F. Poukel erscheinenden periodischen Druckschrift „Berliner Volks-Tribüne", Social-Politisches Wochenblatt vom 1. September 1888 nach § 11 des gedachten Gesetzes durch den Unterzeichneten von Landespolizeiwegen verboten worden ist.

Berlin, den 1. September 1888.

Der Königl. Polizei-Präsident.

Bekanntmachungen der Königl. Direktion der Rentenbank der Provinz Brandenburg.

Verloosung von Rentenbriefen.

12. Bei der in Folge unsrer Bekanntmachung vom 19. v. M. heute geschehenen öffentlichen Verloosung von **Rentenbriefen der Provinz Brandenburg** sind folgende Stücke gezogen worden:

Litt. A. zu 3000 M. (1000 Thlr.) 157 Stück
und zwar die Nummern:

237 451 667 677 692 1057 1148 1190 1695 2038
2143 2256 2337 2481 2693 2785 2843 2910 3001

3115 3121 3487 3769 3938 4016 4045 4206 4345
4589 4632 4864 4900 5030 5104 5108 5189 5254
5318 5370 5411 5497 5881 6240 6244 6245 6371
6492 6494 6543 6769 6821 6894 6918 7044 7108
7111 7255 7512 7540 7562 7908 8159 8237 8241
8427 8429 8569 8574 8734 8849 8912 8920 9073
9090 9142 9148 9359 9463 9645 9678 9944 10142
10359 10366 10432 10813 10859 11019 11137
11248 11678 11735 11739 12020 12023 12323
12359 12360 12510 12813 12850 13010 13210
13409 13519 13531 13581 13979 14207 14308
14590 14755 14761 14796 14861 14897 14986
15047 15147 15512 15607 15769 15772 15799
15852 15860 15906 15957 15960 16090 16154
16282 16840 16896 16919 17035 17057 17165
17179 17232 17283 17284 17347 17407 17445
17687 17968 18000 18251 18329 18675 18758
18924 19041 19062 19074 19109.

Litt. B. zu 1500 M. (500 Thlr.) 55 Stück
und zwar die Nummern:

73 114 395 1067 1139 1209 1381 1513 1648 1657
1717 1779 1849 1890 1894 1905 2315 2481 2776
2803 2862 2947 3168 3183 3256 3344 3395 3470
3488 3930 3951 4153 4252 4389 4467 4503 4670
4706 4783 4810 4857 4914 5357 5511 5699 5700
5774 5778 5870 5973 5997 6028 6205 6476 6579.

Litt. C. zu 300 M. (100 Thlr.) 208 Stück
und zwar die Nummern:

42 103 177 280 436 478 789 868 964 971 996
1155 1266 1305 1327 1395 1618 1754 1826 1866
1895 1909 2242 2300 2510 2714 2870 3018 3283
3287 3393 3592 3698 3958 4059 4077 4430 4719
4780 4797 4899 4926 4927 5014 5257 5265 5300
5312 5572 5669 5777 5783 5890 5914 6005 6021
6039 6351 6421 6605 6682 6795 6920 6932 7330
7542 7619 7639 7953 8026 8252 8339 8362 8395
8463 8490 8573 8595 8788 8987 8989 9071 9104
9111 9242 9281 9469 9613 9614 9669 9763 9794
9909 9970 10440 10501 10566 10572 10654 10730
10827 11036 11202 11306 11554 11649 11890
12047 12062 12070 12164 12275 12391 12406
12564 12972 13174 13345 13349 13472 13611
13655 13756 14118 14333 14432 14603 14607
14669 14837 14907 15323 15389 15426 15483
15540 15549 15624 15653 15863 16053 16061
16174 16381 16477 16622 16688 16740 16878
16973 17075 17176 17232 17327 17457 17848
17961 18133 18245 18330 18355 18387 18726
18969 19032 19252 19516 19669 19890 20062
20116 20175 20241 20302 20327 20339 20563
20870 20938 21046 21090 21486 21791 21825
21958 22087 22219 22306 22447 22607 22784
22811 23034 23144 23164 23584 23594 23653
23779 23829 23857 23927 24000 24074 24100
24182 24217 24393.

Litt. D. zu 75 M. (25 Thlr.) 176 Stück
und zwar die Nummern:

19 44 298 299 390 599 776 949 1225 1296 1310
1322 1457 1503 1671 1779 1903 1924 2394 2452
2557 2583 2640 2673 2725 2875 3151 3481 3732
3874 3937 4118 4179 4233 4245 4407 4517 4579
4793 5070 5071 5441 5812 5834 5861 6015 6177
6430 6606 6661 6744 6925 7030 7116 7138 7157
7175 7176 7227 7305 7464 7823 7892 7931 7936
7969 8028 8451 8544 8707 8740 8819 8874 8916
9110 9133 9215 9489 9562 9617 9689 9768 9831
10040 10121 10248 10263 10271 10357 10439
10474 10879 10895 10923 10956 10989 11009
11028 11171 11280 11439 11482 11507 11542
11582 11836 12103 12153 12331 12394 12449
12482 12499 12510 12588 12634 12697 12846
12935 12955 13008 13286 13437 13491 13579
13587 13770 13826 14110 14113 14186 14269
14542 14738 14831 14859 14986 15026 15050
15139 15156 15208 15269 15340 15392 15732
15841 15880 16141 16438 16597 16610 16688
16776 16975 17051 17070 17089 17094 17538
17621 17717 17850 18037 18105 18153 18214
18369 18511 19291 19352 19479 19734 19766
20175 20216.

Die Inhaber dieser Rentenbriefe werden aufgefordert, dieselben in coursfähigem Zustande, mit den dazu gehörigen Coupons Ser. V. № 13—16 nebst Talons bei der hiesigen Rentenbank-Kasse, Klosterstraße 76, vom 1. Oktober d. J. ab an den Wochentagen von 9—1 Uhr einzuliefern, um hiergegen und gegen Quittung den Nennwerth der Rentenbriefe in Empfang zu nehmen. Vom 1. Oktober d. J. ab hört die Verzinsung der ausgeloosten Rentenbriefe auf. Von den früher verlooseten Rentenbriefen der Provinz Brandenburg sind nachstehend genannte Stücke noch nicht zur Einlösung bei der Rentenbank-Kasse vorgelegt worden, obwohl seit deren Fälligkeit 2 Jahre und darüber verflossen sind.

Zum 1. Oktober 1882 Litt. C. № 2124 über 300 M. (100 Thlr.)

Zum 1. April 1883 Litt. C. № 185 über 300 M. (100 Thlr.)

Zum 1. Oktober 1883 Litt. A. № 5689 über 3000 M. (1000 Thlr.) Litt. C. № 8068 à 300 M. (100 Thlr.) Litt. D. № 25 1038 6380 6743 à 75 M. (25 Thlr.)

Zum 1. April 1884 Litt B. № 3148 über 1500 M. (500 Thlr.) Litt. C. № 6431 19129 à 300 M. (100 Thlr.) Litt. D. № 2504 über 75 M. (25 Thlr.)

Zum 1. Oktober 1884 Litt. B. № 3754 über 1500 M. (500 Thlr.) Litt. C. № 564 1229 2410 4153 7957 13626 à 300 M. (100 Thlr.) Litt. D. № 259 1594 1976 2312 2393 3041 3276 5183 6741 8623 8638 12207 13278 à 75 M (25 Thlr.)

Zum 1. April 1885 Litt. A. № 6437 15555 à 3000 M. (1000 Thlr.) Litt. C. № 5166 5876 6196 9959 à 300 M. (100 Thlr.) Litt. D. № 12065 13382 à 75 M. (25 Thlr.)

Zum 1. Oktober 1885 Litt. A. № 557 à 3000 M.

(1000 Thlr.) Litt. C. № 541 5139 8597 10171 19186 22408 à 300 M. (100 Thlr.) Litt. D. № 1465 4416 4917 5224 9719 14223 18119 à 75 M. (25 Thlr.)

Zum 1. April 1886 Litt. A. № 10557 à 3000 M. (1000 Thlr.) Litt. B. № 1001 1500 à 1500 M. (500 Thlr.) Litt. C. № 4610 5103 à 300 M. (100 Thlr.) Litt. D. № 3082 7404 8261 17269 à 75 M (25 Thlr.)

Die Inhaber dieser Rentenbriefe werden wiederholt aufgefordert, den Nennwerth derselben nach Abzug des Betrages der von den mitabzuliefernden Coupons etwa fehlenden Stücke bei unserer Kasse in Empfang zu nehmen. Wegen der Verjährung der ausgeloosten Rentenbriefe ist die Bestimmung des Gesetzes über die Errichtung der Rentenbanken vom 2. März 1850 § 44 zu beachten. Die Einlieferung ausgelooster Rentenbriefe an die Rentenbank-Kasse kann auch durch die Post, portofrei, und mit dem Antrage erfolgen, daß der Geldbetrag auf gleichem Wege übermittelt werde. Die Zusendung des Geldes geschieht dann auf Gefahr und Kosten des Empfängers und zwar bei Summen bis zu 400 M. durch Postanweisung. Sofern es sich um Summen über 400 Mark handelt, ist einem solchen Antrage eine ordnungsmäßige Quittung beizufügen.

Der zum 1. Oktober 1877 ausgelooste Rentenbrief der Provinz Brandenburg Litt. D. № 5241 à 75 M., welcher zur Einlösung nicht präsentirt worden, ist mit dem Schlusse des vergangenen Jahres verjährt.

Berlin, den 14. Mai 1888.

Königl. Direktion
der Rentenbank für die Provinz Brandenburg.

Bekanntmachungen des Provinzial-Steuer-Direktors.

Vergütung der Verbrauchsabgabe bei der Ausfuhr von Branntweinfabrikaten.

15. Es wird unter Bezugnahme auf die Bekanntmachung vom 4. d. M., betreffend die Vergütung der Verbrauchsabgabe bei der Ausfuhr von Branntweinfabrikaten, zur öffentlichen Kenntniß gebracht, daß die Befugniß zur Abfertigung derjenigen Branntweinfabrikate, deren Alkoholgehalt nicht unter Anwendung des Thermo-Alkoholometers ermittelt werden kann, seitens des Herrn Finanz-Ministers folgenden Zoll- und Steuerstellen beigelegt worden ist:

dem Haupt-Zoll-Amte zu Danzig,
„ Haupt-Steuer-Amte für inländische Gegenstände zu Berlin,
„ „ „ „ zu Stettin,
„ „ „ „ zu Posen,
der Zollabfertigungsstelle am Oberschlesischen Bahnhofe zu Posen,
dem Haupt-Steuer-Amte zu Halle a. S.,
„ „ „ „ I. zu Magdeburg,
der Zoll-Expedition am Magdeburg-Wittenberger Bahnhofe zu Magdeburg,
dem Haupt-Steuer-Amte zu Nordhausen,
„ „ „ „ zu Wittenberg,
dem Haupt-Zollamte zu Flensberg,
der Abfertigungsstelle A. am Berliner Bahnhofe zu Hamburg,
der Abfertigungsstelle B. am Berliner Bahnhofe zu Hamburg,
der Abfertigungsstelle B. am Lübecker Bahnhofe zu Hamburg,
der Abfertigungsstelle A. am Venloer Bahnhofe zu Hamburg,
der Abfertigungsstelle B. am Venloer Bahnhofe zu Hamburg,
der Abfertigungsstelle am Grasbrook zu Hamburg,
der Abfertigungsstelle am Entenwärder zu Hamburg,
der Abfertigungsstelle in der Zollvereins-Niederlage zu Hamburg,
dem Haupt-Zoll-Amte zu Kiel,
„ „ „ „ zu Ottensen,
„ „ „ „ zu Bremen,
„ „ Steuer- „ zu Hannover,
„ Neben-Zoll-Amte I. zu Wilhelmshaven,
„ „ „ „ I. zu Bocholt,
„ „ „ „ I. zu Borken,
„ „ „ „ I. zu Gronau,
„ Haupt-Steuer-Amte zu Cassel,
„ Steuer-Amte I. zu Karlshafen,
„ Haupt-Steuer-Amte zu Frankfurt a. M.,
„ „ Zoll- „ zu Aachen,
„ „ „ „ zu Emmerich,
„ „ Steuer- „ zu Trier.

Berlin, den 25. August 1888.

Die Provinzial-Steuer-Direktion.

Bekanntmachungen des Königlichen Oberbergamts zu Halle.

Verlegung des Wohnsitzes eines Markscheiders.

10. Unter Bezugnahme auf den § 4 der Allgemeinen Vorschriften für die Markscheider im Preußischen Staate vom 21. Dezember 1871 bringen wir hierdurch zur öffentlichen Kenntniß, daß der concessionirte Markscheider Julius Czettritz seinen Wohnsitz von Waldenburg in Schlesien nach Magdeburg verlegt hat.

Halle, den 25. August 1888.

Königl. Oberbergamt.

Bekanntmachungen der Königlichen Eisenbahn-Direktion zu Berlin.

Galizisch-Norddeutscher Eisenbahn-Verband.

33. Mit dem 1. Oktober d. J. tritt an Stelle des Galizisch-Norddeutschen-Verbandtarifs, Heft 1, 2 und 3 vom 1. November 1885 nebst Nachträgen ein neuer Tarif. Derselbe umfaßt: Heft 1, Klassenverkehr mit den Deutschen Seehafenstationen; Heft 2, Klassenverkehr mit Stationen der Direktionsbezirke Berlin, Breslau, Bromberg, Erfurt, Frankfurt a. M., Hannover und Magdeburg, sowie der sächsischen Staatseisenbahnen; Heft 3, Klassenverkehr mit Stationen der Direktionsbezirke Elberfeld, Köln (links- und rechtsrheinisch); Heft 4, den Holzverkehr nach Norddeutschland. Der neue Tarif enthält theils erhöhte, theils ermäßigte Frachtsätze, sowie die Aufnahme neuer Verband-Stationen. Ferner treten infolge Fortlassung unwichtiger Stationen einige Verkehrsbeschränkungen ein. Exemplare des neuen Tarifs sind im hiesigen Auskunftsbureau auf dem Stadtbahnhofe Alexanderplatz und vom Heft 1 und 4 auch bei unserer Güterkasse in Stettin Centralgüterbahnhof käuflich zu haben.

Berlin, den 23. August 1888.

Königl. Eisenbahn-Direktion.

Bekanntmachungen anderer Behörden.

Ausübung der Strompolizei durch die Bagger-, Taucher-, Schleusen- und Krahnmeister.

Unter Bezugnahme auf die von mir unterm 13. März d. J. hinsichtlich der Befugnisse der Stromaufsichtsbeamten der Elbe und Saale erlassene Polizei-Verordnung bringe ich hierdurch zur öffentlichen Kenntniß, daß die im diesseitigen Verwaltungsbezirke angestellten Bagger-, Taucher-, Schleusen- und Krahnmeister ebenfalls mit der Ausübung der Strom-, Schifffahrts- und Hafenpolizei betraut und demgemäß den betreffenden Bezirks-Wasserbauinspektoren zur Hülfeleistung auch in polizeilicher Beziehung untergeordnet worden sind.

Magdeburg, den 27. August 1888.

Der Chef der Elbstrom-Bauverwaltung,
Ober-Präsident der Provinz Sachsen. von Wolff.

Betrieb einer Kahnfähre über den Plauer Kanal oberhalb der Plauer Schleuse

Dem Gastwirth Schindelhauer zu Dorotheenhof bei Plaue a. H. ist die Berechtigung ertheilt worden, den Fährbetrieb für Personen über den Plauer Kanal oberhalb der Plauer Schleuse auszuüben. Das Fährgeld beträgt 3 Pf., die Benutzung der Eisbahn kostet 2 Pf. pro Person. Indem ich diesen Tarif zur öffentlichen Kenntniß bringe, bemerke ich zugleich, daß die Controle über diese Fähranstalt dem Königl. Wasser-Bauinspektor, Baurath Schuke, zu Rathenow übertragen ist.

Magdeburg, den 29. August 1888.

Der Regierungs-Präsident.

Ausweisung von Ausländern aus dem Reichsgebiete.

Lauf. Nr.	Name und Stand	Alter und Heimath	Grund der Bestrafung	Behörde, welche die Ausweisung beschlossen hat	Datum des Ausweisungs-Beschlusses
	des Ausgewiesenen.				
1.	2	3.	4.	5.	6
	Auf Grund des § 362 des Strafgesetzbuchs:				
1	Michael Slabak, Müllergeselle,	24 Jahre, geboren und ortsangehörig zu Köbler bei Ungoar, Oesterreich,	Landstreichen, Betteln und Beilegung eines falschen Namens,	Königlich Preußischer Regierungspräsident zu Potsdam,	28. Juli 1888.
2	Anton Bernklau, Schlächtergeselle,	geboren am 28. Oktober 1844 zu Pirk, Bezirk Bischofsteinitz, Oesterreich,	Landstreichen,	Königlich Preußischer Regierungspräsident zu Stade,	4. Juli 1888.
3	Theodor Spykowsky, Seidenweber,	geboren am 14. Januar 1834 zu Blerick, Niederlande, ortsangehörig ebendaselbst,	Landstreichen und Betteln,	Königlich Preußischer Regierungspräsident zu Düsseldorf,	30. Juli 1888.
4	Anton Kaunofsky, Kürschnergeselle,	geboren am 11. April 1847 zu Kaaden, Böhmen, ortsangehörig ebendaselbst,	Betteln im wiederholten Rückfall,	Königlich Sächsische Kreishauptmannschaft Zwickau,	3. Juli 1888.
5	John Summers, Anstreicher,	geboren am 24. April 1836 zu Canton, Staat Ohio, Nordamerika, ortsangehörig ebendaselbst,	Landstreichen,	Kaiserlicher Bezirks-Präsident zu Colmar,	27. Juli 1888.
6	Ottilio Satti, Erdarbeiter,	geboren am 17. Oktober 1857 zu Bouret, Provinz Goslala, Italien, ortsangehörig ebendaselbst,	desgleichen,	derselbe,	30. Juli 1888.
7	Johann Bareteau, ohne Stand,	geboren am 6. Januar 1833 zu Lechiran, Departement Vendée, Frankreich,	Landstreichen und Betteln,	Kaiserlicher Bezirks-Präsident zu Metz,	27. Juli 1888.

Lauf. Nr.	Name und Stand des Ausgewiesenen.	Alter und Heimath des Ausgewiesenen.	Grund der Bestrafung.	Behörde, welche die Ausweisung beschlossen hat.	Datum des Ausweisungs-Beschlusses.
1.	2.	3	4.	5.	6.
8	Katharina Divis, Dienstmagd,	41 Jahre alt, geboren und ortsangehörig zu Bileho-Podola, Bezirk Caslav, Böhmen,	Landstreichen und Betteln,	Königlich Preußischer Regierungspräsident zu Potsdam,	4. August 1888.
9	Johann Brader (Brah), Tagearbeiter,	geboren 1838 zu Heinzendorf Bezirk Jägerndorf, Oesterreichisch-Schlesien, ortsangehörig ebendaselbst,	desgleichen,	Königlich Preußischer Regierungspräsident zu Breslau,	5. August 1888.
10	Isaak Selikow Talalei, Handelsmann,	geboren am 13. April 1841 zu Mohilew, Rußland, ortsangehörig zu Tschausy, ebendaselbst,	Landstreichen,	Königlich Preußische Regierung zu Bromberg,	27. Februar 1888.
11	Josef Sykora, Schuhmacher,	geboren 1854 zu Prag, Böhmen, ortsangehörig zu Zhor, Bezirk Selcam, ebendaselbst, wohnhaft zuletzt in Regen, Bayern,	Landstreichen und Betteln,	Königlich Bayrisches Bezirksamt Regen,	16. Juli 1888.
12	Franz Ebenhöh, Schneider,	geboren 1851 zu Hostan, Bezirk Bischofteinitz, Böhmen, ortsangehörig ebendaselbst, wohnhaft zuletzt in Regen, Bayern,	desgleichen,	dasselbe,	desgleichen.
13	Franz Tomaschek, Schlosser,	geboren am 1. September 1864 zu Obern-dorf, Bezirk Linz, Oesterreich, ortsangehörig zu Budweis, Böhmen,	Landstreichen u. Angabe eines falschen Namens,	Königliche Polizei-Direktion zu München, Bayern,	18. Juli 1888.
14	Moritz Dannowitsch (auch Gustav Tischel), Bürstenmacher,	geboren am 27. Januar 1860 zu Mersritsch, Rußland, ortsangehörig ebendaselbst,	Landstreichen, Widerstand gegen die Staatsgewalt und Gebrauch falscher Papiere,	Kaiserlicher Bezirks-Präsident zu Straßburg,	30. Juni 1888.
15	Karl Marcello, Tagner,	geboren am 25. August 1840 zu Algier, Africa,	Landstreichen und Betteln,	Kaiserlicher Bezirks-Präsident zu Colmar,	8. August 1888.

Personal-Chronik.

Der bisherige Gerichts-Referendar Paul Wagener ist zum Regierungs-Referendar ernannt worden.

Die Militair-Anwärter Carl Krüger und Otto Perlberg sind zu Regierungs-Militair-Supernumerarien ernannt worden.

Der bisherige Hülfsprediger Paul Friedrich Wilhelm Petschow ist zum Archidiakonus zu Kyritz und Pfarrer zu Bantikow, Diözese Kyritz, bestellt worden.

Vermischte Nachrichten.

Führung des Handels-Registers.

Die auf die Führung des Handelsregisters sich beziehenden Geschäfte werden an Stelle des Amtsrichters Arndt nunmehr von dem Amtsrichter Dr. Menz bearbeitet.

Kyritz, den 23. August 1888.

Königl. Amtsgericht. Abtheilung II.

Hierzu Vier Oeffentliche Anzeiger.

(Die Insertionsgebühren betragen für eine einspaltige Druckzeile 20 Pf. Belagsblätter werden der Bogen mit 10 Pf. berechnet.)

Redigirt von der Königlichen Regierung zu Potsdam.

Potsdam, Buchdruckerei der A. W. Hayn'schen Erben (C. Hayn, Hof-Buchdrucker).

Amtsblatt
der Königlichen Regierung zu Potsdam und der Stadt Berlin.

Stück 37. Den 14. September **1888.**

Bekanntmachungen des Königlichen Ober-Präsidenten der Provinz Brandenburg.

Anbringung von Blechtafeln mit aufgedruckter Anweisung zur Wiederbelebung Ertrunkener.

18. Um die Kenntniß der zur Wiederbelebung Ertrunkener geeigneten Maßregeln in möglichst weiten Kreisen zu verbreiten, hat der Vorstand des Deutschen Samariter-Vereins eine durch Zeichnungen erläuterte Anweisung zusammenstellen und auf Blechtafeln überdrucken lassen, die er unentgeltlich an die Eigenthümer und Führer aller Preußischen See-, Fluß- und Binnenschiffe abzugeben bereit ist, welche in der Empfangs-Bescheinigung sich zur Anheftung der Tafeln auf ihren Schiffen verpflichten.

Indem ich Vorstehendes zur Kenntniß der Betheiligten bringe, bemerke ich, daß die nachstehenden Behörden zur Vertheilung dieser Tafeln ausersehen sind:

1) das Polizei-Schifffahrts-Büreau zu Berlin, Probststraße № 8,
2) die Königliche Polizei-Direktion zu Charlottenburg,
3) die sämmtlichen Königlichen Landraths-Aemter der Provinz,
4) die Königliche Polizei-Direktion zu Potsdam,
5) sowie die Polizei-Verwaltungen zu Brandenburg, Spandau, Crossen, Frankfurt a. O., Cüstrin und Landsberg a. W.

Potsdam, den 5. September 1888.

Der Ober-Präsident der Provinz Brandenburg.
In Vertretung v. Brandenstein.

Bekanntmachungen der Königlichen Hauptverwaltung der Staatsschulden.

Einlösung der am 1. Oktober 1888 fälligen Zinsscheine der Preußischen Staatsschulden.

16. Die am 1. Oktober 1888 fälligen **Zinsscheine** der **Preußischen Staatsschulden** werden bei der Staatsschulden-Tilgungskasse — W. Taubenstraße 29 hierselbst —, bei der Reichsbank-Hauptkasse, sowie bei den früher zur Einlösung benutzten Königlichen Kassen und Reichsbankanstalten vom 24. d. M. ab eingelöst. Die Zinsscheine sind, nach den einzelnen Schuldgattungen und Werthabschnitten geordnet, den Einlösungsstellen mit einem Verzeichniß vorzulegen, welches die **Stückzahl** und den **Betrag** für jeden Werthabschnitt angiebt, aufgerechnet ist und des Einliefernden Namen und Wohnung ersichtlich macht.

Wegen Zahlung der am 1. Oktober fälligen Zinsen für die in das **Staatsschuldbuch** eingetragenen Forderungen bemerken wir, daß die **Zusendung** dieser Zinsen mittels der **Post** sowie ihre Gutschrift auf den Reichsbank-Girokonten der Empfangsberechtigten zwischen dem **17. September und 8. Oktober** erfolgt; die **Baarzahlung** aber bei der **Staatsschulden-Tilgungskasse am 17. September, bei den Regierungs-Hauptkassen am 24. September** und bei den mit der Annahme direkter Staatssteuern außerhalb Berlins betrauten Kassen **am 1. Oktober** beginnt.

Die Staatsschulden-Tilgungskasse ist **für die Zinszahlungen** werktäglich von 9 bis 1 Uhr mit Ausschluß des vorletzten Tages in jedem Monat, am letzten Monatstage aber von 11 bis 1 Uhr geöffnet.

Die Inhaber Preußischer 4prozentiger und 3½prozentiger Konsols machen wir wiederholt auf die durch uns veröffentlichten „Amtlichen Nachrichten über das Preußische Staatsschuldbuch, Dritte Ausgabe" aufmerksam, welche durch jede Buchhandlung für 40 Pfennig oder von dem Verleger J. Guttentag (D. Collin) in Berlin durch die Post für 45 Pfennig franko zu beziehen sind.

Berlin, den 3. September 1888.

Hauptverwaltung der Staatsschulden.

Bekanntmachungen der Kaiserlichen Ober-Postdirektion zu Berlin.

Einrichtung des Telegraphenbetriebes bei dem Postamt Nr. 52 (Alt-Moabit 11/12).

62. Bei dem Postamte Nr. 52 (Alt-Moabit 11/12) in Berlin wird am 10. September der Telegraphenbetrieb eingerichtet.

Die Dienststunden für den Telegraphenverkehr mit dem Publikum werden, wie folgt, festgesetzt:

A. an Wochentagen:

a. im Sommerhalbjahr von 7 Uhr Morgens bis 9 Uhr Abends;
b. im Winterhalbjahr von 8 Uhr Morgens bis 9 Uhr Abends;

B. an Sonn- und Feiertagen:

a. im Sommerhalbjahr von 7 bis 9 Uhr Morgens, von 12 bis 1 Uhr Mittags und von 5 bis 7 Uhr Abends;

b. im Winterhalbjahr von 8 bis 9 Uhr Morgens, von 12 bis 1 Uhr Mittags und von 5 bis 7 Uhr Abends.

Im Uebrigen ist die Postanstalt verpflichtet, außerhalb der vorbezeichneten Dienststunden Telegramme vom Publikum anzunehmen und zu befördern, sofern ein Beamter ohnehin in den Diensträumen anwesend ist.

Berlin C., den 6. September 1888.

Der Kaiserl. Ober-Postdirektor.

Bekanntmachungen des König-

240. Nachweisung der Markt- 2c.

Laufende №	Namen der Städte	Getreide: Es kosten je 100 Kilogramm: Weizen M.	Pf.	Roggen M.	Pf.	Gerste M.	Pf.	Hafer M.	Pf.	Uebrige Markt-: Erbsen M.	Pf.	Speisebohnen M.	Pf.	Linsen M.	Pf.	Kartoffeln M.	Pf.	Richtstroh M.	Pf.	Krummstroh M.	Pf.	Heu M.	Pf.	Es: Rindfleisch von der Keule M.	Pf.	Bauchfleisch M.	Pf.
1	Angermünde	17	34	12	64	12	03	12	68	27	—	30	—	39	67	6	24	5	—	3	17	5	25	1	30	1	05
2	Beeskow	—	—	12	54	—	—	13	45	25	—	27	50	37	50	4	55	3	90	—	—	6	20	1	—	—	90
3	Bernau	17	30	13	07	14	85	13	08	28	—	32	—	45	—	5	22	5	29	—	—	6	15	1	20	1	—
4	Brandenburg	18	42	13	53	13	20	13	73	25	—	35	—	55	—	4	45	4	22	—	—	5	83	1	30	1	10
5	Dahme	18	24	13	49	12	86	14	—	25	—	32	—	45	—	4	—	4	30	2	83	7	13	1	—	1	—
6	Eberswalde	17	23	13	11	16	15	12	89	23	—	23	—	26	—	4	88	3	85	—	—	5	—	1	20	1	—
7	Havelberg	17	42	13	02	14	25	14	67	26	50	55	—	65	—	4	50	4	33	2	25	5	67	1	30	—	97
8	Jüterbog	17	50	14	20	11	75	16	—	26	—	30	—	40	—	4	—	5	20	—	—	8	—	1	20	1	—
9	Luckenwalde	—	—	13	46	12	14	12	84	32	50	32	50	37	50	3	56	—	—	—	—	5	—	1	20	1	20
10	Perleberg	17	60	13	24	13	16	13	67	22	50	35	—	53	—	4	56	5	11	—	—	7	50	1	40	1	10
11	Potsdam	17	44	13	42	15	43	14	54	25	—	29	—	42	—	4	36	5	88	—	—	6	81	1	35	1	10
12	Prenzlau	16	80	12	10	11	72	12	28	21	50	35	—	45	—	6	50	4	75	3	50	5	—	1	20	—	95
13	Pritzwalk	16	74	12	67	12	87	11	75	15	25	30	75	36	—	4	45	3	75	3	25	4	25	1	10	1	—
14	Rathenow	16	72	12	69	12	50	13	50	30	—	30	—	40	—	3	75	3	77	—	—	4	83	1	40	1	20
15	Neu-Ruppin	19	—	13	05	14	—	13	28	30	—	32	—	50	—	3	85	4	50	—	—	6	—	1	30	1	05
16	Schwedt	19	—	13	19	13	—	13	19	26	67	26	67	31	25	4	—	4	20	—	—	5	46	1	20	1	—
17	Spandau	19	—	15	—	14	50	15	50	22	50	30	50	40	—	3	—	7	—	—	—	6	50	1	40	1	20
18	Strausberg	17	67	13	07	15	62	14	64	25	—	30	—	50	35	5	—	6	28	—	—	7	84	1	20	1	10
19	Teltow	17	82	13	72	15	33	14	70	35	—	45	—	50	—	5	75	7	04	—	—	8	18	1	30	1	05
20	Templin	17	50	13	50	13	—	13	50	13	—	40	—	40	—	3	50	4	50	—	—	6	—	1	20	1	—
21	Treuenbrietzen	17	33	13	19	—	—	14	76	24	—	26	—	30	—	4	—	4	44	—	—	6	36	1	20	1	—
22	Wittstock	17	50	12	63	13	—	13	22	16	—	32	—	44	—	4	88	3	50	2	50	5	—	1	—	—	89
23	Wriezen a. O.	16	67	12	78	11	28	13	17	22	—	28	—	35	50	4	08	3	90	2	35	5	25	1	30	1	10
	Durchschnitt	17	63	13	19	13	46	13	70	—	—	—	—	—	—	4	57	4	76	—	—	6	05	—	—	—	—

Potsdam, den 10. September 1888.

241. Nachweisung des Monatsdurchschnitts der gezahlten höchsten

Laufende Nummer.	Es kosteten je 50 Kilogramm.	Angermünde. M.	₰	Beeskow. M.	₰	Bernau. M.	₰	Brandenburg. M.	₰	Dahme. M.	₰	Eberswalde. M.	₰	Havelberg. M.	₰	Jüterbog. M.	₰	Luckenwalde. M.	₰	Perleberg. M.	₰
1	Hafer	6	95	7	06	7	68	7	51	7	35	7	62	7	88	8	40	7	31	7	36
2	Heu	3	15	3	26	3	83	3	39	3	75	2	89	3	23	4	20	3	15	4	20
3	Richtstroh	2	89	2	05	3	09	2	41	2	26	2	10	2	45	2	73	—	—	2	89

Potsdam, den 10. September 1888.

Bekanntmachungen der Kaiserlichen Ober-Post-Direktion zu Potsdam.

Landbriefbestellbezirks-Veränderung.

68. Die im Kreise Oberbarnim belegene Ortschaft **Rathsdorf** wird vom **1. Oktober** ab von dem Landbriefbestellbezirke des Kaiserlichen Postamts in Wriezen abgezweigt und dem Bestellbezirke der Kaiserlichen Postagentur in **Altranft** zugetheilt.

Potsdam, den 31. August 1888.

Der Kaiserliche Ober-Postdirektor.

lichen Regierungs-Präsidenten.

Preise im Monat August 1888.

Artikel						Ladenpreise in den letzten Tagen des Monats											
kostet je 1 Kilogramm					Ein Schock Eier	Es kostet je 1 Kilogramm											
						Mehl		Gerste						Java-Kaffee mittler gelber in gebr. Bohnen			
Schweinefleisch	Kalbfleisch	Hammelfleisch	Speck	Butter		Weizen Nr. 1.	Roggen Nr. 1.	Graupe	Grütze	Buchweizengrütze	Hafergrütze	Hirse	Reis, Java	mittler	gelber	Speisesalz	Schweineschmalz, hiesig.
M. Pf.	M. Pf.	M. Pf.	M. Pf.	M. Pf.	M. Pf.	M. Pf.	M. Pf.	M. Pf.	M. Pf.	M. Pf.	M. Pf.	M. Pf.	M. Pf.	M. Pf.	M. Pf.	M. Pf.	M. Pf.
1 01	— 90	1 05	1 54	2 10	3 40	— 25	— 20	— 50	— 30	— 30	— 40	— 50	— 60	3 —	3 40	— 20	1 40
— 95	— 75	1 —	1 60	2 26	2 86	— 40	— 30	— 60	— 60	— 65	— 80	— 60	— 65	3 20	3 60	— 20	2 —
1 10	1 16	1 10	2 20	1 70	3 —	— 40	— 25	— 45	— 50	— 50	— 40	— 60	— 25	2 40	3 —	— 20	1 60
1 15	— 95	1 15	1 80	2 30	3 20	— 30	— 20	— 50	— 40	— 50	— 50	— 50	— 40	3 —	3 20	— 20	1 60
1 20	— 80	1 —	1 60	2 —	2 80	— 32	— 26	— 60	— —	— 40	— —	— 50	— 50	2 80	3 60	— 20	1 40
1 20	1 —	1 —	1 60	2 40	3 35	— 30	— 28	— 60	— 60	— 50	— —	— 60	— 60	3 20	3 60	— 20	1 60
1 20	1 20	1 —	1 50	2 27	3 06	— 30	— 22	— 55	— 60	— 60	— 60	— 50	— 60	2 50	3 40	— 20	1 60
1 20	— 95	1 20	1 40	2 —	3 —	— 3	— 25	— 40	— 50	— 40	— 60	— 40	— 40	2 75	3 60	— 20	1 60
1 —	— 85	1 20	1 60	2 30	3 20	— 34	— 24	— 50	— 40	— 40	— 60	— 36	— 60	3 20	3 60	— 20	1 40
1 30	1 15	1 15	1 95	1 73	3 —	— 50	— 36	— 50	— 50	— 50	— 50	— 50	— 55	3 40	3 60	— 20	2 —
1 23	1 —	1 23	1 60	2 13	3 13	— 35	— 27	— 50	— 50	— 55	— 55	— 50	— 50	3 —	3 50	— 20	1 60
1 15	— 80	1 05	1 50	2 —	3 —	— 26	— 20	— 50	— 30	— 50	— 50	— 50	— 50	3 20	3 60	— 20	1 60
1 10	— 90	1 —	1 50	1 67	2 56	— 26	— 20	— 45	— 40	— 40	— 50	— 50	— 50	3 20	3 60	— 20	1 50
1 40	1 —	1 20	1 80	2 60	3 19	— 29	— 22	— 40	— 40	— 45	— 40	— 30	— 60	3 50	3 80	— 20	2 —
1 10	— 95	1 10	1 60	2 10	3 18	— 36	— 24	— 50	— 50	— 50	— 50	— 50	— 60	3 25	3 58	— 20	1 40
1 —	— 90	1 —	1 80	2 —	3 20	— 35	— 25	— 60	— 40	— 50	— 60	— 50	— 70	3 40	3 60	— 20	2 —
1 20	1 20	1 20	1 40	2 20	2 90	— 40	— 30	— 50	— 50	— 55	— 50	— 55	— 65	3 40	3 80	— 20	1 40
1 20	1 —	1 20	1 60	2 40	2 80	— 35	— 20	— 55	— 50	— 45	— 55	— 50	— 60	3 —	3 80	— 20	1 40
1 20	1 25	1 25	1 40	2 40	3 30	— 45	— 30	— 60	— 50	— 50	— 60	— 50	— 50	2 60	3 20	— 20	1 20
1 —	— 60	1 —	1 60	2 20	3 80	— 28	— 20	— 60	— 50	— 50	— 60	— 40	— 50	3 20	3 60	— 20	1 60
1 —	— 90	1 20	1 60	2 03	2 80	— 30	— 20	— 50	— 40	— 40	— 50	— 30	— 50	3 —	3 40	— 20	1 80
— 95	— 73	— 93	1 55	1 75	2 76	— 28	— 18	— 50	— 50	— 40	— 40	— 50	— 60	3 20	3 60	— 20	1 60
1 05	1 05	1 05	1 50	2 20	2 84	— 21	— 21	— 40	— 30	— 40	— 50	— 50	— 50	3 —	3 25	— 20	1 20
— —	— —	— —	— —	— —	— —	— —	— —	— —	— —	— —	— —	— —	— —	— —	— —	— —	— —

Der Regierungs-Präsident.

Tagespreise incl. 5 % Aufschlag im Monat August 1888.

Potsdam.	Prenzlau.	Pritzwalk.	Rathenow.	Neu-Ruppin.	Schwedt.	Spandau.	Strausberg.	Teltow.	Templin.	Treuenbrietzen.	Wittstock.	Wriezen a. O.
M. ₰	M. ₰	M. ₰	M. ₰	M. ₰	M. ₰	M. ₰	M. ₰	M. ₰	M. ₰	M. ₰	M. ₰	M. ₰
7 92	6 75	6 16	7 35	7 13	6 92	8 40	7 81	7 77	7 88	7 75	7 09	7 35
4 33	3 15	1 97	2 63	3 15	2 87	3 68	4 22	4 31	3 41	3 34	2 63	3 15
3 34	2 63	2 25	1 98	2 36	2 21	3 68	3 37	3 68	2 63	2 33	1 84	2 12

Der Regierungs-Präsident.

242. Nachweisung der an den Pegeln der Spree und Havel im Monat Mai 1888 beobachteten Wasserstände.

Datum.	Berlin. Ober- N. N. Wasser.	Berlin. Unter- N. N. Wasser.	Spandau. Ober- Wasser.	Spandau. Unter- Wasser.	Potsdam.	Baumgartenbrück.	Brandenburg. Ober- Wasser.	Brandenburg. Unter- Wasser.	Rathenow. Ober- Wasser.	Rathenow. Unter- Wasser.	Havelberg.	Plauer Brücke.
	Meter.	Meter.	Meter.	Meter.	Meter.	Meter.	Meter.	Meter.	Meter.	Meter.	Meter.	Meter.
1	32,74	31,86	2,68	1,82	1,88	1,37	2,60	2,46	2,28	1,96	3,98	2,84
2	32,68	31,78	2,66	1,82	1,87	1,36	2,58	2,44	2,28	1,96	3,90	2,82
3	32,70	31,80	2,66	1,78	1,86	1,34	2,56	2,44	2,26	1,94	3,90	2,82
4	32,66	31,76	2,64	1,76	1,84	1,34	2,54	2,44	2,26	1,94	3,82	2,80
5	32,64	31,74	2,64	1,72	1,84	1,32	2,52	2,42	2,22	1,90	3,82	2,80
6	32,64	31,70	2,70	1,64	1,82	1,31	2,50	2,40	2,24	1,92	3,76	2,78
7	32,64	31,66	2,70	1,70	1,81	1,27	2,50	2,40	2,22	1,90	3,76	2,76
8	32,62	31,66	2,68	1,68	1,80	1,25	2,48	2,38	2,22	1,90	3,70	2,76
9	32,58	31,52	2,68	1,62	1,79	1,25	2,48	2,36	2,18	1,86	3,60	2,74
10	32,56	31,50	2,68	1,54	1,78	1,24	2,46	2,34	2,16	1,84	3,50	2,74
11	32,58	31,52	2,70	1,58	1,76	1,23	2,44	2,34	2,14	1,82	3,50	2,72
12	32,56	31,50	2,70	1,58	1,76	1,23	2,44	2,34	2,12	1,80	3,42	2,72
13	32,58	31,48	2,70	1,50	1,72	1,20	2,42	2,34	2,12	1,80	3,36	2,70
14	32,58	31,46	2,70	1,52	1,70	1,18	2,42	2,32	2,12	1,80	3,32	2,70
15	32,58	31,36	2,68	1,48	1,68	1,17	2,42	2,30	2,10	1,78	3,26	2,68
16	32,62	31,34	2,66	1,46	1,65	1,17	2,44	2,30	2,08	1,76	3,22	2,68
17	32,58	31,32	2,62	1,42	1,63	1,15	2,42	2,28	2,10	1,78	3,18	2,66
18	32,60	31,28	2,60	1,44	1,61	1,13	2,40	2,28	2,08	1,76	3,12	2,66
19	32,60	31,28	2,54	1,40	1,59	1,11	2,40	2,28	2,08	1,76	3,08	2,64
20	32,54	31,28	2,54	1,32	1,58	1,10	2,38	2,26	2,10	1,78	2,98	2,64
21	32,54	31,30	2,54	1,30	1,57	1, 7	2,38	2,24	2,10	1,78	2,90	2,62
22	32,52	31,30	2,54	1,26	1,55	1, 5	2,36	2,24	2,10	1,78	2,86	2,62
23	32,48	31,22	2,50	1,28	1,52	1, 3	2,36	2,22	2,08	1,76	2,80	2,60
24	32,46	31,20	2,46	1,28	1,49	1, 1	2,36	2,18	2,08	1,76	2,72	2,60
25	32,44	31,18	2,44	1,28	1,48	0,99	2,28	2,16	2,04	1,72	2,66	2,58
26	32,40	31,16	2,42	1,24	1,47	0,97	2,24	2,14	2,02	1,70	2,60	2,56
27	32,46	31,06	2,40	1,12	1,44	0,96	2,24	2,14	2,02	1,70	2,60	2,54
28	32,48	31,00	2,42	1,12	1,40	0,96	2,24	2,12	1,96	1,70	2,60	2,52
29	32,48	30,98	2,36	1,10	1,38	0,95	2,24	2,10	1,96	1,66	2,58	2,50
30	32,48	30,98	2,32	1,06	1,35	0,95	2,20	2,08	1,96	1,66	2,52	2,48
31	32,46	30,96	2,32	1,06	1,33	0,94	2,18	2,04	1,96	1,66	2,48	2,46

Potsdam, den 6. September 1888. Der Regierungs-Präsident.

Maler-Innung zu Schwedt a. O.

243. Auf Grund der §§ 100e. und 100f. der Reichs-Gewerbe-Ordnung bestimme ich hiermit für den Bezirk der Maler-Innung zu Schwedt a. O.

1) daß Streitigkeiten aus den Lehrverhältnissen der im § 120a. der Reichs-Gewerbe-Ordnung bezeichneten Art auf Anrufen eines der streitenden Theile von der zuständigen Innungsbehörde auch dann zu entscheiden sind, wenn der Arbeitgeber, obwohl er ein in der Innung vertretenes Gewerbe betreibt und selbst zur Aufnahme in die Innung fähig sein würde, gleichwohl aber der Innung nicht angehört,

2) daß die von der Innung erlassenen Vorschriften über die Regelung des Lehrlingsverhältnisses sowie über die Ausbildung und Prüfung der Lehrlinge auch dann bindend sind, wenn deren Lehrherr zu dem unter № 1 bezeichneten Arbeitgebern gehört,

3) daß Arbeitgeber der unter № 1 bezeichneten Art vom 15. Februar 1889 ab Lehrlinge nicht mehr annehmen dürfen und

4) daß Arbeitgeber, welche obwohl sie das in der Innung vertretene Gewerbe betreiben, derselben nicht angehören, und deren Gesellen zu den Kosten:

a. der von der Innung für das Herbergswesen und den Nachweis für Gesellenarbeit getroffenen bezw. unternommenen Einrichtungen (§ 97 Ziffer 2 der Reichs-Gewerbe-Ordnung),

b. derjenigen Einrichtungen, welche von der Innung zur Förderung der gewerblichen und technischen Ausbildung der Meister, Gesellen und Lehrlinge getroffen sind, bezw. unternommen werden (§§ 97 Ziffer 3, 97a Ziffer 1 und 2),

c. des von der Innung errichteten beziehungsweise zu errichtenden Schiedsgerichts (§ 97a. Ziffer 6)

in derselben Weise und nach demselben Maßstabe beizutragen verpflichtet sind wie die Innungsmitglieder und deren Gesellen.

Die Bestimmung ad 4 tritt mit dem 15. Februar 1889 in Kraft.

Ich bringe dies mit dem Bemerken hierdurch zur Kenntniß, daß der Bezirk der genannten Innung den Stadtbezirk Schwedt a. O. umfaßt.

Potsdam, den 4. September 1888.

Der Regierungs-Präsident.

Bekanntmachungen des Königl. Polizei-Präsidiums zu Berlin.

Verbot einer Druckschrift.

87. Auf Grund des § 12 des Reichsgesetzes gegen die gemeingefährlichen Bestrebungen der Sozialdemokratie vom 21. Oktober 1878 wird hierdurch zur öffentlichen Kenntniß gebracht, daß die Druckschrift: Anarchistisch-Communistische Bibliothek. Heft II. Die Repräsentativ-Regierung von Peter Krapotkine übersetzt aus dem Französischen und herausgegeben von der Gruppe „Autonomie" London. nach § 11 des gedachten Gesetzes durch den Unterzeichneten von Landespolizeiwegen verboten worden ist.

Berlin, den 6. September 1888.

Der Königl. Polizei-Präsident.

Bestimmungen

zur Ausführung der am 9. September 1886 zu Bern abgeschlossenen Uebereinkunft wegen Bildung eines internationalen Verbandes zum Schutze von Werken der Literatur und Kunst.

88. Auf Grund des § 2 der Verordnung vom 11. Juli 1888 (Reichsgesetz-Blatt Seite 225), betreffend die Ausführung der am 9. September 1886 zu Bern abgeschlossenen Uebereinkunft wegen Bildung eines internationalen Verbandes zum Schutze von Werken der Literatur und Kunst, werden die nachfolgenden

Bestimmungen über die Abstempelung und Inventarisirung der daselbst bezeichneten Exemplare und Vorrichtungen

erlassen:

§ 1. Wer sich im Besitze von Exemplaren der im § 1 № 1 der Verordnung bezeichneten Art von Werken der Literatur und Kunst (Schriftwerken, Abbildungen, Zeichnungen, musikalischen Kompositionen, Werken der bildenden Künste), welche beim Inkrafttreten der Verordnung vom 11. Juli 1888 schon hergestellt waren, oder deren Herstellung zu dem gedachten Zeitpunkt im Gange war, befindet, hat die Exemplare, wenn er dieselben verkaufen oder verbreiten will, bis zum 1. November 1888 einschließlich der Polizeibehörde seines Wohnorts zur Abstempelung vorzulegen.

Sortimentsbuchhändler, Kommissionäre u. s. w., welche solche Exemplare besitzen, können dieselben Namens der Verleger oder ihrer Auftraggeber zur Abstempelung vorlegen, ohne daß es einer besonderen Vollmacht bedarf.

§ 2. Die Polizeibehörde stellt ein genaues Verzeichniß der ihr vorgelegten Exemplare nach dem nachstehenden Muster A. auf und bedruckt demnächst jedes einzelne Exemplar mit ihrem Dienststempel.

§ 3. Wer sich im Besitze von Vorrichtungen der im § 1. № 1 der Verordnung bezeichneten Art (wie Stereotypen, Holzstöcke und gestochene Platten aller Art, sowie lithographische Platten) befindet und dieselben noch ferner, und zwar längstens bis zum 31. Dezember 1891, zur Herstellung von Exemplaren benutzen will, hat die Vorrichtungen bis zum 1. November 1888 einschließlich der Polizeibehörde seines Wohnortes zur Abstempelung vorzulegen.

Die Exemplare selbst, welche mit Hülfe der gestempelten Vorrichtungen erlaubter Weise hergestellt sind, bedürfen eines Stempels nicht. Auf Verlangen sollen sie indessen ebenfalls abgestempelt werden.

Wer Exemplare der bezeichneten Art abgestempelt zu haben wünscht, hat dieselben bis zum 31. Dezember 1891 einschließlich der gedachten Behörde vorzulegen.

§ 4. Die Polizeibehörde stellt ein genaues Verzeichniß der ihr vorgelegten Vorrichtungen nach dem nachstehenden Muster B. auf und bedruckt die Vorrichtungen demnächst unter thunlichster Schonung derselben mit ihrem Dienststempel, und zwar in einer Weise, welche die Erhaltung des Stempelzeichens möglichst sicherstellt.

Sie stellt ebenso ein genaues Verzeichniß der mit jenen Vorrichtungen hergestellten, ihr vorgelegten Exemplare nach dem im § 2 erwähnten Muster A. auf und bedruckt demnächst jedes einzelne Exemplar mit ihrem Dienststempel.

§ 5. Ob die Herstellung der Exemplare und die Benutzung der Vorrichtungen erlaubt war, hat die Polizeibehörde nicht zu prüfen; dagegen hat dieselbe die Stempelung zu versagen, wenn sie ermittelt, daß die im § 1 und § 3 bezeichneten Exemplare oder die im § 3 bezeichneten Vorrichtungen beim Inkrafttreten der Verordnung vom 11. Juli 1888 noch nicht hergestellt waren, auch der Druck der Exemplare zu der angegebenen Zeit noch nicht im Gange war, oder die im § 3 bezeichneten Exemplare mit Hülfe ungestempelter Vorrichtungen hergestellt worden sind.

§ 6. Die Verzeichnisse werden binnen 6 Wochen nach ihrem Abschluß von der Polizeibehörde an die zuständige Centralbehörde im Geschäftswege eingereicht und von der letzteren aufbewahrt. Einer Anzeige, daß bei der Polizeibehörde Exemplare oder Vorrichtungen zur Abstempelung überhaupt nicht vorgelegt worden sind, bedarf es nicht.

§ 7. Für die Eintragung und Abstempelung der Exemplare und Vorrichtungen werden Kosten nicht erhoben.

§ 8. Die Vorschriften der Verordnung vom 11. Juli 1888, sowie die vorstehenden Bestimmungen finden insoweit keine Anwendung, als den an der Uebereinkunft vom 9. September 1886 betheiligten Verbandsländern: Belgien, Frankreich, Großbritannien, Italien und der Schweiz gegenüber die mit denselben geschlossenen Spezialverträge Platz greifen.

Berlin, den 7. August 1888.

Der Reichskanzler.

In Vertretung: gez. von Schelling.

A.
Verzeichniß
der bei der unterzeichneten Polizei-Behörde zur Abstempelung vorgelegten Exemplare.

Nr.	Tag der Vorlage.	Name oder Firma des Vorlegenden.	Titel der Schriftwerke, Abbildungen, Kompositionen u. s. w.	Zahl der abgestempelten Exemplare.

B.
Verzeichniß
der bei der unterzeichneten Polizeibehörde zur Abstempelung vorgelegten Vorrichtungen (Stereotype, Holzstöcke, Platten, Steine u. s. w.)

Nr.	Tag der Vorlage.	Name oder Firma des Vorlegenden.	Titel des Schriftwerks, der Abbildung, der Komposition u. s. w., auf welche die Verrichtung sich bezieht.	Nähere Beschreibung (Platte, Form, Stein, Stereotypabguß u. s. w.) der Vorrichtung und deren Größe.

Vorstehende Bekanntmachung wird hiermit zur öffentlichen Kenntniß gebracht.

Die Betheiligten werden aufgefordert, die in ihrem Besitze befindlichen, nach der obigen Bekanntmachung abzustempelnden Schriftwerke 2c. und Vorrichtungen spätestens bis zum 1. November 1888 anzumelden.

Die Anmeldungen der abzustempelnden Schriftwerke 2c. sind in der Form der mit der Bekanntmachung abgedruckten Verzeichnisse A. und B. an den mit der Stempelung beauftragten Commissar für Markt- und Gewerbe-Angelegenheiten, Polizei-Hauptmann Maurer, Luisen-Ufer 2b., binnen der vorerwähnten Frist einzureichen, damit die Stempelung bis zum 31. Dezember 1891 beendet werden kann.

Die Abstempelung der angemeldeten Vorräthe wird demnächst in den Geschäftsräumen der Betheiligten erfolgen. Berlin, den 5. September 1888.

Der Polizei-Präsident.

Eröffnung einer Apotheke.

89. Die von dem Apotheker Fr. Schäfer in dem Hause Bismarckstraße Nr. 81 zu **Charlottenburg** auf Grund der Concession des Herrn Ober-Präsidenten vom 20. März 1888 eingerichtete Apotheke ist heute nach vorschriftsmäßiger Revision eröffnet worden, was hierdurch zur öffentlichen Kenntniß gebracht wird.

Berlin, den 1. September 1888.

Der Polizei-Präsident.

Berliner und Charlottenburger Preise pro Monat August 1888.

90. A. Engros-Marktpreise im Monatsdurchschnitt.

In Berlin:

für 100 Klgr.	Weizen (gut)	18	Mark	13	Pf.
= = =	do. (mittel)	17	=	47	=
= = =	do. (gering)	16	=	81	=
= = =	Roggen (gut)	13	=	87	=
= = =	do. (mittel)	13	=	21	=
= = =	do. (gering)	12	=	56	=
= = =	Gerste (gut)	17	=	75	=
= = =	do. (mittel)	14	=	94	=
= = =	do. (gering)	12	=	13	=
= = =	Hafer (gut)	14	=	23	=
= = =	do. (mittel)	13	=	12	=
= = =	do. (gering)	12	=	—	=
= = =	Erbsen (gut)	17	=	50	=
= = =	do. (mittel)	16	=	11	=
= = =	do. (gering)	14	=	71	=
= = =	Richtstroh	6	=	13	=
= = =	Heu	6	=	30	=

Monats-Durchschnitt der höchsten Berliner Tagespreise **einschließlich 5 % Aufschlag** für 50 kg

	Hafer	Stroh	Heu
im Monat August	7,69 Mk.,	3,39 Mk.,	3,98 Mk.

B. Detail-Marktpreise im Monatsdurchschnitt.

1) In Berlin.

für 100 Klgr.	Erbsen (gelbe) z. Kochen	28	Mark	—	Pf.
= = =	Speisebohnen (weiße)	31	=	93	
= = =	Linsen	45	=	—	
= = =	Kartoffeln	5	=	15	=
= 1 Klgr.	Rindfleisch v. d. Keule	1	=	20	=
= 1 =	= (Bauchfleisch)	1	=	—	=
= 1 =	Schweinefleisch	1	=	11	=
= 1 =	Kalbfleisch	1	=	16	=
= 1 =	Hammelfleisch	1	=	10	=
= 1 =	Speck (geräuchert)	1	=	35	=
= 1 =	Eßbutter	2	=	20	=
= 60 Stück	Eier	3	=	—	=

2) In Charlottenburg.

für 100 Klgr.	Erbsen (gelbe z. Kochen)	30	Mark	28	Pf.
= = =	Speisebohnen (weiße)	26	=	67	=
= = =	Linsen	37	=	50	=
= = =	Kartoffeln	4	=	80	=
= 1 Klgr.	Rindfleisch v. d. Keule	1	=	10	=
= 1 =	= (Bauchfleisch)	1	=	—	=
= 1 =	Schweinefleisch	1	=	22	=
= 1 =	Kalbfleisch	1	=	10	=
= 1 =	Hammelfleisch	1	=	10	
= 1 =	Speck (geräuchert)	1	=	33	
= 1 =	Eßbutter	2	=	24	
= 60 Stück	Eier	2	=	70	=

C. Ladenpreise in den letzten Tagen des Monats August 1888:

1) In Berlin:

für 1 Klgr. Weizenmehl № 1 35 Pf.

für	1	Klgr.	Roggenmehl № 1			28	Pf.,
=	1	=	Gerstengraupe			48	=
=	1	=	Gerstengrütze			40	=
=	1	=	Buchweizengrütze			44	=
=	1	=	Hirse			44	=
=	1	=	Reis (Java)			75	=
=	1	=	Java-Kaffee (mittler)	2	Mark	33	=
=	1	=	— = (gelb in gebr. Bohnen)	3	=	20	=
=	1	=	Speisesalz			20	=
=	1	=	Schweineschmalz (hiesiges)	1	=	30	=

2) In Charlottenburg:

für	1	Klgr.	Weizenmehl № 1			60	Pf.,
=	1	=	Roggenmehl № 1			30	=
=	1	=	Gerstengraupe			60	=
=	1	=	Gerstengrütze			50	=
=	1	=	Buchweizengrütze			60	=
=	1	=	Hirse			60	=
=	1	=	Reis (Java)			70	=
=	1	=	Java-Kaffee (mittler)	2	=	60	=
=	1	=	= (gelb in gebr. Bohnen)	3	=	60	=
=	1	=	Speisesalz			20	=
=	1	=	Schweineschmalz (hiesiges)	1	=	60	=

Berlin, den 8. September 1888.

Königl. Polizei-Präsidium. Erste Abtheilung.

Bekanntmachungen des Provinzial-Steuer-Direktors.

Errichtung einer Stempel-Distributionsstelle

16. In Pankow bei Berlin ist eine Stempel-Distributionsstelle errichtet, und ist dieselbe dem Buchdruckereibesitzer **Emil Pilger** zu Pankow, Breitestraße Nr. 39, widerruflich übertragen worden.

Berlin, den 3. September 1888.

Die Provinzial-Steuer-Direktion.

Bekanntmachungen der Königlichen Eisenbahn-Direktion zu Berlin.

Transittarif nach den unteren Donauländern.

34. Am 1. September d. J. tritt zum Tarif für den Verkehr von Stationen Deutscher Bahnen nach Halbstadt, Myslowitz, Oderberg und Oswiecim transito für Güter zum Export nach den unteren Donauländern (giltig vom 1. Oktober 1886) der II. Nachtrag in Kraft.

Derselbe enthält u. A. geänderte Frachtsätze für einzelne Stationen der Eisenbahn-Direktionsbezirke Berlin, Breslau, Bromberg und der Sächsischen Staatsbahnen, sowie Frachtsätze für die in den Tarif einbezogenen Stationen Beuthen R.-O.-U.-E., Friedrichshütte, Tost des Direktionsbezirks Breslau, Halbau, Hansdorf, Penzig, Senftenberg und Straßgräbchen des Direktionsbezirks Berlin, Hildesheim (E.-D.-B. Hannover), Rheinbrohl (E.-D.-B. Köln rechtsrh.) und Döbeln, Station der Sächsischen Staatsbahnen. Die für die Station Breslau Märk. Bhf., Dresden-Altstadt und Dresden-Friedrichstadt gegenüber den bisherigen Sätzen eintretenden Frachterhöhungen gelangen erst am 15. Oktober zur Einführung.

Der Nachtrag ist kostenfrei von dem hiesigen Auskunftsbüreau, Bhf. Alexanderplatz und von der Güterkasse in Stettin C.-G.-Bhf. zu beziehen.

Berlin, den 3. September 1888.

Königl. Eisenbahn-Direktion.

Bekanntmachungen der Königlichen Eisenbahn-Direktion zu Bromberg.

Reisekarten für bestimmte Rundfahrten ꝛc.

35. Inhaber von Reisekarten für bestimmte Rundfahrten, sowie von Sommerkarten (Saisonbillets) können die Reise an einem beliebigen Tage innerhalb der Geltungsdauer der Karten antreten. Für die Berechnung der Geltungsdauer der Karten bleibt in allen Fällen der Tag der Lösung maßgebend; durch den späteren Antritt der Reise wird daher eine Verlängerung der Geltungsdauer nicht herbeigeführt.

Bromberg, den 5. September 1888.

Königl. Eisenbahn-Direktion.

Personal-Chronik.

Dem ordentlichen Lehrer Dr. **Peil** am Königlichen Wilhelms-Gymnasium in Berlin ist der Oberlehrertitel verliehen worden.

Der Schulamtskandidat Dr. **Bötticher** ist am Luisenstädtischen Gymnasium in Berlin als ordentlicher Lehrer angestellt worden.

Der Gemeindeschullehrer Carl **Ehrhardt** ist als Gemeindeschulrektor in Berlin angestellt worden.

An dem Königlichen Seminar für Stadtschullehrer in Berlin ist der ordentliche Seminarlehrer **Fechner** zum Ersten Seminarlehrer befördert und der Prediger **Brückner** als ordentlicher Seminarlehrer angestellt worden.

Personalveränderungen im Bezirke der Kaiserlichen Ober-Postdirektion in Berlin.

Im Laufe des Monats August sind

ernannt: zu Ober-Postassistenten die Postassistenten Markus, Martens, Neumann, Reuter und Schilling, zum Ober-Telegraphenassistenten der Telegraphenassistent Roettjer;

angestellt: als Postsecretaire die Postpraktikanten Böger, Kißner, Machens, Pflüger, Rathke, Reinicke, Schäfer, Stagguhn, Steindorf und Wagner, als Postassistenten die Postassistenten Baake, Behse, Buschjaeger, Heidorn, Jacobi, Laux und Zimmmermann, als Thelegraphenassistent der Postassistent Aich,

versetzt: von Berlin die Postsecretaire Hartmann nach Stettin, Polster nach Eisenach, Adolf Steinhagen nach Schwerin (Meckl.)

in den Ruhestand getreten: dev Ober-Telegraphenassistent Großmann,

freiwillig ausgeschieden: der Telegraphenassistent Lorenz,

gestorben: der Postassistent Georg Schulz.

Personalveränderungen im Bezirke der Kaiserlichen Ober-Postdirektion zu Potsdam.

Ernannt ist: der Ober-Postdirectionssecretair Wichert in Spandau zum Postkassirer.

Versetzt sind: der Postkassirer Gunsenheimer als

comm. Postinspector von Breslau nach Potsdam, der Postinspector Baerbaum von Potsdam nach Metz.

In den Ruhestand getreten ist: der Postsecretair Hoppe in Schwedt.

Ausweisung von Ausländern aus dem Reichsgebiete.

Lauf. Nr.	Name und Stand des Ausgewiesenen.	Alter und Heimath des Ausgewiesenen.	Grund der Bestrafung	Behörde, welche die Ausweisung beschlossen hat.	Datum des Ausweisungs-Beschlusses
1.				5.	6
		a. Auf Grund des § 39 des Strafgesetzbuchs:			
1	Albertine Buser, Haushälterin,	geboren am 15. August 1850 zu Basel, Schweiz, ortsangehörig zu Diepflingen, Kanton Basel-Land, ebendas.,	Kuppelei,	Kaiserlicher Bezirks-Präsident zu Colmar,	23. Juni 1888.
2	Anton Glownia, Stellmachergeselle,	geboren am 14. Juni 1856 zu Kwaczata, Bezirk Chrzanow, Oesterreich, ortsangehörig ebendaselbst,	schwerer Diebstahl (1 Jahr Zuchthaus laut Erkenntniß vom 6. August 1887),	Königlich Preußischer Regierungspräsident zu Breslau,	9. August 1888.
3	Adalbert Kojowsky, Schneider,	geboren am 10. März 1841 zu Alt-Sandec, Bezirk Neu-Sandec, Galizien, ortsangehörig ebendaselbst,	Versuch des schweren Diebstahls im Rückfalle (3 Jahre Zuchthaus laut Erkenntniß vom 10ten August 1885) u. Führung eines falschen Namens,	Königlich Bayerisches Bezirksamt Donauwörth,	23. Juli 1888.
		b. Auf Grund des § 362 des Strafgesetzbuchs:			
1	Benedikt Rudolph, Tagearbeiter,	geboren am 2. Juli 1852 zu Wiesen, Bezirk Braunau, Oesterreich, ortsangehörig ebendaselbst,	Betteln im wiederholten Rückfalle,	Königlich Preußischer Regierungspräsident zu Breslau,	9. August 1888.
2	David Grünberg,	12 Jahre, geboren zu Bako in Rumänien, ortsangehörig ebendas.,	Landstreichen und Betteln,	derselbe,	13. August 1888.
3	Karl Joachim (Johann) Orzechowski, Maschinenschlosser,	geboren am 30. August 1866 zu Zgierz, Bezirk Lodz, Russisch-Polen, ortsangehörig ebendaselbst,	Betteln im wiederholten Rückfalle,	Königlich Preußischer Regierungspräsident zu Stade,	9. Juni 1888.
4	Alois Dörr, Bäckergehülfe,	geboren am 4. Juli 1850 zu Birkenhammer, Bezirk Karlsbad, Böhmen, ortsangehörig zu Fischern, ebendaselbst,	Landstreichen und Betteln,	Stadtmagistrat Straubing, Bayern,	13. Juli 1888.
5	Wenzl Wimmer, Futteralarbeiter,	geboren am 19. November 1861 zu Woldbuch, Kreis Pilsen, Böhmen, ortsangehörig zu Taus, ebendaselbst,	desgleichen,	derselbe,	desgleichen.

Hierzu Drei Oeffentliche Anzeiger.

(Die Insertionsgebühren betragen für eine einspaltige Druckzeile 20 Pf. Belagsblätter werden der Bogen mit 10 Pf. berechnet.)

Redigirt von der Königlichen Regierung zu Potsdam.

Potsdam, Buchdruckerei der A. W. Hayn'schen Erben (E. Hayn, Hof-Buchdrucker).

Amtsblatt

der Königlichen Regierung zu Potsdam und der Stadt Berlin.

Stück 38. Den 21. September **1888.**

Bekanntmachungen des Königlichen Regierungs-Präsidenten.

Betrifft die schußfreien Tage auf dem Schießplatze bei Cummersdorf für das Jahr 1888.

244. Unter Hinweis auf die Polizei-Verordnung vom 2. November 1875 — Amtsblatt Seite 366 — bringe ich hierdurch zur öffentlichen Kenntniß, daß die **schußfreien** Tage auf dem Schießplatze der Königlichen Artillerie-Prüfungs-Kommission bei Cummersdorf für das Jahr 1888 wie folgt festgesetzt worden sind:

September: 23., 26., 30.

Oktober: 3., 4., 7., 8., 10., 14., 15., 17., 21., 22., 24., 28., 29., 31.

November: 4., 5., 6., 11., 14., 15., 18., 19., 21., 25., 26., 28.

Dezember: 2., 3., 4., 5., 9., 10., 11., 12., 13., 16., 17., 18., 19., 23., 25., 26., 27., 28., 29., 30.

Potsdam, den 17. September 1888.

Der Regierungs-Präsident.

Viehseuchen.

245. Der Rotz ist bei einem Pferde des Rentiers Robert Redlich zu Freienwalde a. O. ausgebrochen.

Potsdam, den 18. September 1888.

Der Regierungs-Präsident.

Bekanntmachungen der Königlichen Regierung.

Zahlungen aus Domänen- und Forstveräußerungen und Ablösungen betreffend.

23. Wie zuletzt durch unsere Amtsblatts-Bekanntmachung vom 6. September 1887 — Amtsblatt Stück 37 Seite 352 — veröffentlicht worden ist, haben die Einzahlungen aus Domänen- und Forst-Veräußerungs-, sowie Ablösungsgeschäften ohne Unterschied des Betrages an die Regierungs-Hauptkasse hierselbst unmittelbar zu erfolgen und dürfen derartige Zahlungen ausnahmsweise nur dann bei einer Specialkasse stattfinden, wenn dies auf den besonderen Antrag des Zahlungspflichtigen von der unterzeichneten Regierung ausdrücklich genehmigt worden ist.

Auf Beachtung dieser Bestimmung wird das betheiligte Publikum zur Wahrung des eigenen Interesses wiederholt aufmerksam gemacht.

Potsdam, den 13. September 1888.

Königl. Regierung,
Abtheilung für direkte Steuern, Domänen und Forsten.

Turnlehrerinnen-Prüfungen in Berlin.

24. Nachstehende

Bekanntmachung:

Für die Turnlehrerinnen-Prüfung, welche im Herbst 1888 zu Berlin abzuhalten ist, habe ich Termin auf **Montag, den 19. November d. J.**, und folgende Tage anberaumt.

Meldungen der in einem Lehramte stehenden Bewerberinnen sind bei der vorgesetzten Dienstbehörde spätestens bis zum 1. Oktober d. J., Meldungen anderer Bewerberinnen unmittelbar bei mir spätestens bis zum 15. Oktober d. J. anzubringen.

Die nach § 4 des Prüfungs-Reglements vom 21. August 1875 beizubringenden Zeugnisse über Gesundheit, Führung und Lehrthätigkeit können nur dann Berücksichtigung finden, wenn sie in neuerer Zeit ausgestellt sind. Berlin, den 25. August 1888.

Der Minister
der geistlichen, Unterrichts- und Medizinalangelegenheiten.
Im Auftrage: de la Croix.

wird hierdurch zur öffentlichen Kenntniß gebracht.

Potsdam, den 8. September 1888.

Königl. Regierung,
Abtheilung für Kirchen- und Schulwesen.

Bekanntmachungen des Königl. Polizei-Präsidiums zu Berlin.

Beschaffenheit von Geschirren und Flüssigkeitsmaaßen.

92. **Wir Wilhelm,
von Gottes Gnaden Deutscher Kaiser,
König von Preußen** 2c.,

verordnen im Namen des Reichs, nach erfolgter Zustimmung des Bundesraths und des Reichstags, was folgt:

§ 1. Eß-, Trink- und Kochgeschirr sowie Flüssigkeitsmaße dürfen nicht

1) ganz oder theilweise aus Blei oder einer in 100 Gewichtstheilen mehr als 10 Gewichtstheile Blei enthaltenden Metalllegirung hergestellt,
2) an der Innenseite mit einer in 100 Gewichtstheilen mehr als einen Gewichtstheil Blei enthaltenden Metalllegirung verzinnt oder mit einer in 100 Gewichtstheilen mehr als 10 Gewichtstheile Blei enthaltenden Metalllegirung gelöthet,
3) mit Email oder Glasur versehen sein, welche bei halbstündigem Kochen mit einem in 100 Gewichtstheilen 4 Gewichtstheile Essigsäure enthaltenden Essig an den letzteren Blei abgeben.

Auf Geschirre und Flüssigkeitsmaaße aus bleifreiem Britanniametall findet die Vorschrift in Ziffer 2 betreffs des Lothes nicht Anwendung.

Zur Herstellung von Druckvorrichtungen zum Ausschank von Bier, sowie von Siphons für kohlensäurehaltige Getränke und von Metalltheilen für Kindersaugflaschen dürfen nur Metalllegirungen verwendet werden, welche in 100 Gewichtstheilen nicht mehr als einen Gewichtstheil Blei enthalten.

§ 2. Zur Herstellung von Mundstücken für Saugflaschen, Saugringen und Warzenhütchen darf blei- oder zinkhaltiger Kautschuck nicht verwendet sein.

Zur Herstellung von Trinkbechern und von Spielwaaren, mit Ausnahme der massiven Bälle, darf bleihaltiger Kautschuck nicht verwendet sein.

Zu Leitungen für Bier, Wein oder Essig dürfen bleihaltige Kautschuckschläuche nicht verwendet werden.

§ 3. Geschirre und Gefäße zur Verfertigung von Getränken und Fruchtsäften dürfen in denjenigen Theilen, welche bei dem bestimmungsgemäßen oder vorauszusehenden Gebrauche mit dem Inhalt in unmittelbare Berührung kommen, nicht den Vorschriften des § 1. zuwider hergestellt sein.

Konservenbüchsen müssen auf der Innenseite den Bedingungen des § 1. entsprechend hergestellt sein.

Zur Aufbewahrung von Getränken dürfen Gefäße nicht verwendet sein, in welchen sich Rückstände von bleihaltigem Schrote befinden. Zur Packung von Schnupf- und Kautaback, sowie Käse dürfen Metallfolien nicht verwendet sein, welche in 100 Gewichtstheilen mehr als einen Gewichtstheil Blei enthalten.

§ 4. Mit Geldstrafe bis zu einhundertfünfzig Mark oder mit Haft wird bestraft:

1) wer Gegenstände der im § 1, § 2 Absatz 1 und 2, § 3 Absatz 1 und 2 bezeichneten Art den daselbst getroffenen Bestimmungen zuwider gewerbsmäßig herstellt;
2) wer Gegenstände, welche den Bestimmungen in § 1, § 2 Absatz 1 und 2 und § 3 zuwider hergestellt, aufbewahrt oder verpackt sind, gewerbsmäßig verkauft oder feilhält;
3) wer Druckvorrichtungen, welche den Vorschriften im § 1 Absatz 3 nicht entsprechen, zum Ausschank von Bier oder bleihaltige Schläuche zur Leitung von Bier, Wein oder Essig gewerbsmäßig verwendet.

§ 5. Gleiche Strafe trifft denjenigen, welcher zur Verfertigung von Nahrungs- oder Genußmitteln bestimmte Mühlsteine unter Verwendung von Blei oder bleihaltigen Stoffen an der Mahlfläche herstellt oder derartig hergestellte Mühlsteine zur Verfertigung von Nahrungs- oder Genußmitteln verwendet.

§ 6. Neben der in den §§ 4 und 5 vorgesehenen Strafe kann auf Einziehung der Gegenstände, welche den betreffenden Vorschriften zuwider hergestellt, verkauft, feilgehalten oder verwendet sind, sowie der vorschriftswidrig hergestellten Mühlsteine erkannt werden.

Ist die Verfolgung oder Verurtheilung einer bestimmten Person nicht ausführbar, so kann auf die Einziehung selbstständig erkannt werden.

§ 7. Die Vorschriften des Gesetzes, betreffend den Verkehr mit Nahrungsmitteln, Genußmitteln und Gebrauchsgegenständen, vom 14. Mai 1879 (Reichs-Gesetzblatt Seite 145) bleiben unberührt. Die Vorschriften in den §§ 16, 17 desselben finden auch bei Zuwiderhandlungen gegen die Vorschriften des gegenwärtigen Gesetzes Anwendung.

§ 8. Dieses Gesetz tritt am 1. Oktober 1888 in Kraft.

Urkundlich unter Unserer Höchsteigenhändigen Unterschrift und beigedrucktem Kaiserlichen Insiegel.

Gegeben Berlin, den 25. Juni 1887.

L. S. gez. **Wilhelm.**

geggez. von Boetticher.

Wir Friedrich,
von Gottes Gnaden Deutscher Kaiser,
König von Preußen rc.

verordnen im Namen des Reichs, nach erfolgter Zustimmung des Bundesraths und des Reichstages was folgt:

Die Vorschrift im § 8. des Gesetzes, betreffend den Verkehr mit blei- und zinkhaltigen Gegenständen vom 25. Juni 1887 (Reichs-Gesetzblatt Seite 273) wird dahin abgeändert, daß die Bestimmungen im § 4 № 2 § 6 desselben Gesetzes auf das Feilhalten und Verkaufen von Konserven erst vom 1. Oktober 1889 ab Anwendung finden.

Urkundlich unter Unserer Höchsteigenhändigen Unterschrift und beigedrucktem Kaiserlichen Insiegel.

Gegeben Charlottenburg, den 22. März 1888.

L. S. gez. **Friedrich.**

gegez. von Boetticher.

Vorstehendes wird hiermit zur öffentlichen Kenntniß gebracht.

Berlin, den 12. September 1888.

Der Polizei-Präsident Freiherr von Richthofen.

Eröffnung einer Apotheke.

93. Die von dem Apotheker Joseph Clemens Ferdinand Faber in dem Hause Großbeerenstraße Nr. 52 (Ecke der Hagelsbergerstraße) auf Grund der Concession des Herrn Ober-Präsidenten vom 20. März 1888 eingerichtete Apotheke ist heute nach vorschriftsmäßiger Revision eröffnet worden, was hierdurch zur öffentlichen Kenntniß gebracht wird.

Berlin, den 7. September 1888.

Der Polizei-Präsident.

Bekanntmachungen des Staatssekretairs des Reichs-Postamts.

Postverkehr mit dem Deutschen Schutzgebiet der Marschall-Inseln.

18. Das Deutsche Schutzgebiet der Marschall-Inseln, woselbst in Jaluit, dem Sitz des Kaiserlichen Kommissars, eine Kaiserliche Postagentur für den Austausch von gewöhnlichen und eingeschriebenen Briefsendungen aller Art eingerichtet wird, tritt vom 1. Oktober d. J. ab dem Weltpostverein bei. Für Sendungen aus Deutschland nach dem Schutzgebiet beträgt das Porto: für Briefe 20 Pf. für je 15 g, für Postkarten 10 Pf., für Drucksachen, Waarenproben und Geschäftspapiere 5 Pf. für je 50 g, mindestens jedoch für Waarenproben 10 Pf. und für Geschäftspapiere 20 Pf.; zu diesen Sätzen tritt u. U. die Einschreibgebühr von 20 Pf. Die Postagentur in Jaluit wird für den Austausch der Sendungen mittels der sich bietenden Segelschiffs-Gelegenheiten mit den Postanstalten in San Francisco, Honolulu, Sydney und Auckland in Verbindung treten. Auf den nach den Marschall-Inseln gerichteten Sendungen haben die Absender durch einen entsprechenden Vermerk selbst zu bestimmen, mit welcher dieser Verbindungen die Beförderung erfolgen soll.

Berlin W., den 10. September 1888.

Der Staatssecretair des Reichspostamts.

Bekanntmachungen der Königlichen Hauptverwaltung der Staatsschulden.

Restkündigung der Staatsschuldverschreibungen von 1850, sowie Verloosung von Schuldverschreibungen der Staatsanleihen von 1852, 1853 und 1862.

17. Die sämmtlichen bisher noch nicht zur Verloosung gekommenen Schuldverschreibungen der vierprozentigen Staatsanleihe von 1850, sowie die in der Anlage verzeichneten Schuldverschreibungen der vierprozentigen Staatsanleihen von 1852, 1853 und 1862, welche bei der heute in Gegenwart eines Notars öffentlich bewirkten Verloosung gezogen worden sind, werden den Besitzern mit der Aufforderung gekündigt, die Kapitalbeträge vom 1. April 1889 ab gegen Quittung und Rückgabe der Schuldverschreibungen und der nach dem 1. April 1889 fällig werdenden Zinsscheine nebst Zinsscheinanweisungen bei der Staatsschulden-Tilgungskasse, Taubenstraße Nr. 29., hierselbst, zu erheben.

Die Zahlung erfolgt von 9 Uhr Vormittags bis 1 Uhr Nachmittags mit Ausschluß der Sonn- und Festtage und der letzten drei Geschäftstage jeden Monats. Die Einlösung geschieht auch bei den Regierungs-Hauptkassen und in Frankfurt a. M. bei der Kreiskasse. Zu diesem Zwecke können die Schuldverschreibungen nebst Zinsscheinen und Zinsscheinanweisungen einer dieser Kassen schon vom 1. März k. J. ab eingereicht werden, welche sie der Staatsschulden-Tilgungskasse zur Prüfung vorzulegen hat und nach erfolgter Feststellung die Auszahlung vom 1. April 1889 ab bewirkt.

Mit den verloosten Schuldverschreibungen sind unentgeltlich abzuliefern und zwar: von der Anleihe von 1852 die Zinsscheine Reihe X. Nr. 6 bis 7, von der Anleihe von 1853 die Anweisung zur Abhebung der Zinsscheine Reihe X. und von der Anleihe von 1862 die Zinsscheine Reihe VII. Nr. 7 bis 8 nebst Anweisung zur Abhebung der Reihe VIII. Der Betrag der etwa fehlenden Zinsscheine wird von dem Kapitale zurückbehalten.

Mit dem 1. April 1889 hört die Verzinsung der gekündigten bezw. verloosten Schuldverschreibungen auf.

Zugleich werden die bereits früher ausgeloosten, auf der Anlage verzeichneten noch rückständigen Schuldverschreibungen der genannten vier Anleihen wiederholt und mit dem Bemerken aufgerufen, daß die Verzinsung derselben mit den einzelnen Kündigungsterminen aufgehört hat.

Die Staatsschulden-Tilgungskasse kann sich in einen Schriftwechsel mit den Inhabern der Schuldverschreibungen über die Zahlungsleistung nicht einlassen.

Formulare zu den Quittungen werden von den sämmtlichen obengedachten Kassen unentgeltlich verabfolgt.

Berlin, den 5. September 1888.

Hauptverwaltung der Staatsschulden.

Bekanntmachungen der Königl. Kontrolle der Staatspapiere.

Aufgebot von Staatsschuldscheinen.

15. In Gemäßheit des § 20 des Ausführungsgesetzes zur Civilprozeßordnung vom 24. März 1879 (G.-S. S. 281) und des § 6 der Verordnung vom 16. Juni 1819 (G.-S. S. 157) wird bekannt gemacht, daß dem Amte zu Nordwalde, Kreis Steinfurt, die Staatsschuldscheine lit. F. № 222064 und 222065 über je 100 Thlr. und lit. G. № 44459 über 50 Thlr. angeblich verloren gegangen sind. Es werden Diejenigen, welche sich im Besitze dieser Urkunden befinden, hiermit aufgefordert, solches der unterzeichneten Kontrolle der Staatspapiere oder dem Amt zu Nordwalde anzuzeigen, widrigenfalls das gerichtliche Aufgebotsverfahren behufs Kraftloserklärung der Urkunden beantragt werden wird.

Berlin, den 12. September 1888.

Königl. Kontrolle der Staatspapiere.

Bekanntmachungen des Königlichen Oberbergamts zu Halle.

Wohnsitz eines Markscheiders.

11. Unter Bezugnahme auf den § 4 der allgemeinen Vorschriften für die Markscheider im Preußischen Staate vom 21. Dezember 1871 bringen wir hierdurch zur öffentlichen Kenntniß, daß der konzessionirte Markscheider Gotthold Harzer seinen Wohnsitz in Magdeburg genommen hat.

Halle, den 14. September 1888.

Königl. Oberbergamt.

Bekanntmachungen der Königlichen Eisenbahn-Direktion zu Berlin.

Ungarisch-Deutscher Viehverkehr.

35. Am 1. Oktober d. J. tritt zum Tarif für den vorbezeichneten Verkehr ein Nachtrag II. in Kraft. Derselbe enthält neben Berichtigungen und Ergänzungen die Einbeziehung der Station Leipzig (Bayer. Bahnhof) in den direkten Verkehr, sowie der Stationen Hamburg B., Mügeln bei Pirna, Zittau, Lugos und Versecz in den Ausnahmetarif für den Transport von lebendem Geflügel in Wagenladungen und auch in beliebigen Mengen als Eil- und Frachtgut.

Berlin, den 14. September 1888.

Königl. Eisenbahn-Direktion.

Bekanntmachungen der Königlichen Eisenbahn-Direktion zu Bromberg.

Frachtbegünstigung für Ausstellungsgegenstände.

56. Für diejenigen Thiere, landwirthschaftlichen Maschinen und Geräthe, welche auf der am 20. September d. J. in Schlochau stattfindenden Thierschau und landwirthschaftlichen Ausstellung ausgestellt werden und unverkauft bleiben, wird auf den Strecken der Königl. Eisenbahn-Direktionen Bromberg und Breslau eine Frachtbegünstigung in der Art gewährt, daß für die Hinbeförderung die volle tarifmäßige Fracht berechnet wird, die Rückbeförderung an die Versandstation und den Aussteller aber frachtfrei erfolgt, wenn durch Vorlage des ursprünglichen Frachtbriefes bezw. Duplicat-Transportscheines für den Hinweg, sowie durch eine Bescheinigung der Ausstellungs-Kommission nachgewiesen wird, daß die Thiere und sonstigen Gegenstände ausgestellt gewesen und unverkauft geblieben sind und wenn die Rückbeförderung innerhalb 14 Tagen nach Schluß der Ausstellung stattfindet. In den ursprünglichen Frachtbriefen bezw. Duplicat-Transportscheinen über die Hinsendung ist ausdrücklich zu vermerken, daß die mit denselben aufgegebenen Sendungen durchweg aus Ausstellungsgut bestehen.

Bromberg, den 13. September 1888.

Königl. Eisenbahn-Direktion.

Bekanntmachungen der Königlichen Eisenbahn-Direktion zu Magdeburg.

6. **Extrazug zur Magdeburger Messe**

Sonntag, den 23. September d. J.

1) Von Berlin, Potsdamer Bahnhof 5^{20} Vm.,
- Potsdam 6^{2} -
an Magdeburg 8^{39} -

2) von Magdeburg 10^{0} Abends,
in Berlin 1^{28} Nachts.

Der Zug hält im Bedarfsfalle in Steglitz und Zehlendorf. Billets, welche zur Rückfahrt innerhalb 2 Tagen, den Lösungstag mitgerechnet, für alle fahrplanmäßigen Personenzüge **(ausschließlich der Courier- und Schnellzüge)** ab Magdeburg berechtigen, sowie auch für den am Tage der Hinfahrt, **10^{0} Abends von Magdeburg** abgehenden Extrazug gelten, können von jetzt ab bis zum Abgange der Züge in Berlin und Potsdam für 6,00 M. in II. Klasse und 4,00 M. in III. Klasse gelöst werden. Freigepäck wird nicht gewährt.

Königl. Eisenbahn-Betriebsamt.
(Berlin—Magdeburg.)

Personal-Chronik.

Im Kreise Osthavelland ist in Folge Ablaufs seiner bisherigen Dienstzeit der Geheime Regierungsrath Wilckens zu Staffelde zum Amtsvorsteher des Amtsbezirks V. Staffelde von Neuem ernannt worden.

Dem ordentlichen Lehrer an der Victoriaschule in Berlin Herrn Schubert ist die Erlaubniß zur Leitung der Dr. Möbus'schen Privatmädchenschule daselbst ertheilt worden.

Der Schulamtskandidat Ilzig ist als ordentlicher Lehrer am Sophien-Gymnasium in Berlin angestellt worden.

Der bisherige Oberlehrer Dr. Alfred Meyer ist als Rektor an der 5. städtischen höheren Bürgerschule in Berlin angestellt worden.

Fräulein Lydia Auerbach ist als Gemeindeschullehrerin in Berlin angestellt worden.

Der Lehrer Hugo Schatz ist als Gemeindeschullehrer in Berlin angestellt worden.

Der bisherige Hülfslehrer Dr. Theodor Engwer ist als ordentlicher Lehrer an der 3. höheren Bürgerschule in Berlin angestellt worden.

Dem Küster, Organisten und Hauptlehrer Carl Heinrich Nauck zu Nowawes, Diözese Potsdam I., ist der Titel „Kantor" verliehen worden.

Die unter Königlichem Patronat stehende Pfarrstelle zu Schulzendorf, Diözese Lindow—Gransee, kommt durch die Versetzung ihres bisherigen Inhabers, des Pfarrers Liepe, zum 1. Oktober d. J. zur Erledigung. Die Wiederbesetzung dieser Stelle erfolgt durch Gemeindewahl nach Maßgabe des Kirchengesetzes, betreffend das im § 32 № 2 der Kirchengemeinde- und Synodal-Ordnung vom 10. September 1873 vorgesehene Pfarrwahlrecht, vom 15. März 1886 — Kirchl. Ges.- und Verordn.-Bl. de 1886 S. 39. — Bewerbungen um diese Stelle sind schriftlich bei dem Königlichen Konsistorium der Provinz Brandenburg einzureichen. § 6 a. a. O.

Ausweisung von Ausländern aus dem Reichsgebiete.

Lauf. Nr.	Name und Stand	Alter und Heimath	Grund der Bestrafung	Behörde, welche die Ausweisung beschlossen hat.	Datum des Ausweisungs-Beschlusses
	des Ausgewiesenen.				
1.	2	3.	4.	5.	6
	b. Auf Grund des § 362 des Strafgesetzbuchs:				
1	Anton Benda, Bergmann,	geboren am 31. Mai 1858 zu Kreuth bei Turnau, Steiermark, ortsangehörig zu Haselbach, Bezirk Taus, Böhmen,	Landstreichen und Betteln,	Stadtmagistrat Straubing, Bayern,	13. Juli 1888.

Lauf. Nr.	Name und Stand	Alter und Heimath	Grund der Bestrafung.	Behörde, welche die Ausweisung beschlossen hat.	Datum des Ausweisungs-Beschlusses.
	des Ausgewiesenen.				
1.	2.	3.	4.	5.	6.
2	Gottlieb Schulz, Schneider,	geboren am 7. Juni 1862 zu Prag, Böhmen, ortsangehörig zu Drevenic, Bezirk Karolinenthal, ebendaselbst,	Landstreichen,	Königlich Bayerisches Bezirksamt Schrobenhausen,	28. Juli 1888.
3	Schmerka (Peisachoff) Kolbasnik, Bäcker (Müller),	30 Jahre, geboren zu Sluczk, Gouvernement Minsk, Rußland, ortsangehörig ebendaselbst,	Landstreichen und Widerstand gegen die Staatsgewalt,	Königlich Bayerisches Bezirksamt Miltenberg,	31. Juli 1888.
4	Raimund Geier, Taglöhner,	geboren am 30. August 1859 zu Kleinjetzelsdorf, Bezirk Horn, Nieder-Oesterreich, ortsangehörig ebendaselbst, wohnhaft zuletzt in Dachau, Bayern,	Landstreichen, Gebrauch eines falschen Legitimationspapieres und Führung eines falschen Namens,	Königlich Bayerisches Bezirksamt Dachau,	9. August 1888.
5	Anton Schleifer, Glaser,	geboren am 20. März 1866 zu Pardubitz, Böhmen, ortsangehörig ebendaselbst,	Landstreichen, Betteln und Führung eines falschen Namens,	Königlich Sächsische Kreishauptmannschaft Bautzen,	2. Juli 1888.
6	Louis Rio, Posamentier,	geboren im Februar 1838 zu Lille, Departement Nord, Frankreich, ortsangehörig ebendaselbst,	Landstreichen und Betteln,	Großherzoglich Badischer Landeskommissär zu Freiburg,	6. August 1888.
7	Georg Paul Bollaeys, Tagelöhner,	geboren am 7. September 1868 zu Paris, ortsangehörig ebendaselbst,	desgleichen,	derselbe,	desgleichen.
8	Adolf Weiß,	geboren am 3. Mai 1872 zu Wald, Kanton Zürich, Schweiz, ortsangehörig ebendas.,	desgleichen,	Kaiserlicher Bezirks-Präsident zu Colmar,	8. August 1888.
9	Hermann Rosentraub, Hutmacher,	geboren am 26. Dezember 1864 zu Warschau, Rußland, ortsangehörig ebendaselbst,	Landstreichen,	derselbe,	17. August 1888.
10	Johanna Bleiber, Dienstmagd,	geboren am 21. April 1867 zu Weißwasser, Bezirk Freiwaldau, Oesterreichisch-Schlesien, ortsangehörig ebendaselbst,	Landstreichen,	Königlich Preußischer Regierungspräsident zu Oppeln,	29. Juni 1888.
11	Theodor Beunen, Tagelöhner,	geboren am 27. Dezember 1832 zu Lobith, Niederlande, ortsangehörig ebendaselbst,	Landstreichen und Betteln,	Königlich Preußischer Regierungspräsident zu Düsseldorf,	25. August 1888.
12	Rudolf Huber, Schreiber,	geboren am 24. März 1869 zu Markt Haag, Bezirk Amstetten, Nieder-Oesterreich, ortsangehörig ebendaselbst,	Landstreichen, Betteln, Führen verbotener Waffen, Beleidigung u. Entwendung von Genußmitteln,	Königlich Bayerisches Bezirksamt Landsberg,	16. Nov. 1887. / 10. August 1888.

Lauf. Nr.	Name und Stand des Ausgewiesenen.	Alter und Heimath des Ausgewiesenen.	Grund der Bestrafung.	Behörde, welche die Ausweisung beschlossen hat.	Datum des Ausweisungs-Beschlusses.
1.	2.	3	4.	5.	6.
13	Josef Adamovic, Schlosser,	geboren am 8. März 1845 zu Taus, Böhmen, ortsangehörig ebendaselbst,	Landstreichen,	Stadtmagistrat Kempten, Bayern,	10. August 1888.
14	Anton Klier, Schneider (Müller),	geboren am 5. März 1830 zu Kannstadt, Bezirk Graslitz, Böhmen, ortsangehörig ebendaselbst,	Landstreichen u. Führung eines falschen Namens,	Königlich Bayrisches Bezirksamt Viechtach,	16. August 1888.
15	Alois Mann, Schlosser,	geboren am 2. Juli 1861 zu Böhmisch-Leipa, ortsangehörig ebendaselbst,	Betteln im wiederholten Rückfall und Nächtigen im Freien,	Königlich Sächsische Kreishauptmannschaft Dresden,	9. Juli 1888.
16	Jan (Johann) Drbohlav, Fleischergeselle,	geboren am 29. März 1848 zu Lhota Parezska, Böhmen, ortsangehörig ebendaselbst,	Betteln im wiederholten Rückfalle,	Königlich Sächsische Kreishauptmannschaft Leipzig,	26. Juli 1888.
17	Heinrich Adam, Schiffstaglöhner,	51 Jahre alt, geboren zu Löwen, Belgien, ortsangehörig ebendas.,	Landstreichen,	Großherzoglich Badischer Landeskommissär zu Mannheim,	26. August 1888.
18	Aimée Constance Pottier, ledige Tagnerin,	geboren am 7. November 1837 zu Fontenoy le Château, Frankreich, ortsangehörig ebendas.,	Landstreichen und Betteln,	Kaiserlicher Bezirks-Präsident zu Colmar,	14. August 1888.
19	Victorine Lefranc,	80 Jahre alt, ortsangehörig zu Aligney, Departement Nord, Frankreich,	Landstreichen,	derselbe,	17. August 1888.
20	Johann Bernhard Schalklin, Bäcker,	geboren am 10. Oktober 1851 zu Basel, Schweiz, ortsangehörig ebendas.,	Landstreichen und Betteln,	derselbe,	28. August 1888.
21	Peter Mergadeck, Arbeiter,	geboren am 17. Januar 1848 zu Pleyberchrist, Arrondissement Morlaix, Frankreich,	desgleichen,	Kaiserlicher Bezirks-Präsident zu Metz,	21. August 1888.

Hierzu

eine Beilage, enthaltend den Fahrplan der Königlichen Eisenbahn-Direktion zu Bromberg, gültig vom 1. Oktober 1888 ab,

eine Extra-Beilage, enthaltend den Zweiten Nachtrag zum Statut der Preußischen Hypotheken-Versicherungs-Actien-Gesellschaft und das Revidirte Statut dieser Gesellschaft,

eine Beilage, enthaltend das Verzeichniß der durch die Bekanntmachung der Königlichen Hauptverwaltung der Staatsschulden vom 5. September 1888 zur baaren Einlösung am 1. April 1889 gekündigten Schuldverschreibungen der Staatsanleihen vom Jahre 1852, 1853 und 1862, und das Verzeichniß der aus früheren Verloosungen noch rückständigen Schuldverschreibungen der Staatsanleihen von 1850, 1852, 1853 und 1862, sowie Drei Oeffentliche Anzeiger.

(Die Insertionsgebühren betragen für eine einspaltige Druckzeile 20 Pf. Belagsblätter werden der Bogen mit 10 Pf. berechnet.)

Redigirt von der Königlichen Regierung zu Potsdam.

Potsdam, Buchdruckerei der A. W. Hayn'schen Erben (E. Hayn, Hof-Buchdrucker).

Extra-Beilage

zum 38sten Stück des Amtsblatts

der Königlichen Regierung zu Potsdam und der Stadt Berlin.

Den 21. September 1888.

Bekanntmachungen des Königlichen Polizei-Präsidiums zu Berlin.

91. **Zweiter Nachtrag zum Statut der Preußischen Hypotheken-Versicherungs-Actien-Gesellschaft.**

Die nachstehenden Artikel des Statuts werden wie folgt geändert:

Art. 3.

Das Grundcapital der Gesellschaft beträgt 5 Millionen Thaler = 15 Millionen Mark in 10 000 Actien zu 500 Thlr. = 1500 Mark. Dasselbe kann durch Beschluß der Generalversammlung mit staatlicher Genehmigung erhöht werden.

Art. 5.

Die Actien werden mit laufender Nummer im Namen des Aufsichtsraths ausgefertigt. Sie lauten zur Zeit auf Namen (Form. A.); jedoch sollen diejenigen Actien, auf welche Volleinzahlung erfolgt ist oder künftig erfolgen wird, in Actien auf den Inhaber umgewandelt werden.

Der Vorstand wird beauftragt und ermächtigt, alljährlich zur Eintragung in das Handelsregister in Ergänzung dieses Artikels anzumelden, wieviel Actien im Laufe des voraufgegangenen Jahres in Inhaber-Actien umgewandelt worden sind.

Mit jeder Actie werden Dividendenscheine (Form. B.) nebst Talon (Form. C.) jedesmal auf zehn Jahre ausgegeben, welche nach Ablauf des letzten Jahres gegen Einreichung des Talons durch neue ersetzt werden.

Art. 6.

Vom Nennwerth der nicht vollgezahlten Actien werden 375 Mark (25 pCt.) baar eingezahlt und 1125 Mark (75 pCt.) in drei Solawechseln über je 375 Mark, an die Ordre der Gesellschaft lautend und einen Monat nach Sicht in Berlin zahlbar (Form D.), hinterlegt. Statt der Hinterlegung der Wechsel ist, soweit der Vorstand und Aufsichtsrath dies genehmigen, auch die volle Baarzahlung der fehlenden 75 pCt. = 1125 Mark zulässig. Jedesmal wenn Vorstand und Aufsichtsrath Volleinzahlungen auf eine bestimmte Anzahl von Actien zulassen wollen, ist dies unter Bezeichnung einer Frist für die Anmeldung öffentlich bekannt zu machen, und sind die sich meldenden Actionäre gleichmäßig zu berücksichtigen, soweit dies rechnungsmäßig möglich ist. Actien, auf welche der ganze Nennwerth eingezahlt ist, werden vollgezahlte genannt.

Die bisher vollgezahlten Actien nehmen vom 1. Januar 1889 ab nach ihrem Nennwerthe am Dividendengenuß Theil, während sie bis dahin, gemäß Art. 6 des unterm 30. Juli 1885 genehmigten Statuts, von den mehr eingezahlten 1125 Mark nur 4 pCt. beziehen. Für diejenigen Actien, welche künftig vollgezahlt werden, beginnt bezüglich der neu eingezahlten 75 pCt. des Nennwerthes der Dividendengenuß mit dem 1. Januar des auf die Vollzahlung folgenden Kalenderjahres, während bis zum Schluß des Kalenderjahres, in welchem die Vollzahlung erfolgt, die neu eingezahlten 75 pCt. vom Zahlungstage ab 4 pCt. jährlich aus dem Jahresgewinn beziehen.

Actien, auf welche die Vollzahlung geleistet wird, sind unter Rückgabe der hinterlegten Wechsel — durch einen vom Vorstande zu bewirkenden Aufdruck — auf Inhaber zu stellen. Dasselbe geschieht auch bezüglich der bisher vollgezahlten Actien auf Verlangen der Besitzer.

Art. 7.

Jede auf Namen lautende Actie hat in dem Actienbuche der Gesellschaft ein Blatt, auf welchem Name, Wohnort und Stand des jeweiligen Eigenthümers eingetragen werden. Wenn das Eigenthum einer solchen Actie auf einen Anderen übergeht, so ist dies unter Vorlegung der Actie und des Nachweises des Ueberganges bei der Gesellschaft anzumelden und im Actienbuche zu vermerken. Die Eintragung des neuen Eigenthümers darf erst erfolgen, nachdem dieser seine Solawechsel hinterlegt und der Vorstand die Uebertragung genehmigt hat. Demnächst erhält der bisherige Eigenthümer seine Solawechsel zurück.

Art. 11.

Im Verhältnisse zu der Gesellschaft werden als Eigenthümer der auf Namen lautenden Actien nur diejenigen angesehen, welche als solche im Actienbuche verzeichnet sind.

Art. 19. Absatz 2 Lit. d.

d. der Rest als Dividende für die Actionäre nach Verhältniß der auf die Actien geleisteten Einzahlung und gemäß Art. 6, abgerundet auf fünftel Prozente.

Art. 22.

Der Vorstand, welcher die Gesellschaft gerichtlich und außergerichtlich vertritt, besteht aus zwei oder mehr Directoren. Sie werden vom Aufsichtsrathe gewählt und mittels eines von diesem mit ihnen zu errichtenden Vertrages angestellt, durch welchen ihnen ein festes Gehalt und ein Antheil an der Tantième bestimmt wird. Die Directoren müssen ihren Wohnsitz in Berlin haben und bei ihrem Amtsantritt jeder eine Caution von 20 Actien der Gesellschaft hinterlegen, über welche sie vor erfolgter Entlastung nicht verfügen können.

Art. 26. Absatz 1.

Zu allen für die Gesellschaft rechtsverbindlichen Erklärungen genügt die Unterschrift entweder
a. zweier Directoren oder
b. eines Directors und eines Procuristen.
Der Unterschrift eines Directors steht diejenige eines stellvertretenden Directors gleich.

Art. 29. Absatz 2.

Die Reihenfolge des Ausscheidens wird durch das Dienstalter und, so lange sich hiernach ein Turnus nicht gebildet hat, durch das Loos bestimmt. Wenn Mitglieder vor Ablauf ihrer Wahlzeit ausscheiden, so erfolgt die Wahl von Ersatzmännern nur für die Wahlzeit der Ausgeschiedenen. So lange die Zahl der Mitglieder nicht unter acht sinkt, kann die Ersatzwahl nach Ermessen des Aufsichtsraths bis zur nächsten ordentlichen Generalversammlung ausgesetzt werden.

Art. 32. Absatz 7.

Ausfertigungen im Namen des Aufsichtsraths, insbesondere Anstellungsverträge, müssen von zwei Mitgliedern des Aufsichtsraths, unter denen sich der Vorsitzende oder der Stellvertreter desselben befinden muß, unterzeichnet werden.

Art. 33.

Zur Theilnahme an der Generalversammlung sind berechtigt:
1) die Eigenthümer von nicht vollgezahlten Actien, soweit sie als solche bis zum Ablauf des vierten Werktages vor dem Tage der Generalversammlung in das Actienbuch eingetragen sind:
2) alle Inhaber von vollgezahlten Actien.

Beide Arten von Actien gewähren gleiches Stimmrecht, und zwar:
eine bis fünf Actien eine Stimme,
je fünf Actien mehr eine Stimme.

Niemand kann mehr als vierzig Stimmen, einschließlich der eigenen, in seiner Person vereinigen. Eine Ausnahme von dieser Beschränkung findet nur statt bei einer Abstimmung über die Auflösung der Gesellschaft (Art. 38).

Jeder stimmberechtigte Actionär kann sich auf Grund schriftlicher Vollmacht durch einen anderen stimmberechtigten Actionär vertreten lassen. Außerdem können vertreten werden: Ehefrauen durch ihre Ehemänner, Pflegebefohlene durch ihre Vormünder und Kuratoren, Handlungshäuser, Actiengesellschaften, Corporationen, Vereine und Kassen durch einen ihrer gesetzlichen Vertreter. Die Prüfung der Vollmachten, welche in Verwahrung der Gesellschaft bleiben, steht dem Vorstand zu.

Der Eintritt in die Generalversammlung ist nur gegen eine Eintrittskarte gestattet, deren Ausfertigung spätestens am vorletzten Werktage vor dem Tage der Generalversammlung bis 6 Uhr Abends bei der Gesellschaft nachzusuchen ist. Für die nicht vollgezahlten Actien erfolgt die Ausfertigung nach dem Actienbuche, für die vollgezahlten gegen deren Hinterlegung bei der Gesellschaft oder bei anderen vom Vorstande bezeichneten Stellen. Mit den Actien sind 2 Nummernverzeichnisse einzureichen, von denen das eine abgestempelt als Empfangsbescheinigung zurückgegeben wird. Die Rückgabe der Actien erfolgt am Tage nach der Generalversammlung gegen Wiedereinlieferung der Empfangsbescheinigung.

Art. 40. Zusatz.

Bekanntmachungen seitens des Vorstandes sind in derjenigen Form, welche für die Firmenzeichnung vorgeschrieben ist, zu vollziehen; für die Form der Bekanntmachungen des Aufsichtsraths gelten diejenigen Bestimmungen, welche für die im Namen des Aufsichtsraths herzustellenden Ausfertigungen im Artikel 32 vorgeschrieben sind.

B. Formular des Dividendenscheins.

(Vorderseite.)

Am 1. Juli .... zahlt die unterzeichnete Actien-Gesellschaft dem Ueberbringer die auf die Actie No. ...... für das Jahr .... treffende Dividende.

Berlin, den .... 18 . .

Preußische Hypotheken-Versicherungs-Actien-Gesellschaft.

(L. S.) Der Aufsichtsrath.

(Facsimile der Unterschrift des Vorsitzenden.)

(Rückseite.)

Dividenden, welche binnen 4 Jahren nach Ablauf des Kalenderjahres, in welchem sie fällig wurden, nicht erhoben sind, verfallen zu Gunsten der Gesellschaft.

C. Formular des Talons.

(Vorderseite.)

Talon zur Actie No. ......

Die ...... zehnjährige Serie von Dividendenscheinen wird dem Eigenthümer obiger Actie gegen Rückgabe des gegenwärtigen Talons verabfolgt.

Berlin, den .... 18 . .

Preußische Hypotheken-Versicherungs-Actien-Gesellschaft.

(L. S.) Der Aufsichtsrath.

(Facsimile der Unterschrift des Vorsitzenden.)

(Rückseite.)

Wenn ein Talon nicht spätestens bis zum Ablauf des Kalenderjahres, in welchem der erste Dividendenschein einer neuen Serie zahlbar ist, bei der Gesellschaft präsentirt wird, so werden die Dividendenscheine der neuen Serie mit dem nächsten Talon dem Eigenthümer der Actie gegen Vorzeigung derselben bei Fälligkeit des zweiten Dividendenscheines dieser Serie verabfolgt.

* * *

Der vorstehende, von den General-Versammlungen der Preußischen Hypotheken-Versicherungs-Actien-Gesellschaft hierselbst laut der notariellen Protokolle vom 24. März 1888 beschlossene zweite Nachtrag zum Gesellschafts-Statut wird hierdurch genehmigt.

Berlin, den 3. Juni 1888. (L. S.)

Der Minister für Landwirthschaft, Domänen und Forsten. gez. v. Lucius.	Der Minister des Innern. Im Auftrage: gez. v. Zastrow.

Genehmigung.
Min. f. Landw. 2c. I. 7920.
Min. d. Innern IB. 3341.

Revidirtes Statut der Preußischen Hypotheken-Versicherungs-Actien-Gesellschaft

vom $\frac{\text{30. April und 1. Juni}}{\text{30. Juli}}$ 1885

mit den Nachträgen *)

1. vom $\frac{\text{26. März}}{\text{22 Juli}}$ 1887, 2. vom $\frac{\text{24. März}}{\text{3. Juni}}$ 1888.

Abtheilung I.

Firma. Zweck. Sitz. Grundkapital. Dauer.

Art. 1.

Unter der Firma: „Preußische Hypotheken-Versicherungs-Actien-Gesellschaft" ist eine Actien-Gesellschaft mit kaufmännnischen Rechten und Pflichten zusammengetreten. Sie hat den Zweck,

den Realkredit durch Versicherung hypothekarischer Forderungen und durch Vermittelung hypothekarischer Darlehne zu heben und zu fördern.

Art. 2.

Der Sitz der Gesellschaft ist zu Berlin und ihr Gerichtsstand bei dem zuständigen Gerichte daselbst.

Wegen Ansprüche aus Versicherungsverträgen kann die Gesellschaft auch vor den Gerichten desjenigen Ortes belangt werden, wo diese Verträge durch ihre Bevollmächtigten unterzeichnet sind. Diese Befugniß der Versicherten ist in dergleichen Versicherungspolicen aufzunehmen.

Art. 3.

Das Grundkapital der Gesellschaft beträgt 5 Millionen Thlr. = 15 Millionen Mark in 10,000 Aktien zu 500 Thlr. = 1500 Mark. Dasselbe kann durch Beschluß der Generalversammlung mit staatlicher Genehmigung erhöht werden.

Art. 4.

Die Dauer der Gesellschaft ist auf 100 Jahre vom 21. Juni 1862 (dem Tage der landesherrlichen Bestätigung des ersten Statuts) festgesetzt und kann durch Beschluß der Generalversammlung mit landesherrlicher Genehmigung verlängert werden.

Abtheilung II.

Actien. Einzahlung. Uebertragung. Kraftloserklärung.

Art. 5.

Die Actien werden mit laufender Nummer im Namen des Aufsichtsraths ausgefertigt. Sie lauten zur Zeit auf Namen (Form. A.); jedoch sollen diejenigen Actien, auf welche Volleinzahlung erfolgt ist oder künftig erfolgen wird, in Actien auf den Inhaber umgewandelt werden.

Der Vorstand wird beauftragt und ermächtigt, alljährlich zur Eintragung in das Handelsregister in Ergänzung dieses Artikels anzumelden, wieviel Actien im Laufe des voraufgegangenen Jahres in Inhaber-Actien umgewandelt worden sind.

Mit jeder Actie werden Dividendenscheine (Form B.) nebst Talon (Form. C.) jedesmal auf zehn Jahre ausgegeben, welche nach Ablauf des letzten Jahres gegen Einreichung des Talons durch neue ersetzt werden.

Art. 6.

Vom Nennwerth der nicht vollgezahlten Actien werden 375 Mark (25 p.Ct.) baar eingezahlt und 1125 Mark (75 p.Ct.) in drei Solawechseln über je 375 Mark, an die Ordre der Gesellschaft lautend und einen Monat nach Sicht in Berlin zahlbar (Form. D.), hinterlegt. Statt der Hinterlegung der Wechsel ist, soweit der Vorstand und Aufsichtsrath dies genehmigen, auch die volle Baarzahlung der fehlenden 75 p.Ct. = 1125 Mark zulässig. Jedesmal wenn Vorstand und Aufsichtsrath Volleinzahlungen auf eine bestimmte Anzahl von Actien zulassen wollen, ist dies unter Bezeichnung einer Frist für die Anmeldung öffentlich bekannt zu machen, und sind die sich meldenden Actionäre gleichmäßig zu berücksichtigen, soweit dies rechnungsmäßig möglich ist. Actien, auf welche der ganze Nennwerth eingezahlt ist, werden vollgezahlte genannt.

Die bisher vollgezahlten Actien nehmem vom 1. Januar 1889 ab nach ihrem Nennwerthe am Divi-

*) Anmerkung. Diese beiden Nachträge sind an den entsprechenden Stellen in den Text des Statuts eingefügt.

dendengenuß theil, während sie bis dahin, gemäß Art. 6 des unterm 30. Juli 1885 genehmigten Statuts, von den mehr eingezahlten 1125 Mark nur 4 p. Ct. beziehen. Für diejenigen Actien, welche künftig vollgezahlt werden, beginnt bezüglich der neu eingezahlten 75 p. Ct. des Nennwerthes der Dividendengenuß mit dem 1. Januar des auf die Vollzahlung folgenden Kalenderjahres, während bis zum Schluß des Kalenderjahres, in welchem die Vollzahlung erfolgt, die neu eingezahlten 75 p. Ct. vom Zahlungstage ab 4 p. Ct. jährlich aus dem Jahresgewinn beziehen.

Actien, auf welche die Vollzahlung geleistet wird, sind unter Rückgabe der hinterlegten Wechsel — durch einen vom Vorstande zu bewirkenden Aufdruck — auf Inhaber zu stellen. Dasselbe geschieht auch bezüglich der bisher vollgezahlten Actien auf Verlangen der Besitzer.

Art. 7.

Jede auf Namen lautende Actie hat in dem Actienbuche der Gesellschaft ein Blatt, auf welchem Name, Wohnort und Stand des jeweiligen Eigenthümers eingetragen werden. Wenn das Eigenthum einer solchen Actie auf einen Anderen übergeht, so ist dies unter Vorlegung der Actie und des Nachweises des Ueberganges bei der Gesellschaft anzumelden und im Actienbuche zu vermerken. Die Eintragung des neuen Eigenthümers darf erst erfolgen, nachdem dieser seine Solawechsel hinterlegt und der Vorstand die Uebertragung genehmigt hat. Demnächst erhält der bisherige Eigenthümer seine Solawechsel zurück.

Art. 8.

Der Vorstand kann die Genehmigung zur Uebertragung von Actien, sowie bei künftigen Actien-Emissionen die Annahme von Actienzeichnern verweigern, ohne zur Angabe von Gründen verpflichtet zu sein.

Art. 9.

Sind Actien, Interimsscheine, Dividendenscheine oder Talons beschädigt oder unbrauchbar geworden, jedoch in ihren wesentlichen Theilen noch dergestalt erhalten, daß über ihre Richtigkeit kein Zweifel obwaltet, so ist der Vorstand mit Genehmigung des Aufsichtsraths ermächtigt, gegen Einreichung der beschädigten Papiere auf Kosten des Inhabers neue gleichartige Papiere unter der gleichen Nummer auszufertigen und auszureichen.

Außer diesem Fall ist die Ausfertigung und Ausreichung von neuen Actien oder Interimsscheinen an Stelle von beschädigten oder verlorenen nur nach rechtskräftiger gerichtlicher Kraftloserklärung (Amortisation) derselben zulässig. Die Ausfertigung erfolgt auf Kosten des Antragstellers unter der alten Nummer mit Hinzufügung eines auf die rechtskräftige Kraftloserklärung bezüglichen Vermerks.

Das Amortisationsverfahren unterbricht nicht die Wechselverbindlichkeit des Actionärs und hält die in den Artikeln 14 bis 16 bezeichneten Maßregeln nicht auf.

Beschädigte oder verlorene Dividendenscheine oder Talons können nicht für kraftlos erklärt werden.

Art. 10.

Dividenden, welche binnen 4 Jahren nach Abla des Kalenderjahres, in welchem sie fällig wurden, ni erhoben sind, verfallen zu Gunsten der Gesellsch Wird jedoch vor Ablauf dieser Frist der Verlust ei Dividendenscheines bei der Gesellschaft schriftlich an meldet, so erfolgt dessen Auszahlung an den Anmel nach Ablauf dieser Frist, wenn bis dahin der D dendenschein nicht zur Einlösung producirt ist. Gesellschaft wird durch Annahme der Anzeige vom Verluste eines Dividendenscheines nicht verpflichtet, d Legitimation eines etwaigen Präsentanten desselben zu prüfen oder die Einlösung des Scheines zu vertagen. Dem Verlierer und dem Inhaber des Scheines bleibt vielmehr die Ausführung ihrer Ansprüche auf den Betrag desselben gegen einander lediglich überlassen.

Wenn ein Talon nicht spätestens bis zum Ablauf des Kalenderjahres, in welchem der erste Dividendenschein einer neuen Serie zahlbar ist, bei der Gesellschaft präsentirt wird, so werden die Dividendenscheine der neuen Serie mit dem nächsten Talon dem Eigenthümer der Actie gegen Vorzeigung derselben bei Fälligkeit des zweiten Dividendenscheines dieser Serie verabfolgt.

Abtheilung III.

Rechtsverhältnisse der Actionäre.

Art. 11.

Im Verhältnisse zu der Gesellschaft werden als Eigenthümer der auf Namen lautenden Actien nur diejenigen angesehen, welche als solche im Actien[illegible] verzeichnet sind.

Art. 12.

Jeder Actionär hat einen verhältnißmäßigen Antheil an dem Vermögen, dem Gewinn und Verlust der Gesellschaft.

Kein Actionär haftet über den Nennwerth seiner Actie hinaus für die Verbindlichkeiten der Gesellschaft.

Art. 13.

Es dürfen auf keinen Namen mehr als 200 Actien in das Actienbuch eingetragen werden.

Art. 14.

Jeder Eigenthümer einer nicht vollgezahlten Actie ist verpflichtet, einer durch das Gesellschaftsblatt veröffentlichten Aufforderung des Vorstandes zur gänzlichen oder theilweisen Einzahlung oder einer an ihn gerichteten Aufforderung zur Erneuerung seiner Wechsel sofort Folge zu leisten, widrigenfalls er zur Zahlung von Verzugszinsen für die geforderte Einzahlung verpflichtet ist, und außerdem je nach Ermessen des Aufsichtsrathes entweder die Wechsel geltend gemacht werden oder das Verfahren nach den Bestimmungen des Deutschen Handelsgesetzbuches zur Anwendung gebracht wird. Auch im letzteren Falle können die Wechsel zur Beitreibung des etwa der Gesellschaft entstehenden Ausfalls geltend gemacht werden.

Art. 15.

Wenn der Eigenthümer nicht vollgezahlter Actien in Concurs verfällt oder gegen ihn eine Zwangsvollstreckung fruchtlos erfolgt, oder wenn ihm die selbstständige Verwaltung seines Vermögens entzogen wird, so hat er nach Aufforderung des Vorstandes in der ihm bestimmten Frist einen annehmbaren Rechtsnachfolger zu stellen oder den Betrag seiner Wechsel baar einzuzahlen, widrigenfalls nach Ermessen des Aufsichtsrathes entweder seine Wechsel geltend gemacht werden oder das Verfahren nach den Bestimmungen des Deutschen Handelsgesetzbuches zur Anwendung gebracht wird.

Art. 16.

Im Falle des Ablebens eines Actionärs und im Falle der Auflösung einer in das Actienbuch als Actionär eingetragenen Handelsgesellschaft tritt das gleiche Verfahren (Art. 15) gegenüber den Rechtsnachfolgern des Verstorbenen oder der Handelsgesellschaft ein, wenn diese der Aufforderung des Vorstandes zur Stellung eines annehmbaren Rechtsnachfolgers oder zur vollen Einlösung der hinterlegten Wechsel nicht innerhalb sechs Monate entsprechen.

Abtheilung IV.

Geschäftskreis.

Art. 17.

Die Gesellschaft ist befugt, zur Erfüllung ihres Zwecks und zur Verwaltung ihres Vermögens:

1) Bürgschaft oder Versicherung zu übernehmen für die Erfüllung der in einer hypothekarischen Schuldverschreibung eingegangenen Verbindlichkeiten, bedingt oder unbedingt, mit oder ohne Vorbehalt, sowohl zu Gunsten des Gläubigers als aller Rechtsnachfolger desselben;
2) Capitalien verzinslich oder unverzinslich anzunehmen, sowie deren hypothekarische Unterbringung zu vermitteln;
3) innerhalb des Betrages, welcher auf den betreffenden Grundstücken versichert werden kann, Darlehne gegen Hypothek oder Grundschuld zu gewähren, Hypotheken- oder Grundschuld-Forderungen zu beleihen, zu erwerben, zu verpfänden und zu veräußern, sowie auf Grund solcher ihr gehöriger Forderungen Antheilscheine (Certifikate) auszugeben;
4) Hypotheken- und Grundschuld-Verschreibungen zu verwahren und die Einziehung und Auszahlung von Capital und Zinsen zu übernehmen;
5) außer den etwa für ihre Verwaltungszwecke nöthigen Gebäuden auch zur Sicherstellung der ihr gehörigen oder durch sie versicherten oder verbürgten Forderungen unbewegliches Eigenthum ohne besondere Einwilligung der Behörden zu erwerben, vermiethen, verpachten, bewirthschaften, veräußern oder zu verpfänden;
6) zur Nutzbarmachung flüssiger Geldmittel Wechsel mit höchstens drei Monat Verfallzeit und mindestens zwei guten Unterschriften oder entsprechenden Unterpfändern zu discontiren, Rohproducte und Effecten zu beleihen, Effecten, welche nach den Gesetzen für vormundschaftliche Verwaltung zu Geldanlagen benutzt werden dürfen, eigenthümlich zu erwerben und zu veräußern, endlich den commissionsweisen An- und Verkauf von Effecten zu betreiben;
7) Zweiganstalten, Subdirectionen und Agenturen zum Betriebe ihrer Geschäfte zu errichten.

Abtheilung V.

Bilanz. Gewinnvertheilung. Reserven.

Art. 18.

Das Geschäftsjahr ist das Kalenderjahr.

Die Bilanz wird am Ende jedes Kalenderjahres von dem Vorstande aufgestellt.

Die Aufstellung erfolgt in Gemäßheit der gesetzlichen Bestimmungen. Unter die Passiva sind insbesondere aufzunehmen:

a. eine aus den erzielten Prämien und Provisionen zu entnehmende Reserve für die in das neue Jahr übergehenden Versicherungen, Bürgschaften und Beleihungen nach Verhältniß der noch nicht abgelaufenen Zeitdauer;
b. der Kapital-Reservefonds (Art 20);
c. der außerordentliche Reservefonds (Art. 20a.) einschließlich der zur Deckung schon bekannter oder muthmaßlicher Schäden bestimmten Beträge.

Im Laufe der ersten sechs Monate des Kalenderjahres ist für das verflossene Geschäftsjahr die Bilanz, die Gewinn- und Verlust-Rechnung, sowie ein den Vermögensstand und die Verhältnisse der Gesellschaft entwickelnder Bericht vom Vorstande der Revisions-Kommission (Art. 37) und dem Aufsichtsrathe, sowie mit deren Bemerkungen der Generalversammlung vorzulegen.

Art. 19.

Von dem jährlichen Reingewinn werden überwiesen:

a. mindestens 10 pCt. an die Reservefonds, und zwar 5 pCt. an den Kapital-Reservefonds (Art. 20) und der Rest an den außerordentlichen Reservefonds (Art. 20a.); diesem letzteren fließt der ganze Betrag zu, sobald und solange der Kapital-Reservefonds den zehnten Theil des Grundkapitals (Art 3) enthält;
b. 8 pCt. als Tantieme an den Aufsichtsrath;
c. 8 pCt. als Tantieme an den Vorstand und die Beamten, vertheilt in Gemäßheit der bestehenden Verträge und nach Bestimmung des Aufsichtsraths;
d. der Rest der Dividende für die Actionäre nach Verhältniß der auf die Actien geleisteten Einzahlung und gemäß Art. 6, abgerundet auf fünftel Procente.

Die Festsetzung der Dividende erfolgt auf Vorschlag des Vorstandes und Aufsichtsraths durch die Generalversammlung nach Genehmigung der Jahresrechnungen, und die Auszahlung, — falls der Aufsichtsrath nicht einen früheren Zeitpunkt bestimmt, — am 1. Juli jedes Jahres an den Ueberbringer des Dividendenscheines; die Legitimation desselben zu prüfen, ist die Gesellschaft berechtigt, aber nicht verpflichtet.

Nach erfolgter Genehmigung durch die Generalversammlung ist die Bilanz, sowie die Gewinn- und Verlustrechnung ohne Verzug durch den Vorstand in dem Gesellschaftsblatte bekannt zu machen und zum Handelsregister einzureichen.

Art. 20.

Der Capital-Reservefonds dient zur Deckung eines aus der Bilanz sich ergebenden Verlustes.

Diesem Fonds ist, so lange er den zehnten Theil des Grundcapitals (Art. 3) nicht überschreitet, der im Art. 19 bezeichnete Antheil am jährlichen Reingewinn zu überweisen.

Er wird nicht abgesondert verwaltet, sondern gehört zum werbenden Vermögen der Gesellschaft.

Art. 20a.

Der außerordentliche Reservefonds dient zur Deckung eintretender Schäden und zur Bestreitung ungewöhnlicher Ausgaben jeder Art, namentlich auch des Disagios bei Begebung von Hypotheken-Antheilscheinen (Certifikaten) und der Stempel und Kosten bei Erhöhung des Grund- oder baar eingezahlten Kapitals.

Auch dieser Fonds wird nicht abgesondert verwaltet, sondern ist werbendes Vermögen der Gesellschaft.

Er wird gebildet:

a) durch den im Art. 19 bezeichneten Antheil am jährlichen Reingewinn;
b) durch die nach Art. 10 verfallenen Dividenden;
c) durch den Bruchtheil des Reingewinnes, welcher bei Abrundung der Dividende übrig bleibt;
d) durch diejenigen Beträge, welche zur Deckung schon bekannter oder muthmaßlicher Schäden zurückgestellt werden, und durch etwaige sonstige Zuweisungen.

Ueber Verwendungen aus diesem Fonds beschließt der Aufsichtsrath in Gemeinschaft mit dem Vorstande.

Abtheilung VI.

Organisation und Geschäftsführung.

Art. 21.

Die Organe der Gesellschaft sind der Vorstand, der Aufsichtsrath und die Generalversammlung.

A. Vorstand.

Art. 22.

Der Vorstand, welcher die Gesellschaft gerichtlich und außergerichtlich vertritt, besteht aus zwei oder mehr Directoren. Sie werden vom Aufsichtsrathe gewählt und mittels eines von diesem mit ihnen zu errichtenden Vertrages angestellt, durch welchen ihnen ein festes Gehalt und ein Antheil an der Tantieme bestimmt wird. Die Directoren müssen ihren Wohnsitz in Berlin haben und bei ihrem Amtsantritt jeder eine Kaution von 20 Actien der Gesellschaft hinterlegen, über welche sie vor erfolgter Entlastung nicht verfügen können.

Art. 23.

Der Aufsichtsrath kann stellvertretende Directoren bestellen.

Der Vorstand ist befugt, mit Zustimmung des Aufsichtsraths Prokuristen zu bestellen.

Art. 24.

Die Legitimation der Directoren, der stellvertretenden Directoren und Prokuristen wird durch einen Auszug aus dem Handelsregister und, soweit dieser nicht ausreicht, durch eine Bescheinigung des Aufsichtsraths in gerichtlicher oder notarieller Form geführt.

Art. 25.

Der Vorstand kann für besondere Geschäftszweige oder zur Ausführung einzelner Geschäfte jeden Director allein oder Dritte als Bevollmächtigte mit der Befugniß zur Substitution bestellen. Eine solche Vollmacht bleibt auch bei eintretenden Aenderungen in der Zusammensetzung des Vorstandes so lange in Kraft, bis sie durch den Vorstand widerrufen wird.

Art. 26.

Zu allen für die Gesellschaft rechtsverbindlichen Erklärungen genügt die Unterschrift entweder

a. zweier Directoren oder
b. eines Directors und eines Prokuristen.

Der Unterschrift eines Direktors steht diejenige eines stellvertretenden Directors gleich.

Dritten Personen kann niemals der Einwand entgegengesetzt werden, daß die Nothwendigkeit der Stellvertretung eines Directors nicht vorgelegen habe.

Art. 27.

Der Vorstand kann Beamte mit einem Jahresgehalte über 3000 Mark nur mit Genehmigung des Aufsichtsraths anstellen. Alle Beamten kann er suspendiren oder entlassen.

Art. 28.

Der Vorstand hat bei seiner Geschäftsführung die ihm vom Aufsichtsrathe ertheilten Instruktionen zu beobachten und den Beschlüssen desselben Folge zu leisten. Der Vorstand beschließt nach Stimmenmehrheit und hat das Recht, die Beschlußfassung des Aufsichtsraths in allen Fällen zu fordern, wo die von letzterem ertheilten Instruktionen nicht hinreichend oder zweifelhaft sind. Jedes Mitglied des Vorstandes ist befugt, zu verlangen, daß die Ausführung eines Vorstandsbeschlusses suspendirt und die Entscheidung des Aufsichtsraths darüber eingeholt werde.

Die Mitglieder des Vorstandes nehmen an den Sitzungen des Aufsichtsraths mit berathender Stimme theil.

B. Aufsichtsrath.

Art. 29.

Der Aufsichtsrath besteht aus zwölf Mitgliedern, welche von der Generalversammlung gewählt werden. Ihre Funktion dauert von der ordentlichen Generalversammlung, in welcher die Wahl erfolgt ist, bis zum Schluß der vierten darauf folgenden ordentlichen Generalversammlung. In jeder ordentlichen Generalversammlung scheiden drei Mitglieder aus und werden drei gewählt. Ausscheidende können wieder gewählt werden.

Die Reihenfolge des Ausscheidens wird durch das Dienstalter und, so lange sich hiernach ein Turnus nicht gebildet hat, durch das Loos bestimmt. Wenn Mitglieder vor Ablauf ihrer Wahlzeit ausscheiden, so erfolgt die Wahl von Ersatzmännern nur für die Wahlzeit der Ausgeschiedenen. So lange die Zahl der Mitglieder nicht unter acht sinkt, kann die Ersatzwahl nach Ermessen des Aufsichtsraths bis zur nächsten ordentlichen Generalversammlung ausgesetzt werden.

Die Legitimation der Mitglieder des Aufsichtsraths,

sowie des Vorsitzenden und seines Stellvertreters wird durch ein auf Grund der Wahlverhandlungen gefertigtes gerichtliches oder notarielles Attest geführt.

Jedes Mitglied hat 10 Actien der Gesellschaft zu hinterlegen und kann über dieselben erst verfügen, wenn dem Aufsichtsrathe für das Jahr, in welchem das betreffende Mitglied ausgeschieden ist, Entlastung ertheilt ist.

Die Mitglieder erhalten für jede Sitzung, welcher sie beiwohnen, eine Anwesenheitsmarke, der jedesmalige Vorsitzende zwei. Diese Marken werden mit einem verhältnißmäßigen Antheil aus der Tantieme des Aufsichtsraths (Art. 19) nach Festsetzung der Bilanz eingelöst.

Art. 30.

Der Aufsichtsrath hat die Rechte und Pflichten, welche sich aus dem Gesetz und diesem Statut ergeben, sowie folgende besondere Obliegenheiten:

a) Er stellt die Mitglieder des Vorstandes und deren Stellvertreter an; er ist befugt, dieselben zu suspendiren und zu entlassen unbeschadet ihrer Ansprüche aus bestehenden Verträgen.
b) Er ist befugt, dem Vorstande Geschäfts-Instruktionen zu ertheilen.
c) Seine Zustimmung ist erforderlich zur Bestellung von Prokuristen und zur Anstellung von Beamten mit einem Jahresgehalt über 3000 Mark.
d) Er bestimmt Tag und Stunde sowie die Tagesordnung der Generalversammlungen.
e) Er bestimmt Zeitpunkt und Größe der auf die Sola-Wechsel der Actionäre zu leistenden Einzahlungen unter gleichmäßiger Vertheilung auf alle Actionäre.
f) Er ist befugt, einzelne seiner Mitglieder zu bestimmten Funktionen gegen Vergütungen, welche als Geschäftsunkosten zu buchen sind, abzuordnen.
g) Er bestimmt die Gratifikationen der Gesellschaftsbeamten und deren Antheile an der nach Art. 19 festgesetzten Tantieme.
h) Er nimmt in jeder seiner Sitzungen von den im Actienbuche vorgefallenen Aenderungen Kenntniß und veranlaßt nöthigenfalls die Ausführung der in den Artikeln 14 bis 16 bezeichneten Maßregeln.

Art. 31.

Der Aufsichtsrath wählt für einen jedesmal bestimmten Zeitraum eines seiner Mitglieder, welches die Thätigkeit des Vorstandes überwacht, von den laufenden Geschäften Kenntniß nimmt und die Kasse, sowie die Bestände an Wechseln, Effekten und Hypotheken untersucht.

Art. 32.

Der Aufsichtsrath versammelt sich auf Einladung des Vorsitzenden. Letzterer ist zur Einladung verpflichtet, wenn drei Mitglieder des Aufsichtsraths oder ein Director dies verlangen.

Der Vorsitzende und ein Stellvertreter desselben werden aus den Mitgliedern des Aufsichtsraths von diesem alljährlich gewählt, und zwar sofort nach der ordentlichen Generalversammlung zu notariellem Protokoll.

Im Falle der Verhinderung des Vorsitzenden übt sein Stellvertreter und in dessen Behinderung das den Jahren nach älteste der anwesenden Mitglieder dessen Befugnisse aus.

Der Aufsichtsrath ist beschlußfähig, wenn mindestens sieben Mitglieder anwesend sind.

Bei allen Beschlüssen und Wahlen entscheidet die Mehrheit der Anwesenden. Im Falle der Stimmengleichheit wird die Stimme des Vorsitzenden doppelt gezählt.

In den Sitzungen des Aufsichtsraths wird ein Protokoll geführt und von allen anwesenden Mitgliedern unterzeichnet.

Ausfertigungen im Namen des Aufsichtsraths, insbesondere Anstellungsverträge, müssen von zwei Mitgliedern des Aufsichtsraths, unter denen sich der Vorsitzende oder der Stellvertreter desselben befinden muß, unterzeichnet werden.

C. Generalversammlung.

Art. 33.

Zur Theilnahme an der Generalversammlung sind berechtigt:

1) die Eigenthümer von nicht vollgezahlten Actien, soweit sie als solche bis zum Ablauf des vierten Werktages vor dem Tage der Generalversammlung in das Actienbuch eingetragen sind;
2) alle Inhaber von vollgezahlten Actien.

Beide Arten von Actien gewähren gleiches Stimmrecht, und zwar:

eine bis fünf Actien eine Stimme,
je fünf Actien mehr eine Stimme.

Niemand kann mehr als vierzig Stimmen, einschließlich der eigenen, in seiner Person vereinigen. Eine Ausnahme von dieser Beschränkung findet nur statt bei einer Abstimmung über die Auflösung der Gesellschaft (Art. 38).

Jeder stimmberechtigte Actionär kann sich auf Grund schriftlicher Vollmacht durch einen anderen stimmberechtigten Actionär vertreten lassen. Außerdem können vertreten werden: Ehefrauen durch ihre Ehemänner, Pflegebefohlene durch ihre Vormünder und Kuratoren, Handlungshäuser, Actiengesellschaften, Korporationen, Vereine und Kassen durch einen ihrer gesetzlichen Vertreter. Die Prüfung der Vollmachten, welche in Verwahrung der Gesellschaft bleiben, steht dem Vorstand zu.

Der Eintritt in die Generalversammlung ist nur gegen eine Eintrittskarte gestattet, deren Ausfertigung spätestens am vorletzten Werktage vor dem Tage der Generalversammlung bis 6 Uhr Abends bei der Gesellschaft nachzusuchen ist. Für die nicht vollgezahlten Actien erfolgt die Ausfertigung nach dem Actienbuche, für die vollgezahlten gegen deren Hinterlegung bei der Gesellschaft oder bei anderen vom Vorstande bezeichneten Stellen. Mit den Actien sind zwei Nummernverzeichnisse einzureichen, von denen das eine abgestempelt als Empfangsbescheinigung zurückgegeben wird. Die Rückgabe der Actien erfolgt am Tage nach der Generalversammlung gegen Wiedereinlieferung der Empfangsbescheinigung.

Art. 34.

Die ordentliche Generalversammlung findet alljährlich in den ersten sechs Monaten des Kalenderjahres zu Berlin statt. Ebendahin muß eine außerordentliche Generalversammlung — außer den im Handelsgesetzbuch vorgesehenen Fällen — dann berufen werden,

a) wenn der Vorstand oder der Aufsichtsrath es für erforderlich erachtet;
b) wenn Actionäre, deren Antheile mindestens den zwanzigsten Theil des Grundkapitals darstellen, in einer von ihnen unterzeichneten Eingabe unter Angabe des Zwecks und der Gründe die Berufung der Generalversammlung verlangen.

Die Berufung der Generalversammlung erfolgt durch den Vorstand unter Angabe der Tagesordnung durch mindestens einmalige Bekanntmachung, welche spätestens drei Wochen vor dem anberaumten Termine in dem Gesellschaftsblatte (Art. 40) veröffentlicht sein muß. Diese Frist ist derart zu bemessen, daß das Datum des die Bekanntmachung enthaltenden Blattes und das Datum des Versammlungstages nicht mit eingerechnet werden darf. Anträge der Actionäre, welche in der Generalversammlung zur Beschlußfassung gelangen sollen, müssen mindestens zwei Wochen vor derselben bei dem Vorstande schriftlich unter Angabe der Gründe eingereicht und mindestens eine Woche vor dem Tage der Generalversammlung in dem Gesellschaftsblatte angekündigt werden.

Art. 35.

Die Generalversammlung beschließt über die Gegenstände ihrer Tagesordnung. Die ordentliche Generalversammlung insbesondere trifft die nöthigen Wahlen der Mitglieder des Aufsichtsraths und der Revisions-Kommission; ihr werden die Geschäftsberichte des Aufsichtsraths und Vorstandes, sowie die von der Revisions-Kommission geprüften Rechnungsabschlüsse vorgelegt; sie entscheidet über etwaige gegen die Rechnungen gezogene Monita.

Die Bilanz nebst Gewinn- und Verlust-Rechnung gilt als genehmigt und die Entlastung des Vorstandes und Aufsichtsraths als erfolgt, soweit nicht einer der Fälle des Artikel 239a des Deutschen Handelsgesetzbuchs eingetreten ist.

Art. 36.

In allen Generalversammlungen führt der Vorsitzende des Aufsichtsraths, dessen Stellvertreter oder ein anderes von dem Aufsichtsrathe zu bestimmendes Mitglied desselben den Vorsitz. Der Vorsitzende ernennt die Stimmzähler und leitet die Verhandlung. Zu Wahlen und Beschlüssen ist, soweit nicht Anderes bestimmt ist, absolute Mehrheit der abgegebenen Stimmen erforderlich. Die Abstimmung erfolgt, wenn nicht Einstimmigkeit festgestellt wird, durch Stimmzettel.

Falls bei einer Wahl eine Concurrenz mehrerer Kandidaten stattfindet und die erste Abstimmung keine absolute Majorität für einen derselben ergiebt, so sind bei einer zweiten Abstimmung nur die beiden Kandidaten in Betracht zu ziehen, welche die meisten Stimmen erhalten hatten. Im Falle der Stimmengleichheit entscheidet bei Wahlen das Loos, in allen übrigen Fällen die Stimme des Vorsitzenden.

Die Beschlüsse der Generalversammlung bedürfen der gerichtlichen oder notariellen Beurkundung. Das aufzunehmende Protokoll ist gültig, wenn es außer vom Richter oder Notar auch nur vom Vorsitzenden unterschrieben ist. Das Protokoll hat für die Mitglieder der Gesellschaft sowohl unter einander als in Beziehung auf ihre Vertreter volle Beweiskraft.

Art. 37.

Die Revisions-Kommission besteht aus drei Actionären. Sie hat die Rechnungen des Kalenderjahres, in welchem sie gewählt ist, zu prüfen. Die Mitglieder, sowie drei Stellvertreter derselben werden von der Generalversammlung gewählt. Wenn eines der Mitglieder verhindert ist oder aufhört Actionär zu sein, so hat sich die Kommission aus der Zahl der Stellvertreter und, falls auch diese nicht hinreichen sollte, aus der Zahl der Actionäre nach ihrer Wahl zu ergänzen.

Die Revisions-Kommission wird vom Vorstande spätestens vier Wochen vor der ordentlichen Generalversammlung zur Ausübung ihres Amtes berufen, hat die Rechnungsabschlüsse, welche der Generalversammlung vorgelegt werden sollen, zu prüfen und etwaige Monita, deren Erledigung nicht vorher erfolgt, dieser vorzutragen.

Sie hat auch die Liste der Actionäre und die Sicherheit der von diesen hinterlegten Wechsel zu prüfen und über den Befund der Generalversammlung zu berichten.

Abtheilung VII.

Auflösung der Gesellschaft. Aenderung des Statuts oder Grundkapitals.

Art. 38.

Ueber die Auflösung der Gesellschaft, über Aenderung des Statuts und über Erhöhung oder Herabsetzung des Grundkapitals kann ein Beschluß nur durch eine Mehrheit von drei Viertheilen des in der Generalversammlung vertretenen Grundkapitals gefaßt werden.

Zu einem gültigen Beschluß über die Auflösung der Gesellschaft ist außerdem erforderlich, daß in der Generalversammlung mindestens zwei Drittel des Grundkapitals vertreten sind. Anderenfalls gilt der Antrag als abgelehnt, es sei denn, daß er durch den Fall des Artikel 240 des Deutschen Handelsgesetzbuches veranlaßt ist. Ist letzteres der Fall, so muß über den Antrag in einer neuen, binnen vier Wochen zu berufenen Generalversammlung endgiltig abgestimmt werden, und ist deren Beschluß gültig, auch wenn weniger als zwei Drittel des Grundkapitals vertreten sind.

Bei jeder Abstimmung über die Auflösung der Gesellschaft gewährt jede Actie eine Stimme.

Abtheilung VIII.

Aufsicht der Staatsregierung.

Art. 39.

Die Staatsregierung kann einen Kommissarius

zur Wahrnehmung des Aufsichtsrechts für beständig oder für einzelne Fälle bestellen. Dieser Kommissarius hat das Recht, nicht nur allen Sitzungen des Aufsichtsraths und der Generalversammlung beizuwohnen, sondern auch solche Sitzungen und Versammlungen, sowie Sitzungen des Vorstandes zu berufen und jederzeit in allen Bureaux der Gesellschaft von deren Büchern, Rechnungen und anderen Skripturen, sowie auch von den Kassen Einsicht zu nehmen.

Abtheilung IX.

Oeffentliche Bekanntmachungen.

Art. 40.

Veröffentlichungen des Aufsichtsraths oder des Vorstandes haben für die Actionäre Rechtswirkung, wenn sie durch den Deutschen Reichsanzeiger oder ein in der Folge an dessen Stelle tretendes Blatt stattgefunden haben.

Bekanntmachungen seitens des Vorstandes sind in derjenigen Form, welche für die Firmenzeichnung vorgeschrieben ist, zu vollziehen; für die Form der Bekanntmachungen des Aufsichtsraths gelten diejenigen Bestimmungen, welche für die im Namen des Aufsichtsraths herzustellenden Ausfertigungen im Art. 32 vorgeschrieben sind.

Uebergangsbestimmung.

Art. 41.

Die zur Zeit vorhandene höhere Mitgliederzahl des Aufsichtsraths soll auf die in diesem Statut festgesetzte niedrigere Zahl allmählig zurückgeführt werden. Zu diesem Behufe wird bestimmt, daß folgende Vorschriften des Art. 29. des revidirten Statuts (landesherrlich bestätigt am 10. Februar 1868):

„Der Verwaltungsrath besteht aus 24 Mitgliedern, welche wenigstens zur Hälfte in Berlin oder Umgegend ihren Wohnsitz haben. Zur Zeit jeder ordentlichen Generalversammlung scheiden alljährlich 6 Mitglieder aus und werden durch Wahl der Generalversammlung ersetzt. Die ausscheidenden Mitglieder können wieder gewählt werden.

Die Reihenfolge des Austritts wird durch das Dienstalter und, solange sich hiernach ein Turnus noch nicht gebildet hat, durch das Loos bestimmt."

so lange in Geltung bleiben bis die Mitgliederzahl sich auf zwölf verringert hat, jedoch mit der Maßgabe, daß bis dahin für die außerhalb der gewöhnlichen Reihenfolge ausgeschiedenen oder ausscheidenden Mitglieder keine Neuwahlen stattfinden. Wenn die Mitgliederzahl auf zwölf gesunken ist, so treten die Vorschriften dieses Statuts in Kraft und wird die Reihenfolge des Ausscheidens, soweit sie sich alsdann nicht schon gebildet hat, durch das Loos bestimmt.

A. Formular der Actie.

No. . . **Baareinzahlung Thlr.** . . . .

Actie

der

Preußischen Hypotheken-Versicherungs-Actien-Gesellschaft

zu Berlin

über

Fünfhundert Thaler Preußisch Courant.

Herr . . . . in . . . .
nimmt nach Bestimmung des Gesellschafts-Statuts verhältnißmäßigen Antheil an dem gesammten Eigenthume, dem Gewinne und Verluste der unterzeichneten Gesellschaft. Diese Actie kann ohne Genehmigung der Direction nicht veräußert oder verpfändet werden.

Berlin, den . . . . 18 . .

(L. S.) **Die Preußische Hypotheken-Versicherungs-Actien-Gesellschaft.**

N. N. (Facsimile der Unterschrift des Vorsitzenden des Verwaltungsraths.)

N. N. (Unterschrift eines Mitgliedes des Verwaltungsraths.)

Eingetragen in das Actienbuch Fol. . . . . .

Die Direction.
(Unterschrift eines Directors.)

B. Formular des Dividendenscheins.

(Vorderseite.)

Am 1. Juli .... zahlt die unterzeichnete Actien-Gesellschaft dem Ueberbringer die auf die Actie No. ...... für das Jahr .... treffende Dividende.

Berlin, den .... 18 . .

Preußische Hypotheken-Versicherungs-Actien-Gesellschaft.

(L. S.) Der Aufsichtsrath.

(Facsimile der Unterschrift des Vorsitzenden.)

(Rückseite.)

Dividenden, welche binnen 4 Jahren nach Ablauf des Kalenderjahres, in welchem sie fällig wurden, nicht erhoben sind, verfallen zu Gunsten der Gesellschaft.

C. Formular des Talons.

(Vorderseite.)

Talon zur Actie No. ......

Die ...... zehnjährige Serie von Dividendenscheinen wird dem Eigenthümer obiger Actie gegen Rückgabe des gegenwärtigen Talons verabfolgt.

Berlin, den .... 18 . .

Preußische Hypotheken-Versicherungs-Actien-Gesellschaft.

(L. S.) Der Aufsichtsrath.

(Facsimile der Unterschrift des Vorsitzenden.)

(Rückseite.)

Wenn ein Talon nicht spätestens bis zum Ablauf des Kalenderjahres, in welchem der erste Dividendenschein einer neuen Serie zahlbar ist, bei der Gesellschaft präsentirt wird, so werden die Dividendenscheine der neuen Serie mit dem nächsten Talon dem Eigenthümer der Actie gegen Vorzeigung derselben bei Fälligkeit des zweiten Dividendenscheines dieser Serie verabfolgt.

D. Formulare der Sola-Wechsel.

Einen Monat nach Sicht zahle ich in Berlin gegen diesen meinen Sola-Wechsel an die Order der **Preußischen Hypotheken-Versicherungs-Actien-Gesellschaft** die Summe von **Dreihundert und fünfundsiebenzig Mark Deutsche Reichswährung.**

Die Präsentation des Wechsels muß spätestens am 31. Dezember 1962 erfolgen.

(Ort und Datum des Ausstellers.) (Namensunterschrift, Stand und Wohnort.)

....

Vorstehender zweiter Nachtrag zum Statut der Preußischen Hypotheken-Versicherungs-Actien-Gesellschaft hierselbst nebst der staatlichen Genehmigungs-Urkunde vom 3. Juni 1888, sowie das revidirte Gesellschaftsstatut vom $\frac{\text{30. April, 1. Juni}}{\text{30 Juli}}$ 1885 in der einheitlichen Fassung, welche sich nach Einfügung des Inhalts der beiden Nachträge vom $\frac{\text{26. März}}{\text{22. Juli}}$ 1887 und vom $\frac{\text{24. März}}{\text{3. Juni}}$ 1888 an den entsprechenden Stellen ergiebt, werden hierdurch zur öffentlichen Kenntniß gebracht.

Berlin, den 4. September 1888. Der Polizei-Präsident.

Potsdam, Buchdruckerei der A. W. Hayn'schen Erben (G. Hayn, Hof-Buchdrucker).

Extrablatt zum Amtsblatt

der Königlichen Regierung zu Potsdam und der Stadt Berlin.

Ausgegeben den 21. September 1888.

Allerhöchster Erlaß.

Die Provinz Brandenburg ist durch die diesjährigen großen Herbstübungen des Garde- und des 3. Armee-Korps, besonders in einzelnen Theilen durch die enge Zusammenziehung der Truppen, in hohem Grade in Anspruch genommen worden. Aus den Meldungen der beiden Armee-Korps ersehe Ich, daß trotzdem Seitens der Kreis- und Orts-Verwaltungen, wie Seitens der einzelnen Bewohner den Anforderungen mit großer Bereitwilligkeit entsprochen wurde. Sämmtliche Truppen sind, wie Ich dies von Meinen Märkern nicht anders erwartet habe, gut und freundlich aufgenommen worden. Es gereicht Mir zur aufrichtigen Freude, hierfür, wie für den Mir persönlich in Müncheberg bereiteten herzlichen Empfang Meine warme und dankende Anerkennung auszusprechen und beauftrage Ich Sie, dies zur Kenntniß der ganzen Provinz, insbesondere aller näher Betheiligten zu bringen.

Müncheberg, den 19. September 1888.

gz. **Wilhelm.** R.

An den Ober-Präsidenten der Provinz Brandenburg.

Den vorstehenden Allerhöchsten Erlaß, welcher die Herzen aller Märker mit innigster Freude erfüllen wird, bringe ich hierdurch zur Kenntniß der ganzen Provinz.

Potsdam, den 19. September 1888.

Der Ober-Präsident. gez. Achenbach.

Redigirt von der Königlichen Regierung zu Potsdam.

Potsdam. Buchdruckerei der A. W. Hayn'schen Erben (E. Hayn, Hof-Buchdrucker).

Amtsblatt
der Königlichen Regierung zu Potsdam und der Stadt Berlin.

Stück 39. Den 28. September **1888.**

Bekanntmachungen des Königlichen Regierungs-Präsidenten.

246. Nachweisung der an den Pegeln der Spree und Havel im Monat Juni 1888 beobachteten Wasserstände.

Datum.	Berlin. Ober- N. N. Wasser.	Berlin. Unter- N. N. Wasser.	Spandau. Ober-Wasser.	Spandau. Unter-Wasser.	Potsdam.	Baumgartenbrück.	Brandenburg. Ober-Wasser	Brandenburg. Unter-Wasser	Rathenow. Ober-Wasser.	Rathenow. Unter-Wasser.	Havelberg.	Plauer Brücke.
	Meter.	Meter.	Meter.	Meter.	Meter.	Meter.	Meter.	Meter.	Meter.	Meter.	Meter.	Meter.
1	32,44	30,96	2,36	1,06	1,32	Der Pegel befand sich nicht in seiner richtigen Höhenlage und sind die Nachrichten daher unzuverlässig.	2,10	2,00	1,96	1,64	2,44	2,44
2	32,40	30,96	2,34	0,98	1,30		2,10	1,98	1,94	1,62	2,40	2,40
3	32,48	30,80	2,36	0,86	1,26		2,12	1,96	1,92	1,60	2,40	2,40
4	32,45	30,88	2,38	0,86	1,22		2,10	1,94	1,92	1,60	2,36	2,38
5	32,46	30,84	2,40	0,86	1,20		2,08	1,90	1,88	1,58	2,34	2,36
6	32,48	30,84	2,32	0,86	1,18		2,08	1,90	1,88	1,56	2,30	2,34
7	32,54	30,84	2,34	0,80	1,15		2,08	1,88	1,86	1,54	2,30	2,32
8	32,44	30,82	2,34	0,82	1,13		2,04	1,84	1,84	1,52	2,26	2,30
9	32,48	30,92	2,34	0,82	1,11		2,04	1,82	1,82	1,50	2,24	2,28
10	32,46	30,94	2,36	0,78	1,10		2,02	1,80	1,82	1,50	2,22	2,26
11	32,42	30,96	2,34	0,82	1,10		2,00	1,76	1,80	1,48	2,20	2,24
12	32,41	30,94	2,36	0,76	1,09		2 00	1,72	1,78	1,46	2,20	2,22
13	32,41	30,98	2,34	0,76	1,08		2,00	1,70	1,76	1,44	2,18	2,20
14	32,39	30,98	2,32	0,76	1,06		2,00	1,68	1,76	1,44	2,16	2,18
15	32,38	30,94	2,34	0,76	1,06		2,00	1,64	1,74	1,42	2,14	2,16
16	32,34	31,02	2,32	0,76	1,05		2,00	1,62	1,72	1,40	2,14	2,14
17	32,38	30,92	2,34	0,68	1,05		2,00	1,60	1,70	1,38	2,12	2,10
18	32,36	30,90	2,36	0,66	1,04		2,02	1,58	1,68	1,36	2,10	2,08
19	32,34	30,90	2,36	0,66	1,02		2,00	1,54	1,66	1,34	2,10	2,06
20	32,34	30,88	2,34	0,66	1,01		2,00	1,50	1,62	1,30	2,06	2,04
21	32,35	30,80	2,36	0,64	1,00		2,00	1,48	1,58	1,26	2,04	2,00
22	32,38	30,84	2,36	0.64	0,98		2,00	1,46	1,52	1,20	2,02	1,98
23	32,36	30,82	2,36	0,60	0,98		2,00	1,44	1,52	1,20	2,02	1,96
24	32,36	30,82	2,36	0,54	0,96		2,00	1,40	1,52	1,20	2,06	1,94
25	32,34	30,80	2,34	0,58	0,94		2,00	1,38	1,52	1,20	2,06	1,90
26	32,34	30,84	2,34	0,58	0,92		2,00	1,34	1,50	1,18	2,06	1,88
27	32,36	30,74	2,34	0,52	0,90		2,00	1,30	1,46	1,14	2,04	1,84
28	32,34	30,70	2,30	0,50	0,90		1,98	1,26	1,42	1,10	2,02	1,80
29	32,36	30,72	2,32	0,58	0,91		1,96	1,24	1,40	1,08	1,98	1,78
30	32,34	30,70	2,32	0,58	0,90		1,98	1,24	1,40	1,08	1,94	1,74

Potsdam, den 21. September 1888. Der Regierungs-Präsident.

Betrifft die Verkündigung ortspolizeilicher Verordnungen im Kreise Nieder-Barnim.

247. Unter Aufhebung meiner Bekanntmachung vom 15. November 1887 — Amtsblatt de 1887 Stück 47 S. 421 — bestimme ich hierdurch auf Grund des § 144 Absatz 2 des Gesetzes über die allgemeine Landes-Verwaltung vom 30. Juli 1883 unter dem Vorbehalte des jederzeitigen Widerrufs, daß die in den Amtsbezirken Lichtenberg, Friedrichsfelde und Stralau des Kreises Niederbarnim zu erlassenden ortspolizeilichen Verordnungen ihrem ganzen Inhalte nach in die zu Pankow im Verlage von Emil Pilger erscheinende „Neue Vororts-Zeitung, General-Anzeiger für die Vororte Berlins“ (Fortsetzung der Berliner Ostends Vororzeitung) aufzunehmen sind und daß hiervon deren Gültigkeit abhängen soll. Im Uebrigen verbleibt es bei den Bestimmungen meiner Verordnung vom 25. Juni 1886 — Beilage zum 28. Stück des Amtsblatts.

Potsdam, den 19. September 1888.

Der Regierungs-Präsident.

Verloosung von christlichen Büchern und Schriften in Berlin.

248. Die Herren Minister des Innern sowie der geistlichen, Unterrichts- und Medicinal-Angelegenheiten haben dem Vorstande der christlichen Gemeinschaft St. Michael die Erlaubniß ertheilt, im Laufe dieses Jahres eine öffentliche Verloosung von christlichen Büchern und Schriften veranstalten und die betreffenden Loose im ganzen Bereiche der Monarchie zu vertreiben. Zu dieser Lotterie dürfen 10000 Loose zu je 50 Pf. ausgegeben werden, und es muß der Gesammtwerth der Gewinne 3500 Mark betragen.

Potsdam und Berlin, den 18. September 1888.

Der Regierungs-Präsident. Der Polizei-Präsident.

Oeffnungszeiten der Eisenbahndrehbrücken der Berlin-Lehrter und der Berlin-Hamburger Eisenbahn über die Havel bei Spandau und derjenigen der Berlin-Potsdam-Magdeburger Eisenbahn über die Havel bei Potsdam und Werder.

249. Nachstehend werden diejenigen Zeiten, während welcher die Drehbrücken der Berlin-Lehrter und der Berlin-Hamburger Eisenbahn über die Havel bei Spandau und die Drehbrücken der Berlin-Potsdam-Magdeburger Eisenbahn über die Havel bei Potsdam und Werder vom 1. Oktober d. J. ab für die Gültigkeitsdauer des neuen Winterfahrplans für die Durchfahrt der Schiffe ꝛc. geöffnet sein werden, zur öffentlichen Kenntniß gebracht.

I. Brücke der Berlin-Lehrter Bahn bei Spandau.

Von	1·55	Vorm.	bis	2·42	Vorm.
„	3·02	„	„	4·56	„
„	5·46	„	„	6·47	„
„	8·49	„	„	9·02	„
„	11·02	„	„	11·15	„
„	12·28	Nachm.	„	12·53	Nachm.
„	1·22	„	„	1·43	„
„	2·19	„	„	2·49	„
„	3·09	„	„	3·25	„
„	3·48	„	„	4·18	„
„	5·57	„	„	6·22	„
„	6·42	„	„	7·06	„
„	8·44	„	„	9.48	„
„	10·45	„	„	11·32	„

II. Brücke der Berlin-Hamburger Bahn bei Spandau.

Von	3·00	Vorm.	bis	4·43	Vorm.
„	5·3	„	„	5·24	„
„	8·4	„	„	8·34	„
„	9·52	„	„	11·38	„
„	11·58	„	„	12·59	Nachm.
„	2·00	„	„	2·40	„
„	3·56	„	„	4·22	„
„	4·42	„	„	5·19	„
„	6·54	„	„	7·21	„
„	7·41	„	„	8·10	„

III. Brücken der Berlin-Potsdam-Magdeburger Bahn.

A. Bei Potsdam.

1)	Von	5·42	Vorm.	bis	6·17	Vorm.
2)	„	8·08	„	„	8·32	„
3)	„	10·12	„	„	10·38	„
4)	„	10·56	„	„	11·24	„
5)	„	11·49	„	„	12·07	Nachm.
6)	„	12·26	Nachm.	„	12·44	„
7)	„	1·35	„	„	1·49	„
8)	„	3·08	„	„	3·21	„
9)	„	4·50	„	„	5·17	„
10)	„	5·35	„	„	5·48	„
11)	„	6·54	„	„	7·15	„

Die Oeffnungszeiten zu 5, 6, 7, 8 und 10 sind vorzugsweise für Dampfer und deren Anhänge bestimmt. Andere Fahrzeuge dürfen nur in Ausnahmefällen und sofern die gegebene Zeit dazu ausreichend ist, durchgelassen werden.

B. Bei Werder.

Von	5·30	Vorm.	bis	6·10	Vorm.
„	8·15	„	„	8·40	„
„	10·15	„	„	10·54	„
„	11·40	„	„	12·30	Nachm.
„	1·26	Nachm.	„	1·46	„
„	3·00	„	„	3·30	„
„	4·10	„	„	6·00	„
„	7·00	„	„	7·50	„

Verspätungen fahrplanmäßiger Züge, Extrazüge, sowie alle sonstigen Betriebszufälle beschränken die vorbezeichneten Oeffnungszeiten bei allen Brücken.

Potsdam, den 24. September 1888.

Der Regierungs-Präsident.

Abgabenerhebung

für die Benutzung der von der Stadtgemeinde Eberswalde am rechten Ufer des Finow-Kanals unterhalb der Eberswalder Schleusen errichteten öffentlichen Ablage.

250. Der Herr Minister der öffentlichen Arbeiten und der Herr Finanz-Minister haben unterm 7. August d. J. III. 12826 M. d. öff. Arb. III. 15074 Fin.-Min. genehmigt, daß der nachstehende unterm 1. Mai 1882 Allerhöchst genehmigte Abgabentarif für Benutzung der von der Stadtgemeinde Eberswalde am rechten Ufer des Finow-Kanals oberhalb der Zugbrücke zu Eberswalde hergestellten öffentlichen Ablage auch auf die von der Stadtgemeinde Eberswalde am rechten Ufer des Finow-Kanals unterhalb der Eberswalder Schleusen im verflossenen Jahre neu angelegte öffentliche Ablage Anwendung finde.

Potsdam, den 20. September 1888.

Der Regierungs-Präsident.

* * *

Tarif.

§ 1.

Für jedes zum Zwecke des Ein- und Ausladens an die Ablage anlegende Fahrzeug sind 1 M. 50 Pf. (in Worten Eine Mark fünfzig Pfennige) zu entrichten.

§ 2.

Liegt das Fahrzeug an der Ablage länger als 24 Stunden, so ist für jeden weiteren, auch nur angefangenen Zeitraum von 24 Stunden die Abgabe besonders zu bezahlen.

§ 3.

Befreit von der Abgabe sind:

a. die den Interessen der Wasserbauverwaltung dienenden Fahrzeuge,
b. diejenigen Fahrzeuge, welche die Ablage lediglich zum Ein- und Ausladen solcher Gegenstände benutzen, die für unmittelbare Rechnung des Deutschen Reiches und Preußischen Staates oder der Haushaltungen des Kaiserlich-Königlichen Hauses befördert werden.

Nachweisung

der den Communal-Verbänden aus den landwirthschaftlichen Zöllen des Etatsjahres 1887/88 überwiesenen Beträge.

251. In Gemäßheit des Gesetzes vom 14. Mai 1885 (Ges.-S. S. 128) sind aus den Erträgnissen der landwirthschaftlichen Zölle des Etatsjahres 1887/88 an die Communal-Verbände folgende Beträge überwiesen:

1)	dem	Kreise	Prenzlau	41 263	M.
2)	=	=	Templin	21 475	=
3)	=	=	Angermünde	38 280	=
4)	=	=	Ober-Barnim	42 780	=
5)	=	=	Nieder-Barnim	65 363	=
6)	=	Stadtkreise	Charlottenburg	22 784	=
7)	=	Kreise	Teltow	68 689	=
8)	=	=	Beeskow-Storkow . . .	18 245	=
9)	=	=	Jüterbog-Luckenwalde . .	26 241	=
10)	=	=	Zauch-Belzig	33 935	=
11)	=	Stadtkreise	Potsdam	23 756	=
12)	=	Kreise	Osthavelland	30 990	=
13)	=	Stadtkreise	Spandau	9 867	=
14)	=	=	Brandenburg	12 647	=
15)	=	Kreise	Westhavelland	26 111	=
16)	=	=	Ruppin	39 129	=
17)	=	=	Ostprignitz	33 659	=
18)	=	=	Westprignitz	41 723	=
			zusammen	596 937	M.

was ich hierdurch zur allgemeinen Kenntniß bringe.

Potsdam, den 18. September 1888.

Der Regierungs-Präsident.

Anweisung für das Verfahren bei Revisionen der Drogen-, Material- und Farbwaaren-Handlungen.

252. § 1. Die Revisionen der Drogen-, Material- und Farbwaaren-Handlungen liegen den Ortspolizeibehörden ob, welche zu denselben einen Kreismedicinalbeamten oder auch einen approbirten und vereidigten Apotheker als Sachverständigen zuzuziehen haben.

Die Kreismedicinalbeamten sind bereits durch Verfügung vom 6. Januar 1877 angewiesen, bezüglichen Aufforderungen der Polizeibehörden Folge zu geben.

Diese Revisionen gehören gleich den Revisionen der Maße und Gewichte zu den Functionen der örtlichen Polizeiverwaltung und es müssen daher auch die dadurch entstehenden Kosten gemäß § 3 des Gesetzes über die Polizeiverwaltung vom 11. März 1850 von Denjenigen getragen werden, welche zur Zahlung der Kosten der Polizeiverwaltung verpflichtet sind.

§ 2. Die Revisionen müssen unerwartet stattfinden; es ist bei denselben festzustellen, daß außer den als Geschäftslokale (Verkaufs- und Lagerräume) bezeichneten oder bekannten Räumlichkeiten nicht auch noch andere für gleiche Zwecke benutzt werden.

§ 3. Bei diesen Revisionen ist darauf zu achten, ob die Kaufleute Gifte ohne die gesetzliche Genehmigung feilhalten oder unerlaubten Handel mit Drogen und Arzneien treiben.

§ 4. Diejenigen Kaufleute, welche in ihren Geschäftsräumen ohne Erlaubniß Gift feil halten oder verbotenen Arzneihandel treiben, sind gemäß § 367 № 3 des Strafgesetzbuchs unverzüglich zur Bestrafung zu bringen.

§ 5. Alle Geschäfte von Kaufleuten oder Gewerbetreibenden, welche die Erlaubniß zum Gifthandel besitzen, auch wenn diese Erlaubniß nur eine beschränkte ist, d. h. sich nur auf das Halten einzelner namhaft gemachter Gifte erstreckt, sind jährlich mindestens einmal zu revidiren.

Alle Geschäfte derjenigen Kaufleute, welche wegen unerlaubten Handels mit Giften oder Arzneien zur Bestrafung gebracht worden sind, werden im darauf folgenden Jahre einer neuen Revision unterworfen.

Alle übrigen Drogen-, Material- und Farbwaaren-Handlungen, bei denen die Revision keine Vorräthe an Giften oder verbotenen Arzneiwaaren ergeben hat, unterliegen nur alle fünf Jahre einer Revision, wenn nicht bei einzelnen Verdacht unerlaubten Handels mit Giften oder Arzneien eine häufigere Revision erfordert.

§ 6. Die von der Ortspolizeibehörde und dem zu den Revisionen zugezogenen Medicinalbeamten oder Apotheker gemeinschaftlich abzufassenden und zu unterschreibenden Revisionsberichte oder beglaubigte Abschriften der letzteren sind bis zum 1. November jeden Jahres dem Landrathsamte einzusenden.

Die Landräthe und die Polizeiverwaltungen der selbstständigen Stadtkreise haben die Berichte vor dem Jahresschlusse mir zur Kenntnißnahme einzureichen.

Potsdam, den 18. September 1888.

Der Regierungs-Präsident.

Viehseuchen.

253. Der Milzbrand unter dem Rindvieh des Ritterguts Krügersdorf bei Beeskow ist erloschen.

Potsdam, den 19. September 1888.

Der Regierungs-Präsident.

Bekanntmachungen des Königl. Polizei-Präsidiums zu Berlin.

Abgeänderter Gesellschaftsvertrag der Oldenburger Versicherungs-Gesellschaft.

94. Diesem Stück des Amtsblattes ist eine Extra-Beilage beigefügt, welche den abgeänderten Gesellschaftsvertrag der Oldenburger Versicherungs-Gesellschaft und die darauf bezügliche staatliche Genehmigungs-Urkunde vom 24. Juni 1888 enthält.

Hierauf wird mit dem Bemerken hingewiesen, daß die Concession für die Gesellschaft zum Geschäftsbetriebe in Preußen vom 26. Februar 1860 und das seitherige Statut in der Beilage zum 20. Stück des Amtsblattes der Königlichen Regierung zu Potsdam und der Stadt Berlin für 1860, eine spätere, hierauf Bezug habende Bekanntmachung vom 25. November 1866 im Stück 50 dieses Blattes vom 14. Dezember 1866 Seite 481, sowie die Zusatz-Artikel zu demselben Statut nebst der staatlichen Genehmigungs-Urkunde vom 23. Juni 1873 im Stück 31 des gleichen Amtsblattes vom 1. August 1873 veröffentlicht worden sind.

Berlin, den 17. August 1888.

Der Polizei-Präsident.

Verbot eines Flugblatts.

95. Auf Grund des § 12 des Reichsgesetzes gegen die gemeingefährlichen Bestrebungen der Sozialdemokratie vom 21. Oktober 1878 wird hierdurch zur öffentlichen Kenntniß gebracht, daß das Flugblatt mit der Ueberschrift: „An die Frauen des Volkes“ ohne Angabe des Druckers und Verlegers nach § 11 des gedachten Gesetzes durch den Unterzeichneten von Landespolizeiwegen verboten worden ist.

Berlin, den 18. September 1888.

Der Königl. Polizei-Präsident.

Verbot eines Flugblatts.

96. Auf Grund des § 12 des Reichsgesetzes gegen die gemeingefährlichen Bestrebungen der Sozialdemokratie vom 21. Oktober 1878 wird hierdurch zur öffentlichen Kenntniß gebracht, daß das in deutscher und czechischer Sprache gedruckte Flugblatt mit der Ueberschrift: „Frühlingsgedanken der Rebellen“ (Rebeluv Jarni v Spominsky), den Eingangsworten: „Sobald die mildere Jahreszeit anfängt“ und dem Schluß: „Es lebe die soziale Revolution!“ Ohne Angabe des Druckers und Verlegers — nach § 11 des gedachten Gesetzes durch den Unterzeichneten von Landespolizeiwegen verboten worden ist.

Berlin, den 21. September 1888.

Der Königl. Polizei-Präsident.

Betrieb von Mineralwasser-Fabriken.

97. Die von dem Polizei-Präsidium zu Berlin unter dem 8. November 1862 von Landespolizeiwegen für den engeren Polizei-Bezirk von Berlin sowie für die Stadt Charlottenburg erlassene Polizei-Verordnung (Bekanntmachung), betreffend die Abwendung der bei dem Betriebe der Fabriken für künstliche Mineralwasser u. s. w. möglichen Gefahren wird hierdurch, nachdem dieselbe bereits unter dem 9. April 1888 für den engeren Polizei-Bezirk von Berlin außer Kraft gesetzt ist, mit dem 15. Oktober dieses Jahres auch für die Stadt Charlottenburg aufgehoben.

Berlin, den 20. September 1888.

Der Polizei-Präsident.

Enteignung mehrerer Grundstücksparzellen in der Bellermannstraße.

98. Nachdem auf Grund des § 15 des Enteignungsgesetzes vom 11. Juni 1874 von Landespolizeiwegen vorläufig festgestellt worden ist, daß

a. von dem Grundstücke des Gutsbesitzers C. Wollank Band 1 № 2 des Grundbuchs von den Umgebungen Berlins im Niederbarnim'schen Kreise eine Fläche von ca. 2644 qm;

b. von dem Grundstücke desselben Eigenthümers Band 23 № 1470 desselben Grundbuchs eine Fläche von ca. 55 qm;

c. von dem Grundstücke der Wollank'schen Erben Band 23 № 1469 desselben Grundbuchs eine Fläche von ca. 2402 qm;

d. von dem Grundstücke derselben Eigenthümer Band 23 № 1468 desselben Grundbuchs eine Fläche von ca. 207 qm

zusammen diejenige Grundstücksfläche darstellen, hinsichtlich welcher der Stadtgemeinde Berlin zum Bau des Hauptsammlers für das Radial-System X. der allgemeinen Kanalisation von Berlin durch die Allerhöchste Kabinets-Ordre vom 8. August 1888 das Enteignungsrecht verliehen worden ist, wird der bezügliche Plan in Gemäßheit der §§ 18 ff. a. a. O. von Sonnabend, den 29. September, bis Sonnabend, den 13. Oktober dieses Jahres einschließlich in der Plankammer des hiesigen Magistrats während der täglichen Dienststunden zu Jedermanns Einsicht ausliegen.

Einwendungen gegen diesen Plan sind bis zum Ablaufe der bestimmten Frist bei der Ersten Abtheilung des Königlichen Polizei-Präsidiums schriftlich einzureichen.

Berlin, den 24. September 1888.

Der Polizei-Präsident.

99. **VI. Nachtrag**

zu dem Statut des „Nordstern“ Lebens-Versicherungs-Actien-Gesellschaft zu Berlin.

1. Paragraph vier und dreißig.

Hinter den Worten: „A. auf sichere Hypotheken oder Grundschuldbriefe“ wird folgendes Alinea eingeschaltet:

„Eine Hypothek oder Grundschuld ist für sicher zu erachten, wenn sie bei ländlichen Grundstücken innerhalb der ersten zwei Dritttheile des durch ritterschaftliche, landschaftliche oder gerichtliche nach ritterschaftlichen oder landschaftlichen Grundsätzen aufgenommene Taxe oder durch eine gemäß Paragraph vier des Statuts für das neue brandenburgische Creditinstitut (Gesetz-Sammlung von Achtzehnhundert neun und sechzig, Seite Eintausend sechs und dreißig) geschehene Werthermittelung festgestellten Beleihungswerthes oder innerhalb des fünfzehnfachen Betrages des Grundsteuerreinertrages der Liegenschaft, bei städtischen innerhalb der nach folgenden Grundsätzen festgestellten Beleihungsgrenze zu stehen kommt.“

Zu D. wird hinter den Worten:

„berechneten Zeitwerthes“

folgender Zusatz eingeschaltet:

„auch darüber hinaus bis zu Drei Vierteln des Versicherungs-Capitals, wenn und soweit die Prämienzahlung und Zinszahlung bis zur Fälligkeit des Versicherungscapitals sicher gestellt ist. Die

Sicherstellung muß den vorstehend unter A. für die Anlage der Capitalien vorgeschriebenen Bedingungen entsprechen."

2. Paragraph sechs und dreißig.

Erstes Alinea Zeile vierzehn wird anstatt „10 p. Ct. (zehn Procent) gesetzt „20 p. Ct." (zwanzig Procent). Zeile 16 bis 18: „der hiernach verbleibende Ueberschuß — vertheilt" fällt fort und heißt:

„Von dem dann noch verbleibenden Ueberschusse fallen drei Viertel vertragsmäßig an die am Gewinn betheiligten Versicherten, während das letzte Viertel an die Actionäre vertheilt wird."

Zweites Alinea Zeile eins fällt das Wort „Gewinn" fort.

Das dritte und vierte Alinea fallen fort und heißen zusammen:

„Die Vertheilung des an die Versicherten fallenden Theiles des Ueberschusses erfolgt nach Maßgabe der mit demselben geschlossenen Verträge. Etwa wegen Erlöschens der Versicherungen nicht zur Auszahlung gelangende Antheile der Versicherten fallen in die Gewinnreserve."

3. Paragraph sieben und dreißig,

zweites Alinea lautet fortan:

„Die Gewinn-Reserve hat den Zweck, eine gewisse Gleichmäßigkeit der Dividenden zu ermöglichen; die General-Versammlung ist befugt, alljährlich über dieselbe auf Antrag des Aufsichtsrathes und der Direction ganz oder zum Theil zu Gunsten der Versicherten oder auch zu Gunsten der Versicherten und Actionäre zu verfügen, Letzteres jedoch mit der Einschränkung, daß der auf die Actionäre entfallende Theil ein Drittel des auf die Versicherten entfallenden Betrages nicht übersteigen soll. Wie die solchergestalt von der General-Versammlung in einem Jahre für die Versicherten bewilligte Summe zu vertheilen ist, und namentlich ob sie den sämmtlichen Versicherten oder nur einzelnen Kategorien derselben und welchen sie zu Gute kommen soll, bestimmen Aufsichtsrath und Direction.

Die Gewinn-Reserve wird nicht besonders verwaltet, sondern bildet einen Theil des Gesellschaftsvermögens und kann auch ohne Beschluß der Generalversammlung jederzeit zur Deckung von außerordentlichen Verlusten zum Beispiel durch Epidemien oder von Kriegsschäden verwendet werden."

4. Beilage C.

Dividendenschein-Formular und

5. Beilage D.

Talons-Formular, sollen die Worte: „(2 Unterschriften)" fortan lauten: „(Facsimile der Unterschriften)" mit dem Zusatz:

„Unterschrift eines Controllbeamten."

Dem vorstehenden, in Folge der Beschlüsse der Generalversammlung vom 16. April dieses Jahres aufgestellten

VI. Nachtrage zu dem Statute des „Nordstern", Lebens-Versicherungs-Actien-Gesellschaft zu Berlin, de conf. 30. Januar 1867

wird hierdurch die staatliche Genehmigung ertheilt.

Berlin, den 3. Juli 1888.

(L. S.)

Der Minister des Innern.
Im Auftrage:
gez. von Zastrow.

Genehmigungsurkunde
I. A 6472.

Vorstehender VI. Nachtrag zum Statut des „Nordstern" Lebens-Versicherungs-Actien-Gesellschaft hierselbst wird nebst der staatlichen Genehmigungs-Urkunde vom 3. Juli 1888 hierdurch mit dem Bemerken zur öffentlichen Kenntniß gebracht, daß das Gesellschafts-Statut vom $\frac{\text{4 Dezember 1866}}{\text{30. Januar 1867}}$ in der Beilage zum 9. Stück des Amtsblattes der Königlichen Regierung zu Potsdam und der Stadt Berlin pro 1867 — und in dem gleichen Blatte Stück 27 vom 7. Juli 1871 der erste Nachtrag zu diesem Statut vom $\frac{\text{26 April}}{\text{12. Juni}}$ 1871; Stück 38 vom 18. September 1874 der zweite Nachtrag vom $\frac{\text{8. April}}{\text{20. Juli}}$ 1874; Stück 3 vom 21. Januar 1881 der dritte Nachtrag vom $\frac{\text{10. April}}{\text{7. Dezember}}$ 1880; Stück 24 vom 13. Juni 1884 der vierte Nachtrag vom $\frac{\text{22. November 1883}}{\text{23. April 1884}}$ sowie Stück 10 vom 5. März bezw. Stück 15 vom 9. April 1886 der fünfte Nachtrag vom $\frac{\text{9. April}}{\text{25 November}}$ 1885 veröffentlicht worden ist.

Berlin, den 18. September 1888.

Der Polizei-Präsident.

Bekanntmachungen der Kaiserlichen Ober-Post-Direktion zu Potsdam.

Landbriefbestellbezirks-Aenderung.

64. Das Forsthaus Liepe wird vom 1. Oktober ab von dem Landbriefbestellbezirke des Kaiserlichen Postamts in Chorin (Mark) abgezweigt und dem Bestellbezirke des Kaiserlichen Postamts in Liepe (Oder) zugetheilt.

Potsdam, den 15. September 1888.

Der Kaiserl. Ober-Postdirektor.

Aenderung in der Geldbestellung.

65. Vom 1. Oktober ab bis Ende März nächsten Jahres kommt in Berlin die vierte wochentägliche, um 5 Uhr Nachmittags beginnende Geldbestellung, wie in früheren Winterhalbjahren, in Fortfall. Der Beginn der dritten Geldbestellung wird in dieser Zeit von 2 Uhr auf 3½ Uhr Nachmittags verlegt.

Berlin C., den 19. September 1888.

Der Kaiserl. Ober-Postdirektor.

Vereinigung und Verlegung von Postämtern.

66. Am 1. Oktober wird das Postamt 23 (Kurstraße) mit dem Postamt 38 (Jägerstraße) vereinigt und letzteres gleichzeitig nach der Taubenstraße 23a. verlegt.

Diese vergrößerte Postanstalt erhält die Bezeichnung Postamt 38 (Taubenstraße nahe dem Hausvoigteiplatz).

Ferner wird vom genannten Tage ab das Postamt 85 von der Oranienstraße 129 nach dem Hause Oranienstraße 72 verlegt. Dasselbe führt nach wie vor die Bezeichnung Postamt 85 (Oranienstraße).

Berlin C., 21. September 1888.

Der Kaiserliche Ober-Postdirector.

Bekanntmachungen des Königlichen Konsistoriums der Provinz Brandenburg.

General-Kirchen-Visitation in der Diözese Belzig.

2. In der Zeit vom 2. bis 23. Oktober d. J. findet in der Diözese Belzig unter dem Vorsitze des General-Superintendenten, Oberhofprediger D. Koegel eine General-Kirchen-Visitation statt, über deren Plan die Geistlichen und Gemeinde-Kirchenräthe der Diözese Auskunft ertheilen können.

Berlin, den 20. September 1888.

Königl. Konsistorium der Provinz Brandenburg.

Bekanntmachungen der Königlichen Hauptverwaltung der Staatsschulden.

34. Verloosung der Staatsprämien-Anleihe vom Jahre 1855.

18. Bei der heute in Gegenwart eines Notars öffentlich bewirkten 34. Verloosung der Staatsprämien-Anleihe vom Jahre 1855 sind die 55 Serien

№ 14 33 80 102 130 141 147 192 235 238
244 247 262 273 367 405 456 464 537
552 611 616 651 667 670 673 705 712
717 753 755 757 821 836 879 900 906
953 1015 1041 1105 1119 1230 1235 1255
1318 1332 1354 1365 1396 1401 1428
1440 1442 1493

gezogen worden.

Die zu diesen 55 Serien gehörigen 5500 Stück Schuldverschreibungen werden den Besitzern mit der Aufforderung gekündigt, den Prämienbetrag von 363 M. für jede Schuldverschreibung vom 1. April 1889 ab gegen Quittung und Rückgabe der Schuldverschreibungen und der dazu gehörigen Zinsscheine Reihe V. № 2 bis 7 über die Zinsen vom 1. April 1888 ab, welche nach dem Inhalte der Schuldverschreibungen unentgeltlich abzuliefern sind, bei der Staatsschulden-Tilgungskasse hierselbst, Taubenstraße Nr. 29, zu erheben. Die Zahlung erfolgt von 9 Uhr Vormittags bis 1 Uhr Nachmittags mit Ausschluß der Sonn- und Festtage und der letzten drei Geschäftstage jeden Monats.

Die Einlösung geschieht auch bei den Regierungs-Hauptkassen und zu Frankfurt a. M. bei der Kreiskasse. Zu diesem Zwecke können die Schuldverschreibungen nebst Zinsscheinen einer dieser Kassen schon vom 1. März 1889 ab eingereicht werden, welche sie der Staatsschulden-Tilgungskasse zur Prüfung vorzulegen hat und nach erfolgter Feststellung die Auszahlung vom 1. April 1889 ab bewirkt.

Der Betrag der etwa fehlenden Zinsscheine von dem zu zahlenden Prämienbetrage zurückbehalten

Formulare zu den Quittungen werden von gedachten Kassen unentgeltlich verabfolgt.

Die Staatsschulden-Tilgungskasse kann sich in ei Schriftwechsel mit den Inhabern der Schuldversch bungen nicht einlassen.

Von den bereits früher verloosten und gekündig Serien und zwar:

aus der 10. Verloosung (1865)
von Serie 870
aus der 11. Verloosung (1866)
von Serie 1114
aus der 17. Verloosung (1872)
von Serie 1433
aus der 18. Verloosung (1873)
von Serie 320
aus der 19. Verloosung (1874)
von Serie 232
aus der 22. Verloosung (1877)
von Serie 34 577 615
aus der 23. Verloosung (1878)
von Serie 495
aus der 24. Verloosung (1879)
von Serie 1371 1443
aus der 25. Verloosung (1880)
von Serie 596
aus der 26. Verloosung (1881)
von Serie 145 246 505
aus der 27. Verloosung (1882)
von Serie 297 897 962
aus der 28. Verloosung (1883)
von Serie 51 333 876 1144 1256 1269 1384
aus der 29. Verloosung (1884)
von Serie 66
aus der 30. Verloosung (1885)
von Serie 277 365 493 642 682 975 1034
1322 1329 1349
aus der 31. Verloosung (1886)
von Serie 26 110 135 193 351 418 437
565 1214 1222 1317 1359 1427
aus der 32. Verloosung (1887)
von Serie 15 125 138 289 361 499 531
538 540 592 800 845 970 984 1017 1093
1110 1117 1219 1226 1301 1358 1460
aus der 33. Verloosung (1888)
von Serie 12 41 85 163 176 330 335 356
519 526 548 560 574 604 605 626 628
731 739 750 758 810 841 874 918 963
1022 1052 1123 1154 1190 1211 1228
1232 1252 1316 1373 1390 1447 1459

sind viele Schuldverschreibungen bis jetzt nicht realisirt, es werden daher die Inhaber derselben zur Vermeidung weiterer Zinsverluste an die baldige Erhebung ihrer Kapitalien hierdurch von Neuem erinnert.

Berlin, den 15. September 1888.

Hauptverwaltung der Staatsschulden.

Verloosung von 3½ prozentigen Staatsschuldscheinen von 1842.

19. Bei der heute in Gegenwart eines Notars öffentlich bewirkten 6. Verloosung von 3½ prozentigen, unterm 2. Mai 1842 ausgefertigten Staatsschuldscheinen sind die in der Anlage verzeichneten Nummern gezogen worden.

Dieselben werden den Besitzern mit der Aufforderung gekündigt, die in den ausgeloosten Nummern verschriebenen Kapitalbeträge vom 1. Januar 1889 ab gegen Quittung und Rückgabe der Staatsschuldscheine und der nach dem 1. Januar k. J. fällig werdenden Zinsscheine Reihe XX. Nr. 5 bis 8 nebst Zinsscheinanweisungen bei der Staatsschulden-Tilgungskasse, Taubenstraße Nr. 29 hierselbst, zu erheben.

Die Zahlung erfolgt von 9 Uhr Vormittags bis 1 Uhr Nachmittags, mit Ausschluß der Sonn- und Festtage und der letzten drei Geschäftstage jeden Monats. Die Einlösung geschieht auch bei den Regierungs-Hauptkassen und in Frankfurt a. M. bei der Kreiskasse. Zu diesem Zwecke können die Effekten einer dieser Kassen schon vom 1. Dezember d. J. ab eingereicht werden, welche sie der Staatsschulden-Tilgungskasse zur Prüfung vorzulegen hat und nach erfolgter Feststellung die Auszahlung vom 1. Januar 1889 ab bewirkt.

Der Betrag der etwa fehlenden Zinsscheine wird von dem Kapitale zurückbehalten.

Mit dem 1. Januar 1889 hört die Verzinsung der verloosten Staatsschuldscheine auf.

Zugleich werden die bereits früher ausgeloosten, auf der Anlage verzeichneten, noch rückständigen Staatsschuldscheine wiederholt und mit dem Bemerken aufgerufen, daß die Verzinsung derselben mit den einzelnen Kündigungsterminen aufgehört hat.

Die Staatsschulden-Tilgungskasse kann sich in einen Schriftwechsel mit den Inhabern der Staatsschuldscheine über die Zahlungsleistung nicht einlassen.

Formulare zu den Quittungen werden von sämmtsämmtlichen obengedachten Kassen unentgeltlich verabfolgt.

Berlin, den 4. September 1888.

Hauptverwaltung der Staatsschulden.

Bekanntmachungen der Königl. Kontrolle der Staatspapiere.

Aufgebot einer Schuldverschreibung.

16. In Gemäßheit des § 20 des Ausführungsgesetzes zur Civilprozeßordnung vom 24. März 1879 (G.-S. S. 281) und des § 6 der Verordnung vom 16. Juni 1819 (G.-S. S. 157) wird bekannt gemacht, daß der Ehefrau des Kaufmanns M. Hartenheim hier, Spandauerstraße Nr. 64, Charlotte, geb. Guttmann, die Schuldverschreibung der konsolidirten 3½ %igen Staatsanleihe von 1885 lit. F. № 4163 über 200 M. angeblich abhanden gekommen ist. Es wird Derjenige, welcher sich im Besitze dieser Urkunde befindet, hiermit aufgefordert, solches der unterzeichneten Kontrolle der Staatspapiere oder dem Herrn Hartenheim anzuzeigen, widrigenfalls das gerichtliche Aufgebotsverfahren behufs Kraftloserklärung der Urkunde beantragt werden wird.

Berlin, den 20. September 1888.

Königl. Kontrolle der Staatspapiere.

Bekanntmachungen der Königlichen Eisenbahn-Direktion zu Bromberg.

Neuer Lokal-Gütertarif.

57. Am 1. Oktober d. J. tritt ein neuer Lokal-Gütertarif, Theil II., für den Eisenbahn-Direktionsbezirk Bromberg an Stelle des bisherigen vom 1. April 1887 nebst Nachträgen in Kraft. Derselbe enthält außer den bisherigen Bestimmungen und den bereits früher veröffentlichten Tarifänderungen: 1) Aenderung der besonderen Bestimmungen zu § 50 und 51 des Betriebs-Reglements, betreffend die Zoll- und Steuervorschriften im Verkehr mit Rußland. 2) Neue Kontrol-Vorschriften für Spiritus-Exportsendungen. Exemplare des Tarifs können zum Preise von 0,40 Mk. für das Stück durch Vermittelung unserer sämmtlichen Billet-Expeditionen bezogen werden.

Bromberg, den 14. September 1888.

Königl. Eisenbahn-Direktion.

Nachtrag zum Verbands-Gütertarif zwischen Stationen des Bezirks Bromberg und den Stationen d r Marienburg-Mlawkaer Eisenbahn.

58. Mit dem 1. Oktober 1888 tritt zum Verbands-Gütertarif zwischen Stationen des Bezirks Bromberg und den Stationen der Marienburg-Mlawkaer Eisenbahn vom 1. Oktober 1887 der Nachtrag V. in Kraft. Derselbe enthält direkte Entfernungen und Frachtsätze für den Verkehr mit den Stationen der Strecke Soldau-Allenstein, sowie anderweite theilweise ermäßigte Frachtsätze für den Verkehr mit den Stationen Gr. Koschlau, Illowo, Mlawa und Soldau der Marienburg-Mlawkaer Eisenbahn.

Der Nachtrag kann durch die Billet-Expeditionen der Verbandstationen beider Verwaltungen bezogen werden.

Brombeug, den 21. September 1888.

Königl. Eisenbahn-Direktion.

Bekanntmachungen der Kreis-Ausschüsse.

Communalbezirks-Veränderung.

22. Die Abtrennung für das Königlich Preußisch Brandenburgische Kronfideicommiß von dem Großbüdner Friedrich Kienert in Golm angekauften Wiesenparzelle von 1 ha 82 ar von dem Gemeindebezirk Golm und deren Vereinigung mit dem Gutsbezirk Bornstedt ist von uns genehmigt worden.

Nauen, den 17. September 1888.

Der Kreis-Ausschuß des Kreises Osthavelland.

Bekanntmachungen anderer Behörden.

Verwaltungs-Resultate der Land-Feuer-Societät für die Kurmark Brandenburg 2c.

In Gemäßheit des § 142 des revidirten Reglements der Land-Feuer-Societät für die Kurmark Brandenburg, das Markgrafthum Niederlausitz und die Distrikte Jüterbog und Belzig, vom 15. Januar 1855 bringen wir Nachstehendes zur öffentlichen Kenntniß:

I. Resultate der Jahres-Rechnungen für das Jahr 1887.

A. Rechnung über den laufenden Entschädigungs-Fonds.

		Soll. M.	Pf.	Ist. M.	Pf.	Rest. M.	Pf.
Einnahme.							
I. Bestand aus voriger Rechnung		353 678	35	353 678	35	—	—
II. Ueberträge aus voriger Rechnung	(Immobiliar)	143	92	143	92	—	—
	(Mobiliar)	—	—	—	—	—	—
III. Beiträge inkl. 6299 M. 69 Pf. Eintrittsgelder	(Immobiliar)	1 446 192	05	1 444 881	53	1 310	52
" 1716 " 06 " "	(Mobiliar)	77 777	86	77 770	01	7	85
IV. Extraordinaria inkl. 23479 M. 20 Pf. Zinsen	(Immobiliar)	30 790	05	30 790	05	—	—
	(Mobiliar)	264	95	264	95	—	—
V. Vorschüsse aus dem eisernen Bestands-Fonds		—	—	—	—	—	—
VI. Durchlaufende Posten		153 000	—	153 000	—	—	—
VII. Erstattete Vorschüsse		700	—	700	—	—	—
	Summa	2 062 547	18	2 061 228	81	1 318	37
Ausgabe.							
I. Ueberträge aus voriger Rechnung	(Immobiliar)	292 209	14	236 834	36	55 374	78
	(Mobiliar)	11	07	11	07	—	—
II. Verwaltungkosten	(Immobiliar)	95 079	68	95 079	68	—	—
	(Mobiliar)	10 087	72	10 087	72	—	—
III. Reisekosten	(Immobiliar)	4 688	—	4 688	—	—	—
IV. Entschädigungsgelder	(Immobiliar)	1 293 345	71	965 366	61	327 979	10
(inkl. Spritzen- und Wasserwagen-Prämien, Pertinenzschäden-Vergütungen und Abschätzungskosten)	(Mobiliar)	66 197	25	66 065	74	131	51
V. Dem eisernen Bestands-Fonds erstattete Vorschüsse		—	—	—	—	—	—
VI. Durchlaufende Posten		153 000	—	153 000	—	—	—
VII. Extraordinaria	(Immobiliar)	14 819	56	14 819	56	—	—
	(Mobiliar)	219	93	219	93	—	—
VIII. Dem eisernen Bestands-Fonds überwiesene Eintrittsgelder	(Immobiliar)	6 299	69	6 299	69	—	—
	(Mobiliar)	1 716	06	1 716	06	—	—
IX. Vorschüsse		700	—	700	—	—	—
X. Bauprämien		27 898	69	27 898	69	—	—
	Summa	1 966 272	50	1 582 787	11	383 485	39
	Die Einnahme beträgt	2 062 547	18	2 061 228	81		
	Ergiebt Bestand	96 274	68	478 441	70	—	—

B. Rechnung über den eisernen Bestands-Fonds.

		Soll. M.	Pf.	Ist. M.	Pf.	Rest. M.	Pf.
Einnahme.							
A. Bestand aus voriger Rechnung		484 609	75	484 609	75	—	—
B. Kapitalien		—	—	—	—	—	—
C. Vom laufenden Entschädigungs-Fonds erstattete Vorschüsse		—	—	—	—	—	—
D. Extraordinaria:							
I. Zinsen		15 365	—	15 365	—	—	—
II. Strafgelder		—	—	—	—	—	—
III. Eintrittsgelder		8 015	75	8 015	75	—	—
	Summa	507 990	50	507 990	50	—	—
Ausgabe.							
A. Kapitalien		—	—	—	—	—	—
B. Dem laufenden Entschädigungs-Fonds geleistete Vorschüsse		—	—	—	—	—	—
C. Extraordinaria:							
I. Zinsen		15 365	—	15 365	—	—	—
	Summa	15 365	—	15 365	—	—	—
	Die Einnahme beträgt	507 990	50	507 990	50	—	—
	Ergiebt Bestand	492 625	50	492 625	50	—	—

davon in Werthpapieren 439 000 M. — Pf.,
und in baar 53 625 " 50 "

II. Brand- und Blitzschäden und dafür gezahlte Entschädigungsgelder.

Die Societät ist im Laufe des Jahres 1887 von 309 Bränden und 23 nicht zündenden Blitzschlägen betroffen worden, durch welche 486 Versicherte an ihrem Immobiliar und 47 Versicherte an ihrem Mobiliar Schaden erlitten haben. Es sind 547 Gebäude total vernichtet und 512 partiell beschädigt.

Aus Anlaß dieser Brand- und Blitzschäden, einschließlich der Bewilligungen für resp. aus Anlaß von Bränden aus dem Jahre 1886 und früher sind festgesetzt:

	für Immobiliar:	für Mobiliar:
1) Brand-Entschädigungsgelder: in Klasse I.	207 561 M. 31 Pf.,	279 M. 54 Pf.,
" " II.	369 797 " 24 "	18 677 " 18 "
" " III.	670 815 " 69 "	32 293 " 48 "
" " IV.	382 " 95 "	14 257 " 78 "
Schäden-Abschätzungskosten	4 990 " 62 "	689 " 30 "
zusammen	1 253 547 M. 81 Pf.,	66 197 M. 25 Pf.,
2) Spritzen-Prämien	17 052 " — "	
3) Wasserwagen-Prämien	5 525 " 76 "	
4) Pertinenzschäden-Vergütungen	17 220 " 14 "	
Ueberhaupt	1 293 345 M. 71 Pf.	

III. Beiträge der Societäts-Mitglieder.

Zur Deckung der vorbemerkten Schäden und der sonstigen Ausgaben wurden ausgeschrieben:

im I. Halbjahr 1887	für 257 666 975 M. Immobiliar-Versicherung Klasse I.	4 Pf. pro 100 M.	103 066 M. 79 Pf.,
	" 124 520 200 " " " " II.	8 " " " "	99 616 " 16 "
	" 73 802 025 " " " " III.	28 " " " "	206 645 " 67 "
	" 310 950 " " " " IV.	48 " " " "	1 492 " 56 "
zusammen	für 456 300 150 M. Immobiliar-Versicherung		410 821 M. 18 Pf.
im II. Halbjahr 1887	für 262 934 425 M. Immobiliar-Versicherung Klasse I.	10 Pf. pro 100 M.	262 934 M. 43 Pf.,
	für 125 966 650 M. Immobiliar-Versicherung Klasse II.	20 Pf. pro 100 M.	251 933 M. 30 Pf.,
	für 72 947 850 M. Immobiliar-Versicherung Klasse III.	70 Pf. pro 100 M.	510 634 M. 95 Pf.,
	für 297 375 M. Immobiliar-Versicherung Klasse IV.	120 Pf. pro 100 M.	3 568 M. 50 Pf.,
zusammen	für 462 146 300 M. Immobiliar-Versicherung		1 029 071 " 18 "
		Zusammen	1 439 892 M. 36 Pf.

Ferner sind im Jahre 1887 an Beiträgen der Mobiliar-Versicherten aufgebracht, nach der Hälfte der fürs Immobiliar gezahlten Beitragssätze:

a. für die klassifizirten Versicherungen, welche am Schlusse des Jahres 1887 betrugen:

18 985 075 M.	in Klasse I.	15 747 M. 38 Pf.,
11 159 500 "	" " II.	17 353 " 32 "
8 870 700 "	" " III.	35 603 " 10 "
— "	" " IV.	— " — "
zusammen 39 015 275 M.		68 703 M. 80 Pf.,

b. für die nicht klassifizirten Versicherungen (Miethen rc.) im Betrage von 1 761 185 M. — 7 358 " — "

Zusammen 76 061 M. 80 Pf.

Berlin, den 10. September 1888.

Ständische General-Direktion der Land-Feuer-Societät der Kurmark und der Niederlausitz.

Personal-Chronik.

Im Kreise Westprignitz sind der Freiherr von Wangenheim zu Eldenburg und der Gutspächter Irmer zu Kl. Leppin zu Amtsvorstehern der Amtsbezirke „Eldenburg" und „Gr. Leppin" ernannt; ferner ist der commissarische Amtsvorsteher Kreitz zu Lenzen zum commissarischen Amtsvorsteher des Amtsbezirks „Bochin" bestellt worden.

Der Königliche Regierungs-Bauführer Wilhelm Berner, zur Zeit in Wittstock, ist am 14. September d. J. als solcher vereidigt worden.

Der versorgungsberechtigte Feldwebel, Forstaufseher Schulze zu Neu-Zittau, in der Oberförsterei Friedersdorf, ist zum Königlichen Förster ernannt und demselben die Försterstelle Lietzenhütte, in der Oberförsterei Grünaue, vom 1. Oktober d. J. ab übertragen worden.

Der bisherige Deichhauptmann für den Deichverband des Golmer Bruches, Rentier Kerkow, sowie dessen Stellvertreter, Oeconom Wünn, beide hierselbst wohnhaft, sind auf weitere 6 Jahre gewählt und bestätigt worden.

Die unter privatem Patronat stehende Pfa zu Triglitz, Diözese Putlitz, kommt durch die B des Pfarrers Eltester am 1. Oktober d. J. ledigung.

Auf Grund des § 362 des Strafgesetzbuchs:

1	Georg Tümmeler, Schmiedegeselle,	geboren am 3. August 1865 zu Schlaggenhof, Böhmen, ortsangehörig ebendaselbst,	Landstreichen u. Gebrauch falscher Legitimationspapiere,	Königlich Preußischer Regierungspräsident zu Hannover,	29. Apri 1888.
2	Marie Lidwina Hübel, Knopfarbeiterin,	geboren am 9. Juli 1868 zu Kunnersdorf, Bezirk Schluckenau, Böhmen, ortsangehörig ebendaselbst,	Landstreichen und Hausfriedensbruch,	Königlich Sächsische Kreishauptmannschaft Bautzen,	20. Juni 1888.
3	Jakob Labjowski,	geboren am 25. April 1869 zu Deretschin, Rußland,	Landstreichen,	Kaiserlicher Bezirks-Präsident zu Metz,	31. Aug 1888.
4	Wilhelm Ortmayr, Gerber,	geboren am 30. April 1864 zu Ried, Bezirk Ried, Oesterreich, ortsangehörig ebendaselbst,	desgleichen,	derselbe,	2. Septemb 1888.
5	Johann Nowacek, Kellner,	geboren am 18. November 1866 zu Zistersdorf, Bezirk Mistelbach, Oesterreich, ortsangehörig ebendaselbst,	desgleichen,	derselbe,	desgleichen.
6	Johann Kozlowski, Schneidergeselle,	geboren am 20. November 1865 zu Temesvar, Ungarn,	desgleichen,	derselbe,	3. Septemb 1888.

Hierzu
eine Beilage, enthaltend das Verzeichniß der in der 6. Verloosung gezogenen, durch die Bekanntmachung d Königlichen Hauptverwaltung der Staatsschulden vom 4. September 1888 zur baaren Einlösung am 1. Janu 1889 gekündigten $3\frac{1}{2}$ prozentigen, unterm 2. Mai 1842 ausgefertigten Staatsschuldscheine und das Verzeich der aus früheren Verloosungen noch rückständigen $3\frac{1}{2}$ prozentigen Staatsschuldscheine von 1842,
eine Extrabeilage, enthaltend den Abgeänderten Gesellschafts-Vertrag der Oldenburger Versicherungs-Gesellsch nebst Genehmigungs-Urkunde,
eine Beilage, enthaltend den Fahrplan der Königl. Eisenbahn-Direktion Altona, gültig vom 1. Oktober 1888;
sowie Drei Oeffentliche Anzeiger.

(Die Insertionsgebühren betragen für eine einspaltige Druckzeile 20 Pf. Belagsblätter werden der Bogen mit 10 Pf. berechnet.)

Redigirt von der Königlichen Regierung zu Potsdam.

Potsdam, Buchdruckerei der A. W. Hayn'schen Erben (E. Hayn, Hof-Buchdrucker).

Extra=Beilage zum Königlichen Regierungs=Amtsblatt.

Abgeänderter Gesellschafts-Vertrag

der

Oldenburger Versicherungs-Gesellschaft.

Beschlossen in der Generalversammlung am 10. Februar 1888.

Erster Abschnitt.

Zweck und Sitz der Gesellschaft.

§. 1.

Unter der Firma:

Oldenburger Versicherungs-Gesellschaft

t im Jahre 1857 eine Aktiengesellschaft errichtet zu dem weckе, gegen feste Gebühren den Schaden zu versichern, r durch Feuer, Blitz, Leuchtgas- oder Kesselexplosion verrsacht wird.

Durch Beschluß der Generalversammlung vom 30. Närz 1865 ist der Geschäftskreis der Gesellschaft auf die Versicherung von Spiegel- und Glasscheiben gegen Bruch usgedehnt worden.

§. 2.

Der Sitz der Gesellschaft ist in der Stadt Oldenburg m Großherzogtum.

Zweiter Abschnitt.

Grundvermögen, Aktien und Aktionäre.

§. 3.

Das Grundvermögen der Gesellschaft beträgt drei Millionen Mark, geteilt in 2000 Aktien, jede zu fünfzehnundert Mark.

Das Grundvermögen der Gesellschaft kann durch Beschluß der Generalversammlung erhöht werden, auch bevor die volle Einzahlung desselben erfolgt ist. (Artikel 215 a. des H.-G.-B.)

§. 4.

Die Aktien werden nach Anlage A. auf den Namen der Nehmer und zwar nur auf den Namen einer Person ausgestellt; dieselben erfordern zu ihrer Gültigkeit die Unterschrift eines Mitgliedes des Aufsichtsrats und des Direktors.

Die Aktien, welche gemäß den Bestimmungen des früheren Statuts bereits ausgefertigt sind, bleiben in Kraft.

Die Erteilung der Aktien kann ohne Angabe von Gründen vom Vorstande im Einverständnis mit dem Aufsichtsrate verweigert werden.

§. 5.

Mehr als 50 Aktien darf kein Aktionär besitzen.

§. 6.

Mit jeder Aktie werden für zehn Jahre Gewinnanteils-Scheine nach Anlage B. ausgegeben, welche nach Ablauf des letzten Jahres gegen dazu gehörige Anweisung durch neue ersetzt werden.

§. 7.

Auf jede Aktie sind 20 Prozent, also 300 (dreihundert) Mark bar eingezahlt, für die übrigen 80 Prozent oder 1200 (zwölfhundert) Mark haften die Aktionäre und stellen darüber Wechsel nach Anlage C. aus.

§. 8.

Etwa erforderlich werdende Nachschüsse sind über alle Aktien gleichmäßig auszuschreiben und durch den Vorstand nach Beschluß des Aufsichtsrats einzuziehen.

Jeder Aktionär ist verbunden, binnen 6 Wochen nach Aufforderung des Vorstandes die ausgeschriebenen Zahlungen an die Hauptkasse der Gesellschaft in Oldenburg bar und kostenfrei zu beschaffen, widrigenfalls zur Vorzeigung der Wechsel und bei fernerer Säumnis zur Wechselklage geschritten wird.

Der Vorstand ist aber auch berechtigt, mit Zustimmung des Aufsichtsrats den säumigen Aktionär gemäß Artikel 184 a und 219 des Gesetzes vom 18. Juli 1884 seiner Rechte für verlustig zu erklären und seine Aktien für seine Rechnung und Gefahr öffentlich meistbietend verkaufen zu lassen, wobei derselbe für den etwaigen Ausfall der Gesellschaft aus dem Wechsel verhaftet bleibt. Die Entscheidung über den Zuschlag an den Meistbietenden steht dem Vorstande zu.

Jede Einzahlung ist auf dem betreffenden Wechsel zu bemerken. Außerdem wird dem Aktionär eine Bescheinigung über dieselbe ausgehändigt.

Der Vorstand ist verpflichtet, mit der Ausschreibung von Nachschüssen gleichzeitig eine Generalversammlung zu berufen und derselben den Vermögensstand der Gesellschaft darzulegen.

§. 9.

Das Eigentum der Aktien kann auf Andere übertragen werden. Jedoch wird der seitherige Inhaber nicht eher von seinen Verbindlichkeiten gegen die Gesellschaft befreit und der neue Erwerber erlangt nicht eher die Rechte eines wirklichen Aktionärs, als bis die Aktie auf letzteren umgeschrieben ist. Diese Umschreibung geschieht auf der Aktie selbst. Sie bedarf der Unterschrift eines Mitgliedes des Aufsichtsrats und des Direktors oder dessen Stellvertreter.

Die Umschreibung kann ohne Angabe von Gründen vom Vorstande im Einverständnis mit dem Aufsichtsrate verweigert werden.

§. 10.

Der Umschreibung der Aktie auf einen genehmigten Erwerber muß von Seiten desselben die Ausstellung der Wechsel für den noch nicht eingeforderten Teil des Betrages der Aktie vorausgehen.

Vom Augenblicke dieser Umschreibung an ist der bisherige Aktionär von allen seinen Verbindlichkeiten gegen die Gesellschaft befreit, vorbehältlich der Haftpflicht nach Artikel 184 b. und 219 des Gesetzes vom 18. Juli 18[illegible] und es sind demselben die gezeichneten Wechsel zurückzugeben.

§. 11.

Nach dem Tode eines Aktionärs haben dessen Er[illegible] einen neuen verfügungsfähigen Aktionär der Gesellsch[illegible] in Vorschlag zu bringen. Falls dies nicht binnen se[illegible] Monaten geschicht oder der Uebergang der Aktie auf de[illegible] Vorgeschlagenen nicht genehmigt wird, so ist der Vorsta[illegible] mit Zustimmung des Aufsichtsrats befugt, die Akti[illegible] sofort für Rechnung und Gefahr der Erbmasse zu verkaufen. (§. 8.)

§. 12.

Wenn ein Aktionär zum Konkurs kommt, oder mi[illegible] seinen Gläubigern einen Akkord trifft oder zu treffen sucht, oder wenn gegen den Inhaber einer Aktie eine gerichtlic[illegible] Verwaltung seines Vermögens angeordnet wird, so ha[illegible] er oder sein Rechtsinhaber seine Zahlungsverbindlichkeit ge[illegible] die Gesellschaft durch eine Barzahlung gleichen Betrag[illegible] für welche ihm von der Gesellschaft billige Zinsen verg[illegible] werden, zu ersetzen.

Ein Gleiches tritt auf Antrag des Vorstandes n[illegible] dem Ermessen des Aufsichtsrats ein, wenn der Akti[illegible] es Schulden halber auf Zwangsvollstreckung ankomm[illegible] läßt.

Wenn der Aktionär diesem auf die erste Aufforderu[illegible] des Vorstandes in der vom Aufsichtsrate bestimmten Fri[illegible] nicht nachkommt, so sind seine Aktien für seine Rechnu[illegible] vom Vorstande öffentlich zu verkaufen. (§. 8.)

§. 13.

Nur solche Personen können als Aktionäre zugelasse[illegible] werden, welche innerhalb des Deutschen Reiches ihren Wohnsitz haben. Verändert ein Aktionär seinen Wohnsitz, so hat er der Gesellschaft davon innerhalb dreier Mona[illegible] Anzeige zu machen, widrigenfalls der Gesellschaft da[illegible] Recht zusteht, zum öffentlichen Verkauf seiner Aktie [illegible] schreiten (§. 8). Verbunden ist die Gesellschaft hierzu u[illegible] bedingt dann, wenn der Aktionär seinen Wohnsitz au[illegible] halb des Deutschen Reiches verlegt.

§. 14.

Wird eine Aktie zur Pfändung gezogen oder ein Ar[illegible] auf dieselbe gelegt, so ist der Vorstand mit Zustimmu[illegible] des Aufsichtsrats befugt, dieselbe sofort nach Maßg[illegible] des §. 8 zu verkaufen.

§. 15.

Nach geschehener Umschreibung einer Aktie auf den genehmigten Erwerber wird dem abgehenden Aktionär, oder einer Erbschafts- oder Konkursmasse, der dazu gehörige Wechsel, sowie in Fällen des von Seiten der Gesellschaft geschehenen Verkaufs der etwaige Ueberschuß des Erlöses zurückgegeben, oder gerichtlich hinterlegt. Im Falle des §. 8 fällt jedoch der etwaige Ueberschuß der Gesellschaftskasse zu.

Wenn aber der Erlös aus einer verkauften Aktie zur Deckung der von dem ausgeschiedenen Aktionär unerfüllt gelassenen Verbindlichkeiten nicht hinreicht, so ist der Vorstand befugt, den Wechsel zurückzubehalten, um ihn zur Erlangung des Fehlenden gegen den Aussteller zu gebrauchen.

§. 16.

Der Gesellschaft steht auch, wenn sie an einen Beteiligten Forderungen irgend einer Art hat, das Zurückbehaltungs- und Aufrechnungsrecht sowohl an den Gewinnanteilen, als an den Aktien und ihrem Werte zu.

§. 17.

Jede Verpfändung von Aktien ohne Genehmigung des Aufsichtsrats ist ungültig.

§. 18.

Falls die zum öffentlichen Verkauf kommenden Aktien dem Vorstande nicht zugestellt und vorenthalten werden, so werden dieselben durch eine dreimalige Bekanntmachung in den Gesellschaftsblättern (§. 51) für ungültig erklärt und dem Käufer dafür neue Aktien unter fortlaufenden Nummern ausgefertigt. Die für diese Aktien bisher ausgestellten Wechsel werden dem Aussteller nicht eher zurückgegeben, als bis er die ihm gehörig gewesenen Aktien zurückgeliefert hat und bleibt er der Gesellschaft bis dahin für allen aus der Nichtrücklieferung entstehenden Schaden aus diesen Wechseln verhaftet.

Ist eine Aktie abhanden gekommen, so hat der Eigentümer eine Ungültigkeits-Erklärung derselben durch das Großherzogliche Amtsgericht in Oldenburg zu erwirken.

§. 19.

Soweit es sich um die Erfüllung seiner Verpflichtungen gegen die Gesellschaft handelt, nimmt jeder Aktionär seinen Gerichtsstand in der Stadt Oldenburg.

Dritter Abschnitt.

Von dem Aufsichtsrate.

§. 20.

Der Aufsichtsrat der Gesellschaft besteht aus sieben von der Generalversammlung zu wählenden Mitgliedern, von denen jedes mindestens mit fünf Aktien an der Gesellschaft beteiligt sein muß.

Wer zum Konkurs kommt, mit seinen Gläubigern einen Akkord trifft oder als zahlungsunfähig zur Pfändung kommt, sowie derjenige, gegen welchen eine gerichtliche Verwaltung seines Vermögens angeordnet wird, ist unfähig, Mitglied des Aufsichtsrates zu sein.

§. 21.

Der Aufsichtsrat wählt jährlich aus seiner Mitte einen Vorsitzenden und dessen Stellvertreter.

§. 22.

Zur Beschlußfassung ist die Anwesenheit von mindestens vier Mitgliedern und soweit es sich nicht um Angelegenheiten, welche den Direktor oder dessen Stellvertreter selbst betreffen, handelt, die Anwesenheit des Direktors oder dessen Stellvertreters erforderlich.

Die Stimmenmehrheit entscheidet.

Der Direktor oder dessen Stellvertreter haben nur eine beratende Stimme.

§. 23.

Die Mitglieder des Aufsichtsrats werden für den Zeitraum bis zur ordentlichen Generalversammlung des drittfolgenden Jahres gewählt. Jährlich scheiden zwei und im dritten Jahre drei Mitglieder aus. Die Ausscheidenden sind wieder wählbar.

Jedes Mitglied des Aufsichtsrats ist berechtigt, nach dreimonatlicher Aufkündigung seine Stelle niederzulegen.

Scheiden außerhalb der Reihenfolge Mitglieder aus, so können ihre Stellen bis zur nächsten Generalversammlung unbesetzt bleiben, so lange noch mindestens fünf Mitglieder vorhanden sind.

§. 24.

Der Aufsichtsrat versammelt sich so oft, als er es für dienlich erachtet, auf Berufung des Vorsitzenden, um von dem Gange des Geschäftes Kenntnis zu nehmen und Erforderliches zu beschließen.

Die Berufung muß erfolgen, wenn drei Mitglieder des Aufsichtsrats oder der Vorstand es beantragen. Die

Verhandlungen und Beschlüsse des Aufsichtsrats sind schriftlich festzustellen und von den Anwesenden zu unterzeichnen.

§. 25.

Die Mitglieder des Aufsichtsrats erhalten für ihre Mühewaltung außer der Erstattung ihrer Auslagen zusammen eine jährliche Vergütung von 2500 Mark, deren Verteilung der Aufsichtsrat selbst zu bestimmen hat.

Vierter Abschnitt.

Von dem Vorstande.

§. 26.

Als Vorstand der Gesellschaft ernennt der Aufsichtsrat einen Direktor und einen stellvertretenden Direktor.

Die Bestellung und der Widerruf der Bestellung derselben erfordert mindestens 5 Stimmen des Aufsichtsrats.

§. 27.

Der Direktor muß mit 20, der stellvertretende Direktor mit 10 Aktien an der Gesellschaft beteiligt sein.

Nur durch einstimmigen Beschluß des Aufsichtsrats kann diese Geschäftsbeteiligung ermäßigt und bis auf 10 bezw. 5 Aktien herabgesetzt werden.

§. 28.

Der Vorstand bedarf außer den in diesem Gesellschaftsvertrage bereits angeführten Fällen der Genehmigung des Aufsichtsrats:

a) Zur Erwerbung und Veräußerung von unbeweglichen Gütern;

b) zur Bewilligung von hypothekarischen Darlehen und Verfügung über hypothekarische Forderungen;

c) zur Anstellung und Entlassung und zur Bestimmung des Gehaltes des Kasseführers und solcher Beamten, welche jährlich über 2400 Mark Gehalt beziehen;

d) zur Ernennung von Bevollmächtigten, welche bei Verhinderung des Direktors oder des stellvertretenden Direktors gemeinschaftlich zu zeichnen haben.

In dem Falle zu a. und bei Cessionen oder Empfangsbescheinigungen betreffend hypothekarische Forderungen hat ein Mitglied des Aufsichtsrats für die Gesellschaft mit zu unterzeichnen.

§. 29.

Der Vorstand hat in nachfolgender Form für die Gesellschaft zu zeichnen:

Oldenburger Versicherungs-Gesellschaft.
Der Direktor:
N. N.

Oldenburger Versicherungs-Gesellschaft.
Der stellvertretende Direktor:
N. N.

oder

Oldenburger Versicherungs-Gesellschaft.
Der Direktor:
In Vollmacht:
N. N. N. N.

§. 30.

Die Amtsdauer, Gehalts-, Kündigungs- und sonstigen dienstlichen Verhältnisse des Direktors und des stellvertretenden Direktors werden durch besondere Verträge derselben mit dem Aufsichtsrate festgestellt.

Außer der Besoldung beziehen der Direktor und der stellvertretende Direktor die im §. 43 bestimmten Gewinnanteile.

Fünfter Abschnitt.

Von der Generalversammlung.

§. 31.

Alljährlich innerhalb dreier Monate nach Ablauf des Rechnungsjahres soll eine ordentliche Generalversammlung der Aktionäre stattfinden.

§. 32.

Außerordentliche Generalversammlungen sind außer den im Gesetz und in diesem Gesellschaftsvertrage bestimmten Fällen zu berufen, wenn es im Interesse des Geschäfts erforderlich erscheint.

§. 33.

Die Generalversammlungen werden durch den Vorstand berufen, soweit nicht nach dem Gesetze oder diesem Gesellschaftsvertrage auch andere Personen dazu befugt sind.

Die Einladung zu denselben erfolgt durch Bekanntmachung in den Gesellschaftsblättern (§ 51).

Alle Generalversammlungen finden am Sitze der Gesellschaft statt.

Die vorschriftsmäßig berufene Generalversammlung ist immer beschlußfähig.

§. 34.

Der zeitige Vorsitzende des Aufsichtsrats oder dessen Stellvertreter führt auch den Vorsitz in der Generalversammlung.

In der ordentlichen Generalversammlung werden die Geschäfte in nachfolgender Ordnung verhandelt:

1. Vorlage der Vermögens-Aufstellung, der Gewinn- und Verlust-Rechnung, sowie des den Vermögensstand und die Verhältnisse der Gesellschaft entwickelnden Vorstandsberichtes und Vorschläge über die Gewinnverteilung mit den Bemerkungen des Aufsichtsrats;
2. Bericht des Aufsichtsrats über die Prüfung der Vermögens-Aufstellung und Jahresrechnung;
3. Beschluß der Generalversammlung über Genehmigung der Vermögens-Aufstellung, über die Vorschläge zur Gewinnverteilung und über die dem Aufsichtsrate und dem Vorstande zu erteilende Entlastung;
4. Wahl der Mitglieder des Aufsichtsrats;
5. Beratung und Beschlußfassung über die Anträge des Aufsichtsrats oder des Vorstandes, sowie über die Anträge von Aktionären.

In außerordentlichen Generalversammlungen sind Anträge von Aktionären, die mit dem ursprünglichen Zwecke der Berufung nicht im Zusammenhange stehen, nicht zulässig.

§. 35.

Das Stimmrecht in der Generalversammlung wird entweder in Person oder durch Bevollmächtigung eines anderen persönlich erscheinenden Aktionärs ausgeübt. Minderjährige und andere Bevormundete werden durch ihre Vormünder, Ehefrauen durch ihre Ehemänner vertreten, auch wenn diese nicht Aktionäre sind.

§. 36.

In den Generalversammlungen entscheidet, soweit nicht durch Gesetz ein anderes bestimmt ist, die unbedingte Stimmenmehrheit und giebt bei Gleichheit der Stimmen die des Vorsitzenden den Ausschlag.

§. 37.

In der Generalversammlung gewährt jede Aktie eine Stimme.

Mehr als 100 Stimmen dürfen in einer Person nicht vereinigt werden

Sechster Abschnitt.

Von den Vermögens- und Rechnungs-Angelegenheiten.

§. 38.

Der bare Einschuß, sowie die Rücklagen für das Grundvermögen und für unvorhergesehene Fälle sind gegen gute hypothekarische Sicherheit im Deutschen Reiche oder in deutschen Staatspapieren oder deutschen Pfand-, Hypotheken- und Rentenbriefen anzulegen.

§. 39.

Die Einnahmen, welche zur Deckung der Ausgaben nicht erforderlich sind, hat der Vorstand wie im §. 38 bestimmt oder bei guten Bankgeschäften verzinslich zu belegen.

§. 40.

Gelder zum Ankauf von Grundstücken anzulegen, ist unter Zustimmung des Aufsichtsrats nur in solchen Fällen zulässig, wo es entweder zum eigenen Geschäftsbetriebe oder zur Rettung oder Sicherstellung von Forderungen der Gesellschaft notwendig wird.

§. 41.

Die Hauptkasse und die Wertpapiere der Gesellschaft werden in feuerfesten und diebessicheren Behältnissen verwahrt.

Die zum Verschluß dienenden Schlüssel sind zwischen dem Vorstande und dem Kasseführer so zu verteilen, daß einer allein diese Behälter nicht öffnen kann.

Der Aufsichtsrat ist verpflichtet, jährlich mindestens ein Mal eine Prüfung der Kasse und der Wertpapiere vorzunehmen und dem Vorstande über den Befund eine Bescheinigung zu geben.

§. 42.

Das Rechnungsjahr der Gesellschaft ist das Kalenderjahr.

§. 43.

Die Vermögens-Aufstellung erfolgt nach folgenden Grundsätzen:

Der Gesamt-Jahreseinnahme stehen als Ausgabe gegenüber:

a) Die Kosten der Verwaltung und des Geschäftsbetriebes;

b) der Betrag der bezahlten und der noch schwebenden Schäden;

c) die Rückversicherungsgebühren;

d) die Gebühren für die im Rechnungsjahre nicht abgelaufenen Versicherungen.

Der Ueberschuß bildet den Gewinn, ein etwaiger Fehlbetrag hingegen den Verlust des Rechnungsjahres.

Bei der Vermögens-Aufstellung sind der Nennbetrag der ausgegebenen Gesellschaftsaktien (das Grundvermögen) und die vorhandenen Rücklagen unter den Schulden aufzuführen. Der Ueberschuß der Forderungen über die Schulden bildet den Reingewinn.

Vom Reingewinn erhalten:

1. 20% die Rücklage für das Grundvermögen, bis dieselbe die Höhe von einer Million Mark erreicht hat;
2. als Gewinnanteile:
   a) 5% der Direktor;
   b) $1^{1}/_{4}$% der stellvertretende Direktor;
   c) $1^{1}/_{4}$% die Beamten-Unterstützungskasse;
3. die Rücklage für unvorhergesehene Fälle: einen von der Generalversammlung zu bestimmenden Teil;
4. den Rest die Aktionäre.

Die Rücklage für unvorhergesehene Fälle soll insbesondere zur etwaigen Aufbesserung der Gewinnanteile der Aktionäre dienen.

§. 44.

Wenn durch Verluste in den Vorjahren das durch die Einschüsse auf die Aktien zusammengebrachte bare Grundvermögen angegriffen ist, so ist der Gewinn des Rechnungsjahres zu deren Wiederherstellung und, wenn Nachschüsse eingefordert worden sind, zur Zurückzahlung dieser Nachschüsse zu verwenden.

§. 45.

Der Gewinnanteil wird, nach Feststellung desselben durch die Generalversammlung, von dem Vorstande sofort den Aktionären zur Auszahlung angewiesen.

§. 46.

Der Eigentümer der Aktie hat den Betrag des Gewinnanteils in den Gewinnanteils-Schein einzurücken und den Empfang durch Unterschrift zu bekunden.

Als der zum Gewinnanteile, sowie zur Empfangnahme der nach §. 44 zurückzugewährenden Nachschüsse Berechtigte wird derjenige angesehen, welcher am Schlusse des Rechnungsjahrs in den Büchern der Gesellschaft als Eigentümer der Aktie eingetragen war.

Gegen Einlieferung des Gewinnanteils-Empfangscheines an die Gesellschaftskasse erfolgt die Zahlung an den Ueberbringer, ohne daß die Gesellschaft gehalten ist, dessen Berechtigung zur Empfangnahme oder die Echtheit der Unterschrift zu prüfen.

§. 47.

Jeder binnen fünf Jahren nach der Bekanntmachung des Rechnungs-Abschlusses nicht abgeforderte Gewinnanteil verfällt zum Besten der Rücklage für das Grundvermögen.

Wenn ein Aktionär von dem Abhandenkommen seiner Gewinnanteils-Scheine die Gesellschaft zeitig benachrichtigt, so wird dieselbe, jedoch ohne eine Verantwortlichkeit zu übernehmen, nach Möglichkeit dafür sorgen, daß die Zahlung nicht an unberechtigte Empfänger geleistet werde. Wenn dann auf einen solchen, als verloren angegebenen Gewinnanteils-Schein die Zahlung binnen fünf Jahren nicht erfolgt ist, so wird der in der Gesellschaftskasse daher verbliebene Betrag dem Verlierer ausgehändigt.

Siebenter Abschnitt.

Abänderungen des Gesellschaftsvertrages.

§. 48.

Abänderungen des Gesellschaftsvertrages unterliegen der Genehmigung der Großherzoglichen Regierung und der Staaten, in denen die Gesellschaft zum Geschäftsbetriebe zugelassen ist.

§. 49.

Der Vorstand ist befugt, mit Genehmigung des Aufsichtsrats zu etwaigen von den Staatsregierungen verlangten Abänderungen dieses Gesellschaftsvertrages Namens der Gesellschaft seine Zustimmung zu erteilen.

Achter Abschnitt.

Allgemeine Bestimmungen.

§. 50.

Eine Abänderung der:

„Allgemeinen Versicherungs-Bedingungen“,

nach welchen die Versicherungsverträge für die Gesellschaft abzuschließen sind, bedarf der Zustimmung des Aufsichtsrats.

Dem Vorstande ist jedoch gestattet, unter besonderen Umständen von diesen Bedingungen abzuweichen.

§. 51.

Die Gesellschaft erläßt alle Bekanntmachungen in dem Deutschen Reichsanzeiger und den Oldenburgischen Anzeigen.

Es genügt die einmalige Einrückung der Bekanntmachungen, soweit die Gesetze nicht eine mehrmalige Bekanntmachung vorschreiben. (Artikel 184a. des Gesetzes vom 18. Juli 1884.)

Wenn seit der letzten Bekanntmachung 3 Tage verflossen sind, kann kein Aktionär sich mit Unbekanntschaft derselben entschuldigen.

§. 52.

Soweit dieser Gesellschaftsvertrag keine besonderen Bestimmungen enthält, kommen die allgemeinen gesetzlichen Vorschriften zur Anwendung.

Schlußbestimmung.

§. 53.

Dieser abgeänderte Gesellschaftsvertrag tritt in Kraft, sobald derselbe die staatliche Genehmigung erhalten hat und in das Handelsregister eingetragen worden ist.

Anlage A.

Oldenburger Versicherungs-Gesellschaft

zu

Oldenburg.

(Errichtet im Jahre 1857.)

Aktie

№ [illegible] über

Fünfzehnhundert Reichsmark.

Der Inhaber dieser Aktie, Herr N. N., hat vermöge derselben verhältnismäßigen Anteil an der Oldenburger Versicherungs-Gesellschaft in Gemäßheit des Gesellschaftsvertrages.

Eine Uebertragung des Eigentums dieser Aktie ist ohne ausdrückliche hierunter bekundete Einwilligung des Aufsichtsrats und des Direktors nicht gültig.

Wenn die Gesellschaft an einen Beteiligten Forderungen irgend einer Art hat, so steht ihr das Zurückbehaltungs- und Aufrechnungsrecht nicht blos an den Austeilungen, sondern selbst an dem Werte dieser Aktie zu.

Wird von Seiten des Gerichts eine Zwangsvollstreckung oder ein Arrest auf die Aktie eines Mitgliedes ausgebracht, so ist die Gesellschaft berechtigt, dieselbe sofort öffentlich zu verkaufen und den Erlös gerichtlich zu hinterlegen.

Jede Verpfändung der Aktie, welche ohne Genehmigung des Aufsichtsrats geschieht, ist ungültig.

Oldenburg i. Gr., den

Oldenburger Versicherungs-Gesellschaft.

Für den Aufsichtsrat: N. N.

Der Direktor: N. N.

Anlage B.

Gewinnanteils-Schein.

Gewinnanteils-Schein
für die
Aktie № [illegible]
der Oldenburger Versicherungs-Gesellschaft
für das Jahr ....

Den für das Jahr .... von der Oldenburger Versicherungs-Gesellschaft festgestellten Gewinnanteil habe ich für die Aktie Nr. ... mit Mark .... empfangen.

........., den .. ten ...... 18 ..

N. N.

(Anm. Gewinnanteils-Zahlungen, welche binnen fünf Jahren nach Bekanntmachung des Rechnungs-Abschlusses nicht abgefordert werden, sind zum Besten der Gesellschaft, §. 47 des Vertrages, verfallen.)

Anlage C.

Auszustellender Wechsel.

...... **den** ...... **Für** .... **Mark.**

Vierzehn Tage nach Wiedersicht zahle ich gegen diesen meinen Wechsel an die Oldenburger Versicherungs-Gesellschaft, nicht an Ordre, bei der Hauptkasse der Gesellschaft in Oldenburg die Summe von .... Mark und leiste zur Verfallzeit rechtzeitige Zahlung nach Wechselrecht, insofern mir dieser Wechsel binnen dreißig Jahren vorgezeigt wird. Den Wert habe ich in einer Aktie Nr. .... der Oldenburger Versicherungs-Gesellschaft empfangen.

N. N.

Ministerium des Innern.

Dem vorstehenden, in der General-Versammlung vom 10. Februar d. J. beschlossenen und Seitens der Großherzoglich Oldenburgischen Staatsregierung genehmigten

abgeänderten Gesellschafts-Vertrage der Oldenburger Versicherungs-Gesellschaft,

welcher an die Stelle des seitherigen Statuts vom Jahre 1857 und der dazu ergangenen Nachträge tritt, wird die in der Concession zum Geschäftsbetriebe in Preußen vom 26. Februar 1860 vorbehaltene Genehmigung hierdurch ertheilt.

Berlin, den 24. Juni 1888.

L. S.

Der Minister des Innern.
Im Auftrage:
v. Zastrow.

Genehmigungsurkunde.
I. A. 6139.

Druck von Ad. Littmann in Oldenburg.

Extrablatt zum Amtsblatt

der Königlichen Regierung zu Potsdam und der Stadt Berlin.

Ausgegeben den 29. September 1888.

Bekanntmachung.

Auf Grund des § 28 des Gesetzes gegen die gemeingefährlichen Bestrebungen der Sozialdemokratie vom 21. Oktober 1878 (Reichs-Gesetz-Blatt S. 351) wird mit Genehmigung des Bundesraths für die Zeit vom 1. Oktober d. J. bis zum 30. September 1889 angeordnet, was folgt:

§ 1. In dem die Stadt Berlin, die Stadtkreise Potsdam, Charlottenburg und Spandau, sowie die Kreise Teltow, Niederbarnim und Osthavelland umfassenden Bezirke bedürfen Versammlungen, in welchen öffentliche Angelegenheiten erörtert oder berathen werden sollen, der vorgängigen schriftlichen Genehmigung der Ortspolizeibehörde. Die Genehmigung ist von dem Unternehmer mindestens achtundvierzig Stunden vor dem Beginne der Versammlung nachzusuchen.

Auf Versammlungen zum Zwecke einer ausgeschriebenen Wahl zum Reichstage oder zur Landesvertretung erstreckt sich diese Beschränkung nicht.

§ 2. In dem im § 1 bezeichneten Bezirke ist die Verbreitung von Druckschriften auf öffentlichen Wegen, Straßen, Plätzen oder an anderen öffentlichen Orten ohne besondere polizeiliche Genehmigung verboten.

§ 3. Personen, von denen eine Gefährdung der öffentlichen Sicherheit oder Ordnung zu besorgen ist, kann der Aufenthalt in dem im § 1 bezeichneten Bezirke für den ganzen Umfang desselben von der Landespolizeibehörde versagt werden.

§ 4. In der Stadt Berlin und den Stadtkreisen Potsdam und Charlottenburg ist das Tragen von Stoß-, Hieb- oder Schußwaffen, sowie der Besitz, das Tragen, die Einführung und der Verkauf von Sprenggeschossen, soweit es sich nicht um Munition des Reichsheeres und der Kaiserlichen Marine handelt, verboten.

Von letzterem Verbote werden Gewehrpatronen nicht betroffen. Ausnahmen von dem Verbote des Waffentragens finden statt:

1) für Personen, welche kraft ihres Amtes oder Berufes zur Führung von Waffen berechtigt sind, in Betreff der letzteren;
2) für die Mitglieder von Vereinen, welchen die Befugniß, Waffen zu tragen, beiwohnt, in dem Umfange dieser Befugniß;
3) für Personen, welche sich im Besitze eines Jagdscheines befinden, in Betreff der zur Ausübung der Jagd dienenden Waffen;
4) für Personen, welche einen für sie ausgestellten Waffenschein bei sich führen, in Betreff der in demselben bezeichneten Waffen.

Ueber die Ertheilung des Waffenscheines befindet die Landespolizeibehörde. Er wird von derselben kosten- und stempelfrei ausgestellt, und kann zu jeder Zeit wieder entzogen werden.

Berlin, den 26. September 1888.

Königl. Staats-Ministerium.

von Bismarck. von Maybach. von Friedberg. von Goßler. Bronsart von Schellendorff. Herrfurth.

Vorstehende Anordnung wird hierdurch zur öffentlichen Kenntniß gebracht unter Hinweisung darauf, daß, wer dieser Anordnung oder den auf Grund derselben zu erlassenden Verfügungen zuwiderhandelt, nach § 28 Absatz 4 des Reichsgesetzes gegen die gemeingefährlichen Bestrebungen der Sozialdemokratie vom 21. Oktober 1878 mit Geldstrafe bis zu 1000 Mark oder mit Haft oder mit Gefängniß bis zu 6 Monaten bestraft wird. Zugleich wird hierdurch bestimmt, daß Anträge auf Ertheilung von Waffenscheinen gemäß § 4 № 4 vorstehender Anordnung in Berlin bei den Polizei-Revieren, in den Städten Potsdam und Charlottenburg bei den Königlichen Polizei-Direktionen daselbst anzubringen sind. Die auf Grund der staatsministeriellen Anordnung vom 27. September 1887 ausgestellten Waffenscheine gelten nur bis zum 30. September dieses Jahres. Etwaige Anträge auf Erneuerung derselben sind unter Einreichung des abgelaufenen Waffenscheines bei den obengenannten Stellen anzubringen.

Berlin und Potsdam, den 27. September 1888.

Der Königliche Polizei-Präsident.	Der Königliche Regierungs-Präsident.
Freiherr von Richthofen.	J. V.: Goeschel.

* * *

Bekanntmachung.

Auf Grund der nach § 28 des Reichs-Gesetzes gegen die gemeingefährlichen Bestrebungen der Sozialdemokratie vom 21. Oktober 1878 von dem Königlichen Staatsministerium unter dem 26. September 1888 getroffenen Anordnung wird allen denjenigen Personen, welchen auf Grund der gleichlautenden Anordnung des Königlichen Staatsministeriums vom 27. September / 6. Oktober 1887 der Aufenthalt in dem die Stadt Berlin, die Stadtkreise Charlottenburg, Potsdam und Spandau, sowie die Kreise Teltow, Niederbarnim und Osthavelland umfassenden Bezirke versagt worden ist, der Aufenthalt innerhalb des ganzen vorerwähnten Bezirks von den Unterzeichneten von Landespolizeiwegen hierdurch fernerweit untersagt. Ausgenommen hiervon sind nur diejenigen Personen, welchen der Aufenthalt in Berlin und den erwähnten Kreisen durch besondere Verfügungen ohne Vorbehalt wieder gestattet ist.

Berlin und Potsdam, den 27. September 1888.

Der Königliche Polizei-Präsident. Freiherr von Richthofen. — Der Königliche Regierungs-Präsident. J. V. Goeschel.

* * *

Bekanntmachung.

Unter Bezugnahme auf die nach § 28 des Reichsgesetzes gegen die gemeingefährlichen Bestrebungen der Sozialdemokratie vom 21. Oktober 1878 von dem Königlichen Staatsministerium unter dem 26. September 1888 getroffenen Anordnung wird

1) Die Verbreitung der regelmäßigen Auflage periodischer Druckschriften im Sinne des Reichsgesetzes über die Presse vom 7. Mai 1874, sofern nicht die Druckschrift auf Grund des § 14 dieses Gesetzes beziehungsweise auf Grund des Reichsgesetzes vom 21. Oktober 1878 verboten ist, unter Vorbehalt des Widerrufs;
2) Die Verbreitung von Druckschriften, welche lediglich den Zwecken des Gewerbes und Verkehrs dienen,

auf öffentlichen Wegen, Straßen oder an anderen öffentlichen Orten hierdurch genehmigt. Die Verbreitung aller anderen Druckschriften z. B. Flugblätter, Extrablätter bedarf der jedesmaligen polizeilichen Genehmigung, welche von dem Redakteur oder Verleger beziehungsweise Verfasser oder Herausgeber in Berlin, Molkenmarkt 1, Zimmer 12, in Charlottenburg bei der Königlichen Polizei-Direktion daselbst nachzusuchen ist.

Die Bestimmungen des § 43 der Gewerbe-Ordnung bleiben hierdurch unberührt.

Berlin, den 27. September 1888.

Der Polizei-Präsident.
Freiherr von Richthofen.

* * *

Bekanntmachung.

Auf Grund des § 28 des Gesetzes gegen die gemeingefährlichen Bestrebungen der Sozialdemokratie vom 21. Oktober 1878 (R.-G.-Bl. S. 351) wird mit Genehmigung des Bundesraths für die Zeit vom 1. Oktober d. J. bis 30. September 1889 angeordnet, was folgt:

§ 1. In dem den Stadtkreis Altona, die Kirchspielvogteibezirke Blankenese und Pinneberg und die Städte Pinneberg und Wedel des Kreises Pinneberg, die Kirchspielvogteibezirke Reinbeck und Bargteheide, die gutsobrigkeitlichen Bezirke Ahrensburg, Tangstedt, Hoisbüttel, Wellingsbüttel, Wulksfelde und Silk, sowie die Stadt Wandsbeck des Kreises Stormarn, die Landvogteibezirke Schwarzenbeck und Lauenburg, die gutsobrigkeitlichen Bezirke Basthorst, Lanken, Wotersen, Müssen, Güllzow und Daldorf, sowie die Stadt Lauenburg des Kreises Herzogthum Lauenburg, die Stadt und den Bezirk des vormaligen Amts Harburg umfassenden Bezirke bedürfen Versammlungen, in welchen öffentliche Angelegenheiten erörtert oder berathen werden sollen, der vorgängigen schriftlichen Genehmigung der Ortspolizeibehörde.

Die Genehmigung ist von dem Unternehmer mindestens achtundvierzig Stunden vor dem Beginne der Versammlung nachzusuchen. Auf Versammlungen zum Zwecke einer ausgeschriebenen Wahl zum Reichstage oder zur Landesvertretung erstreckt sich diese Beschränkung nicht.

§ 2. In dem im § 1 bezeichneten Bezirke ist die Verbreitung von Druckschriften auf öffentlichen Wegen, Straßen, Plätzen oder an anderen öffentlichen Orten ohne besondere polizeiliche Genehmigung verboten.

§ 3. Personen, von denen eine Gefährdung der öffentlichen Sicherheit oder Ordnung zu besorgen ist, kann der Aufenthalt in dem im § 1 bezeichneten Bezirke für den ganzen Umfang desselben von der Landespolizeibehörde versagt werden.

Berlin, den 26. September 1888.

Königl. Staats-Ministerium.
von Bismarck. von Maybach. von Friedberg.
von Goßler. Bronsart von Schellendorff.
Herrfurth.

* * *

Bekanntmachung.

Auf Grund des § 28 des Gesetzes gegen die gemeingefährlichen Bestrebungen der Sozialdemokratie vom 21. Oktober 1878 (Reichsgesetz-Blatt Seite 351 ff.) wird mit Zustimmung des Bundesraths für die Zeit vom 1. Oktober d. J. bis 30. September 1889 angeordnet, was folgt:

§ 1. Personen, von denen eine Gefährdung der öffentlichen Sicherheit oder Ordnung zu besorgen ist, kann der Aufenthalt in dem den Stadt- und Landkreis Frankfurt a. M., den Stadt- und Landkreis Hanau, den Kreis Höchst und den Obertaunuskreis umfassenden Bezirke für den ganzen Umfang desselben von der Landespolizeibehörde versagt werden.

§ 2. In dem im § 1 bezeichneten Bezirke ist das Tragen von Stoß-, Hieb- oder Schußwaffen, sowie der Besitz, das Tragen, die Einführung und der Verkauf von Sprenggeschossen, soweit es sich nicht um Munition des Reichsheeres und der Kaiserlichen Marine handelt, verboten.

Von letzterem Verbote werden Gewehrpatronen nicht betroffen.

Ausnahmen von dem Verbote des Waffentragens finden statt:

1) Für Personen, welche kraft ihres Amtes oder Berufes zur Führung von Waffen berechtigt sind, in Betreff der letzteren;
2) für die Mitglieder von Vereinen, welchen die Befugniß, Waffen zu tragen, beiwohnt, in dem Umfange dieser Befugniß;
3) für Personen, welche sich im Besitze eines Jagdscheines befinden, in Betreff der zur Ausübung der Jagd dienenden Waffen;
4) für Personen, welche einen für sie ausgestellten

Waffenschein bei sich führen, in Betreff der in demselben bezeichneten Waffen.

Ueber die Ertheilung des Waffenscheines befindet die Landespolizeibehörde. Er wird von derselben kosten- und stempelfrei ausgestellt und kann zu jeder Zeit wieder entzogen werden.

Berlin, den 26. September 1888.

Königl. Staats-Ministerium.

von Bismarck. von Maybach. von Friedberg.
von Goßler. Bronsart von Schellendorff.
Herrfurth.

* * *

Bekanntmachung.

Auf Grund des § 28 des Gesetzes gegen die gemeingefährlichen Bestrebungen der Sozialdemokratie vom 21. Oktober 1878 (Reichsgesetz-Blatt Seite 351) wird mit Zustimmung des Bundesraths für die Zeit vom 1. Oktober d. J. bis 30. September 1889 angeordnet, was folgt:

§ 1. In dem die Städte Stettin, Grabow a. O. und Alt-Damm, sowie die Amtsbezirke Bredow, Warsow, Scheune und Finkenwalde umfassenden Bezirke bedürfen Versammlungen, in welchen öffentliche Angelegenheiten erörtert oder berathen werden sollen, der vorgängigen schriftlichen Genehmigung der Ortspolizeibehörde.

Die Genehmigung ist von dem Unternehmer mindestens achtundvierzig Stunden vor dem Beginn der Versammlungen nachzusuchen.

Auf Versammlungen zum Zwecke einer ausgeschriebenen Wahl zum Reichstag oder zur Landesvertretung erstreckt sich diese Beschränkung nicht.

§ 2 In dem im § 1 bezeichneten Bezirke ist die Verbreitung von Druckschriften auf öffentlichen Wegen, Straßen, Plätzen oder an anderen öffentlichen Orten ohne besondere polizeiliche Genehmigung verboten.

§ 3. Personen, von denen eine Gefährdung der öffentlichen Sicherheit oder Ordnung zu besorgen ist, kann der Aufenthalt in dem im § 1 bezeichneten Bezirke für den ganzen Umfang desselben von der Landespolizeibehörde versagt werden.

§ 4. In dem im § 1 bezeichneten Bezirke ist das Tragen von Stoß-, Hieb- oder Schußwaffen, sowie der Besitz, das Tragen, die Einführung und der Verkauf von Sprenggeschossen, soweit es sich nicht um Munition des Reichsheeres und der Kaiserlichen Marine handelt, verboten.

Von letzterem Verbote werden Gewehrpatronen nicht betroffen. Ausnahmen von dem Verbote des Waffentragens finden statt:

1) für Personen, welche kraft ihres Amtes oder Berufes zur Führung von Waffen berechtigt sind, in Betreff der letzteren;
2) für die Mitglieder von Vereinen, welchen die Befugniß, Waffen zu tragen beiwohnt, in dem Umfange dieser Befugniß;
3) für Personen, welche sich im Besitze eines Jagdscheines befinden, in Betreff der zur Ausübung der Jagd dienenden Waffen;
4) für Personen, welche einen für sie ausgestellten Waffenschein bei sich führen, in Betreff der in demselben bezeichneten Waffen.

Ueber die Ertheilung des Waffenscheines befindet die Landespolizeibehörde. Er wird von derselben kosten- und stempelfrei ausgestellt und kann zu jeder Zeit wieder entzogen werden.

Berlin, den 26. September 1888.

Königl. Staats-Ministerium.

von Bismarck. von Maybach. von Friedberg.
von Goßler. Bronsart von Schellendorff.
Herrfurth.

Redigirt von der Königlichen Regierung zu Potsdam.

Potsdam, Buchdruckerei der A. W. Hayn'schen Erben (E. Hayn, Hof-Buchdrucker).

Amtsblatt

der Königlichen Regierung zu Potsdam und der Stadt Berlin.

Stück 40. Den 5. Oktober **1888.**

Reichs-Gesetzblatt.

(Stück 34.) № 1819. Verordnung, betreffend die Ausführung der am 9. September 1886 zu Bern abgeschlossenen Uebereinkunft wegen Bildung eines internationalen Verbandes zum Schutze von Werken der Literatur und Kunst. Vom 11. Juli 1888.

№ 1820. Bekanntmachung, betreffend den Beitritt Luxemburgs zu der am 9. September 1886 zu Bern abgeschlossenen Uebereinkunft wegen Bildung eines internationalen Verbandes zum Schutze von Werken der Literatur und Kunst. Vom 30. Juli 1888.

(Stück 35.) № 1821. Verordnung über die Zuständigkeit der Reichsbehörden zur Ausführung des Gesetzes, betreffend die Rechtsverhältnisse der Reichsbeamten, vom 31. März 1873. Vom 7. August 1888.

№ 1822. Bekanntmachung, betreffend die Erweiterung der Festungsanlagen von Magdeburg. Vom 16. August 1888.

(Stück 36.) № 1823. Bekanntmachung, betreffend die Einfuhr von Pflanzen und sonstigen Gegenständen des Gartenbaues. Vom 16. September 1888.

Gesetz-Sammlung für die Königlichen Preußischen Staaten.

(Stück 26.) № 9304. Verordnung, betreffend den Erlaß eines neuen Statuts für die Spar- und Leihkasse für die Hohenzollernschen Lande. Vom 10. August 1888.

(Stück 27.) № 9305. Siebente Nachtragsverordnung, betreffend die Kautionen der Beamten aus dem Bereiche des Ministeriums der geistlichen, Unterrichts- und Medizinal-Angelegenheiten. Vom 30. Juli 1888.

№ 9306. Allerhöchster Erlaß vom 11. Juli 1888, betreffend die Genehmigung des revidirten Statuts für die Provinzial-Hülfskasse der Provinz Posen, sowie des Dritten Nachtrages zu dem Regulativ vom 16. August 1871 (Gesetz-Samml. S. 385), betreffend die Verwaltung der provinzialständischen Anstalten und Einrichtungen für Irre, Taubstumme und Blinde, sowie zur Unterstützung angehender Erzieherinnen in der Provinz Posen.

Bekanntmachungen des Königlichen Ober-Präsidenten der Provinz Brandenburg.

Wahlen zur siebenzehnten Legislaturperiode des Hauses der Abgeordneten.

19. Für die Wahlen zur siebenzehnten Legislaturperiode des Hauses der Abgeordneten habe ich auf Grund der §§ 17 und 28 der Verordnung vom 30sten Mai 1849 (Ges.-Samml. S. 205) als Wahltermin und zwar für

die Wahl der Wahlmänner
den 30. Oktober d. J.
und für die Wahl der Abgeordneten
den 6. November d. J.

festgesetzt, was hierdurch zur öffentlichen Kenntniß gebracht wird. Berlin, den 23. September 1888.

Der Minister des Innern.
gez. Herrfurth.

* * *

Mit Bezug auf die vorstehende Bekanntmachung des Herrn Ministers des Innern bringe ich die durch das Gesetz vom 27. Juni 1860 festgestellten Wahlbezirke für die Stadt Berlin, die Zahl der zu wählenden Abgeordneten, sowie die von mir auf Grund des § 26 der Verordnung vom 30. Mai 1849 für die bevorstehende Wahl zum Hause der Abgeordneten ernannten Wahlkommissare zur öffentlichen Kenntniß:

№	Wahlbezirke.	Zahl der zu wählenden Abgeordneten.	Wahlkommissare.
1	linkes Spreeufer, untere Stadt	3	Stadtrath Meubrink, Stellvertreter: Stadtrath Schäfer.
2	linkes Spreeufer, obere Stadt und der Stadttheil Berlin	2	Stadtrath Voigt, Stellvertreter: Stadtrath Hübner.
3	rechtes Spreeufer, untere Stadt	2	Stadtrath Haack, Stellvertreter: Stadtrath Mamroth.
4	rechtes Spreeufer, obere Stadt	2	Stadtrath Marggraff, Stellvertreter: Stadtrath Friedel.

Potsdam, den 29. September 1888. Der Ober-Präsident, Staatsminister Achenbach.

Wahl eines Mitgliedes des Brandenburgischen Provinziallandtages.

20. An Stelle des aus der hiesigen Provinz nach Düsseldorf verzogenen ehemaligen Landraths, jetzigen Regierungsraths Hoffmann ist vom Kreistage des Kreises Spremberg der Bürgermeister Wirth zu Spremberg zum Mitgliede des Brandenburgischen Provinziallandtages gewählt worden, was gemäß § 21 der Provinzial-Ordnung hierdurch bekannt gemacht wird.

Potsdam, den 25. September 1888.

Der Oberpräsident der Provinz Brandenburg,
Staatsminister Achenbach.

Bekanntmachungen des Königlichen Regierungs-Präsidenten.

Verloosung von Kanarienhähnen ꝛc. in Berlin.

254. Der Herr Oberpräsident hat dem Verein für Liebhaber und Züchter des Kanarienvogels „Canaria" in Berlin für den Umfang der Stadt Berlin und der Provinz Brandenburg die bis Ende Dezember d. J. gültige Erlaubniß ertheilt, im Anschluß an die im Monat Dezember stattfindende Ausstellung des Vereins eine Verloosung von Kanarienhähnen ꝛc. zu veranstalten und zu diesem Zweck 12000 Loose zu 1 Mark auszugeben.

Potsdam und Berlin, den 25. September 1888.

Der Regierungs-Präsident. Der Polizei-Präsident.

Viehseuchen.

255. Der Milzbrand unter dem Rindvieh zu Wernsdorf, Kreis Beeskow-Storkow, ist erloschen.

Potsdam, den 27. September 1888.

Der Regierungs-Präsident.

Bekanntmachungen der Königlichen Regierung.

Notirung forstversorgungsberechtigter Jäger betreffend

25. Auf Grund des § 26 des Regulativs über Ausbildung, Prüfung und Anstellung für die unteren Stellen des Forstdienstes in Verbindung mit dem Militairdienst im Jägerkorps, vom 1. Februar 1887, werden bei den Königlichen Regierungen zu **Potsdam**, Frankfurt, Stettin, Coeslin, Stralsund, Posen, Breslau, Magdeburg, Merseburg, Düsseldorf, Cöln und Trier neue Notirungen forstversorgungsberechtigter Jäger der Klasse A. bis auf Weiteres dergestalt ausgeschlossen, daß bei den genannten Behörden nur Meldungen solcher Jäger angenommen werden dürfen, welche zur Zeit der Ausstellung des Forstversorgungsscheins mindestens 2 Jahre im Staatsforstdienst des Bezirks beschäftigt sind.

Die Zahl der Anwärter ist gegenwärtig verhältnißmäßig am geringsten in den Regierungsbezirken Cassel, Minden, Liegnitz, Osnabrück, Aurich, Lüneburg, Bromberg und bei der Königlichen Hofkammer zu Berlin.

Berlin, den 15. September 1888.

Der Minister für Landwirthschaft, Domainen u. Forsten.
Im Auftrage: von Borne.

* * *

Vorstehende Bestimmung wird hiermit zur öffentlichen Kenntniß gebracht.

Potsdam, den 26. September 1888.

Königl. Regierung.

Bekanntmachungen des Königl. Polizei-Präsidiums zu Berlin.

Prüfung für Heilgehülfen.

100. Personen, welche die Prüfung für Heilgehülfen abzulegen wünschen, haben zu diesem Zwecke zunächst 6 Mark Prüfungsgebühren bei der Königlichen Polizei-Hauptkasse, Molkenmarkt Nr. 1, Erdgeschoß, in den Vormittagstunden von 9—1 Uhr gegen Quittung einzuzahlen.

Die Anmeldung zur Prüfung ist persönlich, unter Vorlegung der erhaltenen Quittung **lediglich bei dem Königlichen Stadtphysikus**, Tempelhofer Ufer 29 I., bis 9 Uhr Vormittags zu machen. **Meldungen bei dem Königlichen Polizei-Präsidium sind überflüssig.**

Berlin, den 17. April 1888.

Der Polizei-Präsident.

* * *

Vorstehende Bekanntmachung wird hiermit wiederholt zur öffentlichen Kenntniß gebracht.

Berlin, den 26. September 1888.

Der Polizei-Präsident.

101. **Zweiter Nachtrag**
zum Statut des „Nordstern" Arbeiter-Versicherungs-Actien-Gesellschaft.

1) Paragraph Eins. Die Firma soll fortan nicht mehr „Nordstern, Arbeiter-Versicherungs-Actien-Gesellschaft", sondern:

„Nordstern, Unfall- und Alters-Versicherungs-Actien-Gesellschaft"

lauten.

Alinea eins wird Alinea zwei und Alinea zwei wird Alinea eins.

2) Paragraph Sechsundzwanzig. Alinea sechs wird hinter den Worten „welche bei der Gesellschaft" eingeschaltet:

„gegen Unfall mit mindestens einhundert und fünfzig Mark Jahresprämie oder auf Ablebens- und Altersversicherung."

3) Paragraph Vierunddreißig: Hinter den Worten:

„A. auf sichere Hypotheken oder Grundschuldbriefe"

wird folgendes Alinea eingeschaltet:

„Eine Hypothek oder Grundschuld ist für sicher zu erachten, wenn sie bei ländlichen Grundstücken innerhalb der ersten zwei Drittheile des durch ritterschaftliche, landschaftliche oder gerichtliche, nach ritterschaftlichen oder landschaftlichen Grundsätzen aufgenommene Taxe oder durch eine gemäß Paragraph vier des Statuts für das neue brandenburgische Credit-Institut (Gesetz-Sammlung von Achtzehnhundert neun und sechszig Seite Eintausend sechs und dreißig) geschehene Werthermittelung festgestellten Beleihungswerths oder innerhalb des fünfzehnfachen Betrages des Grundsteuer-Reinertrages der Liegenschaft, bei städtischen innerhalb der nachfolgenden Grundsätzen festgestellten Beleihungsgrenze zu stehen kommt."

4) Paragraph Fünf und dreißig. Alinea eins a. soll fortan lauten:

„a. die aus den Vorjahren für die laufenden Risicos zurückgestellten Prämien-Ueberträge und Reserven,"

Alinea zwei wird als Position a. eingeschaltet:

„a. die Reserve für den am Jahresschlusse noch nicht verdienten Theil der vereinnahmten Prämien (Prämien-Ueberträge)"

die Positionen a., b., c., d., e. erhalten die Buchstaben b., c., d., e., f.

5) Paragraph Sechs und dreißig. Zweites Alinea wird unter „II. Passivis" als Position b. eingeschaltet:

„b. die Reserve für den am Jahresschlusse noch nicht verdienten Theil der vereinnahmten Prämien (Prämien-Ueberträge)"

die Positionen b., c., d., e., f., g., h. erhalten die Buchstaben c., d., e., f., g., h. i.

6) Paragraph Acht und Dreißig. Das vierte und fünfte Alinea fallen fort und tritt an deren Stelle das folgende vierte Alinea:

„Der nach Zahlung von zehn Procent Dividende an die Actionäre verbleibende Ueberschuß fällt zur Hälfte in den Risico-Reserve-Fonds und zur anderen Hälfte an die mit Gewinn-Antheil Versicherten, sobald aber und solange der Risico-Reservefonds die Höhe von Fünf und zwanzig Procent der rechnungsmäßigen Reserve (Paragraph sechs und dreißig II c.) erreicht hat, zum vollen Betrage an die mit Gewinn-Antheil Versicherten."

7) Paragraph Ein und Vierzig lautet fortan:

„§ 41.

Der Risico-Reserve-Fonds hat den Zweck, Verluste aus ungünstiger Sterblichkeit der Versicherten oder ungünstiger Schadenziffer in der Abtheilung der Unfall-Versicherung auszugleichen.

Eine Ergänzung des Risico-Reservefonds, sofern er in Anspruch genommen ist, erfolgt immer nur aus den Jahresüberschüssen gemäß Paragraph Acht und Dreißig."

8) Paragraph Drei und Vierzig lautet fortan:

„§ 43.

Die Vertheilung des an die Versicherten fallenden Theiles des Ueberschusses erfolgt nach Maßgabe der mit denselben geschlossenen Verträge.

Etwa wegen Erlöschens der Versicherungen nicht zur Auszahlung gelangende Antheile der Versicherten fallen in den Risico-Reserve-Fonds."

9) Beilage C. Dividenden-Schein-Formular und

10) Beilage D. Talons-Formular sollen die Worte:

„(2 Unterschriften)" fortan lauten:

„(Facsimile der Unterschriften)",

denen dann hinzuzufügen:

„Unterschrift eines Controllbeamten."

* * *

Dem vorstehenden in Folge der Beschlüsse der General-Versammlung vom 16. April d. J. aufgestellten Zweiten Nachtrage zu dem Statute des „Nordstern", Arbeiter-Versicherungs-Actien-Gesellschaft zu Berlin, de conf. 20. November 1880, wird hierdurch die staatliche Genehmigung ertheilt.

Berlin, den 6. Juli 1888.

L. S.

Der Minister für Handel und Gewerbe. In Vertretung. gez. Magdeburg.	Der Minister des Innern. gez. Herrfurth.

Genehmigungsurkunde.
M. f. Hdl. ꝛc. C. 3814.
M. d. J. I. A. 6430.

* * *

Vorstehender zweiter Nachtrag zum Statut des „Nordstern", Arbeiter-Versicherungs-Actien-Gesellschaft hierselbst, wird nebst der staatlichen Genehmigungs-Urkunde vom 6. Juli 1888 hierdurch mit dem Bemerken zur öffentlichen Kenntniß gebracht, daß das Gesellschafts-Statut vom $\frac{\text{27. September}}{\text{20. November}}$ 1880 in der Extra-Beilage zum 5. Stück des Amtsblattes der Königlichen Regierung zu Potsdam und der Stadt Berlin vom 4. Februar 1881 — und der erste Nachtrag zu diesem Statut vom $\frac{\text{9. April}}{\text{27. August}}$ 1885 im Stück 3 desselben Amtsblattes vom 15. Januar 1886 — veröffentlicht worden ist.

Berlin, den 17. September 1888.

Der Polizei-Präsident.

Bekanntmachungen der Königlichen Hauptverwaltung der Staatsschulden.

Aufgebot einer Schuldverschreibung.

20. Das Bankgeschäft von Herrig & Franz hierselbst, Taubenstraße Nr. 33, hat auf Umschreibung der Schuldverschreibung der konsolidirten 4prozentigen Staatsanleihe von 1885 Lit. E. № 921991 über 300 M. angetragen, weil von der unteren linken Ecke derselben ein Stück abgeschnitten ist.

In Gemäßheit des § 3 des Gesetzes vom 4. Mai 1843 (Ges.-S. S. 177) wird deshalb Jeder, der an diesem Papier ein Anrecht zu haben vermeint, aufgefordert, dasselbe binnen 6 Monaten und spätestens

am 11. Februar 1889

uns anzuzeigen, widrigenfalls das Papier kassirt und dem obengenannten Bankgeschäft ein neues kursfähiges ausgehändigt werden wird.

Berlin, den 26. Juli 1888.

Hauptverwaltung der Staatsschulden.

Bekanntmachungen der Königl. Kontrolle der Staatspapiere.

Aufgebot einer Schuldverschreibung.

17. In Gemäßheit des § 20 des Ausführungsgesetzes zur Civilprozeßordnung vom 24. März 1879 (G.-S. S. 281) und des § 6 der Verordnung vom 16. Juni 1819 (G.-S. S. 157) wird bekannt gemacht, daß im Nachlasse des im April d. J. zu Brodenaundorf bei Zschortau verstorbenen Bauunternehmers Rudolf Schäfer die Schuldverschreibung der konsolidirten 4%igen Staatsanleihe von 1885 lit. D. № 669253 über 500 M. angeblich vermißt wird. Es wird Derjenige, welcher sich im Besitze dieser Urkunde befindet, hiermit aufgefordert, solches der unterzeichneten Kontrolle der Staatspapiere oder der Wittwe Sophie Schäfer zu Brodenaundorf anzuzeigen, widrigenfalls das gerichtliche Aufgebotsverfahren behufs Kraftloserklärung der Urkunde beantragt werden wird.

Berlin, den 25. September 1888.

Königl. Kontrolle der Staatspapiere.

Aufgebot einer Schuldverschreibung.

18. In Gemäßheit des § 20 des Ausführungsgesetzes zur Civilprozeßordnung vom 24. März 1879 (G.-S. S. 281) und des § 6 der Verordnung vom 16. Juni 1819 (G.-S. S. 157) wird bekannt gemacht, daß die in einem Werthbriefe befindlich gewesene Schuldverschreibung der konsolidirten $3\frac{1}{2}$%igen Staatsanleihe von 1886 lit. E. № 49431 über 300 M. am Briefausgabeschalter des Kaiserlichen Postamts I. zu Stettin angeblich abhanden gekommen ist. Es wird Derjenige, welcher sich im Besitze dieser Urkunde befindet, hiermit aufgefordert, solches der unterzeichneten Kontrolle der Staatspapiere oder der Kaiserlichen Ober-Post-Direktion zu Stettin anzuzeigen, widrigenfalls das gerichtliche Aufgebotsverfahren behufs Kraftloserklärung der Urkunde beantragt werden wird.

Berlin, den 25. September 1888.

Königl. Kontrolle der Staatspapiere.

Bekanntmachungen des Königlichen Oberbergamts zu Halle.

12. Nachstehende Verleihungsurkunde:

„Im Namen des Königs.

Auf Grund der am 6. Mai 1888 mit Präsentationsvermerk versehenen Muthung wird dem Ingenieur Gustav Stuckenholz zu Berlin W., Landgrafenstraße Nr. 14, unter dem Namen **Zehlendorf I.** das Bergwerkseigenthum in dem Felde, dessen Begrenzung auf dem heute von uns beglaubigten Situationsrisse mit den Buchstaben b' c' e' f' b' bezeichnet ist, und welches, einen Flächeninhalt von 2 188 720 qm, geschrieben: Zwei Millionen einhundertachtundachtzig Tausend siebenhundertundzwanzig Quadratmeter umfassend, in den Gemarkungen Zehlendorf, Kreuzbruch, Königl. Liebenwalder Forst, Bernöwe, Klosterfelde, Stolzenhagen und Auswärtige Wiesen am Malzer Kanal im Kreise Niederbarnim des Regierungsbezirks Potsdam und im Oberbergamtsbezirke Halle gelegen ist, zur Gewinnung der in dem Felde vorkommenden Braunkohlen hierdurch verliehen",

urkundlich ausgefertigt am heutigen Tage, wird mit dem Bemerken, daß der Situationsriß in dem Büreau des Königlichen Bergrevierbeamten zu Eberswalde zur Einsicht offen liegt, unter Verweisung auf die Paragraphen 35 und 36 des Allgemeinen Berggesetzes vom 24. Juni 1865 hierdurch zur öffentlichen Kenntniß gebracht.

Halle a. S., den 19. September 1888.

Königliches Oberbergamt.

13. Nachstehende Verleihungsurkunde:

„Im Namen des Königs.

Auf Grund der am 29. Februar 1888 mit Präsentationsvermerk versehenen Muthung wird dem Ingenieur Gustav Stuckenholz zu Berlin W., Landgrafenstraße Nr. 14, unter dem Namen **Kreuzbruch III.** das Bergwerkseigenthum in dem Felde, dessen Begrenzung auf dem heute von uns beglaubigten Situationsrisse mit den Buchstaben: p o t u p bezeichnet ist, und welches, einen Flächeninhalt von 2 188 699,74 qm, geschrieben: Zwei Millionen einhundertachtundachtzig Tausend sechshundertneunundneunzig $^{74}/_{100}$ Quadratmeter umfassend, in den Gemarkungen Kreuzbruch, Klosterfelde und Königl. Forst Liebenwalde im Kreise Niederbarnim des Regierungsbezirks Potsdam und im Oberbergamtsbezirke Halle gelegen ist, zur Gewinnung der in dem Felde vorkommenden Braunkohlen hierdurch verliehen",

urkundlich ausgefertigt am heutigen Tage, wird mit dem Bemerken, daß der Situationsriß in dem Büreau des Königlichen Bergrevierbeamten zu Eberswalde zur Einsicht offen liegt, unter Verweisung auf die Paragraphen 35 und 36 des Allgemeinen Berggesetzes vom 24. Juni 1865 hierdurch zur öffentlichen Kenntniß gebracht.

Halle a. S., den 19. September 1888.

Königl. Oberbergamt.

14. Nachstehende Verleihungsurkunde:

„Im Namen des Königs.

Auf Grund der am 26. Juni 1888 mit Präsentationsvermerk versehenen Muthung wird dem Ingenieur Gustav Stuckenholz zu Berlin-W., Landgrafenstraße Nr. 14, unter dem Namen **Kreuzbruch IV.** das Bergwerkseigenthum in dem Felde, dessen Begrenzung auf dem heute von uns beglaubigten Situationsrisse mit den Buchstaben a' q r b' x a' bezeichnet ist, und welches, einen Flächeninhalt von 2 188 918,68 qm geschrieben: Zwei Millionen einhundertachtundachtzig Tausend neunhundertachtzehn $^{68}/_{100}$ Quadratmeter umfassend, in den Gemarkungen Kreuzbruch und Königlicher Forst Liebenwalde im Kreise Niederbarnim des Regierungsbezirks Potsdam und im Oberbergamtsbezirke Halle gelegen ist, zur Gewinnung der in dem Felde vorkommenden Braunkohlen hierdurch verliehen", urkundlich ausgefertigt am heutigen Tage, wird mit dem Bemerken, daß der Situationsriß in dem Büreau des Königlichen Bergrevierbeamten zu Eberswalde zur Einsicht offen liegt, unter Verweisung auf die Paragraphen 35 und 36 des Allgemeinen Berggesetzes vom 24. Juni 1865 hierdurch zur öffentlichen Kenntniß gebracht.

Halle a. S., den 19. September 1888.

Königliches Oberbergamt.

15. Nachstehende Verleihungsurkunde:

„Im Namen des Königs.

Auf Grund der am 26. Juni 1888 mit Präsentationsvermerk versehenen Muthung wird dem Ingenieur Gustav Stuckenholz zu Berlin W., Landgrafenstraße Nr. 14, unter dem Namen **Kreuzbruch V.** das Bergwerkseigenthum in dem Felde, dessen Begrenzung auf dem heute von uns beglaubigten Situationsrisse mit den Buchstaben: r b' c' d' r bezeichnet ist, und welches, einen Flächeninhalt von 2187850 qm, geschrieben: Zwei Millionen einhundertsiebenundachtzig Tausend achthundertundfünfzig Quadratmeter umfassend, in den Gemarkungen Kreuzbruch, Liebenwalde, Königl. Forst Liebenwalde und Auswärtige Wiesen am Malzer Canal im Kreise Niederbarnim des Regierungsbezirks Potsdam und im Oberbergamtsbezirke Halle gelegen ist, zur Gewinnung der in dem Felde vorkommenden Braunkohlen hierdurch verliehen",

urkundlich ausgefertigt am heutigen Tage, wird mit dem Bemerken, daß der Situationsriß in dem Büreau des Königl. Bergrevierbeamten zu Eberswalde zur Einsicht offen liegt, unter Verweisung auf die Paragraphen 35 und 36 des Allgemeinen Berggesetzes vom 24. Juni 1865 hierdurch zur öffentlichen Kenntniß gebracht.

Halle a. S., den 19. September 1888.

Königl. Oberbergamt.

16. Nachstehende Verleihungsurkunde:

„Im Namen des Königs.

Auf Grund der am 8. April 1888 mit Präsentationsvermerk versehenen Muthung wird dem Ingenieur Gustav Stuckenholz zu Berlin W., Landgrafenstraße Nr. 14, unter dem Namen **Kreuzbruch VI.** das Bergwerkseigenthum in dem Felde, dessen Begrenzung auf dem heute von uns beglaubigten Situationsrisse mit den Buchstaben: b' g' h' i' e' f' b' bezeichnet ist, und welches, einen Flächeninhalt von 2 187 960 qm geschrieben: Zwei Millionen einhundertsiebenundachtzig Tausend neunhundertundsechszig Quadratmeter umfassend, in den Gemarkungen Kreuzbruch, Zehlendorf, Stolzenhagen und Königlicher Forst Liebenwalde im Kreise Niederbarnim des Regierungsbezirks Potsdam und im Oberbergamtsbezirke Halle gelegen ist, zur Gewinnung der in dem Felde vorkommenden Braunkohlen hierdurch verliehen",

urkundlich ausgefertigt am heutigen Tage, wird mit dem Bemerken, daß der Situationsriß in dem Büreau des Königlichen Bergrevierbeamten zu Eberswalde zur Einsicht offen liegt, unter Verweisung auf die Paragraphen 35 und 36 des Allgemeinen Berggesetzes vom 24. Juni 1865 hierdurch zur öffentlichen Kenntniß gebracht.

Halle a. S., den 19. September 1888.

Königliches Oberbergamt.

17. Nachstehende Verleihungsurkunde:

„Im Namen des Königs.

Auf Grund der am 3. Mai 1888 mit Präsentationsvermerk verseh nen Muthung wird dem Ingenieur Gustav Stuckenholz zu Berlin W., Landgrafenstraße Nr. 14, unter dem Namen **Kreuzbruch VII.** das Bergwerkseigenthum in dem Felde, dessen Begrenzung auf dem heute von uns beglaubigten Situationsrisse mit den Buchstaben: g' h' k' l' g' bezeichnet ist, und welches, einen Flächeninhalt von 2 188 888,8 qm, geschrieben: Zwei Millionen einhundertachtundachtzig Tausend achthundertachtundachtzig $^{8}/_{10}$ Quadratmeter umfassend, in den Gemarkungen Kreuzbruch, Zehlendorf und Stolzenhagen im Kreise Niederbarnim des Regierungsbezirks Potsdam und im Oberbergamtsbezirke Halle gelegen ist, zur Gewinnung der in dem Felde vorkommenden Braunkohlen hierdurch verliehen",

urkundlich ausgefertigt am heutigen Tage, wird mit dem Bemerken, daß der Situationsriß in dem Büreau des Königlichen Bergrevierbeamten zu Eberswalde zur Einsicht offen liegt, unter Verweisung auf die Paragraphen 35 und 36 des Allgemeinen Berggesetzes vom 24. Juni 1865 hierdurch zur öffentlichen Kenntniß gebracht.

Halle a. S., den 19. September 1888.

Königliches Oberbergamt.

Bekanntmachungen der Königlichen Eisenbahn-Direktion zu Berlin.

Tarif für den direkten Güter-Verkehr.

36. Am 1. Oktober d. J. tritt ein Tarif für den direkten Güter-Verkehr **von** Stationen der Königlich Preußischen und Sächsischen Staatseisenbahnen, der Mecklenburgischen Friedrich-Franz-, Hessischen Ludwigs- und Main-Neckar-Bahn **nach** Sosnowice (Station der Warschau-Wiener Eisenbahn) zur Weiterbeförderung nach Stationen der Warschau-Wiener Eisenbahn und deren Anschlußbahnen in Kraft.

Der Tarif enthält eine Sammlung bereits bestehender Frachtsätze für die regulären Tarifklassen, sowie eine größere Anzahl zum Theil ermäßigter Ausnahmetarife für Ausfuhrartikel **nach Rußland.**

Exemplare des neuen Tarifs sind zum Preise von 0,35 M. für das Stück von unserer Güter-Kasse in Stettin C. G. Bhf. und vom hiesigen Auskunftsbureau, Bahnhof Alexanderplatz zu beziehen.

Berlin, den 22. September 1888.

Königliche Eisenbahn-Direktion.

Galizisch-Norddeutscher Getreide-Verkehr.

37. Am 15. Oktober d. J. tritt zu den Tarifheften 1 bis 3 des Galizisch-Norddeutschen Getreideverkehrs je der III. Nachtrag in Kraft. Diese Nachträge enthalten Ausdehnung der Reexpeditionsfrist ꝛc. bei in Lemberg, Krakau und Czernowitz zur Reexpedition gelangenden Sendungen, Ausdehnung der Reexpeditions-Bestimmungen auf die in den Magazinen der Bukowinaer Boden-Credit-Anstalt und der Filiale der Galizischen Aktien-Hypotheken Bank in Czernowitz eingelagerten Sendungen, Aufhebung der Frachtsätze für die Stationen Jurotschin, Raudten, Ruda, Schroda und Strehlen des Eisenbahn-Direktions-Bezirks Breslau, Aufnahme der Stationen Breslau, Oderhafen, Rosenberg O. S. und Podgórze—Plaszów C. L. B. in den Tarif, anderweite Sätze des Ausnahmetarifs für leere gebrauchte Säcke, anderweite zum Theil erhöhte Frachtsätze für Dresden, Alt-, Neu- und Friedrichstadt, sowie für einige östlich Dresden gelegene sächsische Verbandsstationen.

Die durch Nachtrag III. zum Tarifheft 2 zur Durchführung gebrachten Verkehrsbeschränkungen und Tariferhöhungen (sub 2 und 5 desselben) treten erst am 1. Dezember d. J. in Geltung.

Exemplare der Nachträge sind im hiesigen Auskunftsbureau, sowie bei der Güterkasse Stettin unentgeltlich zu haben.

Berlin, den 26. September 1888.

Königliche Eisenbahn-Direktion.

Be- und Entladung der Güterwagen.

58. Da sich in den nächsten Monaten der Güterverkehr bedeutend zu steigern pflegt, so ist es unerläßlich, daß während dieser Zeit von allen Seiten für schleunige Be- und Entladung der Güterwagen Sorge getragen wird, damit für die Eisenbahn-Verwaltung möglichst die Nothwendigkeit entfällt, eine allgemeine Abkürzung der Ladefristen anzuordnen. Wir rechnen in dieser Hinsicht auf die wirksame Unterstützung aller Betheiligten in den verkehrstreibenden Kreisen, in deren eigenstem Interesse es liegt, dahin zu wirken, daß von der erwähnten beschränkenden Maßregel Abstand genommen werden kann. Bei der außerordentlichen Inanspruchnahme des Wagenparks machen wir ferner darauf aufmerksam, daß es sich dringend empfiehlt, mit dem Bezuge der für den Winter erforderlichen Materialien, namentlich von Kohlen, möglichst bald zu beginnen, sowie daß die zur Beladung benöthigten Wagen rechtzeitig bei den Güter-Expeditionen zu bestellen sind.

Berlin, den 27. September 1888.

Königl. Eisenbahn-Direktion.

Bekanntmachungen der Königlichen Eisenbahn-Direktion zu Bromberg.

Frachtbegünstigung für Ausstellungsgegenstände.

59. Für Bienen, sowie Erzeugnisse und Geräthe der Bienenzucht, welche auf der vom 1. bis 3. Oktober d. J. in Bomst stattfindenden Ausstellung des bienenwirthschaftlichen Provinzial-Vereins für Posen ausgestellt werden und unverkauft bleiben, wird auf den Strecken der Königl. Eisenbahn-Direktionen Berlin, Breslau und Bromberg eine Frachtbegünstigung in der Art gewährt, daß für die Hinbeförderung die volle tarifmäßige Fracht berechnet wird, die Rückbeförderung an die Versandstation und den Aussteller aber frachtfrei erfolgt, wenn durch Vorlage des ursprünglichen Frachtbriefes für den Hinweg, sowie durch eine Bescheinigung der Ausstellungs-Kommission nachgewiesen wird, daß die Gegenstände ausgestellt gewesen und unverkauft geblieben sind, und wenn die Rückbeförderung innerhalb 8 Tagen nach Schluß der Ausstellung stattfindet. In den ursprünglichen Frachtbriefen über die Hinsendung ist ausdrücklich zu vermerken, daß die mit denselben aufgegebenen Sendungen durchweg aus Ausstellungsgut bestehen.

Bromberg, den 24. September 1888.

Königl. Eisenbahn-Direktion.

Neue Ausgabe des Ostdeutschen Eisenbahn-Kursbuchs.

60. Am 1. Oktober d. J. erscheint eine neue Ausgabe des Ostdeutschen Eisenbahn-Kursbuchs, enthaltend die Winterfahrpläne der Eisenbahnstrecken östlich der Linie Stralsund—Berlin—Dresden, sowie Auszüge der Fahrpläne der anschließenden Bahnen von Mitteldeutschland, Oesterreich, Ungarn und Rußland, auch Post- und Dampfschiffsverbindungen, Angaben über Rundreise- und Saison-Billets u. s. w. Das Kursbuch ist bei allen Stationen des vorbezeichneten Bezirks an der Billet-Ausgabestelle, bei den Bahnhofsbuchhändlern, sowie im Buchhandel zum Preise von 50 Pfennigen zu beziehen.

Bromberg, den 26 September 1888.

Königl. Eisenbahn-Direktion.

Personal-Chronik.

Dem bei dem Königlichen Oberpräsidium der Provinz Brandenburg angestellten Regierungs-Secretair, Rechnungsrath Brandenburg, ist von des Kaisers und Königs Majestät aus Anlaß seines zum 1. Oktober d. J. erfolgten Uebertritts in den Ruhestand der Königliche Kronenorden III. Klasse verliehen worden.

Se. Majestät der Kaiser und König haben Allergnädigst geruht: 1) dem Förster Scholl zu Ragöser in der Oberförsterei Dippmannsdorf und 2) dem Holzhauermeister Wilhelm Gürgen zu Stolpe in der Oberförsterei Potsdam das Allgemeine Ehrenzeichen zu verleihen.

Im Kreise Ruppin sind an Stelle des Gemeinde-Vorstehers Dehnicke zu Karwe der Rittmeister a. D. von Quast zu Radensleben und an Stelle des Rentiers Borchardt zu Spiegelberg der Hauptmann a. D. und Fabrik-Director Kayser zu Hohenofen zu Amtsvorsteher-Stellvertretern der Amtsbezirke „Karwe“ und „Friedrich-Wilhelms-Gestüt“ ernannt worden.

Im Kreise Ruppin sind an Stelle des von seinem Amte entbundenen Mühlenbesitzers Carl Bielitz zu Rheinshagen der Gemeinde-Vorsteher Horrmann zu Dollgow zum Amtsvorsteherstellvertreter des Amtsbezirks „Koepernitz“ und wegen Ablaufs ihrer bisherigen Dienstzeit der Rittergutspächter Berlin zu Ganzer zum Amtvorsteher des Amtsbezirks „Ganzer“ und der Bauerngutsbesitzer Fielitz zu Dreetz zum Amtsvorsteherstellvertreter des Amtsbezirks „Dreetz“ ernannt worden.

Im Kreise Ost-Prignitz ist wegen Ablaufs seiner Dienstzeit der Stiftskassen-Rendant und Stiftssekretair Dittmar zu Heiligengrabe von Neuem zum Amtsvorsteher-Stellvertreter des Amtsbezirks „Heiligengrabe“ ernannt worden.

Der bisherige Regierungs-Civil-Supernumerar Klaunig ist zum Regierungs-Secretariats-Assistenten ernannt worden.

Der Königl. Wasserbauinspektor Fischer zu Wittenberge ist zum Deichinspektor der I. Division der Prignitzschen Elbniederung gewählt und ist diese Wahl bestätigt worden.

Der Schulamtskandidat Teichert ist am Königlichen Gymnasium zu Wittstock als ordentlicher Lehrer angestellt worden.

Der Hilfsprediger Dr. phil. Heinrich Lisco hierselbst ist zum Hilfsprediger an der Hof- und Garnison-Kirche in Potsdam bestellt worden.

Die unter dem Patronat der Königlichen Hofkammer der Königlichen Familienglieder stehende Rektor- und Hilfspredigerstelle zu Vierraden, Diözese Schwedt, ist durch das Ableben des Rektors und Hilfspredigers Lehmann zur Erledigung gekommen.

Die unter Königlichem Patronat stehende Pfarrstelle zu Rutenberg, Diözese Templin, kommt durch die Versetzung ihres bisherigen Inhabers, des Pfarrers Jaenisch, zum 15. Oktober d. J. zur Erledigung. Die Wiederbesetzung dieser Stelle erfolgt durch Gemeindewahl nach Maßgabe des Kirchengesetzes, betreffend das im § 32 № 2 der Kirchengemeinde- und Synodal-Ordnung vom 10. September 1873 vorgesehene Pfarrwahlrecht, vom 15. März 1886 — Kirchl. Ges.- und Verordn.-Bl. de 1886 S. 39. — Bewerbungen um diese Stelle sind schriftlich bei dem Königl. Konsistorium der Provinz Brandenburg einzureichen. § 6 a. a. O.

Die unter Königlichem Patronat stehende Pfarrstelle zu Linow, Diözese Neu-Ruppin, kommt durch den Abgang des Pfarrers Petersen am 1. Dezember d. J. zur Erledigung. Die Wiederbesetzung erfolgt im vorliegenden Falle durch das Kirchenregiment.

Dem Küster und Lehrer Johann Joachim Ludwig Seidenschnur zu Storbeck, Diözese Neu-Ruppin, ist der Titel „Kantor" verliehen worden.

Personalveränderungen im Bezirke des Kammergerichts in den Monaten Juni, Juli und August 1888.

I. Richterliche Beamte.

Ernannt sind: der Staatsanwalt bei dem Oberlandesgericht zu Breslau von Uechtritz-Steinkirch und die Landgerichtsräthe Busch in Prenzlau und Messow in Berlin zu Kammergerichtsräthen, der Landgerichtsrath Brausewetter in Berlin zum Landgerichts-Direktor beim Landgericht I. in Berlin, der Staatsanwalt Hepner in Berlin zum Ersten Staatsanwalt bei dem Landgericht in Saarbrücken, die Gerichtsassessoren Jaeger, Laehr und von Pochhammer zu Amtsrichtern bei den Amtsgerichten in Triebel bezw. Belgard und Luckau, der Kaufmann und stellvertretende Handelsrichter Grelling in Berlin zum Handelsrichter, der Fabrikbesitzer Liebermann in Berlin zum stellvertretenden Handelsrichter bei der Kammer für Handelssachen in Berlin. Versetzt sind: der Amtsrichter Germershausen in Berlin als Landrichter an das Landgericht I. zu Berlin, der Amtsrichter Bamberger in Luckau an das Amtsgericht I. zu Berlin, der Amtsrichter Hesse in Triebel an das Amtsgericht zu Lübben, der Staatsanwalt Dietz in Schneidemühl an das Landgericht I. zu Berlin, der Amtsrichter Thinius in Zehden an das Amtsgericht zu Luckau, der Amtsrichter Halledt in Luckau an das Amtsgericht zu Zehden. Pensionirt sind: der Kammergerichtsrath, Geheime Justizrath Tenzer, der Kammergerichtsrath Frehsee, der Amtsgerichtsrath Heegewaldt in Freienwalde a. Oder. Dem Handelsrichter Gradenwitz in Berlin ist die nachgesuchte Entlassung ertheilt.

II. Assessoren.

Zu Gerichtsassessoren sind ernannt: die Referendare Lublinski, Grunow, Dr. Bieber, Dr. von Liebermann, Brandt, Dr. Isaac, Wagler, Weizsäcker, J. Josephsohn, Dr. Marcuse, Heilborn, Perl, Georg Meyer, Dr. Grunenwald, Kannengießer, Joseph, Laury, Moses, Kuke, R. Josephsohn, Dr. Gallenkamp, Arnheim, Mehlhorn. Entlassen sind: Grieben, Kannenberg und Heims zwecks Uebertritts zur Verwaltung der indirekten Steuern, Carus infolge seiner Uebernahme zur landwirthschaftlichen Verwaltung, Dr. Fleischer zwecks Uebertritts zur allgemeinen Staatsverwaltung.

III. Rechtsanwälte und Notare.

Gelöscht sind in der Liste der Rechtsanwälte: die Rechtsanwälte, Justizräthe Seger und Glogau beim Kammergericht, Prüschenk von Lindenhofen beim Landgericht I. zu Berlin, Heilborn bei dem Amtsgericht zu Fürstenberg a. Oder. Eingetragen sind in die Liste der Rechtsanwälte: der Gerichtsassessor Segall bei dem Amtsgericht zu Königs-Wusterhausen, die Gerichtsassessoren Nickse und Rosenthal bei dem Landgericht zu Cottbus, die Gerichtsassessoren Alfred Levy, Dr. Huch und der Rechtsanwalt Heilborn aus Fürstenberg a. Oder bei dem Landgericht zu Frankfurt a. Oder, die Gerichtsassessoren Leopold Levin, Lublinski, Kraft und der Rechtsanwalt Mittrup aus Görlitz bei dem Landgericht I. zu Berlin. Zu Notaren sind ernannt: die Rechtsanwälte Blumenthal in Wittstock und Schüler in Spremberg. Der Karakter als Justizrath ist verliehen den Rechtsanwälten und Notaren Sander und Ernst in Berlin und Schlichting in Potsdam, dem Rechtsanwalt Westphal in Berlin. Verstorben ist der Rechtsanwalt und Notar Hellhoff in Pritzwalk.

IV. Referendare.

Zu Referendaren sind ernannt die bisherigen Rechtskandidaten Grüttefien, Schneiderreit, Simeon, Salomon, Lazarus, Weißwange, Lengner, Tappen, von Buch, Schalhorn, Pick, Ritgen, Gartenschläger, Gerth, Kobel, Willms, Reimer, Rötger, von Grolmann, Abelßen, Dr. von Lipkowski, Reuscher, Rösing, Vogts, Altmann, von Glasenapp, Laué, Czach, Schmalbruch, Rasmus, Drenkmann, Tucholski, Riedel, Stechow, Prüfer, Fenner, Alexander, Zelis,

Michels, Schlieben, Moßner, von Gersdorff, von Quooß, Huck, Rosenfeld, Crone, Schulz, Hassel, Dr. phil. Petong, von Negelein, Muth, von Jagow. Wiederaufgenommen ist: Dr. Eiswaldt. Uebernommen sind: von Witzleben, Schacht, Kaldewey, Wahnschaffe, von Prittwitz und Gaffron. Entlassen sind: Wölbling, Paul Wagener, Freiherr von Zedlitz, Friedrich von Schwerin I., Fleischauer, von Lattorff, Dr. Friedheim, Bayer, Friedrich von Schwerin II., Zwecks Uebertritts in den Verwaltungsdienst: Franz Krüger, Zwecks Uebertritts zur Militair-Verwaltung: von Erxleben, Dr. Beer. Gestorben ist: Loechner.

V. Subalternbeamte.

Ernannt sind: zu Gerichtsschreibern, der etatsmäßige Gerichtsschreibergehülfe Lehmann in Berlin bei dem Landgericht I. daselbst, der etatsmäßige Assistent Prütz in Berlin bei dem Amtsgericht in Coepenick, der etatsmäßige Gerichtsschreibergehülfe Hildebrand zu Berlin bei dem Amtsgericht in Storkow, zum etatsmäßigen Gerichtsschreibergehülfen bei dem Amtsgericht in Jüterbog der Aktuar Sackewitz in Storkow. Zu Gerichtsvollziehern die Militäranwärter Harnisch bei dem Amtsgericht in Potsdam und Schönfeldt bei dem Amtsgericht in Frankfurt a. Oder. Der Büreau-Assistent Lietzau beim Strafgefängniß bei Berlin (Plötzensee) zum Inspector bei dem Gerichtsgefängniß in Cassel, der Büreau-Diätar Schroeder beim Untersuchungsgefängniß in Berlin zum Büreau-Assistenten beim Strafgefängniß bei Berlin, der Kanzleidiätar Bieske in Berlin zum Kanzlisteu beim Kammergericht. Dem etatsmäßigen Kanzlisten Wolff beim Kammergericht ist bei Uebertragung der Funktionen des Kanzlei-Inspektors bei dieser Behörde der Titel „Kanzlei-Inspektor" verliehen. Versetzt sind: die Gerichtsschreiber Boese von Seelow an das Amtsgericht in Cottbus, Schulze von Storkow an das Amtsgericht in Seelow, Kraemer von Coepenick an das Amtsgericht in Landsberg a. W., der Amtsanwalt Schütz in Cassel an das Amtsgericht I. in Berlin, der etatsmäßige Gerichtsschreibergehülfe Kalle in Jüterbog an das Landgericht I. in Berlin. Pensionirt sind: der Kanzlei-Inspector beim Kammergericht, Kanzleirath Pitschke, die Gerichtsschreiber Escher beim Amtsgericht in Cottbus, Vorwerk beim Amtsgericht in Landsberg a. W., der Gerichtsvollzieher Grieger in Fürstenberg a. O. Entlassen ist der etatsmäßige Gerichtsschreibergehülfe Dahl in Strasburg U.-M. Zwecks Uebertritt in die Verwaltung der indirekten Steuern. Verstorben sind: die Gerichtsschreiber Gratz beim Landgericht I. in Berlin, Rechnungsrath Kühling beim Amtsgericht in Potsdam, der Kreisgerichts-Sekretair z. D. Schneider in Cottbus, die Gerichtsvollzieher Bergemann in Beelitz und Wiese beim Amtsgericht I. in Berlin, der Kanzlist Höhne in Neu-Ruppin.

Ausweisung von Ausländern aus dem Reichsgebiete.

Lauf. Nr.	Name und Stand des Ausgewiesenen	Alter und Heimath des Ausgewiesenen	Grund der Bestrafung	Behörde, welche die Ausweisung beschlossen hat.	Datum des Ausweisungs-Beschlusses
1.	2	3.	4.	5.	6.
		Auf Grund des § 362 des Strafgesetzbuchs:			
1	Albert Silbermann, Kaufmann,	geboren am 1. Januar 1857 zu Jassy, Rumänien, ortsangehörig ebendaselbst,	Landstreichen, Führung eines falschen Namens und gebrauch eines gefälschten Legitimationspapiers,	Königlich Preußischer Regierungspräsident zu Potsdam,	22. August 1888.
2	Anton Raymann, Schneidergeselle,	geboren am 7. März 1866 zu Preßburg, Ungarn, ortsangehörig ebendaselbst,	Landstreichen und Betteln,	derselbe,	3. September 1888.

Hierzu
eine Extra-Beilage, enthaltend Bekanntmachungen, die Wahlen zum Hause der Abgeordneten betreffend,
eine Beilage, enthaltend den Fahrplan der Königlichen Eisenbahn-Direktion zu Berlin, gültig vom 1. Oktober 1888 ab,
sowie Fünf Oeffentliche Anzeiger.

(Die Insertionsgebühren betragen für eine einspaltige Druckzeile 20 Pf. Belagsblätter werden der Bogen mit 10 Pf. berechnet.)

Redigirt von der Königlichen Regierung zu Potsdam.
Potsdam, Buchdruckerei der A. W. Hayn'schen Erben (E. Hayn, Hof-Buchdrucker).

Extra-Beilage

zum 40sten Stück des Amtsblatts
der Königlichen Regierung zu Potsdam und der Stadt Berlin.

Den 5. Oktober 1888.

Die Wahlen zum Hause der Abgeordneten betreffend.

Nachstehende

Bekanntmachung

Für die Wahlen zur siebenzehnten Legislaturperiode des Hauses der Abgeordneten habe ich auf Grund der §§ 17 und 28 der Verordnung vom 30. Mai 1849 (Ges.-Samml. S. 205) als Wahltermine und zwar für die Wahl der Wahlmänner

den 30. Oktober d. J.

und für die Wahl der Abgeordneten

den 6. November d. J.

festgesetzt, was hierdurch zur öffentlichen Kenntniß gebracht wird.

Berlin, den 23. September 1888.

Der Minister des Innern.
gez. Herrfurth.

wird hierdurch zur öffentlichen Kenntniß gebracht.

Potsdam, den 1. Oktober 1888.

Der Regierungs-Präsident.
J. V.: Goeschel.

Reglement

über die Ausführung der Wahlen zum Hause der Abgeordneten für den Umfang der Monarchie mit Ausnahme der Hohenzollernschen Lande.

Unter Aufhebung des Reglements vom 11. Juli 1879 werden zur Ausführung der Verordnung vom 30. Mai 1849, des Gesetzes vom 11. März 1869 und des § 2 des Gesetzes vom 23. Juni 1876 für den Umfang der Monarchie mit Ausnahme der Hohenzollernschen Lande die folgenden näheren Bestimmungen getroffen.

I. Wahl der Wahlmänner.

§ 1. Die Landräthe oder, im Falle des § 6 der Verordnung vom 30. Mai 1849, die Gemeinde-Verwaltungs-Behörden haben die Aufstellung der Urwähler-Listen zu veranlassen (§ 15 der Verordnung).

In der Provinz Hannover versehen die Funktionen der Landräthe:

in den Amtsbezirken die Amtshauptmänner,
in den selbstständigen Städten die Gemeinde-Verwaltungs-Behörden.

Dieselben Behörden haben gleichzeitig die Urwahl-Bezirke (§§ 5, 6, 7 der Verordnung) abzugrenzen und die Zahl der auf jeden derselben fallenden Wahlmänner (§§ 4, 6, 7 der Verordnung) festzusetzen.

Die Zahl der Wahlmänner des Urwahl-Bezirkes und dessen allgemeine Abgrenzung ist auf der Urwählerliste (§ 3 des Reglements) anzugeben.

§ 2. Kein Urwahl-Bezirk darf weniger als 750 und mehr als 1749 Seelen umfassen.

Bei Berechnung der Seelenzahl sind die zum aktiven Heere gehörigen Militairpersonen der Civilbevölkerung hinzuzuzählen.

Maßgebend ist die bei der letzten allgemeinen Volkszählung ermittelte ortsanwesende Bevölkerung.

Wird danach bei der Bildung der Urwahl-Bezirke die Zusammenlegung von Gemeinden (Orts-Kommunen, selbstständigen Gutsbezirken u. s. w.) aus verschiedenen Amtsbezirken der im § 1 des Reglements bezeichneten Behörden erforderlich, so sind hierüber die näheren Anordnungen durch die nächst höhere Verwaltungs-Behörde zu treffen.

Die Bewohner der von ihrem Hauptlande getrennt liegenden Gebietstheile müssen, soweit sie in sich keinen Urwahl-Bezirk bilden können, mit nächstgelegenen Gemeinden ihres Hauptlandes zusammen gelegt werden.

Sonst muß jeder Urwahl-Bezirk ein möglichst zusammenhängendes und abgerundetes Ganzes bilden.

§ 3. Die Aufstellung der Urwählerliste, in welcher bei jedem einzelnen Namen der Steuerbetrag anzugeben ist, den der Urwähler in der Gemeinde oder in dem aus mehreren Gemeinden zusammengesetzten Urwahl-Bezirke zu entrichten hat, liegt der Gemeinde-Verwaltungs-Behörde (in selbstständigen Gutsbezirken dem Besitzer) ob.

In Gemeinden, die in mehrere Urwahl-Bezirke getheilt sind, erfolgt die Aufstellung der Urwählerlisten nach den einzelnen Bezirken.

§ 4. Die Urwählerliste ist von der Gemeinde-Verwaltungs-Behörde in jeder Gemeinde (Orts-Kommune, selbstständigem Gutsbezirke u. s. w.) drei Tage lang öffentlich auszulegen. Daß und in welchem Lokale dies geschieht, ist beim Beginne der Auslegung in ortsüblicher Weise bekannt zu machen.

Innerhalb drei Tagen nach dieser Bekanntmachung steht es Jedem frei, gegen die Richtigkeit oder Vollständigkeit der Liste bei der Behörde, welche die Auslegung bewirkt hat, oder dem von dieser zu bezeichnenden Kommissar oder der dazu niedergesetzten Kommission seine Einwendungen schriftlich anzubringen oder zu Protokoll zu geben.

Die Entscheidung darüber erfolgt in den Städten durch die Gemeinde-Verwaltungs-Behörde, auf dem Lande durch den Landrath, mit der Maßgabe, daß dieselbe im Regierungsbezirk Wiesbaden in allen Gemeinden von über 1750 Seelen,

in Hannover nur in den selbstständigen Städten

den Gemeinde-Verwaltungs-Behörden zusteht.

Die Urwählerlisten sind mit einer Bescheinigung über die nach ortsüblicher Bekanntmachung während drei Tagen erfolgte öffentliche Auslegung, sowie darüber zu versehen, daß innerhalb der Reklamationsfrist keine Reklamationen erhoben oder die erhobenen erledigt sind.

Beide Bescheinigungen liegen der Behörde ob, welche die Auslegung bewirkt hat. In dem Falle aber, daß dieser Behörde nicht auch die Entscheidung über die Reklamationen zusteht, und solche erhoben werden, hat sie die Urwählerlisten nur rücksichtlich der Auslegung zu bescheinigen und sofort nach Ablauf der Reklamationsfrist nebst den eingegangenen Reklamationen sowie dem Atteste, daß keine weiteren, als die beigefügten Reklamationen angebracht sind, der zur Entscheidung über dieselben berufenen Behörde einzureichen, welche nach Erledigung der Reklamationen die bezügliche Bescheinigung auszustellen hat.

§ 5. Nach Auslegung der Urwählerlisten wird die Aufstellung der Abtheilungslisten in folgendem Verfahren bewirkt:

Nach Anleitung des anliegenden Formulars A. werden die Urwähler in der Ordnung verzeichnet, daß mit dem Namen des Höchstbesteuerten angefangen wird, dann derjenige folgt, welcher nächst jenem die höchsten Steuern entrichtet, und so fort bis zu denjenigen, welche die geringste oder gar keine Steuer zu zahlen haben.

Alsdann wird die Gesammtsumme aller Steuern berechnet, und endlich die Grenze der Abtheilungen dadurch gefunden, daß man die Steuersumme der einzelnen Urwähler so lange zusammenrechnet, bis das erste und dann das zweite Drittel der Gesammtsumme aller Steuern erreicht ist.

Die Urwähler, auf welche das erste Drittel fällt, bilden die erste, diejenigen, auf welche das zweite Drittel fällt, die zweite, und alle übrigen die dritte Abtheilung. In die erste, beziehungsweise zweite Abtheilung gehört auch derjenige, dessen Steuerbetrag nur theilweise in das erste, beziehungsweise zweite Drittheil fällt. Wird bei Bildung der ersten Abtheilung das erste Drittheil hierdurch überschritten, so wird bei Bildung der beiden folgenden Abtheilungen nur derjenige Theil der Gesammtsteuer zu Grunde gelegt, welcher nicht von den Urwählern der ersten Abtheilung getragen wird, dergestalt, daß diejenigen, welche die Hälfte dieses Restes der Gesammtsteuer tragen, die zweite und alle übrigen die dritte Abtheilung bilden. Kein Wähler kann zwei Abtheilungen zugleich angehören.

Läßt sich, bei gleichen Steuer- oder Schätzungsbeträgen, nicht entscheiden, welcher unter mehreren Wählern zu einer bestimmten Abtheilung zu rechnen ist, so giebt die alphabetische Ordnung der Familiennamen, event. das Loos, den Ausschlag.

§ 6. In Gemeinden, welche für sich einen Urwahl-Bezirk bilden, und in Urwahl-Bezirken, welche aus mehreren Gemeinden bestehen, wird nur eine Abtheilungsliste angefertigt.

Im ersteren Falle stellt dieselbe die Gemeinde-Verwaltungs-Behörde, im letzteren Falle der Landrath auf. Ist aber eine Gemeinde in mehrere Bezirke getheilt, so wird zuvörderst eine allgemeine Abtheilungsliste für die ganze Gemeinde angelegt und dann aus dieser für jeden einzelnen Bezirk ein Auszug gemacht, welcher für diesen Bezirk die Abtheilungsliste bildet. Fällt hierbei eine Abtheilung ganz aus, so ist für diesen Urwahlbezirk unter Zugrundelegung der Gesammtsteuer, welche der Bezirk aufbringt, eine abgesonderte Abtheilungsbildung vorzunehmen. In der allgemeinen Liste muß bei jedem Urwähler die Nummer des Bezirks angegeben seyn.

§ 7. Steuerfreie Urwähler, welche auf Grund des § 13 der Verordnung ihr Stimmrecht auszuüben wünschen, müssen der Behörde, welche die Urwählerliste aufstellt, vor Auslegung derselben oder spätestens im Wege des Reklamationsverfahrens gegen die Urwählerliste die Grundlage der für sie anzustellenden Steuerberechnung an die Hand geben. Steuerfreie Urwähler, welche es unterlassen, eine solche Angabe rechtzeitig zu machen, werden ohne weitere Prüfung der dritten Abtheilung zugezählt.

§ 8. Die Feststellung der Abtheilungslisten erfolgt durch die im § 1 des Reglements bezeichneten Behörden.

Dieselben Behörden haben auch die im zweiten Absatz des § 16 der Verordnung gedachten Funktionen wahrzunehmen.

§ 9. Nach Feststellung der Abtheilungsgrenzen bleibt für die Reihenfolge der Urwähler innerhalb der Abtheilungen dieselbe Ordnung nach den Steuersätzen maßgebend, in welcher die Urwähler bei Aufstellung der Abtheilungsliste verzeichnet worden sind (§ 5 des Reglements). Die gleichbesteuerten oder gleichgeschätzten Urwähler derselben Abtheilungen und die steuerfreien Urwähler werden alphabetisch nach Familiennamen und bei gleichen Namen durch das Loos geordnet.

§ 10. In Betreff des Reklamationsverfahrens gegen die Abtheilungsliste, insbesondere auch in Betreff der Auslegung und der Bescheinigung derselben, kommen die Vorschriften des § 4 des Reglements mit der Maßgabe zur Anwendung, daß die öffentliche Auslegung der Abtheilungslisten in dem betreffenden Urwahl-Bezirke oder doch in dem Gemeinde-Bezirke, wenn solcher aus mehreren Urwahl-Bezirken besteht, stattzufinden hat, sowie daß die vorgeschriebenen Bescheinigungen der Abtheilungsliste durch diejenige Behörde zu bewirken sind, welche über die Reklamationen zu entscheiden hat. In Gemeinden, welche in mehrere Bezirke getheilt sind, ist die allgemeine Abtheilungsliste (§ 6 Absatz 2) ebenfalls öffentlich auszulegen.

Nachdem die Abtheilungsliste durch die Bescheinigung, daß keine Reklamationen gegen dieselbe erhoben oder die erhobenen erledigt sind, abgeschlossen worden, ist jede spätere Aufnahme von Urwählern in dieselbe untersagt.

Sie ist demnächst dem Wahlvorsteher Behufs Benutzung bei der Wahl zuzustellen.

§ 11. Die sämmtlichen Urwähler des Urwahl-Bezirks werden zu einer von den im § 1 des Reglements bezeichneten Behörden zu bestimmenden Stunde des Tages der Wahl in ortsüblicher Weise zusammenberufen, wobei zugleich das Wahllokal und der Name des Wahlvorstehers, sowie seines Stellvertreters bekannt zu machen ist.

Darüber, daß dieses geschehen, haben die Behörden, welche die Auslegung der Urwählerlisten bewirkt haben (§ 4 des Reglements), spätestens im Wahltermine dem Wahlvorsteher eine Bescheinigung einzureichen, welche dem Protokolle (§ 23 des Reglements) beizufügen ist.

§ 12. In den Provinzen Schleswig-Holstein und Hannover kann für solche Wahlbezirke, welche ganz oder theilweise aus Inseln bestehen, je nach der Oertlichkeit und dem Bedürfnisse von einer Wahlversammlung für den ganzen Bezirk abgesehen und von der Regierung (Landdrostei) die Abhaltung von Wahlversammlungen für einen Theil des Bezirks oder für jede einzelne Insel angeordnet werden (§ 2 Nr. 1 des Gesetzes vom 11. März 1869).

Der Wahlvorsteher ist dann verpflichtet, die Wahlen an den verschiedenen Orten in einem Zeitraume von höchstens drei Tagen, mit Einschluß des von dem Minister des Innern bestimmten Tages der Wahl, in Ausführung zu bringen. In einer gleich langen Frist ist die etwa erforderliche engere Wahl zu bewirken.

Der Wahlvorsteher ernennt an jedem Orte, wo er eine Wahlversammlung abhält, neue Beisitzer, erforderlichen Falls auch einen neuen Protokollführer.

Von dem Wahlvorstande desjenigen Ortes, wo die letzte Wahlversammlung stattfindet, wird die Wahlverhandlung abgeschlossen und das Resultat verkündet.

Wird eine engere Wahl nöthig, so stellt der Wahlvorsteher die Kandidatenliste für dieselbe nach § 18 dieses Reglements fest. Er läßt alsdann sogleich die Versammlung, in welcher die erste Wahlhandlung geschlossen wurde, durch weitere Abstimmung den neuen Wahlakt beginnen, und führt denselben demnächst in den anderen Orten, nach den oben gegebenen Bestimmungen, zum Schluß.

Diese §§ sind im Urwahltermine zu verlesen.

§ 13. Die Wahlverhandlung wird mit Vorlesung der §§ 18—25 der Verordnung und der §§ 13—19 dieses Reglements durch den Wahlvorsteher eröffnet.

Alsdann werden die Namen aller stimmberechtigten Urwähler aller Abtheilungen in der Reihenfolge vorgelesen, wie sie in der Abtheilungsliste verzeichnet sind (§§ 5 und 9 des Reglements), wobei mit den Höchstbesteuerten angefangen wird.

Jeder nicht stimmberechtigte Anwesende wird zum Abtreten veranlaßt und so die Versammlung konstituirt.

Später erscheinende Urwähler melden sich bei dem Wahlvorsteher und können an den noch nicht geschlossenen Abstimmungen Theil nehmen.

Abwesende können in keiner Weise durch Stellvertreter oder sonst an der Wahl Theil nehmen.

§ 14. Der Wahlvorsteher ernennt den Protokollführer und 3 bis 6 Beisitzer (§ 20 der Verordnung). Er beauftragt den Protokollführer mit Eintragung der Wahlstimmen in die Abtheilungsliste.

Sind bei einer von einer einzelnen Abtheilung vorzunehmenden Nachwahl weniger als 4 Urwähler vorhanden, so kann die Zahl der Beisitzer aus den Urwählern einer andern Abtheilung desselben Wahlbezirks ergänzt werden.

§ 15. Die dritte Abtheilung wählt zuerst; die erste zuletzt. Sobald die Wahlverhandlung einer Abtheilung geschlossen ist, werden die Mitglieder derselben zum Abtreten veranlaßt.

§ 16. Der Protokollführer ruft die Namen der Urwähler abtheilungsweise in derselben Folge, wie bei deren Vorlesung auf (§ 13 des Reglements). Jeder Aufgerufene tritt an den zwischen der Versammlung und dem Wahlvorsteher aufgestellten Tisch und nennt unter genauer Bezeichnung den Namen des Urwählers, welchem er seine Stimme geben will. Sind mehrere Wahlmänner zu wählen, so nennt er gleich so viel Namen, als deren in der Abtheilung zu wählen sind. Die genannten Namen trägt der Protokollführer neben den Namen des Urwählers und in Gegenwart desselben in die Abtheilungsliste ein oder läßt sie, wenn derselbe es wünscht, von dem Urwähler selbst eintragen.

§ 17. Die Wahl erfolgt nach absoluter Mehrheit der Stimmenden.

Ungültig sind, außer dem Falle des § 22 der Verordnung, solche Wahlstimmen, welche auf andere, als die nach § 18 der Verordnung, oder nach § 18 dieses Reglements wählbaren Personen fallen.

Ueber die Gültigkeit einzelner Wahlstimmen entscheidet der Wahlvorstand.

§ 18. Soweit sich bei der ersten oder einer folgenden Abstimmung absolute Stimmenmehrheit nicht ergiebt, kommen diejenigen, welche die meisten Stimmen haben, in doppelter Anzahl der noch zu wählenden Wahlmänner auf die engere Wahl.

Ist die Auswahl der hiernach zur engeren Wahl zu bringenden Personen zweifelhaft, weil auf zwei oder mehrere eine gleiche Stimmenzahl gefallen ist, so entscheidet zwischen diesen das Loos, welches durch die Hand des Vorstehers gezogen wird.

Eine engere Wahl findet auch dann statt, wenn bei der ersten Abstimmung die Stimmen zwischen zwei oder — wenn es sich um die Wahl von zwei Wahlmännern handelt — zwischen vier Personen ganz gleich getheilt sind. Tritt dieser Fall dagegen bei einer späteren Abstimmung ein, so entscheidet das Loos zwischen den zwei beziehungsweise vier Personen.

Wenn bei einer Abstimmung die absolute Stimmenmehrheit auf mehrere, als die noch zu wählenden Wahlmänner gefallen ist, so sind diejenigen derselben gewählt, welche die höchste Stimmenzahl haben. Bei Stimmengleichheit entscheidet auch hier das Loos. Ist aber die Stimmengleichheit bei der ersten Abstimmung eingetreten, so findet zunächst zwischen denen, welche eine gleiche Stimmenzahl erhalten haben, eine engere Wahl statt.

§ 19. Die gewählten Wahlmänner müssen sich, wenn sie im Wahltermine anwesend sind, sofort, sonst binnen 3 Tagen, nachdem ihnen die Wahl angezeigt ist, erklären, ob sie dieselbe annehmen, und, wenn sie in mehreren Abtheilungen gewählt sind, für welche derselben sie annehmen wollen.

Annahme unter Protest oder Vorbehalt, sowie das Ausbleiben der Erklärung binnen drei Tagen, gilt als Ablehnung.

Jede Ablehnung hat für die Abtheilung eine neue Wahl zur Folge.

§ 20. Erfolgt die Ablehnung sofort im Wahltermine, und bevor die Wahlverhandlung der betreffenden Abtheilung geschlossen ist (§ 15 des Reglements), so hat der Wahlvorsteher sofort eine neue Wahl vorzunehmen.

Erfolgt die Ablehnung später oder geht binnen 3 Tagen (§ 19 des Reglements) keine Erklärung des Gewählten ein, so hat der Wahlvorsteher die betreffende Abtheilung unter Beobachtung der im § 11 gegebenen Bestimmungen unverzüglich und, wenn möglich, so zeitig zu einer neuen Wahl zusammen zu rufen, daß der zu erwählende Wahlmann noch an der Wahl des Abgeordneten Theil nehmen kann.

§ 21. Ist in einem Urwahl-Bezirke die Wahl eines Wahlmannes wegen Nichterscheinens der Urwähler nicht zu Stande gekommen oder die Wahl für ungültig erklärt worden, so ist, ebenso wie bei sonstigem Ausscheiden von Wahlmännern (§ 18 der Verordnung), vor der nächsten Wahl eines Abgeordneten eine Ersatzwahl durch die Regierung (Landdrostei), beziehungsweise den Regierungs-Präsidenten und für Berlin durch den Ober-Präsidenten anzuordnen.

§ 22. Wird die Ersatzwahl eines Wahlmannes nach Ablauf eines Jahres seit der letzten Wahl eines Abgeordneten erforderlich, so ist derselben eine neue Urwähler- und Abtheilungsliste, bei deren Aufstellung und Auslegung die Vorschriften dieses Reglements zu beobachten sind, zum Grunde zu legen.

§ 23. Ueber die Verhandlungen ist ein Protokoll nach dem anliegenden Formular B. aufzunehmen.

II. Wahl der Abgeordneten.

§ 24. Die Regierungen (Landdrosteien), beziehungsweise Regierungs-Präsidenten und für Berlin der Ober-Präsident haben die Wahlkommissare für die Wahl der Abgeordneten zu bestimmen, und davon, daß dies geschehen, die Wahlvorsteher zu benachrichtigen.

§ 25. Die Wahlvorsteher reichen die Urwahl-Protokolle dem Wahlkommissar ein. Der Wahlkommissar stellt aus den eingereichten Urwahl-Protokollen ein nach Kreisen, obrigkeitlichen Bezirken oder in sonst geeigneter Weise geordnetes Verzeichniß der Wahlmänner seines Wahlbezirks auf und veranlaßt, daß dieses Verzeichniß durch Auslegung in den Geschäftslokalen der Landräthe beziehungsweise der nach § 1 des Reglements an deren Stelle tretenden Behörden, sowie der Magisträte der einen eigenen Kreis oder Wahlbezirk bildenden Städte, und durch Abdruck in den zu amtlichen Publikationen dienenden Blättern veröffentlicht wird.

§ 26. Der Wahlkommissar ladet die Wahlmänner schriftlich zur Wahl der Abgeordneten ein. Die Insinuation ist durch einen vereideten Beamten zu bescheinigen.

Die Vorladung der Wahlmänner kann auch sofort im Urwahltermine durch die Wahlvorsteher bewirkt werden. Die Wahlvorsteher erhalten in diesem Falle Seitens des Wahlkommissars die erforderliche Anzahl von Einladungs-Formularen und Behändigungsscheinen. Sie haben die ersteren mit der Adresse der Wahlmänner zu versehen und gegen Vollziehung der Behändigungsscheine auszuhändigen, auf den letzteren aber die richtig erfolgte Insinuation zu bescheinigen und dieselben gleichzeitig mit den Urwahlprotokollen dem Wahlkommissar einzureichen.

§ 27. Die Wahlverhandlung wird mit Vorlesung der §§ 26 bis 31 der Verordnung, sowie der §§ 28 bis 31 dieses Reglements eröffnet.

Alsdann werden die Namen der Wahlmänner aus dem aufgestellten Verzeichnisse (§ 25 des Reglements) vorgelesen.

Im Uebrigen kommen die Bestimmungen der §§ 13 und 14 zur Anwendung, soweit sie nicht nachstehend modifizirt sind.

Diese §§ sind im Wahlmännertermine zu verlesen.

§ 28. Jeder Abgeordnete wird in einer besonderen Wahlhandlung gewählt. Die Wahl selbst erfolgt, indem der aufgerufene Wahlmann an den zwischen der Wahlversammlung und dem Wahlkommissarius aufgestellten Tisch tritt und den Namen desjenigen nennt, dem er seine Stimme giebt.

Den vom Wahlmann genannten Namen trägt der Protokollführer neben den Namen des Wahlmannes in die Wahlmännerliste ein, wenn der Wahlmann nicht verlangt, den Namen selbst einzutragen.

§ 29. Hat sich auf keinen Kandidaten die absolute Stimmenmehrheit vereinigt, so wird zu einer weiteren Abstimmung geschritten.

Dabei kann keinem Kandidaten die Stimme gegeben werden, welcher bei der ersten Abstimmung keine oder nur eine Stimme gehabt hat.

Die zweite Abstimmung wird unter den übrigen Kandidaten in derselben Weise, wie die erste, vorgenommen.

Jede Wahlstimme, welche auf einen andern als die in der Wahl gebliebenen Kandidaten fällt, ist ungültig.

Wenn auch die zweite Abstimmung keine absolute Mehrheit ergiebt, so fällt in jeder der folgenden

Diese §§ sind im Wahlmännertermine zu verlesen.

Abstimmungen derjenige, welcher die wenigsten Stimmen hatte, aus der Wahl, bis die absolute Mehrheit sich auf einen Kandidaten vereinigt hat. Stehen sich Mehrere in der geringsten Stimmenzahl gleich, so entscheidet das Loos, welcher aus der Wahl fällt.

Wenn die Abstimmung nur zwischen zwei Kandidaten noch stattfindet, und jeder derselben die Hälfte der gültigen Stimmen auf sich vereinigt hat, entscheidet ebenfalls das Loos.

In beiden Fällen ist das Loos durch die Hand des Wahlkommissars zu ziehen.

§ 30. Ueber die Gültigkeit einzelner Wahlstimmen entscheidet der Wahlvorstand.

§ 31. Der Gewählte ist von der auf ihn gefallenen Wahl durch den Wahlkommissar in Kenntniß zu setzen und zur Erklärung über die Annahme, sowie zum Nachweise, daß er nach § 29 der Verordnung wählbar sei, aufzufordern.

Annahme unter Protest oder Vorbehalt, sowie das Ausbleiben der Erklärung binnen 8 Tagen von der Zustellung der Benachrichtigung gilt als Ablehnung.

In Fällen der Ablehnung oder Nichtwählbarkeit hat die Regierung (Landdrostei), beziehungsweise der Regierungs-Präsident und für Berlin der Ober-Präsident sofort eine neue Wahl zu veranlassen, bei welcher nöthigenfalls eine neue Abschrift der Wahlmännerliste zur Eintragung der Abstimmung zu benutzen ist.

§ 32. Sämmtliche Verhandlungen, sowohl über die Wahl der Wahlmänner, als die Wahl der Abgeordneten, werden von dem Wahlkommissar der Regierung (Landdrostei), beziehungsweise dem Regierungs-Präsidenten und für Berlin dem Oberpräsidenten gehörig geheftet, eingereicht, und hiernächst dem Minister des Innern zur weiteren Mittheilung an das Haus der Abgeordneten vorgelegt.

Berlin, den 4. September 1882.

Königliches Staatsministerium.

Fürst v. Bismarck. v. Puttkamer. v. Kameke. Maybach. Lucius. Friedberg. v. Boetticher. v. Goßler. Scholz.

* * *

Nachtrag

zu dem

Reglement über die Ausführung der Wahlen zum Hause der Abgeordneten für den Umfang der Monarchie mit Ausnahme der Hohenzollernschen Lande

vom 4. September 1882.

Auf Grund des § 32 der Verordnung vom 30. Mai 1849, des § 3 des Gesetzes vom 11. März 1869 und des § 2 des Gesetzes vom 23. Juni 1876 wird hierdurch bestimmt, was folgt:

1) Der Absatz 2 des § 1 (Hannover) fällt fort.

2) An die Stelle des Absatzes 3 des § 4 tritt mit Rücksicht auf die Provinz Hannover Folgendes:

„Die Entscheidung darüber erfolgt in den Städten durch die Gemeinde-Verwaltungs-Behörde, auf dem Lande durch den Landrath, mit der Maßgabe, daß dieselbe

im Regierungsbezirk Wiesbaden in allen Gemeinden von über 1750 Seelen,

in Hannover in denjenigen Städten, auf welche die Hannoversche revidirte Städteordnung vom 24. Juni 1858 (Hannoversche Gesetz-Samml. S. 141) Anwendung findet,

den Gemeinde-Verwaltungs-Behörden zusteht."

3) Die in den §§ 12, 21, 24, 31 und 32 den vormaligen Landdrosteien in Hannover übertragenen Funktionen sind von den Regierungs-Präsidenten wahrzunehmen.

4) Der § 13 erhält folgenden Zusatz:

„Die Anwesenheit solcher nicht stimmberechtigten Personen, ohne deren Thätigkeit der zweckentsprechende und ordnungsmäßige Verlauf der Wahlverhandlung nach dem Ermessen des Wahlvorstehers nicht möglich ist, ist vorübergehend zulässig."

5) Der § 27 erhält folgenden Zusatz:

„Bei der Entscheidung der Versammlung über die von dem Wahlkommissar für ungültig erachteten Urwahlen (§ 27 der Verordnung) sind auch diejenigen Wahlmänner stimmberechtigt, deren Wahl von dem Wahlkommissar beanstandet wird."

Berlin, den 22. August 1885.

Königl. Staatsministerium.

v. Puttkamer. Maybach. Lucius. Friedberg. v. Boetticher. v. Goßler. v. Scholz. Gr. v. Hatzfeldt. Bronsart v. Schellendorf.

* * *

Vorstehendes Reglement, sowie der zu demselben ergangene Nachtrag werden hierdurch mit dem Bemerken bekannt gemacht, daß die zu dem Reglement gehörigen Formulare zu den Abtheilungslisten und Wahlprotokollen im Extrablatte zum Amtsblatt für 1882 S. 347 ff. veröffentlicht sind.

Potsdam, den 1. Oktober 1888.

Der Regierungs-Präsident.

v. Neefe.

Die Neuwahlen zum Hause der Abgeordneten betreffend.

Mit Bezug auf die Bekanntmachung des Herrn Ministers des Innern vom 23. September d. J., nach welcher der Tag der Wahl der Wahlmänner auf den 30. Oktober d. J. und der Tag der Wahl der Abgeordneten auf den 6. November d. J. festgesetzt worden ist, bringe ich die durch das Gesetz vom 27. Juni 1860 (G.-S. S. 357) festgestellten Wahlbezirke für den Regierungsbezirk Potsdam, die Zahl der zu wählenden Abgeordneten, die Wahlorte, sowie die von mir auf Grund des § 26 der Verordnung vom 30. Mai 1849 bezw. § 24 des Wahlreglements vom 4. September 1882 ernannten Wahl-Kommissare nachstehend zur öffentlichen Kenntniß:

№	Wahlbezirk	Wahlort	Zahl der zu wählenden Abgeordneten	Wahl-Kommissar
I.	Kreis West-Prignitz und Kreis Ost-Prignitz	Pritzwalk	3	Landrath Graf von Bernstorff zu Kyritz.
II.	Kreis Ruppin und Kreis Templin	Gransee	2	Landrath von Arnim zu Templin.
III.	Kreis Prenzlau und Kreis Angermünde	Prenzlau	2	Landrath, Geh. Reg.-Rath von Winterfeldt zu Prenzlau.
IV.	Kreis Ober-Barnim und Kreis Nieder-Barnim	Bernau	3	Landrath, Geh. Reg.-Rath Scharnweber zu Berlin.
V.	Stadt Potsdam	Potsdam	1	Reg.-Rath von Zastrow zu Potsdam.
VI.	Landkreis Ost-Havelland und Stadtkreis Spandau	Nauen	1	Landrath Steinmeister zu Nauen.
VII.	Landkreise West-Havelland und Zauche-Belzig und Stadtkreis Brandenburg	Brandenburg	3	Landrath von der Hagen zu Rathenow.
VIII.	Kreis Jüterbog-Luckenwalde	Jüterbog	1	Regierungs-Rath Joachim zu Potsdam.
IX.	Landkreise Teltow und Beeskow-Storkow und Stadtkreis Charlottenburg	Cöpenick	2	Landrath Stubenrauch zu Berlin.

Potsdam, den 1. Oktober 1888.

Der Regierungs-Präsident. v. Neefe.

Potsdam, Buchdruckerei der A. W. Hayn'schen Erben (E. Hayn, Hof-Buchdrucker).

Amtsblatt

der Königlichen Regierung zu Potsdam und der Stadt Berlin.

Stück 41. Den 12. Oktober **1888.**

Allerhöchster Erlaß.

Auf Ihren Bericht vom 11. August d. J. will Ich auf Grund des Gesetzes vom 4. Mai 1846 genehmigen, daß die zu London domicilirte Actiengesellschaft Imperial-Continental-Gas-Association den in der zurückfolgenden Zeichnung mit den Buchstaben A. B. C. D. A. umschriebenen, 575,75 Quadratmeter großen, Flächenabschnitt von dem zu Nieder-Schönweide belegenen, im Grundbuche des Amtsgerichts zu Cöpenick von Schönweide Band 4 Blatt 131 verzeichneten Grundstück und den in derselben Zeichnung mit den Buchstaben D. C. E. F. G. H. D. umschriebenen, 12194,25 Quadratmeter großen Flächenabschnitt von dem in demselben Grundbuche Band 1 № 2 Blatt 8 verzeichneten Grundstück erwerbe.

An Bord Meiner Yacht „Alexandria“,
den 20. August 1888.

gez. **Wilhelm** R.

Für den Minister
für Handel und Gewerbe.
ggz. von Boetticher. Herrfurth.

An den Minister für Handel und Gewerbe und den Minister des Innern.

Bekanntmchungen der Königlichen Ministerien.

Zwangsweise Versetzung von Lehrern und Lehrerinnen an Volksschulen in den Ruhestand.

29. Unter Aufhebung der Cirkular-Erlasse vom 9. Dezember 1843 U. 17549 (Centralbl. 1864 S. 366) und vom 30. November 1881 U. III b. 7145 (Centralbl. 1881 S. 688) bestimme ich hierdurch, daß in Fällen der zwangsweisen Versetzung von Lehrern und Lehrerinnen an Volksschulen in den Ruhestand fortan nach den folgenden Vorschriften zu verfahren ist:

1) Ein an einer Volksschule definitiv angestellter Lehrer, welcher durch Blindheit, Taubheit oder ein sonstiges körperliches Gebrechen oder wegen Schwäche seiner körperlichen oder geistigen Kräfte zu der Erfüllung seiner Amtspflichten dauernd unfähig ist, soll in den Ruhestand versetzt werden.

2) Sucht der Lehrer in einem solchen Falle seine Versetzung in den Ruhestand nicht nach, so wird ihm oder seinem nöthigenfalls hierzu besonders zu bestellenden Pfleger von der vorgesetzten Schulaufsichtsbehörde (Regierung beziehungsweise im Stadtkreise Berlin Provinzial-Schulkollegium) unter Angabe des zu gewährenden Pensionsbetrages und der Gründe der Pensionirung eröffnet, daß der Fall seiner Versetzung in den Ruhestand vorliege.

3) Innerhalb sechs Wochen nach einer solchen Eröffnung (Nr. 2) kann der Lehrer seine Einwendungen bei der Schulaufsichtsbehörde anbringen.

Ist dieses geschehen, so beschließt die Schulaufsichtsbehörde, ob dem Verfahren Fortgang zu geben sei.

In diesem Falle hat der damit von der Schulaufsichtsbehörde zu beauftragende Beamte die streitigen Thatsachen zu erörtern, das Gutachten von Sachverständigen einzuholen, die etwa sonst zur Aufklärung dienenden Beweise zu beschaffen ꝛc. erforderlichen Falles Zeugen zu vernehmen und zum Schluß den in den Ruhestand zu versetzenden Lehrer oder dessen Pfleger über das Ergebniß der Ermittelungen mit seiner Erklärung und seinem Antrage zu hören.

Auf Grund der geschlossenen Verhandlungen trifft die Schulaufsichtsbehörde, wenn sie nach dem Ergebnisse der Ermittelungen die dauernde Dienstunfähigkeit des Lehrers für dargethan erachtet, durch Kollegial-Beschluß, welcher mit Gründen versehen sein muß, Bestimmung darüber,

daß und zu welchem Zeitpunkte der Lehrer in den Ruhestand zu versetzen ist,

gleichzeitig aber gemäß der Vorschriften des Pensionsgesetzes vom 6. Juli 1885 (Gesetz-Samml. S. 298) Entscheidung darüber,

welche Pension dem Lehrer bei seiner Versetzung in den Ruhestand zusteht (zu vergl. Nr. 6 dieses Erlasses).

Der Abfassung eines Plenar-Beschlusses bedarf es nicht.

Eine Ausfertigung des Beschlusses ist dem Lehrer oder dessen Pfleger zuzustellen.

Gegen diesen Beschluß steht dem Lehrer, insoweit sich der Beschluß auf die Bestimmung erstreckt,

daß und zu welchem Zeitpunkte der Lehrer in den Ruhestand zu versetzen ist,

die Beschwerde an den Unterrichts-Minister binnen einer Frist von vier Wochen nach Empfang des Beschlusses zu.

Des Beschwerderechtes ungeachtet kann der Lehrer von der Schulaufsichtsbehörde sofort der weiteren Amtsverwaltung vorläufig enthoben werden.

Unberührt durch die vorstehenden Vorschriften bleibt die Bestimmung des § 15 des Pensionsgesetzes vom 6. Juli 1885.

4) Dem Lehrer, dessen Versetzung in den Ruhestand verfügt ist, wird das volle Gehalt noch bis zum Ablaufe desjenigen Vierteljahres fortgezahlt, welches auf den Monat folgt, in dem ihm die schließliche Verfügung über die Versetzung in den Ruhestand mitgetheilt worden ist.

5) Wenn der Lehrer gegen die ihm gemachte Eröffnung (Nr. 2) innerhalb sechs Wochen keine Einwendungen erhoben hat, so wird in derselben Weise verfügt, als wenn er seine Pensionirung selbst nachgesucht hätte.

Die Zahlung des vollen Gehaltes dauert bis zu dem unter Nr. 4 bestimmten Zeitpunkte (zu vergl. § 16 des Pensionsgesetzes vom 6. Juli 1885).

6) Ist ein Lehrer vor dem Zeitpunkte, mit welchem die Pensionsberechtigung für ihn eingetreten sein würde, dienstunfähig geworden, so kann er gemäß § 95 Absatz 2 des Gesetzes, betreffend die Dienstvergehen der nicht richterlichen Beamten, die Versetzung derselben auf eine andere Stelle oder in den Ruhestand, vom 21. Juli 1852 (Gesetz-Samml. S. 465), gegen seinen Willen nur unter Beobachtung derjenigen Formen, welche für das förmliche Disciplinarverfahren vorgeschrieben sind, in den Ruhestand versetzt werden.

Wird es jedoch für angemessen befunden, dem Lehrer eine Pension zu dem Betrage zu bewilligen, welcher ihm bei Erreichung des vorgedachten Zeitpunktes zustehen würde, so kann die Pensionirung desselben nach den Vorschriften unter Nr. 1 bis 5 erfolgen.

Es sind hierbei die Vorschriften der §§ 1 bis 4 in Verbindung mit den §§ 22 und 23 des Pensionsgesetzes vom 6. Juli 1885 zu beachten.

7) Die vorstehenden Vorschriften finden gleichmäßig Anwendung auf die zwangsweise Versetzung von definitiv angestellten Lehrerinnen an Volksschulen in den Ruhestand.

8) Alle zur Zeit etwa bereits eingeleiteten Verhandlungen wegen zwangsweiser Versetzung von Lehrern und Lehrerinnen in den Ruhestand sind in das durch diesen Erlaß vorgeschriebene Verfahren überzuleiten und in demselben zum Abschluß zu bringen.

9) Lehrer und Lehrerinnen an Volksschulen, welche nicht definitiv, sondern auf Widerruf (einstweilig, provisorisch rc.) angestellt sind, können, wenn sie durch ein körperliches Gebrechen oder wegen Schwäche ihrer körperlichen oder geistigen Kräfte zu der Erfüllung ihrer Amtspflichten dauernd unfähig sind, gemäß der Vorschrift des § 83 des Gesetzes vom 21. Juli 1852 (Gesetz-Samml. S. 465) von der Schulaufsichtsbehörde entlassen werden.

Dieser Erlaß ist durch das Amtsblatt zu veröffentlichen.

Berlin, den 5. September 1888.

Ministerium
der geistlichen, Unterrichts- u. Medicinal-Angelegenheiten.
U. IIIb. № 7741.

Bekanntmachungen des Königlichen Regierungs-Präsidenten.

(Fortsetzung unter № 264 s. Seite 400.)

Versendung von Wiederkäuern und Schweinen nach den Nordseehäfen.

256. Um den Viehversendern die ihnen durch Bundesrathsbeschluß vom 3. November v. J. und durch die entsprechende Polizeiverordnung vom 20. Januar 1888 (Amtsblatt S. 29) auferlegte Pflicht der Untersuchung der nach den Nordseehäfen zu befördernden Wiederkäuer und Schweine thunlichst zu erleichtern, hat der Herr Minister für Landwirthschaft, Domänen und Forsten mich ermächtigt, in denjenigen Fällen, in welchen die beamteten Thierärzte die Untersuchungen ohne nachtheilige Verzögerung der Verladung nicht auszuführen im Stande sind, bezw. zu weit entfernt von den Verladestationen wohnen, auf Grund des § 2 des Reichs-Viehseuchengesetzes vom 23. Juni 1880 geeignete approbirte private Thierärzte mit den gedachten Funktionen zu beauftragen und die Namen dieser beauftragten privaten Thierärzte im Amtsblatt zu veröffentlichen.

Demnach wird hiermit bekannt gemacht, daß unter den vorstehend erwähnten Umständen folgende Thierärzte an Stelle der beamteten Thierärzte in Anspruch genommen werden können:

Reißmann zu Strasburg U.-M.,
Kunow zu Freienwalde a. O.
Kreitz zu Wriezen,
Graetphel und Straube zu Spandau,
E. Schmidt zu Wildberg in der Mark,
Mikley, Gestütsroßarzt, zu Neustadt a. Dosse,
Ehrhardt zu Meyenburg,
Dettmann zu Pritzwalk,
O. Mertens zu Lenzen.

Potsdam, den 3. Oktober 1888.

Der Regierungs-Präsident.

Fleischer-Innung zu Nowawes

257. Auf Grund des § 100e. № 3 der Reichsgewerbe-Ordnung in der Fassung des Gesetzes vom 18. Juli 1881 und der Ausführungs-Anweisung hierzu vom 9. März 1882 — I. 1a. 2 — bestimme ich hierdurch für den Bezirk der Fleischer-Innung zu Nowawes,

daß diejenigen Arbeitgeber, welche das Fleischer-Gewerbe betreiben und selbst zur Aufnahme in die Innung fähig sein würden, gleichwohl aber der Innung nicht angehören, vom 1. April 1889 ab Lehrlinge nicht mehr annehmen dürfen.

Ich bringe dies mit dem Bemerken hierdurch zur Kenntniß, daß der Bezirk der genannten Innung a. die Amtsbezirke Nowawes, Neuendorf, Königlich

Potsdamer Forst und Drewitz des Kreises Teltow, b. den Amtsbezirk Saarmund des Kreises Zauch-Belzig und c. die Amtsbezirke Bornstedt und Fahrland des Kreises Osthavelland umfaßt.

Potsdam, den 28. September 1888.

Der Regierungs-Präsident.

Schlosser-, Sporer-, Büchsenmacher-, Feilenhauer- und Windenmacher-Innung zu Potsdam.

258. Auf Grund des § 100e. № 1, 2 und 3 der Reichs-Gewerbe-Ordnung in der Fassung des Gesetzes vom 18. Juli 1881 und der Ausführungs-Anweisung hierzu vom 9. März 1882 — I. 1 a.2 — bestimme ich hierdurch für den Bezirk der Schlosser-, Sporer-, Büchsenmacher-, Feilenhauer- und Windenmacher-Innung zu Potsdam,

1) daß Streitigkeiten aus den Lehrverhältnissen der im § 120a. der Reichs-Gewerbe-Ordnung bezeichneten Art auf Anrufen eines der streitenden Theile von der zuständigen Innungsbehörde auch dann zu entscheiden sind, wenn der Arbeitgeber, obwohl er ein in der Innung vertretenes Gewerbe betreibt und selbst zur Aufnahme in die Innung fähig sein würde, gleichwohl der Innung nicht angehört,
2) daß die von der Innung erlassenen Vorschriften über die Regelung des Lehrlings-Verhältnisses, sowie über die Ausbildung und Prüfung der Lehrlinge auch dann bindend sind, wenn deren Lehrherr zu den unter № 1 bezeichneten Arbeitgebern gehört,
3) daß Arbeitgeber der unter № 1 bezeichneten Art vom 1. April 1889 ab Lehrlinge nicht mehr annehmen dürfen.

Ich bringe dies mit dem Bemerken hierdurch zur Kenntniß, daß der Bezirk der gedachten Innung den Bezirk der Stadt Potsdam und die Umgegend in einem Umkreise von 10 km umfaßt.

Potsdam, den 30. September 1888.

Der Regierungs-Präsident.

259. Nachweisung der an den Pegeln der Spree und Havel im Monat Juli 1888 beobachteten Wasserstände.

Datum.	Berlin. Ober- N. N. Wasser.	Berlin. Unter- N. N. Wasser.	Spandau. Ober-Wasser.	Spandau. Unter-Wasser.	Potsdam.	Baumgartenbrück.	Brandenburg. Ober-Wasser	Brandenburg. Unter-Wasser	Rathenow. Ober-Wasser.	Rathenow. Unter-Wasser.	Havelberg.	Plauer Brücke.
	Meter.	Meter.	Meter.	Meter.	Meter.	Meter.	Meter.	Meter.	Meter.	Meter.	Meter.	Meter.
1	32,38	30,74	2,32	0,48	0,89	0,47	2,00	1,18	1,40	1,08	1,92	1,70
2	32,30	30,74	2,30	0,54	0,90	0,46	2,00	1,16	1,32	0,96	1,88	1,68
3	32,40	30,66	2,30	0,50	0,89	0,45	1,94	1,14	1,32	1,00	1,84	1,66
4	32,38	30,74	2,30	0,50	0,88	0,44	1,98	1,10	1,32	1,00	1,82	1,62
5	32,38	30,76	2,32	0,46	0,87	0,44	1,98	1,10	1,32	0,88	1,78	1,60
6	32,38	30,82	2,32	0,48	0,87	0,43	1,98	1,08	1,32	0,86	1,76	1,58
7	32,38	30,80	2,32	0,52	0,88	0,42	1,98	1,08	1,32	0,84	1,72	1,58
8	32,38	30,80	2,32	0,42	0,88	0,42	1,94	1,04	1,32	0,80	1,70	1,56
9	32,36	30,80	2,34	0,48	0,87	0,42	1,92	1,02	1,32	0,78	1,66	1,54
10	32,36	30,80	2,36	0,52	0,87	0,42	1,88	1,00	1,32	0,78	1,62	1,52
11	32,35	30,80	2,34	0,48	0,87	0,43	1,88	1,00	1,32	0,72	1,60	1,50
12	32,35	30,84	2,34	0,54	0,87	0,43	1 88	0,98	1,32	0,72	1,58	1,48
13	32,32	30,78	2,34	0,54	0,89	0,44	1,82	0,98	1,32	0,70	1,58	1,46
14	32,34	30,82	2,32	0,60	0,92	0,44	1,88	0,98	1,32	0,70	1,56	1,44
15	32,38	30,78	2,30	0,52	0,92	0,45	1,96	0,98	1,32	0,70	1,56	1,42
16	32,38	30,78	2,32	0,52	0,91	0,45	2,00	0,98	1,32	0,70	1,54	1,42
17	32,37	30,76	2,34	0,50	0,91	0,47	2,00	0,98	1,32	0,68	1,54	1,40
18	32,38	30,78	2,36	0,52	0,92	0,48	2,00	0,98	1,32	0,66	1,58	1,40
19	32,38	30,76	2,36	0,56	0,94	0,49	2,02	0,98	1,32	0,68	1,60	1,42
20	32,40	30,86	2,38	0,62	0,94	0,49	2,02	1,04	1,32	0,68	1,60	1,42
21	32,38	30,86	2,36	0 64	0,96	0,49	1,98	1,04	1,32	0,68	1,62	1,42
22	32,38	30,86	2,32	0,58	0,97	0,50	2,00	1,04	1,32	0,70	1,64	1,42
23	32,40	30,86	2,36	0,60	0,97	0,50	2,02	1,06	1,32	0,70	1,62	1,44
24	32,38	30,84	2,34	0,62	0,97	0,51	2,00	1,06	1,32	0,68	1,60	1,46
25	32,38	30,84	2,34	0,58	0,96	0,51	2,00	1,04	1,32	0,68	1,60	1,48
26	32,34	30,84	2,32	0,62	0,96	0,51	1,94	1,02	1,32	0,70	1,60	1,48
27	32,36	30,84	2,34	0,62	0,96	0,50	1,94	1,00	1,32	0,70	1,58	1,48
28	32,36	30,86	2,30	0,58	0,96	0,50	1,94	1,00	1,32	0,70	1,58	1,48
29	32,36	30,86	2,30	0,60	0,97	0,50	1,94	1,02	1,32	0,70	1,58	1,46
30	32,34	30,84	2,30	0,60	0,98	0,51	1,94	1,00	1,32	0,68	1,58	1,46
31	32,35	30,86	2,34	0,60	0,96	0,50	1,94	1,00	1,32	0,68	1,56	1,44

Potsdam, den 8. Oktober 1888.

Der Regierungs-Präsident.

260. **Nachweisung der Markt- u.**

Laufende Nummer	Namen der Städte	Getreide								Uebrige Markt-																	
		Es kosten je 100 Kilogramm																						G			
																								Rindfleisch			
		Weizen		Roggen		Gerste		Hafer		Erbsen		Speisebohnen		Linsen		Kartoffeln		Richtstroh		Krummstroh		Heu		von der Keule		Bauchfleisch	
		M.	Pf.	M.	Pf.	M.	Pf.	M.	Pf.	M.	Pf.	M.	Pf.	M.	Pf.	M.	Pf.	M.	Pf.	M.	Pf.	M.	Pf.	M.	Pf.	M.	Pf.
1	Angermünde	18	07	15	02	13	29	14	18	28	—	30	—	40	—	5	10	5	63	3	87	5	81	1	35	1	05
2	Beeskow	17	50	15	10	—	—	14	70	27	50	33	—	45	—	3	68	6	44	—	—	6	60	1	20	1	—
3	Bernau	15	65	11	33	14	—	11	17	26	50	32	—	44	75	4	57	5	19	—	—	6	50	1	21	1	—
4	Brandenburg	18	20	15	30	14	22	14	56	27	50	35	—	55	—	3	34	4	94	—	—	6	46	1	30	1	10
5	Dahme	18	24	14	98	12	86	14	44	25	—	32	—	45	—	5	50	4	70	3	—	7	70	1	—	1	—
6	Eberswalde	18	33	15	30	17	09	14	53	23	89	23	89	27	78	4	—	4	43	—	—	5	44	1	20	1	—
7	Havelberg	18	20	15	04	14	25	14	33	26	50	55	—	65	—	4	50	4	50	2	25	5	76	1	30	1	—
8	Jüterbog	17	75	16	75	12	50	16	50	26	—	30	—	40	—	4	—	6	75	—	—	8	—	1	20	1	—
9	Luckenwalde	18	44	15	28	13	14	13	06	32	50	32	50	37	50	3	67	6	67	—	—	5	25	1	20	1	20
10	Perleberg	17	80	15	21	13	42	12	73	22	50	35	—	53	—	4	17	5	19	—	—	7	42	1	40	1	10
11	Potsdam	17	93	14	86	17	—	15	18	23	—	32	—	41	—	3	80	6	82	—	—	7	23	1	35	1	10
12	Prenzlau	17	86	14	84	14	54	13	77	21	50	35	—	45	—	6	06	5	—	3	50	5	—	1	20	—	[illegible]
13	Pritzwalk	17	37	15	17	13	38	12	38	16	50	32	—	33	—	4	04	4	13	3	25	4	50	1	10	1	—
14	Rathenow	17	50	14	50	13	17	13	83	30	—	30	—	40	—	3	25	4	20	—	—	5	25	1	40	1	[illegible]
15	Neu-Ruppin	20	—	15	13	13	75	13	53	30	—	32	—	50	—	3	36	5	—	—	—	4	75	1	30	1	05
16	Schwedt	19	60	14	68	14	—	14	17	26	67	26	67	31	25	4	—	4	93	—	—	5	60	1	20	1	—
17	Spandau	19	—	15	50	16	50	16	50	22	50	30	50	40	—	5	—	7	—	—	—	6	50	1	40	1	[illegible]
18	Strausberg	17	57	13	50	15	80	15	50	25	—	30	50	35	—	5	—	7	28	—	—	8	41	1	20	1	10
19	Teltow	18	42	15	65	16	50	16	50	35	—	45	—	50	—	5	75	7	—	—	—	7	40	1	30	1	05
20	Templin	18	50	15	50	13	50	14	—	15	—	44	—	44	—	3	—	5	—	—	—	6	—	1	20	1	—
21	Treuenbrietzen	18	—	15	85	15	70	14	76	24	—	26	—	30	—	3	19	5	12	—	—	6	68	1	20	1	—
22	Wittstock	17	82	14	94	14	50	12	63	16	—	32	—	44	—	3	99	3	50	2	50	5	—	1	—	—	90
23	Wriezen a. O.	17	78	14	29	14	48	13	33	20	75	28	—	35	75	3	57	5	17	2	75	5	50	1	30	1	—
	Durchschnitt	18	07	14	94	14	44	14	19	—	—	—	—	—	—	4	20	5	42	—	—	6	21	—	—	—	—

Potsdam, den 8. Oktober 1888.

261. **Nachweisung des Monatsdurchschnitts der gezahlten höchsten**

Laufende Nummer.	Es kosteten je 50 Kilogramm.	Angermünde.		Beeskow.		Bernau.		Brandenburg.		Dahme.		Eberswalde.		Havelberg.		Jüterbog.		Luckenwalde.		Perleberg.	
		M.	₰	M.	₰	M.	₰	M.	₰	M.	₰	M.	₰	M.	₰	M.	₰	M.	₰	M.	₰
1	Hafer	7	82	7	72	6	83	8	08	7	58	8	33	7	88	8	66	7	06	6	90
2	Heu	3	55	3	47	4	02	3	87	4	04	3	08	3	41	4	20	2	89	4	20
3	Richtstroh	3	35	3	38	2	89	2	86	2	47	2	54	2	63	3	55	3	68	2	91

Potsdam, den 8. Oktober 1888.

Schuhmacher-Innung zu Alt-Landsberg.

262. Unter Bezugnahme auf meine Bekanntmachung vom 26. Oktober 1886 — Amtsblatt de 1886, Stück 45 Seite 491 — bestimme ich hierdurch auf Grund des § 100e. № 3 der Reichs-Gewerbe-Ordnung in der Fassung des Gesetzes vom 18. Juli 1881 und der Ausführungs-Anweisung hierzu vom 9. März 1882 — № 1. 1a. 2 — für den Bezirk der Schuhmacher-Innung zu Alt-Landsberg,

daß diejenigen Arbeitgeber, welche das Schuhmacher-Gewerbe betreiben und selbst zur Aufnahme in die

Preise im Monat September 1888.

Artikel — kostet je 1 Kilogramm (Fleisch, Speck, Butter); Ein Schock Eier. Ladenpreise in den letzten Tagen des Monats — Es kostet je 1 Kilogramm.

Schweinefleisch M. Pf.	Kalbfleisch M. Pf.	Hammelfleisch M. Pf.	Speck M. Pf.	Butter M. Pf.	Ein Schock Eier M. Pf.	Mehl: Weizen Nr. 1 M. Pf.	Mehl: Roggen Nr. 1 M. Pf.	Gerste: Graupe M. Pf.	Gerste: Grütze M. Pf.	Buchweizengrütze M. Pf.	Hafergrütze M. Pf.	Hirse M. Pf.	Reis, Java M. Pf.	Java-Kaffee mittler in gebr. Bohnen M. Pf.	Java-Kaffee gelber in gebr. Bohnen M. Pf.	Speisesalz M. Pf.	Schweineschmalz, hiesig. M. Pf.
1 —	— 90	1 05	1 50	2 11	3 40	— 25	— 22	— 50	— 30	— 30	— 40	— 50	— 60	3 —	3 40	— 20	1 60
— 95	— 75	1 —	1 60	2 39	2 90	— 40	— 30	— 60	— 60	— 65	— 80	— 60	— 65	3 20	3 60	— 20	2 —
1 18	1 23	1 10	2 25	1 70	3 —	— 40	— 25	— 50	— 50	— 50	— 50	— 60	— 45	2 60	3 20	— 20	1 25
1 15	— 95	1 15	1 80	2 30	3 60	— 30	— 20	— 50	— 40	— 50	— 50	— 50	— 40	3 —	3 60	— 20	1 60
1 20	— 80	1 —	1 60	2 —	2 40	— 32	— 26	— 60	— —	— 40	— —	— 50	— 50	2 80	3 60	— 20	1 40
1 20	1 —	1 —	1 60	2 40	3 58	— 30	— 28	— 60	— 60	— 50	— —	— 60	— 60	3 20	3 60	— 20	1 60
1 20	1 20	1 —	1 50	2 30	3 10	— 30	— 26	— 55	— 60	— 60	— 60	— 50	— 60	3 —	3 40	— 20	2 —
1 20	— 95	1 20	1 40	2 —	3 —	— 34	— 26	— 40	— 50	— 40	— 60	— 40	— 40	2 75	3 60	— 20	1 60
1 30	— 90	1 20	1 60	2 20	3 60	— 36	— 24	— 50	— 40	— 40	— 60	— 38	— 60	3 20	3 60	— 20	1 40
1 30	1 15	1 15	1 95	1 93	3 —	— 50	— 36	— 50	— 50	— 50	— 50	— 50	— 55	3 40	3 60	— 20	2 —
1 27	1 08	1 22	1 60	2 12	3 51	— 34	— 29	— 50	— 50	— 55	— 55	— 50	— 60	2 90	3 30	— 20	1 60
1 15	— 80	1 05	1 50	2 —	3 10	— 28	— 22	— 50	— 30	— 50	— 50	— 50	— 50	3 20	3 60	— 20	1 60
1 10	— 90	1 —	1 50	1 76	2 63	— 28	— 24	— 45	— 40	— 40	— 50	— 50	— 50	3 20	3 60	— 20	1 50
1 40	1 —	1 20	1 60	2 60	3 36	— 32	— 26	— 40	— 40	— 45	— 40	— 30	— 60	3 50	3 80	— 20	1 60
1 10	— 95	1 10	1 60	2 10	3 20	— 40	— 30	— 50	— 50	— 50	— 50	— 50	— 60	3 25	3 58	— 20	1 40
1 —	— 80	1 —	1 80	2 20	3 60	— 35	— 25	— 50	— 40	— 50	— 50	— 50	— 57	3 20	3 40	— 20	2 —
1 30	1 20	1 20	1 40	2 20	3 40	— 40	— 30	— 50	— 50	— 55	— 50	— 55	— 65	3 40	3 80	— 20	1 40
1 20	1 —	1 20	1 60	2 40	2 80	— 35	— 20	— 55	— 50	— 45	— 55	— 50	— 60	3 —	3 80	— 20	1 40
1 20	1 25	1 15	1 40	2 40	3 30	— 45	— 30	— 60	— 50	— 50	— 60	— 50	— 50	2 80	3 20	— 20	1 20
1 —	— 60	1 —	1 60	2 20	2 80	— 30	— 25	— 65	— 55	— 50	— 60	— 40	— 50	3 20	3 60	— 20	1 60
1 —	— 90	1 20	1 60	2 20	3 05	— 30	— 20	— 50	— —	— 40	— 50	— 30	— 50	3 60	3 40	— 20	1 80
— 95	— 72	— 92	1 40	1 91	2 70	— 30	— 26	— 50	— 50	— 40	— 40	— 50	— 60	3 20	3 60	— 20	1 60
1 10	1 05	1 05	1 50	2 20	3 20	— 22	— 25	— 40	— 30	— 40	— 50	— 50	— 50	3 —	3 25	— 20	1 40

Der Regierungs-Präsident.

Tagespreise incl. 5 % Aufschlag im Monat September 1888.

Potsdam. M. ₰	Prenzlau. M. ₰	Pritzwalk. M. ₰	Rathenow. M. ₰	Neu-Ruppin. M. ₰	Schwedt. M. ₰	Spandau. M. ₰	Strausberg. M. ₰	Teltow. M. ₰	Templin. M. ₰	Treuenbrietzen. M. ₰	Wittstock. M. ₰	Wriezen a. O. M. ₰
8 48	7 68	6 83	7 53	7 38	7 44	8 93	8 33	8 66	8 14	7 75	6 76	7 46
4 49	3 15	2 89	2 81	2 50	2 94	3 68	4 51	3 89	3 41	3 53	2 63	3 15
3 84	2 89	2 36	2 25	2 63	2 59	3 68	3 87	3 68	2 89	2 69	1 84	2 81

Der Regierungs-Präsident.

Innung fähig sein würden, gleichwohl aber der Innung nicht angehören, vom 1. April 1889 ab Lehrlinge nicht mehr annehmen dürfen.

Ich bringe dies mit dem Bemerken hierdurch zur Kenntniß, daß der Bezirk der gedachten Innung den Bezirk der Stadtgemeinde Alt-Landsberg, sowie die Amtsbezirke Alt-Landsberg, Fredersdorf, Schöneiche, Loehme, Blumberg, Ahrensfelde, Dahlwitz und Neuenhagen umfaßt.

Potsdam, den 2. Oktober 1888.

Der Regierungs-Präsident.

Viehseuchen.

263. Die Maul- und Klauenseuche ist unter dem Rindvieh und den Schweinen des Oekonomen Albert Wahn in Jüterbog ausgebrochen.

Potsdam, den 2. Oktober 1888.

Der Regierungs-Präsident.

Bekanntmachungen des Königlichen Polizei-Präsidiums zu Berlin.

Eröffnung einer Apotheke.

102. Die von dem Corpsstabsapotheker a. D. Theodor Heinrich Peise in dem Hause Neanderstraße 29 (Ecke der Schmidtstraße) auf Grund der Concession des Herrn Oberpräsidenten vom 20. März 1888 eingerichtete Apotheke ist heute nach vorschriftsmäßiger Revision eröffnet worden, was hierdurch zur öffentlichen Kenntniß gebracht wird. Berlin, den 29. September 1888.

Der Polizei-Präsident.

Berliner und Charlottenburger Preise pro Monat September 1888.

103. A. Engros-Marktpreise im Monatsdurchschnitt.

In Berlin:

für	100	Klgr.	Weizen	(gut	18	Mark	93 Pf.,
„	„	„	do.	(mittel)	18	„	31 „
„	„	„	do.	(gering)	17	„	69 „
„	„	„	Roggen	(gut)	15	„	86 „
„	„	„	do.	(mittel)	15	„	25 „
„	„	„	do.	(gering)	14	„	64 „
„	„	„	Gerste	(gut)	18	„	48 „
„	„	„	do.	(mittel)	16	„	25 „
„	„	„	do.	(gering)	14	„	02 „
„	„	„	Hafer	(gut)	15	„	72 „
„	„	„	do.	(mittel)	14	„	70 „
„	„	„	do.	(gering)	13	„	64 „
„	„	„	Erbsen	(gut)	18	„	09 „
„	„	„	do.	(mittel)	17	„	10 „
„	„	„	do.	(gering)	16	„	11 „
„	„	„	Richtstroh		6	„	81 „
„	„	„	Heu		6	„	88 „

Monats-Durchschnitt der höchsten Berliner Tagespreise **einschließlich 5 % Aufschlag** für 50 kg

	Hafer	Stroh	Heu
im Monat September	8,51 Mk.,	3,72 Mk.,	4,14 Mk.

B. Detail-Marktpreise im Monatsdurchschnitt.

1) In Berlin:

für	100	Klgr.	Erbsen (gelbe) z. Kochen	28	Mark	— Pf.,
„	„	„	Speisebohnen (weiße)	32	„	— „
„	„	„	Linsen	44	„	10 „
„	„	„	Kartoffeln	4	„	12 „
„	1	Klgr.	Rindfleisch v. d. Keule	1	„	20 „
„	1	„	„ (Bauchfleisch)	1	„	— „
„	1	„	Schweinefleisch	1	„	16 „
„	1	„	Kalbfleisch	1	„	18 „
„	1	„	Hammelfleisch	1	„	12 „
„	1	„	Speck (geräuchert)	1	„	35 „
„	1	„	Eßbutter	2	„	27 „
„	60	Stück	Eier	3	„	29 „

2) In Charlottenburg.

für	100	Klgr.	Erbsen (gelbe z. Kochen)	31	Mark	88 Pf.,
„	„	„	Speisebohnen (weiße)	27	„	50 „
„	„	„	Linsen	37	„	50 „
„	„	„	Kartoffeln	5	„	31 „
„	1	Klgr.	Rindfleisch v. d. Keule	1	„	15 „
„	1	„	„ (Bauchfleisch)	1	„	— „
„	1	„	Schweinefleisch	1	„	25 „
„	1	„	Kalbfleisch	1	„	10 „
„	1	„	Hammelfleisch	1	„	10 „
„	1	„	Speck (geräuchert)	1	„	40 „
„	1	„	Eßbutter	2	„	23 „
„	60	Stück	Eier	2	„	84 „

C. Ladenpreise in den letzten Tagen des Monats September 1888:

1) In Berlin:

für	1	Klgr.	Weizenmehl № 1			36 Pf.,
„	1	„	Roggenmehl № 1			30 „
„	1	„	Gerstengraupe			50 „
„	1	„	Gerstengrütze			38 „
„	1	„	Buchweizengrütze			42 „
„	1	„	Hirse			42 „
„	1	„	Reis (Java)			80 „
„	1	„	Java-Kaffee (mittler)	2	Mark	33
„	1	„	„ (gelb in gebr. Bohnen)	3	„	20
„	1	„	Speisesalz			20
„	1	„	Schweineschmalz (hiesiges)	1	„	25 „

2) In Charlottenburg:

für	1	Klgr.	Weizenmehl № 1			60 Pf.
„	1	„	Roggenmehl № 1			40
„	1	„	Gerstengraupe			60
„	1	„	Gerstengrütze			50
„	1	„	Buchweizengrütze			60
„	1	„	Hirse			60
„	1	„	Reis (Java)			70 „
„	1	„	Java-Kaffee (mittler)	2	„	60
„	1	„	„ (gelb in gebr. Bohnen)	3	„	60
„	1	„	Speisesalz			20 „
„	1	„	Schweineschmalz (hiesiges)	1	„	60 „

Berlin, den 5. Oktober 1888.

Königl. Polizei-Präsidium. Erste Abtheilung.

Schmiede-Innung zu Berlin.

104. Nachstehende Bestimmung:

„Auf Grund des § 100e. Ziffer 3 der Reichs-Gewerbe-Ordnung bestimme ich hierdurch für [illegible] Bezirk der Schmiede-Innung zu Berlin, daß [illegible]jenigen Arbeitgeber, welche ein in dieser In[illegible] vertretenes Gewerbe betreiben und selbst zur [illegible]nahme in die Innung fähig sein würden, [illegible]wohl aber der Innung nicht angehören, [illegible] 15. Dezember d. J. an Lehrlinge nicht mehr [illegible]nehmen dürfen.

Berlin, den 12. November 1885.

Der Polizei-Präsident. Freiherr von Richthof[illegible]

wird hierdurch mit dem Bemerken in Erinnerung [illegible]bracht, daß durch den heute genehmigten Nachtra[illegible] vom 18. September 1888 zu dem Statut der Schmiede-Innung zu Berlin der Innungsbezirk auf die Gemeindebezirke Schöneberg, Tempelhof, Treptow, Stralau, Rummelsburg, Boxhagen, Friedrichsberg, Lichtenberg, Pankow, Nieder-Schönhausen, Reinickendorf, Dalldorf, Tegel, Wilmersdorf, Steglitz und Friedenau ausgedehnt worden ist und die vorstehende Bestimmung nunmehr auch für den erweiterten Innungsbezirk maßgebend ist.

Als Aufsichtsbehörde der Innung ist durch den Herrn Minister für Handel und Gewerbe der Magistrat der Stadt Berlin bestimmt worden.

Berlin, den 29. September 1888.

Der Polizei-Präsident.

Bekanntmachungen der Kaiserlichen Ober-Postdirektion zu Berlin.

Einrichtung des Telegraphenbetriebes bei dem Postamte Nr. 99 (Holzmarktstraße).

67. Bei dem Postamte Nr. 99 (Holzmarktstraße 73) hierselbst wird am 10. Oktober der Telegraphenbetrieb eingerichtet.

Die Dienststunden für den Telegrammverkehr mit dem Publikum werden für diese Geschäftsstelle, wie folgt, festgesetzt:

A. an Wochentagen:

von 8 Uhr Morgens bis 7 Uhr Abends,

B. an Sonn- und Feiertagen:

von 8 bis 9 Uhr Morgens und von 5 bis 7 Uhr Abends.

Berlin C., den 6. Oktober 1888.

Der Kaiserliche Ober-Postdirector.

Bekanntmachungen der Königlichen Hauptverwaltung der Staatsschulden.

Aufgebot einer Schuldverschreibung.

21. Der Bankier Otto Höchberg zu Frankfurt a. M. hat auf Umschreibung der Schuldverschreibung des 3½ prozentigen Staatsanlehens der vormals freien Stadt Frankfurt a. M. vom 9. April 1839 Lit. D. Nr. 191 über 1000 Fl. angetragen, weil dieselbe wegen der auf der Rückseite befindlichen durchstrichenen Vermerke nicht mehr umlaufsfähig ist. In Gemäßheit des § 2 des Gesetzes vom 29. Februar 1868 (Ges.-S. S. 169), des § 2 des Gesetzes vom 5. März 1869 (Ges.-S. S. 379) und des § 3 des Gesetzes vom 4. Mai 1843 (Ges.-S. S. 177) wird deshalb Jeder, der an diesem Papier ein Anrecht zu haben vermeint, aufgefordert, dasselbe binnen 6 Monaten und spätestens **am 10. April 1889** uns anzuzeigen, widrigenfalls das Papier kassirt und dem obengenannten Bankier Otto Höchberg ein neues kursfähiges ausgehändigt werden wird.

Berlin, den 28. September 1888.

Hauptverwaltung der Staatsschulden.

Bekanntmachungen der Königl. Kontrolle der Staatspapiere.

Aufgebot von Schuldverschreibungen.

19. In Gemäßheit des § 20 des Ausführungsgesetzes zur Civilprozeßordnung vom 24. März 1879 (G.-S. S. 281) und des § 6 der Verordnung vom 16. Juni 1819 (G.-S. S. 157) wird bekannt gemacht, daß die Schuldverschreibungen der konsolidirten 4%igen Staatsanleihe lit. E. № 80252, 141733, 318473, 355447, 406312, 459121, 615047 und 1121802 über je 300 M. dem Schankwirth Johann August Gorn hier, Brunnenstraße Nr. 38a, angeblich gestohlen worden sind. Es werden diejenigen, welche sich im Besitze dieser Urkunden befinden, hiermit aufgefordert, solches der unterzeichneten Kontrolle der Staatspapiere oder dem Herrn Gorn anzuzeigen, widrigenfalls das gerichtliche Aufgebotsverfahren behufs Kraftloserklärung der Urkunden beantragt werden wird.

Berlin, den 28. September 1888.

Königl. Kontrolle der Staatspapiere.

Personal-Chronik.

Der bisherige Regierungs-Secretariats-Assistent Wiegel ist zum Regierungs-Secretär ernannt worden.

Der bisherige Regierungs-Supernumerar Wagner ist zum Regierungs-Secretariats-Assistenten ernannt worden.

In Stelle des mit Johannis 1888 aus der Domänenpachtung Potzlow ausgeschiedenen Pächters Mundt zu Potzlow ist der Schulamtspächter Karbe zu Blankenburg zum domänenfiskalischen und Patronats-Vertreter für die Ortschaft Potzlow im Kreise Templin und für die Gewässer Ober-Ücker und Möllensee bestellt worden.

Bei der Königlichen Direktion für die Verwaltung der direkten Steuern in Berlin sind 1) der Regierungs-Rath Bierbach an die Königliche Regierung zu Erfurt versetzt und der Regierungs-Assessor Dr. Jungck aus Stettin als Hülfsarbeiter überwiesen, 2) der Gymnasiast Fleischmann als Civil-Supernumerar eingetreten, 3) die Militair-Supernumerare Burchardt und Iwer ausgeschieden, 4) der Militair-Anwärter Wantke als Militair-Supernumerar, sowie der Militair-Anwärter Kleinschmidt als Kanzlei-Diätar übernommen, 5) der Militair-Anwärter Voigt als Vollziehungsbeamter angestellt.

Der Lehrer Paul Dalitz ist als Gemeindeschullehrer in Berlin angestellt worden.

Personalveränderungen im Bezirke der Kaiserlichen Ober-Postdirektion in Berlin.

Im Laufe des Monats September sind:

befördert der Ober-Postdirector Geheime Postrath Schiffmann zum Geheimen Ober-Postrath unter Verleihung des Ranges der Räthe II. Klasse,

ernannt zum Postinspector der Postkassirer Sack, zum Ober-Postsecretair der Postsecretair Weisbauer, zum Büreauassistenten der Postassistent Urbach,

versetzt der Postdirector Wilke von Münster (Westf.) nach Berlin, der Postassistent Will von Berlin nach Danzig,

in den Ruhestand der Postsecretair E. W. A. Beyer,

versetzt der Telegraphensecretair Dethlefs, der Ober-Telegraphenassistent Lindner,

gestorben der Postassistent Adams.

Personalveränderungen im Bezirke der Kaiserlichen Ober-Postdirektion zu Potsdam.

Statsmäßig angestellt sind: der Postanwärter Schmerberg in Brüssow, die Postassistenten Falisch in Pfaffendorf (Mark) und Hampe in Halbe als Postverwalter.

Ernannt ist: der Postsecretair Hoeynck in Potsdam zum Ober-Postdirectionssecretair.

Versetzt sind: der Postsecretair Seiler in Gebweiler als comm. Ober-Postdirectionssecretair nach Potsdam, der Postsecretair Faerber in Spandau als comm. Ober-Postkassen-Buchhalter nach Düsseldorf.

In den Ruhestand getreten sind: der Postdirector Meisner in Wriezen, der Büreaubeamte I. Klasse, Rechnungsrath Fitzau in Potsdam, der Ober-Postkassen-Buchhalter Stromer in Potsdam, der Postsecretair Schwebs in Beeskow.

Ausweisung von Ausländern aus dem Reichsgebiete.

Lauf. Nr.	Name und Stand des Ausgewiesenen	Alter und Heimath des Ausgewiesenen	Grund der Bestrafung	Behörde, welche die Ausweisung beschlossen hat	Datum des Ausweisungs-Beschlusses
1	2	3	4.	5	6
		Auf Grund des § 362 des Strafgesetzbuchs:			
1	Johanna Gruß, ledig,	geboren am 16. Juni 1858 zu Albrechtsdorf, Bezirk Tannwald, Böhmen, ortsangehörig zu Großmergenthal, Bezirk Gabel, ebendaselbst, wohnhaft zuletzt in Berlin,	gewerbsmäßige Unzucht,	Königlich Preußischer Polizei-Präsident zu Berlin,	8. August 1888.
2	Franz Buschmann, Seifensieder und Arbeiter,	geboren am 17. April 1832 zu Haindorf, Bezirk Friedland, Böhmen, ortsangehörig ebendaselbst,	Landstreichen und Betteln,	Königlich Sächsische Kreishauptmannschaft Bautzen,	15. August 1888.
3	Franz Josef Neumann, Comtoirist,	geboren am 3. Januar 1843 zu Winterberg, Böhmen, ortsangehörig ebendaselbst,	Betteln im wiederholten Rückfall,	Polizeibehörde zu Hamburg,	25. August 1888.
4	Isaak Wolf Brosowsky, Handelsmann,	40 Jahre alt, geboren zu Schaent, Rußland, ortsangehörig ebendas.,	Landstreichen,	Kaiserlicher Bezirks-Präsident zu Straßburg,	1. September 1888.
5	Grunbuc Berek (Bär), Handelsmann,	65 Jahre alt, geboren zu Romcer, Russisch-Polen, ortsangehörig ebendaselbst,	desgleichen,	derselbe,	desgleichen.

Fortsetzung der Bekanntmachungen des Königl. Regierungs-Präsidenten.

Betrifft Erhöhung der Vergütungssätze für den zu den diesjährigen Truppen-Uebungen geleisteten Vorspann.

264. Die vom Bundesrath festgestellten Vergütungssätze für geleisteten Vorspann werden gemäß § 4 Art. II. des Gesetzes vom 21. Juni 1887 (R.-G.-Bl. S. 245) und § 9 der dazu erlassenen Instruktion vom 30. August 1887 (R.-G.-Bl. S. 433) hierdurch für die Landkreise Nieder-Barnim und Ruppin, sowie für die Stadtkreise Potsdam und Spandau um ein Fünftel dieser Sätze, für den Landkreis Jüterbog-Luckenwalde auf 8 M. bezw. 12 M. erhöht.

Potsdam, den 10. Oktober 1888.

Der Regierungs-Präsident.
In Vertretung: Goeschel.

Hierzu Drei Oeffentliche Anzeiger.

(Die Insertionsgebühren betragen für eine einspaltige Druckzeile 20 Pf. Belagsblätter werden der Bogen mit 10 Pf. berechnet.)

Redigirt von der Königlichen Regierung zu Potsdam.

Potsdam, Buchdruckerei der A. W. Hayn'schen Erben (C. Hayn, Hof-Buchdrucker).

Amtsblatt

der Königlichen Regierung zu Potsdam und der Stadt Berlin.

Stück 42. Den 19. Oktober **1888.**

Bekanntmachungen der Königlichen Ministerien.

Regulativ, betreffend die Gewährung der Zoll- und Steuervergütung für Taback und Tabackfabrikate.

30. Der Bundesrathsausschuß für Zoll- und Steuerwesen hat im Einvernehmen mit dem Ausschuß für Handel und Verkehr auf Grund der durch den Bundesrathsbeschluß vom 5. Juli d. Js., § 433 der Protokolle, ertheilten Ermächtigung in der Sitzung vom 28. Juli d. Js., § 10 der Protokolle, das Regulativ, betreffend die Ausfuhrvergütung für Taback, mit der Maßgabe festgestellt, daß dasselbe vom 1. Oktober d. Js. ab an die Stelle des seitherigen Regulativs, betreffend die Gewährung der Zoll- und Steuervergütung für Taback und Tabackfabrikate, zu treten hat.

Berlin, den 22. September 1888.

Der Finanz-Minister.
Im Auftrage:
gez. Hasselbach.

An die Provinzial-Steuer-Direktion hier. III. 15536.

Bekanntmachungen des Königlichen Regierungs-Präsidenten.

Ertheilung von Leichenpässen.

265. Das in der Circular-Verfügung der damaligen Herren Minister der geistlichen, Unterrichts- und Medicinal-Angelegenheiten und des Innern vom 19. Dezember 1857 (M. d. g. A. 5091 M. / 1291 H. S. — M. d. J. II. 8379) für Leichenpässe angeordnete Schema diente, in Ermangelung eines besonderen Formulars für Transporte auf Eisenbahnen, bisher zugleich als der im § 34 des Eisenbahn-Betriebs-Reglements vom 11. Mai 1874 für solche Transporte erforderte Leichenpaß. Nach der Bestimmung unter № 3 des laut Bekanntmachung des Herrn Reichskanzlers vom 14. Dezember v. J. neugefaßten § 34 l. c. ist für diese Transporte ein anderes Leichenpaß-Formular vorgeschrieben, ohne daß jedoch dadurch die frühere Vorschrift in dem Erlasse vom 19. Dezember 1857 hinsichtlich des dort vorgesehenen Formulars aufgehoben wäre. Da somit der Fall eintreten kann, daß beim Transport einer Leiche, welcher theils auf der Eisenbahn, theils auf Landwegen stattfindet, zweierlei Leichenpässe ausgestellt werden müßten, so bestimmen wir im Interesse eines einfachen und sicheren Geschäftsganges hiermit, daß das von dem Herrn Reichskanzler in dem erwähnten § 34 des Eisenbahn-Betriebs-Reglements für die Beförderung von Leichen auf Eisenbahnen vorgeschriebene Leichenpaß-Formular, künftighin auch für den Transport von Leichen auf Landwegen Anwendung findet, wobei selbstverständlich, falls der Transport auf keiner Strecke mittelst Eisenbahn geschieht. im Paß-Pormular die Worte **„mittelst Eisenbahn"** zu streichen sind.

Ferner ist in weiterer Abänderung der Bestimmungen des Erlasses vom 19. Dezember 1857 die Ertheilung von Leichenpässen zukünftig abhängig zu machen von der Vorlegung einer von einem **beamteten** Arzte ausgestellten Bescheinigung über die Todesursache, sowie darüber, daß seiner Ueberzeugung nach der Beförderung der Leiche gesundheitliche Bedenken nicht entgegenstehen.

Schließlich kommt die zeitliche Beschränkung der Gültigkeit des Passes in Fortfall.

Berlin, den 23. September 1888.

Der Minister der geistlichen, Unterrichts- und Medizinal-Angelegenheiten.	Der Minister des Innern.
In Vertretung Nasse.	Herrfurth.

M. d. g. ꝛc. A. M. 7822. / M. d. J. II. 8649.

* * *

Vorstehende Bestimmungen werden unter Hinweis auf die Bekanntmachungen vom 14. Dezember 1887 und 20. April 1888 — Amtsblatt 1888 Seite 151 und 153 — hierdurch zur öffentlichen Kenntniß gebracht.

Potsdam, den 11. Oktober 1888.

Der Königl. Regierungs-Präsident.

Die zur Hilfeleistung in polizeilicher Beziehung den Königlichen Wasserbau-Inspectoren untergeordneten Personen betreffend.

266. In Ergänzung der Bekanntmachungen vom 12. November 1880 (Amtsblatt S. 429) und vom 25. August 1884 (Amtsblatt S. 339) wird hierdurch zur öffentlichen Kenntniß gebracht, daß zu denjenigen Personen, welcher sich die mit der Verwaltung der Strom-, Schifffahrts-, Flößerei- und Hafen-Polizei betrauten Königlichen Wasserbau-Inspectoren als Hilfsorgane in polizeilicher Beziehung zu bedienen haben, fortan zu rechnen sind: die Wasserbau-, Strom-, Kanal-, Fähr-, Schifffahrts-Aufseher, Floßholz-Aufseher, Buschwärter, Baggermeister, Schleusenmeister- und Wärter, Buhnenmeister, Krahnmeister, Brückenwärter, Schiffsführer (Steuerleute), sobald dieselben den Diensteid geleistet haben. Soweit diese Kategorien von Unterbeamten der Wasserbau-Verwaltung den Character als Hilfsbeamte in den erwähnten polizeilichen Zweigen bisher nicht schon besessen haben, wird ihnen derselbe unter Zustimmung der Herren Minister der öffentlichen Arbeiten und für Handel und Gewerbe hiermit ausdrücklich beigelegt.

Potsdam, den 9. Oktober 1888.

Der Regierungs-Präsident.

Beförderung von Wiederkäuern und Schweinen nach den Nordseehäfen betreffend.

267. Unter Bezugnahme auf die Polizei-Verordnung, betreffend die Verladung und Beförderung von Wiederkäuern und Schweinen nach den Nordseehäfen, vom 20. Januar 1888 — Amtsblatt S. 29 — mache ich in Befolgung eines Erlasses des Herrn Ministers für Landwirthschaft, Domänen und Forsten vom 27. September d. J. I. 16 056 hiermit bekannt, daß die thierärztliche Untersuchung der mit der Eisenbahn nach den Nordseehäfen zu befördernden Wiederkäuer und Schweine nur für diejenigen Eisenbahn-Viehtransporte stattzufinden hat, welche zur Beförderung nach den eigentlichen Exporthäfen (Hafen**städten**) bestimmt sind. Als Exporthäfen für Vieh kommen zur Zeit in Betracht: Hamburg, Harburg, Altona, Bremen, Bremerhaven, Geestemünde und Tönning, der letztere Ort jedoch nur für die Zeit vom 1. Juni bis 30. November jeden Jahres.

Ferner treffe ich bezüglich des Exportes von Wiederkäuern und Schweinen vermittelst der Schifffahrt folgende:

Anordnung.

Mit Ermächtigung des Herrn Ministers für Landwirthschaft, Domänen und Forsten und auf Grund der §§ 2, 18, 20 und 66 № 4 des Reichsviehseuchengesetzes vom 23. Juni 1880 wird hiermit angeordnet, was folgt:

§ 1. Zur Beförderung nach den vorstehend näher bezeichneten Exporthäfen (Hafenstädten) bestimmte Wiederkäuer und Schweine dürfen bis auf Weiteres nur dann in Schiffsgefäßen verladen werden, wenn dieselben unmittelbar vor der Verladung von einem beamteten oder einem dazu amtlich beauftragten privaten approbirten Thierarzte untersucht nnd gesund befunden worden sind.

§ 2. Eine Bescheinigung des Thierarztes über die ausgeführte Untersuchung hat der Begleiter der zu versendenden Thiere oder der Schiffsführer während des Transports bei sich zu führen und den mit der Ueberwachung der Durchführung der Anordnung zu beauftragenden Organen der Polizei auf deren Verlangen vorzuzeigen.

§ 3. Die Nichtbefolgung der in den vorstehenden §§ 1 und 2 gegebenen Vorschriften wird gemäß § 66 № 4 des angeführten Reichsviehseuchengesetzes bestraft.

Potsdam, den 11. Oktober 1888.

Der Regierungs-Präsident.

Bekanntmachungen der Königlichen Regierung.

Die Führung von domänenfiscalischen und fiscalischen Patronats-Geschäften betreffend.

26. Im Verfolg unserer Bekanntmachungen vom 6. November 1880 — Amtsblatt de 1880 Beilage zum 46. Stück — und vom 30. Oktober 1885 — Amtsblatt de 1885 Stück 46 — wird hierdurch zur öffentlichen Kenntniß gebracht, daß dem Domänenpächter Grafen Hermann von Posadowsky-Wehner jun. zu Hammer die domänenfiscalischen und fiscalischen Patronats-Geschäfte seines Vorgängers in der Pachtung, Domänenpächters Walter Brückner, jetzt zu Liebenwalde — № 42 excl. Ortschaft Kreuzbruch — vom 1. Juli 1888 ab übertragen sind.

Potsdam, den 12. Oktober 1888.

Königl. Regierung,
Abtheilung für direkte Steuern, Domainen und Forsten.

Bekanntmachungen des Königlichen Polizei-Präsidiums zu Berlin.

Entziehung eines Hebammen-Prüfungszeugnisses.

105. Der bisherigen Hebamme Johanna Otto, geborenen Lange, zu Berlin, ist durch Erkenntniß des Königlichen Ober-Verwaltungsgerichtes, III. Senats vom 13. September 1888 in Gemäßheit des § 53 Absatz 2 der Reichsgewerbeordnung das Prüfungszeugniß entzogen worden. Die rc. Otto ist daher als Hebamme nicht mehr anzusehen.

Berlin, den 8. Oktober 1888.

Der Polizei-Präsident.

Ergänzung der Bestimmungen über die Verladung und Beförderung von lebenden Thieren auf Eisenbahnen

106. Die in Abänderung der Bestimmungen über die Verladung und Beförderung von lebenden Thieren auf Eisenbahnen vom 13. Juli 1879, Centralblatt für das Deutsche Reich Seite 479 durch Bundesrathsbeschluß vom 3. November 1887 sub 2 erlassene, im Stück 3 des Amtsblattes vom 20. Januar d. J. publicirte Vorschrift, nach welcher zur Beförderung nach den Nordseehäfen bestimmte Wiederkäuer und Schweine nur dann verladen werden dürfen, wenn eine Bescheinigung darüber vorgelegt wird, daß die Thiere unmittelbar vorher von einem beamteten Thierarzt untersucht und gesund befunden sind, ist von dem Herrn Minister für Landwirthschaft, Domainen und Forsten im Einverständniß mit den sämmtlichen hohen Bundesregierungen mittelst Erlasses vom 27. September d. J. dahin deklarirt worden, daß die thierärztliche Untersuchung nur für diejenigen Eisenbahn-Viehtransporte erfordert wird, welche zur Beförderung nach den eigentlichen Exporthäfen (Hafenstädten) bestimmt sind. Als solche kommen zur Zeit in Betracht: Hamburg, Harburg, Altona, Bremen, Bremerhaven, Geestemünde, Tönning, der letztere Ort jedoch nur für die Zeit vom 1. Juni bis 30. November jeden Jahres.

Berlin, den 12. Oktober 1888.

Der Polizei-Präsident.

Bekanntmachungen des Staatssekretairs des Reichs-Postamts.

Postpacketverkehr mit den Falklands-Inseln.

19. Von jetzt ab können Postpackete ohne Werthangabe im Gewicht bis 3 kg nach den Falklands-Inseln versandt werden. Ueber die Taxen und Versendungsbedingungen ertheilen die Postanstalten auf Verlangen Auskunft.

Berlin W., 5. Oktober 1888.

Der Staatssecretair des Reichs-Postamts.

Bekanntmachungen der Kaiserlichen Ober-Post-Direktion zu Potsdam.

Landbriefbestellbezirksänderung.

68. Das im Kreise Niederbarnim belegene Pfarrdorf Zepernick wird vom 1. November ab von dem Landbriefbestellbezirke der Kaiserlichen Postagentur in Buch (Bez. Potsdam) abgezweigt und dem Bestellbezirke des Kaiserlichen Postamts in Bernau (Mark) zugetheilt.

Potsdam, den 9. Oktober 1888.

Der Kaiserliche Ober-Postdirektor.

Errichtung von Posthülfstellen.

69. Posthülfstellen sind in Wirksamkeit getreten in Blankensee bei Trebbin (Kreis Teltow), Bläsendorf bei Sadenbeck, Garz bei Wildberg (Mark), Gollin bei Templin, Kerzlin bei Wildberg (Mark), Kleinpankow bei Suckow (Bez. Potsdam), Krahne bei Reckahn, Päwesin bei Wachow, Rosenhagen bei Perleberg, Warnow bei Wendisch-Warnow. Ferner ist bei den Posthülfstellen in: Hirschfelde bei Werneuchen, Hohenofen bei Neustadt (Dosse), Päwesin, Roskow bei Weseram, Wilkendorf bei Strausberg 1 (Stadt), Telegraphenbetrieb eingerichtet worden.

Potsdam, den 10. Oktober 1888

Der Kaiserliche Ober-Postdirektor.

Bekanntmachungen der Königl. Kontrolle der Staatspapiere.

Aufgebot einer Schuldverschreibung.

20. In Gemäßheit des § 20 des Ausführungsgesetzes zur Civilprozeßordnung vom 24. März 1879 (G.-S. S. 281) und des § 6 der Verordnung vom 16. Juni 1819 (G.-S. S. 157) wird bekannt gemacht, daß die Schuldverschreibung der konsolidirten 4%igen Staatsanleihe von 1883 lit. C. № 385078 über 1000 M. dem Kaufmann Friedrich Kappner zu Töpchin bei Zossen angeblich abhanden gekommen ist. Es wird Derjenige, welcher sich im Besitze dieser Urkunde befindet, hiermit aufgefordert, solches der unterzeichneten Kontrolle der Staatspapiere oder dem Bankgeschäft von Jäckel und Templin, hier, W. Potsdamerstraße 51, anzuzeigen, widrigenfalls das gerichtliche Aufgebotsverfahren behufs Kraftloserklärung der Urkunde beantragt werden wird.

Berlin, den 8. Oktober 1888.

Königl. Kontrolle der Staatspapiere.

Bekanntmachungen des Provinzial-Steuer-Direktors.

Abfertigung von Branntweinfabrikaten durch das Haupt-Steuer-Amt für ausländische Gegenstände.

17. Es wird unter Bezugnahme auf die Bekanntmachung vom 25. August d. J. hierdurch zur öffentlichen Kenntniß gebracht, daß zufolge Erlasses des Herrn Finanz-Ministers vom 30. v. M. III. 18513 in Abänderung der bezüglichen früheren Bestimmung die Befugniß zur Abfertigung derjenigen Branntweinfabrikate, deren Alkoholgehalt nicht unter Anwendung des Thermo-Alkoholometers ermittelt werden kann, dem hiesigen Haupt-Steueramte für **aus**ländische Gegenstände an Stelle desjenigen für **in**ländische Gegenstände hierselbst übertragen worden ist.

Diesbezügliche Anträge auf Abfertigung sind für die Folge bei dem erstgenannten Amte zu stellen.

Berlin, den 6. Oktober 1888.

Die Provinzial-Steuer-Direktion.

Regulativ

zur Ausführung der Reichs-Zoll- und Steuergesetze aus Anlaß des Zollanschlusses von Hamburg.

18. Nachdem aus Anlaß des Zollanschlusses von Hamburg eine Neuredaktion der zur Ausführung der Reichs-Zoll- und Steuergesetze dienenden Regulative erforderlich geworden ist, hat der Bundesrath in seiner Sitzung vom 5. Juli d. J. — § 407 der Protokolle — beschlossen, daß die bezeichneten Regulative u. s. w. in der nunmehr festgestellten und in dieser Nummer des Amtsblatts zum Abdruck gelangten Fassung vom 1. Oktober d. J. ab im ganzen Zollgebiet an die Stelle der zur Zeit bestehenden Vorschriften treten.

Der Bundesrath hat in der Sitzung vom 5. Juli d. J. — § 406 der Protokolle — ferner beschlossen:

I. An Stelle der bisherigen Muster zu

a. Deklarationen zum Waareneingang, Begleitzetteln und Ladungsverzeichnissen, Abmeldungen von Waaren aus der Niederlage (Beschluß des Bundesraths des Zollvereins vom 20. Dezember 1869), Begleitscheinen I. und II. über inländisches Salz (Uebereinkunft wegen Erhebung einer Abgabe von Salz vom 8. Mai 1867) und

b. zu Versendungsscheinen I. und II. über inländischen Taback (Beschlüsse des Bundesraths vom 29. Mai 1880 und 13. Dezember 1883)

treten die bereits von der Kaiserlichen Reichsdruckerei unmittelbar dorthin abgesandten Muster.

Diese Muster können an den betheiligten Amtsstellen des diesseitigen Verwaltungsbezirks eingesehen werden.

Berlin, den 26. September 1888.

Die Provinzial-Steuer-Direktion.

Bekanntmachungen der Königlichen Eisenbahn-Direktion zu Berlin.

Nachtrag zum Gütertarif im Norddeutsch-Galizisch-Südwestrussischen Grenzverkehr.

39. Am 15. Oktober d. J. treten im Norddeutsch-Galizisch-Südwestrussischen Grenzverkehr ein Nachtrag V. zum Gütertarif und ein Nachtrag II. zum Getreidetarif in Kraft. Dieselben enthalten neben Ergänzungen und Berichtigungen die Aufnahme neuer Stationen, Herabsetzung und Aufhebung von Frachtsätzen, sowie die

Erweiterung der Bestimmungen über die Anwendung der Stettiner Frachtsätze für Swinemünde während der Schifffahrts-Unterbrechung auf dem Haff im Winter.

Exemplare des Nachtrags V. zum Gütertarif sind zum Preise von 0,25 M. und diejenigen des Nachtrags II. zum Getreidetarif unentgeltlich bei der Güterkasse Stettin, sowie im hiesigen Auskunftsbureau auf dem Stadtbahnhof Alexanderplatz zu haben.

Berlin, den 8. Oktober 1888.

Königl. Eisenbahn-Direktion.

Bekanntmachungen der Königlichen Eisenbahn-Direktion zu Bromberg.

Haltestelle Kl. Cammin.

61. Mit dem 15. Oktober 1888 wird die bisher nur zur Abfertigung von Wagenladungs-Gütern befugte Haltestelle Kl. Cammin auch für den Stückgut- und Eilstückgut-Verkehr eröffnet.

Vom genannten Tage ab findet demnach von und nach Kl. Cammin eine unumschränkte Abfertigung von Gütern aller Art statt.

Bromberg, den 10. Oktober 1888.

Königliche Eisenbahn-Direktion.

Bekanntmachungen der Kreis-Ausschüsse.

Communalbezirks-Veränderung.

23. Auf Grund des § 25 des Zuständigkeits-Gesetzes vom 1. August 1883, in Verbindung mit § 1 Abschnitt 4 des Gesetzes vom 14. April 1856 genehmigen wir hiermit, daß 1) das von dem Rentier Julius Grimm zu Berlin erworbene, 8 ar 02 qm große, im Grundbuche von den Rittergütern des Kreises Niederbarnim Band I. Blatt 337 verzeichnete Grundstück, 2) das von dem Buchdruckereibesitzer Theodor Grimm zu Berlin erworbene, 7 ar 90 qm große, in demselben Grundbuche Band I. Blatt 337 verzeichnete Grundstück von dem Gutsbezirke Hermsdorf abgetrennt und in den Gemeindebezirk Hermsdorf einverleibt werden.

Berlin, den 4. Oktober 1888.

Der Kreis-Ausschuß des Kreises Niederbarnim.

Bekanntmachungen anderer Behörden.

Bekanntmachung.

Die von dem Polizei-Präsidium zu Berlin unter dem 8. November 1862 von Landespolizeiwegen für den engeren Polizeibezirk von Berlin, sowie für die Stadt Charlottenburg erlassene Polizeiverordnung (Bekanntmachung), betreffend die Abwendung der bei dem Betriebe der Fabriken für künstliche Mineralwasser u. s. w. möglichen Gefahren, wird hierdurch, nachdem dieselbe bereits unter dem 9. April 1888 für den engeren Polizei-Bezirk von Berlin außer Kraft gesetzt ist, mit dem 15. Oktober d. J. auch für die Stadt Charlottenburg aufgehoben.

Berlin, den 20. September 1888.

Der Polizei-Präsident.

gez. Freiherr von Richthofen.

* * *

Vorstehende Bekanntmachung wird hierdurch öffentlichen Kenntniß gebracht.

Charlottenburg, den 24. September 1888.

Königl. Polizei-Direktion.

J. V.: gez. Münster.

* * *

Polizei-Verordnung,

betreffend den Betrieb von Mineralwasser-Fabriken.

Auf Grund der §§ 143 und 144 des Gesetzes die allgemeine Landes-Verwaltung vom 30. Juli 1883 (Gesetz-Sammlung Seite 195) und der §§ 5 und 6 des Gesetzes über die Polizei-Verwaltung vom 11. März 1850 (Gesetz-Sammlung Seite 265 ff.) wird mit Zustimmung des Gemeinde-Vorstandes für den Stadtkreis Charlottenburg das Folgende verordnet:

§ 1. Die Räume, in welchen künstliche Mineralwasser dargestellt werden, müssen gut ventilirt, geräumig und so hell sein, daß die darin aufgestellten Apparate in allen Einzelheiten genau beobachtet werden können.

§ 2. Die Verwendung von Brunnenwasser ist ausgeschlossen.

§ 3. Die bei der Bereitung der Mineralwasser zu verwendenden Salze müssen die, durch die Pharmacopoe vorgeschriebene chemische Reinheit haben.

§ 4. Alle Apparate, in welchen ein den gewöhnlichen Luftdruck übersteigender Druck hervorgebracht wird, sind aus gutem Kupferblech, welches innen stark verzinnt ist, herzustellen. Der bei der Arbeit herrschende Maximaldruck ist in unabnehmbarer Schrift auf dem Apparat deutlich anzugeben.

§ 5. Diese Apparate sind mit Manometer und Sicherheits-Ventil zu versehen, welche den Druck im Apparate genau angeben, beziehungsweise bei der Ueberschreitung desselben abblasen. Die Sicherheitsventile dürfen nicht überlastet, nicht mit Gummiplatten versehen oder gar festgekeilt werden.

§ 6. Bei denjenigen Anlagen, in welchen flüssige Kohlensäure zur Verwendung gelangt, ist zwischen der Flasche, in welcher die flüssige Kohlensäure bezogen wird, und dem Mischgefäß ein Expansionsgefäß von dem Inhalte von mindestens 100 Litern einzuschalten. Die Flasche muß mit Reduktions-Ventil versehen, das Expansionsgefäß so, wie in den §§ 4 und 5 angeordnet, beschaffen sein.

§ 7. Der Betrieb darf nicht eher begonnen werden, als bis die Prüfung der Betriebsstätte und der aufgestellten Apparate auf ihre Beschaffenheit beziehungsweise Zuverlässigkeit nach Maßgabe dieser Verordnung durch einen Sachverständigen erfolgt, eine Bescheinigung darüber der Polizei-Direktion vorgelegt und Genehmigung des Betriebs ertheilt worden ist.

§ 8. Die Apparate werden alle zwei Jahre auf ihre gute Verzinnung und auf ihre Zuverlässigkeit, indem sie dem 1½fachen Ueberdrucke ausgesetzt werden, durch einen Sachverständigen geprüft. Der Nachweis der erfolgten Prüfung ist durch Vorlage der Bescheinigung dieses Sachverständigen der Polizei-Direktion oder dessen Vertretern auf Erfordern zu führen.

Diese Vorschrift erstreckt sich auch auf die tragbaren Gefäße, in welchen die kohlensäurehaltigen Wasser zum Ausschank außerhalb des Fabriklokals gelangen.

§ 9. Die Sachverständigen (§§ 7 und 8) werden von der Polizei-Direktion ernannt, welche auch die, von den Unternehmern zu zahlenden Prüfungs-Gebühren festsetzt.

§ 10. Zur thunlichsten Sicherung der Arbeiter gegen Gefahren sind ferner die mit kohlensäurehaltigem Wasser gefüllten Flaschen bei ihrem Verschließen mit Sicherheitskörben aus starkem, eng geflochtenen Draht zu überdecken, auch sind geeignete Schutzbrillen vorzuhalten.

§ 11. Uebertretungen dieser Verordnung werden, sofern nicht die Bestimmungen des § 147 zu 4 der Gewerbe-Ordnung beziehungsweise des § 367 № 6 des Strafgesetzbuchs Anwendung finden, mit Geldstrafe bis zu 30 M. bestraft, an deren Stelle im Falle des Unvermögens entsprechende Haft tritt.

§ 12. Vorstehende Polizei-Verordnung tritt mit dem 15. Oktober 1888 in Kraft.

Charlottenburg, den 20. September 1888.

Die Königl. Polizei-Direktion.

J. V.: gez. Münster.

* * *

Bekanntmachung.

Unter Bezugnahme auf den § 9 der Polizei-Verordnung vom 20. September 1888, betreffend den Betrieb von Mineralwasser-Fabriken, wird hierdurch bekannt gemacht, daß der beim Königlichen Polizei-Präsidium zu Berlin angestellte Assistent des Königlichen Gewerberaths, Dr. Sprenger, ermächtigt worden ist, die nach § 8 der Verordnung nothwendigen Prüfungen der Apparate vorzunehmen.

Charlottenburg, den 20. September 1888.

Die Königl. Polizei-Direktion.

J. V.: gez. Münster.

* * *

Ausführungs-Bestimmungen

zur Polizei-Verordnung vom 20. September 1888, betreffend den Betrieb von Mineralwasser-Fabriken.

Nach dem § 8 der Polizei-Verordnung vom 20. September 1888 soll durch die Prüfung der Apparate in den Mineralwasser-Fabriken ihre Zuverlässigkeit dem in ihnen erzeugten Ueberdrucke gegenüber und ihre gute innere Verzinnung alle 2 Jahre einmal festgestellt werden.

Zum Zwecke der Prüfung der Zuverlässigkeit hat der Betriebs-Unternehmer die zu prüfenden Apparate mit Wasser anzufüllen, zu verschließen, eine Druckpumpe bereit zu halten und dafür zu sorgen, daß das von den Sachverständigen mitzubringende Kontrol-Manometer angeschraubt werden kann.

Die Zuverlässigkeit wird angenommen, wenn der Apparat, nachdem er eine Viertelstunde lang dem 1½fachen Betrage des nach § 4 der Verordnung auf den Apparaten zu bezeichnenden Maximaldruckes ausgesetzt gewesen ist, keinerlei Undichtigkeiten und Ausbauchungen zeigt. Hierbei muß das nach § 5 auf den Apparaten anzubringende Manometer denselben Ueberdruck anzeigen, wie das Kontrolmanometer.

Zur Feststellung der guten Verzinnung der Mischgefäße sind dieselben, nachdem ihre Zuverlässigkeit sich ergeben, mit verdünnter Essigsäure, Zwecks der Ablösung der sich an den Innenwänden festsetzenden kohlensauren Salze, auszuspülen. Ein Liter Essigsäure ist durch 50 Liter Wasser zu verdünnen. Nachdem die Lösung abgelassen und die Mischgefäße mit reinem Wasser mehrmals nachgespült worden sind, werden dieselben soweit mit Mineralwasser angefüllt, daß bei Inbetriebsetzung des Rührwerks die Innenwände der Gefäße vollständig mit dem Mineralwasser benetzt werden.

So bleiben die Mischgefäße, nachdem sie von dem Sachverständigen amtlich verschlossen worden, 24 Stunden unter dem bei der Fabrikation üblichen Ueberdrucke stehen, um nach Ablauf dieser Frist eine Prüfung des Wassers auf Kupfer- oder Bleigehalt vorzunehmen. Zu diesem Zwecke wird eine Probe von mindestens 5 Litern Mineral-Wasser in durchaus reinen Flaschen entnommen, die Flaschen werden versiegelt, ihr Inhalt eingedampft und der Rückstand chemisch analysirt.

Ueber den Befund ist dem Betriebs-Unternehmer eine Bescheinigung darüber auszustellen, daß die Prüfung in der hier festgesetzten Weise stattgefunden hat und daß keine Mängel vorgefunden worden sind.

Finden sich Mängel, so ist der Unternehmer zur Beseitigung derselben aufzufordern und die Prüfung zu wiederholen.

Die Bescheinigungen hat der Unternehmer sorgsam aufzubewahren und jederzeit zur Vorzeigung an die Aufsichts-Beamten bereit zu halten.

Die Prüfungs-Gebühr wird für jeden Apparat auf zehn Mark festgesetzt und ist wiederholt zu entrichten, wenn sich Mängel ergeben haben und die Prüfung wiederholt werden muß.

Charlottenburg, den 20. September 1888.

Königl. Polizei-Direktion.

J. V.: gez. Münster.

Personal-Chronik.

Der Oberförster Dr. Kienitz ist zum Forst-Amts-Anwalt für den Königl. Forstbezirk Chorin und zum Stellvertreter des Königl. Forst-Amts-Anwalts in Freienwalde a. O. bei dem Königl. Amtsgericht in Oderberg ernannt worden.

Die Rentmeisterstellen in Belzig und Neu-Ruppin, deren Inhaber ihre Pensionirung nachgesucht haben, werden dadurch voraussichtlich zum 1. Januar 1889 zur Erledigung kommen. Bewerbungen um diese Stellen sind bis zum 1. November d. J. an die Königliche Regierung in Potsdam zu richten.

Dem Pfarrer Rinneberg zu Premslin ist bis auf Weiteres die Kreisschulinspektion über die Schulen des Inspektionskreises Perleberg übertragen worden.

Der frühere Bezirksfeldwebel Marr ist als Büreau-Diätar bei der Rentenbank-Direktion in Berlin angenommen worden.

Die unter Königlichem Patronat stehende Pfarrstelle zu Berge, Diözese Dom-Brandenburg, ist durch das am 7. Februar d. J. erfolgte Ableben ihres bisherigen Inhabers, des Pfarrers Franke, zur Erledigung gekommen. Die Wiederbesetzung dieser Stelle erfolgt durch Gemeindewahl nach Maßgabe des Kirchengesetzes, betreffend das im § 32 № 2 der Kirchengemeinde- und Synodal-Ordnung vom 10. September 1873 &c. vorgesehene Pfarrwohlrecht, vom 15. März 1886 — Kirchl. Ges.- und Verordn.-Bl. de 1886 S. 39. — Bewerbungen um diese Stelle sind schriftlich bei dem Königl. Konsistorium der Provinz Brandenburg einzureichen. § 6 a. a. O.

Die unter Königlichem Patronat stehende französisch-reformirte Pfarrstelle zu Bergholz ist durch die Versetzung des Predigers William am 1. Oktober d. J. zur Erledigung gekommen.

Der ordentliche Lehrer Osterhage am Humboldts-Gymnasium in Berlin ist zum Oberlehrer an derselben Anstalt befördert worden.

Der wissenschaftliche Hilfslehrer Dr. Seeländer ist am Königl. Luisen-Gymnasium in Berlin als ordentlicher Lehrer angestellt worden.

Am Friedrichs-Realgymnasium in Berlin ist der ordentliche Lehrer Dr. Glatzel zum Oberlehrer befördert und der Schulamts-Candidat Dunker als ordentlicher Lehrer angestellt worden.

Der Schulamts-Candidat Dr. Weise ist am Humboldts-Gymnasium in Berlin als ordentlicher Lehrer angestellt worden.

Vermischte Nachrichten.

Preis-Verzeichniß der Königl. Landes-Baumschule in Alt-Geltow und bei Potsdam pro 1. Oktober 1888/89.

Das Preis-Verzeichniß der Königl. Landes-Baumschule in Alt-Geltow und bei Potsdam pro 1. Oktober 1888/89 liegt zur Einsicht bei sämmtlichen Landraths-ämtern diesseitigen Bezirks, sowie bei den Magisträten zu Brandenburg a. H., Spandau, Luckenwalde, Schwedt und Wriezen a. O. aus.

Potsdam, den 8. Oktober 1888.

Der Regierungs-Präsident.

Ausweisung von Ausländern aus dem Reichsgebiete.

Lauf. Nr.	Name und Stand des Ausgewiesenen	Alter und Heimath des Ausgewiesenen	Grund der Bestrafung	Behörde, welche die Ausweisung beschlossen hat	Datum des Ausweisungs-Beschlusses
1	2	3	4.	5.	6
		a. Auf Grund des § 39 des Strafgesetzbuchs:			
1	Franz Chiavassa, Gärtner,	geboren am 22. Mai 1863 zu Homburg v. d. H., Preußen, ortsangehörig zu Turin, Italien,	Kuppelei und Begünstigung (1¼ Jahr Gefängniß laut Erkenntniß vom 24. Mai 1887),	Königlich Preußischer Regierungspräsident zu Wiesbaden,	11. September 1888.
2	Alois Antalovitz, Bäcker,	geboren am 30. März 1866 zu Csepreg, Komitat Sopron, Ungarn, ortsangehörig ebendaselbst,	schwerer Diebstahl (2 Jahre Zuchthaus laut Erkenntniß vom 31. August 1886),	Königlich Bayerisches Bezirksamt Ansbach,	20. Juli 1888.
3	Moritz Freund, Hausirhändler,	geboren am 26. April 1847 zu Kolin, Böhmen,	einfacher Diebstahl im Rückfalle (1 Jahr Zuchthaus laut Erkenntniß vom 27. September 1887),	Königlich Bayerisches Bezirksamt Bamberg II.,	27. August 1888.
4	Anton Riedweg, ohne Stand,	geboren am 29. September 1854 zu Hergiswyl, Schweiz, ortsangehörig ebendaselbst,	einfacher und schwerer Diebstahl, Führung eines falschen Namens und intellektuelle Urkundenfälschung (4 Jahre Zuchthaus und vier Wochen Haft laut Erkenntniß vom 4. September 1884),	Kaiserlicher Bezirks-Präsident zu Colmar,	8. Septembr. 1888.

Lauf. Nr.	Name und Stand	Alter und Heimath	Grund der Bestrafung.	Behörde, welche die Ausweisung beschlossen hat.	Datum des Ausweisungs-Beschlusses.
	des Ausgewiesenen.				
1.	2.	3.	4.	5.	6.
		Auf Grund des § 362 des Strafgesetzbuchs:			
1	Paul Rolle, Kommis,	geboren am 24. Januar 1870 zu Laufen, Schweiz, ortsangehörig ebendaselbst,	Landstreichen,	Kaiserlicher Bezirks-Präsident zu Colmar,	6. Septembr. 1888.
2	Josef Scheuch, Arbeiter,	geboren am 3. März 1860 zu Ossarn, Nieder-Oesterreich,	desgleichen,	Kaiserlicher Bezirks-Präsident zu Metz,	4. Septembr. 1888.
3	Johann Peter Rossignol, Schneidergeselle,	geboren am 27. Mai 1858 zu Nauphary, Departement Tarn et Garonne, Frankreich,	desgleichen,	derselbe,	6. Septembr. 1888.
4	Vincenti Wilkowski, Arbeiter,	geboren im Juni 1832 zu Makalack, Kreis Szumskief, Bezirk Mariampola, Rußland,	Landstreichen und Betteln,	Königlich Preußischer Regierungspräsident zu Frankfurt a. O.,	31. Juli 1888.
5	Josef Wabich, Diener,	geboren am 12. Juni 1868 zu Sipngeva bei Cieckna, Russisch-Polen,	Landstreichen,	Königlich Preußischer Regierungspräsident zu Merseburg,	12. Septembr. 1888.
6	Georg Souvage, Sandformer,	geboren am 24. September 1844 zu Lyon, Frankreich,	Betteln im wiederholten Rückfalle,	Königlich Preußischer Regierungspräsident zu Arnsberg,	17. August 1888.
7	Franz Schafránek, Hausirer,	geboren am 9. Januar 1851 zu Podebrad, Böhmen, ortsangehörig ebendaselbst,	Landstreichen und Betteln,	Königlich Preußischer Regierungspräsident zu Aachen,	14. Septembr. 1888.
8	Josef Milota, Hufschmied,	57 Jahre, geboren und ortsangehörig zu Losina, Bezirk Pilsen, Böhmen.	Landstreichen,	Königlich Bayerisches Bezirksamt Eggenfelden,	11. August 1888.
9	Andreas Thomann, Tagelöhner,	geboren 1849 zu Kochet, Bezirk Schüttenhofen, Böhmen, ortsangehörig ebendaselbst,	Landstreichen und Betteln,	Königlich Bayrisches Bezirksamt Viechtach,	24. August 1888.
10a	Marie Peter, verheirathete Fabrikarbeiterin,	geboren am 25. Mai 1842 zu Krain, Bezirk Zilli, Oesterreich,	desgleichen,	Königl. Bayerisches Bezirksamt Traunstein,	9. Septembr. 1888.
b	deren Tochter Franziska Peter, ledige Fabrikarbeiterin,	geboren am 29. Januar 1871 zu Uchoretz, Ungarn,			
11	Ernst Daucourt, Erdarbeiter,	geboren am 3. September 1863 zu Porrentruy, Schweiz, ortsangehörig ebendaselbst,	Landstreichen,	Kaiserlicher Bezirks-Präsident zu Metz,	18. Septembr. 1888.
12	Emil Opitz, Drehorgelspieler,	geboren am 6. Juni 1864 zu Nieder-Albersbach, Bezirk Braunau, Böhmen, ortsangehörig ebendaselbst,	Landstreichen und Betteln,	Königlich Preußischer Regierungspräsident zu Breslau,	20. Septembr. 1888.

Lauf. Nr.	Name und Stand des Ausgewiesenen.	Alter und Heimath des Ausgewiesenen.	Grund der Bestrafung.	Behörde, welche die Ausweisung beschlossen hat.	Datum des Ausweisungs-Beschlusses.
1.	2.	3	4.	5.	6
13	Johann Bartels, Korbmacherlehrling,	geboren am 8. November 1865 zu Uetrecht, Niederlande, ortsangehörig ebendaselbst,	Betteln unter Drohungen,	Königlich Preußischer Regierungspräsident zu Münster,	27. Juli 1888.
14	Franziskus Cornelius Velder, Kupferschmied,	23 Jahre alt, geboren und ortsangehörig zu Amsterdam, Niederlande,	Landstreichen und Betteln,	Königlich Preußischer Regierungspräsident zu Coblenz,	23. Juli 1888.
15	Leendert Friedrich Visser, Arbeiter,	29 Jahre alt, geboren und ortsangehörig zu Amsterdam, Niederlande,	desgleichen,	derselbe,	6. August 1888.
16	Emanual Giehner, Kaufmann,	36 Jahre alt, geboren und ortsangehörig zu Moszczanica, Galizien,	Landstreichen,	derselbe,	10. August 1888.
17	Franz Loew, Bäckergeselle,	geboren am 13. Oktober 1860 zu Mühlheim, Bezirk Ried, Oesterreich, ortsangehörig ebendaselbst,	Diebstahl, Betteln, Tragen verbotener Waffen, Gebrauch eines falschen Zeugnisses,	Königlich Bayerisches Bezirksamt Traunstein,	13. Septembr. 1888.
18	Julius Guillemin, Arbeiter,	geboren am 7. Juli 1855 zu Rouen, Frankreich,	Landstreichen und Betteln,	Kaiserlicher Bezirks-Präsident zu Metz,	22. Septembr. 1888.

Hierzu
eine Extra-Beilage, enthaltend die Anweisung zur Ausführung des Vereinszollgesetzes, und
eine Außerordentliche Beilage, enthaltend das Regulativ, betreffend die Ausfuhrvergütung für Taback,
sowie Drei Oeffentliche Anzeiger.

(Die Insertionsgebühren betragen für eine einspaltige Druckzeile 20 Pf.
Belagsblätter werden der Bogen mit 10 Pf. berechnet.)

Redigirt von der Königlichen Regierung zu Potsdam.

Potsdam, Buchdruckerei der A. W. Hayn'schen Erben (E. Hayn, Hof-Buchdrucker).

Extra-Beilage zum Amtsblatt.

Anweisung

zur

Ausführung des Vereinszollgesetzes.

Zur Ausführung des Vereinszollgesetzes werden, außer den hierfür erlassenen Regulativen, in Gemäßheit des §. 167 dieses Gesetzes die folgenden näheren Vorschriften ertheilt.

1. Zu §. 10.

Die Erhebung besonderer Gebühren neben den Zöllen ist, außer den im Gesetze speziell bezeichneten Fällen, beispielsweise dann zulässig, wenn die Zollabfertigung an anderen Orten, als an der ordentlichen Amtsstelle oder, mit Ausnahme der im §. 133 vorgesehenen Fälle, während der Nachtzeit erfolgt, wenn auf den Antrag der Betheiligten statt der Begleitscheinabfertigung und der Anlegung des Verschlusses amtliche Begleitung angeordnet wird, wenn Schiffer sich weigern, eine Deklaration über die Zugänge zum Schiffsraum und etwaige geheime Behältnisse abzugeben und dadurch eine Bewachung des Schiffes nothwendig wird oder wenn dieselben an anderen als den bestimmten Löschstellen anlegen.

2. Zu den §§. 16 und 17.

a. Künstliche, in das Wasser hinausreichende Anlagen, wie Moolen, Dämme, Anlege- oder Ladebrücken u. s. w. sind als Theile des Landes anzusehen.

b. Bei Gewässern, deren Stand von Ebbe und Fluth abhängig ist, bildet die jedesmalige, den Wasserspiegel begrenzende Linie des Landes nur insofern die Zollgrenze, als der verschiedene Wasserstand in der That eine Folge der Ebbe und Fluth ist. Bei Ueberschwemmungen ist die gewöhnliche Fluthlinie als Zollgrenze zu betrachten.

c. Der Grenzbezirk ist da, wo Straßen, welche einem erheblicheren Verkehr dienen, die Binnenlinie überschreiten, durch Tafeln mit der Inschrift „Grenzbezirk“ kenntlich zu machen. Die Zollstraßen sind als solche ebenfalls durch Tafeln zu bezeichnen. Dasselbe gilt von den erlaubten Landungsplätzen, welche an den die Grenze bildenden schiffbaren Gewässern liegen.

3. Zu § 21.

a. Als verpackte Waaren, welche in der Regel nur während der Tageszeit und nur auf einer Zollstraße über die Zollinie eintreten können, sind, außer den mit einer besonderen Umhüllung für den Transport oder die Aufbewahrung versehenen, alle solche Gegenstände anzusehen, welche in verdeckten Fahrzeugen oder in unverdeckten dergestalt verladen sind, daß der Inhalt des Fahrzeuges nicht mit Sicherheit erkannt werden kann. Unter verdeckten Fahrzeugen werden jedoch Chaisen u. s. w. nicht verstanden.

b. Ist von einem Amt ausnahmsweise die Erlaubniß zur Einbringung zollpflichtiger Waaren außerhalb der Tageszeit und auf einem Nebenwege ertheilt, so muß für die Ueberwachung des Transports durch die Grenzaufsicht Sorge getragen werden. Ueber die ertheilten Erlaubnißscheine ist ein Notizregister zu führen, in welchem der Inhalt der Erlaubnißscheine kurz anzugeben ist.

4. Zu den §§. 22 bis 32.

a. Es steht dem Deklaranten frei, statt der generellen sofort die spezielle Deklaration abzugeben.

b. Wegen der Formulare zu den im Eisenbahn- und Seeverkehr abzugebenden generellen Deklarationen (Ladungsverzeichnisse, Manifeste) wird auf die betreffenden Regulative verwiesen.

Die speziellen Deklarationen sind nach dem anliegenden Muster abzugeben.

Die Formulare zu den speziellen Deklarationen werden den Deklaranten einzeln unentgeltlich von den Zollämtern verabfolgt. Es können solche auch von den letzteren in beliebiger größerer Menge gegen Erstattung der Papier- und Druckkosten entnommen werden.

c) Die bisherigen Vorschriften wegen Anfertigung der Deklaration, sowie die den Zollämtern ertheilte Geschäftsanweisung bleiben in Kraft, soweit nicht das Vereinszollgesetz etwas Anderes bestimmt oder durch Beschlüsse der Vereinsregierungen Aenderungen eingetreten sind.

5. Zu §. 28.

Die Revision an anderen Orten, als an der ordentlichen Amtsstelle ist nur in besonderen Fällen mit Genehmigung des Amtsvorstandes zulässig.

6. Zu §. 29.

Die bisherigen näheren Bestimmungen darüber, welche inneren Umschließungen zum Nettogewicht der Waare zu rechnen sind und welche dagegen vor der Verwiegung entfernt werden dürfen, bleiben auch ferner in Kraft.

Wird von den Betheiligten für havarirte Güter ein Gewichtsabzug bei der Verzollung in Anspruch genommen, so ist in der Deklaration ausdrücklich ein Antrag darauf zu richten. Zur Feststellung des zu gewährenden Abzuges ist das aus den Konnossementen, Frachtbriefen u. s. w. sich ergebende Gewicht zu berücksichtigen. Auch bleibt dem Abfertigungsamt überlassen, Probetrocknungen vorzunehmen und in geeigneten Fällen Sachverständige zuzuziehen. Die Bewilligung des Abzugs erfolgt durch die Direktivbehörde.

7. Zu §. 30.

Eine probeweise Verwiegung zur Feststellung des der Verzollung oder weiteren Abfertigung zu Grunde zu legenden Gewichts ist auch dann nicht ausgeschlossen, wenn sich bei der Verwiegung der einzelnen Kolli nur Abweichungen von 2 Prozent oder weniger gegen das deklarirte Gewicht ergeben.

Hinsichtlich des auf Landstraßen eingehenden Dachschiefers ist eine probeweise Verwiegung auch dann nicht ausgeschlossen, wenn sich bei der Verwiegung der einzelnen Schock beziehungsweise Klafter Abweichungen bis zu 6 Prozent gegen das deklarirte Gewicht ergeben.

8. Zu §. 38.

a. Die Begleitungen vom Ansageposten zum Grenzzollamt sollen regelmäßig und so oft geschehen, als es der Umfang des Verkehrs erheischt und die Stärke des Personals, sowie die Entfernung bis zum Grenzzollamt zulassen.

Bei jedem Ansageposten muß eine Bekanntmachung angeheftet sein, aus welcher zu ersehen ist, zu welchen Stunden täglich die Begleitung der eingetroffenen Waarentransporte zum Grenzzollamt erfolgt.

Auch außerhalb der regelmäßigen Begleitungsstunden müssen Reisende, deren Begleitung der Ansageposten für nöthig erachtet (§. 92), zum Grenzzollamt begleitet werden.

b. Auch kann für einzelne Strecken, wo das Bedürfniß des Verkehrs es erfordert, mit Genehmigung der Direktivbehörde von dem Ansageposten, statt der Begleitung, amtlicher Verschluß angeordnet werden.

9. Zu §. 39.

Hat der Waarenführer über Waaren für verschiedene Empfänger nur eine Deklaration abgegebe[n], so kann er verlangen, daß das Zollamt, neben Ertheilung der allgemeinen Quittung, auf jedem Frach[t]briefe den summarischen Betrag des entrichteten Eingangszolles von den darin verzeichneten Waar[en] vermerke.

In der auszufertigenden Quittung ist, insofern es sich um legitimationsscheinpflichtige Waar[en] handelt, dem Waarenführer vorzuschreiben, innerhalb welcher Frist und auf welcher Straße er seine Ladu[ng] durch den Grenzbezirk zu führen habe (§. 119).

Er erhält schließlich sämmtliche Frachtbriefe und sonstige von ihm übergebene Papiere, nachd[em] dieselben einzeln abgestempelt worden sind, zurück.

10. Zu den §§. 40, 97 und 105.

Allgemeine und beschränkte Niederlagen dürfen in der Regel nur bei Hauptzoll- oder Hauptsteuerämtern errichtet werden. Ausnahmsweise können dieselben auch für solche Orte zugestanden werden, an denen sich nur ein Nebenzollamt oder Steueramt, welches jedoch mindestens mit zwei Beamten besetzt sein muß, befindet.

11. Zu den §§. 41, 47 und 72.

a. Das zollpflichtige Gewicht von in Eisenbahnwagenladungen eingehenden Massengütern, welche einem Zollsatz von höchstens 5 ℳ für 100 kg unterliegen, sowie von in Eisenbahnwagenladungen eingehendem Petroleum kann von den Zollstellen mit Genehmigung des Amtsvorstandes durch Verwiegung auf der Centesimalwaage (Geleiswaage) in der Weise ermittelt werden, daß von dem Gewicht des Wagens einschließlich der Ladung (Bruttogewicht) das Gewicht des leeren Wagens (Eigengewicht) abgezogen wird. Für höher tarifirte Gegenstände darf die Gewichtsermittelung in derselben Weise mit Genehmigung des Amtsvorstandes jedoch nur dann erfolgen, wenn die Verwiegung derselben auf den gewöhnlichen Waagen in Folge ihrer Größe oder Schwere oder sonstiger besonderer Umstände unverhältnißmäßige Schwierigkeiten bietet.

b. Von der Verwiegung des leeren Wagens kann, sofern der Waarendisponent keinen Widerspruch erhebt, in den zu a bezeichneten Fällen abgesehen werden, wenn das von der Eisenbahnverwaltung festgestellte Eigengewicht und das Datum dieser Feststellung an dem Wagen angeschrieben ist, besondere Bedenken gegen die Richtigkeit des angeschriebenen Gewichts nicht bestehen und seit der Feststellung desselben nicht mehr als zwei Jahre verflossen sind.

Das angeschriebene Gewicht darf ohne zollamtliche Verwiegung insbesondere dann nicht als das wirkliche des Wagens angesehen werden, wenn die Inventarienstücke des letzteren nicht vollzählig mit vorgeführt werden. Ausnahmen hiervon kann der Amtsvorstand zulassen, wenn es sich um das Fehlen verhältnißmäßig kleinerer Inventarienstücke handelt.

Uebersteigt in den Fällen, in welchen hiernach von der Verwiegung der leeren Wagen abgesehen worden ist, das deklarirte Gewicht der Waare das durch Berechnung ermittelte Gewicht, so ist ersteres der Verzollung zu Grunde zu legen.

c. Die Verwiegung auf der Centesimalwaage ist zu versagen, sobald besondere Umstände, zu denen auch ungünstige Witterung zu rechnen ist, vorliegen, welche der Gewinnung zuverlässiger Ergebnisse entgegenstehen.

d. Die Zollstellen haben die Richtigkeit des an den Eisenbahnwagen angeschriebenen Eigengewichts von Zeit zu Zeit zu prüfen und zu diesem Behuf Nachverwiegungen auf der Centesimalwaage vorzunehmen. Von dem ordnungsmäßigen Zustande der letzteren haben sich die Zollstellen bei geeigneter Gelegenheit Ueberzeugung zu verschaffen. Bei diesen Revisionen ist von der Eisenbahnverwaltung die nöthige Arbeitshülfe unentgeltlich zu leisten.

e. Uebersteigt das eisenbahnseitig angeschriebene Eigengewicht eines Wagens das bei der zollamtlichen Nachwiegung ermittelte um 2 Prozent oder mehr, so ist dies der Zolldirektivbehörde anzuzeigen. Gehört ein solcher Wagen einer deutschen Eisenbahnverwaltung an, so ist wegen Nachverwiegung und Abänderung des Gewichtsvermerks der erforderliche Antrag von der Zolldirektivbehörde an diese Verwaltung zu richten, gehört der Wagen dagegen einer ausländischen Eisenbahnverwaltung an, so ist derjenigen inländischen Eisenbahndirektion, in deren Bezirk die Gewichtsabweichung konstatirt worden ist, von letzterer Kenntniß und zugleich den für die Einfuhr des Wagens muthmaßlich in Betracht kommenden Zollstellen beziehungsweise Direktivbehörden Nachricht zu geben, damit das angeschriebene Gewicht bei der Zollabfertigung bis auf Weiteres nicht mehr ohne zollamtliche Verwiegung angenommen werde.

12. Zu §. 44.

Daß der Begleitschein die Ladung bis zum Bestimmungsorte begleiten müsse, ist zwar nicht vorgeschrieben. Dagegen setzen die Vorschriften in den §§. 49, 50 und 96 über das bei Transportverzögerungen und bei einer veränderten Bestimmung oder Theilung der Ladung oder bei Konstatirung von Verschlußverletzungen zu beobachtende Verfahren das Vorhandensein des Begleitscheins bei der Ladung voraus.

13. Zu §. 46 Absatz 2.

Wenn von dem Waarenführer oder dem Waarenempfänger auf Grund des §. 46 Absatz 2 vor der schließlichen Abfertigung am Bestimmungsorte und bevor eine spezielle Revision stattgefunden hat, eine

Ergänzung oder Berichtigung der Angaben des Begleitscheins vorgenommen wird, so ist dieselbe entsprechend den Vorschriften für die spezielle Deklaration im §. 22 Absatz 4 nach den Benennungen und Maßstäben des Tarifs zu bewirken.

14. Zu den §§. 48, 67 und 103.

Der Zollerlaß für die auf dem Transporte zu Grunde gegangenen oder im verdorbenen oder zerbrochenen Zustande ankommenden Waaren kann von dem Hauptamt, welches den Begleitschein oder das Ladungsverzeichniß zu erledigen hat, beziehungsweise von dem dem Erledigungsamt vorgesetzten Hauptamt selbständig zugestanden werden.

Die Bewilligung darf jedoch nur nach vorheriger protokollarischer Feststellung der obwaltenden Umstände und unter Zustimmung sämmtlicher Hauptamtsmitglieder erfolgen. Der auf dem Abfertigungspapier zu ertheilenden Genehmigung sind die gepflogenen Verhandlungen beizufügen.

Die gleiche Befugniß steht auch dem Niederlageamt bezüglich der auf der Niederlage zu Grunde gegangenen oder verdorbenen oder zerbrochenen Waaren zu.

Diese Ermächtigung findet nicht allein auf Begleitscheingüter oder mittelst Ladungsverzeichnisses beförderte Waaren, sondern auch auf alle diejenigen Güter, welche im Schiffsansageverkehr oder im Verkehr mit den Staatsposten eingehen, entsprechende Anwendung.

15. Zu §. 55.

Die bei den Grenzzollämtern vorgezeigten Quittungen über entrichteten Ausgangszoll sind zur Verhütung nochmaligen Gebrauchs abzustempeln.

16. Zu §. 56.

Die Entscheidung darüber, ob ungeachtet der Nichtgestellung der Waare bei dem Grenzausgangsamt der Ausgang in Bezug auf die Ansprüche der Zollverwaltung als erwiesen anzunehmen sei, kann in unzweifelhaften Fällen, z. B. wenn der erfolgte Eingang der Waare von der ausländischen Zollbehörde bescheinigt ist, dem betreffenden Hauptamt überlassen werden. In anderen Fällen ist die Entscheidung von der Direktivbehörde zu treffen.

17. Zu §. 57.

Rücksichtlich der zum direkten Transit auf dem Rhein bestimmten Schiffsladungen finden die Vorschriften im Artikel 9 der revidirten Rheinschiffahrtsakte vom 17. Oktober 1868 Anwendung.

Für die Abfertigung derjenigen Waaren, welche auf dem Rhein mit der Bestimmung eingehen, im Lande zu bleiben, sowie für die zur Ausfuhr bestimmten und die nach vorgängiger Umladung oder Lagerung in Freihäfen oder in anderen Niederlagen auf dem Rhein durchgehenden Waaren treten die Bestimmungen des Vereinszollgesetzes in Kraft, insoweit dieselben weitergehende Erleichterungen gewähren, als die Vereinbarung wegen Behandlung des Gütertransportes u. s. w. auf dem innerhalb des Zollvereinsgebiets gelegenen Theil des Rheins u. s. w. vom 8. Mai 1841.

18. Zu §. 72.

Der §. 72, welcher bestimmt, daß die Abfertigung des Eisenbahnverkehrs nach den in den §§. 39 bis 51 enthaltenen allgemeinen Vorschriften zu erfolgen habe, wenn solche nicht nach Maßgabe der unmittelbar vorangegangenen besonderen Bestimmungen für den Eisenbahnverkehr in Anspruch genommen wird, soll nicht blos, wie aus der Stellung des gedachten Paragraphen vielleicht gefolgert werden könnte, auf den Waarenausgang mit der Eisenbahn, sondern überhaupt eintretendenfalls auf den ganzen von der Zollkontrole betroffenen Verkehr mittelst der Eisenbahn Anwendung finden.

19. Zu §. 82.

In den Fällen, wo der Verkauf von Strandgütern nach Lage der bezüglichen Landesgesetze nicht durch eine Behörde erfolgt, genügt an Stelle der nach §. 82 von letzterer abzugebenden Bescheinigung über die Beschädigung jener Güter eine solche der Zollbehörde allein.

Als Strandgüter im Sinne des §. 82 können nicht blos beschädigte Güter behandelt werden, welche aus den an den Küsten des deutschen Zollgebiets gestrandeten Schiffen geborgen werden, §. 82 bezieht sich vielmehr auch auf andere, durch Seeunglück beschädigte Güter, z. B. auf solche Gegenstände, welche an den Küsten des deutschen Zollgebiets antreiben, oder die auf den Watten oder auf der See aufgefischt, oder die aus auf offener See beschädigten Schiffen gerettet werden. Der §. 82 kann aber nicht auch Anwendung finden auf solche beschädigten Güter, welche, nachdem ein Schiff durch Seeunglück beschädigt, aber nicht gestrandet und zur Bergung der Ladung in einen vereinsländischen Hafen gebracht worden ist, daselbst entlöscht werden.

20. Zu §. 90.

Für den Inhalt der zu erlassenden Hafenregulative sind die vom Bundesrath gegebenen Normativbestimmungen maßgebend.

21. Zu §. 94.

Wie die Verpackung beschaffen und vorgerichtet sein muß, um als verschlußfähig anerkannt zu werden, darüber bewendet es bei der bisher ertheilten Anleitung.

22. Zu den §§. 104 und 157.

Bleibt beim öffentlichen Verkauf der Waaren das Meistgebot nach Abzug der Kosten hinter dem Betrage des Eingangszolles zurück, so ist in der Regel der Zuschlag zu versagen. Ausnahmen hiervon können von der Direktivbehörde nur dann zugelassen werden, wenn der Ausfall an Zollgefällen 10 Prozent nicht übersteigt.

23. Zu §. 111.

Die näheren Bestimmungen über den Verkehr vom Zollgebiet durch das Ausland nach dem Zollgebiet enthält das vom Bundesrath beschlossene Deklarationsschein-Regulativ. Wo es im Bedürfniß des Verkehrs liegt, kann für bestimmte Strecken mit Genehmigung der Direktivbehörde von der Bezeichnung des Wiedereingangsamts in dem zu ertheilenden Deklarationsschein abgesehen werden. Auch bleibt der obersten Landes-Finanzbehörde vorbehalten, nach örtlichem Bedürfniß weitere Erleichterungen eintreten zu lassen. Sollen Waaren von dem Grenzzollamt unter Belassung des amtlichen Verschlusses auf ein Amt im Innern zur schließlichen Abfertigung abgelassen werden, so erfolgt die Ablassung unter Begleitscheinkontrole.

24. Zu den §§. 112 bis 118.

Hinsichtlich der Bedingungen und Kontrolen, unter denen die in den §§. 112 bis 117 erwähnten Erleichterungen und Befreiungen eintreten, bleiben die bisherigen Vorschriften in Wirksamkeit. Ebenso bewendet es bei den bisherigen Bestimmungen darüber, in welchen Fällen die Bewilligung der in Rede stehenden Erleichterungen von der Entscheidung der obersten Landes-Finanzbehörde abhängig ist oder seitens der Zolldirektivbehörde beziehungsweise der Zollstellen erfolgen kann. Insbesondere gelten in dieser Beziehung die Bestimmungen unter Nr. 25 bis 33.

25. Zu §. 113.

Retourwaaren, welche gegen Gewährung einer Abgabevergütung in das Ausland gesendet worden sind, können beim Wiedereingang gegen Erstattung der gewährten Abgabevergütung zollfrei gelassen werden.

Waaren ausländischen Ursprungs, welche im Zollinlande unter zollvormerklicher Behandlung eine Veredelung erfahren haben, können als Retourwaaren (§. 113) unter Wiederbelastung mit dem beim Eingang zur Veredelung vorgemerkten Zollanspruch zum Wiedereingang abgelassen werden.

26. Zu §. 115.

Auf Grund des §. 115 können nicht blos Gegenstände vereinsländischen Ursprungs, sondern auch verzollte ausländische Gegenstände, welche zur Verarbeitung, zur Vervollkommnung oder zur Reparatur mit der Bestimmung der Wiedereinfuhr nach dem Auslande gehen und im vervollkommneten Zustande zurückkommen, vom Eingangszoll befreit werden.

27. Zu §. 115.

Wenn in den Fällen des Veredelungsverkehrs die Wiederausfuhr der eingeführten Waaren innerhalb der bestimmten Frist nicht stattfindet, so hat die Verzollung nach demjenigen Tarifsatze, welcher zur Zeit der für die Eingangsabfertigung abgegebenen Anmeldung in Geltung stand, zu erfolgen. Dasselbe gilt bei den für den Schiffbau eingegangenen Materialien, wenn die Verwendung derselben zu dem Schiffbau nicht nachgewiesen ist.

28. Zu §. 115.

Die obersten Landes-Finanzbehörden werden ermächtigt, vorbehaltlich jederzeitigen Widerrufs und unter Anordnung geeigneter Kontrolen

a) das zur Herstellung von Hufnägeln erforderliche ausländische schmiedbare Eisen in Stäben, soweit es ohne Mitverwendung von inländischem Eisen zur Anfertigung von Hufnägeln dient, welche für das Ausland bestimmt sind, bei dem Nachweis der Ausfuhr der daraus gefertigten Nägel zollfrei zu lassen;

b) das zur Herstellung von Telegraphendraht erforderliche ausländische Luppeneisen, soweit es zur Anfertigung von Telegraphendraht für das Ausland dient, bei dem Nachweis der Ausfuhr des hergestellten Drahts zollfrei zu lassen.

29. Zu §. 115.

Die Direktivbehörden werden ermächtigt, von dem amtlichen Mitverschlusse der auf Grund der Ziffer 2 der Anlage A des Schlußprotokolls zum Zollvereinsvertrage vom 8. Juli 1867 bewilligten Privatniederlagen für ausländisches Roh- und Brucheisen abzusehen.

30. Zu §. 115.

Die obersten Landes-Finanzbehörden werden ermächtigt:

a) sowohl von ausländischem Roheisen, welches Eisen- und Stahlwerke mit der Bestimmung, die daraus gefertigten Waaren in das Ausland auszuführen, zollfrei einführen, als auch von dergleichen inländischem Eisen, welches diese Werke mit ausländischem zusammen behufs Ausfuhr der Fabrikate verarbeiten und zu diesem Zweck vorher auf ihre Privatniederlage gebracht haben, den bei der Verarbeitung entstehenden, für jedes einzelne Werk jeweilig durchschnittlich zu ermittelnden Abbrand zollfrei abschreiben zu lassen;

b) in Abweichung von der Vorschrift in Ziffer 6 der Anlage A Nr. 2 des Schlußprotokolls zum Zollvereinsvertrage vom 8. Juli 1867 eine Verlängerung der Ausfuhrfrist zu gestatten, wenn die in einem Quartale von der Niederlage abgemeldete Menge Roh- und Brucheisen in Folge Eintritts außerordentlicher unverschuldeter Umstände in dem darauf folgenden Quartale nicht hat ausgeführt werden können;

c) zuverlässigen Fabrikanten die Begünstigung der Ziffer 2 des Schlußprotokolls zum Zollvereinsvertrage vom 8. Juli 1867 ausnahmsweise unter den folgenden Bedingungen zu gewähren:

1. Die Fabrikverwaltung ist verpflichtet, alles von ihr zu verarbeitende Eisen, das ausländische sowohl wie das inländische, auf ihre Privatniederlage zu nehmen und darin das inländische Eisen getrennt vom ausländischen zu lagern. Das inländische Eisen behält dabei trotz seiner Aufnahme in die Privatniederlage seine Eigenschaft als inländische Waare. Die Anschreibung des ausländischen Eisens erfolgt auf Grund der zollamtlichen Abfertigungspapiere, die des inländischen auf Grund einer von der Fabrikverwaltung unter Beifügung der Fakturen und Frachtbriefe vorzulegenden Anmeldung. Insoweit die Fabrik altes Brucheisen in kleineren Mengen aufkauft, bedarf es einer Anmeldung erst dann, wenn das angekaufte Eisen eine bestimmte Menge erreicht hat, wobei dann das Ankaufsbuch vorzulegen ist.

2. Vor jedem Gußakte hat die Fabrikverwaltung der Steuerbehörde das Gewicht des zur Verarbeitung gelangenden in- und ausländischen Eisens anzumelden. Die Gewichtsangaben werden, ehe das Eisen zum Schmelzofen gebracht wird, amtlich geprüft, worauf die abgemeldeten Mengen im Niederlagekonto abgeschrieben werden. Die zur Ausfuhr angemeldeten Waaren werden amtlich verwogen.

3. Der am Schluß eines jeden Vierteljahres vorzunehmenden Abrechnung wird die Annahme zu Grunde gelegt, daß zu den im Laufe des Vierteljahres in das Ausland ausgeführten Fabrikaten ein solcher Prozentsatz von ausländischem Eisen Verwendung gefunden habe, als dem Verhältniß des im Vorjahre im Ganzen in der Fabrik verarbeiteten ausländischen Eisens zu dem während der nämlichen Zeit in derselben verarbeiteten inländischen Eisen entspricht.

Der Prozentsatz von ausländischem Eisen wird auf Grund der abgegebenen Deklarationen und der sonstigen zollamtlichen Anschreibungen festgestellt.

4. Die Herstellung von besonderen, überwiegend aus inländischem Eisen gefertigten Gußwaaren

wird unter der Bedingung zugelassen, daß die betreffenden Gußakte amtlich überwacht und die Fabrikate identifizirt werden. Für diese Gegenstände hat eine abgesonderte Berechnung stattzufinden.

31. Zu §. 115.

1. Den „öffentlichen Niederlagen“ im Sinne der Ziffern 3 und 5 der Anlage A des Schlußprotokolls zu dem Zollvereinsvertrage vom 8. Juli 1867 sind die „Privattransitlager unter amtlichem Mitverschluß“ gleichzustellen.
2. In Ergänzung der Vorschriften der Ziffern 5 und 6 a. a. O. darf die Abschreibung des verabfolgten Roh- und Brucheisens vom Niederlagekonto auf Höhe des Gewichtes der daraus gefertigten Gegenstände geeignetenfalls unter Berücksichtigung des Abbrands auch dann gestattet werden, wenn die Abfertigung dieser Gegenstände zur weiteren Verarbeitung beziehungsweise Vervollkommnung mit der Bestimmung der Wiederausfuhr (§. 115) oder zur zollfreien Verwendung bei dem Bau, der Reparatur oder zur Ausrüstung von Seeschiffen (§. 5 Ziffer 10 des Zolltarifgesetzes) bescheinigt worden ist.

32. Zu §. 118.

I. Die obersten Landes-Finanzbehörden werden ermächtigt, auch in anderen als den in den §§. 111 bis 117 vorgesehenen Fällen

für die aus dem freien Verkehr des Zollgebiets nach dem Auslande gesandten Gegenstände beim Wiedereingange oder für die vom Auslande eingegangenen Gegenstände beim Wiederausgange beziehungsweise bei der Aufnahme in eine öffentliche Niederlage oder ein Privattransitlager

bei nachgewiesener Identität aus überwiegenden Gründen der Billigkeit Zollerlaß auf gemeinschaftliche Rechnung zu bewilligen, und zwar bezüglich der ersteren eventuell gegen Erstattung etwa gezahlter Ausfuhrvergütung.

Die obersten Landes-Finanzbehörden werden ferner ermächtigt, in folgenden Fällen aus Billigkeitsrücksichten auf gemeinschaftliche Rechnung Zollerlaß zu bewilligen:

a) wenn Wäsche, Kleidungsstücke, Hausgeräthe oder sonstige Naturalunterstützungen für durch Brand oder andere Elementarereignisse Beschädigte eingehen;

b) wenn unbestellbare zollpflichtige Postsendungen nicht wieder ausgeführt sind, sondern deren Inhalt als verdorben von der Postbehörde versehentlich ohne Zollaufsicht, aber doch unter postamtlicher Aufsicht und Beobachtung der postordnungsmäßig vorgeschriebenen Formen vernichtet worden ist.

II. In Betreff des einzuhaltenden Verfahrens wird bestimmt:

1. daß in dem von der Direktivbehörde an die oberste Landes-Finanzbehörde über die Bewilligung eines solchen Zollnachlasses zu erstattenden Bericht jedesmal anzugeben ist, ob der bei derselben fungirende Reichsbevollmächtigte sich mit dem Erlaß auf gemeinschaftliche Rechnung einverstanden erklärt hat;
2. daß alljährlich ein bei der Direktivbehörde aufzustellendes, von dem Reichsbevollmächtigten mit zu beurkundendes Verzeichniß über sämmtliche in dem abgelaufenen Kalenderjahre bewilligten Nachlässe der bezeichneten Art von der obersten Landes-Finanzbehörde dem Reichskanzler behufs Vorlage an den Bundesrath mitzutheilen ist.

III. 1. Für den unter I Absatz 2 b aufgeführten Fall, sowie für nachstehende Fälle:

a) wenn Gegenstände wieder eingeführt werden, welche aus dem freien Verkehr des Zollgebiets irrthümlich in das Ausland befördert oder sonst in das Ausland versandt, aber nicht in die Hände des Adressaten gelangt, vielmehr im Auslande im Gewahrsam der Post-, Zoll- oder Eisenbahnverwaltung beziehungsweise einer Polizei- oder Gerichtsbehörde geblieben sind;

b) wenn Gegenstände, welche in Folge strafbarer Handlungen (Diebstahl, Raub 2c.) aus dem freien Verkehr des Inlandes in das Ausland gebracht sind, von dort im strafrechtlichen Verfahren zurückgeliefert werden;

c) wenn Gegenstände eines strafrechtlichen Verfahrens an eine inländische Staatsanwaltschaft oder eine inländische Gerichts- oder Polizeibehörde ein- und, ohne aus dem Gewahrsam einer dieser Behörden zu kommen, wieder ausgehen;

d) wenn Inventarienstücke von inländischen Schiffen, welche im Auslande verunglückt sind, wieder eingehen,

darf nach der Bestimmung der obersten Landes-Finanzbehörde denjenigen Hauptämtern, bei denen ein Bedürfniß hierzu vorliegt, die Befugniß beigelegt werden, die betreffenden Gegenstände selbständig aus Billigkeitsrücksichten vom Eingangszoll frei zu lassen. Doch ist von diesen die Zollfreiheit nur dann zuzugestehen, wenn nach der übereinstimmenden Ansicht sämmtlicher Hauptamtsmitglieder die angestellten Erörterungen die Gewährung derselben begründen. Die mit entsprechender Ermächtigung versehenen Hauptämter haben über die ausgesprochenen Bewilligungen Verzeichnisse zu führen, welche mit den gepflogenen Verhandlungen und Belägen, soweit nicht deren Rückgabe an die Betheiligten erfolgt, in regelmäßigen Zeiträumen der Direktivbehörde zur Prüfung vorzulegen sind.

2. Außer den vorstehend unter 1 aufgeführten darf für die folgenden Fälle:
   a) wenn in den zu 1 a gedachten Fällen die aus dem freien Verkehr des Zollgebiets in das Ausland versandten Gegenstände daselbst nicht im Gewahrsam der Post-, Zoll-, Eisenbahn-, Gerichts- oder Polizeibehörde verblieben, aber auch nicht an den Adressaten ausgehändigt, sondern im Gewahrsam einer dritten Person gewesen sind,
   b) wenn ausländische Waaren irrthümlich verzollt oder auf Begleitschein II abgefertigt worden sind, während sie nachweislich hierzu nicht bestimmt waren,
   c) wenn im Inlande gestohlene ꝛc. und sodann in das Ausland ausgeführte Gegenstände wieder an den rechtmäßigen inländischen Besitzer eingeführt werden,
   d) wenn Gegenstände aus dem freien Verkehr des Inlandes durch das Ausland nach dem Inlande gesandt worden und die im §. 111 vorgeschriebene Zollabfertigung versehentlich unterblieben ist,

   den Direktivbehörden die Befugniß übertragen werden, Zollerlaß aus Billigkeitsrücksichten zu gewähren.

3. Die von den Hauptämtern beziehungsweise von den Direktivbehörden hiernach bewilligten Zollerlasse bedürfen der Aufnahme in das zur Mittheilung an den Bundesrath bestimmte, alljährlich aufzustellende Verzeichniß nicht.

IV. Nach der Bestimmung der obersten Landes-Finanzbehörde darf auch solchen anderen Zollstellen als Hauptämtern, bei denen ein Bedürfniß hierzu vorhanden ist, die Befugniß beigelegt werden, diejenigen Poststücke, welche aus dem freien Verkehr des Zollgebiets irrthümlich in das Ausland befördert oder sonst in das Ausland versandt, aber nicht in die Hände des Adressaten gelangt, vielmehr im Auslande im Gewahrsam der Post-, Zoll- oder Eisenbahnverwaltung geblieben sind, beim Wiedereingang in dem Falle selbständig aus Billigkeitsrücksichten vom Eingangszoll frei zu lassen, wenn diesen Poststücken eine postamtliche Bescheinigung dahin lautend beigegeben wird, daß sie während ihrer Beförderung sich ununterbrochen im Gewahrsam der Post-, Zoll- oder Eisenbahnverwaltung befunden haben. Die mit entsprechender Ermächtigung versehenen Zollstellen haben über die ausgesprochenen Bewilligungen Verzeichnisse zu führen, welche mit den gepflogenen Verhandlungen und Belägen, soweit nicht deren Rückgabe an die Betheiligten erfolgt, in regelmäßigen Zeiträumen durch Vermittelung der vorgesetzten Hauptämter der Direktivbehörde zur Prüfung vorzulegen sind.

33. Zu §. 117.

Die Zollfreiheit inländischer Strandgüter kann von den Hauptämtern selbständig bewilligt werden, wenn sämmtliche Mitglieder übereinstimmen; anderenfalls entscheidet die Direktivbehörde.

34. Zu §. 119.

Als Transportausweise im Grenzbezirke und im Binnenlande, soweit überhaupt solche angeordnet sind (§§. 119 bis 125), können Begleitscheine dienen.

35. Zu §. 133.

Am Eingange jeder Zoll- und Steuerstelle ist eine Bekanntmachung, aus welcher die ordentlichen Geschäftsstunden ersichtlich sind, anzuschlagen.

36. Zu §. 154.

Konfiskate aus Zollprozessen dürfen nur dann in den freien Verkehr gesetzt werden, wenn durch den Verkauf derselben der volle tarifmäßige Eingangszoll zur Verrechnung gelangt.

Muster.

Deklarations-Register B I Nr. 120. Abgegeben, den 10. Juli 1888.

~~Begleitzettel-Empfangs-Register — Nr. —~~ Die Revision übernehmen:*)

Hauptamts-Assistent **Bertram** und Steuer-Aufseher **Maschke**.

Deklaration

zum

Waaren-Eingang.

(Vereins-Zollgesetz §§. 22 ff.)

Ich Unterschriebener, der Deklarations-Bevollmächtigte der *Königlich preussischen Staats*-Eisenbahn-Verwaltung melde dem *Königlichen Hauptsteuer*-Amt zu *Berlin, Zoll-Expedition am Hamburger Bahnhofe,* innen verzeichnete, auf *dem Eisenbahnwagen Altona 4147* geladene Waaren an und hafte für die Wahrheit und Vollständigkeit dieser meiner Angabe.

Berlin, den *10. Juli* 1888.

Zell.

Annahme-Erklärung.

Indem den Empfang des auf Grund dieser Anmeldung ausgefertigten, unter Nr. des Begleitschein-Ausfertigungs-Registers eingetragenen Begleitscheins anerkenne ,

übernehme zugleich die aus demselben nach §§. 44 und 46 des Vereins-Zollgesetzes sich ergebenden Verpflichtungen.

verpflichte den darin festgestellten Zollbetrag, wenn der Nachweis der erfolgten Zahlung desselben an das Empfangsamt nicht bis zum Ablauf der für die Uebersendung des Erledigungsscheins festgesetzten Frist erbracht sein wird, auf Anfordern bei dem Begleitschein-Ausfertigungs-Amt einzuzahlen.**)

, den . 18 .

Erledigung des Begleitscheins.

Die Erledigung des Begleitscheins bescheinigt auf Grund des Erledigungsscheins Nr. Ziffer

, den . 18 .

*) Nur für den Fall des lokalen Bedürfnisses auszufüllen.

**) Bei Begleitscheinen I werden die Worte „verpflichte" bis „einzuzahlen", und bei Begleitscheinen II die Worte „übernehme" bis „Verpflichtungen" durchstrichen.

I. Deklaration.									II.	III.
Nummer der einzelnen Positionen.	Name und Wohnort der Empfänger.	Der Kolli		Gattung und Menge der Waaren.					Anträge und Bemerkungen des Waarendisponenten (Deklaranten, Begleitscheinextrahenten, Waarenführers ꝛc.).	Angabe: a) der Eingangsgrenzstrecke, b) des Herkunftslandes, c) des Bestimmungslandes der Waaren, d) ob die Waaren dem Veredelungsverkehr angehören.
		Zeichen und Nummern.	Zahl und Art der Verpackung.	Benennung der Waaren nach Anleitung des Zolltarifs.	Menge					
					Bruttogewicht *)		Nettogewicht			
					kg	1/100	kg	1/100		
1.	2.	3.	4.	5.	6.		7.		8.	9.
1	*Adolf Guttstadt in Berlin*	*A. G. 1014*	*1 Ballen*	*Unbedruckter wollener Flanell im Gewicht von mehr als 200 g auf das qm Gewebefläche.*	*20*	*—*			*Zur Verzollung nach Nettoverwiegung.* *Berlin, den 10. Juli 1888.* *Für Adolf Guttstadt* ***Müller*** *Prokurist.*	*a) Nordsee.* *b) Grossbritannien.*

Mit dem { Frachtbriefe / ~~Ladungsverzeichnisse~~ / ~~Manifeste~~ } übereinstimmend.

Wolff
Hauptamts-Assistent.

*) Zu Spalte 6 und 13. Bei Waaren, welche nicht nach dem Gewicht verzollt werden, ist die Menge unter entsprechender Bezeichnung der Mengeeinheit (Tonne, Stück ꝛc.) in die für Angabe des Bruttogewichts vorgesehene Spalte einzutragen.

A. H 1014	1 Ballen	Unbedruckter wollener **Flanell im Gewicht von mehr als 200 g auf das** qm Gewebefläche **Pos. 41 d 5 *a*** Nr. 909.	20	—	19	50		135	26	30	E. J.	$\frac{67}{3452}$	I $\frac{6}{8}$

Berlin, den 10. Juli 1888.

Für die Gattung

Sandt	**Bertram**	**Maschke**
Revisions-Inspektor.	Hauptamts-Assistent.	Steuer-Aufseher.

Begleitschein-Regulativ.

In Gemäßheit des §. 58 des Vereinszollgesetzes werden über das bei der Ausfertigung und Erledigung der Begleitscheine zu beobachtende Verfahren die folgenden näheren Vorschriften ertheilt.

I. Allgemeine Bestimmungen.

1. Zweck und verschiedene Gattungen der Begleitscheine.

§. 1.

Der Zweck der Begleitscheine (Vereinszollgesetz §. 33) ist, entweder

a) den richtigen Eingang der über die Grenze eingeführten Waaren am inländischen Bestimmungsorte oder die Wiederausfuhr solcher Waaren zu sichern, oder

b) die Erhebung des durch spezielle Revision ermittelten Zollbetrages einem anderen Amt zu überweisen.

Zu dem ersteren Zweck dienen Begleitscheine I, zu dem zweiten Begleitscheine II.

Die Einrichtung dieser Begleitscheine ist aus den anliegenden Mustern A, B und C zu entnehmen. A. B. C.

§. 2.

Auf Antrag der Betheiligten können auch solche Waaren mit Begleitschein I abgefertigt werden, welche nach der Deklaration zollfrei sind (Vereinszollgesetz §. 41).

Begleitscheine II werden nur dann ausgestellt, wenn der Eingangszoll von den Waaren, für welche der Begleitschein begehrt wird, 15 *M.* oder mehr beträgt (Vereinszollgesetz §. 51).

2. Befugniß der Aemter zur Ausfertigung und Erledigung von Begleitscheinen.

§. 3.

Die Aemter, welche nach Maßgabe der §§. 128 und 131 des Vereinszollgesetzes zur Ausfertigung und Erledigung von Begleitscheinen I und II ermächtigt sind, und die denselben in dieser Hinsicht zustehenden Befugnisse werden öffentlich bekannt gemacht.

Begleitscheingüter unter Eisenbahnwagenverschluß dürfen nur auf solche Hauptämter im Innern mit Niederlage abgefertigt werden, auf welche nach dem aufgestellten Aemterverzeichnisse Abfertigungen im Eisenbahnverkehr unter Wagenverschluß vorgenommen werden können.

II. Ausfertigung der Begleitscheine.

A. Ausfertigung der Begleitscheine I.

1. Anmeldungen zur Begleitscheinausfertigung.

§. 4.

Zur Ertheilung eines Begleitscheins I bedarf es einer schriftlichen, von dem Extrahenten (Vereinszollgesetz §. 44) zu übergebenden Anmeldung.

Zu diesen Anmeldungen dienen:

a) bei unmittelbar vom Auslande eingegangenen Waaren — Deklarationen oder Auszüge aus Deklarationen (Vereinszollgesetz §§. 22 bis 27, 41 und 42),

b) bei Versendungen von Niederlagen — Abmeldungen (Niederlage-Regulativ §. 30),

c) bei der Weiterversendung der mit Begleitschein I angekommenen Waaren — Begleitscheinauszüge (§. 33).

2. Revision der Ladung.

§. 5.

Die angemeldeten Waaren sind einer allgemeinen oder speziellen Revision (Vereinszollgesetz §§. 28 und 29) zu unterwerfen, deren Ergebniß in die Anmeldung aufzunehmen ist.

Der Umfang der Revision richtet sich bei den mit Deklarationen oder Deklarationsauszügen angemeldeten Waaren (§. 4a) nach den Bestimmungen in den §§. 41 und 42, beziehungsweise 30 des Vereinszollgesetzes, während bei den mit Niederlageabmeldungen angemeldeten Waaren die Vorschriften des Niederlage-Regulativs und bei den mit Begleitscheinauszügen angemeldeten Waaren die Bestimmungen in den §§. 34 ff. dieses Regulativs Anwendung finden.

Die spezielle Revision ist, insofern solche nicht von dem Betheiligten selbst beantragt wird, bei genügender Deklaration nur ausnahmsweise, wenn besondere Gründe vorliegen, vorzunehmen (Vereinszollgesetz §. 41 Absatz 2). Es gehören dahin die Fälle, in welchen der Verdacht einer Hinterziehung der Abgaben oder einer unrichtigen Deklaration vorhanden ist, oder ein völlig sichernder Verschluß nicht angelegt werden kann. Tritt der letztere Fall nur bei einzelnen Theilen der Ladung ein, so kann sich die spezielle Revision auf diese beschränken.

Die zu einer nach Inhalt und Verpackung gleichartigen Waarenpost gehörigen Kolli können in geeigneten Fällen statt kolliweise zusammen oder in Partien verwogen werden.

§. 6.

Aus den Anmeldungen zur Begleitscheinausfertigung muß deutlich und bestimmt zu entnehmen sein, in welchem Umfange die darin verzeichneten Kolli der Revision unterlegen haben.

Die durch die Revision festgestellte Gattung und Menge der Waaren sind in dem Revisionsbefund nach den Benennungen und Maßstäben des Tarifs anzugeben.

Der tarifmäßigen Benennung der Waaren ist eine deren spezieller Beschaffenheit entsprechende Bezeichnung nach Anleitung des amtlichen Waarenverzeichnisses beizufügen, wenn dies im Hinblick auf die Allgemeinheit der tarifmäßigen Benennung zur besseren Festhaltung der Identität der Waaren räthlich oder in Rücksicht auf die wegen Aufstellung der Verkehrsnachweisungen ertheilten Vorschriften nöthig erscheint.

Außerdem ist in dem Revisionsbefund die Tarifnummer, welcher die Waaren angehören, sowie die Nummer des statistischen Waarenverzeichnisses anzumerken.

Das Gewicht der verwogenen Kolli wird, wie es amtlich ermittelt worden ist, kolliweise, in Partien oder summarisch, in den Revisionsbefund eingetragen. Es braucht jedoch das Gewicht der zu einer gleichartigen Waarenpost gehörigen Kolli, auch wenn dasselbe kolliweise oder in Partien festgestellt ist, aus den über die Verwiegung geführten amtlichen Anschreibungen nur summarisch in die Anmeldung übernommen zu werden, sofern die Abfertigung unter Raumverschluß oder amtlicher Begleitung erfolgt.

3. Einrichtung der Begleitscheine I im Allgemeinen.

§. 7.

Die Ausfertigung eines Begleitscheins I erfolgt nach dem Muster A, und zwar entweder

Muster A mit Probeeintragung 1. a) durch Ausfüllung der Spalten 1 bis 11 und 13 nach Anleitung der Probeeintragung 1 für sämmtliche zu der betreffenden Sendung gehörige Waaren, oder

b) in der Art, daß auf die dem Begleitschein anzustempelnde Anmeldung (§. 4) Bezug genommen wird, oder endlich

Muster A mit Probeeintragungen 2 u. 3. c) bei Benutzung des Musters A als Anmeldung nach Anleitung der Probeeintragungen 2 und 3.

§. 8.

Für die Begleitscheinausfertigung nach §. 7a sind die Anmeldungen in einem Exemplar, für die Ausfertigungen nach §. 7b und c jedoch in zwei gleichlautenden Exemplaren einzureichen.

Besteht die Anmeldung aus mehreren einzelnen Bogen, so sind dieselben zu paginiren und entweder mit einem auf der ersten Seite amtlich anzusiegelnden Faden zu durchziehen oder aneinander anzustempeln.

Die gedruckten Formulare zu Anmeldungen werden den Begleitscheinextrahenten einzeln unentgeltlich von den Zollämtern verabreicht, von denen solche auch in größerer Menge gegen Erstattung der Papier- und Druckkosten in Vorrath entnommen werden können.

Die Begleitscheinformulare sind, auch bezüglich des Formats (38 cm Höhe und 48 cm Breite), der Farbe und sonstigen Beschaffenheit des zu verwendenden Papiers nach Maßgabe der Muster (Anlagen zu §. 1) herzustellen.

Zu den den Begleitscheinen anzustempelnden Anmeldungen (§§. 11 und 21) ist Papier von gleicher Beschaffenheit (Format, Farbe ꝛc.) zu verwenden. Dieselben dürfen jedoch auch in halber Höhe des Begleitscheinformats hergestellt werden.

Auch kann den Eisenbahnverwaltungen, Dampfschiffahrts-Agenturen, Spediteuren, Großhändlern ꝛc. von Seiten der Ausfertigungsämter gestattet werden, die Begleitschein- und Anmeldungsformulare nach Maßgabe der vorgeschriebenen Muster auf eigene Kosten drucken zu lassen.

Formulare, welche diesen Vorschriften nicht entsprechen, sind von der amtlichen Verwendung auszuschließen.

4. Wesentlicher Inhalt der Begleitscheine I.

§. 9.

Der Begleitschein I muß folgende Angaben enthalten:

a) Namen, Geschäft oder Firma und Wohnort des Begleitscheinextrahenten und der Waarenempfänger;
b) Zahl der Kolli, deren Verpackungsart, Zeichen und Nummern, sowie die Menge und Gattung der Waaren nach Maßgabe der Deklaration oder des Revisionsbefundes;
c) Art des angelegten amtlichen Verschlusses oder der etwa sonst angewendeten Maßregeln zur Sicherstellung der Identität der Waaren;
d) Namen des Ausfertigungs- und Empfangsamts, Tag der Ausstellung des Begleitscheins, Nummer, unter welcher derselbe im Begleitschein-Ausfertigungs-Register eingetragen ist;
e) Frist zur Vorlage des Begleitscheins bei dem Empfangsamt, sowie Herkunft der Waaren.

Von der unter d vorgeschriebenen Bezeichnung eines bestimmten Empfangsamts kann bei den zur Ausfuhr abgefertigten Postgütern abgesehen werden.

5. Verfahren bei Ausfertigung der Begleitscheine I.

§. 10.

Bei der Ausfertigung eines Begleitscheins I nach der Bestimmung unter a des §. 7 bleiben die Spalten 5 bis 7 des Formulars insoweit unausgefüllt, als die Gattung und Menge der Waaren in den Spalten 8 bis 10 auf Grund amtlicher Ermittelung vollständig angegeben werden kann.

Wenn sich die amtlichen Gewichtsermittelungen auf Probeverwiegungen beschränkten, wird das deklarirte Gewicht für sämmtliche zur Abfertigung angemeldeten Kolli, also auch für die probeweise verwogenen, in Spalte 6 beziehungsweise 7 eingetragen, jedoch gleichzeitig das bei einzelnen Kolli amtlich ermittelte Gewicht in Spalte 9 beziehungsweise 10 auf der betreffenden Linie ersichtlich gemacht.

Bei zusammen abgefertigten, nach Inhalt und Verpackung gleichartigen Waarenposten genügt, auch wenn deren Gewicht in der Anmeldung im Einzelnen nachgewiesen ist, sofern die Waaren unter Raumverschluß oder amtlicher Begleitung abgefertigt werden, die Angabe des summarischen Gewichts in dem Begleitschein.

Bei den mit Begleitschein angekommenen oder einer Niederlage entnommenen Waaren, welche mit einem nach §. 7a ausgefertigten Begleitschein I weiter versendet werden sollen, wird dasjenige Gewicht, welches nach §§. 47 oder 103 des Vereinszollgesetzes die Grundlage der weiteren Abfertigung zu bilden hat, in den Begleitschein übernommen. Hat eine Verwiegung vor der Abfertigung stattgefunden, und ergiebt sich dabei ein Mehrgewicht gegen das in dem angekommenen Begleitschein überwiesene Gewicht beziehungsweise gegen das Einlagerungsgewicht, so ist das neu ermittelte Gewicht nachrichtlich im Begleitschein zu vermerken.

§. 11.

Wenn die Ausfertigung eines Begleitscheins I nach §. 7b oder c mittelst einer angestempelten oder mit Begleitscheinvordruck versehenen Anmeldung stattfindet, so bilden die in der Anmeldung enthaltenen Angaben zugleich den Inhalt des Begleitscheins, und es sind alsdann nur die in der Anmeldung nicht enthaltenen erforderlichen Angaben in den Begleitschein einzutragen. Die Ausfertigung eines Begleitscheins I nach §. 7b kann auch durch Anstempelung mehrerer Anmeldungen bewirkt werden.

In den Begleitscheinen, deren Ausfertigung nach §. 7b mittelst angestempelter Anmeldungen erfolgt, ist statt der Ausfüllung der Spalten auf der zweiten Seite auf die angestempelte Anmeldung durch Beifügung einer entsprechenden Verweisung, z. B.

„Laut angestempelter Deklaration Nr. 67 vom 15. Januar 1870"

Bezug zu nehmen.

§. 12.

In dem Begleitschein, beziehungsweise in der angestempelten Anmeldung ist sowohl die Gesammtzahl der Kolli, auf welche der Begleitschein lautet, als auch das summarische Gewicht der Kolli jeder nach Inhalt und Verpackung gleichartigen Waarenpost in Ziffern und in Buchstaben auszudrücken. Die Gewichtsangabe in Buchstaben ist, wenn sämmtliche Kolli amtlich verwogen wurden, bei dem amtlich ermittelten Gewicht, wenn jedoch keine oder nur Probeverwiegungen stattgefunden haben, bei dem deklarirten Gewicht, unmittelbar unter der betreffenden Summe zu bewirken.

Die Begleitscheine und zugehörigen Anmeldungen müssen deutlich geschrieben sein, und es dürfen keine Rasuren darin stattfinden.

Nachträgliche Aenderungen, welche an einzelnen Eintragungen vor der Aushändigung des Begleitscheins an den Extrahenten etwa vorzunehmen sein möchten, sind jedesmal von dem Beamten, welcher die Abänderung bewirkt hat, durch seine Namensbeischrift zu beglaubigen. Die abzuändernden Worte oder Zahlen sind so zu durchstreichen, daß sie leserlich bleiben.

6. Waarenverschluß.

§. 13.

Hinsichtlich der Anlegung des amtlichen Verschlusses sind die Bestimmungen in den §§. 43, 94 und 95 des Vereinszollgesetzes und die deshalb ertheilten besonderen Vorschriften zu beobachten.

Die Art des Waarenverschlusses und der Umfang, in welchem derselbe zur Anwendung gekommen ist, muß in den betreffenden Spalten der Begleitscheine, beziehungsweise der angestempelten Anmeldungen so deutlich und bestimmt angegeben werden, daß sich das Erledigungsamt vom unveränderten Zustand des Verschlusses bei Ankunft der Waaren vollständig zu überzeugen vermag. Bei Belassung eines von einem anderen Amt angelegten Verschlusses ist der Name dieses Amts anzugeben.

7. Sicherstellung des Zollbetrags.

§. 14.

In Beziehung auf die Sicherstellung des Zollbetrags sind die Bestimmungen im §. 45 des Vereinszollgesetzes zu beobachten.

Eine Entbindung von der Sicherheitsbestellung kann außer in dem dort genannten Falle auch dann eintreten, wenn das Begleitschein-Ausfertigungsamt sich veranlaßt findet, amtliche Begleitung des ganzen Waarentransports eintreten zu lassen.

Ueber eingelegte Pfänder ist eine besondere Bescheinigung auszustellen, gegen deren Rückgabe nach geschehener Begleitscheinerledigung die Herausgabe des Pfandes erfolgt (§. 55).

Der zur Sicherheit baar niedergelegte Betrag kann auf den Antrag des Extrahenten auch bei dem Begleitschein-Empfangsamt zurückgezahlt werden, zu welchem Behufe dem Begleitschein ein entsprechender Vermerk beizufügen ist. Außer der Kautionssumme ist von dem Extrahenten der Portobetrag für deren zu frankirende Uebersendung an das Empfangsamt (§. 54) zu hinterlegen.

Dritte Personen, welche für den Begleitscheinextrahenten Bürgschaft leisten wollen, haben, insofern sie nicht etwa für alle bei dem betreffenden Amt von ihnen zu übernehmenden Bürgschaften eine generelle Bürgschaft geleistet, eine den gesetzlichen Erfordernissen entsprechende spezielle Bürgschaftsurkunde auszustellen.

8. Frist zur Gestellung der Waaren bei dem Empfangsamt.

§. 15.

Bei Bestimmung der Frist, binnen welcher die im Begleitschein bezeichneten Waaren an dem darin angegebenen Orte zur Revision und weiteren Abfertigung zu stellen sind (Vereinszollgesetz §. 44), ist darauf Bedacht zu nehmen, daß nicht über das Maß des Bedürfnisses hinausgegangen wird.

Namentlich ist bei dem Transport mittelst der Eisenbahnen und bei Benutzung anderer regelmäßiger Transportgelegenheiten die Transportfrist der reglementsmäßigen Lieferungszeit anzupassen.

Die Transportfrist ist in den Begleitscheinen in Buchstaben anzugeben.

9. Angabe der Eingangsgrenzstrecke, Herkunft und Bestimmung der Waaren.

§. 16.

In den Begleitscheinen ist die Grenzstrecke, über welche der Eingang der Waaren erfolgte, beziehungsweise das Land, aus dessen Eigenhandel die Waaren herstammen (die Provenienz), und im Falle der Aus- oder Durchfuhr der Waaren, das Land der Bestimmung (das Land, in dessen Eigenhandel die Waaren übergehen) anzugeben.

10. Angabe über den Veredelungs- und Niederlageverkehr.

§. 17.

In den Begleitscheinen I ist dem Vordrucke in Spalte 13 des Musters A gemäß anzugeben, ob die abgefertigten Waaren dem Veredelungsverkehr angehören und ob sie aus Niederlagen oder von Konten abgemeldet sind. In den Begleitscheinen II ist dem Vordrucke in Spalte 9 des Musters B und in Spalte 13 des Musters C gemäß anzugeben, ob die Waaren aus Niederlagen oder von Konten abgemeldet sind.

11. Anerkennung der Begleitscheine I.

§. 18.

Der Begleitscheinextrahent hat den Empfang des Begleitscheins und die Uebernahme der aus demselben nach §§. 44 und 46 des Vereinszollgesetzes für ihn hervorgehenden Verpflichtungen durch unterschriftliche Vollziehung der Annahmeformel in dem Begleitschein und in einer besonderen, bei dem Ausfertigungsamt zurückbleibenden Annahmeerklärung anzuerkennen.

Diese Annahmeerklärung ist, wenn die Ausfertigung des Begleitscheins nach §. 7 a oder b erfolgt, nach Muster D a auszufertigen und entweder in die Anmeldung selbst oder in ein besonderes, der Anmeldung anzustempelndes Formular aufzunehmen. Bei der Begleitscheinausfertigung nach §. 7 c wird die Annahmeerklärung in den übereinstimmend mit dem Begleitschein auszufüllenden Vordruck der Anmeldung aufgenommen. Da.

12. Amtliche Vollziehung der Begleitscheine I.

§. 19.

Die amtliche Vollziehung des Begleitscheins erfolgt durch den Führer des Begleitschein-Ausfertigungs-Registers (§. 22) oder einen anderen, von dem Amtsvorstand damit beauftragten Beamten.

Dem leserlich zu schreibenden Namen muß die Angabe der Diensteigenschaft und ein Abdruck des Amtsstempels beigefügt werden.

Der gedachte Beamte ist für die ordnungsmäßige Ausfertigung des Begleitscheins verantwortlich.

13. Verfahren bei dem Verlorengehen eines Begleitscheins I.

§. 20.

Wenn ein Begleitschein verloren gehen sollte, so hat der Vorstand des Hauptamts, welches den Begleitschein ausgefertigt hat, beziehungsweise in dessen Bezirk das Ausfertigungsamt liegt, wenn sich kein Bedenken ergiebt, auf Grund der Anmeldung an Stelle des abhanden gekommenen Exemplars ein zweites mit Duplikat zu bezeichnendes Exemplar des Begleitscheins ausfertigen zu lassen. Die erfolgte Ausfertigung eines Duplikats ist im Begleitschein-Ausfertigungs-Register (§. 22) zu vermerken.

B. Ausfertigung der Begleitscheine II.

§. 21.

Bei der Ausfertigung der Begleitscheine II (§. 1) finden die Bestimmungen in den §§. 4 bis 20 mit den aus der Einrichtung des Musters B und den nachfolgenden Bestimmungen sich ergebenden Maßgaben Anwendung.

a) Der Ausfertigung eines Begleitscheins II hat stets eine spezielle Waarenrevision (Vereinszollgesetz §. 28) und Berechnung des zu überweisenden Zollbetrags, welcher in den betreffenden Spalten der Anmeldung anzugeben ist, vorauszugehen.

Der Zollbetrag wird in dem Begleitschein, unter Weglassung von Beträgen unter 5 Pfennig angegeben.

b) In dem Begleitschein ist die Art der geleisteten Sicherheit anzumerken.

c) Statt der Frist zur Gestellung der Waaren bei dem Empfangsamt ist darin sowohl die Frist zur Vorlegung des Begleitscheins und Einzahlung des gestundeten Eingangszolles bei dem Empfangsamt nach den Bestimmungen im §. 15, als auch der entsprechend festzusetzende Zeitraum, innerhalb dessen der Beweis der erfolgten Zollentrichtung bei dem Ausfertigungsamt (§. 53) geführt werden muß, anzugeben.

d) Ein Begleitschein II darf nur für einen Waarenempfänger ausgestellt werden.

Bei der Ausfertigung von Begleitschein II können, außer den Formularen nach Muster B (§. 7a), auch angestempelte Anmeldungen (§. 7b) und Anmeldungen mit Begleitscheinvordruck (§. 7c) nach Muster C angewendet werden.

Das Begleitschein-Ausfertigungsamt ist befugt, von dem Extrahenten des Begleitscheins vor der Aushändigung des letzteren die Vorlegung des Frachtbriefes über die Versendung der Waaren an den im Begleitschein genannten Empfänger zu verlangen.

C. Führung des Begleitschein-Ausfertigungs-Registers.

§. 22.

Das Ausfertigungsamt führt über die von ihm ertheilten Begleitscheine I und II ein Begleitschein-
E. Ausfertigungs-Register nach dem Muster E.

Der Zweck desselben ist, die vollständige Erledigung der ausgestellten Begleitscheine nachzuweisen.

Bei größeren Aemtern, bei welchen verschiedene Abfertigungsstellen bestehen, kann nach dem Ermessen der Direktivbehörde eine Einrichtung dahin getroffen werden, daß die Ausfertigung der Begleitscheine bei den einzelnen betreffenden Stellen erfolgt, und zu diesem Ende bei jeder derselben ein eigenes, mit einem besonderen Buchstaben (A, B, C . .) zu bezeichnendes Ausfertigungsregister geführt wird. Diese Buchstaben sind nebst den Nummern auch in die Begleitscheine und in die als Beläge zurückbleibenden Begleitscheinanmeldungen und Annahmeerklärungen einzutragen.

Das Begleitschein-Ausfertigungs-Register erledigt mit seinen Nummern diejenigen Vorregister, aus welchen die Versendungen entsprungen sind (Deklarations-Register, Niederlage-Register ꝛc.) und wird selbst durch die Erledigungsscheine der Begleitschein-Empfangsämter (§. 53) erledigt.

In dem Begleitschein-Ausfertigungs-Register sind die zur Kenntniß des Ausfertigungsamts gebrachten Aenderungen hinsichtlich des Erledigungsamts und der Gestellungsfrist (§§. 23 ff.) mit rother Tinte zu vermerken.

III. Behandlung der Waaren während des Transports.

1. Verfahren bei veränderter Bestimmung der Waaren.

§. 23.

Wenn eine Waarenladung, über welche ein Begleitschein I ertheilt worden ist, eine andere als die darin angegebene Bestimmung erhält, so hat der Waarenführer den Begleitschein bei dem nächsten zu der erforderlichen Abfertigung befugten Amt, unter Stellung des entsprechenden Antrages, abzugeben (Vereinszollgesetz §§. 46 und 50).

Soll die Erledigung des Begleitscheins bei diesem Amt stattfinden, so ist weiter nach den Bestimmungen in den §§. 31 ff. zu verfahren.

§. 24.

Wird die Erledigung des Begleitscheins bei einem anderen als dem vorbezeichneten, zur Erledigung von Begleitscheinen befugten Amt beantragt, so hat der Waarenführer sowohl durch eine Erklärung auf dem Begleitschein, woraus der veränderte Bestimmungsort und Empfänger hervorgeht, als
Db. durch eine besondere, nach Muster D b auszufertigende Annahmeerklärung, in die Verpflichtungen des Begleitscheinextrahenten einzutreten und die nöthige Sicherheit (§. 14) zu leisten.

Das Amt, bei welchem der Antrag gestellt wird, hat sodann das neue Empfangsamt und die sich etwa als nöthig ergebende Aenderung der Gültigkeitsfrist in dem Begleitschein zu bemerken, auch in demselben einen Vermerk über die Beschaffenheit des vorgefundenen und, im Falle einer Erneuerung des

Verschlusses, über den neu angelegten Verschluß aufzunehmen. Nach Vollziehung dieser Vermerke durch Unterschrift und Beidrückung des Amtsstempels ist der Begleitschein dem Waarenführer zur Fortsetzung des Transports zurückzugeben, die Annahmeerklärung aber dem ursprünglichen Ausfertigungsamt zu übersenden.

Das Begleitschein-Ausfertigungsamt hat seinerseits nach erfolgter Erledigung des Begleitscheins durch das neue Empfangsamt die mit einer Erledigungsbescheinigung zu versehende Annahmeerklärung des neuen Begleitscheinextrahenten dem überweisenden Amt wieder zuzustellen, worauf dieses die Aufhebung der bei ihm gestellten Sicherheit veranlaßt.

§. 25.

Gleicherweise ist zu verfahren, wenn die mit Begleitschein I abgefertigten Waaren dem ursprünglichen Empfangsamt mit dem Antrag auf Ueberweisung des Begleitscheins auf ein anderes zur Erledigung von Begleitscheinen I befugtes Amt gestellt werden.

In unbedenklichen Fällen kann bei der Ueberweisung von Begleitscheinen von dem Verlangen der Vorführung und von der Revision der Waaren Umgang genommen werden.

Eine Ueberweisung ist auch dann zulässig, wenn die Waaren an das ursprüngliche Ausfertigungsamt als Empfangsamt zurückbefördert werden sollen, oder wenn bei der Ueberweisung zugleich ein Frachtwechsel eintritt, welcher die Ersetzung des von dem Begleitschein-Ausfertigungsamt angelegten Raumverschlusses durch einen neuen Raum- oder Kolloverschluß nöthig macht.

In dem letzteren Falle findet eine Vergleichung der Ladung mit den Angaben in dem Begleitschein nach Art und Zahl der Kolli statt, und ist eine Notiz über die Beschaffenheit des vorgefundenen Verschlusses und dessen Erneuerung in die betreffende Spalte des Begleitscheins aufzunehmen.

§. 26.

Die überwiesenen Begleitscheine werden in dem Begleitschein-Ausfertigungs-Register des überweisenden Amts, unter entsprechender Bezeichnung derselben in Spalte 4, eingetragen, von dem neuen Empfangsamt jedoch ebenso behandelt, als wenn dieselben unmittelbar auf dasselbe ausgestellt worden wären.

2. Verfahren, wenn unterwegs eine Theilung der Ladung stattfinden soll.

§. 27.

Soll eine auf Begleitschein I abgefertigte Ladung unterwegs getheilt werden, so sind die Waaren dem nächsten Hauptzoll- oder Hauptsteueramt oder einem zur Ausstellung von Begleitscheinen I befugten Zoll- oder Steueramt vorzuführen, welches auf diesfälligen Antrag den mitgekommenen Begleitschein, den Vorschriften in den §§. 32 ff. entsprechend, erledigt und, nachdem die Theilung (Vereinszollgesetz §. 50) unter amtlicher Aufsicht erfolgt ist, die erforderlichen neuen Begleitscheine ausfertigt.

Wird die Theilung der Ladung durch unvorhergesehene Ereignisse (§. 28) nöthig, so können auch solche Zoll- und Steuerämter, welche sonst nicht zur Begleitscheinausfertigung befugt sind, jedoch nur im Namen und nach Anleitung des vorgesetzten Hauptamts, durch dessen Register die Begleitscheine laufen, die erforderlichen neuen Begleitscheine ausfertigen.

Rücksichtlich des Gewichts, welches der weiteren Abfertigung zu Grunde zu legen ist, wird auf die Bestimmungen des §. 38 Bezug genommen.

3. Verfahren bei Verhinderung der Fortsetzung des Transports durch unvorhergesehene Ereignisse.

§. 28.

Sollten Naturereignisse oder Unglücksfälle den Waarenführer verhindern, seine Reise fortzusetzen und den Bestimmungsort in dem durch den Begleitschein festgesetzten Zeitraum zu erreichen, so ist er verpflichtet, dem nächsten Zoll- oder Steueramt davon Anzeige zu machen (Vereinszollgesetz §. 49).

Kann der Transport nach dem Bestimmungsorte nach Beseitigung der Ursache der Unterbrechung fortgesetzt werden, so ist die Veranlassung des Aufenthalts seitens des Amts, bei welchem die Anzeige erfolgte, in dem Begleitschein amtlich zu bezeugen und nöthigenfalls die Transportfrist zu verlängern.

Wird eine Umladung mit Aenderung des Verschlusses nöthig, so ist die Umladung nach erfolgter Prüfung und Abnahme des vorhandenen Verschlusses, unter Vergleichung der einzelnen Kolli nach Zeichen, Nummern und Verpackungsart mit den im Begleitschein enthaltenen Angaben, amtlich zu kontroliren, die Ladung wieder unter Verschluß zu setzen, auch, was geschehen, in dem Begleitschein anzumerken.

Von der etwa stattgehabten Aenderung der Transportfrist ist dem Ausfertigungsamt Nachricht zu geben.

Im Falle die gesammte Ladung eine andere Bestimmung erhält oder eine Theilung der Ladung einzutreten hat, wird nach den Bestimmungen in den §§. 23 bis 27 verfahren.

4. Verfahren bei Umladungen mit Aenderung der Verschlußart.

§. 29.

Auch in anderen als den im §. 28 bezeichneten Fällen können Waaren, welche mit Begleitschein I unter Schiffs- oder Eisenbahnwagenverschluß abgefertigt worden sind, auf den Antrag des Waarenführers unterwegs an Orten, wo ein zur Erledigung von Begleitscheinen befugtes Amt seinen Sitz hat und die Oertlichkeit eine hinreichend sichernde Aufsicht gestattet, auch behufs des Ueberganges von der Wasserstraße auf Eisenbahnen oder umgekehrt, umgeladen werden. Ebenso kann die Umladung der mit Begleitschein I unter Kolloverschluß abgefertigten Waaren behufs des Ueberganges unter Raumverschluß erfolgen. Hierbei ist nach §. 28 zu verfahren.

Eine solche Umladung ist auch dann zulässig, wenn der Transport unter amtlicher Begleitung erfolgt, beziehungsweise nach der Umladung unter amtlicher Begleitung fortgesetzt wird.

5. Verfahren bei zufälligen Verschlußverletzungen.

§. 30.

Wird bei den mit Begleitschein I versandten Waaren auf dem Transport der angelegte amtliche Verschluß durch zufällige Umstände verletzt, so kann der Waareninhaber bei dem nächsten zur Verschlußanlegung kompetenten Amt unter Vorlage des Begleitscheins auf genaue Untersuchung des Thatbestandes, Revision der Waaren und neue Verschlußanlage antragen (Vereinszollgesetz §. 96).

Das Amt hat einem solchen Antrage zu entsprechen und darüber, wie dies geschehen, eine Verhandlung aufzunehmen. Letztere ist bei Zurückgabe des Begleitscheins, in welchem auf die Verhandlung zu verweisen ist, dem Waarenführer zu seiner Legitimation bei dem Begleitschein-Empfangsamt zuzustellen.

IV. Erledigung der Begleitscheine.

A. Erledigung der Begleitscheine I.

1. Vorführung der Waaren.

§. 31.

Der Waarenführer hat die mit Begleitschein I abgefertigten Waaren unverändert ihrer Bestimmung zuzuführen und dem Amt, von welchem die Schlußabfertigung zu bewirken ist, unter Vorlegung des Begleitscheins zu gestellen, auch bis dahin den etwa angelegten amtlichen Verschluß zu erhalten (Vereinszollgesetz §. 44).

Wenn an einem Transport nach einander verschiedene Waarenführer betheiligt sind, so geht die angegebene Verpflichtung zur Vorführung der Waaren und Vorlegung des Begleitscheins auf den letzten Waarenführer über.

Der Amtsvorstand ist befugt, bei Waaren, welche von dem Begleitschein-Ausfertigungsamt nach vorgängiger spezieller Revision ohne Verschluß abgelassen worden und zur Eingangsverzollung bestimmt sind, von der Vorführung und Revision der Ladung abzusehen.

2. Präsentation der Begleitscheine und Eintragung derselben in das Begleitschein-Empfangs-Register.

§. 32.

Der vorgelegte Begleitschein (§. 31), in welchem der Amtsvorstand oder dessen Stellvertreter den Tag der Abgabe zu bemerken hat, wird hierauf in ein nach Muster F zu führendes Register, das Begleitschein-Empfangs-Register, unter Ausfüllung der Spalten 1 bis 8 eingetragen.

F.

Das genannte Register dient dazu, die vollständige Erledigung der auf das Empfangsamt ausgestellten Begleitscheine nachzuweisen, und kann, wie das Begleitschein-Ausfertigungs-Register (§. 22), in mehreren Exemplaren geführt werden.

Dem Waarenführer ist auf Verlangen eine Bescheinigung über die Abgabe des Begleitscheins zu ertheilen.

Das weiter einzuhaltende Verfahren ist verschieden, je nachdem die mit den Begleitscheinen angekommenen Waaren

a) mit Begleitschein weiter gesendet oder in eine Niederlage gebracht oder zum Eingang abgefertigt, oder
b) unmittelbar in das Ausland ausgeführt werden sollen.

3. Verfahren, wenn die Waaren mit Begleitschein weiter versendet oder in eine Niederlage gebracht oder zum Eingang abgefertigt werden sollen.

a. Uebergabe der Begleitscheinauszüge.

§. 33.

Wenn die Waaren in der im §. 32 unter a angegebenen Weise abgefertigt werden sollen, sind zu jedem Begleitschein, die in dem §. 39 bezeichneten Fälle ausgenommen, so viele Auszüge zu übergeben, als die darin verzeichneten Waaren verschiedenerlei Bestimmung erhalten. Die Begleitscheinauszüge sind nach dem Muster G auszufertigen. G.

Die Bestimmung der Waaren wird auf der ersten Seite der Auszüge durch den Waarendisponenten angegeben.

Die den Begleitscheinauszügen zu gebende fortlaufende Nummern- oder Buchstabenbezeichnung ist in Spalte 9 des Begleitschein-Empfangs-Registers, unter Ausfüllung der Spalte 10 desselben, in der Art zu vermerken, daß für jeden Begleitschein zum Zweck der Eintragung der weiteren Nachweisungen über die Waaren in Spalte 11 bis 13 so viele Linien offen bleiben, als zu demselben einzelne Begleitscheinauszüge gehören (§. 52 Absatz 2).

Der Führer des Begleitschein-Empfangs-Registers hat die Begleitscheine mit den übergebenen Begleitscheinauszügen zu vergleichen und in letzteren die Uebereinstimmung mit den Begleitscheinen zu bescheinigen.

b. Revision der Ladung.

§. 34.

Die Ladung ist in der Regel speziell zu revidiren.

Bei der Prüfung des Verschlusses, welche jedesmal mit besonderer Sorgfalt erfolgen muß, ist sowohl auf den unverletzten Zustand desselben als auch darauf zu achten, ob derselbe in einer völlig sichernden Weise angelegt war.

Hat eine spezielle amtliche Ermittelung der Gattung und der Menge der Waaren oder einer von beiden nach Inhalt des Begleitscheins bereits stattgefunden, so kann das Erledigungsamt die Wiederholung des nämlichen Revisionsaktes unterlassen (s. auch §. 31 letzter Absatz), insofern nicht besondere Gründe für eine wiederholte Revision sprechen (z. B. §. 47 Abs. 2 des Vereinszollgesetzes).

Auch kann, wenn die Waaren in dem Begleitschein speziell deklarirt sind oder der Begleitscheinauszug nach §. 35 durch spezielle Deklaration ergänzt worden ist, die weitere Abfertigung auf Grund probeweiser Revision erfolgen, sofern sich bei den einzelnen zur Verwiegung gelangenden Kolli keine Abweichungen ergeben, welche zwei Prozent des deklarirten Gewichts überschreiten.

Die spezielle Revision kann unterbleiben:

a) wenn die Waaren mit Begleitschein I weiter gesendet werden,
b) wenn die Waaren zur Lagerung in einer Niederlage bestimmt sind, unter den in dem Niederlage-Regulativ angegebenen Bedingungen,
c) bei den zur Eingangsverzollung bestimmten Waaren unter der im §. 32 Absatz 2 des Vereinszollgesetzes bezeichneten Voraussetzung.

§. 35.

Die Angaben des Begleitscheins hinsichtlich der Gattung und des Nettogewichts der Waaren können von dem Waarenführer oder dem Waarenempfänger am Bestimmungsorte, so lange eine spezielle Revision noch nicht stattgefunden hat, ergänzt und berichtigt werden (Vereinszollgesetz §. 46).

Bei der Eintragung des Revisionsbefundes in die Spalten 14 bis 18 und 25 der Begleitscheinauszüge ist nach Anleitung der Bestimmungen im §. 6 zu verfahren. In Spalte 22 und 23 derselben ist die Weiterabfertigung der Waaren nachzuweisen.

c. Weitere Abfertigung.

§. 36.

Bei Waaren, welche mit Begleitschein I weiter versendet werden sollen, tritt entweder die Ueberweisung des Begleitscheins nach §. 25, oder die Ausfertigung eines neuen Begleitscheins nach §§. 4 ff. ein.

Bei der Weiterversendung mit Begleitschein II ist nach §. 21 zu verfahren.

Sollen die Waaren in eine Niederlage gebracht werden, so richtet sich das weitere Verfahren nach hierfür erlassenen besonderen Vorschriften.

Behufs der Eingangsverzollung der Waaren wird der Eingangszoll den bestehenden Bestimmungen gemäß berechnet, und, nachdem die für die Gefälleberechnung in dem Begleitscheinauszug vorgesehenen Spalten dem Vordruck entsprechend ausgefüllt worden sind, zur Erhebung gebracht und gebucht.

§. 37.

Hinsichtlich des Gewichts, welches der weiteren Abfertigung zu Grunde zu legen ist, finden nach den §§. 47 und 103 des Vereinszollgesetzes folgende Grundsätze Anwendung.

Das bei dem Empfangsamt ermittelte Gewicht bildet, sofern sich ein Mindergewicht gegen das im Begleitschein angegebene Gewicht herausstellt, die Grundlage der Verzollung oder weiteren Abfertigung, wenn der amtliche Verschluß unverletzt befunden ist oder amtliche Begleitung stattgefunden hat und kein Grund zu dem Verdachte vorliegt, daß ein Theil der Waaren heimlich entfernt worden sei. Ergiebt sich dagegen ein Mehrgewicht, so ist — unbeschadet der näheren Untersuchung, welche wegen etwa vorgekommener Irrthümer in der Abfertigung oder wegen versuchter Zolldefraudation einzuleiten ist — das im Begleitschein angegebene Gewicht der weiteren Abfertigung zu Grunde zu legen.

Sind die Waaren ohne amtlichen Verschluß abgelassen, oder kommen sie mit verletztem Verschluß an, oder liegt der Verdacht vor, daß ein Theil der Waaren heimlich entfernt worden sei, so wird, unbeschadet der etwa wegen Zolldefraude einzuleitenden Untersuchung, das im Begleitschein angegebene Gewicht der Verzollung zu Grunde gelegt, im Falle der Weiterabfertignng mit Begleitschein I oder zur Niederlage dagegen zwar das neu ermittelte Gewicht als zollpflichtig überwiesen, beziehungsweise im Niederlage-Register angeschrieben, jedoch zuvor von dem Mindergewicht der Eingangszoll erhoben.

Insoweit bei dem Begleitschein-Empfangsamt keine neue Gewichtsermittelung vorgenommen worden ist (§. 34), bildet das im Begleitschein überwiesene Gewicht die Grundlage der weiteren Abfertigung.

§. 38.

Dieselben Bestimmungen (§. 37) kommen zur Anwendung, wenn über eine zusammen abgefertigte, nach Inhalt und Verpackung gleichartige Waarenpost, deren Gewicht in dem Begleitschein nur summarisch angegeben ist, ungetheilt verfügt wird.

Sollen die zu der Waarenpost gehörigen Kolli bei dem Begleitschein-Empfangsamt verschiedenerlei Bestimmung erhalten, so wird das bei dem Empfangsamt zu ermittelnde Gewicht, auch wenn sich im Ganzen ein Mehrgewicht gegen das im Begleitschein angegebene Gewicht herausstellt, der weiteren Abfertigung zu Grunde gelegt. Gleicherweise ist zu verfahren, wenn ein Kollo getheilt wird. Hinsichtlich der Behandlung des sich etwa ergebenden Mindergewichts finden die Vorschriften des §. 37 Anwendung.

§. 39.

Bei den zur Eingangsabfertigung bestimmten Waaren kann, wenn der Begleitschein genügenden Raum darbietet, der Antrag des Empfängers auf Verzollung, der Revisionsbefund, die Angabe des Zollbetrags und der Nachweis der erfolgten Buchung desselben in den Begleitschein selbst aufgenommen werden, und bedarf es alsdann der Ausfertigung eines Begleitscheinauszugs nicht.

Bei der Eingangsabfertigung der mit Begleitschein I abgefertigten, ihrer Gattung nach eingangszollfreien Gegenstände (Vereinszollgesetz §. 41 letzter Absatz) genügt, auch wenn dieselben mit zollpflichtigen Gegenständen zusammen eingehen, der mündliche Antrag des Empfängers auf zollfreie Ablassung, die

Angabe des Revisionsbefundes in dem Begleitschein und eine demselben beizufügende Bemerkung über die zollfreie Ablassung.

4. Verfahren, wenn die Waaren unmittelbar zum Ausgang abgefertigt werden sollen.

§. 40.

Bei der Erledigung von Begleitscheinen I über Gegenstände welche zur unmittelbaren Ausfuhr über das Empfangsamt bestimmt sind, erstreckt sich die amtliche Thätigkeit der von dem Amtsvorstande oder dessen Vertreter zu bestimmenden Abfertigungs- und Begleitungsbeamten auf

a) die Revision der Ladung und
b) die Kontrolirung des Ausgangs derselben über die Grenze.

Die Revision der Ladung (a) soll die Ueberzeugung gewähren, daß keine vorschriftswidrige Veränderung an derselben stattgefunden hat. Die Revision kann daher in der Regel auf die Prüfung der Zeichen, Nummern, Verpackungsart und des Verschlusses der Kolli, beziehungsweise des Verschlusses und der verschlußfähigen Beschaffenheit der Laderäume beschränkt bleiben.

Hin und wieder, auch in anscheinend unverdächtigen Fällen, müssen jedoch probeweise einige Kolli aus einer Ladung speziell revidirt und mit den Angaben in dem Begleitschein genau verglichen werden. Der Amtsvorstand ist verpflichtet, die Vornahme solcher speziellen Revisionen unvermuthet anzuordnen und deren Ausführung zu überwachen oder durch einen oberen Beamten überwachen zu lassen.

Der Verschluß an den zum Ausgang bestimmten Waaren wird, soweit nicht Verträge eine Ausnahme bedingen, bei dem Grenzzollamt abgenommen. Bei unverschlossen abgelassenen Waaren hat die Ausgangsrevision sich auf die Feststellung des Gewichts und der Waarengattung zu erstrecken; jedoch können in unverdächtigen Fällen die Ermittelungen auf einen Theil der Waarenkolli beschränkt bleiben.

Das Verfahren bei der Kontrolirung des Waarenausgangs (b) ist je nach der Oertlichkeit und der Art des Transports verschieden.

Wenn der Ausgang der Waaren vom Amtslokal des Grenzzollamts oder dem zugehörigen Ansageposten aus überzeugend beobachtet werden kann, so haben die Abfertigungsbeamten den Ausgang zu kontroliren. Anderenfalls erfolgt die Kontrolirung des Ausgangs durch Begleitungsbeamte.

Bei der Ausfuhr mittelst der Eisenbahnen oder zu Wasser unter Raumverschluß hat das Amt am Verladungsorte die Revision der Waaren vorzunehmen und das Einladen der Waaren, sowie nach bewirkter Verschlußanlage den Abgang des Transports, dagegen das Grenzzollamt oder der zugehörige Ansageposten die mit unverletztem Verschluß erfolgte Ankunft und den Ausgang über die Grenze in der vorher angegebenen Weise zu kontroliren.

Wie im Einzelnen die Ausgangskontrole auszuführen ist, hat der Vorstand des Grenzzollamts den örtlichen Verhältnissen entsprechend zu bestimmen.

Die Ausgangsabfertigung kann auf Antrag des Waarendisponenten auch dann eintreten, wenn der ursprüngliche Antrag des Versenders bei der Anmeldung zur Begleitscheinertheilung nicht auf Abfertigung zum Ausgang gerichtet war. Der Waarendisponent hat jedoch in diesem Falle, sofern nicht die Ausfuhr unter den Augen des Amts oder unter amtlicher Begleitung erfolgt, die Verpflichtungen des Begleitscheinextrahenten zu übernehmen.

5. Verfahren bei Abweichungen zwischen dem Inhalt der Begleitscheine I und dem Revisionsbefund und sonstigen Anständen.

a. Feststellung des Sachverhalts.

§. 41.

Wenn bei der Prüfung eines zur Erledigung übergebenen Begleitscheins oder der Revision der Ladung die Wahrnehmung gemacht wird, daß

a) der im Begleitschein vorgeschriebene Zeitraum zur Gestellung der Waaren bei dem Empfangsamt nicht eingehalten worden ist, oder
b) die Abgabe des Begleitscheins und die Vorführung der Waaren bei einem anderen als dem darin ursprünglich oder nachträglich (§§. 24 und 25) bezeichneten Amt stattgefunden hat, oder
c) der angelegte amtliche Verschluß verletzt ist, oder
d) die Gattung und Menge der Waaren nicht mit den Angaben in dem Begleitschein überein-

stimmt oder andere Abweichungen zwischen denselben und dem Revisionsbefund wahrgenommen werden,

so ist der Waarenführer, nach Umständen der Waarenempfänger über die Veranlassung der bemerkten Abweichungen von dem Inhalt des Begleitscheins — in der Regel protokollarisch — zu vernehmen, und der Sachverhalt soweit erforderlich durch Benehmen mit dem Begleitschein-Ausfertigungsamt und den auf dem Transport berührten Aemtern zu untersuchen. Auch sind nöthigenfalls geeignete Maßregeln zur Sicherstellung der Gefälle, Strafen und Kosten, den Vorschriften für das Strafverfahren entsprechend zu treffen.

Wenn sich die Erledigung des Begleitscheins über den vorgeschriebenen Zeitpunkt der Absendung des Erledigungsscheins (§. 53) hinaus verzögert, so ist dem Ausfertigungsamt hierüber, unter Angabe der Veranlassung der Verzögerung, eine kurze Mittheilung zu machen (§. 56).

Die alsbaldige Weiterabfertigung der Waaren darf in Fällen der bezeichneten Art nur dann stattfinden, wenn für den Eingang der Gefälle, Strafe und Kosten volle Sicherheit geleistet wird.

b. Behandlung der auf Versehen oder Zufälligkeiten beruhenden Abweichungen.

§. 42.

Ergiebt in den im §. 41 unter a bis c bezeichneten Fällen die Untersuchung, daß die vorgefundene Abweichung durch einen Zufall herbeigeführt oder sonst genügend entschuldigt ist, und liegt nach der pflichtmäßigen Ueberzeugung des Hauptamts, auf welches der Begleitschein gerichtet oder welches dem als Empfangsamt bezeichneten Nebenamt als Hauptamt vorgesetzt ist, kein Grund zu dem Verdacht eines verübten oder versuchten Unterschleifs vor, so kann die Erledigung des Begleitscheins ohne weitere Beanstandung erfolgen und die für Gefälle, Strafe und Kosten geleistete Sicherheit aufgehoben werden.

Ebenso kann in dem im §. 41 unter d angegebenen Falle nach der Bestimmung des Amtsvorstandes beziehungsweise der dem Empfangsamt vorgesetzten Direktivbehörde, innerhalb der ihnen beigelegten Befugnisse, von einer Strafe abgesehen und der Begleitschein erledigt werden, wenn es sich um augenscheinlich auf Versehen oder Zufälligkeiten beruhende Abweichungen handelt.

c. Behandlung der Anstände, welche durch das Begleitschein-Ausfertigungsamt veranlaßt sind.

§. 43.

Bei unerheblichen Abweichungen, welche durch Versehen des Ausfertigungsamts bei der Begleitscheinausfertigung veranlaßt sind, kann, wenn dasselbe das Versehen anerkennt und auf dem Begleitschein nachträglich eine entsprechende, mit Ort und Datum zu bezeichnende und amtlich zu vollziehende Bescheinigung ertheilt, die Erledigung des Begleitscheins unbeanstandet erfolgen.

Die Vornahme von Korrekturen in den zurückgesendeten Begleitscheinen ist dem Ausfertigungsamt nicht gestattet.

Handelt es sich um erhebliche, durch das Ausfertigungsamt verschuldete Anstände, oder erkennt dasselbe einen von dem seinigen abweichenden Befund des Empfangsamts nicht als richtig an, so hat die dem letzteren vorgesetzte Direktivbehörde, nach erfolgtem Einvernehmen mit der Oberbehörde des Ausfertigungsamts, über die Erledigung des Begleitscheins zu entscheiden.

d. Verfahren bei havarirten oder in verdorbenem oder zerbrochenem Zustand ankommenden Begleitscheingütern.

§. 44.

Wenn auf Begleitschein I abgefertigte Waaren auf dem Transport Havarie erlitten haben, oder zu Grunde gegangen, verdorben oder zerbrochen (Vereinszollgesetz §§. 29 und 48), oder in ihrer Beschaffenheit verändert sind, so darf die Erledigung des Begleitscheins erst dann erfolgen, nachdem über den etwa beanspruchten Zollnachlaß Entscheidung getroffen ist.

In dem Begleitschein ist auf diese Entscheidung Bezug zu nehmen.

e. Strafverfahren.

§. 45.

Treffen die Voraussetzungen nicht zu, unter denen nach §. 42 eine Erledigung des Begleitscheins ohne weitere Beanstandung erfolgen kann, so tritt das gesetzliche Strafverfahren ein.

Nach Beendigung des Strafverfahrens hat das Begleitschein-Empfangsamt, sofern hinsichtlich der

Gefällepunkts keine Zweifel bestehen, den Begleitschein zu erledigen. In Zweifelsfällen ist die Entschließung der vorgesetzten Direktivbehörde einzuholen.

Wenn die Erledigung des Begleitscheins nicht zulässig erscheint, so ist derselbe mit den erwachsenen Verhandlungen dem Ausfertigungsamt zu übersenden. Letzteres hat dem Empfangsamt eine Bescheinigung über den Zurückempfang des Begleitscheins zu ertheilen und die Entscheidung der ihm vorgesetzten Direktivbehörde über die Folgen der Nichterfüllung der von dem Begleitscheinextrahenten übernommenen Verpflichtungen einzuholen.

f. Verfahren bei Nichtgestellung der Waaren bei dem Empfangsamt.

§. 46.

Wenn auf Begleitschein I abgefertigte Waaren dem Empfangsamt nicht gestellt werden, so ist über deren Verbleib Erörterung anzustellen und nach Umständen das gesetzliche Strafverfahren einzuleiten.

Nach Erledigung des Strafpunktes sind die Verhandlungen der Direktivbehörde des Ausfertigungsamts zur Erledigung des Gefällepunkts vorzulegen.

In den Fällen, in welchen bei der Erledigung eines auf Grund des §. 46 des Vereinszollgesetzes von dem ursprünglichen Empfangsamt auf ein anderes Amt überwiesenen Begleitscheins I die Bestimmungen im §. 45 Absatz 3 oder im §. 46 Absatz 2 in Anwendung zu bringen sind, ist die Entscheidung über die Folgen der Nichterfüllung der von den Waarendisponenten an Stelle des Begleitscheinextrahenten übernommenen Verpflichtungen von der Direktivbehörde des Amts, welches den Begleitschein überwiesen hat, zu treffen.

In den im §. 46 Absatz 1 bezeichneten Fällen, ebenso wie in den Fällen des §. 45 Absatz 2 kann bei der Erledigung von Begleitscheinen I von der Einholung der Entschließung der Direktivbehörde Abstand genommen werden, wenn bei dem Begleitschein-Ausfertigungsamt eine spezielle Revision der Waaren stattgefunden hat.

g. Verfahren bei unterlassener Verfügung über die Waaren.

§. 47.

Sollte der Empfänger einer mit Begleitschein I angekommenen Ladung nicht auszumitteln sein oder die Annahme und Verfügung über die Waaren verweigern oder ungehörig verzögern, und der Waarenführer sich nicht in der Lage befinden, über die Waaren zu verfügen, so ist, nachdem die Waaren in amtlichen Gewahrsam genommen sind, dem Begleitschein-Ausfertigungsamt hiervon zur Benachrichtigung des Extrahenten Kenntniß zu geben. Wenn alsdann binnen einer festzusetzenden Frist keine Bestimmung über die Waaren getroffen wird, so ist der Begleitschein unerledigt an das Ausfertigungsamt zurückzusenden. Letzteres hat hierauf den zu entrichtenden Zollbetrag von dem Extrahenten einzuziehen und dem Empfangsamt eine bezügliche Mittheilung zu machen, worauf dieses die Waaren, nach vorheriger Berichtigung der durch die Aufbewahrung etwa entstandenen Kosten, dem Empfänger oder dem zur Empfangnahme bestimmten Beauftragten des Extrahenten zur Verfügung stellt.

B. Erledigung der Begleitscheine II.

§. 48.

Die Begleitscheine II sind nach ihrer Uebergabe in das Begleitschein-Empfangs-Register (§. 32) einzutragen.

Der Waarenempfänger ist verpflichtet, dem Begleitschein-Erledigungsamt auf dessen Verlangen den über die Versendung der Waaren lautenden Frachtbrief vorzulegen. Der Gestellung der mit Begleitschein II abgefertigten Waaren bedarf es nur dann, wenn dieselbe ausdrücklich in dem Begleitschein vorgeschrieben ist.

Der überwiesene Zollbetrag ist dem Begleitschein-Empfangsamt, unter Vorlage des Begleitscheins innerhalb der in letzterem vorgeschriebenen Frist durch den Waarenführer oder den Waarenempfänger einzubezahlen.

Die Annahme des Begleitscheins ohne Zahlung des Zollbetrags ist dem Empfangsamt nicht gestattet.

Letzteres hat den im Begleitschein angegebenen Zollbetrag mit Rücksicht auf die darin enthaltenen Angaben über Gattung und Menge der Waaren zu prüfen und den Zollbetrag zu vereinnahmen.

Ergiebt sich bei dieser Prüfung eine Abweichung hinsichtlich des überwiesenen und des wiederholt berechneten Zollbetrags, so ist die Abweichung durch Korrespondenz mit dem Ausfertigungsamt aufzuklären und der höhere Zollbetrag einstweilen zu deponiren, demnächst aber der richtige Zollbetrag definitiv zu vereinnahmen.

Bei Anständen, welche durch Versehen des Ausfertigungsamts verschuldet sind, ist in der im §. 43 angegebenen Weise zu verfahren.

Die Annahme eines Begleitscheins II nebst dem darin überwiesenen Zollbetrag von einem zur Erledigung von Begleitscheinen dieser Gattung befugten Amt ist auch dann nicht abzulehnen, wenn die darin angegebene Zahlungsfrist (§. 21 c) bereits abgelaufen, oder wenn der Begleitschein auf ein anderes, als das schließlich gewählte Empfangsamt gerichtet ist. In Folge der gedachten Abweichungen von der Vorschrift des Begleitscheins tritt ein Strafverfahren nicht ein.

C. Vollziehung der Erledigungsbescheinigungen und Schlußverfahren.

1. Erledigungsbescheinigungen des Empfangsamts.

§. 49.

Die Vollziehung der Erledigungsbescheinigungen in den Begleitscheinen I geschieht in der Art, daß

1. der Eingang des Begleitscheins — von dem Amtsvorstand oder dessen Stellvertreter (§. 32),
2. die erfolgte Buchung im Begleitschein-Empfangs-Register — von dem mit der Führung des letzteren beauftragten Beamten (§. 32),
3. der Revisionsbefund nebst Angabe der stattgehabten Revisionshandlungen — von den Revisionsbeamten (§§. 34 und 35),
4. bei ausgehenden Waaren der Waarenausgang — von denjenigen Beamten, welche die Ausgangsabfertigung bewirkt haben (§. 40),

durch Unterschrift jedes einzelnen dieser Beamten, unter Beifügung seines Amtskarakters, eingetragen und beglaubigt wird.

Ist ein Begleitscheinauszug gefertigt, welcher die Revisionsergebnisse nachweist, so genügt eine einfache Bezugnahme auf diesen Auszug.

Bei der Waarenausfuhr wird der dieselbe betreffende Vordruck auf der letzten Seite des Begleitscheins, soweit dieser Vordruck nicht anwendbar ist, durchstrichen.

In solchen Begleitscheinen, bei deren Erledigung sich Anstände ergeben haben (§§. 41 ff.), ist dies unter Verweisung auf die betreffenden, dem Begleitschein beizufügenden Verhandlungen anzumerken.

§. 50.

Nach Eintragung der Erledigungsbescheinigungen in die Begleitscheine I ist das Erledigungsattest am Schlusse des Begleitscheins durch den Führer des Begleitschein-Empfangs-Registers oder einen anderen, von dem Amtsvorstande damit beauftragten Beamten, welcher hierbei von der ordnungsmäßigen Erledigung des Begleitscheins Ueberzeugung zu nehmen hat, unter Beifügung der Angabe seiner Diensteigenschaft, zu vollziehen.

§. 51.

Die Erledigung der Begleitscheine II erfolgt durch die Ertheilung einer Bescheinigung über die Eintragung in das Begleitschein-Empfangs-Register und über die stattgehabte Buchung des erhobenen Zollbetrags, welche gemeinschaftlich von dem Führer des Begleitschein-Empfangs-Registers und dem Führer des Einnahme-Journals, unter Angabe ihrer Diensteigenschaft, zu vollziehen ist.

2. Nachweis der weiteren Bestimmung der Waaren in dem Begleitschein-Empfangs-Register.

§. 52.

Gleichzeitig mit der Vollziehung der Erledigungsbescheinigungen in den Begleitscheinen (§§. 49 bis 51) sind die Spalten 11 bis 13 des Begleitschein-Empfangs-Registers auszufüllen.

Wenn zu einem Begleitschein I zwei oder mehr Auszüge übergeben worden sind (§. 33), so kann der Nachweis der weiteren Bestimmung der Waaren in den Begleitschein selbst aufgenommen und in Spalte 11 bis 13 des Begleitschein-Empfangs-Registers hierauf verwiesen werden.

3. Ertheilung der Erledigungsscheine.

§. 53.

Ueber die erledigten Begleitscheine sind Erledigungsscheine nach dem anliegenden Muster H durch den Führer des Begleitschein-Empfangs-Registers oder einen anderen von dem Amtsvorstande zu bestimmenden Beamten auszustellen und nach erfolgter Prüfung und Bescheinigung durch einen zweiten Beamten dem Begleitschein-Ausfertigungsamt zu übersenden. H.

Bei Aemtern, welche nur mit einem Beamten besetzt sind, genügt die Ausstellung der Erledigungsscheine durch den letzteren. Es ist jedoch jedem Ausfertigungsamt nach dem Abschlusse des Empfangs-Registers eine durch den Bezirks-Ober-Kontrolör bescheinigte Nachweisung der zur Erledigung gekommenen Begleitscheine zu übersenden.

Die Uebersendung der Erledigungsscheine erfolgt monatlich zweimal, und zwar je über die vom 1. bis 15. und vom 16. bis zum Schluß des Monats erledigten Begleitscheine bis zum 20. beziehungsweise 5. des Monats.

Sind die erledigten Begleitscheine in verschiedenen Quartalen ausgefertigt worden, so ist für jedes dieser Quartale ein besonderer Erledigungsschein auszustellen.

Die Ordnungszahl, unter welcher jeder Begleitschein in den Erledigungsschein eingetragen worden, und der Tag der Ausstellung des Erledigungsscheins sind in Spalte 14 und 15 des Begleitschein-Empfangs-Registers bei den betreffenden Begleitscheinen anzumerken.

4. Ersatzleistung für die durch Vermittelung des Empfangsamts zurückbezahlten Baarkautionen.

§. 54.

Wenn die Zurückzahlung einer baar geleisteten Kaution bei dem Begleitschein-Empfangsamt zu erfolgen hatte (§. 14), so ist dem Erledigungsschein eine amtliche Bescheinigung über die stattgehabte Zurückzahlung beizufügen und die Ersatzleistung durch Benehmen mit dem Begleitschein-Ausfertigungsamt herbeizuführen.

5. Behandlung der Erledigungsscheine bei dem Ausfertigungsamt.

§. 55.

Die von den Empfangsämtern ertheilten Erledigungsscheine (§. 53) sind sogleich nach ihrer Ankunft hinsichtlich ihrer Uebereinstimmung mit den Anmeldungen und Annahmeerklärungen und in formeller Hinsicht durch den Führer des Ausfertigungs-Registers zu prüfen und mit fortlaufenden Nummern zu versehen.

Wenn sich bei der Prüfung nichts zu erinnern findet, so hat der gedachte Beamte unter den Annahmeerklärungen die Nummer und Ordnungszahl des Erledigungsscheins, in welchem die Erledigung der betreffenden Begleitscheine nachgewiesen ist, unter Beifügung seiner Unterschrift einzutragen und den Tag der Ankunft des Erledigungsscheins in Spalte 8 des Begleitschein-Ausfertigungs-Registers anzumerken.

Ergeben sich bei der vorzunehmenden Prüfung Anstände, so ist deren Erledigung im Wege des Schriftwechsels mit dem Empfangsamt oder nöthigenfalls durch Vorlage bei der dem Ausfertigungsamt vorgesetzten Direktivbehörde herbeizuführen.

Nach vollständiger Erledigung des Begleitscheins ist wegen Aufhebung der von dem Begleitscheinextrahenten bestellten Sicherheit das Erforderliche zu veranlassen (§. 54).

6. Verfahren bei dem Ausbleiben der Erledigungsscheine.

§. 56.

Wird die Erledigung eines Begleitscheins I oder II innerhalb der vorgeschriebenen Frist (§. 53) nicht nachgewiesen und ist inzwischen auch keine Nachricht von dem Empfangsamt über eine etwaige Verzögerung der Erledigung eingetroffen, so ist der Begleitscheinextrahent oder der Bürge aufzufordern, die erreichte Bestimmung der Waaren, beziehungsweise die Einzahlung des gestundeten Zolles, binnen 14 Tagen nachzuweisen. Wird dieser Nachweis nicht geführt, so ist der Extrahent zur Einzahlung des Zollbetrags anzuhalten und die Nummer, unter welcher die Vereinnahmung in dem betreffenden Register stattgefunden hat, in Spalte 9 des Begleitschein-Ausfertigungs-Registers zu vermerken. Gleichzeitig ist dem Empfangsamt von der Einziehung des Zollbetrags Kenntniß zu geben.

Wenn durch das Empfangsamt eine Verzögerung der Erledigung des Begleitscheins angemeldet ist, letztere jedoch innerhalb einer angemessenen weiteren Frist nicht erfolgt, so ist über den Stand der Sache Erkundigung bei dem Empfangsamt einzuziehen, bei ungerechtfertigter Verzögerung der Erledigung aber der vorgesetzten Direktivbehörde Anzeige zu erstatten.

§. 57.

Walten Zweifel über den zu zahlenden Betrag oder andere Anstände ob, so ist der Fall der Direktivbehörde vorzutragen.

Die hierauf ergehende Entscheidung ist der Anmeldung beizufügen und im Ausfertigungs-Register nach Datum und Nummer zu notiren.

Der Amtsvorstand ist gemeinschaftlich mit dem Registerführer dafür verantwortlich, daß wegen der nicht rechtzeitig erledigten Begleitscheine die geeigneten Maßregeln getroffen werden.

7. Abschluß und Einsendung der Register.

§. 58.

Das Begleitschein-Ausfertigungs-Register wird nach vierteljährigen Zeitabschnitten geführt; bleibt aber nach Ablauf des betreffenden Vierteljahres bis zur Ankunft der dann noch fehlenden Erledigungsscheine, insofern sich dieselbe nicht über die nächsten drei Monate nach dem Quartalsschlusse verzögert, bei dem Amt zurück.

Sobald die Erledigungsscheine eingetroffen sind, längstens jedoch nach Ablauf der vorher bezeichneten Frist, wird das Register abgeschlossen und mit den zugehörigen Anmeldungen und Annahmeerklärungen, welche nach der Nummerfolge der Begleitscheine zu ordnen sind, sowie mit den nach der Nummerfolge (§. 55) zu ordnenden Erledigungsscheinen, zur Revision an die Direktivbehörde eingesendet.

Die alsdann etwa noch nicht erledigten Posten werden in das Register des nächstfolgenden Quartals, unter Bezugnahme auf die alten Nummern, bei welchen auf die Nummern der neuen Eintragungen zu verweisen ist, durch alle Spalten übertragen, so daß z. B. die nicht erledigten Posten des ersten Vierteljahres die ersten Eintragungen in dem Register des dritten Vierteljahres 2c. bilden.

Vor der Absendung des Registers hat der Amtsvorstand oder in seinem Auftrag ein anderer oberer Beamter die stattgehabte Erledigung der darin eingetragenen Begleitscheine zu prüfen und dies in dem abgeschlossenen Register mit dem Anfügen zu bescheinigen, daß keine Posten unerledigt geblieben, oder daß die unerledigten sämmtlich in das neue (nach dem Quartal zu bezeichnende) Register richtig übertragen seien.

§. 59.

Das Begleitschein-Empfangs-Register wird ebenfalls nach vierteljährigen Zeitabschnitten geführt und nach Ablauf eines jeden Vierteljahres abgeschlossen und mit den als Belägen beizufügenden erledigten Begleitscheinen, den zu letzteren gehörigen Anmeldungen, sowie den über die Erledigung einzelner Begleitscheine geführten Verhandlungen zur Revision eingesendet.

Die Beläge zum Begleitschein-Empfangs-Register sind nach der Folge der Registernummern zu ordnen und mit entsprechend bezeichneten Umschlägen zu versehen.

Die zur Zeit der Einsendung des Begleitschein-Empfangs-Registers ausnahmsweise noch unerledigten Posten werden in der im §. 58 angegebenen Weise in das Register für das Quartal, in welchem die Einsendung erfolgt, übernommen.

§. 60.

Nach beendigter Revision werden die erledigten Begleitscheine nach den Bezirken der Direktivbehörden, in welchen die Ausfertigungsämter liegen, sowie nach den Ausfertigungsämtern und den Nummern der Ausfertigungs-Register geordnet, um noch mit den letzteren und den zugehörigen Belägen verglichen zu werden, und zu diesem Behufe, soweit die Vergleichung nicht bei der Revisionsbehörde der Empfangsämter selbst vorgenommen werden kann, den Direktivbehörden der betreffenden Ausfertigungsämter mitgetheilt.

Diese Mittheilung soll in der Regel sechs Monate nach dem Schluß des Quartals, in welchem die Begleitscheine erledigt worden sind, erfolgen.

Niederlage-Regulativ.

In Gemäßheit des §. 106 des Vereinszollgesetzes werden für die allgemeinen und beschränkten Niederlagen folgende nähere Vorschriften ertheilt.

I. Allgemeine Bestimmungen.

§. 1.

Der Niederleger, worunter derjenige verstanden wird, welchen die Zollbehörde als zur Disposition über die niedergelegten Waaren befugt anerkennt, ist verbunden, sich nach den Vorschriften dieses Regulativs zu richten. Das Gleiche gilt für jeden, welcher die Niederlage betritt.

Wer die Niederlage betreten will oder dieselbe verläßt, hat sich bei dem die Aufsicht führenden Zollbeamten zu melden. Auch können die Personen, welche die Niederlage verlassen, nach Maßgabe des §. 127 des Vereinszollgesetzes einer körperlichen Visitation unterworfen werden.

§. 2.

In der Regel dürfen nur am Orte der Niederlage wohnhafte Personen dieselbe benutzen und müssen Auswärtige, welche sich der Niederlage bedienen wollen, einen am Orte wohnhaften Vertreter bestellen. Es steht jedoch für den Fall, daß der bezeichnete Empfänger einer Waare, binnen der zur Anmeldung vorgeschriebenen Frist, entweder nicht auszumitteln ist oder die Annahme und Anmeldung der Waare verweigert, dem Waarenführer, auch wenn er am Orte nicht wohnhaft ist, frei, die Waaren auf seinen Namen zur Niederlage zu deklariren.

Macht der Waarenführer von dem ihm eingeräumten Rechte keinen Gebrauch, so kann das Amt von Amtswegen einen Spediteur veranlassen, die Waaren anstatt des bezeichneten Empfängers zur Niederlage zu deklariren.

§. 3.

Nach §. 98 des Vereinszollgesetzes dürfen in der Regel nur Waaren, auf denen noch ein Zollanspruch haftet, zur Niederlage gelangen.

Es dürfen indeß Gegenstände des freien Verkehrs mit der Maßgabe in die Niederlage zugelassen werden, daß sie mit ihrer Aufnahme in dieselbe die Eigenschaft unverzollter ausländischer Waaren annehmen und nach den Bestimmungen für die letzteren zu behandeln sind.

Mit Genehmigung der Direktivbehörde können ausnahmsweise Güter des freien Verkehrs auch mit Beibehaltung ihrer Eigenschaft als solche, sowie unter Uebergangs-Steuerkontrole stehende Gegenstände in die Niederlage aufgenommen werden, sofern die Abfertigungs- und Niederlageräume für die zollpflichtigen Güter von denjenigen für Güter der obenbezeichneten Art auf sichernde Weise geschieden werden können.

Gegenstände, welche gegen Gewährung einer Zoll- oder Steuervergütung in die Niederlage aufgenommen sind, dürfen aus derselben, soweit Ausnahmen nicht gesetzlich zugelassen sind, nur gegen Entrichtung des tarifmäßigen Eingangszolles in den freien Verkehr übergehen.

§. 4.

Waaren, die gewöhnlich in verpacktem Zustande aufbewahrt werden, können nur in guter Verpackung zur Niederlage angenommen werden. Beschädigte Verpackungen müssen zuvor hergestellt werden.

Inwieweit Gegenstände auf den Wunsch des Niederlegers oder weil ihre Lagerung in geschlossenen Räumen entweder für sie selbst oder für das übrige Lagergut nachtheilig sein kann, im Freien niedergelegt werden dürfen, wird von dem Amtsvorstande bestimmt.

Waaren, deren Lagerung der Niederlage schädlich sein kann, als: der Verpestung verdächtige Sachen, Gegenstände, welche zur Selbstentzündung geneigt oder der Explosion fähig sind, oder deren Aufbewahrung den nahe lagernden Waaren nachtheilig sein kann, sowie Waaren, die bald in Fäulniß überzugehen pflegen, werden zur Niederlage nicht angenommen.

§. 5.

A. Ueber die niedergelegten Waaren wird ein Niederlage-Register nach dem anliegenden Muster A geführt. Es bleibt jedoch den Direktivbehörden überlassen, die den örtlichen Verhältnissen entsprechenden Abänderungen in dem Muster vorzunehmen, auch hinsichtlich der Führung und Revision des Registers das Nähere anzuordnen.

II. Anmeldung und Annahme zur Niederlage.

§. 6.

Die Anmeldung zur Aufnahme in die Niederlage geschieht mittelst der Deklarationen oder mittelst
B. Auszügen aus solchen oder aus Begleitscheinen, welche nach dem unter B beiliegenden Muster von dem Niederleger zweifach gefertigt und innerhalb der, von der Zollbehörde örtlich zu bestimmenden Frist dem Amt übergeben sein müssen. Die Anmeldungen werden hinsichtlich ihrer Uebereinstimmung mit den ihnen zu Grunde liegenden Papieren durch die betreffenden Beamten geprüft und bescheinigt und bei der Revision der Waaren zum Anhalt genommen.

Die Deklarationen u. s. w. können mittelst dieser Anmeldung nach Maßgabe der §§. 23, 26 und 46 des Vereinszollgesetzes noch vervollständigt oder berichtigt werden.

§. 7.

Behufs der Aufnahme in die Niederlage sind die Waaren in der Regel **speziell** zu revidiren.

Die Revision, welcher ein Niederleger oder ein Stellvertreter desselben beizuwohnen hat, kann jedoch auf eine **allgemeine** beschränkt werden, wenn

1. die unter Verschluß angekommenen oder nach §. 43 Absatz 2 des Vereinszollgesetzes ohne Verschluß abgelassenen Waaren schon bei einem Vorabfertigungsamt speziell revidirt worden sind, oder
2. — mag auch die Deklaration hinsichtlich der Waarengattung mangelhaft sein — wenn der dem Amt als zahlungsfähig bekannte Niederleger sich durch eine Erklärung in der Anmeldung zur Entrichtung des höchsten tarifmäßigen Zollsatzes, sofern nicht ein anderer Zollsatz durch spezielle Revision festgestellt wird, verpflichtet und sich für den Fall, daß in den Kolli sich Gegenstände der im §. 4 Absatz 3 bezeichneten Art befinden sollten, einer Konventionalstrafe von 1500 ℳ unterwirft. Die Waaren müssen aber alsdann, wenn sie nicht zur Durchfuhr bestimmt sind und die Wiederausfuhr nicht binnen einer von dem Amtsvorstande festzusetzenden kurzen Frist erfolgt, unter Kolloverschluß, beziehungsweise mit dem Verschluß, mit welchem sie angekommen sind, gelagert werden.

Bei einer aus mehreren Kolli bestehenden, nach Inhalt und Verpackung gleichartigen Waarenpost braucht nur das Gesammtgewicht durch Verwiegung ermittelt zu werden. Die Waarenpost wird summarisch nach Kollizahl, Zeichen und Gewicht und, wenn die Kolli fortlaufende Nummern haben, nach Nummern im Niederlage-Register angeschrieben.

Auch von der Ermittelung des **Bruttogewichts** kann, sofern dieselbe nicht von dem Niederleger selbst beantragt wird, abgesehen werden:

a) bei den mit Begleitschein I ohne amtlichen Verschluß abgefertigten Waaren, wenn der Niederleger auf die Abfertigung zur Durchfuhr verzichtet und sich damit einverstanden erklärt, daß das im Begleitschein überwiesene Gewicht der Verzollung zu Grunde gelegt werde;
b) bei den mit Begleitschein I unter unverletztem amtlichen Verschluß ankommenden Waaren, wenn die Bruttoverwiegung entweder bei dem Niederlageamt selbst aus anderer Veranlassung bereits erfolgt ist, oder erst kürzlich bei einem anderen Amt stattgefunden hat.

§. 8.

Rücksichtlich des als Einlagerungsgewicht zu behandelnden Gewichts und der vorgefundenen Abweichungen von dem im Begleitschein angegebenen Gewicht kommen nach Maßgabe des §. 47 des Vereinszollgesetzes folgende Grundsätze zur Anwendung:

1. Werden die Waaren vor der Aufnahme in die Niederlage nicht verwogen, so ist das im Begleitschein überwiesene Gewicht als Einlagerungsgewicht im Niederlage-Register anzuschreiben.
2. Ergiebt sich bei der vorgenommenen Verwiegung ein Mehrgewicht gegen das im Begleitschein angegebene Gewicht, so bildet, unbeschadet der näheren Untersuchung, welche wegen etwa vorgekommener Irrthümer bei der Abfertigung einzuleiten ist, das letztere ebenfalls das im Niederlage-Register anzuschreibende Einlagerungsgewicht.
3. Ergiebt sich dagegen ein Mindergewicht, so ist zwar nur das durch die Verwiegung beim Niederlageamt ermittelte Gewicht als Einlagerungsgewicht im Niederlage-Register anzuschreiben. Es muß indeß, wenn die Waaren unverschlossen oder mit verletztem amtlichen Verschlusse angekommen sind, oder wenn der Verdacht einer heimlichen Entfernung von Waaren vorliegt, abgesehen von der etwa wegen Zolldefraude einzuleitenden Untersuchung, von dem vorgefundenen Mindergewicht der tarifmäßige Eingangszoll erhoben werden. Sind die Waaren dagegen mit unverletztem amtlichen Verschluß angekommen und ist zugleich anzunehmen, daß das Mindergewicht lediglich durch natürliche Einflüsse entstanden sei, so bleibt der Eingangszoll für dasselbe unerhoben.

§. 9.

Waaren, welche bei dem Niederlageamt unter Zollkontrole unverschlossen eingetroffen sind, und über deren Identität nach dem Ermessen des Amtsvorstandes Zweifel bestehen, dürfen in die Niederlage nicht anders, als gegen Verzichtleistung auf die Abfertigung zur Durchfuhr aufgenommen werden.

§. 10.

Hat eine Nettoverwiegung der Waaren stattgefunden, so erfolgt die Anschreibung im Niederlage-Register nach dem Brutto- und dem Nettogewicht. Ebenso wird bei der Aufnahme der in einem Kollo zusammen verpackten, verschieden tarifirten Waaren, sofern das Nettogewicht der einzelnen Waarengattungen festgestellt oder in der Anmeldung angegeben ist, auch das Nettogewicht der einzelnen Waarengattungen im Niederlage-Register angeschrieben.

§. 11.

Wenn die Revision beendigt ist, hat der Niederleger die Waaren auf eigene Kosten zu den Lagerräumen und in denselben an denjenigen Ort zu schaffen, welcher für die Lagerung angewiesen wird.

Soweit es die Gattung der Waaren und der Raum gestatten und nicht andere Umstände entgegenstehen, sind die Waaren eines jeden Niederlegers auf dessen Antrag beisammen zu lagern und die später für ihn hinzukommenden an die früher gelagerten anzuschließen.

III. Niederlagescheine.

§. 12.

Nach geschehener Niederlegung wird dem Niederleger ein, hinsichtlich der Eintragung in das Niederlage-Register bescheinigtes Exemplar der Anmeldung (§. 6) zugestellt, welches ihm als Niederlageschein dient.

Die Zollverwaltung ist befugt, denjenigen, welcher ihr den Niederlageschein vorlegt, als zur Disposition über die in demselben bezeichneten Waaren legitimirt anzusehen, und nicht verpflichtet, auf eine nähere Prüfung einzugehen, ob derselbe rechtmäßiger Besitzer des Niederlagescheins sei.

Sollte jedoch ein Schein in unrechte Hände gekommen sein und dies von demjenigen, der daran Interesse hat, dem Amt angezeigt werden, so hat dasselbe hierüber einen Vermerk im Niederlage-Register zu machen und solange keine Disposition über die Waaren zuzulassen, bis über den rechtmäßigen Besitz des Niederlagescheins von der zuständigen Behörde entschieden ist.

§. 13.

Sollen Waaren, die in der Niederlage lagern, auf das Konto eines anderen Niederlegers übertragen werden, so ist dem Amt der Niederlageschein mit einem entsprechenden Antrage vorzulegen. Wenn, nach dem Ermessen des Amts, kein Bedenken obwaltet, so findet die Umschreibung im Niederlage-Register und die Abschreibung auf dem Niederlageschein, beziehungsweise die Ausstellung eines neuen Niederlagescheins statt.

§. 14.

Sollte ein Niederlageschein verloren gehen, so muß der betreffende Niederleger dem Amt davon Nachricht geben. Nachdem der Niederlageschein in Gemäßheit der in dem betreffenden Vereinsstaate bestehenden Bestimmungen für ungültig erklärt und dies dem Amt nachgewiesen ist, wird im Niederlage-Register das Nöthige vermerkt, ein Duplikat des Niederlagescheins ausgefertigt und darin die erste Ausfertigung für ungültig erklärt.

Meldet sich, nach erfolgter Benachrichtigung des Amts von dem Verlust eines Niederlagescheins und bevor derselbe für ungültig erklärt worden ist, ein dritter Besitzer dieses Scheins, so ist durch gerichtliches Erkenntniß darüber zu entscheiden, wer über die niedergelegte Waare zu verfügen hat. In der Zwischenzeit ernennt das Amt einen Vertreter des Eigenthümers, welcher auf Kosten desselben und, wie dieser selbst, für die Erhaltung und Beaufsichtigung der Waaren zu sorgen hat. Hierbei treten, soweit es nöthig ist, die Vorschriften der §§. 16 und 40 ein.

§. 15.

Jede Abschreibung im Niederlage-Register ist vom Amt auf den vorzulegenden Niederlageschein zu vermerken. Wird durch die Abschreibung der ganze Inhalt eines Niederlagescheins nicht erledigt, so erhält der Niederleger denselben zurück. Sind sämmtliche darauf verzeichnete Waaren aus der Niederlage abgefertigt, so verbleibt der Schein beim Amt.

IV. Aufbewahrung und Behandlung auf der Niederlage.

§. 16.

Die Niederlageverwaltung hat für die Sicherung der lagernden Waaren nach Maßgabe des §. 102 des Vereinszollgesetzes Sorge zu tragen. Die Niederleger sind verbunden, die an sie ergehenden Anweisungen des Niederlageverwalters zur Verhütung oder Beseitigung von Beschädigungen der lagernden Waaren zu befolgen.

Im Falle fortgesetzter Säumniß eines Niederlegers ist derselbe zur Ergreifung der für die Erhaltung der Waaren erforderlichen Maßregeln oder Entnahme aus der Niederlage vom Amt schriftlich unter Bestimmung einer angemessenen Frist mit der Verwarnung aufzufordern, daß anderenfalls von Amtswegen das Nöthige auf seine Kosten werde verfügt werden.

§. 17.

Der Niederleger hat auch seinerseits über die lagernden Waaren Aufsicht zu führen. Es bleibt ihm überlassen, die Kolli unter seinen Privatverschluß zu nehmen, in welchem Falle die Art des Verschlusses in der Anmeldung zu bemerken ist. Der Niederleger hat ferner von Zeit zu Zeit nach den Waaren zu sehen und mit darüber zu wachen, daß sie durch ihre Lage, durch Ungeziefer rc. nicht leiden, auch, wenn er solches wahrnimmt, den Niederlageverwalter darauf aufmerksam zu machen.

§. 18.

Von der einmal durch den Niederlageverwalter angewiesenen Stelle darf die Waare nur mit dessen Erlaubniß versetzt, und es muß jedenfalls dabei nach dessen Anweisung verfahren werden. Glaubt der Niederleger, daß seine Waare nicht gut lagere, und wünscht derselbe für sie eine andere Lagerstelle, so wird ihm diese, wenn Raum dazu vorhanden ist und die Versetzung ohne Störung geschehen kann, auch sonst kein Hinderniß entgegensteht, gewährt werden.

Kann sich der Niederleger hierüber mit dem Niederlageverwalter nicht einigen, so entscheidet der Amtsvorstand.

§. 19.

Dem Niederleger ist gestattet, auf schriftliche Anmeldung bei dem Amt, Proben von den niedergelegten Waaren zu entnehmen. Das Oeffnen der Kolli, die Entnahme der Proben und die neue Verschließung der Kolli kann nur unter amtlicher Aufsicht geschehen.

Das Gewicht der entnommenen Proben ist im Niederlage-Register bei der betreffenden Post zu vermerken und, falls das Gesammtgewicht der entnommenen Proben zollpflichtig ist, bei der Räumung der Post besonders zur Verzollung zu ziehen.

§. 20.

Die Auslegung ausgepackter Waaren zum Verkauf in der Niederlage ist nicht erlaubt. Die Auspackung und vorübergehende Auslegung von Waaren zur Besichtigung, sofern dazu nicht schon die Ansicht von Proben genügt, ist jedoch nicht ausgeschlossen.

§. 21.

Die Eigenthümer und Disponenten der lagernden Waaren sind befugt, in der Niederlage, unter Aufsicht der Beamten, die Waaren behufs der Theilung, Sortirung, Reinigung, Erhaltung und sonstiger mit dem Zweck der Niederlage zu vereinbarenden Behandlung umzupacken, insofern geeignete Räumlichkeiten dazu vorhanden sind. Es können indeß von der Direktivbehörde nach den örtlichen Verhältnissen für einzelne Niederlagen gewisse Grenzen festgesetzt werden, innerhalb deren die Theilung nur stattfinden darf.

Zur Ergänzung, Auffüllung, Packung ꝛc. der lagernden Waarenkolli können Waaren aus dem freien Verkehr in die Niederlage eingebracht werden. Dies muß jedoch vorher schriftlich, unter Angabe der Gattung und Menge, dem Niederlageamt angezeigt werden, welches alsdann die Waaren vor dem Einlaß in die Lagerräume speziell ermittelt und sowohl im Niederlage-Register als im Niederlageschein dem zollpflichtigen Lagerbestand zuschreibt.

§. 22.

Jede Umpackung ist dem Amt zuvor nach dem beiliegenden Muster C unter Vorlegung des Niederlagescheins schriftlich anzumelden, und erst, nachdem von dem Amt die erforderliche Aufsicht angeordnet worden ist, vorzunehmen. C.

Zu dem Antrag auf Gestattung der Umpackung kann auch das für die Abmeldung vorgeschriebene Formular (§. 30) benutzt werden.

§. 23.

Bei der Umpackung ist die Waare stets einer speziellen Revision zu unterwerfen, sofern nicht eine solche schon vorher stattgefunden hat. Neben dem Bruttogewicht ist, wenn es der Niederleger wünscht, auch das Nettogewicht der alten und der neuen Kolli zu ermitteln. Ist jedoch mit der Umpackung eine Theilung verbunden, so muß jedesmal auch das Nettogewicht der alten und der neuen Kolli festgestellt werden. Die Waarenpost wird dann im Niederlage-Register ab- und nach der neuen Feststellung wieder angeschrieben, und auch der Niederlageschein hiernach berichtigt oder ein neuer ausgestellt. Wird über den ganzen Inhalt eines zur Theilung angemeldeten Kollo nicht sofort vollständig verfügt, so kann unter Beifügung einer erläuternden Bemerkung die Abschreibung des abgemeldeten Theils und die Anschreibung des Bruttogewichts des Restes bei dem ursprünglich eingetragenen Kollo im Niederlage-Register erfolgen.

Gewichtsabweichungen von dem ursprünglich angeschriebenen Gewicht sind sofort aufzuklären.

Soweit ein Mindergewicht lediglich durch den Akt der Umpackung oder durch zufällige Ereignisse oder durch Eintrocknen, Einzehren, Verstauben, Verdunsten oder gewöhnliche Leckage entstanden und nicht durch Ordnungswidrigkeiten herbeigeführt ist, darf solches zollfrei abgeschrieben werden.

In anderen Fällen ist von der fehlenden Menge der tarifmäßige Eingangszoll einzuziehen, vorbehaltlich des einzuleitenden Strafverfahrens, wenn der Verdacht vorliegt, daß die Gewichtsverminderung in Folge heimlicher Entfernung eines Theils der Waare aus der Niederlage entstanden sei.

Diejenigen Umschließungen, welche durch Umpacken der Kolli während der Lagerung leer geworden sind, unterliegen bei der Entnahme aus der Niederlage der Verzollung, und zwar wenn sie zu dem Nettogewicht der darin verpackt gewesenen Waare gehören, nach dem Zollsatz der letzteren, anderenfalls nach demjenigen Zollsatz, welchem die Umschließungen an sich unterliegen.

Sind Umschließungen von Flüssigkeiten, welche in öffentlichen Niederlagen oder in Privatlagern unter amtlichem Mitverschluß lagern, durch Ueberfüllen ihres Inhalts in andere daselbst lagernde Fässer ꝛc. entleert worden, so sind dieselben, wenn sie zu dem zollpflichtigen Gewicht der Flüssigkeit gehören (§. 2 Abs. 3 des Zolltarifgesetzes), nach demjenigen Zollsatz zur Verzollung zu ziehen, welcher auf die in denselben vorhanden gewesene Flüssigkeit Anwendung findet, entgegengesetztenfalls nach dem Zollsatz, welchem die Umschließungen an sich unterliegen.

Sind dagegen zum Zweck der Umfüllung leere Umschließungen aus dem freien Verkehr in die Niederlage oder das Privatlager gebracht worden, so sind die bei der Umfüllung leer werdenden Umschließungen nur insoweit, und zwar nach dem zufolge des vorigen Absatzes anzuwendenden Zollsatz, zur

Verzollung zu ziehen, als das Gewicht derselben dasjenige der zur Umfüllung benutzten Umschließungen übersteigt. Erfolgt die Entleerung in Theilposten, so ist das Gewicht der zur Umfüllung benutzten leeren Umschließungen bis zur vollständigen Entleerung nachrichtlich bei der betreffenden Post im Niederlage-Register zu vermerken.

Die in den vorstehenden beiden Absätzen enthaltenen Bestimmungen finden keine Anwendung auf solche entleerte Mineralölfässer, welche tarifmäßig einem höheren Zollsatze unterliegen, als die darin enthalten gewesene Flüssigkeit. Dergleichen Fässer sind beim Eingang in den freien Verkehr nach ihrer Beschaffenheit zur Verzollung zu ziehen.

Sind Umschließungen durch vollständiges Auslaufen ꝛc. der darin befindlichen Flüssigkeit leer geworden, so unterliegen die Umschließungen bei der Entnahme aus der Niederlage stets der tarifmäßigen Verzollung nach Maßgabe ihrer Beschaffenheit.

§. 24.

Sollen Flüssigkeiten in Fässern durch Ueberleitung der Flüssigkeit in andere Fässer oder sonstige Umschließungen getheilt werden, so ist das Bruttogewicht des Fasses vor der Theilung festzustellen. Es wird demnächst das Bruttogewicht der neu gebildeten Kolli der Verzollung oder weiteren Abfertigung zu Grunde gelegt. Ergiebt sich jedoch, nachdem über den ganzen Inhalt eines Fasses verfügt ist, daß die Summe der Bruttogewichte der Theilposten hinter dem im Niederlage-Register angeschriebenen Gewichte des Fasses zurückbleibt, und ist nach den Umständen, wie es namentlich bei der Umfüllung in Ballons der Fall ist, anzunehmen, daß die Theilung nur erfolgt sei, um einen Theil des Gewichts des getheilten Fasses der Verzollung zu entziehen, so kann von dem Niederleger die Entrichtung des Eingangszolls für das sich ergebende Mindergewicht gegen das angeschriebene Gewicht des Fasses gefordert werden.

In Fällen, in welchen Flüssigkeiten auf der Niederlage aus Fässern in andere Fässer oder Umschließungen umgefüllt und in Theilposten zur Eingangsverzollung abgemeldet werden, kann die Zollerhebung bis zum Betrage des von dem Einlagerungsgewicht sich berechnenden Zolles erfolgen, sofern der Niederleger vor der Abmeldung des ersten Theilpostens auf die Wiederausfuhr der sämmtlichen Theilposten und die Begünstigung der Verzollung derselben nach dem Auslagerungsgewicht Verzicht leistet.

Wenn bei Flüssigkeiten in Fässern, welche in einer allgemeinen oder beschränkten Niederlage lagern, der Inhalt eines Fasses ganz oder theilweise zum Auffüllen anderer Fässer benutzt wird, so ist dies als eine Umpackung anzusehen, auf welche die Bestimmungen in den §§. 101 und 103 des Vereinszollgesetzes, sowie in den §§. 21 und folgende dieses Regulativs Anwendung finden. In Gemäßheit des §. 23 des Regulativs ist also bei jeder Auffüllung das Gewicht der alten und neuen Fässer festzustellen.

Auf den Antrag des Niederlegers kann jedoch, um eine Beunruhigung der Flüssigkeiten durch Verwiegung zu vermeiden, gestattet werden, daß

a) eine Verwiegung der Fässer, welche aufgefüllt werden sollen, unterbleibt und nur das Gewicht der in jedes Faß umgefüllten Flüssigkeit ermittelt und dem Einlagerungsgewicht desselben zugeschrieben wird, und

b) das zur Auffüllung benutzte Faß nur nach bewirkter Auffüllung verwogen und das vor der Auffüllung vorhandene Gewicht desselben durch Zurechnung des Gesammtgewichts der in die einzelnen Fässer umgefüllten Flüssigkeit festgestellt wird. Ist das Faß nicht vollständig entleert, und soll noch auf der Niederlage verbleiben, so bedarf es auch bei diesem Fasse einer Verwiegung nicht, sondern nur einer Abschreibung des Gesammtgewichts der aus demselben entnommenen Flüssigkeit von dem Einlagerungsgewicht.

Handelt es sich um eine im Niederlage-Register summarisch angeschriebene Post (§. 7 Abs. 3), von der ein Faß zum Auffüllen der übrigen benutzt werden soll, so kann nicht nur von einer Verwiegung der Fässer, sondern auch von einer Gewichtsermittelung der umgefüllten Flüssigkeit und von einer An- und Abschreibung derselben bei den einzelnen Fässern abgesehen werden, es sei denn, daß das zur Auffüllung benutzte Faß aus der Niederlage entfernt werden soll, in welchem Falle das Gewicht desselben nach bewirkter Auffüllung durch Verwiegung festzustellen und von dem Gesammtgewicht der Post abzuschreiben ist.

Sollen die in der Niederlage befindlichen Fässer mit Flüssigkeiten aus dem freien Verkehr — zu denen auch die aus der Niederlage abgemeldeten und verzollten Flüssigkeiten gehören — aufgefüllt werden, so ist nach der Vorschrift im letzten Absatz des §. 21 zu verfahren, jedoch bedarf es auch in diesem Falle einer Verwiegung der Fässer vor und nach der Auffüllung nicht, vielmehr nur einer Zuschreibung des Gewichts der in die einzelnen Fässer übergeführten Flüssigkeit.

In den Fällen der §§. 23 und 24 kann bei der Ueberleitung von Flüssigkeiten in andere Umschließungen das Bruttogewicht des alten Fasses in der Weise festgestellt werden, daß zuvörderst das neue Faß sowohl leer, als nach geschehener Umfüllung, demnächst aber das alte Faß verwogen und aus den so gewonnenen Gewichtsbeträgen das Bruttogewicht des alten Fasses im Wege der Berechnung festgestellt wird.

§. 25.

Gelangen Waaren zur Theilung, für welche, neben der Tara für die äußere Umschließung, eine zusätzliche Tara für die weitere innere Umschließung gewährt wird, so kann, sofern nicht vom Niederleger Nettoverwiegung beantragt wird, ohne Rücksicht auf die äußere Umschließung das Gewicht der betreffenden Waare einschließlich ihrer inneren Umschließung zur Grundlage der Taraberechnung genommen werden. Im Falle einer Theilung zum Zweck der Versendung der Waaren mit Begleitschein I ist das Gewicht derselben einschließlich deren innerer Umschließung im Begleitschein zu überweisen und das Bruttogewicht des neu gebildeten Kollo nur nachrichtlich darin zu bemerken.

§. 26.

Die von Niederlagegütern ausgesonderten Unreinigkeiten oder verdorbenen Waaren können unter Zollkontrole in das Ausland zurückgeführt oder mit Genehmigung des Amtsvorstandes unter amtlicher Aufsicht vernichtet werden. Die erfolgte Vernichtung wird amtlich festgestellt und im Niederlage-Register vermerkt.

§. 27.

Waaren, welche während der Lagerung ihre Beschaffenheit dergestalt verändert haben, daß sie in eine andere, einem niedrigeren Zollsatze unterliegende Waarengattung übergegangen sind (z. B. Wein in Essig), können auf Antrag des Niederlegers und auf Grund amtlicher Feststellung, erforderlichenfalls nach erfolgter Denaturirung, mit Genehmigung des Hauptamts nach Maßgabe ihrer neuen Beschaffenheit im Niederlage-Register und im Niederlageschein umgeschrieben werden.

§. 28.

Die Waarenbestände der Niederlage sind von Zeit zu Zeit durch den Amtsvorstand oder durch einen von ihm beauftragten oberen Beamten einer Revision zu unterwerfen. Zu welchem Zeitpunkte und in welchem Umfange dieselbe stattzufinden hat, bestimmt die Direktivbehörde.

Die Niederleger haben zum Zweck der Revision auf Verlangen Bestandsdeklarationen zu übergeben und das erforderliche Personal zu den vorzunehmenden Handleistungen zu stellen.

§. 29.

Die zur Niederlage gebrachten Waaren dürfen in der Regel in der allgemeinen Niederlage nicht über 5 Jahre (Vereinszollgesetz §. 98 Abs. 2) und in der beschränkten Niederlage nicht über 6 Monate (Vereinszollgesetz §. 105 Abs. 1) lagern.

Mit Genehmigung der Direktivbehörde kann ausnahmsweise in einzelnen Fällen eine Verlängerung der Lagerfrist eintreten.

V. Abmeldung und Verabfolgung aus der Niederlage.

§. 30.

Wenn Waaren aus der Niederlage entnommen werden sollen, so wird darüber von dem Niederleger, unter Vorlegung des Niederlagescheins, eine Abmeldung nach dem anliegenden Muster D dem Niederlageverwalter oder dem mit Führung des Niederlage-Registers besonders beauftragten Beamten übergeben, welcher die Uebereinstimmung der Angabe mit dem Register prüft und solche auf der Abmeldung bescheinigt, auch diejenigen Bemerkungen, welche sich auf die früher stattgehabten Revisionsakte und sonst auf die weitere Abfertigung der Waaren beziehen, hinzufügt. Hiernach und nach der über die Bestimmung der Waaren in der betreffenden Spalte der Abmeldung gemachten Angabe richtet sich die weitere Abfertigungsweise. Nach dem Ermessen des Amtsvorstandes kann die Abmeldung auch in doppelter Ausfertigung verlangt werden. Sind die Waaren zur Weiterversendung mit Begleitschein bestimmt, so ist das im Begleitschein-Regulativ vorgeschriebene Formular zu benutzen. D.

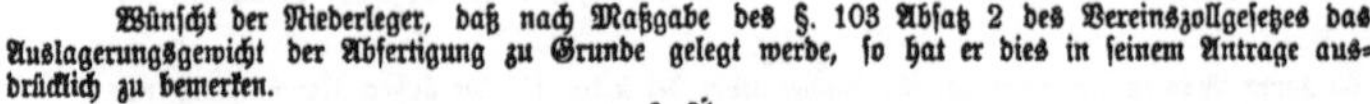

Wünscht der Niederleger, daß nach Maßgabe des §. 103 Absatz 2 des Vereinszollgesetzes das Auslagerungsgewicht der Abfertigung zu Grunde gelegt werde, so hat er dies in seinem Antrage ausdrücklich zu bemerken.

§. 31.

Auf Grund der Abmeldung zur Verzollung oder zur Versendung auf Begleitschein II erfolgt die spezielle Revision, insofern solche nicht unmittelbar vor Aufnahme der Waaren in die Niederlage oder später in derselben stattgefunden hat. Auch kann dieselbe dann unterbleiben, wenn auf den Antrag des Niederlegers die Verzollung nach dem höchsten Zollsatze des Tarifs gestattet wird (Vereinszollgesetz §. 32 Abs. 2).

Vor dem Beginn der speziellen Revision kann der Niederleger die Angaben in der Abmeldung hinsichtlich der Gattung und des Nettogewichts der ohne spezielle Revision zur Niederlage genommenen Waaren ergänzen oder berichtigen (Vereinszollgesetz §§. 23, 26 und 46).

Wird bei Waaren, welche in der Niederlage umgepackt worden sind, eine von der gewöhnlichen abweichende Verpackungsart der Waaren oder eine erhebliche Abweichung von dem im Tarif angenommenen Tarasatz bemerkt, so hat die Nettoverwiegung zu erfolgen.

§. 32.

Rücksichtlich des der Verzollung oder Abfertigung auf Begleitschein II zu Grunde zu legenden Gewichts kommen nach §. 103 des Vereinszollgesetzes folgende Grundsätze in Anwendung:

a) Ist das Gewicht jedes einzelnen Kollo im Niederlage-Register angeschrieben, oder wird eine aus mehreren Kolli bestehende, aber nur nach ihrem Gesammtgewicht angeschriebene Waarenpost auf einmal ungetheilt von der Niederlage entnommen, so kann

1. die nochmalige Verwiegung des betreffenden Kollo, beziehungsweise der ganzen Waarenpost dann unterbleiben, wenn der Niederleger nicht in der betreffenden Spalte der Abmeldung die Abfertigung nach dem **Auslagerungsgewicht** beantragt hat und zugleich kein Verdacht einer heimlichen Entfernung eines Theils der Waaren während der Lagerung vorliegt.

2. Findet eine nochmalige Verwiegung statt, und ergiebt sich hierbei

α) ein **Mindergewicht** gegen das Einlagerungsgewicht, so erfolgt die Abfertigung auf Grund des **Auslagerungsgewichts**, wenn anzunehmen ist, daß dieses Mindergewicht lediglich durch natürliche Einflüsse entstanden sei. Liegt jedoch begründeter Verdacht vor, daß ein Theil der Waaren heimlich aus der Niederlage entfernt worden, so ist — abgesehen von der wegen Zolldefraude etwa einzuleitenden Untersuchung — jedesmal das Einlagerungsgewicht der Abfertigung zu Grunde zu legen.

Ergiebt sich dagegen

β) ein **Mehrgewicht**, so bildet — unbeschadet der näheren Untersuchung wegen etwa vorgekommener Irrthümer — das Einlagerungsgewicht die Grundlage der Abfertigung.

In beiden Fällen (α und β) ist auf Antrag der Betheiligten jedes Kollo einer größeren Waarenpost, dessen Einlagerungsgewicht seiner Zeit besonders ermittelt und im Niederlage-Register angeschrieben war, bezüglich der Gewichtsabweichungen bei der Abmeldung als eine für sich bestehende Waarenpost zu behandeln, wenn über die Identität der einzelnen Kolli nach Zeichen und Nummer kein Zweifel besteht.

b) Wird eine aus mehreren Kolli bestehende, im Niederlage-Register unter **einem Gesammtgewicht** angeschriebene Waarenpost in Theilmengen aus der Niederlage entnommen, so erfolgt die Abfertigung nach dem jedesmal zu ermittelnden **Auslagerungsgewicht**.

Ergiebt sich hierbei im **Ganzen** ein Mindergewicht gegen das Einlagerungsgewicht, so kommen bei der Abfertigung der **letzten Theilpost** die oben unter a 2 α ausgesprochenen Grundsätze zur Anwendung.

Hinsichtlich des Mindergewichts, welches sich bei den in Theilposten zur Abmeldung gelangenden Flüssigkeiten in Fässern gegen das Gewicht des getheilten Fasses ergiebt, wird auf den §. 24 Bezug genommen.

§. 33.

Sind die Waaren zur Verzollung abgemeldet, so hat der Niederleger, nachdem der Befund in der Abmeldung bescheinigt ist, den Gefällebetrag gegen Quittung zu entrichten, beziehungsweise ein Kreditanerkenntniß darüber zu ertheilen.

Bei der Abmeldung zur Abfertigung der Waaren auf Begleitschein II tritt an die Stelle der Gefälleentrichtung die Extrahirung des Begleitscheins.

§. 34.

Zum Zweck der Versendung von Niederlagegütern auf Begleitschein I wird in der Regel das Auslagerungsgewicht ermittelt.

Ergeben sich bei dieser Verwiegung Abweichungen gegen das Einlagerungsgewicht, so wird im Allgemeinen nach der Vorschrift des §. 32 unter a 2 und b verfahren, jedoch mit der Maßgabe, daß

1. ein nach jener Vorschrift zollpflichtiges Mindergewicht sofort besonders zum Eingange zu verzollen und der Begleitscheinabfertigung das Auslagerungsgewicht zu Grunde zu legen;
2. in Fällen, wo das Einlagerungsgewicht die Grundlage der weiteren Abfertigung bildet, auch das Auslagerungsgewicht im Begleitschein nachrichtlich zu vermerken ist.

§. 35.

Die Verwiegung kann, sofern solche nicht vom Niederleger selbst begehrt wird, unterbleiben,

1. wenn die Waaren unter amtlichem Verschluß zur Niederlage gekommen sind und dieser Verschluß während der Lagerung unberührt geblieben ist;
2. wenn die Waaren zwar ohne amtlichen Verschluß zur Niederlage gelangt sind, jedoch
   a) nach der Beschaffenheit derselben eine Veränderung des Gewichts während der Lagerung nicht zu vermuthen ist, wie z. B. bei Metallen, Metallwaaren, Glas, Porzellan und dergleichen, oder
   b) ihre Lagerung nicht über drei Monate gedauert hat und keine Umstände vorliegen, welche auf eine ungewöhnliche Gewichtsveränderung schließen lassen.

§. 36.

Sollte für einzelne Niederlageplätze das Bedürfniß entstehen, den in das Ausland zu sendenden unverzollten Waaren Gegenstände des freien Verkehrs in dem nämlichen Kollo beizupacken, so darf dies unter folgenden Bedingungen nachgegeben werden:

1. die unverzollten Waaren sind im Innern des zu bildenden Kollo von den Gegenständen des freien Verkehrs durch besondere Verpackung getrennt zu halten, auch ist der der Menge nach geringere Theil der Waaren für sich amtlich zu verschließen;
2. das Gesammtkollo wird unter Bleiverschluß gesetzt und
3. im Begleitscheine der Beipackung von Gegenständen des freien Verkehrs erwähnt, auch die Gattung, Menge und der etwaige Verschluß der letzteren, sowie das Bruttogewicht des Gesammtkollo angegeben.

Ist wegen der Beschaffenheit der Waaren die Bedingung unter 1 nicht zu erfüllen, so kann die Beipackung von Gütern des freien Verkehrs nur unter der Bedingung stattfinden, daß dieselben die Natur fremder unverzollter Waaren annehmen.

§. 37.

Sollen Waaren aus der Niederlage eines Grenzzollamts unmittelbar in das Ausland versendet werden, und erfolgt die Ausfuhr unter den Augen des Grenzzollamts oder unter amtlicher Begleitung, so beschränkt sich die Abfertigung darauf, daß die Ausfuhr von dem Amt oder den Begleitungsbeamten auf der Abmeldung bescheinigt wird.

§. 38.

Die Waaren werden gegen Vorzeigung der Zollquittung, beziehungsweise der betreffenden Abfertigungspapiere aus der Niederlage abgelassen. Es erfolgt demnächst ihre Abschreibung im Niederlage-Register. Binnen 24 Stunden müssen die Waaren aus der Niederlage entfernt werden.

§. 39.

Wo Lagergeld erhoben wird (Vereinszollgesetz §. 99), ist dasselbe von dem bei der Einlagerung der Waaren angeschriebenen und im Falle einer Umpackung von dem dabei ermittelten Bruttogewichte zu erheben.

§. 40.

Mit Niederlagegütern, deren Eigenthümer (Disponent) unbekannt ist, oder deren Abnahme von der Niederlage nach Ablauf der Lagerfrist (§. 29) von dem der Zollbehörde bekannten Eigenthümer verweigert wird, ist nach §. 104 des Vereinszollgesetzes zu verfahren.

Bleibt in solchen Fällen beim öffentlichen Verkauf der Waaren das Meistgebot nach Abzug der Kosten hinter dem Betrage des Eingangszolles zurück, so ist in der Regel der Zuschlag zu versagen. Ausnahmen hiervon können von der Direktivbehörde nur dann zugelassen werden, wenn der Ausfall an Zollgefällen 10 Prozent nicht übersteigt.

VI. Theilungslager.

§. 41.

Theilungslager unter Mitverschluß der Zollverwaltung (§. 1 lit. b des Privatlager-Regulativs) können auch in abgesonderten Räumen der öffentlichen Niederlage, welche für sich verschließbar sind und für deren Einrichtung und Unterhaltung der Niederleger nach Anleitung des Amts Sorge zu tragen hat, zugelassen werden.

Derartige Theilungslager sind im Allgemeinen nach den Bestimmungen des Niederlage-Regulativs und den für die betreffende Niederlage bezüglich der Theilungslager erlassenen besonderen Vorschriften zu behandeln.

Auf Wein- und Spirituosen-Theilungslager in öffentlichen Niederlagen finden die Bestimmungen in den §§. 1 bis 10 des Weinlager-Regulativs mit der Maßgabe Anwendung, daß die Gestattung eines solchen Lagers nicht an die Bedingung eines bestimmten Lagerbestandes (§. 2 a. a. O.) geknüpft ist.

Bei anderen zu derartigen Theilungslagern zugelassenen Flüssigkeiten mit Ausnahme von Mineralöl, können nach Anordnung der Direktivbehörde die vorstehenden Bestimmungen ebenfalls in Anwendung gebracht werden.

VII. Strafbestimmungen.

§. 42.

Zuwiderhandlungen gegen die Vorschriften dieses Regulativs werden, soweit nicht die Strafen der §§. 134 bis 151 des Vereinszollgesetzes Anwendung finden, in Gemäßheit des §. 152 dieses Gesetzes mit einer Ordnungsstrafe bis zu 150 Mark geahndet.

Eisenbahn-Zollregulativ.

In Gemäßheit des §. 73 des Vereinszollgesetzes werden über die zollamtliche Behandlung des Güter- und Effektentransports auf den Eisenbahnen die nachstehenden Bestimmungen getroffen:

I. Allgemeine Vorschriften.

1. Transportzeit.

§. 1.

Der Transport von Frachtgütern und Passagiereffekten über die Zollgrenze und innerhalb des Grenzbezirks ist auf den dem öffentlichen Verkehr dienenden Eisenbahnen bei Tag und Nacht gestattet (Vereinszollgesetz §. 21 Abs. 5 lit. d).

2. Abfertigungsstunden.

§. 2.

Die Abfertigung der Passagiereffekten, sowie der ankommenden sofort unter Raumverschluß (§. 10) weiter gehenden Frachtgüter ist nach §. 133 Absatz 3 des Vereinszollgesetzes sowohl bei den Grenzämtern als bei den Aemtern im Innern sogleich nach dem Eintreffen des Zuges zu jeder Zeit, auch an Sonn- und Festtagen, zu bewirken.

Andere Abfertigungen finden, sofern das Bedürfniß des Verkehrs nicht eine Erweiterung erfordert (Vereinszollgesetz §. 133 Abs. 4), nur innerhalb der im §. 133 Absatz 1 des Vereinszollgesetzes bestimmten Geschäftsstunden statt.

3. Fahrpläne.

§. 3.

Die Eisenbahnverwaltungen haben die Fahrpläne, imgleichen jede Abänderung derselben, bevor solche zur Ausführung kommen, der Direktivbehörde, sowie den Hauptämtern, in deren Bezirk sich Stationsplätze oder Haltestellen befinden, mitzutheilen. Ebenso haben sie von etwa vorkommenden Extrazügen und von voraussichtlich längeren Verzögerungen in der Ankunft der Züge sämmtlichen betheiligten Abfertigungsstellen (§. 4) so zeitig wie möglich Anzeige zu machen.

4. Abfertigungsstellen.

§. 4.

Zur Abfertigung der auf den Eisenbahnen ein-, aus- und durchgehenden Güter sind die an denselben gelegenen Grenzzollämter nach Maßgabe des §. 128 des Vereinszollgesetzes kompetent. Die weitere Abfertigung der vom Grenzzollamt mit Ladungsverzeichniß (§. 21) abgelassenen, sowie die Ausgangsabfertigung zoll- oder kontrolepflichtiger Güter im Innern kann nur bei Hauptämtern mit Niederlage oder solchen anderen Aemtern erfolgen, welche von der obersten Landes-Finanzbehörde dazu ermächtigt sind (Vereinszollgesetz §. 131).

Die zur zollamtlichen Abfertigung des Eisenbahnverkehrs kompetenten Aemter, einschließlich derjenigen, welche zur Gestattung von Umladungen oder Ausladungen (§§. 25 und 26), sowie zur Wiederanlegung des amtlichen Verschlusses im Falle der Verschlußverletzung (§. 27) befugt sind, werden öffentlich bekannt gemacht.

5. Abfertigungsräume.

§. 5.

Die Eisenbahnverwaltungen haben — sofern nicht durch besondere Verträge zwischen einzelnen Eisenbahnverwaltungen und dem Staate oder den Kommunen etwas Anderes festgesetzt ist — nach §. 59 des Vereinszollgesetzes auf den für die Zollabfertigung bestimmten Stationsplätzen die erforderlichen Räume für die zollamtliche Abfertigung und für die einstweilige Niederlegung der nicht sofort zur Abfertigung gelangenden Gegenstände zu stellen, beziehungsweise die nach Anordnung der Zollbehörde hierfür nöthigen baulichen Einrichtungen zu treffen, doch liegt ihnen die Ausstattung der hergegebenen Räume und, sofern sie lediglich zu Zwecken der Zollverwaltung dienen, deren Erwärmung und Erleuchtung nicht ob.

Bei den zur Nachtzeit zur Abfertigung gelangenden Zügen haben die Eisenbahnverwaltungen die Wagenzüge und Geleise innerhalb der Stationsplätze ausreichend beleuchten zu lassen.

Die Eisenbahnverwaltungen müssen ferner im Einverständniß mit der Zollbehörde für die erforderliche Abschließung der Räume, in denen die Abfertigung stattfindet, Sorge tragen.

Die zur einstweiligen Niederlegung der Gegenstände bestimmten Räume müssen sichernd verschließbar sein und werden von der Zollbehörde und der Eisenbahnverwaltung unter Verschluß gehalten. Diese Räume dürfen nur für zoll- und kontrolepflichtige Güter benutzt werden. Sie haben nicht die zollgesetzlichen Eigenschaften von Niederlagen unverzollter Waaren und die Lagerung in denselben darf eine von dem Amtsvorstande nach den örtlichen Verhältnissen zu bemessende kurze Frist nicht überschreiten.

6. Transportmittel.

a. deren Beschaffenheit.

§. 6.

Weder in den Güterwagen noch in den Lokomotiven und den dazu gehörigen Tendern dürfen sich geheime oder schwer zu entdeckende, zur Aufnahme von Gütern oder Effekten geeignete Räume befinden. Ebenso dürfen Personenwagen besondere zur Aufnahme von Gütern oder Effekten geeignete Räume nicht enthalten (Vereinszollgesetz §. 61 Abs. 2). Einrichtungen zur Erwärmung des Fußbodens sind hierdurch nicht ausgeschlossen. Sie müssen jedoch dem Grenzeingangsamt besonders angemeldet werden und so beschaffen sein, daß sie ohne Schwierigkeit einer Revision unterworfen werden können.

Im Uebrigen ist die Eisenbahnverwaltung, soweit die Abfertigung der eingehenden Güter und Passagiereffekten nach Maßgabe der Bestimmungen in den §§. 39 bis 51 und 92 des Vereinszollgesetzes erfolgen soll, in den Transportmitteln, deren sie sich zur Einbringung der Güter über die Grenze bedienen will, nicht beschränkt.

§. 7.

Dagegen dürfen zum Transport von Gütern und Passagiereffekten, welche nach den Vorschriften dieses Regulativs mit Ladungsverzeichniß (§. 21), beziehungsweise mit Anmeldung (§. 19) auf Aemter im Innern abgelassen, oder welche unter Raumverschluß zum Aus- oder Durchgange abgefertigt werden sollen, in der Regel nur Wagen, die von allen Seiten mit festen Wänden geschlossen sind (Kulissenwagen), oder Abtheilungen solcher Wagen, oder Wagen mit Schutzdecken der unten bezeichneten Art oder abhebbare Kasten oder Körbe verwendet werden.

Die Wagen mit Schutzdecken müssen mit festen, durch eine starke Stange mit einander verbundenen Vorder- und Hinterwänden, ferner an den Vorder- und Hinterwänden mit mindestens 75 cm breiten Verdeckstücken und an den Langseiten mit mindestens 50 cm hohen Seitenwänden versehen sein. Die Decke muß sich an den Vorder- und Hinterwänden und an den Seitenwänden glatt und ohne Falten anschließen.

Die Wagen u. s. w., welche zum Weitertransport der mit Ladungsverzeichniß, beziehungsweise mit Anmeldungen abgefertigten Waaren und Effekten dienen sollen, müssen so sicher unter Verschluß genommen werden können, daß ohne vorherige Lösung dieses Verschlusses die Oeffnung derselben nicht erfolgen kann (Vereinszollgesetz §. 62).

Jede Eisenbahnverwaltung hat die ihr zugehörigen Güterwagen an den beiden Längenseiten, sowie die abhebbaren Behälter mit einem, ihr Eigenthum an denselben kundgebenden Zeichen und mit einer Nummer bezeichnen zu lassen.

Befinden sich in einem Güterwagen mehrere von einander geschiedene Abtheilungen, so wird jede der letzteren durch einen Buchstaben bezeichnet. Alle diese Bezeichnungen müssen so angebracht werden, daß sie leicht in die Augen fallen.

Die zwischen den deutschen Delegirten und den Delegirten der Regierungen von Frankreich, Italien, Oesterreich-Ungarn und der Schweiz auf der internationalen Eisenbahnkonferenz zu Bern in dem Schlußprotokoll vom 15. Mai 1886 vereinbarten Vorschriften über die zollsichere Einrichtung der Eisenbahnwagen im internationalen Verkehr sind in der Anlage A abgedruckt. A.

b. deren Kontrolirung.

§. 8.

Die Zollbehörde kann zu jeder Zeit verlangen, daß ihr sowohl die Güter- wie die Personenwagen und abhebbaren Behälter, ingleichen die Lokomotiven und Tender zur Besichtigung gestellt werden. Derartige Besichtigungen sind nach Anordnung der Direktivbehörde von Zeit zu Zeit durch einen oberen Beamten vorzunehmen. Ergeben sich hierbei Abweichungen von den in den §§. 6 und 7 enthaltenen Vorschriften, so darf auf die von der Zollbehörde dieserhalb ergehende Anordnung das vorschriftswidrig befundene Transportmittel nicht weiter benutzt werden.

c. Ausnahmsweise Zulassung offener Wagen.

§. 9.

Ausnahmsweise können zum Transport der zur Abfertigung mit Ladungsverzeichniß bestimmten ausländischen Güter, wenn es sich um Kolli handelt, welche 25 kg oder mehr wiegen, auch offene Wagen mit Schutzdecken von anderer als der im §. 7 bezeichneten Beschaffenheit oder auch offene Wagen ohne Schutzdecken verwendet werden. Insbesondere sollen von der Abfertigung mit Ladungsverzeichniß nicht ausgeschlossen sein solche in offene Wagen verladene Güter, deren Verladung in Kulissenwagen oder in die im §. 7 bezeichneten Wagen mit Schutzdecken wegen ihres Umfanges (wie große Maschinen, Maschinentheile, Dampfkessel u. s. w.) oder wegen ihrer Beschaffenheit (wie Holz, Kohlen, Koks, Sand, Steine, Erze, Roh- und Brucheisen aller Art, Stabeisen, Vieh, Heringe, Thran, Petroleum u. s. w.) nicht wohl zulässig erscheint.

Dem Ermessen des Abfertigungsamts bleibt es überlassen, ob zur Sicherung gegen Entfernungen oder Vertauschungen Deckenverschluß anzubringen ist, oder Erkennungsbleie anzulegen oder andere Maßregeln zu treffen sind, oder ob ausnahmsweise von einem Verschluß oder anderen Maßregeln zur Festhaltung der Identität überhaupt abzusehen sein möchte.

Auch kann amtliche Begleitung eintreten.

7. Amtlicher Verschluß.

§. 10.

Die Verschließung der Wagen und Wagenabtheilungen, der abhebbaren Behälter, sowie der Räume für die einstweilige Niederlegung der Güter und Effekten (§. 5) findet in der Regel mittelst besonderer Zollschlösser statt. Es kann jedoch in einzelnen Fällen, in denen wegen großen Güterandrangs die nach den gewöhnlichen Bedürfnissen des Verkehrs bemessene Zahl von Schlössern bei einem Zollamt nicht ausreicht, die Verschließung der Wagen und Wagenabtheilungen, sowie der abhebbaren Behälter mittelst Bleien erfolgen.

Die Kosten der Verschlußeinrichtung hat die Eisenbahnverwaltung zu tragen, wogegen die Zollverwaltung die fortan erforderlichen Schlösser anschafft, vorbehaltlich des Ersatzes für verloren gegangene oder beschädigte Schlösser (Vereinszollgesetz §. 95).

Die zum Verschluß benutzten Schlösser, welche die Empfangsämter an die Abfertigungsstellen, die den Verschluß angelegt, zurückzusenden haben, imgleichen die an die Abfertigungsstellen leer zurückgehenden Taschen, welche zum Verschluß der Schlüssel, Ladungsverzeichnisse und Frachtbriefe gedient haben, sowie die zum Transport der Schlösser benutzte leer zurückgehende Emballage, sind von den Eisenbahnverwaltungen mit dem nächsten Eil- oder Personenzuge unentgeltlich zu befördern.

Die Schlösser &c. sind in guter Verpackung mit Frachtbrief zurückzusenden.

8. Amtliche Begleitung.

§. 11.

Eine Begleitung der Wagenzüge durch Zollbeamte findet auf der zwischen der Zollgrenze und dem Grenzeingangsamt gelegenen Strecke, sofern dieselbe von dem Grenzamt nicht überzeugend beobachtet oder sonst nicht genügend kontrolirt werden kann, beim Eingange immer und beim Ausgange dann statt, wenn Güter befördert werden, deren Ausgang amtlich zu erweisen ist.

Einschränkungen des Begleitungsdienstes sind zulässig und insbesondere in Ersetzung durch geordneten Patrouillendienst, Postirungen an geeigneten Punkten, strenge Revision beim Abgange und bei der Ankunft der Züge, geeignetes Benehmen mit den Eisenbahnoberbehörden, in deren eigenem Interesse die Fernhaltung reglementswidriger Handlungen des Unterpersonals liegt, zur Kostenersparung thunlichst herbeizuführen.

Dem Ermessen des Abfertigungsamts bleibt es überlassen, auch auf anderen Strecken amtliche Begleitung eintreten zu lassen, wenn eine solche im Zollinteresse nothwendig oder zweckmäßig erscheint.

Wenn ausnahmsweise auf den Antrag der Eisenbahnverwaltung amtliche Begleitung eintritt, so sind die Kosten derselben von der Eisenbahnverwaltung zu tragen.

Den Begleitern muß ein Sitzplatz auf einem der Wagen nach ihrer Wahl und den von der Begleitung zurückkehrenden Beamten ein Platz in einem Personenwagen mittlerer Klasse unentgeltlich eingeräumt werden (Vereinszollgesetz §. 60 Abs. 5).

9. Befugnisse der oberen Zollbeamten.

§. 12.

Diejenigen Oberbeamten der Zollverwaltung, welche mit der Kontrole des Verkehrs auf den Eisenbahnen und der die Abfertigung desselben bewirkenden Zollstellen besonders beauftragt werden und sich darüber gegen die Angestellten der Eisenbahn durch eine von der Direktivbehörde ausgestellte Legitimationskarte ausweisen, sind befugt, zum Zweck dienstlicher Revisionen oder Nachforschungen die Wagenzüge an den Stationsplätzen und Haltestellen so lange zurückzuhalten, als die von ihnen für nöthig erachtete und möglichst zu beschleunigende Amtsverrichtung solches erfordert.

Die bei den Wagenzügen oder auf den Stationsplätzen oder Haltestellen anwesenden Angestellten der Eisenbahnverwaltung sind in solchen Fällen verpflichtet, auf die von Seiten der Zollbeamten an sie ergehende Aufforderung bereitwillig Auskunft zu ertheilen und Hülfe zu leisten, auch den Zollbeamten die Einsicht der Frachtbriefe, Frachtkarten und der auf den Güterverkehr bezüglichen Bücher zu gestatten.

Nicht minder sind die bezeichneten Zollbeamten befugt, innerhalb der gesetzlichen Tageszeit (Vereinszollgesetz §. 21) auf den Stationsplätzen und Haltestellen vorhandene Gebäude und Lokale, soweit solche zu Zwecken des Eisenbahndienstes und nicht blos zu Wohnungen benutzt werden, ohne die Beobachtung weiterer Förmlichkeiten zu betreten und darin die von ihnen für nöthig erachteten Nachforschungen vorzunehmen.

Dieselbe Befugniß steht ihnen auf solchen Stationsplätzen und Haltestellen, welche von Nachtzügen berührt werden, auch zur Nachtzeit zu.

Jeder mit einer Legitimationskarte der erwähnten Art versehene Oberbeamte muß innerhalb derjenigen Strecke der Eisenbahn, welche auf der Karte bezeichnet ist, in beiderlei Richtungen in einem Personenwagen zweiter Klasse unentgeltlich befördert werden (Vereinszollgesetz §. 60 Abs. 1 bis 4).

II. Besondere Vorschriften.

A. Waareneingang.

1. Zollamtliche Behandlung der Güter, die in Eisenbahnwagen die Grenze überschreiten.

a. Verladung der Güter.

§. 13.

Bei Ueberschreitung der Grenze dürfen in den Personenwagen oder sonst anderswo, als in den Güterwagen, sich keine Gegenstände befinden, welche zollpflichtig sind oder deren Einfuhr verboten ist. Eine Ausnahme findet nur hinsichtlich der unter dem Handgepäck der Reisenden befindlichen zollpflichtigen

Kleinigkeiten, sowie des Gepäcks statt, welches sich auf den mittelst der Eisenbahn beförderten Wagen von Reisenden befindet. Auf den Lokomotiven und den dazu gehörigen Tendern dürfen nur Gegenstände vorhanden sein, welche die Angestellten oder Angehörigen der Eisenbahnverwaltung auf der Fahrt selbst zu eigenem Gebrauch oder zu dienstlichen Zwecken nöthig haben (Vereinszollgesetz §. 61).

§. 14.

Sämmtliche Frachtgüter und Passagiereffekten, welche ohne Umladung (s. Abs. 2 und 3) mit Ladungsverzeichniß (§. 17) beziehungsweise mit Anmeldung (§. 19) abgefertigt werden sollen, müssen, soweit nicht nach §. 9 Ausnahmen nachgelassen sind, schon im Auslande in Güterwagen oder in abhebbare Behälter von der im §. 7 bezeichneten Beschaffenheit, und zwar Frachtgüter und solche Passagiereffekten, welche nicht zum unmittelbaren Durchgang bestimmt sind, getrennt in verschiedenen Wagen, Wagenabtheilungen oder abhebbare Behälter verladen sein.

Sollen Frachtgüter vor ihrer Abfertigung mit Ladungsverzeichniß in andere Wagen umgeladen werden, so geschieht die Umladung unter zollamtlicher Aufsicht auf Grund der zu übergebenden Ladungsverzeichnisse unter Vergleichung der Kolli nach Zahl, Zeichen, Nummer und Verpackungsart mit den im Ladungsverzeichniß enthaltenen Angaben; die erfolgte Umladung ist auf dem Ladungsverzeichniß zu bescheinigen. In entsprechender Weise ist zu verfahren, wenn zur Abfertigung mit Anmeldung bestimmte Passagiereffekten (§. 19 Abs. 4) zuvor in andere Wagen umgeladen werden sollen.

Es ist auch gestattet, daß die eingegangenen Güter bei den Grenzämtern, nach vorheriger Ausladung in die Zollrevisionsräume, unter zollamtlicher Aufsicht für die einzelnen Bestimmungsorte sortirt und nach ihrer Wiedereinladung mit Ladungsverzeichniß abgefertigt werden. Hierbei finden die Bestimmungen im §. 40 Anwendung.

Frachtgüter, welche an verschiedenen Orten im Innern weiter abgefertigt werden sollen, sind in der Regel nach den verschiedenen Abfertigungsorten in verschiedene Wagen oder Wagenabtheilungen gesondert zu verladen. Ausnahmsweise dürfen die zur Abfertigung an verschiedenen Orten bestimmten zoll- oder kontrolepflichtigen Güter in einen Wagen oder eine Wagenabtheilung zusammen verladen werden. Es ist jedoch bei der Verladung dafür Sorge zu tragen, daß die Ausladung der Waaren an ihrem Bestimmungsorte erfolgen kann, ohne daß es zugleich der Ausladung der weiter gehenden Güter bedarf.

b. Ordnung der Wagen.

§. 15.

Die einen Zug bildenden Wagen müssen möglichst so geordnet sein, daß

1. sämmtliche vom Auslande eingehenden Güterwagen ohne Unterbrechung durch andere Wagen hintereinander folgen und
2. die bei dem Grenzzollamt und an den anderen Abfertigungsstellen zurückbleibenden Güterwagen mit Leichtigkeit von dem Zuge getrennt werden können.

c. Abfertigung bei dem Grenzzollamt.

aa. Abschließung des dazu bestimmten Raumes.

§. 16.

Sobald ein Wagenzug auf dem Bahnhof des Grenzzollamts angekommen ist, wird der Theil des Bahnhofs, in welchem der Zug anhält, für den Zutritt aller anderen Personen, als der des Dienstes wegen anwesenden Zoll- und Postbeamten und der Eisenbahnangestellten abgeschlossen (§. 5) und der für die mitgekommenen Passagiere bestimmte Ausgang unter die Aufsicht der Zollbehörde gestellt.

Die Zulassung anderer Personen zu dem abgeschlossenen Raum darf erst nach Beendigung der in den §§. 17 bis 20 erwähnten zollamtlichen Verrichtungen stattfinden.

bb. Anmeldung der Ladung. Ladungsverzeichniß.

§. 17.

Unmittelbar nach Ankunft des Zuges auf dem Bahnhof des Grenzzollamts hat der Zugführer oder der sonstige Bevollmächtigte der Eisenbahnverwaltung dem Amt über die nach §. 21 abzufertigenden Frachtgüter vollständige, in deutscher Sprache verfaßte und mit Datum und Unterschrift versehene Ladungs-

Muster B. verzeichnisse in zweifacher Ausfertigung nach dem anliegenden Muster B zu übergeben. Der einen Ausfertigung müssen die Frachtbriefe über die darin verzeichneten Güter beigefügt sein (Vereinszollgesetz §. 63 Abs. 1).

Bei Waaren, welche dem Grenzzollamt sofort nach den §§. 22 und 24 des Vereinszollgesetzes speziell deklarirt und nach den §§. 39 bis 51 dieses Gesetzes abgefertigt werden, genügt die Abgabe der speziellen Deklaration und bedarf es bezüglich solcher Waaren der Aufnahme in ein Ladungsverzeichniß nicht. Auch kann, soweit es sich um zollfreie Massenartikel, z. B. Kohlen, handelt, welche bei dem Grenzzollamt sofort in den freien Verkehr treten sollen, mit Genehmigung der Direktivbehörde die Abfertigung lediglich auf Grund der Frachtbriefe erfolgen.

Die Ladungsverzeichnisse müssen die verladenen Waaren nach Gattung und Bruttogewicht, bei verpackten Waaren auch nach der Zahl der Kolli, deren Verpackungsart, Zeichen und Nummer nachweisen, und dasjenige Amt, bei welchem die weitere Abfertigung verlangt wird, bezeichnen. Ferner muß darin die Angabe der Wagen oder Wagenabtheilungen oder der abhebbaren Behälter, in welche die Kolli verladen sind, nach Zeichen, Nummer oder Buchstaben enthalten sein (Vereinszollgesetz §. 63 Abs. 2).

In Fällen, in welchen die Verladung der zu einem Frachtbriefe gehörigen Waaren mehr als einen Wagen erfordert, oder in denen einzelne Kolli einer Waarenpost zur besseren Ausnutzung des Raumes getrennt von dem übrigen Theil derselben verladen werden, kann von der besonderen Angabe des Inhalts der betreffenden Wagen, beziehungsweise der Gesammtzahl und des Bruttogewichts der in jedem derselben befindlichen Kolli im Ladungsverzeichnisse abgesehen werden (Muster B).

Auch kann in solchen Ladungsverzeichnissen, welche eine geringe Zahl von Eintragungen enthalten, von der summarischen Angabe der Zahl und des Bruttogewichts der in jedem einzelnen Wagen befindlichen Waaren und der Wiederholung der betreffenden Angaben zur Bildung der Hauptsumme in der Weise Abstand genommen werden, daß nur die letzteren in den betreffenden Spalten des Ladungsverzeichnisses anzugeben sind.

Der Bevollmächtigte der Eisenbahnverwaltung, welcher das Ladungsverzeichniß unterzeichnet hat, haftet für die Richtigkeit der in demselben enthaltenen Angaben hinsichtlich der Zahl und Art der geladenen Kolli (Vereinszollgesetz §. 66 Abs. 4).

Ein jedes Ladungsverzeichniß darf in der Regel nur solche Güter enthalten, welche nach einem und demselben Abfertigungsamt bestimmt sind (Vereinszollgesetz §. 63 Abs. 3).

Es kann über jeden einzelnen Wagen beziehungsweise über jede Wagenabtheilung ein besonderes oder über sämmtliche nach demselben Abfertigungsorte bestimmte Wagen ein einziges Ladungsverzeichniß oder es können mehrere Ladungsverzeichnisse ausgefertigt werden. Einer Vergleichung der Ladungsverzeichnisse mit den Frachtbriefen bedarf es nicht.

cc. Revision der Personenwagen und Sonderung der Güterwagen.

§. 18.

Während die Anmeldung erfolgt (§. 17) werden die Personenwagen, Lokomotiven und Tender revidirt und, soweit nicht nach §. 20 eine Ausnahme eintritt, diejenigen Wagen, deren Ladungen bei dem Grenzzollamt in den freien Verkehr gesetzt oder zur Niederlage oder zur Versendung unter Begleitscheinkontrole abgefertigt werden sollen, von denjenigen gesondert, deren Ladungen ihre weitere Abfertigung bei Aemtern im Innern erhalten sollen.

dd. Abfertigung

1. der Passagiereffekten.

§. 19.

Die vom Auslande eingehenden Reisenden, welche zollpflichtige Waaren bei sich führen, brauchen dieselben, wenn sie nicht zum Handel bestimmt sind, nur mündlich anzumelden. Auch steht es solchen Reisenden frei, statt einer bestimmten Antwort auf die Frage der Zollbeamten nach verbotenen oder zollpflichtigen Waaren, sich sogleich der Revision zu unterwerfen. In diesem Falle sind sie nur für die Waaren verantwortlich, welche sie durch die getroffenen Anstalten zu verheimlichen bemüht gewesen sind (Vereinszollgesetz §. 92 Abs. 1).

In der Regel werden die Passagiereffekten sogleich bei dem Grenzeingangsamt schließlich abgefertigt (Vereinszollgesetz §. 92 Abs. 3). Die Effekten der mit denselben Zug weiterfahrenden Reisenden gehen bei dieser Abfertigung den Effekten derjenigen Reisenden vor, welche die Eisenbahn am Grenzeingangsamt verlassen. Finden sich bei einzelnen weitergehenden Reisenden zollpflichtige Gegenstände in solcher Mannigfaltigkeit oder Menge vor, daß deren sofortige Abfertigung mehr Zeit erfordern würde, als zum Verbleiben des Wagenzuges bestimmt ist, so müssen dergleichen Gegenstände einstweilen zurückbleiben, um — auf vorgängige Deklaration des Reisenden oder eines Beauftragten desselben — nach dem Abgang des Zuges abgefertigt und mit dem nächstfolgenden Wagenzuge weiterbefördert zu werden.

Die Revision des Handgepäcks der Reisenden kann, sofern dies ohne Gefährdung der Zollsicherheit thunlich ist, in den Wagen erfolgen, ohne daß die Reisenden darum zum Aussteigen genöthigt werden.

Auf den Antrag der Eisenbahnverwaltung kann die Abfertigung der Passagiereffekten bei dem Grenzeingangsamt unterbleiben und den zu solchen Abfertigungen besonders ermächtigten Aemtern im Innern überwiesen werden. Es können alsdann sämmtliche noch nicht abgefertigte Passagiereffekten, auch wenn sie an verschiedenen Orten zur Abfertigung gelangen sollen, in denselben Wagen verladen werden, es ist aber dem Grenzeingangsamt für jeden Bestimmungsort eine besondere Anmeldung zu übergeben, welche die Effekten nach der Stückzahl und nach den Orten, an denen die Abfertigung stattfinden soll, getrennt nachweisen muß und dem auszustellenden Begleitzettel (§. 22) beizufügen ist.

Als Passagiereffekten im Sinne des Regulativs werden in der Regel nur diejenigen Effekten angesehen, deren Eigenthümer sich als Reisende in demselben Wagenzuge befinden. Es soll indeß in Fällen, in denen das Reisegepäck zwar von dem Reisenden getrennt ist, jedoch das spätere Eintreffen des letzteren zu erwarten steht, auf den Antrag der Eisenbahnverwaltung das Gepäck während höchstens acht Tagen unter zollamtlichem Verschluß aufbewahrt und beim Eintreffen des Reisenden innerhalb dieser Frist als Reisegepäck behandelt werden. Ebenso sollen Gepäckstücke, welche Reisenden nachfolgen, auf diesfallsigen Antrag nicht als Frachtgut, sondern als Reiseeffekten abgefertigt werden.

2. der zollfreien Gegenstände.

§. 20.

Zollfreie Gegenstände können auf den Antrag der Eisenbahnverwaltung, sofern nach dem Ermessen des Abfertigungsamts die Revision mit hinreichender Sicherheit bewirkt werden kann, auf Grund des Ladungsverzeichnisses, beziehungsweise der Deklarationen oder Frachtbriefe (§. 17 Abs. 2) von dem Grenzeingangsamt sofort in dem Zuge der speziellen Revision unterworfen und demnächst in den freien Verkehr gesetzt werden, dergestalt, daß ihre Weiterbeförderung mit demselben Zuge erfolgen kann, mit welchem sie eingegangen sind.

3. der auf der Eisenbahn weitergehenden Wagen- rc. Begleitzettel und Begleitzettel-Ausfertigungs-Register.

§. 21.

Ueber die mit Ladungsverzeichniß abzufertigenden Wagen rc. wird, nachdem dieselben unter amtlichen Verschluß gesetzt oder die nach §. 9 zulässigen anderen Vorkehrungen zur Festhaltung der Identität der Waaren getroffen worden sind, ein Begleitzettel (§. 22) ertheilt.

Sodann wird die Gestellungsfrist, behufs deren Festsetzung für die einzelnen Bestimmungsorte die Zollbehörde sich mit der Eisenbahnverwaltung zu benehmen hat, und der Vermerk über den angelegten Verschluß sowie die Nummer des Begleitzettels, zu welchem das Ladungsverzeichniß gehört, in das letztere eingetragen, beziehungsweise die zollamtliche Abfertigung auf demselben seitens der Abfertigungsbeamten vollzogen und das Ladungsverzeichniß seitens des Zugführers oder sonstigen Vertreters der Eisenbahnverwaltung unterzeichnet. Mit dieser Unterzeichnung übernimmt der Bevollmächtigte der Eisenbahnverwaltung die Verpflichtung, die in dem Ladungsverzeichnisse genannten Wagen u. s. w. binnen der bestimmten Frist in vorschriftsmäßigem Zustande und mit unverletztem Verschlusse dem betreffenden Abfertigungsamt zu gestellen, widrigenfalls aber für die Entrichtung des höchsten tarifmäßigen Eingangszolles von den in dem Ladungsverzeichnisse nachgewiesen Gewichtsmengen zu haften (Vereinszollgesetz §. 64 Abs. 2).

Schließlich werden die Unikate der Ladungsverzeichnisse mit den dazu gehörigen Frachtbriefen, sowie die Schlüssel zu den zum Verschluß der Wagen verwendeten Schlössern amtlich verschlossen und die diese Gegenstände enthaltenden Taschen oder Kuverts, nachdem sie mit der Adresse des Erledigungsamts, den Nummern der Begleitzettel und der Wagen bezeichnet sind, sowie auch die ausgefertigten Begleitzettel dem Zugführer oder sonstigen Bevollmächtigten der Eisenbahnverwaltung zur Abgabe an die Abfertigungsstellen übergeben. Die Duplikate der Ladungsverzeichnisse bleiben bei dem Ausfertigungsamt zurück.

Die unterbliebene Ablieferung der Schlüssel oder die Verletzung des Verschlusses, unter welchem sich dieselben befinden, zieht für die Eisenbahnverwaltung und ihren Bevollmächtigten die nämlichen rechtlichen Folgen nach sich, wie die unmittelbare Verletzung des Verschlusses derjenigen Wagen u. s. w., zu welchen die Schlüssel gehören (Vereinszollgesetz §. 64 Abs. 3).

Die im §. 28 des Begleitschein-Regulativs über die Verlängerung der Transportfrist enthaltenen Bestimmungen werden auch auf die unter Begleitzettel-Kontrole stehenden Eisenbahngüter in Anwendung gebracht.

§. 22.

Muster C. Die Begleitzettel sind nach dem anliegenden Muster C auszufertigen. Die amtliche Vollziehung derselben erfolgt durch die betreffenden ersten Revisionsbeamten unter Beidrückung des Amtsstempels.

Das Ausfertigungsamt führt über die von ihm ertheilten Begleitzettel ein Ausfertigungs-Register nach dem anliegenden Muster D. (Muster D.)

In demselben werden die ausgefertigten Begleitzettel mit fortlaufenden Nummern unter Angabe der zugehörigen Ladungsverzeichnisse eingetragen und Aenderungen bezüglich des Erledigungsamts oder der Gestellungsfrist, sobald sie zur Kenntniß des Ausfertigungsamts gelangen, mit rother Tinte vermerkt.

Bei größeren Aemtern können mehrere, je mit einem besonderen Buchstaben zu bezeichnende Ausfertigungs-Register geführt werden.

Wenn ein Begleitzettel oder Ladungsverzeichniß verloren gehen sollte, so hat der Vorstand des Hauptamts, welches den Begleitzettel ausgefertigt hat, beziehungsweise in dessen Bezirk das Ausfertigungsamt liegt, wenn sich kein Bedenken ergiebt, an Stelle des abhanden gekommenen Exemplars ein zweites mit Duplikat beziehungsweise Triplikat zu bezeichnendes Exemplar des Begleitzettels beziehungsweise Ladungsverzeichnisses ausfertigen zu lassen. Die erfolgte Ausfertigung eines Duplikats beziehungsweise Triplikats ist im Begleitzettel-Ausfertigungs-Register beziehungsweise auf dem Duplikat des Ladungsverzeichnisses zu vermerken.

4. der zurückgebliebenen Frachtgüter.

§. 23.

Nach Abfertigung des weiter gehenden Wagenzuges sind die zurückgebliebenen Frachtgüter, soweit thunlich vor Ankunft des nächstfolgenden Zuges, dem Grenzzollamt seitens der Eisenbahnverwaltung oder des Empfängers nach den Vorschriften des Vereinszollgesetzes (Vereinszollgesetz §§. 39 bis 51) zu deklariren, worauf die Abfertigung nach eben diesen Vorschriften erfolgt.

Auf zollfreie Ladungen finden die Bestimmungen im Absatz 2 des §. 17 Anwendung.

Das zollpflichtige Gewicht von in Eisenbahnwagenladungen eingehenden Massengütern, welche einem Zollsatz von höchstens 5 ℳ für 100 kg unterliegen, sowie von in Eisenbahnwagenladungen eingehendem Petroleum kann von den Zollstellen mit Genehmigung des Amtsvorstandes durch Verwiegung auf der Centesimalwaage (Geleiswaage) in der Weise ermittelt werden, daß von dem Gewicht des Wagens einschließlich der Ladung (Bruttogewicht) das Gewicht des leeren Wagens (Eigengewicht) abgezogen wird. Für höher tarifirte Gegenstände darf die Gewichtsermittelung in derselben Weise mit Genehmigung des Amtsvorstandes, jedoch nur dann erfolgen, wenn die Verwiegung derselben auf den gewöhnlichen Waagen in Folge ihrer Größe oder Schwere oder sonstiger besonderer Umstände unverhältnißmäßige Schwierigkeiten bietet.

Von der Verwiegung des leeren Wagens kann, sofern der Waarendisponent keinen Widerspruch erhebt, in den zu 1 bezeichneten Fällen abgesehen werden, wenn das von der Eisenbahnverwaltung festgestellte Eigengewicht und das Datum dieser Feststellung an dem Wagen angeschrieben ist, besondere Bedenken gegen die Richtigkeit des angeschriebenen Gewichts nicht bestehen und seit der Feststellung desselben nicht mehr als zwei Jahre verflossen sind.

Das angeschriebene Gewicht darf ohne zollamtliche Verwiegung insbesondere dann nicht als das wirkliche des Wagens angesehen werden, wenn die Inventarienstücke des letzteren nicht vollzählig mit vorgeführt worden. Ausnahmen hiervon kann der Amtsvorstand zulassen, wenn es sich um das Fehlen verhältnißmäßig kleinerer Inventarienstücke handelt.

Uebersteigt in den Fällen, in welchen hiernach von der Verwiegung der leeren Wagen abgesehen worden ist, das deklarirte Gewicht der Waare das durch Berechnung ermittelte Gewicht, so ist ersteres der Verzollung zu Grunde zu legen.

Die Verwiegung auf der Centesimalwaage ist zu versagen, sobald besondere Umstände, zu denen auch ungünstige Witterung zu rechnen ist, vorliegen, welche der Gewinnung zuverlässiger Ergebnisse entgegenstehen.

Die Zollstellen haben die Richtigkeit des an den Eisenbahnwagen angeschriebenen Eigengewichts von Zeit zu Zeit zu prüfen und zu diesem Behufe Nachverwiegungen auf der Centesimalwaage vorzunehmen. Von dem ordnungsmäßigen Zustande der letzteren haben sich die Zollstellen bei geeigneter Gelegenheit Ueberzeugung zu verschaffen. Bei diesen Revisionen ist von der Eisenbahnverwaltung die nöthige Arbeitshülfe unentgeltlich zu leisten.

Uebersteigt das eisenbahnseitig angeschriebene Eigengewicht eines Wagens das bei der zollamtlichen Nachverwiegung ermittelte um 2 Prozent oder mehr, so ist dies der Zolldirektivbehörde anzuzeigen. Gehört ein solcher Wagen einer deutschen Eisenbahnverwaltung an, so ist wegen Nachverwiegung und Abänderung des Gewichtsvermerks der erforderliche Antrag von der Zolldirektivbehörde an diese Verwaltung zu richten; gehört der Wagen dagegen einer ausländischen Eisenbahnverwaltung an, so ist derjenigen inländischen Eisenbahndirektion, in deren Bezirk die Gewichtsabweichung konstatirt worden ist, von letzterer Kenntniß und zugleich den für die Einfuhr des Wagens muthmaßlich in Betracht kommenden Zollstellen beziehungsweise Direktivbehörden Nachricht zu geben, damit das angeschriebene Gewicht bei der Zollabfertigung bis auf Weiteres nicht mehr ohne zollamtliche Verwiegung angenommen werde.

d. Behandlung der Waaren während des Transports.

aa. Verfahren bei veränderter Bestimmung der Wagenladung.

§. 24.

Wenn eine Waarenladung, welche auf Ladungsverzeichniß abgefertigt ist, eine andere Bestimmung erhält, so hat die Eisenbahnverwaltung den Begleitzettel nebst zugehörigen Ladungsverzeichnissen, Frachtbriefen und Schlüsseln bei dem nächsten zuständigen Amt unter Stellung des entsprechenden Antrags abzugeben.

Soll bei diesem Amt Begleitzettel und Ladungsverzeichniß definitiv erledigt werden, so tritt dasselbe ohne Weiteres an die Stelle des ursprünglich bezeichneten Erledigungsamts.

Soll dagegen die Erledigung bei einem anderen Amt stattfinden, so hat der Bevollmächtigte der Eisenbahnverwaltung sowohl durch eine Erklärung auf den betreffenden Ladungsverzeichnissen, woraus das neu gewählte Empfangsamt hervorgeht, als durch eine besondere nach dem Muster E auszufertigende Annahmeerklärung in die Verpflichtungen der Grenzeisenbahnverwaltung einzutreten. Muster F.

Das Amt, bei welchem der Antrag gestellt wurde, hat sodann das neue Empfangsamt und die etwa zugestandene Verlängerung der Transportfrist sowie die Nummer des neu auszustellenden Begleitzettels auf den Ladungsverzeichnissen zu bemerken, den Begleitzettel einzuziehen, an Stelle desselben einen neuen Begleitzettel auszufertigen und letzteren nebst den Ladungsverzeichnissen ꝛc. der Eisenbahnverwaltung auszuhändigen, die Annahmeerklärung aber und den eingezogenen Begleitzettel dem ursprünglichen Ausfertigungsamt zu übersenden.

Der ursprüngliche Begleitzettel ist im Begleitzettel-Empfangs-Register, der neu ausgestellte Begleitzettel im Begleitzettel-Ausfertigungs-Register des überweisenden Amts unter Bezugnahme auf den entsprechenden Eintrag in dem anderen Register einzutragen.

Die in dieser Art überwiesenen Ladungsverzeichnisse und neu ausgestellten Begleitzettel werden von dem neu gewählten Erledigungsamt ebenso behandelt, als wenn sie von dem ursprünglichen Ausfertigungsamt unmittelbar auf dasselbe ausgestellt worden wären.

Gleicherweise ist zu verfahren, wenn die mit Ladungsverzeichniß abgefertigten Wagen ꝛc. dem darin bezeichneten Empfangsamt mit dem Antrag auf Ueberweisung auf ein anderes zuständiges Amt gestellt werden (Vereinszollgesetz §. 66 Abs. 6).

bb. Umladungen und Ausladungen auf dem Wege zum Bestimmungsorte.

§. 25.

Auf den Antrag der Eisenbahnverwaltung kann, sofern eine hinreichend sichernde amtliche Aufsicht ausführbar ist, unterwegs eine Umladung oder theilweise Ausladung der mit Ladungsverzeichniß abgefertigten Güter bei einem dazu befugten Amt stattfinden.

Die Umladung oder Ausladung geschieht auf Grund des Ladungsverzeichnisses unter Vergleichung der Kolli nach Zahl, Zeichen, Nummer und Verpackungsart mit den im Ladungsverzeichniß enthaltenen Angaben und unter Leitung eines Hauptamts-Assistenten oder höheren Zollbeamten.

Die weitere Abfertigung der ausgeladenen Waaren erfolgt nach Maßgabe der Bestimmungen der §§. 39 bis 51 des Vereinszollgesetzes.

Rücksichtlich der weiter gehenden umgeladenen Güter hat der Bevollmächtigte der Eisenbahnverwaltung, welche dieselben weiter befördert, durch eine Erklärung auf dem Ladungsverzeichniß in diejenigen Verpflichtungen einzutreten, welche die Grenzeisenbahnverwaltung hinsichtlich jener Güter der Zollverwaltung gegenüber übernommen hatte.

Die erfolgte Umladung oder Ausladung ist unter Angabe der Zahl, Art und Bezeichnung der betreffenden Kolli und Wagen auf dem Ladungsverzeichniß, die Abnahme und Wiederanlegung des Verschlusses, sowie die erfolgte Um- oder Ausladung unter Angabe der Wagen auf dem Begleitzettel zu bescheinigen.

Treten Unglücksfälle ein, welche die Weiterbeförderung in dem nämlichen Güterwagen nicht gestatten, so ist dem nächsten Zoll- oder Steueramt Anzeige zu machen. Die Umladung wird durch abzusendende Beamte überwacht und der Begleitzettel sowie das Ladungsverzeichniß mit entsprechendem Vermerk versehen (Vereinszollgesetz §. 65 Abs. 1).

§. 26.

An Hafenplätzen, wo die Eisenbahn bis an eine schiffbare Wasserstraße reicht, kann unterwegs die Umladung der Güter aus den Eisenbahnwagen in verschlußfähige Schiffe und auch die Wiederverladung aus den Schiffen in Eisenbahnwagen unter Beobachtung der im §. 25 enthaltenen Bestimmungen über die Kontrolirung der Umladung gleichfalls stattfinden, mit folgenden Maßgaben:

1. Der Schiffsführer beziehungsweise Bevollmächtigte der Eisenbahnverwaltung hat auf dem Ladungsverzeichnisse die Erklärung abzugeben, daß er bezüglich der richtigen Gestellung des neu gewählten, unter Verschluß gesetzten Transportmittels die gleichen Verpflichtungen übernehme, welche die Eisenbahnverwaltung gegenüber dem Grenzamt bezüglich der bei diesem abgefertigten Eisenbahnwagen eingegangen hatte.
2. Auf dem Begleitzettel beziehungsweise Ladungsverzeichniß ist die Abnahme des Verschlusses an den Eisenbahnwagen, die erfolgte Umladung zu Schiff unter Angabe des Namens des Schiffsführers und des Schiffes, sowie die Art der Verschlußanlage, sodann bei stattfindender Wiederverladung in Eisenbahnwagen die Abnahme des Schiffsverschlusses, die Bezeichnung und Nummern der Eisenbahnwagen, Zahl, Zeichen und Art der in dieselben verladenen Kolli und der angelegte Verschluß amtlich zu bescheinigen.
3. Die im Ladungsverzeichniß vorgeschriebene Gestellungsfrist kann im Umladeorte erforderlichenfalls verlängert werden. Von der Fristverlängerung ist das Ausfertigungsamt in Kenntniß zu setzen.
4. Kann die Umladung nicht sofort nach Ankunft der Waaren im Umladeorte erfolgen, so werden dieselben einstweilen in sicheren Gewahrsam genommen, wozu die Eisenbahnverwaltung auf Verlangen der Zollbehörde die nöthigen Räumlichkeiten zu stellen hat (Vereinszollgesetz §. 65 Abs. 2).

cc. Prüfung des Verschlusses und Erneuerung desselben bei zufälliger Verletzung.

§. 27.

Die Abfertigungsstellen, welche auf dem Transport bis zum Bestimmungsorte berührt werden, haben auf Verlangen der Eisenbahnverwaltung vor dem Abgang jedes Zuges sich von dem vorgeschriebenen Zustand des Verschlusses der mit dem Zug weiter gehenden Wagen zu überzeugen und die erfolgte Revision und den Befund des Verschlusses auf dem Begleitzettel zu bescheinigen.

Wird der Verschluß unterwegs durch zufällige Umstände verletzt, so kann der Zugführer bei dem nächsten zur Verschlußanlage befugten Amt auf genaue Untersuchung des Thatbestandes, Revision der Waaren und neuen Verschluß antragen. Er läßt sich die darüber aufgenommenen Verhandlungen aushändigen, und giebt sie an dasjenige Amt, welchem die Wagen zu gestellen sind, ab (Vereinszollgesetz §. 96 Abs. 2).

e. Abfertigung am Bestimmungsorte.

aa. Vorführung der Wagen und Uebergabe der Abfertigungspapiere zc.

§. 28.

Nach Ankunft der Wagen am Bestimmungsorte übergiebt der Zugführer oder sonstige Bevollmächtigte der Eisenbahnverwaltung dem Amt die an dasselbe adressirten Schlüssel und Papiere (§. 21). Zugleich sind die Wagen und die abhebbaren Behälter der Abfertigungstelle vorzuführen.

bb. Revision des Verschlusses. Begleitzettel-Empfangs-Register.

§. 29.

Die Wagen beziehungsweise die abhebbaren Behälter werden in Beziehung auf ihren Verschluß und ihre äußere Beschaffenheit revidirt.

Der vorgelegte Begleitzettel, auf welchem der Amtsvorstand oder dessen Stellvertreter den Tag der Abgabe zu bemerken hat, wird in ein nach dem Muster F zu führendes Register, das Begleitzettel-Empfangs-Register, unter Ausfüllung der Spalten 1 bis 7 eingetragen. Muster

Die Verschmelzung des Begleitzettel-Empfangs-Registers mit dem Deklarations-Register kann auf Grundlage des Formulars Muster F a vorgeschrieben werden. Muster

cc. Deklaration und Ausladung der Waaren.

§. 30.

Sodann ist binnen einer von der Zollbehörde örtlich zu bestimmenden Frist die Gattung und Menge der eingegangenen Waaren mit der Angabe, welche Abfertigungsweise begehrt wird, nach den §§. 22 ff. des Vereinszollgesetzes speziell zu deklariren, sofern nicht nach §. 27 desselben der Antrag auf amtliche Revision gestellt wird.

Die Angaben des Ladungsverzeichnisses in Betreff der Gattung und des Gewichts der Waaren können, solange eine spezielle Revision noch nicht stattgefunden hat, bei der Deklaration vervollständigt oder berichtigt werden (Vereinszollgesetz §. 23 Absatz 3).

Auf Antrag der Eisenbahnverwaltung kann die Ausladung der Waaren auf Grund des Ladungsverzeichnisses auch vor Abgabe der speziellen Deklarationen zugelassen und die Uebereinstimmung der in dem Ladungsverzeichniß enthaltenen Angaben rücksichtlich der Zahl, Zeichen, Nummer, Verpackungsart und des Bruttogewichts der Kolli mit dem Befund festgestellt werden.

Zollfreie Gegenstände können auf Grund des Ladungsverzeichnisses ohne spezielle Deklaration abgefertigt werden (Vereinszollgesetz §. 66 Absatz 3).

Im Uebrigen kommen hinsichtlich der Revision und weiteren Abfertigung die Bestimmungen in den §§. 31 und 39 bis 51 des Vereinszollgesetzes zur Anwendung.

§. 31.

Wo der Schienenstrang nicht bis zum Dienstlokal des Amts geführt ist, auch sich auf dem Bahnhofe keine Abfertigungsstelle befindet, werden die unter Wagenverschluß eingegangenen Güter unter Aufsicht eines Hauptamts-Assistenten oder höheren Zollbeamten aus dem Eisenbahnwagen ausgeladen und unter Verschluß oder Personalbegleitung zur Amtsstelle gebracht, wo die weitere Behandlung nach §. 30 stattfindet.

Die Revision des Verschlusses der angekommenen Wagen u. s. w. und deren Beschaffenheit, sowie die Vergleichung der Zahl und Art der geladenen Kolli mit den Angaben des Ladungsverzeichnisses muß von den mit der Beaufsichtigung der Ausladung beauftragten Zollbeamten bewirkt und bescheinigt werden. Zollfreie Gegenstände können von diesen Beamten sogleich auf Grund des Ladungsverzeichnisses nach vorheriger Revision in den freien Verkehr gesetzt werden, sofern auf dem Bahnhofe die Revision in einer das Zollinteresse sichernden Weise ausgeführt werden kann.

dd. Erledigung der Begleitzettel und Ladungsverzeichnisse.

§. 32.

Hat sich bei der Revision der Wagen beziehungsweise der abhebbaren Behälter in Beziehung auf ihren Verschluß und ihre äußere Beschaffenheit sowie bei der Entladung der Wagen und Behälter in Bezug auf Zahl und Art der Kolli zu einer Beanstandung keine Veranlassung ergeben, so erfolgt die Erledigung des Ladungsverzeichnisses und Begleitzettels und die Rücksendung des letzteren an das Grenzzollamt. Dagegen bleibt das erledigte Ladungsverzeichniß bei dem Empfangsamt als Registerbeleg zurück.

Die Vollziehung der Erledigungsnachweise auf dem Begleitzettel erfolgt in der Art, daß

1. der Eingang desselben sowie der dazu gehörigen Ladungsverzeichnisse und Schlüssel von dem Amtsvorstand oder dessen Stellvertreter,
2. die erfolgte Eintragung im Begleitzettel-Empfangs-Register von dem mit der Führung dieses Registers beauftragten Beamten,
3. der Revisionsbefund bezüglich des Verschlusses der Wagen und bezüglich der Zahl und Art der ausgeladenen Kolli von den Revisionsbeamten,
4. bei ausgehenden Wagen der Ausgang derselben von denjenigen Beamten, welche denselben kontrolirt haben,

vermerkt und durch Unterschrift jedes einzelnen dieser Beamten unter Beifügung seines Amtskarakters beglaubigt wird.

Nach erfolgter Eintragung der Erledigungsnachweise ist das Erledigungsattest am Schlusse des Begleitzettels durch den Führer des Begleitzettel-Empfangs-Registers oder einen anderen vom Amtsvorstande damit beauftragten Beamten, welcher hierbei von der ordnungsmäßigen Erledigung des Begleitzettels Ueberzeugung zu nehmen hat, unter Beifügung seiner Diensteigenschaft und eines Abdrucks des Amtsstempels zu vollziehen.

Ebenso ist bei der Erledigung der Ladungsverzeichnisse zu verfahren, doch bedarf es hier der Beidrückung des Amtsstempels nicht.

ee. Verfahren bei sich ergebenden Abweichungen.

1. Die Feststellung des Sachverhalts.

§. 33.

Wenn bei der Prüfung der zur Erledigung übergebenen Begleitzettel und Ladungsverzeichnisse oder bei der Revision der Wagen ꝛc. beziehungsweise der Ladung die Wahrnehmung gemacht wird, daß

a) die im Ladungsverzeichniß beziehungsweise Begleitzettel vorgeschriebene Frist zur Gestellung der Wagen ꝛc. bei dem Erledigungsamt nicht eingehalten worden ist, oder
b) die Abgabe des Begleitzettels und die Vorführung der Wagen ꝛc. bei einem anderen als dem ursprünglich oder nachträglich bezeichneten Amt stattgefunden hat, oder
c) der angelegte amtliche Verschluß verletzt ist, oder
d) die Zahl und Art der Kolli nicht mit den Angaben in den Ladungsverzeichnissen übereinstimmt,

so ist der Bevollmächtigte der Eisenbahnverwaltung und nach Umständen der Waarenempfänger über die Veranlassung der bemerkten Abweichungen — in der Regel protokollarisch — zu vernehmen und der Sachverhalt nöthigenfalls im Benehmen mit dem Begleitzettel-Ausfertigungsamt und den auf dem Transport berührten Aemtern zu untersuchen.

Erhebliche Verzögerungen, die in der Erledigung des Begleitzettels hierdurch veranlaßt werden, sind dem Ausfertigungsamt anzuzeigen.

2. Behandlung der auf Versehen oder Zufall beruhenden Abweichungen.

§. 34.

Ergiebt in den vorstehend unter a bis c bezeichneten Fällen die Untersuchung, daß die vorgefundene Abweichung durch einen Zufall herbeigeführt oder sonst genügend entschuldigt ist, und liegt nach der Ueberzeugung des Erledigungsamts, beziehungsweise des demselben vorgesetzten Hauptamts, kein Grund zu dem Verdacht eines verübten oder versuchten Unterschleifs vor, so kann die Erledigung des Begleitzettels beziehungsweise Ladungsverzeichnisses ohne weitere Beanstandung erfolgen.

Ebenso kann in dem im §. 33 unter d angegebenen Falle nach der Bestimmung des Amtsvorstandes, beziehungsweise der dem Erledigungsamt vorgesetzten Direktivbehörde innerhalb der ihnen beigelegten Befugnisse von einer Strafe abgesehen und der Begleitzettel, beziehungsweise das Ladungsverzeichniß erledigt werden, wenn es sich um augenscheinlich auf Versehen oder Zufall beruhende Abweichungen handelt.

3. Behandlung der Anstände, welche durch das Begleitzettel-Ausfertigungsamt veranlaßt sind.

§. 35.

Bei unerheblichen Abweichungen, welche durch Versehen des Ausfertigungsamts bei der Begleitzettelausfertigung veranlaßt sind, kann, wenn dasselbe das Versehen anerkannt und hierüber eine amtlich zu vollziehende Bescheinigung ertheilt, die Erledigung des Begleitzettels, beziehungsweise Ladungsverzeichnisses erfolgen.

Handelt es sich um erhebliche, durch das Ausfertigungsamt verschuldete Anstände, oder erkennt dasselbe einen von dem seinigen abweichenden Befund des Erledigungsamts nicht als richtig an, so hat die dem letzteren vorgesetzte Direktivbehörde nach erfolgtem Einvernehmen mit der Oberbehörde des Ausfertigungsamts über die Erledigung des Begleitzettels, beziehungsweise Ladungsverzeichnisses zu entscheiden.

4. Zollerlaß für auf dem Transport durch Zufall zu Grunde gegangene, oder in verdorbenem oder zerbrochenem Zustande ankommende Waaren.

§. 36.

Wenn mit Ladungsverzeichniß abgefertigte Waaren auf dem Transport durch Zufall zu Grunde gegangen sind oder in verdorbenem oder zerbrochenem Zustande ankommen, findet der §. 67 beziehungsweise §. 48 des Vereinszollgesetzes Anwendung.

5. Verfahren bei Nichtgestellung der Waaren beim Empfangsamt.

§. 37.

Werden mit Ladungsverzeichniß abgefertigte Waaren dem Empfangsamt nicht gestellt, so ist über deren Verbleib Erörterung anzustellen und nach Umständen das gesetzliche Strafverfahren einzuleiten.

Nach Erledigung des Strafpunktes sind die Verhandlungen der Direktivbehörde des Ausfertigungsamts zur Erledigung des Gefällepunktes vorzulegen.

6. Strafverfahren.

§. 38.

Treffen die angegebenen Voraussetzungen zur Erledigung des Begleitzettels, beziehungsweise des Ladungsverzeichnisses nicht zu, so tritt das gesetzliche Strafverfahren ein.

Nach Beendigung des Strafverfahrens hat das Begleitzettel-Empfangsamt, sofern hinsichtlich des Gefällepunktes keine Zweifel bestehen, den Begleitzettel, beziehungsweise das Ladungsverzeichniß zu erledigen. In Zweifelsfällen ist die Entscheidung der vorgesetzten Direktivbehörde einzuholen. Wenn die Erledigung der Begleitzettel, beziehungsweise Ladungsverzeichnisse nicht zulässig erscheint, so sind dieselben mit den erwachsenen Verhandlungen dem Ausfertigungsamt zu übersenden. Seitens des letzteren ist sodann die Entscheidung der ihm vorgesetzten Direktivbehörde über die Folgen der Nichterfüllung der von der betreffenden Eisenbahnverwaltung in dem Ladungsverzeichniß übernommenen Verpflichtungen einzuholen.

f. Abschluß und Einsendung der Register.

§. 39.

Das Begleitzettel-Ausfertigungs- und das Begleitzettel-Empfangs-Register werden nach Maßgabe der Vorschriften über den Abschluß des Begleitschein-Ausfertigungs- und Empfangs-Registers (Begleitschein-Regulativ §§. 58 und 59) vierteljährlich abgeschlossen und mit den zugehörigen Belegen, welche nach der Nummerfolge der Einträge zu ordnen sind, an die Direktivbehörde eingesendet.

Die Duplikate der Ladungsverzeichnisse und die erledigt zurückkommenden Begleitzettel bilden die Belege zum Ausfertigungs-Register und die Unikate der Ladungsverzeichnisse die Belege zum Empfangs-Register.

Nach beendigter Revision der Begleitzettel-Empfangs-Register findet in ähnlicher Weise wie bei den Begleitscheinen (Begleitschein-Regulativ §. 60) noch eine Vergleichung der erledigten Ladungsverzeichniß-Unikate mit den Begleitzettel-Ausfertigungs-Registern und den Belegen der letzteren statt.

2. Zollamtliche Behandlung der Güter, welche im gewöhnlichen Landfracht- oder Schiffsverkehr einem Grenzzollamt behufs Weiterbeförderung mittelst der Eisenbahn zugeführt werden.

§. 40.

Die im gewöhnlichen Landfracht- oder Schiffsverkehr vom Auslande eingegangenen, zur Weiterbeförderung mittelst der Eisenbahn bestimmten Waaren, für welche die Abfertigung mit Ladungsverzeichniß nach Maßgabe der vorstehenden Bestimmungen in Anspruch genommen wird, sind von dem Waarenführer dem Grenzzollamt unter Uebergabe der Ladungspapiere vorzuführen, und bis der Weitertransport erfolgt, unter amtliche Aufsicht und Kontrole zu stellen. Die zu diesem Zweck erforderlichen Einrichtungen hat die Eisenbahnverwaltung nach Anordnung der Zollbehörde zu treffen. Der Weitertransport muß binnen einer von dem Amt nach Bedürfniß zu bemessenden Frist erfolgen. Vor der Verladung in die Eisenbahnwagen oder, wo dies nach den örtlichen Verhältnissen nicht ausführbar ist, jedenfalls vor der Abfertigung, hat der Bevollmächtigte der Eisenbahnverwaltung das im §. 17 vorgeschriebene Ladungsverzeichniß in zweifacher Ausfertigung zu übergeben.

Die Verladung geschieht unter Aufsicht der Beamten, welche auf dem Ladungsverzeichnisse die Uebereinstimmung hinsichtlich der Angabe der Zahl, Zeichen und Art der Kolli mit den wirklich verladenen Kolli bescheinigen und Zeichen und Nummer der Wagen, in welche die Verladung erfolgt, beisetzen. Im Uebrigen kommen die Vorschriften der §§. 21 und 22 und 24 bis 39 zur Anwendung.

B. Waaren-Durchgang.

§. 41.

Auf die zum unmittelbaren Durchgange auf der Eisenbahn bestimmten Güter finden die Bestimmungen in den §§. 13 bis 40 analoge Anwendung.

Die Zollabfertigung beim Grenzausgangsamt beschränkt sich in der Regel auf die Prüfung und Lösung des Verschlusses und die Bescheinigung des Ausgangs über die Grenze. Es bleibt indeß vorbehalten, in Fällen des Verdachts die Revision der zum Durchgang angemeldeten Waaren eintreten zu lassen, ferner nach Befinden die Vorlegung der Bücher und Papiere der Eisenbahnverwaltung zu fordern.

Dasselbe Verfahren findet bezüglich der zur unmittelbaren Durchfuhr angemeldeten Güter auch dann statt, wenn die Zufuhr zum Grenzeingangsamt beziehungsweise die Abfuhr vom Grenzausgangsamt auf anderen Wegen, als auf Eisenbahnen erfolgt. Im letzteren Falle hat jedoch das Ausgangsamt stets eine Vergleichung der auszuladenden Güter mit dem Inhalt des Ladungsverzeichnisses vorzunehmen und die Uebereinstimmung zu bescheinigen.

Der Antrag auf Abfertigung zur unmittelbaren Durchfuhr kann auch noch beim Grenzausgangsamt gestellt werden.

Die Vorschriften in den §§. 25 und 26 in Betreff der Zulässigkeit der Umladungen finden auf die zur unmittelbaren Durchfuhr abgefertigten Güter gleichfalls Anwendung.

Für den Durchfuhrverkehr auf Eisenbahnen, welche das Vereinsgebiet auf kurzen Strecken durchschneiden, können von der obersten Landes-Finanzbehörde weitere Erleichterungen zugestanden werden.

C. Waarenausgang.

1. Gegenstände, welche einem Ausgangszoll unterliegen.

§. 42.

Ausgangszollpflichtige Güter dürfen zur unmittelbaren Beförderung nach dem Auslande nicht verladen werden, bevor nicht dieselben nach den Bestimmungen im §. 22 des Vereinszollgesetzes deklarirt und revidirt sind und der Ausgangszoll entweder entrichtet oder sichergestellt ist.

An Stationsorten, an denen sich eine kompetente Abfertigungsstelle befindet, können ausgangszollpflichtige Güter unter amtlicher Aufsicht in Güterwagen verladen und unter Verschluß der Wagen sowie der Schlüssel unmittelbar nach dem Auslande abgefertigt werden. Bei dem Grenzausgangsamt findet alsdann die Rekognition und Lösung des Verschlusses, beziehungsweise die Entrichtung des Ausgangszolles statt.

Ist der Ausgangszoll sichergestellt, so ist von der Abfertigungsstelle eine Bescheinigung darüber auszustellen und dieselbe, mit der Quittung des Grenzzollamts über die erfolgte Abgabenentrichtung versehen, innerhalb bestimmter Frist behufs Löschung der gestellten Sicherheit zurückzureichen.

2. Waaren, deren Ausgang amtlich zu erweisen ist.

§. 43.

Bei der Ausfuhr von Gütern, deren Ausgang amtlich bescheinigt werden muß, findet der §. 56 des Vereinszollgesetzes Anwendung.

An Stationsorten, wo sich Abfertigungsstellen (§. 4) befinden, können derartige Güter ohne Kolloverschluß, beziehungsweise nach Abnahme des letzteren, unter Aufsicht der Zollbehörde in die dazu bestimmten verschließbaren Wagenräume eingeladen und letztere verschlossen werden.

Die Zuladung anderer, aus dem freien Verkehr stammender, gleichfalls zum unmittelbaren Ausgange bestimmter Güter in diese Räume ist gestattet; die Eisenbahnverwaltung hat jedoch der Zollbehörde ein Verzeichniß derselben unter Angabe der Zahl, Verpackungsart, Bezeichnung des Bruttogewichts und des Inhalts zu übergeben, welches bei der Verladung zu prüfen und demnächst dem betreffenden Begleitschein anzustempeln ist. Bei Wagen, in welche Güter des freien Verkehrs mit zollpflichtigen Gütern verladen sind, dürfen auf dem Transport, soweit nicht Verschlußverletzungen oder Unglücksfälle eine Umladung erforderlich machen, Zu- und Abladungen nicht stattfinden.

Das Amt am Verladungsorte hat bezüglich derjenigen Waaren, deren Ausgang amtlich zu bescheinigen ist, als Ausgangsamt zu fungiren.

Auf der amtlichen Bezettelung der Güter (Begleitschein, Uebergangsschein, Deklarationsschein ꝛc.), welche dem Zugführer zu übergeben ist, wird von dem Amt des Verladungsortes das Einladen der Waaren und der Verschluß des Wagens, sowie der Abgang des letzteren auf der Eisenbahn, dagegen von dem Grenzzollamt, beziehungsweise den Begleitungsbeamten die mit unverletztem Verschlusse erfolgte Ankunft beim Grenzausgangsamt, sowie der Ausgang über die Grenze bescheinigt.

D. Versendungen aus dem Vereinsgebiet durch das Ausland nach dem Vereinsgebiet.

§. 44.

Bei Versendungen aus dem Vereinsgebiet durch das Vereinsausland nach dem Vereinsgebiet kommt der §. 111 des Vereinszollgesetzes und das Deklarationsschein-Regulativ in Anwendung.

§. 45.

Die nach Maßgabe der §§. 17 ff. mit Ladungsverzeichniß und Begleitzettel abgefertigten Waarensendungen, welche vor Erreichung des Bestimmungsorts das Ausland berühren, bedürfen beim Wiedereingang, sofern der angelegte Verschluß unverletzt geblieben ist, behufs der Weiterbeförderung an ihren Bestimmungsort keiner nochmaligen Abfertigung.

E. Transport im Inlande.

1. Güter des freien Verkehrs.

§. 46.

Insoweit überhaupt nach den zur Ausführung der §§. 119 und 125 des Vereinszollgesetzes von der obersten Landes-Finanzbehörde getroffenen Anordnungen der Transport im Grenzbezirke beziehungsweise im Binnenlande einer Kontrole unterliegt, findet diese Kontrole auch auf den Transport auf den Eisenbahnen Anwendung. Indessen ist der Transport von Gegenständen auf der Eisenbahn aus dem Binnenlande nach dem Grenzbezirk und aus dem letzteren nach dem Auslande allgemein von der Legitimationsscheinkontrole befreit; doch haben die Eisenbahnverwaltungen ihre Register über die beförderten Frachtgüter der Zollbehörde auf Verlangen vorzulegen.

2. Uebergangssteuerpflichtige Gegenstände.

§. 47.

Gegenstände, welche bei dem Uebergange aus einem Vereinslande beziehungsweise aus einem Steuergebiete in das andere einer Uebergangsabgabe oder einer indirekten Steuer unterliegen, dürfen nur dann nach einem solchen Vereinslande oder Steuergebiete auf der Eisenbahn befördert werden, wenn sie mit den erforderlichen Abfertigungspapieren für den Transport versehen sind.

Die Eisenbahnbehörden dürfen Gegenstände, welche bei dem Uebergange aus einem Staate des deutschen Zollgebiets in den anderen, beziehungsweise aus einem Steuergebiete in das andere einer Uebergangsabgabe unterliegen, bei direkter Kartirung nur dann zur Beförderung nach einem solchen Staate beziehungsweise Steuergebiete annehmen, wenn sie mit einem Uebergangsschein versehen sind.

Die bestehenden, auf besonderem Uebereinkommen zwischen einzelnen Regierungen beruhenden örtlichen Einrichtungen zur Abfertigung übergangssteuerpflichtiger Gegenstände werden durch vorstehende Bestimmung nicht berührt.

Die unter Ziffer I der Uebereinkunft vom 23. Mai 1865, betreffend die Durchfuhr von vereinsländischem Wein, getroffene Bestimmung, wonach Sendungen mit der Post keiner zoll- oder steueramtlichen Bezettelung bedürfen, wird auf den Eisenbahnverkehr ausgedehnt.

3. Güter, auf welchen ein Zollanspruch haftet.

§. 48.

Die Abfertigung von Gütern, auf welchen ein Zollanspruch haftet, erfolgt nach den §§. 41 bis 51 des Vereinszollgesetzes. Wird die Abfertigung unter Wagenverschluß beantragt, so werden die Güter unter amtlicher Aufsicht in Güterwagen (§. 7) verladen und auch die Schlüssel (§. 21 letzter Absatz) unter Verschluß gesetzt.

Andere Güter dürfen in diese Güterwagen nicht mit verladen werden.

III. Strafen.

§. 49.

Zuwiderhandlungen gegen die Bestimmungen dieses Regulativs werden, sofern nicht nach den §§. 134 ff. des Vereinszollgesetzes eine höhere Strafe verwirkt ist, nach §. 152 desselben Gesetzes mit einer Ordnungsstrafe bis zu 150 ℳ geahndet.

Jede Eisenbahnverwaltung hat in Gemäßheit des §. 153 des Vereinszollgesetzes für ihre Angestellten und Bevollmächtigten rücksichtlich der Geldbußen, Zollgefälle und Prozeßkosten zu haften, in welche diese Personen wegen Verletzung der zollgesetzlichen oder der Vorschriften dieses Regulativs verurtheilt worden sind, die sie bei Ausführung der ihnen von den Eisenbahnverwaltungen übertragenen oder ein- für allemal überlassenen Verrichtungen zu beobachten hatten.

Anlage A.

Auf der im Mai v. J. zu Bern abgehaltenen internationalen Eisenbahnkonferenz ist zwischen den deutschen Delegirten und den Delegirten der Regierungen von Frankreich, Italien, Oesterreich-Ungarn und der Schweiz der Erlaß einheitlicher Vorschriften über die zollsichere Einrichtung der Eisenbahnwagen im internationalen Verkehr vereinbart worden.

Nachdem der Bundesrath sich mit den in dem Konferenzprotokoll vom 15. dess. M. formulirten Bestimmungen einverstanden erklärt hat, werden die letzteren nachstehend mit dem Bemerken zur öffentlichen Kenntniß gebracht, daß dieselben auch von den oben bezeichneten außerdeutschen Regierungen genehmigt worden sind und mit dem 1. April d. J. in Kraft treten.

Vorschriften

über die

zollsichere Einrichtung der Eisenbahnwagen im internationalen Verkehr.

A. Allgemeine Bestimmungen.

Die Wagen und Wagenabtheilungen, welche zum Transport von Zollgütern verwendet werden sollen, müssen leicht und sicher in der Art verschlossen werden können, daß die Hinwegnahme oder der Austausch der unter Verschluß des Ladungsraums gelegten Waaren ohne Anwendung von Gewalt und ohne Hinterlassung sichtbarer Spuren nicht bewerkstelligt werden kann.

In solchen Wagen oder Wagenabtheilungen dürfen sich auch keine geheimen oder schwer zu entdeckenden, zur Aufnahme von Gütern oder Effekten geeigneten Räume befinden.

Jeder Wagen muß an beiden Längsseiten mit einem Eigenthumsmerkmal und einer Nummer versehen sein. Befinden sich in einem Wagen mehrere von einander geschiedene Abtheilungen, so ist jede der letzteren mit einem Buchstaben zu bezeichnen.

B. Besondere Bestimmungen.

Behufs Erzielung eines sicheren Verschlusses des Ladungsraums müssen die betreffenden Wagen insbesondere folgenden Bedingungen entsprechen:

1. Wagenkasten.

Die Seitenwände, der Fußboden, das Dach und alle den Laderaum bildenden Theile des Wagens müssen derart befestigt sein, daß ein Lösen und Wiederbefestigen derselben von außen nicht geschehen kann, ohne sichtbare Spuren zurückzulassen.

Alle diese Theile müssen sich in gutem Zustande befinden.

Zufällige Beschädigungen der Wagenwände machen den Wagen nur dann für den Weitertransport ungeeignet, wenn durch die etwa dabei entstandenen Wandöffnungen ein Zugang zur Ladung zu befürchten steht.

2. Abstand zwischen den Schiebethüren und den Kastentheilen.

Der Zwischenraum zwischen den Schiebethüren in geschlossenem Zustande und den Kastentheilen der bedeckten Wagen darf in keinem Falle das Maximum von 20 mm überschreiten.

3. Verschluß der Schiebethüren.

Jede Schiebethür der Wagen muß mit einem Einfallhaken oder einer anderen gleiche Sicherheit gewährenden Verschlußvorrichtung versehen sein.

Die Befestigung dieser Verschlüsse soll derart beschaffen sein, daß deren Entfernung bei verschlossenen Thüren ohne Anwendung von Gewalt und Hinterlassung auffallender Spuren nicht möglich ist.

4. Zollverschlußösen.

Die Schiebethüren, Flügelthüren, Stirnwandthüren und überhaupt alle in Benutzung stehenden Thüren der bedeckten Wagen müssen mit Oesen von mindestens 15 mm lichter Weite oder anderen Verschlußstücken versehen sein, welche ein Einhängen von Zollschlössern und von Zollbleien gestatten, derart daß ein Oeffnen dieser Thüren ohne Verletzung des Zollverschlusses nicht möglich ist.

Diese Verschlußösen oder sonstigen Zollverschlußstücke müssen mittelst Nieten oder Schrauben, deren Muttern innen liegen, oder die bei geschlossener Thür unzugänglich sind, an den Wagen befestigt sein.

Die hier genannten Bestimmungen treten in vollem Umfange in Kraft fünf Jahre nach der Ratifikation gegenwärtiger Vereinbarung. Bis dahin wird man sich gegenseitig mit der Anwendbarkeit von Zollbleien oder von Zollschlössern begnügen.

5. Sicherheitsverschluß der Schiebethüren.

Die untere Thürseite soll mit einer besonderen Versicherung versehen sein, welche ein Abheben oder ein Abziehen der Schiebethür von der Laufschiene unmöglich macht.

Diese Versicherung kann z. B. bestehen in einem Haken, welcher beim Verschluß der Thür in eine an der Laufschiene festgenietete Oese eingreift, oder in einer Verlängerung des inneren Thürbandes bis unter die Laufschiene oder deren Kopf, oder in der Anordnung eines festgenieteten Winkels oder Bügels an der Laufschiene selbst u. s. w. Ausnahmsweise kann diese Versicherung auch in einem gelochten Lappen bestehen, der von jetzt an die Anwendung von Zollbleien, und nach Ablauf einer Frist von fünf Jahren, wie in voriger Nummer, die Anwendung von Zollschlössern und Zollbleien gestattet. Die Laufrollenhalter sollen derart befestigt sein, daß dieselben ohne Anwendung von Gewalt nicht abgenommen werden können.

6. Schiebethürlaufschiene.

Die Laufschienen sollen an wenigstens zweien ihrer Träger festgenietet sein. Diese Träger sollen mit den festen Kastentheilen so verbunden sein, daß bei geschlossenem Wagen die Abnahme derselben nur mit Gewalt und Hinterlassung auffallender Spuren möglich ist.

7. Obere Schiebethürführung.

Die Führung des oberen Theils der Schiebethüren soll durch entsprechend befestigte Stangen oder Kulissenschienen gesichert sein.

8. Flügelthüren und Stirnwandthüren.

Bei den bedeckten Wagen mit Flügelthüren (z. B. Bierwagen) oder mit Stirnwandthüren müssen diese Thüren außer mit der Verschlußvorrichtung und mit von außen nicht abnehmbaren Thürbändern auch mit einer den Bedingungen der Nr. 4 entsprechenden Zollverschlußvorrichtung versehen sein, so daß ein Oeffnen dieser Thüren ohne Beschädigung des Zollverschlusses nicht möglich ist.

Unbenutzte Stirnwandthüren (z. B. an Wagen, welche zum Sanitätsdienst vorbereitet sind) müssen durch Verschalungen, Leisten oder Eisenbänder zollsicher geschlossen gehalten werden.

9. Fenster und Lüftungsöffnungen.

Wenn die in den bedeckten Wagen vorhandenen Oeffnungen als Fenster und Lüftungsöffnungen durch Eisenstäbe, Gitter oder gelochte Bleche vergittert sind, so dürfen die verbleibenden Oeffnungen 30 qcm nicht überschreiten, so daß durch diese Oeffnungen eine Beraubung des Wageninhalts nicht erfolgen kann. Kein Befestigungstheil der Vergitterung darf von der Außenseite des Wagens abzulösen sein.

Wenn die genannten Oeffnungen nicht durch eine Vergitterung, sondern durch Schieber oder Klappen versichert sind, so müssen diese wie folgt befestigt sein:

- die Klappen oder die horizontalen Schieber mittelst Vorreiber, Riegel, Einfallhaken, Kloben oder dergleichen,
- die vertikalen Schieber entweder mittelst der soeben aufgezählten Einrichtungen oder, wenn sie mit einer den Vorschriften der Nr. 4 entsprechenden Zollverschlußvorrichtung versehen sind, mittelst Zollschlösser oder Zollbleie,

und zwar derart, daß ein Oeffnen derselben von außen ohne Anwendung von Gewalt und ohne Hinterlassung auffallender Spuren, oder ohne Zerstörung des Zollverschlusses nicht möglich ist.

Abflußöffnungen in den Fußböden bedürfen einer Vergitterung, wenn sie mehr als 35 mm Durchmesser haben.

10. Dachaufsätze.

Für Dachaufsätze, welche durch Schieber oder Deckel geschlossen sind, gelten bezüglich der Befestigungsart und des Verschlusses derselben die in den vorhergehenden Nummern festgesetzten Bestimmungen.

11. Güterwagen mit durchbrochenen Wänden.

Wagen mit durchbrochenen Wänden, wie z. B. Viehtransportwagen, welche sonst den vorstehenden Bedingungen entsprechen, können nur zum Transport so großer Frachtstücke verwendet werden, daß ihre Entfernung durch diese Wandöffnungen nicht möglich ist.

12. Offene Wagen mit festen Verdeckstücken.

Offene Wagen, deren Kopfwände durch eine starke Stange mit einander verbunden und mit mindestens 75 cm breiten Verdeckstücken versehen und deren Seitenwände mindestens 50 cm hoch sind, können, wenn sie mit Ringen zur Befestigung von Schutzdecken ausgerüstet sind, unter Verwendung solcher Decken zur Beförderung von Zollgütern aller Art benutzt werden.

13. Offene Wagen anderer Art.

Offene Wagen anderer Art, welche mit Ringen oder anderen zur Befestigung von Schutzdecken geeigneten Vorrichtungen versehen sind, können zur Beförderung von Zollgütern dann benutzt werden, wenn es sich um Frachtstücke, welche einzeln mindestens 25 kg wiegen, oder um solche Güter handelt, deren Verladung in bedeckte Wagen oder in offene Wagen der unter Nr. 12 bezeichneten Art wegen ihres Umfanges (wie große Maschinen, Maschinentheile, Dampfkessel u. s. w.) oder sonstigen Beschaffenheit (wie Holz, Baumwolle, Kohlen, Koks, Sand, Steine, Erze, Roh- und Brucheisen aller Art, Stabeisen, Vieh, Heringe, Thran, Petroleum u. s. w.) nicht wohl zulässig beziehungsweise nicht üblich ist.

Für den vorstehenden Fall bleibt es den Zollbehörden überlassen, gemäß den ihnen von den Direktivbehörden gegebenen Instruktionen zu entscheiden, ob zur Sicherung gegen Entfernung oder Vertauschung Deckenverschluß anzubringen ist, oder Erkennungsbleie anzulegen, oder andere Maßregeln zu treffen sind, oder ob ausnahmsweise von einem Verschluß oder anderen Maßregeln zur Festhaltung der Identität überhaupt abzusehen sein möchte. Auch kann amtliche Begleitung eintreten.

Die von den Direktivbehörden jedes Staates zur Ausführung des vorstehenden Absatzes erlassenen Verordnungen sollen den anderen Vertragsstaaten mitgetheilt werden.

14. Schutzdecken und deren Befestigung.

Die zur Befestigung von Schutzdecken bestimmten Ringe müssen geschlossen zusammengeschweißt, mittelst Kloben im Innern des Wagens vernietet oder verschraubt und entweder abwechselungsweise an den abnehmbaren Seitenwänden beziehungsweise den Thüren und den festen Kopfschwellen, oder am Untergestelle etwa in Höhe der Fußbodeneinfassung in einer Maximalentfernung von 115 cm so angebracht sein, daß die Verschlußschnur sowohl das Abheben der etwa vorhandenen beweglichen Seitenwände als auch das Oeffnen der Thüren verhindert.

Die Schutzdecken müssen längs der Kanten mit durch Metallösen geschützten, zum Durchziehen der Verschlußleine bestimmten Löchern, welche etwa in denselben Entfernungen wie die Ringe an den Wagen angeordnet sind, eingerichtet sein. Nur an den oberen Theilen der Decken sind Ringe zum Verschluß zulässig.

Die Decken müssen von ausreichender Größe und in entsprechend gutem Zustande sein. Etwaige Nähte derselben, selbst bei eingesetzten Theilen, müssen sich entweder auf der Innenseite befinden oder doppelt, d. h. in zwei Linien von 15 bis 25 mm Abstand angeordnet sein.

Die Verschlußleinen dürfen nicht gestückelt und müssen an beiden Enden mit Metallspitzen versehen sein. Hinter diesen Spitzen müssen Oesen eingearbeitet sein, in welche nach entsprechender Verknüpfung der Leinenenden der Zollverschluß eingehängt werden kann.

Berlin, den 12. März 1887.

Der Reichskanzler.

von Bismarck.

Post-Zollregulativ.

I. Abschnitt.

Abfertigung der in das Zollgebiet eingehenden Gegenstände.

§. 1.

Die mittelst der Posten in das Zollgebiet eingehenden zollpflichtigen Gegenstände zum Bruttogewicht von mehr als 250 g müssen von einer deutlich geschriebenen, offen beiliegenden Inhaltserklärung (Deklaration) begleitet sein, aus welcher sich ersehen läßt:

a) der Name des Adressaten;
b) der Ort, wohin die Sendung bestimmt ist;
c) die Zahl der einzelnen zu der Sendung gehörigen Poststücke, sowie die Zeichen und Nummern jedes einzelnen;
d) die Gattung der in jedem Poststücke enthaltenen Gegenstände nach deren handelsüblicher oder sonst sprachgebräuchlicher Benennung;
e) der Ort und der Tag der Ausstellung der Inhaltserklärung, und
f) der Name des Versenders.

Die Inhaltserklärung kann in deutscher oder in französischer Sprache abgefaßt sein. Den oberen Zollbehörden bleibt vorbehalten, auf einzelnen Grenzstrecken im Falle des Bedürfnisses auch Inhaltserklärungen in englischer, holländischer oder italienischer Sprache zuzulassen.

Daß eine Inhaltserklärung beigelegt worden, ist von dem Versender auf dem Begleitbriefe (der Begleitadresse) oder, falls ein solcher nicht beigegeben wird, auf der Sendung selbst zu bemerken.

Die Zollpflichtigkeit einer aus dem Auslande eingegangenen Postsendung ist auch in dem Falle nicht ausgeschlossen, wenn das 250 g übersteigende Gewicht weniger als 50 g beträgt, das Bruttogewicht der Sendung daher 300 g nicht erreicht.

§. 2.

Die Beifügung einer Inhaltserklärung ist nicht erforderlich:

1. bei Briefbeuteln und Fahrpostbeuteln, sowie bei den an Stelle derselben zur Anwendung kommenden Briefpacketen und Fahrpostpacketen;
2. bei Zeitungspacketen und Drucksachen;
3. bei Geldfässern, Geldkisten, Geldbeuteln und Geldpacketen;
4. bei Postsendungen, welche unter dem Siegel einer Staatsbehörde oder eines eine solche Behörde repräsentirenden Beamten eingehen und an eine Staatsbehörde beziehungsweise einen dieselbe repräsentirenden Beamten gerichtet sind;
5. bei Waarenproben und Mustern zum Bruttogewicht von 250 g oder weniger, welche unter Kreuzband oder in solcher Weise verpackt eingehen, daß über den Inhalt kein Zweifel entstehen kann.

Liegt Grund zu der Vermuthung vor, daß mit den Briefposten zollpflichtige Gegenstände in zollpflichtiger Menge eingeführt werden, so sind die Zoll- und Steuerbeamten befugt, in den Dienstlokalen der betreffenden Postanstalten der Eröffnung der Brief- und Fahrpostbeutel oder -Packete beizuwohnen, um von dem Inhalte Ueberzeugung zu nehmen; die etwa vorgefundenen Briefe oder Packete, bei welchen sich die Vermuthung zollpflichtigen Inhalts rechtfertigt, sowie zollpflichtige Waarenproben von mehr als 250 g sind der zollamtlichen Vorabfertigung (§§. 4 ff.) zu unterwerfen.

§. 3.

Fehlt eine Inhaltserklärung und soll die zollamtliche Schlußabfertigung nicht schon bei derjenigen Zollstelle erfolgen, welche der Grenze zunächst belegen ist (§. 4), so wird von der letzteren Zollstelle bei dem Eingange der Sendung eine Revisionsnote gefertigt, welche, wenn der Inhalt des Poststücks äußerlich unzweifelhaft zu erkennen ist, den Inhalt speziell bezeichnet, im anderen Falle aber die Angaben enthält, welche sich aus der Adresse auf dem Poststück oder auf dem Begleitbrief ergeben, und zugleich bescheinigt, daß die Sendung zur zollamtlichen Behandlung vorgelegen habe.

Die Revisionsnote vertritt bei der Weiterbeförderung der Sendung die Stelle der Inhaltserklärung. Dieselbe kann jederzeit und bis zur Vornahme der zollamtlichen Schlußabfertigung sowohl seitens der Postbehörde, als seitens des Adressaten durch eine Inhaltserklärung in der vorgeschriebenen Form (§. 1) ersetzt werden.

Geschieht dies nicht, so muß sich der Adressat gefallen lassen, daß die gehörig deklarirten Sendungen bei der Schlußabfertigung vorgezogen werden.

Sowohl die Postbehörde als der Adressat sind berechtigt, eine bereits vorliegende Inhaltserklärung, insolange eine spezielle Revision nicht stattgefunden hat, zu vervollständigen oder zu berichtigen.

§. 4.

Die nach dem Orte der Zollstelle an der Grenze bestimmten, desgleichen diejenigen Sendungen, welche auf dem Wege nach dem Bestimmungsorte einen weiteren Ort, an welchem eine Zoll- oder Steuerstelle sich befände, nicht berühren, werden von der Zollstelle an der Grenze sofort vollständig abgefertigt. Das Gleiche geschieht unabhängig vom Bestimmungsort der Sendung auf das Verlangen des Absenders, wenn dieser hierauf durch eine Bemerkung auf der Inhaltserklärung oder in einer das Poststück offen begleitenden Note ausdrücklich den Antrag gestellt hat.

Die in dem §. 2 unter Nr. 4 aufgeführten Poststücke der Behörden, insofern deren Inhalt aus Akten oder Schriften besteht und dies auf den betreffenden Begleitbriefen oder den Poststücken selbst angegeben oder äußerlich ersichtlich ist, ferner die in dem §. 2 unter Nr. 1, 2 und 3 aufgeführten Gegenstände der Postladung sind in der Regel den Zollbeamten an der Grenze nur zur allgemeinen Besichtigung vorzulegen und einer weiteren zollamtlichen Behandlung nicht unterworfen. Ebenso findet bei den im §. 2 unter Nr. 5 aufgeführten Waarenproben und Mustern eine zollamtliche Vorabfertigung an der Grenze nicht statt, vielmehr werden dieselben erst am Bestimmungsorte von der Postbehörde der Zollstelle zur Revision und schließlichen Abfertigung (§§. 6 ff.) vorgeführt.

Alle sonstigen eingehenden Poststücke unterliegen, soweit dieselben das Bruttogewicht von 250 g übersteigen, bei derjenigen Zollstelle, welche der Grenze zunächst belegen ist, einer zollamtlichen Vorabfertigung (§. 5). Die schließliche Abfertigung (§§. 6 ff.) erfolgt am Bestimmungsorte oder, wenn sich daselbst eine Zoll- oder Steuerstelle nicht befindet, bei einer geeignet gelegenen Zoll- oder Steuerstelle, deren Wahl der Postbehörde überlassen bleibt.

Mit den Posten aus dem Auslande eingehende Waarensendungen im Bruttogewicht von 250 g und weniger sind als zollfrei auch von jeder zollamtlichen Behandlung befreit.

Von der Zollbefreiung des §. 4 lit. a des Zolltarifgesetzes werden ausgeschlossen:

a) diejenigen Waarensendungen im Einzelgewichte von brutto 50 g und darüber, deren Einfuhr mit der Post über die Grenzen gegen Oesterreich-Ungarn oder die Zollausschlüsse erfolgt, soweit diese Sendungen einem Zollsatz von 100 *M.* oder mehr für 100 kg unterliegen;

b) die über die Grenzen gegen Oesterreich-Ungarn und die Zollausschlüsse, sowie gegen die Schweiz, Frankreich, Belgien und die Niederlande mit der Post eingehenden Waarensendungen, soweit dieselben Taschenuhren, Werke und Gehäuse zu solchen enthalten. Die zu a und b bezeichneten Sendungen unterliegen der Inhaltserklärung und der zollamtlichen Behandlung nach den Bestimmungen des vorliegenden Regulativs.

§. 5.

Die zollamtliche Vorabfertigung (§. 4) besteht in Folgendem:

Durch diejenige Zollstelle, welche der Grenze zunächst belegen ist, sind die eingehenden Poststücke

a) mit den Inhaltserklärungen und den Postkarten oder nach Bedürfniß mit den Begleitbriefen äußerlich zu vergleichen, etwaige Abweichungen in den Inhaltserklärungen vorzumerken, auch die letzteren mit einem Vermerk über die geschehene Besichtigung zu versehen und fehlende Inhaltserklärungen durch Revisionsnoten (§. 3) zu ersetzen;

sodann

b) diejenigen Poststücke, welche der Vorabfertigung unterlegen haben, zum Zeichen der noch vorbehaltenen Schlußabfertigung (§§. 6 ff.) an einer möglichst in die Augen fallenden Stelle (auf der Seite der Signatur oder in der Nähe der Postnummer) mit einer Marke von rothem Papier zu bekleben, welche einen schwarzen Abdruck des Dienststempels der betreffenden Grenzzollstelle und die Aufschrift „Zollstück" trägt.

Diese Behandlung findet auch bei den im §. 2 unter Nr. 4 aufgeführten Postsendungen dann Anwendung, wenn die Voraussetzungen des §. 4 Absatz 2 nicht zutreffen und dieselben deshalb einer weiteren zollamtlichen Abfertigung unterzogen werden müssen.

Diejenigen Poststücke, deren Inhalt als zollfrei sofort erkannt worden oder deren Schlußabfertigung gleich bei der ersten Zollstelle an der Grenze erfolgt ist, treten in den freien Verkehr, bedürfen daher auch der Bezeichnung durch eine Marke (lit. b) nicht.

Desgleichen ist von dem unter lit. b vorgeschriebenen Verfahren Abstand zu nehmen, wenn mehrere Sendungen nach einem Orte, an welchem eine Zoll- oder Steuerstelle ihren Sitz hat, kartirt sind, und in verschließbare Wagenabtheilungen, Körbe, Felleisen, Beutel oder sonstige Behälter verpackt werden, welche alsdann unter zollamtlichen Verschluß durch Kunstschlösser oder Plomben zu nehmen sind.

Gehen die nach einem Orte kartirten Sendungen bereits vom Auslande in verschlossenen Wagenabtheilungen oder sonstigen Behältern ein, so hat sich die Zollstelle an der Grenze auf die Anlegung eines zollamtlichen Verschlusses an den Wagenabtheilungen u. s. w. zu beschränken.

Nach der Ankunft der unter Gesammtverschluß genommenen Postsendungen an dem Orte, auf welchen die Postkarte lautet, hat die dortige Zoll- oder Steuerstelle in Bezug auf die weitergehenden Stücke die zollamtliche Vorabfertigung dem Vorstehenden entsprechend vorzunehmen, beziehungsweise nach der Bestimmung lit. b zu ergänzen.

§. 6.

Zum Zweck der zollamtlichen Schlußabfertigung werden die mit der Post eingegangenen zollpflichtigen Gegenstände mit den dazu gehörigen Inhaltserklärungen oder Revisionsnoten den betreffenden Zoll- oder Steuerstellen (§. 4) übergeben. Die Abfertigung erfolgt nach den allgemeinen gesetzlichen Vorschriften.

Das Verfahren ist indessen ein verschiedenes, je nachdem

a) der Adressat an dem Orte, wo die Schlußabfertigung zu bewirken ist, selbst oder in dessen Nähe sich befindet und deshalb der Abfertigung persönlich beiwohnen kann, oder
b) die Sendung ohne Zuziehung des Adressaten zollamtlich abgefertigt und dann zum Zweck der Weiterbeförderung an diesen der Poststelle zurückgegeben werden muß.

§. 7.

Befindet sich der Adressat an dem Orte selbst, wo die Schlußabfertigung zu bewirken ist, oder in dessen Nähe, so werden die Begleitbriefe (Begleitadressen) oder, wenn solche nicht vorhanden sind, Abschriften der auf den Poststücken befindlichen Adressen, mit dem Eingangsstempel der Poststelle versehen, durch die letztere an den Adressaten bestellt; diesem wird dabei eine schriftliche oder gedruckte Notiz behändigt, daß das Poststück bei der Zoll- oder Steuerstelle in Empfang zu nehmen sei. Sache des Adressaten ist es alsdann, das Poststück von der Zoll- oder Steuerstelle abzuholen oder abholen zu lassen, nachdem er selbst oder sein Beauftragter dort durch Vorzeigung des abgestempelten Begleitbriefs (Begleitadresse), beziehungsweise der abgestempelten Abschrift von der Adresse sich ausgewiesen, der Revision angewohnt und den Zoll entrichtet hat. Das Begleitpapier kann dem Adressaten auf seinen Wunsch zurückgegeben werden, ist jedoch zum Zeichen der geschehenen Abholung des Poststücks auch mit dem Stempel der Zoll- und Steuerstelle zu versehen, nachdem auf der Adresse der Zollbetrag oder die Zollfreiheit kurz bemerkt und dies durch die Unterschrift eines Abfertigungsbeamten bescheinigt worden ist.

Die Abfertigung der Waarenproben und Muster (§. 2 Ziffer 5) kann ohne Zuziehung des Adressaten von der Postbehörde veranlaßt werden.

§. 8.

Soll die Postsendung, entfernt von dem Wohnort des Adressaten, ohne dessen Zuziehung, sei es bei der Zollstelle an der Grenze oder bei einer der dem Bestimmungsorte zunächst gelegenen Zoll- oder Steuerstellen, schließlich abgefertigt und dann zum Zweck der Weiterbeförderung an den Adressaten der Poststelle zurückgegeben werden, so begiebt sich ein Postbeamter zu der betreffenden Zoll- oder Steuerstelle, weist sich dort als zur Abholung beauftragt aus durch Vorzeigung des Begleitbriefs (der Begleitadresse), oder in Ermangelung eines solchen durch eine mit dem Eingangsstempel der Poststelle versehene Abschrift der auf dem Poststücke befindlichen Adresse, und wohnt sodann der zollamtlichen Revision des Poststückes bei; derselbe hat für die Oeffnung des Kollo und die Darlegung der Waaren zur Revision, sowie für deren Wiederverpackung Sorge zu tragen, und entrichtet den Zoll gegen Zollquittung.

Die Versiegelung des zollamtlich abgefertigten Poststücks hat darauf durch die Post- und die Zoll- oder Steuerstelle gemeinschaftlich zu geschehen, auch ist von der letzteren der vorgezeigte Begleitbrief, beziehungsweise die Adresse zum Zeichen der geschehenen Verzollung des Poststücks mit ihrem Stempel zu bedrucken. Die durch die Wiederverpackung des Poststücks etwa entstehenden baaren Auslagen hat die Postbehörde vorschußweise zu berichtigen, auch für den Rücktransport desselben zur Poststelle zu sorgen. Die Poststelle übernimmt demnächst die Weiterbeförderung der nunmehr in den freien Verkehr gesetzten Sendung an den Adressaten und zieht von diesem die bei der Zollabfertigung entstandenen baaren Auslagen an Zoll und Verpackungskosten ohne Ansatz einer Vorschußgebühr wieder ein.

§. 9.

Die Poststelle wie die Zoll- oder Steuerstelle sind befugt, auch in solchen Fällen, in welchen der Adressat sich nicht am Orte oder in dessen Nähe befindet, die Anwesenheit des Adressaten oder eines mit schriftlicher Vollmacht versehenen Vertreters desselben bei der Revision zu verlangen.

Dies Verlangen muß insbesondere dann gestellt werden:

1. wenn das Poststück sich nicht in tadelfreiem äußeren Zustande befindet und wenn deshalb das Garantieverhältniß der Postverwaltung mit in Frage kommt;
2. wenn der Inhalt des Poststücks nach der Inhaltserklärung in leicht zerbrechlichen oder solchen Gegenständen besteht, die einer besonderen kunstvollen Verpackung bedürfen.

In diesen Fällen ist der Adressat durch die Postbehörde zu ersuchen, der Revision beizuwohnen oder einen Dritten dazu zu bevollmächtigen. Zugleich ist dem Adressaten der Begleitbrief (die Begleitadresse) oder in dessen Ermangelung eine Abschrift der Adresse zuzusenden. Wird die Zuziehung des Adressaten bei der Revision von der Zoll- oder Steuerstelle verlangt, so hat sich dieselbe dieserhalb schriftlich an die Poststelle zu wenden.

Das Verlangen der Zuziehung des Adressaten kann auch dann ausgesprochen werden, wenn die Veranlassung hierzu sich erst bei der Revision in Gegenwart des Postbeamten ergiebt.

Soweit bezüglich der im §. 2 unter Nr. 4 bezeichneten Poststücke an Behörden eine Schlußabfertigung vorbehalten ist (§. 5), sind dieselben ebenfalls den Zoll- oder Steuerstellen auszuhändigen. Die zollamtliche Revision unterbleibt jedoch, wenn von der Behörde, an welche die Sendung gerichtet ist, eine Bescheinigung über den Inhalt ertheilt wird. Es erfolgt alsdann auf Grund der letzteren die zollfreie Ablassung oder, falls der Inhalt zollpflichtig ist, die Erhebung des Eingangszolles.

§. 10.

Die Verzollung erfolgt jedesmal nach dem Ergebniß des Revisionsbefundes.

§. 11.

Hat der Adressat den Bestimmungsort des Poststücks verlassen, aber Auftrag wegen Nachsendung des Gegenstandes gegeben, oder wird von ihm die Weitersendung desselben ohne vorherige Eröffnung und Revision beantragt, so kann ein solches Poststück mittelst der Post weiter befördert werden, nachdem die Zoll- oder Steuerstelle, welcher dasselbe zunächst übergeben worden, die Inhaltserklärung, beziehungsweise die Revisionsnote mit einem entsprechenden Vermerk versehen und mit diesem Papier das Poststück an die Poststelle zurückgegeben hat.

Ist der neue Bestimmungsort im Zollgebiet belegen, so wird die Sendung nebst Inhaltserklärung oder Revisionsnote der Zoll- oder Steuerstelle jenes Orts durch die Post zugeführt.

Liegt der neue Bestimmungsort außerhalb des Zollgebiets, so wird das Poststück nebst Inhaltserklärung dorthin nachgesandt (§. 12).

§. 12.

So lange ein vom Auslande eingegangenes Poststück nicht aus den Händen der Post- oder der Zoll- oder Steuerbehörde gekommen ist, steht jedem Adressaten frei, dessen Annahme abzulehnen.

Bei Sendungen, welche, weil der Adressat die Annahme verweigert hat oder nicht zu ermitteln ist, unbestellbar sind, ist zu unterscheiden, ob die schließliche Abfertigung

a) noch nicht stattgefunden, oder

b) bereits stattgefunden hat.

Im Falle zu a ist die Zoll- oder Steuerstelle, welcher das Poststück übergeben worden, von der Poststelle, unter Vorzeigung des mit dem Vermerk über die Unbestellbarkeit und die zu bewirkende Rücksendung versehenen Begleitbriefes, beziehungsweise der Begleitadresse oder der Abschrift derselben, um Rückgabe des Poststücks zu ersuchen. Die Zoll- oder Steuerstelle versieht hierauf die Inhaltserklärung beziehungsweise Revisionsnote mit einem entsprechenden Vermerk und giebt das Poststück nebst dem letztgedachten Papier an die Poststelle zurück, welche die Rücksendung besorgt.

Im Falle zu b hat die Poststelle das in freien Verkehr gesetzt gewesene Poststück der Zoll- oder Steuerstelle, von welcher die Schlußabfertigung geschehen war, nebst dem, mit dem Vermerk über die Unbestellbarkeit und die zu bewirkende Rücksendung versehenen Begleitbriefe, beziehungsweise der Begleitadresse oder der Abschrift derselben, wieder vorzulegen. Sie empfängt alsdann den gezahlten Eingangszoll gegen Rückgabe der Zollquittung zurück, nachdem diese von der Poststelle mit Gegenquittung und einem Attest über die Unbestellbarkeit und die zu bewirkende Rücksendung des Poststücks versehen worden ist. Die Zollstelle überzeugt sich von der Identität des Inhalts mit dem bei der früheren Revision vorgefundenen, legt das Poststück unter amtlichen Verschluß und giebt dasselbe, von einer offenen Inhaltserklärung begleitet, an die Poststelle behufs der Rücksendung zurück.

Bleiben Poststücke, die vom Auslande eingegangen sind, unabgeholt, so werden solche entweder nach Maßgabe der obigen Vorschriften wieder in das Ausland ausgeführt, oder nach den bestehenden Postreglements behandelt.

Im Falle sie innerhalb des Zollgebiets verbleiben, ist von denselben der tarifmäßige Eingangszoll zu entrichten.

II. Abschnitt.

Abfertigung der aus dem Zollgebiet mit den Posten ausgehenden Gegenstände.

§. 13.

Sollen ausgangszollpflichtige Gegenstände des freien Verkehrs aus dem Zollgebiet mittelst der Posten nach dem Zollauslande versendet werden, so liegt dem Absender ob, vorher bei der Zollbehörde den Ausgangszoll zu entrichten.

Die darüber erhaltene Quittung muß der Absender dem Poststücke offen beifügen. Die Postbehörde versieht diese Quittung mit einer Bescheinigung über den Zustand des Packets und übergiebt dieselbe der Ausgangszollstelle.

§. 14.

Wenn unverzollte Waaren aus einer Niederlage mittelst der Posten in das Zollausland gesandt werden sollen, so wird dem Absender darüber ein Begleitschein oder ein diesen vertretendes Abfertigungspapier ertheilt und dem Poststücke beigefügt. Der Absender haftet für den Eingangszoll nach den gesetzlichen Vorschriften. Auf dem Begleitbriefe, beziehungsweise der Begleitadresse muß seitens des Absenders vermerkt sein: „nebst Begleitschein".

Die Postbehörde versieht das zollamtliche Begleitpapier mit einer Bescheinigung über den Zustand des Packets und stellt das letztere mit dem Abfertigungspapier der Ausgangszollstelle zu.

III. Abschnitt.

Abfertigung von Gegenständen, welche mit den Posten durch das Zollgebiet durchgeführt werden.

§. 15.

Den zur Durchführung durch das Zollgebiet bestimmten Poststücken ist von dem Absender eine Inhaltserklärung nach Maßgabe der Vorschriften im §. 1 beizufügen.

Die Poststücke werden beim Eingang in das Zollgebiet zollamtlich ebenso behandelt, wie solches im §. 5 rücksichtlich der im Zollgebiet verbleibenden Poststücke vorgeschrieben ist. Beim Ausgang werden

den abfertigenden Zollbeamten sämmtliche Inhaltserklärungen beziehungsweise Revisionsnoten und auf Verlangen die Postkarten oder die Begleitbriefe zur Vergleichung mit den ausgehenden Poststücken vorgelegt.

Der Zollbehörde bleibt vorbehalten, auf solchen Kursen, auf welchen die Durchführung der Poststücke durch das Zollgebiet zweckmäßig unter Gesammtverschluß erfolgen kann, namentlich in den Fällen, in denen die Durchführung ohne Wagenwechsel erfolgt, die desfallsige Vorschrift des §. 5 in Anwendung zu bringen oder auch statt des Gesammtverschlusses amtliche Begleitung eintreten zu lassen.

IV. Abschnitt.

Abfertigung von Postsendungen, welche aus einem Orte des Zollgebiets durch das Zollausland nach einem anderen Orte des Zollgebiets gehen.

§. 16.

Bei Gegenständen des freien Verkehrs, welche von zollinländischen Postanstalten aus Orten des Zollgebiets durch das Zollausland nach Orten des Zollgebiets befördert werden sollen, bedarf es der Beifügung von Inhaltserklärungen nicht. Die zum Durchgang durch das Zollausland bestimmten Poststücke werden von der Ausgangsstelle unter zollamtlichen Gesammtverschluß oder, soweit dies nicht ausführbar, unter Einzelverschluß gesetzt, und es wird, daß und wie dies geschehen, auf den Postkarten bescheinigt. Beim Wiedereingang prüft die Eingangszollstelle die Unverletztheit des amtlichen Verschlusses, worauf die Gegenstände in den freien Verkehr gesetzt werden. An Stelle des Verschlusses kann auch amtliche Begleitung treten.

Mit Genehmigung der Direktivbehörde kann, namentlich auf kurzen das Ausland berührenden Straßenstrecken, von dem zollamtlichen Verschlusse oder von der amtlichen Begleitung Abstand genommen werden. Die Eingangszollstelle hat in diesem Falle durch Vergleichung der Poststücke mit den Postkarten oder den Begleitbriefen von der Abstammung derselben aus dem freien Verkehr des Zollgebiets Ueberzeugung zu nehmen.

V. Abschnitt.

Folgen unrichtiger Inhaltserklärungen.

§. 17.

Wenn der Inhalt eines Poststücks bei der Eröffnung und Untersuchung durch die Zollbeamten nicht mit der ausgestellten Inhaltserklärung (§. 1) übereinstimmend befunden wird und nach den obwaltenden Umständen der Verdacht einer beabsichtigten Defraudation begründet erscheint, so wird nach den wegen unrichtiger Deklaration im Vereinszollgesetz enthaltenen Vorschriften weiter verfahren.

Anweisung zur Ausführung des Post-Zollregulativs.

1. Zu §. 2.

Sendungen mit zollpflichtigem Inhalt im Gewicht von 250 g und darüber, soweit sie nicht zu den im §. 2 bezeichneten Sendungen gehören, dürfen in den vom Auslande eingehenden Brief- und Fahrpostbeuteln oder Brief- und Fahrpostpacketen nicht verpackt sein.

Zur Sicherung des Zollinteresses haben die Zoll- und Steuerbeamten sich hin und wieder unmittelbar nach Ankunft der Briefposten am Bestimmungsorte in das Postamt zu verfügen und dem Oeffnen der Briefbeutel beizuwohnen. Der Postabfertigungsdienst darf jedoch dadurch nicht gestört werden.

2. Zu §. 3.

Die Revisionsnoten, welche bei dem Fehlen von Inhaltserklärungen ausgefertigt werden sollen, haben fortan nur den Zweck, neben den Marken von rothem Papier (§. 5), mit welchen die Poststücke zu bekleben sind, die Postbeamten darauf aufmerksam zu machen, daß es sich um ein vom Auslande eingegangenes Poststück handelt.

Die Verzollung erfolgt stets nach dem Ergebniß des Revisionsbefundes (§. 10).

3. Zu §. 4.

Alle Zoll- und Steuerstellen ohne Unterschied sind zur selbstständigen schließlichen Abfertigung der vom Auslande eingegangenen Poststücke, ohne Rücksicht auf deren Gewicht und die Höhe des Eingangszolles, befugt. Den Bezirks-Oberkontrolören ist jedoch zur Pflicht zu machen, sich, soweit es ihre sonstigen dienstlichen Geschäfte gestatten, bei den Zollabfertigungen zu betheiligen. Auch haben die Oberinspektoren bei ihren Bezirksbereisungen die vorgekommenen Abfertigungen, soweit thunlich, nachträglich zu prüfen.

4. Zu §. 5.

1. Rücksichtlich der Begleitung der Posten durch Zollbeamte von der Grenze bis zur Grenzstation bewendet es bei den bisherigen Bestimmungen.

Ebenso ist auch ferner dafür zu sorgen, daß zur Zeit des Eintreffens einer aus dem Auslande einfahrenden Post auf der Grenzstation die zur zollamtlichen Abfertigung bestimmten Zollbeamten in einer dem Bedürfniß entsprechenden Zahl in den Postlokalen anwesend sind.

2. Gleich nach Ankunft der Posten beziehungsweise der Eisenbahn-Posttransporte an der Grenzstation werden die Wagen unter den Augen der Zollbeamten abgeladen, welche davon Ueberzeugung zu nehmen haben, daß in den Wagen nichts zurückbleibt.

Bei dem Abladen werden gesondert:

a) die im Grenzort bleibenden Postgüter,
b) die weitergehenden Postgüter, und
c) das etwaige Passagiergut.

Die eingegangenen Inhaltserklärungen zu den Postgütern und die Postkarten werden den Zollbeamten vorgelegt.

Die Begleitbriefe sind von den Zollbeamten nur dann einzusehen, wenn die Inhaltserklärungen fehlen und daher Revisionsnoten (§. 3) auszufertigen sind, oder wenn sonstige Umstände es nothwendig erscheinen lassen, auf die Begleitbriefe zurückzugehen.

Das Passagiergut, welches die mit der Post vom Auslande kommenden Reisenden bei sich führen, wird von den Zollbeamten auf der Grenzstation in Gegenwart der Reisenden, welchen das Gut gehört, geöffnet und revidirt.

Von den etwa vorgefundenen zollpflichtigen Gegenständen wird zur Stelle der Eingangszoll erhoben, zu welchem Zweck die in das Postlokal abgeordneten Zollbeamten ein besonderes Heberegister zu führen haben. Die Abfertigung ist thunlichst zu beschleunigen.

3. Es werden Marken von rothem Papier in größerem und kleinerem Format mit der Aufschrift „Zollstück" geliefert, mit denen die Poststücke, welche der Vorabfertigung unterlegen haben, zu bekleben sind. Die Marken in kleinerem Format sind zur Beklebung kleiner Poststücke zu verwenden.

Ein angemessener Vorrath ist von den betreffenden Zollstellen im Voraus mit einem schwarzen Abdruck des Dienststempels zu versehen.

Bei dem Bekleben der Poststücke mit der Zollmarke ist darauf zu achten, daß die Postzeichen auf den Poststücken dadurch nicht berührt werden.

Nach erfolgter zollamtlicher Vorabfertigung sind der Postbehörde die Packete zurückzuliefern und die dazu gehörigen Inhaltserklärungen oder Revisionsnoten zu überweisen.

Diejenige Postanstalt, welche Sendungen vom Zollauslande zuerst umspedirt, vermerkt auf die Vorderseite des Begleitbriefs mit blauer Tinte ein großes A und die Zahl der zu dem Packete gehörigen Inhaltserklärungen oder Revisionsnoten.

5. Zu §. 6.

Ueber den Empfang der Poststücke nebst den dazu gehörigen Inhaltserklärungen oder Revisionsnoten wird von der Zoll- oder Steuerstelle, welche die schließliche Abfertigung zu bewirken hat, eine Bescheinigung ertheilt.

Die Form dieser Bescheinigung ist nach Maßgabe der örtlichen Verhältnisse zu regeln.

Die Inhaltserklärungen und Revisionsnoten bleiben als Beläge bei dem Post-Eingangskonto, welches nach dem bisher vorgeschriebenen Muster fortzuführen ist. Ebenso verbleibt es rücksichtlich der Verrechnung der erhobenen Abgaben bei den bisherigen Bestimmungen.

6. Zu §. 7.

Bei den Waarenproben und Mustern (§ 2 Ziffer 5) ist im Interesse des Verkehrs eine besondere Beschleunigung der Beförderung an den Adressaten wünschenswerth.

Die Steuerbehörden haben sich mit den Postanstalten des Orts darüber zu verständigen, wie dieser Zweck ohne Benachtheiligung des Zollinteresses am besten zu erreichen ist.

7. Zu §. 10.

Rücksichtlich der verdorben oder zerbrochen ankommenden oder auf dem Transport zu Grunde gegangenen Gegenstände bewendet es bei der Bestimmung des Vereinszollgesetzes im §. 48 und den hierzu erlassenen Ausführungsvorschriften.

8. Zu §. 11.

Ueber den Rückempfang der Sendung hat die Postbehörde der Zollstelle Quittung zu leisten.

9. Zu §. 12.

1. Hinsichtlich des Verfahrens bei Rückzahlung des erhobenen Eingangszolls an die Postanstalt gelten die allgemeinen wegen Restitution von Gefällen erlassenen Bestimmungen.

2. Bleiben zollpflichtige Packete, zu welchen der Adressat den Begleitbrief angenommen hat, bei der Zollbehörde unabgeholt, so hat die Zollbehörde die Postanstalt davon zu benachrichtigen, welche letztere das Weitere veranlaßt.

10. Zu §. 15.

Die zollamtliche Abfertigung ist darauf zu beschränken, daß die zum Ausgange gestellten Poststücke mit den Inhaltserklärungen beziehungsweise Revisionsnoten verglichen und letztere nach erfolgtem Ausgange der Stücke abgestempelt und gesammelt werden.

Sind die durchgehenden Poststücke unter Gesammtverschluß gesetzt, so wird beim Ausgang der Verschluß abgenommen.

Ausführungsvorschriften

zu

dem Gesetz wegen Erhebung der Brausteuer vom 31. Mai 1872.

Zur Ausführung des Gesetzes wegen Erhebung der Brausteuer vom 31. Mai 1872 werden in Gemäßheit des §. 43 dieses Gesetzes die folgenden näheren Vorschriften ertheilt:

1. Zu §. 1.

a. Unter „Getreide" (Ziffer 1) ist Getreide aller Art, auch Mais und Buchweizen zu verstehen, gleichviel ob diese Stoffe in Körnern oder geschrotet, gemalzt oder ungemalzt, trocken oder angefeuchtet (gesprengt) zur Waage gestellt werden.

b. Grüne Stärke (§. 1 Ziffer 3 des Gesetzes) ist die mit Wasser getränkte Rohstärke, welche bei der Stärkebereitung nach dem Ablassen des überstehenden Wassers in den Absatzkästen verbleibt. Sie hat bei einem Wassergehalt von mindestens 30 bis zu 33 Prozent die Konsistenz eines steifen Teiges, bildet zusammenhängende Massen und kann durch Druck mit der Hand zusammengeballt oder sonst geformt werden, ohne daß dabei Wasser abfließt.

Fehlen dem als grüne Stärke angemeldeten Braustoffe die vorerwähnten Eigenschaften zur Zeit der Einmaischungsabfertigung (§. 20 des Gesetzes), so ist für denselben die Versteuerung als trockene Stärke (§. 1 Ziffer 4) in Anspruch zu nehmen. In zweifelhaften oder streitigen Fällen ist der Wassergehalt der Stärke durch Austrocknen an der Luft nach folgendem Verfahren festzustellen. Es wird eine Menge von etwa 20 bis 25 g Stärke abgewogen, auf einen Porzellanteller geschüttet, sodann zertheilt und während mehrerer Tage in gewöhnlicher Stubenwärme sich selbst überlassen. Die ausgetrocknete Stärke wird aufs Neue verwogen und der ermittelte Gewichtsunterschied im Verhältniß zu dem ursprünglichen Gewicht ergiebt den Wassergehalt der Stärke. Die Feststellung erfolgt durch die Hebestelle, welcher eine von den Aufsichtsbeamten und dem Brauer einzusiegelnde Probe, deren Gewicht sofort nach der Entnahme festzustellen, einzureichen ist.

c. Zu den nicht näher benannten Malzsurrogaten, welche nach der Ziffer 7 im §. 1 des Gesetzes dem Steuersatze von 8 Mark für 100 kg unterliegen, gehören nur solche beim Brauen verwendete Stoffe, welche alkoholbildende Substanzen (wie Stärkemehl oder gährungsfähigen Zucker) als wesentliche Bestandtheile enthalten. Dahin sind unter anderen zu rechnen sogenannte Bier- oder Zuckerkulör, Honig, sowie jede Art von Obst (frisch oder getrocknet), ferner zucker- oder stärkemehlhaltige Feldfrüchte, insonderheit Rüben.

Dagegen kann z. B. das Glycerin, welches neuerdings in wasserhell gereinigter Gestalt dem Bier vielfach zur Verbesserung des Geschmacks zugesetzt wird, als ein Produkt aus thierischen Fetten ebenso wenig zu den Malzsurrogaten gezählt werden, wie etwa der Hopfen, die Quassia oder ähnliche Bierwürzmittel. Sogenannte Farbebiere, für welche bereits bei ihrer Herstellung die gesetzliche Brausteuer entrichtet worden ist, sind, wenn sie als Bierfärbemittel anderem Bier zugesetzt werden sollen, von der nochmaligen Entrichtung der Brausteuer befreit, sobald den von den obersten Landes-Finanzbehörden anzuordnenden Identitätskontrolen Genüge geleistet wird.

d. Die Herstellung des in den Apotheken und chemischen Laboratorien nach den Vorschriften der Pharmacopoea Germanica bereiteten, einer Gährung nicht unterworfenen Malzextrakts (extractus malti) ist vorbehaltlich einer allgemeinen Aufsicht zur Verhütung von Mißbräuchen der Brausteuer nicht unterworfen.

1a. Zu §. 2.

Die Steuerpflichtigkeit der Essigbereitung nach Maßgabe des §. 2 des Gesetzes tritt auch in dem Falle ein, wenn aus der zur Herstellung des Essigs dienenden Malzwürze zugleich flüssige Hefe (sogenannte Kunsthefe) gewonnen wird.

Dagegen wird in allen Fällen, in welchen die Essigbereitung vorwiegend aus Branntwein erfolgt, durch einen weiteren Zusatz der im §. 1 des Gesetzes aufgeführten Braustoffe die Steuerpflicht nicht begründet.

2. Zu §. 3.

Feststellung des Nettogewichts der Braustoffe.

Das der Versteuerung zu Grunde zu legende Nettogewicht ist entweder durch Verwiegung der Braustoffe allein oder in der Weise zu ermitteln, daß das Bruttogewicht der Maischpost festgestellt und von demselben das nach der Entleerung zu ermittelnde Gewicht der Umschließung abgezogen wird.

Kommen in der Brauerei die Braustoffe regelmäßig in Säcken von derselben Beschaffenheit und Größe zur Waage, so sind Probeverwiegungen zulässig.

Bestehen in einer Brauerei besondere Einrichtungen, vermöge welcher die Braustoffe unverpackt in Kasten oder sonstigen festen Behältern zur Waage abgelassen werden, so ist dabei zu unterscheiden, ob ein solcher Kasten oder Behälter von der Waage selbst getrennt ist, oder mit letzterer ein zusammengehörendes Ganze der Art bildet, daß die Waage im Gleichgewicht steht, wenn keine Gewichte aufliegen und der Behälter leer ist. In letzterem Falle ist selbstverständlich das jedesmal ermittelte Gewicht zugleich das Nettogewicht, dessen Richtigstellung im Falle des Bedürfnisses durch sogenannte Tarirkästchen auf Kosten des Brauers zu sichern ist. Im ersteren Falle dagegen ist das Gewicht der Behälter jedesmal entweder vor ihrer Befüllung oder nach ihrer Entleerung besonders festzustellen und von dem Bruttogewicht der Maischpost abzuziehen. Doch kann auch, sofern eine Vertauschung oder Gewichtsänderung solcher Behälter entweder nach ihrer Beschaffenheit nicht zu befürchten oder durch Anlegung amtlicher Identitätszeichen zu verhüten ist, eine Tarirung derselben, vorbehaltlich periodischer Nachprüfungen, ein- für allemal erfolgen. Der Brauereibesitzer hat alsdann auf Verlangen der Steuerbehörde die solcher Art ermittelte Tara auf dem Behälter selbst deutlich bezeichnen zu lassen und jede demnächst etwa beabsichtigte Veränderung in der Größe oder Konstruktion des Behälters der Steuerbehörde vorher schriftlich anzuzeigen. Das Ergebniß der Tarirungen wird von den Aufsichtsbeamten im Brausteuerbuche (Muster G, Spalte „Sonstiger Revisionsbefund") beziehungsweise im Revisionsnotizbogen (Nr. 15) vermerkt.

3. Zu §. 4.

Die Grundsätze für die Fixation der Brausteuer enthält die Anlage I. Anlage I.

4. Zu §. 5.

Steuerfreiheit des Haustrunks.

I. Die Anmeldung zur steuerfreien Bereitung des Haustrunks erfolgt seitens der dazu Berechtigten schriftlich bei der Steuerhebestelle des Wohnorts unter Angabe:

a) der Zahl der zum Haushalt gehörigen Personen über 14 Jahre,

b) des Zeitraums, für welchen die Anmeldung gelten soll.

Die Anmeldung geschieht nach Maßgabe des anliegenden Musters A in doppelter Ausfertigung und kann sämmtliche zur steuerfreien Bereitung des Haustrunks Berechtigte derselben Ortschaft umfassen. A.

Die Ortsbehörde hat die Richtigkeit des angemeldeten Personenstandes auf der Anmeldung zu bescheinigen.

Vorübergehend angenommene Arbeiter oder Dienstleute werden, wenn sie im Haushalt Kost und Wohnung erhalten, zum Haushalt gerechnet.

II. Die Anmeldung (I) dient zugleich als Anmeldungsschein (§. 5 Abs. 2 des Gesetzes). Die Hebestelle hat denselben in der Regel auf die Dauer eines vollen Kalenderjahres, beziehungsweise wenn die Anmeldung erst im Laufe eines Jahres stattfindet, für den noch übrigen Theil des Kalenderjahres durch Vermerk auf der Anmeldung zu ertheilen.

Der Anmeldungsschein kann jedoch nach der Bestimmung der Direktivbehörde dem Anmeldenden auch auf mehrere — und zwar auf höchstens fünf — hintereinanderfolgende Kalenderjahre ertheilt werden. Treten im Laufe eines Jahres Umstände ein, durch welche die Steuerfreiheit gesetzlich ausgeschlossen wird, so hat der Anmeldende hiervon der Hebestelle sofort Anzeige zu machen. In solchem Falle erlischt die Berechtigung zur Steuerfreiheit mit dem Eintritt der Veränderung.

Das eine Exemplar des Anmeldungsscheins erhält der Anmeldende oder, im Falle einer gemeinschaftlichen Anmeldung, der Vorstand der betreffenden Ortschaft, beziehungsweise diejenige Person, welche von den Anmeldenden hierzu bezeichnet und auf beiden Exemplaren der Anmeldung anzugeben ist. Das andere Exemplar verbleibt der Hebestelle.

III. Die Aufsichtsbeamten haben von der Richtigkeit der Anmeldungen je nach der Bestimmung des Hauptamts entweder durchweg oder probeweise an Ort und Stelle Ueberzeugung zu nehmen und den Revisionsbefund in Spalte 8 der Anmeldung zu vermerken.

IV. Erlöschen Anmeldungsscheine, welche auf mehrere Jahre ertheilt sind, zufolge Veränderungen des Personenstandes ꝛc. vor Ablauf der ursprünglichen Gültigkeitsdauer, entweder ganz oder nur bezüglich einzelner Berechtigter, so sind dergleichen Scheine wieder einzuziehen, beziehungsweise von der Hebestelle zu berichtigen.

Nach Ablauf eines Anmeldungsscheins kann derselbe von der Hebestelle durch Vermerk auf dem vorzulegenden und auf dem bei letzterer befindlichen abgelaufenen Scheine, unter kurzer Angabe der etwa eingetretenen Veränderung des Personenstandes und der Dauer der neuen Gültigkeitsfrist, prolongirt werden.

V. Die Verabreichung von Bier an solche vorübergehend angenommenen Arbeiter oder Dienstleute, welchen keine Wohnung, sondern nur Lohn und Kost gewährt wird, gilt nicht als Ablassen gegen Entgelt im Sinne des §. 5 Absatz 3 des Gesetzes. Die Entziehung der Steuerfreiheit in Folge Mißbrauchs (§. 5 Abs. 4 des Gesetzes) auf bestimmte Zeit erfolgt durch Beschluß des zuständigen Hauptamts; dieselbe ist in der Regel nicht unter einem Jahre und nicht über fünf Jahre auszusprechen. Die Entziehung der Steuerfreiheit für immer erfolgt auf Antrag des Hauptamts durch die Direktivbehörde. In beiden Fällen steht dem Betheiligten das Recht der Beschwerde im geordneten Instanzenzuge zu.

5. Zu §. 6.

Die Vorschriften, betreffend die Rückvergütung der Brausteuer bei Versendungen von Bier in Anlage II. das Ausland, enthält die Anlage II.

6. Zu §. 7.

Erstattung der Steuer.

Der Brauer, welcher auf Grund der Bestimmungen unter Ziffer 1 und 2 die Erstattung der erlegten Brausteuer in Anspruch nimmt, hat den Thatbestand und die Ursachen der unvorhergesehenen Betriebshinderung der Bezirkshebestelle schriftlich und derart rechtzeitig anzuzeigen, daß die Meldung nach dem gewöhnlichen Laufe der Dinge noch innerhalb der gesetzlichen Frist von 24 Stunden bei der Hebestelle eingehen kann, welche ihrerseits den Bezirks-Ober-Kontrolör unverzüglich von dem Geschehenen in Kenntniß zu setzen hat.

Der Ober-Kontrolör, oder in dessen Abwesenheit der am Orte wohnende Aufseher oder der Erheber haben ohne Aufschub durch Augenschein, zuverlässige Zeugen, oder auf sonst geeignetem Wege die Richtigkeit der Anzeige an Ort und Stelle, unter Zuziehung des Brauers oder seines Stellvertreters zu prüfen, für das Unbrauchbarmachen der beschädigten Braustoffe, beziehungsweise der verdorbenen Maische oder der Würze zur deklarirten Bierbereitung, je nach Umständen auch für den Verschluß der außer Gebrauch kommenden Gefäße zu sorgen, endlich über das Ergebniß der Prüfung eine Verhandlung aufzunehmen und den Befund in dem Brausteuerbuche (Nr. 11 nachstehend) zu bescheinigen.

Die über die Betriebshinderung aufgenommenen Verhandlungen sind ohne Aufenthalt dem vorgesetzten Hauptamt zu übersenden, welches die Entscheidung der Direktivbehörde einzuholen hat.

Die etwaigen Kosten des Beweisverfahrens hat der Brauer zu tragen.

In anderen als den im §. 7 des Gesetzes vorgesehenen Fällen darf von den obersten Landes-Finanzbehörden der Erlaß oder die Erstattung einer nach dem Wortlaut des Gesetzes geschuldeten Abgabe auf gemeinschaftliche Rechnung bewilligt werden, wenn überwiegende Gründe der Billigkeit für einen solchen Nachlaß sprechen. Hierbei ist folgendes Verfahren einzuhalten:

1. in dem von der Direktivbehörde an die oberste Landes-Finanzbehörde über die Bewilligung des Steuernachlasses zu erstattenden Bericht ist jedesmal anzugeben, ob der bei derselben fungirende Reichsbevollmächtigte für Zölle und Steuern sich mit dem Erlaß auf gemeinschaftliche Rechnung einverstanden erklärt hat;

2. alljährlich ist ein bei der Direktivbehörde aufzustellendes, von dem Reichsbevollmächtigten mit zu beurkundendes Verzeichniß über sämmtliche in dem abgelaufenen Kalenderjahre bewilligte Nachlässe der bezeichneten Art von der obersten Landes-Finanzbehörde behufs Vorlage an den Bundesrath mitzutheilen.

Wird von dem Bundesrath bei der Prüfung der vorerwähnten Verzeichnisse der Erlaß oder die Erstattung eines Brausteuerbetrages auf gemeinschaftliche Rechnung nicht für zulässig erachtet, so ist dieser Betrag von der betheiligten Regierung auf privative Rechnung zu übernehmen.

7. Zu den §§. 9, 10, 12 und 13.

Nachweisung beziehungsweise Anmeldung der Brauereiräume und Gefäße, sowie der Orte für die Aufstellung der Waage und für die Aufbewahrung der Braustoffe. Inventarisirung.

I. Zur Nachweisung der Brauereiräume und Gefäße (§. 9) und gleichzeitig zur Anzeige des Aufstellungsortes der Waage (§. 12), sowie der Aufbewahrungsorte für die Vorräthe an Braustoffen (§. 13) hat der Brauer das von der Hebestelle in zwei Exemplaren zu beziehende Formular nach dem anliegenden Muster B zu benutzen. Beide Exemplare sind nach Maßgabe des Vordrucks und der darauf befindlichen Gebrauchsanweisung auszufüllen und, mit Datum und Namensunterschrift versehen, mindestens acht Tage vor Anfang des Betriebes der Brauerei der Hebestelle einzureichen. B.

Bei größeren Betriebsanstalten kann außerdem die Beifügung eines Grundrisses der Brauereiräume mit Einzeichnung der Geräthestellung verlangt werden.

Die Hebestelle hat die Nachweisung der Räume, Gefäße ꝛc. nach den unter III folgenden Vorschriften in das Brauereiinventarium einzutragen, daß solches geschehen, in beiden Exemplaren jener Nachweisung zu bescheinigen, und das eine Exemplar dem Anmeldenden zurückzugeben, welcher dasselbe nach näherer Anordnung des Ober-Kontrolörs an einer passenden Stelle in der Brauerei sorgfältig, und gegen Beschmutzung und Beschädigung geschützt, aufzubewahren hat. Das zweite Exemplar wird dem Ober-Kontrolör zugestellt, welcher den Inhalt der Nachweisung zunächst bezüglich der Räume und Gefäße mit dem wirklichen Bestande vergleicht, die amtliche Bezeichnung, und soweit erforderlich, die Vermessung der Gefäße nach den unter Nr. 8 zu II folgenden Vorschriften veranlaßt, und, nach dem Ergebniß der Prüfung, die Nachweisung in beiden Exemplaren berichtigt, beziehungsweise bescheinigt.

Besonderer Prüfung und der ausdrücklichen Genehmigung des Ober-Kontrolörs bedarf es bezüglich der Angemessenheit des Ortes zur Aufstellung der Waage und der Aufbewahrungsorte für die Vorräthe von Braustoffen. Der Aufstellungsort der Waage ist so zu wählen, daß die Verwiegung in thunlichster Nähe der Einmaischungsstelle erfolgen kann; auch hat der Ober-Kontrolör Ueberzeugung zu nehmen, daß Waage und Gewichte den Vorschriften über deren Aichung entsprechen und mit dem Aichstempel versehen sind. Rücksichtlich der Aufbewahrungsorte der Braustoffe sind die besonderen Bestimmungen unter Nr. 91 und IV zu beachten. Nach dem Ergebniß des Befundes hat der Ober-Kontrolör seine Genehmigung oder die nach Einvernehmen mit dem Brauer etwa anderweit getroffenen Anordnungen auf beiden Exemplaren der Nachweisung an der betreffenden Stelle zu bescheinigen. Findet über den Aufstellungsort der Waage oder über die Aufbewahrungsorte der Braustoffe eine Einigung nicht statt, so entscheidet das Hauptamt.

Nach erfolgter Prüfung und Bescheinigung hat der Ober-Kontrolör das für die Hebestelle bestimmte Exemplar der Nachweisung an diese, unter Beifügung der aufgenommenen Vermessungsverhandlungen ꝛc., zurückzugeben.

Die Steuerbehörde kann auch im Laufe des Betriebs die Einreichung einer neuen Nachweisung der Räume und Gefäße ꝛc. der Brauerei fordern, wenn die vorhandene nach dem Ermessen des Ober-Kontrolörs durch Eintragung vieler Zu- und Abgänge unübersichtlich oder sonst untauglich geworden ist.

IIa. Die nach Absatz 2 §. 9 des Gesetzes erforderlichen Anzeigen über Veränderungen in den Betriebsräumen oder an den Gefäßen sind nach dem beifolgenden Muster C gleichfalls in zwei Ausfertigungen der Hebestelle einzureichen, welche das eine Exemplar, mit ihrer Bescheinigung versehen, dem Anmeldenden zum Ausweise über die geschehene Anzeige zurückstellt. Das zweite Exemplar wird mit der Nummer des Inventariums versehen dem Ober-Kontrolör vorgelegt. C.

b. Der Ober-Kontrolör, beziehungsweise der Steueraufseher, hat von der Richtigkeit der Anzeige Ueberzeugung zu nehmen, das nach §. 11 des Gesetzes etwa Erforderliche zu veranlassen, auch nach

Maßgabe der eingetretenen Veränderung die in der Brauerei ausliegende Nachweisung der Räume, Gefäße ꝛc. zu berichtigen; das Geschehene ist von ihm auf der Veränderungsanzeige selbst kurz zu bescheinigen und letztere, nebst den etwa aufgenommenen Vermessungsverhandlungen, an die Hebestelle zurückzugeben.

c. Die erledigte Veränderungsanzeige und deren Anlagen werden von der Hebestelle dem Inventarienbelagshefte einverleibt und die stattgehabte Veränderung in dem Inventarium selbst vermerkt.

d. Zu den im §. 10 des Gesetzes für den Fall des Besitzwechsels von Braupfannen vorgesehenen Anzeigen ist ebenfalls das Muster C in doppelter Ausfertigung zu verwenden.

Sollen in diesem oder in dem vorstehend zu a gedachten Falle Brauereigefäße der übergebenen Anzeige zufolge in einen andern Hebebezirk versendet werden, so ist die zweite Ausfertigung der Veränderungsanzeige unmittelbar an die Hebestelle des Bestimmungsortes zu senden; auch sind, sofern die Gefäße zur Benutzung in einer anderen Brauerei bestimmt sind, die betreffenden Vermessungsverhandlungen urschriftlich beizufügen.

Die Hebestelle des Bestimmungsortes bescheinigt die erfolgte Meldung der Geräthe, beziehungsweise Gefäße auf der Rückseite der Veränderungsanzeige und sendet letztere an die Hebestelle des Absendungsortes zurück, welche damit nach der Bestimmung zu c weiter verfährt.

III. Jede Steuerhebestelle hat über die in ihrem Bezirk vorhandenen Brauereien, soweit deren Inhaber nach §. 9 des Gesetzes zur Anmeldung der Betriebsräume ꝛc. verpflichtet sind, ein Inventarium nach dem anliegenden Muster D zu führen. In demselben erhält jede Brauerei ihr Konto unter fortlaufender Nummer und mit dem erforderlichen Raum zu späteren Nachtragungen. Die Brauereien werden darin in der Zeitfolge des Eingangs der Nachweisung der Räume und Gefäße ꝛc. eingetragen und am Schlusse ein nach dem Namen der Brauereiinhaber alphabetisch geordnetes Register unter Hinweis auf die betreffende Nummer und Seite des Kontos hinzugefügt.

Als Beläge der Eintragungen in dem Inventarium dienen, für jede Brauerei in einem besonderen Heft nach der Zeitfolge geordnet:

a) die Nachweisung der Räume und Gefäße, sowie der genehmigten Orte für die Aufstellung der Waage und für die Aufbewahrung der Vorräthe an Braustoffen (oben Nr. 7 zu I) mit den etwa eingeforderten Grundrissen;
b) die Verhandlungen über die Vermessung der Gefäße;
c) die Veränderungsanzeigen;
d) im Falle der Verwendung von Malzsurrogaten die betreffende Generaldeklaration (§. 18 des Gesetzes);
e) im Falle eine Brauerei mit Nachmaischen betrieben wird, die nach §. 21 des Gesetzes hierüber erforderliche Anzeige.

Sobald die Nachweisung der Räume, Gefäße ꝛc. einer neu errichteten Brauerei bei der Hebestelle eingeht, hat letztere nach Maßgabe des Vordrucks die Eintragungen in der Uebersicht und in Spalte 2 des zu eröffnenden Inventarienkontos zu bewirken, demnächst aber auf Grund der erfolgten Bescheinigung der Nachweisung durch den Ober-Kontrolör die Nummern und den Literinhalt der Gefäße, sowie die Nummern der Beläge in den Spalten 1, 3 und 4 nachzutragen. In ähnlicher Weise erfolgt später aus Anlaß von Veränderungsanzeigen die entsprechende Zuschreibung neuer oder Umschreibung im Inhalte veränderter Gefäße in den Spalten 1 bis 4. Ein Abgang an Gefäßen ist neben einfacher Durchstreichung der betreffenden Eintragung in Spalte 5 bis 6 zu vermerken.

Ueber den Inhalt der oben unter a bis e genannten Beläge genügen möglichst kurze nachrichtliche Vermerke in Spalte 7 des Inventariums nach Anleitung der Probeeintragungen im Muster.

Geht eine Brauerei ein, so ist dies am Schlusse des Kontos unter Durchkreuzung des letzteren zu vermerken.

Das Belagsheft schließt in diesem Falle mit den Belägen über den Abgang der Geräthe und Gefäße.

IV. Jede Hebestelle hat dem vorgesetzten Hauptamt:

a) bei der ersten Anlegung eine vollständige Abschrift ihres Brauereiinventariums, jedoch ohne Beläge und ohne Angabe der Belägenummern,
b) vierteljährlich eine Nachweisung der stattgehabten Veränderungen dieses Inventars nach dem anliegenden Muster E

einzureichen, nachdem die Richtigkeit und Vollständigkeit des Inhalts jedesmal zuvor vom Bezirks-Ober-Kontrolör geprüft und auf den Schriftstücken selbst bescheinigt worden.

Das Hauptamt berichtigt die bei ihm beruhenden Inventarien nach Maßgabe der angezeigten Veränderungen und bewahrt die Nachweisungen für jeden Hebebezirk in besonderen Heften nach der Zeitfolge geordnet auf.

8. Zu §. 11.

Vermessung, Bezeichnung und Verschluß der Gefäße.

I. Die amtliche Bezeichnung der angemeldeten Gefäße, ingleichen die Bezeichnung des Rauminhalts und der Nummer derselben erfolgt nach näherer Bestimmung des Ober-Kontrolörs.

II. Die Vermessung der Gefäße der Brauerei (§. 11 des Gesetzes) geschieht der Regel nach auf trockenem Wege mittelst des Metermaaßes, wobei die von dem Rechnungsrath Conradi zu Berlin herausgegebenen und mit einer Vermessungsanleitung versehenen Tabellen zur Bestimmung des Literinhalts cylindrischer Räume anzuwenden sind. Doch kann das Hauptamt nach Ermessen für diejenigen Gefäße, in welchen nach der Bestimmung des Ober-Kontrolörs demnächst das gezogene Bier vermessen werden soll, die Vermessung auf nassem Wege (mit Wasser unter Anwendung des Litermaaßes) anordnen. Die Vermessung der Gefäße, welche zur Kontrole des Bierzuges dienen, muß stets durch den Ober-Kontrolör unter Zuziehung eines zweiten Beamten, sowie des Brauereiinhabers oder eines von diesem zu bezeichnenden Stellvertreters erfolgen.

Der Rauminhalt des zur Vermessung des Bierzuges dienenden Gefäßes muß allemal unter Feststellung einer bestimmten Skala ermittelt und letztere entweder auf einem besonders zu fertigenden und in der Brauerei aufzubewahrenden Maaßstocke oder in geeigneter Weise an der inneren Wand des Gefäßes selbst, dergestalt kenntlich gemacht werden, daß später der kontrolirende Beamte aus dem Höhenstande des Bieres im Gefäße an der Skala ohne Weiteres übersehen kann, welche Menge sich im Gefäß befindet.

Von einer amtlichen Nachmessung der für den Zweck der Steuerkontrole minder wichtigen Maisch-, Koch- und Kühlgefäße einer Brauerei kann nach näherer Bestimmung des Hauptamts ganz Abstand genommen werden, wenn gegen die Richtigkeit der betreffenden Angaben der Nachweisung der Gefäße ꝛc. keine besonderen Bedenken obwalten. In diesem Falle ist der vom Brauer deklarirte Literinhalt für die Bezeichnung auf den Gefäßen und für die Eintragung in das Brauereiinventarium maßgebend.

Ueber die bewirkten Vermessungen sind für jedes Gefäß getrennte, das beobachtete Messungsverfahren ausführlich darstellende Verhandlungen in je zwei Exemplaren aufzunehmen und der Hebestelle zu übersenden. Letztere prüft die Inhaltsberechnung, bescheinigt die Richtigkeit derselben oder veranlaßt die Berichtigung und händigt das eine Exemplar dem Brauer zur Aufbewahrung in der Brauerei bei dem dortigen Exemplar der Nachweisung der Räume, Gefäße ꝛc. aus (Nr. 7 zu I oben), wogegen das zweite Exemplar dem Belagsheft des Brauereiinventariums einverleibt wird.

III. Der im zweiten Absatz des §. 11 vorgesehene Verschluß der Geräthe geschieht in der Regel durch Befestigung von Papierstreifen mittelst amtlicher Siegelabdrücke an dem Boden oder den inneren Seitenflächen der Gefäße und ist zur Erleichterung der Kontrole insbesondere dann zu bewirken, wenn Brauereien auf längere Dauer außer Betrieb treten oder wenn im räumlichen Zusammenhange mit einer nicht fixirten Brauerei das Brennereigewerbe betrieben wird.

Die Abnahme des Verschlusses zum Zweck des Wiedergebrauchs oder der Reinigung der Gefäße ist bei der Hebestelle schriftlich oder mündlich, unter Angabe des Tages, an welchem die Abnahme erfolgen soll, zu beantragen und durch den Bezirksaufseher zu bewirken, kann jedoch, sofern letzterer an dem hierfür bestimmten Tage nicht erscheint, auch durch den Brauer oder dessen Stellvertreter unter Zuziehung eines glaubwürdigen Zeugen vorgenommen werden.

Die erfolgte Anlegung oder Abnahme amtlicher Geräthverschlüsse ist vom Revisionsbeamten oder dem Brauereiinhaber und dem Zeugen in der hierfür bestimmten Spalte des Steuerbuchs (Muster G Nr. 11 zu I nachstehend) zu vermerken.

9. Zu den §§. 13, 14, 18 und 20.

Gesetzliche Beschränkungen des Brauers in Bezug auf die Aufbewahrung etc. der Braustoffe bis zu deren Verwendung, und zwar

a. der Getreidestoffe.

Die gesetzlichen Beschränkungen des Brauers in Bezug auf die Aufbewahrung der Braustoffe bis zu ihrer Verwendung, sowie in Bezug auf Zeit und Art der letzteren sind je nach der Beschaffenheit dieser Braustoffe verschieden.

I. Von den im §. 1 Nr. 1 des Gesetzes bezeichneten, zur Bierbereitung bestimmten Getreidestoffen unterliegt nur Malzschrot (also weder ungemälztes Getreide noch ungeschrotetes Malz), und zwar nur insoweit einer Steuerkontrole, als

a) Vorräthe des Brauers nur an bestimmten, ein- für allemal vorher anzuzeigenden geeigneten Orten aufzubewahren sind (§. 13 Absatz 1 des Gesetzes) und

b) diese Vorräthe zwar so lange als keine Brauanzeige (§. 16) erfolgt ist, an dem angezeigten Aufbewahrungsorte ohne Beschränkung ihrer Menge gehalten werden können; aber sobald der Hebestelle Braueinmaischungen angemeldet sind, die Menge, welche für den nächsten Betriebstag und — im Falle gleichzeitiger Anmeldung mehrerer Braumaischen im Voraus — für den auf den ersten Betriebstag folgenden Kalendertag zur Einmaischung deklarirt ist, nicht übersteigen dürfen (§. 13 Absatz 3 daselbst).

Der Aufbewahrungsort dieser Vorräthe ist thunlichst in nicht zu großer, einer schnellen Abfertigung hinderlichen Entfernung einerseits von der Waage und andererseits von den Maischgefäßen zu wählen.

Ein Wechsel des einmal genehmigten Aufbewahrungsortes im Laufe des Betriebes ist nur auf Grund schriftlicher Veränderungsanzeige, zu welcher das Muster C Verwendung finden kann, mit Genehmigung des Bezirks-Ober-Kontrolörs zulässig.

b. sämmtlicher Surrogate.

II a) Die Vorräthe eines Brauers an Malzsurrogaten, das heißt an den im §. 1 unter Nr. 2 bis einschließlich 7 des Gesetzes genannten Stoffen unterliegen insoweit, als sie nach dem Ermessen der Steuerbehörde den Bedarf des eigenen Haushalts übersteigen, zwar der vorstehend unter Ia gedachten Beschränkung in Bezug auf den Ort der Aufbewahrung, aber nicht der unter Ib für Malzschrot angegebenen Beschränkung in Bezug auf die Menge.

Als „Bedarf des eigenen Haushalts" im Sinne des Gesetzes können solche Vorrathsmengen von der Kontrole frei bleiben, wie sie in der betreffenden Gegend in Haushaltungen ähnlicher Art gewöhnlich für den Wirthschaftsbedarf gehalten zu werden pflegen.

b) Ueber die Verwendung der Surrogate ist nach näherer Vorschrift des §. 18 Absatz 1 ein- für allemal eine Generaldeklaration abzugeben.

Brauer, welche in ihren Brauereien Surrogate verwenden wollen, haben mindestens drei Tage vor der beabsichtigten ersten Verwendung der Art der Bezirkshebestelle ihre schriftlichen Deklarationen in zwei gleichlautenden Exemplaren einzureichen. Der Inhalt derselben kann sich im Wesentlichen auf die Erklärung des Brauers:

> daß derselbe fortan anstatt des Getreideschrots oder neben demselben noch andere — ihrer Gattung nach näher zu bezeichnende — steuerpflichtige Braustoffe in seiner Brauerei zu verwenden gedenke,

sowie auf eine bestimmte Angabe darüber beschränken:

> in welcher Gestalt (z. B. ob rein oder vermischt, ganz oder zerkleinert, trocken oder in Flüssigkeit aufgelöst u. s. w.) und bei welchem Abschnitte des Brauprozesses (ob beim Einteigen oder Sieden der Maische, beziehungsweise bei Bereitung der Dick- oder der Lautermaische, ob bei dem Abläutern oder Kochen der Würze und in letzterem Falle ob vor oder nach der Hopfenbeimischung u. s. w.) die Verwendung des betreffenden Surrogats erfolgen solle.

Dagegen bedarf es der Angabe der im einzelnen Braufalle zu verwendenden Surrogatmengen in der Generaldeklaration nicht.

Nach erfolgter Prüfung der letzteren durch den Bezirks-Ober-Kontrolör ist das eine Exemplar derselben dem Brauer zur Aufbewahrung an dem für die Nachweisung der Räume, Gefäße 2c. bestimmten Orte in der Brauerei (Nr. 7 zu I vorstehend) zurückzugeben, das zweite Exemplar aber nach Eintragung eines entsprechenden Vermerks in Spalte 7 des Brauereiinventariums dem Belagsheft des letzteren einzuverleiben.

In gleicher Weise ist zu verfahren, wenn ein Brauer in Folge beabsichtigter dauernder Abänderungen in der Art der Surrogatverwendung eine neue Generaldeklaration bei der Hebestelle einreicht. Das in der Brauerei befindliche Exemplar der älteren Deklaration ist demnächst der Hebestelle zurückzuliefern und von dieser mit einem entsprechenden Kassationsvermerk zu versehen.

c) Vorräthe an Surrogaten, welche weder zur Bierbereitung noch für Bedarf des eigenen Haushalts bestimmt sind, namentlich also solche Vorräthe, welche zum Verkauf oder zu anderen gewerblichen Zwecken dienen sollen (z. B. Stärke zur Syrup- oder Zuckerbereitung, Stärkezucker zur Weinbereitung u. a. m.), sind der Hebestelle besonders schriftlich anzumelden und in gleichzeitig anzuzeigenden, von der Brauerei selbst gänzlich getrennten Räumen mit Genehmigung der Steuerbehörde aufzubewahren (§. 13 Absatz 4 des Gesetzes).

Ob und in welcher Art ein Brauer zu verpflichten sei, über den Zu- und Abgang an solchen Vorräthen besonders Buch zu führen, sowie ob und unter welchen Modalitäten dergleichen Vorräthe unter Mitverschluß der Steuerbehörde zu setzen seien, darüber hat das Hauptamt, vorbehaltlich des Rekurses an die Direktivbehörde, je nach den örtlichen und sonst obwaltenden Umständen des einzelnen Falles, insbesondere mit Rücksicht auf die größere oder geringere Gefahr einer heimlichen Verwendung der Vorräthe in der betreffenden Brauerei, Entscheidung zu treffen.

c. der Surrogate, mit Ausnahme von Reis und Stärke.

III. In Ansehung des Zuckers und Syrups, sowie der im Gesetze selbst nicht näher benannten Surrogate (§. 1 Ziffer 5 bis 7 einschließlich) treten neben den vorstehend zu II a bis c aufgeführten als weitere gesetzliche Beschränkungen hinzu, daß die Stoffe:

a) in der Regel nur innerhalb der Zeit von dem Beginn der Einmaischung bis zur Beendigung des Kochens der Bierwürze verwendet (§. 18 Absatz 2) und

b) weder zu einem früheren Zeitpunkt als mit Beginn des in der Generaldeklaration für die Verwendung angezeigten Abschnitts des Brauprozesses, noch in einer größeren Menge, als nach der Brauanzeige (§. 16) für das betreffende Gebräue versteuert worden, in die Braustätte eingebracht werden dürfen (§. 20 Absatz 4).

Wenn ein Brauer, gegen die Regel zu a, eine spätere Zusetzung von Surrogaten zu dem bereits gekochten Bier (z. B. auf dem Kühlschiffe, den Stellbottichen, den Gährgefäßen, Lagerfässern oder Flaschen) wünscht, so hat er das technische Bedürfniß hierfür in der einzureichenden Generaldeklaration näher zu begründen. Dem Antrage kann von der Direktivbehörde unter Anordnung der erforderlichen Kontrolen, sowie unter Vorbehalt jederzeitigen Widerrufs für den Fall eines Mißbrauchs dann entsprochen werden, wenn durch Gutachten von Technikern oder sonst auf überzeugende Art der Nachweis erbracht ist, daß die Zusetzung des betreffenden Surrogats innerhalb der im §. 18 Absatz 2 des Gesetzes begrenzten Abschnitte der Bierbereitung den Zweck der Verwendung vereiteln oder doch von nachtheiliger Einwirkung auf die Güte des Fabrikats sein würde. Solchen auf Deklaration steuernden Brauern, welchen in der vorerwähnten Weise gestattet wird, Zucker, Syrup oder nicht besonders benannte Malzsurrogate (§. 1 Nr. 5 bis 7 des Gesetzes) dem bereits gekochten Bier zuzusetzen, kann von der Direktivbehörde eine besondere Fixation der von diesen Stoffen zu entrichtenden Brausteuer nach den Grundsätzen der Anlage I zu Nr. 3 bewilligt oder auch unter Anordnung geeigneter Kontrole nachgelassen werden, die innerhalb eines bestimmten Zeitabschnitts auf den Lagerfässern oder Flaschen zuzusetzende Menge von Malzsurrogaten der gedachten Art im Ganzen voraus zu deklariren.

Unter „Braustätten" im Sinne des Gesetzes sind alle diejenigen Räume eines Brauereigrundstücks zu verstehen, in welchen das Einteigen und Kochen der Maische, das Abläutern, Kochen und Kühlen der Würze, sowie die Abgährung des Bieres erfolgt.

d. der Zuckerstoffe.

IV. Endlich hat der Brauer, jedoch nur unter Ansehung der in Nr. 5 und 6 im §. 1 des Gesetzes genannten Zuckerstoffe, noch die Verpflichtungen:

a) zur Aufbewahrung dieser Stoffe in von der Braustätte gänzlich getrennten Räumen (§. 13 Absatz 2),

b) zu einer besonderen, der Kontrole der Steuerbehörde unterliegenden Buchführung (§. 14 Ziffer 1 und 3),

c) zur Verwendung der in den Räumen zu a aufbewahrten Stoffe lediglich für die Bierbereitung, sofern nicht die Steuerbehörde eine andere Verwendung in jedem einzelnen Falle ausdrücklich vorher genehmigt hat (§. 14 Ziffer 2).

Zu a. Unter „gänzlich getrennten Räumen" im Sinne dieser Vorschrift sind nicht nothwendig besondere Gebäude zu verstehen. Die Aufbewahrungsräume müssen aber von der eigentlichen Braustätte so geschieden sein, daß eine Kommunikation zwischen der letzteren und diesen Räumen während der Bierbereitung der Aufmerksamkeit eines anwesenden Steuerbeamten nicht leicht würde entgehen können.

Die Prüfung und Entscheidung darüber, ob der — vom Brauereiinhaber in der Generaldeklaration anzuzeigende und der Lage nach, unter Beifügung einer Handzeichnung, näher zu beschreibende — Aufbewahrungsraum für die Zuckerstoffe den gesetzlichen Anforderungen entspricht, steht zunächst dem Bezirks-Ober-Kontrolör zu.

F.

Zu b. Das Register über den Zu- und Abgang an den zur Bierbereitung bestimmten Zuckerstoffen ist von dem Brauer selbst oder seinem der Hebestelle ein- für allemal zu bezeichnenden Stellvertreter nach dem anliegenden Muster F unter Beachtung der darin enthaltenen Probeeintragungen zu führen. Das Formular hierzu hat das Hauptamt dem Brauer zu liefern.

Die Aufbewahrung des Registers und der über den Zugang an Braustoffen sprechenden Beläge muß an einer passenden Stelle des Lagerraums selbst in der Art geschehen, daß die revidirenden Steuerbeamten jederzeit Einsicht davon nehmen können.

Mindestens zweimal im Jahre — sofern sich nicht öfter Veranlassung hierzu ergiebt — hat der Bezirks-Ober-Kontrolör unter Zuziehung des Brauers oder seines Stellvertreters eine vollständige Bestandsaufnahme der Lagervorräthe durch Verwiegung vorzunehmen. Zugleich ist der buchmäßige Sollbestand unter Vergleichung der Anschreibungen mit den betreffenden Versendungspapieren und der Abschreibungen mit den Versteuerungsdeklarationen festzustellen, und über den Befund eine Verhandlung in zwei Exemplaren aufzunehmen, von denen das eine bei dem Register als Belag für die darin auf Grund des Revisionsergebnisses etwa erforderlichen und vom Ober-Kontrolör zu bewirkenden Zu- oder Abschreibungen dient, das zweite aber der Hebestelle einzusenden ist. Letztere hat, wenn es sich um einen Minderbefund von mehr als zwei Prozent gegen den Sollbestand handelt, die Nachversteuerung zu veranlassen und die Verhandlung als Einnahmebelag des Heberegisters zu verwenden, sofern aber das Gewicht der vorgefundenen Menge um mehr als 10 Prozent vom Sollbestand abweicht, auf Grund der Verhandlung und eines beglaubigten Auszugs aus dem Lager-Register, die Einleitung einer Untersuchung wegen Defraudation gegen den Brauer herbeizuführen.

Zu c. Will ein Brauer ausnahmsweise Vorräthe aus seinem Lager zu anderen Zwecken, als zur Verwendung in seiner Brauerei entnehmen, so hat er, unter Anzeige der beabsichtigten Art der Verwendung, der zu entnehmenden Gewichtsmenge an Zucker oder Syrup, sowie des Tages und der Stunde der Herausnahme, die Genehmigung dazu bei der Hebestelle schriftlich nachzusuchen. Die Genehmigung erfolgt durch den Bezirks-Ober-Kontrolör und unter der von diesem je nach Lage des Falles anzuordnenden Kontrole. Die mit dem Genehmigungsvermerk des Ober-Kontrolörs und den amtlichen Bescheinigungen über die anderweite Verwendung versehene Anzeige dient demnächst als Belag für die betreffende Abschreibung im Lager-Register.

10. Zu §. 15.

Als Unterscheidungszeichen des reinen Malzschrots von einem Schrotgemenge aus gemalztem und ungemalztem Getreide ist Folgendes zu beachten:

Das reine Malzschrot schmeckt süß und hat einen süßen Geruch, welcher bei Darrmalz zugleich brenzlich ist, enthält eine Menge Hülsen, an welchen kein Mehl haftet, ist ohne Kleie, leicht und nimmt einen verhältnißmäßig großen Raum ein, weicht beim Druck in der Hand und verursacht mehr oder weniger Stechen durch die Hülsen.

Beim Gemenge aus Malz- und Roggenschrot ist Geschmack und Geruch beinahe dem des Mehles gleich; es enthält Kleie, an der Mehl haftet, fühlt sich fest an, ist schwerer und nimmt weit weniger Raum ein, als Malzschrot. Das für die Brennerei bestimmte Malzschrot pflegt außerdem kleiner vermahlen zu werden.

In den mit nicht fixirten Brauereien gemeinschaftlich betriebenen Kartoffelbrennereien ist das für den Betrieb der letzteren bestimmte Malzschrot an einem von dem Braumalzschrot getrennten, ein- für allemal anzuzeigenden Orte aufzubewahren, auch von dem Inhaber beider Betriebsanstalten oder doch unter seiner Verantwortlichkeit ein bei dem Brennereibetriebsplan aufzubewahrendes Kontobuch zu führen, in welchem das Brennereischrot sogleich bei der Aufnahme an den deklarirten Ort in Zugang und bei Verwendung für die Branntweinbereitung in Abgang einzutragen ist. Die Aufsichtsbeamten haben sich bei ihren Revisionen von der Uebereinstimmung des vorhandenen Brennmalzschrots mit dem Buchbestande zu überzeugen und das Revisionsergebniß in das Kontobuch einzutragen.

11. Zu den §§. 16 und 17.

I. Jeder Brauer, welcher die Brausteuer weder im Wege der Fixation, noch nach §. 22 des Gesetzes als Vermahlungssteuer entrichtet, empfängt von der Hebestelle auf Grund der Anzeige der Brauereiräume und Gefäße 2c. (Nr. 7 I vorstehend) oder, insoweit er nach §. 9 Absatz 3 des Gesetzes zu solcher Anzeige nicht verpflichtet ist, bei der ersten Betriebsanmeldung ein Steuerbuch nach dem anliegenden Muster G, bestehend aus einem Titelbogen und der dem voraussichtlichen Bedarf entsprechenden Anzahl von Einlagebogen, unentgeltlich zur Benutzung für seine im Laufe des betreffenden Kalenderquartals abzugebenden Brauanzeigen. G.

Zu den einzelnen Brauanzeigen dienen die Spalten 1 bis einschließlich 11, welche der Brauer selbst oder ein Vertreter unter seiner Verantwortlichkeit auszufüllen hat. Dabei ist die zu versteuernde Menge nach ihrem Nettogewicht in ganzen und halben Kilogrammen zu deklariren, auch zu dem Bierzuge (Spalte 10) diejenige Flüssigkeit nicht zu rechnen, welche ohne erneuerten Zusatz von steuerpflichtigen Braustoffen, durch bloßes Aufgießen von kaltem oder heißem Wasser nach dem Ablassen der Bierwürze auf die bereits ausgezogenen Treber gewonnen und welche auf den Pfannen nicht gekocht, sondern als Nachbier (Kofent 2c.) verbraucht wird.

Soll der Betrieb für mehrere Gebräude zugleich im Voraus angemeldet werden, so erfolgt die Anzeige für jede spätere Einmaischung auf einer besonderen Zeile und von der früheren so weit getrennt, daß für die gegenüber in den Spalten 15 bis 20 einzutragenden Revisionsvermerke der Beamten entsprechender Raum im Buche bleibt.

Die Hebestelle, welcher das Steuerbuch mit jeder Brauanzeige vorzulegen ist, quittirt in den Spalten 12 bis 14 über den Betrag der von ihr berechneten und erhobenen Steuer und giebt das Buch dem Anmelbenden zurück.

Abänderungen des einmal angemeldeten Betriebs, soweit sie nach §. 17 des Gesetzes zulässig sind, müssen besonders schriftlich oder mündlich angezeigt werden, und zwar gleichfalls mit Vorlegung des Steuerbuchs, in welchem die abgeänderte Meldung von der Hebestelle berichtigt wird.

Während der übrigen Zeit ist das Steuerbuch an einem geeigneten, vor Beschädigung sichernden, den Revisionsbeamten zugänglichen Orte (etwa einem Schränkchen oder Kästchen) in der Brauerei aufzubewahren, am Schlusse des Quartals aber gegen Empfang eines neuen Buches der Hebestelle zurückzureichen, es sei denn, daß im Laufe eines ganzen Kalenderquartals Einmaischungen für die betreffende Brauerei überhaupt nicht angemeldet sein sollten, in welchem Falle dasselbe Steuerbuch auch für das folgende Vierteljahr beizubehalten ist.

II. Jede Hebestelle hat in vierteljährlichen Zeitabschnitten ein Anmeldungs-Register nach dem beiliegenden Muster H zu führen, in welches alle Brauanzeigen sogleich beim Eingang nach den Angaben des Steuerbuches in den Spalten 1 bis 12, sowie 15, 17 und 18 einzutragen sind. H.

Wird die Steuer bei gleichzeitiger Anmeldung mehrerer Einmaischungen nicht für alle im Voraus, sondern für jede besonders vor deren Eintritt entrichtet, so bleiben die Spalten 17 und 18 in Bezug auf die betreffende Eintragung vorerst offen und werden später bei erfolgender Steuerzahlung nachträglich ausgefüllt.

Erfolgt in den gesetzlich zulässigen Fällen eine Aenderung der Brauanzeige, so wird die abgeänderte Meldung aufs Neue eingetragen und bei der ersten Eintragung auf die spätere in Spalte 19 hingewiesen.

Die Hebestelle hat durch Vorlegung des Anmeldungs-Registers im Steuerbüreau die mit der Kontrole der Brauereien beauftragten Beamten über die eingegangenen Brauanzeigen in fortdauernder

Kenntniß zu halten und die Aufsichtsbeamten haben sich über die erfolgte Einsicht des Registers durch Einschrift ihres Namens in Spalte 16 daselbst auszuweisen.

Nach Abschluß des betreffenden Quartals sind die zurückgelangten Steuerbücher dem Anmeldungs-Register als Beläge beizufügen.

III. Bei jeder Hebestelle wird in vierteljährlichen Zeitabschnitten ein Brausteuer-Heberegister nach J dem beifolgenden Muster J geführt, in welches nach der Zeitfolge der Einzahlung alle für Rechnung des Reichs zur Erhebung kommenden Brausteuern in der Art zu vereinnahmen sind, daß darin die Beträge, welche

a) auf Grund der gewöhnlichen Brauanzeigen (§. 16 des Gesetzes),
b) in Gemäßheit abgeschlossener Fixationsverträge (§. 4 daselbst),
c) im Wege der Vermahlungssteuer (§. 22 Ziffer II daselbst),
d) außerordentlich

eingehen, unter Hinweis auf die Eintragung in den betreffenden Vor-Registern von einander getrennt nachgewiesen werden. In Bezug auf die Erhebung und Buchung der Brausteuer in den mahlsteuerpflichtigen Städten (§. 22 Ziffer I des Gesetzes) bewendet es bei den bestehenden Vorschriften.

Sowohl das Hebe-Register, als auch die nach den Mustern F, G und H zu führenden Bücher und Register werden vor der Ausantwortung an diejenigen, welche sie zu führen haben, mit einer Schnur durchzogen, welche von einem mit der Führung eines Dienstsiegels betrauten Oberbeamten anzusiegeln, und wobei die Blätterzahl, sowie die geschehene Ansiegelung zu bescheinigen ist.

12. Zu §. 19.

Ueber die Frage, ob und in welchem Maße zu einer Erweiterung der gesetzlichen Einmaischungsstunden ein wirkliches Bedürfniß vorhanden sei, haben die Hauptämter nach eingehender Prüfung der obwaltenden Umstände Entscheidung zu treffen.

13. Zu den §§. 20, 21, 23 und 24.

Bei der Kontrolirung der unter Einzelversteuerung stehenden Brauereien haben die Beamten hauptsächlich darüber zu wachen, daß innerhalb der Brauereiräume steuerpflichtige Braustoffe nur an den dazu bestimmten Orten, beziehungsweise in den gesetzlich zulässigen Mengen aufbewahrt werden, daß nur an den angezeigten Tagen und Stunden eingemaischt, hierbei keine andere Gattung und keine größere Menge an Braustoffen, als versteuert worden, verwendet und daß keine größere, als die angezeigte Biermenge, gezogen werde. Zur Erreichung dieses Zweckes sind die mit Beaufsichtigung der Braueinmaischungen beauftragten Beamten zu verpflichten, sich — insoweit nicht im einzelnen Falle andere gleich wichtige und unaufschiebbare Dienstleistungen entgegenstehen — pünktlich zur angezeigten Stunde des Einmaischens in der betreffenden Brauerei einzufinden, daselbst nach vorgängiger Revision der Betriebsräume das am angezeigten Orte bereit gehaltene Braumaterial in ihrer Gegenwart verwiegen und einmaischen zu lassen und dem weiteren Brauverfahren unter sorgfältiger Beobachtung der dabei beschäftigten Personen möglichst solange unausgesetzt beizuwohnen, bis eine Zumaischung mit Vortheil nicht mehr ausführbar ist.

Das Ergebniß der Verwiegung hat der Aufsichtsbeamte sofort nach Beendigung derselben, die Art und Zeitdauer der weiteren Betriebsüberwachung aber erst unmittelbar vor dem jedesmaligen Verlassen der Brauerei in die hierfür bestimmten Spalten des Steuerbuchs (Ziffer 11 Nr. 1 vorstehend) gewissenhaft und in möglichst kurzen Worten mit Namensunterschrift einzutragen. Ueberschießende Bruchtheile eines halben Kilogramms bleiben bei der Verwiegung außer Betracht.

Für ein bei der amtlichen Verwiegung gegen die versteuerte Menge sich ergebendes Mindergewicht findet ein Steuererlaß nicht statt. Ergiebt sich dagegen ein den Steuerwerth von 5 Pfennig erreichendes oder übersteigendes Mehrgewicht (§. 3 des Gesetzes), so ist letzteres bei der nächstfolgenden Brauanzeige, sofern aber eine solche im laufenden Vierteljahr nicht mehr abgegeben werden sollte, spätestens am Schlusse desselben bei Rücksendung des Steuerbuchs an die Hebestelle nachzuversteuern.

Uebersteigt das Mehrgewicht an Schrotvorräthen 10 Prozent der gesetzlich zulässigen Menge, oder finden sich Malzschrot oder Braustoffe der im §. 1 unter Nr. 2 bis einschließlich 4 des Gesetzes genannten Art an einem anderen, als dem deklarirten Orte vor, oder ergiebt sich endlich in Bezug auf andere Surrogatstoffe, als die vorerwähnten, der Thatbestand des §. 29 Ziffer 2 des Gesetzes, so sind dergleichen Vorräthe und Stoffe vorläufig in Beschlag zu nehmen und erst dann freizugeben, nachdem vorher von dem Beamten, unter Zuziehung des Brauereibesitzers oder eines Stellvertreters desselben und mindestens eines glaubhaften Zeugen, der Thatbestand, soweit zur Einleitung der Untersuchung erforderlich, festgestellt und eine von den Anwesenden zu unterschreibende Verhandlung darüber aufgenommen worden ist.

Haben mehrere, der Kontrole desselben Beamten unterstellte Brauereien den Betrieb für dieselbe Zeit angemeldet, so wird es in der Regel vorzuziehen sein, in einer dieser Brauereien das Verfahren vollständig zu beaufsichtigen, statt dieselbe nach geschehener Verwiegung der Braustoffe zu verlassen und den Verwiegungen auch in der anderen beizuwohnen.

In denjenigen Brauereien, deren Einmaischungen gar nicht oder doch nicht ausreichend haben überwacht werden können, ist in der Regel rechtzeitig die Revision des Bierzuges auf den zu diesem Zweck vermessenen Gefäßen (Nr. 8 Ziffer 2 vorstehend) vorzunehmen und das Ergebniß in das Steuerbuch einzutragen. Bei Ermittelung des Bierzuges auf dem Kühlschiffe sind für das auf demselben stattfindende Verdampfen, sofern die Revision unmittelbar nach dem Ablassen der Würze auf das Kühlschiff erfolgt, 10 Prozent in Abzug zu bringen. Wird in Folge einer Abweichung um mehr als 10 Prozent gegen die deklarirte Menge ein prozessualisches Einschreiten erforderlich, so ist zur Verhütung von Verdunkelungen des Thatbestandes die Stelle des Gefäßes, bis zu welcher das Bier gestanden hat, äußerlich durch amtliche Besiegelung zu bezeichnen.

Auch außerhalb der Zeit eines angemeldeten Betriebes sind die Brauereien sowohl durch den Ober-Inspektor und Bezirks-Ober-Kontrolör, als auch durch die Steueraufseher zu verschiedenen Tageszeiten unerwarteten Revisionen zu unterwerfen. Wird in solchen Fällen Brauschrot am deklarirten Orte vorgefunden, so hat der Beamte von der vorgefundenen Menge zur Vergleichung mit den Angaben der nächsten Brauanzeige Notiz zu nehmen.

In Brauereien, welche neben dem Getreide auch Surrogate verarbeiten, ist durch umsichtige Handhabung des Revisionsdienstes darüber zu wachen, daß die Zumaischung solcher Stoffe nur nach Maßgabe der abgegebenen Generaldeklaration und nur in der jedesmal versteuerten Menge erfolge, und daß die oben unter Nr. 9 Ziffer III und IV dieser Bestimmungen zusammengestellten gesetzlichen Vorschriften genau befolgt werden.

Kommen Brauer, welche keine Surrogatdeklaration abgegeben haben, nach den anderweit hierüber angestellten Beobachtungen, wie z. B. nach den über Bezüge solcher Braustoffe von auswärts erhaltenen Nachrichten in den begründeten Verdacht heimlicher Verwendung von Surrogaten, so sind ihre Brauereien in allen Theilen, insbesondere auch innerhalb der Gährungs- oder Lagerräume, einer geschärften Kontrole zu unterwerfen, je nach Umständen auch Haussuchungen nach Vorräthen an solchen Stoffen in Gemäßheit des §. 24 des Gesetzes anzuordnen.

14. Zu §. 22 Ziffer II.

Die Grundsätze für die Zulassung der Brauer zur Entrichtung der Brausteuer im Wege der Vermahlungssteuer enthält die Anlage III. Anlage III.

15. Zu §. 23.

In jeder Brauerei ist ein Revisionsnotizbogen auszulegen, in welchen die Aufsichtsbeamten die Revisionsergebnisse für den Fall einzutragen haben, daß das Steuerbuch nicht vorhanden ist.

16. Zu §. 26.

Am Eingange jeder Hebestelle ist eine Bekanntmachung anzuschlagen, aus welcher die ordentlichen Geschäftsstunden ersichtlich sind.

Anlage I
zu Nr. 3 der Ausführungsbestimmungen.

Grundsätze

für die

Fixation der Brausteuer (§. 4 des Gesetzes wegen Erhebung der Brausteuer vom 31. Mai 1872).

I. Allgemeine Vorschriften.

1. Da bei der Fixation von dem Brauer mittelst der Abfindungssumme thunlichst derselbe Steuerbetrag erhoben werden soll, welchen er bei der Einzelversteuerung für die wirklich verwendeten steuerpflichtigen Braustoffe zu zahlen haben würde, so ist der voraussichtliche Verbrauch an letzteren für die Bemessung der Abfindungssumme der entscheidende Maßstab. Bei der betreffenden Ermittelung ist, *sofern* es sich nicht um neu errichtete Brauereien handelt, auf den bisherigen Verbrauch zurückzugehen, *wie er* aus den Ergebnissen der Einzelversteuerung, beziehungsweise der früheren Fixationen erhellt. Daneben sind alle den künftigen Umfang des Betriebs beeinflussende Umstände in sorgfältige Erwägung zu ziehen.

In der Regel darf die jährliche Abfindungssumme nicht hinter dem Durchschnitt der Steueraufkünfte der zunächst vorhergehenden drei Jahre zurückbleiben. Ausnahmen sind nur auf Grund besonderer, die Abminderung rechtfertigender Thatsachen zulässig. Andererseits genügt jener Durchschnitt beispielsweise nicht bei Brauereien, deren Betrieb im Wachsen ist.

Bei neu eröffneten oder nach längerer Betriebseinstellung wieder in Betrieb gesetzten Brauereien müssen vorzugsweise die Betriebseinrichtungen und die Erklärungen des Brauers Anhalt geben. Nach dem ersten, beziehungsweise dem zweiten Jahre kommen die bis dahin gezahlten Steuerbeträge hinzu.

2. Die Fixation findet der Regel nach in der Art statt, daß für die Fixationsperiode der Steuerbetrag in bestimmter Summe unveränderlich festgesetzt wird. Ausnahmsweise jedoch kann sich, namentlich wenn es für die Bemessung des Gesammtbetrags der Steuer an ausreichend sicheren Anhaltspunkten fehlt, die Fixation auf Festsetzung des zum Mindesten zu entrichtenden Steuerbetrags neben der Verabredung eventueller Erhöhung desselben durch Nachversteuerung beschränken. Neu eröffnete oder nach längerer Betriebseinstellung wieder in Betrieb gesetzte Brauereien werden für die ersten drei Betriebsjahre nur mit der Bedingung der Nachversteuerung fixirt.

Diejenigen Fixaten, welche außer dem Brauregister (vergl. Nr. 7) Bücher führen, aus welchen der Verbrauch an Braustoffen in der Brauerei hervorgeht, sind verpflichtet, dieselben den Oberbeamten der Steuerverwaltung auf Erfordern jederzeit zur Einsicht vorzulegen.

A. 3. Die Fixationsverträge (Muster A) werden in der Regel längstens auf Jahresdauer abgeschlossen. Ausnahmsweise ist der Vertragsabschluß auch für einen kürzeren Zeitraum zulässig.

4. Für die Dauer des Vertrags finden auf den Betrieb der fixirten Brauerei die Bestimmungen der §§. 1, 3, 7, 13 Alinea 3, 14, 16, 17, 18 Absatz 2, 19, 20, 21; §. 23 Alinea 3 Schlußsatz des Gesetzes keine Anwendung. Dagegen sind die übrigen Bestimmungen des Gesetzes, insbesondere die Vorschriften der §§. 9 und 10 über die Anmeldung der Räume und Gefäße, des §. 13 Alinea 1, 2, 4 und 5 über die Aufbewahrungsorte der Vorräthe an Braustoffen, des §. 18 Absatz 1 über die Generaldeklaration für die Verwendung von Malzsurrogaten, des §. 23 mit Ausnahme des Schlußsatzes im Alinea 3, sowie der §§. 24 und 25 über die Revision der Brauereien auch während der Fixation zu beachten. Doch kann die Direktivbehörde im einzelnen Falle von den dem Brauer nach §. 13 Alinea 2 und 4 obliegenden Verpflichtungen absehen.

5. Die Abschließung der Fixationsverträge geschieht durch die Hauptämter, unter Genehmigung der Direktivbehörde.

Die bezüglichen Anträge sind unter Angabe der gewünschten Zeitdauer der Fixation, der Arten der zu verwendenden steuerpflichtigen Braustoffe und des als Abfindungssumme angebotenen Geldbetrages, in der Regel drei Monate vor dem Zeitpunkte, mit welchem die Fixation beginnen, oder wieder beginnen soll, bei der Bezirkshebestelle anzubringen.

Brauer, welche steuerpflichtige Stoffe verschiedener Art verwenden, werden zur Fixation nur zugelassen, wenn sie dieselbe bezüglich aller Stoffe eingehen. Ausgenommen hiervon bleibt der Fall des §. 22 Ziffer III des Gesetzes, in welchem eine Fixation der nicht über eine Mühle gehenden Surrogate allein erfolgen kann. Auch kann solchen auf Deklaration steuernden Brauern, welche Zucker, Syrup oder nicht besonders benannte Malzsurrogate (§. 1 Nr. 5 bis 7 des Gesetzes) dem bereits gekochten Biere (z. B. auf dem Kühlschiffe, den Stellbottichen, den Gährgefäßen, Lagerfässern oder Flaschen) zusetzen, die Fixation lediglich der von diesen Stoffen zu entrichtenden Brausteuer gestattet werden.

Zur Verwendung anderer als der im Fixationsvertrage genannten Braustoffe bedarf es der Genehmigung der Direktivbehörde.

6. Die Abfindungssumme ist zum Voraus mindestens in monatlichen Raten zu zahlen. Doch treten die unter Nr. 10 bezeichneten Folgen der verzögerten Zahlung nicht ein, sobald die Zahlung nur innerhalb der ersten fünf Tage des Zeitabschnitts erfolgt, für welchen die Vorauszahlung zu leisten ist.

Die Zahlung der auf Grund der Brauregister (vergl. Nr. 7) zu berechnenden Nachsteuer (s. Nr. 2) geschieht bei Beendigung des Vertrages. Rückstände werden sofort exekutivisch beigetrieben.

7. Der Fixat hat, unter Benutzung des von der Bezirkshebestelle zu beziehenden Formulars (Muster B), ein Brauregister zu führen, in der Brauerei an einem vorzuschreibenden Ort reinlich und unbeschädigt aufzubewahren und, von ihm unterschrieben, binnen drei Tagen nach Ablauf jedes Quartals unaufgefordert an die Hebestelle einzureichen. In das Register muß spätestens eine Stunde vor Beginn der jedesmaligen Braueinmaischung: B.

1. die fortlaufende Nummer der Gebräude,
2. Tag und Stunde der Eintragung,
3. Tag und Stunde der Einmaischung,
4. das Gewicht der zu dem Gebräude zu verwendenden Braustoffe nach ganzen und halben Kilogrammen,
5. die Menge und Art (ob ober- oder untergährig) des daraus zu ziehenden Bieres nach ganzen und halben Hektolitern,
6. die etwaige Abweichung von der in der Generaldeklaration (§. 18 des Gesetzes) angegebenen Art und Weise der Verwendung der Malzsurrogate,
7. der Name des Eintragenden

eingeschrieben werden.

Die Abänderung oder Streichung der Einträge ist bis eine Stunde vor der eingeschriebenen Einmaischungszeit ohne Weiteres, später aber nur unter den Voraussetzungen statthaft, daß alsdann erst eingetretene unvermuthete Umstände die Ausführung des Brauaktes überhaupt oder in der eingetragenen Art gehindert haben, und daß ein unverdächtiger, namentlich nicht mit dem Brauer in einem Lohn- oder Familienverhältnisse stehender Zeuge oder ein Steuerbeamter sofort nach Eintritt des hindernden Ereignisses zugezogen wird, um die Abänderung &c. und deren Ursache im Brauregister mit zu bescheinigen.

Vorräthe an Braustoffen, welche sich über die im Brauregister eingetragene Menge an dem zur Aufbewahrung bestimmten Orte befinden, können nach dem Ermessen des Aufsichtsbeamten während des Brauaktes unter steueramtlichen Verschluß gestellt werden.

Den revidirenden Steuerbeamten steht das Recht zu, die Vorräthe an steuerpflichtigen Braustoffen vor der Einmaischung zu verwiegen und den Bierzug zu vermessen. Denselben ist von dem Fixaten und seinem Dienstpersonale in Bezug auf den Brauereibetrieb jede erforderliche Auskunft zu ertheilen.

8. Wechselt die Person des Besitzers einer fixirten Brauerei (z. B. durch Erbgang, Veräußerung, Verpachtung &c.) oder erwirbt der Fixat den Besitz noch einer anderen Brauerei (vergl. Nr. 10), so ist davon dem Hauptamt binnen drei Tagen Anzeige zu machen. Ohne Besitzwechsel darf eine fixirte Brauerei einem Anderen zur Benutzung nur mit hauptamtlicher Genehmigung und nur unter Versteuerung der einzelnen betreffenden Gebräude überlassen werden. Gleicher Genehmigung bedarf es zur Bereitung von Bier für andere Brauer oder zur Ueberlassung von Bier an andere fixirte Brauer.

Ebenso ist dem Fixaten die Benutzung der Brauerei eines Anderen, der Bezug von Bier aus anderen Brauereien, sowie die Ueberlassung von Bier an nicht fixirte Brauer nur unter Zustimmung des Hauptamts (beziehungsweise der Hauptämter) gestattet.

9. Diejenigen Brauer, welche ohne die Bedingung der Nachversteuerung (Nr. 2) fixirt sind, haben die Vorräthe an Bier und Würze bei Beginn der Fixation und sobald sie aus dem Fixationsverhältniß ohne Nachversteuerung zur Einzelversteuerung oder zur Vermahlungssteuer übergehen, unaufgefordert vollständig anzuzeigen und sich demnächst einer amtlichen Aufnahme dieser Vorräthe zu unterwerfen, deren Ergebniß auf dem Fixationsvertrage unter ihrer Mitunterschrift amtlich zu vermerken ist.

Findet sich zur Zeit des Uebergangs von dem Fixationsverhältniß ohne Nachversteuerung zur Einzelversteuerung oder zur Vermahlungssteuer mehr Bier oder Würze vor, als in die Fixation übernommen worden war, so muß für den Mehrbefund die von dem Hauptamt nach Maßgabe des durchschnittlichen Verbrauchs an Braustoffen zu den Gebräuden während des letzten Fixationsjahres festzusetzende Steuer nachentrichtet werden; hierbei können Differenzen bis zu zwanzig Prozent unberücksichtigt bleiben.

10. Das Recht, den Fixationsvertrag vor dessen Ablauf aufzuheben, steht zu:

a) beiden Theilen im Falle einer wesentlichen Veränderung der Gesetzgebung über die Brausteuer; desgleichen beim Wechsel der Person des Besitzers (durch Erbgang, Veräußerung, Verpachtung 2c.);
b) der Steuerverwaltung bei Nichterfüllung vertragsmäßiger Verbindlichkeiten; bei Uebertretungen des Gesetzes oder der dazu erlassenen Verwaltungsvorschriften, welche in Bezug auf die Brauerei von dem Fixaten oder einer Person, für welche er nach §. 38 des Gesetzes haftet, begangen sind; bei Veränderungen in Bezug auf die Räume oder Gefäße, welche eine erhebliche Vergrößerung des Betriebes zulassen; beim Erwerb des Besitzes einer anderen Brauerei durch den Fixaten; im Falle des Konkurses des Fixaten;
c) dem Fixaten, wenn er durch zufällige Ereignisse zu einer mindestens drei Monate dauernden Betriebseinstellung genöthigt wird;
d) den Erben des Fixaten, wenn letzterer im Laufe der Fixationsperiode versterben sollte.

Das Hauptamt bedarf zur Ausübung der Aufhebungsbefugniß der Genehmigung der Direktivbehörde.

Der Vertrag erlischt mit dem Tage, an welchem die bezügliche Erklärung an den anderen kontrahirenden Theil gelangt. Die für den Monat, in welchem der Vertrag erlischt, gezahlte Steuerrate wird nicht zurückerstattet.

Erfolgt die Aufhebung des Vertrags wegen verzögerter Zahlung einer Abfindungsrate, so muß neben der etwa sonst rückständigen Steuer auch die für den Monat, in welchem der Vertrag erlischt, zu zahlende Steuerrate nachgezahlt werden.

Brauer, welchen wegen Vertragswidrigkeiten oder wegen strafbarer Uebertretungen der Vertrag gekündigt worden, können durch die Direktivbehörde zeitweilig oder für immer von fernerer Fixation ausgeschlossen werden.

11. In Fällen der Zuwiderhandlung gegen die unter Nr. 5 Absatz 4, Nr. 7, 8 und 9 dem Fixaten gemachten Vorschriften tritt die im §. 35 Absatz 1 des Gesetzes angedrohte Ordnungsstrafe ein, sofern nicht die Defraudationsstrafe verwirkt ist.

12. In Bezug auf die Fixation der steuerpflichtigen Essigbereitung finden die vorstehend unter 1 bis 11 ertheilten Vorschriften entsprechende Anwendung.

Wenn die Essigbereitung, verbunden mit steuerpflichtiger Bierbereitung, stattfindet, kann die Fixation bezüglich der ersteren nur erfolgen, sofern auch die von der letzteren zu entrichtende Steuer fixirt wird.

13. Ueber die Fixationen ist von jeder Hebestelle ein Verzeichniß zu führen.

II. Besondere Vorschriften für die Fixation derjenigen Brauer, welche ausschließlich für den Bedarf des eigenen Haushalts Bier bereiten.

Auf die Fixation der bezeichneten Brauer finden die obigen Bestimmungen mit nachfolgenden Modifikationen Anwendung:

1. Zu 1 und 2.
Die Abfindungssumme wird nach den im Fixationsantrage enthaltenen Angaben des Brauers, eventuell nach Maßgabe der amtlichen Richtigstellung derselben, berechnet und unveränderlich, also mit Ausschluß einer etwaigen Nachversteuerung, festgestellt.

2. Zu Nr. 3.
Die Fixation kann sich auf je 5 Jahre erstrecken.
3. Zu Nr. 4.
Die Verpflichtung zur Anmeldung der Räume und Gefäße liegt den Brauern nicht ob, soweit sie keine besondere Brauanlage besitzen.
4. Zu Nr. 5.
Der Abschluß der Verträge steht den Hauptämtern selbständig zu.
Die Anträge sind regelmäßig, spätestens 6 Wochen vor dem Zeitpunkte, mit welchem die Fixation oder deren Erneuerung beginnen soll, anzubringen.
5. Zu Nr. 6.
Abfindungssummen bis zu 12 ℳ einschließlich sind regelmäßig in einer Summe zu entrichten. Ausnahmsweise, sowie bei höheren Jahressummen, kann die Vorausbezahlung in halbjährlichen oder vierteljährlichen Raten bedungen werden.
6. Zu Nr. 7, 8 und 9.
Von den Vorschriften unter Nr. 7, 8 und 9 zu I findet nur Absatz 1 Nr. 8 Anwendung.
7. Zu Nr. 10.
Bei Verträgen auf mehrere Jahre ist die Kündigung für das zweite und folgende Jahr in der Weise zulässig, daß die Kündigung spätestens drei Monate vor Ablauf desjenigen Jahres erfolgen muß, mit welchem der Vertrag aufgehoben werden soll.
Die Aufhebungsgründe betreffend, so fallen zu b der dritte und vierte (Veränderung der Räume oder Gefäße, Erwerb einer anderen Brauerei), desgleichen fällt derjenige zu c hinweg. An die Stelle des letzteren tritt folgende Bestimmung:
Der Brauer ist zur Aufhebung des Vertrages befugt, wenn er das Brauen, sei es überhaupt, sei es wenigstens in den Verhältnissen, auf welche die Fixation sich bezieht, aufgiebt.
Außerdem wird bestimmt:
8. Jedes Ablassen des bereiteten Bieres an nicht zum Haushalt gehörige Personen gegen Entgelt ist untersagt und unterliegt eventuell einer Ordnungsstrafe nach §. 35 Absatz 1 des Gesetzes. Das Ablassen von Bier an Personen, welche bei dem Fixaten auf Arbeit gehen, ist nicht strafbar.
9. Die obersten Landes-Finanzbehörden sind ermächtigt, die vereinfachte Form des Abschlusses der Fixationsverträge nach den vorstehend unter II Nr. 1 bis 7 gegebenen Vorschriften ausnahmsweise auch auf solche Besitzer kleinerer Brauereien auszudehnen, welche zwar im Wesentlichen für den eigenen Guts- oder Hausbedarf brauen, daneben aber auch einzelne, auf ihrer Besitzung belegene oder benachbarte Schankstellen gegen Entgelt mit Bier versorgen.
10. Die Feststellung der für die Verträge in Anwendung zu bringenden Formulare bleibt den Direktivbehörden überlassen.

Anlage II
zu Nr. 5 der Ausführungsbestimmungen.

Vorschriften,

betreffend

die Rückvergütung der Brausteuer bei der Ausfuhr von Bier (§. 6 des Gesetzes wegen Erhebung der Brausteuer vom 31. Mai 1872).

Bei der Ausfuhr von Bier aus dem Geltungsbereiche des Gesetzes vom 31. Mai 1872 soll auf Grund des §. 6 a. a. O. vom 1. Januar 1873 ab eine Rückvergütung der Brausteuer unter folgenden Bedingungen und Maßgaben gewährt werden.

§. 1.

Eine Vergütung wird nur auf solches Bier gewährt, zu dessen Bereitung mindestens 25 kg Getreideschrot, Reis oder grüne Stärke und im Falle der Mitverwendung höher als 4 ℳ für 100 kg besteuerter Malzsurrogate (§. 1 Ziffer 4 bis 7 des Gesetzes) mindestens eine dem Steuerwerthe von 1 ℳ entsprechende Menge von Braustoffen auf jeden Hektoliter erzeugten Bieres verbraucht worden sind.

Das Bier muß der Regel nach in Fässern oder Flaschen und bei jeder Sendung in einer Menge von mindestens zwei Hektolitern ausgehen. Für besonders gehaltreiche Biere, welche in kleineren Gebinden ausgeführt zu werden pflegen, kann von der obersten Landes-Finanzbehörde die Steuervergütung auch dann bewilligt werden, wenn die Ausfuhr in einer geringeren Menge, mindestens aber in der Menge von 50 Litern erfolgt.

Die Fässer müssen bezüglich ihres Inhalts amtlich geaicht und mit dem Aichstempel versehen, auch der bei der Aichung ermittelte Literinhalt auf den Fässern mit Zahlen deutlich eingebrannt sein.

Die Flaschen einer Sendung müssen in der Regel dieselbe Größe haben, doch kann ausnahmsweise die gleichzeitige Ausfuhr verschiedener Arten von Flaschen nachgegeben werden, sofern nur die Flaschen gleicher Art je einen gleichen Rauminhalt haben. In ein und dasselbe Kollo dürfen aber nur Flaschen von gleicher Größe verpackt werden.

Fässer müssen spundvoll, Flaschen bis in den Hals hinein gefüllt sein.

Die Vergütung findet erst statt, nachdem der Nachweis der wirklich erfolgten Ausfuhr beziehungsweise des Eingangs im Bestimmungsorte (§. 8) geführt worden ist.

§. 2.

Die Vergütung beträgt 1 ℳ für den Hektoliter und wird nur für je volle fünf Liter berechnet, so daß überschießende einzelne Liter bei der jedesmaligen Sendung außer Ansatz bleiben.

§. 3.

Der Anspruch auf Steuervergütung darf nur zuverlässigen, in steuerlicher Beziehung unbescholtenen Brauern und nur dann zugestanden werden, wenn dieselben von ihnen selbst gebrautes Bier der im §. 1 bezeichneten Art ausführen und nach der Anweisung des Hauptamts Bücher führen, aus denen die zur Bierbereitung verwendeten Stoffe und deren Menge, sowie der Umfang des Bierzuges und des Absatzes sich ergiebt. Diese Bücher müssen den Steuerbeamten vom Ober-Kontrolör (einschließlich) aufwärts auf Verlangen jederzeit zur Einsicht vorgelegt werden.

§. 4.

Brauer, welche die Steuervergütung in Anspruch nehmen, haben sich dieserhalb an das Hauptamt, in dessen Bezirk die betreffende Brauerei belegen ist, zu wenden. Dasselbe prüft die Betriebsverhältnisse der Brauerei und berichtet darüber an die Direktivbehörde, welche, falls sich keine Bedenken gegen die Gewährung des Antrages ergeben, dem Brauer, nachdem derselbe die in den §§. 1 und 3 angegebenen Bedingungen protokollarisch übernommen hat, einen Zusageschein nach dem unter A beigefügten Muster ertheilt. Die Gültigkeit dieses Zusagescheins kann für den Zeitraum eines oder auch mehrerer hintereinander folgender Kalenderjahre bestimmt werden, die Zurücknahme jedoch jederzeit vor Ablauf der darin bezeichneten Gültigkeitsfrist erfolgen, wenn eine der gestellten Bedingungen nicht erfüllt wird. A.

Ueber die Ausfertigung der Zusagescheine ist bei der Direktivbehörde ein Register zu führen.

§. 5.

Zur Ertheilung der zur Begründung des Anspruchs auf Steuervergütung erforderlichen Ausgangsbescheinigung (§. 1) sind die Hauptzoll- und Hauptsteuerämter befugt, welche an der Grenze gegen Länder, die nicht zum deutschen Zollgebiet gehören, oder an den Binnengrenzen gegen die nicht der Brausteuergemeinschaft angehörigen Bundesstaaten gelegen, oder beim Eisenbahn- oder Schiffsverkehr im Innern zur Ausgangsabfertigung ermächtigt sind. Auch sind die vorbezeichneten Aemter befugt, die Vorabfertigung (§. 7) vorzunehmen.

Anderen Steuerstellen wird nach Bedürfniß die Ermächtigung zur Bescheinigung des Ausgangs oder zur Vorabfertigung von der obersten Landes-Finanzbehörde ertheilt.

§. 6.

Soll Bier mit dem Anspruche auf Steuervergütung ausgeführt werden, so hat der Brauer, für dessen Rechnung die Ausfuhr erfolgen soll, solches der Steuerhebestelle des Bezirks, in welchem seine Brauerei belegen ist, mittelst einer in doppelter Ausfertigung zu übergebenden schriftlichen Anmeldung anzuzeigen. Einer gleichzeitigen Vorführung des auszuführenden Bieres bedarf es nicht.

Je nachdem die Ausfuhr in Fässern oder in Flaschen erfolgen soll, ist hierzu das eine oder das andere der beiliegenden Muster B und C zu verwenden, im ersteren Falle der Inhalt jedes einzelnen Fasses in Hektolitern und Litern, im letzteren die Zahl der Flaschen von gleicher Größe in einer Umschließung (Kiste u. s. w.) und die Litermenge des Bieres in allen Flaschen von gleicher Größe zusammen, in beiden Fällen aber die Bezeichnung der auszuführenden Biersorte nach der ortsüblichen Benennung und das Abfertigungs- beziehungsweise Ausgangsamt, sowie der Empfänger anzugeben. B u. C.

Findet die Hebestelle kein besonderes Bedenken, auch gegen die Wahl des Abfertigungs- und des Ausgangsamts nichts zu erinnern, so bucht sie die Anmeldung in dem nach dem anliegenden Muster D zu führenden Anmelde-Register. Hat die Hebestelle, bei der die Anmeldung erfolgt ist, die weitere Abfertigung nicht selbst zu ertheilen, so giebt sie ein Exemplar mit dem Buchungsvermerk und der Bescheinigung über die Ertheilung des Zusagescheins versehen dem Anmelder zurück. Von den Hauptämtern sind die in ihrem Bezirk geführten Anmelde-Register nach Erledigung aller Eintragungen, und zwar spätestens bis zum 1. Mai des folgenden Jahres mit den Duplikaten der Anmeldungen an die Direktivbehörden zur Revision einzureichen. D.

§. 7.

Die weitere Abfertigung kann entweder lediglich bei dem Ausgangsamt (§. 8) oder mit einer Vorabfertigung bei einem anderen dazu befugten Amt (§. 9) erfolgen. Sofern nicht das Amt, bei dem die Anmeldung bewirkt wird, die weitere Abfertigung vornimmt, hat der Anmelder mit der ihm zurückgegebenen Anmeldung, welche den Transport begleiten muß, das Bier dem zur weiteren Abfertigung gewählten Amt zur Revision zu stellen.

Diese weitere Abfertigung besteht in allen Fällen in der Feststellung des Literinhalts der Fässer und Flaschen. Außerdem hat sich das abfertigende Amt davon Ueberzeugung zu verschaffen, daß die Gebinde unverdorbenes Bier enthalten und gehörig befüllt sind.

Ist auf Fässern die nach §. 1 erforderliche amtliche Inhaltsbezeichnung der Aichbehörde nicht deutlich genug erkennbar oder walten sonst gegen die Richtigkeit des deklarirten Faßinhalts Bedenken ob, oder sind endlich Gebinde etwa in Folge von Leckage nicht gehörig spundvoll befüllt, und läßt sich die fehlende Menge nicht mit einiger Sicherheit schätzen, so muß eine amtliche Vermessung des betreffenden Fasses vermittelst des Längen- und Höhenmessers und des geaichten Maßstabes, sowie eine Berechnung des Inhalts nach den bezüglichen Vorschriften der H. Conradischen Anleitung zur Bestimmung des Literinhalts der Brennerei- und Brauereigeräthe eintreten.

Bei der Ausfuhr von Bier in Flaschen ist die Größe der letzteren, deren Zahl und die Gesammtmenge und Beschaffenheit der angemeldeten Flüssigkeit festzustellen. In der Regel werden zu diesem Zweck probeweise Revisionen genügen.

Wieweit in jedem Falle behufs Feststellung des Inhalts der Gebinde oder der Flaschen die Revision auszudehnen ist, hängt von dem pflichtmäßigen Ermessen der Abfertigungsbeamten ab.

Das Ergebniß der Revision wird auf der Anmeldung bescheinigt.

§. 8.

Soll nach der Wahl des Versenders die weitere Abfertigung lediglich beim Ausgangsamt erfolgen, so hat dieses Amt, nach bewirkter Revision und Bescheinigung derselben auf der Anmeldung, auf der letzteren auch die wirklich erfolgte Ausfuhr über die Grenze auf Grund der eigenen Wahrnehmung oder auf Grund der Angabe der Begleitungsbeamten zu bescheinigen.

Ist die Ausfuhr nach Ländern oder Landestheilen außerhalb des deutschen Zollgebiets erfolgt, so genügt zur Erlangung der Steuervergütung die Ausfuhrbescheinigung des Grenzamts. Dieses hat in solchem Falle die bescheinigte Anmeldung dem Hauptamt zuzusenden, in dessen Bezirk die Brauerei gelegen ist, aus welcher die Versendung erfolgt.

In allen anderen Fällen bedarf es aber zur Erlangung der Steuervergütung einer Eingangsbescheinigung, welche nach der Wahl des Waarenführers entweder von der Steuerstelle des Bestimmungsorts oder von der gegenüberliegenden Uebergangsabfertigungsstelle zu ertheilen ist. Um die jenseitige Eingangsbescheinigung auswirken zu können, empfängt der Waarenführer nach erfolgter Ausgangsabfertigung die Anmeldung zurück, welche demnächst, mit der Eingangsbescheinigung versehen, von der bescheinigenden Behörde ohne Zeitverlust dem Hauptamt, in dessen Bezirk die Brauerei gelegen ist, unmittelbar zurückzusenden ist.

§. 9.

Wählt der Versender eine Vorabfertigung bei einem anderen Amt, als dem Ausgangsamt, so hat jenes Amt nach erfolgter und bescheinigter Revision den Verschluß anzulegen und auf Anmeldung zu bescheinigen, daß und wie solches geschehen. Mit der bescheinigten Anmeldung ist dann das Bier binnen einer von dem Abfertigungsamt zu bestimmenden angemessenen Frist dem gewählten Ausgangsamt vorzuführen, welches, soweit nicht nach seinem Ermessen oder nach den Umständen, z. B. im Falle einer auf dem Transport stattgehabten Leckage, eine weitere Revision erforderlich ist, sich auf die Vergleichung der Zahl und Zeichen der Gebinde und auf die Abnahme des Verschlusses beschränken kann, wenn dieser nicht wegen eines ertheilten Uebergangsscheins belassen werden muß. Die demnächst erfolgte Ausfuhr hat das Ausgangsamt auf der Anmeldung zu bescheinigen.

Wegen der Beschaffung der Eingangsbescheinigung und der Rücksendung der Anmeldungen an das betreffende Hauptamt kommen die im §. 8 enthaltenen Bestimmungen zur Anwendung.

Wenn neben der Ausfuhranmeldung über das versendete Bier ein Uebergangsschein ausgefertigt werden muß, so ist in jeder dieser Bezettelungen auf die andere Bezug zu nehmen.

§. 10.

Bei der Ausfuhr von Bier nach Bayern, Württemberg, Baden und Elsaß-Lothringen ist die Vorführung des Bieres beim Ausgangsamt in den Fällen des §. 9 nicht erforderlich.

Zur Erlangung der Rückvergütung genügt vielmehr die durch §. 8 Absatz 3 vorgeschriebene Empfangsbescheinigung, welche sich jedoch auch auf die Unverletztheit des angelegten Verschlusses zu erstrecken hat.

Auch können die Direktivbehörden im Falle eines örtlichen Bedürfnisses den Bezirkssteuerstellen die Ermächtigung ertheilen, bei der Abfertigung des mit dem Anspruch auf Steuervergütung nach Bayern, Württemberg, Baden oder Elsaß-Lothringen auszuführenden Bieres, sofern der Transport nicht mittelst der Eisenbahn stattfindet, von der Vorführung des Bieres zum Zweck der Revision und Verschlußanlegung unter nachstehenden Bedingungen ganz abzusehen:

1. Der Brauer hat über das auszuführende Bier mindestens einen halben Tag vor der Absendung desselben der Bezirkssteuerstelle eine Abmeldung in zwei Exemplaren zur Visirung und Eintragung in das Anmelde-Register einzureichen und den Biertransport stets von einem Exemplar der amtlich visirten Ausfuhranmeldung begleiten zu lassen.
2. Den Steuerbeamten steht jederzeit die Befugniß zu, die Richtigkeit der Anmeldung, sowie die Erfüllung der vorschriftsmäßigen Bedingungen der Steuervergütung durch Revision der Biersendungen zu kontroliren.
3. Behufs Feststellung der Steuervergütung hat der Brauer eine der Ausfuhranmeldung beizufügende Bescheinigung der Steuerstelle des Bestimmungsorts über den Eingang des Bieres, sowie eine Quittung über die davon entrichtete Uebergangsabgabe beizubringen, und es wird der Berechnung der Steuervergütung diejenige Biermenge, von welcher die Uebergangsabgabe entrichtet worden ist, falls aber dieses Quantum größer ist, als das angemeldete, nur das letztere zu Grunde gelegt.

§. 11.

Die Aemter, bei welchen die Abfertigung des Bieres erfolgt (§§. 7 bis 9), haben über die bewirkte Feststellung ein Abfertigungs-Register nach dem anliegenden Muster E zu führen. E.

Da der Ausgang häufig auch von anderen als den Abfertigungsstellen zu bescheinigen ist, so muß außerdem ein besonderes Ausgangs-Register nach dem anliegenden Muster F geführt werden. Ist das Abfertigungsamt zugleich Ausgangsamt, so werden beide Register neben einander geführt. F.

§. 12.

Von dem Hauptamt, in dessen Bezirk die Brauerei liegt, aus welcher die Versendung erfolgt, wird die Steuervergütung gleich nach Ablauf jedes Vierteljahres mittelst einer der Direktivbehörde einzureichenden und sämmtliche im Laufe des Vierteljahres eingegangenen Ausfuhrbescheinigungen umfassenden Nachweisung nach dem beiliegenden Muster G in doppelter Ausfertigung liquidirt. Dabei ist, wenn die Vermessung (§. 7) eine größere als die angemeldete Litermenge ergeben hat, doch nur letztere für die Höhe der Steuervergütung maßgebend. G.

§. 13.

Die Direktivbehörden stellen die zu vergütenden Brausteuerbeträge fest und ertheilen hierüber Zahlungsanweisung an die Hauptämter unter Zufertigung eines Exemplars der geprüften und bescheinigten Liquidationsnachweisung (Muster G) zum Rechnungsbelage. Innerhalb Jahresfrist, vom Tage der Anweisung an gerechnet, können die angewiesenen Beträge auf zu entrichtende Brausteuer angerechnet oder baar erhoben werden.

Anlage III
zu Nr. 14 der Ausführungsbestimmungen.

Grundsätze

für

die Zulassung der Brauer zur Entrichtung der Brausteuer im Wege der Vermahlungssteuer (§. 22 Ziffer II des Gesetzes wegen Erhebung der Brausteuer vom 31. Mai 1872).

---

§. 1.

Die Direktivbehörden sind ermächtigt, den Besitzern von Brauereien auf Antrag zu gestatten, daß sie die Brausteuer von denjenigen Stoffen, welche vor der Einmaischung einer Vermahlung unterliegen, mit dem im §. 1 des Gesetzes festgesetzten Betrage nach dem Gewicht der zur Verarbeitung auf der Mühle bestimmten, noch unvermahlenen Stoffe entrichten.

Voraussetzung dieser Bewilligung ist, daß die Brauereibesitzer:

1. das Vertrauen der Steuerbehörde genießen;
2. kaufmännische Bücher über die Art und Menge der angeschafften und verbrauchten Braustoffe, den Zu- und Abgang an Bier, sowie den Preis des letzteren führen und den Oberbeamten der Steuerverwaltung auf Erfordern zur Einsicht vorzulegen bereit sind;
3. jährlich im Durchschnitt mindestens 50 000 kg Malz oder andere der Vermahlung unterliegende Stoffe in ihrer Brauerei verwendet haben oder doch künftig zu verwenden gedenken;
4. sich den in den folgenden §§. 2 bis 13 enthaltenen allgemeinen, sowie den ihnen etwa im einzelnen Falle besonders vorzuschreibenden Bedingungen unterwerfen wollen.

Auch können die Brauereibesitzer von den Direktivbehörden verpflichtet werden, statt der kaufmännischen Bücher im Sinne der Nr. 2 ein Kontobuch nach dem Muster A zu führen. A.

§. 2.

In der Regel darf nur solchen Brauern die im §. 1 erwähnte Vergünstigung zugestanden werden, welche in ihrer Brauerei selbst, oder doch in räumlicher Verbindung mit letzterer eigene Mühlenwerke oder Malzquetschen aufgestellt haben und ausschließlich dazu benutzen, um darauf die zur Verwendung in der betreffenden Brauerei bestimmten Braustoffe (§. 1 Ziffer 1 und 2 des Gesetzes) vermahlen zu lassen.

Ausnahmsweise können jedoch mit Genehmigung der obersten Landes-Finanzbehörde auch solche in demselben Orte ihr Gewerbe treibende Brauer, welche eine lediglich dem Zweck der Vermahlung ihrer Braustoffe dienende, an ihrem Wohnorte belegene Mühle gemeinschaftlich entweder besitzen („Genossenschaftsmühlen") oder doch auf Grund besonderen Uebereinkommens mit dem Eigenthümer dauernd benutzen, zur Vermahlungssteuer zugelassen werden, sofern nach den örtlichen Verhältnissen die Benutzung anderer Mühlen zur Vermahlung von Braustoffen oder die heimliche Einbringung solcher bereits vermahlenen Stoffe von auswärts durch geeignete Kontrolen ohne Mehraufwand von Verwaltungskosten zu verhüten ist.

§. 3.

Die zur Vermahlung der Braustoffe dienenden Mühlenwerke müssen mit dem Fußboden in feste Verbindung gebracht, der Rumpf des Mahlgangs muß gefalzt, völlig sichernd verschließbar und in der Regel so groß sein, daß er diejenige Menge mit einmal faßt, welche den Bedarf für die Einmaischung eines Tages, oder doch — wo mehrmals des Tages gebraut wird — den Bedarf zu einer Einmaischung bildet. Im Uebrigen muß die Mühle in allen Theilen so eingerichtet sein, daß ohne Anwendung erkennbarer Gewalt eine Oeffnung des Rumpfs oder die Gewinnung sonstiger Zugänge zur Mühle zum Zweck heimlicher Bereitung von Braustoffen nicht ausführbar ist.

Dem Antrage auf Zulassung zur Vermahlungssteuer ist eine Beschreibung der inneren Einrichtung der Mühle und der mit letzterer im Zusammenhange stehenden Räume nebst einer linearischen Zeichnung in zwei Exemplaren beizufügen, deren Richtigkeit der Bezirks-Ober-Kontrolör zu prüfen und zu bescheinigen hat. Findet der Antrag demnächst Genehmigung, so ist das eine Exemplar bei der Hebestelle aufzubewahren, das andere an einem geeigneten Ort in dem Mühlenraume anzuheften.

Jede später beabsichtigte Aenderung in der Einrichtung der Mühle bedarf der in gleicher Weise vorher einzuholenden Genehmigung der Direktivbehörde.

§. 4.

Mit Eintritt der Vermahlungssteuer sind die Mühlenöffnungen und, soweit es nach dem Ermessen des Bezirks-Ober-Kontrolörs für erforderlich gehalten wird, auch die Mahltriebwerke dauernd unter amtlichen Verschluß zu stellen. Der Verschluß erfolgt in der Regel durch Kunstschlösser. Die Kosten für Anschaffung und Reparaturen der letzteren, sowie für die zur Anlegung der Schlösser erforderlichen Einrichtungen an den Mühlenwerken hat der Brauer zu tragen, ohne deshalb Eigenthumsansprüche an den Schlössern zu erwerben.

Ausnahmsweise kann der Verschluß einzelner Zugänge nach dem Ermessen des Ober-Kontrolörs durch Anlegung amtlicher Siegel bewirkt werden, wozu der Brauereiinhaber das Material unentgeltlich herzugeben hat.

§. 5.

Ein Brauer, welcher zur Vermahlungssteuer zugelassen ist, hat, sobald er Braustoffe auf seiner Mühle vermahlen lassen will, solches der Hebestelle vorher innerhalb der im §. 17 des Gesetzes vorgesehenen Frist schriftlich oder mündlich unter Angabe:

1. der Art und Menge (Nettogewicht) der zu vermahlenden Stoffe,
2. des Tags und der Stunde der beabsichtigten Aufschüttung auf die Mühle anzuzeigen und gleichzeitig die nach §. 1 beziehungsweise §. 22 II des Gesetzes zu berechnende Brausteuer davon zu entrichten.

Diese Anzeige ist von der Hebestelle in das nach Nr. 11 der Bestimmungen zur Ausführung des Gesetzes (Muster H) zu führende Anmeldungsregister, die erhobene Steuer gleichzeitig in das Heberegister einzutragen und dem Anmeldenden ein Mahlerlaubnißschein nach dem Muster B zu ertheilen, welcher zugleich als Quittung für die Steuerentrichtung dient. B.

Die Brauer können jedoch von den Direktivbehörden verpflichtet werden, statt der im Absatz 1 zugelassenen mündlichen oder schriftlichen Deklaration ausschließlich eine schriftliche Deklaration abzugeben. Für diesen Fall bleibt es den Direktivbehörden zugleich vorbehalten, das Muster für die abzugebende schriftliche Deklaration vorzuschreiben, und kann ein solches Formular nicht allein mit dem Mühlenregister (§. 9) in Verbindung gesetzt, sondern demselben auch eine solche Einrichtung gegeben werden, daß es den Mahlerlaubnißschein (Absatz 2) mitumfaßt.

§. 6.

Die Aufschüttung von Braustoffen auf die Mühle darf nur innerhalb der im §. 19 des Gesetzes für die Einmaischungen bestimmten Zeit erfolgen. Auch für die Vermahlung selbst ist in der Regel die vorerwähnte Zeit inne zu halten; doch können bei nachgewiesenem Bedürfniß Ausnahmen hiervon seitens des Hauptamts bewilligt werden.

§. 7.

Zur angezeigten Stunde der Vermahlung hat der mit der Kontrole der Brauerei beauftragte Beamte sich in dem Mühlenraum einzufinden, den ihm vorzulegenden Mahlerlaubnißschein zu prüfen und, falls hierbei nichts zu erinnern ist, den Verschluß von den Mühlenöffnungen, soweit für den Betrieb erforderlich, zu lösen, demnächst das deklarirte Mahlgut in seiner Gegenwart verwiegen und aufschütten zu lassen, den Zugang zum Mühlenrumpf aber sogleich nach beendigter Aufschüttung wieder zu verschließen.

Der Brauer ist verpflichtet, alsbald nach der Aufschüttung mit der Vermahlung zu beginnen und dieselbe ohne willkürliche Unterbrechung zu beenden.

Der Bezirks-Ober-Kontrolör ordnet für jede Mühle besonders an, ob und inwieweit noch sonstige Theile derselben nach Beendigung der einzelnen Vermahlungen amtlich zu verschließen sind.

§. 8.

Der Aufsichtsbeamte hat das Ergebniß der Verwiegung auf dem Mahlerlaubnißschein zu vermerken und letzteren nach beendeter Verwiegung der Hebestelle zurückzugeben, welche, sofern sich ein den Steuerwerth von 5 Pfennig erreichendes oder übersteigendes Mehrgewicht gegen die Anzeige (§. 5) ergeben hat, die Nachversteuerung bei der folgenden Deklaration, eventuell am Schlusse des laufenden Vierteljahres zu veranlassen, den erledigten Mahlerlaubnißschein aber dem Anmeldungs-Register als Belag beizufügen hat.

Uebersteigt die zur Vermahlung gestellte Menge an Braustoffen die angezeigte und versteuerte Menge um mehr als zehn Prozent, so ist auf Grund des §. 29 Ziffer 4 des Gesetzes gegen den Brauer die Untersuchung wegen Defraudation einzuleiten.

§. 9.

Ueber die jedesmalige Benutzung der Mühle, insbesondere den Tag und die Stunde der Rumpföffnung, die Aufschüttung des Mahlguts und den Wiederverschluß ist ein vom Brauer an einem passenden Orte im Mühlenraum aufzubewahrendes Mühlen-Register nach dem anliegenden Muster C zu führen.

Die Eintragungen darin sind insoweit durch den Aufsichtsbeamten selbst zu bewirken, als die betreffende Handlung von ihm vorgenommen oder doch in seinem Beisein geschehen ist; im Uebrigen hat der Brauer oder der von ihm ein- für allemal hierzu bestimmte Vertreter die bezüglichen Spalten des Registers dem Vordruck gemäß auszufüllen.

§. 10.

Für den Ausnahmefall, daß der Aufsichtsbeamte verhindert sein sollte, die Benutzung des Mühlenwerks durch Abnahme des Verschlusses zur angezeigten Stunde (§. 7) freizugeben, auch eine anderweite Vertretung desselben rechtzeitig nicht sollte bewirkt werden können, hat die Hebestelle die Schlüssel zu dem Rumpfverschlusse dem Brauer mit der Ermächtigung zur Oeffnung des Rumpfes und zur Aufschüttung der deklarirten Menge an Braustoffen auszuhändigen zu lassen.

Ist der Verschluß durch Anlegung amtlicher Siegel bewirkt, oder dem Brauer ein- für allemal der Besitz eines unter amtlichem Siegelverschlusse liegenden Reserveschlüssels zu dem Kunstschlosse anvertraut worden, so können die Siegel nach Ablauf einer Stunde nach der zur Aufschüttung deklarirten Zeit vom Brauer unter Zuziehung eines unverdächtigen Zeugen gelöst und darf mit der Vermahlung alsdann begonnen werden. Das Geschehene ist im Mühlenregister unter Mitunterschrift des Zeugen zu vermerken.

In solchen Fällen ist, soweit möglich, dafür Sorge zu tragen, daß die vermahlenen Braustoffe vor ihrer Einmaischung amtlich nachgewogen werden; auch muß, wenn dem Brauer der Schlüssel zum Kunstschlosse ausgehändigt oder der Siegelverschluß des ihm anvertrauten Reserveschlüssels von ihm gelöst wurde, zu späteren Verschlußanlagen in der betreffenden Mühle ein anderes Kunstschloß verwendet werden.

§. 11.

Jede absichtliche Verletzung des Mühlenverschlusses durch den Brauer oder seine Gewerbsgehülfen ist auf Grund der Schlußbestimmung im §. 35 des Gesetzes mit einer Ordnungsstrafe von 300 ℳ zu ahnden, welche in Wiederholungsfällen bis zu 600 ℳ erhöht werden kann.

Erfolgt eine Verletzung der Mühlenverschlüsse durch Zufall oder Versehen, so hat der Brauer sofort davon unter Angabe der näheren Umstände der Hebestelle schriftlich Anzeige zu machen. Unterläßt er solches, so soll ihn die Strafe der absichtlichen Verschlußverletzung treffen, sofern er nicht nachträglich den vollständigen Gegenbeweis zu führen im Stande ist.

§. 12.

Solange die Brausteuer als Vermahlungssteuer erhoben wird, ist der Brauer für den Betrieb der Brauerei rücksichtlich derjenigen Stoffe, welche einer Verarbeitung auf Mühlenwerken unterliegen, von den Beschränkungen der §§. 13 Absatz 3, 16, 17, 19, 20 und 21 des Gesetzes bezüglich der Aufbewahrung der Vorräthe an Malzschrot, der Anmeldung jeder einzelnen Einmaischung, der Zeit derselben und des Nachmaischens befreit. Im Uebrigen finden auf den Brauereibetrieb alle Bestimmungen des Gesetzes, insbesondere über die Anzeige der Brauereiräume und Gefäße, den Aufstellungsort der Waage, die Aufbewahrung der Braustoffe, die Deklaration und Versteuerung der nicht über eine Mühle gehenden Surrogate und die Revisionsbefugniß der Steuerbeamten Anwendung. Außerdem ist der Brauer verpflichtet, über alle in der Brauerei vorkommenden Einmaischungen ein Notiz-Register zu führen, in welches vor Beginn jedes ersten Einmaischungsaktes die fortlaufende Nummer der Gebräude, Tag und Stunde der Einmaischung, die Menge der für letztere zu verwendenden Braustoffe nach ganzen und halben Kilogrammen, sowie nach Beendigung des Brauaktes die Menge des daraus gezogenen Bieres nach ganzen und halben Hektolitern unter Angabe der Gefäße, auf welche letzteres gebracht ist, genau und vollständig einzutragen ist.

Den Aufsichtsbeamten ist dieses Register auf Verlangen bei ihrer Brauereirevision zur Einsicht vorzulegen; dieselben sind berechtigt, das zur Einmaischung bereit gehaltene Material einer Nachverwiegung zu unterwerfen und den weiteren Brauakt sowie den Bierzug zu kontroliren.

§. 13.

Der Brauer, welcher die Brausteuer als Vermahlungssteuer entrichtet, darf:

1. die zur Verwendung in seiner Brauerei bestimmten Stoffe auf keinen anderen, als den hierzu deklarirten und genehmigten Mühlenwerken vermahlen lassen;
2. in seine Wohnungs-, Mühlen- oder Brauereiräume keine bereits anderweit vermahlene (geschrotete) Braustoffe aufnehmen;
3. keine anderen zum Vermahlen von Braustoffen geeigneten Mühlenwerke innerhalb der Grenzen des Brauereigrundstücks halten oder zulassen,

es sei denn, daß in diesen Fällen (zu 1 bis 3) die Erlaubniß hierzu bei dem Hauptamt vorher schriftlich eingeholt sein sollte.

Die Genehmigung ist jedoch in allen genannten Fällen nur ausnahmsweise auf den Nachweis eines dringenden Bedürfnisses unter den nach Bewandniß des einzelnen Falles alsdann besonders anzuordnenden Kontrolen und vorbehaltlich jederzeitigen Widerrufs zu ertheilen.

Wenn der Brauer den unter 1 bis 3 genannten Verboten zuwiderhandelt, so soll ihn, abgesehen von der nach §. 29 Ziffer 4 des Gesetzes etwa verwirkten Defraudationsstrafe, auf Grund des §. 35 Ziffer 7 und der Schlußbestimmung daselbst eine Ordnungsstrafe von 300 *M.* treffen, welche im Wiederholungsfalle bis auf 600 *M.* erhöht werden kann.

§. 14.

Der Brauer, welchem die Entrichtung der Brausteuer als Vermahlungssteuer zugestanden worden, hat sich den vorstehend in den §§. 1 bis 13 gestellten allgemeinen sowie den ihm etwa besonders vorzuschreibenden Bedingungen protokollarisch zu unterwerfen; auch bleibt der Direktivbehörde überlassen, unter Berücksichtigung der durch die Oertlichkeit und die Mühleneinrichtungen bedingten besonderen Verhältnisse ein den Brauer verpflichtendes Spezialregulativ zu erlassen, von welchem ein Exemplar in der Brauerei auszulegen ist.

Die Zulassung zur Vermahlungssteuer erfolgt nur unter dem Vorbehalt des Widerrufs. Letzterer soll namentlich dann eintreten, wenn der Brauer sich erheblicher oder wiederholter Verletzungen der ihm auferlegten Verpflichtungen schuldig macht.

§. 15.

Sofern nach §. 2 Absatz 2 mehreren Brauern die gemeinschaftliche Benutzung derselben Mühle gestattet worden ist, finden die Vorschriften in den §§. 3, 4, 6, 7 und 9 auf die Genossenschaftsmühle gleichmäßige Anwendung, auch ist jeder Genossenschafter den Bestimmungen der §§. 1, 5, 8 und 10 bis 14, jedoch mit der Maßgabe zu unterwerfen, daß

1. die Anforderung einer jährlichen Minimalverwendung an Braustoffen (§. 1 Ziffer 3) nicht an den Einzelnen, sondern an alle Genossen zusammen zu stellen;
2. in der Vermahlungsanzeige (§. 5) noch die Anzahl der Säcke, in welchen, und die Stunde, zu welcher die Braustoffe nach und von der Mühle geschafft werden sollen, sowie die Art des Transports anzugeben ist;
3. der Transport des Mahlguts nach und von der Mühle nur in den Stunden von Morgens 6 Uhr bis Abends 9 Uhr erfolgen darf;
4. der Mahlerlaubnißschein (§. 5) dem Transport zum Ausweise beizufügen und erst nach Aufnahme des fertigen Gemahls in die betreffenden Brauereiräume der Hebestelle zurückzugeben (§. 8);
5. das Mühlenregister (§. 9) für jeden Genossenschafter in einem besonderen Konto zu führen und
6. für die in der Mühle zu beobachtenden Verpflichtungen von den Brauern ein der Steuerverwaltung gegenüber zunächst verantwortlicher gemeinschaftlicher Vertreter zu bestellen ist.

Nachtrag

zu

den Ausführungsbestimmungen, betreffend das Tabacksteuergesetz vom 16. Juli 1879.

A. Zur Bekanntmachung vom 25. März 1880.

Anmeldung und Besteuerung von Tabackpflanzungen zu Unterrichts- und Zierzwecken.

I. Zu §. 1.

1. Von der Erhebung der Tabacksteuer von Tabackpflanzungen in botanischen und anderen zu Unterrichtszwecken angelegten Gärten ist Abstand zu nehmen, wenn die Pflanzung für jedes derartige Grundstück nicht mehr als 30 Quadratmeter Flächeninhalt umfaßt und seitens der vorgesetzten Aufsichtsbehörde bescheinigt wird, daß der zu erzeugende Taback nicht zum Konsum, sondern lediglich zu wissenschaftlichen Zwecken verwendet werde. Die obersten Landes-Finanzbehörden sind in den vorbezeichneten Fällen befugt, unter Vorbehalt des Widerrufs von der alljährlichen Anmeldung solcher Pflanzungen absehen zu lassen.
2. Von der Erhebung der Tabacksteuer ist abzusehen und es kann die Erfüllung der Vorschriften wegen der Anmeldung der betreffenden Grundstücke unterbleiben, wenn auf einem zusammenhängenden, ungetheilten Grundstück nicht mehr als 50 Tabackpflanzen lediglich zu Zierzwecken gepflanzt werden, und diese Bestimmung der Pflanzen aus der Art der Benutzung des Grundstücks, sowie aus dem Verhältniß der mit Taback bepflanzten Fläche zur Gesammtfläche des Grundstücks unzweifelhaft hervorgeht.

Tabackverlust durch Fäulniß in den Trockenräumen.

II. Zu §. 6.

Der Verlust an Taback durch Fäulniß in den Trockenräumen — die sogenannte Dachfäule — ist nach Maßgabe der Ziffer 2 des §. 9 des Tabacksteuergesetzes vom 16. Juli 1879 zu behandeln.

B. Zu den Dienstvorschriften vom 29. Mai 1880.

Steuerliche Behandlung von Tabackgrumpen.

III. Zu §. 18.

1. Die Genehmigung zur Veräußerung von ungetrockneten Grumpen (§. 11 Absatz 1 des Gesetzes) kann außer dem im §. 8 der Bekanntmachung angegebenen Falle von der Steuerbehörde auch dann ertheilt werden, wenn der Tabackpflanzer die Verpflichtung übernimmt, die ungetrockneten Grumpen zur Verwiegung vorzuführen. Die Genehmigung kann mündlich eingeholt werden.
2. Nach der Verwiegung der ungetrockneten Grumpen ist das Gewicht derselben in dachreifem trockenem Zustande nach Maßgabe der Bestimmungen im §. 19 Absatz 1 der Dienstvorschriften abzuschätzen und von diesem Gewicht nach Abzug von $^1/_5$ die Steuer zu berechnen.
3. Die Zahlung der Steuer durch den Käufer hat, sofern nicht die Grumpen mit Versendungsschein auf eine Niederlage abgefertigt werden oder Kreditirung erfolgt ist, sofort zu erfolgen.
4. Mit Genehmigung der Direktivbehörden kann an die Stelle der beim Verkauf der Grumpen einzureichenden Auszüge aus den Anmeldungen (§. 18 der Dienstvorschriften) und der abzugebenden Verwiegungsanmeldungen (§. 13 der Bekanntmachung) ein Register treten, welches die bezüglichen Angaben zu enthalten hat. Ueber die Einrichtung und Führung dieses Registers bestimmen die Direktivbehörden das Nähere.

IV. Zu §. 23 Ziffer 4.

Die Direktivbehörden sind ermächtigt, soweit sich dazu ein Bedürfniß ergiebt, zu gestatten, daß bei der Verwiegung des Tabacks — Verwiegung des Tabacks.

1. auch für ungleichartige Umschließungen und Schnüre die Feststellung des Gewichts auf Grund von Probeverwiegungen stattfindet,
2. auch Gewichtsmengen von 0,05 kg oder mehr, jedoch höchstens von 0,5 kg, außer Betracht bleiben.

V. Zu §. 28.

1. Die Erhebung der für inländischen Taback festgestellten Steuer kann mittelst eines nach dem Muster für Begleitscheine II auszufertigenden Versendungsscheins II einem zur Erledigung von Versendungsscheinen befugten Amt überwiesen werden. — Abfertigung von inländischem Taback auf Versendungsschein II.
2. Die Vorschriften des Begleitschein-Regulativs über Begleitscheine II finden hierbei sinngemäße Anwendung.
3. Die nach dem Muster 12 zu den Dienstvorschriften vom 29. Mai 1880, betreffend die Besteuerung des Tabacks, auszufertigenden Versendungsscheine sind als „Versendungsscheine I" zu bezeichnen.

   In dem Versendungsschein-Ausfertigungs-Register (Muster 13 daselbst) ist in der Spalte 2 und im Versendungsschein-Empfangs-Register (Muster 14 daselbst) in der Spalte 4 die Gattung des Versendungsscheins durch Eintragung von „I" beziehungsweise „II" ersichtlich zu machen. In dem Empfangsregister ist ferner in den Spalten 7 und 8 die Vereinnahmung der Steuer nachzuweisen.

VI. Zu §. 33.

Das sogenannte amerikanische Tabackernteverfahren (Einernten der ganzen Tabackpflanze ohne Trennung der Blätter von dem Pflanzenstengel) kann auf Antrag des Tabackpflanzers von dem Hauptamt unter nachstehenden Bedingungen und Kontrolen gestattet werden: — Steueramtliche Behandlung des nach amerikanischer Art geernteten Tabacks.

1. Der Antrag auf Gestattung des Verfahrens ist rechtzeitig vor der amtlichen Feststellung der zu vertretenden Tabackmenge (§. 6 des Tabacksteuergesetzes vom 16. Juli 1879) bei der Steuerbehörde des Bezirks einzureichen.

   In demselben ist anzugeben:
   a) auf welche Grundstücke das Verfahren sich erstrecken soll,
   b) wie viel Pflanzen sich auf jedem dieser Grundstücke befinden.
2. Die Pflanzenstengel gehören zu dem steuerpflichtigen Taback.

   Die verbindliche Feststellung der zu vertretenden Tabackmenge richtet sich bezüglich der Pflanzenstengel auf die Zahl der letzteren und hat bei den nach §. 6 des Gesetzes vorzunehmenden Ermittelungen zu erfolgen. Die Feststellung der Zahl der Pflanzenstengel darf auch nach Maßgabe der Bestimmungen im §. 8 des Tabacksteuergesetzes geschehen.
3. Die von den Blättern befreiten Pflanzenstengel sind nach Maßgabe der von der Steuerbehörde zu ertheilenden Anweisung besonders zu verpacken und unter Uebergabe einer schriftlichen Anmeldung spätestens zu dem für die Verwiegung der Blätter festgesetzten Termin zur Revision zu gestellen. Ergiebt sich bei dieser Revision eine geringere als die nach Ziffer 2 zu vertretende Zahl der Pflanzenstengel, so finden die Bestimmungen im §. 25 der Dienstvorschriften vom 29. Mai 1880 sinngemäße Anwendung.

   Die Versteuerung der Pflanzenstengel unterbleibt, soweit die Vernichtung derselben bei der Revision beantragt und demnächst unter Aufsicht vollzogen wird (§. 33 Ziffer 5 der Dienstvorschriften).

VII. Zu Muster 1 und 4.

In Muster 1 der Dienstvorschriften ist in Spalte 15 statt 204 078 zu setzen 229 578, in Muster 4 Spalte 23 statt „Verwiegungsanmeldung" „Anmeldungsauszug". — Berichtigung von Muster 1 und 4.

C. Zum Niederlage-Regulativ vom 29. Mai 1880.

VIII. Zu §. 8.

1. Das Entrippen von inländischem Taback, welcher vom 1. Juli 1885 ab in Theilungslager aufgenommen wird, ist nur mit der Maßgabe zu gestatten, daß die entrippten Blätter un- — Entrippen von inländischem Taback in Theilungslagern.

mittelbar vom Lager unter Steuerkontrole in das Ausland geführt werden. Ausnahmsweise kann mit Genehmigung der Direktivbehörde und unter den von derselben vorzuschreibenden Kontrolen die Versteuerung des entrippten Tabacks zugelassen werden, wenn nach Lage der Verhältnisse kein Zweifel besteht, daß der betreffende Tabaċk ausschließlich zu Fabrikationszwecken im Inlande Verwendung findet.

2. Auf Taback, welcher vor dem 1. Juli 1885 in ein Theilungslager aufgenommen ist, finden vom 1. September 1885 ab die Vorschriften unter Ziffer 1 gleichfalls Anwendung.

D. Zum Kredit-Regulativ vom 16. Juni 1880.

Kreditirung der Tabackgewichtssteuer.

IX. Zu §. 1 Absatz 1.

1. Die Direktivbehörden sind ermächtigt, denjenigen Tabackpflanzern, welche ihren geernteten Taback erweislich nicht bis zum 15. Oktober des auf das Erntejahr folgenden Jahres verkauft haben, auf Antrag eine Verlängerung der im §. 1 Absatz 1 des Regulativs, betreffend die Kreditirung der Tabackgewichtssteuer, vom 16. Juni 1880 festgesetzten Frist zur Einzahlung der gestundeten Tabackgewichtssteuer bis zum 1. März des nächstfolgenden Jahres zu bewilligen.

2. Der für die Kreditirung der Tabacksteuer ebendaselbst festgesetzte Mindestbetrag wird, insoweit es sich um die Pflanzer selbst handelt, von 100 *M.* auf 25 *M.* herabgesetzt.

Kreditirung der Tabackgewichtssteuer.

X. Zu §. 1 Absatz 2.

§. 1 Absatz 2 desselben Regulativs erhält folgenden Zusatz:

Auch kann demjenigen, an welchen inländischer Taback aus Niederlagen mit Versendungsschein II versandt ist, auf Antrag die Tabackgewichtssteuer, falls dieselbe 100 *M.* oder mehr beträgt, bis zum 25. des dritten Monats nach dem Monat, in welchem der betreffende Betrag fällig geworden ist, kreditirt werden.

E. Zur Bekanntmachung vom 27. November 1879.

Verwendung von Melilotenblüthen und eingesalzenen Rosenblättern bei der Herstellung von Tabackfabrikaten.

XI. Zu Ziffer 1 bis 3.

In Zukunft wird auch die Verwendung von Melilotenblüthen (Steinklee) und eingesalzenen Rosenblättern bei der Herstellung von Tabackfabrikaten gestattet, und finden in Bezug auf die bei der Verwendung dieser Surrogate zu entrichtenden Abgaben und zu beobachtenden Kontrolen die Bestimmungen in Ziffer 2 und 3 des Beschlusses vom 27. November 1879 Anwendung.

Verwendung von Melilotenblüthen bei der Herstellung von Tabackfabrikaten.

XII. Zu §. 1 Absatz 2 der Kontrolvorschriften.

Die für die Verwendung von Melilotenblüthen (Steinklee) zur Herstellung von Tabackfabrikaten festgesetzte jährliche Minimalmenge wird von 100 kg auf 25 kg herabgesetzt.

Verwendung von Kirschblättern, Weichselblättern und eingesalzenen Rosenblättern bei der Herstellung von Tabackfabrikaten.

XIII. Zu §. 1 Absatz 2 der Kontrolvorschriften.

Die für die Verwendung von Kirschblättern, Weichselblättern und eingesalzenen Rosenblättern zur Herstellung von Tabackfabrikaten festgesetzte jährliche Minimalgrenze wird von 100 kg auf 50 kg herabgesetzt.

Verwendung von Veilchenwurzelpulver bei der Herstellung von Tabackfabrikaten.

XIV. Zu Ziffer 1 bis 3 und zu §. 1 Absatz 2 der Kontrolvorschriften.

In Zukunft wird auch die Verwendung von Veilchenwurzelpulver bei der Herstellung von Tabackfabrikaten gestattet, und finden in Bezug auf die bei der Verwendung dieses Surrogats zu entrichtenden Abgaben und zu beobachtenden Kontrolen die Bestimmungen in Ziffer 2 und 3 des Beschlusses vom 27. November 1879 mit der Maßgabe Anwendung, daß bei Veilchenwurzelpulver die jährliche Minimalmenge (§. 1 Absatz 2 der Kontrolvorschriften) 10 kg beträgt.

F. Zur Anleitung vom 7. Juni 1880.

Uebersicht über den Tabackbau und die Ergebnisse der Tabackernte.

XV. Zu Muster 2.

Die durch den Beschluß vom 7. Juni 1880 festgestellte Anleitung zur Aufstellung der Uebersichten über die Besteuerung des Tabacks wird dahin geändert, daß der Einsendungstermin für die Uebersicht über den Tabackbau und die Ergebnisse der Tabackernte (Muster 2) vom 1. Mai auf den 1. Juli des auf die Ernte folgenden Jahres verlegt wird.

Zusammenstellung

der

Abänderungen und Nachträge:

a) zu dem Regulativ für Privattransitlager von Bau- und Nutzholz ohne Mitverschluß der Zollbehörde vom 24. Mai 1880.

Zusatz zu §. 14.
Unter benachbarten Orten sind nur solche zu verstehen, welche mit einander in unmittelbarem Zusammenhang stehen, z. B. Magdeburg-Buckau.

b) zu den Bestimmungen, betreffend Erleichterungen in den Abfertigungsformen für in Flößen eingehendes Bau- und Nutzholz, vom 24. Mai 1880.

Zusatz zu III.
Mit Bewilligung der obersten Landes-Finanzbehörde kann die Abfertigung von Flößen mit eingebundenen Faßstäben auf Begleitschein I, vorausgesetzt, daß die Flöße mit Begleitpapieren versehen sind, aus denen sowohl die Gesammtstückzahl der zu einer Traft gehörigen Stäbe, als auch die Stückzahl jeder darin vorkommenden handelsüblichen Sorte zu ersehen ist, und gegen deren Glaubwürdigkeit keine Zweifel bestehen, auf Grund der Angaben in der Eingangsdeklaration erfolgen, und kann vorbehaltlich der speziellen Revision am Bestimmungsort, die Revision beim Eingang auf die Feststellung der Zahl der Floßtheile, sowie der Gattung des Holzes beschränkt werden.

c) zu dem Regulativ für Privattransitlager von den in Nr. 9 des Zolltarifs aufgeführten Waaren (Getreide zc.) ohne Mitverschluß der Zollbehörde, vom 13. Mai 1880.

1. An Stelle des jetzigen §. 5 tritt folgende Bestimmung:
   Werden Getreidemengen derselben Art, welche verschiedenen Zollsätzen unterliegen, gelagert, so findet auf den gesammten Bestand dieser Getreideart, der höchste der in Betracht kommenden Zollsätze Anwendung. Die Einlagerung des Getreides erfolgt nach Nettogewicht.
2. Zusatz zu §. 10.
   Als inländisch nachgewiesene Säcke unterliegen bei der Entfernung vom Lager in leerem Zustande der Verzollung nicht.
3. Zusatz zu §. 14.
   Unter benachbarten Orten sind nur solche zu verstehen, welche mit einander in unmittelbarem Zusammenhang stehen, z. B. Magdeburg-Buckau.
4. Hinter §. 22 und vor „V. Strafbestimmungen" ist in Gemäßheit des Beschlusses des Bundesraths vom 2. Juli 1885 einzuschalten als

§. 22a.

Getreidemengen derselben Art, welche verschiedenen Zollsätzen unterliegen, müssen gesondert in von einander getrennten Räumen, welche mit dem für die lagernden Waaren maßgebenden Zollsatze deutlich bezeichnet sind, gelagert werden.

In dem Niederlage-Register (§. 15), den An- und Abmeldungen (§. 18) und in den Lager-Registern (§. 20) ist der Zollsatz, welchem die Waare unterliegt, ersichtlich zu machen und in den

Abmeldungen außerdem die Richtigkeit der letzteren Angabe ausdrücklich vom Deklaranten zu versichern.

Mischungen mit den vorbezeichneten Waaren dürfen nur nach vorheriger Anmeldung (§. 19) und unter amtlicher Aufsicht vorgenommen werden.

d) zu dem Regulativ, betreffend die Gewährung einer Zollerleichterung bei der Ausfuhr von Mühlenfabrikaten vom 27. Juni 1882.

1. §. 4 Absatz 2 erhält folgende Fassung:
   Die Buchführung ist so einzurichten, daß jederzeit festgestellt werden kann, wieviel Getreide jeder Art und zu welchem Zollsatz in den bezeichneten Räumen vorhanden sein soll.
2. Zusatz zu §. 5.
   Getreidemengen derselben Gattung, welche verschiedenen Zollsätzen unterliegen, sind im Konto in besonderen Unterabtheilungen anzuschreiben.
3. An Stelle des jetzigen §. 8 tritt in Gemäßheit des Beschlusses des Bundesraths vom 2. Juli 1885 folgende Bestimmung:
   Die Abrechnung findet vierteljährig in der Art statt, daß am 20. Tage, falls dieser aber auf einen Sonn- oder Feiertag fällt, am nächsten Werktage des siebenten Monats nach Ablauf des Abrechnungsquartals von der in diesem Quartal angeschriebenen Menge ausländischen Getreides diejenige Getreidemenge, welche nach dem Ausbeuteverhältniß (§. 9) der Menge der in dem bezeichneten und in den beiden darauf folgenden Quartalen thatsächlich zur Ausfuhr gelangten Mühlenfabrikate entspricht, in Abzug gebracht wird, soweit dieselbe nicht etwa schon bei der Abrechnung für das Vorquartal zum Abzug gebracht ist. Es ist dabei für jede Getreideart besonders abzurechnen. Falls bei der Abrechnung die in Abzug zu bringende Getreidemenge die im Abrechnungsquartal stattgefundenen Anschreibungen der betreffenden Getreideart nicht erreicht, so ist der Zollbetrag von dem zu verzollenden Quantum unter Zugrundelegung des Verhältnisses der im Abrechnungsquartal angeschriebenen, verschiedenen Zollsätzen unterliegenden Getreidemengen der in Betracht kommenden Gattung zu berechnen. Der Konteninhaber hat binnen längstens 8 Tagen nach Zustellung der Abrechnung den sich ergebenden Zollbetrag einzuzahlen. Ein weiterer Geldkredit ist unzulässig.
4. An Stelle des 2. Absatzes des §. 9 tritt in Gemäßheit des Beschlusses des Bundesraths vom 2. Juli 1885 folgende Bestimmung:
   Bei Gemischen von Weizen- und Roggenmehl, sowie bei Weizen- oder Roggenmehl, welches aus Weizen- oder Roggenmengen hergestellt ist, die verschiedenen Zollsätzen unterliegen, ist das Verhältniß der zur Mischung verwendeten Getreidearten, beziehungsweise der verschiedenen Zollsätzen unterliegenden Getreidemengen derselben Gattung anzumelden und gelangen diese Gemische bei nachgewiesener Ausfuhr dementsprechend zur Abschreibung. Ist das Mischungsverhältniß nicht bekannt, so ist die Abschreibung und Abrechnung nach Maßgabe der Vorschriften zu bewirken, welche die obersten Landes-Finanzbehörden für diesen Fall ertheilen werden.
5. An Stelle des letzten Absatzes des §. 9 tritt in Gemäßheit des vorerwähnten Beschlusses des Bundesraths folgende Bestimmung:
   Bei der Ausfuhr von Mühlenfabrikaten, welche aus einer Mischung von verschiedenen Zollsätzen unterworfenen Getreidearten hergestellt sind, findet, abgesehen von der im zweiten Absatz dieses Paragraphen vorgesehenen Ausnahme, ein Zollnachlaß überhaupt nicht statt.

Ausführungsbestimmungen,

betreffend

das Gesetz über die Erhebung einer Abgabe von Salz.

I. Berechnung der Abgabe.

§. 1.

Die Salzabgabe (§. 2 des Gesetzes) wird nach dem Nettogewicht erhoben. Die Ermittelung des letzteren kann bei Salz in Säcken in der Weise erfolgen, daß das Gewicht der zur Verpackung dienenden Säcke ermittelt und von dem durch die Verwiegung der gefüllten Kolli sich ergebenden Bruttogewicht abgesetzt wird. Dabei ist es statthaft, mehrere Salzsäcke von gleicher Größe und gleichem Stoffe zusammen zu verwiegen und hiernach eine durchschnittliche Tara zu berechnen.

Von der Ermittelung des Nettogewichts durch Verwiegung kann Umgang genommen werden, wenn der Steuerpflichtige sich mit einer Taravergütung von $^1/_2$ Prozent begnügt.

Bei der Erhebung sind die Bestimmungen des §. 4 des Zolltarifgesetzes auch auf inländisches Salz anzuwenden.

II. Kontrole und Abfertigung.

A. Inländisches Salz.

§. 2.

Die im §. 4 des Gesetzes gedachte Nachweisung muß namentlich enthalten:

1. Angabe der vorhandenen Salzquellen oder Bohrlöcher, der zugehörigen Schächte, Stollen, Brunnen rc., auch des Salzgehalts der einzelnen Soolquellen, beziehungsweise der zu versiedenden Soole nach Prozenten;
2. die Aufführung sämmtlicher zu dem Werke gehörigen feststehenden Geräthe und Vorrichtungen, als: Soole-Reservoirs, Siedepfannen, Soole-Pumpen, Gradirwerke rc.;
3. die Bezeichnung des kubischen Inhalts der einzelnen Siedepfannen;
4. die Angabe der in den Siederäumen vorhandenen, zur Aufnahme des aus den Pfannen gezogenen Salzes vor dem Transport nach den Trockenräumen dienenden Vorrichtungen und Gefäße.

Zugleich ist in der Nachweisung darzulegen, in welcher Weise den Vorschriften des §. 7 des Gesetzes entsprochen ist.

Dieser Nachweisung, welche für die Salzwerke mit der im §. 3 des Gesetzes vorgeschriebenen Anmeldung verbunden werden kann, muß ein Grundriß des Salzwerks, welcher die sämmtlichen Baulichkeiten, die Lage der vorstehend unter Nr. 2 genannten Geräthe und Vorrichtungen, der Trockenräume und der Lagerungsmagazine ergiebt, in zweifacher Ausfertigung hinzugefügt werden.

Die im §. 4 des Gesetzes gedachte Anzeige wegen Veränderungen ist dem Salzsteueramt zur weiteren Veranlassung, und zwar früher als mit der Veränderung begonnen wird, zu übergeben.

§. 3.

Die im §. 6 des Gesetzes gedachte Kontrole wird für jedes Salzwerk durch ein Salzsteueramt geübt, dessen Funktionen auf Staats- oder unter Staatsverwaltung stehenden Salzwerken theilweise auch durch Salzwerksbeamte ausgeübt werden können.

§. 4.

Bis auf Weiteres hat jeder Salzwerksbesitzer die im §. 7 des Gesetzes unter Nr. 1 bis 8 ausgesprochenen Verpflichtungen zu erfüllen. Derselbe ist überdies verpflichtet:

1. das Salz aus den Siederäumen unmittelbar in die Magazine oder in die Trockenräume und ebenso aus diesen unmittelbar in die Magazine zu bringen, mithin die Niederlegung des Salzes in keinem anderen Raume zu gestatten;
2. die Kontrolebeamten von dem Zeitpunkt des Beginns des Transports des Salzes aus dem Trockenraum in das Magazin vorher benachrichtigen zu lassen;
3. die über den Betrieb der Saline (des Salzbergwerks) und das gewonnene Salz zu führenden Bücher dem Salzsteueramt zur Siegelung und Foliirung vorzulegen;
4. die Betriebsgebäude, soweit es die Arbeiten gestatten, verschlossen zu halten, den Eintritt in dieselben aber außer den Steuerbeamten, den Bergwerksbeamten und solchen Personen, welche das Salzwerk aus technischen, wissenschaftlichen oder ähnlichen Gründen besuchen, nur den auf dem Salzwerke beschäftigten Personen zu gestatten.

§. 5.

Den mit der Kontrole beauftragten Beamten, sowie deren Vorgesetzten steht zu allen innerhalb der Betriebsanstalt belegenen Lokalitäten und Gebäuden, soweit solche nicht lediglich als Wohnräume benutzt werden, der Zutritt jederzeit, also auch außerhalb der Dienststunden frei.

§. 6.

In den Wohnungen, welche sich innerhalb der Salzwerkslokalitäten und zugehörigen Höfe oder in baulicher Verbindung mit den Salzwerken befinden, darf Salz irgend welcher Art nicht in größeren Mengen als 5 kg auf den Kopf der Bewohner aufbewahrt werden.

§. 7.

Die Dienststunden der Salzsteuerämter sind mit thunlichster Rücksicht auf den Salzwerksbetrieb für jedes Salzwerk von der Direktivbehörde besonders festzustellen.

§. 8.

Die im §. 9 des Gesetzes gedachte Anmeldung der Entnahme von Salz aus den Magazinen muß enthalten:

1. die Menge des zu entnehmenden Salzes nach Gewicht, sowie dessen Gattung;
2. die Bezeichnung, sowie die Zahl der Kolli, desgleichen das Einzelgewicht der letzteren, sofern dasselbe ein verschiedenes ist;
3. den Namen des Transportanten;
4. den Bestimmungsort und den Namen des Empfängers;
5. die begehrte Abfertigungsweise;
6. etwaige sonstige Anträge.

1. Es ist zu dieser Anmeldung das unter 1 anliegende Muster zu verwenden; für Salzabfälle (§§. 11 und 13) genügt mündliche Anmeldung.

Wird ausnahmsweise die Entnahme von Salz unmittelbar aus den Siede- oder Trockenräumen gewünscht, so bleibt wegen der anzuordnenden Vorsichtsmaßregeln besondere Bestimmung vorbehalten.

§. 9.

Der Hausbedarf der Salzwerksbesitzer, Beamten und Arbeiter an Salz darf nur in längeren mindestens vierteljährlichen Zeitabschnitten auf besondere schriftliche Anmeldung nach zuvoriger Versteuerung entnommen werden.

§. 10.

Das zu entnehmende Salz wird in Gemäßheit der Anträge des Salzwerksbesitzers im Falle der sofortigen Versteuerung des Salzes oder der Empfangnahme unter Anschreibung auf Steuerkredit sowie im Falle der Versendung denaturirten Salzes in den freien Verkehr gesetzt und für jeden Transport ein
2. A. u. B. Versendungsschein nach dem anliegenden Muster 2 ausgestellt, welcher zur Legitimation bei der Abfuhr

des Salzes von dem Salzwerke, sowie in dem Salzwerksbezirk (§. 10 Nr. 1 des Gesetzes) und im Grenzzollbezirk dient.

Auf Begleitschein I nach dem anliegenden Muster 3 wird — unter Kollo-, Wagen- oder Schiffs- 3.
verschluß — das Salz abgefertigt, welches ausgeführt oder zur Niederlage deklarirt, oder unter der
Bedingung demnächstiger Denaturirung beziehungsweise der Verwendung unter steuerlicher Aufsicht ohne
Erhebung der Salzabgabe abgelassen werden soll.

Auf Begleitschein II nach anliegendem Muster 4 wird dasjenige Salz abgefertigt, für welches 4.
lediglich die Erhebung der festgestellten Abgabe auf ein anderes, dazu befugtes Amt überwiesen werden soll.

Zur Erledigung von Begleitscheinen über Salz sind die Aemter befugt, denen die Erledigung von Begleitscheinen I beziehungsweise II über zollpflichtige Waaren zusteht; andere Aemter bedürfen hierzu der Genehmigung der obersten Landes-Finanzbehörde. Im Uebrigen greifen für diese Begleitscheine dieselben Bestimmungen Platz, welche für die im Zollverkehr ausgestellten Begleitscheine ertheilt worden sind.

Nachdem die Abfertigung erfolgt ist, muß das Salz sofort von dem Salzwerk und dessen Hofraum entfernt werden. Ausnahmsweise kann gestattet werden, daß versteuertes oder denaturirtes Salz in Lagerräumen, welche unter Mitverschluß der Steuerverwaltung stehen, getrennt von dem übrigen Salz auf den Salzwerken aufbewahrt wird.

Die Verabfolgung von Soole und Mutterlauge ist schriftlich anzumelden und nach Maßgabe des §. 15 zu behandeln.

§. 11.

Die Wegführung des Salzes von dem Salzwerk ist nur statthaft:

1. innerhalb der Dienststunden des Salzsteueramts;
2. aus den Thoren und auf den Wegen, welche als Ausgangsstraßen durch Tafeln mit geeigneten Inschriften bezeichnet sind.

Ein Gleiches gilt für den Transport von Salzabfällen (Schmutz- und Fegesalz, Pfannenstein, Dornstein, Salzschlamm u. dergl.), sowie von Soole und Mutterlauge.

Ausnahmsweise dürfen die Salzsteuerämter das Arbeiten in den Magazinen und die Wegführung des nach entfernten Orten bestimmten Salzes auch außerhalb der Dienststunden gestatten.

§. 12.

Der von dem Produzenten zu entrichtende Steuerbetrag wird mit dem Schlusse eines jeden
Rechnungsmonats dem Salzwerksinhaber bekannt gemacht und ist von diesem binnen drei Tagen nach
Empfang der, nach dem anliegenden Muster 5 aufzustellenden, amtlichen Berechnung bei dem Hauptamt
des Bezirks einzuzahlen. 5.

Wird Salz auf Begleitscheine, welche von Fabrikanten oder Salzhändlern oder deren Bevollmächtigten extrahirt werden, verabfolgt, so wird hierdurch der Produzent von der Verpflichtung, die Abgabe zu zahlen, entbunden.

Gegen genügende Sicherheit kann nach dem Ermessen der Direktivbehörde ein Kredit von drei Monaten denjenigen Produzenten und Salzhändlern gewährt werden, welche an Salzabgabe jährlich mindestens 3000 *M.* entrichten. Auch bleibt dem Ermessen dieser Behörde überlassen, die Einzahlung der Abgabe bei einer anderen Kasse zu gestatten oder anzuordnen.

Von der Kontrolgebühr (§. 20 Abs. 3 des Gesetzes) sind außer den Natronsulphat- und Sodafabrikanten auch die Glasfabrikanten befreit.

§. 13.

Salzabfälle (§. 11) bedürfen zur steuerfreien Abfertigung der vorgeschriebenen Denaturirung nicht, wenn sie sich unzweifelhaft bereits in einem Zustand befinden, in welchem sie in gleichem Grade, wie besonders denaturirtes Salz, für Menschen ungenießbar sind.

§. 14.

Die steuerfreie Niederlegung von Salz darf in zur Aufnahme von Salz bestimmten öffentlichen Niederlagen (öffentlichen Salzniederlagen) oder in von der Direktivbehörde genehmigten Privatsalzlagern (Transit- oder Kreditlagern) erfolgen.

In öffentlichen Salzniederlagen und Transitlagern darf, abgesehen von Steinsalz in Stücken, in der Regel nur Salz in verpacktem Zustande zur Lagerung zugelassen werden; auf dieselben finden die

Bestimmungen des Niederlage-Regulativs und des Privatlager-Regulativs nebst den dieselben abändernden oder ergänzenden Bestimmungen entsprechende Anwendung.

Wenn das zu lagernde Salz im Inlande unter steuerlicher Aufsicht in Säcken von für jeden Begleitscheinposten gleicher Größe verpackt ist, so unterbleibt die Verwiegung desselben bei der Aufnahme in Niederlagen; hinsichtlich des dergestalt abgefertigten Salzes hat das Begleitscheingewicht bei der Abgabenerhebung sowie bei der später etwa erfolgenden Ausfuhr zur Grundlage zu dienen, im letzteren Falle ist mithin die Frage, wie eine beim Ausgang ermittelte Gewichtsdifferenz zu erledigen sei, ebenso zu behandeln, als wenn das Salz zur unmittelbaren Ausfuhr ohne zuvorige Lagerung in einer Niederlage abgefertigt wäre. Bei der Ausfuhr dergleichen verpackten Salzes ist, wenn die Säcke und deren Verschluß unverletzt sind, die Revision in der Regel auf Zählung oder probeweise Verwiegung zu beschränken.

Kreditlager dürfen von der Direktivbehörde zur Niederlegung verpackten Salzes Salzhändlern an Orten, für welche ein Bedürfniß anzuerkennen ist und an denen sich ein Zoll- oder Steueramt befindet, welches zur Erledigung von Begleitscheinen I allgemein befugt oder besonders ermächtigt worden ist, unter folgenden Bedingungen bewilligt werden:

1. Das auf Begleitschein I in für jede einzelne Begleitscheinpost stets gleichmäßigen Gebinden zu beziehende Salz wird vom Händler in einen für diesen Zweck deklarirten, unter seinem alleinigen Verschluß stehenden Raum gebracht, ohne daß das Salz dem Empfangsamt vorgeführt zu werden braucht.
2. Der Händler hat für die auf dem Salz haftende Abgabe Sicherheit zu bestellen und auf die Abfertigung zur Durchfuhr, sowie auf Denaturirung zu verzichten. Das Salz lagert in der Niederlage auf Gefahr des Händlers, so daß er weder für Schwindung noch für Vernichtung durch Feuer, Wasser oder sonstige Ereignisse Steuererlaß verlangen kann.
3. Der Begleitschein ist rechtzeitig dem Empfangsamt vorzulegen, welches die darin verzeichnete Salzmenge in das Niederlage-Register einträgt und den Begleitschein durch die Bescheinigung dieser Eintragung erledigt.
4. Der Niederleger hat über den Verkauf Buch zu führen, Ende jeden Monats den Absatz zu deklariren und nach Feststellung des Sollbestandes die Salzabgabe zu zahlen.
5. Unrichtige Buchführung oder Deklaration hat Ordnungsstrafe, nach Umständen Widerruf des Zugeständnisses zur Folge.

§. 15.

Bezüglich der steuerlichen Behandlung von Soole und Mutterlauge (§. 10 Abs. 6 und §. 11) gelten folgende Bestimmungen:

1. Alle Soolquellen, Soolbrunnen u. s. w. stehen unter allgemeiner steuerlicher Aufsicht.
2. Soolbrunnen, welche zur Salzbereitung oder zu sonstigen gewerblichen Zwecken gar nicht benutzt werden, sind, wenn thunlich, dem Publikum durch feste Verdeckung ganz unzugänglich zu machen.
3. Soole kann zu Bädern in größere Badeanstalten auf Bescheinigung der Besitzer, an einzelne Personen auf Bescheinigung des Hausarztes, in welcher die Zahl der Bäder oder die Menge der Soole annähernd vermerkt ist, von dem betreffenden Salzsteueramt oder, wo ein solches nicht besteht, von dem betreffenden Hauptzoll- oder Hauptsteueramt verabfolgt werden.
4. Mutterlauge, welche höchstens 3 Prozent Chlornatrium enthält, kann ohne Kontrole verabfolgt werden, vorbehaltlich der gesetzlichen Beaufsichtigung chemischer Fabriken, welche solche zur Verarbeitung in größeren Mengen beziehen.

   Mutterlauge, welche mehr als 3 Prozent Chlornatrium enthält, kann an Privatpersonen zu Bädern in angemessenen Mengen ohne ärztliche Bescheinigung und an die mit Berechtigungsschein versehenen Händler ohne Kontrole verabfolgt werden, sofern dieselbe steueramtlich in der That als Mutterlauge, d. h. als die beim Salzsieden als Rest in der Siedepfanne verbleibende Flüssigkeit, welcher der Salzgehalt der Soole bereits zum größten Theil entzogen ist, erkannt wird.
5. Von Soole oder Mutterlauge, welche zu anderen Zwecken verabfolgt wird, ist die Abgabe nach dem Gewicht zu erheben.

6. Bei der Festsetzung der nach dem Gewicht zu bemessenden Steuer für Soole und Mutterlauge ist auf den Salzgehalt der Soole keine Rücksicht zu nehmen.

§. 16.

Die Erhebung und Sicherung der Salzabgabe auf den Staats-Salzwerken wird von der obersten Landes-Finanzbehörde nach Maßgabe der hierüber bestehenden Grundsätze geregelt.

Bezüglich der Erhebung und Sicherung der Salzabgabe auf den Privatsalinen wird auf die dieserhalb erlassene Anweisung (Anlage I) verwiesen. Es bleibt jeder Regierung vorbehalten, die in dieser Anweisung vorgeschriebenen Muster zu Registern den besonderen Bedürfnissen entsprechend abzuändern.

Hinsichtlich der Fabriken, in welchen Salz als Nebenprodukt gewonnen wird, wird die Ausführung des Gesetzes für jede Fabrik durch eine besondere Anweisung geordnet.

B. Ausländisches Salz.

§. 17.

Die Abfertigung des vom Auslande eingehenden Salzes erfolgt nach den für zollpflichtige Gegenstände überhaupt geltenden Bestimmungen. Indessen finden auf die öffentlichen Salzniederlagen und die Transitlager von ausländischem Salz auch die im §. 14 Absatz 2 gegebenen besonderen Bestimmungen, sowie auf die Kreditlager von ausländischem Salz nicht die Bestimmungen des Privatlager-Regulativs, sondern die oben im §. 14 Absatz 4 gegebenen Bestimmungen Anwendung (§. 25 Abs. 1 des Privatlager-Regulativs).

III. Befreiungen von der Salzabgabe.

§. 18.

Die Bereitung und der Absatz von sogenanntem Badesalz, welches zum menschlichen Genuß unbrauchbar ist, bleibt unter folgender Kontrole abgabefrei:

1. Der Fabrikant darf sowohl in Ansehung des Lokals als der Geräthe, deren er sich zur Fabrikation des Badesalzes bedient, ohne Genehmigung der Steuerbehörde keine Veränderungen vornehmen.
2. Er darf die gewonnenen Vorräthe dieses Salzes nur an einem ein- für allemal dazu mit Genehmigung der Steuerbehörde bestimmten Raum aufbewahren.
3. Er hat über den Zu- und Abgang derselben nach näherer Anweisung der Steuerbehörde eine Anschreibung zu führen.
4. Er hat den Steuerbeamten den Zutritt zu den betreffenden Gewerbsräumen bei Tage jederzeit, bei Nacht, wenn die Siedepfanne im Betriebe, zum Zweck der Revision zu gestatten.

§. 19.

1. Auf Grund des §. 2 des Gesetzes dürfen die in den Salzbergwerken vorkommenden sogenannten Abraumsalze (Carnallit, Kainit und andere mehr) von der obersten Landes-Finanzbehörde ohne Kontrole von der Salzabgabe freigelassen werden, wenn ihr Gehalt an Salz (Kochsalz) 36 Prozent ihres Gewichts nicht übersteigt und wenn sie vor der Entfernung vom Salzwerke derart vermahlen sind, daß die Ausscheidung der etwa vorhandenen Salztheile auf mechanischem Wege unmöglich erscheint.

An Besitzer von Fabriken, welche auf Grund des §. 6 a. a. O. unter Kontrole der Steuer- (Zoll-) Verwaltung stehen, ist die abgabenfreie Verabfolgung von Abraumsalzen von dem vorbezeichneten Kochsalzgehalte auch ohne vorherige Vermahlung statthaft.

2. Abraumsalze und andere Produkte der Salzbergwerke, welche mehr als 36, jedoch weniger als 75 Prozent Salz (Kochsalz) enthalten, können unter der von der Zolldirektivbehörde, in deren Bezirk der Empfänger wohnt, anzuordnenden Kontrole unmittelbar an Landwirthe und zum Bezuge steuerfreien Salzes berechtigte Gewerbetreibende (unter Ausschluß der Salzhändler) ohne Denaturirung, aber nach vorheriger Vermahlung abgabenfrei abgelassen werden.

3. Abraumsalze u. s. w. von einem Kochsalzgehalt von 75 Prozent oder mehr unterliegen der Salzabgabe, sofern sie nicht nach den für die Denaturirung von Steinsalz erlassenen Vorschriften denaturirt werden.

4. Die mit der Kontrole des Salzbergwerks betrauten Oberbeamten der Zoll- oder Steuerverwaltung haben periodisch Durchschnittsproben der ohne Denaturirung zum Absatz gelangenden Abraum-

salze zu entnehmen und die Ermittelung ihres Kochsalzgehalts durch chemische Untersuchung zu veranlassen um die genaue Innehaltung der vorbezeichneten Grenzen des Kochsalzgehalts zu überwachen.

§. 20.

In Betreff der Befreiung des zu landwirthschaftlichen und gewerblichen Zwecken bestimmten
II. Salzes von der Salzabgabe wird auf die dieserhalb erlassenen besonderen Bestimmungen (Anlage II) verwiesen.

§. 21.

Die auf Grund des §. 20 Ziffer 3 des Gesetzes freigeschriebenen beziehungsweise vergüteten Abgabebeträge für das zum Einsalzen oder Nachpökeln von Heringen oder ähnlichen Fischen (Uebereinkunft wegen Erhebung einer Abgabe von Salz vom 8. Mai 1867 Art. 5 C und B 3) und für das zum Einsalzen, Einpökeln u. s. w. von Gegenständen, welche zur Ausfuhr bestimmt sind und ausgeführt werden (ebend. Art. 5 A 3), sind, und zwar ohne Rücksicht darauf, ob die Menge des zu dem letztbezeichneten Zweck verwandten Salzes unter stehender steuerlicher Kontrole oder auf andere Weise nachgewiesen ist, von den zur Reichskasse abzuführenden Erträgen der Salzabgabe in Abzug zu bringen.

In Betreff des Nachweises der Verwendung des Salzes, zum Einsalzen von Heringen oder ähnlichen Fischen treffen die obersten Landes-Finanzbehörden die erforderlichen Bestimmungen.

Das zur Nachpökelung von Heringen ꝛc. bestimmte Salz ist mit 6 Liter Heringslake auf je 50 kg Salz unter amtlicher Aufsicht zu denaturiren.

Bezüglich des nicht unter stehender steuerlicher Kontrole zum Einsalzen ꝛc. zur Ausfuhr bestimmter
III. Gegenstände erforderlichen und verwendeten Salzes sind die in der Anlage III getroffenen Bestimmungen anzuwenden.

§. 22.

Bei der Anwendung der §§. 18 bis 21 bleibt zu beachten, daß nach der Bestimmung in der Anmerkung zum Artikel „Salz“ im amtlichen Waarenverzeichniß der Zoll von ausländischem Salz und ausländischen Stoffen, aus welchen Salz ausgeschieden zu werden pflegt, nur bis zum Betrage von 12 ℳ für je 100 kg erlassen werden darf, so daß bei nicht seewärtigem Eingange 0,80 ℳ für je 100 kg zu erheben sind.

Auf private Rechnung kann Salz abgabenfrei verabfolgt werden:

1. zu Unterstützungen bei Nothständen, sowie an Wohlthätigkeitsanstalten,
2. zu Deputaten (Salz-Naturalabgaben), auf deren abgabenfreie Verabfolgung die Berechtigten Anspruch haben.

IV. Erhebung der Salzabgabe außerhalb der Salzwerke.

§. 23.

In Betreff der Erhebung der Salzabgabe bei den Zoll- und Steuerstellen, welche sich nicht an
IV. Salzwerksorten befinden, wird auf die näheren Bestimmungen in der Anlage IV hingewiesen.

Anlage 1.

Anweisung,

die Erhebung und Sicherung der Salzabgabe auf den Privatsalinen betreffend.

§. 1.

Die nach §. 4 des Gesetzes, betreffend die Erhebung einer Abgabe von Salz, in doppelter Ausfertigung einzureichende Nachweisung wird von einem Mitgliede des betreffenden Hauptzoll- oder Hauptsteueramts durch Besichtigung an Ort und Stelle einer Prüfung unterzogen und nach Erledigung der sich dabei ergebenden Anstände festgestellt.

Hierauf ist das eine Exemplar, mit dem Visa des Hauptamts versehen, dem Salinenbesitzer zum etwaigen demnächstigen Ausweise der geschehenen Anmeldung zurückzugeben, das andere Exemplar verbleibt dagegen im Besitz der Steuerverwaltung.

Hinsichtlich der ebendaselbst vorgeschriebenen Anzeigen über Veränderungen ist in gleicher Weise, jedoch mit der Maßgabe zu verfahren, daß die Prüfung durch den Bezirks-Ober-Kontrolör erfolgen kann.

§. 2.

Die zweite Ausfertigung der von dem Salineninhaber abzugebenden Nachweisung der Betriebslokalitäten und Geräthe ist zum Behuf der Ueberwachung des nachgewiesenen Bestandes, sowie zur Nachtragung etwaiger Veränderungen bei dem Salzsteueramt niederzulegen.

§. 3.

Die nach §. 4 Nr. 2 der Ausführungsbestimmungen, betreffend das bezeichnete Gesetz, abzugebende Benachrichtigung kann mündlich und, sofern die Beförderung des Salzes aus den Trockenräumen in die Magazine zu bestimmten Zeiten sich wiederholt, für einen längeren Zeitraum im Voraus geschehen.

§. 4.

Die Salzsteuerämter, soweit nicht ausnahmsweise ein Hauptamt mit den Funktionen des Salzsteueramts beauftragt wird, sind dem Hauptzoll- oder Hauptsteueramt, in dessen Bezirk sie belegen sind, sowie dem betreffenden Ober-Kontrolör untergeordnet.

§. 5.

Die jedem Salzsteueramt durch besondere Verfügung vorzuschreibenden Dienststunden sind pünktlichst abzuhalten. Auch ist Anträgen des Salineninhabers auf temporäre Ausdehnung der Arbeits- und Dienststunden in Fällen zu entsprechen, wo es sich um größere Transporte von Salz handelt, welches auf Begleitschein abgefertigt, oder für Verkaufsstellen bestimmt ist, welche mindestens 20 Kilometer vom Produktionsort entfernt liegen. (§. 11 der Ausführungsbestimmungen.)

§. 6.

An den mit mehreren Beamten besetzten Salzsteuerämtern ist der Einnehmer für die gesammte Kassen- und Registerführung allein verantwortlich. Es liegt ihm die Leitung des ganzen Dienstes ob, und das übrige Personal ist verpflichtet, seinen Anordnungen über die Form des Geschäftsganges, sowie über die Handhabung der Kontrole und des Abfertigungswesens Folge zu leisten.

Derselbe ist vorzugsweise mit dem Empfang und der ordnungsmäßigen Berechnung der Steuer, sowie mit der Ertheilung der erforderlichen Legitimationen (Versendungsscheine, Begleitscheine beauftragt, weshalb alle Anmeldungen auch bei ihm abgegeben werden müssen.

Gleichwohl hat derselbe an allen vorkommenden Kontrolegeschäften, soweit der übrige Dienst dies zuläßt, thätigen Antheil zu nehmen.

Wo ein Kassengehülfe (Assistent) angestellt ist, hat dieser nach den Anweisungen des vorgesetzten Hauptamts vorzugsweise an der Registerführung und dem Abfertigungswesen sich zu betheiligen, außerdem aber auch sich den Kontrolegeschäften soweit als thunlich zu widmen.

In Fällen der Behinderung des Steuereinnehmers ist der Kassengehülfe denselben zu vertreten befugt und verpflichtet, sofern nicht ein Anderes angeordnet werden sollte. Der Einnehmer bleibt jedoch für die Kassenführung mit verantwortlich.

Die Aufsichtsbeamten dürfen sich mit dem Erhebungsgeschäft und der Legitimationsertheilung nur in dem Falle befassen, wenn sie mit der Abfertigung der Steuerpflichtigen entweder ausdrücklich beauftragt sind, oder ihre Theilnahme an diesen Geschäften bei ungewöhnlichem Andrang von Steuerpflichtigen zur Förderung der raschen Expedition derselben erforderlich und von dem Einnehmer oder dessen Vertreter angeordnet wird.

Dieselben sind verantwortlich für die Richtigkeit der unter ihrer Mitwirkung ausgeführten Salzverwiegungen, Denaturirungen und Salzentnehmungen, sowie für die Anlegung des amtlichen Verschlusses, wo ein solcher bei den Versendungen erforderlich ist. Die ordnungsmäßige Ausführung dieser Amtshandlungen hat der betreffende Beamte dadurch zu bekunden, daß er die ausgefertigte Legitimation an zweiter Stelle mit unterzeichnet. Die Unterzeichnung darf nicht eher geschehen, als bis der Abgang der abgefertigten Salzladungen erfolgt. Dieselben haben über diese Amtsgeschäfte ein Notizbuch zu führen; das letztere muß den Ausweis über jede von der Saline abgehende Salzmenge mit den zur Vergleichung mit den Registern erforderlichen Bezeichnungen enthalten.

§. 7.

An den nur mit einem Beamten besetzten Aemtern hat selbstverständlich derselbe die sämmtlichen Erhebungs-, Abfertigungs- und Kontrolegeschäfte allein zu besorgen. Auch hier darf sich derselbe nicht auf die Angaben oder Gewichtsermittelungen eines Salinenangestellten verlassen.

§. 8.

Für den Aufsichtsdienst läßt sich zwar eine, alle Einzelheiten umfassende Anweisung nicht wohl ertheilen, weshalb von den damit beauftragten Beamten erwartet wird, daß sie eine strenge Pflichterfüllung als die wesentlichste Aufgabe ihrer Thätigkeit erkennen und sich mit den Verhältnissen des Betriebes, sowie mit den Oertlichkeiten der Saline vertraut machen und auf Grund der sich daraus ergebenden Erfahrungen das Nöthige zur gehörigen Sicherung der steuerlichen Interessen wahrnehmen werden.

Im Allgemeinen wird jedoch auf folgende Punkte aufmerksam gemacht:

1. Die Aufsicht ist nicht nur auf die schon im §. 10 der Ausführungsbestimmungen vorgeschriebene sofortige Entfernung der abgefertigten Salzladungen, sondern zugleich auch darauf zu erstrecken, daß alle auf den Salinenhöfen verkehrende Fuhrwerke, welche etwa Salzabfälle laden oder auch unbefrachtet abgehen, nicht zur Verschleppung von unversteuertem Salz benutzt werden. Zu dem Zweck sind dieselben bei der Abfahrt, soweit es den Umständen nach erforderlich erscheint, einer Revision zu unterziehen.

Das Gleiche gilt bezüglich solcher Personen, welche die Saline mit Tragbehältern verlassen, indem die letzteren regelmäßig zu revidiren sind.

2. Es ist ferner darauf zu achten, daß Fenster, Luken und sonstige nach außen führende Oeffnungen in den Siede-, Trocken- und Lagerräumen in guter Versicherung erhalten werden; die bezeichneten Oeffnungen sind von den Salinenbesitzern mit Drahtgittern zu versehen

3. Die unter Mitverschluß der Steuerverwaltung stehenden Räume müssen unter Verschluß gesetzt werden, sobald der Beamte sich daraus entfernt.

4. Von Zeit zu Zeit ist nachzusehen, ob der Salinenhof der Vorschrift unter Nr. 9 des §. 7 des Gesetzes gemäß verschlossen gehalten wird.

5. Es ist nicht erforderlich, daß bei dem Ausziehen des Salzes aus den Pfannen oder beim Transport desselben aus dem Siede- in den Trockenraum ein Beamter gegenwärtig ist; jedoch sind auch diese Arbeiten ab und zu unter besondere Aufsicht zu nehmen.

Die Beförderung des Salzes aus den Trockenräumen in die Magazine muß dagegen in Gegenwart eines Beamten geschehen.

6. Zum Zweck einer Vergleichung der Produktion mit dem Absatz der Saline sind in Form eines Registers Notizen anzulegen:

a) über die Zeit des jedesmaligen Ausziehens des Salzes aus den Pfannen;
b) wenn dasselbe in die Trockenkammer und Magazine geschafft worden; und
c) welches Gewicht annähernd für jede Siedung anzunehmen ist.

Die Resultate der Produktion sind etwa monatlich mit den Ergebnissen der Register über die Versendungen und mit Berücksichtigung der Bestände zu vergleichen. Ergeben sich dabei erhebliche, auch aus den Büchern der Salineninhaber nicht aufzuklärende Differenzen, so ist davon sofort Anzeige zu machen.

7. Mit ganz besonderer Vorsicht ist das Verwiegungsgeschäft zu besorgen; beim jedesmaligen Beginn desselben muß vom richtigen Zustand der Waage Ueberzeugung genommen werden.

Dasselbe muß eingestellt werden, wenn es wegen ungenügenden Lichts nicht mit völliger Sicherheit verrichtet werden kann.

Probeverwiegungen sind durchaus unzulässig; auch wird untersagt, daß Personen, welche bei den Verwiegungen Handdienste zu leisten haben, das Gewicht ansagen und daß hiernach die Anschreibungen geschehen. Ein sogenanntes Gutgewicht für Feuchtigkeit ꝛc. darf nicht zugestanden werden.

Die Verwiegungen sind in der Weise auszuführen, daß, soweit nicht die nach §. 1 der Ausführungsbestimmungen zulässige Normaltara Anwendung findet, zunächst das Gewicht der zur Verpackung dienenden leeren Säcke, Fässer ꝛc. ermittelt und dieses (Tara) von dem durch die Verwiegung der gefüllten Kolli sich ergebenden Bruttogewicht abgesetzt, beziehungsweise durch entsprechende Gewichtsstücke ausgeglichen wird.

Dabei ist statthaft, mehrere Salzsäcke von gleicher Größe und aus gleichem Stoffe zusammen zu verwiegen und hiernach eine durchschnittliche Tara zu berechnen.

An den Salinen, wo Verpackungen und Verwiegungen größerer Salzmengen im Voraus stattzufinden pflegen, ist darauf zu halten, daß die Kolli sofort nach ihrer Verwiegung gehörig verschlossen und, wo solches gebräuchlich, mit der Gewichtsplombe belegt, sonst aber äußerlich mit der Angabe des Nettogewichts versehen und je nach der Verschiedenheit ihres Gewichts getrennt aufgestellt oder gelagert werden. Wenn auf Salinen nur Säcke, Fässer ꝛc. für gleiche oder doch deutlich zu unterscheidende Salzmengen in Gebrauch sind, so kann die Angabe des Nettogewichts auf den Kolli unterbleiben.

8. Soweit behufs der Salzversendung ein amtlicher Verschluß nöthig wird, ist in der Regel die Anlegung von Bleien zu wählen.

Einer besonderen Plombenschnur bedarf es nicht, vielmehr hat die Verpackungsschnur gleichzeitig zur Anbringung der amtlichen Bleie zu dienen; es ist darauf zu halten, daß die vom Salinenbesitzer zu liefernde Verpackungsschnur zur Anlegung von Plomben geeignet ist.

An Säcken wird der sogenannte Kropf mit der Schnur einigemal durchzogen, fest umwunden, verbleiet und sodann die Plombe so nahe angelegt, daß eine Lockerung der Verschnürung nicht möglich ist. Die Nähte der Säcke müssen nach innen fallen, was auch für Flicken gilt, welche sich etwa an den Säcken befinden.

An Fässern und Tonnen werden die sämmtlichen Dauben dicht über jedem der beiden Böden mit der Verpackungsschnur dergestalt kreuzweise durchzogen, daß die Enden der Schnur im Mittelpunkt jedes Bodens zusammenlaufen. An dieser Stelle wird die Schnur verknotet und mit der Plombe versehen.

In ähnlicher Weise ist für den Fall zu verfahren, daß andere Verpackungsarten vorkommen sollten.

9. Bei den vorzunehmenden Denaturirungen (§. 13) ist darauf zu halten, daß das Salz mit dem zu verwendenden Zusatze dergestalt durcheinander gearbeitet wird, daß alle Theile betroffen werden.

§. 9.

Bei den Salzsteuerämtern wird über die Versteuerungen und Versendungen von Kochsalz ein Register nach Muster A, und über die Versendungen von Kochsalz unter Begleitschein außerdem ein Begleitschein-Ausfertigungs-Register nach Muster B geführt. Diese Muster sind beispielsweise ausgefüllt und ist demnach weitere Anleitung nicht erforderlich. A. B.

In das Register Muster A sind auch diejenigen Salzquantitäten einzutragen, welche vorläufig auf versteuertes Lager an der Saline gelangen. Da hierüber die Legitimationen erst bei der Versendung aus der Niederlage zu ertheilen sind, so hat der Salineninhaber ein Duplikat der Anmeldung abzugeben, welches demselben mit dem Vermerk der Steuerberechnung wieder zuzustellen, bei jeder vorzunehmenden Versendung aber behufs der Abschreibung wieder vorzulegen ist.

Jede Eintragung in das betreffende Register muß vollständig bewirkt sein, wenn der Steuerpflichtige das Steueramt verläßt.

Das auf private Rechnung einzelner Zollvereinsstaaten steuerfrei abgefertigte Kochsalz ist zwar in Kolonne 13 des Registers A zu buchen, doch ist die Ermächtigung zur Freischreibung der Steuer nur
C. die Verwendung des Salzes in einem nach Muster C zu führenden Register nachzuweisen. In letzterem kommt zugleich die auf private Rechnung einzelner Staaten herauszuzahlende Salzsteuer zur Anschreibung.

§. 10.

Eines besonderen Begleitschein-Empfangs-Registers bedarf es nicht, vielmehr haben die Zoll- und Steuerämter, bei welchen Begleitscheine der hier fraglichen Art abgegeben werden, solche in das Register mit zu übernehmen, welches wegen der abgegebenen Begleitscheine über zollpflichtige Gegenstände zu führen ist.

Die Abgabe von inländischem Salz ist bei denjenigen Aemtern, bei welchen eine solche Abgabe sei es auf Begleitscheinauszug, Abmeldung von der Niederlage oder Begleitschein II zur Erhebung kommt,
D. in einem nach Muster D besonders zu führenden Salzsteuer-Heberegister zu buchen.

§. 11.

Bei der Ausfertigung der Begleitscheine ist eine Sicherheit nicht zu verlangen, wenn die Extrahirung derselben durch die Salineninhaber oder durch eine dem Amt als völlig sicher bekannte Person geschieht. Insoweit eine Sicherheit bestellt wird, ist solches und wie dieselbe ihre Erledigung gefunden, in der Kolonne 10 des Registers anzugeben.

§. 12.

Soweit eine Denaturirung des Salzes erforderlich ist, hat solche unter sorgfältiger Beachtung der dieserhalb gegebenen Bestimmungen zu geschehen.

§. 13.

Ueber die auf den Salinen auf schriftliche Anmeldung der Besitzer vorzunehmenden
E. Denaturirungen von Salz und die Versendungen von denaturirtem Salz ist ein Register nach Muster E zu führen.

In der Abtheilung I dieses Registers (Zugang) wird die Denaturirung des Salzes und in der Abtheilung II (Abgang) die Versendung desselben, sowie die Erhebung der Kontrolgebühr nachgewiesen.

Die erfolgte Denaturirung ist auf der schriftlichen Anmeldung des Salinenbesitzers von dem Beamten zu bescheinigen, welcher die Denaturirung beaufsichtigt hat. Das Denaturirungsregister ist sowohl mit diesen Anmeldungen, als mit den von dem Salinenbesitzer nach §. 10 der Ausführungsbestimmungen abzugebenden Anmeldungen zu belegen. Letztere erhalten die laufende Nummer der Abtheilung II, erstere die laufende Nummer der Abtheilung I des Registers.

Jede Eintragung muß sofort nach der Vermischung beziehungsweise gleichzeitig mit der Abwägung des zu versendenden Salzes erfolgen.

Ergiebt sich beim vierteljährlichen Abschluß des Registers ein Bestand, so ist solcher im Register für das folgende Quartal vorzutragen.

§. 14.

Wird Salz mit Begleitschein auf ein Zoll- oder Steueramt unter der Bedingung der Denaturirung am Bestimmungsorte abgefertigt, so hat dieses Amt über die Ausführung der Denaturirung zwar ein Register nicht zu führen, in dem Begleitschein aber zu bescheinigen, daß, in welcher Art und mit welchem Zusatz die Denaturirung geschehen ist.

§. 15.

Ueber die von der Saline steuerfrei versandten Salzabfälle (§§. 11 und 13 der Ausführungsbestimmungen) sowie über die steuerfrei verabfolgte Soole und Mutterlauge (§. 15 der Ausführungsbestimmungen) ist ein mit der Feder anzulegendes Register, jedoch ohne Innehaltung eines bestimmten Zeitabschnitts, zu führen, aus welchem die Gattung und Menge, letztere soweit als thunlich nach Gewicht, sonst nach Wagenladungen, sowie der Bestimmungsort der Abfälle hervorgehen muß.

§. 16.

Die Siegel, Stempel und Plombirapparate sind unter besonderer Aufsicht zu halten und zur Zeit des Nichtgebrauchs sorgfältig zu verschließen, damit jeder Mißbrauch vermieden werde. Auch die übrigen Utensilien und Drucksachen, welche nach Bedürfniß von den Hauptämtern zu verschreiben sind, müssen sorgfältig aufbewahrt werden. Ueber den Verbrauch der Versendungsscheine und Salzbegleitscheine — welche als geldwerthe Papiere anzusehen sind — hat das Salzsteueramt auf der letzten Seite des Versteuerungsregisters einen vierteljährlichen Nachweis zu liefern.

§. 17.

Die Register A, D und E werden in vierteljährlichen Zeitabschnitten geführt und nach Ablauf eines jeden Quartals unter Beifügung der Beläge zur Kalkulaturrevision eingesandt. Bezüglich des Registers B ist nach den Bestimmungen im §. 58 des Begleitschein-Regulativs zu verfahren. Das Register C ist zwar vierteljährlich abzuschließen, jedoch erst mit dem Versteuerungs- und Versendungsregister über Kochsalz für das vierte Quartal unter Beifügung der Beläge zur Kalkulaturrevision einzusenden. Das im §. 15 vorgeschriebene Register wird nach dem Schlusse des Etatsjahres dem Hauptamt zur Prüfung vorgelegt.

§. 18.

Hinsichtlich der Kassenführung und Ablieferung der erhobenen Steuer sind die für die Untersteuerämter ertheilten Vorschriften zu beachten.

Dabei wird darauf aufmerksam gemacht, daß in den Lieferzetteln nicht allein die baar erhobene, sondern auch die von dem Salineninhaber unmittelbar an das Hauptamt einzuzahlende Steuer — der Betrag der letzteren jedoch vor der Linie — angegeben werden muß.

Unter dem dem Salzsteueramt quittirt zurückzugebenden Duplikat des Lieferzettels ist von den Kassenbeamten des Hauptamts zu vermerken, wo der von dem Salineninhaber einzuzahlende Steuerbetrag bei dem Hauptamt zur Verrechnung gelangt ist.

Anlage II.

Bestimmungen,

betreffend

die Befreiung des zu landwirthschaftlichen und gewerblichen Zwecken bestimmten Salzes von der Salzabgabe.

Nach §. 20 Absatz 1 Nr. 1, 2 und 4 und Absatz 2 des Gesetzes, die Erhebung einer Abgabe von Salz betreffend, kann Salz unter Beobachtung der von der Steuerverwaltung angeordneten Kontrolmaßregeln abgabenfrei verabfolgt werden:

I. zu landwirthschaftlichen Zwecken, d. h. zur Fütterung des Viehes, sowie zur Düngung,

II. zu gewerblichen Zwecken, mit Ausnahme des Salzes für solche Gewerbe, welche Nahrungs- und Genußmittel für Menschen bereiten, namentlich auch mit Ausnahme des Salzes für die Herstellung von Tabackfabrikaten, Mineralwässern und Bädern.

Zur Bereitung und Aufbewahrung von Eis darf Salz ohne Rücksicht auf den Verwendungszweck des ersteren abgabenfrei verabfolgt werden. Auch darf den Inhabern von Darmschleimereien und den Darmhändlern Salz zum Zweck der Herstellung und Konservirung gesalzener Därme abgabenfrei verabfolgt werden.

Hinsichtlich der abgabenfreien Verabfolgung von Salz für die gedachten Zwecke sind folgende Bestimmungen zu beobachten:

1. das zu landwirthschaftlichen und gewerblichen Zwecken bestimmte Salz kann, sowohl von inländischen Salzwerken und aus Fabriken, in welchen Salz als Nebenprodukt gewonnen wird, als auch unter Zollkontrole aus dem Auslande und aus Niederlagen für unverzolltes oder unversteuertes Salz bezogen werden (Nr. 6).

   Das Salz ist vor der abgabenfreien Verabfolgung durch Vermischung mit geeigneten Stoffen zur Verwendung als Nahrungs- und Genußmittel für Menschen untauglich zu machen (zu denaturiren).

   Von der Denaturirung des zur Natronsulphat- und Sodafabrikation steuerfrei zu verwendenden Salzes kann abgesehen werden, wenn diese Verwendung unter ständiger steuerlicher Kontrole erfolgt. Dasselbe gilt bezüglich des zur Herstellung und Konservirung gesalzener Därme steuerfrei zu verwendenden Salzes.

2. Als Denaturirungsmittel sind anzuwenden:

   A. für dasjenige Salz, welches zu landwirthschaftlichen oder gewerblichen Zwecken von den Salzwerksbesitzern auf Vorrath bereitet oder das an Salzhändler zum weiteren Vertrieb überlassen werden soll (das sogenannte Handelssalz), und zwar:

   a) bei dem zur Viehfütterung bestimmten Salz:

      aa) aus Siedesalz: 1/4 Prozent Eisenoxyd und 1/4 Prozent Wermuthpulver,

      bb) aus Steinsalz: 3/8 Prozent Eisenoxyd und 1/4 Prozent Wermuthpulver.

      Zur Denaturirung von Salz darf nur solches Wermuthpulver zugelassen werden, A. dessen Bereitung nach Maßgabe der anliegenden Bestimmungen steueramtlich überwacht, dessen Identität bis zum Augenblicke der Verwendung durch amtlichen Verschluß festgehalten und bei dessen Verwendung seit der Einlagerung des rohen Krauts ein Zeitraum von zwei Jahren noch nicht verflossen ist.

   b) bei den sogenannten Viehsalzlecksteinen:

      aa) aus Siedesalz: 1/4 Prozent Eisenoxyd und 1/4 Prozent Holzkohlenpulver, bb) aus Steinsalz: $^3/_8$ Prozent Eisenoxyd und $^1/_4$ Prozent Holzkohlenpulver;

c) bei dem Düngesalz:
1 Prozent Ruß;

d) bei dem für gewerbliche Zwecke bestimmten Salz:
aa) aus Siedesalz: entweder $^1/_2$ Prozent Thran und $^1/_4$ Prozent Eisenoxyd oder $^1/_2$ Prozent Thran und $^1/_4$ Prozent Kienruß,
bb) aus Steinsalz: entweder $^1/_2$ Prozent Thran und $^3/_8$ Prozent Eisenoxyd oder $^1/_2$ Prozent Thran und $^3/_8$ Prozent Kienruß.

B. für dasjenige, zu gewerblichen Zwecken oder zur Düngung bestimmte Salz, welches nach vorheriger Denaturirung auf einem inländischen Salzwerke oder bei einem Zoll- oder Steueramt auf Bestellung zur eigenen Verwendung unmittelbar bezogen, oder das in den Gewerbsräumen des Empfängers unter amtlicher Aufsicht denaturirt werden soll (dem sogenannten Bestellsalz), nach Wahl der Betheiligten eines der vorstehend unter A c und d angegebenen Denaturirungsmittel oder, wenn diese Mittel in Rücksicht auf die beabsichtigte Verwendung des Salzes für die Denaturirung desselben nicht geeignet sind, eines der nachstehend angegebenen Denaturirungsmittel:

a) 1 Prozent Braunstein,
b) 1 „ Schmalte,
c) $^3/_4$ „ Mennige,
d) 2 „ feines Holzkohlen-, Torf-, Braunkohlen- oder Steinkohlenmehl,
e) $^1/_2$ „ Kienruß,
f) 1 „ Ruß,
g) 5 „ Palmöl, Kokosöl oder Thran,
h) 1 „ feines trockenes Seifenpulver nach vorgängiger Prüfung der Reinheit durch Anwendung des in der Anlage beschriebenen Verfahrens, B.
i) 4 „ Eisen- oder Kupfervitriol,
k) 6 „ Alaun mit $^1/_8$ Prozent Kienöl.

Für Bestellsalz können neben den vorstehend aufgeführten Denaturirungsmitteln im Bedürfnißfalle als weitere Denaturirungsmittel durch die Zolldirektivbehörden zugelassen werden:

$^1/_2$ Prozent Mineralöl (Braunkohlenöl ꝛc.),
$^1/_4$ „ Eisenoxyd in Verbindung mit 0,05 Prozent Thieröl,
2 „ Schwefelsäure (von 66° B. mit 3 bis 4 Theilen Wasser verdünnt), oder auch nur 1 Prozent Schwefelsäure von 66° B. mit 1 Prozent Wasser, sofern das Bestellsalz für zuverlässige Gewerbetreibende auf den Salzwerken denaturirt wird und ein anderes Denaturirungsmittel als Schwefelsäure für das betreffende Gewerbe nicht anwendbar ist,
2 „ starke rauchende Salzsäure,
2 „ Pinksalz,
$1^1/_2$ „ Zinnchlorür.

C. Wenn die Denaturirung des Gewerbebestellsalzes in den Gewerberäumen der Empfänger unter amtlicher Aufsicht stattfindet, können anstatt der unter B gedachten Denaturirungsmittel $^1/_4$ Prozent Kienöl oder $^1/_4$ Prozent Petroleum (Erdöl) und ausnahmsweise auch andere, von den Betheiligten vorgeschlagene Mittel, sofern letztere von der Zolldirektivbehörde für völlig ausreichend erachtet werden und die Betheiligten sich den von der Zolldirektivbehörde angeordneten besonderen Kontrolen unterwerfen, in Anwendung gebracht werden. Indessen darf Karbolsäure als Denaturirungsmittel nicht zugelassen werden.

In den Salinen darf die Denaturirung von Gewerbebestellsalz mit solchen Mitteln unter der Bedingung zugelassen werden, daß das auf diese Weise denaturirte Salz schon auf der Saline amtlich verschlossen und mit einem von dem betreffenden Salzsteueramt auszufertigenden Transportschein, in welchem Anzahl, Verpackungsart, Gewicht der Kolli und thunlichst kurze Gestellfrist anzugeben ist, versehen und daß am Bestimmungsorte die Prüfung und Abnahme des Verschlusses durch einen Steuerbeamten bewirkt wird, unter dessen Aufsicht das Salz in den Gewerberäumen des Empfängers ausgeschüttet werden muß. Auf Antrag des Empfängers darf von der Ausschüttung des Salzes abgesehen und die amtliche Revision der geöffneten

Kolli in Bezug auf ihren Inhalt und die geschehene Denaturirung mittelst des Visitireisens vorgenommen werden.

3. Salzabfälle dürfen, vorbehaltlich der Bestimmung im §. 13 der Ausführungsbestimmungen und der nach Absatz 3 und nach Nr. 4 gestatteten Ausnahmen, nur dann zu landwirthschaftlichen oder gewerblichen Zwecken abgabenfrei verabfolgt werden, wenn sie zuvor nach Maßgabe der Bestimmungen unter Nr. 2 denaturirt worden sind.

Aus festen Stücken bestehende Salzabfälle, wie Pfannenstein, sind nach dem für Steinsalz vorgeschriebenen Verfahren zu denaturiren.

Unzerkleinerter Pfannenstein darf unter folgenden Bedingungen und Kontrolen undenaturirt an einzelne Fabrikanten und an Landwirthe abgelassen werden:

1. Die Verabfolgung desselben an Fabrikanten bedarf der Genehmigung der Zolldirektivbehörde. Der Pfannenstein darf nur an solche Fabrikanten abgegeben werden, welche in steuerlicher Hinsicht einen guten Ruf genießen. Jeder Bezug von Pfannenstein ist schriftlich anzumelden. Der Pfannenstein ist mit amtlicher Transportbezettelung zur Fabrik zu befördern und dort unter sicheren Verschluß des Fabrikbesitzers oder eines geeigneten Vertreters desselben zu nehmen. Der Zugang von Pfannenstein zum Lager und der Abgang von Pfannenstein von demselben zur Verwendung in der Fabrik ist in einem Kontrol-Register nachzuweisen. Der Fabrikbesitzer hat sich der Revision seiner Vorräthe an Pfannenstein und der Vergleichung derselben mit dem Kontrol-Register, sowie der Kontrolirung der Verwendung des Pfannensteins bei der Fabrikation durch die hiermit beauftragten Beamten der Steuerverwaltung zu unterwerfen und diesen Beamten die etwa gewünschte weitere Auskunft zu ertheilen. Die Zurücknahme der Begünstigung bei etwaigen Mißbräuchen bleibt vorbehalten.
2. Diejenigen Landwirthe, welche Pfannensteine zur Verwendung bei der Viehfütterung beziehen wollen, haben ihren Viehbestand nach Gattung und Stückzahl und ihren Bedarf an Pfannenstein von Jahr zu Jahr bei dem Salzsteueramt anzumelden. Letzterer darf die von der Steuerverwaltung festgesetzte, nach der Stärke des Viehstandes bemessene höchste Bezugsmenge nicht übersteigen. Den Landwirthen ist es gestattet, die Pfannensteine als Viehsalzlecksteine zu verwenden oder auch dieselben zu verkleinern und in diesem Zustande oder aufgelöst dem Viehfutter beziehungsweise der Viehtränke beizugeben. Im Uebrigen finden bezüglich des zu Viehsalzlecksteinen bestimmten Pfannensteins die vorstehend hinsichtlich des für Fabriken bestimmten Pfannensteins getroffenen Bestimmungen mit folgenden Modalitäten analoge Anwendung:
   a) den Landwirthen, welche unzerkleinerten, undenaturirten Pfannenstein beziehen, ist die Führung eines Kontrol-Registers über den Zugang und Abgang von Pfannenstein erlassen;
   b) die amtliche Transportbezettelung der Sendungen von unzerkleinertem, undenaturirtem Pfannenstein an Landwirthe kommt in Wegfall;

      dagegen hat

   c) bezüglich der Bestellzettel der Landwirthe über unzerkleinerten, undenaturirten Pfannenstein das Verfahren nach Nr. 20 und 21 Anwendung zu finden.

Schmutzsalz oder Fegesalz ist, je nach seiner Gattung, entweder wie Siedesalz oder wie Steinsalz zu behandeln. Gemische dieser Salze aus Siedesalz und Steinsalz sind wie Steinsalz, — Salzschlamm und Abfallsalz in chemischen Fabriken wie Schmutzsalz von Siedereien zu denaturiren.

4. Den Zolldirektivbehörden bleibt es überlassen, bei dem aus den Siedepfannen gewonnenen Pfannenstein, sowie bei anderen Salzabfällen, welche einen Salzgehalt von weniger als 75 Prozent ihres Gewichts besitzen, unter Anordnung der erforderlichen Kontrolen, von der Denaturirung Umgang nehmen zu lassen.

5. Düngesalz und anderes mit fremden Bestandtheilen vermischtes Salz, welches für landwirthschaftliche oder gewerbliche Zwecke aus dem Auslande bezogen wird, ingleichem das in chemischen Fabriken als Nebenprodukt gewonnene, für die gedachten Zwecke bestimmte Salz ist nach den hinsichtlich der Salzabfälle getroffenen Bestimmungen (Nr. 3 und 4) zu behandeln.

6. Die Denaturirung des Handelssalzes (Nr. 2A) soll in der Regel auf inländischen Salzwerken unter Aufsicht der Salzsteuerämter und der auf den Salzwerken stationirten Aufsichtsbeamten stattfinden. Im Falle des Bedürfnisses kann die Zolldirektivbehörde die Denaturirung des gedachten Salzes auch bei den Grenzzollämtern und an den Orten im Innern, wo sich Niederlagen für unverzolltes

oder unversteuertes Salz befinden, unter Aufsicht der daselbst befindlichen Zoll- oder Steuerämter zulassen.

Die Denaturirung des Bestellsalzes (Nr. 2 B) soll, soweit thunlich und namentlich dann in den Gewerberäumen des Empfängers vorgenommen werden, wenn

a) derselbe an einem Orte wohnt, an welchem oder in dessen Nähe ein zur Erledigung von Begleitscheinen I über unverzolltes oder unversteuertes Salz befugtes Amt seinen Sitz hat;
b) das erforderliche Dienstpersonal zur Beaufsichtigung der Denaturirung verfügbar ist;
c) die Menge des zu denaturirenden Salzes mindestens 250 kg beträgt, oder dem sechsmonatlichen Bedarf des Empfängers entspricht.

Die näheren Anordnungen wegen des in Fällen dieser Art bei der Ablassung des Salzes einzuhaltenden Verfahrens werden unter Berücksichtigung der örtlichen Verhältnisse von den Zolldirektivbehörden getroffen.

7. Bei den auf Salzwerken stattfindenden Denaturirungen haben die Salzwerksbesitzer, in anderen Fällen die Personen, auf deren Antrag die Denaturirung des Salzes vorgenommen wird, für die Beschaffung der erforderlichen Denaturirungsmittel sowie für die Bereitstellung der Verwiegungsapparate und sonst nöthigen Vorrichtungen nach Anleitung der Steuerbehörde Sorge zu tragen.

8. Das zur Bereitung von Vieh- oder Gewerbesalz bestimmte Siedesalz darf nur in luftfeuchtem Zustande mit dem Denaturirungsmittel vermengt werden. Soweit thunlich, ist zur Denaturirung feinkörniges Siedesalz zu verwenden.

Insoweit die Vermischung der Denaturirungsmittel mit dem Siedesalz nicht mit Hülfe von zur Herstellung einer gleichartigen Beschaffenheit geeigneten Mischapparaten (rotirenden Trommeln, Fässern u. s. w.), deren Anwendung die Steuerbehörde genehmigt hat, bewirkt werden kann, ist das Salz, nachdem dasselbe mittelst Handschaufeln mit den Denaturirungsmitteln gemengt worden ist, behufs Herstellung einer möglichst gleichartigen Vertheilung der Denaturirungsmittel, durch Siebe von einer der Körnung des Salzes entsprechenden Weite zu schlagen.

9. Steinsalz, aus welchem Vieh- oder Gewerbesalz hergestellt werden soll, muß zu diesem Behufe fein gemahlen werden.

Die Denaturirungsmittel sind entweder mit dem zu denaturirenden Steinsalze zu vermahlen oder, wenn dies die Beschaffenheit der Denaturirungsmittel nicht gestattet, dem gemahlenen Steinsalze nach den Bestimmungen unter Nr. 8 beizumengen.

10. Die Denaturirungsmittel dürfen nur in reiner Beschaffenheit und nachdem dieselben von den kontrolirenden Beamten geprüft und als geeignet erkannt worden sind, zur Denaturirung verwendet werden.

11. Bei denjenigen Denaturirungsmitteln, welche, wie Alaun u. s. w., in zerkleinertem Zustande äußerlich dem Salz ähnlich sind, ist auf Verlangen der kontrolirenden Beamten die zum Zweck der Denaturirung erforderliche Zerkleinerung in deren Gegenwart vorzunehmen.

Die Steuerverwaltung ist befugt, die Herstellung und den Bezug der Denaturirungsmittel unter amtliche Kontrole zu stellen oder solche auf Kosten der Betheiligten selbst anzuschaffen.

12. Die Oberbeamten der Steuerverwaltung haben thunlichst oft an den Salzdenaturirungen theilzunehmen und dabei die Güte und Unverfälschtheit der Denaturirungsmittel zu prüfen.

Die Steueraufsichtsbeamten haben von Zeit zu Zeit von den in Anwendung kommenden Denaturirungsmitteln und dem in den Salzmagazinen der Salzwerksbesitzer und Salzhändler, sowie im freien Verkehr befindlichen denaturirten Salz, letzterenfalls gegen Ersatz des Ankaufspreises Proben zu entnehmen. Diese Proben sind in Gegenwart der Betheiligten einzusiegeln und an die Zolldirektivbehörde, welche deren Prüfung durch Sachverständige veranlassen wird, einzusenden.

13. Das für landwirthschaftliche und gewerbliche Zwecke denaturirte Handelssalz (Nr. 2 A) darf sowohl zur Viehfütterung und zur Düngung, als auch in allen Gewerben, denen nach den oben angeführten gesetzlichen Bestimmungen überhaupt der abgabenfreie Bezug von Salz gestattet ist, verwendet werden.

Dagegen darf das mit den nach Nr. 2 B gestatteten Mitteln denaturirte Bestellsalz nur für den speziellen Zweck, für welchen die Denaturirung zugelassen worden ist, Verwendung finden.

14. Sowohl das für landwirthschaftliche als auch das für gewerbliche Zwecke denaturirte Handelssalz mit Einschluß der Viehsalzlecksteine (Nr. 2 A) kann an Salzhändler abgelassen und von diesen an

andere Salzhändler und an sonstige Personen, welche zum Bezuge berechtigt sind, weiter verkauft werden (Nr. 17).

Für landwirthschaftliche Zwecke denaturirtes Handelssalz darf auch an Vorstände von landwirthschaftlichen Vereinen abgelassen und von diesen an die Mitglieder des Vereins (Nr. 17) abgegeben werden; die für Salzhändler geltenden Bestimmungen finden auf die bezeichneten Vorstände entsprechende Anwendung.

Die Empfänger von denaturirtem Bestellsalz (Nr. 2 B) dürfen dasselbe an andere Personen nicht abgeben.

15. Gewerbetreibende, welche denaturirtes Bestellsalz zu gewerblichen Zwecken, ingleichen Salzhändler, welche zu landwirthschaftlichen oder gewerblichen Zwecken bestimmtes denaturirtes Handelssalz beziehen wollen, haben das Salz bei dem Lieferanten (Salzwerksbesitzer oder Salzhändler) unter Uebergabe einer ihre Berechtigung zum Salzbezug nachweisenden Bescheinigung der Steuerbehörde ihres Wohnortes, woraus das Gewerbe, welches sie betreiben, hervorgeht, schriftlich zu bestellen.

An Stelle der bei jeder Salzbestellung einzuholenden Bescheinigung über die Berechtigung zum Salzbezug kann nach dem Ermessen der Steuerbehörde den Salzhändlern und den Besitzern größerer Gewerbeanstalten eine einmalige, für die Dauer eines Kalenderjahres auszustellende Bescheinigung für alle während desselben von einem und demselben Salzwerk oder Salzhändler stattfindenden Salzbezuge, welche dem Bestellzettel über die erste in dem betreffenden Jahre stattfindende Salzbestellung beizufügen ist, ertheilt werden.

Die obersten Landesbehörden sind befugt, die Ausstellung der Bescheinigungen über die Berechtigung zum Bezuge denaturirten Handelssalzes von Seiten der Salzhändler durch die Ortspolizeibehörden an Stelle der Steuerbehörden in den Fällen für statthaft zu erklären, in welchen die Gültigkeit der Bescheinigung nur für einzelne Bestellungen, nicht aber für ein Jahr nachgesucht wird. Den betreffenden Ortspolizeibehörden ist hierbei die Verpflichtung aufzuerlegen, über die von ihnen ausgestellten Bescheinigungen die in Nr. 16 vorgeschriebenen Jahresverzeichnisse zu führen.

In den Bestellzetteln ist der Name, der Wohnort und das Gewerbe oder Geschäft des Empfängers, die Menge des Salzes und der gewerbliche Zweck, für welchen dasselbe dienen soll, beziehungsweise bei den Bezügen der Salzhändler die Art des zu bestellenden Salzes (ob Vieh-, Dünge- oder Gewerbesalz) anzugeben. Auch ist darin der Ort der Ausstellung und die laufende Nummer der Bescheinigung über die Berechtigung zum Salzbezug (vergl. Nr. 16 Satz 2) ersichtlich zu machen. Die fraglichen Bescheinigungen können auch in die Bestellzettel selbst aufgenommen werden.

Der schriftlichen Bestellung und der Uebergabe einer Bescheinigung über die Berechtigung zum Salzbezug bedarf es nicht, wenn Landwirthe denaturirtes Handelssalz für landwirthschaftliche Zwecke unmittelbar von Salzwerken oder von Salzhändlern zur eigenen Verwendung beziehen wollen.

16. Die Steuerbehörden haben über die von ihnen nach Nr. 15 ausgestellten Bescheinigungen Verzeichnisse in Jahresabschnitten zu führen, aus welchen in Beziehung auf jede ertheilte Bescheinigung der Tag der Ausstellung, der Name, das Gewerbe und der Wohnort des Empfängers und des Versenders des Salzes zu entnehmen sind. Die einzelnen Bescheinigungen werden in den gedachten Verzeichnissen unter fortlaufenden, auf den Bescheinigungen anzumerkenden Nummern eingetragen.

17. Die Salzwerksbesitzer und Salzhändler dürfen denaturirtes Salz nur an solche Personen abgeben, welche nach den oben erwähnten gesetzlichen Bestimmungen, beziehungsweise nach Nr. 13 und 14 zum Bezuge desselben berechtigt sind und den Vorschriften unter Nr. 15 Genüge geleistet haben.

18. An Personen, welche nach §. 14 des Salzsteuergesetzes den Anspruch auf abgabenfreien Salzbezug verloren haben und als solche von der Steuerbehörde einem Salzwerksbesitzer oder einem Salzhändler speziell bezeichnet worden sind, darf derselbe denaturirtes Salz nicht verabfolgen.

19. Die Salzhändler sind verpflichtet, auf Verlangen der mit der Kontrolirung des Salzverkaufs beauftragten Beamten denselben ihre Bücher und auf den Salzverkauf Bezug habenden Papiere vorzulegen, die Bestände an denaturirtem Salz vorzuzeigen und die in dieser Hinsicht etwa noch weiter gewünschte Auskunft zu ertheilen.

20. Die Bestellzettel oder Auszüge aus denselben und die zugehörigen Bescheinigungen über die Berechtigung zum Salzbezug (Nr. 15 Absatz 1 und 4) sind von den damit beauftragten Beamten monatlich, nach vorheriger Vergleichung mit den betreffenden Registern in Empfang zu nehmen und

den Hauptämtern, in deren Bezirken die Empfänger des Salzes wohnen, zu übersenden. In gleicher Weise ist nach Ablauf eines jeden Kalenderjahres mit den nach Nr. 15 Absatz 2 ausgestellten, für die Dauer eines Kalenderjahres gültigen Bescheinigungen zu verfahren.

21. Die Hauptämter haben auf Grund der ihnen nach der Bestimmung unter Nr. 20 zugehenden Bestellzettel beziehungsweise Auszüge aus den Bestellzetteln und Bescheinigungen zu prüfen, ob die Entnehmer des denaturirten Salzes zum abgabenfreien Bezuge desselben berechtigt waren, und ob sie das angegebene Gewerbe überhaupt und in einem der Entnahme entsprechenden Umfange betrieben haben. Nach Umständen sind von Seiten der gedachten Aemter weitere Ermittelungen vorzunehmen, um eine mißbräuchliche Verwendung des über den Bedarf bezogenen denaturirten Salzes zu verhüten und etwaige Zuwiderhandlungen gegen die bestehenden Vorschriften zur Bestrafung zu bringen.

22. Von dem für landwirthschaftliche oder gewerbliche Zwecke abgabenfrei verabfolgten Salz, mit Ausnahme des zur Natronsulphat-, Soda- und Glasfabrikation bestimmten, kann als Ersatz für die durch die Kontrole erwachsenden Kosten eine Kontrolgebühr von vierzig Pfennig für 100 kg erhoben werden.

23. Wird die Denaturirung des Salzes an anderen Orten als an der gewöhnlichen Amtsstelle, z. B. in einem Privatlager für Salz oder in den Gewerbsräumen des Empfängers vorgenommen, so kann von Seiten der Steuerverwaltung der Ersatz der Kosten für den dadurch bedingten Mehraufwand an Beamtenkräften, soweit diese Kosten nicht durch die Erhebung der unter Nr. 22 erwähnten Kontrolgebühr von dem betreffenden Salz Deckung finden, in Anspruch genommen werden.

24. Hinsichtlich der Bereitung und des Verkaufs des denaturirten Salzes auf den Salzwerken finden außer den vorstehenden Bestimmungen die bezüglichen Vorschriften der Instruktionen in Betreff der Erhebung und Kontrolirung der Salzabgabe auf den Staatssalzwerken und beziehungsweise auf den Privatsalinen Anwendung. Die Besitzer chemischer Fabriken, in welchen Salz als Nebenprodukt gewonnen wird, haben in fraglicher Hinsicht, außer den vorstehenden Bestimmungen, die wegen Kontrolirung dieser Fabriken ertheilten besonderen Vorschriften zu beobachten.

Bestimmungen,

betreffend

die Herstellung von Wermuthpulver zur Denaturirung von Salz.

1.

Wer Wermuthpulver zur Denaturirung von Salz mit dem Anspruche auf Ertheilung des steueramtlichen Zeugnisses über dessen Reinheit und Brauchbarkeit herstellen will, hat bei der Direktivbehörde, in deren Bezirk die Herstellung erfolgen soll, einen Zusageschein nachzusuchen.

2.

Der Zusageschein wird in der Regel nur dann ertheilt, wenn die Fabrikanlage am Sitze einer Steuerstelle sich befindet. Die Ertheilung erfolgt widerruflich und unter der Bedingung, daß der Unternehmer sich protokollarisch den nachfolgenden Bestimmungen unterwirft.[1])

3.

Der Unternehmer ist verpflichtet:

a) nach näherer Anordnung der Direktivbehörde die Lagerräume für das Rohmaterial und das fertige Pulver, sowie die Fabrikationsräume (Dörranlage, Mahlwerk u. s. w.) verschlußfähig und derart übersichtlich herzustellen, daß eine sichernde Aufsicht über den Betrieb geübt werden kann, — auch die erwähnten Räume in diesem durch Zeichnung und Beschreibung festzustellenden Zustande zu erhalten;

b) einen nach dem Ermessen der Steuerbehörde geeigneten Raum zum Aufenthalt für die Steuerbeamten und zur Verrichtung ihrer Arbeiten, sowie die erforderlichen Einrichtungsgegenstände und Wiegevorrichtungen zu gewähren und zu unterhalten und die hierdurch, sowie durch die steuerliche Ueberwachung der Anlage erwachsenden Kosten in dem von der Steuerbehörde festzusetzenden Betrage zu tragen und auf Erfordern dafür Sicherheit zu bestellen.

4.

Die Aufbewahrungsräume für das Rohmaterial und das fertige Pulver stehen ununterbrochen, die Fabrikationsräume während der Zeit, in welcher nicht gearbeitet wird, unter amtlichem Verschlusse durch Kunstschlösser. Solange Wermuthkraut oder Wermuthpulver in den Aufbewahrungsräumen sich befindet, dürfen in diesen, und solange die Herstellung solchen Pulvers betrieben wird, auch in den übrigen Räumen der Anlage keine anderen Stoffe, als das von der Steuerbehörde zugelassene Wermuthkraut und die Fabrikate aus demselben sich befinden.

5.

Der Unternehmer hat der Steuerstelle, zu deren Bezirk die Anlage gehört, bezüglich jeder zur Verarbeitung bestimmten Post Wermuthkraut anzumelden:

a) Die Zeit des Bezugs, Namen und Wohnort des Lieferanten;

---

[1]) Fabriken, welche Wermuthpulver zur Denaturirung von Salz nach Maßgabe dieser Bestimmungen herstellen, sind errichtet worden:

1. von Roeller zu Ilversgehofen bei Erfurt,
2. von Dr. Schmalz zu Schönebeck bei Magdeburg,
3. von J. G. Mohr zu Bockenheim bei Frankfurt a. M.,
4. von Scheuch zu Ahl bei Steinau im Bezirk des Hauptsteueramts zu Hanau,
5. von Ernst W. Arnoldi in Gotha,
6. die Saline zu Dürrenberg für den eigenen Bedarf und die Salzwerke zu Erfurt und Artern.

b) Zahl und Zeichen der Kolli und deren Gewicht;
c) die Zeit des Beginns und der voraussichtlichen Beendigung der Verarbeitung — sofern eine Post nicht auf einmal zur Verarbeitung gelangt —, auch das Gewicht der Theilpost.

6.

Bevor Wermuthkraut in die Gewerbsräume aufgenommen werden darf, muß dasselbe einer sorgfältigen amtlichen Prüfung unterworfen werden; die Prüfung erstreckt sich auf den Inhalt aller Kolli und ist nach Maßgabe der von der Direktivbehörde zu ertheilenden Anleitung darauf zu richten, daß die Waare in nicht zerkleinertem, echtem, unverdorbenem, insbesondere nicht entöltem Wermuthkraut ohne Beimischung anderer Stoffe (Pflanzen, Erde u. s. w.) besteht und in jeder Beziehung zur Herstellung eines wirksamen Denaturirungsmittels geeignet ist. Soweit thunlich, hat ein Oberbeamter an der Prüfung theilzunehmen.

In Zweifelsfällen kann die Direktivbehörde auf Kosten des Unternehmers technische Untersuchung durch Sachverständige anordnen.

Wermuthkraut, welches den Anforderungen nicht entspricht, ist zurückzuweisen. Der Befund ist auf der Anmeldung zu bescheinigen und das Kraut von der Prüfung ab unter amtlichem Verschluß zu halten.

7.

Jede Post ist von den anderen gesondert zu lagern und gelangt, soweit die Steuerstelle nicht Ausnahmen zuläßt, nach der Zeitfolge der Einlagerung zur Verarbeitung, die unter ununterbrochener amtlicher Aufsicht zu erfolgen hat.

In Bezug auf das Maß der Zerkleinerung muß das Pulver einem vom Reichsschatzamt festzustellenden Muster entsprechen.

Das gewonnene Pulver ist nach erfolgter Prüfung und Verwiegung in verschlußfähige und bezeichnete Fässer zu verpacken, und in dem Lager gesondert von anderen Posten niederzulegen.

Ueber das Gewicht des gewonnenen Pulvers, sowie Zahl, Zeichen, Brutto- und Nettogewicht der Fässer, in die dasselbe verpackt ist, ist der Steuerstelle eine mit der Bescheinigung des überwachenden Steuerbeamten versehene Anmeldung zu übergeben.

8.

Die Versendung von Wermuthpulver zu Denaturirungszwecken ist unter Nachweisung der Bestellung der Steuerstelle anzumelden. Dieselbe legt die zu versendenden Fässer unter Verschluß und ertheilt auf die Steuerstelle, in deren Bezirk die Verwendung erfolgen soll, einen Transportschein nach dem anliegenden Muster.[1])

Der Unternehmer hat sich auf der Anmeldung zu verpflichten, die Waare in unverändertem Zustande während der gestellten Frist dem Empfangsamt mit dem Transportschein bei Vermeidung einer Konventionalstrafe vorzuführen, welche von der Direktivbehörde bis 10 ℳ für je 50 kg des Bruttogewichts der Sendung festgesetzt werden kann.

Das Empfangsamt hat die Uebereinstimmung des Transports mit dem Transportschein zu prüfen. Ergeben sich Verschlußverletzungen, so ist die Verwendung des Inhalts der betreffenden Fässer zur Denaturirung in der Regel nicht zu gestatten. Ausnahmsweise kann die Direktivbehörde die Verwendung desselben zulassen, sofern die angestellten Ermittelungen die Ueberzeugung gewähren, daß die Verschlußverletzung durch Zufall herbeigeführt und der Inhalt unverändert geblieben.

9.

Auf vorherige Anmeldung kann der Unternehmer Wermuthpulver auch zu anderen als Denaturirungszwecken in ganzen Fässern entnehmen. Eine amtliche Bescheinigung für dasselbe darf nicht ertheilt werden.

---

[1]) Zur Ertheilung von Transportscheinen sind ermächtigt:
zu 1. das Hauptsteueramt zu Erfurt,
zu 2. das Steueramt zu Schönebeck im Bezirk des Hauptsteueramts zu Magdeburg,
zu 3. das Hauptsteueramt zu Frankfurt a. M.,
zu 4. das Untersteueramt zu Steinau im Bezirk des Hauptsteueramts zu Hanau,
zu 5. das Steueramt zu Gotha.

Wermuthkraut sowie Wermuthpulver, seit dessen Einlagerung mehr als zwei Jahre verflossen sind, sind aus dem Lager zu entfernen.

10.

Der Unternehmer hat die Einsicht der den Bezug des Wermuthkrauts und den Absatz des daraus gefertigten Pulvers betreffenden Schriften und Geschäftsbücher den Oberbeamten der Steuerverwaltung jederzeit zu gestatten.

11.

Bei Zuwiderhandlungen gegen die vorstehenden Vorschriften und die Anordnungen der Steuerbehörde, mögen diese Zuwiderhandlungen von dem Unternehmer selbst oder von seinen Familienmitgliedern, Dienern, Lehrlingen, Gewerbegehülfen oder Gesinde begangen sein, unterwirft sich der Unternehmer einer von der Direktivbehörde unter Ausschluß des Rechtsweges festzusetzenden Konventionalstrafe bis zu einhundert Mark.

12.

Die näheren Anordnungen über die steuerliche Beaufsichtigung der Anlagen, das Verfahren bei den Anmeldungen und die Form derselben, die Behandlung der Transporte beim Empfangsamt, die Registerführung, die Dienstanweisungen für die betheiligten Beamten u. s. w. erläßt die oberste Landes-Finanzbehörde.

Transportschein Nr. 10

über Pulver aus Wermuthkraut zur Denaturirung von Salz.

Ausfertigungsamt:

Erledigungsamt:

Empfänger der Waare:

Der Kolli		Brutto-gewicht.	Netto-gewicht.	Art des angelegten Verschlusses bezw. Zahl der Bleie.	Die Transportfrist läuft bis zum
Zahl und Verpackung.	Bezeichnung.				

Unterschrift des Unternehmers:

Das in den oben bezeichneten verpackte Pulver ist ausschließlich aus echtem und reinem am eingelagerten Wermuthkraut unter Beobachtung der Anforderungen des Beschlusses des Bundesraths vom 25. März 1878 angefertigt worden und zur Denaturirung von Salz brauchbar.

, den

Steueramt.

(L. S.) N. N.

B.

Anleitung

zur

chemischen Untersuchung von Seifenpulver.

Zur Prüfung von Seifenpulver auf seine Reinheit und Unverfälschtheit ist eine Probeflüssigkeit herzustellen, welche aus gleichen Raumtheilen 85 prozentigen Alkohols und konzentrirter Essigsäure durch Mischen erhalten wird.

Von dem zu untersuchenden Pulver, das vor der Untersuchung etwa acht Tage lang der Luft auszusetzen ist, bringt man in ein Proberohr ungefähr 1 g, gießt von der Probeflüssigkeit 10 bis 15 ccm darauf und erwärmt die Flüssigkeit bis zum Kochen. Reines Seifenpulver giebt hierbei eine fast klare Lösung; fremde, der Seife beigesetzte Bestandtheile setzen sich zu Boden.

Man läßt die Flüssigkeit sich vollkommen absetzen, gießt sodann die klar gewordene Flüssigkeit vom Bodensatz ab und setzt derselben Wasser hinzu (das gleiche oder doppelte Volumen).

Die Fettsäuren der Seife scheiden sich alsbald an der Oberfläche ab als ölige Masse. Bei sogenanntem mineralischen Seifenpulver, Talk 2c. tritt letztere Erscheinung nicht ein.

Dabei ist zu bemerken, daß auch allenfallsige Beimischungen von kohlensauren Alkalien (Soda), sowie von kohlensauren Erden (Kreide, Magnesia) sich in dem Gemisch von Alkohol und Essigsäure vollständig auflösen. In diesem Falle jedoch tritt beim Uebergießen des verfälschten Seifenpulvers mit dem Säuregemisch ein starkes oder doch deutlich wahrnehmbares Aufbrausen von Kohlensäure ein, wodurch jene Beimengungen angezeigt werden. Dabei ist nur zu beachten, daß auch bei unvermischtem Seifenpulver eine sehr geringe Entwickelung von Kohlensäure in einzelnen Bläschen stattfindet, welche Erscheinung mit der aufbrausenden Entwickelung der Kohlensäure bei absichtlichen Zusätzen sehr verschieden ist.

Als geboten ist weiter zu bezeichnen, daß die prüfenden Zoll- oder Steuerbeamten durch Versuche mit selbstgeschabter reiner Kernseife sich von dem Unterschied der letztgedachten Erscheinung ein klares Bild verschaffen.

Erwünscht ist auch die Gewinnung einer Erfahrung seitens der Beamten hinsichtlich der Menge der schließlich abgeschiedenen Fettsäuren; die Beamten würden bei Ausführung vorbezeichneten Probeversuchs zugleich ein Bild von der Menge der dabei sich abscheidenden Fettsäure gewinnen können und darauf den Vergleich mit anderem zur Denaturirung von Salz vorgeführten Seifenpulver zu machen im Stande sein.

In Bezug auf die äußere Beschaffenheit des Seifenpulvers ist noch zu bemerken, daß das reine Seifenpulver immer etwas gelblich gefärbt ist und einen schwach-laugenhaft-fettigen Geschmack und schwachen Seifengeruch besitzt, während die mineralischen Fälschungsmittel farb-, geschmack- und geruchlos sind.

Anlage III.

Bestimmungen,

betreffend

die Gewährung der Abgabenfreiheit für Salz, welches nicht unter stehender Kontrole zum Einsalzen, Einpökeln 2c. von Gegenständen verwendet worden ist, die ausgeführt werden.

§. 1.

Für welche nicht unter stehender steuerlicher Kontrole eingesalzenen, eingepökelten 2c. Gegenstände bei der Ausfuhr in das Zollvereins-Ausland von dem zu ihrer Zubereitung verwendeten Salz eine Erstattung der Abgabe gewährt wird, sowie nach welchen Normen diese Erstattung erfolgt, wird von der obersten Landes-Finanzbehörde nach Maßgabe der unter den Zollvereinsstaaten getroffenen Vereinbarungen und unter Berücksichtigung der örtlichen Verhältnisse bestimmt und zur öffentlichen Kenntniß gebracht.

Die Abgabe wird nicht erstattet, wenn deren Betrag für einen Transport bei Butter 1,50 ℳ., bei einem anderen Gegenstande 3 ℳ. nicht erreicht.

Ueberschießende Beträge von weniger als 10 Pf. bleiben außer Ansatz.

§. 2.

Wer Fleisch, Speck oder Käse zur Ausfuhr mit dem Anspruch auf Erstattung der Salzabgabe einpökeln 2c. beziehungsweise unter Verwendung von Salz zubereiten will, hat diese Absicht zuvor der Steuerstelle seines Wohnortes anzumelden und über den Salzverbrauch ein Buch über Zugang und Abgang zu führen, welches mit den Quittungen über die Verabgabung des aus dem Auslande bezogenen und mit den Nachweisen über den Bezug des aus dem Inlande beschafften Salzes zu belegen und auf Erfordern zur amtlichen Einsicht vorzulegen ist.

In diesem Buche sind auch die empfangenen Vergütungen an Salzabgabe zu vermerken.

Käsefabrikanten haben außerdem die Zeit, in welcher sie Käse fabriziren, anzumelden, und die probeweise Beaufsichtigung des Salzverbrauchs durch Steuerbeamte zu gestatten.

§. 3.

Wer die Erstattung der Abgabe in Anspruch nehmen will, hat die zur Ausfuhr bestimmten Gegenstände (§. 1) der dem Versendungsort zunächst belegenen, zur Ausfertigung von Begleitscheinen befugten, oder zu Abfertigungen der in Rede stehenden Art von der Direktivbehörde besonders ermächtigten Zoll- oder Steuerstelle mit einer in zwei Exemplaren zu übergebenden schriftlichen Anmeldung vorzuführen, welche nach Maßgabe des beigefügten Musters A den Namen und Wohnort des Anmeldenden, die Zahl, Art, Bezeichnung, Inhalt, Bruttogewicht und, wenn die Abgabenvergütung nach dem Nettogewicht erfolgt, auch das Nettogewicht der einzelnen Kolli, sowie das Ausgangsamt ergeben und die Versicherung enthalten muß, daß zum Einsalzen 2c. der betreffenden Gegenstände auf je 100 kg derselben nicht weniger Salz als der von der obersten Landes-Finanzbehörde für jeden dieser Gegenstände beziehungsweise für den betreffenden Bezirk angenommene Minimalsatz verwendet worden ist.

Anmeldungen, welche unvollständig sind, undeutlich geschrieben sind, Rasuren oder nicht mit Genehmigungsvermerk versehene Durchstreichungen enthalten, sind zurückzuweisen.

§. 4.

Die Amtsstelle unterwirft die vorgeführten Gegenstände einer Revision und stellt hierbei ihre Beschaffenheit und ihr Gewicht fest.

Die Feststellung des Gewichts der Waarenpost kann nach dem Ermessen des Abfertigungsamts durch Probeverwiegungen erfolgen. Der amtlichen Verwiegung bedarf es überhaupt nicht, wenn die Abgabenbefreiung für ein gewisses gleichbleibendes Maaß, z. B. Tonnen, zugesichert ist, dessen Gewicht handelsüblich oder gesetzlich feststeht, und wenn die Waare in Kolli von diesem gleichen Maaß zur Abfertigung gestellt wird.

Ebenso genügt zur Feststellung des Inhalts eine probeweise Ermittelung. In jedem Falle ist jedoch die Prüfung zugleich darauf zu richten, ob die vorgeführten Waaren derart mit Salz zubereitet sind, daß gegen die wirklich geschehene Verwendung der als Minimalsatz angenommenen Salzmenge begründete Bedenken nicht obwalten. Ist nach dem Ergebniß dieser Prüfung, oder nach dem in Zweifelsfällen einzuholenden Gutachten von Sachverständigen als sicher anzunehmen, daß eine geringere Menge Salz als jener Minimalsatz, verwendet worden ist, so findet kein Anspruch auf Abgabenvergütung statt. Ebensowenig, wenn Gegenstände, für welche eine Vergütung nach dem Bruttogewicht gewährt wird, in einer schwereren, als der gewöhnlichen, beziehungsweise handelsüblichen Umschließung ausgeführt werden sollen.

Bei solchen verpackten Gegenständen, für welche die Vergütung nach dem Nettogewicht gewährt wird, erfolgt die Ermittelung des letzteren durch Abrechnung der Tara nach den Sätzen des Zolltarifs. Handelt es sich um eine Verpackung, für welche im Zolltarif keine Tara ausgeworfen ist, oder wird eine von der gewöhnlichen abweichende Verpackungsart oder eine erhebliche Entfernung von dem im Tarif angenommenen Tarasatz bemerkbar, so wird das Nettogewicht durch Abschätzung oder durch probeweise Verwiegung ermittelt. Für einfache Leinwandsäcke ist eine Tara von 1 Prozent vom Bruttogewicht zu gewähren.

§. 5.

Ist das Amt, bei welchem die Anmeldung zur Ausfuhr geschehen ist, nicht zugleich das Ausgangsamt, so wird die Ladung nach beendigter Revision unter amtlichen Verschluß gesetzt und die Art des angelegten Verschlusses in der Anmeldung bemerkt.

Die in beiden Exemplaren bescheinigte Anmeldung wird in das nach dem Muster B zu führende Anmeldungs-Register eingetragen, dessen laufende Nummer sie erhält. Das eine Anmeldungsexemplar verbleibt bei dem Anmeldungs-Register, während das andere Exemplar dem Anmeldenden zurückgegeben wird, welcher dasselbe unter gleichzeitiger Vorführung der Waaren dem Ausgangsamt vorzulegen hat. Die Ausfuhr der Waaren muß bei Verlust des Anspruchs auf Abgabenerstattung binnen drei Monaten nach der Abfertigung zur Ausfuhr (§§. 3 und 4) erfolgen. B.

In geeigneten Fällen kann die Direktivbehörde des Ausfertigungsamts von Ueberschreitungen dieser Frist ausnahmsweise absehen. Zur Ausgangsabfertigung sind die Hauptzollämter, die Nebenzollämter erster Klasse und diejenigen Zoll- oder Steuerstellen im Inlande ermächtigt, welche beim Schiffs- und Eisenbahnverkehr zur Ertheilung von Ausgangsbescheinigungen über zoll- oder kontrolepflichtige Güter befugt sind. Der Direktivbehörde bleibt überlassen, auch andere Aemter ausnahmsweise mit dieser Ermächtigung zu versehen.

§. 6.

Wird der angelegte Verschluß während des Transports der Ladung durch zufällige Umstände verletzt, so hat der Waarenführer davon dem nächsten Zoll- oder Steueramt Anzeige zu machen, welches nach Feststellung des Befundes den Verschluß erneuert und solches auf der Ausfuhranmeldung, mit Bezug auf die über den Hergang aufgenommene und der Anmeldung anzustempelnde Verhandlung bemerkt.

§. 7.

Eine Umladung oder Theilung der Ladung darf bei Verlust des Anspruchs auf Vergütung der Abgabe unterwegs nur unter steueramtlicher Aufsicht und bei einem zu Abfertigungen der hier in Rede stehenden Art (§. 3) befugten Amt vorgenommen werden. Letzteres hat im Falle einer bloßen Umladung über diese und die anderweite Verschlußanlage das Nöthige in der Ausfuhranmeldung zu vermerken, im Falle der Theilung der Ladung aber auf Grund der ihm mit der bisherigen Anmeldung vorzulegenden neuen Ausfuhranmeldungen (§. 3) eine neue Abfertigung gemäß den in den §§. 4 und 5 enthaltenen Bestimmungen, jedoch ohne abermalige Revision des Inhalts zu bewirken.

§. 8.

Erhält die Ladung auf dem Transport eine andere Bestimmung und wird in Folge dessen einem anderen als dem in der Anmeldung bezeichneten Ausgangsamt vorgeführt, so ist hierüber bei Bescheinigung des Ausgangs das Geeignete in der Anmeldung zu vermerken.

§. 9.

Das Ausgangsamt hat die ihm vom Transportanten vorgelegte Anmeldung in das Anmeldungs-
C. Empfangs-Register (Muster C) einzutragen, sie mit der laufenden Nummer dieser Eintragung zu versehen, den Ausgang der Waaren in derselben Weise, wie die Ausfuhr von Waaren, die auf Begleitschein I abgefertigt sind, zu kontroliren und in der Anmeldung zu bescheinigen, und demnächst die Anmeldung dem Ausfertigungsamt (§§. 3 und 4) zurückzusenden, welches sofort die auf derselben befindlichen Vermerke und Atteste prüft und, sofern sich hierbei Anstände ergeben, solche zur Erörterung und zur Erledigung bringt.

§. 10.

Ist das Amt, bei welchem die Anmeldung zur Ausfuhr erfolgt (§. 3), zugleich das Ausgangsamt, so braucht die Anmeldung blos in einem Exemplar abgegeben zu werden, und wird der Tag des Ausgangs in der Bemerkungsspalte des Anmeldungs-Registers vermerkt. Einer Eintragung der Anmeldung in das Register C bedarf es nicht.

§. 11.

Die Ausfertigungsämter (§. 3), sofern sie Unterämter sind, haben die bei ihnen im Laufe des Quartals wieder eingegangenen, mit der vorschriftlichen Ausfuhrbescheinigung versehenen Anmeldungen am Quartalschlusse mit einem Nachweise dem vorgesetzten Hauptamt behufs Liquidirung der Erstattungsbeträge einzureichen. Letzteres hat die Abgabenbeträge, welche auf Grund dieser Anmeldungen, sowie der bei ihm selbst ausgefertigten und im Laufe des Quartals mit Ausfuhrbescheinigung versehen wieder eingegangenen Anmeldungen zu erstatten sind, im ersten Monat des nächsten Quartals mittelst einer mit
D. diesen sämmtlichen Anmeldungen belegten Nachweisung (Muster D) bei der Direktivbehörde behufs Zahlungsanweisung zu liquidiren, zuvor aber die von den Unterämtern eingegangenen Anmeldungen auch seinerseits einer Prüfung zu unterziehen.

§. 12.

Sofort nach erfolgter Anweisung der zu erstattenden Abgabenbeträge ist deren Auszahlung zu bewirken, und ist diese durch die Quittungen der Empfänger zu belegen.

§. 13.

Bei Gegenständen, die als Proviant für Seeschiffe dienen sollen, bedarf es der im §. 2 vorgeschriebenen Buchführung nicht. Es bleibt ferner der obersten Landes-Finanzbehörde überlassen, rücksichtlich dieser Gegenstände dahin Anordnung zu treffen, daß die Revision derselben auf Grund der abgegebenen Deklaration (§. 3), in welcher die Bestimmung der Gegenstände zum Schiffsproviant anzugeben ist, am Bord des Schiffes stattfinden, und daß die Abgabenvergütung geleistet werden darf, sobald durch die Revision das Vorhandensein der deklarirten Gegenstände an Bord des zum Ausgange bestimmten Schiffes festgestellt worden ist.

§. 14.

Wer mittelst unrichtiger Angaben eine Salzabgabenvergütung in Fällen zu erlangen sucht, in welchen dieselbe nach den bestehenden Bestimmungen nicht zu gewähren ist, kann, abgesehen von den etwa sonst gesetzlich verwirkten Strafen, nach dem Ermessen der Direktivbehörde für die Folge von dem Anspruch auf Gewährung der Salzabgabenvergütung für auszuführende Gegenstände ausgeschlossen werden.

Muster A.

№ des Anmelde-Registers.

Ausfuhranmeldung.

Behufs Erlangung der Salzabgabe-Vergütung werden dem -Amt zu nachbenannte eingesalzene (gepökelte, eingeräucherte) Gegenstände angemeldet, welche über ausgeführt werden sollen.

Laufende Nummer.	Anzahl, Art und Zeichen der Kolli.	Inhalt.	Gewicht.		Revisionsbefund.				Angabe über den angelegten Verschluß.	Bemerkungen.
					Anzahl, Art und Zeichen der Kolli.	Inhalt.	Gewicht.			
			Brutto kg	Netto kg			Brutto kg	Netto kg		
1.	2.	3.	4.	5.	6.	7.	8.	9.	10.	11.

den ten 188 .

-Amt.

Daß zur Einsalzung nicht weniger als kg Salz auf 100 kg verwendet worden sind, wird hiermit versichert.

den ten 188 .

Vermerke über Wiedererneuerung des verletzten Verschlusses 2c.		Ausgangsbescheinigung.
Antrag des Waarenführers. 1. Ich beantrage Wiedererneuerung des verletzten Verschlusses. den ten 188 .	1. Verschluß erneuert und angestempelte Verhandlung darüber dem Waarenführer aus übergeben. den 188 . -Amt.	(I. Wenn das Abfertigungsamt zugleich das Ausgangsamt ist.) Die umstehend bezeichneten Gegenstände sind heute nach erfolgter Revision unter unseren Augen (unter Aufsicht des Grenzaufsehers) über die Grenze ausgeführt (auf das zur Reise nach bestimmte Schiff gebracht) worden. den ten 188 . -Amt.
2. Ich beantrage eine Umladung der umstehend verzeichneten Waaren. den ten 188 .	2. Die beantragte Umladung ist unter amtlicher Aufsicht heute vorgenommen und die darauf bezügliche angestempelte Verhandlung, aus welcher die eingetretenen Veränderungen sich ergeben, dem Waarenführer aus übergeben. den 188 . -Amt.	(II. Wenn das Ausgangsamt nur als solches fungirt.) Nr. des Anmeldungs-Empfangs-Registers. D umstehend verzeichnete heute hier eingetroffen und nach Abnahme des unverletzt befundenen Verschlusses unter unseren Augen (unter Aufsicht des Grenzaufsehers) über die Grenze geführt. den ten 188 . -Amt.

Muster B.

Anmeldungs-Register

für die Ausfuhr nicht unter stehender Kontrole eingesalzener 2c. Gegenstände.

Amt zu

Das Register enthält Blätter mit einer Schnur durchzogen, welche auf dem Titelblatte mit dem Siegel des Unterzeichneten angesiegelt ist.

Geführt von

den ten 188 .

Der Ober- Inspektor.

Laufende Nr.	Tag der Abfertigung.	Name des Ausstellers der Ausfuhranmeldung.	Auf welches Amt als Ausgangsamt die Anmeldung gerichtet worden.	Tag, an welchem die Anmeldung erledigt zurückgekommen ist.	Bemerkungen.
1.	2.	3.	4.	5.	6.

Muster C.

Anmeldungs-Empfangs-Register

für die Ausfuhr nicht unter stehender Kontrole eingesalzener Gegenstände.

Amt zu

Dieses Register enthält Blätter mit einer Schnur durchzogen, welche auf dem Titelblatte mit dem Siegel des Unterzeichneten angesiegelt ist.

Geführt von

den ten 188 .

Der Ober- Inspektor.

Laufende Nr.	Tag der Eintragung.	Der Anmeldungen			Tag des Ausgangs der Waare ins Ausland	Tag der Rücksendung der erledigten Anmeldung.	Bemerkungen.
		Ausstellungsort.	Nr.	Tag und Monat.			
1.	2.	3.	4.	5.	6.	7.	8.

Nach-

der im Quartal 18 bei dem Haupt- Amt zu

unter stehender Kontrole einge-

Laufende Nummer.	Der abgegebenen Anmeldungen			Der Anmelder		Angabe des Ausgangsamts.	Revisions-
	Nummer.	Datum		Namen.	Wohnort.		Der
		Monat.	Tag.				Zahl und Art.
1.	2.	3.		4.	5.	6.	7.

Muster D.

weisung

…ingegangenen Anmeldungen zur Gewährung der Salzsteuer-Vergütung für ausgeführte nicht …salzene, eingepökelte zc. Gegenstände.

…efund des Abfertigungsamts			Steuer-vergütungssatz für 100 kg		Menge des eingestreuten Salzes	Betrag der auf jede Anmeldung zu zahlenden Vergütung		Die Ausfuhr ist erfolgt		Gesammtbetrag für jeden Anmelder		Bemerkungen.
…inzelnen Kolli Gewicht.		Gattung des Gegenstandes.										
Brutto kg	Netto kg		Mark.	Pf.	kg	Mark.	Pf.	Monat.	Tag.	Mark.	Pf.	
8.	9.	10.	11.		12.	13.		14.		15.		16.

Gedruckt bei Julius Sittenfeld in Berlin W.

Außerordentliche Beilage zum Amtsblatt.

Bekanntmachung.

Auf Grund der durch den Beschluß des Bundesraths vom 5. Juli d. Js. ertheilten Ermächtigung hat der Ausschuß des Bundesraths für Zoll- und Steuerwesen im Einvernehmen mit dem Ausschuß für Handel und Verkehr in der Sitzung vom 28. Juli d. Js. beschlossen, daß an die Stelle des seitherigen Regulativs, betreffend die Gewährung der Zoll- und Steuervergütung für Tabak und Tabackfabrikate (Central-Blatt 1881 S. 191) vom 1. Oktober d. Js. ab das nachstehende

Regulativ, betreffend die Ausfuhrvergütung für Taback,

zu treten hat.

Berlin, den 27. August 1888.

Der Reichskanzler.
Im Auftrage: Aschenborn.

Regulativ,

betreffend

die Ausfuhrvergütung für Taback.

§. 1.

Wer aus dem freien Verkehr Rohtaback einschließlich Sandblätter und Grumpen oder entrippte Tabackblätter in Mengen von mindestens 25 Kilogramm über die Zollgrenze ausführt oder in eine öffentliche Niederlage oder in ein unter amtlichem Mitverschluß stehendes Privatlager niederlegt, kann, außer in denjenigen Fällen, wo die Ausfuhr oder Niederlegung inländischen Tabacks nach den Bestimmungen in den §§. 11 und 16 bis 18 des Gesetzes vom 16. Juli 1879 vor Entrichtung oder Kreditirung der Steuer erfolgt, eine Steuervergütung beanspruchen, welche beträgt von 100 Kilogramm netto: Vergütungssätze.

A. Rohtaback:
- a) unfermentirt . . . . 33 ℳ,
- b) fermentirt . . . . 40 „

B. entrippte Blätter . . . . 47 „

Bei der Ausfuhr oder Niederlegung von grünen Blättern, von Geizen, Tabackstengeln und Abfällen wird keine Vergütung gewährt.

§. 2.

Inländischen Tabackfabrikanten kann bei der Ausfuhr ihrer Fabrikate über die Zollgrenze oder bei Niederlegung derselben in eine öffentliche Niederlage oder in ein unter amtlichem Mitverschluß stehendes Privatlager eine Vergütung geleistet werden, welche, je nachdem das Fabrikat aus ausländischem oder aus inländischem Taback hergestellt ist, beträgt von 100 Kilogramm netto:

A. für Fabrikate aus ausländischen Blättern:
- a) für Schnupf- und Kautaback . . . . 60 ℳ,
- b) „ Rauchtaback. . . . . 81 „
- c) „ Cigarren . . . . 94 „
- d) „ Cigarretten . . . . 66 „

B. für Fabrikate aus inländischen Blättern:

a) für Schnupf- und Kautabak . . . . 32 *M.*
b) " Rauchtabak . . . . 43 "
c) " Cigarren . . . . 50 "
d) " Cigarretten . . . . 35 "

und

C. für Fabrikate, theilweise aus ausländischem und theilweise aus inländischem Tabak, nach Maßgabe des Mischungsverhältnisses beider Gattungen nach den vorstehend zu A und B aufgeführten Sätzen zu berechnen ist.

Versendungen von Tabackfabrikaten mit dem Anspruche auf Zoll- oder Steuervergütung sind nur in Mengen von mindestens 25 Kilogramm zulässig. Für die Versendung von Cigarretten kann durch die Direktivbehörden eine Minimalmenge von 10 Kilogramm festgesetzt werden.

§. 3.

Unter Geizen, welche nach §. 1 von Gewährung einer Vergütung ausgeschlossen sind, werden die vor der Haupternte des Tabacks ausgebrochenen Blatttriebe und unentwickelten Blätter verstanden. In der Nachernte gezogene, vollständig entwickelte Geizblätter werden wie Blätter der Haupternte behandelt.

Unter Tabackabfällen, welche nach §. 1 von Gewährung einer Vergütung ausgeschlossen sind, werden nicht nur die Abfälle von Rohtaback, sondern auch diejenigen von Tabackfabrikaten verstanden. Für Tabackmehl, welches aus Abfällen von Rohtaback oder von Tabackfabrikaten besteht, wird daher eine Vergütung nicht gewährt. Wird Tabackmehl als ein aus fein gemahlenen Blättern und Stengeln bestehendes Halbfabrikat für die Herstellung von Schnupftaback erkannt, so ist für dasselbe die Vergütung für unfermentirten Rohtaback zu gewähren.

Für Cigarretten mit Hülsen aus Papier, Stroh 2c. wird Vergütung nur dann gewährt, wenn mindestens 70 Prozent ihres Nettogewichts aus Taback bestehen. Cigarretten, welche lediglich aus Taback bestehen, werden wie Cigarren behandelt.

Für Tabackfabrikate, in welchen Surrogate enthalten sind, wird Vergütung nur in den im §. 13 Absatz 3 erwähnten Fällen und unter den daselbst angegebenen Bedingungen gewährt.

§. 4.

I. Anmeldung, Abfertigung und Kontrole. 1. Im Allgemeinen.

Ueber Rohtaback, entrippte Blätter oder Tabackfabrikate, welche gegen Gewährung einer Vergütung (§§. 1 und 2) ausgeführt oder niedergelegt werden sollen, hat der Versender oder Niederleger der Steuerstelle des Versendungsortes eine Anmeldung nach Muster a in zwei Exemplaren zu übergeben. (Muster a.) Zugleich ist der Taback zur Revision vorzuführen. In den Anmeldungen ist außer dem Bruttogewicht der einzelnen Kolli auch das Nettogewicht derselben und, im Falle der gemeinschaftlichen Verpackung verschiedener Tabackgattungen, das Nettogewicht jeder einzelnen Gattung zu deklariren. Als Steuerstelle des Versendungsortes gilt bei der Versendung von Tabackfabrikaten die Steuerstelle, welcher der Fabriksitz zugetheilt ist, bei Versendung von Rohtaback und entrippten Blättern dagegen die Steuerstelle desjenigen Ortes, von dem aus die Versendung mit dem Anspruche auf Steuervergütung erfolgt, gleichviel, ob es der Ursprungsort oder ein anderer Ort ist, welcher nur auf dem Transport berührt wird.

Die Ausfuhr hat über ein zur Erledigung von zollamtlichen Begleitscheinen I (§. 33 des Vereinszollgesetzes) befugtes Grenzzollamt zu erfolgen.

Das Versendungsamt trägt die Anmeldungen, von welchen das eine Exemplar mit „Unikat“ und das zweite Exemplar mit „Duplikat“ zu bezeichnen ist, in ein nach Muster b zu führendes Abfertigungsregister ein und nimmt die Revision und Ermittelung des Nettogewichts des Tabacks vor. (Muster b.*))

Mit Genehmigung des Amtsvorstandes kann unter Beachtung der von der Direktivbehörde in dieser Hinsicht zu treffenden allgemeinen Anordnungen die Revision von Fabrikaten in den Fabrikräumen vorgenommen werden. Die hierdurch erwachsenden Kosten hat der Fabrikant zu erstatten.

Ist das Versendungsamt gleichzeitig das Ausgangs- oder Niederlageamt, so bewirkt dasselbe zugleich die Abfertigung zum Ausgange beziehungsweise zur Niederlage; anderenfalls setzt das Versendungsamt die Kolli unter Verschluß und übergiebt das Unikat der Anmeldung dem Versender behufs Vorführung des Tabacks bei dem Erledigungsamte. Das Letztere trägt die ein-

*) Ist hier nicht abgedruckt.

gehende Anmeldung mit entsprechender Bezeichnung in das Versendungsschein-Empfangsregister (Muster 14 der Dienstvorschriften) ein und nimmt die Ausgangsabfertigung beziehungsweise die Abfertigung zur Niederlage vor. In beiden Fällen erfolgt je nach Umständen eine allgemeine oder eine spezielle Revision. Im Falle eine Verschlußverletzung stattgefunden hat, ist bei der speziellen Revision das Nettogewicht zu ermitteln. Die mit Erledigungsbescheinigungen versehenen Unikate der Anmeldungen sind durch das Erledigungsamt dem Versendungsamt zurückzusenden. Der Tag der Zurücksendung ist in Spalte 10 des Versendungsschein-Empfangsregisters anzumerken.

Zu den Niederlage-Anmeldungen dienen Auszüge aus den Anmeldungen nach Muster a, für welche die Formulare zu den Auszügen aus den Zollbegleitscheinen unter entsprechender Aenderung des Vordrucks benutzt werden können.

Die Unikate der Anmeldungen werden als Rechnungsbeläge verwendet (§§. 6 und 15). Die Duplikate bilden die Beläge zu dem Abfertigungsregister (Muster b).

§. 5.

1. Bei der Abfertigung des Tabacks kann das Nettogewicht statt durch Verwiegung durch Abrechnung einer Tara festgestellt werden. Die Tarasätze betragen:

a) bei unbearbeiteten und bei entrippten Blättern in Ballen von einfacher Leinwand	2	Prozent,
b) bei dergleichen in Ballen von doppelter Leinwand	4	„
c) bei dergleichen in Kisten	22	„
d) bei Karotten und Stangen zu Schnupftabacк in Fässern	8	„
e) bei dergleichen in Kisten	12	„
f) bei Schnupftaback, lose in Fässern	10	„
g) bei dergleichen in Zinn- und Papierumhüllung und Kisten	20	„
h) bei Rauchtaback in Papierpacketen und Kisten	25	„
i) bei Cigarren, lose in großen Kisten	28	„
k) bei dergleichen in Papierpacketen und großen Kisten	34	„
l) bei dergleichen in kleinen Kistchen und großen Kisten	47	„

des Bruttogewichts,

m) bei Cigarretten:

Innere Umschließungen:

in Kartons zu 100 Stück oder mehr		
mit Mundstück	30	„
ohne Mundstück	31	„
in Kartons zu weniger als 100 Stück		
mit Mundstück	51	„
ohne Mundstück	43	„
in Papierpacketen		
mit Mundstück	13	„
ohne Mundstück	13	„

des Gewichts der Cigarretten einschließlich der inneren Umschließungen.

Aeußere Umschließungen:

in Kisten ohne Zinkeinsatz		
bei einem Bruttogewicht des Kollo		
bis zu 100 Kilogramm	27	„
über 100 Kilogramm	30	„
in Kisten mit Zinkeinsatz		
bei einem Bruttogewicht des Kollo		
bis zu 100 Kilogramm	33	„
über 100 Kilogramm	27	„

des Bruttogewichts.

Bei Cigarretten in inneren und äußeren Umschließungen ist das Nettogewicht in der Weise festzustellen, daß zunächst von dem Bruttogewicht die Tara für die äußere Umschließung und hierauf von dem verbleibenden Gewicht die Tara für die innere Umschließung in Abzug gebracht wird.

1*

2. Das durch Abrechnung der Tara (Ziffer 1) berechnete Nettogewicht wird nur dann der Feststellung der Zoll- oder Steuervergütung zu Grunde gelegt, wenn es nicht mehr beträgt, als das von dem Versender in der Anmeldung angegebene; das letztere wird zu Grunde gelegt, wenn es geringer ist, als das durch Berechnung ermittelte.

3. Der Abfertigungsstelle steht in jedem Falle die Befugniß zu, statt der Berechnung des Nettogewichts nach den obigen Tarasätzen, die Ermittelung des Nettogewichts durch Verwiegung des Tabacks ohne jede Umschließung beziehungsweise bei Cigarretten auch durch Verwiegung derselben sammt der inneren Umschließung und demnächstige Abrechnung der für die innere Umschließung gewährten Tara eintreten zu lassen. Die gleiche Befugniß steht dem Versender zu.

4. Bei der Ermittelung des Nettogewichts durch Verwiegung kann nach dem Ermessen der Abfertigungsstelle Probeverwiegung eintreten, wenn Kolli von gleicher Beschaffenheit und gleichem Inhalt nahezu gleiches Gewicht haben. Abweichungen von nicht mehr als 5 Prozent des Bruttogewichts sollen dabei die Probeverwiegung nicht ausschließen.

5. Beim Vorhandensein innerer Umschließungen, z. B. bei der Verpackung von Cigarren in Kistchen, von Cigarretten in Kartons, von Rauchtaback in Papierpacketen, von Schnupftaback in Packeten in Zinn- und Papierumhüllungen u. s. w. darf, sofern die inneren Umschließungen augenscheinlich von gleicher Größe und gleicher Beschaffenheit sind, das Gesammtgewicht der inneren Umschließung durch probeweise Verwiegung einzelner Kistchen, Packete u. s. w. ermittelt werden.

6. In dem Revisionsbefunde ist die Art der äußeren und etwaigen inneren Umschließungen, sowie die Art der Ermittelung des Nettogewichts (ob durch Abzug eines Tarasatzes oder vollständige oder probeweise Verwiegung) anzugeben.

7. Von der Einleitung des Strafverfahrens auf Grund des §. 38 des Gesetzes vom 16. Juli 1879 ist dann abzusehen, wenn weder das deklarirte Bruttogewicht noch das deklarirte Nettogewicht das ermittelte Brutto- beziehungsweise Nettogewicht um mehr als 5 Prozent übersteigt.

§. 6.

Die Hauptämter haben über die in ihren Bezirken zu gewährenden Vergütungen für Rohtaback und entrippte Blätter, sowie für Cigarren, für welche lediglich die Steuervergütung für aus inländischem Taback hergestellte Cigarren in Anspruch genommen wird, nach näherer Anleitung der Direktivbehörde monatlich Liquidationen aufzustellen und mit den Unikaten der betreffenden Anmeldungen an die Direktivbehörde zur Zahlungsanweisung einzusenden.

§. 7.

2. In den unter Kontrole stehenden Fabriken.

Diejenigen Fabrikanten, welche bei der Ausfuhr oder bei der Niederlegung von Schnupf-, Kau- und Rauchtaback und von Cigarretten auf Gewährung der im §. 2 genannten Vergütung, sowie diejenigen, welche bei der Ausfuhr oder bei der Niederlegung von Cigarren auf Gewährung der im §. 2 unter A oder C fallenden Vergütungen Anspruch machen wollen, haben hiervon der Steuerstelle des Fabriksitzes vor Herstellung der Fabrikate Anzeige zu machen und außer den Vorschriften in den §§. 2 bis 5 noch die Vorschriften in den §§. 8 bis 19 zu beobachten, sowie sich den ihnen sonst noch von der Steuerbehörde bekannt zu machenden Bedingungen zu unterwerfen.

§. 8.

Die Zoll- oder Steuervergütungen werden nur dann bewilligt, wenn der betreffende Tabackfabrikant in Beziehung auf die Beobachtung der Zoll- und Steuergesetze unbescholten ist, regelmäßig ein Lager an Roh- und fabrizirtem Taback von wenigstens 15 000 Kilogramm hält, und wenn seine Fabrik nebst Waarenlager sich an einem Orte befindet, in welchem ein mit wenigstens zwei Beamten besetztes Zoll- oder Steueramt vorhanden ist. Ausnahmsweise kann die Direktivbehörde die Vergütungen auch für Fabriken in solchen Orten bewilligen, in denen sich eine mit mehreren Beamten besetzte Amtsstelle nicht befindet.

Darüber, ob ein Lagerbestand von dem bezeichneten Umfange regelmäßig unterhalten wird, hat sich die Steuerstelle des Fabriksitzes von Zeit zu Zeit Ueberzeugung zu verschaffen. Wenn neu entstehende Fabriken im ersten Jahre oder eingehende Fabriken bis zur Abwickelung ihrer Geschäfte den Lagerbestand von 15 000 Kilogramm nicht nachzuweisen vermögen, sind dieselben deshalb vom

Genusse der Vergütungen nicht auszuschließen. Letztere brauchen nach dem Ermessen der Direktivbehörde auch solchen in Betrieb befindlichen Fabriken nicht versagt zu werden, bei welchen der Lagerbestand auf kurze Zeit unter jene Gewichtsmenge herabsinken sollte.

§. 9.

Der Fabrikant hat schriftlich oder zu Protokoll eine Erklärung darüber abzugeben, ob in seiner Fabrik allein ausländischer oder allein inländischer oder ausländischer und inländischer Tabak verarbeitet werden wird, und letzteren Falls, ob nur ungemischte Fabrikate oder ob auch gemischte Fabrikate hergestellt werden sollen.

Diese Erklärung ist vorher zu ergänzen, wenn auf eine andere Art des Betriebes übergegangen werden soll.

Die Fabrikanten müssen über den Ankauf und die Versendung von Tabak, sowie über den Fabrikbetrieb ordnungsmäßige Handelsbücher führen, welche sie auf Erfordern einem von der Direktivbehörde oder dem Hauptamte beauftragten Oberbeamten zur Einsicht vorzulegen haben. Auch sind sie verpflichtet, diesem Oberbeamten den Besuch der Betriebsräume während des Betriebes jederzeit zu gestatten und auf Verlangen jede auf den Fabrikbetrieb sich beziehende Auskunft zu ertheilen.

§. 10.

Ausländischen Tabak darf der Fabrikant nur unmittelbar aus dem Auslande oder aus öffentlichen Niederlagen oder aus unter amtlichem Mitverschluß stehenden Privatlagern und nur in Mengen von wenigstens 250 Kilogramm beziehen.

Eine Ausnahme ist zulässig zum Zweck des Bezugs von Proben in Mengen von nicht über 50 Kilogramm für jede Sendung. Von der Direktivbehörde kann dem Fabrikanten gestattet werden, Tabacke in Mengen von mehr als 50, jedoch weniger als 250 Kilogramm zu beziehen.

§. 11.

Der ausländische Tabak darf nur bei der Steuerstelle des Fabriksitzes verzollt werden und ist daher auf dieselbe, sofern sie nicht zugleich das Grenzzollamt oder Niederlageamt ist, über welches der Bezug erfolgt, unter Begleitscheinkontrole zu überweisen.

Der Fabrikant ist verpflichtet, den bezogenen ausländischen Tabak in seine Fabrikräume zu bringen. Daß dies geschehen, wird auf den die Verzollung nachweisenden Belägen amtlich bescheinigt.

§. 12.

Inländischen Tabak darf der Fabrikant ebenfalls nur in Mengen von mindestens 250 Kilogramm in einem Transporte beziehen. Eine jede Einlagerung von solchem Tabak muß alsbald der Steuerstelle angezeigt werden. Zugleich ist anzugeben, ob der Tabak fermentirt ist oder vor der Verarbeitung noch der Fermentation in der Fabrik unterworfen werden soll.

§. 13.

Die Fabrikanten, welche nach ihrer Erklärung (§. 9) ausländische und inländische Tabacke, getrennt oder gemischt, verarbeiten, haben in den Anmeldungen (Muster a) oder in diesen beizufügenden besonderen Deklarationen anzugeben, ob die Fabrikate lediglich aus ausländischem oder lediglich aus inländischem Tabak oder aus beiden gemischt hergestellt sind.

Die Fabrikanten, welche ausländische und inländische Tabacke gemischt verarbeiten, haben zur Feststellung des Antheils, welcher von dem Nettogewicht der mit dem Anspruch auf Vergütung versendeten Fabrikate auf die ausländischen und die inländischen Tabacke fällt, ein Notizbuch nach Muster c zu führen, welches amtlich zu foliiren ist. Muster c.

Wenn einem Fabrikanten die Verwendung von Tabacksurrogaten gestattet ist, so sind über die Surrogate in dem Notizbuch und in dem Konto (§. 14) in gleicher Weise Anschreibungen zu führen, wie über ausländischen und inländischen Tabak. Für die verwendeten Surrogate wird eine Vergütung nicht geleistet.

Am Schluß des Vierteljahrs werden die in dem Notizbuch befindlichen Eintragungen durch den mit der Kontrole der Fabrik beauftragten Oberbeamten unter Zuhilfenahme des Versendungsbuchs und der Fabrikationsbücher, welche letztere die Namen und Zusammensetzung der einzelnen Sorten mit den Gewichtsverhältnissen der Zuthaten und gewonnenen Mengen genau nachweisen müssen, geprüft und mit den betreffenden Anmeldungen verglichen.

Ist bei der Prüfung die Uebereinstimmung dieser Bücher und der genannten Beläge festgestellt, so erfolgt der Abschluß des Notizbuchs. Die Richtigkeit des Abschlusses ist durch den Fabrikanten und durch den betreffenden Oberbeamten zu bescheinigen.

§. 14.

Die Steuerstelle hat bezüglich jeder nach Maßgabe des §. 8 zum Anspruche auf Zoll- oder Steuervergütung zugelassenen Fabrik ein Konto zu führen, in welchem die Einlagerungen an dem zur Fabrikation bestimmten Rohtaback und die unter Buchkontrole erfolgten Versendungen von Tabackfabrikaten nachgewiesen und am Schlusse jedes Quartals die Berechnung der Vergütung angefertigt wird. Die Führung dieses Konto geschieht nach Muster d.

Muster d.*)

Hierzu wird erläuternd bemerkt:

1. In dem Konto für eine Fabrik, welche nur ausländischen Taback verarbeitet, können die Spalten 6, 11, 13, 14, 16, 17, 19, 20 und 22, in demjenigen für eine Fabrik, welche nur inländischen Taback verarbeitet, die Spalten 5, 11, 12, 14, 15, 17, 18, 20 und 21 und in demjenigen für eine Fabrik, in welcher ausländischer und inländischer Taback ungemischt verarbeitet wird, die Spalten 11, 14, 17 und 20 ausfallen.

2. In der ersten Abtheilung des Konto ist der Zugang an Rohtaback nach der Zeitfolge anzuschreiben. Die Anschreibung erfolgt bei dem ausländischen Taback nach dem der Verzollung zu Grunde gelegten Nettogewicht und bei dem inländischen Taback nach dem Nettogewicht desselben in fermentirtem Zustande, wobei 100 Kilogramm unfermentirter Taback gleich 80 Kilogramm fermentirtem Taback zu rechnen sind.

3. In der zweiten Abtheilung des Konto werden als Abgang die mit Anspruch auf Vergütung unter Buchkontrole abgefertigten Fabrikate auf Grund der Anmeldungen einzeln nachgewiesen. Am Schlusse des Quartals ist ferner bezüglich der gemischten Fabrikate nach Anleitung des Musters der Antheil auszuscheiden, welcher auf die ausländischen und inländischen Tabacke fällt. Die Ausscheidung erfolgt auf Grund des dem Konto beizufügenden Notizbuchs (§. 13).

§. 15.

Der Fabrikant erhält die Vergütung für die ausgeführten oder niedergelegten Tabackfabrikate in vierteljährlichen Zeitabschnitten.

Die Steuerstelle fertigt die Berechnung über die zu gewährende Vergütung nach Anleitung des Musters d und legt das Konto mit den Unikaten der betreffenden Anmeldungen der Direktivbehörde zur Prüfung und Anweisung der Vergütung vor.

Ist dem Fabrikanten Zoll- oder Steuerkredit gewährt, so findet hierauf Abrechnung statt.

§. 16.

Die Fabrikanten haben nach näherer Anweisung der Direktivbehörde ein Fabrikationsbuch zu führen, welches über die verarbeiteten Mengen Rohtaback, die aus denselben hergestellten Fabrikate und den Absatz derselben nach dem In- und Auslande genauen Aufschluß geben muß. Die Direktivbehörde ist ermächtigt, Lagerbestandsaufnahmen anzuordnen. Die Fabrikanten sind verpflichtet, den Beamten die erforderlichen Hülfsdienste hierbei leisten zu lassen.

§. 17.

Die Fabrikanten haben sämmtliche in der Fabrik und im Komtor beschäftigten Personen, mit Ausnahme der Arbeiter, jedoch einschließlich der Werkführer, mit Namen und unter Bezeichnung der Art der Beschäftigung, desgleichen die Veränderungen, welche hinsichtlich dieser Personen eintreten, der Steuerstelle anzuzeigen.

Die Direktivbehörde bestimmt auf Antrag des Fabrikanten, welche der bezeichneten Personen auf Erfüllung der gegebenen Vorschriften und richtige Führung der Bücher verpflichtet werden sollen.

---

*) Ist hier nicht abgedruckt.

§. 18.

Die Vergünstigung der Gewährung von Zoll- oder Steuervergütungen kann zu jeder Zeit an veränderte Bedingungen geknüpft oder zurückgenommen werden. Zur Zurücknahme ist die Direktivbehörde befugt. Die Zurücknahme soll in der Regel erfolgen, wenn der Fabrikant oder eine bei der Fabrikation oder im Komtor beschäftigte Person wegen im Interesse des Fabrikanten verübter Zoll- oder Steuerdefraudation oder Vergehung der im §. 38 des Gesetzes vom 16. Juli 1879 bezeichneten Art rechtskräftig verurtheilt worden ist.

§. 19.

Die obersten Landes-Finanzbehörden sind ermächtigt, von der Anwendung der in den §§. 13, 14, 16 und 17 angegebenen Kontrolen ganz oder theilweise Abstand zu nehmen, insofern im Einverständniß mit dem Fabrikanten der Fabrikationsbetrieb unter ständige amtliche Kontrole gesetzt wird. In diesem Falle hat der Fabrikant die Kosten der Beaufsichtigung des Fabrikationsbetriebs und des amtlichen Mitverschlusses der Fabrik- und Lagerräume zu tragen.

§. 20.

Tritt ein Fabrikant, welcher bis dahin nicht unter Kontrole gestanden, behufs Erlangung von Zoll- oder Steuervergütung unter Kontrole, so hat derselbe seinen Vorrath an Rohtaback, Halb- und Ganzfabrikaten auf Grund der Bücher zu deklariren. Nach Prüfung der Deklaration durch einen Oberbeamten ist dieser Vorrath als inländischer Taback im Konto anzuschreiben und als solcher zu behandeln.

Muster a
(zu §. 4).

Bundesstaat ....
Haupt .... amtsbezirk ....

Abgegeben den ....ten 18
Nr. .... (des Abfertigungsregisters).

(Unikat.)

Anmeldung

zur

{Ausfuhr / Niederlegung} von {Rohtaback, / entrippten Tabackblättern, / Tabackfabrikaten,} für welche {Zoll- / Steuer-} Vergütung in Anspruch genommen wird.

Der Unterzeichnete erklärt hiermit, die nachstehend verzeichneten Mengen an .... nach {dem Auslande über das .... -Amt .... / der Niederlage zu ....} versenden zu wollen, und nimmt für dieselben die festgesetzte Vergütung in Anspruch.

Der Unterzeichnete bescheinigt zugleich, daß die zur Versendung angemeldeten Tabackfabrikate {von ihm selbst (in seiner Fabrik), / von Hausarbeitern, die in ihren eigenen Wohnungen für seine Rechnung thätig sind,} hergestellt sind.

......................, den ten .... 18 ....

(Unterschrift.)

Die nachstehend aufgeführten Kolli mit Taback sind, sofern nicht der Anspruch auf Gewährung der Vergütung verloren gehen soll, dem .... -Amt zu .... bis zum .... mit unverletztem Verschlusse zur {Ausgangsabfertigung / Aufnahme in die Niederlage} vorzuführen.

......................, den ten .... 18 .

(Amtsstempel.) (Benennung der Amtsstelle und Unterschrift.)

Anmeldung des Versenders.										
Nummer der einzelnen Positionen.	Zahl der Kolli.	Art der		Bezeichnung der Kolli.	Gattung.	Bruttogewicht	Nettogewicht	Zahl der Kolli.	Art der	
		äußeren Umschließungen.	inneren Umschließungen.			kg	kg		äußeren Umschließungen.	inneren Umschließungen.
1.	2.	3.	4.	5.	6.	7.	8.	9.	10.	11.

Revisionsbefund und Abfertigung.

Bezeichnung der Kolli.	Gattung.	Bruttogewicht	Nettogewicht				Der Berechnung der Vergütung zu Grunde zu legendes Nettogewicht	Angabe, ob und wie Verschluß angelegt ist, Zahl der Bleie 2c.
			durch Taraabzug ermittelt		durch vollständige Verwiegung ermittelt	durch probeweise Verwiegung ermittelt		
		kg	Tarasatz	kg	kg	kg	kg	
12.	13.	14.	15.	16.	17.	18.	19.	20.

Die Revisionsbeamten

Erledigungsbescheinigungen.

1. Die Anmeldung ist abgegeben am .... 18 ....

2. Dieselbe ist eingetragen im Versendungsschein-Empfangsregister unter Nr.

3. Revisionsbefund:
   a) in Betreff des Verschlusses:

   b) in Bezug auf Gattung und Menge der Waaren:

Die Richtigkeit dieser Angaben bescheinigen:

4. Der Taback ist weiter nachgewiesen im Niederlage-Register Seite ..... Konto ..... Nr. .....

5. Nachweis des Ausgangs über die Grenze:

A. Obengenannte Waaren wurden nach Abnahme des unverletzt befundenen Verschlusses:

a) in den Eisenbahngüterwagen Nr. ...... der ...... Eisenbahn verladen und nach Verschließung des Wagens mit ... Schlössern der Serie ... dem ......-Amte in .... überwiesen.

........, den ....ten 18

........-Amt.

b) auf das ...... des ...... verladen und dem Ansageposten in ...... unter Begleitung durch d.. Grenzaufseher ...... Verschluß mittelst .... } überwiesen.

........, den ....ten 18

........-Amt.

c) unter unseren Augen in das Ausland geführt.

........, den ....ten 18

........-Amt.

B. D.. oben bezeichnete .... wurde nach Abnahme des unverletzt befundenen Verschlusses:

a) d.. Grenzaufseher .... zur Begleitung über die Grenze übergeben.

........, den ....ten 18

(Unterschriften.)

b) unter unseren Augen in das Ausland geführt.

........, den ....ten 18

(Unterschriften.)

Die Erledigung der Anmeldung bescheinigt

........, den ....ten .... 18....

........-Amt.

(Amtsstempel.) (Unterschrift.)

Muster c
(zu §. 13).

Notizbuch

über

die aus der Fabrik von .... in ....
gegen Zoll- oder Steuervergütung abgefertigten Tabackfabrikate

für das .... Quartal 18.........

Enthält ...... Blätter.

(L. S.) Der ....
(Unterschrift.)

Laufende Nummer.	Datum.	Nummer des Abfertigungs-Registers.	Nummer des Versendungs-buches.	Amt, auf welches die Sendung abgefertigt worden ist.	Sorte, Mischungsverhältniß und Nettogewicht					
					Aus rein ausländischem Tabak		Aus ausländischem und inländischem Tabak gemischt, 80 Prozent ausländischer Tabak		Aus ausländischem und inländischem Tabak gemischt .. Prozent ausländischer Tabak	
					Sorte.	Gewicht kg	Sorte.	Gewicht kg	Sorte.	Gewicht kg
							I. Schnupf- und Kautaback.			
1. 2c.	16. Januar	21	44	Constanz	Macuba	48	St. Vincent Nr. 2.	118	.	.
12. 2c.	18. März	114	212	Berlin f. a. G. .	.	.	.	.	.	.
				Summe I . .	.	588	.	462	.	.
								II. Rauchtaback.		
1. 2c.	2. Januar	2	7	Swinemünde . .	.	.	.	.	.	.
36. 2c.	25. März	122	297	Lübeck	.	.	Portoriko Nr. 4	320	.	.
				Summe II . .	.	.	.	1310	.	.
								III. Cigarren.		
1. 2c.	5. Januar	14	23	Basel	Rosarita Londres	174	.	.	.	.
110. 2c.	2. März	110	181	Berlin, Hamburger Bahnhof . .	.	.	.	.	.	.
				Summe III . .	.	614	.	.	.	.
								IV. Cigarretten.		
1. 2c.	7. Januar	19	29	Emmerich	.	.	.	.	.	.
51. 2c.	29. März	141	317	Bodenbach . . .	.	.	La Ferme imit.	226	.	.
				Summe IV . .	.	.	.	716	.	.

der ausgeführten oder zur Niederlage abgefertigten Tabackfabrikate.

Aus ausländischem und inländischem Tabadk gemischt, 65 Prozent ausländischer Taback		Aus ausländischem und inländischem Taback gemischt, . . Prozent ausländischer Taback		Aus ausländischem und inländischem Taback gemischt, 42 Prozent ausländischer Taback		Aus ausländischem und inländischem Taback gemischt, . . Prozent ausländischer Taback		Aus rein inländischem Taback	
Sorte.	Gewicht kg	Sorte.	Gewicht kg	Sorte.	Gewicht kg	Sorte.	Gewicht kg	Sorte.	Gewicht kg
.	.	.	.	.	.	.	.	.	.
.	.	.	.	.	.	.	.	Dünkirchener Karotten	110
.	.	.	.	.	.	.	.	.	650
Varinas mit grüner Etikette	1420	.	.	.	.	.	.	.	.
.	.	.	.	.	.	.	.	.	.
.	2720	.	.	.	.	.	.	.	.
.	.	.	.	.	.	.	.	.	.
.	.	.	.	demi Havanna	120	.	.	.	.
.	.	.	.	.	310	.	.	.	.
.	.	.	.	.	.	.	.	Popularitatis	110
.	.	.	.	.	.	.	.	.	.
.	.	.	.	.	.	.	.	.	519

Zusammenstellung.	Ueberhaupt kg	Davon aus ausländischem Tabak kg
I. Schnupf- und Kautaback.		
1. Aus rein ausländischem Taback	588	588
2. Aus ausländischem und inländischem Taback gemischt, 80 Prozent ausländischer Taback	462	369,60
3. Aus rein inländischem Taback	650	.
Summe I.	.	.
II. Rauchtaback.		
2c.		
Summe IV.	.	.
Hierzu „ III.	.	.
„ II.	.	.
„ I.	.	.
Ueberhaupt	.	.

Die Richtigkeit und Uebereinstimmung mit den Fabrikbüchern bescheinigen:

(Unterschrift des Oberbeamten.) (Unterschrift des Fabrikanten.)

Gedruckt bei Julius Sittenfeld in Berlin W.

Amtsblatt
der Königlichen Regierung zu Potsdam und der Stadt Berlin.

Stück 43. Den 26. Oktober **1888.**

Reichs-Gesetzblatt.

(Stück 37.) № 1824. Verordnung über die Inkraftsetzung des Gesetzes, betreffend die Unfall- und Krankenversicherung der in land- und forstwirthschaftlichen Betrieben beschäftigten Personen, vom 5. Mai 1886 für das Herzogthum Anhalt. Vom 2. Oktober 1888.

Gesetz-Sammlung für die Königlichen Preußischen Staaten.

(Stück 28.) № 9307. Verfügung des Justizministers, betreffend die Anlegung des Grundbuchs für einen Theil des Bezirks des Amtsgerichts Osten. Vom 6. September 1888.

(Stück 29.) № 9308. Verordnung über die Einführung der für das Deutsche Zollgebiet in Beziehung auf gemeinsame Zölle und Steuern geltenden gesetzlichen Bestimmungen und über Erhebung einer Nachsteuer in den zum 15. Oktober 1888 an das Deutsche Zollgebiet anzuschließenden Preußischen Gebietstheilen. Vom 30. September 1888.

(Stück 30.) № 9309. Staatsvertrag zwischen Preußen und Oldenburg wegen Herstellung einer Eisenbahn von Gremsmühlen nach Lütjenburg. Vom 30. Januar 1888.

Bekanntmachungen des Königlichen Regierungs-Präsidenten.

268. **Polizei-Verordnung,**

betreffend die Flößerei zwischen den Hohensaatener und den Lieper Schleusen, sowie die Rangordnung, welche das unterhalb der Lieper Schleusen ankommende Floßholz beim Durchschleusen einzunehmen hat.

(Nachtrag zur Polizei-Verordnung vom 22. April 1887.)

Auf Grund der §§ 138 und 139 des Gesetzes über die Allgemeine Landes-Verwaltung vom 30. Juli 1883 wird in Ergänzung der denselben Gegenstand regelnden Polizei-Verordnung vom 22. April 1887 (Amtsblatt 1887 Seite 227) unter Zustimmung des Bezirks-Ausschusses folgende Polizei-Verordnung erlassen:

Art. I.

Dem § 7 der Polizei-Verordnung vom 22. April 1887 tritt im Absatz 4 nach dem Schlußsatz: „Die nicht zur Schleusung gekommenen Hölzer haben ihren Rang verloren und bedürfen der neuen Anmeldung." folgende Zusatzbestimmung hinzu:

Es soll aber der ganze Rang als aufgelöst betrachtet werden,

1) wenn wegen unzulänglicher Bemannung der zum Schleusen zugelassenen Transporte oder

2) wenn wegen allzugroßer Anhäufung von Holz in den oberen Kanalhaltungen das Schleusen bei der Lieper Schleuse während der festgesetzten Betriebszeit eingestellt werden muß und das Holz nach Verlauf von 4 Stunden nicht beseitigt ist.

Nach Ablauf dieser Frist wird aus den mit gehöriger Bemannung versehenen Transporten nach den Bestimmungen des § 6 ein neuer Rang gebildet und nach Vorschrift der Absätze 1 bis 4 dieses Paragraphen zur Schleuse gebracht.

Ist das noch im Unterkanal der Lieper Schleuse liegende, der Weiterbeförderung des neuen Ranges hinderliche Holz beim Eintreffen des neugebildeten Ranges vor der Mündung des Unterkanals (Transport № 1) noch nicht beseitigt und kann das Durchschleusen der Hölzer auch dann noch nicht erfolgen, so sind sofort sämmtliche Hölzer aus dem Unterkanal der Lieper Schleusen nach den Lagerplätzen zurückzubringen.

Art. II.

Diese Polizei-Verordnung tritt mit dem Tage ihrer Verkündigung in Kraft.

Potsdam, den 27. August 1888.

Der Regierungs-Präsident.

Oeffentliche Belobigung für Rettung aus Lebensgefahr.

269. Der Kaufmann Franz Liesner zu Spandau hat am 28. August d. J. die 4 Jahre alte Tochter des Kutschers Wilhelm Rieger daselbst aus der Havel nicht ohne eigene Gefahr vom Tode des Ertrinkens errettet.

Diese muthige und hochherzige That wird hiermit belobigend zur öffentlichen Kenntniß gebracht und die derselben gebührende Anerkennung hierdurch öffentlich ausgesprochen.

Potsdam, den 13. Oktober 1888.

Der Regierungs-Präsident.

Anlegung einer zweiten Apotheke in der Stadt Luckenwalde betreffend.

270. In der Stadt Luckenwalde soll eine zweite Apotheke angelegt werden, und zwar in dem zwischen den Grundstücken № 45 und 70, bezw. der gegenüberliegenden Häuserreihe gelegenen Theil der Treuenbriezener Straße.

Bewerbungen um die bezügliche Concession nehme ich bis zum 1. November d. J. entgegen.

Die Bewerber haben ihre Approbation, eine kurze Lebensbeschreibung und amtlich bestätigte Zeugnisse über ihre bisherige Beschäftigung und Führung einzureichen, auch die Versicherung zu geben, daß sie eine Apotheke bisher nicht besessen haben und daß ihnen die zur Einrichtung der Apotheke und zum Ankaufe des dazu erforderlichen Grundstücks nöthigen Geldmittel zur Verfügung stehen. Potsdam, den 13. Oktober 1888.

Der Regierungs-Präsident.

Schuhmacher-Innung zu Rathenow.

271. Auf Grund des § 100e. № 1, 2 und 3 der Reichs-Gewerbe-Ordnung in der Fassung des Gesetzes vom 18. Juli 1881 und der Ausführungs-Anweisung hierzu vom 9. März 1882 — № I. 1a.2 — bestimme ich hierdurch für den Bezirk der Schuhmacher-Innung zu Rathenow,

1) daß Streitigkeiten aus den Lehrverhältnissen der im § 120a. der Reichs-Gewerbe-Ordnung bezeichneten Art auf Anrufen eines der streitenden Theile von der zuständigen Innungsbehörde auch dann zu entscheiden sind, wenn der Arbeitgeber, obwohl er das in der Innung vertretene Gewerbe betreibt und selbst zur Aufnahme in die Innung fähig sein würde, gleichwohl der Innung nicht angehört,
2) daß die von der Innung erlassenen Vorschriften über die Regelung des Lehrlings-Verhältnisses, sowie über die Ausbildung und Prüfung der Lehrlinge auch dann bindend sind, wenn deren Lehrherr zu den unter № 1 bezeichneten Arbeitgebern gehört,
3) daß Arbeitgeber der unter № 1 bezeichneten Art vom 1. April 1889 ab Lehrlinge nicht mehr annehmen dürfen.

Ich bringe dies mit dem Bemerken hierdurch zur Kenntniß, daß der Bezirk der gedachten Innung den Stadtbezirk Rathenow und die Gemeinden Bamme, Barnewitz, Gr. und Kl. Behnitz, Lüch, Buckow, Buschow, Doeberitz, Elslake, Ferchesar, Damme, Garlitz, Graeningen, Gülpe, Hohennauen, Kotzen, Kriele, Liepe, Landin, Lochow, Moegelin, Mochlow, Mützlitz, Nennhausen, Neufriedrichsdorf, Premnitz, Prietzen, Rhinsmühlen, Semlin, Spaatz, Spolirenberg, Stechow, Wassersuppe, Witzke und Wolsier, umfaßt.

Potsdam, den 13. Oktober 1888.

Der Regierungs-Präsident.

Krankenversicherung der Arbeiter im Kreise Teltow.

272. Gemäß № 6 III. der Ausführungsanweisung vom 26. November 1883 und § 8 des Reichsgesetzes vom 15. Juni ebend. Js. setze ich hiermit fest und bringe zur öffentlichen Kenntniß, daß ich meine Amtsblattbekanntmachung vom 29. April 1884 (Amtsblatt für 1884 Stück 19 Seite 163 und 164), betreffend das Krankenversicherungswesen des Kreises Teltow, in folgender Weise abgeändert habe:

Es wird der Durchschnittsbetrag des ortsüblichen Tagelohnes gewöhnlicher Tagearbeiter (§ 8 des Reichsgesetzes vom 15. Juni 1883) für die Gemarkungsbezirke Rixdorf, Britz, Schöneberg, Friedenau, Steglitz, Groß-Lichterfelde, Deutsch-Wilmersdorf, Schmargendorf, Tempelhof mit Gut Hasenhaide, Mariendorf, Niederschönweide, Treptow, Adlershof, Grünau, Kietz bei Cöpenick, Johannisthal, Stadtbezirk Cöpenick und Gutsbezirk Dahlem festgesetzt:

1) für erwachsene männliche Arbeiter (über 16 Jahre) auf 2,40 M.,
2) für erwachsene weibliche Arbeiter (über 16 Jahre) auf 1,50 M.,
3) für jugendliche männliche Arbeiter (unter 16 Jahren) auf 1,30 M.,
4) für jugendliche weibliche Arbeiter (unter 16 Jahren) auf 1 M.

Diese Festsetzung gilt vorbehaltlich einer durch die Verhältnisse etwa schon früher gebotenen Revision bezw. Abänderung vorläufig bis zum letzten Dezember 1898.

Potsdam, den 17. Oktober 1888.

Der Regierungs-Präsident.

Verlegung von Märkten.

273. Die auf den 29. und 30. Oktober d. J. in Eberswalde angesetzten Märkte habe ich in Folge Auftrag und zwar:

a. den Vieh- und Pferdemarkt auf **den 31. Oktober d. J.** und
b. den Krammarkt auf **den 1. November** d. J.

verlegt.

Potsdam, den 18. Oktober 1888.

Der Regierungs-Präsident.

Bekanntmachung,
betreffend die Winterschonzeit, das Verbot des Lachsfanges mit Zug- und Treibnetzen, sowie das Verbot des Krebsfanges.

274. Es wird das betheiligte Publikum hierdurch ausdrücklich auf die nachfolgenden Bestimmungen der Verordnung zur Ausführung des Fischereigesetzes vom 8. August 1887 hingewiesen:

In den nachbenannten Gewässern:

a. in der Nuthe von Saarmund an aufwärts,
b. in der Nieplitz von Buchholz bei Treuenbrietzen an aufwärts,
c. in der Plane von Golzow an aufwärts,
d. in dem Belziger, Baitzer und dem Fredersdorfer Bach im Kreise Zauch-Belzig,
e. in dem Boytzenburger Strom, der Quillow und der Beecke in den Kreisen Templin und Prenzlau

ist der **Betrieb der Fischerei** während der Zeit vom 15. Oktober Morgens 6 Uhr bis 14. Dezember Abends 6 Uhr (Winterschonzeit) **nur mit ausdrücklicher Genehmigung des Unterzeichneten gestattet** (§ 3 № 2).

Die **Lachs-Fischerei mit Zug- und Treibnetzen** ist in der Elbe

a. auf der Strecke unterhalb der Eisenbahnbrücke bei Wittenberge in der Zeit vom 15. September bis 15. Dezember einschließlich,
b. auf der Strecke oberhalb der Eisenbahnbrücke bei Wittenberge in der Zeit vom 1. Oktober bis 31. Dezember einschließlich **verboten** (§ 3 № 4).

Während der Dauer der Winterschonzeit müssen in den benannten nicht geschlossenen Gewässern die durch das Fischereigesetz vom 30. Mai 1874 nicht beseitigten **ständigen Fischereivorrichtungen hinweggeräumt oder abgestellt sein** (§ 9).

In der Zeit vom 1. November bis zum 31. Mai einschließlich ist der **Fang von Krebsen** in allen nicht geschlossenen Gewässern **verboten.**

Gelangen Krebse während der angeordneten Schonzeit lebend in die Gewalt des Fischers, so sind dieselben mit der zu ihrer Erhaltung erforderlichen Vorsicht sofort wieder in das Wasser zu setzen (§ 10).

Zuwiderhandlungen gegen die vorstehenden Vorschriften werden, soweit dieselben nicht den Strafbestimmungen des Fischereigesetzes oder des Strafgesetzbuches für das Deutsche Reich unterliegen, mit Geldstrafe bis zu 150 Mark oder Haft bestraft.

Potsdam, den 20. Oktober 1888.

Der Regierungs-Präsident.

Viehseuchen.

275. Der Milzbrand unter dem Rindvieh auf dem Zechlin'schen Gute zu Dyrotz, im Kreise Osthavelland, ist erloschen. Potsdam, den 16. Oktober 1888.

Der Regierungs-Präsident.

Bekanntmachungen des Königlichen Polizei-Präsidiums zu Berlin.

Eröffnung einer Apotheke.

107. Die von dem Apotheker Reinhold Andersch auf Grund der von dem Ober-Präsidenten der Provinz Brandenburg unterm 20. März beziehungsweise 4. Juli laufenden Jahres ertheilten Erlaubniß in dem Hause Karlstraße 20a. eingerichtete Apotheke ist nach vorschriftsmäßiger Revision heute eröffnet worden.

Berlin, den 16. Oktober 1888.

Der Polizei-Präsident.

Eröffnung einer Apotheke.

108. Die von dem Apotheker Heinrich Paetz auf Grund der Genehmigung des Herrn Ober-Präsidenten der Provinz Brandenburg vom 20. März dieses Jahres in dem Hause Thurmstraße Nr. 30, Ecke der Bandelstraße, eingerichtete Apotheke ist nach vorschriftsmäßiger Revision heute eröffnet worden.

Berlin, den 17. Oktober 1888.

Der Polizei-Präsident.

Verbot eines Flugblatts.

109. Auf Grund des § 12 des Reichsgesetzes gegen die gemeingefährlichen Bestrebungen der Sozialdemokratie vom 21. Oktober 1878 wird hierdurch zur öffentlichen Kenntniß gebracht, daß das Flugblatt: „Zum 10jährigen Jubiläum des Sozialistengesetzes!" beginnend mit den Worten: „Am 21. Oktober waren 10 Jahre verstrichen" mit dem Schluß: „Vorwärts!" „Dieses Blatt ist weiter zu geben. Das Weitergeben ist nicht strafbar" — ohne Angabe des Druckers und Verlegers nach § 11. des gedachten Gesetzes durch den Unterzeichneten von Landespolizeiwegen verboten worden ist.

Berlin, den 20. Oktober 1888.

Der Königl. Polizei-Präsident.

Bekanntmachungen der Königlichen Eisenbahn-Direktion zu Berlin.

Nachtrag zum Eisenbahn-Güter-Tarifbuch für Berlin.

40. Im Laufe dieses Monats erscheint der dritte Nachtrag zum Eisenbahn-Güter-Tarifbuch für Berlin. Derselbe enthält die bis zum 15. d. M. im Verkehr zwischen den Berliner Bahnhöfen und Ringbahnstationen einerseits und allen übrigen Deutschen Stationen andererseits eingetretenen Aenderungen und Ergänzungen. Der Nachtrag ist zum Preise von 0,50 Mark für das Stück durch die bekannt gegebenen Verkaufsstellen zu beziehen.

Berlin, den 16. Oktober 1888.

Königl. Eisenbahn-Direktion.

Be- und Entladefristen für offene Wagen.

41. Vom 18. Oktober d. J. ab werden für den diesseitigen Bahnbereich, mit Einschluß des Schlesischen, Görlitzer, Stettiner und Nordbahnhofs in Berlin, sowie der Bahnhöfe der Berliner Ringbahn, die Be- und Entladefristen für offene Wagen bezüglich derjenigen Interessenten, welche innerhalb eines Umkreises von 5 km von der betreffenden Station entfernt wohnen, bis auf Weiteres auf 8 Tagesstunden (einschließlich der Mittagsstunden) herabgesetzt.

Berlin, den 17. Oktober 1888.

Königl. Eisenbahn-Direktion.

Be- und Entladefristen für bedeckte Wagen.

42. Die in unserer Bekanntmachung vom 17. Oktober d. J. angeordnete Herabsetzung der Be- und Entladefristen für offene Wagen auf 8 Tagesstunden findet vom 22. Oktober d. J. ab auch auf bedeckte Wagen Anwendung.

Berlin, den 20. Oktober 1888.

Königl. Eisenbahn-Direktion.

Bekanntmachungen der Königlichen Eisenbahn-Direktion zu Magdeburg.

Nachtrag zum Lokal-Tarif.

7. Mit Gültigkeit vom 1. November d. J. kommt der Nachtrag 1 zu dem diesseitigen Lokal-Tarif für die Beförderung von Leichen, Fahrzeugen und lebenden Thieren zur Einführung.

Derselbe enthält Aenderungen und Ergänzungen der Bestimmungen wegen der Ausstellung von Leichenpässen, sowie Bestimmungen über die Abfertigungsbefugnisse der neu eröffneten Station Geest-Gottberg bei Wittenberge.

Exemplare des Nachtrages sind bei den diesseitigen Expeditionen unentgeltlich zu erhalten.

Magdeburg, den 12. Oktober 1888.

Königl. Eisenbahn-Direktion.

Bekanntmachungen der Kreis-Ausschüsse.

Communalbezirks-Veränderungen.

24. Auf Grund des § 25 № 1 des Zuständigkeits-Gesetzes vom 1. August 1883 in Verbindung mit § 1 Abschnitt 4 des Gesetzes über die Landgemeinde-Verfassung vom 14. April 1856 haben wir genehmigt, daß die von den Büdnern Friedrich Karpe und Wilhelm Frehle zu Liebenthal von einem Theile der in der Grundsteuermutterrolle unter Artikel № 1 eingetragenen Liegenschaften der Königlichen Domainen-Verwaltung erworbenen zwei Parzellen Kartenblatt 2 № 17/6 und 18/6 der Gemarkung Liebenthal von

11 a 82 qm Flächeninhalt vom fiscalischen Gutsbezirk Hammer abgetrennt und in den Gemeindebezirk Liebenthal einverleibt werden.

Berlin, den 5. Oktober 1888.

Der Kreis-Ausschuß des Kreises Niederbarnim.

25. Auf Grund des § 25 des Zuständigkeits-Gesetzes vom 1. August 1883 in Verbindung mit § 1 Abschnitt 4 des Gesetzes vom 14. April 1856 genehmigen wir hiermit, daß das von dem Restaurateur Gustav Müller zu Hermsdorf erworbene 35 a 79 qm große, im Grundbuche von den Rittergütern des Kreises Niederbarnim Band 1 Blatt 337 verzeichnete Grundstück von dem Gutsbezirk Hermsdorf abgetrennt und in den Gemeindebezirk Hermsdorf einverleibt wird.

Berlin, den 12. Oktober 1888.

Der Kreis-Ausschuß des Kreises Niederbarnim.

26. **Nachweisung**

der Seitens des Kreisausschusses des Kreises Teltow auf Grund des § 1 des Gesetzes vom 14. April 1856 in Verbindung mit dem § 25 Absatz 1 des Zuständigkeits-Gesetzes vom 1. August 1883 genehmigten Veränderungen von Gemeinde- und Gutsgrenzen pro III. Quartal 1888.

Bezeichnung des in Betracht kommenden Grundstücks.	bisherigen Gemeinde- bezw. Gutsbezirks.	künftigen Gemeinde- bezw. Gutsbezirks.
1) Die an die Niederbarnim'er Kreiscorporation für das Rettungshaus in Falkenberg abgetretenen 5 Morgen Band I. № 24 des Grundbuchs von Falkenberg und	Gutsbezirk Falkenberg, Kreis Niederbarnim.	Gemeindebezirk Falkenberg, Kreis Niederbarnm.
die für die Niederbarnim'er Kreiscorporation aufgelassene und nach Band I. Blatt 24 des Grundbuches von Falkenberg übertragene Ackerfläche von 25 ar 50 qm.	do.	do.
2) Der Taback-See Kartenblatt 4, Parcelle № 8 von 2,4740 ha Größe, in der Grundsteuergemarkungskarte von Hammer Forst eingetragen und	Gutsbezirk Teupitz.	Gutsbezirk Semmelei.
der Ruhr-See Kartenblatt 9, Parcelle 9/4 von 0,966 ha Größe, in der Gemarkung Kgs.-Wusterhausen'er Forst belegen.	do.	Gutsbezirk Kgs.-Wusterhausen'er Forst.

Berlin, den 6. Oktober 1888.

Der Landrath des Kreises Teltow.

Personal-Chronik.

Dem Königlichen Forstmeister Bando zu Chorin ist anläßlich seines Ausscheidens aus dem Staatsdienste von Sr. Majestät dem Kaiser und König der Rothe Adler-Orden III. Classe Allergnädigst verliehen worden.

Die durch Pensionirung ihres bisherigen Inhabers zur Erledigung gekommene Oberförsterstelle zu Chorin ist vom 16. d. M. ab dem Oberförster Dr. Kienitz übertragen worden.

Dem Kandidat des höheren Schulamts Huwe zu Amt Alt-Landsberg (Kreis Niederbarnim) ist die Erlaubniß ertheilt worden, im Regierungsbezirk Potsdam Stellen als Hauslehrer anzunehmen.

Der in die Pfarrstelle an der St. Elisabeth-Kirche in Berlin berufene bisherige Superintendent und erste Domprediger Eduard Heinrich Gustav Adolf Döblin in Naumburg ist zum Superintendenten der Diözese Berlin II. ernannt worden.

Hierzu Drei Oeffentliche Anzeiger.

(Die Insertionsgebühren betragen für eine einspaltige Druckzeile 20 Pf. Belagsblätter werden der Bogen mit 10 Pf. berechnet.)

Redigirt von der Königlichen Regierung zu Potsdam.

Potsdam, Buchdruckerei der A. W. Hayn'schen Erben (E. Hayn, Hof-Buchdrucker).

Amtsblatt

der Königlichen Regierung zu Potsdam und der Stadt Berlin.

Stück 44. Den 2. November **1888.**

Bekanntmachungen der Königlichen Ministerien.

Communalsteuerpflichtiges Reineinkommen der gesammten Preußischen Staats- und für Rechnung des Staates verwalteten Eisenbahnen für das Etatsjahr 1887/8.

31. In Gemäßheit des § 5 des Gesetzes vom 27. Juli 1885, betreffend Ergänzung und Abänderung einiger Bestimmungen über Erhebung der auf das Einkommen gelegten direkten Kommunalabgaben (G.-S. S. 327), wird hierdurch zur öffentlichen Kenntniß gebracht, daß das im laufenden Steuerjahre communalabgabenpflichtige Reineinkommen der gesammten Preußischen Staats- und für Rechnung des Staates verwalteten Eisenbahnen für das Etatsjahr 1887/88 auf 134 595 878 M. festgestellt worden ist. Berlin, den 20. Oktober 1888.

Der Minister der öffentlichen Arbeiten. v. Maybach.

Bekanntmachungen des Königlichen Regierungs-Präsidenten.

276. Nachweisung der an den Pegeln der Spree und Havel im Monat August 1888 beobachteten Wasserstände.

Datum.	Berlin. Ober- N. N. Wasser.	Berlin. Unter- N. N. Wasser.	Spandau. Ober-Wasser.	Spandau. Unter-Wasser.	Potsdam.	Baumgartenbrück.	Brandenburg. Ober-Wasser	Brandenburg. Unter-Wasser	Rathenow. Ober-Wasser.	Rathenow. Unter-Wasser.	Havelberg.	Plauer Brücke.
	Meter.	Meter.	Meter.	Meter.	Meter.	Meter.	Meter.	Meter.	Meter.	Meter.	Meter.	Meter.
1	32,35	30,84	2,36	0,56	0,96	0,49	1,98	1,02	1,32	0,70	1,54	1,42
2	32,35	30,84	2,36	0,58	0,96	0,49	2,02	1,04	1,32	0,70	1,54	1,42
3	32,30	30,82	2,36	0,58	0,98	0,49	2,00	1,02	1,32	0,70	1,54	1,42
4	32,32	30,82	2,32	0,62	0,98	0,49	1,98	1,02	1,32	0,70	1,52	1,42
5	32,34	30,80	2,30	0,60	0,98	0,50	1,96	1,02	1,32	0,70	1,52	1,42
6	32,35	30,78	2,30	0,62	0,97	0,50	1,94	1,00	1,32	0,68	1,52	1,42
7	32,35	30,78	2,34	0,60	0,98	0,50	1,94	1,02	1,32	0,68	1,56	1,42
8	32,35	30,78	2,34	0,58	0,96	0,50	1,98	1,04	1,32	0,68	1,64	1,42
9	32,34	30,78	2,32	0,56	0,96	0,49	2,00	1,04	1,32	0,70	1,84	1,44
10	32,35	30,78	2,34	0,56	0,95	0,49	1,98	1,02	1,32	0,70	2,18	1,44
11	32,35	30,78	2,30	0,56	0,95	0,49	1 96	1,02	1,32	0,70	2,40	1,44
12	32,35	30,78	2,30	0,54	0,95	0,48	1,96	1,00	1,32	0,70	2,56	1,46
13	32,36	30,80	2,34	0,62	0,95	0,48	1,94	1,00	1,32	0,68	2,62	1,46
14	32,34	30,80	2,34	0,52	0,94	0,47	1,94	0,96	1,32	0,68	2,56	1,46
15	32,34	30,80	2,34	0,48	0,93	0,47	1,92	0,96	1,32	0,68	2,40	1,44
16	32,34	30,80	2,32	0,50	0,92	0,47	1,92	0,96	1,32	0,66	2,20	1,44
17	32,34	30,78	2,30	0,50	0,90	0,46	1,92	0,96	1,32	0,66	2,08	1,44
18	32,30	30,76	2,38	0,46	0,90	0,45	1,92	0,96	1,32	0,64	1,96	1,42
19	32,32	30,74	2,36	0,48	0,90	0,45	1,92	0,96	1,32	0,64	1,84	1,42
20	32,30	30,74	2,36	0,50	0,89	0,44	1,92	0,92	1,32	0,62	1,76	1,42
21	32,32	30,68	2,32	0 46	0,88	0,43	1,98	0,88	1,32	0,60	1,68	1,40
22	32,34	30,70	2,30	0,46	0,87	0,43	1,98	0,94	1,32	0,62	1,62	1,40
23	32,32	30,68	2,34	0,48	0,89	0,43	1,98	0,90	1,32	0,60	1,60	1,40
24	32,34	30,72	2,36	0,44	0,87	0,42	1,98	0,90	1,32	0,60	1,56	1,38
25	32,34	30,70	2,34	0,44	0,85	0,41	1,96	0,92	1,32	0,60	1,58	1,38
26	32,34	30,70	2,30	0,44	0,84	0,39	1,96	0,92	1,32	0,58	1,72	1,38
27	32,34	30,70	2,34	0,42	0,85	0,38	1,90	0,90	1,32	0,58	1,74	1,36
28	32,34	30,72	2,32	0,42	0,84	0,38	1,90	0,90	1,32	0,60	1,72	1,36
29	32,34	30,70	2,34	0,44	0,83	0,37	1,84	0,86	1,32	0,58	1,68	1,36
30	32,34	30,68	2,34	0,42	0,83	0,36	1,88	0,86	1,32	0,58	1,66	1,36
31	32,34	30,68	2,34	0,42	0,82	0,35	1,88	0,86	1,32	0,58	1,66	1,34

Potsdam, den 30. Oktober 1888. Der Regierungs-Präsident.

General-Consulat für Belgien betreffend.

277. Hiermit bringe ich zur öffentlichen Kenntniß, daß dem Belgischen Generalkonsul **Goldberger** in Berlin die Provinz Brandenburg als Amtsbezirk zugewiesen worden ist.

Potsdam, den 27. Oktober 1888.

Der Regierungs-Präsident.

Die Allgemeine Versorgungsanstalt im Großherzogthum Baden zu Karlsruhe betreffend.

278. Diesem Amtsblattstück ist als Beilage das Revidirte Statut der Allgemeinen Versorgungsanstalt im Großherzogthum Baden zu Karlsruhe beigegeben, worauf mit dem Bemerken aufmerksam gemacht wird, daß der Abdruck der Concession und eines Theiles der seitherigen Statuten genannter Anstalt sich als Beilage beim Amtsblattsstück № 22 von 1878 befindet.

Potsdam, den 28. Oktober 1888.

Der Regierungs-Präsident.

Markt-Verlegung.

279. Der für die Stadt Rheinsberg auf den 30. Oktober d. J. angesetzte Krammarkt wird in Folge Antrag **auf den 8. November d. J. verlegt.**

Potsdam, den 28. Oktober 1888.

Der Regierungs-Präsident.

Marktverlegung.

280. Der für die Stadt Trebbin auf den 6. November d. J. angesetzte Flachsmarkt wird hiermit **auf den 13. November d. J.** verlegt.

Potsdam, den 30. Oktober 1888.

Der Regierungs-Präsident.

Veranstaltung einer Gold- und Silber-Lotterie in Berlin.

281. Der Herr Ober-Präsident hat genehmigt, daß die Loose der zum Zwecke der Erhaltung und Förderung der Schlesischen Musikfeste zu veranstaltenden Gold- und Silber-Lotterie auch in der Provinz Brandenburg und der Stadt Berlin abgesetzt werden dürfen. Es sollen 200000 Loose zu 1 Mark ausgegeben und 2359 Gewinne im Gesammtwerthe von 102000 Mark ausgespielt werden. Die Ortspolizeibehörden werden angewiesen, dem Vertriebe der Loose nicht entgegen zu treten. Die Ziehung wird am 17. und 18. Januar 1889 in Berlin stattfinden.

Potsdam und Berlin, den 23. Oktober 1888.

Der Regierungs-Präsident. Der Polizei-Präsident.

Berichtigung.

282. In meiner Amtsblattsbekanntmachung vom 17. Oktober d. J. (Amtsblatt für 1888 Stück 43 Seite 410) betreffend das Krankenversicherungswesen des Kreises Teltow, ist insofern ein Fehler enthalten, als es darin, wie ich hiermit berichtigend bemerke, statt „Adlershorst" „Adlershof" heißen muß.

Potsdam, den 25. Oktober 1888.

Der Regierungs-Präsident.

Viehseuchen.

283. Die Maul- und Klauenseuche unter dem Vieh des Oeconomen **Wahn**, des Schuhmachers **Ramm** und des Pantinenmachers **Spruth** in Jüterbog ist erloschen.

Potsdam, den 22. Oktober 1888.

Der Regierungs-Präsident.

284. Die Maul- und Klauenseuche ist unter den Kühen des Schloßgärtnereipächters **Jordan** zu Nieder-Schönhausen im Kreise Niederbarnim ausgebrochen.

Potsdam, den 27. Oktober 1888.

Der Regierungs-Präsident.

285. Wegen Verdachts der Ansteckung mit Rotz sind die beiden Pferde des Fabrikbesitzers **Hagelberg** zu Pankow bei Berlin unter Observation gestellt worden.

Potsdam, den 29. Oktober 1888.

Der Regierungs-Präsident.

Bekanntmachungen der Bezirksausschüsse.

Schluß der Jagd auf Rebhühner.

8. Die diesjährige Jagd auf **Rebhühner** im diesseitigen Regierungsbezirk wird mit Ablauf des

Freitag, des 16. November 1888

geschlossen. Potsdam, den 19. Oktober 1888.

Der Bezirks-Ausschuß zu Potsdam.

Bekanntmachungen des Königlichen Polizei-Präsidiums zu Berlin.

Warnung vor Benutzung der Carbon-Natron-Oefen.

110. Unter der Bezeichnung **Carbon-Natron-Oefen** sind in den letzten Jahren Heiz-Einrichtungen an den Markt gebracht und mit dem Hinweis darauf empfohlen worden, daß dieselben ohne Erzeugung von Rauch und Geruch Wärme liefern und daher für Räume ohne Schornstein-Anlage zu verwenden seien. Sofern es sich um Wohnräume handele, würden die Oefen mit einer überall leicht anzubringenden Abzugsvorrichtung behufs Abführung etwa sich entwickelnder schädlicher Gase zu versehen sein. Während des verflossenen Winters sind dessenungeachtet in hiesiger Stadt ein, in Wiesbaden zwei Fälle von Kohlenoxyd-Vergiftung in Folge Aufstellung jener Carbon-Natron-Oefen herbeigeführt worden; durch einschlägige Prüfungen im hiesigen hygienischen Institut ist festgestellt worden, daß der gedachte Ofen als eine äußerst gefährliche, unter Umständen todtbringende Heizvorrichtung zu bezeichnen ist.

Diese Thatsachen bringe ich hierdurch zur öffentlichen Kenntniß und warne das Publikum vor der Verwendung der Carbon-Natron-Oefen zur Beheizung von geschlossenen Räumen, welche zum dauernden Aufenthalt für Menschen dienen, insbesondere von Schlafzimmern.

Berlin, den 19. Oktober 1888.

Der Polizei-Präsident.

Bekanntmachungen des Staatssekretairs des Reichs-Postamts.

Die australische Reichspost-Dampferlinie betreffend.

20. Die Reichs-Postdampfer der Australischen Hauptlinie werden fortan auf der Ausreise von Genua anstatt am Dienstag 2 Uhr Morgens bereits am Montag 3 Uhr Nachmittags weitersegeln.

Berlin W., den 24. Oktober 1888.

Der Staatssecretair des Reichs-Postamts.

Bekanntmachungen der Kaiserlichen Ober-Post-Direktion zu Potsdam.

Landbriefbestellbezirks-Aenderung.

70. Vom **1. November** werden die im Kreise Osthavelland belegenen Ortschaften **Paaren** und

Perwenitz von dem Landbriefbestellbezirke des Kaiserlichen Postamts in Nauen abgezweigt und dem Bestellbezirke der Kaiserlichen Postagentur in **Börnicke (Osthavelland) zugetheilt.**

Potsdam, den 25. Oktober 1888.

Der Kaiserl. Ober-Postdirector.

Bekanntmachungen der Königl. Direktion der Rentenbank der Provinz Brandenburg.

Auslosung und Vernichtung von Rentenbriefen.

13. Nach Vorschrift der §§ 39, 41, 46 und 47 des Gesetzes vom 2. März 1850 über die Errichtung von Rentenbanken (Gesetz-Sammlung 1850 Seite 119) wird **am 12. November d. J., Vormittags 10 Uhr,** in unserem Geschäftslokal, Klosterstraße 76 hierselbst, die halbjährliche Auslosung von Rentenbriefen, sowie die Vernichtung früher ausgelooster und eingelieferter Rentenbriefe nebst Coupons unter Zuziehung der von der Provinzial-Vertretung gewählten Abgeordneten und eines Notars stattfinden.

Berlin, den 19. Oktober 1888.

Königl. Direktion
der Rentenbank für die Provinz Brandenburg.

Bekanntmachungen der Königlichen Eisenbahn-Direktion zu Berlin.

Nachtrag zum Galizisch-Norddeutschen Verbandtarif.

43. Mit dem 1. Dezember d. J. tritt zum Galizisch-Norddeutschen Verbandtarif, Heft 1, 2, 3 und 4 vom 1. Oktober 1888 je ein Nachtrag I. in Kraft. Die Nachträge enthalten Abänderungen bezw. Ergänzungen der besonderen Bestimmungen, Kurs-Zuschlagstabellen für den Verkehr mit den österreichischen Verbandstationen, Aufnahme von Stationen, sowie Berichtigungen. Exemplare der Nachträge sind und zwar der Nachtrag I. zu Heft 1 zum Preise von 0,29 M., zu Heft 2 für 0,24 M., zu Heft 3 für 0,27 M. und zu Heft 4 unentgeltlich bei unserer Güterkasse in Stettin, sowie im hiesigen Auskunfts-Büreau auf dem Stadtbahnhof Alexanderplatz zu haben.

Berlin, den 21. Oktober 1888.

Königl. Eisenbahn-Direktion.

Bekanntmachungen der Königlichen Eisenbahn-Direktion zu Bromberg.

Frachtbegünstigung für Geflügel und Geräthe zur Geflügelzucht

62. Für Geflügel und Geräthe zur Geflügelzucht, welche auf der vom 24. bis 27. November d. J. in Königsberg i. Pr. stattfindenden Geflügel-Ausstellung ausgestellt werden und unverkauft bleiben, wird auf den Strecken der Preußischen Staatseisenbahnen eine Frachtbegünstigung in der Art gewährt, daß für die Hinbeförderung die volle tarifmäßige Fracht berechnet wird, die Rückbeförderung an die Versandstation und den Aussteller aber frachtfrei erfolgt, wenn durch Vorlage des ursprünglichen Frachtbriefes bezw. Duplikat-Transportscheines für den Hinweg, sowie durch eine Bescheinigung der Ausstellungs-Kommission nachgewiesen wird, daß die Gegenstände ausgestellt gewesen und unverkauft geblieben sind, und wenn die Rückbeförderung innerhalb 4 Wochen nach Schluß der Ausstellung stattfindet.

In den ursprünglichen Frachtbriefen bezw. Duplikat-Transportscheinen über die Hinsendung ist ausdrücklich zu vermerken, daß die mit denselben aufgegebenen Sendungen **durchweg** aus Ausstellungsgut bestehen.

Gleichzeitig bringen wir unter Bezugnahme auf unsere Bekanntmachung vom 1. April d. J. zur Kenntniß, daß die internationale Kunstausstellung in München nicht am 31. Oktober, sondern am 28. Oktober d. J. geschlossen wird.

Bromberg, den 23. Oktober 1888.

Königl. Eisenbahn-Direktion.

Nachtrag zum Lokaltarif für die Beförderung von Leichen, Fahrzeugen und lebenden Thieren.

63. Mit dem 1. November d. J. tritt für den Eisenbahn-Direktions-Bezirk Bromberg der Nachtrag 1 zum Lokaltarif für die Beförderung von Leichen, Fahrzeugen und lebenden Thieren, Theil II. in Kraft, enthaltend:

a. Ergänzung der besonderen Bestimmungen zum Betriebs-Reglement.
b. Ergänzungen bezw. Berichtigungen des Tarifs.

Exemplare des qu. Nachtrags können durch Vermittelung unserer Billet-Expeditionen bezogen werden.

Bromberg, den 27. Oktober 1888.

Königl. Eisenbahn-Direktion.

Personal-Chronik.

Des Kaisers und Königs Majestät haben Allergnädigst geruht, dem Forstkassen-Rendanten Braun zu Zehdenick bei seiner Versetzung in den Ruhestand den Charakter „Rechnungsrath" beizulegen.

Im Kreise Ostprignitz ist an Stelle des Rittergutsbesitzers Thommen zu Krams der bisherige Stellvertreter Bauergutsbesitzer Heinrich Müller zu Lindenberg zum Amtsvorsteher des Amtsbezirks Krams ernannt worden.

Bei der Königlichen Ministerial-Bau-Kommission zu Berlin sind im Laufe des 3. Kalender-Quartals d. J. die Königlichen Regierungs-Bauführer: Karl Theodor Paul Gerhardt, Adolf August Moritz Louis Richard Gerstenberg, Eduard Otto Richard Herrmann, Gustav Adolf Christian Holland, Hermann Otto Paul Scholz, Adolf Heinrich Meiß und Johannes Karl Gustav Reichow vereidigt worden.

Der bisherige Pfarrer zu Madlow, Diözese Cottbus, Siegfried Gottwalt Hellmuth Passow, ist zum Pfarrer der Parochie Hohenfinow, Diözese Eberswalde, bestellt worden.

Der Oberlehrer an der Sophienschule in Berlin, Professor Dr. Ritter, ist zum Direktor der Luisenschule (höhere Mädchenschule) ebendaselbst ernannt worden.

Der Gemeindeschullehrer Julius Laue ist zum Gemeindeschul-Rektor in Berlin ernannt worden.

Vermischte Nachrichten.

Bekanntmachung.

Auf Grund des § 11 der Geschäftsanweisung für die Königl. Forstkassen-Rendanten vom 2. Februar 1888 wird genehmigt, daß der bei der Forstkasse zu Storkow beschäftigte Gehülfe Johann Friedrich Wilhelm Sperling Eintragungen in das Einnahme-Journal, das Ausgabe-Journal und das Tagesabschlußbuch vornehmen sowie Quittungen über Zahlungen an die Forstkasse ausstellen darf. Potsdam, den 18. Oktober 1888.

Königl. Regierung,
Abtheilung für directe Steuern, Domainen und Forsten.

Abhaltung von Gerichtstagen.

Während des Geschäftsjahres 1889 werden die Gerichtstage in Putlitz **am 7. und 21. Januar, 4. und 18. Februar, 4. und 18. März, 1. und 15. April, 6. und 20. Mai, 3. und 17. Juni, 1. und 8. Juli, 16. und 23. September, 7. und 21. Oktober, 4. und 18. November, 2. und 16. Dezember** in dem im Rathhause zu Putlitz befindlichen Gerichtszimmer abgehalten werden.

Pritzwalk, den 19. Oktober 1888.

Königl. Amtsgericht.

Ausweisung von Ausländern aus dem Reichsgebiete.

Lauf. Nr.	Name und Stand des Ausgewiesenen	Alter und Heimath des Ausgewiesenen	Grund der Bestrafung	Behörde, welche die Ausweisung beschlossen hat	Datum des Ausweisungs-Beschlusses
1	2	3.	4.	5	6
		a. Auf Grund des § 39 des Strafgesetzbuchs:			
1	Anna Katalowsky, unverehelichte Zigeunerin,	geboren am 19. März 1868 zu Groß-Bolum, Bezirk Troppau, Oesterreichisch-Schlesien,	einfacher und schwerer Diebstahl (2 Jahre Zuchthaus laut Erkenntnisse vom 15. September und 6. Oktober 1886),	Königlich Preußischer Regierungspräsident zu Frankfurt a. O.,	5. Juli 1888.
		b. Auf Grund des § 362 des Strafgesetzbuchs:			
1	Rudolf Matuschek, Seilergeselle,	geboren am 8. April 1864 zu Leschkowitz, Bezirk Habern, Kreis Czaslau, Böhmen, ortsangehörig ebendas.,	Betteln im wiederholten Rückfalle,	Königlich Preußischer Regierungspräsident zu Breslau,	4. Septembr. 1888.
2	Franz Lindenthal, Weber,	geboren am 3. Juli 1858 zu Endersdorf, Bezirk Freiwaldau, Oesterreichisch-Schlesien, ortsangehörig ebendaselbst,	Landstreichen, Betteln und Betrug,	Königlich Preußischer Regierungspräsident zu Oppeln,	12. Septembr. 1888.
3	Marie Blach, unverehelichte Zigeunerin,	26 Jahre alt, ortsangehörig zu Buchkirchen, Bezirk Wels, Ober-Oesterreich,	Landstreichen,	Königlich Bayerisches Bezirksamt Erding,	26. Septembr. 1888.
4	Naftali Groß, Schlosser,	geboren am 23. April 1867 zu Lemberg, Galizien,	Betteln im wiederholten Rückfall und verbotswidrige Rückkehr,	Chef der Polizei in Hamburg,	22. Juli 1888.
5	Rudolf Jaeggi, Metzger,	geboren am 18. Februar 1871 zu Bern, Schweiz, ortsangehörig zu Rechenswil, ebendaselbst,	Landstreichen,	Kaiserlicher Bezirks-Präsident zu Colmar,	28. Septembr. 1888.

Hierzu
eine Extrabeilage, enthaltend die Revidirten Statuten der Allgemeinen Versorgungs-Anstalt im Großherzogthum Baden zu Karlsruhe,
sowie Drei Oeffentliche Anzeiger.

(Die Insertionsgebühren betragen für eine einspaltige Druckzeile 20 Pf
Belagsblätter werden der Bogen mit 10 Pf. berechnet.)

Redigirt von der Königlichen Regierung zu Potsdam.

Potsdam, Buchdruckerei der A. W. Hayn'schen Erben (E. Hayn, Hof-Buchdrucker)

Ministerium des Innern.

Den eingehefteten, in Folge der in der außerordentlichen Generalversammlung vom 25. April d. Js. beschlossenen und Seitens des Großherzoglich Badischen Ministeriums des Innern genehmigten Abänderungen aufgestellten

Revidirten Statuten der Allgemeinen Versorgungs-Anstalt im Großherzogthum Baden zu Karlsruhe

wird die in der Conzession zum Geschäftsbetriebe in Preußen vom 6. März 1866 vorbehaltene Genehmigung hierdurch ertheilt.

Berlin, den 5. Juli 1888.

Der Königlich Preußische Minister des Innern.

Genehmigungsurkunde I. A. 6494. (L. S.) Im Auftrage:
(gez.) von Zastrow.

Revidirte Statuten

der

Allgemeinen Versorgungs-Anstalt im Großherzogthum Baden zu Karlsruhe.

Erster Theil.

Allgemeine Bestimmungen.

A. Grundbestimmungen.

§. 1. Die Allgemeine Versorgungs-Anstalt im Großherzogthum Baden ist eine auf Gegenseitigkeit gegründete ewige Gesellschaft, welche den Zweck hat, gegen Einlagen Renten oder nach einem Zeitablauf Kapitalien zu gewähren.

§. 2. Sie hat ihren Wohnsitz in der Stadt Karlsruhe.

§. 3. Die Grundsätze des §. 9 des badischen II. Konstitutionsediktes (siehe Seite 14) finden auf sie, als eine ewige Gesellschaft, Anwendung.

Ihr Errungenschaftsvermögen ist jedoch im Falle der Auflösung nicht herrenlos, sondern wie Stiftungsgut zu behandeln.

§. 4. Sie kann sich übrigens nicht auflösen, ohne, soweit ihr Vermögen reicht, für die Sicherstellung ihrer übernommenen Leistungen Vorkehr getroffen zu haben.

§. 5. Nach dem Grundsatze der Gegenseitigkeit gewährleisten die Mitglieder in ihrer Gesammtheit sich gegenseitig ihre Ansprüche aus den abgeschlossenen Verträgen und theilen allen Gewinn und Verlust aus Geschäften der Anstalt nach Maßgabe der folgenden Bestimmungen der Statuten.

§. 6. Der Einzelne schließt seinen Vertrag mit der Gesammtheit aller Mitglieder.

§. 7. Durch welche Einlagen man der Anstalt gegenüber nicht nur ein vertragsmäßiges Recht zum Bezug der zugesagten Rente oder des zugesagten Kapitals erwirbt, sondern zugleich auch Mitglied der Anstalt wird, ist in den folgenden Bestimmungen über die einzelnen Vertragsarten festgesetzt.

§. 8. Der Normalzinsfuß der Anstalt für Berechnung ihrer statutengemäßen Leistungen besteht in $3\frac{1}{2}$ vom Hundert.

Dieser Zinsfuß kann durch den Verwaltungsrath und Ausschuß erhöht oder herabgesetzt werden, wenn nach dem Stande des Zinsfußes im Allgemeinen ersteres zulässig, letzteres geboten erscheint.

Auf bereits abgeschlossene Verträge bleibt eine solche Aenderung ohne Rückwirkung.

§. 9. Die Verträge, welche die Anstalt in Gemäßheit ihres Zweckes nach §. 1 dieses I. Theiles von jetzt an abschließt, sind solche, wornach die Anstalt sich gegen Einlagen verbindlich macht, Kapitalien beim Ableben einer bestimmten Person zu bezahlen — **Lebensversicherungsverträge** — und zwar:

1. zahlbar beim Tode des Versicherten — einfache Lebensversicherung,
2. zahlbar an einem im Voraus festgesetzten Zeitpunkte oder bei dem Tode des Versicherten, wenn er früher stirbt — abgekürzte Lebensversicherung.

Der Verwaltungsrath ist ermächtigt, auch einzelne andere ähnliche Verträge abzuschließen, insofern sie den Grundsätzen der Statuten im Allgemeinen entsprechen.

Sollen noch andere Vertragsarten in den regelmäßigen Geschäftsbetrieb aufgenommen werden, so kann dies nur durch gemeinschaftlichen Beschluß des Verwaltungsraths und Ausschusses geschehen.

§. 10. Der Verwaltungsrath und Ausschuß ist ermächtigt, mit ganzen Gesellschaften und Klassen von Personen Vereinbarungen zu treffen, wornach die Anstalt gegen Prämien den Angehörigen derselben Lebensversicherungskapitalien zu entrichten hat.

Er ist hiebei befugt, die den Abschluß solcher Vereinbarungen erleichternden Ausnahmsbestimmungen, insofern sie mit den Interessen der Anstalt verträglich sind, eintreten zu lassen.

§. 11. Die Versorgungsanstalt übernimmt auch die Rückversicherung von Versorgungs- und Lebensversicherungsverträgen, welche mit anderen Gesellschaften eingegangen wurden.

Es ist hiezu in jedem einzelnen Falle die Zustimmung des Verwaltungsraths und Ausschusses erforderlich.

§. 12. Mit der Versorgungsanstalt sind nach Maßgabe des III. Theils folgende **Nebenanstalten** verbunden:

a. eine Sparkasse, bei welcher Einlagen gemacht werden können, welche nach vorheriger Kündigung zurückbezahlt werden;
b. eine Hinterlegungskasse, bei welcher baares Geld, jederzeit aufkündbar, verzinslich angelegt werden kann;
c. Kinderversorgungsvereine (Tontinen).

Die durch den Betrieb dieser Nebenanstalten gesammelten Gelder werden ungetrennt mit dem übrigen Vermögen der Anstalt verwaltet.

Der sich ergebende Gewinn wird zum Nutzen der Mitglieder der Anstalt verwendet.

§. 13. Die Vertragsurkunden bezeichnen die Rechte und Verpflichtungen beider Theile auf Grundlage der Statuten. Sie können aber auch noch andere in den Statuten nicht vorgesehene, jedoch mit denselben nicht im Widerspruch stehenden Bestimmungen enthalten, welche dieselbe Giltigkeit haben, wie die statutarischen.

Sie müssen von dem Direktor, dem Kassier und Kontroleur, bezw. deren Stellvertretern unterzeichnet und mit dem Stempel der Anstalt versehen sein.

§. 14. Die Vertragsurkunden in Verbindung mit den Beitrittserklärungen und ihren Beilagen, sowie mit den Statuten der Anstalt bilden die Grundlage zur Beurtheilung der Rechte und Verbindlichkeiten aus den abgeschlossenen Verträgen.

§. 15. Wenn eine Urkunde, welche die Anstalt über einen in ihrem statutarischen Geschäftsbetrieb liegenden Vertrag ausgestellt hat, verletzt oder unbrauchbar geworden ist, so wird sie auf Ansuchen bei der Verwaltung gegen ein Duplikat ausgetauscht.

§. 16. Ist eine Urkunde, welche das Geding enthält, daß die Anstalt jeden Inhaber als zur Geltendmachung der Rechte aus der Urkunde ermächtigt betrachten dürfe, oder daß dieselbe nur gegen Vorzeigung oder Rückgabe der Urkunde zu leisten verpflichtet sei, verloren gegangen, so hat das Mitglied dem Verwaltungsrath den Verlust anzuzeigen, damit davon in den Büchern der Anstalt Vormerkung genommen und thunlichst Vorkehr getroffen werde, daß auf Vorlage der als verloren bezeichneten Urkunde durch einen Dritten nicht Zahlung geleistet werde. Außerdem hat das Mitglied zum Zweck der Kraftloserklärung der abhanden gekommenen Urkunde das Aufgebotsverfahren zu veranlassen.

Der Verwaltungsrath ist jedoch ermächtigt, von der Einleitung des Aufgebotsverfahrens abzusehen, wenn ihm nachgewiesen oder glaubhaft gemacht wird, daß die verlorene Urkunde nicht mehr existirt. In diesem Falle kann dem Mitglied auf dessen Verlangen und Kosten eine neue Urkunde (Duplikat) ausgestellt werden, welche den nämlichen Inhalt, wie die verloren gegangene, und außerdem den Zusatz enthalten muß, daß sie an Stelle der letzteren gefertigt sei. Das Mitglied hat aber der Anstalt Sicherheit zu leisten, daß derselbe aus der Auszahlung der verfallenen Schuld oder der Ausfertigung einer neuen Urkunde ein Schaden nicht erwächst. Auch haftet die Anstalt ihrem Gläubiger gegenüber nicht, wenn auf die angeblich verlorene Urkunde dennoch Zahlung an einen Dritten geleistet wird.

§. 17. Die Forderungen aus diesen Verträgen können ohne Zustimmung der Verwaltung der Anstalt an Dritte sowohl übertragen als verpfändet werden (vergl. §. 87).

Die Person, an welche eine solche Forderung übertragen wird, kann nur eine genannte Person, aber niemals der jeweilige Inhaber der Vertragsurkunde sein.

Der Rechtsübertrag und die Verpfändung muß dem Verwaltungsrath urkundlich eröffnet und zugleich auf der Vertragsurkunde selbst gegen eine an die Anstalt zu zahlende Gebühr vorgemerkt sein. So lange das Eine oder das Andere nicht geschehen ist, hat der Rechtsübertrag und die Verpfändung der Anstalt gegenüber keinerlei Wirkung.

§. 18. An die Stelle von Personen, von deren Leben oder Tod die Leistung der Anstalt abhängt, können keine andern gesetzt werden.

§. 19. Die Zahlung der Renten, Zinsen und Dividenden geschieht nach der Wahl des Bezugsberechtigten bei der Hauptkasse oder auswärts bei einem Geschäftsfreunde.

Die Dividenden können nach der Wahl des Berechtigten baar erhoben oder bei jährlichen Prämienzahlungen an der nächst verfallenden Prämie in Abzug gebracht werden.

Die Zahlung eines Kapitals geschieht bei der Hauptkasse in Karlsruhe. Eine Zahlung durch Geschäftsfreunde der Anstalt kann auf Gefahr und Kosten des Empfangsberechtigten geschehen.

§. 20. Der Verwaltungsrath ist befugt, bevor er eine Zahlungsanweisung erläßt, sich sowohl bei Sterbfällen, als auch überhaupt über die ihm gemachten Angaben die erforderliche Gewißheit zu verschaffen und insbesondere diejenigen, welche Ansprüche an die Anstalt erheben, zu veranlassen, ihre Angaben genügend zu bescheinigen.

§. 21. Der mit der Auszahlung Beauftragte ist berechtigt, den Vorzeiger der Vertragsurkunde, wenn ihm nicht das Gegentheil bekannt ist, als den Empfangsberechtigten anzusehen und an ihn giltige Zahlung zu leisten.

§. 22. In allen Fällen, in welchen es nicht ausdrücklich bestimmt ist, bezahlt die Anstalt keine Zinsen für die Zeit vom Verfalltag bis zur Erhebung.

§. 23. Alle Ansprüche aus dem Vertrage an die Anstalt, sie mögen von wem immer erhoben werden wollen, sind der Anstalt gegenüber jedenfalls dann erloschen, wenn auf erfolgte Zahlung die Vertragsurkunde zurückgegeben ist.

§. 24. Ist durch schuldvolle Entstellung oder Vorenthaltung der Wahrheit die Anstalt zur Abschließung eines Vertrags bewogen worden, den sie nicht würde eingegangen haben, wenn sie die wahren Verhältnisse gekannt hätte, so ist der Vertrag ungiltig und sind alle daraus entsprungenen Ansprüche erloschen. Die gemachten Einzahlungen verbleiben der Anstalt.

§. 25. Wenn die Urkunden oder Angaben, welche zur Erhebung der Zahlungen der Anstalt dienen sollen, unter Mitwirkung der Person oder Personen, welche aus dem Vertrage Rechte herleiten, gefälscht sind oder wesentliche Unrichtigkeiten enthalten, oder wenn von diesen Personen absichtlich etwas verschwiegen wird, was die Verpflichtung der Anstalt ganz oder theilweise aufheben würde, so sind die Ansprüche aus dem Vertrage an die Anstalt erloschen.

Die gemachten Einzahlungen verbleiben der Anstalt.

Sind mehrere berechtigte Personen vorhanden, so erlischt der Vertrag nur in Ansehung desjenigen, dem die Unredlichkeit zur Last fällt.

Die Ansprüche der Andern werden hievon nicht betroffen.

§. 26. Das Vermögen der Anstalt ist anzulegen:

1. auf erstes und wenigstens doppeltes Unterpfand in Liegenschaften;
2. in deutschen Staatspapieren;
3. in anderen als deutschen Staatspapieren durch Beschluß des größeren Verwaltungsraths;
4. in Aktien oder Obligationen industrieller Unternehmungen, sofern dieselben mit Gewährleistung eines deutschen Staats oder Deutsch-Oesterreichs versehen sind, und in Obligationen solider Gemeinden; zu diesen Anlagen ist ein Beschluß des größeren Verwaltungsraths erforderlich;
5. auf Faustpfänder, und zwar:
   a. in Staatspapieren, in Aktien oder Obligationen industrieller Unternehmungen, sofern dieselben mit Gewährleistung eines Staates versehen sind, ferner in Pfandverschreibungen, sowie in Obligationen solider Gemeinden dergestalt, daß bei allen diesen Deckungen das Darleihen wenigstens zweihundert Mark und nicht über neun Zehntheile vom Werthe des Faustpfands beträgt;
   b. in eigenen das Darleihen genügend deckenden Scheinen über Schuldigkeiten der Anstalt, z. B. Urkunden über Versorgungs- und Lebensversicherungsverträge, Hinterlegungs- oder Schuldurkunden der Sparkasse;
6. durch Ankauf von Liegenschaften.
7. Auf Annuitäten gegen genügende Sicherheit nach Ziff. 1 und 5.

§. 27. Der Verwaltungsrath hat am Schlusse eines jeden Jahres zu prüfen, ob einzelne Theile des Vermögens der Anstalt in ihrem Werthe so gesunken sind, daß ein Abschreiben eines Theiles des Betrags, mit welchem sie in der Rechnung erscheinen, angemessen ist.

Er wird dabei auf den etwa erhöhten Werth anderer Bestandtheile des Vermögens der Anstalt geeignete Rücksicht nehmen.

Der abgeschriebene Betrag ist nach §§. 29 und 30 zu decken

§. 28. Unter Verwaltungsaufwand sind die Ausgaben für den Verwaltungsrath, das Bureau, die Inventarienstücke, die Geschäftsfreunde, die Aerzte, die öffentlichen Abgaben und für außerordentliche Fälle begriffen.

§. 29. Die Verwaltungskosten werden bestritten:

1. aus den Eintrittsgeldern, den Umschreib- und sonstigen Gebühren, welche die Anstalt erhebt;
2. aus den Zinsen der noch nicht in Rentengenuß stehenden Theile des Gesammteinlagekapitals und des etwa hiezu gehörigen Aufgeldes von Versorgungsverträgen auf nach den Rechnungsergebnissen wachsende Renten;
3. aus 8% aller in jedem Jahr eingezahlten Prämien und einmaligen Einlagen der Lebensversicherungsverträge und aus 4% der Versorgungsverträge nach §§. 207—317 der früheren Statuten. Verwaltungsrath und Ausschuß können bei erheblichem Steigen der Einnahmen an der Prämien der erstgenannten Verträge und der Zinsen aus den Reserven der Deckungsfonds die Herabsetzung des Beitrags bis auf 4% beschließen;
4. aus den Zinsen der Specialreservefonds und der Dividendenfonds für Versorgungsverträge auf nach den Rechnungsergebnissen wachsende Renten und aus den Zinsen der Reserven der Deckungsfonds für Versorgungs- und Lebensversicherungsverträge;
5. aus höheren Zinserträgnissen und unvorhergesehenen Einnahmen, die sich etwa ergeben;
6. aus dem Ertrag der Nebenanstalten;
7. aus dem Ertrag der der Sparkasse überwiesenen Gelder nach §. 154.

Reichen diese der Verwaltung zugewiesenen Einnahmen zu den nöthigen Ausgaben nicht hin, so wird das Fehlende von sämmtlichen Jahresgesellschaften und von den fur Versorgungs- und Lebensversicherungsverträge bestimmten Fonds im Verhältniß ihres reinen Vermögens, ohne Einrechnung der Reserven, zugeschossen und der Beitrag jeder derselben von ihrem Reservefond abgeschrieben.

§. 30. Von der Summe, welche nach dem jährlichen Rechnungsabschluß übrig bleibt, werden die Verwaltungskosten für das nächste Jahr nach einem Voranschlag abgezogen; der Rest ist der reine Einnahmsüberschuß.

Derselbe wird, soweit er nicht zur Deckung etwaiger Verluste am Zinsertrag und Kapitalvermögen der Anstalt verwendet werden muß, unter die Jahresgesellschaften, welche nicht mehr im Eintrittsjahr stehen, und die Fonds für Versorgungs- und Lebensversicherungsverträge nach Verhältniß ihres reinen Vermögens ohne Einrechnung ihrer Reserven vertheilt.

Unter reinem Vermögen der Versorgungs- und Lebensversicherungsverträge sind die Deckungsfonds dieser Verträge zu verstehen.

Die Antheile werden mit dem Jahresschluß, und zwar bei den Fonds für Versorgungs- und Lebensversicherungsverträge ihren Reserven, und bei jeder Jahresgesellschaft zur Hälfte dem Specialreservefond, zur Hälfte dem Beneficienfond zugeschrieben.

§. 31. Die Aufnahms-, Umwandlungs- und sonstigen Gebühren werden von dem Verwaltungsrath und Ausschuß festgesetzt.

§. 32. Der Verwaltungsrath legt über die Ergebnisse aller Geschäftszweige der Anstalt jährlich umfassende Rechnung ab, welche durch den Druck zu veröffentlichen ist.

§. 33. Den Mitgliedern steht die Einsicht der sie betreffenden Theile der Bücher der Anstalt zu.

Bei Beschwerden gegen Entscheidungen des Verwaltungsraths wird der Ausschuß den Beschwerdeführenden die erforderliche umfassendere Einsicht der Bücher gewähren.

§. 34. Alle Ansprüche aus Verträgen sollen, sofern dafür nicht kürzere Fristen gesetzt sind, binnen zwei Jahren nach dem Eintritt des die Zahlungsverbindlichkeit bedingenden Ereignisses bei dem Verwaltungsrath erhoben werden. Wird die Zahlung verweigert, so steht es dem Betheiligten frei, entweder unmittelbar bei dem zuständigen Gericht Klage zu erheben, in welchem Falle diese Klage binnen sechs Monaten von dem Tage dieser schriftlich zu erlassenden Weigerung bei dem Gericht eingereicht und bis zur Erwirkung eines rechtskräftigen Erkenntnisses verfolgt werden muß, widrigenfalls die Ansprüche durch bloßen Ablauf dieser Frist erlöschen;

oder

sich mit der Beschwerde in unerstrecklicher Frist von 14 Tagen, vom Tag der Zustellung der Verweigerung an gerechnet, an den Ausschuß zu wenden, in welchem Fall die obige Frist von 6 Monaten zur Anstellung der gerichtlichen Klage von dem Tag der Zustellung des Bescheides des Ausschusses an unter dem angedrohten Nachtheil des Verlustes der Ansprüche läuft.

§. 35. Wenn eine auswärtige Regierung die Zulassung der Anstalt in ihrem Lande an die Bedingung knüpft, daß Streitigkeiten ihrer Staatsangehörigen aus Versorgungs- oder Lebensversicherungsverträgen vor ihren Gerichten zu entscheiden seien, so ist der Verwaltungsrath und Ausschuß ermächtigt, diese Bedingungen einzugehen.

§. 36. Durch Statutenänderungen dürfen die in bereits abgeschlossenen Verträgen zugesicherten oder in Aussicht gestellten Bezüge keine Minderung erleiden.

Während hiernach die zur Zeit des Abschlusses geltenden Bestimmungen der Statuten für solche Verträge fortwährend in Kraft bleiben, sollen jedoch, sofern die vorliegenden Statuten für die Mitglieder günstigere Bestimmungen enthalten als die früheren, diese Bestimmungen auch für die bereits bestehenden Verträge gelten.

B. Verwaltungsorgane und ihre Zuständigkeit.

§. 37. Die Verwaltung der Anstalt wird geleitet und besorgt:

1. durch Generalversammlungen;
2. durch den Ausschuß, welcher aus einem Präsidenten und 23 Mitgliedern besteht;
3. durch den Verwaltungsrath, welcher aus einem Direktor und 11 Mitgliedern besteht, und durch die dem Verwaltungsrath beigegebenen Bureaubeamten und Gehilfen;
4. durch die Geschäftsfreunde.

§. 38. Zum Geschäftskreis der Generalversammlung gehören:

1. die authentische Erklärung und Abänderung der Statuten und der Verwaltungs-Ordnung;
2. die Wahl von 36 Mitgliedern, aus welchen der Ausschuß und Verwaltungsrath gebildet wird;
3. die Abnahme der Rechenschaft und die Beschlußfassung hierauf;
4. die Kontrole über die Verwaltung im Allgemeinen und Abstellung der etwa sich ergebenden Mißstände;
5. die ihr durch besondere Bestimmung der Statuten vorbehaltenen Gegenstände.

§. 39. Die Sitzungen der Generalversammlung sind ordentliche und außerordentliche. Die ordentlichen werden alle zwei Jahre — längstens im Monat Mai oder Juni — gehalten, die außerordentlichen, wenn bei gemeinschaftlicher Berathung der Verwaltungsrath und Ausschuß, oder wenn acht Mitglieder des Verwaltungsraths oder sechzehn des Ausschusses es für nothwendig erachten, oder wenn 72 Mitglieder es verlangen.

§. 40. Die Generalversammlung beruft der Verwaltungsrath.

Die Gegenstände der Verhandlung sind in einer zu veröffentlichenden Tagesordnung durch Verwaltungsrath und Ausschuß festzustellen.

§. 41. Die Einberufung zu den Generalversammlungen geschieht durch Bekanntmachung in einer Zeitung der Residenz und in anderen der Verwaltung geeignet scheinenden öffentlichen Blättern. Gleichzeitig wird die Tagesordnung bekannt gemacht.

§. 42. Zur Theilnahme an der Generalversammlung sind alle Mitglieder und diejenigen, welche deren Rechte ausüben, berechtigt, und zwar die volljährigen Mitglieder männlichen Geschlechts zur Theilnahme in Person, die übrigen, namentlich die Frauen, Kinder, Entmündigten und Mundtodten, zur Theilnahme durch ihre gesetzlichen Vertreter. Die Theilnehmer an der Generalversammlung legitimiren sich durch die Urkunden über einen Vertrag, der ihnen die Berechtigung als Mitglieder verleiht, und eintretenden Falls durch beglaubigte Urkunden über die Befugniß der Stellvertretung.

Jeder Anwesende hat nur eine Stimme, ohne Rücksicht auf die Anzahl seiner Verträge und wenn er selbst Mitglied ist, ohne Rücksicht auf diejenigen, die er noch nebenbei vertritt.

§. 43. Der Ort der Zusammenkunft für die Generalversammlungen ist die Stadt Karlsruhe.

§. 44. Jede Generalversammlung wählt sich ihren Präsidenten und Sekretär durch Stimmenmehrheit.

Haben bei der Wahl des Präsidenten oder Sekretärs zwei oder mehrere Personen gleiche Zahl der Stimmen, so entscheidet unter ihnen das Loos.

Bis der Präsident der Generalversammlung gewählt ist, leitet der Präsident des Ausschusses die Verhandlungen.

§. 45. Jedes Mitglied, das über einen vorliegenden Gegenstand reden will, hat dies dem Präsidenten anzuzeigen.

Nach der Reihenfolge dieser Anzeigen geschehen die Vorträge.

§. 46. Die Mitglieder des Verwaltungsraths dürfen jederzeit das Wort nehmen, sowohl zur näheren Erörterung des Gegenstandes, als auch zur Begründung der getroffenen Maßregeln und zur Widerlegung erhobenener Anstände.

§. 47. Die Beschlüsse der Generalversammlungen werden nach Stimmenmehrheit gefaßt; bei Stimmengleichheit entscheidet der Präsident, welcher in diesem Falle zwei Stimmen hat.

Zu authentischer Erklärung oder Abänderung der Statuten und der Verwaltungsordnung ist die Zustimmung von drei Viertel aller Anwesenden erforderlich.

Keine derartige Erklärung oder Abänderung kann beschlossen werden, wenn nicht der Zweck und die Gründe derselben, so wie die Zeit der Abhaltung der Generalversammlung wenigstens vier Wochen vorher den Mitgliedern der Anstalt auf geeignetem Wege zur Kenntniß gebracht ist.

Eine authentische Erklärung oder Abänderung der Statuten und der Verwaltungsordnung kann nur giltig beschlossen werden, wenn wenigstens 72 Stimmen abgegeben worden sind.

§. 48. Sechs und dreißig, aus der Zahl der nach §. 42 zur Theilnahme an der Generalversammlung Berechtigten gewählte Personen bilden den Verwaltungsrath und Ausschuß.

Vier und zwanzig derselben müssen in der Stadt Karlsruhe ansäßig sein.

Das Amt der Gewählten dauert sechs Jahre.

Jedesmal nach Verlauf von zwei Jahren treten zwölf aus; sie werden durch die Wahl der Generalversammlung ersetzt.

Die Austretenden sind wieder wählbar.

§. 49. Die Wahl geschieht durch die in der ordentlichen Generalversammlung Anwesenden.

Solchen Wahlberechtigten, welche weiter als 10 Kilometer von Karlsruhe entfernt wohnen, ist es gestattet, ihre Stimmen schriftlich an die Generalversammlung einzusenden.

Jeder Wähler bezeichnet vier und zwanzig wählbare Personen.

Nicht wählbar sind die in §. 75 bezeichneten Beamten und Gehilfen, mit Ausnahme der Anstaltsärzte. Ebenso sind nicht wählbar solche Mitglieder, die in der Verwaltung oder im Dienste einer anderen Gesellschaft sind, welche Lebensversicherung betreibt.

Diejenigen zwölf, welche die meisten Stimmen erhalten, sind die in den Verwaltungsrath und Ausschuß Gewählten.

Die übrigen zwölf Gewählten sind Ersatzmänner, welche bestimmt sind, die Zahl der sechs und dreißig Mitglieder des Verwaltungsraths und Ausschusses zu ergänzen, wenn ein solches während der Zeit, für welche es gewählt wurde, gestorben oder ausgetreten ist.

§. 50. In solchen Fällen rückt der mit den meisten Stimmen Gewählte zuerst ein, sodann derjenige, welcher nach ihm die meisten Stimmen hatte, und so fort.

War derjenige, welcher gestorben oder ausgetreten ist, Mitglied des Verwaltungsraths, so wählen nach Eintritt eines Ersatzmannes sämmtliche 36 Mitglieder den Nachfolger des Abgegangenen in den Verwaltungsrath aus ihrer Mitte; war aber der Abgegangene Direktor des Verwaltungsraths, so wählen die 36 zuerst den Direktor und sodann erst, wenn der Verwaltungsrath nicht durch die Wahl des Direktors vollzählig geworden ist, das noch fehlende Mitglied des Verwaltungsraths.

War der Abgegangene Präsident des Ausschusses, so wählen nach Eintritt jenes Ersatzmannes die 36 den Präsidenten des Ausschusses aus ihrer Mitte; war der Gewählte Mitglied des Verwaltungsraths, so wird sofort letzterer durch Wahl ergänzt.

Derjenige, welcher an die Stelle des abgegangenen Direktors oder Präsidenten getreten ist, bekleidet diese Stelle nur bis zur nächsten ordentlichen Generalversammlung.

Die Ersatzmänner, welche in den Verwaltungsrath und Ausschuß eingetreten sind, bleiben während der noch laufenden Zeit, für welche ihre Vorgänger gewählt waren, in dieser Stelle.

Die Wahlperiode der übrigen Ersatzmänner dauert von einer ordentlichen Generalversammlung bis zur andern.

§. 51. Im Falle einer zeitweiligen Verhinderung eines Mitglieds des Ausschusses kann der Präsident einen der Ersatzmänner als dessen Stellvertreter für die Dauer der Verhinderung ernennen.

Wenn ein Mitglied des Verwaltungsraths oder Ausschusses eine Stelle annimmt, welche nach §. 49 seine Wahl ausschließt, so wird dasselbe als ausgetreten angesehen.

§. 52. Die nach §§. 48 und 49 neugewählten 12 Mitglieder, vereint mit den noch vorhandenen vier und zwanzig Mitgliedern des Verwaltungsraths und Ausschusses, wählen sofort aus ihrer Mitte in geheimer Abstimmung den Präsidenten des Ausschusses, sodann den Direktor des Verwaltungsraths und zuletzt die zur Ergänzung des Verwaltungsraths fehlenden Mitglieder.

§. 53. Die nicht in den Verwaltungsrath gewählten Mitglieder ergänzen den Ausschuß.

§. 54. Das Amt des Präsidenten des Ausschusses und des Direktors des Verwaltungsraths dauert zwei Jahre.

Sie treten in den Ausschuß zurück, wenn nicht die Zeit umlaufen ist, für welche sie von der Generalversammlung gewählt sind.

Wenn sie in den Ausschuß zurücktreten, oder neu gewählt werden, sind sie auch als Präsident und beziehungsweise als Direktor wieder wählbar.

§. 55. Die Wahl des Präsidenten leitet das Mitglied, welches das höchste Lebensalter unter den Anwesenden hat; die Wahl des Direktors und der Mitglieder des Verwaltungsraths der neu erwählte Präsident.

Die Stimmenmehrheit entscheidet. Fällt gleiche Stimmenzahl, so hat Derjenige, welcher die Wahlhandlung leitet, zwei Stimmen und gibt den Ausschlag.

§. 56. Der Ausschuß überwacht die Geschäftsführung der Anstalt in allen Zweigen der Verwaltung; er kann sich von dem Gange der Angelegenheiten der Anstalt unterrichten, die Bücher und Schriften derselben jederzeit einsehen und den Bestand der Gesellschaftskasse untersuchen lassen.

§. 57. Er bestimmt die Gehalte für den Direktor und die Mitglieder des Verwaltungsraths (§. 78).

§. 58. Er entscheidet über die Beschwerden gegen die Entscheidungen des Verwaltungsraths in Betreff der Ansprüche aus Verträgen.

Bei Entscheidung über diese Gegenstände müssen mindestens zwölf Ausschußmitglieder anwesend sein. Die Entscheidung erfolgt durch absolute Stimmenmehrheit.

Der Präsident oder sein von ihm ernannter Stellvertreter gibt den Ausschlag, wenn einschließlich seiner Stimme Stimmengleichheit entsteht.

§. 59. Wenigstens zweimal im Jahr müssen die Kassen der Anstalt und die Urkunden gestürzt werden.

Der Präsident des Ausschusses oder der von ihm hierzu ernannte Stellvertreter leitet diesen Sturz unter Zuziehung zweier von ihm gewählten Mitglieder des Ausschusses.

Das Ergebniß wird dem Ausschuß vorgelegt, von diesem der geeignete Beschluß gefaßt und der Verwaltungsrath in Kenntniß gesetzt.

§. 60. Der Ausschuß nimmt die Rechnungsablage des Verwaltungsraths in Empfang und bestellt zur Prüfung derselben zwei seiner Mitglieder.

Es bleibt ihm jedoch überlassen, auch Rechnungsverständige, die nicht Mitglieder des Ausschusses und der Anstalt sind, mit der Prüfung der Rechnung zu beauftragen und aus der Kasse der Anstalt zu belohnen.

Wird das Geschäft der Prüfung nicht von Mitgliedern des Ausschusses besorgt, so ernennt der Präsident einen Referenten für die Beaufsichtigung der Abhör und zur Erstattung der Vorträge über die Ergebnisse derselben.

§. 61. Ausstellungen, welche der Ausschuß in Ausübung der ihm zustehenden Ueberwachung der Geschäftsführung zu machen hat, theilt er dem Verwaltungsrathe zur Erledigung mit. Kann auf diese Weise eine etwaige Meinungsverschiedenheit zwischen dem Verwaltungsrath und Ausschusse nicht beseitigt werden, so bleibt es dem Ausschusse überlassen, eine Entscheidung der Generalversammlung herbeizuführen.

§. 62. Zur gemeinschaftlichen Berathung und Beschlußfassung durch den Verwaltungsrath und Ausschuß gehört, außer den in den Statuten besonders bezeichneten Verwaltungsgegenständen, die Auslegung zweifelhafter Bestimmungen der Statuten bis zur authentischen Erklärung der Generalversammlung.

§. 63. Bei Entscheidung der zur gemeinschaftlichen Zuständigkeit des Verwaltungsraths und Ausschusses gehörigen Gegenstände müssen wenigstens sechs Mitglieder des Verwaltungsraths und zwölf des Ausschusses anwesend sein.

An derartigen Berathungen nimmt der gesammte größere Verwaltungsrath Antheil.

Der Präsident des Ausschusses führt den Vorsitz; bei dessen Verhinderung der Direktor des Verwaltungsraths.

Die Entscheidung erfolgt durch absolute Stimmenmehrheit.

Der Vorsitzende gibt den Ausschlag, wenn einschließlich seiner Stimme Stimmengleichheit entsteht.

§. 64. Das Amt des Präsidenten und der Mitglieder des Ausschusses wird als Ehrenamt betrachtet.

Wenn Mitglieder des Ausschusses die Rechnungen prüfen, so erhalten sie dafür ein Honorar.

Auch dem Respizienten für die Rechnungsabhör und den Mitgliedern des Ausschusses, welche die Kassenstürze vornehmen, wird ein Honorar ausgeworfen.

In beiden Fällen bestimmt der Verwaltungsrath und Ausschuß die Größe des Honorars.

§. 65. Der Verwaltungsrath berathet und faßt seine Beschlüsse entweder als größerer oder als engerer Verwaltungsrath.

Der größere Verwaltungsrath besteht aus den dermalen vorhandenen gewählten zwölf Mitgliedern desselben, welche in der Folge nach §§. 48—50 und 52 ersetzt werden.

Zur Bildung des engeren Verwaltungsraths bestimmt der Direktor fünf Mitglieder des größeren Verwaltungsraths.

Dieselben müssen in Karlsruhe oder höchstens 10 Kilometer von Karlsruhe entfernt wohnen.

Eines derselben muß ein praktisch geübter Rechtsgelehrter sein.

Findet sich unter den Mitgliedern des größeren Verwaltungsraths kein solcher, so ist der Verwaltungsrath befugt, ihn außerhalb seines Kollegiums zu suchen, ihn zu den Berathungen beizuziehen und zu belohnen.

Der Direktor hat den Vorsitz im größeren und engeren Verwaltungsrathe.

Wenn die Statuten einfach den Verwaltungsrath erwähnen, ist darunter der engere Verwaltungsrath zu verstehen.

§. 66. Der größere Verwaltungsrath besorgt die ihm durch die Statuten zugewiesenen Geschäfte.

Auch andere Verwaltungsgegenstände können durch den Direktor, wenn er es ihrer Wichtigkeit wegen für angemessen erachtet, ihm zur Erledigung vorgelegt werden.

Einzelne Mitglieder des größeren Verwaltungsraths können mit dem Referate über einzelne Gegenstände von dem Direktor beauftragt und zu den Sitzungen des engeren Verwaltungsraths beigezogen werden.

§. 67. Der engere Verwaltungsrath besorgt die gesammte Verwaltung der Anstalt, soweit sie nicht durch besondere Bestimmungen dem größeren Verwaltungsrathe oder dem Ausschusse oder der gemeinschaftlichen Beschlußfassung des Verwaltungsraths und Ausschusses oder der Generalversammlung vorbehalten sind.

§. 68. Er ist ermächtigt, Kapitalien bis zum Betrage von 600,000 Mark aufzunehmen, und nöthigenfalls Deckung dafür zu geben.

Zu größeren Kapitalaufnahmen ist die Zustimmung des Ausschusses erforderlich.

§ 69. Der engere Verwaltungsrath kommt wenigstens einmal in der Woche zu einer Sitzung zusammen und außerdem, so oft es der Direktor nöthig findet.

Die Beschlüsse, des größeren sowohl als des engeren Verwaltungsrathes, werden nach absoluter Stimmenmehrheit gefaßt. Bei gleicher Stimmenzahl entscheidet der Direktor, der in diesem Falle zwei Stimmen hat.

§. 70. Vorbereitende Verfügungen kann der Direktor allein erlassen; auch Verwaltungsangelegenheiten, welche nach den vom Verwaltungsrathe angenommenen feststehenden Grundsätzen behandelt werden und in ihrer Entscheidung keine Zweifel bieten, kann der Direktor unter Mitwirkung eines Mitgliedes des engeren Verwaltungsrathes erledigen. Er wird jedoch von wichtigeren Endscheidungen dieser Art dem engeren Verwaltungsrathe in der nächsten Sitzung Kenntniß geben.

§. 71. Die Ausfertigungen werden von dem Direktor oder seinem Stellvertreter im Namen des Verwaltungsrathes unterzeichnet. Jedoch müssen Urkunden über Verträge, wodurch die Anstalt eine Verpflichtung übernimmt, insbesondere über Versorgungs- und Lebensversicherungsverträge, über Hinterlegungen und Sparkasseneinlagen u. s. w. vom Kassier und Kontroleur mitunterschrieben sein.

Einnahme- oder Ausgabedekreturen müssen von einem Mitgliede des engeren Verwaltungsrathes mitunterzeichnet sein.

Bei bloßen Quittungen genügt, wenn nichts Anderes bestimmt ist, die Unterschrift des Kassiers.

§. 72. Bei Verhinderung des Direktors vertritt seine Stelle das von ihm dafür ernannte Mitglied des Verwaltungsrathes.

In Ermangelung einer solchen Ernennung versieht das dienstälteste Mitglied des Verwaltungsraths die Stelle des Direktors.

§. 73. Der Direktor und die Mitglieder des engeren Verwaltungsraths beziehen Gehalt.

Von Denen, welche mit der Anstalt im Geschäftsverkehr sind, dürfen sie für sich weder Gebühren erheben, noch Geschenke annehmen.

§. 74. Zu der unter dreifachem Verschlusse stehenden Hauptkasse, in welcher die Werthpapiere und Schuldurkunden der Anstalt aufbewahrt werden müssen, hat der Direktor, ebenso wie der Kassenrespizient und der Kassier einen besondern Schlüssel.

§. 75. Die in §. 37, 3. angeführten Beamten der Anstalt und die Gehilfen der Verwaltung, zu welchen Inspektoren, Geschäftsfreunde und Anstaltsärzte gehören, werden durch den größeren Verwaltungsrath ernannt.

Ihre Anstellung ist in der Regel widerruflich; beschränkte Widerruflichkeit oder Unwiderruflichkeit der Anstellung und Zusicherung oder Bewilligung von Pensionen oder Wittwen- und Waisengehalten kann nur die Generalversammlung gewähren.

Sie erhalten eine entsprechende Belohnung.

Ständige Gehalte und Gratifikationen bewilligt der Verwaltungsrath und Ausschuß, Tagsgebühren und Remunerationen der engere Verwaltungsrath.

Von Denen, welche mit der Anstalt im Geschäftsverkehr sind, dürfen sie für sich weder Gebühren für derartige Geschäfte erheben, noch Geschenke annehmen.

Sie erhalten ihre allgemeine Dienstinstruktionen von dem größeren Verwaltungsrathe, besondere Aufträge und Weisungen von dem Direktor oder dem engeren Verwaltungsrathe.

§. 76. Die unwiderruflich Angestellten werden zur strengen Beobachtung ihrer Dienstobliegenheiten in Pflichten genommen. Sie haben eine von dem Verwaltungsrathe und Ausschuß zu bestimmende Kaution zu leisten. Sie dürfen ohne Genehmigung des Verwaltungsraths kein anderes Amt bekleiden und kein anderes Geschäft gewerbsmäßig betreiben.

§. 77. Die Geschäftsfreunde (Vertreter, Agenten) sind die Vermittler zwischen dem Verwaltungsrath und den auswärts wohnenden bei der Anstalt Betheiligten.

Sie nehmen namentlich die Beitrittserklärungen entgegen und befördern sie an den Verwaltungsrath, können aber keine die Anstalt bindenden Erklärungen abgeben.

Am Schlusse jeden Monats legt der Geschäftsfreund dem Verwaltungsrath eine belegte Nachweisung über Einnahmen und Ausgaben vor.

Von jeder Baarsendung an die Hauptkasse ist sogleich Anzeige an den Verwaltungsrath zu machen.

Zweiter Theil.

Lebensversicherungsverträge.

A. Allgemeine Bestimmungen für diese Verträge.

§. 78. Die Versorgungsanstalt schließt Verträge ab, wornach sie sich gegen Einlagen verbindlich macht, im voraus festbestimmte Kapitalien beim Ableben einer bestimmten Person zu bezahlen (Lebensversicherungsverträge).

§. 79. Lebensversicherungsverträge können in der Art abgeschlossen werden, daß die Leistung der Anstalt von dem Tode dessen, welcher den Vertrag mit ihr abschließt, oder von dem Tode eines Dritten abhängt.

§. 80. Derjenige, von dessen Tod die Leistung der Anstalt abhängt, heißt — so lange der Vertrag noch nicht abgeschlossen ist — der Zuversichernde, später der Versicherte.

Derjenige, welcher den Lebensversicherungsvertrag mit der Anstalt abschließt, heißt der Versichernde.

Derjenige, zu dessen Gunsten ein Lebensversicherungsvertrag abgeschlossen ist, heißt der Bezieher des versicherten Kapitals.

Der Versichernde kann zugleich der Zuversichernde, später der Versicherte sein; auch kann er der Bezieher des Kapitals sein.

Der Berechtigte heißt derjenige, welcher über die Versicherung verfügen kann.

Je nachdem diese verschiedenen Eigenschaften in Betracht kommen, werden die verschiedenen Bezeichnungen dafür gebraucht.

§. 81. Unter dem Ausdrucke „Jahr" ohne Beisatz ist das Kalenderjahr, in welchem sich ein Ereigniß zuträgt, zu verstehen.

Das Entgelt, welches der Versorgungsanstalt für ihre Leistungen entrichtet wird, heißt Prämie. Die Prämien sind entweder einmalige oder jährliche Einlagen, beide auf Einlageverlust.

§. 82. Wer einen Vertrag abschließen will, übergibt der Verwaltung in Karlsruhe oder bei einem auswärtigen Geschäftsfreunde seine deßfallsige Erklärung nach dem von dem Verwaltungsrathe vorgeschriebenen Formular.

§. 83. Der Verwaltungsrath kann verlangen, daß der Zuversichernde sich bei einem Arzte der Anstalt einfindet, um den etwa weiter erforderlichen Aufschluß über seine Gesundheitsverhältnisse zu geben.

Die etwaigen Reisekosten bestreitet der Versicherte.

§. 84. Das Ergebniß der Erhebungen der Anstalt über die Gesundheits- und sonstigen Verhältnisse des Zuversichernden und der übrigen Betheiligten wird von der Anstalt geheim gehalten.

§. 85. Bei Verträgen, wodurch die Rechte eines Mitglieds erworben werden, ist der Versichernde das Mitglied der Anstalt.

Wenn bei seinem Abgang das versicherte Kapital noch nicht fällig ist, so wird Derjenige, welchem das versicherte Kapital seiner Zeit zufällt, Mitglied der Anstalt. Fällt das versicherte Kapital Mehreren zu, so haben sie einen von ihnen zu bezeichnen, welcher die Rechte und Verbindlichkeiten eines Mitglieds zu vertreten hat.

Der Versichernde kann jedoch beim Vertragsabschluß oder später ausdrücklich verlangen, daß nicht er, sondern der Bezieher des versicherten Kapitals oder der Versicherte Mitglied der Anstalt werde.

§. 86. Hinsichtlich des abgeschlossenen Lebensversicherungsvertrags steht, so lange der Versichernde Mitglied der Anstalt ist, nur dieser mit der Anstalt in einem Vertragsverhältniß.

Nach Abgang des Versichernden tritt der Bezieher und, wenn kein solcher im Vertrage oder später bezeichnet ist, der Rechtsnachfolger des Versichernden in die vertragsmäßigen Verbindlichkeiten des Versichernden bei Vermeidung des Verlustes der vertragsmäßigen Rechte desselben.

§. 87. Wenn der Versicherte weder der Versichernde noch der Bezieher (§. 80), sondern ein Dritter ist, so müssen der Versichernde oder der Bezieher an dem Leben des Versicherten ein Interesse haben und auf Verlangen des Verwaltungsraths die Zustimmung des Versicherten oder ihr Interesse nachweisen.

Dasselbe findet statt, wenn unter gleicher Voraussetzung an die Stelle eines früheren Beziehers ein anderer Forderungsberechtigter tritt.

Lebensversicherungsverträge für den Fall des Todes unbetheiligter Dritter auf Spekulation sind unzuläßig.

Die Versicherungsurkunde darf nicht jeden Inhaber als Forderungsberechtigten bezeichnen.

§. 88. So lange der Zuversichernde einen Beruf ausübt, oder ein Geschäft betreibt, wodurch sein Leben oder seine Gesundheit besonderen Gefahren ausgesetzt ist, z. B. so lange er im Seedienste steht, oder wenn der Zuversichernde an einem Ort wohnt, wo eine Epidemie herrscht, soll kein Lebensversicherungsvertrag mit ihm abgeschlossen werden.

Mit Militärpersonen wird während eines Krieges kein solcher Vertrag abgeschlossen.

Sind die Verhältnisse des Zuversichernden der Art, daß eine unbedingte Zurückweisung nicht geboten erscheint, so ist der Verwaltungsrath ermächtigt, die Versicherung von der Entstehung einer Probezeit abhängig zu machen oder nach Umständen dieselbe an die Bedingung einer höheren Prämie zu knüpfen.

§. 89. Bei Einhändigung der Lebensversicherungsurkunde hat der Versicherte eine durch Verwaltungsrath und Ausschuß festgesetzte Aufnahmsgebühr zu entrichten.

Bei Umwandlung von einer Vertragsform in eine andere wird für jede neue Urkunde ohne Rücksicht auf die Zahl der umgewandelten eine auf gleiche Weise festgesetzte Gebühr erhoben.

§. 90. Auf das Leben einer und derselben Person sollen Lebensversicherungsverträge nur bis zu einem Kapital von 100,000 Mark abgeschlossen werden.

Der Verwaltungsrath und Ausschuß ist ermächtigt, hiervon Ausnahmen in einzelnen Fällen zu gestatten, oder auch den höchsten Betrag der Lebensversicherungskapitalien im Allgemeinen zu erhöhen oder herabzusetzen.

§. 91. Bei den ihm geeignet scheinenden Fällen wird der Verwaltungsrath Rückversicherungen bei anderen Anstalten nehmen.

§. 92. Die Enscheidung über Anträge auf Abschluß von Lebensversicherungsverträgen ist dem Ermessen des Verwaltungsraths anheim gegeben.

Er gibt keine Gründe der Zurückweisung eines Antrags an.

§. 93. Die Lebensversicherungsurkunde wird nur unter der Voraussetzung ausgehändigt, daß der Versicherte zur Zeit der Aushändigung lebt und sich noch in demselben unveränderten Gesundheitszustande befindet, wie nach den ihr zu Grunde liegenden ärztlichen Zeugnissen.

Wenn eine Aenderung eingetreten ist, so hat dieses der Versichernde dem Verwaltungsrath bei Vermeidung der Ungiltigkeit des Vertrags anzugeben.

Der Vertrag besteht nur dann in Kraft, wenn die zustimmende schriftliche Erklärung des Verwaltungsraths erfolgt ist.

§. 94. Sobald eine Lebensversicherungsurkunde zur Aushändigung an den Versichernden bereit liegt, wird derselbe davon gegen Bescheinigung mit der Aufforderung in Kenntniß gesetzt, die Urkunde innerhab vier Wochen in Empfang zu nehmen, dieselbe und die Doppelschrift, wenn eine solche erforderlich ist, zu unterzeichnen und die einmalige Prämie beziehungsweise die erste jährliche Prämie zu entrichten. Versäumt er diese Frist, so wird der Vertrag als nicht geschlossen angesehen.

Der Versichernde, welcher die Beitrittserklärung, nachdem dieselbe unterzeichnet war, zurücknimmt oder die Annahme der Vertragsurkunde verweigert, hat der Anstalt den Ersatz für die ihr veranlaßten Kosten zu bezahlen.

§. 95. Ein Lebensversicherungsvertrag gilt als abgeschlossen und tritt in Kraft, sobald die Aufnahmsgebühr und die einmalige Einlage oder die erste Prämie beziehungsweise Prämienrate bezahlt ist, und der Versichernde die Lebensversicherungsurkunde in Empfang genommen und darüber Bescheinigung ertheilt hat.

§. 96. Die Prämien müssen erstmals bei Aushändigung der Lebensversicherungsurkunde und sofort durch Vorausbezahlung jeweils an dem Jahrestage entrichtet werden, welchen die Vertragsurkunde bezeichnet. In der Regel ist dies der Tag der Genehmigung des Vertrags durch den Verwaltungsrath.

Die Zahlung muß kostenfrei an die Hauptkasse der Anstalt in Karlsruhe geschehen.

Mit Ermächtigung des Verwaltungsraths kann sie auch bei einem Geschäftsfreunde der Anstalt geschehen. In diesem Fall darf aber die Zahlung nur gegen Behändigung der von dem Kassier und dem Kontroleur unterzeichneten Prämienquittung erfolgen.

Auf besondere Zahlungsaufforderung hat der Pflichtige keinen Anspruch. Auch begründet es keine Entschuldigung, wenn der Geschäftsfreund in anderen Fällen hat Aufforderung ergehen oder die Prämie bei dem Versicherten hat abholen lassen.

Es ist dem Verwaltungsrathe gestattet, die jeweils verfallenden Jahresprämien für das folgende Jahr unter Hinzurechnung eines Zinses von 5% für die betreffenden Beträge in der Art zu stunden, daß dieselben in halbjährlichen oder vierteljährlichen gleichen Raten abgetragen werden und nur die erste Rate am Verfalltage selbst zu entrichten ist.

§. 97. Bei Berechnung der Leistung und Gegenleistung der den Vertrag Abschließenden wird angenommen, daß sich der Werth der Leistung und Gegenleistung im Ganzen gleich sein muß.

Der Berechnung der Leistung der Anstalt werden jedoch nur 81% der Prämie zu Grunde gelegt. Diese 81% bilden die Netto- (mathematische) Prämie. Die weiteren 19% dienen zur Sicherstellung der Ansprüche der Mitglieder sowie theilweise zur Bestreitung der Verwaltungskosten und werden, insoweit sie hierzu nicht erforderlich sind, als Dividenden vertheilt.

§. 98. Bei Berechnung der Leistung und Gegenleistung kommt das Lebensalter in Betracht, welches der Versicherte zur Zeit des Vertragsabschlusses vollendet hat. Dieses Alter wird jedoch nur in ganzen Jahren angenommen, wobei sechs Monate und darunter nicht, über sechs Monate als ganzes Jahr gerechnet werden.

Für Lebensversicherungen ist die nachfolgende Sterblichkeitstabelle zu Grunde gelegt.

Alter.	Lebende.	Alter.	Lebende.	Alter.	Lebende.
18	101,878	46	76,590	73	26,358
19	100,942	47	75,450	74	23,952
20	100,000	48	74,281	75	21,592
21	99,061	49	73,077	76	19,298
22	98,173	50	71,831	77	17,083
23	97,286	51	70,528	78	14,980
24	96,425	52	69,166	79	12,998
25	95,590	53	67,741	80	11,150
26	94,774	54	66,251	81	9,420
27	93,970	55	64,695	82	7,821
28	93,173	56	63,074	83	6,378
29	92,378	57	61,383	84	5,114
30	91,578	58	59,624	85	4,034
31	90,770	59	57,792	86	3,138
32	89,952	60	55,892	87	2,423
33	89,121	61	53,916	88	1,836
34	88,280	62	51,878	89	1,349
35	87,424	63	49,781	90	955
36	86,551	64	47,632	91	646
37	85,662	65	45,435	92	418
38	84,756	66	43,189	93	246
39	83,828	67	40,887	94	133
40	82,878	68	38,532	95	64
41	81,903	69	36,133	96	27
42	80,897	70	33,701	97	9
43	79,862	71	31,249	98	3
44	78,799	72	28,794	99	1
45	77,707				

§. 99. Dem Gesammtverwaltungsrath und Ausschuß steht es jederzeit zu, diese Sterblichkeitstabelle zu berichtigen.

Die Berichtigung bleibt jedoch ohne Einfluß auf die bereits abgeschlossenen Verträge.

§. 100. Alle Einnahmen der Anstalt, welche eine Folge der Verträge dieses Abschnittes sind, bilden mit Ausnahme jener, welche zur Deckung des Verwaltungsaufwands erforderlich sind, den Deckungsfond für Erfüllung dieser Verträge.

Er hat alle Lasten zu bestreiten, welche der Anstalt in Folge dieser Verträge obliegen.

§. 101. Was an diesen Einnahmen zur Dotirung des Deckungsfonds in seiner Normalhöhe nicht erforderlich ist, bildet nebst den etwaigen Antheilen an den reinen Einnahmsüberschüssen die Reserve des Deckungsfonds.

§. 102. Dieselbe wird erst dann zur Bestreitung von versicherten Kapitalien in Angriff genommen, wenn die übrigen Mittel des Deckungsfonds nicht hinreichen.

§. 103. Ist auch die Reserve des Deckungsfonds zur Bestreitung seiner Lasten unzulänglich, so leistet die Anstalt aus ihrem Vermögen dem Deckungsfond Vorschüsse bis zum Betrage von 500,000 Mark.

Dieselben sind in einer nach dem Ermessen des Verwaltungsraths zu bestimmenden Zahl von höchstens 35 Annuitäten aus dem Deckungsfond zurück zu erstatten.

§. 104. Reichen alle diese Mittel zur Erfüllung der übernommenen Verbindlichkeiten — einschließlich der Zahl der Annuitäten (§. 103) — nicht hin, so ist das Fehlende auf die nach den alsdann noch bestehenden Verträgen dieses Abschnitts zu Dividenden Berechtigten umzulegen.

Den Vertheilungsmaßstab bilden die jeweiligen Deckungskapitalien (§. 105) der zu Dividenden Berechtigten.

Die Verträge mit einmaligen Einlagen haben jedoch nur soviel zu zahlen, als Verträge unter sonst gleichen Verhältnissen mit jährlichen Prämien (§. 107).

Jeder kann sich durch gänzlichen Verzicht auf seine Forderung der Zahlung der Umlage entschlagen. Diese Verzichtleistung wird vorausgesetzt, wenn die Zahlung der Umlage nicht innerhalb sechs Wochen nach erfolgter urkundlicher Aufforderung des Bezugsberechtigten erfolgt.

§. 105. Für jeden einzelnen Vertrag wird jedes Jahr der baare Werth aller künftigen vertragsmäßigen Ausgaben und Einnahmen, welche nach der angenommenen Sterblichkeitstafel und dem Normalzinsfuß sich ergeben, berechnet. Der Unterschied beider Werthe bildet das Deckungskapital des Vertrags. Zu erwartende Dividenden werden hierbei nicht berücksichtigt und als künftige Einnahmen werden nur die jährlichen Netto-Prämien angesehen. Die Summe aller dieser Deckungskapitalien der einzelnen Verträge ist die Normalhöhe des Deckungsfonds.

§. 106. Die Normalhöhe der Reserve soll mindestens 2 und höchstens 8% der Normalhöhe des Deckungsfonds betragen.

§. 107. Uebersteigt die Reserve den höchsten Betrag ihrer Normalhöhe, so kann der Mehrbetrag ganz oder zum Theil als Dividende unter die nach den nachfolgenden Bestimmungen Berechtigten vertheilt werden.

Ob und in welchem Betrage eine solche Vertheilung stattzufinden habe, entscheidet der Verwaltungsrath und Ausschuß.

An der Vertheilung nehmen diejenigen Antheil, welche mindestens fünf Jahre — das Jahr des Vertragsabschlusses und das etwaige Todesjahr als voll gerechnet — mit der Anstalt in einem Vertragsverhältnisse stehen, welches nach den nachfolgenden Bestimmungen zur Theilnahme berechtigt. Sie müssen aber am 31. Dezember des Jahres, für welches die Vertheilung stattfindet, noch Mitglieder der Anstalt sein. Jedoch werden diejenigen, für welche im Laufe des Jahres das versicherte Kapital in Folge Todes- oder Erlebensfalls ausbezahlt wurde, so behandelt, als wären sie am 31. Dezember noch Mitglieder gewesen.

Den Vertheilungsmaßstab bilden die jeweiligen Deckungskapitalien der zu Dividenden Berechtigten. Die Verträge gegen einmalige Einlagen erhalten nur diejenige Dividende, welche ihnen zufallen würde, wenn die Zahlung entsprechender jährlicher Prämien während der ganzen Dauer des Vertrags festgesetzt wäre.

Die Auszahlung der Dividende erfolgt nach Feststellung des Jahresberichts, beziehungsweise nach Abschluß der Rechnung für das betreffende Jahr.

Dieses Verfahren wird jedes Jahr wiederholt.

§. 108. Wer in Folge eines Lebensversicherungsvertrags nach Ableben des Versicherten eine Leistung der Anstalt in Anspruch nehmen will, hat unverzüglich nach erlangter Wissenschaft womöglich noch vor der Beerdigung schriftliche Anmeldung bei dem Verwaltungsrath oder bei dem Geschäftsfreunde der Anstalt, an welchen die letzte Prämie bezahlt wurde, unter Angabe der Todesursache zu machen.

Wird diese Anzeige verzögert und wird dadurch die Erhebung über die Todesursache unmöglich oder unsicher, so ist die Anstalt von der Erfüllung ihrer Verbindlichkeit befreit.

§. 109. Wird in Folge eines Lebensversicherungsvertrags eine Zahlung verlangt, so ist dem Verwaltungsrath portofrei zu übergeben:

1. die Vertragsurkunde;
2. ein Sterbschein des Versicherten oder, wenn ein solcher nicht beigebracht werden kann, sonstige genügende Nachweise über den Tod des Versicherten;
3. wo möglich ein ärztliches Zeugniß über die Art des Todes und den Verlauf der letzten Krankheit;
4. die Nachweisung und namentlich ein Zeugniß der Erbtheilungsbehörde, daß derjenige, an welchen die Zahlung geleistet werden soll, der Bezugsberechtigte ist — sofern dieses nicht aus der Vertragsurkunde selbst hervorgeht, wie namentlich wenn der in der Vertragsurkunde bezeichnete Bezieher des versicherten Kapitals selbst und nicht sein Rechtsnachfolger die Zahlung in Anspruch nimmt.

Die Belege Ziff. 2 und 4 müssen von einer Behörde, welche zur Ausstellung solcher Zeugnisse zuständig ist, ausgefertigt sein; das ärzliche Zeugniß Ziff. 3 soll von einem Arzte der Anstalt oder von einem Staatsarzte ausgestellt oder bestätigt sein.

Der Verwaltungsrath ist ermächtigt, sich statt dieses Zeugnisses mit einem solchen des Hausarztes zu begnügen, oder von einem solchen ganz abzusehen.

Von ausländischen Behörden ausgestellte Zeugnisse müssen genügend beglaubigt sein.

Erscheinen dem Verwaltungsrathe die gegebenen Nachweisungen nicht genügend, so hat er — innerhalb vier Wochen vom Tage der Vorlage derselben an — demjenigen, welcher die Ansprüche erhoben hat, davon Kenntniß zu geben und ihn zu veranlassen, seine Angabe genügend zu bescheinigen.

Wenn die Vorlage für genügend erkannt ist, erfolgt durch den Verwaltungsrath die Zahlungsanweisung und Zahlung längstens in 14 Tagen.

§. 110. Außer den Fällen, in welchen die vertragsmäßigen Verbindlichkeiten durch beiderseitige vollständige Zahlung erloschen sind, erlöschen die Lebensversicherungsverträge in folgenden Fällen:

1. in Folge nicht gezahlter Prämien.

Wird eine jährliche oder Theil-Prämie nicht innerhalb 30 Tagen — vom Verfalltag an gerechnet — bezahlt, so ist die Versicherung erloschen.

Wenn bereits eine Jahresprämie entrichtet ist, so wird eine Vergütung berechnet und an den Berechtigten ausbezahlt, welche die Anstalt im Falle eines Rückkaufs gewähren würde. Dieser etwa nicht erhobene Betrag wird am 31. Tage nach dem Verfalltage der rückständigen Prämie der Sparkasse überwiesen und nach Maßgabe des §. 154 behandelt.

§. 111. Eine Wiederherstellung gegen die Folgen des vorhergehenden Paragraphen findet statt und die Versicherung tritt wieder in Kraft, wenn innerhalb 6 Monaten, vom Verfalltage der rückständigen Prämie an gerechnet, diese nebst 5% Zins daraus bezahlt wird, vorausgesetzt, daß der Versicherte nicht gestorben und nach dem Ermessen des Verwaltungsraths genügend nachgewiesen ist, daß der Versicherte im Augenblick der Bezahlung der rückständigen Prämie nebst Zinsen sich in guter Gesundheit befindet.

Hat jedoch ein Vertrag bereits drei volle Jahre bestanden, so wird nach Umfluß der in §. 110 angeführten dreißig Tage auf Einsendung der Police die Anstalt zur Deckung der verfallenen Prämie ein Faustpfanddarlehen geben, insoferne diese Police Sicherheit dafür bietet.

§. 112. Die Lebensversicherungsverträge erlöschen:

2. in Folge nicht gezahlter Umlage nach §. 104.

§. 113. — 3. Wenn innerhalb 2 Jahren vom Todestag des Versicherten oder von dem Eintritt des den Anfall der Versicherungssumme begründenden Zeitpunkts an keine Ansprüche der Anstalt gegenüber erhoben werden, so sind sie erloschen und die versicherten Beträge fallen in den Deckungsfond für Lebensversicherungsverträge.

§. 114. Die Lebensversicherungsverträge erlöschen:

4. durch Ausschluß nach den Bestimmungen der §§. 24 und 25.

§. 115. Ferner:

5. durch Aufkündigung von Seiten des Berechtigten.

Bei allen Lebensversicherungen, welche eine Verbindlichkeit der Anstalt zur Zahlung der versicherten Leistung, wenn auch zu einem ungewissen Zeitpunkte, sicher begründen, gestattet die Anstalt, wenn wenigstens eine Jahresprämie bezahlt ist, die Aufkündigung von Seiten des Berechtigten und zahlt demselben gegen Verzicht auf alle künftigen Ansprüche eine Abfindung von 75% des jeweiligen Deckungskapitals für den betreffenden Vertrag. Etwaige noch ausstehende Raten werden von der Abfindung abgezogen. Sind noch nicht drei volle Jahresprämien bezahlt gewesen, so werden an der berechneten Abfindung die gehabten Unkosten abgerechnet. Die Höhe der letzteren wird vom Verwaltungsrath festgesetzt.

§.

a.

b.

c.

hat der

zeige zu

Un

zwischen

von drei Jahren nicht übersteigen.

Dem Verwaltungsrathe steht es in obigen Fällen frei, den Vertrag unter Zahlung des Rückkaufspreises, welchen die Anstalt bezahlt haben würde, wenn der Versicherte am ersten Tage des Unternehmens freiwillig ausgetreten wäre, zu künden oder fortbestehen zu lassen. Wünscht der Berechtigte die Fortdauer des Vertrags, so kann dies entweder gegen eine entsprechende Zusatzprämie oder, wenn nach den Umständen eine besondere Gefährdung überhaupt nicht zu befürchten ist, auch ohne eine solche Zusatzprämie von dem Verwaltungsrath bewilligt werden.

Die Zusatzprämien können nach beendigtem gefährdendem Unternehmen durch den Verwaltungsrath für die Zukunft erlassen werden, wenn sich aus einer Untersuchung des Gesundheitszustandes des Versicherten ergibt, daß er keinen Schaden

oder innerhalb 6 Wochen nach dessen Beendigung, so zahlt die Anstalt statt des versicherten Betrages nur so viel, als sie als Rückkaufspreis bezahlt haben würde, wenn der Versicherte am ersten Tage des Unternehmens freiwillig ausgetreten wäre (§. 115).

Ueberlebt er das gefährdende Unternehmen, so hat die Anstalt die Wahl, entweder den ebenerwähnten Rückkaufspreis zu bezahlen oder, wenn sich aus einer ärztlichen Untersuchung ergibt, daß der Versicherte keinen Schaden an seiner Gesundheit erlitten hat, den Vertrag fortbestehen zu lassen.

§. 117. — 7. Die Anstalt zahlt nur den Rückkaufspreis, wenn der Versicherte die Todesstrafe erleidet. Dasselbe findet statt, wenn der Versicherte eine strafbare That begeht und dabei getödtet wird.

§. 118. — 8. Ebenso wird nur der Rückkaufspreis bezahlt, wenn der Versicherte durch Selbstmord oder in Folge eines versuchten Selbstmordes sein Leben verloren hat. Kann jedoch von dem Bezugsberechtigten nachgewiesen werden, daß der Selbstmord im Zustande einer durch Körper- oder Geisteskrankheit entstandenen Unzurechnungsfähigkeit begangen wurde, so soll das versicherte Kapital ausbezahlt werden. Zu diesem Nachweis ist erforderlich, daß das Ergebniß einer vorgenommenen Leichenöffnung vorgelegt werde, insofern dieselbe möglich war.

§. 119. — 9. Wenn der Versicherte zu einer Freiheitsstrafe von fünf oder mehr Jahren verurtheilt ist und dieselbe antritt, zahlt die Anstalt nur den Rückkaufspreis.

§. 120. — 10. Die Ansprüche an die Anstalt sind erloschen, wenn der Versicherte durch den Bezieher des Kapitals in böslicher Absicht an seiner Gesundheit oder an seinem Leben gefährdet wird.

Die etwaigen theilweisen Ansprüche anderer Personen, welche an einem solchen Vergehen nicht theilgenommen haben, bleiben in Kraft.

§. 121. — 11. Alle Ansprüche an die Anstalt aus Lebensversicherungsverträgen, welche bis dahin nicht geltend gemacht wurden und nach den vorhergehenden Bestimmungen nicht schon früher erloschen waren, sind jedenfalls alsdann erloschen, wenn seit der Geburt des Versicherten hundert Jahre verflossen sind.

§. 122. Dem in Folge eines Lebensversicherungsvertrags Berechtigten kann von dem Verwaltungsrath gestattet werden, die ursprüngliche Art seines Vertrags in eine andere Art von Lebensversicherungsverträgen umzuwandeln.

In diesem Falle hat der Umwandelnde den Unterschied zwischen dem seinem bisherigen Vertrag entsprechenden Deckungskapital und der etwa größeren Jahresprämie (einmalige Einlage) des neuen aufzuzahlen.

Der Verwaltungsrath kann jedoch unter Umständen eine höhere Aufzahlung verlangen.

Ist die Jahresprämie (einmalige Einlage) des neuen Vertrags kleiner als das Deckungskapital des früheren, so erhält der Umwandelnde 75% des sich ergebenden Unterschieds zurück (§. 115).

Will ein Versicherter seinen Vertrag dahin umändern, daß die Auszahlung des Kapitals bei Lebzeiten früher erfolgen soll, während die übrigen Verhältnisse bleiben, so kann gestattet werden, daß der neue Vertrag so behandelt werde, als ob er zur nämlichen Zeit, wie der frühere, abgeschlossen worden sei, und hat dann der Versicherte von der Zeit der Umänderung an die entsprechende höhere Tarifprämie zu zahlen. Ueberdies hat er bei der Umwandlung das $1\frac{1}{4}$ fache des Unterschieds der Deckungskapitalien des alten und des neuen Vertrages für denselben Zeitpunkt baar zu erlegen.

Auch der umgekehrte Fall: Hinausschieben der Auszahlung bei Lebzeiten kann in derselben Weise gestattet werden; der Versicherte erhält dann $\frac{3}{4}$ des Unterschiedes der beiden Deckungskapitalien baar ausbezahlt.

§. 123. Bei Lebensversicherungen gegen jährliche Prämien ist das Mitglied berechtigt, die sämmtlichen künftigen jährlichen Prämien in die entsprechende einmalige Einlage umzuwandeln. In diesem Falle wird die Größe der einmaligen Einlage, welche im Augenblick der Umwandlung für die gleiche Leistung der Anstalt zu entrichten wäre, bestimmt und davon das Deckungskapital abgezogen. Die Differenz hat der, welcher die Umwandlung verlangt, baar zu entrichten.

Hinsichtlich der Dividenden und Umlagen gelten die Bestimmungen der §§. 107 und 104.

§. 124. Will ein Berechtigter, welcher bisher jährliche Prämien zu bezahlen hatte, diese Prämienzahlung für die Zukunft aufgeben und dagegen eine dem Werthe seiner bisherigen Leistungen ensprechende neue Lebensversicherung derselben Art erwerben, so wird sein für diesen Zeitpunkt berechnetes Deckungskapital als eine einmalige Einlage für die neue Versicherung behandelt. Erreicht dieses Deckungskapital nicht den niedersten Betrag einer einmaligen Einlage, so ist das Fehlende durch Baarzahlung zu ergänzen.

Hinsichtlich der Dividenden und Umlagen gelten auch hier die Bestimmungen der §§. 107 und 104.

B. Besondere Bestimmungen für die einzelnen Vertragsarten.

1. Kapitalien,

zahlbar beim Tode des Versicherten.

(Einfache Lebensversicherung.)

§. 125. Die Versorgungsanstalt schließt Verträge, wornach sie sich gegen Prämien verbindlich macht, nach dem Tode des Versicherten oder, falls der Tod nicht früher eintritt, nach dessen zurückgelegtem 85. Lebensjahre ein im voraus festgesetztes Kapital auszuzahlen, das jedoch nicht unter 1000 Mark betragen und durch 100 theilbar sein soll.

§. 126. Der Versicherte muß beim Vertragsabschluß das 18. Lebensjahr vollendet und darf das 60. noch nicht zurückgelegt haben.

§. 127. Durch den Vertrag werden die Rechte eines Mitglieds der Anstalt erworben.

§. 128. Die Prämien sind:

1. entweder jährliche Prämien,
2. oder einmalige Einlagen von mindestens 100 Mark.

Die jährlichen Prämien werden erstmals beim Vertragsabschluß und letztmals an dem dem Todestage des Versicherten vorhergehenden Verfalltage oder, wenn er älter als 85 Jahre wird, an dem seinem 86. Geburtstage unmittelbar vorhergehenden Verfalltage bezahlt.

§. 129. Die Größe der Prämie oder des versicherten Kapitals ist aus nachstehender Tabelle zu ersehen.*)

Alter beim Eintritt.	Prämie für 1000 ℳ versichertes Kapital: Jährliche Prämie.		Einmalige Einlage.		Versichertes Kapital für eine jährliche Prämie von 1 ℳ		für eine einmalige Einlage von 100 ℳ		Alter beim Eintritt.
	ℳ	₰	ℳ	₰	ℳ	₰	ℳ	₰	
18	17	77	368	50	56	27	271	37	18
19	18	11	373	49	55	21	267	74	19
20	18	47	378	57	54	14	264	15	20
21	18	85	384	—	53	05	260	41	21
22	19	26	389	70	51	92	256	60	22
23	19	70	395	76	50	78	252	67	23
24	20	18	402	25	49	55	248	60	24
25	20	70	409	18	48	30	244	39	25
26	21	26	416	52	47	03	240	08	26
27	21	86	424	22	45	74	235	72	27
28	22	50	432	26	44	44	231	34	28
29	23	18	440	62	43	14	226	95	29
30	23	89	449	24	41	86	222	59	30
31	24	64	458	11	40	58	218	28	31
32	25	43	467	23	39	32	214	02	32
33	26	26	476	58	38	08	209	82	33
34	27	13	486	20	36	85	205	67	34
35	28	05	496	06	35	65	201	59	35
36	29	01	506	14	34	47	197	57	36
37	30	03	516	48	33	30	193	61	37
38	31	11	527	07	32	14	189	72	38
39	32	24	537	89	31	01	185	91	39
40	33	43	548	95	29	91	182	16	40
41	34	69	560	23	28	82	178	49	41
42	36	01	571	69	27	77	174	91	42
43	37	41	583	37	26	73	171	41	43
44	38	88	595	28	25	72	167	98	44
45	40	44	607	42	24	72	164	63	45

*) Setzt man in derselben statt „Mark“ und „Pfennig“ jeweils „Francs“ und „Centimes“, so erhält man die betreffenden Beträge in französischer Währung.

Alter beim Eintritt.	Prämie für 1000 ℳ versichertes Kapital: Jährliche Prämie.		Einmalige Einlage.		Versichertes Kapital für eine jährliche Prämie von 1 ℳ		für eine einmalige Einlage von 100 ℳ		Alter beim Eintritt.
	ℳ	₰	ℳ	₰	ℳ	₰	ℳ	₰	
46	42	10	619	85	23	75	161	33	46
47	43	88	632	56	22	73	158	06	47
48	45	77	645	60	21	84	154	89	48
49	47	78	656	86	20	92	151	77	49
50	49	93	672	33	20	02	148	72	50
51	52	20	685	91	19	15	145	79	51
52	54	60	699	59	18	31	142	94	52
53	57	14	713	33	17	50	140	18	53
54	59	83	727	14	16	71	137	59	54
55	62	68	741	—	15	95	134	95	55
56	65	71	754	91	15	21	132	46	56
57	68	93	768	85	14	50	130	06	57
58	72	35	782	81	13	82	127	74	58
59	75	96	796	76	13	16	125	50	59
60	79	86	810	71	12	52	123	34	60

§. 180. Es kann durch den Vertrag bestimmt werden, daß die jährlichen Prämien nur eine bestimmte Zeit lang z. B. während 5, 10, 15 oder 20 Jahren bezahlt werden.

Die in diesen Fällen dem versicherten Kapital von 1000 Mark entsprechende Prämie ist aus der nachfolgenden Tabelle zu ersehen.

Alter beim Eintritt.	Dauer der Prämienzahlung: 5 Jahre.		10 Jahre.		15 Jahre.		20 Jahre.		Alter beim Eintritt.
	Jährliche Prämie für 1000 ℳ versichertes Kapital.								
	ℳ	₰	ℳ	₰	ℳ	₰	ℳ	₰	
18	80	28	44	48	32	72	26	98	18
19	81	36	45	07	33	15	27	34	19
20	82	45	45	66	33	59	27	71	20
21	83	62	46	30	34	06	28	11	21
22	84	84	46	97	34	56	28	53	22
23	86	13	47	65	35	09	28	98	23
24	87	52	48	46	35	67	29	48	24
25	89	02	49	30	36	31	30	02	25
26	90	61	50	19	36	99	30	60	26
27	92	30	51	15	37	71	31	22	27
28	94	07	52	15	38	47	31	87	28
29	95	91	53	20	39	27	32	56	29
30	97	83	54	29	40	11	33	28	30
31	99	80	55	42	40	97	34	02	31
32	101	83	56	58	41	87	34	80	32
33	103	92	57	79	42	79	35	61	33
34	106	07	59	04	43	76	36	45	34
35	108	28	60	32	44	75	37	32	35
36	110	55	61	65	45	78	38	23	36
37	112	89	63	01	46	85	39	18	37
38	115	29	64	43	47	96	40	17	38
39	117	76	65	86	49	11	41	21	39
40	120	29	67	38	50	30	42	29	40
41	122	88	68	91	51	54	43	42	41
42	125	58	70	49	52	81	44	60	42
43	128	32	72	11	54	14	45	83	43
44	130	97	73	78	55	52	47	12	44
45	133	79	75	51	56	97	48	49	45
46	136	68	77	32	58	49	49	93	46
47	139	69	79	22	60	10	51	47	47
48	142	80	81	21	61	81	53	12	48
49	146	02	83	29	63	61	54	86	49
50	149	35	85	47	65	51	56	72	50
51	152	74	87	72	67	50	58	67	51
52	156	20	90	05	69	57	60	74	52
53	159	73	92	45	71	75	62	93	53
54	163	38	94	95	74	03	65	24	54
55	166	99	97	53	76	42	67	70	55
56	170	75	100	22	78	95			56
57	174	58	103	02	81	61			57
58	178	51	105	93	84	44			58
59	182	51	108	96	87	43			59
60	186	61	112	12	90	61			60

§. 181. Ueberdies gewährt die Einlage Anspruch auf die Dividende der Lebensversicherungsverträge. Die Dividende wird jedoch während der ganzen Dauer des Vertrags nur in der bei einmaligen Einlagen bestimmten Weise ausbezahlt. Dasselbe gilt für etwaige Umlagen (§§. 107 und 104).

2. Kapitalien,

zahlbar an einem im Voraus festgesetzten Zeitpunkte oder bei dem Tode des Versicherten, wenn er früher stirbt.

(Abgekürzte Lebensversicherung.)

§. 182. Die Versorgungsanstalt schließt Verträge, wornach sie sich verbindlich macht, nach Erreichung eines bestimmten Lebensalters des Versicherten oder bei dem Tode desselben, wenn er früher erfolgt, ein im Voraus festgesetztes Kapital auszuzahlen. Die Auszahlung bei Lebzeiten erfolgt zu dem Zeitpunkte, in welchem gemäß §. 98 das festgesetzte Lebensalter erreicht wird, und zwar an demjenigen Tage, der dem Verfalltage der Jahresprämie entspricht.

Das versicherte Kapital soll nicht unter 1000 Mark betragen und durch 100 theilbar sein.

§. 183. Zwischen dem Zeitpunkte des Vertragsabschlusses und jenem, an welchem auch bei Lebzeiten des Versicherten das versicherte Kapital ausbezahlt werden soll, müssen mindestens 10 Jahre liegen.

§. 184. Der Versicherte muß beim Vertragsabschluß das 18. Lebensjahr vollendet und darf das 60. noch nicht zurückgelegt haben.

§. 185. Durch den Vertrag werden die Rechte eines Mitglieds der Anstalt erworben.

§. 186. Die Prämien sind:

1. entweder jährliche Prämien,
2. oder einmalige Einlagen von mindestens 100 Mark.

§. 187. Die jährlichen Prämien werden erstmals bei dem Vertragsabschlusse und letztmals an dem Verfalltage, welcher dem zur Auszahlung des versicherten Kapitals bestimmten Jahre vorausgeht, oder, wenn der Versicherte früher stirbt, an dem seinem Todestage vorhergehendem Verfalltage bezahlt.

§. 188. Die nachstehende Tabelle gibt die Größe der jährlichen Prämie und einmaligen Einlage für 1000 Mark versichertes Kapital beispielsweise für die Fälle an, in welchen das erreichte Alter von 35, 40, 45, 50, 55, 60, 65 oder 70 Jahren das im Voraus festgesetzte Lebensalter ist.

Alter beim Eintritt.	Alter, in welchem das versicherte Kapital bei Lebzeiten ausbezahlt wird: 35 Jahre. Jährliche Prämie.		Einmalige Einlage.		40 Jahre. Jährliche Prämie.		Einmalige Einlage.		45 Jahre. Jährliche Prämie.		Einmalige Einlage.		50 Jahre. Jährliche Prämie.		Einmalige Einlage.		Alter beim Eintritt.
	Prämie für 1000 ℳ versichertes Kapital:																
	ℳ	₰	ℳ	₰	ℳ	₰	ℳ	₰	ℳ	₰	ℳ	₰	ℳ	₰	ℳ	₰	
18	58	74	721	62	43	53	630	17	34	38	557	46	28	46	[illegible]	53	18
19	62	97	743	36	45	95	646	83	35	91	570	67	29	81	511	31	19
20	67	77	765	95	48	61	664	15	37	58	584	79	30	64	[illegible]	46	20
21	73	30	786	57	51	59	682	31	39	10	599	43	31	96	[illegible]	81	21
22	79	71	810	21	54	91	701	31	41	41	614	72	33	19	546	11	22
23	87	73	834	96	58	66	720	22	43	62	630	78	34	64	559	71	23
24	96	18	860	88	62	92	742	10	46	08	647	66	36	23	573	48	24
25	106	98	888	—	67	73	764	—	48	81	665	40	37	97	587	90	25
26					73	39	786	92	51	87	683	90	39	68	602	14	26
27					79	90	810	86	55	29	703	42	41	99	617	02	27
28					87	53	836	86	59	15	723	71	44	31	635	42	28
29					96	67	861	94	63	50	744	86	46	87	653	37	29
30					107	45	889	11	68	46	765	88	49	69	670	87	30
31									74	14	789	79	52	59	689	34	31
32									80	79	813	64	56	31	708	92	32
33									88	38	838	46	60	22	729	98	33
34									97	46	864	31	64	45	750	05	34
35									108	35	891	23	69	62	771	75	35
36													75	85	794	41	36
37													81	91	817	92	37
38													89	02	843	41	38
39													98	81	869	38	39
40													109	74	899	49	40

Alter beim Eintritt.	Alter, in welchem das versicherte Kapital bei Lebzeiten ausbezahlt wird:																Alter beim Eintritt.
	55 Jahre.				60 Jahre.				65 Jahre.				70 Jahre.				
	Prämie für 1000 ℳ versichertes Kapital:																
	Jährliche Prämie.		Einmalige Einlage.		Jährliche Prämie.		Einmalige Einlage.		Jährliche Prämie.		Einmalige Einlage.		Jährliche Prämie.		Einmalige Einlage.		
	ℳ	₰	ℳ	₰	ℳ	₰	ℳ	₰	ℳ	₰	ℳ	₰	ℳ	₰	ℳ	₰	
18	24	48	456	27	21	79	423	33	20	01	399	87	18	87	384	28	18
19	25	25	465	17	22	38	430	76	20	48	406	25	19	28	389	97	19
20	26	06	474	36	23	—	438	41	20	98	412	80	19	71	396	79	20
21	26	93	484	06	23	66	446	51	21	51	419	76	20	16	402	—	21
22	27	88	494	22	24	37	454	99	22	09	427	05	20	65	408	50	22
23	28	90	504	93	25	14	463	95	22	70	434	77	21	18	415	39	23
24	30	01	516	24	25	98	473	48	23	37	442	99	21	75	422	74	24
25	31	22	528	19	26	88	483	62	24	10	451	71	22	37	430	58	25
26	32	55	540	76	27	87	494	13	24	88	460	92	23	03	438	86	26
27	33	98	553	91	28	93	505	23	25	72	470	57	23	75	447	54	27
28	35	54	567	64	30	07	516	83	26	62	480	64	24	51	456	60	28
29	37	23	581	94	31	30	528	90	27	59	491	12	25	32	466	03	29
30	39	07	596	78	32	61	541	40	28	61	501	97	26	18	475	77	30
31	41	07	612	18	34	03	554	35	29	70	513	17	27	09	485	81	31
32	43	25	628	14	35	55	567	74	30	87	524	73	28	06	496	16	32
33	45	63	644	63	37	19	581	58	32	11	536	65	29	08	506	80	33
34	48	25	661	83	38	96	595	91	33	43	548	96	30	16	517	78	34
35	51	13	679	62	40	85	610	72	34	85	561	65	31	31	529	06	35
36	54	32	698	05	42	95	626	02	36	37	574	72	32	53	540	64	36
37	57	87	717	16	45	21	641	84	38		588	20	33	83	552	56	37
38	61	84	737	—	47	68	658	21	39	75	602	09	35	21	564	82	38
39	66	31	757	57	50	39	675	12	41	63	616	49	36	69	577	39	39
40	71	38	778	92	53	36	692	61	43	67	631	13	38	26	590	30	40
41	77	16	801	09	56	64	710	69	45	87	646	30	39	94	603	52	41
42	83	82	824	69	60	28	729	35	48	26	661	89	41	73	617	07	42
43	91	58	847	98	64	33	748	66	50	85	677	93	43	64	630	95	43
44	100	74	872	34	68	88	768	66	53	69	694	47	45	71	645	19	44
45	111	72	898	74	74	04	789	40	56	80	711	53	47	93	659	80	45
46					79	92	810	84	60	24	729	17	50	34	674	55	46
47					86	72	833	35	64	06	747	44	52	97	690	37	47
48					94	64	856	66	68	34	766	34	55	83	706	35	48
49					104	—	880	91	73	13	785	89	58	93	722	77	49
50					115	19	906	11	78	55	806	09	62	10	739	62	50
51									84	69	826	91	66	15	756	85	51
52									91	72	848	39	70	25	774	46	52
53									99	86	870	59	74	84	792	45	53
54									109	40	893	56	79	90	810	87	54
55									120	75	917	38	85	57	829	74	55
56													91	98	849	13	56
57													99	26	869	05	57
58													107	66	889	58	58
59													117	43	910	76	59
60													129	—	952	71	60

Dritter Theil.

Neben-Anstalten.

a. Sparkasse.

§. 139. Mit der Allgemeinen Versorgungsanstalt im Großherzogthum Baden ist eine Sparkasse verbunden, welche Gelegenheit bietet, kleinere Geldbeträge Zins und Zinseszins tragend anzulegen und anzusammeln.

§. 140. Das Rechtsverhältniß dessen, welcher eine Einlage in die Sparkasse macht, zu der Versorgungsanstalt ist das Rechtsverhältniß des Darleihers zum Anleiher.

§. 141. Der Einleger erhält bei der ersten Einlage von dem Verwaltungsrath ein Sparbüchlein, in welches die Einlagen eingetragen und von dem Kassier und einem weiteren Anstaltsbeamten bescheinigt werden.

§. 142. Die Sparbüchlein werden auf den Namen desjenigen ausgestellt, der die Einlage gemacht hat, oder in dessen Namen sie gemacht wurde.

Soll die Einlage mit Zins, Zinseszinsen und Dividenden an einen Dritten zurückbezahlt werden, so ist dies in dem Sparbüchlein zu bemerken.

§. 143. Der Verwaltungsrath und Ausschuß ist ermächtigt, die Annahme von Einlagen zur Sparkasse auf längere oder kürzere Zeit einzustellen.

Der Verwaltungsrath ist ermächtigt, die Annahme einzelner Einlagen ohne Angabe eines Grundes abzulehnen.

§. 144. Eine Einlage muß mindestens 1 Mark betragen. In einem Monat können von demselben Einleger nicht mehr als 100 Mark einbezahlt werden.

§. 145. Die Versorgungsanstalt verzinst die Sparkasseneinlagen. Den Zinsfuß setzt der Verwaltungsrath und Ausschuß fest.

Die Verzinsung beginnt mit dem ersten Tage des auf die Einlage folgenden Monats. Für den Monat, in welchem die Rückzahlung erfolgt, wird kein Zins berechnet.

§. 146. Neun Zehntel des Zinses gehören sofort dem Einleger und werden am 31. Dezember eines jeden Jahres dem Kapital beigeschlagen und sind von da an wieder zinstragend.

Wenn jedoch die Interessenten es verlangen, so wird der an einem Jahresschluß verfallene Zins und Zinseszins nebst Dividende baar ausbezahlt und an dem Guthaben des Einlegers abgeschrieben.

§. 147. Das weitere Zehntel fällt in den Dividendenfond. Derselbe wird am Schlusse eines jeden Jahres als Dividende vertheilt.

§. 148. An der Vertheilung nehmen alle Personen Antheil, welche mindestens fünf Jahre — das Einlagejahr als voll gerechnet — Einleger der Sparkasse sind.

Den Vertheilungsmaßstab bildet das am Schluß des Vertheilungsjahres berechnete Sparguthaben aller zu Dividenden Berechtigten.

§. 149. Die beiderseitigen Aufkündigungstermine bei Sparguthaben sind:

1. vierzehn Tage bei Beträgen unter 1000 Mark;
2. vier Wochen bei Beträgen von 1000 bis 4000 Mark;
3. drei Monate bei Beträgen über 4000 Mark;

Wenn übrigens die Kasse bereite Zahlungsmittel besitzt, so wird sie die Rückzahlung auf Anfordern auch sogleich leisten.

§. 150. Im Falle der vollständigen Zurückzahlung der Einlagen ist das Sparbüchlein zurückzugeben neben der Empfangsbescheinigung. Hinsichtlich der Auszahlung gelten die Bestimmungen der §§. 21 und 23.

Für Abschlagszahlungen ist eine besondere Quittung auszustellen, die geschehene Auszahlung aber im Sparbüchlein vorzumerken.

§. 151. Die Sparbüchlein sind jeweils im Monat Januar dem Verwaltungsrathe vorzulegen, welcher sofort das Guthaben auf den Stand des 31. Dezember des vorhergehenden Jahres berechnen läßt und durch Unterschrift des Direktors und eines Mitglieds des Verwaltungsraths oder eines Beamten der Anstalt bescheinigt.

§. 152. Für die Erfüllung der bei den Einlagen in die Sparkasse übernommenen Verbindlichkeiten haftet die Anstalt mit ihrem Gesammtvermögen.

§. 153. Wenn es der Verwaltungsrath und Ausschuß für angemessen erachten, daß nicht allein bei der Hauptkasse in Karlsruhe, sondern auch auswärts bei Geschäftsfreunden oder bei Filialsparkassen Einlagen gemacht werden können, so wird der Verwaltungsrath die geeigneten Kontrolvorschriften erlassen.

§. 154. Wird durch die Verwaltung der Anstalt selbst eine Einlage der Sparkasse überwiesen, so wird für sie statt eines Sparbüchleins ein Konto eröffnet, welches sich lediglich auf den zugewiesenen Betrag beschränkt.

Nach Ablauf von 30 Jahren — vom Tage der Ueberweisung an gerechnet — sind alle Ansprüche an die Anstalt erloschen, sofern solche nach den vorhergehenden Bestimmungen nicht schon früher verfallen waren.

Die Einlage wird alsdann dem Reservefond der Abtheilung, welcher sie vor der Ueberweisung angehörte, zurückerstattet, mit Ausnahme jedoch der verjährten Tontineneinlagen, welche zur Bestreitung der Verwaltungskosten verwendet werden.

Wird das der Sparkasse Ueberwiesene innerhalb 30 Jahren von dem Bezugsberechtigten erhoben, so erhält er nur die baare Einlage.

§. 155. Wie der bei Inkrafttreten dieser Statuten vorhandene Reservefond der Sparkasse zu Gunsten der Einleger zu verwenden ist, darüber hat der Verwaltungsrath und Ausschuß zu entscheiden.

b. Hinterlegungskasse.

§. 156. Die Versorgungsanstalt bietet Gelegenheit zur Hinterlegung baaren Geldes in jedem Betrage dar, haftet dafür mit ihrem Vermögen und benutzt das Hinterlegte gegen Verzinsung zu den Zwecken der Anstalt.

§. 157. Die Versorgungsanstalt verzinst solche Kapitalien. Der Verwaltungsrath setzt den Zinsfuß fest.

§. 158. Der Zins läuft vom ersten Tag des auf die Einlage folgenden Monats. Können jedoch die der Anstalt anerbotenen Kapitalien voraussichtlich nicht schnell genug untergebracht werden, so soll für den Anfang des Zinsenlaufes ein späterer Termin bedungen werden.

Der Zins wird beim Rechnungsabschlusse wieder zinstragend, wenn nicht die Interessenten dessen baare Auszahlung verlangen.

§. 159. Die Rückzahlung der Kapitalien geschieht baar gegen Zurückgabe der von der Anstalt ausgestellten Urkunden und auf ordnungsmäßige Bescheinigung.

Die Anstalt ist berechtigt, den Vorzeiger des Hinterlegungsscheins, wenn ihr nicht das Gegentheil bekannt ist, als den Empfangsberechtigten anzusehen und an ihn giltige Zahlung zu leisten. Es kann jedoch auch bedungen werden, daß die Zahlung nur an eine bestimmte, sich der Anstalt gegenüber als solche legitimirende Person geschehen dürfe.

§. 160. Für den Monat, in welchem die Rückzahlung erfolgt, wird kein Zins bezahlt.

Für Kapitalien, die innerhalb der drei ersten Monate zurückgezogen werden, findet ebenfalls keine Zinsvergütung statt.

§. 161. Die Aufkündigungstermine sind folgende:

1. vierzehn Tage bei Kapitalien unter 1000 Mark;
2. vier Wochen bei Kapitalien von 1000 bis mit 4000 Mark;
3. drei Monate bei Kapitalien über 4000 Mark bis mit 40,000 Mark;
4. sechs Monate bei Kapitalien über 40,000 Mark.

Wenn übrigens die Kasse bereite Zahlungsmittel besitzt, so ist sie berechtigt, die Rückzahlung auch vor dem Ablaufe der bestimmten Termine eintreten zu lassen.

Dieselbe geschieht in deutschem Reichsgeld, ohne Rücksicht auf die Geldsorten, in welchen die Hinterlegung geschehen ist.

§. 162. Die Kapitalien sind kostenfrei zur Kasse der Anstalt abzuliefern und bei dieser wieder in Empfang zu nehmen.

Geschäftsfreunde der Anstalt können sich mit Empfangnahme oder Rückzahlung solcher Gelder nur auf besondere Anweisung der Verwaltung befassen.

§. 163. Für die der Kasse übergebenen Kapitalien wird ein vom Direktor des Verwaltungsraths, vom Kassier und vom Kontroleur unterzeichneter Hinterlegungsschein ausgefertigt.

§. 164. Die Benutzung der hinterlegten Gelder zum Vortheil der Anstalt geschieht auf dieselbe Weise, wie dies in §. 26 ff. rücksichtlich des Aktiv-Vermögens der Anstalt vorgeschrieben ist.

Der Generalversammlung wird hierüber Rechenschaft abgelegt.

c. Kinderversorgungsvereine.

§. 165. Die Versorgungsanstalt bildet auf Gegenseitigkeit beruhende Vereine, welche für Kinder, die in einem und demselben Jahre geboren sind, Einlagen sammeln, um sie mit Zinsen und Zinseszinsen an die nach zurückgelegtem 21. Lebensjahr noch Lebenden der eingeschriebenen Kinder zu vertheilen.

Als Alter des Kindes wird das Lebensjahr angesehen, welches im Beitrittsjahre zurückgelegt wird.

§. 166. Die Versorgungsanstalt verwaltet das Vermögen dieser Vereine gegen Bezug eines Antheils an seinem Ertrage.

Sie haftet für das übernommene Vermögen, wie für ein ihr gemachtes Darleihen.

§. 167. Derjenige, welcher die Einlage macht, wird der Einleger, Derjenige, zu dessen Gunsten sie gemacht wird, der Eingeschriebene genannt.

§. 168. Wer dem Vereine beitreten will, übergibt der Verwaltung in Karlsruhe oder auswärts einem Geschäftsfreunde einen Anmeldeschein unter Anschluß eines genügenden Nachweises des Geburtsjahres des einzuschreibenden Kindes und entrichtet den Betrag von mindestens einer Einlage.

Er erhält dagegen eine Bescheinigung der Hauptkasse oder des Geschäftsfreundes, welche innerhalb acht Wochen nach Konstituirung des Vereins oder nach dem Beitritt, wenn dieser erst nach der Konstituirung des Vereins geschehen ist, in eine von dem Direktor, dem Kassier und dem Kontroleur unterzeichnete und mit dem Stempel der Anstalt versehene Aufnahmsurkunde umgetauscht wird.

Geschieht dies nicht, so ist der Einleger gehalten, innerhalb weiterer acht Wochen der Verwaltung unmittelbare Anzeige zu machen, widrigenfalls ihm die Versorgungsanstalt für seine Einlage nicht weiter haftet.

§. 169. Die Zahl der Einlagen für ein Kind ist unbeschränkt.

§. 170. Für ein Kind, welches im Jahre der Anmeldung das 10. Lebensjahr zurückgelegt hat oder zurücklegt, können Einlagen nicht mehr gemacht werden.

§. 171. Man kann nur zu Gunsten des eingeschriebenen Kindes, nicht zu Gunsten eines Dritten einlegen.

Bis zur Theilung des Vereinsvermögens ist der Einleger oder dessen Rechtsnachfolger der Berechtigte; bei der Theilung oder später der Eingeschriebene oder wenn er zwar das Jahr der Theilung, nicht aber die Theilung selbst erlebte, sein Rechtsnachfolger.

Ist der Eingeschriebene vor dem Jahre der Theilung gestorben, so ist der Einleger oder dessen Rechtsnachfolger bei der Theilung zum Bezug der etwa zurückzuerstattenden Beiträge berechtigt (§. 172).

§. 172. Eine Einlage beträgt jährlich 10 Mark (11 M. 50 Cts.), welche steigt, je nachdem die erste Einzahlung früher oder später gemacht wird.

Die Einlage muß jährlich so lange bis zum 31. Dezember desjenigen Jahres fortentrichtet werden, in welchem die in dem Jahresverein eingeschriebenen Kinder das 21. Lebensjahr zurückgelegt haben.

Stirbt ein Eingeschriebener im Eintrittsjahr, so ist sein Beitrag für dieses Jahr dem Vereine verfallen; weitere Beiträge sind nicht zu leisten.

Stirbt er später, aber vor zurückgelegtem 21. Lebensjahr, so wird der Beitrag für das Jahr seines Todes und die folgenden nicht mehr erhoben. Die früheren Beiträge sind dem Vereine verfallen.

Es kann für den Fall, daß der Eingeschriebene das 21. Lebensjahr nicht zurücklegt, auch bedungen werden, daß die Beiträge für denselben dem Vereine nicht verfallen, sondern zur Zeit der Vertheilung (§§. 182 und 183) zurückerstattet werden sollen. Für diesen Fall sind erhöhte Beiträge zu leisten (siehe die Tabelle zu §. 174).

Eine solche Bestimmung bezieht sich jedoch nicht auf Zinsen und Zinseszinsen, welche jedenfalls dem Vereine verbleiben.

§. 173. Ein Vereinsantheil kann auch — statt durch jährliche Einzahlungen — durch eine einmalige Kapitalzahlung erworben werden.

Diese Einlage ist größer, je später sie gemacht wird.

Stirbt das eingeschriebene Kind vor zurückgelegtem 21. Lebensjahr, so ist sie dem Verein verfallen, wenn nicht ihre Zurückerstattung bedungen wurde.

Für diesen Fall ist der Beitrag ein erhöhter. Die Zurückerstattung erfolgt erst bei Vertheilung des Vereinsvermögens (§§. 183 u. ff.)

§. 174. Die für einen Vereinsantheil zu zahlenden Beiträge sind aus nachfolgender Tabelle zu ersehen.

Alter beim Eintritt.	Jährlicher		Einmaliger		Jährlicher		Einmaliger	
	Beitrag mit Rückvergütung.				Beitrag ohne Rückvergütung.			
	für einen Antheil.							
	ℳ	₰	ℳ	₰	ℳ	₰	ℳ	₰
0	10	76	145	89	10	—	118	[illegible]
1	11	62	164	85	10	93	143	41
2	12	50	176	94	11	62	158	55
3	13	45	186	49	12	78	169	83
4	14	49	196	09	13	82	179	59
5	15	65	208	25	14	97	188	36
6	16	96	211	49	16	26	197	34
7	18	44	219	60	17	72	205	93
8	20	12	227	66	19	39	214	19
9	22	08	235	94	21	81	221	76

§. 175. Die Einzahlungen müssen längstens im Dezember des betreffenden Jahres bei der Hauptkasse oder einem Geschäftsfreunde der Anstalt gemacht werden.

§. 176. Wird die Frist nicht eingehalten, so kann die Zahlung noch bis zum 31. Dezember des folgenden Jahres erfolgen.

In diesem Falle ist für jeden Monat, um welchen sich die Zahlung verspätet, eine Konventionalstrafe von 1 % zu erheben.

Jeder begonnene Monat wird als voll gerechnet.

Wenn der verfallene Beitrag derjenige ist, welcher in dem der Vertheilung vorausgehenden Jahre zu zahlen war, so ist eine verspätete Zahlung nicht zulässig.

§. 177. Werden die Zahlungsfristen versäumt, so ist der Eingeschriebene von der Vertheilung ausgeschlossen, es werden ihm aber, wenn er das Vertheilungsjahr erlebt, bei der Vertheilung die bezahlten Beiträge — jedoch ohne Zinsen und Zinseszinsen, welche dem Vereine verfallen — zurückerstattet.

§. 178. Die Versorgungsanstalt verzinst dem Vereine alle seine Einnahmen vom 1. Januar des auf die Einzahlung folgenden Jahres an mit $^{9}/_{10}$ des Normalzinses der Anstalt, also dermalen mit $3^{3}/_{20}$ %.

Die am 31. Dezember jeden Jahres verfallenen Zinsen werden vom 1. Januar des folgenden Jahres an wieder verzinst.

Die Verzinsung hört mit dem 31. Dezember des der Vertheilung vorhergehenden Jahres auf.

§. 179. Ein Jahresverein ist gebildet, wenn mindestens 10 Kinder eingeschrieben und am Leben sind.

Der Verwaltungsrath macht die Konstituirung des Jahresvereins öffentlich bekannt.

Ist die Bildung eines Jahresvereins im Laufe der ersten zwei Jahre, welche auf das Jahr folgen, in welchem der Beitritt zu demselben eröffnet worden, nicht zu Stande gekommen, so werden die Einlagen mit Zinsen und Zinseszinsen zurückgegeben (§. 178).

§. 180. Längstens im Monat Mai desjenigen Jahres, welches auf das Jahr folgt, in welchem die Eingeschriebenen 21 Jahr alt geworden sind, wird das Gesammt-Vermögen des Jahresvereins vertheilt.

§. 181. Es haben daher alle Eingeschriebenen, welche am 1. Januar des Vertheilungsjahres noch leben, längstens bis zum 1. Februar dieses Jahres sich — unter Hinweisung auf die Nummern ihrer Einlagen und unter Vorlage eines genügend beglaubigten Lebenszeugnisses — zur Theilnahme an der Vermögenstheilung zu melden.

Erachtet der Verwaltungsrath den Nachweis der Berechtigung zur Theilnahme an der Vertheilung oder das Lebenszeugniß nicht für genügend, so gibt er zur Ergänzung eine weitere Frist von 14 Tagen.

Wird diese Frist nicht eingehalten, oder sind die weiter eingereichten Beweisstücke abermals nicht genügend, so geschieht die Vertheilung ohne Berücksichtigung der erhobenen Ansprüche, und der Anfordernde wird für immer von der Theilnahme an dem Vermögen des Vereins ausgeschlossen.

§. 182. Ist der Eingeschriebene vor dem Vertheilungsjahr gestorben, und war die Rückerstattung seiner Beiträge bedungen, so hat der Einleger oder sein Rechtsnachfolger — unter Hinweisung auf die Nummern der Einlagen und unter Vorlage eines genügend beglaubigten Sterbzeugnisses — seine Ansprüche in den Fristen des vorhergehenden Paragraphen bei Vermeidung des Ausschlusses zu begründen oder zu ergänzen.

§. 183. Der Verwaltungsrath setzt sofort das Vermögen des Jahresvereins fest.

Davon bringt er in Abrechnung:

a. was an Diejenigen, welche die Zahlungsfristen versäumt haben, zurückzuerstatten ist (§. 177);
b. und was nach erfolgtem Tode des eingeschriebenen Kindes an diejenigen zurückbezahlt werden muß, welche sich für diesen Fall die Rückerstattung ihrer Beiträge ausbedungen hatten (§. 172).

Der Rest bildet das zu vertheilende Vermögen.

Sofort setzt der Verwaltungsrath die Zahl der Einlagen fest, welche zur Theilnahme an der Vermögenstheilung berechtigen.

Die Zahl dieser Einlagen bildet den Vertheilungsmaßstab.

§. 184. Diejenigen noch lebenden fünf Einleger, welche sich mit den meisten Einlagen betheiligt hatten und in Karlsruhe wohnen, werden von dem Verwaltungsrath aufgefordert, die Rechnung und Vertheilung zu prüfen.

Ein solcher Einleger kann auch einen der von ihm Eingeschriebenen beauftragen, sich statt seiner bei der Prüfung zu betheiligen.

Wohnen zur Zeit der Vertheilung keine fünf Einleger mehr in Karlsruhe, so ist die fehlende Zahl durch diejenigen dort wohnenden Eingeschriebenen zu ergänzen, welche mit den meisten Einlagen betheiligt sind.

Ist dies unthunlich, so erfolgt die Ergänzung durch die höchstbetheiligten auswärts wohnenden Einleger oder — bei deren Ermangelung oder Verhinderung — durch die höchstbetheiligten auswärts wohnenden Eingeschriebenen.

Das Ergebniß der Prüfung ist sofort mit der Rechnung und dem Vertheilungsentwurf 14 Tage lang auf dem Bureau der Versorgungsanstalt zur Einsicht durch die Betheiligten und zum Vortrage ihrer etwaigen Bemerkungen aufzulegen.

Später erhobene Ansprüche können nicht mehr geltend gemacht werden.

Anträge, welche von der Prüfungskommission oder von einem andern Betheiligten gestellt werden, und welchen der Verwaltungsrath nicht entsprechen zu können glaubt, sind, wenn darauf bestanden wird, in einer gemeinschaftlichen Sitzung des Verwaltungsraths und Ausschusses und der fünf Mitglieder der Prüfungskommission endgiltig zu entscheiden.

Jede gerichtliche oder schiedsrichterliche Entscheidung ist ausgeschlossen.

§. 185. Nach erfolgter Feststellung der Vertheilung erläßt der Verwaltungsrath an die Betheiligten eine öffentliche Aufforderung, ihre Antheile an dem Vereinsvermögen von einer bestimmten Zeit an bei der Hauptkasse der Anstalt in Empfang zu nehmen.

§. 186. Die Zahlung geschieht bei der Hauptkasse in Karlsruhe gegen die Zurückgabe der Aufnahmsurkunde an den Vorzeiger derselben, welcher als der Empfangsberechtigte oder als von diesem zur Empfangnahme der zu erhebenden Summe bevollmächtigt gilt.

Die Versorgungsanstalt ist jedoch zu einer Prüfung der Legitimation berechtigt, wiewohl nicht verpflichtet.

§. 187. Wenn die zu zahlenden Gelder am Schlusse des Vertheilungsjahres noch unerhoben sind, so werden sie am 1. Januar des folgenden Jahres der Sparkasse überwiesen (§. 154).

§. 188. Falsche Angaben des Einlegers oder Eingeschriebenen oder eines Bezugsberechtigten zum Nachtheile des Vereins, sei es beim Eintritt, sei es Behufs der Schlußabrechnung und Vertheilung, werden nach den Grundsätzen der §§. 24 und 25 behandelt.

§. 189. Ist ein Verein vor dem Vertheilungsjahr ausgestorben, so ist sein Vermögen, soweit es nicht zurückerstattet werden muß (§. 172), der Versorgungsanstalt verfallen und wird nach den §§. 28—30 behandelt.

Anhang

(vergl. §. 3 Abs. 1).

§. 9 des Badischen zweiten Constitutions-Edikts.

Wenn mehrere Staatsbürger unter einer leitenden Gesellschaftsgewalt sich verbinden, um damit die Erreichung eines Lebenszwecks und den Genuß der davon abquellenden Vortheile zu sichern, und wenn dabei für steten Nachwuchs neuer Glieder statt der Abgehenden gesorgt wird, so entsteht damit eine ewige Gesellschaft; ist nun der Zweck einer solchen Gesellschaft zugleich ein Theil des Staatszwecks und in dieser Hinsicht einer besonderen Staatseinwirkung empfänglich und bedürftig, ist also diese Gesellschaft eine ewige Staatsgesellschaft, so bedarf sie eben wegen dieser ihrer engen Verbindung mit dem Staatszweck einer eigenen landesherrlichen Bestätigung und festbestimmten Beiwirkung; ohne diese ist sie ein strafbares Unternehmen. Durch diese erst erlangt sie das Recht der Untheilbarkeit (nämlich, daß einzelne Glieder auf die Aufhebung der Vereinigung und die Theilung des Gemeinvermögens nicht dringen können) und der Sicherheit gegen geänderte künftige Ansichten der einzelnen Glieder, sodann das Recht der Persönlichkeit, nämlich die Befähigung der Gesellschaft im Ganzen zu allen Rechten und Vortheilen, welche ein einzelner Mensch als Staatsbürger zu genießen hat, und den Staatsschutz, mit allen seinen Rechtswirkungen. Das zehnjährige Dasein einer solchen Staatsgesellschaft, wenn es von der Staatsobrigkeit gekannt und geduldet wurde, gilt für eine stillschweigende Bestätigung. Jede auf eine oder die andere Art bestätigte ewige Staatsgesellschaft ist eine Körperschaft; sie hat als Verein im Ganzen alle jene Rechte und Pflichten, welche ein einzelner Staatsbürger in dieser staatsbürgerlichen Eigenschaft hat, soweit nicht die Vereinsbestätigung sie von einem oder anderem ausschließt; sie hat aber auch darin keine Vorzüge, als die ihr ein Gnadenbrief namentlich zugelegt; sie hat jedes Recht der Gemeinden, soweit dieses nicht auf den Besitz einer Markung gewurzelt ist; sie bleibt stets dem landesherrlichen Auflösungs- und Umgestaltungsrecht unterworfen, für jene Fälle, wo ihr Zweck durch Ausartung oder Veränderung der Umstände mit dem Staatszweck im Gegenstoß verfällt. Im Auflösungsfall wird das Einbringen der lebenden Mitglieder zu einem ihnen rückfälligen Eigenthum, so weit es nicht als Erkauf einer Lebsucht zugleich angesehen werden müßte, und diese Lebsucht durch Pensionirung, oder auf andere Art fortgereicht würde, in welchem Falle es demjenigen zufällt, welcher diese leistet; das Stiftungsgut (worunter alles einzubegreifen ist, was von einzelnen Eigenthümern zur Beförderung des Zwecks der Körperschaft eigens gewidmet worden, und dessen Widmung noch bekannt und erweislich ist) muß zu anderen fortdauernden Zwecken, die den vorigen am nächsten sind, verwendet werden; das Errungenschaftsgut aber, nämlich jenes, was theils durch Einbringen verstorbener Gesellschaftsglieder, theils sonst auf jede andere gemeine Erwerbsweise erworben oder vorgespart worden, wird zu herrenlosem Gut. Wer die leitenden Gewalthaber zu setzen habe, welche Befugnisse der Leitung diesen zustehen, wie weit solche für sich allein, oder mit Beiwirkung aller oder einzelner Körperschaftsgenossen zu handeln haben, welche Zwangsbefugnisse diesen für ihre Anordnungen allenfalls zustehen, oder ob sie lediglich durch Ansuchen obrigkeitlicher Hilfe handeln müssen, endlich wie weit ihre Schlüsse einer ausdrücklichen oberherrlichen Genehmigung bedürfen: dieses müssen die Grundgesetze jeder Körperschaft bestimmen; was darinnen nicht bestimmt ist, verordnet die Oberpolizei nach Ermessen. In jedem Falle bleibt für alle [illegible] oder Ordnungen einer Körperschaft, in so weit sie auf den [illegible] haben, der Oberpolizeibehörde das Recht der Minderung oder Mehrung, [illegible] jedoch die Privatrechte der Gesellschaftsglieder nicht antasten, sondern gleichmäßig erhalten und schirmen muß.

Karlsruhe. – Heinrich Gutsch.

Amtsblatt
der Königlichen Regierung zu Potsdam und der Stadt Berlin.

Stück 45. Den 9. November **1888.**

Allerhöchster Erlaß.

Auf Ihren Bericht vom 9. September d. J. genehmige Ich in Erweiterung der Königlichen Verordnung vom 31. März 1883, daß bei den von der Staatsbauverwaltung auf Grund des Gesetzes vom 6. Juni 1888 (G.-S. S. 238 f.) auszuführenden Bauten zur Verbesserung des Spreelaufs innerhalb der Stadt Berlin und bis zur Einmündung der Spree in die Havel zur Erwerbung und zur dauernden Beschränkung des erforderlichen Grundeigenthums das Enteignungsverfahren nach Maßgabe des Gesetzes vom 11. Juni 1874 (G.-S. S. 221 ff.) zur Anwendung gebracht werde.

H.-O. Müncheberg, den 17. September 1888.

gez. **Wilhelm.** R.

ggez. v. Maybach.

An den Minister der öffentlichen Arbeiten.

Bekanntmachungen des Königlichen Regierungs-Präsidenten.

Schuhmacher-Innung zu Werder.

286. Auf Grund des § 100e. № 3 der Reichsgewerbe-Ordnung in der Fassung des Gesetzes vom 18. Juli 1881 und der Ausführungs-Anweisung hierzu vom 9. März 1882 — I. 1a. 2 — bestimme ich hierdurch für den Bezirk der Schuhmacher-Innung zu Werder,

daß diejenigen Arbeitgeber, welche das Schuhmacher-Gewerbe betreiben und selbst zur Aufnahme in die Innung fähig sein würden, gleichwohl aber derselben nicht angehören, vom 1. Mai 1889 ab Lehrlinge nicht mehr annehmen dürfen.

Ich bringe dies mit dem Bemerken hierdurch zur Kenntniß, daß der Bezirk der genannten Innung den Bezirk der Stadt Werder, sowie der Gemeinden Glindow, Bliesendorf, Ferch, Neu-Töplitz des Kreises Zauch-Belzig und Alt- und Neu-Geltow des Kreises Ost-Havelland umfaßt.

Potsdam, den 28. Oktober 1888.

Der Regierungs-Präsident.

Gefährlichkeit der sogenannten Carbon-Natron-Oefen.

287. Seit einiger Zeit werden, soviel bekannt, bisher allein von der Firma Alwin Nieske in Dresden, sogenannte Carbon-Natron-Oefen in den Handel gebracht, welche nach den veröffentlichten Prospecten für Gesundheit und Leben durchaus gefahrlos sein sollen, indem angeblich das Feuerungsmaterial nur Kohlensäure produciere und bei vorschriftsmäßiger Verwendung der Oefen in Schlaf- und Wohnräumen die Heizgase durch einen Gummischlauch ins Freie abgeführt werden.

In neuerer Zeit sind in Folge der Benutzung eines solchen Ofens kurz nacheinander zwei Fälle vorgekommen, in denen ein Mensch an der Gesundheit geschädigt bezw. getödtet worden ist.

In Folge dieser Unglücksfälle ist ein Gutachten des Direktors der hygienischen Institute der Universität zu Berlin, Geheimen Medicinalraths Professors Dr. Koch über die Frage wegen der Gefährlichkeit dieser Oefen erfordert, aus welchem hervorgeht, daß die bezeichneten Oefen thatsächlich als gemeingefährlich anzusehen sind.

Es wird daher vor deren Ankauf und Ingebrauchnahme hierdurch gewarnt.

Potsdam, den 26. Oktober 1888.

Der Regierungs-Präsident.

Viehseuchen.

288. Die wegen Verdachts der Ansteckung mit Rotz unter Observation gestellten beiden Pferde des Fabrikbesitzers Hagelberg (s. Amtsblatt Stück 44 S. 414) sind von Pankow nach Berlin gebracht worden, wo die polizeiliche Beobachtung derselben fortgesetzt wird.

Potsdam, den 5. November 1888.

Der Regierungs-Präsident.

Bekanntmachungen des Königlichen Polizei-Präsidiums zu Berlin.

Die Commercial Union Assurance Company Limited zu London betreffend.

111. Diesem Stück des Amtsblattes ist eine Extra-Beilage beigefügt, welche einen von der außerordentlichen General-Versammlung der Commercial Union Assurance Company Limited zu London am 13ten März d. J. gefaßten Spezial-Beschluß, betreffend Abänderung des § 158 der Gesellschafts-Statuten bezw. der dazu ergangenen Spezial-Beschlüsse vom 8. März 1870 und 14. März 1877, sowie die darauf bezügliche staatliche Genehmigungs-Urkunde vom 31. August 1888 enthält.

Hierauf wird mit dem Bemerken hingewiesen, daß die Concession für die vorgenannte Gesellschaft zum Geschäftsbetriebe der Feuerversicherung in Preußen vom 20. Oktober 1885 und die Statuten in der Extra-Beilage zum 5. Stück des Amtsblattes der Königlichen Regierung zu Potsdam und der Stadt Berlin vom 29. Januar 1886 veröffentlicht worden sind.

Berlin, den 26. Oktober 1888.

Der Polizei-Präsident.

Anlegung von Apotheken.

112. Der Herr Ober-Präsident der Provinz Brandenburg hat durch Erlaß vom 17. dieses Monats die Anlage von neuen Apotheken in Berlin an folgenden Punkten genehmigt: 1) ungefähr an der Ecke der Liegnitzer- und Reichenbergerstraße, 2) am Hansaplatz, 3) am Kronprinzenufer in der Gegend der Roon- und Hindersinstraße. Geeignete Bewerber werden zur Meldung binnen einer **Präklusivfrist von sechs Wochen** mit dem Bemerken hierdurch aufgefordert, daß **persönliche Vorstellungen** zwecklos sind und die an mich zu richtenden Bewerbungen **lediglich schriftlich** zu geschehen haben. Der Meldung sind beizufügen: a. Approbation und sonstige **physikatlich beglaubigte** Zeugnisse des Bewerbers, b. Lebenslauf, c. **amtlich beglaubigter** Nachweis über die zur Uebernahme bezw. Errichtung einer Apotheke erforderlichen Mittel, d. ein polizeiliches Führungs-Attest. Der Bewerber hat außerdem pflichtgemäß zu versichern, daß er eine Apotheke bisher nicht besessen hat oder — sofern dies der Fall sein sollte — die Genehmigung des Herrn Ministers der geistlichen, Unterrichts- und Medizinal-Angelegenheiten zur abermaligen Bewerbung um Apotheken-Neuanlagen vorzulegen. Gleichzeitig wird darauf hingewiesen, daß Gesuche von Bewerbern, welche seit 10 und mehr Jahren sich vom Apothekenfach abgewandt haben oder welche erst seit dem Jahre 1872 approbirt sind, bei der großen Zahl mehr berechtigter Bewerber zur Zeit keine Aussicht auf Erfolg haben. Die zu solchen Kategorien gehörigen Apotheker werden deshalb zur Vermeidung unnöthigen Schreibwerkes 2c. am besten von der Bewerbung absehen.

Berlin, den 26. Oktober 1888.

Der Polizei-Präsident.

Geheimmittel.

113. Mit Bezug auf eine Entscheidung des Königlichen Kammergerichts wird bekannt gemacht, daß der neuerdings vielfach öffentlich angepriesene „Königtrank von H. Gerting Belle-Alliancestraße Nr. 26 hierselbst" zu den Geheimmitteln im Sinne der diesseitigen Polizei-Verordnung vom 30. Juni 1887, betreffend das Verbot des Anpreisens von Geheimmitteln, zu rechnen ist.

Berlin, den 28. Oktober 1888.

Der Polizei-Präsident.

Verbot einer Broschüre.

114. Auf Grund des § 12 des Reichsgesetzes gegen die gemeingefährlichen Bestrebungen der Sozialdemokratie vom 21. Oktober 1878 wird hierdurch zur öffentlichen Kenntniß gebracht, daß die Broschüre: „Rathschläge für die sozialistische Agitation", Druck und Verlag von L. Hübscher, Hottingen, welche sich als eine vermehrte Auflage der von der Königlichen Kreishauptmannschaft zu Leipzig am 26. November 1885 verbotenen nichtperiodischen Druckschrift: Rathschläge für das politische Leben mit besonderer Berücksichtigung der Reichstagswahlen. Zürich 1885" darstellt, nach § 11 des gedachten Gesetzes durch den Unterzeichneten von Landespolizeiwegen verboten worden ist.

Berlin, den 31. Oktober 1888.

Der Königl. Polizei-Präsident.

Polizei-Verordnung.

115. Auf Grund der §§ 138, 139 und 43 [illegible] Gesetzes über die allgemeine Landesverwaltung [illegible] 30. Juli 1883 (Gesetz-Sammlung pag. 195 [illegible] verordne ich mit Zustimmung des Königlichen [illegible] präsidenten für den Stadtkreis Berlin, was folgt:

Die in der Polizei-Verordnung vom 6. [illegible] 1878 § 1 enthaltene Bestimmung, nach [illegible] Personendampfboote von mehr als 18 m [illegible] und 3,5 m Breite die Unterspree in [illegible] zwischen Eberts- und Unterbaum- (jetzt Kronprinz[illegible] Brücke nicht befahren dürfen, wird aufgehoben.

Berlin, den 29. Oktober 1888.

Der Polizei-Präsident.

Freiherr von Richthofen.

Anlegung einer Apotheke.

116. Nachdem der Apotheker Ernst Ha[illegible] welchem durch meine ihm am 31. März dieses Ja[illegible] behändigte Verfügung vom 20. desselben Monat[illegible] Genehmigung zur Anlegung einer Apotheke an der [illegible] der Potsdamer- und Alvenslebenstraße ertheilt ist, [illegible] Berlin verschwunden ist, ohne daß derselbe inzwischen von der betreffenden Concession Gebrauch gemacht ha[illegible] wird dieselbe hiermit zurückgenommen.

Potsdam, den 18. Oktober 1888.

Der Ober-Präsident,

Staatsminister gez. Dr. von Achenbach.

An den Königlichen Polizei-Präsidenten, Herrn Fre[illegible] herrn von Richthofen, Hochwohlgeboren, Berlin.

* * *

Vorstehenden Erlaß des Herrn Ober-Präsidenten der Provinz Brandenburg bringe ich hierdurch zur öffentlichen Kenntniß und mache gleichzeitig mit Ermächtigung desselben bekannt, daß die fragliche Apotheke mit [illegible] veränderten örtlichen Bezeichnung

„**ungefähr** an der Ecke der Potsdamer- [illegible] Alvenslebenstraße"

angelegt werden soll und hiermit nochmals ausgeschrieben wird.

Geeignete Bewerber werden zur Meldung binnen einer **Präklusivfrist von sechs Wochen** mit dem Hinzufügen hierdurch aufgefordert, daß **persönliche Vorstellungen zwecklos** sind und die an [illegible] zu richtenden Bewerbungen **lediglich schriftlich** zu geschehen haben.

Der Meldung sind beizufügen:

a. Approbation und sonstige **physikatlich beglaubigte** Zeugnisse des Bewerbers,
b. Lebenslauf,
c. **amtlich beglaubigter** Nachweis über die [illegible] Uebernahme bezw. Errichtung einer Apotheke erforderlichen Mittel,
d. ein polizeiliches Führungs-Attest.

Der Bewerber hat außerdem pflichtgemäß zu versichern, daß er eine Apotheke bisher nicht besessen ha[illegible] oder — sofern dies der Fall sein sollte, die Genehmigung des Herrn Ministers der geistlichen, Unterrichts-

ınd Medicinal-Angelegenheiten zur abermaligen Bewer-ɔung um Apotheken-Neuanlagen vorzulegen.

Gleichzeitig wird darauf hingewiesen, daß Gesuche ·on Bewerbern, welche seit mehr als 10 Jahren sich om Apothekenfach abgewandt haben oder welche erst :it dem Jahre 1872 approbirt sind, bei der großen ;ahl mehr berechtigter Bewerber zur Zeit keine Aus-ɔcht auf Erfolg haben.

Die zu solchen Kategorien gehörigen Apotheker ɔerden deshalb zur Vermeidung unnöthigen Schreib-ɔerks ꝛc. am besten von der Bewerbung absehen.

Berlin, den 28. Oktober 1888.

Der Polizei-Präsident.

Viehseuchen.

ı17. Wegen Ausbruchs der Maul- und Klauen-ɔuche unter den Schweinen ist der hiesige städtische :entralviehhof auf Grund des § 56 des Reichsgesetzes om 23. Juni 1880, betreffend die Abwehr und Unter-rückung von Viehseuchen, bis zum 15. dieses Monats egen den Abtrieb von Schweinen abgesperrt.

Berlin, den 1. November 1888.

Der Polizei-Präsident.

Bekanntmachungen des Staatssekretairs des Reichs-Postamts.

Einrichtung einer Postagentur in Viktoria (Kamerun).

ı. Zu Viktoria (in dem zum Weltpostverein :hörigen Deutschen Schutzgebiete von Kamerun) ist ne Kaiserliche Postagentur eingerichtet worden, welche ɔ mit der Beförderung von Briefsendungen aller Art nd von Postpacketen bis 5 kg befaßt.

Für Sendungen aus Deutschland nach Viktoria be-ägt das Porto:

r frankirte Briefe . . . . . 20 Pf. für je 15 g,
r Postkarten . . . . 10 Pf.,
r Drucksachen, Waarenproben
ıd Geschäftspapiere . . . . 5 Pf. für je 50 g,
indestens jedoch 10 Pf. für Waarenproben,
20 Pf. für Geschäftspapiere,
welchen Sätzen gegebenenfalls die Einschreibgebühr n 20 Pf. tritt;
r Postpackete bis 5 kg . . . 1 M. 60 Pf.

Berlin W., 25. Oktober 1888.

Der Staatssecretair des Reichs-Postamts.

ɔekanntmachungen der Kaiserlichen Ober-Postdirektion zu Berlin.

Unbestellbare Einschreibbriefe.

ı. Bei der Ober-Postdirektion in Berlin lagern ɔgende an den angegebenen Tagen in den Jahren ɔ86—1888 zur Post gegebenen Einschreibbriefe.

A. mit dem Bestimmungsorte Berlin: (im Jahre ɔ88) an Dralesch, 7. Mai, an Rahlson (Rückschein 1 Einschreibbrief), 26. Mai, an Schallemann, . Mai, an Kaiser, 31. Mai, an Weyner, . Mai, an Thiele, 4. Juni, an Markwald, Juni, an die Expedition der Zeitung, 8. Juni, an oehlke, 22. Juni, an Clus, 23. Juni, an Mücke, . Juni, an Bohnhof, 27. Juni, an Kohn, 27. Juni, Marggraf, 28. Juni, an Walter, 29. Juni, an Werner, 2. Juli, an Kratz, 7. Juli, an Lehmann, 12. Juli, an Südschlag bei Hertel, 13. Juli, an Halich, 15. Juli, an Schuricke, 17. Juli, an Brandes, 21. Juli, an Ring, 23. Juli, an Rieck, 25. Juli, an Liesegang, 25. Juli, an Blancke, 28. Juli, an Fiedler, 28. Juli, an Betcher, 1. August, an Benzien, 8. August, an Krause bei Blumenthal, 11. August, an Gerh. Neumann, 14. August, an Zink, 15. August, an Bethke, 17. August, an Theulliver, 18. August, an Krüger (Parochialstraße) 22. August, an Rottenbacher, 13. September.

B. mit anderen Bestimmungsorten: an Perlwitz in Talkahuanow (Chili), 20. Februar 1886, an Hammer in Los Angelos (Drucksache), 25. Mai 1887, im Jahre 1888: an v. Korff in Buenos-Ayres, 11. Februar, an Edwards in Milwaukee, 22. März, an Billig in Odessa (Mustersendung), 18. April, an Mingl in Petersburg, 26. April, an Russo in Wien, 6. Mai, an Kritzmann i. Charkow, 30. Mai, an Britzke in Fürstenwalde, 3. Juni, an Rotbücher in Paris, 9. Juni, an Blumenthal in Hamburg, 10. Juni, an Schüler in Cüstrin, 12. Juni, an Repke in Reinickendorf, 15. Juni, an Stiege in Augustfelde b. Prenzlau, 22. Juni, an Schilski in Friedrichsberg, 25. Juni, an Adolphi bei Fleischer in Teupitz, 2. Juli, an Rodelatis in Lukachewa b. Grebkowa (Rußland) 3. Juli, an Buyk in Wannsee, 4. Juli, an Dreeke in Friedrichsfelde, 10. Juli, an das Casino in Hamm bei Hamburg, 11. Juli, an Neuschatz in Jassy, 20. Juli, an Berg in Igls bei Innsbruck, 26. Juli, an Sr. Durchlaucht den Fürsten v. Bismarck in Friedrichsruhe, 9. August, an Seviecki für Bechnowsi in Ilowo (2 Briefe), 11. August.

Die unbekannten Absender der vorbezeichneten Sendungen werden ersucht, zur Empfangnahme derselben spätestens innerhalb vier Wochen — vom Tage des Erscheinens gegenwärtiger Bekanntmachung an gerechnet — bei der hiesigen Ober-Postdirektion sich zu melden, widrigenfalls mit den Sendungen nach den gesetzlichen Vorschriften verfahren werden wird.

Berlin C., den 31. Oktober 1888.

Der Kaiserl. Ober-Postdirektor.

Unanbringliche Briefe mit Werthinhalt.

72. Bei der Ober-Postdirektion in Berlin lagern folgende, bei hiesigen Postanstalten an den bezeichneten Tagen im Jahre 1888 aufgelieferte Briefe, in welchen bei der Eröffnung die dabei vermerkten Beträge gefunden worden sind: an Krause (Baurath), Ackerstr. 49 in Berlin, 300 M., 8. Mai 1888, an Frau Schischenkowa in Petersburg, 1 M. 90 Pf., 3. Juni 1888, an Johanna Röhmke in Biesenthal, 1 M. 70 Pf. (Berlinerstr. 126), 26. Juni 1888, an Ernst Strack in Berlin, Ritterstr. 48, 10 M., 5. Juli 1888, an L. Häusli, Fürsprech in Leopoldshöhe-Basel, 220 M., 6. Juli 1888, an Frl. Mann in Berlin, Linienstr 19, ein Gutschein über 150 M., 1. Aug. 1888, an Wilhelm, Restaurat., Schützenstr., 7 M., 23. Aug. 1888, an Martin Hesse in Berlin, Stralauerstr. 58, 1 M.

10 Pf., 24. Aug. 1888, an Frau **Kahle** in Berlin, Blücherstr. 14, 1 M. 40 Pf. (aufgeliefert in der Bahnpost 2 Eisenach-Berlin), 26. Aug. 1888.

Die unbekannten Absender der vorbezeichneten Briefe werden ersucht, spätestens innerhalb vier Wochen — vom Tage des Erscheinens gegenwärtiger Bekanntmachung an gerechnet — bei der Ober-Postdirektion sich zu melden, widrigenfalls die in den Sendungen vorgefundenen Beträge der Post-Armenkasse überwiesen werden. Berlin C., den 29. Oktober 1888.

Der Kaiserl. Ober-Postdirektor.

Bekanntmachungen des Königlichen Provinzial-Schul-Collegiums zu Berlin.

Aufnahme-Prüfung am Kgl. Schullehrer-Seminar zu Neu-Ruppin.

10. Die Aufnahme-Prüfung am Königlichen Schullehrer-Seminar zu Neu-Ruppin wird vom **13. bis 15. März 1889** abgehalten werden. Die Anmeldungen sind bis zum 15. Februar 1889 an den Herrn Seminar-Direktor **Hoffmann** einzureichen und denselben beizufügen: 1) der Lebenslauf, 2) der Geburtsschein, 3) der Impfschein, der Revaccinationsschein und ein Gesundheitsattest, ausgestellt von einem zur Führung eines Dienstsiegels berechtigten Arzte, 4) ein amtliches Führungsattest, 5) die Erklärung des Vaters oder an dessen Stelle des Nächstverpflichteten, daß er die Mittel zum Unterhalte des Aspiranten während der Dauer des Seminarkursus gewähren werde, mit der Bescheinigung der Ortsbehörde, daß er über die dazu nöthigen Mittel verfüge.

Berlin, den 23. Oktober 1888.

Königl. Provinzial-Schul-Collegium.

Entlassungsprüfung im Königlichen Schullehrer-Seminar zu Neu-Ruppin.

11. Die Entlassungsprüfung im Königlichen Schullehrer-Seminar zu Neu-Ruppin wird vom **7. bis 13. März 1889** abgehalten werden. Zu dieser Prüfung werden auch nicht im Seminare gebildete Schulamtskandidaten, welche das zwanzigste Lebensjahr zurückgelegt haben, zugelassen. Die Anmeldungen sind bis zum 15. Februar 1889 an uns einzureichen und denselben beizufügen: 1) der Lebenslauf, 2) der Geburtsschein, 3) das Zeugniß eines zur Führung eines Dienstsiegels berechtigten Arztes über normalen Gesundheitszustand, 4) ein amtliches Führungsattest, 5) eine Probeschrift mit deutschen und lateinischen Lettern und 6) eine Probezeichnung. Erfolgt auf die Meldung kein ablehnender Bescheid, so haben sich die betreffenden Schulamtsaspiranten am Tage vor Beginn der Prüfung dem Herrn Seminar-Direktor um 5 Uhr Nachmittags vorzustellen.

Berlin, den 23. Oktober 1888.

Königl. Provinzial-Schulkollegium.

Zweite Lehrerprüfung im Kgl. Schullehrer-Seminar zu Neu-Ruppin.

12. Die zweite Lehrerprüfung im Königlichen Schullehrer-Seminar zu Neu-Ruppin wird vom **24. bis 29. Mai 1889** abgehalten werden. Die Anmeldungen nur solcher Lehrer, die in dem Regierungsbezirk Potsdam im Lehramte stehen, sind bis zum 25sten April 1889 durch die bezüglichen Kreis-Schulinspektoren an uns einzureichen und denselben beizufügen: 1) [illegible] Original-Prüfungszeugniß über die bestandene [illegible] Prüfung, 2) ein Zeugniß des Lokalschulinspektors, 3) [illegible] von dem Examinanden selbständig gefertigte Ausarbeitung über ein von ihm selbst gewähltes Thema, mit [illegible] Versicherung, daß er keine anderen als die angegeb[illegible] Quellen dazu benutzt habe, 4) eine Probezeichnung [illegible] 5) eine Probeschrift, beide mit der Versicherung, [illegible] sie der Einsender selbständig angefertigt hat. Er[illegible] auf die Meldung kein ablehnender Bescheid, so ha[illegible] sich die betreffenden Lehrer am Tage vor Beginn [illegible] schriftlichen Prüfung dem Herrn Seminar-Direktor [illegible] 5 Uhr Nachmittags vorzustellen.

Berlin, den 23. Oktober 1888.

Königl. Provinzial-Schul-Collegium.

Aufnahme-Prüfung am Königl. Schullehrer-Seminar zu [illegible]

13. Die Aufnahme-Prüfung am Königl[illegible] Schullehrer-Seminar zu Coepenick wird **vom 27. bis 29. März 1889** abgehalten werden. Die [illegible]meldungen sind bis zum 1. März 1889 an den [illegible] Seminar-Direktor Dr. **Plath** einzureichen und [illegible]selben beizufügen: 1) der Lebenslauf, 2) der Geburtsschein, 3) der Impfschein, der Revaccinationsschein [illegible] ein Gesundheitsattest, ausgestellt von einem zur Führung eines Dienstsiegels berechtigten Arzte, 4) ein am[illegible] Führungsattest, 5) die Erklärung des Vaters [illegible] dessen Stelle des Nächstverpflichteten, daß er die [illegible] zum Unterhalte des Aspiranten während der [illegible] des Seminarkursus gewähren werde, mit der Bescheinigung der Ortsbehörde, daß er über die dazu [illegible] Mittel verfüge.

Berlin, den 26. Oktober 1888.

Königl. Provinzial-Schul-Collegium.

Entlassungs-Prüfung im Kgl. Schullehrer-Seminar zu [illegible]

14. Die Entlassungs-Prüfung im König[illegible] Schullehrer-Seminar zu Coepenick wird **vom 21. bis 27. März 1889** abgehalten werden. Zu dieser Prüfung werden auch nicht im Seminar gebildete Schulamts-Kandidaten, welche das zwanzigste Lebensjahr [illegible]gelegt haben, zugelassen. Die Anmeldungen sind [illegible] zum 25. Februar 1889 an uns einzureichen und den[illegible] beizufügen: 1) der Lebenslauf, 2) der Geburts[illegible] 3) das Zeugniß eines zur Führung eines Dienst[illegible] berechtigten Arztes über normalen Gesundheits[illegible] 4) ein amtliches Führungsattest, 5) eine Probeschrift [illegible] deutschen und lateinischen Lettern und 6) eine Probe[illegible]zeichnung. Erfolgt auf die Meldung kein ablehn[illegible] Bescheid, so haben sich die betreffenden Schulamts-Aspiranten am Tage vor Beginn der Prüfung [illegible] Herrn Seminar-Direktor um 5 Uhr Nachmittags [illegible] zustellen. Berlin, den 26. Oktober 1888.

Königl. Provinzial-Schul-Collegium.

Zweite Lehrerprüfung im Kgl. Schullehrer-Seminar zu Coepenick.

15. Die zweite Lehrerprüfung im Kgl. Schullehrer-Seminar zu Coepenick wird **vom 17. bis 22. Mai 1889** abgehalten werden. Die Anmeldungen [illegible] solcher Lehrer, die in dem Regierungsbezirk Potsdam [illegible]

Lehramte stehen, sind bis zum 15. April 1889 durch die bezüglichen Kreisschulinspektoren an uns einzureichen und denselben beizufügen: 1) das Original-Prüfungszeugniß über die bestandene erste Prüfung, 2) ein Zeugniß des Lokalschulinspektors, 3) eine von dem Examinanden selbständig gefertigte Ausarbeitung über ein von ihm selbst gewähltes Thema, mit der Versicherung, daß er keine anderen als die angegebenen Quellen dazu benutzt habe, 4) eine Probezeichnung und 5) eine Probeschrift, letztere beiden mit der Versicherung, daß sie der Einsender selbständig angefertigt hat. Erfolgt auf die Meldung kein ablehnender Bescheid, so haben sich die betreffenden Lehrer am Tage vor Beginn der schriftlichen Prüfung dem Herrn Seminar-Direktor um 5 Uhr Nachmittags vorzustellen.

Berlin, den 26. Oktober 1888.

Königl. Provinzial-Schul-Collegium.

Lehrerinnen-Prüfung in Potsdam.

16. Die Lehrerinnen-Prüfung in Potsdam wird **am 19. und 20. März 1889** abgehalten werden. Zu dieser Prüfung werden nur solche Bewerberinnen zugelassen, welche das achtzehnte Lebensjahr vollendet haben. Die Anmeldungen, in denen anzugeben ist, ob die Prüfung für Volksschulen oder mittlere und höhere Mädchenschulen gewünscht wird, sind spätestens bis zum 20. Februar 1889 an uns einzureichen und sind denselben beizufügen: 1) ein selbstgefertigter Lebenslauf, auf dessen Titelblatte der vollständige Name, der Geburtsort, das Alter, die Confession und der Wohnort der Bewerberin angegeben ist, 2) der Geburtsschein, 3) die Zeugnisse über die bisher empfangene Schulbildung und die etwa schon bestandenen Prüfungen, 4) ein amtliches Führungsattest und 5) ein von einem zur Führung eines Dienstsiegels berechtigten Arzte ausgestelltes Attest über normalen Gesundheitszustand. Beim Eintritt in die Prüfung haben die Bewerberinnen eine von ihnen gefertigte Probeschrift auf einem halben Bogen Querfolio mit deutschen und lateinischen Lettern und eine Probezeichnung abzugeben.

Berlin, den 26. Oktober 1888.

Königl. Provinzial-Schul-Kollegium.

Bekanntmachungen der Königlichen Eisenbahn-Direktion zu Bromberg.

Die Haltestelle „Alt-Jablonken" betreffend.

64. Fortan führt die zwischen Osterode und Allenstein belegene Haltestelle Jablonken die Bezeichnung „Alt-Jablonken".

Bromberg, den 30. Oktober 1888.

Königl. Eisenbahn-Direktion.

Bekanntmachungen anderer Behörden.

Kanalsperre.

Wegen vorzunehmender Reparaturen an der alten Plau'er Schleuse wird der Plau'er Kanal vom 15. Dezember 1888 bis 15. Februar 1889 für den durchgehenden Verkehr gesperrt und die Haltung Cade-Plaue abgelassen.

Magdeburg, den 29. Oktober 1888.

Der Regierungs-Präsident.

Personal-Chronik.

Der Forst-Assessor Kordvahr ist bis auf Weiteres mit Wahrnehmung der Geschäfte des Forstamtsanwalts für den Königl. Forstbezirk Grunewald beauftragt worden.

Im Kreise Westprignitz sind in Folge Ablaufs ihrer Dienstzeit der Gutspächter Cochius zu Mankmuß für den Amtsbezirk Boberow, der Gutspächter Metz zu Bootz für den Amtsbezirk Warnow, der Rittergutsbesitzer von Voß zu Stavenow für den Amtsbezirk Stavenow, der Oberförster Riesen zu Havelberg für den Amtsbezirk Havelberger Forst als Amts-Vorsteher und der Gemeinde-Vorsteher Herr zu Spiegelhagen für den Amtsbezirk Gottschow, der Rittergutsbesitzer Dausmann zu Uenze für den Amtsbezirk Düpow als Amts-Vorsteher-Stellvertreter von Neuem ernannt worden.

Dem Kandidaten des höheren Schulamts Johann Fischer in Wittmor (Westprignitz) ist die Erlaubniß ertheilt worden, im Regierungsbezirk Potsdam Stellen als Hauslehrer anzunehmen.

Der ordentliche Lehrer Wetzel am Königlichen Französischen Gymnasium in Berlin ist zum Oberlehrer befördert worden.

Die bisherigen Schulamtskandidaten Dr. Fischer und Peronne sind als ordentliche Lehrer an der 5. städtischen höheren Bürgerschule in Berlin angestellt worden.

Der bisherige Pfarrer Johann Karl Heinrich Pfundheller zu Stralsund ist zum Diakonus an der St. Jakobi-Kirche zu Berlin, Diözese Cöln-Stadt, bestellt worden.

Der bisherige Predigtamts-Kandidat Friedrich August Ebel ist zum Diakonus in Rathenow, Diözese Rathenow, bestellt worden.

Die unter dem Patronat der Königlichen Hofkammer der Königlichen Familiengüter stehende Pfarrstelle zu Münchehofe, Diözese Königs-Wusterhausen, kommt durch die Versetzung des Pfarrers Ziemendorff zum 1. November d. Js. zur Erledigung. (Ueber die Stelle ist bereits verfügt.)

Die unter magistratualischem Patronat stehende Predigerstelle an der Waisenerziehungsanstalt des großen Friedrichs-Waisenhauses zu Rummelsburg, Diözese Berlin I., ist durch die Versetzung ihres Inhabers zur Erledigung gekommen.

Bei der Königlichen Ministerial-Militair- und Bau-Kommission zu Berlin sind:

Allerhöchst verliehen: dem Rendanten, Rechnungsrath Hoffmann der Kronen-Orden III. Kl.;

eingetreten: der Regierungsrath Dr. Dippe und der Gerichtsassessor von Wilmonski;

ausgeschieden: der Regierungsassessor von Risselmann in Folge Berufung in das Königliche Ministerium der öffentlichen Arbeiten, der Regierungs-Assessor Bugisch in Folge seiner Berufung als Landrathsamtsverweser in Verden, der Bureau-Diätar von Stuckrad in Folge Anstellung als Secretair bei dem Kaiserlichen General-Konsulat zu Amsterdam und der Kanzlei-Diätar Luckenbach in Folge Beschäftigung in der Kanzlei des Königlichen Kriegs-Ministeriums;

angenommen: der Ober-Primaner Hellmund als Civil-Supernumerar und der Militairanwärter Wilhelm Leppin als Kanzlei-Diätar;

entlassen: der Bureau-Diätar Jasper auf Antrag;

verstorben: der Thiergarten-Inspektor Kurtz.

Ausweisung von Ausländern aus dem Reichsgebiete.

Lauf. Nr.	Name und Stand des Ausgewiesenen.	Alter und Heimath des Ausgewiesenen.	Grund der Bestrafung	Behörde, welche die Ausweisung beschlossen hat	Datum des Ausweisungs-Beschlusses
1	2	3.	4.	5.	6
		a. Auf Grund des § 39 des Strafgesetzbuchs:			
1	Johanna Schreiner, Holzhauerswittwe,	geboren im Februar 1841 zu Frauenau, Bezirk Regen, Bayern, ortsangehörig zu Bömisch-Eisenstein, Bezirk Schüttenhofen,	Theilnahme am Vergehen strafbaren Eigennutzes (Jagdvergehen),	Königlich Bayerisches Bezirksamt Sulzbach,	9. Septembr. 1888.
2	Johann Ucakar, Bergmann,	geboren am 17. November 1852 zu Laak, Bezirk Cilli, Steiermark, ortsangehörig ebendaselbst,	Münzverbrechen (2½ Jahre Zuchthaus, laut Erkenntniß vom 5. April 1886),	Königlich Preußischer Regierungspräsident zu Oppeln,	7. Juli 1888.
		b. Auf Grund des § 362 des Strafgesetzbuchs:			
1	Isaak Butterfaß, Kellner,	geboren am 3. März 1858 zu Sanka, Bezirk Krakau, Galizien, ortsangehörig ebendas.,	Landstreichen und Betteln,	Königlich Preußischer Regierungspräsident zu Breslau,	8. Oktober 1888.
2	Josef Linka, Arbeiter,	geboren am 1. März 1853 zu Neweklowitz, Bezirk Münchengrätz, Böhmen, ortsangehörig ebendaselbst,	Betteln im wiederholten Rückfall,	Königlich Preußischer Regierungspräsident zu Stade,	7. August 1888.
3	Wenzl Köhler, Schriftsetzergehülfe,	geboren am 25. September 1829 zu Willowitz, Oesterreich, ortsangehörig ebendaselbst,	Landstreichen,	derselbe,	25. Septembr. 1888.
4	Abraham Stagefelsky, Schneidergeselle,	geboren im Jahre 1864 zu Kabrill, Rußland, ortsangehörig ebendas.,	desgleichen,	Königlich Preußischer Regierungspräsident zu Düsseldorf,	6. Oktober 1888.
5	Josef Anton Scheibe, Messerschmied,	geboren am 17. Juli 1854 zu Nixdorf, Bezirk Schluckenau, Böhmen, ortsangehörig ebendaselbst,	Betrug, Betrugsversuch, Landstreichen und Nächtigen im Freien,	Königlich Sächsische Kreishauptmannschaft Dresden,	24. August 1888.
6	Iwan Thauma, Maurer,	42 Jahre alt, geboren und ortsangehörig zu Rouans sur Loire, Departement Loire inférieure, Frankreich,	Landstreichen,	Großherzoglich Badischer Landeskommissär zu Mannheim,	2. Oktober 1888.

Lauf. Nr.	Name und Stand des Ausgewiesenen.	Alter und Heimath des Ausgewiesenen.	Grund der Bestrafung.	Behörde, welche die Ausweisung beschlossen hat.	Datum des Ausweisungs-Beschlusses.
1.	2.	3	4.	5.	6.
7	Emerich (Heinrich) Toth, Arbeiter,	geboren am 20. September 1840 zu Unin, Stuhlrichteramt Holics, Ungarn, ortsangehörig ebendaselbst,	Landstreichen und Betteln,	Königlich Preußischer Regierungspräsident zu Potsdam,	10. Oktober 1888.
8	Josef Dubilla, Kellner,	geboren am 5. Mai 1852 zu Sofia, Bulgarien,	desgleichen,	Königlich Preußischer Regierungspräsident zu Stettin,	18. Oktober 1888.
9	Armin Pollak, Goldarbeiter,	geboren am 5. Februar 1854 zu Budapest, Ungarn,	Landstreichen, u. Führung falscher Legitimationspapiere,	Königlich Preußischer Regierungspräsident zu Hildesheim,	11. Oktober 1888.
10	Rudolf Eis, Erdarbeiter,	geboren am 2. Mai 1850 zu Dieser, Provinz Dronte, Niederlande, ortsangehörig ebendaselbst,	Landstreichen,	Königlich Preußischer Regierungspräsident zu Düsseldorf,	17. Oktober 1888.
11	Gustav Gamper, Kürschnergeselle,	geboren am 22. Februar 1856 zu Odessa, Rußland, ortsangehörig ebendaselbst,	Landstreichen u. Gebrauch falscher Legitimationspapiere,	Königlich Preußischer Regierungspräsident zu Sigmaringen,	2. Septembr. 1888.
12	Florian Irmisch, Müller und Bäcker,	geboren am 13. März 1844 zu Preßnitz, Bezirk Kaaden, Böhmen, ortsangehörig ebendaselbst, wohnhaft zuletzt in Zwiesel, Bezirk Regen, Bayern,	Betteln im wiederholten Rückfalle,	Königlich Bayerisches Bezirksamt Regen,	9. Oktober 1888.
13	Martin Heß, Tagelöhner,	40 Jahre alt, geboren und ortsangehörig zu Pecnova, Bezirk Prachatitz, Böhmen,	Landstreichen und Betteln,	Königl. Bayerisches Bezirksamt Mühldorf,	10. Oktober 1888.
14	Viktor Colle, Knecht,	geboren am 16. April 1864 zu St. Maurice, Frankreich, ortsangehörig ebendaselbst,	Landstreichen,	Kaiserlicher Bezirks-Präsident zu Colmar,	9. Oktober 1888.

Vermischte Nachrichten.

Oeffentliche Belobigung für Rettung aus Lebensgefahr.

Der vierzehnjährige Carl Wölfer, Sohn des Bäckermeisters Wölfer zu Oranienburg, hat am 14. August d. J. den neunjährigen Knaben Kurt von der Herberg, welcher beim Baden verunglückt war, nicht ohne eigene Lebensgefahr vom Tode des Ertrinkens gerettet. Diese muthige und wackere That wird hiermit belobigend zur öffentlichen Kenntniß gebracht und die derselben gebührende Anerkennung hierdurch öffentlich ausgesprochen.

Potsdam, den 28. Oktober 1888.

Der Regierungs-Präsident.

Bekanntmachung.

An Stelle des verstorbenen Königl. Amtsraths von Rosenstiel zu Gorgast ist der Rittergutsbesitzer Graf Finck von Finckenstein auf Reitwein von den vereinigten Deichämtern des Ober- und Nieder-Oderbruchs zum Deichhauptmann für das Oderbruch gewählt und diese Wahl gemäß § 35 des Statuts vom 19. April 1869 (Ges.-S. S. 666 flgd.) von mir bestätigt worden.

Frankfurt a./O., den 24. Oktober 1888.

Der Regierungs-Präsident.

Abhaltung der Gerichtstage in Warnow.

Für das Kalenderjahr 1889 werden die Warnow'er Gerichtstage wie folgt festgesetzt auf den **7. Januar, 4. Februar, 11. März, 6. Mai, 1. Juli, 7. Oktober, 4. November, 9. Dezember.**

Perleberg, den 24. Oktober 1888.

Der aufsichtführende Richter
des Königlichen Amtsgerichts.

Abhaltung der Gerichtstage in Velten.

In dem Geschäftsjahr 1889 werden die Gerichtstage in Velten wie bisher in dem Gastwirth Seeler-schen Grundstück daselbst abgehalten werden und zwar am **3. und 4. Januar, 8. Februar, 7. und 8. März, 5. April, 10. Mai, 7. Juni, 5. Juli, 19. und 20. September, 10. und 11. Oktober, 8. November, 5. und 6. Dezember.**

Spandau, den 2. November 1888.

Der aufsichtführende Richter
des hiesigen Königl. Amtsgerichts.

1000 Mark Belohnung.

Ein Mann, der sich M. Donald nennt, hat am 9. Oktober d. J. von der Handels- und Wechsel-Bank zu Liverpool auf betrügerische Weise 2485 Dollars in Amerikanischen Greenbacks und Canadischen Noten und zwar:

Amerikanische Noten . . .	1704	Doll.,
Amerikan. Gold	295	"
Canadische Noten . . .	480	"
Silber	6	"

an sich gebracht.

Derselbe ist ungefähr 35—40 Jahre alt, 5 Fuß 9—10 Zoll groß, von blasser Gesichtsfarbe, untersetzter Statur, glatt geschoren, hat hervorstehende Backenknochen, längliches Gesicht, starke dunkle Augenbrauen, dicke Lippen, breiten Mund, trug die Kleidung eines Priesters und sprach englisch mit unbedeutendem amerikanischem Accent.

Auf die Ergreifung und Ueberführung des Verbrechers ist eine Belohnung von 1000 Mark ausgesetzt, welche sich indessen event. nach Verhältniß des wiedererlangten Geldes ermäßigt.

Die Polizei-Behörden und Gendarmen werden angewiesen, auf die bezeichnete Person zu fahnden und haben Erstere etwaige Mittheilungen an Geo Williams (Detective Departement Liverpool) gelangen zu lassen.

Potsdam, den 6. November 1888. Der Regierungs-Präsident.

Hierzu
eine Extrabeilage, die Commercial Union Assurance Company Limited in London betreffend,
sowie Zwei Oeffentliche Anzeiger.

(Die Insertionsgebühren betragen für eine einspaltige Druckzeile 20 Pf.
Belagsblätter werden der Bogen mit 10 Pf. berechnet.)

Redigirt von der Königlichen Regierung zu Potsdam.

Potsdam, Buchdruckerei der A. W. Hayn'schen Erben (E. Hayn, Hof-Buchdrucker).

Extra-Beilage zum Königlichen Regierungs-Amtsblatt.

Commercial Union Assurance Company Limited
in London.

Spezial-Beschluß.

Daß es den Direktoren, wenn und so oft sie es für angemessen erachten werden, gestattet ist, nach Ablauf eines der Halbjahre, endigend am 30. Tage des Juni oder 31. Tage des Dezember, anticipando für die nächstfolgende Jahres-Dividende eine Interims-Dividende von dem derzeitig gezeichneten Kapital der Gesellschaft in Höhe eines solchen Betrages festzusetzen und an die Aktionäre der Gesellschaft zu zahlen, wie die Direktoren es für das betreffende Halbjahr für gut befinden werden; und daß Artikel 158 der Assoziations-Artikel wie auch der am 8. März 1870 gefaßte und am 29. März 1870 genehmigte Spezial-Beschluß, desgleichen der am 14. März 1877 gefaßte und am 10. April 1877 genehmigte Spezial-Beschluß dementsprechend abgeändert und modifizirt werde, und hiermit abgeändert und modifizirt ist.

Dem vorstehenden, von der außerordentlichen General-Versammlung der **Commercial Union Assurance Company Limited zu London** am 13. März d. J. gefaßten und unter dem 8. April d. J. genehmigten Spezial-Beschlusse, betreffend Abänderung des § 158 der Gesellschafts-Statuten, bezw. der dazu ergangenen Spezial-Beschlüsse vom 8. März 1870 und 14. März 1877, wird die in der Conzession zum Geschäftsbetriebe in Preußen vom 20. Oktober 1885 vorbehaltene Genehmigung hierdurch ertheilt.

Berlin, den 31. August 1888.

Der Minister des Innern.
(L. S.) Im Auftrage
Braunbehrens.

Genehmigungsurkunde I. A. 8452.

Geschäfts-Lokal der Gesellschaft in Berlin:
SW. Zimmerstraße No. 100 (Ecke der Wilhelmstraße).
Vom 1. Januar 1889 ab:
W. Französische-Straße No. 43 (am Gensdarmenmarkt).

fremde Sprachen abzulegenden Prüfung) oder nur die beschränkte Befähigung für ein Rektorat an einer bestimmten Schule, zu dem er von den Besetzungsberechtigten bereits in Aussicht genommen ist, zu erlangen wünscht.

Berlin, den 26. Oktober 1888.

Königl. Provinzial-Schul-Collegium.

Aufnahmeprüfung im Königl. Lehrerinnen-Seminar zu Berlin.

21. Die Aufnahme-Prüfung im hiesigen Königlichen Lehrerinnen-Seminar wird **vom 22. bis 26. Februar 1889** abgehalten werden. Die Anmeldungen sind bis zum 15. Januar 1889 an den Herrn Seminar-Direktor Supprian, SW. Klein-Beerenstraße Nr. 16/19, zu richten und denselben beizufügen: 1) ein kurzer Lebenslauf, 2) der Geburtsschein, 3) das Zeugniß über die bis dahin empfangene Schul- bezw. private Vorbildung, 4) ein amtliches Führungsattest — nur von denjenigen beizubringen, welche z. Zt. der Aufnahmeprüfung keine Schule mehr besuchen —, 5) ein ärztliches Attest über normalen Gesundheitszustand. Zugelassen werden zur Aufnahme-Prüfung nur solche Bewerberinnen, welche vor dem 1. April 1889 das 16. Lebensjahr vollenden, doch ist, wenn das Ergebniß der Prüfung ein günstiges und der Gesundheitszustand der Bewerberin ein befriedigender ist, ein Dispens wegen Mangel an dem bezeichneten Alter bis zu 3 Monaten zulässig.

Berlin, den 26. Oktober 1888.

Königl. Provinzial-Schulkollegium.

Prüfung von Handarbeits-Lehrerinnen in Berlin.

22. Die Prüfung für den Unterricht in weiblichen Handarbeiten wird in Berlin im Lokale der Königlichen Augusta-Schule, Kleinbeerenstraße Nr. 16/19, **vom 9. Mai 1889 ab** stattfinden. Zur Prüfung werden zugelassen: 1) Bewerberinnen, welche bereits die Befähigung zur Ertheilung von Schulunterricht vorschriftsmäßig nachgewiesen haben; 2) sonstige Bewerberinnen, wenn sie eine ausreichende Schulbildung nachweisen und wenn sie am Tage der Prüfung das 18. Lebensjahr vollendet haben. Die Anmeldungen zu derselben sind spätestens bis zum 10. April 1889 an uns einzureichen und sind denselben beizufügen: a. von solchen, welche bereits eine Prüfung als Lehrerinnen bestanden haben: 1) das Zeugniß über diese Prüfung, 2) ein amtliches Zeugniß über ihre bisherige Thätigkeit als Lehrerin; b. von den übrigen bezeichneten Bewerberinnen: 1) ein selbstgefertigter, in deutscher Sprache abgefaßter Lebenslauf, auf dessen Titelblatte der vollständige Name, der Geburtsort, das Alter, die Konfession, der Wohnort der Bewerberin und die Art der gewünschten Prüfung (ob für mittlere und höhere Mädchenschulen oder für Volksschulen) anzugeben ist; 2) ein Tauf- bezw. ein Geburtsschein; 3) ein Gesundheitsattest, ausgestellt von einem Arzte, der zur Führung eines Dienstsiegels berechtigt ist; 4) ein Zeugniß über die von der Bewerberin erworbene Schulbildung; und die Zeugnisse über die etwa schon abgelegte Prüfung als Turnlehrerin, Zeichenlehrerin u. s. w.; 5) ein Zeugniß über die erlangte Ausbildung als Handarbeitslehrerin; 6) ein amtliches Führungs-Zeugniß, ausgestellt von einem Geistlichen oder von der Ortsbehörde. Die Prüfung ist eine praktische und theoretische. In praktischer Beziehung haben die Bewerberinnen 1) eine Probe ihrer technischen Fertigkeit in den weiblichen Handarbeiten abzulegen. Zu diesem Zwecke haben sie einzureichen: a. einen neuen Strumpf, gezeichnet mit zwei Buchstaben und einer Zahl in Gitterstich, dazu ein angefangenes Strickzeug, b. ein Häkeltuch mit 70 bis 90 Maschen Anschlag, welches mehrere Muster enthält und mit einer gehäkelten Kante umgeben ist; c. ein gewöhnliches Mannshemd (Herren-Nachthemd); d. ein Frauenhemd; e. einen alten Strumpf, in welchem ein Hacken neu eingestrickt und eine Gitterstopfe, sowie eine Strickstopfe ausgeführt ist; f. vier bis sechs kleine Proben von verschiedenen mittelfeinen Stoffen, wie dieselben im Hausstande vorzukommen pflegen, jede etwa 12 zu 12 Ctm. groß. Dieselben können sowohl einzeln als auch zu einem Tuche verbunden abgegeben werden und sollen enthalten: einen aufgesetzten und einen eingesetzten Flicken; eine weiße und eine bunt karrirte Gitterstopfe, eine Köperstopfe; zwei gezeichnete Buchstaben in Kreuzstich, zwei ebensolche in Rosenstich; drei gestickte lateinische Buchstaben und zwei Ziffern in rothem Garn, drei ebensolche gestickte Buchstaben und zwei Ziffern in weißem Garn und ein gesticktes Monogramm aus den Namensbuchstaben der Bewerberinnen. Die unter f. aufgezählten Arbeiten müssen vor Allem dem gewählten Stoffe gemäß ausgeführt sein. Sämmtliche Arbeiten sollen schulgerecht und deshalb auch nur in Stoffen und aus Garnen von mittlerer Feinheit hergestellt werden. Die Arbeiten werden durch die Einreichung von den Bewerberinnen ausdrücklich als selbstgefertigt bezeugt; die Hemden sind indessen nicht ganz zu vollenden, damit nach Anweisung der Prüfungs-Kommission und unter Aufsicht derselben an der Arbeit fortgefahren werden kann. 2) Außerdem hat jede Bewerberin in der Prüfung eine Probelektion in der Ertheilung des Handarbeitsunterrichtes in einer Schulklasse zu halten. Beim Eintritt in die Prüfung sind 6 M. Prüfungs- und 1 M. 50 Pf. Stempelgebühren zu entrichten, welch' letztere der Examinandin im Falle des Nichtbestehens der Prüfung wieder zurückgezahlt werden.

Berlin, den 5. November 1888.

Königl. Provinzial-Schul-Kollegium.

Schulvorsteherinnen-Prüfung in Berlin.

23. Die Schulvorsteherinnen-Prüfung wird hier **am 28. und 29. Mai 1889** abgehalten werden. Zu dieser Prüfung werden nur solche Lehrerinnen zugelassen, welche den Nachweis einer mindestens fünfjährigen Lehrthätigkeit zu führen vermögen und mindestens zwei Jahre in Schulen unterrichtet haben. Die Anmeldungen sind an uns bis zum 28. Februar 1889 einzureichen und sind denselben beizufügen: 1) ein selbstgefertigter Lebenslauf, auf dessen Titelblatt der vollständige Name, der Geburtsort, das Alter, die

Confession und der Wohnort der Bewerberin angegeben ist, 2) der Geburtsschein, 3) die Zeugnisse über die schon bestandenen Prüfungen, 4) ein amtliches Führungsattest, 5) ein Zeugniß über die Lehrthätigkeit, 6) ein von einem zur Führung eines Amtssiegels berechtigten Arzte ausgestelltes Attest über normalen Gesundheitszustand. Berlin, den 5. November 1888.

Königl. Provinzial-Schul-Kollegium.

Prüfung für den Unterricht in fremden Sprachen.

24. Die Prüfung zur Erlangung der Lehr-Befähigung für den französischen und englischen Sprachunterricht an mittleren und höheren Mädchenschulen wird in Berlin im Lokale der Sophienschule, Weinmeisterstraße Nr. 16/17, **vom 3. Juni 1889 ab** stattfinden. Zu der Prüfung werden nur solche Bewerberinnen zugelassen, welche das achtzehnte Lebensjahr vollendet und ihre sittliche Unbescholtenheit, sowie ihre körperliche Befähigung zur Verwaltung eines Lehramts nachgewiesen haben. Die Meldungen zu der Prüfung sind spätestens bis zum 6. Mai 1889 an uns einzureichen und es ist in dem Gesuche anzugeben, ob die Ablegung der Prüfung in beiden Sprachen und wenn nur in einer, in welcher von beiden sie beabsichtigt wird. Der Meldung ist beizufügen: 1) ein selbstgefertigter Lebenslauf, auf dessen Titelblatte der vollständige Name, der Geburtsort, das Alter, die Confession und der Wohnort der Bewerberin anzugeben ist; 2) ein Tauf- beziehungsweise Geburtsschein; 3) Zeugnisse über die bisher empfangene Schulbildung und über etwa schon bestandene Prüfungen; 4) ein amtliches Führungszeugniß; 5) ein von einem zur Führung eines Dienstsiegels berechtigten Arzte ausgestelltes Zeugniß über den Gesundheitszustand. Beim Eintritt in die Prüfung sind 12 Mark Prüfungs- und 1,50 Mark Stempelgebühren zu entrichten. Die Letzteren werden der Examinandin im Falle des Nichtbestehens der Prüfung wieder zurückgezahlt werden.

Berlin, den 5. November 1888.

Königl. Provinzial-Schulkollegium.

Lehrerinnen-Prüfung in Berlin.

25. Die Lehrerinnen-Prüfung in Berlin wird **vom 3. Mai 1889** an abgehalten werden. Zu dieser Prüfung werden nur solche Bewerberinnen zugelassen, welche das achtzehnte Lebensjahr vollendet haben. Die Anmeldungen, in denen anzugeben ist, ob die Prüfung für Volksschulen oder mittlere und höhere Mädchenschulen gewünscht wird, sind spätestens bis zum 3. April 1889 an uns einzureichen und sind denselben beizufügen: 1) ein selbstgefertigter Lebenslauf, auf dessen Titelblatte der vollständige Name, der Geburtsort, das Alter, die Confession und der Wohnort der Bewerberin angegeben ist, 2) der Geburtsschein, 3) die Zeugnisse über die bisher empfangene Schulbildung und die etwa schon bestandenen Prüfungen, 4) ein amtliches Führungsattest und 5) ein von einem zur Führung eines Dienstsiegels berechtigten Arzte ausgestelltes Attest über normalen Gesundheitszustand. Beim Eintritt in die Prüfung haben die Bewerberinnen eine von ihnen gefertigte Probeschrift auf einem halben Bogen Querfolio mit deutschen und lateinischen Lettern und eine Probezeichnung abzugeben.

Berlin, den 5. November 1888.

Königl. Provinzial-Schul-Kollegium.

Bekanntmachungen der Königlichen Regierung.

Turnlehrer-Prüfung in Berlin.

27. Nachstehende

Bekanntmachung:

Für die im Jahre 1889 zu Berlin abzuhaltende Turnlehrer-Prüfung ist Termin auf **Dienstag, den 26. Februar k. J.** und folgende Tage anberaumt worden.

Meldungen der in einem Lehramte stehenden Bewerber sind bei der vorgesetzten Dienstbehörde bis zum 1. Januar k. J., Meldungen anderer Bewerber unmittelbar bei mir spätestens bis zum 15. Januar k. J. unter Anschluß der in § 4 der Prüfungsordnung vom 10. September 1880 — Centralblatt 1880 S. 654 — bezeichneten Schriftstücke anzubringen.

Berlin, den 5. November 1888.

Der Minister der geistlichen, Unterrichts- und Medizinalangelegenheiten.

Im Auftrage: de la Croix.

wird hierdurch zur öffentlichen Kenntniß gebracht.

Potsdam, den 12. November 1888.

Königl. Regierung, Abtheilung für Kirchen- und Schulwesen.

Bekanntmachungen des Königlichen Regierungs-Präsidenten.

Schifffahrtssperre der Alt-Friesacker Schleuse am Rhin.

289. Dem schifffahrttreibenden Publikum wird hierdurch zur Kenntniß gebracht, daß die Alt-Friesacker Schleuse am Rhin behufs Erneuerung des Oberthores für die Zeit vom 1. Januar bis ult. Februar k. Js. für die Schifffahrt und Flößerei gesperrt sein wird.

Potsdam, den 10. November 1888.

Der Regierungs-Präsident.

Den Tarif zur Erhebung von Ufer-, Anlage-, Lager-, Krahn- und Wiegegeld für die Benutzung des von der Stadtgemeinde Potsdam an der Havel errichteten öffentlichen Abladeplatzes.

290. Im Einverständnisse mit dem Herrn Provinzial-Steuer-Director habe ich den im 2. Stück des diesseitigen Amtsblattes vom Jahre 1886 Seite 12 u. 13 veröffentlichten Tarif zur Erhebung von Ufer-, Anlage-, Lager-, Krahn- und Wiegegeld für die Benutzung des von der Stadtgemeinde Potsdam an der Havel errichteten öffentlichen Abladeplatzes, dessen Gültigkeit mit dem 1. Januar 1889 abläuft, auf fernere 3 Jahre also bis Ende Dezember 1891 unverändert wieder genehmigt.

Potsdam, den 7. November 1888.

Der Regierungs-Präsident.

291. **Nachweisung der Markt- 2c.**

Laufende Nummer	Namen der Städte	Getreide								Uebrige Markt-																	
		Es kosten je 100 Kilogramm																						E[s]			
																								Rindfleisch			
		Weizen		Roggen		Gerste		Hafer		Erbsen		Speisebohnen		Linsen		Kartoffeln		Richtstroh		Krummstroh		Heu		von der Keule		Bauchfleisch	
		M.	Pf.	M.	Pf.	M.	Pf.	M.	Pf.	M.	Pf.	M.	Pf.	M.	Pf.	M.	Pf.	M.	Pf.	M.	Pf.	M.	Pf.	M.	Pf.	M.	
1	Angermünde	18	28	15	47	13	80	14	37	27	—	30	—	40	—	5	50	5	75	4	—	6	—	1	35	1	05
2	Beeskow	—	—	15	58	—	—	14	93	27	50	33	—	45	—	3	90	6	80	—	—	5	40	1	20	—	95
3	Bernau	17	70	15	40	14	—	14	30	35	—	45	—	55	—	5	25	7	50	—	—	7	24	1	20	1	—
4	Brandenburg	18	35	15	89	14	57	15	13	27	50	35	—	55	—	4	18	5	85	—	—	6	58	1	30	1	10
5	Dahme	18	24	15	64	12	86	15	—	25	—	32	—	45	—	3	50	4	87	3	56	7	87	1	—	1	—
6	Eberswalde	18	53	15	69	17	65	14	75	24	—	24	—	28	—	4	61	5	28	—	—	5	50	1	20	1	—
7	Havelberg	18	20	15	40	14	25	13	75	26	50	55	—	65	—	4	50	5	06	2	69	5	75	1	30	1	—
8	Jüterbog	18	08	16	77	13	80	16	50	28	—	32	—	50	—	4	50	7	50	—	—	8	—	1	20	1	—
9	Luckenwalde	18	33	16	47	15	—	16	35	32	50	32	50	37	50	4	—	6	67	—	—	6	—	1	20	1	20
10	Perleberg	18	81	16	05	14	—	13	86	22	50	45	—	55	—	4	39	5	32	—	—	7	71	1	40	1	10
11	Potsdam	17	04	16	06	16	33	15	87	27	—	30	—	41	—	4	56	7	11	—	—	7	33	1	35	1	10
12	Prenzlau	18	42	15	87	14	71	14	09	23	17	35	—	43	—	4	78	5	—	3	50	5	—	1	20	—	95
13	Pritzwalk	18	14	16	12	14	34	13	25	16	—	34	25	36	75	4	05	4	75	4	13	4	50	1	10	1	—
14	Rathenow	17	61	16	02	14	50	15	28	30	—	35	—	34	—	3	97	4	94	—	—	5	66	1	40	1	20
15	Neu-Ruppin	21	—	15	57	14	54	15	42	30	—	32	—	50	—	4	19	8	—	—	—	6	—	1	30	1	05
16	Schwedt	19	60	15	80	14	—	14	82	26	67	26	67	31	25	5	—	5	60	—	—	6	04	1	20	1	—
17	Spandau	19	—	15	50	16	50	16	50	23	50	30	50	43	50	5	50	7	75	—	—	7	—	1	40	1	20
18	Strausberg	17	53	15	06	15	98	16	20	25	—	30	50	35	—	4	11	7	81	—	—	8	57	1	20	1	10
19	Teltow	18	70	16	08	16	78	16	56	35	—	45	—	50	—	5	75	7	58	—	—	7	98	1	30	1	05
20	Templin	18	50	15	75	15	50	15	25	14	—	40	—	40	—	4	—	6	—	—	—	6	—	1	20	1	—
21	Treuenbrietzen	18	50	16	50	15	70	15	—	24	—	26	—	30	—	3	—	6	—	—	—	7	—	1	20	1	—
22	Wittstock	18	38	16	27	15	—	13	83	16	25	32	—	44	—	3	80	3	50	2	50	4	50	1	—	—	88
23	Wriezen a. O.	17	73	14	82	14	73	14	42	20	50	30	50	37	—	4	17	5	75	2	79	5	50	1	30	1	—
	Durchschnitt	18	39	15	82	14	93	15	02	—	—	—	—	—	—	4	40	6	10	—	—	6	40	—	—	—	—

Potsdam, den 12. November 1888.

292. **Nachweisung des Monatsdurchschnitts der gezahlten höchsten**

Laufende Nummer.	Es kosteten je 50 Kilogramm.	Angermünde.		Beeskow.		Bernau.		Brandenburg.		Dahme.		Eberswalde.		Havelberg.		Jüterbog.		Luckenwalde.		Perleberg.	
		M.	₰	M.	₰	M.	₰	M.	₰	M.	₰	M.	₰	M.	₰	M.	₰	M.	₰	M.	₰
1	Hafer	7	96	7	92	7	88	8	38	7	88	8	40	7	35	8	66	9	10	7	40
2	Heu	3	66	2	84	4	40	4	02	4	13	3	15	3	41	4	20	3	42	4	25
3	Richtstroh	3	41	3	57	4	07	3	34	2	55	3	03	2	86	3	94	3	72	2	96

Potsdam, den 12. November 1888.

Verloosung von Kunstgegenständen 2c. in Berlin.

293. Der Herr Ober-Präsident hat dem Frauen-Verein Mildwida zu Berlin für den Umfang der Provinz Brandenburg und der Stadt Berlin zu der im Anschlusse an einen im Monat April 1889 zum Besten der Deutschen Unterstützungskasse für Musiker-Wittwen und -Waisen stattfindenden Bazar in Aussicht genommenen öffentlichen Verloosung von Kunstgegenständen, Büchern, Musikalien 2c. nach Maßgabe des vorgelegten Verloosungsplans, nach welchem 30000 Loose zu

Preise im Monat Oktober 1888.

Artikel kostet je 1 Kilogramm: Schweinefleisch M. Pf.	Kalbfleisch M. Pf.	Hammelfleisch M. Pf.	Speck M. Pf.	Butter M. Pf.	Ein Schock Eier M. Pf.	Ladenpreise in den letzten Tagen des Monats. Es kostet je 1 Kilogramm. Mehl: Weizen Nr. 1 M. Pf.	Mehl: Roggen Nr. 1 M. Pf.	Gerste: Graupe M. Pf.	Gerste: Grütze M. Pf.	Buchweizengrütze M. Pf.	Hafergrütze M. Pf.	Hirse M. Pf.	Reis, Java M. Pf.	Java-Kaffee mittler / gelber in gebr. Bohnen: mittler M. Pf.	Java-Kaffee: gelber M. Pf.	Speisesalz M. Pf.	Schweineschmalz, hiesig. M. Pf.
1 —	— 90	1 05	1 50	2 30	3 70	— 30	— 25	— 50	— 30	— 35	— 45	— 60	— 60	3 —	3 40	— 20	1 60
— 95	— 75	1 —	1 60	2 17	3 24	— 40	— 30	— 60	— 60	— 65	— 80	— 60	— 65	3 20	3 60	— 20	2 —
1 20	1 25	1 20	1 70	2 28	3 40	— 40	— 25	— 50	— 50	— 50	— 50	— 60	— 45	2 60	3 20	— 20	1 60
1 15	— 95	1 15	1 80	2 30	3 80	— 35	— 25	— 50	— 40	— 50	— 50	— 50	— 40	3 20	3 60	— 20	1 60
1 20	— 80	1 —	1 60	2 —	2 40	— 32	— 26	— 60	—	— 40	—	— 50	— 50	2 80	3 60	— 20	1 40
1 20	1 —	1 —	1 60	2 40	3 60	— 32	— 30	— 60	— 60	— 50	—	— 60	— 60	3 20	3 60	— 20	1 60
1 20	1 20	1 —	1 50	2 30	3 10	— 30	— 26	— 55	— 60	— 60	— 60	— 50	— 60	2 80	3 40	— 20	2 —
1 20	— 95	1 20	1 50	2 —	3 60	— 34	— 26	— 40	— 50	— 40	— 60	— 40	— 40	2 75	3 60	— 20	1 60
1 20	— 95	1 20	1 60	2 30	4 —	— 36	— 24	— 50	— 40	— 40	— 60	— 38	— 60	3 20	3 60	— 20	1 40
1 30	1 15	1 15	1 95	1 82	3 —	— 50	— 36	— 50	— 50	— 50	— 50	— 40	— 55	3 60	3 60	— 20	2 —
1 25	1 05	1 22	1 60	2 21	4 01	— 40	— 31	— 50	— 50	— 50	— 50	— 45	— 50	2 90	3 80	— 20	1 60
1 15	— 80	1 05	1 55	2 20	3 70	— 28	— 24	— 60	— 40	— 55	— 60	— 55	— 55	3 20	3 60	— 20	1 60
1 10	— 90	1 —	1 50	1 84	2 76	— 28	— 25	— 45	— 45	— 45	— 50	— 50	— 50	3 20	3 60	— 20	1 50
1 40	1 —	1 20	1 60	2 60	3 75	— 32	— 26	— 40	— 44	— 45	— 44	— 40	— 60	3 50	3 80	— 20	1 60
1 10	— 95	1 10	1 60	2 16	3 58	— 40	— 30	— 50	— 50	— 50	— 50	— 50	— 60	3 25	3 58	— 20	1 40
1 —	— 80	1 —	1 80	2 —	4 —	— 35	— 25	— 50	— 40	— 50	— 50	— 50	— 60	3 20	3 40	— 20	2 —
1 30	1 20	1 20	1 40	2 20	3 60	— 40	— 30	— 50	— 50	— 55	— 50	— 55	— 65	3 40	3 80	— 20	1 40
1 20	1 —	1 20	1 60	2 40	3 07	— 35	— 25	— 55	— 50	— 45	— 55	— 50	— 60	3 —	3 80	— 20	1 40
1 20	1 25	1 15	1 40	2 40	3 30	— 45	— 30	— 60	— 50	— 50	— 60	— 50	— 50	2 80	3 20	— 20	1 20
1 20	— 60	1 —	1 60	2 40	4 —	— 36	— 26	— 60	— 50	— 50	— 70	— 40	— 50	3 20	3 60	— 20	1 80
1 —	— 90	1 20	1 60	2 20	3 43	— 30	— 20	— 50	—	— 40	— 50	— 30	— 50	3 60	3 40	— 20	1 80
— 95	— 71	— 93	1 40	1 97	3 06	— 30	— 26	— 50	— 50	— 40	— 40	— 50	— 60	3 20	3 60	— 20	1 60
1 10	1 06	1 05	1 50	2 20	3 55	— 22	— 25	— 50	— 49	— 40	— 50	— 50	— 50	3 —	3 25	— 20	1 40

Der Regierungs-Präsident.

Tagespreise incl. 5 % Aufschlag im Monat Oktober 1888.

Potsdam. M. ₰	Prenzlau. M. ₰	Prigwalk. M. ₰	Rathenow. M. ₰	Neu-Ruppin. M. ₰	Schwedt. M. ₰	Spandau. M. ₰	Strausberg. M. ₰	Teltow. M. ₰	Templin. M. ₰	Treuenbrietzen. M. ₰	Wittstock. M. ₰	Wriezen a. O. M. ₰
8 93	7 57	7 25	8 30	8 11	7 78	8 93	8 60	8 72	8 40	7 88	7 46	7 88
4 56	3 15	2 37	3 15	3 15	3 17	3 95	4 61	4 20	3 41	3 68	2 36	3 15
4 05	2 89	2 50	2 73	4 20	2 94	4 20	4 16	3 99	3 68	3 15	1 86	3 15

Der Regierungs-Präsident.

50 Pfennigen ausgegeben werden sollen und der Gesammtwerth der Gewinne 10000 M. betragen wird, die Genehmigung ertheilt.

Potsdam und Berlin, den 9. November 1888.

Der Regierungs-Präsident. Der Polizei-Präsident.

Viehseuchen.

294. Die Maul- und Klauenseuche ist unter dem Rindvieh der Land-Irrenanstalt zu Eberswalde ausgebrochen.

Potsdam, den 7. November 1888.

Der Regierungs-Präsident.

295. Privilegium

wegen eventueller Ausfertigung auf den Inhaber lautender Anleihescheine der Gemeinde Neu-Weißensee, Kreis Niederbarnim, bis zum Betrage von 125 000 Mark Reichswährung.

Wir Wilhelm,

von Gottes Gnaden König von Preußen 2c.

Nachdem von der Gemeindevertretung zu Neu-Weißensee unterm 26. Juni 1888 mit Genehmigung des Kreisausschusses des Kreises Niederbarnim beschlossen worden ist, zur Bestreitung der Kosten des Neubaues eines dritten Schulgebäudes und der dazu erforderlichen Einrichtungen ein Darlehn von 125 000 Reichsmark aus dem Reichs-Invalidenfonds zu entnehmen, wollen Wir auf den Antrag der gedachten Gemeindevertretung, zu diesem Zwecke auf Verlangen, der Verwaltung des Reichs-Invalidenfonds bezw. dessen Rechtsnachfolgers auf jeden Inhaber lautende, mit Zinsscheinen versehene, sowohl seitens der Gläubiger, als auch seitens des Schuldners unkündbare Anleihescheine in einem Gesammt-Nennbetrage, welcher dem noch nicht getilgten Betrage der Schuld gleichkommt, also höchstens im Betrage von 125 000 Mark ausstellen zu dürfen, — da sich hiergegen weder im Interesse der Gläubiger noch des Schuldners etwas zu erinnern gefunden hat, — in Gemäßheit des § 2 des Gesetzes vom 17. Juni 1833 zur Ausstellung von Anleihescheinen zum Betrage von höchstens 125 000 Mark, in Buchstaben: Einhundert fünf und zwanzigtausend Mark Reichswährung, welche in Abschnitten von 2000, 1000, 500 und 200 Mark nach der Bestimmung des Darleihers bezw. dessen Rechtsnachfolgers über die Zahl der Schuldscheine jeder dieser Gattungen nach dem anliegenden Muster auszufertigen, mit 4 Prozent jährlich zu verzinsen und nach der durch das Loos zu bestimmenden Folgeordnung vom Jahre der Ausgabe der Anleihescheine ab, mit jährlich mindestens Einem und höchstens Sechs vom Hundert des Nennwerths der ursprünglichen Kapitalschuld unter Zuwachs der Zinsen von den getilgten Schuldbeträgen zu tilgen sind, durch gegenwärtiges Privilegium Unsere landesherrliche Genehmigung mit der rechtlichen Wirkung ertheilen, daß ein jeder Inhaber dieser Anleihescheine die daraus hervorgehenden Rechte geltend zu machen befugt ist, ohne zu dem Nachweise der Uebertragung des Eigenthums verpflichtet zu sein.

Durch vorstehendes Privilegium, welches Wir vorbehaltlich der Rechte Dritter ertheilen, wird für die Befriedigung der Inhaber der Anleihescheine eine Gewährleistung seitens des Staats nicht übernommen.

Urkundlich unter Unserer Höchsteigenhändigen Unterschrift und beigedrucktem Königlichen Insiegel.

Gegeben Marmor-Palais, den 24. Oktober 1888.

(L. S.) gez. **Wilhelm.**
R.

ggez. von Scholz. Herrfurth.

Provinz Brandenburg. **Regierungsbezirk Potsdam.**

Anleiheschein

der Gemeinde Neu-Weißensee

. . . . . te Ausgabe

Buchstabe . . . . . . Nummer . . . . . .

über

. . . . Mark Reichswährung.

Ausgefertigt in Gemäßheit des landesherrlichen Privilegiums vom 24. Oktober 1888 (Amtsblatt der Königlichen Regierung zu Potsdam vom . . ten . . . . 18 . . № . . . Seite . . . und Gesetz-Sammlung für 18 . . № . . . Seite . . .).

Auf Grund des von dem Kreisausschusse Nieder-barnim'er Kreises unterm 27. Juli 1888 genehmigten Beschlusses der Gemeindevertretung Neu-Weißensee vom 26. Juni 1888 wegen Aufnahme einer Schuld von 125 000 Mark aus dem Reichs-Invalidenfonds bekennt sich der Gemeinde-Vorstand Namens der Gemeinde Neu-Weißensee durch diese für jeden Inhaber gültige sowohl seitens des Gläubigers als auch Seitens des Schuldners unkündbare Verschreibung zu einer Darlehnsschuld von . . . . . . Mark Reichswährung, welche an die Gemeinde Neu-Weißensee baar gezahlt worden und mit vier Prozent jährlich zu verzinsen ist.

Die Rückzahlung der ganzen Schuld von 125 000 Mark erfolgt vom Jahre 1889 ab aus einem zu diesem Behuf gebildeten Tilgungsstock von Einem Prozent des Nennwerths des ursprünglichen Schuldkapitals jährlich, unter Zuwachs der Zinsen von den getilgten Schuldbeträgen. Der Gemeinde Neu-Weißensee bleibt jedoch das Recht vorbehalten, den Tilgungsstock durch größere Ausloosungen um höchstens Fünf vom Hundert des Nennwerths des ursprünglichen Schuldkapitals für jedes Jahr zu verstärken. Die durch die verstärkte Tilgung ersparten Zinsen wachsen ebenfalls dem Tilgungsstock zu.

Die jährlichen Tilgungsbeträge werden auf 500 beziehungsweise 200 Mark abgerundet.

Die Folgeordnung der Einlösung der Anleihescheine wird durch das Loos bestimmt.

Die Ausloosung erfolgt vom Jahre 18 . . ab im Monat Dezember jedes Jahres, die Auszahlung des Nennwerths der ausgeloosten Stücke an dem auf die Ausloosung folgenden 1. Juli.

Die ausgeloosten Anleihescheine werden unter Bezeichnung ihrer Buchstaben, Nummern und Beträge, sowie des Termins, an welchem die Rückzahlung erfolgen soll, öffentlich bekannt gemacht. Diese Bekanntmachung erfolgt spätestens sechs, drei, zwei und einen Monat vor dem Fälligkeitstermine in dem deutschen Reichs- und Königlich Preußischen Staats-Anzeiger oder dem an dessen Stelle tretenden Organ, dem Amtsblatt der Königlichen Regierung zu Potsdam oder dem an dessen Stelle tretenden Organ, in je einem in Neu-Weißensee und in Berlin erscheinenden öffentlichen Blatte.

Sollte eines dieser Blätter eingehen, so wird von der Gemeinde Neu-Weißensee mit Genehmigung des Königlichen Regierungs-Präsidenten zu Potsdam ein anderes Blatt bestimmt und die Veränderung in dem deutschen Reichs- und Königlich Preußischen Staats-Anzeiger bekannt gemacht.

Durch die vorbezeichneten Blätter erfolgen auch die sonstigen, diese Anleihe betreffenden Bekanntmachungen, insbesondere die Bezeichnung der Einlösestellen für die Zinsscheine und die ausgeloosten Anleihescheine.

Bis zu dem Tage, wo solchergestalt das Kapital zu entrichten ist, wird es in halbjährlichen Terminen am 1. Januar und am 1. Juli von heute an gerechnet, mit vier Prozent jährlich in Reichsmünze verzinst.

Der Zinsenlauf der ausgeloosten Anleihescheine endigt an dem für die Einlösung bestimmten Tage.

Die Auszahlung der Zinsen und des Kapitals erfolgt gegen bloße Rückgabe der ausgegebenen Zinsscheine bezw. dieses Anleihescheines in Neu-Weißensee bei der Gemeindekasse und in Berlin bei der in den vorbezeichneten Blättern bekannt gemachten Einlösestelle und zwar auch in der nach dem Eintritt des Fälligkeitstermins folgenden Zeit.

Mit dem zur Empfangnahme des Kapitals eingereichten Anleihescheine sind auch die dazu gehörigen Zinsscheine der späteren Fälligkeitstermine zurückzuliefern.

Für die fehlenden Zinsscheine wird der Betrag vom Kapital abgezogen. Die durch Ausloosung zur Rückzahlung bestimmten Kapitalbeträge, welche innerhalb dreißig Jahren nach dem Rückzahlungstermine nicht erhoben werden, sowie die innerhalb vier Jahren, vom Ablaufe des Kalenderjahres der Fälligkeit an gerechnet, nicht erhobenen Zinsen verjähren zu Gunsten der Gemeinde Neu-Weißensee.

Das Aufgebot und die Kraftloserklärung verlorener und vernichteter Anleihescheine erfolgt nach Vorschrift der §§ 838 und ff. der Civilprozeß-Ordnung für das Deutsche Reich vom 30. Januar 1877 (R.-Ges.-Bl. Seite 83) bezw. nach § 20 des Ausführungsgesetzes zur Deutschen Civil-Prozeßordnung vom 24. März 1879 — Ges.-S. S. 281 —.

Zinsscheine können weder aufgeboten, noch für kraftlos erklärt werden. Doch soll Demjenigen, welcher den Verlust von Zinsscheinen vor Ablauf der vierjährigen Verjährungsfrist bei dem Gemeinde-Vorstand zu Neu-Weißensee anmeldet und den stattgehabten Besitz der Zinsscheine durch Vorzeigung des Anleihescheines oder sonst in glaubhafter Weise darthut, nach Ablauf der Verjährungsfrist der Betrag der angemeldeten und bis dahin nicht vorgekommenen Zinsscheine gegen Quittung ausgezahlt werden.

Mit diesem Anleihescheine sind zehn halbjährige Zinsscheine bis zum Schlusse des .... ausgegeben; die ferneren Zinsscheine werden für fünfjährige Zeiträume ausgegeben werden. Die Ausgabe einer neuen Reihe von Zinsscheinen erfolgt bei den mit der Zinsenzahlung betrauten Stellen gegen Ablieferung der der älteren Zinsscheinreihe beigedruckten Anweisung. Beim Verluste der Anweisung erfolgt die Aushändigung der neuen Zinsscheinreihe an den Inhaber des Anleihescheines, sofern dessen Vorzeigung rechtzeitig geschehen ist.

Zur Sicherheit der hierdurch eingegangenen Verpflichtungen haftet die Gemeinde Neu-Weißensee mit ihrem gesammten gegenwärtigen und zukünftigen Vermögen und mit ihrer Steuerkraft.

Dessen zur Urkunde haben wir diese Ausfertigung unter unserer Unterschrift ertheilt.

Neu-Weißensee, den .. ten .....

Der Gemeinde-Vorstand.

(L. S.) (Unterschriften.)

Provinz Brandenburg. **Regierungsbezirk Potsdam.**

Zinsschein

.... Reihe zu dem Anleiheschein der Gemeinde Neu-Weißensee ... Ausgabe, Buchstabe ... № ... über ...... Mark Reichswährung zu vier Prozent Zinsen über ...... Mark .. Pfennig.

Der Inhaber dieses Zinsscheines empfängt gegen dessen Rückgabe am .. ten .... und späterhin die Zinsen des vorbenannten Anleihescheines für das Halbjahr vom .. ten .... bis .... mit (in Buchstaben) ...... Mark .. Pfennig bei der Gemeindekasse zu Neu-Weißensee und bei der bekannt gemachten Einlösestelle in Berlin.

Neu-Weißensee, den .. ten ....

Der Gemeindevorstand.

Dieser Zinsschein ist ungültig, wenn dessen Geldbetrag nicht innerhalb vier Jahren nach der Fälligkeit, vom Schluß des betreffenden Kalenderjahres an gerechnet, erhoben wird.

Provinz Brandenburg. **Regierungsbezirk Potsdam.**

Anweisung

zum Anleiheschein der Gemeinde Neu-Weißensee ... Ausgabe, Buchstabe .... № ... über .... Mark Reichswährung.

Der Inhaber dieser Anweisung empfängt gegen deren Rückgabe zu dem Anleiheschein der Gemeinde Neu-Weißensee Buchstabe .... № ... über ... Mark Reichswährung zu vier Prozent Zinsen die ... te Reihe Zinsscheine für die fünf Jahre vom .. ten ...... 18 .. bis .. ten ...... 18 .. bei der Gemeindekasse zu Neu-Weißensee und bei der mit der Zinsenzahlung betrauten Stelle in Berlin, sofern dagegen seitens des als solcher legitimirten Inhabers des Anleihescheins kein Widerspruch erhoben ist.

Neu-Weißensee, den .. ten ..... 18 ..

Der Gemeinde-Vorstand.

* * *

Vorstehendes Allerhöchstes Privilegium wegen Ausgabe auf den Inhaber lautender Anleihescheine der Gemeinde Neu-Weißensee, Kreis Niederbarnim, im Betrage von 125000 Mark wird hierdurch nebst Anlagen zur öffentlichen Kenntniß gebracht.

Potsdam, den 12. November 1888.

Der Regierungs-Präsident.

Bekanntmachungen des Königlichen Polizei-Präsidiums zu Berlin.

Polizei-Verordnung,

betreffend die Zulassung von Treibestraßen für Schafvieh.

118. Auf Grund der §§ 5 und 6 des Gesetzes über die Polizei-Verwaltung vom 11. Mai 1850 (Gesetz-Sammlung Seite 265 und der §§ 143 und 144 des Gesetzes über die allgemeine Landesverwaltung vom 30. Juli 1883 (Gesetz-Sammlung Seite 195 ff.) wird unter Zustimmung des Gemeindevorstandes Folgendes verordnet:

Die in der Polizei-Verordnung vom 18. Februar 1881 (Sammlung der Polizei-Verordnungen Seite 297), betreffend die Zulassung von Treibestraßen für Schafvieh unter Ziffer 3 getroffenen Bestimmungen, welche eine Treibestraße auf der Prenzlauer Allee von der Weichbildgrenze bis zur Danzigerstraße und weiter zulassen, werden hierdurch aufgehoben.

Berlin, den 5. November 1888.

Der Polizei-Präsident.

Berliner und Charlottenburger Preise pro Monat Oktober 1888.

119. A. Engros-Marktpreise im Monatsdurchschnitt.

In Berlin:

für	100	Klgr.	Weizen (gut)	19	Mark	41	Pf.,
"	"	"	do. (mittel)	18	"	62	"
"	"	"	do. (gering)	17	"	83	"
"	"	"	Roggen (gut)	16	"	32	"
"	"	"	do. (mittel)	15	"	83	"
"	"	"	do. (gering)	15	"	34	"
"	"	"	Gerste (gut)	18	"	70	"
"	"	"	do. (mittel)	16	"	69	"
"	"	"	do. (gering)	14	"	68	"
"	"	"	Hafer (gut)	16	"	15	"
"	"	"	do. (mittel)	15	"	10	"
"	"	"	do. (gering)	14	"	03	"
"	"	"	Erbsen (gut)	19	"	15	"
"	"	"	do. (mittel)	18	"	35	"
"	"	"	do. (gering)	17	"	56	"
"	"	"	Richtstroh	7	"	35	"
"	"	"	Heu	7	"	06	"

Monats-Durchschnitt der höchsten Berliner Tagespreise **einschließlich 5% Aufschlag** für 50 kg

	Hafer	Stroh	Heu
im Monat Oktober	8,70 Mk.,	3,97 Mk.,	4,28 Mk.

B. Detail-Marktpreise im Monatsdurchschnitt.

1) In Berlin:

für	100	Klgr.	Erbsen (gelbe) z. Kochen	28	Mark	—	Pf.
"	"	"	Speisebohnen (weiße)	32	"	—	"
"	"	"	Linsen	44	"	69	"
"	"	"	Kartoffeln	4	"	87	"
"	1	Klgr.	Rindfleisch v. d. Keule	1	"	20	"
"	1	"	" (Bauchfleisch)	1	"	—	"
"	1	"	Schweinefleisch	1	"	17	"
"	1	"	Kalbfleisch	1	"	20	"
"	1	"	Hammelfleisch	1	"	10	"
"	1	"	Speck (geräuchert)	1	"	35	"
"	1	"	Eßbutter	2	"	30	"
"	60	Stück	Eier	3	"	40	"

2) In Charlottenburg.

für	100	Klgr.	Erbsen (gelbe z. Kochen)	32	Mark	50	Pf.
"	"	"	Speisebohnen (weiße)	27	"	50	"
"	"	"	Linsen	37	"		"
"	"	"	Kartoffeln	5	"	50	"
"	1	Klgr.	Rindfleisch v. d. Keule	1	"	75	"
"	1	"	" (Bauchfleisch)	1	"	—	
"	1	"	Schweinefleisch	1	"	25	"
"	1	"	Kalbfleisch	1	"	10	
"	1	"	Hammelfleisch	1	"	10	"
"	1	"	Speck (geräuchert)	1	"	39	
"	1	"	Eßbutter	2	"	30	
"	60	Stück	Eier	3	"	[illegible]	

C. Ladenpreise in den letzten Tagen des Monats Oktober 1888:

1) In Berlin:

für	1	Klgr.	Weizenmehl № 1			36	Pf.
"	1	"	Roggenmehl № 1			30	"
"	1	"	Gerstengraupe			43	
"	1	"	Gerstengrütze			40	
"	1	"	Buchweizengrütze			45	"
"	1	"	Hirse			45	"
"	1	"	Reis (Java)			70	"
"	1	"	Java-Kaffee (mittler)	2	Mark	40	"
"	1	"	" (gelb in gebr. Bohnen)	3	"	30	
"	1	"	Speisesalz			20	
"	1	"	Schweineschmalz (hiesiges)	1	"	30	

2) In Charlottenburg:

für	1	Klgr.	Weizenmehl № 1			60	Pf.
"	1	"	Roggenmehl № 1			40	
"	1	"	Gerstengraupe			60	
"	1	"	Gerstengrütze			50	
"	1	"	Buchweizengrütze			60	
"	1	"	Hirse			60	
"	1	"	Reis (Java)			70	
"	1	"	Java-Kaffee (mittler)	2	"	60	
"	1	"	" (gelb in gebr. Bohnen)	3	"	60	
"	1	"	Speisesalz			20	"
"	1	"	Schweineschmalz (hiesiges)	1	"	60	

Berlin, den 9. November 1888.

Königl. Polizei-Präsidium. Erste Abtheilung.

Eröffnung einer Apotheke.

120. Die auf Grund der Concession des Herrn Ober-Präsidenten vom 20. März dieses Jahres von dem Apotheker Hartmann in dem Hause Neuenburgerstraße Nr. 41 eingerichtete Apotheke ist heute nach stattgehabter Revision eröffnet worden.

Berlin, den 2. November 1888.

Der Polizei-Präsident.

Entziehung eines Hebammen-Prüfungszeugnisses.

121. Durch rechtskräftiges Erkenntniß des Bezirks-Ausschusses zu Berlin vom 29. März 1887 ist der bisherigen Hebamme Marie Luise Wilhelmine Gundermann, geb. Arnard hierselbst, auf Grund des § 53 Absatz 2 der Reichsgewerbeordnung das Prüfungszeugniß als Hebamme entzogen worden. Die ꝛc. Gundermann ist daher als Hebamme nicht mehr anzusehen.

Berlin, den 6. November 1888.

Der Polizei-Präsident.

Bekanntmachungen der Kaiserlichen Ober-Postdirektion zu Berlin.

Unanbringliche Postanweisungen.

73. Bei der Ober-Postdirektion in Berlin lagern die nachstehend verzeichneten, an den angegebenen Tagen in Berlin aufgelieferten unanbringlichen Post-Anweisungen: an Caveneau in la Roche über 2 M. 3 Pf., 10. Jan. 1888, an Winkler in Frankfurt (Main) über 60 M. 90 Pf., 13 März 1888, an Frau Höft in Stolp (Pomm. über 9 M., 23. April 1888, an Expedition der „Berlingske Tidende“ in Copenhagen über 1 M. 92 Pf. 27. Mai 1888, an Schultz in Berlin (Haupt-Postamt) über 5 M., 14. Juni 1888, an Sachs in Moabit (Criminalgebäude) über 9 M., 15. Juni 1888, an C. Arlt in Canth über 6 M. 20 Pf., 16. Juni 1888, an Max Bahr in Landsberg (Warthe) über 1 M. 58 Pf., 23. Juni 1888, an Köhler in Grünberg (Schlesien) über 2 M. 95 Pf., 24. Juni 1888 (aufgeliefert in Schöneberg), an Brakenhausen (Regierungsrath) in Berlin über 10 M. 50 Pf., 26. Juni 1888, an Putzar, Wirth, Charlottenstr. in Berlin über 10 M., 30. Juni 1888, an Joseph Klapper bei Feing in Tempelhof über 3 M., 11. Juli 1888, an Martha Frohne in Baethen bei Tangerhütte über 12 M., 31. Juli 1888, an Haensgen, Gerichtsvollzieher in Berlin über 1 M. 10 Pf., 1. August 1888, an Würtzburg in Lübeck über 4 M. 20 Pf., 11. August 1888, an G. Pincow in Harburg über 50 Pf., 1. August 1888, an Ida Krüger in Stettin über 2 M. 10 Pf., 3. Septbr. 1888, an Armen-Commission der jüdischen Gemeinde in Berlin über 5 M., 3. Septbr. 1888, an Frau H. Rentel in Berlin, Lützowstr. 12, über 1 M., 3. Septbr. 1888, an C. Goldschmidt in Berlin, Zimmerstr., über 8 M., 6. Septbr. 1888; ferner die Beträge folgender in Verlust gerathener Post-Anweisungen: 1) an Meslier in Paris 16 M. 20 Pf., . Oktober 1887, 2) an Kuhtz & Co. in Brandenburg (Havel) 100 M., 30. April 1888, an katholisches Pfarramt in Zwiernick bei Patzno 3 M. 30 Pf., 4. Septbr. 1887.

Die unbekannten Absender der vorbezeichneten Post-Anweisungen werden ersucht, spätestens innerhalb vier Wochen — vom Tage des Erscheinens gegenwärtiger Bekanntmachung an gerechnet — bei der Ober-Postdirektion hierselbst **schriftlich** sich zu melden, widrigenfalls die Beträge dem Postarmenfonds überwiesen werden.

Berlin C., 7. November 1888.

Der Kaiserl. Ober-Postdirektor.

Bekanntmachungen der Königl. Kontrolle der Staatspapiere.

Aufgebot einer Schuldverschreibung.

21. In Gemäßheit des § 20 des Ausführungsgesetzes zur Civilprozeßordnung vom 24. März 1879 (G.-S. S. 281) und des § 6 der Verordnung vom 16. Juni 1819 (G.-S. S. 157) wird bekannt gemacht, daß dem Grenzaufseher a. D. H. Herhold zu Meyenburg in Hannover die Schuldverschreibung der konsolidirten 4%igen Staatsanleihe lit. E. № 42009 über 300 M. angeblich verloren gegangen ist. Es wird Derjenige, welcher sich im Besitze dieser Urkunde befindet, hiermit aufgefordert, solches der unterzeichneten Kontrolle der Staatspapiere oder dem Herrn Ritterschafts-Präsidenten von Wersebe zu Stade anzuzeigen, widrigenfalls das gerichtliche Aufgebotsverfahren behufs Kraftloserklärung der Urkunde beantragt werden wird.

Berlin, den 2. November 1888.

Königl. Kontrolle der Staatspapiere.

Aufgebot von Schuldverschreibungen.

22. In Gemäßheit des § 20 des Ausführungsgesetzes zur Civilprozeßordnung vom 24. März 1879 (G.-S. S. 281) und des § 6 der Verordnung vom 16. Juni 1819 (G.-S. S. 157) wird bekannt gemacht, daß dem Rentier Friedrich Klier zu Falkenthal bei Loewenberg die Schuldverschreibungen der konsolidirten 4%igen Staatsanleihe Lit. E. № 490142 über 300 M. und Lit. F. № 183746 und 208408 über je 200 M. angeblich gestohlen worden sind. Es werden Diejenigen, welche sich im Besitze dieser Urkunden befinden, hiermit aufgefordert, solches der unterzeichneten Kontrolle der Staatspapiere oder dem ꝛc. Klier anzuzeigen, widrigenfalls das gerichtliche Aufgebotsverfahren behufs Kraftloserklärung der Urkunden beantragt werden wird.

Berlin, den 5. November 1888.

Königl. Kontrolle der Staatspapiere.

Aufgebot einer Schuldverschreibung.

23. In Gemäßheit des § 20 des Ausführungsgesetzes zur Civilprozeßordnung vom 24. März 1879 (G.-S. S. 281) und des § 6 der Verordnung vom 16. Juni 1819 (G.-S. S. 157) wird bekannt gemacht, daß dem Steueraufseher Oscar Brenner zu Görsbach die Schuldverschreibung der konsolidirten 4%igen Staatsanleihe von 1883 lit. D. № 394253 über 500 M. angeblich zu Nordhausen abhanden gekommen ist. Es wird Derjenige, welcher sich im Besitze dieser Urkunde befindet, hiermit aufgefordert, solches der unterzeichneten Kontrolle der Staatspapiere oder dem Herrn **Brenner** anzuzeigen, widrigenfalls das gerichtliche Aufgebotsverfahren behufs Kraftloserklärung der Urkunde beantragt werden wird.

Berlin, den 8. November 1888.

Königl. Kontrolle der Staatspapiere.

Bekanntmachungen des Königlichen Oberbergamts zu Halle.

18. Nachstehende Verleihungsurkunde:

„Im Namen des Königs.

Auf Grund der am 23. April 1888 mit Präsentationsvermerk versehenen Muthung wird dem Kaufmann Leopold **Falk** zu Berlin W., Leipzigerstraße Nr. 29, unter dem Namen **Schönfließ** das Bergwerkseigenthum in dem Felde, dessen Begrenzung auf dem heute von uns beglaubigten Situationsrisse mit den Buchstaben a b c d e f g h i k a bezeichnet ist, und welches, einen Flächeninhalt von 2 189 000 qm geschrieben: Zwei Millionen einhundertneunundachtzigtausend Quadratmeter umfassend, in den Gemarkungen Hohen-Neuendorf, Stolpe, Glienicke und Forst Mühlenbeck im Kreise Niederbarnim des Regierungsbezirks Potsdam und im Oberbergamtsbezirke **Halle** gelegen ist, zur Gewinnung der in dem Felde vorkommenden Braunkohlen hierdurch verliehen",

urkundlich ausgefertigt am heutigen Tage, wird mit dem Bemerken, daß der Situationsriß in dem Büreau des Königl. Bergrevierbeamten zu Eberswalde zur Einsicht offen liegt, unter Verweisung auf die Paragraphen 35 und 36 des Allgemeinen Berggesetzes vom 24. Juni 1865 hierdurch zur öffentlichen Kenntniß gebracht.

Halle a. S., den 6. November 1888.

Königliches Oberbergamt.

19. Nachstehende Verleihungsurkunde:

„Im Namen des Königs.

Auf Grund der am 6. Juni 1888 mit Präsentationsvermerk versehenen Muthung wird dem Ingenieur Gustav **Stuckenholz** zu Berlin W., Landgrafenstraße Nr. 14, unter dem Namen **Zerpenschleuse I.** das Bergwerkseigenthum in dem Felde, dessen Begrenzung auf dem heute von uns beglaubigten Situationsrisse mit den Buchstaben: n t U P Q n bezeichnet ist, und welches, einen Flächeninhalt von 2033270,35 qm geschrieben: Zwei Millionen dreiunddreißigtausendzweihundertundsiebzig und fünfunddreißighundertstel Quadratmeter umfassend, in den Gemarkungen Zerpenschleuse, Klosterfelde und in der Königl. Liebenwalder Forst, im Kreise Niederbarnim des Regierungsbezirks Potsdam und im Oberbergamtsbezirke **Halle** gelegen ist, zur Gewinnung der in dem Felde vorkommenden Braunkohlen hierdurch verliehen",

urkundlich ausgefertigt am heutigen Tage, wird mit dem Bemerken, daß der Situationsriß in dem Büreau des Königl. Bergrevierbeamten zu Eberswalde zur Einsicht offen liegt, unter Verweisung auf die Paragraphen 35 und 36 des Allgemeinen Berggesetzes vom 24. Juni 1865 hierdurch zur öffentlichen Kenntniß gebracht.

Halle a. S., den 6. November 1888.

Königl. Oberbergamt.

Bekanntmachungen der Königlichen Eisenbahn-Direktion zu Berlin.

Ablauf der Gültigkeit von Fahrkarten für Erwachsene und Kinder.

44. Mit dem Ablauf des 31. Dezember d. J. verlieren die für den inneren Verkehr der Berliner Stadtbahn und der Berliner Ringbahn sowie die für den Stadtring-Verkehr bestehenden einfachen Fahrkarten für Erwachsene und Kinder, welche mit dem Aufdruck: **„Gültig bis 31. Dezember 1888"** versehen sind, ihre Gültigkeit. Die mit demselben Aufdruck versehenen Fahrkarten für Hunde werden mit Ablauf des bezeichneten Termins ebenfalls ungültig.

Berlin, den 8. November 1888.

Königl. Eisenbahn-Direktion.

Bekanntmachungen der Königlichen Eisenbahn-Direktion zu Bromberg.

Nachtrag 5 zum Kilometerzeiger.

65. Mit dem 1. Dezember 1888 tritt für den Eisenbahn-Direktions-Bezirk Bromberg der Nachtrag 5 zum Kilometerzeiger zur Berechnung der Preie für die Beförderung von

a. Personen- und Reisegepäck,
h. Leichen, Fahrzeugen und lebenden Thiern,
c. Eil- und Frachtgütern

vom 1. April 1888

in Kraft,

enthaltend:

1) Entfernungen für die Stationen der neuen Strecken Rogasen-Wongrowitz (giltig vom Tage der Betriebseröffnung — 1. Dezember 1888), Montwy Kruschwitz (giltig ebenso — 15. Dezember 1888).
2) Berichtigungen; soweit diese Erhöhungen enthalten, treten dieselben mit dem 1. Januar 1889 in Kraft.
3) Bereits veröffentlichte Tarifänderungen.

Bromberg, den 7. November 1888.

Königl. Eisenbahn-Direktion.

Bekanntmachungen der Königlichen Eisenbahn-Direktion zu Magdeburg.

Fahrplan-Aenderung.

8. Vom Sonntag, den 11. November d. J., gelangt der während der Sommermonate zwischen Berlin und Potsdam beförderte Localpersonenzug P. 18 versuchsweise bis auf Weiteres wieder zur Ablassung.

Berlin, Potsd. Bahnhof ab 9 15 Vm.
Potsdam an 9 46 „

Berlin, den 9. November 1888.

Königl. Eisenbahn-Betriebsamt Berlin—Magdeburg.

Bekanntmachungen der Kreis-Ausschüsse.

Communalbezirksveränderung.

27. Auf Antrag der Betheiligten genehmigen wir auf Grund des § 25 des Zuständigkeits-Gesetzes vom

1. August 1883, daß die Katasterparzellen $\frac{224}{1}$ $\frac{225}{1}$ $\frac{226}{1}$ $\frac{231}{1}$ und $\frac{232}{1}$ des Gutsbezirks Coethen-Dannenberg aus diesem ausscheiden und mit dem Gemeindebezirk Falkenberg vereinigt werden.

Freienwalde a./O., den 3. November 1888.

Der Kreis-Ausschuß des Kreises Ober-Barnim.

Personal-Chronik.

Im Kreise Oberbarnim sind an Stelle des Königlichen Amtsraths Schütz zu Grünthal, welcher sein Amt niedergelegt hat, der Administrator Frick zu Beerbaum zum Amtsvorsteher und an Stelle des ꝛc. Frick der Lieutenant der Reserve Gravenstein zu Sydow zum Stellvertreter des Amtsvorstehers des Amtsbezirks Grünthal ernannt worden.

Der Königl. Baurath Blaurock zu Angermünde ist auf seinen Antrag zum 1. Februar k. J. in den Ruhestand versetzt worden.

Der bisherige Pfarrer zu Ihlo, Friedrich Gustav Albert Springborn, ist zum Pfarrer der Parochie Meinsdorf, Diözese Dahme, bestellt worden.

Die unter Königlichem Patronat stehende zweite Predigerstelle an der deutsch-reformirten Gemeinde zu Brandenburg a. H., Diözese Altstadt-Brandenburg, kommt durch die Emeritirung des Pfarrers Werner zum 1. Januar 1889 zur Erledigung. Die Wiederbesetzung steht im vorliegenden Falle dem Kirchen-Regiment zu.

Personalveränderungen im Bezirke der Kaiserlichen Ober-Postdirektion in Berlin.

Im Laufe des Monats Oktober sind

ernannt: zu Postinspectoren der Postkassirer Meißner und der Ober-Postdirectionssecretair Moersberger, zu Postkassirern die Ober-Postdirectionssecretaire Frotscher und Liebe, zu Telegraphenamtskassirern die Ober-Postdirectionssecretaire Brandes und Göbel, zu Ober-Postdirectionssecretairen die Postsecretaire Krauß, Schütz und Seitz, zu Ober-Postsecretairen die Postsecretaire Pretsch und Waldmann, zum Ober-Telegraphensecretair der Telegraphensecretair Pieper, zu Ober-Postassistenten die Postassistenten Albrecht und Paul Hoffmann,

angestellt: als Postsecretaire die Postpraktikanten Busse, Fischer, Lehmann, Premmel, Rhode und Rudolph, als Telegraphensecretair der Ober-Telegraphenassistent Windemuth, als Postassistenten die Postassistenten Feuerstack, Giese, Herter und Liebich, als Postverwalter der Postassistent Wohlfeil,

versetzt: von Berlin die Postsecretaire Winkel nach Braunschweig, Sprondel nach Gumbinnen, nach Berlin der Postrath Hönicke von Schwerin (Mckl.), die Postsecretaire Handschumacher von Frankfurt (Main), Neugebauer von Straßburg (Elſ.), Otto von Haynau (Schl.) und Pohl von Braunschweig, der Telegraphensecretair Strutz von Coblenz,

in den Ruhestand versetzt: der Postrath Oesterreich, die Postsecretaire Bönisch und Pech, der Ober-Telegraphenassistent Gießmann,

gestorben: der Postsecretair Busse, der Ober-Telegraphenassistent Thiele.

Vermischte Nachrichten.

Königliche Landwirthschaftliche Hochschule zu Berlin,

Invalidenstraße Nr. 42.

Unterrichtskurse

für praktische Landwirthe. 1889.

Die Kurse beginnen **am Montag, den 11. Februar,** und endigen mit **Sonnabend, den 16. Februar 1889.** Theilnehmer haben gegen Zahlung des Honorars Karten für die zu hörenden Vorträge zu lösen, die den betreffenden Docenten vorzuzeigen sind. Es ist gestattet, eine Stunde zu hospitiren, zur Theilnahme an der zweiten und den folgenden Stunden ist dagegen die vorherige Lösung einer Karte erforderlich.

Folgende Vorträge werden stattfinden:

1) Landwirthschaft, Gartenbau: Prof. Dr. Orth: Ueber die neueren Fortschritte auf dem Gebiete der Düngerverwendung. 5 Stunden. Vom 11. bis 15. Februar 11—12 Uhr Vorm. Auditorium I. Minimal-Zuhörer 15. Honorar 5 Mk. — Oekonomie-Rath Dr. Freiherr v. Canstein: Anbau und Pflege des Getreides. 4 Stunden. Am 11. und 12. Februar 4—6 Uhr Nachm. Zimmer 33. Minimal-Zuhörer 10, Honorar 10 Mk. — Derselbe: Ausnützung der Gewässer durch Fischzucht. Am 13. und 15. Februar 10—12 Uhr Vorm. Auditorium III. Minimal-Zuhörer 10, Honorar 10 Mk. — Prof. Dr. Lehmann: Die Fütterung der Arbeitsthiere. 4 Stunden. Vom 11. bis 14. Februar 1—2 Uhr Mittags. Auditorium V. Minimal-Zuhörer 15, Honorar 8 Mk. — Derselbe: In welcher Richtung ist durch neuere naturwissenschaftliche Untersuchungen die Lehre von der Vererbung gefördert worden, und wie weit kann hieraus die Praxis der Züchtung Nutzen ziehen. 3 Stunden. Am 11., 13. und 15. Februar 12—1 Uhr Mittags. Auditorium V. Minimal-Zuhörer 15, Honorar 6 Mk. — Ingenieur Schotte: Ueber die Grundsätze, nach denen landwirthschaftliche Maschinen im Allgemeinen zu beurtheilen sind, mit Anwendung auf besondere, von den Herren Zuhörern zu bezeichnende Maschinen. 4 Stunden. Am 13. und 14. Februar 8—10 Uhr Vorm. Auditorium VI. Minimal-Zuhörer 5, Honorar 10 Mk. — Garten-Inspektor Lindemuth: Obstbau auf Landgütern. 6 Stunden. Vom 11. bis 16. Februar 1—2 Uhr Mittags. Auditorium VI. Minimal-Zuhörer 10, Honorar 6 Mk. — Dr. C. Weigelt: Ueber Mostbehandlung, Weinbereitung und Kellerwirthschaft (Kunstwein). 6 Stunden. Vom 13. bis 15. Februar 4 bis 6 Uhr Nachm. Zimmer 33. Minimal-Zuhörer 6, Honorar 6 Mk.

2) Naturwissenschaften. a. Botanik und Pflanzenphysiologie: Prof. Dr. Wittmack: Samenkunde (Klee-, Getreide- und Grassamen nebst deren Verfälschungen). 4 Stunden. Am 12. und 14. Februar 12—1 Uhr Mittags und am 16. Februar 11—1 Uhr Vorm. Zimmer 33. Minimal-Zuhörer 10, Honorar 8 Mk. — Prof. Dr. Frank: Die Ernährung der Pflanzen mit Stickstoff. 6 Stunden. Vom 11. bis 16. Februar 9—10 Uhr Vorm. Zimmer 33. Minimal-Zuhörer 5, Honorar 10 Mk. b. Geognosie rc.: Prof. Dr. Gruner: Die Bodenarten des norddeutschen Flachlandes. 5 Stunden. Vom 11. bis 15. Februar, 10 bis 11 Uhr Vorm. Mineralog. Institut. Minimal-Zuhörer 12, Honorar 5 Mk. c. Thierphysiologie: Prof. Dr. Zuntz: Fortschritte auf dem Gebiete der Ernährung der Thiere. 3 Stunden. Am 12., 14. u[nd] 16. Februar 12—1 Uhr Mittags. Auditorium [...] Minimal-Zuhörer 10, Honorar 6 Mk.

3) Volkswirthschaft. Dr. E. Lange: D[ie] sozialpolitische Gesetzgebung (Kranken-, Unfall-, Alt[ers-] und Invaliden-Versicherung) in der Landwirthsch[aft]. 4 Stunden. Vom 11. bis 14. Februar 11—12 U[hr] Vorm. Zimmer 33. Minimal-Zuhörer —, Honorar 5 M[k.]

Meldungen nimmt entgegen, sowie Auskunft erth[eilt] der Rechnungsrath Müller im Sekretariat der Lan[d]wirthschaftlichen Hochschule, Invalidenstraße 42, bei de[m] auch die Theilnehmerkarten zu lösen sind.

Berlin, den 10. November 1888.

Der Rektor der Königl. Landwirthschaftlichen Hochsch[ule]. Professor Dr. Settegast, Geheimer Regierungsra[th].

Ausweisung von Ausländern aus dem Reichsgebiete.

Lauf. Nr.	Name und Stand des Ausgewiesenen	Alter und Heimath des Ausgewiesenen	Grund der Bestrafung	Behörde, welche die Ausweisung beschlossen hat	Datum des Ausweisungs-Beschlusses
1	2	3	4	5	6
		a. Auf Grund des § 39 des Strafgesetzbuchs:			
1	Friedrich Wilhelm Schafkowski, Arbeiter und Leinweber,	geboren am 14. März 1859 zu Bude-Borowski, Kreis Plock, Russisch-Polen, ortsangehörig zu Kizyn, Kreis Ziechanow, ebendaselbst,	schwerer Diebstahl (1½ Jahre Zuchthaus laut Erkenntniß vom 29sten April 1887),	Königlich Preußischer Regierungspräsident zu Marienwerder,	23. Oktober 1888.
		b. Auf Grund des § 362 des Strafgesetzbuchs:			
1	Augustin Langer, Arbeiter,	circa 40 Jahre alt, geboren zu Wiekstatel, Böhmen, ortsangehörig zu Grulich, ebendas.,	Landstreichen, Betteln, und Nichtbefolgen der Reiseroute,	Königlich Preußischer Regierungspräsident zu Oppeln,	17. September 1888.
2	Joseph Schremmer, Arbeiter,	geboren am 19. März 1822 zu Adersbach, Bezirk Braunau, Böhmen, ortsangehörig ebendaselbst,	Betteln im wiederholten Rückfall,	Königlich Preußischer Regierungspräsident zu Liegnitz,	23. Oktober 1888.
3	Frederika Johanna Reewinkel, Dienstmagd,	geboren am 31. März 1859 zu Wehl, Provinz Gelderland, Niederlande, ortsangehörig zu S'Heerenberg, ebendaselbst,	Landstreichen,	Königlich Preußischer Regierungspräsident zu Düsseldorf,	22. August 1888.
4	Karl Zingg, Uhrmacher,	geboren am 11. November 1849 zu Avanches, Kanton Waadt, Schweiz, ortsangehörig ebendaselbst,	desgleichen,	Kaiserlicher Bezirks-Präsident zu Colmar,	22. Oktober 1888.
5	Karl Wilhelm Lüscher, Tagner,	geboren am 28. Januar 1866 zu Zell, Baden, ortsangehörig zu Muhen, Kanton Aargau, Schweiz,	desgleichen,	derselbe,	desgleichen.

Nachweisung

der im Jahre 1887 durch Königliche Landbeschäler gedeckten Stuten und der im Jahre 1888 nachgewiesenen Fohlen im Regierungs-Bezirk Potsdam.

Nummer	Namen der Beschäl-Station.	Daselbst standen im Jahre 1887 Landbeschäler			Diese haben Stuten gedeckt.	Davon sind			Von den tragend gewesenen Stuten				Im Jahre 1888	
									sind lebende Fohlen geboren.					
		alte	4jährige	Summa		güst geblieben	tragend geworden	nicht nachgewiesen	Hengste	Stuten	Summa	haben verfohlt	standen daselbst Land-Beschäler	diese haben Stuten gedeckt
1	Friedrich-Wilhelms-Gestüt	5	—	5	135	48	84	3	49	32	81	3	5	120
2	Lindow	3	—	3	120	51	65	4	25	31	56	9	3	81
3	Blandikow	3	—	3	128	32	90	6	43	41	84	6	3	103
4	Frehne	2	—	2	91	31	60	—	31	27	58	2	2	81
5	Friedheim	2	—	2	78	16	57	5	26	23	49	8	2	84
6	Barenthin	2	—	2	105	53	51	1	27	22	49	2	3	85
7	Lenzen	4	—	4	181	48	127	6	66	58	124	3	3	116
8	Premslin	2	—	2	66	33	33	—	17	12	29	4	2	71
9	Wilsnack	2	—	2	82	22	58	2	31	23	54	4	2	94
10	Cumlosen	4	—	4	138	26	108	4	49	53	102	6	3	92
11	Rohlsdorf	2	—	2	76	28	46	2	17	22	39	7	2	46
12	Kotzen	1	1	2	54	18	35	1	17	13	30	5	2	52
13	Ribbeck [1]	1	—	1	9	4	4	1	2	2	4	—	—	—
14	Bornstedt [2]	1	—	1	35	9	24	2	10	10	20	4	—	—
15	Fehrbellin	2	—	2	96	45	49	2	22	25	47	2	2	95
16	Treuenbrietzen [3]	2	—	2	69	18	50	1	22	26	48	2	—	—
	Michendorf	—	—	—	—	—	—	—	—	—	—	—	2	47
17	Metzdorf	3	—	3	171	43	118	10	50	55	105	13	3	121
18	Eberswalde	2	—	2	105	44	58	3	24	28	52	6	2	85
19	Bernau	1	1	2	83	32	41	10	14	23	37	4	2	97
20	Groß-Schönebeck	2	—	2	100	29	65	6	34	19	53	12	2	75
21	Falkenthal	3	—	3	172	63	105	4	52	44	96	9	3	94
22	Boitzenburg	3	—	3	145	43	99	3	46	42	88	11	3	108
23	Templin	1	1	2	100	45	51	4	27	21	48	3	2	77
24	Angermünde	4	—	4	164	49	110	5	48	45	93	17	3	105
25	Gramzow	4	—	4	182	82	100	—	47	44	91	9	3	133
26	Zützen	1	—	1	17	4	13	—	8	5	13	—	1	31
27	Prenzlau	3	—	3	149	43	102	4	43	49	92	10	3	141
28	Rossow	3	—	3	144	25	116	3	42	60	102	14	3	119
	Neuensund [4]	—	—	—	—	—	—	—	—	—	—	—	1	35
29	Malchow [5]	1	—	1	34	13	21	—	12	9	21	1	1	31
30	Wallmow	2	—	2	27	19	7	1	3	4	7	—	2	38
	Kl. Luckow [6]	—	—	—	—	—	—	—	—	—	—	—	1	20
31	Kohlsdorf	3	—	3	141	44	97	—	48	43	91	6	3	158
32	Storkow	2	—	2	76	27	45	4	22	21	43	2	2	61
33	Zossen	2	—	2	115	43	69	3	30	38	68	1	2	95
34	Dahme	2	—	2	91	25	62	4	27	28	55	7	2	85
	Baruth [7]	—	—	—	—	—	—	—	—	—	—	—	2	104
	Summa	80	3	83	3479	1155	2220	104	1031	998	2029	192	82	2980

¹) pro 1888 nicht wieder besetzt, ²) desgl., ³) nach Michendorf verlegt, ⁴) pro 1888 wieder besetzt, ⁵) 1 lebende Zwillingsgeburt, ⁶) neu errichtet, ⁷) neu errichtet.

Friedrich-Wilhelms-Gestüt, den 7. November 1888.

Der Königl. Landstallmeister Wettich.

Schifffahrtssperre.

In Folge der in Ausführung begriffenen Wiederherstellungsarbeiten an der Straßenbrücke über die Oder bei Schwedt ist dieselbe bis auf die Aufzugöffnung und die unmittelbar daneben liegende rechtsseitige Brückenöffnung für die Schifffahrt und Flößerei bis auf Weiteres gesperrt.

Breslau, den 5. November 1888.

Der Ober-Präsident von Schlesien.
Chef der Oderstrombau-Verwaltung.
Wirkliche Geheime Rath von Seydewitz.

Gerichtstage in Niemegk.

An folgenden Tagen werden im Jahre 1889 Gerichtstage in Niemegk im Rathhause abgehalten werden, dun zwar für den Stadtbezirk Niemegk, sowie für die Amtsbezirke Boßdorf, Dahnsdorf und Zeuden: 1) a **26. Januar**, 2) **am 23. Februar**, 3) a **30. März**, 4) **am 27. April**, 5) **am 25. Ma** 6) **am 29. Juni**, 7) **am 27. Juli**, 8) a **28. September**, 9) **am 26. Oktober**, 10) a **30. November**, 11) **am 28. Dezember**

Ferner wird noch besonders darauf aufmerksam gemac daß den Eigenthümern eintragungsfähiger Grundstü gestattet ist, Anträge auf Eintragung in die Landgü rolle auf Grund des Gesetzes vom 10. Juli 18 (Gesetzsammlung Seite 111) auch auf den außerh des Gerichtssitzes stattfindenden Gerichtstagen zu st

Belzig, den 7. November 1888.

Königl. Amtsgericht.

Hierzu Drei Oeffentliche Anzeiger.

(Die Insertionsgebühren betragen für eine einspaltige Druckzeile 20 Pf. Belagsblätter werden der Bogen mit 10 Pf. berechnet.)

Redigirt von der Königlichen Regierung zu Potsdam.

Potsdam, Buchdruckerei der A. W. Hayn'schen Erben (E. Hayn, Hof-Buchdrucker).

Amtsblatt

der Königlichen Regierung zu Potsdam und der Stadt Berlin.

Stück 47. Den 23. November 1888.

Allerhöchster Erlaß.

Auf den Bericht vom 7. September d. J. will Ich auf Grund des Gesetzes vom 11. Juni 1874 (G.-S. S. 221) der Stadtgemeinde Berlin zum Zwecke der Einlegung eines Druckrohres der allgemeinen Kanalisation von Berlin in diejenigen Flächen, welche auf den hier zurückfolgenden, die Straßen 10, 14 und 19 der Abtheilung XIV. des Bebauungsplanes von den Umgebungen Berlins betreffenden drei Plänen mit rother Farbe angelegt sind, hierdurch das Recht verleihen, im Wege der Enteignung die Eigenthümer

1) des in der Kolonie Vorhagen belegenen, im Grundbuche von Vorhagen Band 1 № 4 verzeichneten Grundstückes und
2) der in der Kolonie Friedrichsberg belegenen, im Grundbuche von Lichtenberg Band 1 № 37, Band 3 № 124 und Band 17 № 579 verzeichneten Grundstücke

bezüglich ihres Rechtes zur Benutzung der obengedachten Flächen, und zwar im Umfange der Trace der beregten Leitung dauernd, im Uebrigen aber zwecks der Bauausführung und der Reparaturen vorübergehend, zu beschränken.

H.-Q. Müncheberg, den 17. September 1888.

gez. Wilhelm R.

Zugleich für den Minister für Landwirthschaft, Domainen und Forsten.	Zugleich für den Minister der geistlichen, rc. Angelegenheiten.
ggez. von Maybach.	Herrfurth.

An die Minister der öffentlichen Arbeiten, für Landwirthschaft, Domainen und Forsten, der geistlichen rc. Angelegenheiten und des Innern.

Bekanntmachungen des Königlichen Ober-Präsidenten der Provinz Brandenburg.

Wahl eines Mitgliedes des Brandenburgischen Provinziallandtages.

22. An Stelle des Bürgermeisters a. D. von Schulz zu Neu-Ruppin, welcher sein Mandat niedergelegt hat, ist von dem Kreistage des Kreises Ruppin der Bürgermeister Scheel zu Wusterhausen a./D. zum Mitgliede des Brandenburgischen Provinziallandtages gewählt worden, was gemäß § 21 der Provinzial-Ordnung vom 29. Juni 1875 hierdurch bekannt gemacht wird.

Potsdam, den 10. November 1888.

Der Oberpräsident der Provinz Brandenburg
Staatsminister Achenbach.

Bekanntmachungen des Königlichen Regierungs-Präsidenten.

(Siehe auch „Viehseuchen" S. 448.)

Standesamtsbezirks-Veränderung.

296. Zu Folge Erlasses des Herrn Oberpräsidenten vom 15. August d. Js. — O. P. № 8084 — bringe ich hierdurch zur öffentlichen Kenntniß, daß vom **1. Januar 1889** ab die Landgemeinde Neufriedrichsdorf vom Amtsbezirk № IX. Nennhausen im Kreise West-Havelland von dem Standesamtsbezirk der Stadt Rathenow abgezweigt und aus derselben ein besonderer Standesamtsbezirk unter der Bezeichnung № 34a. Neufriedrichsdorf gebildet wird. Zum Standesbeamten für den Bezirk ist der Bürgermeister Lange und zu Stellvertretern desselben der Beigeordnete Becker, sowie der Stadtsecretär Schmidt zu Rathenow ernannt worden.

Potsdam, den 9. November 1888.

Der Regierungs-Präsident.

Betrifft die schußfreien Tage auf dem Schießplatze bei Cummersdorf für das Jahr 1888.

297. Unter Hinweis auf die Polizei-Verordnung vom 2. November 1875 — Amtsblatt Seite 366 — bringe ich hierdurch zur öffentlichen Kenntniß, daß die **schußfreien** Tage auf dem Schießplatze der Königlichen Artillerie-Prüfungs-Kommission bei Cummersdorf für das Jahr 1888 wie folgt festgesetzt worden sind:

November: 25., 26., 28.
Dezember: 2., 3., 4., 5., 9., 10., 11., 12., 13., 16., 17., 18., 19., 23., 25., 26., 27., 28., 29., 30.

Potsdam, den 17. November 1888.

Der Regierungs-Präsident.

Ortsüblicher Tagelohn gewöhnlicher Tagearbeiter im Stadtkreise Potsdam.

298. Gemäß № 6 III. der Ministerial-Instruktion vom 26. November 1883 und § 8 des Reichsgesetzes vom 15. Juni 1883 setze ich hiermit für den Stadtkreis Potsdam als Geldbetrag für den ortsüblichen Tagelohn gewöhnlicher Tagearbeiter unter theilweiser Abänderung meiner Amtsblattbekanntmachung vom 12. Februar 1884 (Amtsblatt für 1884 Stück 7 № 63 Seite 60) für männliche Arbeiter über 16 Jahre auf 2,00 M. fest.

Dagegen bleiben die Tagelohndurchschnittssätze
1) für weibliche Arbeiter über 16 Jahre mit 1,00 M.
2) „ männliche „ unter 16 „ „ 0,50 M.
3) „ weibliche „ „ 16 „ „ 0,50 M.
nach wie vor bestehen.

Dieser festgestellte ortsübliche Tagelohn gewöhnlicher Tagearbeiter bildet den Maßstab, nach welchem:

a. bei der Gemeindekrankenversicherung (§ 4 des Reichsgesetzes vom 15. Juni 1833) das Krankengeld (§ 6) und die Versicherungsbeiträge (§ 9);

b. bei Ortskrankenkassen (§ 20 № 3) Betriebs- (Fabrik-) Krankenkassen (§ 64), Baukrankenkassen (§ 72), Innungskrankenkassen (§ 73) und Knappschaftskassen (§ 74), das Sterbegeld;

c. bei den in den Gemeinden domicilirten eingeschriebenen und sonstigen Hülfskassen ohne Beitrittszwang (§ 75), wenn deren Mitglieder von der Gemeindekrankenversicherung und von der Verpflichtung einer nach Maßgabe der Vorschriften des Gesetzes errichteten Krankenkasse mit Ausnahme der Knappschaftskassen beizutreten befreit sein sollen, das Krankengeld zu gewähren ist.

Diese Festsetzung gilt (vorbehaltlich einer durch die Verhältnisse etwa schon früher gebotenen Revision bezw. Abänderung) vorläufig bis zum 1. Januar 1894.

Potsdam, den 17. November 1888.

Der Regierungs-Präsident.

Berichtigung.

299. In meiner in № 43 S. 410 des diesjährigen Amtsblattes abgedruckten Bekanntmachung vom 17. Oktober d. J., betreffend das Krankenversicherungswesen des Kreises Teltow, ist, wie berichtigend vermerkt wird, auf Zeile 15 statt „Maiendorf" **„Mariendorf"** zu lesen. Potsdam, den 15. November 1888.

Der Regierungs-Präsident.

Bekanntmachungen der Königlichen Regierung.

Kursus zur Ausbildung von Turnlehrerinnen in Berlin.

28. Nachstehende

Bekanntmachung:

Zur Ausbildung von Turnlehrerinnen wird auch im Jahre 1889 ein dreimonatlicher Kursus in der Königlichen Turnlehrer-Bildungsanstalt zu Berlin abgehalten werden. Termin zur Eröffnung desselben ist auf **Dienstag, den 2. April k. J.** anberaumt worden.

Meldungen der in einem Lehramte stehenden Bewerberinnen sind bei der vorgesetzten Dienstbehörde spätestens bis zum 15. Januar k. J., Meldungen anderer Bewerberinnen unmittelbar bei mir bis zum 1. Februar k. J. unter Einreichung der in № 4 der Aufnahme-Bestimmungen vom 24. November 1884 — Centralblatt für die gesammte Unterrichts-Verwaltung 1885 S. 211 — bezeichneten Schriftstücke anzubringen.

Berlin, den 6. November 1888.

Der Minister der geistlichen, Unterrichts- und Medizinalangelegenheiten.
Im Auftrage: de la Croix.

wird hierdurch zur öffentlichen Kenntniß gebracht.

Potsdam, den 16. November 1888.

Königl. Regierung,
Abtheilung für Kirchen- und Schulwesen.

Bekanntmachungen des Königlichen Polizei-Präsidiums zu Berlin.

Kupferschmiede-Innung zu Berlin.

122. Nachstehende Bestimmung: Auf Grund des § 100e. der Reichsgewerbe-Ordnung bestimme ich hiermit für den Bezirk der Kupferschmiede-Innung zu Berlin, daß

1) Streitigkeiten aus den Lehrverhältnissen der in § 120a. der Reichsgewerbe-Ordnung bezeichneten Art auf Anrufen eines der streitenden Theile von der zuständigen Innungsbehörde — so lange die Kupferschmiede-Innung dem Innungsausschuß der vereinigten Innungen zu Berlin angehört, von dem von dem Letzteren niedergesetzten engeren Ausschuß (Schiedsgericht für Lehrlingsstreitigkeiten) — auch dann zu entscheiden sind, wenn der Arbeitgeber, obwohl er das Kupferschmiede-Gewerbe betreibt und selbst zur Aufnahme in die gedachte Innung fähig sein würde, gleichwohl der Innung nicht angehört,

2) die sämmtlichen von der Innung erlassenen Vorschriften über die Regelung des Lehrlingsverhältnisses, sowie über die Ausbildung und Prüfung der Lehrlinge auch dann bindend sind, wenn deren Lehrherr zu den unter Ziffer 1 bezeichneten Arbeitgebern gehört.

Diese Bestimmung tritt mit dem 1. September 1888 in Kraft.

wird hierdurch mit dem Bemerken in Erinnerung gebracht, daß durch den heute genehmigten Nachtrag vom 1. April 1888 zu dem Statut der Kupferschmiede-Innung zu Berlin der Innungsbezirk **auf den Regierungsbezirk Potsdam ausgedehnt** worden und die vorstehende Bestimmung nunmehr auch für den erweiterten Innungsbezirk maßgebend ist.

Als Aufsichtsbehörde der Innung ist durch den Herrn Minister für Handel und Gewerbe der Magistrat der Stadt Berlin bestimmt worden.

Berlin, den 9. November 1888.

Der Polizei-Präsident.

Eröffnung einer Apotheke.

123. Die von dem Apotheker Bernhard Gra… auf Grund der Genehmigung des Herrn Ober-Präsidenten der Provinz Brandenburg vom 20. März d… Jahres in dem Hause Stralauer Platz Nr. 20, … der Koppenstraße, eingerichtete Apotheke ist heute … stattgehabter Revision eröffnet worden.

Berlin, den 13. November 1888.

Der Polizei-Präsident.

Verbot von Druckschriften.

124. Auf Grund des § 12 des Reichsgesetzes gegen die gemeingefährlichen Bestrebungen der Sozialdemokratie vom 21. Oktober 1878 wird hierdurch zur öffentlichen Kenntniß gebracht, daß I. das Flugblatt mit der Ueberschrift: „An die Indifferenten!", beginnend mit den Worten: „Arbeiter! ihr habt die Worte jene… Menschen gehört", und mit dem Schluß: „Zu den Waffen!", II. die Broschüre: „An die Landarbeiter" beginnend mit den Worten: „Wer und was sind wir…

und mit dem Schluß: „Es lebe die soziale Revolution, es lebe die Anarchie!“, beide ohne Angabe des Druckers und Verlegers nach § 11 des gedachten Gesetzes durch den Unterzeichneten von Landespolizeiwegen verboten worden sind.

Berlin, den 15. November 1888.

Der Königl. Polizei-Präsident.

Regulativ

für den Betrieb des Schornsteinfeger-Gewerbes im Stadtbezirk Berlin.

125. Unter Bezugnahme auf § 39 der Gewerbe-Ordnung vom 21. Juni 1869, § 56 der Gewerbe-Ordnung vom 17. Januar 1845 und auf § 2 der Polizei-Verordnung vom 9. Januar 1866, betreffend die anderweite Regulirung des Schornsteinfegerwesens in Berlin wird im Einvernehmen mit der hiesigen Gemeinde-Behörde bestimmt, daß vom 1. Dezember d. J. an für die Anstellung, die Thätigkeit und Entlassung der Bezirks-Schornsteinfeger im Stadtbezirk Berlin nachfolgende Vorschriften in Geltung treten:

§ 1. Die Anstellung der Bezirks-Schornsteinfeger gemäß § 2 der Polizei-Verordnung vom 9. Januar 1866 erfolgt in der Weise gemeinsam von dem Magistrat und dem Polizei-Präsidium, daß Ersterer nach Einholung einer gutachtlichen Aeußerung des Vorstandes der hiesigen Schornsteinfeger-Innung dem Polizei-Präsidium die Zahl und die Namen der Anzustellenden in Vorschlag bringt und, nachdem Letzteres zur Anstellung, welche nur auf Widerruf mit einer dreimonatlichen Kündigungsfrist erfolgt, seine Zustimmung erklärt hat, diese bewirkt.

§ 2. Die Zahl der anzustellenden Bezirks-Schornsteinfeger richtet sich nach der Zahl der vorhandenen Wohngebäude derart, daß für jede Vermehrung der Letzteren um 230 je ein neuer Bezirks-Schornsteinfeger anzustellen ist.

§ 3. Die Anstellung als Bezirks-Schornsteinfeger erfolgt nur dann, wenn der Anzustellende:

a. vollständig unbescholten ist und einen ordentlichen nüchternen Lebenswandel führt,
b. das 24ste Lebensjahr erreicht hat,
c. drei Jahre lang das Schornsteinfeger-Gewerbe laut Zeugniß eines Schornsteinfegermeisters oder Lehrbrief nach § 129 der Gewerbe-Ordnung ordnungsmäßig erlernt hat —,
d. fünf Jahre lang als Geselle bei einem Schornsteinfegermeister in Berlin mit gutem Erfolge gearbeitet hat —,
e. seine Qualification durch Ablegung der Bezirks-Schornsteinfegerprüfung bei der hiesigen Schornsteinfeger-Prüfungs-Commission (§ 8) nachgewiesen hat.

Die Anforderung ad c. fällt für diejenigen weg, welche bereits bei Erlaß dieses Regulativs als Schornsteinfegergesellen thätig sind.

§ 4. Von der Anforderung der Ablegung der Bezirks-Schornsteinfeger-Prüfung (§ 3 sub e.) kann innerhalb eines Jahres nach Inkrafttreten dieses Regulativs Seitens des Magistrats nach Einholung einer gutachtlichen Aeußerung des Vorstandes der hiesigen Schornsteinfeger-Innung mit Zustimmung des Polizei-Präsidiums abgesehen werden.

§ 5. Unter Anstellungsberechtigten, welche nach Maßgabe der Vorschriften des § 3 als gleich qualificirt erscheinen, ist für die Auswahl zunächst die Priorität in der Ablegung der Bezirks-Schornsteinfeger-Prüfung demnächst eventuell die höhere Anzahl der Gesellen-Jahre und endlich eventuell das höhere Lebensalter entscheidend.

§ 6. Der Anstellung muß eine schriftliche Anerkennung dieses Regulativs vorausgehen.

§ 7. Die Anstellung und Entlassung (§ 21) der Bezirks-Schornsteinfeger ist in dem Amtsblatte für den Regierungsbezirk Potsdam und die Stadt Berlin und im Intelligenzblatt gemeinsam vom Magistrate und dem Polizei-Präsidium bekannt zu machen.

§ 8. Die im § 3 sub e. vorgeschriebene Prüfung erfolgt vom 1. Dezember 1888 an durch:

die Schornsteinfeger-Prüfungskommission für die Stadt Berlin,

welche in Berlin ihren Sitz hat.

§ 9. Diese Prüfungs-Commission besteht:

a. aus einem vom Polizei-Präsidium zu ernennenden Baubeamten als Vorsitzenden,
b. aus zwei Bezirks-Schornsteinfegermeistern und einem Maurermeister als Beisitzern.

Für jedes Mitglied der Commission ist ein im Behinderungsfalle eintretender Stellvertreter zu ernennen.

Die Ernennung der Beisitzer und deren Stellvertreter erfolgt durch das Polizei-Präsidium auf 2 Jahre und zwar der beiden Bezirks-Schornsteinfegermeister auf Vorschlag des Vorstandes der hiesigen Schornsteinfeger-Innung und des Maurermeisters auf Vorschlag des hiesigen Magistrats.

Die Zusammensetzung der Prüfungs-Commission, sowie jeder Wechsel in dieser Zusammensetzung wird von dem Polizei-Präsidium bekannt gemacht.

§ 10. Die Meldungen zur Ablegung der Prüfung sind an den Vorsitzenden der Prüfungs-Commission unter Einsendung der Prüfungsgebühr (§ 11), eines Geburtsscheines, sowie der Schriftstücke, durch welche die Erfüllung der im § 3 sub a., c. und d. festgesetzten Bedingungen nachgewiesen werden kann, zu richten.

§ 11. Die Prüfungsgebühr beträgt für solche Schornsteinfeger, die innerhalb des Stadtbezirks Berlin wohnen, 20 Mark und für solche, die außerhalb des Stadtbezirks Berlin ihren Wohnsitz haben, 30 Mark.

Die Prüfungsgebühr ist verfallen, wenn der Prüfling ohne genügende Entschuldigung im Prüfungstermine nicht erscheint oder die Prüfung nicht besteht.

Von den Prüfungsgebühren ist vorweg der für den Geschäftsbetrieb der Commission erforderliche Aufwand an Schreibmaterialien, Porto, Schreib- und Botengebühren ꝛc. zu decken. Mit dieser Maßgabe erhält alsdann der Vorsitzende 2/5 und jeder der 3 Beisitzer 1/5.

Der Vorsitzende hat über die Einnahmen und Ausgaben der Commission Rechnung zu führen und solche jederzeit dem Polizei-Präsidium auf Erfordern zu legen.

§ 12. Die Zulassung zur Prüfung darf der Vorsitzende nur erklären, wenn der Meldende sich über die Erfüllung der Voraussetzungen des § 3 sub a., c. und d. ausgewiesen hat.

Falls sich die Meldungen zu sehr häufen, ist der Vorsitzende unter Zustimmung des Polizei-Präsidiums und des Magistrats berechtigt, durch eine nach Maßgabe des § 7 zu veröffentlichende Bekanntmachung die Zulassung derjenigen, welche außerhalb des Stadtbezirks Berlin ihren Wohnsitz haben, für einen bestimmten Zeitraum auszuschließen.

§ 13. Die Prüfungs-Commission kann gleichzeitig mehrere, jedoch nicht über sechs, prüfen.

Die Prüfung muß in der Zeitfolge der Zulassung und spätestens 6 Wochen nach der Zulassung beginnen.

Von der erfolgten Zulassung, sowie von dem Prüfungstermine hat der Vorsitzende der Prüfungs-Commission die Prüflinge zu benachrichtigen.

§ 14. Die Bezirks-Schornsteinfeger-Prüfung erstreckt sich:

a. auf die für den Gewerbebetrieb nothwendigen Schulkenntnisse im Lesen, Schreiben und Rechnen in den 4 Species —
b. auf die Kenntniß der Feuerungsanlagen, der Construction der Schornsteine, der verschiedenen Arten von Verunreinigungen derselben, die Reinigungsfristen bei den verschiedenen Brennmaterialien, der Werkzeuge und Arten der Reinigung, der Ermittelung feuergefährlicher Stellen, der einschlägigen bau- und feuerpolizeilichen, sowie aller sonstiger den Gewerbebetrieb betreffenden polizeilichen Vorschriften und Verordnungen und auf die Fähigkeit, eine vorhandene Feuerungs-Anlage durch eine Handzeichnung anschaulich darzustellen.
c. auf die technische Fertigkeit in Ausübung des Gewerbes durch das Reinigen mehrerer Schornsteinröhren und das kunstgerechte Besteigen wenigstens eines Rauchfanges.

Ein Theil der Fragen ad b. ist von dem Prüfling an den Schornsteinen eines Gebäudes erläuternd zu beantworten.

§ 15. Die Beschlußnahme der vollzähligen Prüfungs-Commission erfolgt nach der Mehrzahl der Stimmen. Bei Gleichheit der Stimmen giebt die Stimme des Vorsitzenden den Ausschlag.

§ 16. Ueber das Ergebniß der Prüfung ist eine kurze, von den Mitgliedern der Commission zu vollziehende schriftliche Verhandlung aufzunehmen.

Wird die Prüfung von der Commission als bestanden erachtet, so stellt der Vorsitzende das Prüfungszeugniß aus, welches ergeben muß, ob die Prüfung „bestanden", „gut bestanden" oder „sehr gut bestanden" ist.

Das Prüfungszeugniß ist in folgender Fassung auszustellen:

Der . . . . aus . . . .
geboren den . . . . zu . . . .
hat vor der unterzeichneten Prüfungs-Commission die durch das Regulativ für den Betrieb des Schornsteinfeger-Gewerbes vom . . . . 1888 eingeführte Prüfung zum Nachweis der Befähigung zum Betriebe des Schornsteinfeger-Gewerbes . . . . bestanden.

. . . . den ten
Die Prüfungs-Commission.
. . . . Vorsitzender.
. . . .
. . . .

Wird die Prüfung nicht bestanden, so läßt der Vorsitzende dem betreffenden Geprüften eine entsprechende Mittheilung zugehen und bestimmt zugleich die Frist, vor deren Ablauf er sich zu einer anderweiten Prüfung nicht melden darf. Dieselbe beträgt mindestens sechs Monate und höchstens ein Jahr.

Die Prüfung kann nur zweimal wiederholt werden.

§ 17. Von jedem Prüfungsprotokoll und jedem Prüfungs-Zeugniß hat der Vorsitzende der Prüfungs-Commission dem Magistrat (Gewerbe-Deputation) und dem Polizei-Präsidium (1. Abtheilung) alsbald nach stattgehabter Prüfung eine Abschrift einzureichen.

§ 18. Der Bezirks-Schornsteinfeger hat die den Gewerbe-Betrieb betreffenden bau- und feuerpolizeilichen, sowie sonstige einschlägige polizeiliche Vorschriften und insbesondere die Polizei-Verordnung vom 9. Januar 1866 genau zu befolgen, die Reinigung der Schornsteine entweder selbst vorzunehmen oder unter seiner vollen Verantwortlichkeit für die ordnungs- und vorschriftsmäßige Wahrnehmung der Kehrgeschäfte durch einen sachkundigen Gesellen oder Gehülfen vornehmen zu lassen.

Beim Reinigen der Schornsteine durch einen Lehrjungen muß der Bezirks-Schornsteinfeger selbst oder sein sachkundiger Gehülfe gegenwärtig sein und genaue Aufsicht üben.

§ 19. Der Widerruf der Anstellung tritt ein:

a. wenn die Voraussetzung der Unbescholtenheit oder des ordentlichen nüchternen Lebenswandels nicht mehr zutrifft,
b. wenn die Reinigung der Schornsteine nicht ordnungsmäßig und regelmäßig vorgenommen und die Vorschriften der Polizei-Verordnung vom 9. Januar 1866 nicht befolgt werden.

Die betreffende Verfügung ist gleichzeitig an den Magistrat und an den von ihr betroffenen Bezirks-Schornsteinfeger zu richten.

Die Kündigung sowohl wie der Widerruf der Anstellung wird gemeinsam vom Polizei-Präsidium und dem Magistrat ausgeübt.

§ 20. Die §§ 18 und 19 gelten auch für die vor Erlaß dieses Regulativs bereits angestellten Bezirks-Schornsteinfeger.

§ 21. Dieses Regulativ tritt mit dem 1. Dezember d. J. in Kraft.

Berlin, den 16. November 1888.

Der Polizei-Präsident.
Freiherr von Richthofen.

Indem ich das vorstehende Regulativ hiermit zur öffentlichen Kenntniß bringe, bemerke ich, daß:

die Schornsteinfeger-Prüfungs-Commission für die Stadt Berlin für die nächstfolgenden zwei Jahre aus folgenden Herren von mir gebildet worden ist:

1) Königlicher Bau-Inspektor Launer, Frankfurter Allee Nr. 116a., als Vorsitzender,
2) Königlicher Bau-Inspektor Tiemann, Luisenplatz Nr. 12, als Stellvertreter des Vorsitzenden,
3) Schornsteinfegermeister A. Menzel
4) Schornsteinfegermeister A. Schoff
5) Maurermeister W. Vollmer } als Beisitzer,
6) Schornsteinfegermeister F. W. Joseph I.
7) Schornsteinfegermeister J. Faster I.
8) Maurermeister Jul. Krengel } als Stellvertreter der Beisitzer.

Berlin, den 16. November 1888.

Der Polizei-Präsident
Freiherr von Richthofen.

Viehseuchen.

126. Die am 1. dieses Monats für die Zeit bis zum 15. dieses Monats angeordnete Absperrung des hiesigen städtischen Centralviehhofs gegen den Abtrieb von Schweinen wird bis auf Weiteres verlängert.

Berlin, den 10. November 1888.

Der Polizei-Präsident.

Bekanntmachungen der Kaiserlichen Ober-Postdirektion zu Berlin.

Unanbringliche Postsendungen.

74. Bei der Ober-Postdirektion in Berlin lagern

A. Packete in Berlin zur Post gegeben:

an Krabbe adr. Andrée in Grimmen, ½ kg, 5. Juni 1888, an Hesse, Tischlermeister, ½ kg, 15. Juni 1888, an Frl. Joh. Lipke in Berlin, Wilhelmsplatz 52, 2 kg, 23. Juni 1888, an Joh. Peter, Kellner in Bonn, ½ kg, 4. Juli 1888, an Ernst Senft, Direktor in Braunschweig, 2½ kg, 11. August 1888, an Naue bei Noack in Berlin, Wienerstraße 49, 1½ kg, 13. August 1888, an Carl Haase in Berlin, Charité, 3½ kg, 21. August 1888;

aufgeliefert in Charlottenburg:

an Oscar Roeper in Stettin, 5½ kg, 18. Juni 1888,

B. Gegenstände, welche in Packeten ohne Aufschrift enthalten gewesen bz. Postsendungen entfallen oder bei hiesigen Postanstalten aufgefunden worden sind:

3 Paar Strümpfe, 1 Centimeter-Maßstab, 1 Fingerhut, Corsetstäbe, 1 Päckchen Schrauben, 10 Eisenhülsen, Stahlstifte, mehrere Päckchen Glasperlen, 1 Geldtäschchen, 1 Cigarrentasche und 3 Taschenmesser, 1 Carton mit Knöpfen, 3 Patentverschlüsse, 9 Ziffern und eine Stahllippe, 1 Schmuckkästchen, 1 Rosette und 1 Uhrkette, 10 Knebel zur Passementerie, 1 Groß Schuhknöpfe, 1 leere Patronenhülse, 1 Cigarrenspitze und 2 Schachteln Aluminiumfarbe, 1 Zinkplatte, 1 Bund Eisenringe, 18 Päckchen Nadeln, 1 Bädeker, 3 Gummibuffer, 1 Näpfchen, 1 Dutzend Strumpfbänder, 1 Paar Zinnkreuze, 1 Cravatte, 2 Photographien, mehrere Paar Handschuhe, 15 Büschel künstlicher Blumen, 1 Messerbänkchen von Glas, 1 Stange Zinn und 1 Portemonnaie von Kalbleder, 1 Bürste, Zwirn, 1 Federbüchse, 2 alte Ringe, 4 vergoldete Löwenfüße zum Sarg, 1 Päckchen Perlbesatz, 6 Glückwunschkarten, 2 Rollen Garn, 1 Maschinentheil, mehrere Cliché's, 1 Rußfänger für Hängelampen, 1 Mustersammlung gebrannten Kaffee's, 2 Gummiblasen, Kinderspielzeug, 1 alte Scheere, 1ster Band von „Engelhorns Romanbibliothek" und 3ter Band „Helene Jung" von Lindau, 1 Ring, 1 Buch „Tartarin sur les Alpes", 1 Buch „revue du genie militaire", 1 Blechbüchse mit Druckerschwärze.

Die unbekannten Absender der vorbezeichneten Sendungen werden ersucht, spätestens innerhalb vier Wochen — vom Tage des Erscheinens gegenwärtiger Bekanntmachung an gerechnet — bei der Ober-Postdirektion hierselbst sich zu melden, widrigenfalls die Gegenstände zum Besten des Post-Armenfonds werden versteigert werden.

Berlin C., den 17. November 1888.

Der Kaiserl. Ober-Postdirektor.

Bekanntmachungen der Königl. Kontrolle der Staatspapiere.

Aufgebot einer Schuldverschreibung.

24. In Gemäßheit des § 20 des Ausführungsgesetzes zur Civilprozeßordnung vom 24. März 1879 (G.-S. S. 281) und des § 6 der Verordnung vom 16. Juni 1819 (G.-S. S. 157) wird bekannt gemacht, daß dem Oberlehrer a. D. Professor Dr. Max Dinse hier, Weißenburgerstraße Nr. 29, die Schuldverschreibung der konsolidirten 3½ %igen Staatsanleihe von 1885 lit. E. № 10863 über 300 M. angeblich abhanden gekommen ist. Es wird Derjenige, welcher sich im Besitze dieser Urkunde befindet, hiermit aufgefordert, solches der unterzeichneten Kontrolle der Staatspapiere oder dem Herrn Professor Dr. Dinse anzuzeigen, widrigenfalls das gerichtliche Aufgebotsverfahren behufs Kraftloserklärung der Urkunde beantragt werden wird.

Berlin, den 16. November 1888.

Königl. Kontrolle der Staatspapiere.

Bekanntmachungen der Königl. Direktion der Rentenbank der Provinz Brandenburg.

Verloosung von Rentenbriefen.

14. Bei der in Folge unserer Bekanntmachung vom 19. v. M. heute geschehenen öffentlichen Verloosung von Rentenbriefen **der Provinz Brandenburg** sind folgende Apoints gezogen worden:

Litt. A. zu 3000 M. (1000 Thlr.) 181 Stück und zwar die Nummern:

333 369 414 501 514 691 717 918 1066 1173
1303 1318 1329 1476 1604 1625 1765 1925 2112
2125 2170 2182 2224 2320 2368 2373 2538 2700
2886 3837 3901 3922 4056 4154 4358 4368 4419
4575 4623 4741 4852 4888 5118 5659 5745 5760
5975 6069 6187 6296 6657 6765 6787 6992 7091

7110 7579 7862 7949 8051 8161 8186 8259 8263 8517 8709 8894 9013 9042 9126 9264 9300 9363 9485 9616 9643 9793 9907 10018 10031 10186 10353 10455 10501 10644 10707 10708 10744 11041 11215 11290 11484 11548 11597 11721 11740 11754 11774 12035 12108 12340 12617 12665 12866 12936 13224 13293 13442 13454 13456 13479 13491 13773 14056 14227 14233 14331 14415 14667 14844 14889 14961 15136 15160 15184 15215 15218 15237 15321 15361 15362 15412 15475 15483 15524 15572 15622 15636 15673 15703 15733 16041 16079 16107 16277 16289 16322 16535 16544 16558 16574 16726 16727 16813 16855 16973 17013 17077 17135 17285 17417 17479 17525 17545 17646 17692 17725 17776 18128 18137 18145 18153 18162 18220 18307 18482 18569 18582 18618 18898 18977.

Litt. B. zu 1500 M. (500 Thlr.) 62 Stück
und zwar die Nummern:

192 280 366 651 686 738 825 863 875 965 1104 1300 1304 1759 1805 1866 1911 2231 2238 2572 2587 2676 2910 2953 3098 3341 3540 3654 3729 3733 3758 3806 3940 4082 4179 4263 4318 4442 4581 4619 4838 4868 4878 4935 5074 5304 5335 5414 5436 5508 5619 5960 6097 6117 6190 6222 6347 6361 6464 6581 6627 6705.

Litt. C. zu 300 M. (100 Thlr.) 237 Stück
und zwar die Nummern:

166 424 567 599 705 744 965 1084 1210 1257 1368 1436 1811 1908 2133 2262 2287 2326 2504 2525 2663 2919 3022 3258 3274 3444 3531 3715 3856 4078 4120 4318 4521 4532 4761 4882 5086 5358 5452 5454 5512 5648 5670 5745 6040 6098 6121 6137 6144 6255 6327 6382 6635 6730 6833 6875 7004 7131 7352 7455 7574 7587 7590 7773 8035 8085 8399 8400 8461 8587 8640 8972 9054 9320 9500 9563 9624 9644 9769 9791 9925 10161 10221 10266 10509 10579 10668 10846 11046 11350 11367 11680 11687 11774 11778 11985 11986 12064 12088 12102 12196 12205 12240 12438 12654 12761 12792 12800 12832 12866 12915 12921 12923 12924 13144 13230 13700 13758 13995 14101 14178 14225 14228 14291 14337 14496 14525 14655 14678 14737 14845 14855 14938 15145 15175 15186 15300 15334 15544 15601 15780 15781 15801 15832 15841 15857 15871 16014 16255 16256 16400 16459 16488 16717 16824 17226 17283 17409 17628 17829 17873 17875 17952 18155 18230 18374 18548 18619 18629 18655 18716 18742 18748 18759 18893 18979 19030 19195 19231 19295 19357 19518 19737 19809 19863 19930 19961 19988 19996 20115 20157 20179 20322 20440 20595 20614 20851 20896 21032 21068 21080 21145 21176 21224 21227 21309 21321 21389 21443 21700 21738 21819 21974 22147 22155 22244 22376 22395 22419 22437 22576 22795 22826 22900 22993 23092 23137 23206 23447 23468 23523 23635 23662 23667 23729 23783 23886.

Litt. D. zu 75 M. (25 Thlr.) 198 Stück
und zwar die Nummern:

202 245 324 398 459 544 569 758 797 829 857 974 1041 1403 1448 1519 1694 1925 2031 2055 2149 2226 2513 2541 2666 2745 2790 2795 3103 3257 3301 3506 3509 3645 3670 3775 3869 3969 4099 4207 4214 4221 4244 4506 4619 4636 4645 4719 4727 4775 4984 5050 5385 5687 6474 6528 6536 6626 6685 6749 6877 6948 7038 7144 7309 7336 7406 7475 7478 7590 7761 7855 7869 7989 8085 8173 8475 8540 8697 8790 8957 9070 9150 9166 9227 9247 9329 9405 9463 9515 9650 9713 9751 9781 9788 9824 9961 10065 10068 10125 10207 10316 10617 10724 10896 10929 11065 11120 11176 11467 11488 11489 11490 11556 11678 11812 11945 12351 12481 12658 12740 12791 12896 12929 13157 13178 13345 13485 13622 13646 13774 13800 13961 13995 14108 14205 14318 14626 14719 14734 14881 14891 14977 15057 15108 15122 15228 15713 15770 16048 16060 16117 16302 16462 16470 16488 16513 16578 16593 16595 16683 16740 16778 16785 16798 16825 16877 16950 17069 [illegible] 17108 17194 17459 17674 17711 17738 [illegible] 17882 17890 17978 18018 18031 18034 [illegible] 18137 18166 18200 18320 18651 18755 [illegible] 18893 19028 19096 19545 19702 19834 20417.

Die Inhaber dieser Rentenbriefe werden aufgefordert, dieselben in coursfähigem Zustande, mit den dazu gehörigen Coupons, Ser. V. № 14—16 nebst Talons bei der hiesigen Rentenbank-Kasse, Klosterstraße Nr. 76 I. vom 1. April k. J ab an den Wochentagen von 9 bis 1 Uhr einzuliefern, um hiergegen und gegen Quittung den Nennwerth der Rentenbriefe in Empfang zu nehmen.

Vom 1. April k. J. ab hört die Verzinsung der ausgeloosten Rentenbriefe auf, diese selbst verjähren mit dem Schlusse des Jahres 1899 zum Vortheil der Rentenbank. Die Einlieferung ausgelooster Rentenbriefe an die Rentenbank-Kasse kann auch durch die Post, portofrei, und mit dem Antrage erfolgen, daß der Geldbetrag auf gleichem Wege übermittelt werde. Die Zusendung des Geldes geschieht dann auf Gefahr und Kosten des Empfängers und zwar bei Summen bis zu 400 M. durch Postanweisung. Sofern es sich um Summen über 400 M. handelt, ist einem solchen Antrage eine ordnungsmäßige Quittung beizufügen.

Berlin, den 12. November 1888.

Königl. Direktion
der Rentenbank für die Provinz Brandenburg.

Bekanntmachungen der Königlichen Eisenbahn-Direktion zu Berlin.

Fahrplanänderungen

45. Vom 1. Dezember d. J. ab treten auf der Strecke Charlottenburg—Rahnsdorf nachfolgende Fahr-

planänderungen in Kraft. Es werden neu eingelegt: a. Zug 703 a., Schlesischer Bahnhof ab Vorm. 5^{16}, Köpenick ab 5^{41}, Friedrichshagen an 5^{46}; b. Zug 704 a., Friedrichshagen ab Vorm. 5^{56}, Köpenick ab 6^{03}, Sadowa ab 6^{08}, Kiez—Rummelsburg ab 6^{17}, Stralau-Rummelsburg ab 6^{21}, Schlesischer Bahnhof ab 6^{30}, Alexanderplatz ab 6^{37}, Friedrichstraße ab 6^{43}, Zoologischer Garten ab 6^{52}, Charlottenburg an 6^{57}. Zug 738 wird bis Charlottenburg geführt und zwar Schles. Bhf. ab Nachm. 6^{46}, Alexanderplatz ab 6^{52}, Friedrichstraße ab 6^{58}, Zoologischer Garten ab 7^{07}, Charlottenburg an 7^{12}. Zug 23 wird in Rahnsdorf um 9^{14} Nachm. nach Bedarf halten. Zug 10 wird um 11^{27} Nachm. in Friedrichshagen regelmäßig halten.

Berlin, im November 1888.

Königl. Eisenbahn-Direction.

Bekanntmachungen der Königlichen Eisenbahn-Direktion zu Bromberg.

Ausgabe kombinirbare Rundreisebillets.

66. Im Anschlusse an die kombinirbaren Rundreisebillets des Vereins deutscher Eisenbahn-Verwaltungen werden auch kombinirbare Rundreisebillets für Strecken der dänischen Eisenbahnen und der damit in Verbindung stehenden Dampfschiffe und Dampf-Fähren ausgegeben. Die einzelnen Coupons umfassen die Strecken: 1) Kopenhagen—Roeskilde, 2) Roeskilde—Orehoved, 3) Orehoved—Gjadser, 4) Roeskilde—Korsör, 5) Korsör—Kiel, 6) Korsör—Odense, 7) Odense—Fredericia, 8) Fredericia—Vamdrup, 9) Fredericia—Vedstedt. Anträge auf Ausfertigung dieser mit besonderem Umschlage zur Ausgabe gelangenden Rundreisekarten sind durch Vermittelung der Billet-Expeditionen an die Ausgabestelle zu Bromberg zu richten. Nähere Auskunft ertheilen sämmtliche Billet-Expeditionen. Die Bestimmungen über die Ausgabe, sowie ein Verzeichniß der aufgelegten Coupons und ihrer Preise nebst Uebersichtskarte sind bei den Ausgabestellen für Vereins-Rundreisebillets unentgeltlich zu erhalten.

Bromberg, den 7. November 1888.

Königl. Eisenbahn-Direktion.

Frachtbegünstigung für Ausstellungs-Gegenstände.

67. Unter Bezugnahme auf unsere Bekanntmachung vom 11. Dezember v. J. bringen wir hiermit zur Kenntniß, daß diejenigen Gegenstände, welche von der diesjährigen internationalen Ausstellung zu Melbourne zurückkommen und zur Sicherung des zollfreien Wiedereinganges von einem durch den Reichskommissar ausgefertigten Rücksendungsnachweis begleitet sind, auf den Strecken der Preußischen Staatsbahnen und der Eisenbahnen in Elsaß-Lothringen **zur halben tarifmäßigen Fracht** nach ihrem früheren Ausgangsort zurückbefördert werden. In den Frachtbriefen ist zu vermerken, daß die mit denselben aufgegebenen Sendungen **durchweg** aus Ausstellungsgütern bestehen.

Bromberg, den 10. November 1888.

Königl. Eisenbahn-Direktion.

Bekanntmachungen anderer Behörden.

Meldung zur Erlangung der Berechtigung für den einjährig-freiwilligen Militärdienst.

Diejenigen in Berlin und dem Regierungsbezirk Potsdam wohnhaften jungen Leute, welche die Berechtigung zum einjährig-freiwilligen Militärdienst nachsuchen wollen, haben sich in der Zeit vom zurückgelegten 17. Lebensjahre bis zum 1. Februar ihres ersten Militärpflichtjahres, d. i. des Kalenderjahres, in welchem sie das 20. Lebensjahr vollenden, bei der unterzeichneten Kommission schriftlich zu melden.

Dieser Meldung sind beizufügen:

a. ein Geburtszeugniß,

b. ein amtlich bescheinigtes Einwilligungs-Attest des Vaters oder Vormundes mit der Erklärung über die **Bereitwilligkeit** und **Fähigkeit**, den Freiwilligen während einer einjährigen aktiven Dienstzeit zu **bekleiden, auszurüsten** und zu **verpflegen,**

c. ein Unbescholtenheits-Zeugniß, welches für Zöglinge von höheren Schulen (Gymnasien, Realgymnasien, Ober-Realschulen, Progymnasien, Realschulen, Real-Progymnasien, höheren Bürgerschulen und den übrigen miliärberechtigten Lehranstalten) durch den Direktor der Lehranstalt, für alle übrigen jungen Leute durch die Polizei-Obrigkeit oder ihre vorgesetzte Dienstbehörde auszustellen ist,

d. ein über die wissenschaftliche Befähigung ausgestelltes Schul-Zeugniß.

Die Einreichung des letztgenannten Zeugnisses darf bis zum ersten April des ersten Militärpflichtjahres ausgesetzt werden.

Für diejenigen, welche den Nachweis der wissenschaftlichen Befähigung durch Ablegung einer Prüfung erbringen wollen, finden alljährlich zwei Prüfungen statt, die eine im Frühjahr, die andere im Herbst. Das Gesuch um Zulassung zu der nächstjährigen Frühjahrsprüfung muß unter Einreichung der ad a.—c. erwähnten Schriftstücke, eines selbstgeschriebenen Lebenslaufs und einer amtlich beglaubigten Photographie, sowie mit der Angabe, in welchen zwei fremden Sprachen der sich Meldende geprüft sein will, spätestens bis zum 1. Februar k. J. angebracht werden.

Es wird ausdrücklich bemerkt, daß Meldungen zur Prüfung, welche nach dem 1. Februar k. J. eingehen, oder welche erst nach diesem Termine durch Einreichung der beizufügenden Schriftstücke rc. vervollständigt werden, keine Berücksichtigung finden können.

Die unterzeichnete Kommission fordert diejenigen jungen Leute, welche in Berlin und dem Regierungsbezirk Potsdam im Jahre 1889 gestellungspflichtig sind und die Berechtigung zum einjährig-freiwilligen Militärdienst zu erlangen beabsichtigen, hierdurch auf, die vorgeschriebenen Meldungen **möglichst bald,** spätestens jedoch bis zum 1. Februar k. J. in ihrem Geschäftslokal — Niederwallstraße Nr. 39 — anzubringen.

Berlin, den 7. November 1888.

Königl. Prüfungs-Kommission für Einjährig-Freiwillige.

Anmeldung von Neubauten 2c.

Im Interesse der Eigenthümer, Nießbraucher und Administratoren der im Weichbilde der Stadt Berlin gelegenen Gebäude wird zur öffentlichen Kenntniß gebracht, daß dem Königl. Kataster-Amt Berlin I. — Hinter dem Gießhause Nr. 1 hierselbst — bei Vermeidung der im § 17 des Gesetzes vom 21. Mai 1861 — (Gesetzsammlung Seite 317) — angedrohten Strafen, soweit dieses noch nicht geschehen ist, gemeldet werden müssen:

1) Bis Ende Dezember 1888:

Die vom 1. April 1886 bis 31. März 1887 benutzbar bezw. bewohnbar gewordenen Neubauten resp. Vergrößerungsbauten (Aufsetzen eines Stockwerkes, Anbau eines Gebäudetheiles 2c.)

2) bis Ende Juni 1889:

Die vom 1. April 1888 bis 31. März 1889 eingetretenen resp. noch eintretenden Veränderungen in der Einrichtung oder in der Benutzung, wonach bisher ausschließlich oder vorzugsweise zum Gewerbetriebe dienende Gebäude vorwiegend zum Bewohnen verwendet werden.

Endlich sind zu melden:

3) bis Ende März 1889:

Die vom 1. April 1888 bis 31. März 1889 eingetretenen resp. noch eintretenden Aenderungen der Eigenthums- oder Benutzungs-Verhältnisse, durch welche steuerfreie Gebäude in die Klasse der steuerpflichtigen übergehen.

Berlin, den 9. November 1888.

Königl. Direction
für die Verwaltung der directen Steuern in Berlin.

Bekanntmachung.

Zur Neuwahl von 11 Abgeordneten und 11 Stellvertretern, welche in Gemäßheit des § 9 des Gesetzes vom 19. Juli 1861, betreffend einige Abänderungen des Gesetzes vom 30. Mai 1820 wegen Entrichtung der Gewerbesteuer — Gesetz-Samml. 1861 Seite 697 ff. — für die Steuerjahre vom 1. April 1889 bis Ende März 1892 die Vertheilung der Gewerbesteuer der Handelsklasse A. I. im Rollenbezirk der Stadt Berlin zu bewirken haben, ist Termin auf **Sonnabend, den 15. Dezember 1888 6 Uhr Nachmittags,** im Generalversammlungssaal der hiesigen Börse (Eingang von der St. Wolfgangstraße eine Treppe) anberaumt worden.

Berlin, den 14. November 1888.

Der Kommissar der Königl. Direktion
für die Verwaltung der direkten Steuern in Berlin,
Dr. Jungck, Regierungs-Assessor.

Personal-Chronik.

Durch Allerhöchste Cabinets-Ordre vom 25. Oktober d. J. ist der Hauptmann von Arnim als Adjutant zum Corps-Stabe der Landgendarmerie und der Hauptmann Troebner vom Infanterie-Regiment № 135 als Districts-Offizier für den Berliner District I. zur 3. Gendarmerie-Brigade versetzt worden.

Der der hiesigen Regierung überwiesene Regierungs-Assessor Heckmann hat seine Dienst-Geschäfte übernommen.

Der Kataster-Assistent Paul Mayer, früher in Gifhorn, ist in das Katasterbureau der hiesigen Königl. Regierung versetzt worden.

Die durch den Tod ihres bisherigen Inhabers, des Oberförsters Freiherrn von Schleinitz erledigte Oberförsterstelle Grunewald ist vom 1. Februar 1889 ab dem Oberförster Graf d'Haussonville zu Cunersdorf übertragen worden.

Die Concession für die im Dorfe Rummelsburg bei Berlin zu errichtende Apotheke ist dem Apotheker Carl Johann Ludwig Hanff zu Friedrichshagen verliehen worden.

Dem Superintendenten Thiemann zu Biesenthal ist die Kreisschulinspektion über die Inspektion Bernau definitiv übertragen worden.

Der Lehrerin und Schulvorsteherin Emma Radele aus Berlin ist die Concession zur Leitung und Fortführung der höheren Privat-Töchterschule zu Spandau ertheilt worden.

Der bisherige Prediger Jean William zu Berzholz ist zum Prediger an dem französischen Hospital in Berlin bestellt worden.

Die unter Königlichem Patronat stehende Pfarrstelle zu Schwanebeck, Diözese Berlin Land II., kommt durch die Versetzung ihres bisherigen Inhabers, des Pfarrers Budy, demnächst zur Erledigung. Die Wiederbesetzung dieser Stelle erfolgt durch Gemeindewahl nach Maßgabe des Kirchengesetzes, betreffend das im § 32 № 2 der Kirchengemeinde- und Synodal-Ordnung vom 10. September 1873 vorgesehene Pfarrwahlrecht, vom 15. März 1886 — Kirchl. Ges.- und Verordn.-Bl. de 1886 S. 39. — Bewerbungen um diese Stelle sind schriftlich bei dem Königlichen Konsistorium der Provinz Brandenburg einzureichen. § 6 a. a. O.

Die unter Königlichem Patronat stehende Pfarrstelle zu Lütte, Diözese Belzig, kommt durch die nach neuem Rechte erfolgende Emeritirung ihres bisherigen Inhabers, des Pfarrers Uhlmann, zum 1. April 1889 zur Erledigung. Die Wiederbesetzung dieser Stelle erfolgt durch Gemeindewahl nach Maßgabe des Kirchengesetzes, betreffend das im § 32 № 2 der Kirchengemeinde- und Synodal-Ordnung vom 10. September 1873 vorgesehene Pfarrwahlrecht, vom 15. März 1886 — Kirchl. Ges.- und Verordn.-Bl. de 1886 S. 39. — Bewerbungen um diese Stelle sind schriftlich bei dem Königlichen Konsistorium der Provinz Brandenburg einzureichen. § 6 a. a. O.

Der bisherige Hilfslehrer Richard Güntsche ist als ordentlicher Lehrer an der 3. höheren Bürgerschule in Berlin angestellt worden.

Der ehemalige Gemeindeschullehrer Julius Hoffmann ist als Gemeindeschulrektor in Berlin angestellt worden.

Der Lehrer Freund ist als Zeichen- und Turnlehrer am Gymnasium in Eberswalde angestellt worden.

Ausweisung von Ausländern aus dem Reichsgebiete.

Lauf. Nr.	Name und Stand des Ausgewiesenen.	Alter und Heimath des Ausgewiesenen.	Grund der Bestrafung	Behörde, welche die Ausweisung beschlossen hat	Datum des Ausweisungs-Beschlusses
1	2	3.	4.	5.	6.
		a. Auf Grund des § 39 des Strafgesetzbuchs:			
1	Heinrich Weidlich, Tischlergeselle,	geboren am 8. Mai 1859 zu Voigtskrosse, Bezirk Freiwaldau, Oesterreichisch-Schlesien, ortsangehörig ebendaselbst,	schwerer Diebstahl (2 Jahre Zuchthaus laut Erkenntniß vom 20. Oktober 1886),	Königlich Preußischer Regierungspräsident zu Oppeln,	24. Juli 1888.
2	Adam Kawa, ohne Stand,	geboren am 16. Dezember 1857 zu Kalisch, Russisch-Polen, ortsangehörig ebendaselbst,	Diebstahl im wiederholten Rückfalle (4 Jahre Zuchthaus laut Erkenntniß vom 24. September 1884),	Kaiserlicher Bezirks-Präsident zu Colmar,	26. Oktober 1888.
		b. Auf Grund des § 362 des Strafgesetzbuchs:			
1	Marianne Bronislawa Brodzick, unverehelichte Tagelöhnerin,	54 Jahre alt, geboren und ortsangehörig zu Myszieniec, Rußland,	Diebstahl u. Landstreichen,	Königlich Preußischer Regierungspräsident zu Königsberg,	23. Juli 1888.
2	Philipp Uardo, Gerber,	geboren am 30. Mai 1867 zu Christiania, Norwegen, ortsangehörig ebendaselbst,	Landstreichen,	Königlich Preußischer Regierungspräsident zu Potsdam,	29. Oktober 1888.
3	Maria Apollonia Doll, Ehefrau,	53 Jahre alt, geboren angeblich zu Loeze bei Porwow, Rußland,	Landstreichen und Betteln,	Königlich Preußischer Regierungspräsident zu Stade,	20. Oktober 1888.
4	Anton Bolkenstein, Tuchweber,	geboren am 24. Juli 1861 zu Heldorn, Niederlande, ortsangehörig ebendaselbst,	desgleichen,	Königlich Preußischer Regierungspräsident zu Aachen,	12. Oktober 1888.
5	Johann Schott, Privatlehrer,	41 Jahre alt, geboren und ortsangehörig zu Wien, Oesterreich, wohnhaft zuletzt in Weng, Bezirk Griesbach, Niederbayern,	Landstreichen, Betteln, Führung falscher Legitimationen und verbotener Waffen,	Stadtmagistrat Deggendorf, Bayern,	3. August 1888.
6	Johann Hura, Drechsler,	30 Jahre alt, geboren und ortsangehörig zu Kocow, Bezirk Tabor, Böhmen,	Landstreichen,	derselbe,	desgleichen.
7	Bernhard Brillmaier, Schuhmacher,	24 Jahre alt, geboren zu Tyß, Bezirk Luditz, Böhmen, ortsangehörig zu Chiesch, ebendaselbst,	Landstreichen, Betteln, Fälschung von Legitimationspapieren,	derselbe,	8. August 1888.
8	Franz Rubner, Hausknecht,	22 Jahre alt, geboren zu Rollessengruen, Gemeinde Frauenreuth, Bezirk Eger, Böhmen, ortsangehörig ebendas.,	Landstreichen und Führung falscher Legitimationspapiere,	derselbe,	1. Septembr. 1888.
9	Emil Pursche, Handlungscommis,	24 Jahre alt, geboren und ortsangehörig zu Eulau, Bezirk Tetschen, Böhmen,	Landstreichen, Betteln und Gebrauch eines falschen Zeugnisses,	derselbe,	13. Oktober 1888.

Lauf. Nr.	Name und Stand	Alter und Heimath	Grund der Bestrafung.	Behörde, welche die Ausweisung beschlossen hat.	Datum des Ausweisungs-Beschlusses.
	des Ausgewiesenen.				
1.	2.	3	4.	5.	6.
10	Anton Mika, Lithograph,	geboren am 11. Mai 1868 zu Semlin, Kroatien-Slavonien, ortsangehörig ebendas.,	Betteln im wiederholten Rückfalle und Tragen verbotener Waffen,	Königlich Bayerisches Bezirksamt Traunstein,	15. Oktober 1888.
11	Franz Noack, Dienstknecht,	geboren am 28. Oktober 1874 zu Semiz bei Böhmisch Brod, Böhmen, ortsangehörig ebendaselbst,	Landstreichen und Betteln,	Königlich Sächsische Kreishauptmannschaft Leipzig,	4. Oktober 1888.

Vermischte Nachrichten.

Gerichtstage in Lehnin.

Die Gerichtstage in Lehnin sind für das Jahr 1889 auf folgende Tage festgesetzt: **den 17. und 18. Januar, 14. und 15. Februar, 14. und 15. März, 11. und 12. April, 9. und 10. Mai, 13. und 14. Juni, 11. und 12. Juli, 15. und 16. August, 19. und 20. September, 17. und 18. Oktober, 14. und 15. November, 12. und 13. Dezember.** An jedem zweiten Gerichtstage (Freitag) werden Erklärungen und Anträge in Grundbuchsachen und Handlungen der freiwilligen Gerichtsbarkeit entgegen genommen. Brandenburg a. H., den 7. November 1888.

Königl. Amtsgericht.

Führung der Handels- rc. Register.

Die Eintragungen in das Handels- und Genossenschafts-Register werden im Laufe des Jahres 1889 durch den Reichsanzeiger, den öffentlichen Anzeiger des Amtsblattes der Königlichen Regierung zu Potsdam, durch die Berliner Börsenzeitung und durch das Kreisblatt für die Ost-Prignitz öffentlich bekannt gemacht werden.

Wittstock, den 16. November 1888.

Königl. Amtsgericht.

Viehseuchen.

300. Die Lungenseuche ist unter dem Rindvieh des Rittergutes Groß-Pankow im Kreise Ost-Prignitz und des Rittergutes Plattenburg, des Vorwerkes Dannhof (Gutsbezirk Wolfshagen) und der Gemeinde Gühlsdorf im Kreise West-Prignitz ausgebrochen und in dem Viehbestande von Groß-Pankow bereits sehr stark verbreitet. Auch ist das Rindvieh mehrerer Gehöfte in Groß-Pankow und mehrerer Tagelöhner in Dannhof, weil es mit dem Rindvieh des Gutes in nahe Berührung gekommen ist, der Ansteckung der Lungenseuche verdächtig geworden. Der Händler Giesel zu Gühlsdorf, West-Prignitz, hat im September d. J. acht Kühe von dem Schäfer des Gutes Groß-Pankow käuflich erworben und von diesen eine nach Blumenthal, eine nach Beblow, eine nach Sarnow und eine nach Heinholz (Ost-Prignitz) veräußert. Außerdem hat der rc. Giesel aus seinem Gehöfte im Oktober d. J. eine Kuh nach Göhricke, eine nach Hoppenrade, eine nach Krams, eine nach Giesendorf, eine nach Kunow, eine nach Tychen, eine nach Pritzwalk, eine nach Bläsendorf in der Ost-Prignitz; ferner eine Kuh nach Quitzöbel, eine nach Grube, eine nach Leppin im Kreise West-Prignitz verkauft. Die Lungenseuche ist in Gühlsdorf bei dem Händler Giesel am 3. November amtlich festgestellt und sind von den vier noch in seinem Besitz befindlichen Kühen zwei auf polizeiliche Anordnung getödtet und auf Grund der stattgehabten Section mit der Lungenseuche behaftet befunden.

Die Einschleppung der Seuche ist erfolgt durch einen Viehtransport des Händlers Bülow zu Pritzwalk, welcher am 12. Juli 22 Stück Rindvieh aus dem Regierungsbezirk Magdeburg nach dem Rittergute Groß-Pankow gebracht hat. Aus dem Viehbestande des Rittergutes Groß-Pankow sind vom August bis Ende Oktober d. J. fünf Rinder gefallen und sieben wegen lebensgefährlicher Erkrankung geschlachtet worden. Das Vorhandensein der Lungenseuche ist daselbst amtlich erst am 27. Oktober d. J. festgestellt und mußten auf polizeiliche Anordnung 20 Kühe getödtet werden. Die Section ergab, daß alle mit der Lungenseuche behaftet waren. Auf dem Gute Plattenburg, wohin ein Theil des Viehtransportes auf die Weide gebracht war, sind vier Stück gefallen, auf dem Vorwerk Dannhof zwei mit der Lungenseuche behafteten Thiere auf polizeiliche Anordnung getödtet.

Potsdam, den 19. November 1888. Der Regierungs-Präsident.

Hierzu Drei Oeffentliche Anzeiger.

(Die Insertionsgebühren betragen für eine einspaltige Druckzeile 20 Pf.
Belagsblätter werden der Bogen mit 10 Pf. berechnet.)

Redigirt von der Königlichen Regierung zu Potsdam.

Potsdam, Buchdruckerei der A. W. Hayn'schen Erben (E. Hayn, Hof-Buchdrucker).

Amtsblatt

der Königlichen Regierung zu Potsdam und der Stadt Berlin.

Stück 48. Den 30. November **1888.**

Rechtzeitige Erneuerung der Bestellung auf das Amtsblatt für das Jahr 1889.

Wenngleich die Verpflichtung der Beamten, sowie der Gast- und Schankwirthe, einschließlich der Krüger, zum Halten der Regierungs-Amtsblätter aufgehoben ist, so ist doch anzunehmen, daß viele derselben das Amtsblatt auch fernerhin **freiwillig** zu halten wünschen.

Ich bringe deshalb die **rechtzeitige** Erneuerung der Bestellung für das Jahr 1889, welche bei den Kaiserlichen Postanstalten zu bewirken ist, mit dem Bemerken in Erinnerung, daß bei den **erst nach Ablauf des Jahres 1888** eingehenden Bestellungen die vollständige Nachlieferung der bereits erschienenen Stücke für 1889 wohl kaum mehr würde erfolgen können.

Potsdam, den 24. November 1888. Der Regierungs-Präsident.

Allerhöchster Erlaß.

Auf Ihren gemeinschaftlichen Bericht vom 29sten September 1888 will Ich hiermit das anbeifolgende Organisations-Statut für die Militär-Eisenbahn Berlin-Schießplatz genehmigen. Auch bestimme Ich, daß der öffentliche Verkehr auf die Strecke Berlin—Zossen der Militär-Eisenbahn ausgedehnt wird, soweit die militärischen Interessen dies zulassen. Sie haben hiernach das Weitere zu veranlassen. Wien, den 3. Oktober 1888.

(gez.) **Wilhelm**, R.

(gegengez.) von Maybach.

Bronsart von Schellendorff.

An den Minister der öffentlichen Arbeiten und den Kriegsminister.

Bekanntmachungen des Königlichen Regierungs-Präsidenten.

Das Oeffnen der Zugbrücke über die Dahme bei Schmöckwitz für Dampfboote während der Nachtzeit betreffend.

301. Im Einverständnisse mit dem Herrn Provinzial-Steuer-Direktor bestimme ich hierdurch, daß die Dahme-Zugbrücke bei Schmöckwitz für Dampfboote auch des Nachts gegen ein Aufzugsgeld von 25 Pfennigen geöffnet werde.

Von dieser Abgabe befreit bleiben nur solche Dampfer, welche den Hofhaltungen des Königlichen Hauses angehören, oder Reichs- bezw. Staatseigenthum sind, oder welche mit Freipässen versehen, Gegenstände ausschließlich für unmittelbare Rechnung des Deutschen Reiches, des Preußischen Staates oder für die Hofhaltungen des Königlichen Hauses befördern.

Potsdam, den 21. November 1888.

Der Regierungs-Präsident.

Die Vereidigung der Apotheker betreffend.

302. Bei der Vereidigung der approbirten Apotheker ist nach Anweisung des Herrn Ministers der geistlichen, Unterrichts- und Medizinal-Angelegenheiten in dem Reskript vom 13. November 1888, durch welches die Verfügung vom 18. Juli 1840 — s. Bekanntmachung vom 25. August 1840 im Amtsblatt Seite 268 — abgeändert wird, fortan folgende Eidesform in Anwendung zu bringen:

„Ich N. N. schwöre bei Gott dem Allmächtigen und Allwissenden, daß, nachdem mir die Approbation zum selbstständigen Betriebe einer Apotheke im Gebiete des deutschen Reiches ertheilt worden ist, ich alle mir vermöge meines Berufes obliegenden Pflichten nach den darüber bestehenden oder noch ergehenden Verordnungen, auch sonst nach meinem besten Wissen und Gewissen genau erfüllen will. So wahr mir Gott helfe!"

Dem Schwörenden bleibt es überlassen, diesen Eidesworten die seinem religiösen Bekenntnisse entsprechende Bekräftigungsformel beizufügen.

Potsdam, den 24. November 1888.

Der Regierungs-Präsident.

303. **Nachweisung**

derjenigen ländlichen Polizeibezirke, in welchen öffentliche Fleischbeschauer zur Untersuchung des Fleisches auf Trichinen bisher noch nicht angestellt worden sind.

Kreis Oberbarnim. Amtsbezirke: (Forstreviere:) Sonnenburg-Torgelow, Biesenthal und Eberswalde.

Kreis Osthavelland. Amtsbezirke: Neuholland Forst, Sanssouci und Citadelle Spandau.

Kreis Prenzlau. Amtsbezirke: Neuensund, Schönfeld und Klockow excl. Gemeinde und Gut Carmzow.

Kreis Ostprignitz. Gemeinden: Sechszehneichen, Redlin und Klein-Pankow. Gutsbezirke: Neuendorf bei Neustadt, Tornow, Wulkow, Karnzow und Oberförsterei Neuendorf bei Wittstock.

Kreis Ruppin. Amtsbezirke: Plaenitz, Linow, Rheinsberg, Groß-Zerlang, Buberow, Haesen, Karwe und Gnewikow.

Kreis Teltow. Amtsbezirke: Cummersdorf'er und Hammer'sche Forst.

Für sämmtliche städtische Polizeibezirke und ebenso für die vorstehend nicht aufgeführten ländlichen Polizeibezirke des Regierungsbezirks Potsdam sind öffentliche Fleischbeschauer angestellt.

Potsdam, den 21. November 1888.

Der Regierungs-Präsident.

Generalkonsulat für die Südafrikanische Republik betreffend

304. Hiermit bringe ich zur öffentlichen Kenntniß, daß der Justizrath und Geschäfts-Inhaber der Berliner Handels-Gesellschaft Max **Winterfeldt** in Berlin zum General-Konsul der Südafrikanischen Republik für Deutschland mit dem Amtssitze in Berlin ernannt worden ist. Potsdam, den 23. November 1888.

Der Regierungs-Präsident.

Standesamtsbezirksveränderung betreffend.

305. Es wird hierdurch zur öffentlichen Kenntniß gebracht, daß vom **1. Januar 1889** ab das Vorwerk Schulzenhof vom Standesamtsbezirk der Sta[...] Rheinsberg abgezweigt und dem Standesamtsbe[...] № 28 des Kreises Ruppin — „Menz" — zugethe[ilt] wird. Potsdam, den 24. November 1888.

Der Regierungs-Präsident.

Bekanntmachungen des Staatssekretairs des Reichs-Postamts.

Postpacket-Verkehr mit Süd-Australien

22. Von jetzt ab können **Postpackete** ohne Wer[th-]angabe im Gewicht bis 3 kg **nach der Britisc[hen] Kolonie Süd-Australien** versandt werden. Über die Taxen und Versendungsbedingungen ertheilen [die] Postanstalten auf Verlangen Auskunft.

Berlin W., 21. November 1888.

Der Staatssecretair des Reichs-Postamts.

Bekanntmachungen der Kaiserlichen Ober-Post-Direktion zu Potsdam.

Unbestellbare Postsendungen.

75. Bei der Kaiserlichen Ober-Postdirektion in Potsdam lagern folgende Postsendungen, welche den Absend[ern] bezw. den Eigenthümern nicht haben zurückgegeben werden können:

Lfd. №	Tag der Aufgabe.	Aufgabe-Postanstalt.	Gegenstand.	Eigenthümer.	Bestimmungsort.	Absender.
1	18. Juli 1888.	Berlin 37.	Postanweisung.	Pfarramt.	Jüterbog.	Burkhard in Berlin N.
2	14. Juli 1888.	Potsdam 3.	Einschreibbrief.	Gebr. Rosenthal (Confectionsgeschäft).	Berlin, Werderscher Markt.	Unbekannt

Ferner sind als herrenlos aufgefunden worden:

a. beim Reinigen der Postwagen-Abtheilung 6 der Güstrow-Plauer Eisenbahn: am 23. August 1888 eine Doppelkrone,

b. bei dem Postamte in Nauen unter den vom Zug 22 Berlin-Hamburg eingegangenen gewöhnlichen Briefen: am 1. September 1888 1 Ein-Thalerstück.

Die unbekannten Absender bezw. Eigenthümer der vorstehend bezeichneten Gegenstände werden aufgefordert, binnen 4 Wochen ihre Ansprüche geltend zu machen, widrigen Falles nach Maßgabe der gesetzlichen Bestimmungen verfahren werden wird.

Potsdam, den 17. November 1888. Der Kaiserl. Ober-Postdirektor.

Bekanntmachungen der Königl. Kontrolle der Staatspapiere.

Aufgebot einer Schuldverschreibung.

25. In Gemäßheit des § 20 des Ausführungsgesetzes zur Civilprozeßordnung vom 24. März 1879 (G.-S. S. 281) und des § 6 der Verordnung vom 16. Juni 1819 (G.-S. S. 157) wird bekannt gemacht, daß dem prakt. Arzte und Königlichen Kreiswundarzte Dr. med. **Reinkober** zu Breslau die Schuldverschreibung der konsolidirten 4%igen Staatsanleihe von 1881 lit. F. № 134374 über 200 M. angeblich abhanden gekommen ist. Es wird Derjenige, welcher sich im Besitze dieser Urkunde befindet, hiermit aufgefordert, solches der unterzeichneten Kontrolle der Staatspapiere oder dem Rechtsanwalt **Werner** zu Breslau, Ohlauerstraße 80, anzuzeigen, widrigenfalls das gerichtliche Aufgebotsverfahren behufs Kraftloserklärung der Urkunde beantragt werden wird. Berlin, den 21. November 1888.

Königl. Kontrolle der Staatspapiere.

Bekanntmachungen der Königlichen Eisenbahn-Direktion zu Berlin.

Preistafel im Verkehr mit der Station Grunewald.

46. Mit dem 15. Dezember d. J. tritt für den Verkehr mit der Station Grunewald eine neue Preistafel in Kraft, wodurch die bisherigen Fahrpreise zum Theil Ermäßigung erfahren.

Berlin, den 17. November 1888.

Königl. Eisenbahn-Direktion.

Bekanntmachungen der Königlichen Eisenbahn-Direktion zu Bromberg.

Ausnahme-Frachtsätze für Getreidesendungen.

68. Für Getreidesendungen treten: a. am 1. Dezember 1888 im Verkehr zwischen Runowo, b. am 15. Dezember 1888 im Verkehr zwischen Kruschwitz, Montwy, Rozniaty und c. am 1. Januar 1889 im Verkehr zwischen Gultowy einerseits und den Stationen Cüstrin, Cüstriner Vorstadt, Dahmsdorf-Müncheberg, Driesen-Vordamm, Filehne, Fredersdorf, Freienwalde

i. Pm., Gliezig, Golzow, Gusow, Hoppegarten, Kietz, Kreuz, Labes, Neurnhagen, Netzfelde, Ruhnow, Strausberg, Trampke, Trebnitz i. d. Mark und Wangerin andererseits nicht die im diesseitigen Lokal-Gütertarif enthaltenen abgestuften Sätze, sondern anderweite Ausnahme-Frachtsätze in Kraft. Näheres ist bei den vorgenannten Stationen zu erfahren.

Bromberg, den 19. November 1888.

Königl. Eisenbahn-Direktion.

Bekanntmachungen der Kreis-Ausschüsse.

Genehmigung

28. Auf Grund des § 25 des Zuständigkeits-Gesetzes vom 1. August 1883 in Verbindung mit § 1 Abschnitt 4 des Gesetzes über die Land-Gemeinde-Verfassungen vom 14. April 1856 genehmigen wir hiermit, daß die an den Mühlenmeister Wilhelm Friedrich Ferdinand Henning zu Malchow von der Stadtgemeinde Berlin abgetretenen, im Grundbuche von den Rittergütern im Kreise Niederbarnim Band III. Seite 281 eingetragenen, in der Gemarkung Malchow № 96 belegenen und auf Kartenblatt 1 der Grundsteuermutterrolle verzeichneten Flächenabschnitte:

zu	121/66	Acker	von 2 ar 28 qm,
=	121/66	=	= 1 - 89 -
=	121/66	=	= — - 95 -
		zusammen:	5 ar 12 qm,
und zu	120/65	Hofraum	von — ar 09 qm,
=	121/66	=	= 13 - 34 -
		überhaupt:	18 ar 55 qm

Größe, von dem Gutsbezirke Malchow abgetrennt und in den Gemeindebezirk Malchow einverleibt werden.

Berlin, den 2. November 1888.

Der Kreis-Ausschuß des Kreises Niederbarnim.

Communalbezirks-Veränderungen.

29. Der Kreisausschuß des Kreises Teltow hat auf Grund des § 59 des Landesverwaltungs-Gesetzes vom 30. Juli 1883, sowie des § 25 Absatz 1 des Zuständigkeits-Gesetzes vom 1. August 1883, in Verbindung mit § 1 Absatz 4 des Gesetzes vom 14. April 1856, betreffend die Landgemeinde-Verfassung, durch Beschluß vom 10. August d. J. seine Genehmigung dazu ertheilt, daß folgende Parzellen, nämlich 1) die an die Niederbarnimer Kreiscorporation für das Rettungshaus in Falkenberg im Jahre 1857 abgetretenen 5 Morgen — Band I. № 24 des Grundbuches von Falkenberg — und 2) die für die Niederbarnimer Kreiscorporation am 15. September 1866 aufgelassene und nach Band I. Blatt 24 des Grundbuches von Falkenberg übertragene Ackerfläche von 25 ar 50 qm von dem Gutsbezirk Falkenberg abgezweigt und mit dem Gemeinde-Verband Falkenberg vereinigt werden.

Berlin, den 13. November 1888.

Der Kreis-Ausschuß des Kreises Niederbarnim.

Genehmigung.

30. Auf Grund des § 25 Absatz 1 des Zuständigkeits-Gesetzes vom 1. August 1883, in Verbindung mit § 1 Abschnitt 4 des Gesetzes über die Landgemeinde-Verfassungen vom 14. April 1856 genehmigen wir hiermit unter Aufhebung unseres Beschlusses vom 19. August 1887 — Amtsblatt de 1887 Seite 339 — daß die nachbezeichneten, vom Rittergute Falkenberg abgetretenen, aber in kommunaler Beziehung noch zu diesem Rittergute gehörigen Parzellen 1) die für die Schulgemeinde Falkenberg im Jahre 1861 abgeschriebenen 2 Morgen 169 □Ruthen, 2) die an die Gemeinde Falkenberg am 15. Oktober 1886 zur Errichtung eines Schulgebäudes abgetretene Parzelle von 21 ar 88 qm von dem Gutsbezirk Falkenberg abgezweigt und dem Gemeindebezirk Falkenberg einverleibt, andererseits die dem Titelblatt des Grundbuchs vom Rittergute Falkenberg als Flächenabschnitt 36 zugeschriebene Parzelle von 54 ar 40 qm, welche in kommunaler Beziehung noch zur Dorfgemeinde Falkenberg gehört, von der letzteren abgetrennt und dem Gutsbezirk Falkenberg einverleibt werde.

Berlin, den 13. November 1888.

Der Kreisausschuß des Kreises Niederbarnim.

Bekanntmachungen anderer Behörden.

Bekanntmachung.

In Gemäßheit des § 4 des Gesetzes vom 27. Juli 1885, betreffend Ergänzung und Abänderung einiger Bestimmungen über Erhebung der auf das Einkommen gelegten directen Kommunalabgaben (Gesetz-Samml. S. 327), wird hiermit zur öffentlichen Kenntniß gebracht, daß das im laufenden Steuerjahre kommunalabgabepflichtige Reineinkommen aus dem Betriebsjahre 1887/88

bei der Paulinenaue-Neu-Ruppiner Eisenbahn auf	76 500,00 M.,
= = Prignitzer Eisenbahn auf	60 750,00 =
= = Wittenberge-Perleberger Eisenbahn auf	29 655,53 =

festgestellt worden ist.

Berlin, den 15. November 1888.

Königl. Eisenbahn-Commissariat.

Personal-Chronik.

Der der hiesigen Regierung als Dirigent der Abtheilung für Kirchen- und Schulwesen überwiesene Ober-Regierungs-Rath Lucanus ist in das Regierungs-Collegium eingeführt und hat seine Dienst-Geschäfte übernommen.

Der Regierungsrath Dr. v. Gersdorff ist mit der Verwaltung des Landrathsamts im Kreise Beeskow-Storkow beauftragt und hat seine Dienstgeschäfte am 17. November 1888 übernommen.

Der Wasserbauinspector von Dömming ist zum Regierungs- und Baurath ernannt und demselben die bisher von ihm commissarisch verwaltete Regierungs- und Bauraths- (Elbstrom-Bau-Director-) Stelle beim Königlichen Ober-Präsidium in Magdeburg definitiv übertragen worden.

Im Kreise Beeskow-Storkow ist an Stelle des verstorbenen Königlichen Försters Kühlhorn zu Schwenow der Königliche Förster Schröder daselbst zum Amtsvorsteher-Stellvertreter des Amtsbezirks „Schwenower Forst" ernannt worden.

Der commissarische Forst-Kassen-Rendant Braungartt in Zehdenick ist zum Stellvertreter des Amtsanwalts bei dem Königl. Amtsgericht daselbst ernannt.

Der Rentmeister Brüning zu Belzig wird mit der gesetzlichen Pension seinem Antrage gemäß vom 1. Januar 1889 ab in den Ruhestand versetzt.

Der Rentmeister Bollmann zu Neu-Ruppin wird mit der gesetzlichen Pension seinem Antrage gemäß vom 1. Januar 1889 ab in den Ruhestand versetzt.

Die Försterstelle Gorin in der Oberförsterei Schönwalde ist vom 1. Dezember d. J. ab dem Förster Haberland zu Neulammer, Oberförsterei Rüthnick, übertragen worden.

Der versorgungsberechtigte Oberjäger (Sergeant), Forstaufseher Diederich zu Neuhaus in der Oberförsterei Havelberg ist zum Königlichen Förster ernannt und demselben die Försterstelle Neulammer in der Oberförsterei Rüthnick vom 1. Dezember d. J. ab übertragen worden.

Die Verwaltung der Buhnenmeisterstelle zu Brandenburg a. H. ist dem Buhnenmeister-Aspiranten [illegible] einstweilen auf Probe übertragen worden.

Der bisherige Pfarrer zu Krügersdorf, Diözese Beeskow, Bernhard Hugo Götze, ist zum Pfarrer der Parochie Illmersdorf, Diözese Dahme, bestellt worden.

Der bisherige Pfarrer Ernst Eduard [illegible] Eltester in Triglitz, Diözese Putlitz, ist zum Pfarrer der Parochie Hohen-Landin, Diözese Schwedt, bestellt worden.

Die Lehrerinnen Albrecht, Ley, [illegible], Sielmann, Rellstab, Hoffmann VII., [illegible], Bellack, Krone, Neumann VI., Graetsch, [illegible], Carus, Lent und Gutdeutsch sind als Gemeindeschullehrerinnen in Berlin angestellt worden.

Ausweisung von Ausländern aus dem Reichsgebiete.

Laufende Nr.	Name und Stand des Ausgewiesenen	Alter und Heimath des Ausgewiesenen	Grund der Bestrafung	Behörde, welche die Ausweisung beschlossen hat	Datum des Ausweisungs-Beschlusses
1	2	3.	4.	5.	6
		a. Auf Grund des § 39 des Strafgesetzbuchs:			
1	Andreas Kartschall, Tagelöhner,	geboren am 16. November 1847 zu Franzelhütte, Bez. Bischofteinitz, Böhmen, ortsangehörig ebendaselbst,	schwerer und einfacher Diebstahl (1 Jahr 1 Monat Zuchthaus laut Erkenntniß vom 1. Oktober 1887),	Königlich Bayerisches Bezirksamt Ansbach,	20. Se[illegible] 1888.
2	Karl Robert Hoda, Bäckergeselle,	geboren am 26. Januar 1865 zu Ratibor bei Neuhaus, Böhmen, wohnhaft zuletzt in Gera, Reuß j. L.,	4 schwere Diebstähle (2 Jahre Zuchthaus laut Erkenntniß vom 25. Oktober 1886),	Fürstlich reußisches Landrathsamt zu Gera,	5. Okt[illegible] 1888.
		b. Auf Grund des § 362 des Strafgesetzbuchs:			
1	Heinrich Wagner, Schreinergeselle,	geboren am 19. Juli 1869 zu Luxemburg, ortsangehörig ebendas.,	Landstreichen und Betteln,	Königlich Preußischer Regierungspräsident zu Düsseldorf,	27. Okt[illegible] 1888.
2	Martin Klingl, Müller,	geboren am 20. Oktober 1864 zu Haselbach, Bezirk Taus, Böhmen, ortsangehörig ebendas.,	desgleichen,	Königlich Bayrisches Bezirksamt Viechtach,	29. Okt[illegible] 1888.
3	Franz Buchschacher, Hutmacher,	geboren am 28. September 1864 zu Bielen, Kanton Bern, Schweiz, ortsangehörig ebendas.,	Landstreichen,	Kaiserlicher Bezirks-Präsident zu Straßburg,	1. Novem[illegible] 1888.
4	Karl Zimmermann, Schmied,	geboren am 20. März 1859 zu Lausanne, Schweiz, ortsangehörig ebendaselbst,	desgleichen,	Kaiserlicher Bezirks-Präsident zu Metz,	5. Novemb[illegible] 1888.

Hierzu Vier Oeffentliche Anzeiger.

(Die Insertionsgebühren betragen für eine einspaltige Druckzeile 20 Pf. Belagsblätter werden der Bogen mit 10 Pf. berechnet.)

Redigirt von der Königlichen Regierung zu Potsdam.

Potsdam, Buchdruckerei der A. W. Hayn'schen Erben (E. Hayn, Hof-Buchdrucker).

Amtsblatt
der Königlichen Regierung zu Potsdam und der Stadt Berlin.

Stück 49. Den 7. Dezember **1888.**

Rechtzeitige Erneuerung der Bestellung auf das Amtsblatt für das Jahr 1889.

Wenngleich die Verpflichtung der Beamten, sowie der Gast- und Schankwirthe, einschließlich der Krüger, zum Halten der Regierungs-Amtsblätter aufgehoben ist, so ist doch anzunehmen, daß viele derselben das Amtsblatt auch fernerhin **freiwillig** zu halten wünschen.

Ich bringe deshalb die **rechtzeitige** Erneuerung der Bestellung für das Jahr 1889, welche bei den Kaiserlichen Postanstalten zu bewirken ist, mit dem Bemerken in Erinnerung, daß bei den **erst nach Ablauf des Jahres 1888** eingehenden Bestellungen die vollständige Nachlieferung der bereits erschienenen Stücke für 1889 wohl kaum mehr würde erfolgen können.

Potsdam, den 24. November 1888. Der Regierungs-Präsident.

Reichs-Gesetzblatt.

(Stück 38.) № 1825. Verordnung über die Inkraftsetzung des Gesetzes, betreffend die Unfall- und Krankenversicherung der in land- und forstwirthschaftlichen Betrieben beschäftigten Personen, vom 5. Mai 1886. Vom 27. Oktober 1888.

№ 1826. Freundschafts-, Handels-, Schifffahrts- und Konsularvertrag zwischen Seiner Majestät dem Deutschen Kaiser, König von Preußen u. s. w., im Namen des Deutschen Reichs und der Republik Guatemala. Vom 20. September 1887.

№ 1827. Freundschafts-, Handels-, Schifffahrts- und Konsularvertrag zwischen Seiner Majestät dem Deutschen Kaiser, König von Preußen u. s. w., im Namen des Deutschen Reichs und der Republik Honduras. Vom 12. Dezember 1887.

(Stück 39.) № 1828. Verordnung, betreffend die Einberufung des Reichstags. Vom 9. November 1888.

Gesetz-Sammlung für die Königlichen Preußischen Staaten.

(Stück 31.) № 9310. Verordnung, betreffend die Anstalten zum Trocknen und Einsalzen ungegerbter Thierfelle. Vom 16. September 1888.

(Stück 32.) № 9311. Verfügung des Justizministers, betreffend die Anlegung des Grundbuchs für einen Theil der Bezirke der Amtsgerichte Reinhausen und Stade. Vom 27. Oktober 1888.

Bekanntmachungen des Königlichen Regierungs-Präsidenten.

Chausseegelderhebung auf den Hebestellen Damm-Hast und Vogelsang der Templin-Zehdenick'er Kreischaussee.

306. Dem Kreise Templin ist Seitens des Herrn Ministers der öffentlichen Arbeiten durch Erlaß vom 13. November d. J. die Genehmigung ertheilt worden, daß nach Aufhebung der Hebestelle bei Vogelsang auf der Templin-Zehdenick'er Kreischaussee an der Hebestelle in Damm-Hast statt des bisherigen Chausseegeldes für eine halbe Meile ein solches für anderthalb Meilen, jedoch mit der Maßgabe erhoben werde, daß in Berücksichtigung der Lage der Ortschaften bei dieser Hebestelle eine Ermäßigung auf ein Drittel der Hebebefugniß (also für eine halbe Meile) eintritt:

a. für diejenigen Fuhrwerke aus Zehdenick und Damm-Hast, welche nur bis Station 14,4 in die Königliche Zehdenicker Forst und auf der Gollin'er Landstraße nach der Königlichen Reiersdorf'er Forst fahren,

b. für Fuhrwerke von Oberförsterei Zehdenick, Försterei Wolfsgarten, Neuhof und Burgwall,

c. für Fuhrwerke, welche auf dem Landwege von Storkow, Bergluch, Deutschboden, Grunewald, Curtschlag, Klein- und Groß-Dölln, Großväter und Bebersee vor Damm-Hast auf die Chaussee kommen,

d. für Fuhrwerke nach und von der Schenk'schen Windmühle bei Damm-Hast.

Potsdam, den 25. November 1888.

Der Regierungs-Präsident.

Schneider-Innung zu Brandenburg a. H.

307. Auf Grund des § 100e. № 1, 2 und 3 der Reichs-Gewerbe-Ordnung in der Fassung des Gesetzes vom 18. Juli 1881 und der Ausführungs-Anweisung hierzu vom 9. März 1882 — № I. 1a.2 — bestimme ich hierdurch für den Bezirk der Schneider-Innung zu Brandenburg a. H.,

1) daß Streitigkeiten aus den Lehrverhältnissen der im § 120a. der Reichs-Gewerbe-Ordnung bezeichneten Art auf Anrufen eines der streitenden Theile von der zuständigen Innungsbehörde auch dann zu entscheiden sind, wenn der Arbeitgeber, obwohl er das in der Innung vertretene Gewerbe betreibt und selbst zur Aufnahme in die Innung fähig sein würde, gleichwohl der Innung nicht angehört,

2) daß die von der Innung erlassenen Vorschriften über die Regelung des Lehrlings-Verhältnisses, sowie über die Ausbildung und Prüfung der Lehr-

linge auch dann bindend sind, wenn der Lehrherr zu den unter № 1 bezeichneten Arbeitgebern gehört,

3) daß Arbeitgeber der unter № 1 bezeichneten Art vom 1. Juni 1889 ab Lehrlinge nicht mehr annehmen dürfen.

Ich bringe dies mit dem Bemerken hierdurch zur Kenntniß, daß der Bezirk der genannten Innung die Stadt Brandenburg a. H. und die umliegenden Ortschaften der Kreise Westhavelland und Zauch-Belzig im Umkreise von 10 km mit Ausnahme der Stadt Plaue und des Amtsbezirks Plauerhoff umfaßt.

Potsdam, den 28. November 1888.

Der Regierungs-Präsident.

808. Nachweisung der an den Pegeln der Spree und Havel im Monat September 1888 beobachteten Wasserstände.

Datum.	Berlin. Ober- N. N. Wasser.	Berlin. Unter- N. N. Wasser.	Spandau. Ober-Wasser.	Spandau. Unter-Wasser.	Potsdam.	Baumgartenbrück.	Brandenburg. Ober-Wasser	Brandenburg. Unter-Wasser	Rathenow. Ober-Wasser.	Rathenow. Unter-Wasser.	Havelberg.	Plauer Brücke.
	Meter.	Meter.	Meter.	Meter.	Meter.	Meter.	Meter.	Meter.	Meter.	Meter.	Meter.	Meter.
1	32,34	30,68	2,36	0,40	0,82	0,35	1,88	0,86	1,32	0,56	1,60	1,34
2	32,34	30,68	2,36	0,36	0,81	0,35	1,88	0,84	1,32	0,54	1,54	1,32
3	32,32	30,68	2,36	0,36	0,80	0,35	1,88	0,82	1,32	0,52	1,50	1,30
4	32,34	30,66	2,36	0,38	0,79	0,35	1,88	0,80	1,32	0,54	1,46	1,30
5	32,34	30,68	2,36	0,36	0,79	0,35	1,88	0,78	1,32	0,54	1,44	1,28
6	32,34	30,68	2,36	0,34	0,78	0,34	1,88	0,78	1,32	0,54	1,42	1,28
7	32,34	30,68	2,38	0,36	0,78	0,34	1,86	0,78	1,32	0,56	1,46	1,26
8	32,34	30,68	2,34	0,36	0,78	0,34	1,86	0,80	1,32	0,56	1,60	1,26
9	32,34	30,66	2,30	0,30	0,78	0,35	1,86	0,80	1,32	0,56	1,78	1,26
10	32,34	30,64	2,32	0,34	0,77	0,35	1,86	0.78	1,32	0,56	2,08	1,24
11	32,35	30,64	2,34	0,34	0,79	0,34	1 86	0,76	1,32	0,54	2,36	1,24
12	32,36	30,66	2,32	0,40	0,78	0,34	1,84	0,74	1,32	0,52	2,52	1,24
13	32,36	30,66	2,34	0,36	0,79	0,34	1,86	0,78	1,32	0,52	2,56	1,24
14	32,36	30,66	2,36	0,36	0,78	0,34	1,86	0.76	1,32	0,50	2,54	1,2[illegible]
15	32,36	30,64	2,38	0,32	0,77	0,33	1,88	0,78	1,32	0,50	2,60	[illegible]
16	32,36	30,64	2,40	0,30	0,77	0,33	1,86	0,76	1,32	0,50	2,72	[illegible]
17	32,36	30,64	2,36	0,34	0,76	0,32	1,86	0,76	1,32	0,52	2,80	1,2[illegible]
18	32,36	30,66	2,34	0,38	0,76	0,32	1,88	0,78	1,32	0,50	2,82	1,2[illegible]
19	32,34	30,66	2,32	0,36	0,76	0,32	1,90	0,76	1,32	0,50	2,76	1,24
20	32,34	30,68	2,36	0,34	0,76	0,31	1,88	0,78	1,32	0,52	2,64	1,24
21	32,36	30,66	2,36	0,34	0,76	0,31	1,86	0,78	1,32	0,52	2,48	1,24
22	32,34	30,68	2,36	0,34	0,75	0,31	1,88	0.76	1,32	0,50	2,30	1,22
23	32,32	30,66	2,38	0,32	0,75	0,30	1,88	0,76	1,32	0,50	2,16	1,22
24	32,32	30,66	2,38	0,36	0,75	0,30	1,88	0,70	1,32	0,48	2,04	1,22
25	32,30	30,64	2,40	0,32	0,75	0,30	1,86	0,74	1,32	0,46	1,94	1,22
26	32,30	30,60	2,40	0,32	0,74	0,30	1,88	0,74	1,32	0,48	1,82	1,20
27	32,32	30,58	2,40	0,32	0,74	0,29	1,88	0,74	1,32	0,46	1,74	1,20
28	32,30	30,60	2,40	0,32	0,73	0,29	1,88	0,74	1,32	0,46	1,64	1,20
29	32,32	30,60	2,40	0,32	0,73	0,29	1,88	0,72	1,32	0,48	1,58	1,2[illegible]
30	32,32	30,60	2,40	0,30	0,73	0,29	1,88	0,72	1,32	0,48	1,52	1,1[illegible]

Potsdam, den 27. November 1888. Der Regierungs-Präsident.

ist, mit Ausnahme von Weinreben, für Sendungen aus Deutschland, Belgien, Holland, Dänemark, England, Schweden und Norwegen über folgende Zollämter gestattet: Wirballen, Alexandrowo und Mlawa, die Häfen des Weißen Meeres, über die Baltischen Häfen Libau, Riga und St. Petersburg und über die Schwarzmeerhäfen Odessa und Batum.

2) Sendungen lebender Pflanzen müssen von Zeugnissen der Lokalbehörden oder einer Phylloxera-Kommission begleitet sein a) daß in der Sendung keine Weinreben enthalten seien und b) daß der Absender bez. die die Pflanzen expedirende Firma weder auf ihrem Grund und Boden, noch in ihren Orangerien Weinreben stehen habe.

Anmerkung I. Sendungen mit lebenden Pflanzen werden den Empfängern ausgehändigt, wenn diese einen Revers ausstellen, daß in den betreffenden Sendungen keine Weinreben enthalten sind.

Anmerkung II. Der Kaiserliche botanische Garten und die Universitäten haben das Recht, lebende Pflanzen ohne die gedachten Bescheinigungen aus allen Theilen der Welt zu beziehen. Die Anordnung über die unbehinderte Einfuhr für den botanischen Garten bestimmter Sendung ist nach einem diesbezüglichen Antrage des Domänen-Ministeriums von dem Ministerium der Finanzen zu treffen, während die Einfuhr von Sendungen an die Universitäten auf einen von denselben gemäß § 1277 der Zollverordnungen gestellten Antrag hin im Einvernehmen zwischen den Ministerien der Finanzen und der Reichsdomänen zu erfolgen hat.

3) Die Einfuhr ausländischer Weintrauben als Trauben oder einzelne Beeren und von Trestern ist über alle oben (Pkt 1) genannten Zollämter mit Ausnahme von Batum gestattet.

Anmerkung: Die aus dem Auslande eingeführten Weintrauben dürfen nicht in Weinrebenblättern verpackt sein.

4) Die Einfuhr jeglicher Art von Früchten und Gemüsen ist mit Ausnahme der südwestlichen Landgrenze (bis Wolotschisk einschließlich), wo dieselbe verboten ist, keinerlei Beschränkungen unterworfen.

5) Die vorstehenden Bestimmungen treten zwei Monate nach dem Tage ihrer Veröffentlichung in Kraft.

Vorstehende Uebersetzung aus der Gesetzsammlung vom 23. September 1888 a. St. wird hierdurch zur öffentlichen Kenntniß gebracht.

Potsdam, den 3. Dezember 1888.

Der Regierungs-Präsident.

Verloosung von Pferden, Equipagen ꝛc. in Frankfurt a. M.

310. Der Herr Minister des Innern hat dem landwirthschaftlichen Vereine zu Frankfurt a. M. die Genehmigung ertheilt, bei Gelegenheit der im April und Oktober nächsten Jahres daselbst stattfindenden beiden Pferdemärkte je eine öffentliche Verloosung von Equipagen, Pferden, Pferdegeschirren ꝛc., zu welcher je 40000 Loose zu je 3 Mark ausgegeben werden dürfen, zu veranstalten und die betreffenden Loose im ganzen Bereiche der Monarchie zu vertreiben.

Potsdam und Berlin, den 27. November 1888.

Der Regierung-Präsident. Der Polizei-Präsident.

Bekanntmachungen des Königlichen Polizei-Präsidiums zu Berlin.

Abänderungen des revidirten Statuts der Preußischen Boden-Credit-Actien-Bank.

127. Nachstehender

Allerhöchster Erlaß:

„Auf Ihren Bericht vom 2. d. Mts. will ich hiermit genehmigen, daß das der Preußischen Boden-Credit-Actien-Bank zu Berlin unter dem 21. Dezember 1868 ertheilte Privilegium auch bei den Abänderungen des § 16 Absatz 5 und des § 45 Absatz 3 des geltenden Gesellschafts-Statuts, welche nach der in Ausfertigung zurückfolgenden notariellen Verhandlung vom 24. März 1888 beschlossen worden sind, in Kraft bleibt. Dabei wird jedoch vorausgesetzt, daß die Eintragung jener Statuten-Aenderungen in das Handelsregister unbeanstandet erfolgt.

Berlin, den 8. August 1888.

gez. **Wilhelm R.**

ggez. Freiherr von Lucius. von Scholz. Herrfurth.

An die Minister für Landwirthschaft, Domänen, und Forsten, der Finanzen und des Innern."

wird nebst den in demselben bezeichneten Abänderungen des durch Allerhöchsten Erlaß vom 9. März 1874 genehmigten revidirten Statuts der Preußischen Boden-Credit-Actien-Bank, welche in Folgendem bestehen:

„§ 16 Absatz 5.

Abschlagszahlungen, welche über den Betrag der stipulirten Amortisationsrate hinausgehen, ist die Preußische Boden-Credit-Aktien-Bank berechtigt, in unkündbaren Hypothekenbriefen nebst den laufenden Coupons und Talons zum Nennwerthe zu fordern, welche zu denselben Serien gehören, wie die betreffenden Hypotheken, an deren Stelle die Hypothekenbriefe ausgefertigt sind.

Diese Berechtigung wird dahin beschränkt, daß die Bank in allen nach dem 1. Januar 1887 abgeschlossenen Beleihungs-Geschäften alle Hypothekenbriefe, sobald sie von demselben Zinssatze und von demselben Einlösungswerthe sind, gleichmäßig in Zahlung nehmen muß.

§ 45 Absatz 3.

Am 31. Dezember oder am 2. Januar, und falls dieser ein Sonntag, am 3. Januar muß behufs Aufstellung der Bilanz eine solche Revision bewirkt werden."

hierdurch mit dem Bemerken zur öffentlichen Kenntniß gebracht, daß diese Statuten-Aenderungen am 20. September 1888 in das Handelsregister des Königlichen Amtsgerichts I. zu Berlin eingetragen worden sind.

Berlin, den 22. November 1888.

Der Polizei-Präsident.

Freiherr von Richthofen.

Ausspielung von Goldbarren 2c.

128. Des Königs Majestät haben mittelst Allerhöchster Ordre vom 14. d. M. dem Bauausschusse für das städtische Volkstheater und Festhaus zu **Worms** die Erlaubniß zu ertheilen geruht, zu der mit Genehmigung der Großherzoglich Hessischen Landesregierung Behufs Gewinnung von Geldmitteln für den Baufonds zu veranstaltenden zweiten Ausspielung von Goldbarren, sowie von goldenen, silbernen, Kunst- und Industriegegenständen auch im diesseitigen Staatsgebiete und zwar in der Provinz Hessen-Nassau, in der Rheinprovinz und im Stadtkreise Berlin Loose zu vertreiben.

Berlin, den 29. November 1888.

Der Polizei-Präsident.

Bekanntmachungen des Staatssekretairs des Reichs-Postamts.

Die Weihnachts-Sendungen betreffend.

23. Das Reichs-Postamt richtet auch in diesem Jahre an das Publikum das Ersuchen, mit den Weihnachtsversendungen bald zu beginnen, damit die Packetmassen sich nicht in den letzten Tagen vor dem Feste zu sehr zusammendrängen, wodurch die Pünktlichkeit in der Beförderung leidet. Die Packete sind dauerhaft zu verpacken. Dünne Pappkasten, schwache Schachteln, Cigarrenkisten 2c. sind nicht zu benutzen. Die Aufschrift der Packete muß deutlich, vollständig und haltbar hergestellt sein. Kann die Aufschrift nicht in deutlicher Weise auf das Packet gesetzt werden, so empfiehlt sich die Verwendung eines Blattes weißen Papiers, welches der ganzen Fläche nach fest aufgeklebt werden muß. Am zweckmäßigsten sind gedruckte Aufschriften auf weißem Papier. Dagegen dürfen Formulare zu Post-Packetadressen für Packetaufschriften nicht verwendet werden. Der Name des Bestimmungsorts muß stets recht groß und kräftig gedruckt oder geschrieben sein. Die Packetaufschrift muß sämmtliche Angaben der Begleitadresse enthalten, zutreffendenfalls also den Frankovermerk, den Nachnahmebetrag nebst Namen und Wohnung des Absenders, den Vermerk der Eilbestellung u. s. w., damit im Falle des Verlustes der Begleitadresse das Packet auch ohne dieselbe dem Empfänger ausgehändigt werden kann. Auf Packeten nach größeren Orten ist die Wohnung des Empfängers, auf Packeten nach Berlin auch der Buchstabe des Postbezirks (C., W., SO. u. s. w.) anzugeben. Zur Beschleunigung des Betriebes trägt es wesentlich bei, wenn die Packete **frankirt** aufgeliefert werden. Das Porto für Packete ohne angegebenen Werth nach Orten des Deutschen Reichs-Postgebiets beträgt bis zum Gewicht von 5 Kilogramm: 25 Pf. auf Entfernungen bis 10 Meilen, 50 Pf. auf weitere Entfernungen.

Berlin W., den 1. Dezember 1888.

Der Staatssekretair des Reichs-Postamts.

Bekanntmachungen der Kaiserlichen Ober-Post-Direktion zu Potsdam.

Landbriefbestellbezirksänderung.

76. Die im Kreise Prenzlau belegene Ortschaft **Klockow** wird vom 10. Dezember d. J. ab von dem Landbriefbestellbezirke des Kaiserlichen Postamts in Brüssow abgezweigt und dem Bestellbezirke des Kaiserlichen Postamts in **Rechlin** zugetheilt.

Potsdam, den 30. November 1888.

Der Kaiserl. Ober-Postdirektor.

Einrichtung einer Reichs-Telegraphenanstalt.

77. Auf dem Bahnhofe in Gransee wird am 3ten Dezember eine mit der Zweig-Postanstalt daselbst vereinigte Reichs-Telegraphenanstalt in Wirksamkeit treten.

Potsdam, den 30. November 1888.

Der Kaiserl. Ober-Postdirektor.

Landbriefbestellbezirksänderung.

78. Vom 10. Dezember ab wird die im Kreise Oberbarnim belegene Ortschaft **Metzdorf** von dem Landbriefbestellbezirke der Kaiserlichen Postagentur in Neu-friedland abgezweigt und dem Bestellbezirke der Kaiserlichen Postagentur in **Cunersdorf** bei Wriezen zugetheilt.

Potsdam, den 30. November 1888.

Der Kaiserl. Ober-Postdirector.

Landbriefbestellbezirksänderung.

79. Das im Kreise Angermünde belegene Gut **Augustenhöh** wird vom 10. Dezember ab von dem Landbriefbestellbezirke der Kaiserlichen Postagentur in Schönermark (Kr. Angermünde) abgezweigt und dem Bestellbezirke des Kaiserlichen Postamts in Passow (Uckermark) zugetheilt werden. Von demselben Tage ab scheidet das in demselben Kreise gelegene Forsthaus **Theerofen** aus dem Landbestellbezirke des letztgenannten Postamtes aus und wird dem Bezirk des Kaiserlichen Postamts in Schwedt zugetheilt.

Potsdam, den 1. Dezember 1888.

Der Kaiserl. Ober-Postdirector.

Bekanntmachungen der Königlichen Hauptverwaltung der Staatsschulden.

Aufgebot einer Schuldverschreibung.

22. Das Bankgeschäft von Herrig & Frenzel hierselbst, Taubenstraße Nr. 33, hat auf Umschreibung der Schuldverschreibung der konsolidirten 4prozentigen Staatsanleihe von 1885 Lit. E. № 921991 über 300 M. angetragen, weil von der unteren linken Ecke derselben ein Stück abgeschnitten ist.

In Gemäßheit des § 3 des Gesetzes vom 4. Mai 1843 (Ges.-S. S. 177) wird deshalb Jeder, der an diesem Papier ein Anrecht zu haben vermeint, aufgefordert, dasselbe binnen 6 Monaten und spätestens

am 11. Februar 1889

uns anzuzeigen, widrigenfalls das Papier kassirt und dem obengenannten Bankgeschäft ein neues kursfähiges ausgehändigt werden wird.

Berlin, den 26. Juli 1888.

Hauptverwaltung der Staatsschulden.

Aufgebot einer Schuldverschreibung.

23. Der Bankier Otto Höchberg zu Frankfurt a. M. hat auf Umschreibung der Schuldverschreibung des 3½ prozentigen Staatsanlehens der vormals freien Stadt Frankfurt a. M. vom 9. April 1839 Lit. D Nr. 191 über 1000 Fl. angetragen, weil dieselbe wegen der auf der Rückseite befindlichen durchstrichenen Vermerke nicht mehr umlaufsfähig ist. In Gemäßheit des

§ 2 des Gesetzes vom 29. Februar 1868 (Ges.-S. S. 169), des § 2 des Gesetzes vom 5. März 1869 (Ges.-S. S. 379) und des § 3 des Gesetzes vom 4. Mai 1843 (Ges.-S. S. 177) wird deshalb Jeder, der an diesem Papier ein Anrecht zu haben vermeint, aufgefordert, dasselbe binnen 6 Monaten und spätestens **am 10. April 1889** uns anzuzeigen, widrigenfalls das Papier kassirt und dem obengenannten Bankier Otto Höchberg ein neues kursfähiges ausgehändigt werden wird.

Berlin, den 28. September 1888.

Hauptverwaltung der Staatsschulden.

Bekanntmachungen der Königl. Kontrolle der Staatspapiere.

Aufgebot von Schuldverschreibungen.

26. In Gemäßheit des § 20 des Ausführungsgesetzes zur Civilprozeßordnung vom 24. März 1879 (G.-S. S. 281) und des § 6 der Verordnung vom 16. Juni 1819 (G.-S. S. 157) wird bekannt gemacht, daß in dem Nachlasse des hierselbst verstorbenen Weingroßhändlers Mor Maurer die Schuldverschreibungen der konsolidirten 4%igen Staatsanleihe lit. A. № 15490 über 5000 M., lit. B. № 24585 über 2000 M., lit. C. № 68630 über 1000 M., lit. D. № 67197 über 500 M. und lit. F. № 3275, 89252, 147914 und 186439 über je 200 M. angeblich vermißt werden. Es werden Diejenigen, welche sich im Besitze dieser Urkunden befinden, hiermit aufgefordert, solches der unterzeichneten Kontrolle der Staatspapiere oder dem Kaufmann und Weingroßhändler Heinrich Leibfried hier, Nettelbeckstraße Nr. 11, anzuzeigen, widrigenfalls das gerichtliche Aufgebotsverfahren behufs Kraftloserklärung der Urkunden beantragt werden wird.

Berlin, den 30. November 1888.

Königl. Kontrolle der Staatspapiere.

Bekanntmachungen der Kreis-Ausschüsse.

Communalbezirks-Veränderungen.

31. Die Aufnahme einer im Gemeindebezirk Bornim belegenen Parzelle von 49 qm Größe № 768/138 der vorläufigen Grundsteuerfortschreibungsverhandlungen in den Forstgutsbezirk Bornim sowie die Aufnahme einer gleich großen zum Forstgutsbezirk Bornim gehörigen Parzelle № 769/138 der vorläufigen Grundsteuerfortschreibungsverhandlungen in den Gemeindebezirk Bornim ist von uns genehmigt worden.

Nauen, den 23. November 1888.

Der Kreis-Ausschuß.

Personal-Chronik.

Seine Majestät der Kaiser und König haben Allergnädigst geruht, dem Wasserbau-Inspektor Leiter in Thiergartenschleuse den Character als „Baurath" zu verleihen.

Dem Fräulein Frieda Holzmann in Rehhorst bei Liebenwalde ist die Erlaubniß ertheilt worden, im Reg.-Bez. Potsdam Stellen als Hauslehrerin anzunehmen.

Der bisherige Pfarrer Friedrich Ferdinand Karl Liepe in Schulzendorf ist zum Pfarrer in Herzberg, Diözese Lindow-Gransee, bestellt worden.

Der bisherige Domhülfsprediger zu Berlin Friedrich Paul Wuttke ist zum Pfarrer der Parochie Ribbeck, Diözese Nauen, bestellt worden.

Der bisherige Predigtamts-Kandidat Heinrich Meinhard Konrad Schmidt ist zum Diakonus der Parochie Groß-Schönebeck, Diözese Bernau, bestellt worden.

Die unter privatem Patronat stehende Pfarrstelle zu Carwe, Diözese Neu-Ruppin, ist durch das Ableben des Pfarrers Colley am 10. November d. J. zur Erledigung gekommen.

Die unter Königlichem Patronat stehende Pfarrstelle zu Rüthnick, Diözese Lindow-Gransee, ist durch das Ableben ihres bisherigen Inhabers, des Pfarrers Dckhardt, am 14. November d. J. zur Erledigung gekommen. Die Wiederbesetzung dieser Stelle erfolgt durch Gemeindewahl nach Maßgabe des Kirchengesetzes, betreffend das im § 32 № 2 der Kirchengemeinde- und Synodal-Ordnung vom 10. September 1873 vorgesehene Pfarrwahlrecht, vom 15. März 1886 — Kirchl. Ges.- und Verordn.-Bl. de 1886 S. 39. — Bewerbungen um diese Stelle sind schriftlich bei dem Königlichen Konsistorium der Provinz Brandenburg einzureichen. § 6 a. a. O.

Die Lehrerinnen Fräulein Köth und Wittwe Knetsch, geb. Dossow sind als Gemeindeschullehrerinnen in Berlin angestellt worden.

Der Lehrer von Tecklenburg ist an dem Progymnasium in Steglitz als Vorschullehrer angestellt worden.

Der bisherige Schulamtskandidat Dr. Wilhelm Sturm ist als ordentlicher Lehrer an der II. städtischen höheren Bürgerschule hierselbst angestellt worden.

Personalveränderungen im Bezirke des Kammergerichts in den Monaten September und Oktober 1888.

I. Richterliche Beamte.

Ernannt sind der Landrichter Dr. Lisco in Berlin zum Oberlandesgerichtsrath in Marienwerder, zu Handelsrichtern bei der Kammer für Handelssachen in Berlin die Kaufleute Emil Gehricke, Albert Kochhann, Moritz Heilmann, Siegfried Sobernheim, Simon Lipmann, Louis Boeger, Wilhelm Kopetzky, Hermann Sternberg, Theodor Lassally, Heinrich Zincke, Jean Rudolph George, Franz Rudolph, G. B. Usener, Gotthilf Salomon, August Hoddick, Joseph Fürst, Arnold Schultheis, Kommerzienrath Hermann Otto Dellschau, der Holzhändler Wolf Herrmann, der Kommerzienrath Goldberger, der Kaufmann Maas, der Kaufmann Lampson, der Bankier Schlesinger—Trier, sämmtlich zu Berlin; zu stellvertretenden Handelsrichtern der Kommerzienrath Hahn, der Kaufmann und Direktor der Aktiengesellschaft Berliner Brodfabrik R. Leßhafft, die Kaufleute Johann Engelberdt Hardt, Isaak Baswitz, Hugo Lissauer, F. W. Schütt, Ernst Behrens, Eugen Schlieper, Carl Caspary, Johannes Jeserich, Hermann Landsberger, Friedrich Wilhelm Max Schramm, Leonhard Cahn, Bendix Bernhardt, Wilhelm Titel, Hermann Jacoby, der Direktor Wilhelm Brenken, die Fabrikbesitzer Julius Reichenheim, Deter, der Bankier und Bankdirektor a. D. Gravenstein, der Weingroßhändler Kommerzienrath Steibelt, der Bankier Boas, der Fabrikant Boerner, sämmtlich zu Berlin. Versetzt sind: der Amtsrichter Dr. Neuhaus in Groß-Strehlitz an das Amtsgericht zu Wittenberge, der Landgerichtsrath Grandke in Cottbus an das Landgericht I. zu Berlin, der Amtsrichter Noël in Pritzwalk als Landrichter an das Landgericht zu Prenzlau, der Amtsrichter Dr. Köppen in Wittenberge an das Amtsgericht zu Freienwalde a./O., der Amtsrichter Dr. Philippi in Dirschau an das Amtsgericht zu Landsberg a./W., der Amtsrichter Ernst Meyer beim Amtsgericht II. in Berlin als Landrichter an das Landgericht II. daselbst, der Amtsrichter Dr. jur. et phil. Aschrott in Landsberg a./W. an das Amtsgericht II. zu Berlin. Pensionirt ist der Landgerichtsdirektor Lüty in Berlin. Dem Amtsrichter Dr. Friedländer in Wittenberge ist die nachgesuchte Entlassung aus dem Justizdienste ertheilt. Verstorben sind der Amtsgerichtsrath Neumann zu Landsberg a./W. und der Amtsgerichtsrath Paulizky in Berlin.

II. Assessoren.

Zu Gerichts-Assessoren sind ernannt: die Referendare Pritsch, Zühl, Goldstandt, Georg Schmidt, Dr. Pabst, Hermann Reuscher, Lazarus, Dr. Danielewicz, Deegen, Stambke, Heilbronn, Selle, Komorowsky, Chales de Beaulieu II, Hörwitz, Sally Cohn, Dr. Gotthelf, Dr. Schütt, Schramke, Seydel, Dr. Friedmann. Versetzt sind: Goldstandt und Witte in den Bezirk des Oberlandesgerichts zu Marienwerder bezw. Naumburg a./S. Uebernommen ist Gibsone aus dem Bezirk des Oberlandesgerichts zu Marienwerder. Entlassen sind: Bauer und Hoebel in Folge ihrer Ernennung zu Garnison-Auditeuren, Blau zwecks Uebertritts in die Verwaltung der direkten Steuern, Biermann zwecks Uebertritts in das Ressort des Auswärtigen Amtes, Kühnast zwecks Uebertritts in die Kommunalverwaltung, Wandel auf seinen Antrag.

III. Rechtsanwälte und Notare.

Gelöscht sind in der Liste der Rechtsanwälte: der Rechtsanwalt Beelitz beim Landgericht I. zu Berlin, der Rechtsanwalt, Justizrath Frommer bei dem Landgericht in Cottbus, der Rechtsanwalt, Justizrath Wolff bei dem Landgericht in Frankfurt a./O., der Rechtsanwalt Samuel beim Amtsgericht zu Rixdorf, der Rechtsanwalt Lenz beim Amtsgericht zu Dahme, der Rechtsanwalt Schülke beim Landgericht zu Potsdam. Eingetragen sind in die Liste der Rechtsanwälte die Gerichtsassessoren Hamburger, Kolsen, Kurnicki, Posner, Dr. Springer, Dr. Biber, Dr. Grelling, Dr. Marcuse und der Rechtsanwalt Saly Samuel aus Rixdorf bei dem Landgericht I. zu Berlin, der Rechtsanwalt Sintenis aus Glatz bei dem Landgericht zu Neu-Ruppin, der Rechtsanwalt, Justizrath Wolff aus Frankfurt a./O. und der Rechtsanwalt, Justizrath Frommer aus Cottbus beim Kammergericht, die Gerichtsassessoren Joseph Josephsohn und Raphael Josephsohn bei dem Landgericht zu Potsdam, der Rechtsanwalt Lenz aus Dahme bei dem Amtsgericht zu Jüterbog, der Gerichtsassessor Reuscher bei dem Landgericht zu Cottbus, der Rechtsanwalt Gimkiew[illegible] aus Thorn bei dem Landgericht I. zu Berlin. Zum Notar ist ernannt der Rechtsanwalt Dr. Nelson zu Berlin. Dem Rechtsanwalt und Notar, Justizrath Wolff zu Frankfurt a./O. ist als Notar der Wohnsitz in Berlin angewiesen; der Notar, Justizrath Frommer in Cottbus hat das Amt als Notar niedergelegt.

IV. Referendare.

Zu Referendaren sind ernannt die bisherigen Rechtskandidaten: Dr. Halpert, Kapler, von Keudell, Ballien, Gundlach, Ziersch, Wirth. Wieder aufgenommen ist: Boit. Uebernommen sind: Dr. Sattler aus dem Bremischen Staatsdienst, von Voigts-Rhetz aus dem Bezirke des Oberlandesgerichts zu Hamm, Rahn aus dem Bezirke des Oberlandesgerichts zu Stettin, Dreyer und Scherz aus dem Bezirke des Oberlandesgerichts zu Breslau, Zoepffel aus dem Bezirke des Oberlandesgerichts Celle. Versetzt sind: Gayl in den Bezirk des Oberlandesgerichts zu Naumburg, Roland und Roeder in den Bezirk des Oberlandesgerichts zu Posen. Entlassen sind: Dr. Kirschstein, von Oberstein, Brauer, von Loeper zwecks Uebertritts in den Verwaltungsdienst, Baucke und Dr. Sydow auf ihren Antrag, von Lucke zwecks Uebertritts in den Reichsdienst, Fiedler.

V. Subalternbeamte.

Ernannt sind: zum Gerichtsschreiber der Hülfs-Administrator Herfordt in Berlin bei dem Amtsgericht in Potsdam, zum Kanzlisten der Kanzleidiätar Henning in Cottbus bei dem Landgericht zu Neu-Ruppin. Versetzt sind der etatsmäßige Gerichtsschreibergehülfe Lindemann vom Landgericht I. als Assistent an die Staatsanwaltschaft des Landgerichts I. zu Berlin, der etatsmäßige Gerichtsschreibergehülfe Jacob vom Landgericht I. an das Amtsgericht I. zu Berlin. Pensionirt sind: die Gerichtsschreiber Raether beim Amtsgericht I. zu Berlin und Zimmermann beim Amtsgericht in Seelow. Entlassen ist auf seinen Antrag der Geistliche Peters am Strafgefängniß bei Berlin (Plötzensee). Verstorben ist der Gerichtsschreiber Wunderlich beim Amtsgericht zu Landsberg a. W.

Hierzu Drei Oeffentliche Anzeiger.

(Die Insertionsgebühren betragen für eine einspaltige Druckzeile 20 Pf. Belagsblätter werden der Bogen mit 10 Pf. berechnet.)

Redigirt von der Königlichen Regierung zu Potsdam.

Potsdam, Buchdruckerei der A. W. Hayn'schen Erben (C. Hayn, Hof-Buchdrucker).

Amtsblatt
der Königlichen Regierung zu Potsdam und der Stadt Berlin.

Stück 50. Den 14. Dezember **1888.**

Rechtzeitige Erneuerung der Bestellung auf das Amtsblatt für das Jahr 1889.

Wenngleich die Verpflichtung der Beamten, sowie der Gast- und Schankwirthe, einschließlich der Krüger, zum Halten der Regierungs-Amtsblätter aufgehoben ist, so ist doch anzunehmen, daß viele derselben das Amtsblatt auch fernerhin **freiwillig** zu halten wünschen.

Ich bringe deshalb die **rechtzeitige** Erneuerung der Bestellung für das Jahr 1889, welche bei den Kaiserlichen Postanstalten zu bewirken ist, mit dem Bemerken in Erinnerung, daß bei den **erst nach Ablauf des Jahres 1888** eingehenden Bestellungen die vollständige Nachlieferung der bereits erschienenen Stücke für 1889 wohl kaum mehr würde erfolgen können.

Potsdam, den 24. November 1888.

Der Regierungs-Präsident.

Bekanntmachungen der Königlichen Ministerien.

32. In Ausführung eines von dem Bundesrathe am 5. Juli d. J. gefaßten Beschlusses wird von den unterzeichneten Ministern für Handel und Gewerbe und des Innern auf Grund des § 136 des Gesetzes über die allgemeine Landesverwaltung vom 30. Juli 1883 für die Provinzen Ostpreußen, Westpreußen, Brandenburg nebst dem Stadtkreise Berlin, Pommern, Schlesien, Sachsen, Hannover, Hessen-Nassau, Westfalen und die Rheinprovinz sowie für den Regierungsbezirk Sigmaringen die nachstehende

Polizei-Verordnung,

betreffend die Versendung von Sprengstoffen und Munitionsgegenständen der Militair- und Marineverwaltung auf Landwegen und auf Schiffen *

(Sprengstoff-Versendungsvorschrift)

erlassen.

I. Allgemeine Bestimmungen.

Für alle **unter militärischer Begleitung** stattfindenden Versendungen von Sprengstoffen und Munitionsgegenständen auf Landwegen und auf Schiffen gelten die Bestimmungen, welche in Folge des Bundesrathsbeschlusses vom 13. Juli 1879 in der von uns am 29. August 1879 für die Provinzen Ostpreußen, Westpreußen, Brandenburg, Pommern, Schlesien und Sachsen erlassenen Polizeiverordnung, betreffend den Verkehr mit explosiven Stoffen, und in den denselben Gegenstand betreffenden Polizei-Verordnungen der Königlichen Landdrosteien zu Hannover vom 13. September, Hildesheim vom 9. September, Lüneburg vom 13. September, Stade vom 9. September, Osnabrück vom 18. September und Aurich vom 8. September, sowie der Königlichen Regierungen zu Münster vom 15. September, Minden vom 10. September, Arnsberg vom 17. September, Cassel und Wiesbaden vom 26. November, Cöln vom 22. November, Coblenz vom 3. Dezember, Aachen und Trier vom 25. November, Düsseldorf vom 29. November und Sigmaringen vom 21. November 1879 und in den Ergänzungen dieser Polizeiverordnungen getroffen worden sind, mit folgenden Zusatzvorschriften.

Bei Versendungen von Sprengstoffen und Munitionsgegenständen der Militair- und Marine-Verwaltung **ohne militairische Begleitung** sind die vorerwähnten Bestimmungen mit der Einschränkung maßgebend, daß die vorschriftsgemäße Einrichtung, Bezeichnung und Verpackung der Behälter durch den seitens der absendenden Behörde ausgefertigten Frachtschein als nachgewiesen anzusehen ist und nicht der polizeilichen Prüfung unterliegt.

Welchen Sendungen ein militairisches Begleitkommando beizugeben ist, sowie die Zusammensetzung und Stärke des letzteren bestimmt die Militair- beziehungsweise Marinebehörde.

Zu §§ 1 und 2.

a. Die nachstehenden Vorschriften beziehen sich nur auf diejenigen Sprengstoffe und Munitionsgegenstände, welche in Ausführung des § 35 Ziffer 7 der Militär-Transport-Ordnung für Eisenbahnen im Frieden (Friedens-Transport-Ordnung) vom 11. Februar 1888 (Reichs-Gesetzbl. S. 23) von den vereinigten Ausschüssen des Bundesraths für das Landheer und die Festungen und für Eisenbahnen, Post und Telegraphen als „zur Gefahrklasse gehörig“ bezeichnet sind (Bekanntmachung des Reichskanzlers vom 7. März 1888 — Centralblatt für das Deutsche Reich S. 106), sowie auf alle von der Militair- und Marineverwaltung zu Versuchszwecken bestimmten, noch nicht einge-

---

* Die Bestimmungen über die Versendung von Sprengstoffen und Munitionsgegenständen der Militair- und Marineverwaltung auf Eisenbahnen sind in den Militair-Transport-Ordnungen für Eisenbahnen vom 26. Januar 1887 (Reichs-Gesetzbl. S. 9) und vom 11. Februar 1888 (Reichs-Gesetzbl. S. 23) enthalten.

führten Sprengstoffe. Die nachstehenden Vorschriften finden jedoch keine Anwendung auf diejenigen der vorbezeichneten Sprengstoffe und Munitionsgegenstände, welche in Taschen oder Tornistern der Mannschaften verpackt oder in Kriegsfahrzeugen oder auf Kriegsschiffen verladen sind. Diese, sowie alle übrigen in der Militair- und Marineverwaltung eingeführten Sprengstoffe und Munitionsgegenstände unterliegen bei der Versendung unter militairischer Begleitung weder dieser Vorschrift noch den Eingangs gedachten Bestimmungen.

b. Wagenführer, Schiffsführer, Reiter und andere Personen haben den an sie von den Begleitkommandos militairischer Sendungen von Sprengstoffen und Munitionsgegenständen behufs Verhütung der Gefährdung den Sendungen gerichteten Aufforderungen zu Handlungen oder Unterlassungen — insbesondere zu langsamem Vorbeifahren beziehungsweise -reiten, zum Ausweichen, zum Unterlassen von Tabakrauchen, zum Auslöschen von Feuer — ungesäumt Folge zu leisten. Zuwiderhandlungen werden, unbeschadet des nöthigenfalls von den Begleitkommandos zur Anwendung zu bringenden unmittelbaren Zwanges, nach § 367 № 5 des Strafgesetzbuchs für das Deutsche Reich (Reichs-Gesetzbl. von 1876 S. 115) bestraft.

II. Versendung auf Landwegen.

Zu § 4.

a. Die in der Armee und Marine vorgeschriebenen Packgefäße für Sprengstoffe und Munitionsgegenstände, einschließlich der Geschoßkörper mit sicherndem Abschlusse der Sprengladung, sind nach ihrer Beschaffenheit, der Art ihrer Verpackung und Inhaltsbezeichnung und dem Gewichte als den Bestimmungen entsprechend zu erachten.

b. Das lose Kornpulver braucht vor der Verpackung in Tonnen oder Kisten nur dann in leinene Säcke geschüttet zu werden, wenn die Beförderung länger als einen Tag dauert.

Zu § 5.

Wenn das Verladen ausnahmsweise an einer anderen Stelle als vor der Fabrik oder dem Lagerraume oder innerhalb derselben geschehen soll, so ist seitens der Kommandantur beziehungsweise des Garnisonältesten die Genehmigung der Polizeibehörde hierzu einzuholen und von letzterer die zur Aufrechterhaltung der Ordnung an der Ladestelle erforderliche Polizeimannschaft zu stellen.

Zu § 6.

a. Das für die Verladung von Tonnen vorgeschriebene Zwischenlegen von Haar- oder Strohdecken kann durch ein Umwickeln der einzelnen Tonnen mit Strohbändern ersetzt werden.

b. Zwischen die Kasten mit geladenen Geschossen brauchen Haardecken oder andere Mittel nicht gelegt zu werden, nur oberhalb ist die Ladung mit Haardecken zu bedecken.

Zu § 10.

Jeder Bezirks-Regierung, durch deren Bereich die Sendung geht, ist von der absendenden Behörde die betreffende Marschroute und die Größe der Sendung mitzutheilen. In den Fällen, in denen der Stadtkreis Berlin berührt wird, ist eine entsprechende Mittheilung an den Polizeipräsidenten daselbst zu richten. Die Regierung hat die betheiligten Unterbehörden anzuweisen, die erforderlichen Anordnungen zum schnellen und sicheren Fortkommen der Sendung zu treffen.

Außer dieser Benachrichtigung erhalten die Polizeibehörden der Durchzugsorte kurz zuvor auch noch eine Mittheilung durch den Führer des Begleitkommandos über den Zeitpunkt des Eintreffens der Sendung.

Bei Versendungen, welche in einem Tage zur Ausführung kommen, sind seitens der absendenden Behörde nur die betheiligten Ortspolizeibehörden in Kenntniß zu setzen, worauf diese die für die Sicherung und ungehinderte Durchführung der Sendung erforderlichen Maßnahmen zu treffen haben.

Eine Benachrichtigung der Polizeibehörden erfolgt nicht, wenn das Gewicht der Sendung weniger als 250 kg beträgt, und ferner nicht bei allen Versendungen innerhalb der Garnisonen und der zu denselben gehörigen Anlagen. In diesen Fällen hat die Militairbehörde allein die nöthigen Sicherheitsmaßregeln zu treffen. Wenn unter besonderen Umständen auch hierbei die Hülfeleistung der Polizeibehörde erwünscht erscheint, so hat diese auf Ansuchen der Kommandantur beziehungsweise des Garnisonältesten die Unterstützung zu gewähren.

Der Vorlage des Frachtscheins an die Ortspolizeibehörde des Absendeorts zur Visirung bedarf es nicht.

Zu § 12.

a. Dem Führer des Begleitkommandos ist es gestattet, erforderlichenfalls neben den mit Sprengstoffen &c. beladenen Wagen in schneller Gangart zu reiten.

b. Entgegenkommende oder den Transport einholende Fuhrwerke oder Reiter müssen den mit Sprengstoffen &c. beladenen Wagen ganz ausweichen.

c. Besteht die Sendung aus einer größeren Anzahl von Wagen, so können Gruppen von 2 bis 3 Wagen gebildet werden, in welchen die einzelnen Wagen nur 10 m Abstand halten; die Gruppen müssen jedoch in mindestens 50 m Entfernung von einander bleiben.

Zu § 16.

Bei dem Abladen ist die Zusatzbestimmung zu § 5 entsprechend zu berücksichtigen.

III. Versendung auf Schiffen.

Zu § 18.

Die angezogenen §§ 4, 5, 10 und 16 finden hier nur unter Berücksichtigung der vorstehend gegebenen Zusatzvorschriften Anwendung.

Zu § 20.

a. Bei der Fahrt auf Binnengewässern müssen, falls die Sendung aus mehreren Kähnen besteht, die einzelnen Kähne einen Abstand von mindestens 300 m von einander halten.

b. Die mit Sprengstoffen &c. beladenen Kähne sind vor allen anderen Kähnen durch die Schleusen zu schaffen.

Ein gleichzeitiges Durchschleusen anderer Kähne mit den mit Sprengstoffen beladenen ist unstatthaft.

Berlin, den 5. November 1888.

Der Minister für Handel und Gewerbe. In Vertretung. Magdeburg.

Der Minister des Innern. Herrfurth.

Bekanntmachungen der Kaiserlichen Ober-Postdirektion zu Berlin.

Einrichtung neuer Rohrpostämter.

80. Am 12. Dezember treten in Berlin neue Rohrpostbetriebstellen bei den Postämtern № 6 (Marienstr.) und № 66 (Georgenstr.) in Wirksamkeit. Die neuen Rohrpostanstalten sind für den Telegramm- und Rohrpostverkehr täglich im Sommerhalbjahr von 7 Uhr, im Winterhalbjahr von 8 Uhr Morgens bis 10 Uhr Abends geöffnet.

Berlin C., 6. Dezember 1888.

Der Kaiserliche Ober-Postdirector.

Bekanntmachungen der Kaiserlichen Ober-Post-Direktion zu Potsdam.

Annahme von Postsendungen durch die Landbriefträger.

81. Im Interesse der ländlichen Bevölkerung besteht die Einrichtung, daß die Landbriefträger auf ihren Bestellgängen Postsendungen anzunehmen und an die nächste Postanstalt abzuliefern haben. Jeder Landbriefträger führt auf seinem Bestellgange ein Annahmebuch mit sich, welches zur Eintragung der von ihnen angenommen Sendungen mit Werthangabe, Einschreibsendungen, Postanweisungen, gewöhnlichen Packeten und Nachnahmesendungen dient. Will ein Einlieferer die Eintragung selbst bewirken, so hat der Landbriefträger demselben das Buch vorzulegen. Bei Eintragung des Gegenstandes durch den Landbriefträger muß dem Absender auf Verlangen durch Vorlegung des Annahmebuches die Ueberzeugung von der stattgehabten Eintragung gewährt werden. Es wird hierauf mit dem Bemerken aufmerksam gemacht, daß **die Eintragung der Sendungen in das Annahmebuch das Mittel zur Sicherstellung des Auflieferers bietet.**

Potsdam, den 1. Dezember 1888.

Der Kaiserl. Ober-Postdirector.

Bekanntmachungen der Königl. Kontrolle der Staatspapiere.

Aufgebot einer Schuldverschreibung.

27. In Gemäßheit des § 20 des Ausführungsgesetzes zur Civilprozeßordnung vom 24. März 1879 (G.-S. S. 281) und des § 6 der Verordnung vom 16. Juni 1819 (G.-S. S. 157) wird bekannt gemacht, daß der Frau Rendant Sporleder, Amalie geb. Goeker zu Minden i. W. die Schuldverschreibung der konsolidirten 4%igen Staatsanleihe von 1877 Lit. F. № 29724 über 200 M. angeblich abhanden gekommen ist. Es wird Derjenige, welcher sich im Besitze dieser Urkunde befindet, hiermit aufgefordert, solches der unterzeichneten Kontrolle der Staatspapiere oder dem Bankier Hermann Lampe zu Minden i. W. anzuzeigen, widrigenfalls das gerichtliche Aufgebotsverfahren behufs Kraftloserklärung der Urkunde beantragt werden wird.

Berlin, den 3. Dezember 1888.

Königl. Kontrolle der Staatspapiere.

Bekanntmachungen der Königl. Direktion der Rentenbank der Provinz Brandenburg.

Vernichtung ausgelooster Rentenbriefe.

15. Die nachstehende Verhandlung

Geschehen, Berlin, den 12. November 1888.

Auf Grund der §§ 46, 47 und 48 des Rentenbank-Gesetzes vom 2. März 1850 wurden an ausgeloosten Rentenbriefen der Provinz Brandenburg, welche nach dem von dem mitunterzeichneten Provinzial-Rentmeister vorgelegten Verzeichnisse gegen Baarzahlung zurückgegeben sind und zwar:

154	Stück	Litt. A.	à 3000 M.	=	462000 M.
52	"	- B.	à 1500 M.	=	78000 M.
195	"	- C.	à 300 M.	=	58500 M.
164	"	- D.	à 75 M.	=	12300 M.
zusammen 565	Stück	über			610800 M.

nebst den dazu gehörigen, im vorgedachten Verzeichnisse aufgeführten 2322 Coupons und 565 Talons heute in Gegenwart der Unterzeichneten durch Feuer vernichtet.

V. g. u.

Lazarus, Abgeordneter des Provinzial-Landtages. Witte, Abgeordneter des Provinzial-Landtages.

Meyer Levy, Notar.

a. u. s.

Küsel, Provinzial-Rentmeister. Schreiber, Rechnungsrath.

wird hierdurch zur öffentlichen Kenntniß gebracht.

Berlin, den 18. November 1888.

Königl. Direktion der Rentenbank für die Provinz Brandenburg.

Bekanntmachungen des Königlichen Regierungs-Präsidenten.

Versendung von Vieh nach den Nordseehäfen betreffend.

311. Der in der Bekanntmachung vom 3. Oktober d. Js. (Amtsblatt Stück 41) genannte Thierarzt Dettmann wohnt nicht in Pritzwalk, sondern in Wittstock.

Potsdam, den 5. Dezember 1888.

Der Regierungs-Präsident.

Viehseuchen.

312. Der Milzbrand ist unter den Schafen der Domaine Lobeofsund und unter dem Rindvieh der Domaine Kienberg, Kreises Osthavelland, ausgebrochen.

Potsdam, den 5. Dezember 1888.

Der Regierungs-Präsident.

313. Auf dem städtischen Rieselgute Malchow Niederbarnimschen Kreises ist unter dem Rindvieh die Maul- und Klauen-Seuche ausgebrochen.

Potsdam, den 10. Dezember 1888.

Der Regierungs-Präsident.

314. **Nachweisung der Markt- x.**

Laufende Nummer	Namen der Städte	Getreide								Uebrige Markt[…]																
		Es kosten je 100 Kilogramm																						6[…]		
																								Rindfleisch		
		Weizen		Roggen		Gerste		Hafer		Erbsen		Speisebohnen		Linsen		Kartoffeln		Richtstroh		Krummstroh		Heu		von der Keule		Bauch-fleisch
		M.	Pf.	M.	Pf.	M.	Pf.	M.	Pf.	M.	Pf.	M.	Pf.	M.	Pf.	M.	Pf.	M.	Pf.	M.	Pf.	M.	Pf.	M.	Pf.	M. P[…]
1	Angermünde	18	33	15	54	13	72	14	15	28	50	30	—	41	—	5	38	6	05	4	20	6	40	1	40	11
2	Beeskow	—	—	16	60	14	10	15	88	28	—	32	—	45	—	4	20	6	80	—	—	7	40	1	20	–9
3	Bernau	17	70	15	40	14	—	14	30	30	—	45	—	55	—	6	25	7	50	—	—	7	46	1	20	1–
4	Brandenburg	18	95	16	15	14	84	15	32	27	50	35	—	55	—	3	85	6	33	—	—	6	65	1	30	11
5	Dahme	18	24	15	92	13	68	15	75	25	—	32	—	45	—	3	50	5	50	4	—	8	—	1	—	1–
6	Eberswalde	18	95	15	80	18	—	14	70	25	—	25	—	28	—	4	—	5	75	—	—	5	50	1	20	1–
7	Havelberg	18	91	16	—	14	25	14	50	26	50	55	—	65	—	5	25	6	—	3	25	5	75	1	30	1–
8	Jüterbog	18	40	16	50	14	40	16	50	28	—	32	—	50	—	5	—	7	50	—	—	8	—	1	20	1–
9	Luckenwalde	18	33	16	47	15	—	15	38	32	50	32	50	40	—	4	—	6	67	—	—	6	—	1	20	13
10	Perleberg	19	16	16	33	14	31	14	50	22	50	45	—	55	—	5	—	5	43	—	—	7	75	1	40	11
11	Potsdam	18	47	15	74	16	84	16	09	25	—	27	—	39	—	5	24	7	36	—	—	7	47	1	35	11
12	Prenzlau	18	44	15	63	14	09	14	22	24	50	35	—	43	—	5	—	5	—	3	50	5	—	1	20	–9
13	Pritzwalk	18	39	16	01	14	72	13	66	16	63	34	—	39	50	4	21	4	75	3	75	5	19	1	10	1–
14	Rathenow	18	50	16	19	14	50	15	50	30	—	35	—	44	—	4	63	5	83	—	—	6	16	1	40	13
15	Neu-Ruppin	21	—	15	35	15	—	15	50	30	—	32	—	50	—	4	17	7	50	—	—	5	50	1	30	16
16	Schwedt	20	—	16	28	14	80	15	23	33	33	31	25	37	50	5	—	6	60	—	—	6	45	1	20	1–
17	Spandau	19	—	15	50	16	50	16	50	23	50	30	50	43	50	5	50	7	75	—	—	7	75	1	40	[illegible]
18	Strausberg	17	55	15	61	16	02	16	35	25	—	30	50	35	—	4	—	7	94	—	—	8	28	1	20	1[…]
19	Teltow	19	10	15	38	16	75	16	20	35	—	45	—	50	—	6	25	7	60	—	—	8	—	1	30	15
20	Templin	18	66	15	66	15	33	15	25	14	—	40	—	40	—	4	—	6	—	—	—	6	—	1	20	1–
21	Treuenbrietzen	18	50	16	55	14	67	15	—	24	—	26	—	30	—	3	84	6	—	—	—	7	—	1	20	1–
22	Wittstock	18	29	15	78	13	75	13	79	15	58	32	—	44	—	3	75	5	50	4	—	6	—	1	—	–9
23	Wriezen a. O.	18	36	15	19	14	74	14	57	22	80	35	—	37	—	4	25	5	78	3	29	6	50	1	30	1–
	Durchschnitt	18	69	15	89	14	96	15	17	—	—	—	—	—	—	4	62	6	40	—	—	6	70			

Potsdam, den 10. Dezember 1888.

315. **Nachweisung des Monatsdurchschnitts der gezahlten höch[…]**

Laufende Nummer.	Es kosteten je 50 Kilogramm.	Angermünde.		Beeskow.		Bernau.		Brandenburg.		Dahme.		Eberswalde.		Havelberg.		Jüterbog.		Luckenwalde.		Perleberg	
		M.	₰	M.	₰	M.	₰	M.	₰	M.	₰	M.	₰	M.	₰	M.	₰	M.	₰	M.	₰
1	Hafer	7	83	8	38	7	88	8	46	8	27	8	40	7	88	8	66	8	58	7	86
2	Heu	3	89	3	89	4	46	3	94	4	20	3	15	3	41	4	20	3	41	4	42
3	Richtstroh	3	32	3	57	4	07	3	55	2	89	3	41	3	41	3	94	3	68	3	06

Potsdam, den 10. Dezember 1888.

Bekanntmachungen des Königlichen Polizei-Präsidiums zu Berlin.

Anlage neuer Apotheken.

129. Der Herr Ober-Präsident der Provinz Brandenburg hat durch Erlaß vom 22. v. M. die Errichtung von 2 neuen Apotheken in Berlin und zwar:

a. **ungefähr** an der Ecke der Prenzlauer Allee und der Metzerstraße,

b. an der Kreuzung der Koch- und Markgrafenstraße genehmigt.

Geeignete Bewerber werden deshalb zur Meldung binnen einer **Präklusivfrist von 6 Wochen** zu[…]

Preise im Monat November 1888.

Artikel kostet je 1 Kilogramm: Schweinefleisch M. Pf.	Kalbfleisch M. Pf.	Hammelfleisch M. Pf.	Speck M. Pf.	Butter M. Pf.	Ein Schock Eier M. Pf.	Ladenpreise in den letzten Tagen des Monats. Es kostet je 1 Kilogramm. Mehl: Weizen Nr. 1 M. Pf.	Mehl: Roggen Nr. 1 M. Pf.	Gerste: Graupe M. Pf.	Gerste: Grütze M. Pf.	Buchweizengrütze M. Pf.	Hafergrütze M. Pf.	Hirse M. Pf.	Reis, Java M. Pf.	Java-Kaffee mittler in gebr. Bohnen M. Pf.	Java-Kaffee gelber in gebr. Bohnen M. Pf.	Speisesalz M. Pf.	Schweineschmalz, hiesig. M. Pf.
1 10	— 90	1 05	1 50	2 13	4 04	— 30	— 25	— 55	— 30	— 35	— 45	— 60	— 60	3 —	3 40	— 20	1 60
1 10	— 75	1 —	1 60	2 30	3 50	— 40	— 30	— 60	— 60	— 65	— 80	— 60	— 65	3 20	3 60	— 20	2 —
1 20	1 21	1 20	1 70	2 30	3 50	— 40	— 25	— 50	— 50	— 50	— 50	— 60	— 45	2 60	3 20	— 20	1 60
1 15	— 95	1 15	1 80	2 30	4 —	— 40	— 30	— 50	— 40	— 50	— 50	— 50	— 50	3 20	3 60	— 20	1 60
1 20	— 80	1 —	1 60	2 —	2 40	— 32	— 26	— 60	—	— 40	—	— 50	— 50	3 20	3 60	— 20	1 40
1 20	1 —	1 —	1 60	2 40	4 —	— 32	— 30	— 60	— 60	— 25	—	— 60	— 60	3 20	3 60	— 20	1 60
1 20	1 20	1 —	1 50	2 30	3 60	— 30	— 26	— 55	— 60	— 60	— 60	— 50	— 60	2 80	3 20	— 20	2 —
1 20	— 95	1 20	1 50	2 —	4 —	— 34	— 26	— 40	— 50	— 40	— 60	— 40	— 40	3 —	3 60	— 20	1 60
1 20	— 90	1 20	1 60	2 30	4 —	— 36	— 24	— 50	— 40	— 40	— 60	— 38	— 60	3 20	3 60	— 20	1 40
1 30	1 15	1 15	1 95	1 91	3 —	— 50	— 36	— 50	— 50	— 50	— 50	— 40	— 55	3 60	3 60	— 20	2 —
1 26	1 05	1 20	1 60	2 15	4 38	— 40	— 30	— 50	— 50	— 50	— 50	— 45	— 65	2 80	3 60	— 20	1 60
1 15	— 80	1 05	1 55	2 20	3 86	— 28	— 24	— 60	— 40	— 55	— 60	— 55	— 55	3 20	3 60	— 20	1 60
1 10	— 90	1 —	1 50	1 91	2 98	— 28	— 25	— 45	— 45	— 45	— 50	— 50	— 50	3 20	3 60	— 20	1 50
1 40	1 —	1 20	1 60	2 60	4 13	— 31	— 26	— 40	— 44	— 45	— 44	— 40	— 60	3 50	3 80	— 20	1 60
1 10	— 95	1 10	1 60	2 25	4 10	— 40	— 30	— 50	— 50	— 50	— 50	— 50	— 60	3 25	3 58	— 20	1 40
1 —	— 80	1 —	1 80	2 —	4 —	— 35	— 25	— 50	— 40	— 50	— 50	— 50	— 60	3 20	3 40	— 20	2 —
1 30	1 20	1 20	1 40	2 20	4 —	— 40	— 30	— 50	— 50	— 55	— 50	— 55	— 65	3 40	3 80	— 20	1 40
1 20	1 —	1 20	1 60	2 40	3 20	— 35	— 25	— 55	— 50	— 45	— 55	— 50	— 60	3 —	3 80	— 20	1 40
1 20	1 25	1 15	1 40	2 40	3 30	— 45	— 30	— 60	— 50	— 50	— 60	— 50	— 50	2 80	3 20	— 20	1 20
1 20	— 80	1 —	1 60	2 40	4 —	— 36	— 26	— 60	— 50	— 50	— 70	— 40	— 50	3 20	3 60	— 20	1 80
1 —	— 90	1 20	1 60	1 96	3 60	— 30	— 20	— 50	—	— 40	— 50	— 30	— 50	3 20	3 60	— 20	1 80
— 95	— 67	— 91	1 40	2 04	3 37	— 30	— 26	— 50	— 50	— 40	— 40	— 50	— 60	3 20	3 60	— 20	1 60
1 10	1 09	1 05	1 50	2 12	3 84	— 23	— 25	— 50	— 40	— 40	— 50	— 50	— 50	3 —	3 25	— 20	1 40

Der Regierungs-Präsident.

Tagespreise incl. 5 % Aufschlag im Monat November 1888.

Potsdam. M. ₰	Prenzlau. M. ₰	Pritzwalk. M. ₰	Rathenow. M. ₰	Neu-Ruppin. M. ₰	Schwedt. M. ₰	Spandau. M. ₰	Strausberg. M. ₰	Teltow. M. ₰	Templin. M. ₰	Treuenbrietzen. M. ₰	Wittstock. M. ₰	Wriezen a. O. M. ₰
8 94	7 70	7 35	8 40	8 22	7 99	8 93	8 68	8 51	8 40	7 88	7 42	7 93
4 69	3 15	3 22	3 38	2 89	3 39	4 34	4 42	4 20	3 68	3 68	3 15	3 68
4 17	2 89	2 75	3 08	3 94	3 47	4 20	4 26	3 99	3 68	3 15	2 89	3 15

Der Regierungs-Präsident.

dem Hinzufügen hierdurch aufgefordert, daß persönliche Vorstellungen zwecklos sind und die an mich zu richtenden Bewerbungen **lediglich schriftlich** zu geschehen haben. Der Meldung sind beizufügen:

a. Approbation und sonstige **physikatlich beglaubigte** Zeugnisse des Bewerbers,

b. Lebenslauf,

c. **amtlich beglaubigter** Nachweis über die zur Uebernahme bezw. Errichtung einer Apotheke erforderlichen Mittel,

d. ein polizeiliches Führungs-Attest.

Der Bewerber hat außerdem pflichtgemäß zu versichern,

daß er eine Apotheke bisher nicht besessen hat, oder — sofern dies der Fall sein sollte — die Genehmigung des Herrn Ministers der geistlichen, Unterrichts- und Medizinal-Angelegenheiten zur abermaligen Bewerbung um Apotheken-Neuanlagen vorzulegen.

Gleichzeitig wird darauf hingewiesen, daß Gesuche von Bewerbern, welche sich seit mehr als 10 Jahren vom Apothekenfach abgewandt haben oder welche erst seit dem Jahre 1874 approbirt sind, bei der großen Zahl mehr berechtigter Bewerber zur Zeit keine Aussicht auf Erfolg haben.

Solche Apotheker werden deshalb zur Vermeidung unnöthigen Schreibwerks rc. am besten von der Bewerbung absehen.

Berlin, den 5. Dezember 1888.

Der Polizei-Präsident.

Auswanderungs Unternehmen.

130. Dem Auswanderungs-Agenten Carl Stangen, Mohrenstraße 10 hierselbst, ist **für das Kalenderjahr 1889** die Genehmigung ertheilt worden, als General-Agent des Auswanderer-Beförderungs-Unternehmers, Schiffsmaklers Theodor Ichon zu Bremen, innerhalb des Preußischen Staates — mit Ausnahme der Provinz Hannover — Verträge mit Auswanderern behufs deren Beförderung von Bremen oder Hamburg aus nach den Vereinigten Staaten von Nord-Amerika, nach Canada, Australien und Süd-Amerika — mit Ausschluß von Brasilien und Venezuela — abzuschließen, sowie Unter-Agenten zu bestellen.

Berlin, den 5. Dezember 1888.

Der Polizei-Präsident.

Berliner und Charlottenburger Preise pro Monat Novemb.r 1888.

131. A. Engros-Marktpreise im Monatsdurchschnitt.

In Berlin:

für	100	Klgr.	Weizen (gut)	19	Mark	98	Pf.,
=	=	=	do. (mittel)	19	=	09	=
=	=	=	do. (gering)	18	=	20	=
=	=	=	Roggen (gut)	16	=	07	=
=	=	=	do. (mittel)	15	=	64	=
=	=	=	do. (gering)	15	=	22	=
=	=	=	Gerste (gut)	18	=	96	=
=	=	=	do. (mittel)	16	=	61	=
=	=	=	do. (gering)	14	=	27	=
=	=	=	Hafer (gut)	15	=	86	=
=	=	=	do. (mittel)	14	=	86	=
=	=	=	do. (gering)	13	=	84	=
=	=	=	Erbsen (gut)	19	=	38	=
=	=	=	do. (mittel)	18	=	46	=
=	=	=	do. (gering)	17	=	53	=
=	=	=	Richtstroh	7	=	48	=
=	=	=	Heu	7	=	29	=

Monats-Durchschnitt der höchsten Berliner Tagespreise **einschließlich 5 % Aufschlag** für 50 kg

	Hafer	Stroh	Heu
im Monat November	8,54 Mk.,	4,04 Mk.,	4,39 Mk.

B. Detail-Marktpreise im Monatsdurchschnitt.

1) In Berlin:

für	100	Klgr.	Erbsen (gelbe) z. Kochen	28	Mark	—	Pf.,
=	=	=	Speisebohnen (weiße)	32	=	—	=
=	=	=	Linsen	45	=	—	=
=	=	=	Kartoffeln	6	=	23	=
=	1	Klgr.	Rindfleisch v. d. Keule	1	=	20	=
=	1	=	= (Bauchfleisch)	1	=	—	=
=	1	=	Schweinefleisch	1	=	15	=
=	1	=	Kalbfleisch	1	=	20	=
=	1	=	Hammelfleisch	1	=	10	=
=	1	=	Speck (geräuchert)	1	=	40	=
=	1	=	Eßbutter	2	=	30	=
=	60	Stück	Eier	3	=	46	=

2) In Charlottenburg.

für	100	Klgr.	Erbsen (gelbe z. Kochen)	32	Mark	50	Pf.,
=	=	=	Speisebohnen (weiße)	27	=	50	=
=	=	=	Linsen	37	=	50	=
=	=	=	Kartoffeln	5	=	64	=
=	1	Klgr.	Rindfleisch v. d. Keule	1	=	15	=
=	1	=	= (Bauchfleisch)	1	=	—	=
=	1	=	Schweinefleisch	1	=	25	=
=	1	=	Kalbfleisch	1	=	10	=
=	1	=	Hammelfleisch	1	=	10	=
=	1	=	Speck (geräuchert)	1	=	42	=
=	1	=	Eßbutter	2	=	30	=
=	60	Stück	Eier	3	=	26	=

C. Ladenpreise in den letzten Tagen des Monats November 1888:

1) In Berlin:

für	1	Klgr.	Weizenmehl № 1			38	Pf.,
=	1	=	Roggenmehl № 1			32	=
=	1	=	Gerstengraupe			44	=
=	1	=	Gerstengrütze			40	=
=	1	=	Buchweizengrütze			45	=
=	1	=	Hirse			45	=
=	1	=	Reis (Java)			70	=
=	1	=	Java-Kaffee (mittler)	2	Mark	40	=
=	1	=	= (gelb in gebr. Bohnen)	3	=	30	=
=	1	=	Speisesalz			20	=
=	1	=	Schweineschmalz (hiesiges)	1	=	30	=

2) In Charlottenburg:

für	1	Klgr.	Weizenmehl № 1			60	Pf.,
=	1	=	Roggenmehl № 1			40	=
=	1	=	Gerstengraupe			60	=
=	1	=	Gerstengrütze			50	=
=	1	=	Buchweizengrütze			60	=
=	1	=	Hirse			60	=
=	1	=	Reis (Java)			70	=
=	1	=	Java-Kaffee (mittler)	2	=	60	=
=	1	=	= (gelb in gebr. Bohnen)	3	=	40	=
=	1	=	Speisesalz			20	=
=	1	=	Schweineschmalz (hiesiges)	1	=	60	=

Berlin, den 5. Dezember 1888.

Königl. Polizei-Präsidium. Erste Abtheilung.

Wiederbesetzung erledigter Apothekerstellen.

132. Nachdem die am 4. September 1885 bezw. 9. Februar 1886 durch den Herrn Ober-Präsidenten der **Provinz** Brandenburg ertheilten Concessionen zur Anlegung neuer **Apotheken** in Berlin:

a. in der Chausseestraße an der Ecke der Tieckstraße,

b. auf dem Gesundbrunnen und zwar an dem Platze, an welchem die Kolonie- und Schwedenstraße, sowie die Exercier- und Badstraße zusammentreffen, jedoch mit Ausnahme derjenigen Grundstücke, welche im Zuge der letztgenannten beiden Straßen liegen,

durch den Tod ihrer Inhaber vor Ablauf des zehnjährigen Bestandes seit der Errichtung der Apotheken erledigt sind, hat zufolge Ermächtigung des Herrn Ministers der geistlichen, Unterrichts- und Medizinal-Angelegenheiten der Herr Ober-Präsident durch Erlaß vom 16ten d. Mts. die Genehmigung zur anderweiten Ausschreibung der beiden Concessionen ertheilt.

Beide Apotheken, von denen die eine z. Z. im Hause Koloniestraße Nr. 1, die andere im Hause Chausseestraße Nr. 118 eingerichtet ist, werden einstweilen durch Verwalter weiter geführt.

Die Concessionen werden höherer Bestimmung gemäß nur unter der Bedingung ertheilt werden, daß die künftigen Concessionare sich verpflichten, die vorhandene Apotheken-Einrichtung mit dem gesammten Inventar, Vorräthen 2c. nach einer **diesseits** genehmigten Taxe zu übernehmen.

Ich fordere daher geeignete Bewerber zur Meldung **binnen einer Präklusivfrist von sechs Wochen** mit dem Hinzufügen hierdurch auf, daß **persönliche Vorstellungen zwecklos** sind und die an mich zu richtenden Bewerbungen **lediglich schriftlich** zu geschehen haben.

Der Meldung sind beizufügen:

a. eine **der obigen Bedingung entsprechende bindende Verpflichtungs-Erklärung,**

b. Approbation und sonstige **physikatlich beglaubigte** Zeugnisse des Bewerbers,

c. **amtlich beglaubigter** Nachweis über die zur Uebernahme bezw. Errichtung einer Apotheke erforderlichen Mittel,

d. Lebenslauf,

e. ein polizeiliches Führungs-Attest.

Der Apotheker hat außerdem pflichtgemäß zu versichern, daß er eine Apotheke bisher nicht besessen hat oder, — sofern dies der Fall sein sollte -- die Genehmigung des genannten Herrn Ministers zur abermaligen Bewerbung um Apotheken-Neuanlagen vorzulegen.

Gleichzeitig wird darauf hingewiesen, daß Gesuche von Bewerbern, welche seit mehr als 10 Jahren sich vom Apothekenfach abgewandt haben, oder welche erst seit dem Jahre 1874 approbirt sind, bei der großen Zahl mehr berechtigter Bewerber zur Zeit keine Aussicht auf Erfolg haben.

Solche Apotheker werden deshalb zur Vermeidung unnöthigen Schreibwerkes 2c. am besten von der Bewerbung absehen.

Berlin, am 30. November 1888.

Der Königl. Polizei-Präsident.

Viehseuchen.

133. Die Absperrung des hiesigen Centralviehhofes gegen den Abtrieb von Schweinen wird vom heutigen Tage an aufgehoben.

Berlin, den 8. Dezember 1888.

Der Polizei-Präsident.

Bekanntmachungen der Königlichen Eisenbahn-Direktion zu Berlin.

Fahrplanänderung.

47. Vom 5. Dezember d. J. ab bis auf Weiteres wird der Zug 16 zum Aufnehmen und Absetzen von Passagieren regelmäßig um 7^{29} Vorm. in Erkner halten.

Berlin, im November 1888.

Königl. Eisenbahn-Direction.

Be- und Entladungsfristen für bedeckte Wagen

48. Die laut unserer Bekanntmachung vom 20. Oktober d. J. auf 8 Tagesstunden herabgesetzte Frist für die Be- und Entladung **bedeckter** Wagen wird vom 6. d. M. ab für alle Stationen, bezüglich deren nicht andere Ladefristen allgemein festgesetzt sind, wieder auf 12 Tagesstunden verlängert. Die Ladefristverkürzung für **offene** Wagen bleibt indessen bis auf Weiteres bestehen.

Berlin, den 5. Dezember 1888.

Königl. Eisenbahn-Direktion.

Ablauf der Gültigkeit von Fahrkarten.

49. Mit dem Ablauf des 31. Dezember d. J. verlieren die für den inneren Verkehr der Berliner Stadtbahn und der Berliner Ringbahn sowie die für den Stadtring-Verkehr bestehenden einfachen Fahrkarten für Erwachsene und Kinder, welche mit dem Aufdruck: **„Gültig bis 31. Dezember 1888"** versehen sind, ihre Gültigkeit. Die mit demselben Aufdruck versehenen Fahrkarten für Hunde werden mit Ablauf des bezeichneten Termines ebenfalls ungültig.

Berlin, den 8. Dezember 1888.

Königl. Eisenbahn-Direktion.

Bekanntmachungen der Königlichen Eisenbahn-Direktion zu Erfurt.

Einlösung Berlin-Anhaltischer Zinskupons.

4. Vom 24. Dezember d. J. ab werden die am 2. Januar 1889 fälligen Zins-Coupons

№ 6 Serie V. der vierprozentigen Prioritäts-Obligationen **II. Emission**

und

№ 6 Serie III. der vierprozentigen Prioritäts-Obligationen **Lit. C.**

der vormaligen Berlin-Anhaltischen Eisenbahn-Gesellschaft

in Altona, Breslau, Erfurt, Frankfurt a. M. (Sachsenhausen) bei den betreffenden Königlichen Eisenbahn-Hauptkassen,

in Berlin bei der Königlichen Eisenbahn-Hauptkasse, Abtheilung für Werthpapiere (Leipziger-Platz Nr. 17),

in Cöln bei der Königlichen Eisenbahn-Hauptkasse (linksrheinische),

in Dessau bei der Königlichen Eisenbahn-Betriebskasse und

in Leipzig — jedoch nur bis 15. Januar 1889 — in den Vormittagsstunden von 9—12 Uhr bei der Eisenbahn-Stationskasse auf dem **Thüringer Bahnhofe**

eingelöst.

Außerdem werden die Coupons № 6 Serie III. der vorbezeichneten Prioritäts-Obligationen Lit. C. in **Frankfurt am Main** in der Zeit vom **24. Dezember d. J. bis 15. Januar 1889** bei den Herren M. A. von Rothschild & Söhne und bei der Filiale der Bank für Handel und Industrie

eingelöst.

Die Coupons sind mit — von den Einlieferern zu vollziehenden — Nachweisungen einzureichen, aus welchen die Stückzahl und der Werth, **nach den verschiedenen Sorten geordnet,** ersichtlich ist.

Erfurt, den 29. November 1888.

Königl. Eisenbahn-Direktion.

Bekanntmachungen der Königl. General-Kommission für die Provinzen Brandenburg und Pommern.

2.

Nachweisung der Martini-Durchschnitts-Marktpreise von Getreide, Kartoffeln, Heu und Stroh in den Normal-Marktorten des Regierungs-Bezirks Potsdam für das Jahr 1888.

ad § 20 des Ablösungs-Gesetzes vom 2. März 1850.

Nr.	Namen der Städte.	Getreide: Weizen pro 100 kg M. Pf.	Weizen pro Scheffel M. Pf.	Roggen pro 100 kg M. Pf.	Roggen pro Scheffel M. Pf.	Große Gerste pro 100 kg M. Pf.	Große Gerste pro Scheffel M. Pf.	Kleine Gerste pro 100 kg M. Pf.	Kleine Gerste pro Scheffel M. Pf.	Hafer pro 100 kg M. Pf.	Hafer pro Scheffel M. Pf.	Erbsen pro 100 kg M. Pf.	Erbsen pro Scheffel M. Pf.	Kartoffeln pro 100 kg M. Pf.	Kartoffeln pro Scheffel M. Pf.	Rauchfutter: Heu pro 100 kg M. Pf.	Stroh pro 100 kg M. Pf.
1	Berlin	19.11	7.34	15.73	5.51	17.27	5.75	—	—	14.99	3.51	18.60	7.43	5.05	1.89	7.35	7.50
2	Beeskow	—	—	16.50	6.22	14.00	4.34	—	—	15.67	3.53	28.00	11.62	4.20	1.89	7.40	6.80
3	Brandenburg a. H.	18.90	7.38	16.00	5.92	14.90	4.92	—	—	15.35	3.53	27.50	11.83	3.85	1.74	6.60	6.25
4	Dahme	18.23	7.02	15.71	5.73	13.56	4.34	—	—	16.00	3.60	25.00	10.25	3.50	1.59	8.00	5.50
5	Fürstenwalde	18.50	7.03	16.01	5.67	14.63	4.80	—	—	15.57	3.49	25.00	—	4.50	1.76	7.20	6.30
6	Havelberg	19.20	7.39	16.20	6.16	14.25	4.63	—	—	14.50	3.26	26.50	11.66	5.25	2.15	5.75	6.00
7	Jüterbog	18.40	6.99	16.60	6.14	14.40	4.46	—	—	16.—	3.68	28.00	11.76	5.—	2.00	8.—	7.50
8	Lübben	18.50	7.77	16.00	6.24	14.00	4.90	—	—	15.00	3.45	22.00	9.24	4.00	1.88	7.75	6.50
9	Luckenwalde	18.33	7.33	16.51	6.18	15.00	4.59	—	—	15.45	3.51	32.50	12.20	4.25	1.93	6.25	6.84
10	Perleberg	—	—	16.08	5.63	—	—	—	—	14.25	2.99	—	—	4.95	1.98	—	—
11	Potsdam	18.53	7.26	15.77	5.55	16.77	6.29	—	—	16.10	3.86	25.00	10.25	5.20	2.02	7.50	7.35
12	Prenzlau	19.00	7.03	15.70	5.65	14.13	4.66	—	—	14.30	2.98	15.10	6.12	5.00	1.90	5.00	5.00
13	Pritzwalk	18.34	7.01	16.14	5.70	14.75	4.52	—	—	13.48	3.09	16.50	6.77	4.25	1.69	5.00	4.50
14	Rathenow	18.50	7.24	16.25	5.79	14.50	4.11	—	—	15.50	3.53	17.00	8.22	4.75	2.00	—	—
15	Neu-Ruppin	21.00	7.98	15.35	5.53	15.00	4.80	—	—	15.65	3.49	25.00	10.13	4.20	1.62	6.00	7.00
16	Schwedt a. O.	20.00	7.50	16.40	5.90	14.80	4.14	—	—	15.30	3.52	16.80	6.80	5.00	2.27	6.40	[illegible]
17	Templin	18.63	7.26	15.63	5.03	15.25	5.03	—	—	15.13	3.63	14.50	5.65	4.50	2.03	6.50	6.50
18	Treuenbrietzen	18.24	7.02	16.57	6.05	13.93	4.46	—	—	14.50	3.26	22.00	8.91	3.88	1.75	6.50	6.25
19	Wittstock	18.38	7.29	15.95	5.98	13.50	4.73	—	—	13.68	2.94	15.25	6.15	3.60	1.42	6.00	5.50
20	Wittenberg	18.50	7.12	16.67	6.08	16.00	5.12	14.00	4.27	15.17	3.34	—	—	4.00	1.54	9.00	5.00
21	Wriezen a. O.	18.52	7.17	15.32	5.67	14.47	4.85	—	—	14.50	3.55	22.00	9.13	4.25	1.81	6.50	5.75

Frankfurt a. O., den 30. November 1888.

Königl. General-Kommission für die Provinzen Brandenburg und Pommern.

3. **Nachweisung**

der 24jährigen Martini-Durchschnitts-Marktpreise des Getreides in den Normal-Marktorten des Regierungs-Bezirks Potsdam nach Abzug der beiden höchsten und der beiden niedrigsten Jahrespreise für das Jahr 1888.

ad § 19 des Ablösungs-Gesetzes vom 2. März 1850.

Lfd. №	Namen der Städte.	Weizen.		Roggen.		Große Gerste.		Kleine Gerste.		Hafer.		Erbsen.	
		pro Neuscheffel											
		Mark	Pf.	Mark	Pf.	Mark	Pf.	Mark	Pf.	Mark	Pf.	Mark	Pf.
1	Berlin	7	68	5	79	5	18	—	—	3	40	—	—
2	Beeskow	—	—	6	05	4	97	—	—	3	60	—	—
3	Brandenburg a. H.	—	—	6	03	4	70	—	—	3	56	—	—
4	Dahme	7	76	5	80	4	80	—	—	5	13	12	60
5	Fürstenwalde	—	—	5	89	5	04	—	—	3	43	—	—
6	Havelberg	—	—	6	07	4	90	—	—	3	29	—	—
7	Jüterbog	7	75	5	93	4	72	—	—	3	34	—	—
8	Lübben	8	55	6	25	5	33	—	—	3	35	—	—
9	Luckenwalde	7	89	6	23	4	60	—	—	3	39	—	—
10	Perleberg	—	—	5	91	—	—	—	—	3	24	—	—
11	Potsdam	—	—	5	97	5	09	—	—	3	67	—	—
12	Prenzlau	7	48	5	87	4	91	—	—	3	15	6	84
13	Pritzwalk	7	70	5	76	—	—	—	—	3	22	6	60
14	Rathenow	7	34	5	88	4	89	—	—	3	24	7	98
15	Neu-Ruppin	7	79	5	78	4	66	—	—	3	26	8	15
16	Schwedt a. O.	—	—	6	16	5	03	—	—	3	53	7	08
17	Templin	7	82	5	70	5	00	—	—	3	27	—	—
18	Treuenbrietzen	7	67	5	91	4	59	—	—	3	24	—	—
19	Wittstock	7	72	5	84	4	65	—	—	3	10	6	89
20	Wittenberg	7	54	5	98	5	00	—	—	3	24	—	—
21	Wriezen a. O.	—	—	5	92	4	76	—	—	3	21	7	90

Wegen der vorstehend fehlenden Getreide-Durchschnittspreise wird auf die für dieselben eingesetzten, in der Beilage zum Amtsblatt № 29 der Königlichen Regierung zu Potsdam und der Stadt Berlin pro 1873 bekannt gemachten Normalpreise verwiesen.

Frankfurt a. O., den 30. November 1888.

Königl. General-Kommission für die Provinz Brandenburg und Pommern.

Personal-Chronik.

Des Kaisers und Königs Majestät haben dem Rentmeister Wilhelm Brüning zu Belzig bei seinem Ausscheiden aus dem Staatsdienste am 1. Januar 1889 den Character als Rechnungs-Rath zu verleihen geruht.

Im Kreise Ostprignitz ist an Stelle des verstorbenen Gutsbesitzers Hilgendorf zu Maulbeerwalde der stellvertretende Amtsvorsteher, Gutspächter Jäger zu Könkendorf zum Amtsvorsteher des Amtsbezirks „Maulbeerwalde" ernannt worden.

Der Diakonus zu Alt-Landsberg, Superintendent Rudolf Theodor Eduard Cramer, ist, unter Beibehaltung des Diakonats zu Alt-Landsberg, zum Pfarrer bei der Evangelischen Gemeinde (filia vagans) zu Wesendahl, Diözese Strausberg, bestellt worden.

Der bisherige Predigtamts-Kandidat Friedrich Wilhelm Winkler ist zum Pfarrer der Parochie Merz, Diözese Beeskow, bestellt worden.

Die unter privatem Patronat stehende Pfarrstelle zu Kletzke, Diözese Perleberg, kommt durch die nach neuem Rechte erfolgende Emeritirung des Pfarrers Crusius zum 1. April 1889 zur Erledigung.

Die bisherige Hülfslehrerin an der Margarethen-Schule, Martha Reich ist als ordentliche Lehrerin an der Sophien-Schule angestellt worden.

Die bisherige interimistisch beschäftigte Lehrerin und Erzieherin am hiesigen städtischen Waisen-Depot, Fräulein von Malotki ist als 2. Lehrerin und Erzieherin an demselben angestellt worden.

Personalveränderungen im Bezirke der Kaiserlichen Ober-Postdirektion in Berlin.

Im Laufe des Monats November sind

ernannt zum Postkassirer der Ober-Postdirektionssecretair Lattermann,

angestellt als Postverwalter der Postassistent Caspary,

versetzt der Büreauassistent Schöning nach Lübz als Ober-Postassistent, der Postsecretair Hey von Trier nach Berlin und der Postassistent Jenß von Lübz nach Berlin,

in den Ruhestand versetzt der Ober-Postdirektionssecretair Riemann, der Ober-Postsecretair Blümke, der Postsecretair Weinert und der Ober-Telegraphenassistent Heinrich,

gestorben der Postsecretair Streich.

Personalveränderungen im Bezirke der Kaiserlichen Ober-Postdirektion in Potsdam.

Etatsmäßig angestellt sind: der Postpraktikant O. A. Schmidt als Postsecretair in Luckenwalde, der Postanwärter Kühn als Postverwalter in Zernitz.

Versetzt sind: der Postsecretair Passow in Spandau als comm. Ober-Postkassen-Buchhalter nach Cassel, der Postassistent Hampel von Luckenwalde nach Breslau.

Gestorben ist: der Postverwalter Happe in Mittenwalde (Mark).

Vermischte Nachrichten.

Führung der Handels- rc. Register.

Die Bekanntmachungen des unterzeichneten Gerichts, betreffend die Eintragungen in das Handels-, Genossenschafts- und Muster-Register erfolgen im Laufe des Jahres 1889 durch: 1) den Deutschen Reichs- und Königlich Preußischen Staatsanzeiger, 2) das Amtsblatt der Königlichen Regierung zu Potsdam, 3) die Berliner Börsenzeitung, 4) die Prenzlauer Zeitung (Kreisblatt), 5) das Strasburger Volks- und Wochenblatt.

Strasburg i. U., den 3. Dezember 1888.

Königl. Amtsgericht.

Die Eintragungen in die Handels-, Genossenschafts- und Musterregister werden im Laufe des Jahres 1889 durch den Deutschen Reichsanzeiger und die Berliner Börsenzeitung öffentlich bekannt gemacht werden.

Dahme, den 3. Dezember 1888.

Königl. Amtsgericht.

Die Veröffentlichungen der Eintragungen in das Handels-, Genossenschafts-, Zeichen-, Muster- und Modell-Register, welche im Jahre 1889 beim hiesigen Amtsgericht vorkommen, erfolgt: durch den Deutschen Reichs- und Preußischen Staats-Anzeiger, für das Handels- und Genossenschafts-Register außerdem 1) durch die Berliner Börsenzeitung, 2) durch das Kreisblatt für die West-Prignitz.

Perleberg, den 4. Dezember 1888.

Königl. Amtsgericht.

Die im Laufe des Jahres 1889 von dem unterzeichneten Amtsgerichte zur Veröffentlichung gelangenden Bekanntmachungen über die Eintragung in die Handels-, Genossenschafts- und Musterregister werden durch folgende Blätter publizirt werden: 1) durch den Deutschen Reichs- und Preußischen Staatsanzeiger, 2) durch das Regierungs-Amtsblatt zu Potsdam, 3) durch die Berliner Börsenzeitung, 4) durch das Kreisblatt der Westprignitz, 5) durch die Zeitung für die West- und Ostprignitz zu Lenzen. Lenzen, den 3. Dezember 1888.

Königl. Amtsgericht.

Im Laufe des Jahres 1889 werden die Eintragungen in das Handels-, Zeichen-, Muster- und Genossenschafts-Register der Königl. Amtsgerichte zu Oranienburg und Liebenwalde durch den Deutschen Reichsanzeiger, den Oeffentlichen Anzeiger des Regierungs-Amtsblatts zu Potsdam, die Berliner Börsenzeitung und die Zeitung für Nieder-Barnim bekannt gemacht werden. Oranienburg, den 3. Dezember 1888.

Königl. Amtsgericht.

Die Veröffentlichung der Eintragungen in das Handels-, Genossenschafts-, Zeichen-, Muster- und Modellregister, welche im Laufe des Jahres 1889 beim hiesigen Amtsgericht vorkommen, erfolgt durch den Deutschen Reichs- und Preußischen Staats-Anzeiger, für das Handels- und Genossenschafts-Register auch noch durch die Berliner Börsenzeitung zu Berlin.

Jüterbog, den 4. Dezember 1888.

Königl. Amtsgericht.

Abhaltung der Gerichtstage in Boitzenburg und Gerswalde.

Im Jahre 1889 werden in den bisherigen Gerichtstags-Lokalen an folgenden Tagen Gerichtstage abgehalten werden: A. In Boitzenburg Ukm. **am Sonnabend, den 19. Januar, 16. Februar, 16. März, 13. April, 18. Mai, 22. Juni, 3. August, 21. September, 19. Oktober, 16. November und 14. Dezember.** B. In Gerswalde **am Sonnabend, den 12. Januar, 2. März, 27. April, 15. Juni, 17. August, 28. September, 9. November und 21. Dezember.** An diesen Tagen können auch Anträge auf Eintragungen in die Landgüterrolle gestellt werden.

Templin, den 23. November 1888.

Königl. Amtsgericht.

Ausweisung von Ausländern aus dem Reichsgebiete.

Lauf. Nr.	Name und Stand des Ausgewiesenen	Alter und Heimath des Ausgewiesenen	Grund der Bestrafung	Behörde, welche die Ausweisung beschlossen hat	Datum des Ausweisungs-Beschlusses
1.	2	3.	4.	5.	6
		a. Auf Grund des § 39 des Strafgesetzbuchs:			
1	Anna Völker, geb. Geneth, geschiedene Ehefrau,	geboren am 3. Februar 1852 zu Tramin, Tirol, ortsangehörig zu Bergen, ebendaselbst,	Diebstahl im wiederholten Rückfall und Führung falschen Namens (3 Jahre Zuchthaus laut Erkenntniß vom 20. Oktober 1885),	Königlich Preußischer Regierungspräsident zu Wiesbaden,	3. Oktober 1888.

Lauf. Nr.	Name und Stand des Ausgewiesenen.	Alter und Heimath des Ausgewiesenen.	Grund der Bestrafung.	Behörde, welche die Ausweisung beschlossen hat.	Datum des Ausweisungs-Beschlusses.
1.	2.	3	4.	5.	6.
		b. Auf Grund des § 362 des Strafgesetzbuchs:			
1	Josef Mendlik, Weber,	geboren am 23. Januar 1864 zu Ober-Stakor, Bezirk Jung-Bunzlau, Böhmen, ortsangehörig ebendaselbst,	Landstreichen, Betteln und Gebrauch eines falschen Namens,	Königlich Preußischer Regierungspräsident zu Liegnitz,	19. November 1888.
2	Johannes Klaaskate, Weber,	geboren am 28. März 1856 zu Lonneke, Provinz Ober-Yssel, Niederlande, wohnhaft zuletzt in Münster, Westfalen,	Betteln im wiederholten Rückfall,	Königlich Preußischer Regierungspräsident zu Osnabrück,	17. November 1888.
3	Alexander Demjanowsky, Schmiedegeselle,	geboren am 20. April 1871 zu Pernau, Gouvernement Livland, Rußland, ortsangehörig ebendaselbst,	Landstreichen und Betteln,	Königlich Preußischer Regierungspräsident zu Lüneburg,	10. November 1888.
4	Franz Bures, Handlungsgehülfe,	geboren am 26. Juli 1837 zu Chotebor, Bezirk Deutsch-Brod, Böhmen, ortsangehörig zu Hlinsko, Bezirk Chrudim, ebendaselbst,	Landstreichen,	Königlich Sächsische Kreishauptmannschaft zu Bautzen,	27. Oktober 1888.
5	Johann Hille, Tischlergeselle,	geboren am 14. Januar 1843 zu Schönborn, Bezirk Rumburg, Böhmen, ortsangehörig ebendaselbst,	Betrug u. Landstreichen,	dieselbe,	7. November 1888.
6	Peter Alexander Emil van Malder, Büchsenmacher,	geboren am 11. Mai 1846 zu Brügge, Belgien, ortsangehörig ebendaselbst,	Landstreichen,	Kaiserlicher Bezirks-Präsident zu Colmar,	14. November 1888.
7	Friedrich Hügli, Dienstknecht,	geboren am 17. November 1854 zu Ursenbach, Kanton Bern, Schweiz, ortsangehörig zu Sumiswald, ebendaselbst,	desgleichen,	derselbe,	22. November 1888.
8	Raphael Sadra, Bergmann,	geboren im Jahre 1857 zu Ziß val di Non, Provinz Trient, Oesterreich, ortsangehörig ebendaselbst,	desgleichen,	Kaiserlicher Bezirks-Präsident zu Straßburg,	16. November 1888.
9	Peter Perrière, Bäckergeselle,	geboren am 1. Juni 1870 zu St. Pierre-les-Etieux, Departement du Cher, Frankreich, ortsangehörig ebendaselbst,	desgleichen,	derselbe,	desgleichen.
10	Georges Matthieu, Arbeiter,	geboren im Jahre 1864 zu Bury bei Rheims, Frankreich,	Landstreichen,	Königlich Preußischer Regierungspräsident zu Hannover,	12. November 1888.

Lauf. Nr.	Name und Stand des Ausgewiesenen.	Alter und Heimath des Ausgewiesenen.	Grund der Bestrafung.	Behörde, welche die Ausweisung beschlossen hat.	Datum des Ausweisungs-Beschlusses
1.	2.	3.	4.	5.	6.
11	Johann Had, Kettenschmied,	geboren am 22. März 1863 zu Tazowic, Bezirk Strakonitz, Böhmen, ortsangehörig ebendaselbst, wohnhaft zuletzt in Berlin, Preußen,	Betteln im wiederholten Rückfalle,	Königlicher Polizei-Präsident zu Berlin,	11. Oktober 1888.
12	Albert Rotter, Glasschleifer,	geboren am 2. Februar 1852 zu Wüst-Seibersdorf, Bezirk Schönberg, Mähren, ortsangehörig zu Weickersdorf, ebendaselbst,	desgleichen,	Königlich Preußischer Regierungspräsident zu Oppeln,	17. Oktober 1888.
13	Simon Glaser, Kunstreiter,	geboren am 1. Mai 1854 zu Gromietz, Bezirk Chrzanow, Galizien,	Betrug u. Landstreichen,	derselbe,	20. Januar 1888.
14	Nicolai Mal, Weber,	geboren am 2. November 1861 zu Riga, Rußland, ortsangehörig ebendaselbst,	Landstreichen,	Königlich Preußischer Regierungspräsident zu Arnsberg,	29. Oktober 1888.
15	Luise Maria Maren Johannsen, Dienstmagd,	geboren am 7. Juni 1862 zu Garnensköse, Dänemark, ortsangehörig ebendaselbst,	desgleichen,	Königlich Preußischer Regierungspräsident zu Düsseldorf,	12. November 1888.
16	Michael de Bolster, Cigarrenmacher,	geboren am 21. Juli 1837 zu Denderlow, Belgien, ortsangehörig ebendaselbst,	desgleichen,	derselbe,	14. November 1888.
17	Hermann Kossok, Metzgergeselle,	geboren am 11. Juli 1853 zu Bukarest, Rumänien, ortsangehörig ebendaselbst,	Widerstand gegen die Staatsgewalt, Landstreichen und Betteln,	Königlich Württembergische Regierung für den Donaukreis zu Ulm,	9. November 1888.
18	Engelbrecht Lenzin, Schreiber u. Uhrmacher,	geboren am 25. September 1849 zu Leuggen, Schweiz, ortsangehörig zu Wölflinswyl, ebendaselbst,	Landstreichen,	Kaiserlicher Bezirks-Präsident zu Colmar,	desgleichen.
19	Robert Georges, Arbeiter,	geboren am 6. Januar 1839 zu Eysig, Bezirk Ober-Elsaß, französischer Optant,	desgleichen,	Kaiserlicher Bezirks-Präsident zu Metz,	4. November 1888.

Hierzu Nr. 1 Oeffentliche Anzeiger.

Das Sach- und Namenregister für 1888 erscheint bereits in der ersten Hälfte des Januar k. J. und werden die Abonnenten ersucht, dasselbe möglichst bald bei den Postanstalten zu bestellen (Preis 38 Pfg.).

(Die Insertionsgebühren betragen für eine einspaltige Druckzeile 20 Pf. Belagsblätter werden der Bogen mit 10 Pf. berechnet.)

Redigirt von der Königlichen Regierung zu Potsdam.

Potsdam, Buchdruckerei der A. W. Hayn'schen Erben (E. Hayn, Hof-Buchdrucker).

Amtsblatt

der Königlichen Regierung zu Potsdam und der Stadt Berlin.

Stück 51. Den 21. Dezember **1888.**

Bekanntmachungen des Staatssekretairs des Reichs-Postamts.

Post-Packet-Verkehr mit Neu-Seeland.

24. Von jetzt ab können Postpackete ohne Werthangabe nach Neu-Seeland versandt werden. Ueber die Taxen und Versendungsbedingungen ertheilen die Postanstalten auf Verlangen Auskunft.

Berlin W., den 11. Dezember 1888.

Der Staatssecretair des Reichs-Postamts.

Bekanntmachungen der Königlichen Hauptverwaltung der Staatsschulden.

16. Verloosung von Schuldverschreibungen der 4 prozentigen Staatsanleihe von 1868 A.

24. Bei der heute in Gegenwart eines Notars öffentlich bewirkten 16. Verloosung von Schuldverschreibungen der 4prozentigen Staatsanleihe von 1868 A. sind die in der Anlage verzeichneten Nummern gezogen worden.

Dieselben werden den Besitzern mit der Aufforderung gekündigt, die in den ausgeloosten Nummern verschriebenen Kapitalbeträge vom 1. Juli 1889 ab gegen Quittung und Rückgabe der Schuldverschreibungen und der nach dem 1. Juli k. J. fällig werdenden Zinsscheine Reihe VI. Nr. 4 bis 8 nebst Anweisungen zur Reihe VII. bei der Staatsschulden-Tilgungskasse hierselbst, Taubenstraße Nr. 29, zu erheben.

Die Zahlung erfolgt von 9 Uhr Vormittags bis 1 Uhr Nachmittags, mit Ausschluß der Sonn- und Festtage und der letzten drei Geschäftstage jeden Monats. Die Einlösung geschieht auch bei den Regierungs-Hauptkassen und in Frankfurt a. M. bei der Kreiskasse. Zu diesem Zwecke können die Schuldverschreibungen nebst Zinsscheinen und Zinsscheinanweisungen einer dieser Kassen schon vom 1. Juni k. J. ab eingereicht werden, welche sie der Staatsschulden-Tilgungskasse zur Prüfung vorzulegen hat und nach erfolgter Feststellung die Auszahlung vom 1. Juli 1889 ab bewirkt.

Der Betrag der etwa fehlenden Zinsscheine wird vom Kapitale zurückbehalten.

Mit dem 1. Juli 1889 hört die Verzinsung der verloosten Schuldverschreibungen auf.

Zugleich werden die bereits früher ausgeloosten, auf der Anlage verzeichneten, noch rückständigen Schuldverschreibungen wiederholt und mit dem Bemerken aufgerufen, daß die Verzinsung derselben mit dem Tage ihrer Kündigung aufgehört hat.

Die Staatsschulden-Tilgungskasse kann sich in einen Schriftwechsel mit den Inhabern der Schuldverschreibungen über die Zahlungsleistung nicht einlassen.

Formulare zu den Quittungen werden von den obengedachten Kassen unentgeltlich verabfolgt.

Berlin, den 1. Dezember 1888.

Hauptverwaltung der Staatsschulden.

Einlösung der am 1. Januar 1889 fälligen Zinsscheine Preußischer Staatsschulden.

25. Die am 1. Januar 1889 fälligen **Zinsscheine der Preußischen Staatsschulden** werden bei der Staatsschulden-Tilgungskasse, W. Taubenstraße 29 hierselbst, bei der Reichsbankhauptkasse, sowie bei den früher zur Einlösung benutzten Königlichen Kassen und Reichsbankanstalten vom **24sten d. M.** ab eingelöst.

Die Zinsscheine sind, nach den einzelnen Schuldgattungen und Werthabschnitten geordnet, den Einlösungsstellen mit einem Verzeichniß vorzulegen, welches die **Stückzahl** und den **Betrag** für jeden Werthabschnitt angiebt, aufgerechnet ist und des Einliefernden Namen und Wohnung ersichtlich macht.

Wegen Zahlung der am 1. Januar fälligen Zinsen für die in das **Staatsschuldbuch** eingetragenen Forderungen bemerken wir, daß die **Zusendung** dieser Zinsen mittels der **Post**, sowie ihre Gutschrift auf den Reichsbank-Girokonten der Empfangsberechtigten zwischen dem **18. Dezember und 8. Januar** erfolgt; die **Baarzahlung** aber bei der **Staatsschulden-Tilgungskasse am 18. Dezember, bei den Regierungs-Hauptkassen am 24sten Dezember** und bei den mit der Annahme direkter Staatssteuern außerhalb Berlins betrauten Kassen am **2. Januar** beginnt.

Die Staatsschulden-Tilgungskasse ist **für die Zinszahlungen** werktäglich von 9 bis 1 Uhr mit Ausschluß des vorletzten Tages in jedem Monat, am letzten Monatstage aber von 11 bis 1 Uhr geöffnet.

Die Inhaber Preußischer 4prozentiger und $3^{1}/_{2}$prozentiger Konsols machen wir wiederholt auf die durch uns veröffentlichten „Amtlichen Nachrichten über das Preußische Staatsschuldbuch, Dritte Ausgabe“ aufmerksam, welche durch jede Buchhandlung für 40 Pfennig oder von dem Verleger J. Guttentag (D. Collin) in Berlin durch die Post für 45 Pfennig franko zu beziehen sind. Berlin, den 3. Dezember 1888.

Hauptverwaltung der Staatsschulden.

Uebersicht

der Martini-Marktpreise des Roggens, wie solche in den Jahren 1875—1888 einschließlich in den Kreisstädten des Regierungsbezirks Potsdam im Durchschnitte zu stehen gekommen sind.

3. Dieselben betragen für das Hektoliter im:

Jahre	Niederbarnim zu Berlin M.	Pf.	Oberbarnim zu Wriezen a. O. M.	Pf.	Beeskow-Storkow zu Beeskow M.	Pf.	Jüterbog-Luckenwalde zu Jüterbog M.	Pf.	Osthavelland zu Potsdam M.	Pf.	Westhavelland zu Brandenburg a. H. M.	Pf.	Ruppin zu Neu-Ruppin M.	Pf.
1875	11	52	12	36	12	16	12	02	12	28	12	26	11	82
1876	11	66	13	20	13	56	13	72	13	28	13	60	13	94
1877	10	58	11	20	11	52	10	56	11	14	11	02	10	94
1878	9	44	8	58	9	82	9	44	9	66	9	50	8	92
1879	12	16	12	76	12	64	12	14	11	98	12	24	12	38
1880	14	56	15	76	17	46	15	64	15	74	16	32	14	92
1881	13	60	13	44	14	62	13	50	13	14	14	16	13	14
1882	9	82	9	44	10	46	10	80	9	84	10	30	9	38
1883	11	12	10	82	11	68	10	74	10	88	11	16	11	12
1884	9	98	9	88	10	34	10	54	10	32	10	08	10	36
1885	9	90	9	74	9	74	10	74	10	36	10	08	9	70
1886	9	30	9	14	9	34	9	62	9	16	9	54	9	10
1887	8	24	8	12	8	74	8	70	8	44	8	70	8	56
1888	11	02	11	34	12	44	12	28	11	10	11	84	11	06
in diesen 14 Jahren:	152	90	155	78	164	52	160	44	157	32	160	80	155	34
hiervon ab die beiden **höchsten** und die beiden **niedrigsten** Jahrespreise mit:														
	14	56	15	76	17	46	15	64	15	74	16	32	14	92
	13	60	13	44	14	62	13	72	13	28	14	16	13	94
	9	30	8	58	9	34	9	44	9	16	9	50	8	92
	8	24	8	12	8	74	8	70	8	44	8	70	8	56
zusammen	45	70	45	90	50	16	47	50	46	62	48	68	46	34
bleiben für 10 Jahre:	107	20	109	88	114	36	112	94	110	70	112	12	109	00

Jahre	Ostprignitz zu Wittstock M.	Pf.	Westprignitz zu Perleberg M.	Pf.	Prenzlau zu Prenzlau M.	Pf.	Angermünde zu Schwedt a. O. M.	Pf.	Teltow zu Berlin M.	Pf.	Templin zu Templin M.	Pf.	Zauch-Belzig zu Potsdam M.	Pf.
1875	12	22	12	54	11	80	13	76	11	52	11	12	12	28
1876	14	84	14	06	13	56	13	88	11	66	13	20	13	28
1877	10	70	11	28	10	32	11	38	10	58	9	80	11	14
1878	8	68	9	14	9	18	9	30	9	44	9	46	9	66
1879	13	02	12	66	12	42	13	14	12	16	10	32	11	98
1880	15	08	15	26	15	34	15	98	14	56	14	52	15	74
1881	13	56	13	04	13	68	14	20	13	60	13	68	13	14
1882	9	28	9	52	9	60	10	30	9	82	8	76	9	84
1883	10	96	10	60	10	28	11	80	11	12	10	74	10	88
1884	9	52	9	70	9	46	10	34	9	98	10	08	10	32
1885	8	78	9	06	9	26	9	84	9	90	10	44	10	36
1886	8	78	9	04	8	94	9	24	9	30	8	28	9	16
1887	7	72	8	12	7	92	8	86	8	24	7	84	8	44
1888	11	96	11	26	11	30	11	80	11	02	11	26	11	10
in diesen 14 Jahren:	155	10	155	28	153	06	163	82	152	90	149	50	157	32
hiervon ab die beiden **höchsten** und die beiden **niedrigsten** Jahrespreise mit:														
	15	08	15	26	15	34	15	98	14	56	14	52	15	74
	14	84	14	06	13	68	14	20	13	60	13	68	13	28
	8	68	9	04	8	94	9	24	9	30	8	28	9	16
	7	72	8	12	7	92	8	86	8	24	7	84	8	44
zusammen	46	32	46	48	45	88	48	28	45	70	44	32	46	62
bleiben für 10 Jahre:	108	78	108	80	107	18	115	54	107	20	105	18	110	70

Es beträgt somit der Martini-Durchschnittsmarktpreis für das Hektoliter Roggen, nach welchem die Getreide-Rente des Jahres 1888 in baarem Gelde zu vergüten ist:

Niederbarnim	Oberbarnim	Beeskow-Storkow	Jüterbog-Luckenwalde	Osthavelland	Westhavelland	Ruppin	Ostprignitz	Westprignitz	Prenzlau	Angermünde	Teltow	Templin	Zauch-Belzig
10 72	10 99	11 44	11 29	11 07	11 21	10 90	10 88	10 88	10 72	11 55	10 72	10 52	11 07

Berlin, den 13. Dezember 1888.

Königl. Konsistorium der Provinz Brandenburg.

Bekanntmachungen des Königlichen Regierungs-Präsidenten.

Viehseuchen.

316. Die Maul- und Klauenseuche ist unter dem Rindvieh der Erbsitzerin Kannenberg zu Neuholland bei Liebenwalde ausgebrochen.

Potsdam, den 7. Dezember 1888.

Der Regierungs-Präsident.

317. Der Milzbrand ist bei einer verendeten Kuh des Kossäthen Sommerfeldt zu Tremmen bei Ketzin festgestellt worden.

Potsdam, den 10. Dezember 1888.

Der Regierungs-Präsident.

318. Die Maul- und Klauenseuche ist unter dem Rindvieh des Dominiums Gütergotz, Kreis Teltow, ausgebrochen.

Potsdam, den 10. Dezember 1888.

Der Regierungs-Präsident.

319. Die Maul- und Klauen-Seuche ist unter den Kühen des Ritterguts Bagow, Kreis Westhavelland, ausgebrochen.

Potsdam, den 12. Dezember 1888.

Der Regierungs-Präsident.

Bekanntmachungen des Königlichen Provinzial-Schul-Collegiums zu Berlin.

Prüfung der Lehrer an Taubstummen-Anstalten.

26. Die Prüfung der Lehrer an Taubstummen-Anstalten beginnt hier **am 16. September k. J.** Zu dieser Prüfung werden zugelassen Geistliche, Kandidaten der Theologie oder der Philologie, sowie solche Volksschullehrer, welche die zweite Prüfung bestanden und sich mindestens zwei Jahre mit Taubstummen-Unterricht beschäftigt haben. Die Anmeldungen sind an uns bis zum **15. Juni k. J.** einzureichen und denselben beizufügen: 1) ein selbstgefertigter Lebenslauf, auf dessen Titelblatt der vollständige Name, der Geburtsort, das Alter, die Confession und das augenblickliche Amtsverhältniß des Bewerbers anzugeben ist; 2) die Zeugnisse über die empfangene Schul- oder Universitätsbildung, sowie über die bisher abgelegten Prüfungen; 3) ein Zeugniß über die bisherige Thätigkeit des Bewerbers im Taubstummen-Unterrichte; 4) ein amtliches Führungsattest; 5) ein von einem zur Führung eines Dienstsiegels berechtigten Arzte ausgestelltes Zeugniß über normalen Gesundheitszustand.

Berlin, den 11. Dezember 1888.

Königl. Provinzial-Schul-Kollegium.

Bekanntmachungen der Königl. Kontrolle der Staatspapiere.

Aufgebot von Schuldverschreibungen.

28. In Gemäßheit des § 20 des Ausführungsgesetzes zur Civilprozeßordnung vom 24. März 1879 (G.-S. S. 281) und des § 6 der Verordnung vom 16. Juni 1819 (G.-S. S. 157) wird bekannt gemacht, daß dem Königlichen Rittmeister und Eskadrons-Chef im Rheinischen Dragoner-Regiment № 5 Herrn von Diest zu Hofgeismar die Schuldverschreibungen der konsolidirten 4%igen Staatsanleihe lit. B. № 341204 über 2000 M. und lit. C. № 439511 und 439512 über je 1000 M. angeblich zu Düsseldorf abhanden gekommen sind. Es werden Diejenigen, welche sich im Besitze dieser Urkunden befinden, hiermit aufgefordert, solches der unterzeichneten Kontrolle der Staatspapiere oder dem Herrn von Diest anzuzeigen, widrigenfalls das gerichtliche Aufgebotsverfahren behufs Kraftloserklärung der Urkunden beantragt werden wird.

Berlin, den 10. Dezember 1888.

Königl. Kontrolle der Staatspapiere.

Personal-Chronik.

Dem Pächter der dem Domkapitel zu Brandenburg gehörigen Güter Grabow, Lünow und Müggenburg, Karl Manger, ist der Charakter als Königl. Oberamtmann beigelegt.

Die Ober-Försterstelle Cunersdorf ist vom 1. Februar k. J. ab dem Oberförster Koch zu Wilhelmsbruch, Regierungsbezirk Gumbinnen, übertragen worden.

Vom 1. Februar 1889 ab sind bestellt: a. der Oberförster Graf Clairon d'Haussonville als Forst-Amts-Anwalt für den Königl. Forstbezirk Grunewald, b. der Oberförster Koch als Forst-Amts-Anwalt für den Königl. Forstbezirk Cunersdorf.

In Stelle des verstorbenen Bürgermeisters Tappert zu Alt-Ruppin ist der Forstkassen-Rendant Wiechert zu Alt-Ruppin mit der einstweiligen Fortführung der Geschäfte der domainen- und der fiskalischen Kirchen-Patronats-Verwaltung in folgenden Ortschaften: Alt-Friesack, Krangen, Lichtenberg, Molchow, Nietwerder, Stendenitz, Storbeck, Wuthenow, Zippelsförde mit Krangensbrück, Alt-Ruppin in kirchlicher Beziehung, Bechlin, Darritz, Dabergotz, Gottberg, Kerzlin, Wildberg, Grieben, Herzberg, Rüthnick, Schönberg; außerdem bezüglich der fiskalischen Gewässer: Bätz-See, Ruppiner See, Molchow-See, Teetzen-See, Zermützel-See, Mölln-See, Tholmann-See, Fließ vom Fristow- bis Mölln-See beauftragt worden.

Der bisherige Archidiakonus zu Landsberg a. W., Johannes Karl Funke, ist zum Oberpfarrer an der St. Gotthardt-Kirche zu Brandenburg a. H., Diözese Altstadt-Brandenburg, bestellt worden.

Der Oberlehrer Dr. Brosien am Sophien-Gymnasium in Berlin ist in gleicher Eigenschaft an der Luisenstädtischen Oberrealschule daselbst angestellt worden.

Der Schulamts-Kandidat Dr. Matzdorff ist als ordentlicher Lehrer an dem Lessing-Gymnasium angestellt worden.

Die Verwaltung der Kasse des Königlichen Luisengymnasiums in Berlin ist dem Provinzialschulsekretair Havemann bei dem Königlichen Provinzial-Schulkollegium daselbst übertragen worden.

Dem Küster und Lehrer Albert Friedrich Wilhelm Palm zu Königsberg, Diözese Wittstock, ist der Titel „Kantor" verliehen worden.

Personalveränderungen im Bezirke der Königlichen Eisenbahn-Direktion Erfurt.

Abgang: Stations-Vorsteher II. Klasse Dümchen in Trebbin in den Ruhestand versetzt.

Ernennung: Stations-Assistent Sauerteig in Jüterbog zum Stations-Vorsteher II. Klasse.

Versetzung: Stations-Assistent Walther III. von Gera nach Trebbin und mit der Verwaltung der Station beauftragt.

Personalveränderungen im Bezirke des Kammergerichts in dem Monate November 1888.

I. Richterliche Beamte.

Ernannt sind: der Landrichter Dictus in Cottbus zum Landgerichtsdirektor in Coeslin, die Gerichtsassessoren von Wilmowski, Niethe und Lau zu Amtsrichtern bei den Amtsgerichten zu Pritzwalk bezw. Wittenberge und Altona. Der Kaufmann Max Borchardt zu Berlin zum Handelsrichter daselbst.

Versetzt sind: der Amtsrichter Dr. Holtze in Arnswalde an das Amtsgericht I. zu Berlin, der Amtsrichter Reinicke in Wriezen als Landrichter an das Landgericht zu Cottbus, der Amtsrichter Grodzicki in Carthaus an das Amtsgericht zu Landsberg a. W., der Staatsanwalt Luther in Guben an das Landgericht Stettin, der Landgerichtsrath Vollgold in Berlin als Amtsgerichtsrath an das Amtsgericht zu Wriezen.

II. Assessoren.

Zu Gerichtsassessoren sind ernannt: die Referendare Adolf Schulze, Zowe, Stolle, Dr. Kanzki, Zeige, Betcke, Reuter, Parthey, Richard Schulze.

Verstorben ist: Dr. Abel.

III. Rechtsanwälte und Notare.

Gelöscht sind in der Liste der Rechtsanwälte: der Rechtsanwalt Dr. Arthur Salomon beim Kammergericht, der Rechtsanwalt, Justizrath Rosenthal beim Landgericht zu Neu-Ruppin.

Eingetragen sind in die Liste der Rechtsanwälte: die Gerichtsassessoren Dr. Danielewicz, Dr. Oppenheimer, Georg Meyer, der Rechtsanwalt Dr. Arthur Salomon beim Landgericht I. zu Berlin, der Gerichts-Assessor Mendelsohn beim Amtsgericht zu Rixdorf.

Zum Notar ist ernannt: der Rechtsanwalt Dr. Kloeckner zu Frankfurt a. O.

Dem Rechtsanwalt und Notar Wagenknecht in Jüterbog ist die nachgesuchte Entlassung aus dem Amte als Notar ertheilt.

Verstorben ist der Rechtsanwalt und Notar, Justizrath Hünke zu Frankfurt a. O.

IV. Referendare.

Zu Referendaren sind ernannt die bisherigen Rechtskandidaten Lüdke, Over, Roedelius, Löhlein, von Below, Steiniger, von Bergen, von Braunschweig, Matschke, Wiener, Fürstenau, Fischer, Walther, Bergmann, Gerstmeyer, von Winterfeldt, Hosemann, von Marees, Sauer. Uebernommen sind: Schmidt und Marquardt aus dem Bezirke des Oberlandesgerichts zu Stettin, Prost aus dem Bezirke des Oberlandesgerichts zu Breslau. Versetzt sind: von Behr in den Bezirk des Oberlandesgerichts zu Stettin, Freiwald in den Bezirk des Oberlandesgerichts zu Posen. Entlassen sind: von Schöning und Winterfeldt zwecks Uebertritts in den Verwaltungsdienst; Michaelis.

V. Subalternbeamte.

Ernannt sind: der Militäranwärter Gebhardt und der Aktuar Friedrich Wilhelm Schulz zu etatsmäßigen Gerichtsschreibergehülfen bei dem Landgericht I. zu Berlin bezw. dem Amtsgerichte in Dobrilugk, die Militäranwärter Petras und Stiller zu Gerichtsvollziehern bei den Amtsgerichten in Baerwalde N.M. bezw. Berlin I. Versetzt sind: der Gerichtsschreiber Kaphengst in Pritzwalk an das Amtsgericht I. zu Berlin, der etatsmäßige Gerichtsschreibergehülfe Dubie in Dobrilugk an das Landgericht I. zu Berlin. Pensionirt ist der etatsmäßige Gerichtsschreibergehülfe Boche bei dem Amtsgericht I. zu Berlin. Verstorben ist der Kreisgerichtssekretär z. D. Käller in Charlottenburg.

Vermischte Nachrichten.

Abhaltung von Gerichtstagen.

Die Gerichtstage für den Gerichtstagsbezirk Biesenthal sind für das Jahr 1889 auf nachbezeichnete, nöthigenfalls auf die jedesmal darauf folgenden Tage festgesetzt: **4. und 18. Januar, 1. und 15. Februar, 1. und 15. März, 12. und 26. April, 10. und 24. Mai, 14. und 28. Juni, 12. Juli, 16. August, 16. und 27. September, 11. und 25. Oktober, 8. und 22. November, 6. und 20. Dezember.** Das Gerichtstagslokal befindet sich im Rathhause zu Biesenthal. Eberswalde, den 3. Dezember 1888.

Königl. Amtsgericht.

Die Gerichtstage für den Gerichtstagsbezirk Joachimsthal sind für das Jahr 1889 auf nachgenannte, nöthigenfalls auf die jedesmal darauf folgenden Tage festgesetzt: **8. und 22. Januar, 5. und 19. Februar, 5. und 19. März, 2. und 16. April, 7. und 21. Mai, 4. und 18. Juni, 2. Juli, 16. August, 3. und 17. September, 8. und 22. Oktober, 5. und 19. November, 3. und 17. Dezember.** Das Gerichtstagslokal ist das der früheren Gerichts-Commission Joachimsthal.

Eberswalde, den 26. November 1888.

Königl. Amtsgericht.

Die Gerichtstage in Gramzow sind für das Jahr 1889 festgesetzt auf den **8. und 9. Januar, 5. und 6. Februar, 5. und 6. März, 2. und 3. April, 7. und 8. Mai, 4. und 5. Juni, 2. und 3. Juli, 1. und 2. Oktober, 5. und 6. November, 3. und 4. Dezember.** Der zweite Terminstag ist vorzugsweise zur Aufnahme von Anträgen und Verhandlungen und zur Auskunftsertheilung u. s. w. in denjenigen Fällen bestimmt, in welchen sich die Betheiligten einfinden, ohne geladen zu sein. Es wird jedoch darauf aufmerksam gemacht, daß sich auch in diesen Fällen eine rechtzeitige vorherige Anmeldung des Erscheinens mit kurzer Angabe des Zwecks derselben häufig dringend empfiehlt, damit die betreffenden Akten herbeigeschafft und Hindernisse, welche sonst etwa der alsbaldigen Erledigung der Sache entgegenstehen würden, beseitigt werden können. Namentlich trifft dies zu in Vormundschafts-, Nachlaß- und Grundbuchsachen, sowie in sonstigen Sachen der sogenannten freiwilligen Gerichtsbarkeit. Auflassungserklärungen können ohne solche Anmeldung regelmäßig nicht aufgenommen werden. Schließlich wird ausdrücklich bemerkt, daß auch Anträge auf Eintragung in die Landgüterrolle auf dem Gerichtstage gestellt werden können. Angermünde, den 27. November 1888.

Königl. Amtsgericht.

Führung der Handels- rc. Register.

Die auf die Führung der Handels-, Genossenschafts-, Marken- und Muster-Register sich beziehenden Geschäfte in den Bezirken der Amtsgerichte in Potsdam, Werder und Beelitz werden von dem Amtsgericht Abtheilung I. in Potsdam bearbeitet werden und zwar für das Jahr 1889 durch den Amtsgerichtsrath Moellendorf unter Mitwirkung des Gerichtsschreibers, Kanzleiraths Burmeister. Die Veröffentlichung der Eintragungen erfolgt: 1) durch den Deutschen Reichs- und Preußischen Staatsanzeiger, 2) die Berliner Börsen-Zeitung, 3) das hiesige Intelligenz-Blatt, für die Musterregister jedoch nur durch den Deutschen Reichs- und Preußischen Staatsanzeiger.

Potsdam, den 1. Dezember 1888.

Königl. Amtsgericht. Abtheilung I.

Die Veröffentlichung der Eintragungen in das Handels-, Genossenschafts- und Musterregister für das Jahr 1889 erfolgt durch den Deutschen Reichs- und Preuß. Staatsanzeiger, die Berliner Börsenzeitung und den Baruth-Golßener Anzeiger.

Baruth, den 11. Dezember 1888.

Königl. Amtsgericht.

Die Eintragungen in das Handels- und Genossenschaftsregister des unterzeichneten Amtsgerichts werden im Laufe des Jahres 1889 durch: a. den Deutschen Reichs- und Königl. Preußischen Staatsanzeiger, b. die Berliner Börsenzeitung, c. die Vossische Zeitung und die das Genossenschaftsregister betreffenden Eintragungen außerdem durch den Oeffentlichen Anzeiger des Regierungs-Amtsblattes zu Potsdam bekannt gemacht werden. Das Handels-, Genossenschafts- und Muster-Register wird bei uns geführt: für den diesseitigen Bezirk, sowie für die Bezirke der Königlichen Amtsgerichte zu Coepenick, Mittenwalde, Rixdorf, Trebbin, Königs-Wusterhausen und Zossen. Die auf die genannten Register sich beziehenden Geschäfte werden im Jahre 1889 von dem Amtsrichter Clauswitz unter Mitwirkung des Amtsgerichtssecretairs Weichert bearbeitet. Meldungen werden an jedem Mittwoch und Sonnabend Vormittags von 11 bis 1 Uhr in dem Gerichtsgebäude hierselbst, Hallesches Ufer 29/31, entgegengenommen.

Berlin, den 3. Dezember 1888.

Königl. Amtsgericht II. Abtheilung VIII.

Die Veröffentlichung der Eintragungen in das Handels-, Genossenschafts-, Zeichen-, Muster- und Modell-Register, welche im Laufe des Jahres 1889 beim hiesigen Amtsgericht vorkommen, erfolgt durch den Deutschen Reichs- und Königlich Preußischen Staats-Anzeiger und das Kreisblatt der Westprignitz.

Wittenberge, den 1. Dezember 1888.

Königl. Amtsgericht.

Die Eintragungen in das hiesige Handels-, Genossenschafts-, Zeichen- und Muster-Register werden im Jahre 1889 durch 1) den Deutschen Reichs- und Königl. Preußischen Staats-Anzeiger, 2) das Amtsblatt der Königlichen Regierung zu Potsdam, 3) das Kreisblatt für die Ost-Prignitz, 4) den Kyritzer Stadt- und Landboten, 5) die Kyritzer Zeitung, 6) die Berliner Börsen-Zeitung, bekannt gemacht werden. Die Register-Geschäfte werden von dem Amtsrichter Dr. Menz unter Mitwirkung des Sekretärs Büllgraf erledigt.

Kyritz, den 11. Dezember 1888.

Königl. Amtsgericht. Abtheilung II.

Die in Art. 14 des Handelsgesetzbuches vorgeschriebenen öffentlichen Bekanntmachungen erfolgen im Laufe des Geschäftsjahres 1889 durch den Deutschen Reichs- und Königlich Preußischen Staats-Anzeiger, sowie durch die Prenzlauer Zeitung.

Brüssow, den 1. Dezember 1888.

Königl. Amtsgericht.

Ausweisung von Ausländern aus dem Reichsgebiete.

Lauf. Nr.	Name und Stand des Ausgewiesenen.	Alter und Heimath des Ausgewiesenen.	Grund der Bestrafung	Behörde, welche die Ausweisung beschlossen hat.	Datum des Ausweisungs-Beschlusses
1	2	3.	4.	5.	6
		a. Auf Grund des § 39 des Strafgesetzbuchs:			
1	Felix Nowitzki, Arbeiter,	ca. 46 Jahre alt, Geburtsort unbekannt, wohnhaft zuletzt im Königlich Neudorf, Kreis Briesen, Preußen,	schwerer Diebstahl im wiederholten Rückfall (2 Jahre Zuchthaus laut Erkenntniß vom 6. November 1886),	Königlich Preußischer Regierungspräsident zu Marienwerder,	17. November 1888.
2	Andreas Maitan, Drahtbinder.	geboren im Jahre 1861 zu Rowne, Komitat Trecsin, Ungarn, ortsangehörig ebendaselbst,	Raub (6 Jahre Zuchthaus laut Erkenntniß vom 16. Oktober 1882),	Königlich Preußischer Regierungspräsident zu Oppeln,	18. August 1888.

Lauf. Nr.	Name und Stand des Ausgewiesenen.	Alter und Heimath des Ausgewiesenen.	Grund der Bestrafung.	Behörde, welche die Ausweisung beschlossen hat.	Datum des Ausweisungs-Beschlusses.
1.	2.	3.	4.	5.	6.
		b. Auf Grund des § 362 des Strafgesetzbuchs:			
1	Moses Auslaender, (Dislaender), Handelsmann,	geboren am 15. Mai 1861 zu Swenigorodka, Gouvernement Kiew, Rußland, ortsangehörig ebendaselbst, wohnhaft zuletzt in Berlin,	Betteln im wiederholten Rückfalle,	Königlich Preußischer Polizei-Präsident zu Berlin,	15. Oktober 1888.
2	Konrad Butzek, Handlungskommis,	geboren am 6. Februar 1863 zu Warschau, Russisch-Polen, ortsangehörig ebendaselbst,	Landstreichen und Fälschung von Legitimationspapieren,	Königlich Preußischer Regierungspräsident zu Breslau,	19. November 1888.
3	Johann Fuchs, Schuhmacher,	geboren am 2. Februar 1857 zu Dittersdorf, Kreis Neustadt, Oberschlesien, Preußen, ortsangeh. zu Deutsch-Paulowitz, Bezirk Jägerndorf, Oesterreichisch-Schlesien,	Landstreichen und Betteln,	Königlich Preußischer Regierungspräsident zu Oppeln,	8. November 1888.
4	Josef Wawra, Tischler,	geboren am 15. Juni 1861 zu Belischau, Bezirk Turnau, Böhmen, wohnhaft zuletzt in Klitten bei Rothenburg, Preußen,	desgleichen,	Königlich Preußischer Regierungspräsident zu Merseburg,	19. November 1888.
5	Johannes Heinrich Müller, Handarbeiter,	geboren am 6. August 1850 zu Luxemburg, wohnhaft zuletzt zu Weißenfels, Preußen,	Betteln im wiederholten Rückfall,	derselbe,	22. November 1888.
6	Karl Lubowsky, Bäckergeselle,	geboren am 21. Dezember 1869 zu Wigstadtl, Oesterreich.-Schlesien,	Landstreichen,	Königlich Preußischer Regierungspräsident zu Hannover,	19. November 1888.

Schifffahrtssperre.

Zur Ausführung der nothwendigen Ausbesserungen an den Bauwerken des Bromberger Kanales und zur Räumung der Kanalfelder werden die hiesigen künstlichen Wasserstraßen mit Eintritt des Frostwetters bezw. der Eisbildung, spätestens jedoch am 31. Dezember d. J. bis Ende März 1889 für die Schifffahrt und die Flösserei gesperrt werden.

Bromberg, den 13. Dezember 1888.

Königl. Regierung. Abtheilung des Innern.

(Hierzu eine Beilage, enthaltend das Verzeichniß der in der 16. Verloosung gezogenen, durch die Bekanntmachung der Königlichen Hauptverwaltung der Staatsschulden vom 1. Dezember 1888 zur baaren Einlösung am 1. Juli 1889 gekündigten Schuldverschreibungen der Staatsanleihe vom Jahre 1868 A., und das Verzeichniß der aus früheren Verloosungen noch rückständigen Schuldverschreibungen der Staatsanleihe vom Jahre 1868 A., sowie Vier Oeffentliche Anzeiger.)

Das Sach- und Namenregister für 1888 erscheint bereits in der ersten Hälfte des Januar k. J. und werden die Abonnenten ersucht, dasselbe möglichst bald bei den Postanstalten zu bestellen (Preis 38 Pfg.).

(Die Insertionsgebühren betragen für eine einspaltige Druckzeile 20 Pf. Belagsblätter werden der Bogen mit 10 Pf. berechnet.)

Redigirt von der Königlichen Regierung zu Potsdam.

Potsdam, Buchdruckerei der A. W. Hayn'schen Erben (E. Hayn, Hof-Buchdrucker).

Verzeichniß

der in der 16ten Verloosung gezogenen, durch die Bekanntmachung der unterzeichneten Hauptverwaltung der Staatsschulden vom 1. Dezember 1888 zur baaren Einlösung am 1. Juli 1889 gekündigten Schuldverschreibungen der

Staatsanleihe vom Jahre 1868 A.

Abzuliefern mit Zinsscheinen Reihe VI Nr. 4—8 und Anweisungen zur Abhebung der Reihe VII.

Die fettgedruckte Zahl, welche die Tausende bezeichnet, bezieht sich auch auf diejenigen Zahlen, welche bis zu der folgenden fettgedruckten Zahl die Hunderte, Zehner und Einer angeben. Die Striche zwischen den Zahlen bedeuten, daß sämmtliche dazwischen liegende Nummern gekündigt sind.

Lit. A. zu 1000 Rthlr.

№ 250—255. 701—712. **1**536—541. **2**154—165. 178—183. 214—219. 308—311. 318. 319. 442—447. 619—624. **3**186. 187. 190—195. 198—201. 798—803. **4**641—646. 980—985. **5**229—234. 241—246. **6**744—749. 828—833. **7**200—205. 596—601. 680—691. 920—925. **8**256—261. 400—405. 418—423. 604—609. 688—693. 766—771. 778—783. **9**012—17. 30—35. 60—65. **10**025. 27—31. 306. 308—312. 591—596. 645—650. 922—927. **12**016—21. 166—171. 221—226. 263—268. 310—315. 448—453. 554—559. 584—589. **13**032—37. 61—66. 241—246. 271—276. 420—425. 569—574. 689—694. 821—826. 905—910.

Summe 342 Stück über 342 000 Rthlr. = 1 026 000 Mark.

Lit. B. zu 500 Rthlr.

№ 244—252. 254. 256. 257. 585—587. 590—597. 599. 613—617. 621—627. **2**315—326. **4**195—206. 891—902. **5**179—190. 275—286. **7**130—141. 178—186. 188—190. 335—346. 548—559. **8**094. 96. 98—107. 230—241. 641—644. 646—653. 957—961. 963—966. 968—970. **11**064—75. 256—267. 388—399. 460—471. 484—495. 520—531. 616—627.

Summe 276 Stück über 138 000 Rthlr. = 414 000 Mark.

Lit. C. zu 300 Rthlr.

№ 87—95. 97—107. 939—973. 975—979. **1**068—87. 89—92. 94. 100—114. **2**385—404.

Summe 120 Stück über 36 000 Rthlr. = 108 000 Mark.

Lit. D. zu 100 Rthlr.

№ 600—614.

Summe 15 Stück über 1 500 Rthlr. = 4 500 Mark.

Lit. E. zu 50 Rthlr

№ 786.

Summe 1 Stück über 50 Rthlr. = 150 Mark.

Zusammen 754 Stück über 517 550 Rthlr. = 1 552 650 Mark.

Verzeichniß

Verzeichniß

der aus früheren Verloosungen noch rückständigen Schuldverschreibungen der Staatsanleihe vom Jahre 1868A.

5. Verloosung.

Gekündigt zum 1. Januar 1884. Abzuliefern mit Anweisung zur Abhebung der Zinsscheinreihe V.

Lit. C. zu **300** Rthlr. № 1463.

6. Verloosung.

Gekündigt zum 1. Juli 1884. Abzuliefern mit Zinsscheinen Reihe V Nr. 2—8 und Anweisung zur Abhebung der Reihe VI.

Lit. E. zu **50** Rthlr. № 535.

8. Verloosung.

Gekündigt zum 1. Juli 1885. Abzuliefern mit Zinsscheinen Reihe V Nr. 4—8 und Anweisungen zur Abhebung der Reihe VI.

Lit. A. zu **1000** Rthlr. № 1020.
» E. » **50** » № 18. 30. 40.

9. Verloosung.

Gekündigt zum 1. Januar 1886. Abzuliefern mit Zinsscheinen Reihe V Nr. 5—8 und Anweisung zur Abhebung der Reihe VI.

Lit. E. zu **50** Rthlr. № 138.

10. Verloosung.

Gekündigt zum 1. Juli 1886. Abzuliefern mit Zinsscheinen Reihe V Nr. 6—8 und Anweisungen zur Abhebung der Reihe VI.

Lit. B. zu **500** Rthlr. № 4106. 107.

11. Verloosung.

Gekündigt zum 1. Januar 1887. Abzuliefern mit Zinsscheinen Reihe V Nr. 7 und 8 nebst Anweisung zur Abhebung der Reihe VI.

Lit. D. zu **100** Rthlr. № 586.

12. Verloosung.

Gekündigt zum 1 Juli 1887. Abzuliefern mit Zinsscheinen Reihe V Nr. 8 und Anweisungen zur Abhebung der Reihe VI.

Lit. B. zu **500** Rthlr. № 731. 734. 8142.
» D. » **100** » № 1315.
» E. » **50** » № 243.

13. Verloosung.

Gekündigt zum 1. Januar 1888. Abzuliefern mit Anweisungen zur Abhebung der Zinsscheinreihe VI.

Lit. A. zu **1000** Rthlr. № 802.
» B. » **500** » № 7858.
» E. » **50** » № 384.

14. Verloosung.

Gekündigt zum 1. Juli 1888. Abzuliefern mit Zinsscheinen Reihe VI Nr. 2—8 und Anweisungen zur Abhebung der Reihe VII.

Lit. A. zu **1000** Rthlr. № 3153. 10040.
» B. » **500** » № 301. 1135. 140. 141. 2311. 6001. 7206—209. 211. 280. 8258. 377. 852. 853.
» D. » **100** » № 1012. 23.
» E. » **50** » № 698. 707. 710. 712. 716. 717. 745. 747. 754—759. 764. 773.

Wegen der in der 15ten Verloosung gezogenen Schuldverschreibungen siehe das Verzeichniß vom 1. Juni 1888.

Berlin, den 1. Dezember 1888.

Königliche Hauptverwaltung der Staatsschulden.

Sydow.

Berlin, gedruckt in der Reichsdruckerei.

Amtsblatt

der Königlichen Regierung zu Potsdam und der Stadt Berlin.

Stück 52. Den 28. Dezember **1888.**

Bekanntmachungen des Königlichen Regierungs-Präsidenten.

320. Nachweisung der an den Pegeln der Spree und Havel im Monat Oktober 1888 beobachteten Wasserstände.

Datum.	Berlin. Ober- N. N. Wasser.	Berlin. Unter- N. N. Wasser.	Spandau. Ober- Wasser.	Spandau. Unter- Wasser.	Potsdam.	Baumgartenbrück.	Brandenburg. Ober- Wasser	Brandenburg. Unter- Wasser	Rathenow. Ober- Wasser.	Rathenow. Unter- Wasser.	Havelberg.	Plauer Brücke.
	Meter.	Meter.	Meter.	Meter.	Meter.	Meter.	Meter.	Meter.	Meter.	Meter.	Meter.	Meter.
1	32,30	30,60	2,40	0,34	0,75	0,30	1,76	0,68	1,32	0,46	1,50	1,18
2	32,32	30,60	2,40	0,32	0,74	0,30	1,88	0,70	1,32	0,44	1,44	1,18
3	32,32	30,60	2,40	0,32	0,74	0,31	1,82	0,76	1,32	0,46	1,40	1,18
4	32,34	30,60	2,40	0,36	0,74	0,31	1,82	0,66	1,32	0,46	1,40	1,18
5	32,34	30,58	2,40	0,38	0,74	0,31	1,80	0,64	1,32	0,46	1,38	1,16
6	32,34	30,58	2,42	0,36	0,74	0,31	1,82	0,64	1,32	0,44	1,36	1,16
7	32,34	30,58	2,42	0,30	0,74	0,32	1,84	0,64	1,32	0,42	1,36	1,16
8	32,34	30,60	2,46	0,30	0,73	0,32	1,86	0,64	1,32	0,42	1,38	1,16
9	32,36	30,52	2,46	0,24	0,74	0,32	1,92	0,72	1,32	0,44	1,44	1,14
10	32,42	30,58	2,50	0,36	0,76	0,32	1,84	0,70	1,32	0,44	1,52	1,14
11	32,38	30,66	2,52	0,46	0,78	0,33	1 84	0,70	1,32	0,46	1,62	1,12
12	32,38	30,66	2,54	0,42	0,79	0,33	1,84	0,70	1,32	0,46	1,66	1,12
13	32,40	30,74	2,60	0,46	0,81	0,35	1,86	0,72	1,32	0,46	1,70	1,10
14	32,38	30,76	2,60	0,46	0,83	0,37	1,88	0,74	1,32	0,48	1,76	1,10
15	32,38	30,82	2,66	0,48	0,84	0,38	1,88	0,76	1,32	0,52	1,94	1,10
16	32,34	30,80	2,62	0,56	0,86	0,40	1,88	0,76	1,32	0,54	2,16	1,12
17	32,36	30,80	2,64	0,54	0,87	0,42	1,88	0,76	1,32	0,54	2,28	1,14
18	32,36	30,80	2,68	0,52	0,88	0,44	1,88	0,78	1,32	0,56	2,30	1,16
19	32,34	30,80	2,64	0,56	0,89	0,44	1,88	0,76	1,32	0,56	2,24	1,18
20	32,33	30,80	2,64	0,58	0,90	0,45	1,94	0,80	1,32	0,56	2,18	1,20
21	32,34	30,80	2,62	0,60	0,91	0,46	1,96	0,86	1,32	0,56	2,12	1,24
22	32,30	30,74	2,62	0,60	0,94	0,47	1,96	0,88	1,32	0,58	2,08	1,26
23	32,30	30,72	2,64	0,56	0,93	0,47	1,96	0,88	1,32	0,58	2,04	1,28
24	32,30	30,72	2,64	0,56	0,93	0,48	1,98	0,90	1,32	0,58	1,98	1,30
25	32,30	30,74	2,64	0,56	0,93	0,49	2,00	0,92	1,32	0,60	1,92	1,32
26	32,30	30,76	2,64	0,56	0,93	0,49	2,00	0,94	1,32	0,62	1,86	1,32
27	32,30	30,78	2,64	0,56	0,93	0,50	2,00	0,90	1,32	0,66	1,80	1,34
28	32,30	30,76	2,66	0,56	0,94	0,51	2,00	0,94	1,32	0,68	1,78	1,36
29	32,30	30,76	2,66	0,60	0,94	0,51	2,02	0,96	1,32	0,70	1,74	1,38
30	32,30	30,78	2,68	0,52	0,95	0,52	2,02	1,00	1,32	0,68	1,72	1,40
31	32,31	30,80	2,66	0,62	0,96	0,53	2,02	1,00	1,32	0,70	1,72	1,42

Potsdam, den 22. Dezember 1888. Der Regierungs-Präsident.

Viehseuchen.

321. Die Maul- und Klauenseuche ist unter dem Rindvieh des Kossäthen August Schönebeck zu Zepernick bei Bernau ausgebrochen.

Erloschen ist dieselbe Seuche unter den Kühen des Schloßgärtnereipächters Jordan in Nieder-Schönhausen.

Potsdam, den 19. Dezember 1888.

Der Regierungs-Präsident.

322. Der Milzbrand ist unter dem Rindvieh des Ackerbürgers Ernst Lüben zu Werneuchen ausgebrochen.

Potsdam, den 19. Dezember 1888.

Der Regierungs-Präsident.

323. Die Maul- und Klauenseuche unter dem Rindvieh der Landirrenanstalt zu Eberswalde ist erloschen.

Potsdam, den 19. Dezember 1888.

Der Regierungs-Präsident.

324. Der Rotz unter den Pferden des Bauern Ramin zu Grabow bei Herzsprung, Kreis Ostprignitz, ist erloschen.

Potsdam, den 19. Dezember 1888.

Der Regierungs-Präsident.

325. Der Milzbrand ist bei einer nothgeschlachteten Kuh in Schönwalde, Kreis Osthavelland, festgestellt worden. Potsdam, den 21. Dezember 1888.

Der Regierungs-Präsident.

Bekanntmachungen der Bezirksausschüsse.

Schluß der kleinen Jagd.

9. Für den Regierungsbezirk Potsdam wird die Jagd auf

Auer-, Birk- und Fasanen-Hennen, Haselwild, Wachteln und Hasen

mit Ablauf des

Sonntag des 20. Januar 1889

geschlossen.

Potsdam, den 14. Dezember 1888.

Der Bezirks-Ausschuß.

Bekanntmachungen des Königlichen Polizei-Präsidiums zu Berlin.

Verlegung und Errichtung einer Apotheke.

134. Der Herr Ober-Präsident der Provinz Brandenburg hat sich durch Erlaß vom 3. d. Mts damit einverstanden erklärt, daß die in der Neuen Hochstraße Nr. 6 hierselbst belegene Apotheke nach der Chausseestraße und zwar zwischen der Liesen- und der nördlichen zum ehemaligen Wöhlert'schen Grundstücke gehörigen Straße verlegt wird und gleichzeitig die Errichtung einer **neuen Apotheke ungefähr an der Kreuzung der Hoch- und Gerichtsstraße** (Neuer Hochplatz) genehmigt.

Geeignete Bewerber **für diese letztgedachte Neuanlage** werden deshalb zur Meldung binnen einer **Präklusivfrist von 6 Wochen** mit dem Bemerken hierdurch aufgefordert, daß **persönliche Vorstellungen zwecklos** sind und die an mich zu richtenden Bewerbungen **lediglich schriftlich** zu geschehen haben.

Der Meldung sind beizufügen:

a. Approbation und die **physikatlich beglaubigten** Zeugnisse des Bewerbers,
b. Lebenslauf,
c. **amtlich beglaubigter** Nachweis über die zur Einrichtung einer Apotheke erforderlichen Mittel,
d. ein polizeiliches Führungsattest.

Der Bewerber hat außerdem pflichtgemäß zu versichern, daß er eine Apotheke bisher nicht besessen hat, oder — sofern dies der Fall sein sollte — die Genehmigung des Herrn Ministers der geistlichen, Unterrichts- und Medizinal-Angelegenheiten zur abermaligen Bewerbung um Apotheken-Neuanlagen vorzulegen.

Gesuche von Bewerbern, welche seit mehr als 10 Jahren sich vom Apothekenfach abgewandt haben oder welche erst seit dem Jahre 1874 approbirt sind, haben bei der großen Zahl mehr berechtigter Bewerber zur Zeit keine Aussicht auf Erfolg. Solche Apotheker werden daher zur Vermeidung unnöthigen Schreibwerkes 2c. am besten von der Bewerbung absehen.

Berlin, den 16. Dezember 1888.

Der Polizei-Präsident.

Entziehung eines Hebammen-Prüfungszeugnisses.

135. Der bisherigen Hebamme Caroline Wilhelmine Bertha Pütter, geborenen Zobel, ist durch rechtskräftiges Erkenntniß des Königlichen Bezirksausschusses vom 23. Oktober dieses Jahres in Gemäßheit des § 53 der Reichsgewerbe-Ordnung das Prüfungszeugniß entzogen worden. Die 2c. Pütter ist daher als Hebamme nicht mehr anzusehen.

Berlin, den 19. Dezember 1888.

Der Polizei-Präsident.

Bekanntmachungen der Kaiserlichen Ober-Postdirektion zu Berlin.

Verlegung des Postamts in Tegeler Landstraße

82. Am 29. d. M. wird das Postamt in Tegeler Landstraße aus dem Hause Scharnweberstraße 10 nach dem Hause Scharnweberstraße 102 verlegt.

Berlin C., den 21. Dezember 1888.

Der Kaiserl. Ober-Postdirector.

Bekanntmachungen der Kaiserlichen Ober-Post-Direktion zu Potsdam.

Einrichtung einer Postagentur in Stüdenitz.

83. In dem Orte **Stüdenitz (Mark)** bei Zernitz wird am 1. Januar 1889 eine **Postagentur mit Telegraphenbetrieb** eingerichtet. Die neue Agentur erhält Verbindung durch eine Landpostfahrt mit folgendem Gange:

8^{20} V. 4^{25} N. ab Zernitz an 12^{50} N. 7^{30} N.
9^{20} V. 5^{25} N. an Stüdenitz ab 11^{50} V. 6^{30} N.
(Mark).

An Sonntagen findet nur eine Verbindung Vormittags durch Landbriefträger zu Fuß statt.

Dem Landbriefbestellbezirke von Stüdenitz werden die bisher zum Bestellbezirke des Kaiserlichen Postamts in Zernitz gehörenden, im Kreise Ostprignitz gelegenen Wohnstätten Rosenthal und Schönermark Ausbau zugetheilt.

Die bisherige Post- und Telegraphenhülfstelle in Stüdenitz tritt außer Wirksamkeit.

Potsdam, den 19. Dezember 1888.

Der Kaiserliche Ober-Postdirektor.

Bekanntmachungen der Königl. Direktion der Rentenbank der Provinz Brandenburg.

Verloosung von Rentenbriefen.

16. Bei der in Folge unserer Bekanntmachung vom 19. v. M. heute geschehenen öffentlichen Verloosung von Rentenbriefen **der Provinz Brandenburg** sind folgende Apoints gezogen worden:

Litt. A. zu 3000 M. (1000 Thlr.) 181 Stück

und zwar die Nummern:

333 369 414 501 514 691 717 918 1066 117

1303 1318 1329 1476 1604 1625 1765 1925 2112
2125 2170 2182 2224 2320 2368 2373 2533 2700
2886 3837 3901 3922 4056 4154 4358 4368 4419
4575 4623 4741 4852 4888 5118 5659 5745 5760
5975 6069 6187 6296 6657 6765 6787 6992 7091
7110 7579 7862 7949 8051 8161 8186 8259 8263
8517 8709 8894 9013 9042 9126 9264 9300 9363
9485 9616 9643 9793 9907 10018 10031 10186
10353 10455 10501 10644 10707 10708 10744
11041 11215 11290 11484 11548 11597 11721
11740 11754 11774 12035 12108 12340 12617
12665 12866 12936 13224 13293 13442 13454
13456 13479 13491 13773 14056 14227 14233
14331 14415 14667 14844 14889 14961 15136
15160 15184 15215 15218 15237 15321 15361
15362 15412 15475 15483 15524 15572 15622
15636 15673 15703 15733 16041 16079 16107
16277 16289 16322 16535 16544 16558 16574
16726 16727 16813 16855 16973 17013 17077
17135 17285 17417 17479 17525 17545 17646
17692 17725 17776 18128 18137 18145 18153
18162 18220 18307 18482 18569 18582 18618
18898 18977.

Litt. B. zu 1500 M. (500 Thlr.) 62 Stück
und zwar die Nummern:

192 280 366 651 686 738 825 863 875 965 1104
1300 1304 1759 1805 1866 1911 2231 2238 2572
2587 2676 2910 2953 3098 3341 3540 3654 3729
3733 3758 3806 3940 4082 4179 4263 4318 4442
4581 4619 4838 4868 4878 4935 5074 5304 5335
5414 5436 5508 5619 5960 6097 6117 6190 6222
6347 6361 6464 6581 6627 6705.

Litt. C. zu 300 M. (100 Thlr.) 237 Stück
und zwar die Nummern:

166 424 567 599 705 744 965 1084 1210 1257
1368 1436 1811 1908 2133 2262 2287 2326 2504
2525 2663 2919 3022 3258 3274 3444 3531 3715
3856 4078 4120 4318 4521 4532 4761 4882 5086
5358 5452 5454 5512 5648 5670 5745 6040 6098
6121 6137 6144 6255 6327 6382 6635 6730 6833
6875 7004 7131 7352 7455 7574 7587 7590 7773
8035 8085 8399 8400 8461 8587 8640 8972 9054
9320 9500 9563 9624 9644 9769 9791 9925 10161
10221 10266 10509 10579 10663 10846 11046
11350 11367 11680 11687 11774 11778 11985
11986 12064 12088 12102 12196 12205 12240
12438 12654 12761 12792 12800 12832 12866
12915 12921 12923 12924 13144 13230 13700
13758 13995 14101 14178 14225 14228 14291
14337 14496 14525 14655 14678 14737 14845
14855 14938 15145 15175 15186 15300 15334
15544 15601 15780 15781 15801 15832 15841
15857 15871 16014 16255 16256 16400 16459
16488 16717 16824 17226 17283 17409 17628
17829 17873 17875 17952 18155 18230 18374
18548 18619 18629 18655 18716 18742 18748
18759 18893 18979 19030 19195 19231 19295
19357 19518 19737 19809 19863 19930 19961
19988 19996 20115 20157 20179 20322 20440
20595 20614 20851 20896 21032 21068 21080
21145 21176 21224 21227 21309 21321 21389
21443 21700 21738 21819 21974 22147 22155
22244 22376 22395 22419 22437 22576 22795
22826 22900 22993 23092 23137 23206 23447
23468 23523 23635 23662 23667 23729 23783
23886.

Litt. D. zu 75 M. (25 Thlr.) 198 Stück
und zwar die Nummern:

202 245 324 398 459 544 569 758 797 829 857
974 1041 1403 1448 1519 1694 1925 2031 2055
2149 2226 2513 2541 2666 2745 2790 2795 3103
3257 3301 3506 3509 3645 3670 3775 3869 3969
4099 4207 4214 4221 4244 4506 4619 4636 4645
4719 4727 4775 4984 5050 5385 5687 6474 6528
6536 6626 6685 6749 6877 6948 7038 7144 7309
7336 7406 7475 7478 7590 7761 7855 7869 7989
8085 8173 8475 8540 8697 8790 8957 9070 9150
9166 9227 9247 9329 9405 9463 9515 9650 9713
9751 9781 9788 9824 9961 10065 10068 10125
10207 10316 10617 10724 10896 10929 11065
11120 11176 11467 11488 11489 11490 11556
11678 11812 11945 12351 12481 12658 12740
12791 12896 12929 13157 13178 13345 13485
13622 13646 13774 13800 13961 13995 14108
14205 14318 14626 14719 14734 14881 14891
14977 15057 15108 15122 15228 15713 15770
16048 16060 16117 16302 16462 16470 16488
16513 16578 16593 16595 16683 16740 16778
16785 16798 16825 16877 16950 17069 17073
17108 17194 17459 17674 17711 17738 17775
17882 17890 17978 18018 18031 18034 18052
18137 18166 18200 18320 18651 18755 18842
18893 19028 19096 19545 19702 19834 20417.

Die Inhaber dieser Rentenbriefe werden aufgefordert, dieselben in coursfähigem Zustande, mit den dazu gehörigen Coupons, Ser. V. № 14—16 nebst Talons bei der hiesigen Rentenbank-Kasse, Klosterstraße Nr. 76 I. vom 1. April k. J. ab an den Wochentagen von 9 bis 1 Uhr einzuliefern, um hiergegen und gegen Quittung den Nennwerth der Rentenbriefe in Empfang zu nehmen.

Vom 1. April k. J. ab hört die Verzinsung der ausgeloosten Rentenbriefe auf, diese selbst verjähren mit dem Schlusse des Jahres 1899 zum Vortheil der Rentenbank. Die Einlieferung ausgelooster Rentenbriefe an die Rentenbank-Kasse kann auch durch die Post, portofrei, und mit dem Antrage erfolgen, daß der Geldbetrag auf gleichem Wege übermittelt werde. Die Zusendung des Geldes geschieht dann auf Gefahr und Kosten des Empfängers und zwar bei Summen bis zu 400 M. durch Postanweisung. Sofern es sich um Summen über 400 M. handelt, ist einem solchen Antrage eine ordnungsmäßige Quittung beizufügen.

Berlin, den 12. November 1888.

Königl. Direktion
der Rentenbank für die Provinz Brandenburg.

Bekanntmachungen der Königlichen Eisenbahn-Direktion zu Berlin.

Gültigkeitsdauer der Rückfahrkarten in der Weihnachtszeit.

50. Zur Behebung von Zweifeln bringen wir zur Kenntniß, daß auf den Königlich Preußischen Staatseisenbahnen Rückfahrkarten mit zwei- und dreitägiger Gültigkeitsdauer, welche am Tage **vor** dem ersten Weihnachts-Feiertage, desgleichen Rückfahrkarten mit zweitägiger Gültigkeitsdauer, welche **am** ersten Weihnachts-Feiertage gelöst werden, zur Rückfahrt noch am Tage **nach** dem zweiten Feiertage gelten.

Berlin, den 18. Dezember 1888.

Königl. Eisenbahn-Direktion.

Güter-Verkehr mit Bulgarien und der Türkei.

51. Durch die im August d. J. erfolgte Eröffnung der Bulgarischen Staats-Eisenbahn ist eine direkte Eisenbahn-Verbindung mit Bulgarien, Ost-Rumelien und der Türkei hergestellt. Bis zur Einführung direkter Gütertarife für den Verkehr mit den Stationen der genannten Länder erfolgt die Beförderung von Eil- und Frachtgütern von den Stationen der Deutschen Bahnen bis zu den Deutsch-Oesterreichischen Grenzstationen zu den Tarifsätzen der betreffenden Deutschen Verband- und Staatsbahn-Gütertarife, von diesen Grenzstationen bis Belgrad transito auf Grund des seit 1. Februar 1888 giltigen Oesterreichisch-Ungarisch-Serbischen Verband-Tarifs und ab Belgrad auf Grund der Lokaltarife der betreffenden Eisenbahnen. (Die Einführung eines direkten Gütertarifs zwischen Norddeutschen Stationen und Belgrad wird in der nächsten Zeit erfolgen.) Die Sendungen können direkt nach allen für den Güterverkehr eröffneten Eisenbahn-Stationen der Linie Belgrad—Sofia—Philippopel—Konstantinopel mit auch in serbischer Sprache gedruckten Frachtbriefen, welche auf sämmtlichen größeren Deutschen Eisenbahnstationen zu beziehen sind, zur Aufgabe gebracht werden; jedoch ist mit Rücksicht auf die Sprachenverhältnisse bei den Bulgarischen und Türkischen Eisenbahn- und Zollämtern eine Französische Uebersetzung des geschriebenen Textes der Frachtbriefe (Adresse, Waaren-Deklaration, Anführung der Begleit-Dokumente u. s. w.) hinzuzufügen. In den Uebergangsstationen Zaribrod (Serbisch-Bulgarische Grenze) resp. Bellova (Bulgarische Staatsbahn, orientalische Eisenbahnen) werden durch die Eisenbahn-Organe neue Frachtbriefe ausgefertigt, denen das Original beigeschlossen wird. Die Verzollung an den Grenzen wird ebenfalls durch die Bahnverwaltung vermittelt. Auskunft über die Höhe der Frachtsätze auf den Serbisch-Bulgarischen und Türkischen Bahnen wird bis auf Weiteres nur von dem Tarifbureau der Direktion der Königl. Ungarischen Staatsbahnen zu Budapest ertheilt. Berlin, den 19. Dezember 1888.

Königl. Eisenbahn-Direktion.

Nachträge zum Ostdeutsch-Oesterreichisch-Ungarischen Verbandstarif.

52. Am 1. Januar k. J. treten zu dem Ostdeutsch-Oesterreichisch-Ungarischen (früheren Ostdeutsch-Ungarischen) Verbands-Gütertarif Theil II. Heft 1 und 2 die Nachträge III. in Kraft. Dieselben enthalten neben Druckfehler-Berichtigungen die Aenderung des Titels des Verbandes, des Vorwortes, der besonderen Bestimmungen, sowie von Frachtsätzen, die Einbeziehung weiterer Stationen in die Ausnahmetarife und die Einführung von Zuschlags-Tabellen für einzelne Ausnahme-Tarife. Der Nachtrag III. zu Theil II. Heft 1 enthält außerdem neue Ausnahmetarife für Schilfrohr und für Steine und Nachtrag III. zu Theil II. Heft 2 die Einbeziehung des Artikels „Malz" in den Ausnahme-Tarif A. (Getreide). Druckexemplare der Nachträge sind in dem hiesigen Auskunftsbüreau auf dem Stadtbahnhof Alexanderplatz unentgeltlich zu haben.

Berlin, den 21. Dezember 1888.

Königl. Eisenbahn Direktion.

Bekanntmachungen der Königlichen Eisenbahn-Direktion zu Bromberg.

Nachtrag zum Staatsbahn-Gütertarif Bromberg-Breslau.

69. Mit Giltigkeit vom 1. Januar 1889 wird der Nachtrag XIX. zum Staatsbahn-Gütertarif Bromberg-Breslau herausgegeben; derselbe enthält einen Ausnahmetarif 16 für Wegebaumaterialien für den Verkehr zwischen den Stationen des **Eisenbahn-Direktionsbezirks Bromberg,** Grasewo, Lyck und Prostken der **Ostpreußischen Südbahn** einerseits und den Stationen des Eisenbahn-Direktionsbezirks Breslau andererseits.

Druckstücke dieses Nachtrages sind durch Vermittelung unserer Billet-Expeditionen zu beziehen.

Bromberg, den 20. Dezember 1888.

Königl. Eisenbahn-Direktion,

Namens der betheiligten Verwaltungen.

Bekanntmachungen der Königlichen Eisenbahn-Direktion zu Magdeburg.

Lokal-Güter-Verkehr.

9. Am 1. Januar 1889 kommt der Nachtrag 9 zu dem Tarif für den Lokal-Güterverkehr im Bezirk der unterzeichneten Direction zur Einführung. Derselbe enthält Aenderungen und Ergänzungen der speciellen Tarifvorschriften, sowie der Bestimmungen über die Abfertigung von Gütern auf Verbindungsbahnen 2c. und über die Abfertigungsbefugnisse einzelner Stationen; ferner Enfernungen im Verkehr mit der Station Geest-Gottberg, anderweite niedrigere Entfernungen für den Verkehr mit den Berliner Bahnhöfen und Ringbahnstationen sowie verschiedener anderer Stationen, abgeänderte Ausnahmefrachtsätze für Braunkohlen und Braunkohlen-Darrsteine von Helmstedt, Völpke und Offleben nach den Berliner Bahnhöfen und Ringbahnstationen, neue Ausnahmefrachtsätze für gebrannte Steine und Pflastersteine von mehreren diesseitigen Stationen nach den Berliner Bahnhöfen und Ringbahnstationen, sowie einen allgemeinen Ausnahmetarif für Wegebaumaterialien zur Herstellung und Unterhaltung der dem öffentlichen Verkehr dienenden ungepflasterten Wege und Straßen. Exemplare des Tarifnachtrages sind vom 25. d. Mts. ab bei den diesseitigen Güter-Expeditionen zum Preise von 30 Pf. zu beziehen.

Magdeburg, den 12. Dezember 1888.

Königl. Eisenbahn-Direction.

Bekanntmachungen der Kreis-Ausschüsse.

Communal-Bezirksveränderung.

32. Durch Beschluß des Kreis-Ausschusses des Kreises Ost-Prignitz vom 13. November d. J. ist die zwischen den Feldmarken Neuendorf bei Neustadt a. D., Lohm, Schönermark, Holzhausen und Zernitz belegene Kolonie Krüllenkempe mit einem Flächen-Inhalt von 52,6460 ha mit dem Communal-Bezirk der Gemeinde Lohm vereinigt worden.

Kyritz, den 10. Dezember 1888.

Der Vorsitzende des Kreis-Ausschusses,
Landrath Graf von Bernstorff.

Bekanntmachungen anderer Behörden.

Kommunalabgabepflichtiges Reineinkommen der Dahme-Uckroer Eisenbahn.

In Gemäßheit des § 4 des Gesetzes vom 27. Juli 1885, betreffend Ergänzung und Abänderung einiger Bestimmungen über Erhebung der auf das Einkommen gelegten direkten Kommunalabgaben (Gesetz-Sammlung S. 327), wird hiermit zur öffentlichen Kenntniß gebracht, daß das im laufenden Steuerjahre kommunalabgabepflichtige Reineinkommen aus dem Betriebsjahre 1887/88 bei der Dahme-Uckroer Eisenbahn auf 21000 Mark festgestellt worden ist.

Berlin, den 14. Dezember 1888.

Königl. Eisenbahn-Commissariat.

Polizei-Verordnung.

Auf Grund der §§ 5 und 6 des Gesetzes über die Polizei-Verwaltung vom 11. März 1850 (G.-S. S. 265), sowie der §§ 143 und 144 des Ges. über die allgemeine Landesverwaltung vom 30. Juli 1883 G.-S. S. 232 und auf Grund der §§ 37 und 76 der Gewerbe-Ordnung für den Norddeutschen Bund (Bundesgesetz-Blatt S. 245) verordnet die Königliche Polizei-Direktion in Uebereinstimmung mit dem Magistrat für den Polizei-Bezirk von Charlottenburg was folgt:

Der § 41 des Polizei-Reglements, betreffend den Betrieb des Droschken-Fuhrgewerbes in Charlottenburg vom 20. Januar 1885 (Amtsblatt 1885 S. 244 und folgende) erhält nach dem 3. Absatz B. folgenden Zusatz:

Für Fahrten vom Bahnhof Zoologischer Garten nach Berlin gilt folgender Tarif:

Für die Dauer der Benutzung	Droschke für Personen 1 bis 2. Mk.	3 bis 4. Mk.
bis 15 Minuten einschließlich . . .	0,60,	1,00,
„ 30 „ „ . . .	1,00,	1,50,
für jede ferneren angefangenen 15 Minuten ein Zuschlag von . . .	0,50,	0,50.

Charlottenburg, den 17. Dezember 1888.

Königl. Polizei-Direktion.

Personal-Chronik.

Der Kreis-Deputirte Rittmeister a. D. und Rittergutsbesitzer Frhr. von dem Knesebeck-Mylendonck auf Karwe ist mittelst Allerhöchster Bestallung vom 26. November d. J. zum Landrath ernannt und hat die Geschäfte des Landrath-Amts Ruppin am 19. Dezember d. J. definitiv übertragen erhalten.

Des Kaisers und Königs Majestät haben dem Rentmeister Bollmann zu Neu-Ruppin bei seinem Ausscheiden aus dem Staatsdienste am 1. Januar 1889 den Königlichen Kronenorden vierter Klasse zu verleihen geruht.

Die durch Pensionirung ihres jetzigen Inhabers zum 1. Januar 1889 zur Erledigung kommende Stelle als Königlicher Rentmeister in Neu-Ruppin ist dem Rentmeister Dannenberg verliehen worden.

Die Verwaltung der durch Versetzung des Rentmeisters Dannenberg zum 1. Januar 1889 zur Erledigung kommenden Stelle als Königlicher Rentmeister in Templin ist dem Regierungs-Sekretariats-Assistenten Hensel übertragen worden.

Dem Stations-Einnehmer Eugen Sekt in Berlin ist vom 1. Januar 1889 die Leitung der Billet-Expedition Berlin (Potsdamer Bahnhof) übertragen worden.

Der Oberpfarrer August Emil Bernhard Schmidt in Neu-Ruppin ist zum Superintendenten der Diözse Neu-Ruppin ernannt worden.

Die Schulamtskandidaten Max Görlitzer und Carl Jordan sind an der Luisenschule und der Schulamtskandidat Wilhelm Schrentzel an der Viktoriaschule in Berlin als ordentliche Lehrer angestellt worden.

Vermischte Nachrichten.

Führung der Handels- rc Register.

Diejenigen Geschäfte, welche die Führung des Handels-, Genossenschafts-, Zeichen- und Muster-Registers betreffen, werden im Jahre 1889 von dem Amtsgerichtsrath Mila bearbeitet werden, und zwar die Handels- und Genossenschafts-Register-Sachen unter Mitwirkung des Amtsgerichtssekretairs Fanner, die Zeichen- und Muster-Register-Sachen unter Mitwirkung des Kanzlei-Direktors Pfauth.

Die Bekanntmachungen in Handels- und Genossenschafts-Register-Sachen erfolgen durch den Deutschen Reichs- und Königlich Preußischen Staats-Anzeiger, die Berliner Börsenzeitung, die Vossische Zeitung und die National-Zeitung, diejenigen Eintragungen aber, welche Actien-Gesellschaften und Kommandit-Gesellschaften auf Actien betreffen, außerdem durch die Bank- und Handels-Zeitung, dagegen die Bekanntmachungen in Zeichen- und Muster-Register-Sachen nur durch den Deutschen Reichs- und Königlich Preußischen-Staats-Anzeiger. Die Geschäftsräume befinden sich in der Neuen Friedrichstraße Nr. 13, woselbst Anmeldungen zum Handels- und Genossenschafts-Register im Zimmer № 69, Anmeldungen zum Zeichen- und Muster-Register im Zimmer № 135 entgegengenommen werden.

Berlin, den 6. Dezember 1888.

Königl. Amtsgericht I. Abtheilung 56.

Die Handels-, Genossenschafts- und Muster-Register-Sachen werden für die Amtsgerichtsbezirke Lychen, Templin und Zehdenick im Jahre 1889, wie bisher, bei dem Amtsgericht in Templin bearbeitet, und die

Eintragungen im Deutschen Reichs- und Königlich Preußischen Staats-Anzeiger, in der Berliner Börsenzeitung und im Amtsblatte der Königlichen Regierung zu Potsdam bekannt gemacht werden.

Templin, den 15. Dezember 1888.

Königl. Amtsgericht.

Die Eintragungen in das hiesige Handels-, Genossenschafts- und Muster-Register werden im Jahre 1889 durch 1) den Deutschen Reichs- und Preußischen Staats-Anzeiger, 2) das Regierungs-Amtsblatt, 3) das Kreisblatt für die Ostprignitz, 4) die Berliner Börsenzeitung bekannt gemacht werden.

Meyenburg i. Prignitz, den 15. Dezember 1888.

Königl. Amtsgericht.

Mit der Führung des Handelsregisters einschließlich des Zeichen- und Muster-Registers, sowie des Genossenschafts-Registers bei dem Königlichen Amtsgericht zu Brandenburg a. H. ist der Amtsgerichtsrath Rabert z. Zt. vertreten durch den Gerichtsassessor Langerhans unter Mitwirkung des Amtsgerichts-Sekretairs Pinczakowski für das Geschäftsjahr 1889 beauftragt und findet bei dem unterzeichneten Gericht die Aufnahme der bezüglichen An- und Abmeldungen an jedem Donnerstag und Sonnabend Vormittag von 11 bis 12 Uhr statt. Die öffentlichen Bekanntmachungen der bewirkten Eintragungen erfolgen für das Zeichen- und Muster-Register nur durch den Deutschen Reichs- und Preußischen Staats-Anzeiger, für das Handels- und Genossenschafts-Register außerdem auch noch durch die Berliner Börsen-Zeitung, den Brandenburger Anzeiger und das Kurmärkische Wochenblatt.

Brandenburg a. H., den 9. Dezember 1888.

Königl. Amtsgericht.

Durch Verfügung des Herrn Justizministers vom 15. Oktober 1888 ist die Führung der Handels-, Genossenschafts- und Muster-Register für den Bezirk des Königlichen Amtsgerichts zu Oderberg diesem Amtsgerichte vom 1. Januar 1889 an übertragen worden und sind daher von dem erwähnten Zeitpunkte an alle Anmeldungen zu den gedachten Registern, soweit sich dieselben auf den Bezirk des Amtsgerichts Oderberg i. M. beziehen, an das Königliche Amtsgericht dortselbst zu richten.

Der Bezirk des Amtsgerichts Oderberg i. M. umfaßt folgende Ortschaften: 1) Blockhaus, 2) Breitefenn Forsthaus, 3) Breitelege, 4) Bismarkmühle, 5) Chorin Amt, 6) Chorin Bahnhof, 7) Friedrich Wilhelms-Mühle, 8) Grenzhaus Forsthaus, 9) Hohensaathen Dorf, 10) Hohensaathen Schleuse, 11) Kahlenberg Forsthaus, 12) Kalkofen, 13) Liepe Dorf, 14) Lieper Schleuse, 15) Liepe Forsthaus, 16) Lunow Dorf, 17) Maienpfuhl Forsthaus, 18) Mönchsbrück, 19) Niederfinow, 20) Neuehütte Dorf, 21) Nettelgraben, 22) Neuendorf Amt, 23) Neuen-Zoll, 24) Paarsteinwerder, 25) Ragosermühle, 26) Stecherschleuse, 27) Senftenthal Forsthaus, 28) Sandkrug, 29) Steinberg Vorwerk, 30) Theerofen, 31) Weitlage Dorf, 32) Wupla Dammwärterhaus.

Angermünde, den 14. Dezember 1888.

Königl. Amtsgericht.

Nachdem die Führung des Handels-, Genossenschafts- und Musterregisters uns vom 1. Januar 1889 ab übertragen worden ist, werden die betreffenden Geschäfte im Jahre 1889 durch den Amtsrichter Riemir unter Mitwirkung des Secretairs Bode bearbeitet werden. Die Veröffentlichung der Eintragungen in die Register erfolgt durch den Deutschen Reichs- und Preußischen Staatsanzeiger, das Amtsblatt der Königlichen Regierung zu Potsdam, die Oderberger Zeitung und die Berliner Börsenzeitung.

Oderberg i. M., den 27. November 1888.

Königl. Amtsgericht.

Hierzu Drei Oeffentliche Anzeiger.

Das Sach- und Namenregister für 1888 erscheint bereits in der ersten Hälfte des Januar k. J. und werden die Abonnenten ersucht, dasselbe möglichst bald bei den Postanstalten zu bestellen (Preis 38 Pfg.).

(Die Insertionsgebühren betragen für eine einspaltige Druckzeile 20 Pf. Belagsblätter werden der Bogen mit 10 Pf. berechnet.)

Redigirt von der Königlichen Regierung zu Potsdam.

Potsdam, Buchdruckerei der A. W. Hayn'schen Erben (C. Hayn, Hof-Buchdrucker).

Alphabetisches

Sach- und Namen-Register

zum Jahrgange 1888

des Amtsblatts

der Königlichen Regierung zu Potsdam und der Stadt Berlin.

Die bei den Verordnungen und Bekanntmachungen im Sach-Register und bei den Namen im Namen-Register befindlichen Nummern bilden die Seitenzahl, und die mit einem * bezeichneten Bekanntmachungen sind im Oeffentlichen Anzeiger enthalten.

Sach-Register.

C.

D.

F.

G.

H.

J.

K.

L.

M.

N.

O.

P.

a) Allgemeines.

b) Brief-Bestellung.

c) Postämter ꝛc., Telegraphen-Anstalten.

R.

S.

W.

Z.

Namen-Register.

Erklärung der im Register vorkommenden Abkürzungen.

Amtsanw. Amtsanwalt; **Amtsvorst.** Amtsvorsteher; **Assess.** Assessor; **Assist.** Assistent; **Bergw.** Bergwerk; **Betr.-Secret.** Betriebs-Secretair; **Bür.** Büreau; **Bürgermstr.** Bürgermeister; **Civ.** Civil; **Control.** Controleur; **Direct.** Director; **Eisenb.** Eisenbahn; **Execut.** Executor; **Garn.-Verw.** Garnison-Verwaltung; **Geh.** Geheimer u am Schlusse Gehülfe; **Ger.** Gerichts; **Ger.-Vollz.** Gerichts-Vollzieher; **Ger.-Vollz.-Geh.** Gerichts-Vollzieher-Gehülfe; **Gymnas.** Gymnasial; **Inspect.** Inspector; **Intend.** Intendantur; **interim.** interimistisch; **Kalkul.** Kalkulator; **Kl.** Klasse; **Kommiss.** Kommissarius; **Landger.** Landgerichts; **Mil.** Militair; **Mstr.** Meister; **Oberforstmstr.** Oberforstmeister; **ord.** ordentlicher; **Präs.** Präsident; **Prof.** Professor; **Prov.** Proviant; **R.** Rath; **Rechn.-Revis.** Rechnungs-Revisor; **Rechtsanw.** Rechtsanwalt; **Ref.** Referendar; **Reg.** Regierung; **Rend.** Rendant; **Secret.** Secretair; **Sem.** Seminar; **Stellv.** Stellvertreter; **Strafanst.-Auff.** Strafanstalts-Aufseher; **Superint.** Superintendent; **Supern.** Supernumerar; **Telegr.** Telegraphen; **Vollz.-Beamt.** Vollziehungs-Beamter; **Verw.** Verwalter; **Vorst.** Vorsteher.

Abel, Dr., Ger.-Assess. 474.
Abresch, Ger.-Ref. 251.
Adams, Post-Assist. 399.
Adelßen, Ger.-Ref. 391.
Aich, Post-Assist. 201.
Aich, Telegr.-Assist. 361.
v. Albedyhll, Telegr.-Amts-Kassirer 19.
Albert, Gemeindeschul-Lehrerin 103.
Albert, Ger.-Assess. 250.
Albrecht, Ober-Post-Assist. 435.
Albrecht, Gemeindeschul-Lehrerin 452.
Alex, Post-Bür.-Assist. 201.
Alexander, Ger.-Ref. 391.
Alexander-Katz, Dr., Notar 91.
Alexander-Katz, Dr., Justiz-R. 162.
Alt, Buchhalter. 286.
Altmann, Telegr.-Assist. 91.
Altmann, Ger.-Schreiber-Geh. 92.
Altmann, Ger.-Assess. 162.
Altmann, Post-Secret. 202.
Altmann, Ger.-Ref. 391.
Andrée, Gemeindeschul-Lehrer 118.
Angern, Ger.-Assess. 162
Anton, Dr., Ger.-Ref. 162.
Apponius, Amtsvorst. 285.
Arends, Post-Secret. 201.
Arnheim, Ger.-Assess. 391.
v. Arnim, Amtsvorst.-Stellv. 346.
v. Arnim, Adjutant 446.
Arnold, Ger.-Ref. 162.
Arnold, stellv. Handelsrichter 250.
Baron v. Ascheberg, Ger.-Assess. 91.
Aschrott, Dr. jur. und phil., Amtsrichter 458.
Auerbach, Gemeindeschul-Lehrerin 366.

Baack, Hauslehrer 182.
Baake, Post-Assist. 361.
Bach, Ger.-Assess. 91.
Bachmann, Dr., Prof. 109.
Badstübner, Dr., Ger.-Ref. 162.
Baeck, Ger.-Schreiber 7.
Bähr, Reg.-Bauführer 161.
Baerbaum, Post-Inspect. 362.
Baethcke, Ger.-Ref. 91.
Bahnemann, Brückenwärter 286.
Balan, Konsistorial-R. 346.
Balkan, Gemeindeschul-Lehrer 36.
Balke, Ger.-Schreiber-Geh. 92.
Balla, Ger.-Schreiber-Geh. 251.
Ballien, Ger.-Ref. 458.
Balzer, Gemeindeschul-Lehrer 118.
Bamberger, Amtsrichter 391.
Banditt, Gemeindeschul-Rector 148.
Bando, Forstmstr. 412.
Bandow, Ger.-Schreiber-Geh. 251.
Barchewitz, Amtsrichter 250.
Barderow, Kreisboniteur 23.
Baron, Reg.-Secret. 286.
Bartels, Ober-Post-Assist. 201.
Bartels, Amtsvorst 271.
Barth, Gemeindeschul-Lehrer 18.
Barthélemy, Prediger 52.
Bartsch, Telegr.-Assist. 138.
Baswitz, stellv. Handelsrichter 457.
Baucke, Ger.-Ref. 458.
Bauer, Ger.-Assess. 458.
Bayer, Ger.-Ref. 392.
de Beaulieu II., Chales, Ger.-Assess. 458.
Bebernitz, ord. Lehrer. 201.
Beccard II., Gemeindeschul-Lehrer 346.
Bechly, Ger.-Ref. 91.
Becker, Ger.-Ref 91.
Becker, Gemeindeschul-Lehrer 346.
Beelitz, Rechtsanw. 162.
Beelitz, Rechtsanw. 458.
Beer, Secret.-Assist. 137.
Beer, Dr., Ger.-Ref. 392.
Behne, Ger.-Schreiber 162.
v. Behr, Ger.-Ref. 474.
Behrendt, Kammer-Ger.-Kanzlist 92.
Behrens, stellv. Handelsrichter 457.
Behse, Post-Assist. 361.
Beister, Civ.-Supern. 286.
Bellack, Gemeindeschul-Lehrerin 452.
Belling, Schleusen-Geh. 24.
v. Below, Ger.-Ref. 474.
Benke, Postmstr. 19.
Benn, Ger.-Schreiber 251.
Bense, Rechtsanw. 91.
v. Bentivegni, Ger.-Ref. 7.
Berg, Rechtsanw. 7.
Bergemann, Post-Secret. 201.
Bergemann, Ger.-Vollz. 392.
v. Bergen, Ger.-Ref. 474.
Berger, Ger.-Schreiber 92.
Berger, Telegr.-Assist. 138.
Bergmann, Schleusen-Geh. 24.
Bergmann, Ger.-Ref. 474.
Berkenbusch, Post-Secret. 19.
Berlin, Amtsvorst. 390.
Berlinicke, Amtsvorst.-Stellv. 148.
Bernard, Gemeindeschul-Lehrerin 209.
Bernau, Reg.-Civ.-Supern. 124.
Berner, Reg.-Bauführer 379.
Bernhardt, stellv. Handelsrichter 457.
Bernstein, Rechtsanw. u. Notar 250.
Graf v. Bernstorff, Land-R. 201.
v. Bernstorff, Erster Staatsanw. 250.
Bertram, Telegr.-Assist. 138.
Betcke, Ger.-Assess. 474.
Bethge, Dr., ord. Lehrer 250.
v. Beughem, Stations-Vorst. II. Kl. 342.
Beyer, Ober-Post-Assist. 201.
Beyer, Gemeindeschul-Lehrerin 209.
Beyer, Post-Secret. 399.
Beyersdorff, Telegr.-Secret. 201.
Biber, Dr., Rechtsanw. 458.
Bieber, Dr., Ger.-Assess. 391.
Biefel, Ger.-Assess. 91.
Bielitz, technischer Lehrer 342.
Bierbach, Reg.-R. 137.
Bierbach, Reg.-R. 399.
Biermann, Ger.-Assess. 458.
Bieske, Kammer-Ger.-Kanzlist 392.
Binder, Post-Assist. 201.
Bindseil, Post-Assist. 138.
Birr, Gemeindeschul-Lehrer 18.
Blau, Ger.-Assess. 458.
Blaurock, Bau-R. 435.
Blücher, Ger.-Ref. 92.
Blümke, Ober-Post-Secret. 468.
Blumenthal, Notar 391.
Boas, stellv. Handelsrichter 458.
Bochdanetzky, Rechtsanw. 162.
Boche, Ger.-Schreiber-Geh 474.
v. Bock, Amtsvorst.-Stellv. 230.
Bock, Post-Assist. 286.
Bocksch, Ober-Post-Assist. 201.
Böger, Post-Secret. 361.
Boeger, Handelsrichter 457.

Potsdam, gedruckt in der Buchdruckerei von A. W. Hayn's Erben (C. Hayn, Hof-Buchdrucker).

Lightning Source UK Ltd.
Milton Keynes UK
UKHW010908021118
331648UK00006B/172/P

9 780428 958794